생강: 발한해표, 온중, 지토, 거담의 효능이 있으므로 풍한감모, 구토, 담음, 천해, 설사, 복통을 치료한다.

동충하초: 보폐기, 실주리, 보신익정의 효능이 있으므로 폐허해천, 노수담혈, 자한, 도한, 신휴양위, 유정, 요슬산통을 치료한다.

생지황: 청열양혈, 생진윤조의 효능이 있으므로 급성 열병, 고열신혼, 반진, 진상번갈, 육혈, 붕루, 변혈, 구설생창, 인후종통, 노열해수를 치료한다.

방해석: 탄산염 광물의 일종으로 탄산칼슘의 가장 안정적인 광물이다. 청열사화, 해독의 효능이 있으므로 흉중번갈, 구갈, 황달을 치료한다.

구기자: 양간자신, 윤폐의 효능이 있으므로 간신휴허, 두훈목현, 목시불청, 요슬산연, 양위유정, 허로해수, 소갈인음을 치료한다.

백세시대 건강 지침서

천연약물도감 II

충남대학교 약학대학 명예교수 약학박사 **배기환**

파극천: 보신조양, 강근장골, 거풍제습의 효능이 있으므로 신허양위, 유정조설, 소복냉통, 소변불금, 궁냉불임, 풍한습비, 요슬산연, 풍습각기를 치료한다.

미역: 갑상선 기능 항진 증상에 효능이 있으며, 이뇨 작용과 온몸이 붓는 증상, 변비에 탁월한 효과가 있다. 림프절염, 고혈압, 동맥경화 등에 널리 사용한다.

꿀: 조보비위, 완급지통, 윤폐지해, 윤장통변, 윤부생기, 해독의 효능이 있으므로 완복허통, 폐조해수, 목적, 구창, 궤양불렴, 풍진소양을 치료한다.

녹용: 장신양, 익정혈, 강근골, 탁창독의 효능이 있으므로 신양허쇠, 양위활정, 궁냉불임, 허로영수, 신피외한, 현훈, 이명이롱, 요배산통, 붕루대하를 치료한다.

영지: 익기혈, 안심신, 건비위의 효능이 있으므로 허로, 심계, 불면증, 두훈, 신피핍력, 구해기천, 관심병, 종류를 치료하고, 항암 작용이 보고되었다.

상황: 지혈, 활혈, 화음, 지사의 효능이 있으므로 혈붕, 혈림, 탈항사혈, 대하, 경폐, 징가적취, 벽음, 비허설사를 치료한다.

잉어: 건비화위, 이수하기, 통유, 안태의 효능이 있으므로 위통, 수습종만, 소변불리, 각기, 황달, 해수기역, 태동불안, 임신수종, 산후유즙희소를 치료한다.

(주)교학사

백세시대 건강 지침서

천연약물도감

충남대학교 약학대학 명예교수 약학박사 **배기환**

Ⅱ

책을 펴내며

사람들은 누구나 건강하게 살아가기를 원한다. 그러나 나이가 들수록 고혈압, 당뇨, 심장병, 고지혈증 등 성인병과 요통, 관절염과 같은 퇴행성 만성 질환, 각종 암 등의 질병에 시달리게 된다. 흔히 건강을 잃으면 모든 것을 잃는다고 말한다. 건강한 몸을 유지하기 위해서는 적당히 운동하고 과음, 과식 및 지나친 욕심을 버리는 것이 중요하다. 자신의 건강을 스스로 지키고 성인병을 치료하기 위해서는 서양의학의 치료법과 함께 천연약물(민간약이나 한방)을 이용하는 것도 중요하다. 필자는 독자들이 천연약물에 쉽게 접근하고 이용할 수 있어 건강한 생활을 영위하기를 바라고 또한 새로운 의약품 창출에 도움을 주고자 「천연약물도감」을 출간하게 되었다.

필자는 민간요법이나 한방으로 만성병을 치료하는 천연약물에 관심을 가지고 국내의 산야는 물론 중국을 비롯하여 일본, 인도, 스리랑카, 인도네시아, 타이완, 말레이시아, 타이, 홍콩, 싱가포르, 방글라데시, 네팔, 파키스탄, 베트남, 캄보디아, 필리핀, 터키, 그리스, 독일, 벨기에, 오스트리아, 이탈리아, 네덜란드, 러시아, 폴란드, 체코, 슬로바키아, 영국, 프랑스, 스위스, 스웨덴, 핀란드, 노르웨이, 멕시코, 쿠바, 페루, 브라질, 아르헨티나, 파라과이, 칠레, 오스트레일리아, 뉴질랜드, 미국, 캐나다 등 여러 나라에서 천연약물의 분포, 재배, 유통 등의 현장을 조사하고 약초원들을 견학하면서 견문을 넓혔다. 그리고 국내외 약재 시장을 비롯하여 日本 富山大學 民族藥物資料館, 中國 上海中醫藥大 天然藥材博物館, 成都中醫藥大 資料館, 국내 식품의약품안전처 국가생약자원관리센터(옥천) 등에서 약재 사진을 촬영하고, 이들을 기초로 민간요법과 한방에 사용되는 천연약물, 천연약물로부터 개발된 의약품과 기능성 식품의 기원, 성분, 약리, 사용법 등을 정리하였다.

천연약물과 관련하여 가장 오래된 기록물은 기원전 3~4세기에 수메르 인들이 기록한 것으로 추정되는 점토판(Clay Tablet)이다. 그리고 고대 이집트의 유명한 의학 문서의 하나인 Ebers Papyrus는 탐험가 Georg Ebers가 1862년 이집트의 무덤에서 발견한 것으로, 현재 라이프치히 대학에 보존되어 있다. 상형문자로 된 이 기록물에는 처방 811종, 약품 700여 종이 수록되어 있으며, 그중 계피(桂皮), 석류피(石榴皮), 박하(薄荷), 노회(蘆薈), 아편(阿片) 등은 오늘날에도 사용하고 있다. 로마 시대의 약학자 Dioscorides가 지중해의 여러 나라를 돌아보고 저술한 「약물지 De Materia Medica(A.D. 77~78)」는 16세기까지 약물학의 성서였으며, 이 책은 약초의 기본서로, 오늘날까지 존속되고 있다.

동양의 천연약물은 중국이 중심이다. 중국 최초의 천연약물에 관한 저서로는 화타(華陀)가 저술했을 것으로 생각되는 「신농본초경(神農本草經)」으로, 365종의 천연약물(상약 120종, 중약 120종, 하약 125종)이 수록되어 있다. 도홍경(陶弘景)의 「신농본초경집주(神農本草經集注)」에는 730종, 송대의 「증류본초(證類本草)」에는 1558종, 명대 이시진(李時珍, 1518~1593)의 「명의별록(名醫別錄)」에는 1894종이 열거되어 있다. 약물 요법에 관한 저서로는 「상한론(傷寒論)」, 「금궤요략(金匱要略)」 등이, 물리 요법에 관한 저서로는 「황제내경(黃帝內經)」이 있다. 인도는 중국의 전통의약보다 더 오래된 아유르베다(Ayurveda) 요법이 있으며, 아유르베다 의약은 인도를 비롯한 스리랑카, 방글라데시 등에서 질병 치료에 이용되고 있다.

우리나라 천연약물의 역사도 유구하다. 삼국 시대의 「백제신집방(百濟新集方)」, 「신라법사방(新羅法師方)」 등을 비롯하여 고려 시대는 송나라의 「태평성혜방(太平聖惠方)」을 이용하였고, 조선 시대에는 「향약집성방(鄕藥集成方)」, 「동의보감(東醫寶鑑)」, 「제중신편(濟衆新編)」 등이 발간되어 국민 보건 향상에 이바지하였다.

천연약물은 동식물 등의 생물을 직접 이용하거나 생물의 세포 또는 조직 배양을 통하여 나온 산물 등 약효 성분을 이용하여 개발한 의약품이다. 천연약물은 복합적인 성분과 약효를 가졌으므로 만성 질환이나 퇴행성 질환에는 단일 성분의 의약품보다는 효과적일 수도 있다. 국내 최초의 천연약물 신약은 2001년에 출시된 관절염 치료제인 '조인스'로서 위령선(威靈仙), 괄루근(栝樓根)을 원료로 하였으며, 위염 치료제인 '스티렌'은 쑥(艾葉)을, 퇴행성척추염, 관절염, 디스크 등 골관절 치료제인 '신바로'는 자오가(刺五加), 방풍(防風), 두충(杜沖), 구척(狗脊), 흑두(黑豆), 우슬(牛膝)을 원료로 하였다. 이어서 치매, 천식, 위염, 위장 질환 치료제, 기억력 개선제, 혈액순환 개선제 등의 천연약물 신약이 임상시험을 거쳐서 출시될 예정이며, 이와 같이 식품의약품안전청에서 임상시험 계획을 승인받은 천연약물 신약은 앞으로 더욱 증가할 것으로 예상된다. 한편, 최근에는 건강기능식품이 건강 보조 또는 치료 개념으로 질병의 예방 또는 진행을 막아 줌으로써 건강을 증진시키는 데 기여하고 있다.

이 분야에 들어오기까지 한약방을 하시며 어릴 때부터 필자에게 한약을 가르쳐 주신 가친(裵必天, 故)께 감사드린다. 또 학문의 길로 인도해 주신 진갑덕(故) 박사(영남대학교 약학대학 명예교수), 천연약물 자원에 대해 지도해 주신 難波恒雄(故) 교수(日本 富山大學)께 감사드린다. 유학 시절 약초 공부를 함께 하였고 많은 사진을 제공해 주신 雅影御幸 박사(日本 北澤大學 藥學部 명예교수), 小松かつ子 박사(日本 富山大學 和漢藥研究所 교수), 식물 사진을 제공해 주신 이영로(故) 박사(전 이화여대 명예교수), 잘못된 것을 지적해 주시고 약재 사진을 아낌없이 제공해 주신 육창수 박사(경희대학교 약학대학 명예교수)께 감사드린다. '장군풀' 사진을 보내 주신 日本 富山大學 藥草園의 藤本廣春 씨, 본초에 관련된 가르침과 귀중한 사진을 보내 주신 주영승 박사(우석대학교 한의과대학 교수), 정교한 사진들을 보내 주신 황영목 변호사(전 대구고등법원장), 사진을 제공해 주신 이형규 박사(한국생명공학연구원), 이상우 박사(한국생명공학연구원), 박종철 박사(순천대학교 한약자원학과 교수), 권용수 박사(강원대학교 약학대학 교수), 김대근 박사(우석대학교 약학대학 교수), Phuong Tien Thuong 박사(하노이대학교 약학대학), 屠鵬飛 박사(中國 北京大學 교수), 극지연구소의 윤의중 박사, 희귀한 사진을 보내 주신 신전휘 박사(대구 백초당한약방), 버섯 사진을 공여해 주신 박완희 박사(서울산업대 명예교수), 图力古尔 박사(中國 吉林農業大學 교수), 그리고 버섯 사진을 감정해 주신 석순자 박사(전 농업진흥청)께 감사드린다. 또 어류 사진을 제공해 주신 최윤 박사(군산대학교), 야생동물 사진을 제공해 주신 한상훈 박사(국립생물자원관), 바다동물 사진을 제공해 주신 손민호 박사(해양생태기술연구소 대표), 광물을 동정해 주신 이현구 박사(충남대학교 명예교수), 식물들을 관찰할 수 있도록 도와주신 한택식물원 이택주 원장, 고운식물원 이주호 원장께 감사드린다. 해조류 도감과 문헌을 제공해 주신 부성민 박사(충남대학교 명예교수), 베트남과 캄보디아 식물 도감을 보내 주신 이중구 박사(충남대학교 농업생명과학대 교수), 한약재 도감과 문헌을 제공해 주신 최고야 박사(한국한의학연구원), 또 필자의 연구실에서 박사학위를 취득하고 천연약물 연구에 몰두하고 있는 31명의 제자들에게도 감사드린다.

끝으로 좋은 책 만들기에 전념하시고 어려운 여건임에도 불구하고 이 책이 나오도록 배려해 주신 양철우 회장님과 양진오 사장님께 깊이 감사드리며 처음부터 끝까지 정성을 아끼지 않으신 편집부 여러분에게도 감사드린다.

2019년 5월 저자

일러두기

- 이 책에는 우리나라를 중심으로 중국, 인도, 일본, 유럽, 북남미의 전통적인 천연약물 가운데 식물, 조류, 지의류, 선태식물, 버섯, 동물, 광물 중에서 총 3,100여 종을 선별하여 각 종의 해설과 사진 및 약재 사진을 실었다.

- 이 책의 순서는 약용 식물, 약용 조류·지의류·선태식물, 약용 버섯, 약용 동물, 약용 광물의 순으로 하였으며, 각 천연약물은 특성을 쉽게 이해할 수 있도록 과(科, family)별로 정리하였다.

- 천연약물의 해설은 형태, 분포·생육지(생태), 약용 부위·수치, 약물명, 본초서의 기재 사항, 성상, 기미·귀경, 약효, 성분, 약리, 사용법, 주의사항, 참고, 처방 등으로 나누어 정리하였다. 또 천연약물에서 유래한 의약품, 건강 기능 식품을 수재하여 약물에 대한 이해를 높였다.

- 약용 부위·수치는 약용으로 이용되는 부위와 이것을 손질하여 사용하는 방법을 간단히 기록하였다.

- 약물명은 중국에서 사용하는 표준명 외 이명을 기재하고, 유럽, 인도, 북남미, 오스트레일리아 등에서 사용하는 것은 라틴 생약명 또는 일반명을 적었다. 또 대한민국약전(KP)과 대한민국약전외한약(생약)규격집(KHP)에 수재된 것도 기재하여 독자의 편의를 제공하였다.

- 본초서에는 「신농본초경(神農本草經)」으로부터 「본초강목(本草綱目)」에 이르는 내용을 간단히 정리하여 약물의 역사를 이해하도록 하였다.

- 약효는 「중화본초(中華本草)」에 기록된 것을 중심으로 열거하고 최근에 발표된 연구 결과를 보충하였으며, 「동의보감(東醫寶鑑)」〈탕액편(湯液篇)〉에 등재되어 있는 한약재 약효를 중심으로 정리하고, 중국 본초서의 내용과 비교 설명하였다.

- 성분은 「중화본초(中華本草)」 및 최근에 연구 발표된 주성분을 위주로 정리하였고, 약리도 「중화본초(中華本草)」 및 최근에 발표된 연구 내용을 요약하여 정리하였다.

- 사용법은 「중화본초(中華本草)」 내용을 참고하여 정리하였으며, 1회 용량을 제시하였다.

- 각 천연약물에는 약물의 약효·증상을 한눈에 알아볼 수 있도록 기호로 표시하였으며, 약물 채취 시기, 약용 부위 및 유독성도 기호로 나타내고 해당 부분을 색으로 표시하였다.

- '질환별 약물명'은 각 질환에 약효가 있는 천연약물 가운데 대표적인 것을 골라 제시하였다.

- 부록에는 약용 식물의 채취와 보관 방법, 약 달이기와 복용법, 질환별 용어 해설, 식물 용어 도해, 천연약물명 찾아보기, 학명 찾아보기, 사진 자료, 참고 문헌 등을 실었다.

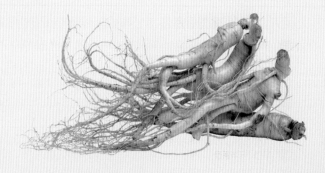

이 책을 보는 방법

❶ 분류 설명
❷ 과명
❸ 천연약물명
❹ 학명, 영명, 한자명, 별명
❺ 약물 채취 시기 표시
❻ 약효 표시
❼ 약용 부위·유독 기호
❽ 천연약물 해설
❾ 천연약물 및 약재 사진
❿ 부분 확대 사진
⓫ 사진 설명
⓬ 쪽번호
⓭ 분류별 색

약용 부위 및 분류 표시

- 지상부, 싹
- 잎
- 줄기, 잎줄기, 잎자루, 덩굴, 줄기껍질, 꼭지, 가시
- 원줄기, 나무껍질, 심재
- 뿌리, 뿌리줄기, 비늘줄기, 덩이줄기, 덩이뿌리, 뿌리껍질
- 꽃, 꽃줄기, 꽃가루, 꽃봉오리
- 열매, 열매껍질, 깍지, 꼬투리
- 종자, 포자
- 전초, 몸체, 식물체, 지의체, 엽상체
- 기름, 수액, 수지, 유액, 삼출물
- 자실체, 균핵, 균류
- 해조류

- 포유류
- 조류
- 파충류
- 양서류
- 환형동물
- 해면·강장동물
- 태형·극피동물
- 어류
- 연체동물
- 절지동물
- 광물

약효 · 증상표

관절·근육	각기, 경련, 골수염, 골절, 구련동통, 구련마목, 근골동통, 근맥구련, 무릎통증, 반신불수, 비증, 비통, 사지마비, 사지산통, 소아경련, 수근경직, 수족마목, 신권욕면, 신경통, 신허요통, 열비종통, 요산배통, 요슬산통, 요통, 요퇴통, 중풍반신불수, 지절구련, 지체마목, 통풍, 풍비, 풍비지절통, 풍습동통, 풍습비통, 풍습성관절통, 풍습열비, 풍한습비, 하지경련, 하지위연, 학슬풍
눈·코·귀·입·목	간열목적, 갑상샘암, 구강염, 구갈, 구창, 누루, 다루, 두훈목현, 목생운예, 목적예약, 목적종통, 목현, 번갈, 비강염, 비뉵, 비색, 서열번갈, 심번구갈, 설생창, 성홍열, 시물혼화, 시선염, 실음, 심열번갈, 아구창, 아통, 예장, 유아, 육혈, 음양인건, 이농종, 이하선염, 인종, 인통음아, 인후통, 제골경후, 청맹내장, 치뉵, 치은화농, 치통, 타액부족, 토혈육혈, 편도선염, 혈허면색위황, 후비, 후종
부인병	경폐, 경폐통경, 경행복통, 경행불창, 궁냉불잉, 난소암, 대하, 백대, 붕루, 산후혈훈, 유방암, 유소, 유옹, 유종, 유즙불통, 음양대하, 자궁암, 통경, 포의불하, 한습대하, 혈붕
비뇨기	고환편추, 기림, 내치변혈, 백탁, 부종, 사림, 산기통, 산하(고환통증), 석림, 소변임삽, 수종고창, 수종복만, 수종창만, 신염수종, 신장염, 신허양위, 양위, 열림, 요로감염, 요림, 요배산통, 유뇨, 유정, 음낭종통, 음낭습양, 이변불리, 임병, 임증, 임질, 임탁, 장풍, 치질, 치창, 치창출혈, 치혈, 탈항, 풍수, 한산동통, 혈림
생활습관	고지혈증, 고혈압, 내열소갈, 당뇨병, 동맥경화, 모세혈관파괴, 백혈병, 비만, 심장쇠약증, 암, 저혈압, 정맥류, 정맥염, 종양, 현문, 혈액순환장애, 혈전성맥관염
소화기	간경화복수, 간신부족, 간신휴손, 간암, 간장병, 간종대, 간질환, 감적, 결장염, 고창, 곽란, 구리, 구역, 궁냉복통, 담낭염, 담도감염, 담석증, 담음적취, 담음천만, 담즙분비장애, 반위불서, 변비, 변혈, 복사, 비위허약, 비장종대, 비허냉리, 비허복사, 사리, 산통, 서열곽란, 설사, 소복냉통, 소아감적, 수습고창, 습습구사, 식도암, 식적복창, 심복동통, 심위기통, 애기, 어혈복통, 열격, 오심, 완복창만, 위비, 위암, 위완통, 위하수, 이질, 장농양, 장옹, 장풍출혈, 장풍하혈, 적리, 적백하리, 적체, 적취, 징가, 징적동통, 충적, 토사곽란, 토사전근, 토혈, 하리, 한기복통, 한습토사, 현벽, 혈리, 혈리복통, 황달, 흉격담체, 흉격만민, 흉격번열, 흉격창만, 흉륵동통, 흉만, 흉비심통, 흉완만민, 흉중담결, 흉협동통, 흉협창만
순환기	간양현훈, 간질, 경간혼미, 경궐, 경풍, 경풍추휵, 뇌출혈, 뇌졸중, 담궐, 두선(어지럼증), 두통두훈, 림프샘염, 빈혈, 서맥증, 소아경풍, 수종, 신혼, 신혼불허, 심계항진, 심부전, 심장비대증, 심장성부종, 심장질환, 열병, 경궐, 울혈, 이명현훈, 저혈압, 전간, 제풍두현, 졸도, 중풍, 중풍담궐, 중풍담미, 지냉, 피하출혈, 하지수종, 현기증, 협심증, 흉민기단
스트레스·불면	경계, 경계정충, 번조불안, 불면증, 불안증, 신경과민, 실면, 실면다몽, 심계, 심계정충, 심번실면, 심신쇠약, 야제, 야침불안, 우울증, 정신불안, 진정, 허번불면
외상·피부	개선, 개창, 광견교상, 괴혈병, 금창, 기부마목, 나력, 나병, 농창, 단독, 담마진, 독창, 두진불투, 두창, 두풍백설, 마진, 마진불투, 마풍, 백전, 사마귀, 소아풍진, 소양증, 수두, 수발조백, 습진소양, 신열반진, 어종동통, 열독창종, 염창, 영류담핵, 오공교상, 옹저, 옹절, 옹종, 음낭습진, 음저, 음종창양, 절종, 정창, 종괴, 종독, 좌상, 질타손상, 창개, 창독, 창양, 창절, 체선, 충독교상, 칠창, 타박상, 탈모, 파상풍, 패혈병, 풍습진, 풍습통양, 풍종소양, 풍진, 피선, 하지궤양, 혈열반진, 혈풍창
자양강장	권태무력, 기허로권, 노상, 노상동통, 도한, 병후체약, 신경쇠약, 신양부족, 신피다면, 신허, 심계기단, 열성상진, 자한, 중서, 체권무력, 체질허약, 체허자한, 하원허랭, 한출부지, 해역, 허로권태, 허손노상, 허손한열, 혈허, 혈허신통, 혈허신휴, 혈허위황, 혈허정휴, 혈허제증
해열·진통	간열두훈, 감기몸살, 감모발열, 감모풍열, 감모풍한, 고열번갈, 뇌염, 담결, 두통, 두풍, 말라리아, 발한, 번열, 심복한열, 열감기, 열병담다, 열병번갈, 열병상음, 열병신혼, 열병허번, 열사병, 외감표증, 외감풍한, 외감풍열, 음허노열, 일병신혼, 전정동통, 조열, 중서발사, 편두통, 풍한, 풍한표증, 한열왕래, 혈열
호흡기	감기, 객혈, 거담, 결핵, 고열감모, 구해실음, 기관지염, 나력결핵, 노상해천, 늑막동통, 담다, 담천, 백일해, 열감기, 열해, 유감, 음허구해, 음허폐로, 조해, 천만, 천해담수, 폐기종, 폐농양, 폐열해수, 폐옹, 풍열감모, 풍열해수, 해수, 해수기천, 해수천식, 해수토혈, 허로구해, 호흡곤란, 효천, 후두염, 흉복적수
기타	가슴앓이, 각종출혈, 간울협통유창, 건망증, 관심병, 기결동통, 뇌척수막염, 두혼건망, 두혼피력, 딸꾹질, 매독, 멀미, 복어독, 서습흉민, 심격사열, 심번, 어중독, 어혈동통, 어혈종통, 열병번만, 우울증, 임파결핵, 전광, 전병(정신이상), 전질(정신병), 좌약, 주독, 카타르, 한증, 협륵창통, 협하창만

C O N T E N T S

차 례

약용 식물 II

피자식물 Angiospermae

약용 조류 · 지의류 · 선태식물

조류 Algae

지의류 Lichens

선태식물 Bryophyte

자낭균아문 Ascomycota

약용 동물

약용 광물

* 숫자는 기재된 권, 쪽수

간질환(肝疾患)

간염(肝炎)＿개맨드라미(Ⅰ, p. 256), 계골초(Ⅰ, p. 523), 구름버섯(Ⅱ, p. 715), 금전초(Ⅰ, p. 914), 긴병꽃풀(Ⅱ, p. 119), 까마중(Ⅱ, p. 180), 꺽정이(Ⅱ, p. 839), 꽃상추(Ⅱ, p. 297), 나도수영(Ⅰ, p. 201), 노루귀(Ⅰ, p. 325), 닭의장풀(Ⅱ, p. 446), 담배풀(Ⅱ, p. 288), 닻꽃(Ⅰ, p. 950), 돌나물(Ⅱ, p. 440), 도깨비바늘(Ⅱ, p. 282), 도꼬마리(Ⅱ, p. 354), 돌토끼고사리(Ⅰ, p. 73), 땅꽈리(Ⅱ, p. 174), 마리아엉겅퀴(Ⅱ, p. 340), 마편초(Ⅱ, p. 107), 망초(Ⅱ, p. 308), 매듭풀(Ⅰ, p. 572), 먼나무(Ⅰ, p. 706), 모감주나무(Ⅰ, p. 697), 목별(Ⅰ, p. 790), 물매화풀(Ⅰ, p. 449), 밀몽화(Ⅰ, p. 940), 바다거북(Ⅱ, p. 850), 바위솔(Ⅰ, p. 436), 방가지똥(Ⅱ, p. 343), 뱀딸기(Ⅰ, p. 468), 봉선화(Ⅰ, p. 702), 빙초(Ⅰ, p. 226), 사마귀풀(Ⅱ, p. 446), 사철쑥(Ⅱ, p. 262), 서양민들레(Ⅱ, p. 349), 서양톱풀(Ⅱ, p. 255), 서양현호색(Ⅰ, p. 409), 석송(Ⅱ, p. 49), 선갈퀴(Ⅱ, p. 62), 소리쟁이(Ⅰ, p. 220), 속새(Ⅱ, p. 58), 속썩은풀(Ⅱ, p. 155), 손바닥난초(Ⅱ, p. 561), 솔나물(Ⅱ, p. 68), 솔체꽃(Ⅱ, p. 243), 송악(Ⅰ, p. 838), 쇠비름(Ⅰ, p. 228), 수수꽃다리(Ⅰ, p. 937), 수양버들(Ⅰ, p. 143), 수염가래꽃(Ⅱ, p. 250), 수영(Ⅰ, p. 219), 숫잔대(Ⅱ, p. 251), 시금치(Ⅰ, p. 248), 시호(Ⅰ, p. 861), 신나무(Ⅰ, p. 693), 실고사리(Ⅰ, p. 68), 쑥(Ⅱ, p. 268), 아마(Ⅰ, p. 625), 양태(Ⅱ, p. 839), 염주(Ⅱ, p. 454), 옥수수깜부기(Ⅱ, p. 736), 온욱금(Ⅱ, p. 532), 용설란(Ⅱ, p. 433), 운실(Ⅱ, p. 538), 유칼리나무(Ⅰ, p. 805), 자두나무(Ⅰ, p. 496), 젓가락풀(Ⅱ, p. 329), 제비꽃(Ⅰ, p. 774), 자스민(Ⅰ, p. 932), 조름나물(Ⅰ, p. 953), 주둥치(Ⅱ, p. 832), 지느러미엉겅퀴(Ⅱ, p. 288), 지별(Ⅱ, p. 779), 진득찰(Ⅱ, p. 338), 쪽(Ⅰ, p. 208), 창포(Ⅱ, p. 485), 천일홍(Ⅰ, p. 258), 청비름(Ⅰ, p. 255), 추풍목(Ⅰ, p. 628), 층층이꽃(Ⅱ, p. 114), 컴프리(Ⅱ, p. 98), 큰속새(Ⅰ, p. 57), 클로렐라(Ⅱ, p. 570), 티베트호황련(Ⅱ, p. 196), 파인애플(Ⅱ, p. 445), 팽나무버섯(Ⅱ, p. 628), 풍선덩굴(Ⅰ, p. 695), 하포산계화(Ⅰ, p. 682), 호랑가시나무(Ⅰ, p. 704)

감적(疳積)＿가을강아지풀(Ⅱ, p. 478), 너구리(Ⅱ, p. 893), 녹반(Ⅱ, p. 920), 농어(Ⅱ, p. 829), 느릅나무(Ⅰ, p. 161), 대나무버섯(Ⅱ, p. 710), 드렁허리(Ⅱ, p. 828), 뚜껑덩굴(Ⅰ, p. 780), 망고(Ⅰ, p. 687), 번석류(Ⅰ, p. 809), 야자나무(Ⅱ, p. 543), 옥수수깜부기(Ⅱ, p. 736), 이질바퀴(Ⅱ, p. 778), 초석잠풀(Ⅱ, p. 159), 취어초(Ⅰ, p. 940), 티베트호황련(Ⅱ, p. 196), 하늘다람쥐(Ⅱ, p. 888)

담낭염(膽囊炎)＿가마편(Ⅱ, p. 106), 가시나무(Ⅰ, p. 157), 겨자무(Ⅰ, p. 414), 광금전초(Ⅰ, p. 557), 더위지기(Ⅱ, p. 266), 두점쓴풀(Ⅰ, p. 950), 망초(Ⅱ, p. 308), 배풍등(Ⅱ, p. 179), 뽕나무버섯부치(Ⅱ, p. 627), 선갈퀴(Ⅱ, p. 62), 선쓴바귀(Ⅱ, p. 319), 쓴쑥(Ⅱ, p. 260), 옥수수(Ⅱ, p. 484), 온욱금(Ⅱ, p. 532), 조개나물(Ⅱ, p. 112), 촛대선인장(Ⅰ, p. 259), 층층이꽃(Ⅱ, p. 114), 큰방울새란(Ⅱ, p. 565), 큰봉의꼬리(Ⅰ, p. 81), 톱상어(Ⅱ, p. 809)

황달(黃疸)＿가래(Ⅱ, p. 362), 가물치(Ⅱ, p. 837), 개오동나무(Ⅱ, p. 209), 계뇨등(Ⅱ, p. 74), 고사리(Ⅰ, p. 73), 곰의말채(Ⅰ, p. 827), 괭이밥(Ⅰ, p. 612), 구슬붕이(Ⅰ, p. 948), 금붕어(Ⅱ, p. 817), 금어초(Ⅱ, p. 183), 금전초(Ⅰ, p. 914), 긴병꽃풀(Ⅱ, p. 119), 꽃상추(Ⅱ, p. 297), 싸리(Ⅱ, p. 175), 다래나무(Ⅰ, p. 382), 다슬기(Ⅱ, p. 749), 더위지기(Ⅱ, p. 266), 도둑놈의지팡이(Ⅰ, p. 596), 돼지(Ⅱ, p. 903), 땅비싸리(Ⅰ, p. 570), 마디풀(Ⅰ, p. 211), 매발톱나무(Ⅰ, p. 336), 며느리배꼽(Ⅰ, p. 205), 물매화풀(Ⅰ, p. 449), 미나리아재비(Ⅰ, p. 330), 미역취(Ⅱ, p. 341), 바위손(Ⅰ, p. 52), 배풍등(Ⅱ, p. 179), 백리향(Ⅱ, p. 162), 백선(Ⅰ, p. 662), 뱀딸기(Ⅰ, p. 468), 붉나무(Ⅰ, p. 689), 비늘버섯(Ⅱ, p. 648), 사철쑥(Ⅱ, p. 262), 산호수(Ⅰ, p. 909), 삼백초(Ⅰ, p. 360), 솔이끼(Ⅱ, p. 596), 솔체꽃(Ⅱ, p. 243), 솜엉겅퀴(Ⅱ, p. 302), 수염가래꽃(Ⅱ, p. 250), 순채(Ⅰ, p. 354), 실고사리(Ⅰ, p. 68), 아욱메풀(Ⅱ, p. 85), 안개꽃나무(Ⅰ, p. 686), 애기땅빈대(Ⅰ, p. 642), 애기풍풀(Ⅰ, p. 400), 여우주머니(Ⅰ, p. 648), 옥수수(Ⅱ, p. 484), 온욱금(Ⅱ, p. 532), 용담(Ⅰ, p. 947), 원추리(Ⅱ, p. 388), 율무(Ⅱ, p. 455), 잉어(Ⅱ, p. 817), 자귀풀(Ⅰ, p. 527), 줄고사리(Ⅰ, p. 75), 지렁이(Ⅱ, p. 743), 지치(Ⅱ, p. 96), 진퍼리까치수염(Ⅰ, p. 916), 쪽(Ⅰ, p. 208), 참개구리(Ⅱ, p. 847), 참게(Ⅱ, p. 770), 큰잎용담(Ⅰ, p. 946), 타래붓꽃(Ⅱ, p. 440), 티베트호황련(Ⅱ, p. 196), 파인애플(Ⅱ, p. 445), 팥(Ⅰ, p. 586), 풍선덩굴(Ⅰ, p. 695), 하늘타리(Ⅰ, p. 792), 황벽나무(Ⅰ, p. 668), 회양목(Ⅰ, p. 715), 흑곰(Ⅱ, p. 894)

감염성질환(感染性疾患)

감기＿가막사리(Ⅱ, p. 284), 각시취(Ⅱ, p. 331), 갈매나무(Ⅰ, p. 721), 개시호(Ⅰ, p. 863), 고란초(Ⅰ, p. 105), 고본(Ⅰ, p. 881), 고비(Ⅰ, p. 63), 구릿대(Ⅰ, p. 855), 구슬이끼(Ⅱ, p. 601), 국화(Ⅱ, p. 295), 금떡쑥(Ⅱ, p. 312), 기름나물(Ⅰ, p. 890), 까치수염(Ⅰ, p. 913), 꽃박하(Ⅱ, p. 140), 꿩고비(Ⅰ, p. 64), 꿩고사리(Ⅰ, p. 65), 남산등(Ⅱ, p. 56), 녕몽안(Ⅰ, p. 805), 녹박하(Ⅱ, p. 133), 다북떡쑥(Ⅱ, p. 257), 등대시호(Ⅰ, p. 862), 땅꽈리(Ⅱ, p. 174), 마련(Ⅰ, p. 680), 매미눈꽃동하초(Ⅱ, p. 732), 먼나무(Ⅰ, p. 706), 미역취(Ⅱ, p. 341), 방울꽃(Ⅱ, p. 217), 배초향(Ⅱ, p. 110), 보리깜부기(Ⅱ, p. 737), 붉은토끼풀(Ⅰ, p. 602), 사철잔고사리(Ⅰ, p. 71), 상산나무(Ⅰ, p. 667), 서양톱풀(Ⅱ, p. 255), 송과국(Ⅱ, p. 303), 수리취(Ⅱ, p. 345), 엽상화(Ⅰ, p. 829), 아니스(Ⅰ, p. 891), 애납향(Ⅱ, p.

285), 어수리(Ⅰ, p. 875), 왜우산풀(Ⅰ, p. 891), 인삼(Ⅰ, p. 840), 자라(Ⅱ, p. 851), 장뇌나륵(Ⅱ, p. 138), 족도리풀(Ⅰ, p. 373), 죽엽란(Ⅱ, p. 548), 중대가리국화(Ⅱ, p. 326), 지렁이(Ⅱ, p. 743), 진달래(Ⅰ, p. 904), 참반디(Ⅰ, p. 892), 참쑥(Ⅱ, p. 267), 천령초(Ⅱ, p. 141), 초마황(Ⅰ, p. 134), 취목단(Ⅱ, p. 102), 층꽃풀(Ⅱ, p. 101), 한속단(Ⅱ, p. 143), 항백지(Ⅰ, p. 854), 향모초(Ⅱ, p. 456), 호미란(Ⅱ, p. 434), 히어리(Ⅰ, p. 431), 흰우단버섯(Ⅱ, p. 615)

골결핵(骨結核)__느릅나무(Ⅰ, p. 161), 풍접초(Ⅰ, p. 429)

나력(瘰癧)__거지덩굴(Ⅰ, p. 727), 관중(Ⅰ, p. 92), 군평선이(Ⅱ, p. 833), 굴(Ⅱ, p. 759), 금감나무(Ⅰ, p. 665), 냉초(Ⅱ, p. 207), 달리아(Ⅱ, p. 302), 담배나무(Ⅱ, p. 172), 동자개(Ⅱ, p. 823), 새우난초(Ⅱ, p. 550), 용주과(Ⅰ, p. 770), 이두첨(Ⅱ, p. 502), 인도산닥나무(Ⅰ, p. 764), 인동덩굴(Ⅱ, p. 227), 참오동나무(Ⅱ, p. 192), 청나래고사리(Ⅰ, p. 102), 측백나무(Ⅰ, p. 125), 파대가리(Ⅱ, p. 514), 피조개(Ⅱ, p. 756), 흰대극(Ⅰ, p. 632)

나병(癩病)__대풍자나무(Ⅰ, p. 768), 치자나무(Ⅱ, p. 68), 해남대풍자(Ⅰ, p. 767)

대상포진(帶狀疱疹)__가락지나물(Ⅰ, p. 484), 구와취(Ⅱ, p. 332), 꿀벌(Ⅱ, p. 798), 다람쥐꼬리(Ⅰ, p. 49), 며느리밑씻개(Ⅰ, p. 206), 반다나물(Ⅰ, p. 868), 백화유마등(Ⅰ, p. 583), 석잠풀(Ⅱ, p. 159), 쇠채(Ⅱ, p. 333), 자운영(Ⅰ, p. 535), 잠풀(Ⅰ, p. 582), 차나무(Ⅰ, p. 390)

마진(麻疹)__개구리밥(Ⅱ, p. 504), 개보리뺑이(Ⅱ, p. 322), 고비(Ⅰ, p. 63), 고수(Ⅰ, p. 867), 긴잎꿩의다리(Ⅰ, p. 334), 남산제비꽃(Ⅰ, p. 773), 노랑어리연꽃(Ⅰ, p. 954), 매미눈꽃동충하초(Ⅱ, p. 732), 물상추(Ⅱ, p. 501), 사류(Ⅰ, p. 144), 산토끼꽃(Ⅱ, p. 243), 생이가래(Ⅰ, p. 113), 서양이질풀(Ⅰ, p. 616), 에치움(Ⅱ, p. 93), 올챙이고랭이(Ⅱ, p. 516), 위성류(Ⅰ, p. 780), 좀깨잎나무(Ⅰ, p. 182), 포창엽(Ⅰ, p. 911), 황매화(Ⅰ, p. 474)

말라리아(瘧疾)__개똥쑥(Ⅱ, p. 261), 구지뽕나무(Ⅰ, p. 170), 나도승마(Ⅰ, p. 448), 나무수국(Ⅰ, p. 447), 당교수(Ⅰ, p. 955), 미나리아재비(Ⅰ, p. 330), 삼(Ⅰ, p. 168), 선개불알풀(Ⅱ, p. 203), 실망초(Ⅱ, p. 307), 여송과나무(Ⅰ, p. 941), 인도멀구슬나무(Ⅰ, p. 679), 중국상산나무(Ⅰ, p. 446), 지불용(Ⅰ, p. 350), 초과(Ⅱ, p. 525), 초두구(Ⅱ, p. 520), 큰엉겅퀴(Ⅱ, p. 299), 키나나무(Ⅱ, p. 63)

무좀__가막사리(Ⅱ, p. 284), 계뇨등(Ⅱ, p. 74), 마늘(Ⅱ, p. 366), 몰약나무(Ⅰ, p. 653), 무궁화(Ⅰ, p. 745), 배초향(Ⅱ, p. 110), 범부채(Ⅱ, p. 437), 석송(Ⅰ, p. 49), 선이질풀(Ⅰ, p. 615), 아주까리(Ⅰ, p. 649), 애기풀(Ⅰ, p. 683), 약모밀(Ⅰ, p.

359), 잇꽃(Ⅱ, p. 290), 주차나무(Ⅰ, p. 807), 짚신나물(Ⅰ, p. 459), 토란(Ⅱ, p. 495), 티베트호황련(Ⅱ, p. 196), 홍두구(Ⅱ, p. 519)

백일해(百日咳)__고사리삼(Ⅰ, p. 60), 구골나무(Ⅰ, p. 937), 국화(Ⅱ, p. 295), 끈끈이주걱(Ⅰ, p. 397), 남천(Ⅰ, p. 343), 누린내풀(Ⅱ, p. 101), 로벨리아(Ⅱ, p. 251), 마늘(Ⅱ, p. 366), 목호접나무(Ⅱ, p. 211), 밤나무(Ⅰ, p. 152), 뻐꾸기(Ⅱ, p. 874), 뽕나무(Ⅰ, p. 178), 석잠풀(Ⅱ, p. 159), 애기꽈리(Ⅱ, p. 174), 죽황(Ⅱ, p. 736), 중국상산나무(Ⅰ, p. 446), 직립백부(Ⅱ, p. 420), 층꽃풀(Ⅱ, p. 101)

연주창(連珠瘡) · **임파절결핵**(淋巴節結核)__가막사리(Ⅱ, p. 284), 가막살나무(Ⅱ, p. 233), 가호자(Ⅰ, p. 958), 가회톱(Ⅰ, p. 726), 갈매나무(Ⅰ, p. 721), 감국(Ⅱ, p. 294), 개구리자리(Ⅰ, p. 330), 개나리(Ⅰ, p. 929), 거머리말(Ⅱ, p. 363), 검노린재나무(Ⅰ, p. 926), 광대나물(Ⅱ, p. 122), 구렁이(Ⅱ, p. 856), 깽깽이풀(Ⅰ, p. 341), 꼬리풀(Ⅱ, p. 204), 꽃상추(Ⅱ, p. 297), 꿀풀(Ⅱ, p. 146), 남가새(Ⅰ, p. 623), 낭독(Ⅰ, p. 640), 네가래(Ⅰ, p. 112), 달구지풀(Ⅱ, p. 601), 독각련(Ⅱ, p. 503), 돌나물(Ⅰ, p. 440), 매발톱나무(Ⅰ, p. 336), 모래지치(Ⅱ, p. 97), 목람(Ⅰ, p. 572), 물매화풀(Ⅰ, p. 449), 백미꽃(Ⅱ, p. 50), 백산차(Ⅰ, p. 900), 백정화(Ⅱ, p. 77), 보리사초(Ⅱ, p. 508), 분꽃(Ⅱ, p. 225), 생이가래(Ⅰ, p. 113), 쇠고비(Ⅰ, p. 91), 시클라멘(Ⅰ, p. 913), 애기털군부(Ⅱ, p. 746), 야청수(Ⅰ, p. 571), 약난초(Ⅱ, p. 553), 유칼리나무(Ⅰ, p. 805), 윤판나물(Ⅱ, p. 381), 인동덩굴(Ⅱ, p. 227), 전동싸리(Ⅰ, p. 581), 제비꿀(Ⅰ, p. 191), 조개풀(Ⅱ, p. 450), 조록나무(Ⅰ, p. 432), 족제비(Ⅱ, p. 896), 지칭개(Ⅱ, p. 315), 짚신나물(Ⅰ, p. 459), 청어(Ⅱ, p. 812), 타래난초(Ⅱ, p. 566), 털머위(Ⅱ, p. 310), 호제비꽃(Ⅰ, p. 777), 황련(Ⅰ, p. 321), 흰대극(Ⅰ, p. 632)

이질(痢疾)__가시나무(Ⅰ, p. 157), 개미탑(Ⅰ, p. 821), 국화쥐손이(Ⅱ, p. 614), 금방망이(Ⅱ, p. 336), 기생초(Ⅱ, p. 301), 납작돔(Ⅱ, p. 833), 대엽백부(Ⅱ, p. 421), 도둑놈의지팡이(Ⅰ, p. 596), 돌마타리(Ⅱ, p. 237), 딱지꽃(Ⅰ, p. 481), 매발톱나무(Ⅰ, p. 336), 명아주(Ⅰ, p. 243), 배롱나무(Ⅰ, p. 796), 백일홍(Ⅱ, p. 355), 백정화(Ⅱ, p. 77), 보리수나무(Ⅰ, p. 766), 봉의꼬리(Ⅰ, p. 82), 비늘고사리(Ⅰ, p. 94), 비름(Ⅰ, p. 253), 산딸나무(Ⅰ, p. 827), 석류나무(Ⅰ, p. 815), 석류풀(Ⅰ, p. 226), 수단화(Ⅱ, p. 61), 조밥나물(Ⅱ, p. 316), 지사목(Ⅰ, p. 959), 큰봉의꼬리(Ⅰ, p. 81), 토나무(Ⅱ, p. 62), 피막이풀(Ⅰ, p. 876), 필발(Ⅰ, p. 363)

임질(淋疾)__가래(Ⅱ, p. 362), 기린국화(Ⅱ, p. 324), 까치박달(Ⅰ, p. 150), 냉이(Ⅰ, p. 419), 댑싸리(Ⅰ, p. 245), 보리수나무(Ⅰ, p. 766), 보리장나무(Ⅰ, p. 765), 분꽃(Ⅱ, p. 225), 삼나무(Ⅰ, p. 122), 석위(Ⅰ, p. 111), 쇠무릎(Ⅰ, p. 249), 실고사

리(Ⅰ, p. 68), 아메리카피막이(Ⅰ, p. 875), 아욱(Ⅰ, p. 748), 여뀌(Ⅰ, p. 202), 여우구슬(Ⅰ, p. 648), 오동나무(Ⅱ, p. 193), 잠풀(Ⅰ, p. 582), 전동싸리(Ⅰ, p. 581), 접시꽃(Ⅰ, p. 740), 청미래덩굴(Ⅱ, p. 410), 패랭이꽃(Ⅰ, p. 233)

자궁염(子宮炎)__구절초(Ⅱ, p. 296), 말냉이(Ⅰ, p. 428), 며느리밑씻개(Ⅰ, p. 206), 몰약나무(Ⅰ, p. 653), 쇠뜨기(Ⅰ, p. 55), 쑥국화(Ⅱ, p. 348), 익모초(Ⅱ, p. 124), 황삼국(Ⅱ, p. 330)

폐결핵(肺結核)__개구리갓(Ⅰ, p. 331), 계림척(Ⅰ, p. 693), 굴엽파극(Ⅱ, p. 73), 금뉴구(Ⅱ, p. 343), 금소리쟁이(Ⅰ, p. 222), 긴갯금불초(Ⅱ, p. 352), 깔때기버섯(Ⅱ, p. 613), 나도물통이(Ⅰ, p. 185), 눈괴불주머니(Ⅰ, p. 404), 독수리(Ⅱ, p. 867), 뜸부기(Ⅱ, p. 580), 멸대(Ⅱ, p. 375), 물통이(Ⅰ, p. 188), 미역쇠(Ⅱ, p. 576), 사철쑥(Ⅱ, p. 262), 수달(Ⅱ, p. 895), 여우(Ⅱ, p. 893), 오색딱따구리(Ⅱ, p. 877), 족제비고사리(Ⅰ, p. 95), 종다리(Ⅱ, p. 878), 직립백부(Ⅱ, p. 420), 청설모(Ⅱ, p. 887), 청어(Ⅱ, p. 812), 팥배나무(Ⅰ, p. 516), 표범장지뱀(Ⅱ, p. 854), 해우(Ⅱ, p. 488), 홉(Ⅰ, p. 177), 흰우단버섯(Ⅱ, p. 615)

폐렴(肺炎)__갓(Ⅰ, p. 416), 개머루(Ⅰ, p. 726), 골무꽃(Ⅱ, p. 157), 긴잎꿩의다리(Ⅰ, p. 334), 나비나물(Ⅰ, p. 609), 남산제비꽃(Ⅰ, p. 773), 남오미자(Ⅰ, p. 265), 땅비싸리(Ⅰ, p. 570), 만주자작나무(Ⅰ, p. 150), 무화과나무(Ⅰ, p. 172), 서양조개나물(Ⅱ, p. 112), 선씀바귀(Ⅱ, p. 319), 소태나무(Ⅰ, p. 677), 쇠별꽃(Ⅰ, p. 240), 수레국화(Ⅱ, p. 291), 약모밀(Ⅰ, p. 359), 오미자(Ⅰ, p. 273), 우단담배풀(Ⅱ, p. 202), 조개나물(Ⅱ, p. 112), 좀꿩의다리(Ⅰ, p. 333), 죽절초(Ⅰ, p. 367), 카네이션(Ⅰ, p. 232), 한삼덩굴(Ⅰ, p. 176)

골(骨) · 결합조직질환(結合組織疾患)

견비통(肩臂痛)__등골나물(Ⅱ, p. 308), 밀화두나무(Ⅰ, p. 599), 천선과나무(Ⅰ, p. 171)

골관절염(骨關節炎)__가시오갈피나무(Ⅰ, p. 832), 강활(Ⅰ, p. 883), 고본(Ⅰ, p. 881), 꽃게(Ⅱ, p. 771), 노간주나무(Ⅰ, p. 124), 녹나무(Ⅰ, p. 284), 누리장나무(Ⅱ, p. 104), 다래나무(Ⅰ, p. 382), 대나물(Ⅰ, p. 234), 댕댕이덩굴(Ⅰ, p. 346), 도꼬로마(Ⅱ, p. 432), 독활(Ⅰ, p. 835), 만병초(Ⅰ, p. 902), 모과나무(Ⅰ, p. 464), 방기(Ⅰ, p. 348), 방풍(Ⅰ, p. 893), 솔잎란(Ⅰ, p. 48), 오갈피나무(Ⅰ, p. 833), 오분자기(Ⅱ, p. 748), 이질풀(Ⅰ, p. 617), 죽백(Ⅰ, p. 127), 줄별벌레(Ⅱ, p. 745), 청시닥나무(Ⅰ, p. 692), 치자나무(Ⅱ, p. 68)

골수염(骨髓炎)__개쑥풀(Ⅰ, p. 951), 다정큼나무(Ⅰ, p. 501),

독미나리(Ⅰ, p. 865), 등대풀(Ⅰ, p. 633), 등잔화(Ⅱ, p. 307), 산부채(Ⅱ, p. 494), 쓴풀(Ⅰ, p. 951), 야고(Ⅱ, p. 217), 첨미우(Ⅱ, p. 487), 청사조(Ⅰ, p. 718), 피뿔고둥(Ⅱ, p. 751), 해바라기(Ⅱ, p. 313)

골절(骨絶)__각엽초병목(Ⅰ, p. 830), 개쑥풀(Ⅰ, p. 951), 갯기름나물(Ⅰ, p. 889), 검독수리(Ⅱ, p. 868), 고로쇠나무(Ⅰ, p. 694), 고무버섯(Ⅱ, p. 728), 넉줄고사리(Ⅰ, p. 75), 단풍박쥐나무(Ⅰ, p. 825), 대구(Ⅱ, p. 825), 덩굴별꽃(Ⅰ, p. 231), 도깨비부채(Ⅰ, p. 453), 둥근잎말발도리(Ⅰ, p. 446), 딱총나무(Ⅱ, p. 232), 뚱딴지(Ⅱ, p. 314), 마상(Ⅰ, p. 685), 메꽃(Ⅱ, p. 81), 문주란(Ⅱ, p. 422), 물수리(Ⅱ, p. 868), 바늘꽃(Ⅰ, p. 819), 반디지치(Ⅱ, p. 97), 방풍(Ⅰ, p. 893), 삼임구(Ⅰ, p. 627), 성성초(Ⅰ, p. 633), 쉬땅나무(Ⅰ, p. 515), 영향초(Ⅰ, p. 915), 오리방풀(Ⅰ, p. 144), 오이(Ⅰ, p. 785), 육영(Ⅱ, p. 230), 자귀나무(Ⅰ, p. 528), 절굿대(Ⅱ, p. 304), 조개나물(Ⅱ, p. 112), 줄사철나무(Ⅰ, p. 710), 지칭개(Ⅱ, p. 315), 참취(Ⅱ, p. 274), 참회나무(Ⅰ, p. 712), 천속단(Ⅱ, p. 242), 큰까치수염(Ⅰ, p. 914), 큰바늘꽃(Ⅰ, p. 819), 폭장죽(Ⅱ, p. 199), 후피수(Ⅰ, p. 687)

관절염(關節炎)__가래바람꽃(Ⅰ, p. 307), 개버무리(Ⅰ, p. 320), 검종덩굴(Ⅰ, p. 319), 괴불주머니(Ⅰ, p. 405), 귀룽나무(Ⅰ, p. 494), 꼬리조팝나무(Ⅰ, p. 521), 꽃방패버섯(Ⅱ, p. 695), 꽃송이버섯(Ⅱ, p. 719), 꿀벌(Ⅱ, p. 798), 꿩의다리아재비(Ⅰ, p. 339), 꿩의바람꽃(Ⅰ, p. 309), 나도하수오(Ⅰ, p. 209), 낙타봉(Ⅰ, p. 621), 노간주나무(Ⅰ, p. 124), 노루오줌(Ⅰ, p. 443), 다래나무(Ⅰ, p. 382), 댕댕이덩굴(Ⅰ, p. 346), 도깨비부채(Ⅰ, p. 453), 독활(Ⅰ, p. 835), 두견이(Ⅱ, p. 875), 등갈퀴나물(Ⅰ, p. 606), 등나무(Ⅰ, p. 610), 마가목(Ⅰ, p. 517), 만주잎갈나무(Ⅰ, p. 118), 말뚝버섯(Ⅱ, p. 669), 멀꿀(Ⅰ, p. 346), 미국터리풀(Ⅰ, p. 471), 미나리아재비(Ⅰ, p. 330), 박태기나무(Ⅰ, p. 548), 분방기(Ⅰ, p. 351), 사스래나무(Ⅰ, p. 149), 산물통이(Ⅰ, p. 187), 석송(Ⅰ, p. 49), 소나무(Ⅰ, p. 120), 솔잎란(Ⅰ, p. 48), 수박풀(Ⅰ, p. 747), 싸리버섯(Ⅱ, p. 663), 악마의발톱(Ⅱ, p. 221), 어등(Ⅰ, p. 553), 여뀌(Ⅰ, p. 202), 월계수(Ⅰ, p. 287), 유창목(Ⅰ, p. 621), 으아리(Ⅰ, p. 318), 조록나무(Ⅰ, p. 432), 조희풀(Ⅰ, p. 319), 졸각무당버섯(Ⅱ, p. 690), 천선과나무(Ⅰ, p. 171), 표주박이끼(Ⅱ, p. 598), 풍접초(Ⅰ, p. 429), 피나물(Ⅰ, p. 409), 해당화(Ⅰ, p. 509)

근골동통(筋骨疼痛)__가지고비고사리(Ⅰ, p. 80), 강황(Ⅱ, p. 530), 검은대나무(Ⅱ, p. 473), 곧은나무이끼(Ⅱ, p. 602), 굴털이(Ⅱ, p. 684), 그령(Ⅱ, p. 460), 꽃생강(Ⅱ, p. 533), 꿩의다리아재비(Ⅰ, p. 339), 노루(Ⅱ, p. 904), 노루귀(Ⅰ, p. 325), 노루오줌(Ⅰ, p. 443), 달맞이꽃(Ⅰ, p. 820), 돌콩(Ⅰ, p. 565), 무릇(Ⅱ, p. 408), 중국골쇄보(Ⅰ, p. 74), 병어(Ⅱ, p. 835), 비단그물버섯(Ⅱ, p. 682), 주름우단버섯(Ⅱ, p. 675), 쥐

꼬리망초(Ⅱ, p. 216), 쪽동백(Ⅰ, p. 924), 참방동사니(Ⅱ, p. 511), 천년건(Ⅱ, p. 496), 토복령(Ⅱ, p. 411), 풀가사리(Ⅱ, p. 584), 호랑이(Ⅱ, p. 898), 황새풀(Ⅱ, p. 513)

근무력증(筋無力症)__마전자나무(Ⅰ, p. 942), 밀화두나무(Ⅰ, p. 599), 사철나무(Ⅰ, p. 711), 사향노루(Ⅱ, p. 909), 오갈피나무(Ⅰ, p. 833), 철갑상어(Ⅱ, p. 811)

늑골통(肋骨痛)__강향나무(Ⅰ, p. 551), 매마등(Ⅰ, p. 135), 소귀나무(Ⅰ, p. 136), 시라(Ⅰ, p. 850), 자스민(Ⅰ, p. 932)

류머티스관절염__가문비나무(Ⅰ, p. 119), 갯메꽃(Ⅱ, p. 82), 두릅나무(Ⅰ, p. 836), 딱총나무(Ⅱ, p. 232), 떡갈고란초(Ⅰ, p. 106), 마삭줄(Ⅰ, p. 963), 배풍등(Ⅱ, p. 179), 백미꽃(Ⅱ, p. 50), 백화사(Ⅱ, p. 857), 벽오동(Ⅰ, p. 754), 복숭아나무(Ⅰ, p. 495), 봉선화(Ⅰ, p. 702), 분비나무(Ⅰ, p. 117), 비자나무(Ⅰ, p. 129), 사위질빵(Ⅰ, p. 316), 사향노루(Ⅱ, p. 909), 산해박(Ⅱ, p. 54), 새모래덩굴(Ⅰ, p. 347), 소나무(Ⅰ, p. 120), 수양버들(Ⅰ, p. 143), 율무(Ⅱ, p. 455), 으아리(Ⅰ, p. 318), 전나무(Ⅰ, p. 116), 족도리풀(Ⅰ, p. 373), 쥐방울(Ⅰ, p. 370), 참쇠무릎(Ⅰ, p. 250), 톱풀(Ⅱ, p. 254), 헛개나무(Ⅰ, p. 718), 호랑이(Ⅱ, p. 898), 홀아비꽃대(Ⅰ, p. 368), 화살나무(Ⅰ, p. 709)

수족경련(手足痙攣)·**수족마비**(手足麻痺)__계수나무(Ⅰ, p. 354), 골등골나물(Ⅱ, p. 309), 광대싸리(Ⅰ, p. 651), 굴털이(Ⅱ, p. 684), 꿩의바람꽃(Ⅱ, p. 309), 노란분말그물버섯(Ⅱ, p. 679), 노박덩굴(Ⅰ, p. 708), 느타리(Ⅱ, p. 608), 닭새우(Ⅱ, p. 768), 데이지(Ⅱ, p. 282), 도마뱀부치(Ⅱ, p. 853), 동백나무겨우살이(Ⅰ, p. 194), 동아전갈(Ⅱ, p. 775), 등골나물(Ⅱ, p. 308), 때죽나무(Ⅰ, p. 924), 민달팽이(Ⅱ, p. 755), 밀화두나무(Ⅰ, p. 599), 번목과(Ⅰ, p. 778), 벌완두(Ⅰ, p. 605), 범꼬리(Ⅰ, p. 198), 비늘석송(Ⅰ, p. 50), 산초나무(Ⅰ, p. 674), 새우(Ⅱ, p. 767), 새털젖버섯(Ⅱ, p. 685), 생강(Ⅱ, p. 536), 쇠기러기(Ⅱ, p. 865), 수세미오이(Ⅰ, p. 788), 쌍봉낙타(Ⅱ, p. 904), 엄나무(Ⅰ, p. 839), 운남예목(Ⅰ, p. 960), 진득찰(Ⅱ, p. 338), 질경이택사(Ⅱ, p. 356), 쪽동백(Ⅰ, p. 924), 천궁(Ⅰ, p. 878, 치자나무(Ⅱ, p. 68), 큰그물버섯(Ⅱ, p. 678), 큰비단그물버섯(Ⅱ, p. 681), 헛개나무(Ⅰ, p. 718), 현호색(Ⅰ, p. 406), 화살나무(Ⅰ, p. 709), 황기(Ⅰ, p. 533)

신경통(神經痛)·**근육통**(筋肉痛)__갈고리층층둥굴레(Ⅱ, p. 406), 강활(Ⅰ, p. 883), 개석송(Ⅰ, p. 48), 겨우살이(Ⅰ, p. 195), 겨자무(Ⅰ, p. 414), 고추(Ⅱ, p. 165), 골담초(Ⅰ, p. 542), 굴피나무(Ⅰ, p. 140), 남천(Ⅰ, p. 343), 노루귀(Ⅰ, p. 325), 노루발풀(Ⅱ, p. 898), 녹나무(Ⅰ, p. 284), 다람쥐꼬리(Ⅰ, p. 49), 댕댕이덩굴(Ⅰ, p. 346), 독활(Ⅰ, p. 835), 딱지꽃(Ⅰ, p. 481), 만년석송(Ⅰ, p. 50), 만병초(Ⅱ, p. 902), 모과나무(Ⅰ, p. 464), 밀화두나무(Ⅰ, p. 599), 뻐꾹채(Ⅱ, p. 328), 사위질빵(Ⅰ, p. 316), 석송(Ⅰ, p. 49), 아출(Ⅱ, p. 528), 애기

낙엽버섯(Ⅱ, p. 623), 애기똥풀(Ⅰ, p. 400), 어수리(Ⅰ, p. 875), 엉겅퀴(Ⅱ, p. 298), 왕지네(Ⅱ, p. 777), 으아리(Ⅰ, p. 318), 전호(Ⅰ, p. 860), 진교(Ⅰ, p. 300), 진득찰(Ⅱ, p. 338), 천산갑(Ⅱ, p. 886), 천속단(Ⅱ, p. 242), 청미래덩굴(Ⅱ, p. 410), 침향나무(Ⅰ, p. 758), 큰잎용담(Ⅰ, p. 946), 투구꽃(Ⅰ, p. 298), 파대가리(Ⅱ, p. 514), 푸조나무(Ⅰ, p. 158), 항백지(Ⅰ, p. 854), 향나무솔이끼(Ⅱ, p. 597), 향부자(Ⅱ, p. 512), 호랑이(Ⅱ, p. 898)

심복동통(心腹疼痛)__갓(Ⅰ, p. 416), 대낭독(Ⅰ, p. 639), 물개(Ⅱ, p. 900), 생강나무(Ⅰ, p. 290), 안식향나무(Ⅰ, p. 923), 유엽백전(Ⅱ, p. 54), 유향나무(Ⅰ, p. 651), 피뿌리풀(Ⅰ, p. 763), 향유고래(Ⅱ, p. 889), 홍모오가(Ⅰ, p. 831), 화살나무(Ⅰ, p. 709), 흑삼릉(Ⅱ, p. 505)

요슬산통(腰膝酸痛)__가지더부살이(Ⅱ, p. 220), 겨우살이(Ⅰ, p. 195), 구골나무(Ⅰ, p. 937), 노루(Ⅱ, p. 904), 누치(Ⅱ, p. 820), 대두어(Ⅱ, p. 815), 동백나무겨우살이(Ⅰ, p. 194), 두충나무(Ⅰ, p. 430), 마삭줄(Ⅰ, p. 963), 매화록(Ⅱ, p. 906), 면두설련화(Ⅱ, p. 331), 묏미나리(Ⅰ, p. 885), 뽕나무겨우살이(Ⅰ, p. 196), 새삼(Ⅱ, p. 84), 서양겨우살이(Ⅰ, p. 197), 선모(Ⅱ, p. 423), 쇠무릎(Ⅰ, p. 249), 시로미(Ⅰ, p. 714), 유럽겨우살이(Ⅰ, p. 194), 은상어(Ⅱ, p. 806), 이엽우피소(Ⅱ, p. 52), 큰잎선모(Ⅱ, p. 423), 페칸(Ⅰ, p. 137), 황복(Ⅱ, p. 841)

요퇴동통(腰腿疼痛)__가래(Ⅱ, p. 362), 가죽껍질무당버섯(Ⅱ, p. 686), 강향나무(Ⅰ, p. 551), 개량조개(Ⅱ, p. 762), 골담초(Ⅰ, p. 542), 곰취(Ⅱ, p. 324), 구기자나무(Ⅱ, p. 168), 구지뽕나무(Ⅰ, p. 170), 구척(Ⅰ, p. 70), 귀룽나무(Ⅰ, p. 494), 깔때기무당버섯(Ⅱ, p. 688), 꽃매미(Ⅱ, p. 785), 넉줄고사리(Ⅰ, p. 75), 당광나무(Ⅰ, p. 934), 당나귀(Ⅱ, p. 902), 독활(Ⅰ, p. 835), 두릅나무(Ⅰ, p. 836), 두충나무(Ⅰ, p. 430), 딱총나무(Ⅱ, p. 232), 마(Ⅱ, p. 428), 마가목(Ⅰ, p. 517), 마름(Ⅰ, p. 799), 무릇(Ⅱ, p. 408), 바다나물(Ⅱ, p. 887), 반디나물(Ⅰ, p. 868), 백화사(Ⅱ, p. 857), 번데기동충하초(Ⅱ, p. 729), 보골지(Ⅰ, p. 589), 분배서여(Ⅱ, p. 430), 산초나무(Ⅰ, p. 674), 살갈퀴(Ⅰ, p. 605), 새삼(Ⅱ, p. 84), 송이(Ⅱ, p. 616), 쇠무릎(Ⅰ, p. 249), 쑤기미(Ⅱ, p. 838), 아기사슴(Ⅱ, p. 908), 애기무당버섯(Ⅱ, p. 688), 앵초(Ⅱ, p. 918), 어수리(Ⅰ, p. 875), 여우콩(Ⅰ, p. 593), 여치(Ⅱ, p. 782), 연령초(Ⅱ, p. 414), 오갈피나무(Ⅰ, p. 833), 오리나무(Ⅰ, p. 147), 오약나무(Ⅰ, p. 291), 왜현호색(Ⅰ, p. 401), 으름덩굴(Ⅰ, p. 344), 조개껍질버섯(Ⅱ, p. 707), 진득찰(Ⅱ, p. 338), 천궁(Ⅰ, p. 878), 철봉추(Ⅱ, p. 302), 층층나무(Ⅰ, p. 826), 침향나무(Ⅰ, p. 758), 큰주머니광대버섯(Ⅱ, p. 638), 털탑고둥(Ⅱ, p. 752), 파극천(Ⅱ, p. 72), 한치(Ⅱ, p. 763), 호도나무(Ⅰ, p. 139), 호로파(Ⅰ, p. 603), 흰주름버섯(Ⅱ, p. 652)

좌골신경통(坐骨神經痛)__강낭콩(Ⅰ, p. 587), 나륵(Ⅱ, p. 137), 남천(Ⅰ, p. 343), 땅꽈리(Ⅱ, p. 174), 마편초(Ⅱ, p. 107), 배풍등(Ⅱ, p. 179), 브룬펠시아(Ⅱ, p. 164), 생강(Ⅱ, p. 536), 서양박하(Ⅱ, p. 131), 솔잎란(Ⅰ, p. 48), 여로(Ⅱ, p. 417), 염색풀(Ⅰ, p. 562), 왕모람(Ⅰ, p. 175), 유칼리나무(Ⅰ, p. 805), 으아리(Ⅰ, p. 318), 이질풀(Ⅰ, p. 617), 쥐손이풀(Ⅰ, p. 616), 진득찰(Ⅱ, p. 338), 참나무겨우살이(Ⅰ, p. 195), 카네이션(Ⅰ, p. 232), 향봉화(Ⅱ, p. 129), 황금목(Ⅰ, p. 559)

타박상(打撲傷)__감태나무(Ⅰ, p. 289), 갓(Ⅰ, p. 416), 강황(Ⅱ, p. 530), 금어초(Ⅱ, p. 183), 기린갈(Ⅱ, p. 544), 까치박달(Ⅰ, p. 150), 꿩의다리아재비(Ⅰ, p. 339), 꿩의비름(Ⅰ, p. 439), 나도옥잠화(Ⅱ, p. 378), 노각나무(Ⅰ, p. 388), 노루오줌(Ⅰ, p. 443), 녹나무(Ⅰ, p. 284), 다람쥐꼬리(Ⅰ, p. 49), 도둑놈의갈고리(Ⅰ, p. 556), 동의나물(Ⅰ, p. 312), 뚱딴지(Ⅱ, p. 314), 무릇(Ⅱ, p. 408), 물레나물(Ⅰ, p. 394), 뱀톱(Ⅰ, p. 51), 벼룩나물(Ⅰ, p. 239), 별꽃(Ⅰ, p. 241), 사시나무(Ⅰ, p. 142), 사향노루(Ⅱ, p. 909), 생강나무(Ⅰ, p. 290), 소귀나무(Ⅰ, p. 136), 순비기나무(Ⅱ, p. 109), 옥녀꽃대(Ⅰ, p. 366), 이삭여뀌(Ⅰ, p. 202), 잇꽃(Ⅱ, p. 290), 자귀나무(Ⅰ, p. 528), 죽절초(Ⅰ, p. 367), 지별(Ⅱ, p. 779), 채송화(Ⅰ, p. 227), 피나물(Ⅰ, p. 409), 한속단(Ⅱ, p. 143)

통풍(痛風)__가는잎쐐기풀(Ⅰ, p. 190), 가연엽수(Ⅱ, p. 182), 가을사프란(Ⅱ, p. 378), 개다래나무(Ⅰ, p. 384), 갯는쟁이(Ⅰ, p. 242), 고추풀(Ⅱ, p. 187), 공작고사리(Ⅰ, p. 78), 꼬리풀(Ⅱ, p. 204), 꽈리(Ⅱ, p. 175), 노간주나무(Ⅰ, p. 124), 녹나무(Ⅰ, p. 284), 딱총나무(Ⅱ, p. 232), 만주자작나무(Ⅰ, p. 150), 모래지치(Ⅱ, p. 97), 물푸레나무(Ⅰ, p. 931), 미국터리풀(Ⅰ, p. 471), 미역고사리(Ⅰ, p. 110), 박(Ⅰ, p. 787), 백자작나무(Ⅰ, p. 148), 블루베리(Ⅰ, p. 906), 산물통이(Ⅰ, p. 187), 삼지구엽초(Ⅰ, p. 340), 서양앵초(Ⅰ, p. 918), 서양톱풀(Ⅱ, p. 255), 서향나무(Ⅰ, p. 762), 쓰레기풀(Ⅱ, p. 347), 아르니카(Ⅱ, p. 258), 약물통이(Ⅰ, p. 186), 양배추(Ⅰ, p. 418), 여우(Ⅱ, p. 893), 옥수수(Ⅱ, p. 484), 용설란(Ⅱ, p. 433), 우엉(Ⅱ, p. 259), 유창목(Ⅰ, p. 621), 으아리(Ⅰ, p. 318), 조희풀(Ⅰ, p. 319), 죽절초(Ⅰ, p. 367), 지느러미엉겅퀴(Ⅱ, p. 288), 참검정풍뎅이(Ⅱ, p. 796), 청미래덩굴(Ⅱ, p. 410), 풍선덩굴(Ⅰ, p. 695), 호자나무(Ⅱ, p. 65), 회화나무(Ⅰ, p. 597)

풍습골통(風濕骨痛)__가마편(Ⅱ, p. 106), 가응조(Ⅰ, p. 264), 계골초(Ⅰ, p. 523), 골담초(Ⅰ, p. 542), 나도은조롱(Ⅱ, p. 58), 낫잎시계꽃(Ⅰ, p. 771), 녕몽안(Ⅰ, p. 805), 다예목(Ⅰ, p. 848), 대엽천근발(Ⅰ, p. 561), 덩굴별꽃(Ⅰ, p. 231), 두릅나무(Ⅰ, p. 836), 마상(Ⅰ, p. 685), 백천층(Ⅰ, p. 808), 병아리풀(Ⅰ, p. 684), 봉선화(Ⅰ, p. 702), 상사나무(Ⅰ, p. 524), 수양버들(Ⅰ, p. 143), 자주솜대(Ⅱ, p. 409), 중국무우화(Ⅰ, p. 594), 참배암차즈기(Ⅱ, p. 148), 청시닥나무(Ⅰ, p. 692), 추

풍목(Ⅰ, p. 628), 큰도둑놈의갈고리(Ⅰ, p. 556), 토전칠(Ⅱ, p. 535), 해우(Ⅱ, p. 488)

풍습마목(風濕麻木)__노각나무(Ⅰ, p. 388), 소철(Ⅰ, p. 114), 자경(Ⅰ, p. 388), 중국굴피나무(Ⅰ, p. 140), 흰말채나무(Ⅰ, p. 826)

풍습마비(風濕麻痹)__금환사(Ⅱ, p. 858), 애기우산나물(Ⅱ, p. 344), 으아리(Ⅰ, p. 318)

풍습비통(風濕痹痛)__가응조(Ⅰ, p. 264), 갈퀴나물(Ⅰ, p. 604), 갯메꽃(Ⅱ, p. 82), 고양이(Ⅱ, p. 897), 광방기(Ⅰ, p. 371), 국화쥐손이(Ⅰ, p. 614), 그물버섯(Ⅱ, p. 677), 남오미자(Ⅰ, p. 265), 넉줄고사리(Ⅰ, p. 75), 노루삼(Ⅰ, p. 305), 누에나방(Ⅱ, p. 787), 닥나무(Ⅰ, p. 166), 대혈등(Ⅰ, p. 345), 댕댕이덩굴(Ⅰ, p. 346), 돌잔고사리(Ⅰ, p. 72), 만년석송(Ⅰ, p. 50), 말벌(Ⅱ, p. 800), 밀나물(Ⅱ, p. 412), 바다뱀(Ⅱ, p. 860), 백화사(Ⅱ, p. 857), 복주머니란(Ⅱ, p. 555), 붉은가시딸기(Ⅰ, p. 513), 붉은무당버섯(Ⅱ, p. 689), 사철나무(Ⅰ, p. 711), 살모사(Ⅱ, p. 858), 새모래덩굴(Ⅰ, p. 347), 안경사(Ⅱ, p. 859), 월계수(Ⅰ, p. 287), 잠풀(Ⅰ, p. 582), 조개버섯(Ⅱ, p. 698), 주아삼(Ⅰ, p. 844), 튤립나무(Ⅰ, p. 265), 풍향나무(Ⅰ, p. 433), 피나물(Ⅰ, p. 409), 함박이(Ⅰ, p. 350), 호랑가시나무(Ⅰ, p. 704), 홀아비꽃대(Ⅰ, p. 368), 홍후각(Ⅰ, p. 391), 활나물(Ⅰ, p. 549), 황매화(Ⅰ, p. 474), 흰구름송편버섯(Ⅱ, p. 704)

풍습성관절염(風濕性關節炎)__개버무리(Ⅰ, p. 320), 갯기름나물(Ⅰ, p. 889), 고려홍어(Ⅱ, p. 808), 구주갈퀴덩굴(Ⅰ, p. 608), 능구렁이(Ⅱ, p. 855), 두릅나무(Ⅰ, p. 836), 미꾸리낚시(Ⅰ, p. 206), 민둥인가목(Ⅰ, p. 502), 붓순나무(Ⅰ, p. 280), 오소리(Ⅱ, p. 895), 참홍어(Ⅱ, p. 808), 천우슬(Ⅰ, p. 257), 큰애기나리(Ⅱ, p. 382), 터리풀(Ⅰ, p. 470), 톱상어(Ⅱ, p. 809), 푼지나무(Ⅰ, p. 707), 흰뺨상어(Ⅱ, p. 807)

풍한습비(風寒濕痹)__가는줄돌쩌귀(Ⅰ, p. 305), 그물버섯(Ⅱ, p. 677), 노랑투구꽃(Ⅰ, p. 303), 늑대(Ⅱ, p. 892), 바람등칡(Ⅰ, p. 364), 부채마(Ⅱ, p. 431), 사시나무(Ⅰ, p. 142), 소나무잔나비버섯(Ⅱ, p. 702), 양면침(Ⅱ, p. 673), 오초사(Ⅱ, p. 856), 왜위모(Ⅰ, p. 711), 절구버섯(Ⅱ, p. 689), 중국굴피나무(Ⅰ, p. 140), 지주향(Ⅱ, p. 240), 중치모당귀(Ⅱ, p. 852), 표범(Ⅱ, p. 898), 홍모오가(Ⅰ, p. 831), 황금그물버섯(Ⅱ, p. 676), 히말라야원숭이(Ⅱ, p. 884)

흉협위한복통(胸脇胃寒腹痛)__꽃매미(Ⅱ, p. 785)

흉협통(胸脇痛)__갓(Ⅰ, p. 416), 강황(Ⅱ, p. 530), 궁궁이(Ⅰ, p. 858), 물쑥(Ⅰ, p. 270), 수세미오이(Ⅰ, p. 788), 온욱금(Ⅱ, p. 532), 자귀나무(Ⅰ, p. 528), 중국칠엽수(Ⅰ, p. 700), 황새(Ⅱ, p. 863)

구강(口腔) · 치주질환(齒周疾患)

괴혈병(壞血病)_개자리(I, p. 579), 광귤나무(I, p. 656), 금어초(II, p. 183), 까치밥나무(I, p. 451), 나륵(II, p. 137), 레몬나무(I, p. 657), 만주자작나무(I, p. 150), 배롱나무(I, p. 796), 번행초(I, p. 227), 사철베고니아(I, p. 796), 쇠비름(I, p. 228), 수영(I, p. 219), 시금치(I, p. 248), 약용금잔화(II, p. 287), 촛대선인장(I, p. 259), 한련(I, p. 620)

구강염(口腔炎)_곰궁둥이(II, p. 212), 꿀풀(II, p. 146), 덜꿩나무(II, p. 233), 매운잎풀(II, p. 343), 물양지꽃(I, p. 481), 오배자진딧물(II, p. 786), 세이지(II, p. 151), 약촉규(I, p. 739), 왜박주가리(II, p. 60), 운남산죽자(I, p. 392), 중대가리국화(II, p. 326), 호주차나무(I, p. 807)

구창(口瘡)_꿀벌(II, p. 798), 나도잠자리난초(II, p. 567), 늪개구리(II, p. 846), 선좁쌀풀(II, p. 186), 아선약나무(II, p. 78), 아출(II, p. 528), 애기고추나물(I, p. 395), 왕쥐잡이뱀(II, p. 855), 자주쓴풀(I, p. 952), 황모초매(I, p. 472)

구취(口臭)_고수(I, p. 867), 목서(I, p. 646), 박하(II, p. 129), 배초향(II, p. 110), 아니스(I, p. 891), 차나무(I, p. 390), 초두구(II, p. 520), 튤립(II, p. 415)

아구창(鵝口瘡)_금매화(I, p. 335), 남이(I, p. 800), 배롱나무(I, p. 796), 보리(II, p. 461), 봄맞이꽃(I, p. 912), 승마(I, p. 314), 양포도(I, p. 811), 오배자진딧물(II, p. 786), 이질풀(I, p. 617), 제비쑥(II, p. 266), 진주조개(II, p. 757)

충치(蟲齒)_개구리자리(I, p. 330), 운용버들(I, p. 145), 이질풀(I, p. 617), 일본목련(I, p. 269), 족도리풀(I, p. 373), 후박나무(I, p. 270)

치주염(齒周炎)_금변상(I, p. 626), 꿀벌(II, p. 798), 말벌(II, p. 800), 물닭개비(II, p. 436), 박(I, p. 787), 배풍등(II, p. 179), 뱀딸기(II, p. 468), 번석류(I, p. 809), 벼룩이자리(I, p. 230), 부채붓꽃(II, p. 441), 산여뀌(I, p. 204), 수수꽃다리(I, p. 937), 식염(II, p. 932), 아귀(II, p. 843), 약석잠풀(II, p. 160), 양귀비(I, p. 412), 용뇌향나무(I, p. 398), 자라(II, p. 851), 장화용혈수(II, p. 545), 정향나무(I, p. 810), 조릿대(II, p. 477), 줄별벌레(II, p. 745), 캐나다양귀비(I, p. 413), 큰두꺼비(II, p. 844), 필발(I, p. 363), 후박나무(I, p. 270), 후추나무(I, p. 365)

치통(齒痛)_갈매나무(I, p. 721), 고량강(II, p. 521), 골무꽃(II, p. 157), 구(II, p. 361), 남가새(I, p. 623), 노루귀(I, p. 325), 노박덩굴(I, p. 708), 독말풀(II, p. 167), 말똥비름(I, p. 438), 말벌(II, p. 800), 머귀나무(I, p. 671), 목서(I, p. 646), 미나리아재비(I, p. 330), 배롱나무(I, p. 796), 백리향(II, p. 162), 백정화(II, p. 77), 사리풀(II, p. 167), 산해박(II,

p. 54), 순비기나무(II, p. 109), 승마(I, p. 314), 식염(II, p. 932), 아출(II, p. 528), 어수리(I, p. 875), 오수유나무(I, p. 664), 인도보리수나무(I, p. 174), 제비고깔(I, p. 323), 족도리풀(I, p. 373), 쪽동백(I, p. 924), 참조팝나무(I, p. 519), 콩짜개덩굴(I, p. 107), 태산목(I, p. 267), 필발(I, p. 363)

편도선염(扁桃腺炎)_괴불나무(II, p. 229), 구슬이끼(II, p. 601), 금매화(I, p. 335), 깽깽이풀(I, p. 341), 꿀풀(II, p. 146), 꿩의다리아재비(II, p. 339), 나도하수오(I, p. 209), 담배풀(II, p. 288), 도둑놈의지팡이(I, p. 596), 먼나무(I, p. 706), 머위(II, p. 326), 물닭개비(II, p. 436), 바위손(I, p. 52), 범부채(II, p. 437), 소리쟁이(I, p. 220), 소태나무(I, p. 677), 쓴풀(II, p. 951), 으아리(I, p. 318), 은방울꽃(II, p. 379), 작살나무(II, p. 100), 참홑파래(II, p. 571), 패(II, p. 576), 해바라기(II, p. 313), 황매퉁이(II, p. 815), 홉(I, p. 177)

기생충질환(寄生蟲疾患)

병원체(病原體)_대풍자나무(I, p. 768), 키나나무(II, p. 63)

살충제(殺蟲劑)_담배(II, p. 173), 데리스(I, p. 553), 제충국(II, p. 293), 파리풀(II, p. 222), 홍화제충국(II, p. 293)

장내기생충(腸內寄生蟲)_개서실(II, p. 590), 관중(I, p. 92), 남과소벽(I, p. 338), 남과자(중, p.), 담배풀(II, p. 288), 대나무버섯(II, p. 710), 비자나무(I, p. 129), 짚신나물(I, p. 459), 중국멀구슬나무(I, p. 682), 인삼(I, p. 840), 사군자나무(I, p. 801), 소태나무(I, p. 677), 석류나무(I, p. 815), 참산호말(II, p. 586), 해인초(II, p. 590), 회호(II, p. 265)

내분비질환(內分泌疾患)

갑상선기능항진증(甲狀腺機能亢進症)_광대싸리(I, p. 651), 다시마(II, p. 579), 댕댕이덩굴(I, p. 346), 독수리(II, p. 867), 모란갈파래(II, p. 572), 미끈가지(II, p. 575), 미역(II, p. 578), 비단풀(II, p. 588), 삼지구엽초(I, p. 340), 속새(I, p. 58), 쇠뜨기(I, p. 55), 패(II, p. 576)

구갈(口渴)_가리맛조개(II, p. 763), 각시둥굴레(II, p. 402), 갈고리층층둥굴레(II, p. 406), 갈대(II, p. 470), 개맥문동(II, p. 397), 갯방풍(I, p. 873), 대잎둥굴레(II, p. 401), 덩굴닭의장풀(II, p. 448), 둥굴레(II, p. 405), 딸기(I, p. 472), 만삼(II, p. 249), 망고(I, p. 687), 맥문동(II, p. 396), 모밀잣밤나무(I, p. 153), 미꾸라지(II, p. 821), 석곡(II, p. 556), 약등굴레(II, p. 404), 어리연꽃(I, p. 954), 용담(II, p. 947), 은난초(II, p. 551), 조릿대풀(II, p. 465), 찰벼(II, p. 468), 하늘타리(I, p. 792), 황련목(I, p. 688)

당뇨병(糖尿病)__가시연꽃(Ⅰ, p. 355), 갈대(Ⅱ, p. 470), 갈레가(Ⅰ, p. 561), 감차(Ⅰ, p. 448), 귀리(Ⅱ, p. 452), 까치(Ⅱ, p. 880), 달맞이꽃(Ⅰ, p. 820), 닭의장풀(Ⅱ, p. 446), 동죽(Ⅱ, p. 762), 두루미(Ⅱ, p. 872), 두릅나무(Ⅰ, p. 836), 두충나무(Ⅰ, p. 430), 뚱딴지(Ⅱ, p. 314), 맥문동(Ⅱ, p. 396), 메꽃(Ⅱ, p. 81), 멕시코마편초(Ⅱ, p. 105), 무화과나무(Ⅰ, p. 172), 백합(Ⅱ, p. 395), 불로초(Ⅱ, p. 700), 블루베리(Ⅰ, p. 906), 뽕나무(Ⅰ, p. 178), 산누에나방(Ⅱ, p. 789), 산돌배나무(Ⅰ, p. 500), 삼채(Ⅱ, p. 365), 시갱등(Ⅱ, p. 57), 여주(Ⅰ, p. 789), 오골계(Ⅱ, p. 870), 왕포아풀(Ⅱ, p. 474), 유칼리나무(Ⅰ, p. 805), 인삼(Ⅰ, p. 840), 재첩(Ⅱ, p. 760), 좁은잎돌꽃(Ⅰ, p. 437), 주목(Ⅰ, p. 129), 질경이택사(Ⅱ, p. 356), 천일홍(Ⅰ, p. 258), 큰애기버섯(Ⅱ, p. 623), 타래난초(Ⅱ, p. 566), 파래가리비(Ⅱ, p. 758), 하늘색갈때기버섯(Ⅱ, p. 614), 해당화(Ⅰ, p. 509), 헛개나무(Ⅰ, p. 718)

유즙분비(乳汁分泌)__감귤나무(Ⅰ, p. 660), 말뱅이나물(Ⅰ, p. 241), 박주가리(Ⅱ, p. 59), 벌사상자(Ⅱ, p. 866), 별꽃(Ⅰ, p. 241), 뼈꾹채(Ⅱ, p. 328), 신선초(Ⅰ, p. 857), 아욱(Ⅰ, p. 748), 잉어(Ⅱ, p. 817), 장구채(Ⅰ, p. 236), 천산갑(Ⅱ, p. 886), 통탈목(Ⅰ, p. 847), 하늘나리(Ⅱ, p. 392)

타액분비(唾液分泌)__곤약(Ⅱ, p. 488), 공작고사리(Ⅰ, p. 78), 대추나무(Ⅰ, p. 724), 둥굴레(Ⅱ, p. 405), 석곡(Ⅱ, p. 556), 쇠채(Ⅱ, p. 333), 자두나무(Ⅰ, p. 496), 지채(Ⅱ, p. 361), 하늘타리(Ⅰ, p. 792)

뇌질환(腦疾患)

간질병(癎疾病)__겨우살이(Ⅰ, p. 195), 고사리삼(Ⅰ, p. 60), 광귤나무(Ⅰ, p. 656), 넓은잎쥐오줌풀(Ⅱ, p. 239), 멧돼지(Ⅱ, p. 903), 뱀딸기(Ⅰ, p. 468), 별봄맞이꽃(Ⅰ, p. 912), 복수초(Ⅰ, p. 306), 사리풀(Ⅱ, p. 167), 사위질빵(Ⅰ, p. 316), 삿갓풀(Ⅱ, p. 401), 석창포(Ⅱ, p. 486), 아욱메풀(Ⅱ, p. 85), 운향풀(Ⅰ, p. 670), 은방울꽃(Ⅱ, p. 379), 현정석(Ⅱ, p. 946), 호박(Ⅰ, p. 785)

건망증(健忘症)__마테차(Ⅰ, p. 705), 석창포(Ⅱ, p. 486), 용안나무(Ⅰ, p. 696), 원지(Ⅰ, p. 684), 인삼(Ⅰ, p. 840), 창포(Ⅱ, p. 485), 파인애플(Ⅱ, p. 445)

뇌졸중(腦卒中) · **중풍**(中風)__감태나무(Ⅰ, p. 289), 개구리밥(Ⅱ, p. 504), 금낭화(Ⅰ, p. 408), 누에나방(Ⅱ, p. 787), 담쟁이덩굴(Ⅰ, p. 729), 댕댕이덩굴(Ⅰ, p. 346), 독각련(Ⅱ, p. 503), 동의나물(Ⅰ, p. 312), 딱지꽃(Ⅰ, p. 481), 마가목(Ⅰ, p. 517), 마전자나무(Ⅱ, p. 942), 민달팽이(Ⅱ, p. 755), 바위떡풀(Ⅰ, p. 454), 방풍(Ⅰ, p. 893), 사향노루(Ⅱ, p. 909), 소합향

나무(Ⅰ, p. 434), 솔잎란(Ⅰ, p. 48), 솔체꽃(Ⅱ, p. 243), 솜대나무(Ⅱ, p. 472), 안경사(Ⅱ, p. 859), 여로(Ⅱ, p. 417), 여송과나무(Ⅰ, p. 941), 왕대(Ⅱ, p. 471), 으아리(Ⅰ, p. 318), 주엽나무(Ⅰ, p. 562), 어저귀(Ⅰ, p. 738), 정공등(Ⅱ, p. 85), 좀개구리밥(Ⅱ, p. 504), 차가버섯(Ⅱ, p. 706), 창포(Ⅱ, p. 485), 천남성(Ⅱ, p. 489), 층층나무(Ⅰ, p. 826), 형개(Ⅱ, p. 154), 황칠나무(Ⅰ, p. 837)

뇌출혈(腦出血)__얄라파(Ⅱ, p. 88), 천마(Ⅱ, p. 558), 큰꽃선인장(Ⅰ, p. 260)

두통(頭痛)__강활(Ⅰ, p. 883), 개곽향(Ⅱ, p. 161), 개구릿대(Ⅰ, p. 850), 개박하(Ⅱ, p. 137), 고마리(Ⅰ, p. 207), 고정차나무(Ⅰ, p. 704), 구릿대(Ⅰ, p. 855), 국화(Ⅱ, p. 295), 꽃생강(Ⅱ, p. 533), 나륵(Ⅱ, p. 137), 남가새(Ⅱ, p. 623), 노루귀(Ⅰ, p. 325), 누리장나무(Ⅱ, p. 104), 당귀(Ⅰ, p. 858), 대자석(Ⅱ, p. 921), 라벤더(Ⅱ, p. 122), 말전복(Ⅱ, p. 747), 무(Ⅰ, p. 426), 밀맥아장시(Ⅱ, p. 846), 방풍(Ⅰ, p. 893), 벌등골나물(Ⅱ, p. 309), 석남(Ⅱ, p. 479), 성나륵(Ⅱ, p. 139), 순비기나무(Ⅱ, p. 109), 쉬나무(Ⅰ, p. 663), 약석잠풀(Ⅱ, p. 160), 양귀비(Ⅰ, p. 412), 어수리(Ⅰ, p. 875), 여로(Ⅱ, p. 417), 여우콩(Ⅰ, p. 593), 영춘화(Ⅰ, p. 932), 왕머루(Ⅰ, p. 730), 왕지네(Ⅱ, p. 777), 일본조팝나무(Ⅰ, p. 519), 자단나무(Ⅰ, p. 590), 적수주(Ⅱ, p. 497), 좁은잎해란초(Ⅱ, p. 188), 중치모당귀(Ⅰ, p. 852), 지렁이(Ⅱ, p. 743), 칡(Ⅰ, p. 591), 털기름나물(Ⅰ, p. 877), 퉁퉁마디(Ⅰ, p. 246), 푸조나무(Ⅰ, p. 158), 한강활(Ⅰ, p. 886), 향백지(Ⅰ, p. 854), 홍가시나무(Ⅰ, p. 478), 회양목(Ⅰ, p. 715), 히어리(Ⅰ, p. 431)

치매(癡呆)__강황(Ⅱ, p. 530), 단삼(Ⅱ, p. 150), 당귀(Ⅰ, p. 858), 두릅나무(Ⅰ, p. 836), 맥문동(Ⅱ, p. 396), 모과나무(Ⅰ, p. 464), 무릇(Ⅱ, p. 408), 복령균(Ⅱ, p. 712), 생강(Ⅱ, p. 536), 석창포(Ⅱ, p. 486), 소합향나무(Ⅰ, p. 434), 육두구(Ⅰ, p. 277), 은행나무(Ⅰ, p. 115), 정향나무(Ⅰ, p. 810), 천궁(Ⅰ, p. 878), 측백나무(Ⅰ, p. 125), 필발(Ⅱ, p. 363), 현삼(Ⅱ, p. 199), 홍삼(Ⅰ, p. 840)

편두통(偏頭痛)__개구리갓(Ⅰ, p. 331), 개양귀비(Ⅰ, p. 412), 고로쇠나무(Ⅰ, p. 694), 금속란(Ⅰ, p. 368), 깊은산사슴지의(Ⅱ, p. 594), 다화야목단(Ⅰ, p. 813), 독각련(Ⅱ, p. 503), 말매미(Ⅱ, p. 784), 맥각균(Ⅱ, p. 732), 무(Ⅰ, p. 426), 무궁화(Ⅰ, p. 745), 백강잠균(Ⅱ, p. 735), 백포라벤더(Ⅱ, p. 123), 봄맞이꽃(Ⅰ, p. 912), 붉은누리장나무(Ⅱ, p. 102), 서양은방울꽃(Ⅱ, p. 379), 서양할미꽃(Ⅱ, p. 327), 선녀낙엽버섯(Ⅱ, p. 622), 순비기나무(Ⅱ, p. 109), 으아리(Ⅰ, p. 318), 중국황칠나무(Ⅰ, p. 836), 치아라벤더(Ⅱ, p. 123), 태산목(Ⅰ, p. 267)

비장질환(脾臟疾患)

비장염(脾臟炎)__선갈퀴(Ⅱ, p. 62), 에린지움(Ⅰ, p. 870), 쿠바자스민(Ⅰ, p. 955)

산부인과질환(産婦人科疾患)

난산(難産)__꽈리(Ⅱ, p. 175), 날치(Ⅱ, p. 824), 맥각균(Ⅱ, p. 732), 인삼(Ⅰ, p. 840), 용뇌향나무(Ⅰ, p. 398), 익모초(Ⅱ, p. 124), 진주조개(Ⅱ, p. 757), 참새귀리(Ⅱ, p. 454), 천우슬(Ⅰ, p. 257), 회화나무(Ⅰ, p. 597)

대하증(帶下症)__고비(Ⅰ, p. 63), 고사리삼(Ⅰ, p. 60), 공작고사리(Ⅰ, p. 78), 구절초(Ⅱ, p. 296), 노루발풀(Ⅰ, p. 898), 담쟁이덩굴(Ⅰ, p. 729), 댑싸리(Ⅰ, p. 245), 마타리(Ⅱ, p. 238), 맨드라미(Ⅰ, p. 255), 명아주(Ⅰ, p. 243), 왜광대수염(Ⅱ, p. 121), 발풀고사리(Ⅰ, p. 67), 배롱나무(Ⅰ, p. 796), 부처손(Ⅰ, p. 54), 분꽃(Ⅰ, p. 225), 삼백초(Ⅰ, p. 360), 서양고추나물(Ⅰ, p. 396), 소리쟁이(Ⅰ, p. 220), 쇠고비(Ⅰ, p. 91), 쇠비름(Ⅰ, p. 228), 약모밀(Ⅰ, p. 359), 어수리(Ⅰ, p. 875), 여우구슬(Ⅰ, p. 648), 연꽃(Ⅰ, p. 356), 옥잠화(Ⅱ, p. 391), 은행나무(Ⅰ, p. 115), 자라풀(Ⅱ, p. 359), 장미(Ⅰ, p. 504), 저령균(Ⅱ, p. 711), 홍초(Ⅱ, p. 538)

무월경(無月經)__계뇨등(Ⅱ, p. 74), 곤약(Ⅱ, p. 488), 번홍화(Ⅱ, p. 438), 알로에(Ⅱ, p. 371), 쥐오줌풀(Ⅱ, p. 240), 협죽도(Ⅰ, p. 960)

산후복통(産後腹痛)__가는잎쐐기풀(Ⅰ, p. 190), 강황(Ⅱ, p. 530), 기린갈(Ⅱ, p. 544), 넓적왼손집게(Ⅱ, p. 773), 마타리(Ⅱ, p. 238), 멍석딸기(Ⅰ, p. 513), 멸가치(Ⅱ, p. 255), 박골단(Ⅱ, p. 214), 번홍화(Ⅱ, p. 438), 봉선화(Ⅰ, p. 702), 부들(Ⅱ, p. 506), 소목(Ⅰ, p. 539), 쉽싸리(Ⅱ, p. 126), 아광나무(Ⅰ, p. 466), 왕모람(Ⅰ, p. 175), 유기노(Ⅱ, p. 260), 유채(Ⅰ, p. 415), 톱날꽃게(Ⅱ, p. 772), 투구게(Ⅱ, p. 773), 풀무치(Ⅱ, p. 780), 화살나무(Ⅰ, p. 709), 흰꽃광대나물(Ⅱ, p. 127)

산후출혈(産後出血)__가는잎쐐기풀(Ⅰ, p. 190), 가시나무(Ⅰ, p. 157), 담쟁이덩굴(Ⅰ, p. 729), 말오줌때(Ⅱ, p. 713), 맥각균(Ⅱ, p. 732), 문어(Ⅱ, p. 764), 물싸리풀(Ⅱ, p. 480), 번홍화(Ⅱ, p. 438), 봉선화(Ⅰ, p. 702), 산사나무(Ⅰ, p. 467), 수수(Ⅱ, p. 480), 쉽싸리(Ⅱ, p. 126), 아까시나무(Ⅰ, p. 594), 왜개연꽃(Ⅰ, p. 357), 익모초(Ⅱ, p. 124), 줄사철나무(Ⅰ, p. 710), 중국현호색(Ⅰ, p. 407), 화살나무(Ⅰ, p. 709)

생리통(生理痛)__골담초(Ⅰ, p. 542), 까마귀밥나무(Ⅰ, p. 450), 노랑물봉선(Ⅰ, p. 703), 능소화나무(Ⅱ, p. 208), 단삼(Ⅱ, p. 150), 둥근배암차즈기(Ⅱ, p. 149), 들현호색(Ⅰ, p.

406), 매발톱꽃(Ⅰ, p. 311), 부처꽃(Ⅰ, p. 798), 소목(Ⅰ, p. 539), 쇠무릎(Ⅰ, p. 249), 익모초(Ⅱ, p. 124), 창포(Ⅱ, p. 485), 천궁(Ⅰ, p. 878), 큰까치수염(Ⅰ, p. 914), 현호색(Ⅰ, p. 406)

월경불순(月經不順)__강황(Ⅱ, p. 530), 개맨드라미(Ⅰ, p. 256), 거머리(Ⅱ, p. 744), 구절초(Ⅱ, p. 296), 금관화(Ⅱ, p. 48), 까치수염(Ⅰ, p. 913), 꼭두서니(Ⅱ, p. 75), 단삼(Ⅱ, p. 150), 당귀(Ⅰ, p. 858), 말뱅이나물(Ⅰ, p. 241), 매발톱꽃(Ⅰ, p. 311), 모란(Ⅰ, p. 381), 박태기나무(Ⅰ, p. 548), 뱀딸기(Ⅰ, p. 468), 번홍화(Ⅱ, p. 438), 벌등골나물(Ⅱ, p. 309), 부싯깃고사리(Ⅰ, p. 79), 부처손(Ⅰ, p. 54), 양하(Ⅱ, p. 535), 옻나무(Ⅰ, p. 691), 왜개연꽃(Ⅰ, p. 357), 잇꽃(Ⅱ, p. 290), 작약(Ⅰ, p. 378), 장구채(Ⅱ, p. 236), 재등에(Ⅱ, p. 790), 지별(Ⅱ, p. 779), 청설모(Ⅱ, p. 887), 치마난초(Ⅱ, p. 555), 현호색(Ⅰ, p. 406), 홀아비꽃대(Ⅱ, p. 368), 흑삼릉(Ⅱ, p. 505)

유방염(乳房炎)__가지(Ⅱ, p. 180), 더덕(Ⅱ, p. 247), 무릇(Ⅱ, p. 408), 민들레(Ⅱ, p. 350), 뻐꾹채(Ⅱ, p. 328), 서양목형(Ⅱ, p. 108), 시클라멘(Ⅰ, p. 913), 오리나무(Ⅰ, p. 147), 온발(Ⅰ, p. 468), 원추리(Ⅱ, p. 388), 유향나무(Ⅰ, p. 651), 절굿대(Ⅱ, p. 304), 제비꿀(Ⅰ, p. 191)

유선염(乳腺炎)__검노린재나무(Ⅰ, p. 926), 까치수염(Ⅰ, p. 913), 더덕(Ⅱ, p. 247), 도둑놈의갈고리(Ⅰ, p. 556), 말쥐치(Ⅱ, p. 842), 며느리배꼽(Ⅰ, p. 205), 방아풀(Ⅱ, p. 144), 버들엉겅퀴(Ⅱ, p. 299), 범음씀바귀(Ⅱ, p. 319), 병두황금(Ⅱ, p. 157), 사스래나무(Ⅰ, p. 149), 은비늘치(Ⅱ, p. 840), 층층이꽃(Ⅱ, p. 114), 털머위(Ⅱ, p. 310), 하와이무궁화(Ⅰ, p. 744), 후피향나무(Ⅰ, p. 389)

유옹(乳癰)__검정개관중(Ⅰ, p. 97), 괴불나무(Ⅱ, p. 229), 낚시고사리(Ⅰ, p. 96), 누리장나무(Ⅱ, p. 104), 늪개구리(Ⅱ, p. 846), 댕댕이나무(Ⅱ, p. 226), 만수국(Ⅱ, p. 347), 말뱅이나물(Ⅰ, p. 241), 멱쇠채(Ⅱ, p. 333), 묏미나리(Ⅰ, p. 885), 발독산(Ⅰ, p. 749), 밭둑외풀(Ⅱ, p. 190), 배롱나무(Ⅰ, p. 796), 분꽃(Ⅰ, p. 225), 산떡쑥(Ⅰ, p. 257), 솜대(Ⅱ, p. 409), 십자고사리(Ⅰ, p. 96), 암자패모(Ⅱ, p. 386), 여우팥(Ⅰ, p. 558), 옥잠화(Ⅱ, p. 391), 윤노리나무(Ⅰ, p. 486), 참배암차즈기(Ⅱ, p. 148), 큰까치수염(Ⅰ, p. 914), 토패모(Ⅰ, p. 782)

유즙부족(乳汁不足)__갈치(Ⅱ, p. 834), 검정해삼(Ⅱ, p. 803), 고라니(Ⅱ, p. 905), 고추나물(Ⅰ, p. 394), 골잎원추리(Ⅱ, p. 389), 금사매(Ⅰ, p. 395), 남가새(Ⅰ, p. 623), 더덕(Ⅱ, p. 247), 등칡(Ⅰ, p. 372), 땅빈대(Ⅰ, p. 634), 레몬나무(Ⅰ, p. 657), 말냉이(Ⅰ, p. 428), 말뱅이나물(Ⅰ, p. 241), 매자기(Ⅱ, p. 515), 메기(Ⅱ, p. 822), 무화과나무(Ⅰ, p. 172), 민꽃게(Ⅱ, p. 770), 민물가재(Ⅱ, p. 769), 별꽃(Ⅰ, p. 241), 분홍바늘꽃(Ⅰ, p. 818), 붉은촉규(Ⅰ, p. 738), 붕어(Ⅱ, p. 816), 뻐꾹채

(Ⅱ, p. 328), 상추(Ⅱ, p. 322), 손바닥난초(Ⅱ, p. 561), 쇠비름(Ⅰ, p. 228), 쑥(Ⅱ, p. 769), 아관석(Ⅱ, p. 932), 아욱(Ⅰ, p. 748), 애기땅빈대(Ⅰ, p. 642), 야목단(Ⅰ, p. 813), 양송이(Ⅱ, p. 653), 영아자(Ⅱ, p. 253), 왕모람(Ⅰ, p. 175), 장구채(Ⅰ, p. 236), 질경이택사(Ⅱ, p. 356), 천산갑(Ⅱ, p. 886), 큰절굿대(Ⅱ, p. 303), 톱날꽃게(Ⅱ, p. 772), 투구게(Ⅱ, p. 773), 토인삼(Ⅰ, p. 229), 하늘타리(Ⅰ, p. 792)

임신구토(妊娠嘔吐)__남산등(Ⅱ, p. 56), 배초향(Ⅱ, p. 110), 산각(Ⅰ, p. 600), 서양박하(Ⅱ, p. 131), 서양산수유(Ⅰ, p. 828), 양춘사인(Ⅱ, p. 526), 호로차(Ⅰ, p. 598)

자궁내막염(子宮內膜炎)__말냉이(Ⅰ, p. 428), 모시물통이(Ⅰ, p. 188), 황삼국(Ⅱ, p. 330)

자궁냉증(子宮冷症)__구절초(Ⅱ, p. 296), 사상자(Ⅰ, p. 895), 쑥(Ⅱ, p. 268)

자궁출혈(子宮出血)__가래(Ⅱ, p. 362), 가시나무(Ⅰ, p. 157), 개부처손(Ⅰ, p. 53), 겨우살이(Ⅰ, p. 195), 고추나물(Ⅰ, p. 394), 국수나무(Ⅰ, p. 522), 긴병꽃풀(Ⅱ, p. 119), 꼭두서니(Ⅱ, p. 75), 꽃고비(Ⅱ, p. 80), 낙지다리(Ⅰ, p. 435), 낙지생근(Ⅰ, p. 435), 남생이(Ⅱ, p. 849), 말똥진흙버섯(Ⅱ, p. 720), 목질진흙버섯(Ⅱ, p. 720), 물싸리풀(Ⅰ, p. 480), 삼칠(Ⅰ, p. 845), 석위(Ⅰ, p. 111), 선옹초(Ⅰ, p. 229), 쑥(Ⅱ, p. 268), 오이풀(Ⅰ, p. 514), 원추리(Ⅱ, p. 388), 익모초(Ⅱ, p. 124), 작살나무(Ⅱ, p. 100), 재등에(Ⅱ, p. 790), 중대가리국화(Ⅱ, p. 326), 천속단(Ⅱ, p. 242), 측백나무(Ⅰ, p. 125), 호밀(Ⅱ, p. 475), 홍기(Ⅰ, p. 570)

자궁탈수(子宮脫垂)__모시물통이(Ⅰ, p. 188), 모엽석엽등(Ⅰ, p. 376), 백반(Ⅱ, p. 926), 산비장이(Ⅱ, p. 338), 오소리(Ⅱ, p. 895), 좀담배풀(Ⅱ, p. 289)

질염(膣炎)__구절초(Ⅱ, p. 296), 느러진장대(Ⅰ, p. 414), 부처꽃(Ⅰ, p. 798), 봉사(Ⅱ, p. 928), 수련(Ⅰ, p. 358), 양지꽃(Ⅰ, p. 483), 양파(Ⅱ, p. 364)

태동불안(胎動不安)__거북꼬리(Ⅰ, p. 183), 곰의말채(Ⅱ, p. 827), 당나귀(Ⅱ, p. 902), 모시풀(Ⅰ, p. 181), 뽕나무겨우살이(Ⅰ, p. 196), 서양겨우살이(Ⅰ, p. 197), 쑥(Ⅱ, p. 268), 양춘사인(Ⅱ, p. 526), 장구채(Ⅰ, p. 236), 천속단(Ⅱ, p. 242)

폐경(閉經)__검은낭개홍낭자(Ⅱ, p. 785), 고비고사리(Ⅰ, p. 79), 근대(Ⅰ, p. 243), 꽃게(Ⅱ, p. 771), 목화(Ⅰ, p. 741), 민꽃게(Ⅱ, p. 770), 민물가재(Ⅱ, p. 769), 봉선화(Ⅰ, p. 702), 부처손(Ⅰ, p. 54), 분꽃나무(Ⅰ, p. 225), 석류(Ⅰ, p. 628), 소철(Ⅰ, p. 114), 옻나무(Ⅰ, p. 691), 유창목(Ⅰ, p. 621), 장수하늘소(Ⅱ, p. 795), 재등에(Ⅱ, p. 790), 전동싸리(Ⅰ, p. 581), 줄먹가뢰(Ⅱ, p. 793), 줄사철나무(Ⅰ, p. 710), 지별(Ⅱ, p. 779), 참검정풍뎅이(Ⅱ, p. 796), 천산갑(Ⅱ, p. 886), 협죽도(Ⅰ, p. 960), 호

자나무(Ⅱ, p. 65), 화살나무(Ⅰ, p. 709), 흑삼릉(Ⅱ, p. 505)

하혈(下血)__가시칠엽수(Ⅰ, p. 701), 가중나무(Ⅰ, p. 675), 거북꼬리(Ⅰ, p. 183), 꼭두서니(Ⅱ, p. 75), 꿀벌(Ⅱ, p. 798), 당나귀(Ⅱ, p. 902), 도둑놈의지팡이(Ⅰ, p. 596), 동백나무(Ⅰ, p. 385), 목화(Ⅰ, p. 741), 부들(Ⅱ, p. 506), 뽕나무겨우살이(Ⅰ, p. 196), 서양겨우살이(Ⅰ, p. 197), 소나무(Ⅰ, p. 120), 쑥(Ⅱ, p. 268), 유채(Ⅰ, p. 415), 왜개연꽃(Ⅰ, p. 357), 장수도마뱀(Ⅱ, p. 854), 조각나무(Ⅰ, p. 563), 지황(Ⅱ, p. 197), 참쑥(Ⅱ, p. 267), 칡(Ⅰ, p. 591), 함백지(Ⅱ, p. 854), 황련(Ⅰ, p. 321), 황해쑥(Ⅱ, p. 264)

소화기질환(消化器疾患)

건위제(健胃劑)__감초(Ⅰ, p. 568), 고추(Ⅱ, p. 165), 광귤나무(Ⅰ, p. 656), 굴(Ⅱ, p. 759), 목향(Ⅱ, p. 280), 산사나무(Ⅰ, p. 467), 산초나무(Ⅰ, p. 674), 삽주(Ⅱ, p. 277), 서양산사나무(Ⅰ, p. 466), 소태나무(Ⅰ, p. 677), 예덕나무(Ⅰ, p. 645), 용담(Ⅰ, p. 947), 육계나무(Ⅰ, p. 285), 생강(Ⅱ, p. 536), 콩두란고(Ⅱ, p. 57), 큰삽주(Ⅱ, p. 279), 홉(Ⅰ, p. 177), 후추나무(Ⅰ, p. 365)

구토(嘔吐)__갓(Ⅰ, p. 416), 강낭콩(Ⅰ, p. 587), 고량강(Ⅱ, p. 521), 끼무릇(Ⅱ, p. 499), 노박덩굴(Ⅰ, p. 708), 다래나무(Ⅰ, p. 382), 대왕야자(Ⅱ, p. 546), 띠(Ⅰ, p. 462), 로만카모밀레(Ⅱ, p. 292), 명당삼(Ⅰ, p. 865), 바다나물(Ⅱ, p. 887), 밤나무(Ⅰ, p. 152), 배초향(Ⅱ, p. 110), 백두구(Ⅱ, p. 524), 벌등골나물(Ⅱ, p. 309), 비파나무(Ⅰ, p. 469), 산당화(Ⅰ, p. 463), 생달나무(Ⅰ, p. 283), 석곡(Ⅱ, p. 556), 쑥국화(Ⅱ, p. 348), 얼레지(Ⅱ, p. 382), 오수유나무(Ⅰ, p. 664), 유자나무(Ⅰ, p. 657), 청간죽(Ⅱ, p. 453), 코끼리(Ⅱ, p. 901), 탱자나무(Ⅰ, p. 669), 토후박나무(Ⅰ, p. 294), 헛개나무(Ⅰ, p. 718), 히어리(Ⅰ, p. 431)

구풍(驅風)__박하(Ⅱ, p. 129), 소두구(Ⅱ, p. 529), 시라(Ⅰ, p. 850), 양춘사인(Ⅱ, p. 526), 육두구(Ⅰ, p. 277), 탱자나무(Ⅰ, p. 669), 향부자(Ⅱ, p. 512), 회향(Ⅰ, p. 872)

담낭염(膽囊炎)__겨자무(Ⅰ, p. 414), 괭이밥(Ⅰ, p. 612), 꽃상추(Ⅱ, p. 297), 노랑용담(Ⅰ, p. 945), 노루귀(Ⅰ, p. 325), 두점쓴풀(Ⅰ, p. 950), 마리아엉겅퀴(Ⅱ, p. 340), 마편초(Ⅱ, p. 107), 매실나무(Ⅰ, p. 493), 미치광이풀(Ⅱ, p. 177), 배풍등(Ⅱ, p. 179), 비로용담(Ⅰ, p. 945), 뽕나무버섯부치(Ⅱ, p. 627), 사철쑥(Ⅱ, p. 262), 서양민들레(Ⅱ, p. 349), 소태나무(Ⅰ, p. 677), 용담(Ⅰ, p. 947), 우엉(Ⅱ, p. 259), 원지(Ⅰ, p. 684), 지사목(Ⅰ, p. 959), 큰엉겅퀴(Ⅱ, p. 299)

담석증(膽石症)__개똥장미(Ⅰ, p. 502), 마리아엉겅퀴(Ⅱ, p.

340), 배풍등(Ⅱ, p. 179), 선갈퀴(Ⅱ, p. 62), 쓴쑥(Ⅱ, p. 260)

변비(便秘)__겨자무(Ⅰ, p. 414), 결명차(Ⅰ, p. 547), 꽃센나(Ⅰ, p. 544), 나도밤나무(Ⅰ, p. 701), 나팔꽃(Ⅱ, p. 88), 다시마(Ⅱ, p. 579), 망초(Ⅱ, p. 922), 맥문동(Ⅱ, p. 396), 무화과나무(Ⅰ, p. 172), 박소(Ⅱ, p. 924), 복숭아나무(Ⅰ, p. 495), 부챗살(Ⅱ, p. 588), 빈랑나무(Ⅱ, p. 540), 뻐꾸기(Ⅱ, p. 874), 살구나무(Ⅰ, p. 489), 삼(Ⅰ, p. 168), 서양갈매나무(Ⅰ, p. 721), 소리쟁이(Ⅰ, p. 220), 쇄양(Ⅰ, p. 823), 신선초(Ⅰ, p. 857), 아마(Ⅰ, p. 625), 아욱(Ⅰ, p. 748), 아주까리(Ⅰ, p. 649), 알로에(Ⅱ, p. 371), 약질경이(Ⅱ, p. 225), 얄라파(Ⅱ, p. 88), 양제갑(Ⅰ, p. 538), 우뭇가사리(Ⅱ, p. 582), 육종용(Ⅱ, p. 218), 이스라지나무(Ⅰ, p. 492), 장엽대황(Ⅰ, p. 215), 지황(Ⅱ, p. 197), 질경이(Ⅱ, p. 223), 차즈기(Ⅱ, p. 142), 참당귀(Ⅰ, p. 856), 천문동(Ⅱ, p. 374), 측백나무(Ⅰ, p. 125), 카스카라나무(Ⅰ, p. 722), 파두나무(Ⅰ, p. 630), 하늘타리(Ⅰ, p. 792), 황금센나(Ⅰ, p. 544), 회화나무(Ⅰ, p. 597)

변혈(便血)__개잎갈나무(Ⅰ, p. 117), 깨풀(Ⅱ, p. 626), 당나귀(Ⅱ, p. 902), 가중나무(Ⅰ, p. 675), 각시원추리(Ⅱ, p. 387), 꾸지나무(Ⅰ, p. 167), 메귀리(Ⅱ, p. 452), 무궁화(Ⅰ, p. 745), 백악(Ⅱ, p. 926), 복룡간(Ⅱ, p. 927), 아기들덩굴초롱이끼(Ⅱ, p. 600), 아담나무(Ⅰ, p. 676), 애기풀(Ⅰ, p. 683), 약용금잔화(Ⅱ, p. 287), 온욱금(Ⅱ, p. 532), 왕바랭이(Ⅱ, p. 459), 원추리(Ⅱ, p. 388), 절국대(Ⅱ, p. 201), 종려나무(Ⅱ, p. 547), 주아삼(Ⅰ, p. 844)

복통(腹痛)__고량강(Ⅱ, p. 521), 큰두꺼비(Ⅱ, p. 844), 들현호색(Ⅰ, p. 406), 멀구슬나무(Ⅰ, p. 681), 문절망둑(Ⅱ, p. 836), 미치광이풀(Ⅱ, p. 177), 백리향(Ⅱ, p. 162), 병풀(Ⅰ, p. 864), 사시나무(Ⅰ, p. 142), 산초나무(Ⅰ, p. 674), 산호랑나비(Ⅱ, p. 790), 생강(Ⅱ, p. 536), 생달나무(Ⅰ, p. 283), 소라(Ⅱ, p. 748), 손바닥선인장(Ⅰ, p. 261), 애기똥풀(Ⅰ, p. 400), 양귀비(Ⅰ, p. 412), 여뀌(Ⅱ, p. 202), 여지나무(Ⅰ, p. 698), 오수유나무(Ⅰ, p. 664), 오약나무(Ⅰ, p. 291), 잇꽃(Ⅱ, p. 290), 정향나무(Ⅰ, p. 810), 천목향(Ⅱ, p. 352), 초과(Ⅰ, p. 525), 팔각회향나무(Ⅰ, p. 281), 향유(Ⅱ, p. 117), 화살나무(Ⅰ, p. 709)

설사(泄瀉)__가시나무(Ⅰ, p. 157), 가시연꽃(Ⅰ, p. 355), 가자나무(Ⅰ, p. 803), 광곽향(Ⅱ, p. 145), 근대(Ⅰ, p. 243), 금앵자나무(Ⅰ, p. 505), 긴잎꿩의다리(Ⅰ, p. 334), 깽깽이풀(Ⅰ, p. 341), 나도하수오(Ⅰ, p. 209), 노루귀(Ⅰ, p. 325), 눈불개(Ⅱ, p. 820), 마름(Ⅰ, p. 799), 만주잎갈나무(Ⅰ, p. 118), 만주자작나무(Ⅰ, p. 150), 맨드라미(Ⅱ, p. 255), 무궁화(Ⅰ, p. 745), 몰식자나무(Ⅰ, p. 156), 물오리나무(Ⅰ, p. 146), 범꼬리(Ⅰ, p. 198), 오배자진딧물(Ⅱ, p. 786), 사위질빵(Ⅰ, p. 316), 상수리나무(Ⅰ, p. 154), 생달나무(Ⅰ, p. 283), 석류나무(Ⅰ, p. 815), 석류풀(Ⅰ, p. 226), 양귀비(Ⅰ, p. 412), 오미자(Ⅰ, p.

273), 육계나무(Ⅰ, p. 285), 이질풀(Ⅰ, p. 617), 저령균(Ⅱ, p. 711), 좀꿩의다리(Ⅰ, p. 333), 쥐손이풀(Ⅰ, p. 616), 짚신나물(Ⅰ, p. 459), 청비름(Ⅰ, p. 255), 촛대승마(Ⅰ, p. 315), 한삼덩굴(Ⅰ, p. 176), 해아(Ⅱ, p. 842), 황련(Ⅰ, p. 321), 흰양귀비(Ⅰ, p. 411)

소화불량(消化不良)__감귤나무(Ⅰ, p. 660), 감초(Ⅰ, p. 568), 갓(Ⅰ, p. 416), 강준치(Ⅱ, p. 818), 개망초(Ⅱ, p. 306), 겨자무(Ⅰ, p. 414), 고량강(Ⅱ, p. 521), 고추(Ⅱ, p. 165), 곰보버섯(Ⅱ, p. 726), 광귤나무(Ⅰ, p. 656), 구절초(Ⅱ, p. 296), 구향충(Ⅱ, p. 787), 네날가지(Ⅱ, p. 828), 노루귀(Ⅰ, p. 325), 농어(Ⅱ, p. 829), 닭(Ⅱ, p. 869), 대추나무(Ⅰ, p. 724), 대추야자(Ⅱ, p. 545), 만삼(Ⅱ, p. 249), 무(Ⅰ, p. 426), 바랭이(Ⅱ, p. 458), 백두구(Ⅱ, p. 524), 벼(Ⅱ, p. 467), 병꽃나무(Ⅱ, p. 235), 보리(Ⅱ, p. 461), 빈랑나무(Ⅱ, p. 540), 삽주(Ⅱ, p. 277), 생강(Ⅱ, p. 536), 소두구(Ⅱ, p. 529), 소초구(Ⅱ, p. 518), 숭어(Ⅱ, p. 827), 쓴풀(Ⅰ, p. 951), 연어(Ⅱ, p. 813), 염산강(Ⅱ, p. 523), 오수유나무(Ⅰ, p. 664), 왜개연꽃(Ⅱ, p. 357), 웅어(Ⅱ, p. 811), 육계나무(Ⅰ, p. 285), 익지(Ⅱ, p. 522), 자주졸각버섯(Ⅱ, p. 631), 장엽대황(Ⅰ, p. 215), 전호(Ⅰ, p. 860), 죽순대나무(Ⅱ, p. 473), 중고기(Ⅱ, p. 819), 쥐꼬리망초(Ⅱ, p. 216), 천목향(Ⅱ, p. 352), 초두구(Ⅱ, p. 520), 커피나무(Ⅱ, p. 64), 큰삽주(Ⅱ, p. 279), 토목향(Ⅰ, p. 317), 홍두구(Ⅱ, p. 519), 화초나무(Ⅰ, p. 672), 황련(Ⅰ, p. 321), 황벽나무(Ⅰ, p. 668), 회향(Ⅰ, p. 872), 후박나무(Ⅰ, p. 270), 후추나무(Ⅰ, p. 365), 히드라스티스(Ⅰ, p. 325)

수렴(收斂)·**지사**(止瀉)__개병풍(Ⅰ, p. 454), 메추라기(Ⅱ, p. 870), 몰식자나무(Ⅰ, p. 156), 민어(Ⅱ, p. 831), 버들볏짚버섯(Ⅱ, p. 645), 복분자딸기(Ⅰ, p. 510), 산수유나무(Ⅰ, p. 828), 아선약나무(Ⅱ, p. 78), 오미자(Ⅰ, p. 273), 오배자진딧물(Ⅱ, p. 786), 용담(Ⅱ, p. 947), 우여량(Ⅱ, p. 937), 적석지(Ⅱ, p. 942), 쥐손이풀(Ⅰ, p. 616), 콘두란고(Ⅱ, p. 57)

식욕부진(食慾不振)__가라지(Ⅱ, p. 830), 개별꽃(Ⅰ, p. 237), 고수(Ⅰ, p. 867), 꾀꼬리(Ⅱ, p. 879), 나팔버섯(Ⅱ, p. 662), 돌나물(Ⅰ, p. 440), 마(Ⅱ, p. 428), 만삼(Ⅱ, p. 249), 먹물버섯(Ⅱ, p. 657), 메밀(Ⅰ, p. 199), 방아풀(Ⅱ, p. 144), 백두구(Ⅱ, p. 524), 벼(Ⅱ, p. 467), 붉은싸리버섯(Ⅱ, p. 664), 산계(Ⅱ, p. 871), 삽주(Ⅱ, p. 277), 석곡(Ⅱ, p. 556), 소두구(Ⅱ, p. 529), 소태나무(Ⅰ, p. 677), 쇠물닭(Ⅱ, p. 873), 쓴풀(Ⅰ, p. 951), 아출(Ⅱ, p. 528), 육계나무(Ⅰ, p. 285), 잎새버섯(Ⅱ, p. 719), 청둥오리(Ⅱ, p. 864), 캐러웨이(Ⅰ, p. 864), 커피나무(Ⅱ, p. 64), 콘두란고(Ⅱ, p. 57), 탱자나무(Ⅰ, p. 669), 튤립(Ⅱ, p. 415), 홉(Ⅰ, p. 177)

식중독(食中毒)__갈대(Ⅱ, p. 470), 감초(Ⅰ, p. 568), 곤달비(Ⅱ, p. 325), 말똥비름(Ⅰ, p. 438), 약난초(Ⅱ, p. 553)

심복냉통(心腹冷痛)_가는돌쩌귀(Ⅰ, p. 304), 고량강(Ⅱ, p. 521), 노랑투구꽃(Ⅰ, p. 303), 머귀나무(Ⅰ, p. 671), 사탕야자(Ⅱ, p. 543), 생강(Ⅱ, p. 536), 소자(Ⅰ, p. 699), 쑥(Ⅱ, p. 268), 영사(Ⅱ, p. 934), 이삭바꽃(Ⅰ, p. 301), 화초나무(Ⅰ, p. 672), 황해쑥(Ⅱ, p. 264)

십이지장궤양(十二指腸潰瘍)_가래나무(Ⅰ, p. 138), 느릅나무(Ⅰ, p. 161), 닭풀(Ⅰ, p. 742), 예덕나무(Ⅰ, p. 645), 피뿔고둥(Ⅱ, p. 751)

열독혈리(熱毒血痢)_도둑놈의지팡이(Ⅰ, p. 596), 수려화파화(Ⅱ, p. 115), 아담나무(Ⅰ, p. 676), 인동덩굴(Ⅱ, p. 227)

오심(惡心)_모과나무(Ⅰ, p. 464), 벌등골나물(Ⅱ, p. 309), 보리(Ⅱ, p. 461), 양춘사인(Ⅱ, p. 526), 유목(Ⅱ, p. 106), 쥐깨풀(Ⅱ, p. 135), 초과(Ⅱ, p. 525), 히어리(Ⅰ, p. 431)

완복동통(脘腹疼痛)_가래나무(Ⅰ, p. 138), 개솔새(Ⅱ, p. 456), 금과람(Ⅰ, p. 353), 도둑놈의갈고리(Ⅰ, p. 556), 밀맥아장시(Ⅰ, p. 846), 바람등칡(Ⅰ, p. 364), 사리풀(Ⅱ, p. 167), 산내(Ⅱ, p. 534), 삼엽오가(Ⅰ, p. 834), 소귀나무(Ⅰ, p. 136), 소두구(Ⅱ, p. 529), 월계수(Ⅰ, p. 287), 일문전(Ⅰ, p. 349), 중국멀구슬나무(Ⅰ, p. 682), 쥐방울(Ⅰ, p. 370), 초과(Ⅱ, p. 525), 풍향나무(Ⅰ, p. 433), 필징가(Ⅰ, p. 362), 향모초(Ⅱ, p. 456), 호도나무(Ⅰ, p. 139), 황피(Ⅰ, p. 661)

위경련(胃痙攣)_감나무(Ⅰ, p. 922), 고박하(Ⅱ, p. 113), 광서마도령(Ⅰ, p. 372), 방아풀(Ⅱ, p. 144), 사리풀(Ⅱ, p. 167), 서양앵초(Ⅰ, p. 918), 애기똥풀(Ⅰ, p. 400), 향흑종초(Ⅰ, p. 326)

위궤양(胃潰瘍)_개머루(Ⅰ, p. 726), 고양이덩굴(Ⅱ, p. 80), 꿀벌(Ⅱ, p. 798), 노루궁뎅이(Ⅱ, p. 693), 마름(Ⅰ, p. 799), 백산차(Ⅰ, p. 900), 붉은느릅나무(Ⅰ, p. 164), 산호침버섯(Ⅱ, p. 692), 서양조개나물(Ⅱ, p. 112), 양배추(Ⅰ, p. 418), 자주졸각버섯(Ⅱ, p. 631), 졸각버섯(Ⅱ, p. 632), 죽절초(Ⅰ, p. 367), 짚신나물(Ⅰ, p. 459), 초혈갈(Ⅰ, p. 212), 팽나무버섯(Ⅱ, p. 628), 흰인가목(Ⅰ, p. 504)

위산결핍증(胃酸缺乏症)_냉이(Ⅰ, p. 419), 대추야자(Ⅱ, p. 545), 서양톱풀(Ⅱ, p. 255), 쇠뜨기(Ⅰ, p. 55), 왜광대수염(Ⅱ, p. 121), 운향풀(Ⅰ, p. 670), 육계나무(Ⅰ, p. 285), 육두구(Ⅰ, p. 277), 콘두란고(Ⅱ, p. 57)

위염(胃炎)_가래나무(Ⅰ, p. 138), 고수(Ⅰ, p. 867), 굴(Ⅱ, p. 759), 까마귀머루(Ⅰ, p. 731), 노랑용담(Ⅰ, p. 945), 노루오줌(Ⅰ, p. 443), 느릅나무(Ⅰ, p. 161), 닭풀(Ⅰ, p. 742), 대청(Ⅰ, p. 423), 돌기해삼(Ⅱ, p. 802), 들쭉나무(Ⅰ, p. 907), 마름(Ⅰ, p. 799), 목면(Ⅰ, p. 751), 방아풀(Ⅱ, p. 144), 부처꽃(Ⅰ, p. 798), 셀러리(Ⅰ, p. 862), 예덕나무(Ⅰ, p. 645), 우엉(Ⅱ, p. 259), 자란(Ⅱ, p. 549), 전호(Ⅰ, p. 860), 중국칠엽수(Ⅰ, p. 700), 차가버섯(Ⅱ, p. 706), 토목향(Ⅱ, p. 317), 화추수(Ⅰ, p. 518)

위완동통(胃脘疼痛)_고슴도치(Ⅱ, p. 883), 구리향나무(Ⅰ, p. 666), 나한송(Ⅰ, p. 127), 녹나무(Ⅰ, p. 284), 논고둥(Ⅱ, p. 749), 벽오동(Ⅰ, p. 754), 삼차고(Ⅰ, p. 665), 소화팔각풍(Ⅰ, p. 824), 쉬나무(Ⅰ, p. 663), 야선화(Ⅰ, p. 716), 유엽백전(Ⅱ, p. 54), 진두발(Ⅱ, p. 587), 초과(Ⅱ, p. 525), 초두구(Ⅱ, p. 520)

위장관출혈(胃腸管出血)_갯어리알버섯(Ⅱ, p. 672), 풍딴지(Ⅱ, p. 314), 모래밭버섯(Ⅱ, p. 671)

위통(胃痛)_고랑따개비(Ⅱ, p. 766), 나한송(Ⅰ, p. 127), 날치(Ⅱ, p. 824), 둥근성게(Ⅱ, p. 805), 등잔화(Ⅱ, p. 307), 말굽잔나비버섯(Ⅱ, p. 702), 말똥성게(Ⅱ, p. 805), 말오줌때(Ⅰ, p. 713), 먼나무(Ⅰ, p. 706), 모서리불가사리(Ⅱ, p. 804), 목화(Ⅰ, p. 741), 무환자나무(Ⅰ, p. 700), 벽오동(Ⅰ, p. 754), 별불가사리(Ⅱ, p. 803), 보라성게(Ⅱ, p. 804), 비타민나무(Ⅰ, p. 767), 살치(Ⅱ, p. 818), 상동나무(Ⅰ, p. 723), 생열귀나무(Ⅰ, p. 503), 석장수(Ⅰ, p. 545), 손바닥선인장(Ⅰ, p. 261), 애기똥풀(Ⅰ, p. 400), 여지나무(Ⅰ, p. 698), 잉어(Ⅱ, p. 817), 재첩(Ⅱ, p. 760), 좀주름찻잔버섯(Ⅱ, p. 658), 주름찻잔버섯(Ⅱ, p. 658), 죽황(Ⅱ, p. 736), 천년건(Ⅱ, p. 496), 청사조(Ⅰ, p. 718), 피조개(Ⅱ, p. 756)

이담(利膽)_겨자무(Ⅰ, p. 414), 노랑용담(Ⅰ, p. 945), 두점쓴풀(Ⅰ, p. 950), 마리아엉경퀴(Ⅱ, p. 340), 서양소태나무(Ⅰ, p. 678), 솜엉경퀴(Ⅱ, p. 302), 쓴쑥(Ⅱ, p. 260), 옥수수(Ⅱ, p. 484), 온욱금(Ⅱ, p. 532), 치자나무(Ⅱ, p. 68)

장염(腸炎)_갈대(Ⅱ, p. 470), 개갓냉이(Ⅰ, p. 427), 국화쥐손이(Ⅰ, p. 614), 나도하수오(Ⅰ, p. 209), 노루귀(Ⅰ, p. 325), 다화야목단(Ⅰ, p. 813), 도다리(Ⅱ, p. 840), 만수국(Ⅱ, p. 347), 매발톱나무(Ⅰ, p. 336), 모감주나무(Ⅰ, p. 697), 목화(Ⅰ, p. 741), 무궁화(Ⅰ, p. 745), 무화과나무(Ⅰ, p. 172), 물닭개비(Ⅱ, p. 436), 민들레(Ⅱ, p. 350), 번행초(Ⅰ, p. 227), 벽오동(Ⅰ, p. 754), 병풀(Ⅰ, p. 864), 보리장나무(Ⅰ, p. 765), 봉의꼬리(Ⅰ, p. 82), 부용화(Ⅰ, p. 743), 부추(Ⅱ, p. 369), 사데풀(Ⅱ, p. 342), 선이질풀(Ⅰ, p. 615), 소사화(Ⅰ, p. 508), 애기우뭇가사리(Ⅱ, p. 583), 야광나무(Ⅰ, p. 475), 약촉규(Ⅰ, p. 739), 얼레지(Ⅱ, p. 382), 윤판나물(Ⅱ, p. 381), 은양지꽃(Ⅰ, p. 485), 제비꽃(Ⅰ, p. 774), 참취(Ⅱ, p. 274), 천목향(Ⅱ, p. 352), 컴프리(Ⅱ, p. 98), 털쥐손이(Ⅰ, p. 615), 풍상수(Ⅱ, p. 63), 황련(Ⅰ, p. 321)

장옹(腸癰)_검노린재나무(Ⅰ, p. 926), 구슬붕이(Ⅰ, p. 948), 꽃며느리밥풀(Ⅱ, p. 191), 대혈등(Ⅰ, p. 345), 댕댕이나무(Ⅱ, p. 226), 도깨비바늘(Ⅱ, p. 282), 돌마타리(Ⅱ, p. 237), 두잎

갈퀴(Ⅱ, p. 70), 반지련(Ⅱ, p. 156), 별꽃(Ⅰ, p. 241), 선씀바귀(Ⅱ, p. 319), 애기고추나물(Ⅰ, p. 395), 왕고들빼기(Ⅱ, p. 320), 율무(Ⅱ, p. 455), 참외(Ⅰ, p. 784)

장출혈(腸出血)__가회톱(Ⅰ, p. 726), 다릅나무(Ⅰ, p. 578), 무궁화(Ⅰ, p. 745), 바위손(Ⅰ, p. 52), 부용화(Ⅰ, p. 743), 삼(Ⅱ, p. 897), 수양버들(Ⅰ, p. 143), 윤판나물(Ⅱ, p. 381), 은조롱(Ⅱ, p. 55), 작살나무(Ⅱ, p. 100), 참느릅나무(Ⅰ, p. 162), 하자화(Ⅰ, p. 799)

정장(整腸)__당매자나무(Ⅰ, p. 337), 멀구슬나무(Ⅰ, p. 681), 벌등골나물(Ⅱ, p. 309), 서양샐비어(Ⅱ, p. 153), 약용대황(Ⅰ, p. 214), 이질풀(Ⅰ, p. 617), 장엽대황(Ⅰ, p. 215), 정향나무(Ⅰ, p. 810), 후박나무(Ⅰ, p. 270)

토제(吐劑)__멀구슬나무(Ⅰ, p. 681), 박새(Ⅱ, p. 418), 베르가못(Ⅱ, p. 134), 실론계피나무(Ⅰ, p. 287), 제비고깔(Ⅰ, p. 323), 토나무(Ⅱ, p. 62)

토혈(吐血)__가시연꽃(Ⅰ, p. 355), 갑오징어(Ⅱ, p. 764), 거북꼬리(Ⅰ, p. 183), 골무꽃(Ⅱ, p. 157), 곰비늘고사리(Ⅰ, p. 94), 긴병꽃풀(Ⅱ, p. 119), 꽃받이(Ⅱ, p. 92), 꽃고비(Ⅱ, p. 80), 꾸지나무(Ⅰ, p. 167), 구지뽕나무(Ⅰ, p. 170), 나한송(Ⅰ, p. 127), 닭풀(Ⅰ, p. 742), 두루미꽃(Ⅱ, p. 398), 마삭줄(Ⅰ, p. 963), 바위솔(Ⅰ, p. 436), 반지련(Ⅱ, p. 156), 반디지치(Ⅱ, p. 97), 병아리난초(Ⅱ, p. 548), 부용화(Ⅰ, p. 743), 부추(Ⅱ, p. 369), 비오리(Ⅱ, p. 866), 번홍화(Ⅱ, p. 438), 서양박하(Ⅱ, p. 131), 소철(Ⅰ, p. 114), 솜대나무(Ⅱ, p. 472), 왕대(Ⅱ, p. 471), 일엽초(Ⅰ, p. 109), 조뱅이(Ⅱ, p. 285), 종려나무(Ⅱ, p. 547), 진달래(Ⅰ, p. 904), 천문동(Ⅱ, p. 374), 청간죽(Ⅱ, p. 453), 티베트호황련(Ⅱ, p. 196), 향모(Ⅱ, p. 460), 화예석(Ⅱ, p. 947)

흉복창통(胸腹脹痛)__개솔새(Ⅱ, p. 456), 굴피나무(Ⅰ, p. 140), 단향나무(Ⅰ, p. 192), 둔엽황단(Ⅱ, p. 551), 물쑥(Ⅱ, p. 270), 산내(Ⅱ, p. 534), 아위(Ⅰ, p. 870), 토목향(Ⅱ, p. 317)

신경(神經) · 정신질환(精神疾患)

건망증(健忘症)__삼지구엽초(Ⅰ, p. 340), 석창포(Ⅱ, p. 486), 원지(Ⅰ, p. 684), 용안나무(Ⅰ, p. 696), 인삼(Ⅰ, p. 840), 자귀나무(Ⅰ, p. 528), 측백나무(Ⅰ, p. 125), 큰열매시계꽃(Ⅰ, p. 770)

경련(痙攣)__말매미(Ⅱ, p. 784), 모우(Ⅱ, p. 910), 물소(Ⅱ, p. 911), 사향노루(Ⅱ, p. 909), 소(Ⅱ, p. 910), 왕지네(Ⅱ, p. 777), 천마(Ⅱ, p. 558), 코뿔소(Ⅱ, p. 915)

구안와사(口眼喎斜)__누에나방(Ⅱ, p. 787), 담반(Ⅱ, p. 920), 독각련(Ⅱ, p. 503), 동아전갈(Ⅱ, p. 775), 백강잠균(Ⅱ, p. 735), 송악(Ⅰ, p. 838), 왕거미(Ⅱ, p. 776), 왕지네(Ⅱ, p. 777)

구토(嘔吐)__감토(Ⅱ, p. 918), 고량강(Ⅱ, p. 521), 광곽향(Ⅱ, p. 145), 까치콩(Ⅱ, p. 558), 끼무릇(Ⅱ, p. 499), 목향(Ⅱ, p. 280), 배초향(Ⅱ, p. 110), 산초나무(Ⅰ, p. 674), 생강(Ⅱ, p. 536), 육두구(Ⅰ, p. 277), 정향나무(Ⅰ, p. 810), 팔각회향나무(Ⅰ, p. 281)

멀미__가시칠엽수(Ⅰ, p. 701), 꽃무(Ⅰ, p. 421), 라벤더(Ⅱ, p. 122), 멕시코금잔화(Ⅱ, p. 346), 백리향(Ⅰ, p. 162), 약용금잔화(Ⅱ, p. 287), 쥐오줌풀(Ⅱ, p. 240)

번갈(煩渴)__갈대(Ⅱ, p. 470), 고죽(Ⅱ, p. 474), 동청(Ⅱ, p. 921), 산달래(Ⅱ, p. 366), 삽주(Ⅱ, p. 277), 상산나무(Ⅰ, p. 667), 석고(Ⅱ, p. 930), 석창포(Ⅱ, p. 486), 솜대나무(Ⅱ, p. 472), 수호초(Ⅰ, p. 715), 승마(Ⅰ, p. 314), 아욱(Ⅰ, p. 748), 영양(Ⅱ, p. 914), 왕대(Ⅱ, p. 471), 인동덩굴(Ⅱ, p. 227), 인삼(Ⅰ, p. 840), 조릿대(Ⅱ, p. 477), 줄(Ⅱ, p. 485), 지렁이(Ⅱ, p. 743), 지모(Ⅱ, p. 372), 천문동(Ⅱ, p. 374), 청피죽(Ⅱ, p. 452), 치자나무(Ⅱ, p. 68), 콩(Ⅰ, p. 564), 파초(Ⅱ, p. 539), 하늘타리(Ⅰ, p. 792), 해장죽(Ⅱ, p. 451)

불면증(不眠症)__고박하(Ⅱ, p. 113), 골풀(Ⅱ, p. 444), 광귤나무(Ⅰ, p. 656), 괭이싸리(Ⅱ, p. 576), 금영화(Ⅰ, p. 408), 날개하늘나리(Ⅱ, p. 393), 넓은잎쥐오줌풀(Ⅱ, p. 239), 단삼(Ⅱ, p. 150), 대사초(Ⅱ, p. 509), 대추나무(Ⅰ, p. 724), 두릅나무(Ⅰ, p. 836), 로만카모밀레(Ⅱ, p. 292), 마죽(Ⅱ, p. 457), 말나리(Ⅱ, p. 393), 목초박하(Ⅱ, p. 132), 묏대추나무(Ⅰ, p. 723), 무궁화(Ⅰ, p. 745), 백화유마등(Ⅰ, p. 583), 불로초(Ⅱ, p. 700), 붉은누리장나무(Ⅱ, p. 102), 붉은부리갈매기(Ⅱ, p. 873), 상추(Ⅱ, p. 322), 서양고추나물(Ⅰ, p. 396), 서양박하(Ⅱ, p. 131), 석창포(Ⅱ, p. 486), 솔장다리(Ⅱ, p. 247), 시계꽃(Ⅰ, p. 769), 시라(Ⅰ, p. 850), 양귀비(Ⅰ, p. 412), 애기풀(Ⅰ, p. 683), 연꽃(Ⅰ, p. 356), 용안나무(Ⅰ, p. 696), 원지(Ⅰ, p. 684), 인도인삼목(Ⅱ, p. 183), 자귀나무(Ⅰ, p. 528), 자석(Ⅱ, p. 940), 자스민(Ⅰ, p. 932), 조름나물(Ⅰ, p. 953), 좁쌀풀(Ⅰ, p. 917), 중국현삼(Ⅱ, p. 200), 쥐오줌풀(Ⅱ, p. 240), 측백나무(Ⅰ, p. 125), 치자나무(Ⅱ, p. 68), 하늘나리(Ⅱ, p. 392), 하수오(Ⅰ, p. 210), 해장죽(Ⅱ, p. 451), 향봉화(Ⅱ, p. 129), 홉(Ⅰ, p. 177)

신경과민(神經過敏)__개박하(Ⅱ, p. 137), 금박(Ⅱ, p. 919), 낭아초(Ⅰ, p. 571), 달팽이(Ⅱ, p. 754), 대추나무(Ⅰ, p. 724), 땃두릅나무(Ⅰ, p. 840), 멀구슬나무(Ⅰ, p. 681), 물가고사리이끼(Ⅱ, p. 603), 서리지의(Ⅱ, p. 594), 서양현호색(Ⅰ, p. 409), 석회구슬이끼(Ⅱ, p. 601), 성탄장미(Ⅰ, p. 324), 시라(Ⅰ, p. 850), 아위(Ⅰ, p. 870), 자주방망이버섯아재비(Ⅱ, p.

615), 쥐오줌풀(Ⅱ, p. 240)

신경쇠약(神經衰弱)·우울증(憂鬱症)__가시오갈피나무(Ⅰ, p. 832), 강류(Ⅱ, p. 60), 개별꽃(Ⅰ, p. 237), 개제비란(Ⅱ, p. 552), 검은비늘버섯(Ⅱ, p. 646), 구절초(Ⅱ, p. 296), 꽃송이이끼(Ⅱ, p. 600), 낭아초(Ⅰ, p. 571), 만삼(Ⅱ, p. 249), 두릅나무(Ⅰ, p. 836), 등칡(Ⅰ, p. 372), 마테차(Ⅰ, p. 705), 만병초(Ⅰ, p. 902), 매실나무(Ⅰ, p. 493), 면양(Ⅱ, p. 913), 묏대추나무(Ⅰ, p. 723), 미역고사리(Ⅰ, p. 110), 바닐라(Ⅱ, p. 567), 번홍화(Ⅱ, p. 438), 부처손(Ⅰ, p. 54), 불로초(Ⅱ, p. 700), 붉은연매지의(Ⅱ, p. 593), 비로용담(Ⅰ, p. 945), 사상자(Ⅰ, p. 895), 사향노루(Ⅱ, p. 909), 삼지구엽초(Ⅰ, p. 340), 삼치(Ⅱ, p. 835), 서양샐비어(Ⅱ, p. 153), 서양고추나물(Ⅰ, p. 396), 서양앵초(Ⅰ, p. 918), 서양쥐오줌풀(Ⅱ, p. 241), 석창포(Ⅱ, p. 486), 성대(Ⅱ, p. 838), 소(Ⅱ, p. 910), 손바닥난초(Ⅱ, p. 561), 약지치(Ⅱ, p. 92), 영양(Ⅱ, p. 914), 오리나무더부살이(Ⅱ, p. 218), 오미자(Ⅰ, p. 273), 온욱금(Ⅱ, p. 532), 용안나무(Ⅰ, p. 696), 운향풀(Ⅰ, p. 670), 원지(Ⅰ, p. 684), 은조롱(Ⅱ, p. 55), 이란(Ⅰ, p. 264), 인삼(Ⅰ, p. 840), 자귀나무(Ⅰ, p. 528), 제비꿀(Ⅰ, p. 191), 조름나물(Ⅰ, p. 953), 쥐오줌풀(Ⅱ, p. 240), 창포(Ⅱ, p. 485), 천마(Ⅱ, p. 558), 커피나무(Ⅱ, p. 64), 코뿔소(Ⅱ, p. 915), 콜라나무(Ⅰ, p. 753), 큰꽃송이이끼(Ⅱ, p. 599), 물레나물(Ⅰ, p. 394), 털복주머니란(Ⅱ, p. 554), 향부자(Ⅱ, p. 512), 현삼(Ⅱ, p. 199), 황금흰목이(Ⅱ, p. 725), 후투티(Ⅱ, p. 877)

안면신경마비(顔面神經麻痺)__갯장어(Ⅱ, p. 824), 광대싸리(Ⅰ, p. 651), 마전자나무(Ⅰ, p. 942), 방기(Ⅰ, p. 348), 분방기(Ⅰ, p. 351)

신장(腎臟)·비뇨기질환(泌尿器疾患)

고환염(睾丸炎)__개불알풀(Ⅱ, p. 204), 까마중(Ⅱ, p. 180), 동면(Ⅰ, p. 750), 말오줌때(Ⅰ, p. 713), 멀구슬나무(Ⅰ, p. 681), 벽오동(Ⅰ, p. 754), 분홍바늘꽃(Ⅰ, p. 818), 산유감(Ⅰ, p. 654), 삼나무(Ⅰ, p. 122), 시라(Ⅰ, p. 850), 양지꽃(Ⅰ, p. 483), 여지나무(Ⅰ, p. 698), 옥예(Ⅰ, p. 814), 좀목형(Ⅱ, p. 108), 큰개불알풀(Ⅱ, p. 206), 회양목(Ⅰ, p. 715), 회향(Ⅰ, p. 872)

발기부전(勃起不全)·자양강장(滋養强壯)__가시연꽃(Ⅰ, p. 355), 가시오갈피나무(Ⅰ, p. 832), 갈고리층층둥굴레(Ⅱ, p. 406), 감초(Ⅰ, p. 568), 개(Ⅱ, p. 891), 고비(Ⅰ, p. 63), 고양이수염풀(Ⅱ, p. 140), 구기자나무(Ⅱ, p. 168), 구척(Ⅰ, p. 70), 구향충(Ⅱ, p. 787), 금앵자나무(Ⅰ, p. 505), 금채석곡(Ⅱ, p. 557), 긴호랑거미(Ⅱ, p. 776), 꾸시나무(Ⅰ, p. 167), 남생이(Ⅱ, p. 849), 은산돌꽃(Ⅰ, p. 438), 닭새우(Ⅱ, p. 768), 독활

(Ⅰ, p. 835), 돌기해삼(Ⅱ, p. 802), 동충하초(Ⅱ, p. 729), 두드럭갯민숭달팽이(Ⅱ, p. 755), 두충나무(Ⅰ, p. 430), 드렁허리(Ⅱ, p. 828), 땃두릅나무(Ⅰ, p. 840), 마(Ⅱ, p. 428), 마록(Ⅱ, p. 905), 마전자나무(Ⅰ, p. 942), 만삼(Ⅱ, p. 249), 매화록(Ⅱ, p. 906), 모서리불가사리(Ⅱ, p. 804), 문모초(Ⅱ, p. 205), 물개(Ⅱ, p. 900), 박주가리(Ⅱ, p. 59), 벌사상자(Ⅰ, p. 866), 별불가사리(Ⅱ, p. 803), 보골지(Ⅰ, p. 589), 복분자딸기(Ⅰ, p. 510), 부들(Ⅱ, p. 506), 분홍바늘꽃(Ⅰ, p. 818), 사람(Ⅱ, p. 885), 삼백초(Ⅰ, p. 360), 삼지구엽초(Ⅰ, p. 340), 새삼(Ⅱ, p. 84), 석곡(Ⅱ, p. 556), 선모(Ⅱ, p. 423), 속수(Ⅰ, p. 636), 솜대(Ⅱ, p. 409), 쇄양(Ⅰ, p. 823), 수세미오이(Ⅰ, p. 788), 순록(Ⅱ, p. 908), 실고기(Ⅱ, p. 827), 양기석(Ⅱ, p. 933), 양지꽃(Ⅰ, p. 483), 여송과나무(Ⅰ, p. 941), 연꽃(Ⅰ, p. 356), 염소(Ⅱ, p. 912), 오갈피나무(Ⅰ, p. 833), 오리나무더부살이(Ⅱ, p. 218), 왕사마귀(Ⅱ, p. 781), 왕새우(Ⅱ, p. 768), 왕잠자리(Ⅱ, p. 778), 왜개연꽃(Ⅰ, p. 357), 요힘바나무(Ⅱ, p. 74), 육종용(Ⅱ, p. 218), 으름덩굴(Ⅰ, p. 344), 은조롱(Ⅱ, p. 55), 이엽우피소(Ⅱ, p. 52), 인삼(Ⅰ, p. 840), 자라(Ⅱ, p. 851), 자리공(Ⅰ, p. 224), 저령균(Ⅱ, p. 711), 종유석(Ⅱ, p. 944), 죽절인삼(Ⅰ, p. 844), 지황(Ⅱ, p. 197), 짱뚱어(Ⅱ, p. 837), 찌르레기(Ⅱ, p. 879), 참새(Ⅱ, p. 882), 촉새(Ⅱ, p. 882), 하수오(Ⅰ, p. 210), 합개(Ⅱ, p. 852)

방광(膀胱)·요도염(尿道炎)__네모콩(Ⅰ, p. 588), 등칡(Ⅰ, p. 372), 모감주나무(Ⅰ, p. 697), 몰약나무(Ⅰ, p. 653), 바오밥나무(Ⅰ, p. 751), 방기(Ⅰ, p. 348), 백리향(Ⅱ, p. 162), 붓순나무(Ⅰ, p. 280), 서양짚신나물(Ⅰ, p. 458), 서양측백나무(Ⅰ, p. 125), 소나무(Ⅰ, p. 120), 산들깨(Ⅱ, p. 136), 서양딱총나무(Ⅱ, p. 231), 속새(Ⅰ, p. 58), 속썩은풀(Ⅱ, p. 155), 실고사리(Ⅰ, p. 68), 안식향나무(Ⅰ, p. 923), 오노니스(Ⅰ, p. 584), 오리나무더부살이(Ⅱ, p. 218), 우바우르시(Ⅱ, p. 899), 우엉(Ⅱ, p. 259), 월귤(Ⅰ, p. 908), 유럽광대나물(Ⅱ, p. 153), 유럽꼭두서니(Ⅱ, p. 76), 유칼리나무(Ⅰ, p. 805), 정향나무(Ⅰ, p. 810), 주름잎(Ⅱ, p. 190), 지느러미엉겅퀴(Ⅱ, p. 288), 질경이(Ⅱ, p. 223), 크랜베리(Ⅰ, p. 906), 톱야자(Ⅱ, p. 546), 통탈목(Ⅰ, p. 847), 패랭이꽃(Ⅱ, p. 233), 홉(Ⅰ, p. 177)

방광결석(膀胱結石)·신장결석(腎臟結石)__가시나무(Ⅰ, p. 157), 가지(Ⅱ, p. 180), 골잎원추리(Ⅱ, p. 389), 꼬리풀(Ⅱ, p. 204), 꽈리(Ⅱ, p. 175), 금전초(Ⅱ, p. 914), 긴병꽃풀(Ⅱ, p. 119), 나팔꽃(Ⅱ, p. 88), 노간주나무(Ⅰ, p. 124), 만주자작나무(Ⅰ, p. 150), 말굽잔나비버섯(Ⅱ, p. 702), 모감주나무(Ⅰ, p. 697), 백산차(Ⅰ, p. 900), 백자작나무(Ⅰ, p. 148), 부레옥잠(Ⅱ, p. 435), 뽀리뱅이(Ⅰ, p. 355), 석송(Ⅰ, p. 49), 석위(Ⅰ, p. 111), 선갈퀴(Ⅱ, p. 62), 실고사리(Ⅰ, p. 68), 여뀌(Ⅰ, p. 202), 여우구슬(Ⅰ, p. 648), 옥수수(Ⅱ, p. 484), 왜당귀(Ⅰ, p. 851), 우산잔디(Ⅱ, p. 457), 월귤(Ⅰ, p. 908), 지느러미엉겅퀴

(Ⅱ, p. 288), 포도(Ⅰ, p. 732), 홉(Ⅰ, p. 177)

빈뇨(頻尿)__금앵자나무(Ⅰ, p. 505), 노란송이풀(Ⅱ, p. 193), 둥굴레(Ⅱ, p. 405), 둥근마(Ⅱ, p. 429), 마(Ⅱ, p. 428), 멍덕딸기(Ⅰ, p. 512), 물방개(Ⅱ, p. 792), 바오밥나무(Ⅰ, p. 751), 배편황기(Ⅰ, p. 532), 벌사상자(Ⅰ, p. 866), 보골지(Ⅰ, p. 589), 복분자딸기(Ⅰ, p. 510), 산부추(Ⅱ, p. 368), 산수유나무(Ⅰ, p. 828), 수박(Ⅰ, p. 783), 약둥굴레(Ⅱ, p. 404), 어저귀(Ⅰ, p. 738), 여주(Ⅰ, p. 789), 여치(Ⅱ, p. 782), 왕사마귀(Ⅱ, p. 781), 익지(Ⅱ, p. 522), 인삼(Ⅰ, p. 840), 죽절인삼(Ⅰ, p. 844), 질경이택사(Ⅱ, p. 356), 추석(Ⅱ, p. 945), 키조개(Ⅱ, p. 758), 파래가리비(Ⅱ, p. 758)

석림(石淋)__가마편(Ⅱ, p. 106), 공작고사리(Ⅰ, p. 78), 까치(Ⅱ, p. 880), 까치박달(Ⅰ, p. 150), 나도생강(Ⅱ, p. 447), 네가래(Ⅰ, p. 112), 노랑가오리(Ⅱ, p. 810), 다래나무(Ⅰ, p. 382), 땅강아지(Ⅱ, p. 783), 별고사리(Ⅰ, p. 98), 별날개골풀(Ⅱ, p. 443), 보리장나무(Ⅰ, p. 765), 복주머니란(Ⅱ, p. 555), 부석(Ⅱ, p. 928), 뿌리뱅이(Ⅱ, p. 355), 선바위고사리(Ⅰ, p. 80), 쇠귀나물(Ⅱ, p. 359), 약모밀(Ⅰ, p. 359), 오대산쾡이눈(Ⅰ, p. 444), 연꽃(Ⅰ, p. 356), 올미(Ⅱ, p. 358), 자귀풀(Ⅰ, p. 527), 자주괭이밥(Ⅰ, p. 612), 잔개자리(Ⅰ, p. 579), 장수도마뱀(Ⅱ, p. 854), 중국다래(Ⅰ, p. 383), 지채(Ⅱ, p. 361), 참느릅나무(Ⅰ, p. 162), 참새(Ⅱ, p. 882), 청미래덩굴(Ⅱ, p. 410), 추규(Ⅰ, p. 737), 토복령(Ⅱ, p. 411), 풍접초(Ⅰ, p. 429), 한치(Ⅱ, p. 763), 활석(Ⅱ, p. 947), 황마(Ⅰ, p. 733)

소변불리(小便不利)__개오동나무(Ⅱ, p. 209), 거북손(Ⅱ, p. 766), 까치발(Ⅱ, p. 284), 네가래(Ⅰ, p. 112), 논고둥(Ⅱ, p. 749), 누치(Ⅱ, p. 820), 땅강아지(Ⅱ, p. 783), 띠(Ⅱ, p. 462), 물대(Ⅱ, p. 451), 박쥐나물(Ⅱ, p. 286), 별날개골풀(Ⅱ, p. 443), 복령균(Ⅱ, p. 712), 분배서여(Ⅱ, p. 430), 세모고랭이(Ⅱ, p. 517), 소두구(Ⅱ, p. 529), 송이고랭이(Ⅱ, p. 517), 알방동사니(Ⅱ, p. 510), 억새(Ⅱ, p. 466), 옹굿나물(Ⅱ, p. 272), 운향풀(Ⅰ, p. 670), 원추리(Ⅱ, p. 388), 으름덩굴(Ⅰ, p. 344), 자리공(Ⅰ, p. 224), 저령균(Ⅱ, p. 711), 질경이택사(Ⅱ, p. 356), 찔레나무(Ⅰ, p. 506), 큰고랭이(Ⅱ, p. 516), 택사(Ⅱ, p. 356), 하늘지기(Ⅱ, p. 514), 한수석(Ⅱ, p. 945), 황강달이(Ⅱ, p. 831)

수종(水腫)·**부종**(浮腫)__가마우지(Ⅱ, p. 861), 가물치(Ⅱ, p. 837), 가시연꽃(Ⅱ, p. 355), 갈매나무(Ⅰ, p. 721), 감수(Ⅰ, p. 635), 강준치(Ⅱ, p. 818), 개구리밥(Ⅱ, p. 504), 개미취(Ⅱ, p. 275), 개오동나무(Ⅱ, p. 209), 거북손(Ⅱ, p. 766), 겨자무(Ⅰ, p. 414), 골풀(Ⅱ, p. 444), 귀뚜라미(Ⅱ, p. 783), 기둥청각(Ⅱ, p. 573), 꾸지나무(Ⅰ, p. 167), 나팔꽃(Ⅱ, p. 88), 노간주나무(Ⅰ, p. 124), 느릅나무(Ⅰ, p. 161), 다시마(Ⅱ, p. 579), 닥나무(Ⅰ, p. 166), 대황(Ⅰ, p. 215), 댑싸리(Ⅰ, p. 245), 댕댕

이덩굴(Ⅰ, p. 364), 동자개(Ⅱ, p. 823), 등칡(Ⅰ, p. 372), 디기탈리스(Ⅱ, p. 185), 띠(Ⅱ, p. 462), 메기(Ⅱ, p. 822), 모시대(Ⅱ, p. 244), 모자반(Ⅱ, p. 580), 목별(Ⅰ, p. 790), 미나리(Ⅰ, p. 884), 미역취(Ⅱ, p. 341), 밍크고래(Ⅱ, p. 890), 백련어(Ⅱ, p. 816), 백합(Ⅱ, p. 395), 복령균(Ⅱ, p. 712), 생이가래(Ⅰ, p. 113), 속수(Ⅰ, p. 636), 쇠뜨기(Ⅰ, p. 55), 쇠별꽃(Ⅰ, p. 240), 아구장나무(Ⅰ, p. 521), 아메리카피막이(Ⅰ, p. 875), 양파(Ⅱ, p. 364), 억새(Ⅱ, p. 466), 여뀌(Ⅰ, p. 202), 용설란(Ⅱ, p. 433), 율무(Ⅱ, p. 455), 으름덩굴(Ⅰ, p. 344), 익모초(Ⅱ, p. 124), 저령균(Ⅱ, p. 711), 제비(Ⅱ, p. 878), 질경이(Ⅱ, p. 223), 질경이택사(Ⅱ, p. 356), 집오리(Ⅱ, p. 864), 찔레나무(Ⅰ, p. 506), 청각(Ⅱ, p. 574), 청비름(Ⅰ, p. 255), 카카오나무(Ⅰ, p. 757), 토복령(Ⅱ, p. 411), 파(Ⅱ, p. 346), 팥꽃나무(Ⅰ, p. 760), 해총(Ⅱ, p. 416)

신우신염(腎盂腎炎)__우뭇가사리(Ⅱ, p. 582), 피나무(Ⅰ, p. 735)

신장염(腎臟炎)__가시나무(Ⅰ, p. 157), 개오동나무(Ⅱ, p. 209), 검은불로초(Ⅱ, p. 699), 구멍갈파래(Ⅱ, p. 573), 금모양제갑(Ⅰ, p. 536), 긴잎갈퀴(Ⅰ, p. 67), 까마중(Ⅱ, p. 180), 꼬리풀(Ⅱ, p. 204), 꽃상추(Ⅱ, p. 297), 꽃싸리(Ⅱ, p. 575), 꾸지나무(Ⅰ, p. 167), 남산제비꽃(Ⅱ, p. 773), 네가래(Ⅰ, p. 112), 논냉이(Ⅰ, p. 421), 대추야자(Ⅱ, p. 545), 도그반(Ⅰ, p. 957), 도꼬마리(Ⅱ, p. 354), 마테차(Ⅰ, p. 705), 만주자작나무(Ⅰ, p. 150), 말냉이(Ⅰ, p. 428), 백분등(Ⅰ, p. 728), 병아리꽃나무(Ⅰ, p. 501), 사스래나무(Ⅰ, p. 149), 석위(Ⅰ, p. 111), 석해초(Ⅰ, p. 624), 솜방망이(Ⅱ, p. 335), 쇠뜨기(Ⅰ, p. 55), 수조기(Ⅱ, p. 832), 실고사리(Ⅰ, p. 68), 얄라파(Ⅱ, p. 88), 여우구슬(Ⅰ, p. 648), 외풀(Ⅱ, p. 189), 우바우르시(Ⅰ, p. 899), 주목(Ⅰ, p. 129), 쥐꼬리망초(Ⅱ, p. 216), 찔레나무(Ⅰ, p. 506), 참취(Ⅱ, p. 274), 청대치(Ⅱ, p. 825), 청미래덩굴(Ⅱ, p. 410), 카카오나무(Ⅰ, p. 757), 패랭이꽃(Ⅰ, p. 233), 흑쐐기풀(Ⅰ, p. 184), 홍산화(Ⅱ, p. 230)

야뇨증(夜尿症)__감나무(Ⅰ, p. 922), 고욤나무(Ⅰ, p. 921), 날매퉁이(Ⅱ, p. 814), 삼지구엽초(Ⅰ, p. 340), 삽주(Ⅱ, p. 277), 서양고추나물(Ⅰ, p. 396), 연꽃(Ⅰ, p. 356), 전호(Ⅰ, p. 860)

요로결석(尿路結石)__개자리(Ⅰ, p. 579), 계단화(Ⅰ, p. 961), 광금전초(Ⅰ, p. 557), 금전초(Ⅰ, p. 914), 석위(Ⅰ, p. 111), 아라비아나무(Ⅰ, p. 524), 황화주(Ⅰ, p. 915)

유정(遺精)__가시연꽃(Ⅰ, p. 355), 거위(Ⅱ, p. 865), 고라니(Ⅱ, p. 905), 구지뽕나무(Ⅰ, p. 170), 구척(Ⅰ, p. 70), 남생이(Ⅱ, p. 849), 노린재동충하초(Ⅱ, p. 731), 동충하초(Ⅱ, p. 729), 두드럭갯민숭달팽이(Ⅱ, p. 755), 박주가리(Ⅱ, p. 59), 백초상(Ⅱ, p. 927), 비수리(Ⅱ, p. 574), 사람(Ⅱ, p. 885), 쇄

양(Ⅰ, p. 823), 앵도나무(Ⅰ, p. 497), 연꽃(Ⅰ, p. 356), 오골계(Ⅱ, p. 870), 왕사마귀(Ⅱ, p. 781), 왕잠자리(Ⅱ, p. 778), 유황(Ⅱ, p. 939), 쥐똥나무(Ⅰ, p. 935), 합개(Ⅱ, p. 852), 황오리(Ⅱ, p. 867), 흑개미(Ⅱ, p. 801)

음낭습양(陰囊濕痒)__떡쑥(Ⅱ, p. 311), 민대극(Ⅰ, p. 632), 벌사상자(Ⅰ, p. 866), 참회나무(Ⅰ, p. 712), 피스타치오(Ⅰ, p. 688), 회화나무(Ⅰ, p. 597)

전립선염(前立腺炎)·전립선비대증(前立腺肥大症)__서양쐐기풀(Ⅰ, p. 190), 서양터리풀(Ⅰ, p. 471), 색동호박(Ⅰ, p. 786), 수련(Ⅰ, p. 358), 엉겅퀴(Ⅱ, p. 298), 여우구슬(Ⅰ, p. 648), 택사(Ⅱ, p. 356), 터리풀(Ⅱ, p. 470), 톱야자(Ⅱ, p. 546)

혈뇨(血尿)__갈퀴덩굴(Ⅱ, p. 67), 개모시풀(Ⅰ, p. 182), 개소시랑개비(Ⅰ, p. 486), 괭이밥(Ⅰ, p. 612), 꼭두서니(Ⅱ, p. 75), 닭의장풀(Ⅱ, p. 446), 당나귀(Ⅱ, p. 902), 두루미꽃(Ⅱ, p. 398), 땅빈대(Ⅰ, p. 634), 물레나물(Ⅰ, p. 394), 방가지똥(Ⅱ, p. 343), 병풀(Ⅰ, p. 864), 산물통이(Ⅰ, p. 187), 셀러리(Ⅰ, p. 862), 숙녀외투(Ⅰ, p. 460), 다릅나무(Ⅰ, p. 578), 배암차즈기(Ⅱ, p. 152), 버들참빗(Ⅰ, p. 101), 별개오지(Ⅱ, p. 750), 알로에(Ⅱ, p. 371), 얇은명아주(Ⅰ, p. 245), 엉겅퀴(Ⅱ, p. 298), 왜광대수염(Ⅱ, p. 121), 작살나무(Ⅱ, p. 100), 잔디갈고리(Ⅰ, p. 555), 장뇌엽추해당(Ⅰ, p. 795), 접시꽃(Ⅰ, p. 740), 조뱅이(Ⅱ, p. 285), 주초(Ⅱ, p. 434), 페구아선약나무(Ⅰ, p. 525)

심장순환기계질환(心臟循環器係疾患)

고지혈증(高脂血症)__감초(Ⅰ, p. 568), 구두치(Ⅰ, p. 352), 멸대(Ⅱ, p. 375), 붕어마름(Ⅰ, p. 359), 스피룰리나(Ⅱ, p. 570), 약모밀(Ⅰ, p. 359), 양파(Ⅱ, p. 364), 표고(Ⅱ, p. 620), 한삼덩굴(Ⅰ, p. 176)

고혈압(高血壓)__감국(Ⅱ, p. 294), 개맨드라미(Ⅰ, p. 256), 개불(Ⅱ, p. 745), 개승마(Ⅰ, p. 312), 개정향풀(Ⅰ, p. 956), 겨우살이(Ⅰ, p. 195), 고사리삼(Ⅰ, p. 60), 고양이수염풀(Ⅱ, p. 140), 골등골나물(Ⅱ, p. 309), 나부목(Ⅰ, p. 962), 누리장나무(Ⅱ, p. 104), 다람쥐(Ⅱ, p. 888), 대추고둥(Ⅱ, p. 753), 돈나무(Ⅰ, p. 457), 돌외(Ⅰ, p. 786), 두충나무(Ⅰ, p. 430), 떡쑥(Ⅱ, p. 311), 띠(Ⅱ, p. 462), 메꽃(Ⅱ, p. 81), 메밀(Ⅰ, p. 199), 미국부용(Ⅰ, p. 744), 반디나물(Ⅰ, p. 868), 벽오동(Ⅰ, p. 754), 봉황나무(Ⅰ, p. 552), 불로초(Ⅱ, p. 700), 뽕나무겨우살이(Ⅰ, p. 196), 산국(Ⅱ, p. 294), 산사나무(Ⅰ, p. 467), 소철(Ⅰ, p. 114), 솔장다리(Ⅰ, p. 247), 쇠별꽃(Ⅱ, p. 240), 신선초(Ⅰ, p. 857), 쓴송이(Ⅱ, p. 617), 아로니아(Ⅰ, p. 461), 암미(Ⅰ, p. 849), 양골담초(Ⅱ, p. 550), 양파(Ⅱ, p. 364), 엉겅퀴(Ⅱ, p. 298), 연꽃(Ⅰ, p. 356), 오갈피나무(Ⅰ, p. 833), 옥수수(Ⅱ,

484), 올리브나무(Ⅰ, p. 935), 용선화(Ⅱ, p. 70), 인도사목(Ⅰ, p. 961), 일일화(Ⅰ, p. 958), 자금우(Ⅰ, p. 909), 잔대(Ⅱ, p. 245), 조구초(Ⅱ, p. 120), 조름나물(Ⅰ, p. 953), 좀싸리(Ⅰ, p. 577), 좁쌀풀(Ⅰ, p. 917), 진득찰(Ⅱ, p. 338), 첨엽국(Ⅱ, p. 344), 칡(Ⅰ, p. 591), 태산목(Ⅰ, p. 267), 퉁퉁마디(Ⅰ, p. 246), 패랭이꽃(Ⅱ, p. 233), 할미송이(Ⅱ, p. 617), 해바라기(Ⅱ, p. 313), 현삼(Ⅱ, p. 199), 호랑가시나무(Ⅰ, p. 704), 호박(Ⅰ, p. 785), 홍화월견초(Ⅰ, p. 821), 황용선화(Ⅱ, p. 71), 회화나무(Ⅰ, p. 597), 흰비단털버섯(Ⅱ, p. 639)

동맥경화증(動脈硬化症)__감나무(Ⅰ, p. 922), 겨우살이(Ⅰ, p. 195), 꼬리겨우살이(Ⅰ, p. 193), 돈나무(Ⅰ, p. 457), 범꼬리(Ⅰ, p. 198), 빈카(Ⅰ, p. 965), 서양현호색(Ⅰ, p. 409), 양파(Ⅱ, p. 364), 오갈피나무(Ⅰ, p. 833), 유창목(Ⅰ, p. 621)

동상(凍傷)__가지(Ⅱ, p. 180), 꼬리겨우살이(Ⅰ, p. 193), 단풍터리풀(Ⅱ, p. 470), 식나무(Ⅰ, p. 825), 지치(Ⅱ, p. 96), 청미래덩굴(Ⅱ, p. 410)

빈혈(貧血)__꽃상추(Ⅱ, p. 297), 맥문동(Ⅱ, p. 396), 보리사초(Ⅱ, p. 508), 브라질인삼(Ⅰ, p. 259), 사과나무(Ⅰ, p. 476), 소리쟁이(Ⅰ, p. 220), 아위(Ⅰ, p. 870), 용설란(Ⅱ, p. 433), 은조롱(Ⅱ, p. 55), 참외(Ⅰ, p. 784), 파슬리(Ⅰ, p. 887)

수족냉증(手足冷症)__범꼬리(Ⅰ, p. 198), 산초나무(Ⅰ, p. 674), 생강(Ⅱ, p. 536), 선모(Ⅱ, p. 423), 오약나무(Ⅰ, p. 291), 옻나무(Ⅰ, p. 691), 유향나무(Ⅰ, p. 651), 작약(Ⅰ, p. 378), 황기(Ⅰ, p. 533)

심계항진(心悸亢進)__구름송이풀(Ⅱ, p. 194), 꽃무(Ⅰ, p. 421), 넓은잎쥐오줌풀(Ⅱ, p. 239), 눈꽃동충하초(Ⅱ, p. 728), 동박새(Ⅱ, p. 881), 로만카모밀레(Ⅱ, p. 292), 모란(Ⅰ, p. 381), 별우럭(Ⅱ, p. 829), 복령균(Ⅱ, p. 712), 봉황나무(Ⅰ, p. 552), 부지깽이나물(Ⅰ, p. 422), 불로초(Ⅱ, p. 700), 삼과목(Ⅰ, p. 802), 서양현호색(Ⅰ, p. 409), 석회구슬이끼(Ⅱ, p. 601), 스트로판투스(Ⅰ, p. 963), 실쑥(Ⅱ, p. 310), 아기들솔이끼(Ⅱ, p. 596), 아위(Ⅰ, p. 870), 영사(Ⅱ, p. 934), 용골(Ⅱ, p. 935), 용치(Ⅱ, p. 936), 운모(Ⅱ, p. 937), 은박(Ⅱ, p. 940), 은방울꽃(Ⅱ, p. 379), 이엽우피소(Ⅱ, p. 52), 자석영(Ⅱ, p. 941), 조름나물(Ⅰ, p. 953), 준치(Ⅱ, p. 813), 진주조개(Ⅱ, p. 757), 콜라나무(Ⅰ, p. 753), 황련(Ⅱ, p. 321), 황새냉이(Ⅰ, p. 419), 히어리(Ⅰ, p. 431)

심번구갈(心煩口渴)__방해석(Ⅱ, p. 925), 벼(Ⅱ, p. 467), 보리깜부기(Ⅱ, p. 737), 서리지의(Ⅱ, p. 594), 수세미오이(Ⅰ, p. 788), 옥(Ⅱ, p. 934), 차나무(Ⅰ, p. 390), 팥(Ⅰ, p. 586)

심장병(心臟病)__두꺼비(Ⅱ, p. 844), 두메닥나무(Ⅰ, p. 761), 디기탈리스(Ⅱ, p. 185), 복수초(Ⅰ, p. 306), 스트로판투스(Ⅰ, p. 963), 은방울꽃(Ⅱ, p. 379), 자단나무(Ⅰ, p. 590), 제비고

깔(Ⅰ, p. 323), 중의무릇(Ⅱ, p. 387), 카네이션(Ⅰ, p. 232), 해총(Ⅱ, p. 416), 협죽도(Ⅰ, p. 960)

저혈압(低血壓)__바꽃(Ⅰ, p. 296), 오갈피나무(Ⅰ, p. 833), 투구꽃(Ⅰ, p. 298), 흑곰(Ⅱ, p. 894)

정맥류(靜脈瘤)__가시칠엽수(Ⅰ, p. 701), 송악(Ⅰ, p. 838), 쇠뜨기(Ⅰ, p. 55), 약모밀(Ⅰ, p. 359), 연령초(Ⅱ, p. 414), 작약(Ⅰ, p. 378), 풍년화(Ⅰ, p. 432), 흰전동싸리(Ⅰ, p. 580)

정맥염(靜脈炎)__가시칠엽수(Ⅰ, p. 701), 광대나물(Ⅱ, p. 122), 딱총나무(Ⅱ, p. 232), 박새(Ⅱ, p. 418), 쑥국화(Ⅱ, p. 348), 페루지치(Ⅱ, p. 94), 풍년화(Ⅰ, p. 432)

지혈(止血)__가중나무(Ⅰ, p. 675), 가지(Ⅱ, p. 180), 갈대(Ⅱ, p. 470), 감나무(Ⅰ, p. 922), 감태나무(Ⅰ, p. 289), 강향나무(Ⅰ, p. 551), 고추나물(Ⅰ, p. 394), 구기자나무(Ⅱ, p. 168), 기린초(Ⅰ, p. 439), 꼭두서니(Ⅱ, p. 75), 꾸지나무(Ⅰ, p. 167), 남천(Ⅰ, p. 343), 넉줄고사리(Ⅰ, p. 75), 다람쥐꼬리(Ⅰ, p. 49), 닭의장풀(Ⅱ, p. 446), 동백나무(Ⅰ, p. 385), 두루미꽃(Ⅱ, p. 398), 딱지꽃(Ⅰ, p. 481), 띠(Ⅱ, p. 462), 만년청(Ⅱ, p. 407), 맨드라미(Ⅰ, p. 255), 물레나물(Ⅰ, p. 394), 물양지꽃(Ⅰ, p. 481), 민둥인가목(Ⅰ, p. 502), 버들이끼(Ⅱ, p. 602), 부들(Ⅱ, p. 506), 부처손(Ⅰ, p. 54), 사마귀풀(Ⅱ, p. 446), 산딸나무(Ⅰ, p. 827), 삼칠(Ⅰ, p. 845), 쇠고비(Ⅰ, p. 91), 애기풀(Ⅰ, p. 683), 얇은명아주(Ⅰ, p. 245), 오이풀(Ⅰ, p. 514), 왜개연꽃(Ⅰ, p. 357), 좀깨잎나무(Ⅰ, p. 182), 쥐똥나무(Ⅰ, p. 935), 짚신나물(Ⅰ, p. 459), 쪽(Ⅰ, p. 208), 측백나무(Ⅰ, p. 125), 타래붓꽃(Ⅱ, p. 440), 활량나물(Ⅰ, p. 573), 회화나무(Ⅰ, p. 597)

현기증(眩氣症)__가지더부살이(Ⅱ, p. 220), 개오지(Ⅱ, p. 750), 개정향풀(Ⅰ, p. 956), 구당귀(Ⅰ, p. 877), 구등(Ⅱ, p. 79), 구척(Ⅰ, p. 70), 국화(Ⅱ, p. 295), 깊은산사슴지의(Ⅱ, p. 594), 까마귀(Ⅱ, p. 880), 나비나물(Ⅰ, p. 609), 두꺼비(Ⅱ, p. 844), 라벤더(Ⅱ, p. 122), 말전복(Ⅱ, p. 747), 매부리바다거북(Ⅱ, p. 850), 밤버섯(Ⅱ, p. 629), 뱀무(Ⅰ, p. 473), 뽕나무버섯(Ⅱ, p. 627), 산사나무(Ⅰ, p. 467), 산수유나무(Ⅰ, p. 828), 순비기나무(Ⅱ, p. 109), 안식향나무(Ⅰ, p. 923), 알로에(Ⅱ, p. 371), 연령초(Ⅱ, p. 414), 왜방풍(Ⅰ, p. 849), 용뇌향나무(Ⅰ, p. 398), 작약(Ⅰ, p. 378), 진퍼리고사리(Ⅰ, p. 97), 질경이(Ⅱ, p. 223), 질경이택사(Ⅱ, p. 356), 차나무(Ⅰ, p. 390), 참깨(Ⅱ, p. 221), 천마(Ⅱ, p. 558), 천수국(Ⅱ, p. 346), 타래난초(Ⅱ, p. 566), 하수오(Ⅰ, p. 210), 홍합(Ⅱ, p. 756)

혈전증(血栓症)__거머리(Ⅱ, p. 744), 거미고사리(Ⅰ, p. 86), 모동청(Ⅰ, p. 706), 흰보라끈적버섯(Ⅱ, p. 641)

혈행개선(血行改善)__구척(Ⅰ, p. 70), 기름나물(Ⅰ, p. 890), 꿀풀(Ⅱ, p. 146), 남가새(Ⅰ, p. 623), 노루오줌(Ⅰ, p. 443), 녹나무(Ⅰ, p. 284), 두꺼비(Ⅱ, p. 844), 둥굴레(Ⅱ, p. 405), 들현호색(Ⅰ, p. 406), 등칡(Ⅰ, p. 372), 디기탈리스(Ⅱ, p. 185), 떡갈고란초(Ⅰ, p. 106), 띠(Ⅱ, p. 462), 만년청(Ⅱ, p. 407), 매화록(Ⅱ, p. 906), 몰약나무(Ⅰ, p. 653), 밀몽화(Ⅰ, p. 940), 밀화두나무(Ⅰ, p. 599), 방가지똥(Ⅱ, p. 343), 백미꽃(Ⅰ, p. 50), 번홍화(Ⅱ, p. 438), 벌사상자(Ⅰ, p. 866), 복수초(Ⅰ, p. 306), 부들(Ⅱ, p. 506), 사향노루(Ⅱ, p. 909), 산사나무(Ⅰ, p. 467), 산해박(Ⅱ, p. 54), 서양산사나무(Ⅰ, p. 466), 수레국화(Ⅱ, p. 291), 쉽싸리(Ⅱ, p. 126), 아출(Ⅱ, p. 528), 앉은부채(Ⅱ, p. 502), 옻나무(Ⅰ, p. 691), 으름덩굴(Ⅰ, p. 344), 은방울꽃(Ⅱ, p. 379), 은행나무(Ⅰ, p. 115), 잇꽃(Ⅱ, p. 290), 카카오나무(Ⅰ, p. 757), 해당화(Ⅰ, p. 509), 해총(Ⅱ, p. 416), 헛개나무(Ⅰ, p. 718), 협죽도(Ⅰ, p. 960)

협심증(狹心症)__스트로판투스(Ⅰ, p. 963), 암미(Ⅰ, p. 849), 올리브나무(Ⅰ, p. 935), 잇꽃(Ⅱ, p. 290), 카네이션(Ⅰ, p. 232), 필발(Ⅰ, p. 363), 황화협죽도(Ⅰ, p. 964)

혈관 및 혈압에 작용하는 생약__구인(Ⅱ, p. 743), 귀전우(Ⅰ, p. 709), 당귀(Ⅰ, p. 858), 도인(Ⅰ, p. 495), 두충(Ⅰ, p. 430), 목단피(Ⅰ, p. 381), 봉출(Ⅱ, p. 528), 사프란(Ⅱ, p. 438), 상백피(Ⅰ, p. 178), 여로(Ⅱ, p. 417), 요힘바(Ⅱ, p. 74), 우슬(Ⅰ, p. 250), 유향(Ⅰ, p. 651), 음양곽(Ⅰ, p. 340), 인도사목(Ⅰ, p. 961), 작약(Ⅰ, p. 378), 천골(Ⅰ, p. 357), 천궁(Ⅰ, p. 878)

안과질환(眼科疾患)

녹내장(綠內障)__말전복(Ⅱ, p. 747), 면양(Ⅱ, p. 913), 반딧불이(Ⅱ, p. 794), 보춘화(Ⅱ, p. 554), 쇠큰수염박쥐(Ⅱ, p. 884), 영양(Ⅱ, p. 914), 하늘다람쥐(Ⅱ, p. 888)

다루(多淚)__살구나무(Ⅰ, p. 489), 삼지닥나무(Ⅰ, p. 762), 참빈추나무(Ⅰ, p. 488)

동공확대(瞳孔擴大)__코카나무(Ⅰ, p. 619)

망막증(網膜症)__메밀(Ⅰ, p. 199), 중대가리국화(Ⅱ, p. 326)

목적종통(目赤腫痛)·결막염(結膜炎)__가래나무(Ⅰ, p. 138), 강아지풀(Ⅱ, p. 479), 개맨드라미(Ⅰ, p. 256), 개상어(Ⅱ, p. 806), 고사리삼(Ⅰ, p. 60), 과꽃(Ⅱ, p. 287), 괴불주머니(Ⅰ, p. 405), 구등(Ⅱ, p. 79), 금매화(Ⅱ, p. 335), 깽깽이풀(Ⅰ, p. 341), 꾀꼬리버섯(Ⅱ, p. 665), 꿀풀(Ⅱ, p. 146), 남천(Ⅰ, p. 343), 노감석(Ⅱ, p. 919), 닭의장풀(Ⅱ, p. 446), 당매자나무(Ⅰ, p. 337), 말리화(Ⅰ, p. 933), 말전복(Ⅱ, p. 747), 매발톱나무(Ⅰ, p. 336), 모감주나무(Ⅰ, p. 697), 물푸레나무(Ⅰ, p. 931), 민들레(Ⅱ, p. 350), 밀몽화(Ⅰ, p. 940), 벼룩이자리(Ⅰ, p. 230), 뽀리뱅이(Ⅱ, p. 355), 삼지닥나무(Ⅰ, p. 762),

석결명(Ⅰ, p. 546), 석류풀(Ⅰ, p. 226), 수크령(Ⅱ, p. 469), 순비기나무(Ⅱ, p. 109), 신나무(Ⅰ, p. 693), 쓴풀(Ⅰ, p. 951), 안개꽃나무(Ⅰ, p. 686), 용담(Ⅰ, p. 947), 장딸기(Ⅰ, p. 511), 전동싸리(Ⅰ, p. 581), 천리광(Ⅱ, p. 337), 천일홍(Ⅰ, p. 258), 치자나무(Ⅱ, p. 68), 콩제비꽃(Ⅰ, p. 776), 패랭이꽃(Ⅰ, p. 233), 풀솜나물(Ⅱ, p. 312), 한련(Ⅰ, p. 620), 황련(Ⅰ, p. 321), 황벽나무(Ⅰ, p. 668)

백내장(白內障)__결명차(Ⅰ, p. 547), 목호접나무(Ⅱ, p. 211), 영산홍(Ⅰ, p. 903), 전동싸리(Ⅰ, p. 581)

시력감퇴(視力減退)__가물치(Ⅱ, p. 837), 개비름(Ⅰ, p. 253), 결명차(Ⅰ, p. 547), 곡정초(Ⅱ, p. 449), 국화(Ⅱ, p. 295), 금채석곡(Ⅱ, p. 557), 기와버섯(Ⅱ, p. 691), 말전복(Ⅱ, p. 747), 물싸리(Ⅰ, p. 484), 물이끼(Ⅱ, p. 595), 민챙이(Ⅱ, p. 754), 복분자딸기(Ⅰ, p. 510), 비수리(Ⅰ, p. 574), 뽕나무(Ⅰ, p. 178), 석매의(Ⅱ, p. 592), 속새(Ⅰ, p. 58), 쇠비름(Ⅰ, p. 228), 순비기나무(Ⅱ, p. 109), 오분자기(Ⅱ, p. 748), 왕쥐잡이뱀(Ⅱ, p. 855), 작약(Ⅰ, p. 378), 톱풀(Ⅱ, p. 254), 홍산호(Ⅱ, p. 742), 흑곰(Ⅱ, p. 894)

안염(眼炎)__개사철쑥(Ⅱ, p. 262), 갯대추나무(Ⅱ, p. 719), 괴불주머니(Ⅰ, p. 405), 땅빈대(Ⅰ, p. 634), 손바닥선인장(Ⅰ, p. 261), 수선화(Ⅱ, p. 426), 애기꾀꼬리버섯(Ⅱ, p. 665), 애기똥풀(Ⅰ, p. 400), 용설란(Ⅱ, p. 433), 질경이(Ⅱ, p. 223), 털부처꽃(Ⅰ, p. 798), 피뿔고둥(Ⅱ, p. 751), 하늘다람쥐(Ⅱ, p. 888), 한련초(Ⅱ, p. 305)

야맹증(夜盲症)__긴사상자(Ⅰ, p. 884), 까치버섯(Ⅱ, p. 696), 꾀꼬리버섯(Ⅱ, p. 665), 사마귀버섯(Ⅱ, p. 696), 삽주(Ⅱ, p. 277), 애기꾀꼬리버섯(Ⅱ, p. 665)

암(癌)

간암(肝癌)__구름버섯(Ⅱ, p. 715), 능이(Ⅱ, p. 697), 목질진흙버섯(Ⅱ, p. 720), 희수(Ⅰ, p. 824)

경임파결종(頸淋巴結腫)__고리매(Ⅱ, p. 577)

난소암(卵巢癌)__주목(Ⅰ, p. 129), 태평양주목(Ⅰ, p. 128)

대장암(大腸癌)__느릅나무(Ⅰ, p. 161), 아까시나무(Ⅰ, p. 594), 희수(Ⅰ, p. 824)

백혈병(白血病)__가막사리(Ⅱ, p. 284), 개비자나무(Ⅰ, p. 128), 구름버섯(Ⅱ, p. 715), 모자반(Ⅱ, p. 580), 미역쇠(Ⅱ, p. 576), 분꽃(Ⅰ, p. 225), 빈카(Ⅰ, p. 965), 희수(Ⅰ, p. 824)

상피암(上皮癌)__당근(Ⅰ, p. 868), 바위손(Ⅰ, p. 52), 피막이풀(Ⅰ, p. 876)

식도암(食道癌)__부처손(Ⅰ, p. 54), 잔나비걸상(Ⅱ, p. 699), 희수(Ⅰ, p. 824)

악성임파류(惡性淋巴瘤)__개비자나무(Ⅰ, p. 128)

위암(胃癌)__노루궁뎅이(Ⅱ, p. 693), 능이(Ⅱ, p. 697), 목질진흙버섯(Ⅱ, p. 720), 자주졸각버섯(Ⅱ, p. 631), 조릿대(Ⅱ, p. 477), 졸각버섯(Ⅱ, p. 632), 차가버섯(Ⅱ, p. 706), 치마버섯(Ⅱ, p. 609), 콘두란고(Ⅱ, p. 57), 파초일엽(Ⅰ, p. 84)

유방암__주목(Ⅰ, p. 129), 태평양주목(Ⅰ, p. 128)

융모상피암(絨毛上皮癌)__일일화(Ⅰ, p. 958)

자궁암(子宮癌)__대엽보혈초(Ⅰ, p. 919), 목이(Ⅱ, p. 722), 수련(Ⅰ, p. 358), 흰둘레줄버섯(Ⅱ, p. 716)

전립선암(前立腺癌)__마카(Ⅰ, p. 425)

이비인후질환(耳鼻咽喉疾患)

나력(瘰癧)__개구리발톱(Ⅰ, p. 331), 꼬시래기(Ⅱ, p. 591), 끈말(Ⅱ, p. 577), 다시마(Ⅱ, p. 579), 도박(Ⅱ, p. 585), 둥근성게(Ⅱ, p. 805), 미역(Ⅱ, p. 578), 바다고리풀(Ⅱ, p. 582), 뼈꾸기(Ⅱ, p. 874), 수리부엉이(Ⅱ, p. 875), 지충이(Ⅱ, p. 581), 참까막살(Ⅱ, p. 585), 청가뢰(Ⅱ, p. 793), 큰점박이가뢰(Ⅱ, p. 794), 톳(Ⅱ, p. 580)

비강염(鼻腔炎)__나도송이풀(Ⅱ, p. 195), 수세미오이(Ⅰ, p. 788), 시계꽃(Ⅰ, p. 769), 중대가리풀(Ⅱ, p. 292)

비강출혈(鼻腔出血)__개맨드라미(Ⅰ, p. 256), 개지치(Ⅱ, p. 95), 공심채(Ⅱ, p. 86), 꾸지나무(Ⅰ, p. 167), 나륵(Ⅱ, p. 137), 띠(Ⅱ, p. 462), 비파나무(Ⅰ, p. 469), 빈카(Ⅰ, p. 965), 애기도라지(Ⅱ, p. 254), 오리나무(Ⅰ, p. 147), 원추리(Ⅱ, p. 388), 조뱅이(Ⅱ, p. 285), 콩짜개덩굴(Ⅰ, p. 107), 혈견수(Ⅱ, p. 162)

비뉵(鼻衄)__군소(Ⅱ, p. 753), 도금양(Ⅰ, p. 809), 마란(Ⅱ, p. 273), 물쇠뜨기(Ⅰ, p. 56), 백약자(Ⅰ, p. 348), 새완두(Ⅰ, p. 607), 쇠뜨기(Ⅰ, p. 55), 수랑(Ⅱ, p. 752), 참쑥(Ⅱ, p. 267)

이명(耳鳴)__갯질경이(Ⅰ, p. 920), 구지뽕나무(Ⅰ, p. 170), 굴(Ⅱ, p. 759), 넉줄고사리(Ⅰ, p. 75), 당광나무(Ⅰ, p. 934), 대엽동청(Ⅰ, p. 705), 사마귀풀(Ⅱ, p. 446), 어저귀(Ⅰ, p. 738), 얼치기완두(Ⅰ, p. 608), 활나물(Ⅰ, p. 549)

인후염(咽喉炎)__가락지나물(Ⅰ, p. 484), 감람나무(Ⅰ, p. 652), 갓(Ⅰ, p. 416), 개차즈기(Ⅱ, p. 113), 갯질경이(Ⅰ, p. 920), 갯메꽃(Ⅱ, p. 82), 골무꽃(Ⅱ, p. 157), 구(Ⅰ, p. 361), 금과람(Ⅰ, p. 353), 금난초(Ⅱ, p. 552), 긴담배풀(Ⅱ, p. 289), 긴병꽃풀(Ⅱ, p. 119), 까치수염(Ⅰ, p. 913), 꿩의다리(Ⅰ, p.

332), 나한과(Ⅰ, p. 791), 냉이(Ⅰ, p. 419), 달맞이꽃(Ⅰ, p. 820), 닭의장풀(Ⅱ, p. 446), 도깨비바늘(Ⅱ, p. 282), 동백나무(Ⅰ, p. 385), 등골나물(Ⅱ, p. 308), 땅비싸리(Ⅰ, p. 570), 때죽나무(Ⅰ, p. 924), 마타리(Ⅱ, p. 238), 말불버섯(Ⅱ, p. 661), 말징버섯(Ⅱ, p. 655), 매미눈꽃동충하초(Ⅱ, p. 732), 머위(Ⅱ, p. 326), 모시대(Ⅱ, p. 244), 무환자나무(Ⅰ, p. 700), 미국능소화나무(Ⅱ, p. 207), 박태기나무(Ⅰ, p. 548), 배암차즈기(Ⅱ, p. 152), 백강잠균(Ⅱ, p. 735), 뱀딸기(Ⅰ, p. 468), 벌노랑이(Ⅰ, p. 578), 벼룩이자리(Ⅱ, p. 230), 봄맞이꽃(Ⅰ, p. 912), 사마귀풀(Ⅱ, p. 446), 상사화(Ⅱ, p. 425), 상산나무(Ⅰ, p. 667), 서향나무(Ⅰ, p. 762), 석류나무(Ⅰ, p. 815), 석잠풀(Ⅱ, p. 159), 승마(Ⅰ, p. 314), 여감자(Ⅰ, p. 647), 오이(Ⅰ, p. 785), 옥잠화(Ⅱ, p. 391), 일엽초(Ⅰ, p. 109), 자리공(Ⅰ, p. 224), 자색독마발(Ⅱ, p. 656), 자운영(Ⅰ, p. 535), 장구채(Ⅱ, p. 236), 재등에(Ⅱ, p. 790), 제비꽃(Ⅰ, p. 774), 조팝나무(Ⅰ, p. 520), 좀말불버섯(Ⅱ, p. 661), 주걱간버섯(Ⅱ, p. 714), 죽봉(Ⅱ, p. 800), 중국붓꽃(Ⅱ, p. 442), 쪽동백(Ⅰ, p. 924), 참지누아리(Ⅱ, p. 584), 참홑파래(Ⅱ, p. 571), 채송화(Ⅱ, p. 227), 천문동(Ⅱ, p. 374), 천수곡비름(Ⅱ, p. 252), 초롱꽃(Ⅱ, p. 247), 털머위(Ⅱ, p. 310), 톨루발삼나무(Ⅰ, p. 583), 팔각련(Ⅰ, p. 339), 포장화(Ⅱ, p. 211), 할미꽃(Ⅰ, p. 328)

중이염(中耳炎)__갈퀴덩굴(Ⅱ, p. 67), 개대황(Ⅰ, p. 221), 거지딸기(Ⅰ, p. 514), 금매화(Ⅱ, p. 335), 도꼬마리(Ⅱ, p. 354), 독가시치(Ⅱ, p. 834), 바위떡풀(Ⅱ, p. 454), 바위취(Ⅰ, p. 455), 불가사리(Ⅱ, p. 803), 어저귀(Ⅰ, p. 738), 장구채(Ⅰ, p. 236), 제라늄(Ⅰ, p. 617), 죽자초(Ⅱ, p. 410), 호양(Ⅰ, p. 141), 흰작은가시고둥(Ⅱ, p. 751)

청각장애(聽覺障碍)__까실쑥부쟁이(Ⅱ, p. 271), 덩굴백부(Ⅱ, p. 419), 땅꽈리(Ⅱ, p. 174), 백산차(Ⅰ, p. 900), 산사나무(Ⅰ, p. 467), 삿갓풀(Ⅱ, p. 401), 석류나무(Ⅰ, p. 815), 수수꽃다리(Ⅰ, p. 937), 여로(Ⅱ, p. 417), 토란(Ⅱ, p. 495)

축농증(蓄膿症)__꼬마이끼(Ⅱ, p. 598), 꿀벌(Ⅱ, p. 798), 느릅나무(Ⅰ, p. 161), 도꼬마리(Ⅱ, p. 354), 망춘옥란(Ⅰ, p. 266), 목련(Ⅰ, p. 268), 백목련(Ⅰ, p. 268), 애호리병벌(Ⅱ, p. 797), 은이끼(Ⅱ, p. 599), 족도리풀(Ⅱ, p. 373), 참외(Ⅰ, p. 784)

편도선염(扁桃腺炎)__금매화(Ⅱ, p. 335), 까실쑥부쟁이(Ⅱ, p. 271), 달맞이꽃(Ⅰ, p. 820), 도라지(Ⅱ, p. 252), 매발톱나무(Ⅰ, p. 336), 머위(Ⅱ, p. 326), 민들레(Ⅱ, p. 350), 박태기나무(Ⅰ, p. 548), 박하(Ⅱ, p. 129), 범부채(Ⅱ, p. 437), 별꽃아재비(Ⅱ, p. 311), 새모래덩굴(Ⅰ, p. 347), 속새(Ⅰ, p. 58), 쓴풀(Ⅰ, p. 951), 아주까리(Ⅰ, p. 649), 옥잠화(Ⅱ, p. 391), 우엉(Ⅱ, p. 259), 인동덩굴(Ⅱ, p. 227), 자리공(Ⅰ, p. 224), 잔대(Ⅱ, p. 245), 중대가리국화(Ⅱ, p. 326), 쪽(Ⅱ, p. 208), 할미

꽃(Ⅰ, p. 328), 호제비꽃(Ⅰ, p. 777)

후두염(喉頭炎)__고란초(Ⅰ, p. 105), 국화(Ⅱ, p. 295), 나도하수오(Ⅰ, p. 209), 나륵(Ⅱ, p. 137), 무환자나무(Ⅰ, p. 700), 미역고사리(Ⅰ, p. 110), 빈랑청(Ⅰ, p. 692), 소귀나무(Ⅰ, p. 136), 속새(Ⅰ, p. 58), 수수꽃다리(Ⅰ, p. 937), 아위(Ⅰ, p. 870), 큰속새(Ⅰ, p. 57)

후비(喉痺)__곡정초(Ⅱ, p. 449), 목호접나무(Ⅱ, p. 211), 문주란(Ⅱ, p. 422), 백마골(Ⅰ, p. 77), 붉나무(Ⅰ, p. 689), 산자고(Ⅱ, p. 415), 삿갓풀(Ⅱ, p. 401), 양하(Ⅱ, p. 535), 여로(Ⅱ, p. 417), 옥엽금화(Ⅱ, p. 73), 운남중루(Ⅱ, p. 400), 지도화(Ⅰ, p. 750)

피부질환(皮膚疾患)

개선(疥癬)__갈매나무(Ⅰ, p. 721), 개발나물(Ⅰ, p. 894), 갯활량나물(Ⅰ, p. 601), 굴피나무(Ⅰ, p. 140), 냄새명아주(Ⅰ, p. 244), 마영단(Ⅱ, p. 105), 마풍수(Ⅰ, p. 644), 명아주(Ⅰ, p. 243), 묘안초(Ⅱ, p. 637), 백당나무(Ⅱ, p. 234), 비목나무(Ⅰ, p. 288), 비술나무(Ⅰ, p. 163), 수국(Ⅰ, p. 447), 수염가래꽃(Ⅱ, p. 250), 쑥방망이(Ⅱ, p. 334), 양각요(Ⅰ, p. 962), 여로(Ⅱ, p. 417), 왕느릅나무(Ⅰ, p. 162), 용설란(Ⅱ, p. 433), 월계수(Ⅰ, p. 287), 유동(Ⅰ, p. 627), 유칼리나무(Ⅰ, p. 805), 자주괴불주머니(Ⅰ, p. 403), 토란(Ⅱ, p. 495), 호로차(Ⅰ, p. 598), 호만등(Ⅰ, p. 941)

개창(疥瘡)__개오동나무(Ⅱ, p. 209), 까마귀베개(Ⅰ, p. 720), 마취목(Ⅰ, p. 901), 산황나무(Ⅰ, p. 720), 상동나무(Ⅰ, p. 723), 송이풀(Ⅱ, p. 194), 쇠털이슬(Ⅰ, p. 816), 수까치깨(Ⅰ, p. 753), 으름난초(Ⅱ, p. 560), 파리풀(Ⅱ, p. 222)

건선(乾癬) · **백선**(白癬)__가중나무(Ⅰ, p. 675) 고추(Ⅱ, p. 165), 구릿대(Ⅰ, p. 855), 금낭화(Ⅰ, p. 408), 꼭두서니(Ⅱ, p. 75), 남가새(Ⅰ, p. 623), 누에나방(Ⅱ, p. 787), 느릅나무(Ⅰ, p. 161), 댑싸리(Ⅰ, p. 245), 도둑놈의지팡이(Ⅰ, p. 596), 동사리(Ⅱ, p. 836), 들메나무(Ⅰ, p. 930), 멀구슬나무(Ⅰ, p. 681), 모시대(Ⅱ, p. 244), 바위솔(Ⅰ, p. 436), 소시지나무(Ⅱ, p. 210), 안경만두게(Ⅱ, p. 774), 약모밀(Ⅰ, p. 359), 여뀌(Ⅰ, p. 202), 자란(Ⅱ, p. 549), 자리공(Ⅰ, p. 224), 짚신나물(Ⅰ, p. 459), 창포(Ⅱ, p. 485), 피라미(Ⅱ, p. 821)

기미(黑斑) · **주근깨**(雀斑)__강낭콩(Ⅰ, p. 587), 무환자나무(Ⅰ, p. 700), 아몬드(Ⅰ, p. 491), 율무(Ⅱ, p. 455), 장미(Ⅰ, p. 504), 해홍두(Ⅰ, p. 526)

기부마목(肌膚麻木)__마전자나무(Ⅰ, p. 942), 오초사(Ⅱ, p. 856), 털쥐손이(Ⅰ, p. 615)

농가진(膿痂疹)__더덕(Ⅱ, p. 247), 도라지(Ⅱ, p. 252), 산국(Ⅱ, p. 294), 수선화(Ⅱ, p. 426), 엉겅퀴(Ⅱ, p. 298), 여로(Ⅱ, p. 417), 오동나무(Ⅱ, p. 193), 유향나무(Ⅰ, p. 651), 청개구리(Ⅱ, p. 848), 청미래덩굴(Ⅱ, p. 410)

단독(丹毒)__가락지나물(Ⅰ, p. 484), 가막사리(Ⅱ, p. 284), 개구리밥(Ⅱ, p. 504), 개나리(Ⅰ, p. 929), 거북꼬리(Ⅰ, p. 183), 노랑어리연꽃(Ⅰ, p. 954), 녹두(Ⅰ, p. 585), 떡갈줄갱이(Ⅱ, p. 819), 며느리배꼽(Ⅱ, p. 205), 물닭개비(Ⅱ, p. 436), 물옥잠(Ⅱ, p. 436), 바위떡풀(Ⅰ, p. 454), 바위취(Ⅰ, p. 455), 박주가리(Ⅱ, p. 59), 배풍등(Ⅱ, p. 179), 백량금(Ⅰ, p. 908), 석회(Ⅱ, p. 931), 애기자운(Ⅰ, p. 529), 오동나무(Ⅱ, p. 193), 유채(Ⅰ, p. 415), 이삭물수세미(Ⅰ, p. 822), 정향풀(Ⅰ, p. 956), 제비꽃(Ⅰ, p. 774), 좀개구리밥(Ⅱ, p. 504), 좀깨잎나무(Ⅰ, p. 182), 큰메꽃(Ⅱ, p. 82), 토끼(Ⅱ, p. 886)

담마진(蕁麻疹)__가는잎쐐기풀(Ⅰ, p. 190), 개차즈기(Ⅱ, p. 113), 까치밥나무(Ⅰ, p. 451), 물상추(Ⅱ, p. 501), 속썩은풀(Ⅱ, p. 155), 솔나물(Ⅱ, p. 68), 쐐기풀(Ⅰ, p. 191), 애기탑꽃(Ⅱ, p. 114), 위성류(Ⅰ, p. 780), 자우(Ⅱ, p. 494), 팽나무(Ⅰ, p. 160), 향나무(Ⅰ, p. 123), 호자나무(Ⅱ, p. 65)

독충(毒蟲)·독사교상(毒蛇咬傷)__국화방망이(Ⅱ, p. 336), 명아주(Ⅰ, p. 243), 모시대(Ⅱ, p. 244), 밴댕이(Ⅱ, p. 812), 뱀딸기(Ⅰ, p. 468), 붉나무(Ⅰ, p. 689), 서양소태나무(Ⅰ, p. 678), 선씀바귀(Ⅱ, p. 319), 속수(Ⅰ, p. 636), 솜나물(Ⅱ, p. 323), 시무나무(Ⅰ, p. 160), 애기똥풀(Ⅰ, p. 400), 큰쐐기풀(Ⅰ, p. 183), 호제비꽃(Ⅰ, p. 777)

동상(凍傷)__가지(Ⅱ, p. 180), 개지치(Ⅱ, p. 95), 갯어리알버섯(Ⅱ, p. 672), 꼬리겨우살이(Ⅰ, p. 193), 난티잎개암나무(Ⅰ, p. 151), 두메닥나무(Ⅰ, p. 761), 말징버섯(Ⅱ, p. 655), 모래밭버섯(Ⅱ, p. 671), 식나무(Ⅰ, p. 825), 지붕바위솔(Ⅰ, p. 442), 지치(Ⅱ, p. 96), 터리풀(Ⅰ, p. 470), 톨루발삼나무(Ⅰ, p. 583)

두창(頭瘡)__닭새우(Ⅱ, p. 768), 동자꽃(Ⅱ, p. 235), 바늘꽃(Ⅰ, p. 819), 서양매발톱꽃(Ⅰ, p. 311), 소라(Ⅱ, p. 748), 여송과나무(Ⅰ, p. 941), 완두(Ⅰ, p. 588), 용담(Ⅰ, p. 947), 우엉(Ⅱ, p. 259), 좀나도희초미(Ⅰ, p. 95), 지치(Ⅱ, p. 96), 찔레나무(Ⅰ, p. 506), 포도(Ⅰ, p. 732), 할미꽃(Ⅰ, p. 328), 현정석(Ⅱ, p. 946)

소양증(搔痒症)__개구리밥(Ⅱ, p. 504), 녹각산호(Ⅱ, p. 741), 능소화나무(Ⅱ, p. 208), 담배풀(Ⅱ, p. 288), 독당근(Ⅰ, p. 866), 메역순나무(Ⅰ, p. 713), 물참대(Ⅰ, p. 445), 미역고사리(Ⅰ, p. 110), 밀몽화(Ⅰ, p. 940), 붉은발말똥게(Ⅱ, p. 772), 소엽풀(Ⅱ, p. 187), 쌍잎콩나무(Ⅰ, p. 543), 왕쥐잡이뱀(Ⅱ, p. 855), 왜모시풀(Ⅱ, p. 180), 위싱류(Ⅰ, p. 780), 유목(Ⅱ, p. 106), 좀목형(Ⅱ, p. 108), 지칭개(Ⅱ, p. 315), 차상자(Ⅰ, p. 696)

수발조백(鬚髮早白)__개소시랑개비(Ⅰ, p. 486), 당광나무(Ⅰ, p. 934), 복분자딸기(Ⅰ, p. 510), 뽕나무(Ⅰ, p. 178), 산딸기나무(Ⅰ, p. 508), 산토끼꽃(Ⅱ, p. 243), 모새나무(Ⅰ, p. 905), 지황(Ⅱ, p. 197), 하수오(Ⅰ, p. 210), 한련초(Ⅱ, p. 305)

습진(濕疹)__가중나무(Ⅰ, p. 675), 가회톱(Ⅰ, p. 726), 강향나무(Ⅰ, p. 551), 구지뽕나무(Ⅰ, p. 170), 긴병꽃풀(Ⅱ, p. 119), 까마중(Ⅱ, p. 180), 꽃구름버섯(Ⅱ, p. 694), 꿩의비름(Ⅰ, p. 439), 남가새(Ⅰ, p. 623), 달걀버섯(Ⅱ, p. 635), 도꼬로마(Ⅱ, p. 432), 두꺼비(Ⅱ, p. 844), 낢버섯(Ⅱ, p. 640), 마늘(Ⅱ, p. 366), 말뱅이나물(Ⅱ, p. 241), 맨드라미(Ⅰ, p. 255), 명아주(Ⅰ, p. 243), 바위솔(Ⅰ, p. 436), 바위취(Ⅰ, p. 455), 백선(Ⅰ, p. 662), 별꽃(Ⅱ, p. 241), 병풀(Ⅱ, p. 864), 비파나무(Ⅰ, p. 469), 사철쑥(Ⅱ, p. 262), 산국(Ⅱ, p. 294), 삼백초(Ⅰ, p. 360), 알로에(Ⅱ, p. 371), 어수리(Ⅰ, p. 875), 오수유나무(Ⅰ, p. 664), 오이풀(Ⅰ, p. 514), 자란(Ⅱ, p. 549), 자리공(Ⅰ, p. 224), 점박이광대버섯(Ⅱ, p. 634), 주엽나무(Ⅰ, p. 562), 중대가리국화(Ⅱ, p. 326), 지치(Ⅱ, p. 96), 패랭이꽃(Ⅰ, p. 233), 한삼덩굴(Ⅰ, p. 176), 형개(Ⅱ, p. 154)

악창(惡瘡)__갯대추나무(Ⅰ, p. 719), 구렁이(Ⅱ, p. 856), 금낭화(Ⅰ, p. 408), 말(Ⅱ, p. 901), 말매미(Ⅱ, p. 784), 맥반석(Ⅱ, p. 923), 멋장이쥐잡이뱀(Ⅱ, p. 856), 무릇(Ⅱ, p. 408), 문어(Ⅱ, p. 764), 물맴이(Ⅱ, p. 792), 물봉선(Ⅰ, p. 703), 밀타승(Ⅱ, p. 923), 바지락(Ⅱ, p. 761), 박새(Ⅱ, p. 418), 박하(Ⅱ, p. 129), 백강단(Ⅱ, p. 925), 백반(Ⅱ, p. 926), 벗풀(Ⅱ, p. 358), 붉은말뚝버섯(Ⅱ, p. 669), 비둘기(Ⅱ, p. 874), 쇠똥구리(Ⅱ, p. 795), 약난초(Ⅱ, p. 553), 양자악(Ⅱ, p. 860), 웅황(Ⅱ, p. 938), 자황(Ⅱ, p. 942), 장수도마뱀(Ⅱ, p. 854), 주걱간버섯(Ⅱ, p. 714), 지치(Ⅱ, p. 96), 콩(Ⅰ, p. 564), 큰점박이가뢰(Ⅱ, p. 794), 톱풀(Ⅱ, p. 254)

여드름(靑春痘)__서양남가새(Ⅰ, p. 622), 수영(Ⅰ, p. 219), 아마(Ⅰ, p. 625), 천수곡비름(Ⅰ, p. 252)

열독창상(熱毒創傷)__공작(Ⅱ, p. 872), 녹반(Ⅱ, p. 920), 두더지(Ⅱ, p. 883), 등황나무(Ⅱ, p. 392), 딱지꽃(Ⅰ, p. 481), 삿갓우산이끼(Ⅱ, p. 605), 상사나무(Ⅰ, p. 524), 쇠별꽃(Ⅰ, p. 240), 요사(Ⅱ, p. 935), 이질바퀴(Ⅱ, p. 778), 털우산이끼(Ⅱ, p. 604), 패랭이우산이끼(Ⅱ, p. 605)

옹종창독(擁腫瘡毒)__감자난초(Ⅱ, p. 563), 개황기(Ⅰ, p. 535), 녹두(Ⅰ, p. 585), 두메자운(Ⅰ, p. 584), 매화오리나무(Ⅰ, p. 896), 목별(Ⅰ, p. 790), 물질경이(Ⅱ, p. 360), 바나나(Ⅱ, p. 539), 완두(Ⅰ, p. 588), 우엉(Ⅱ, p. 259), 코스모스(Ⅱ, p. 301), 큰방울새란(Ⅱ, p. 565), 큰잎배롱나무(Ⅱ, p. 797), 호제비꽃(Ⅰ, p. 777)

외상출혈(外傷出血)__돌피(Ⅱ, p. 459), 목도리방귀버섯(Ⅱ, p. 667), 부채버섯(Ⅱ, p. 626), 산딸나무(Ⅰ, p. 827), 산청개

구리(Ⅱ, p. 848), 수반하(Ⅱ, p. 503), 수염이끼(Ⅰ, p. 69), 알버섯(Ⅱ, p. 671), 여우오줌(Ⅱ, p. 290), 주목이끼(Ⅱ, p. 603), 코끼리(Ⅱ, p. 901), 피막이풀(Ⅰ, p. 876)

음낭습진(陰囊濕疹)__갈퀴나물(Ⅰ, p. 604), 떡쑥(Ⅱ, p. 311), 산용담(Ⅰ, p. 943), 선씀바귀(Ⅱ, p. 319), 수국(Ⅰ, p. 447)

음부소양증(陰部搔痒症)__마영단(Ⅱ, p. 105), 명아주(Ⅰ, p. 243), 산초나무(Ⅰ, p. 674)

정창(疔瘡)__각시괴불나무(Ⅱ, p. 227), 거지덩굴(Ⅰ, p. 727), 댕댕이나무(Ⅱ, p. 226), 목별(Ⅰ, p. 790), 벌씀바귀(Ⅱ, p. 320), 붓꽃(Ⅱ, p. 441), 쇠채(Ⅱ, p. 333), 수세미오이(Ⅰ, p. 788), 아마풀(Ⅰ, p. 624), 알꽈리(Ⅱ, p. 182), 야고(Ⅱ, p. 217), 올방개(Ⅱ, p. 513), 주걱비비추(Ⅱ, p. 390)

종기(腫氣)__가시나무(Ⅰ, p. 157), 가회톱(Ⅰ, p. 726), 감국(Ⅱ, p. 294), 거지덩굴(Ⅰ, p. 727), 고사리삼(Ⅰ, p. 60), 곤약(Ⅱ, p. 488), 굴거리나무(Ⅰ, p. 631), 굴피나무(Ⅰ, p. 140), 금불초(Ⅱ, p. 318), 까마귀베개(Ⅰ, p. 720), 다정큼나무(Ⅰ, p. 501), 돈나무(Ⅰ, p. 457), 모시대(Ⅱ, p. 244), 문주란(Ⅱ, p. 422), 미나리아재비(Ⅰ, p. 330), 미역취(Ⅱ, p. 341), 박주가리(Ⅱ, p. 59), 뱀톱(Ⅰ, p. 51), 번행초(Ⅱ, p. 227), 부채마(Ⅱ, p. 431), 산겨릅나무(Ⅰ, p. 695), 산국(Ⅱ, p. 294), 삿갓풀(Ⅱ, p. 401), 생강나무(Ⅰ, p. 290), 수선화(Ⅱ, p. 426), 숫잔대(Ⅱ, p. 251), 시무나무(Ⅰ, p. 160), 애기부들(Ⅱ, p. 507), 여로(Ⅱ, p. 417), 오리나무(Ⅱ, p. 147), 옥잠화(Ⅱ, p. 391), 우산이끼(Ⅱ, p. 604), 절굿대(Ⅱ, p. 304), 조개풀(Ⅱ, p. 450), 좀가지풀(Ⅰ, p. 916), 지칭개(Ⅱ, p. 315), 참나리(Ⅱ, p. 394), 큰바늘꽃(Ⅰ, p. 819), 토란(Ⅱ, p. 495), 혹쐐기풀(Ⅰ, p. 184)

창양종통(瘡瘍腫痛)__갯강구(Ⅱ, p. 767), 노린재나무(Ⅰ, p. 925), 마디꽃(Ⅰ, p. 798), 사상자(Ⅰ, p. 895), 애잣버섯(Ⅱ, p. 706), 큰금계국(Ⅱ, p. 300), 황로(Ⅱ, p. 862)

타박상(打撲傷)__갓(Ⅰ, p. 416), 금불초(Ⅱ, p. 318), 금창초(Ⅱ, p. 111), 끈끈이귀개(Ⅰ, p. 397), 몰약나무(Ⅱ, p. 653), 병풀(Ⅰ, p. 864), 붉은목이(Ⅱ, p. 724), 식나무(Ⅰ, p. 825), 약모밀(Ⅰ, p. 359), 연잎낙엽버섯(Ⅱ, p. 621), 은변취(Ⅰ, p. 638), 자연동(Ⅱ, p. 941), 창포(Ⅱ, p. 485), 치마난초(Ⅱ, p. 555), 큰각시취(Ⅱ, p. 330), 향부자(Ⅱ, p. 512)

탈모증(脫毛症)__갈대(Ⅱ, p. 470), 개구리밥(Ⅱ, p. 504), 개미자리(Ⅰ, p. 237), 개사철쑥(Ⅱ, p. 262), 경분(Ⅱ, p. 918), 꾸지나무(Ⅰ, p. 167), 녹나무(Ⅰ, p. 284), 박새(Ⅱ, p. 418), 복수선화(Ⅱ, p. 391), 비술나무(Ⅰ, p. 163), 유황(Ⅱ, p. 939), 소리쟁이(Ⅰ, p. 220), 수양버들(Ⅰ, p. 143), 양버들(Ⅰ, p. 143), 좁은잎회향나무(Ⅰ, p. 282), 큰속새(Ⅰ, p. 57), 키나나무(Ⅱ, p. 63), 한련초(Ⅱ, p. 305), 해우(Ⅱ, p. 488), 호랑이(Ⅱ, p. 898), 흑곰(Ⅱ, p. 894)

탕화상(湯火傷)__개복치(Ⅱ, p. 842), 낙상홍(Ⅰ, p. 707), 동의나물(Ⅰ, p. 312), 바다거북(Ⅱ, p. 850), 월계화(Ⅰ, p. 503), 자양제갑(Ⅰ, p. 537), 점고사리(Ⅰ, p. 72), 족제비싸리(Ⅰ, p. 530), 칠성상어(Ⅱ, p. 809), 토란(Ⅱ, p. 495)

풍진습양(風疹濕痒)__꿩의비름(Ⅰ, p. 439), 들지치(Ⅱ, p. 95), 바위떡풀(Ⅰ, p. 454), 바위취(Ⅰ, p. 455), 백천층(Ⅰ, p. 808), 수양버들(Ⅰ, p. 143), 직간남안(Ⅰ, p. 806), 청향목(Ⅰ, p. 689)

피부궤양(皮膚潰瘍)__가지(Ⅱ, p. 180), 가회톱(Ⅰ, p. 726), 개구리밥(Ⅱ, p. 504), 개나리(Ⅰ, p. 929), 개맨드라미(Ⅰ, p. 256), 경분(Ⅱ, p. 918), 고본(Ⅰ, p. 881), 고수(Ⅰ, p. 867), 꼭두서니(Ⅱ, p. 75), 나도승마(Ⅰ, p. 448), 녹나무(Ⅰ, p. 284), 더덕(Ⅱ, p. 247), 딱총나무(Ⅱ, p. 232), 마디풀(Ⅰ, p. 211), 말굽버섯(Ⅱ, p. 705), 말벌(Ⅱ, p. 800), 머위(Ⅱ, p. 326), 무궁화(Ⅰ, p. 745), 바다동자개(Ⅱ, p. 822), 범부채(Ⅱ, p. 437), 부용(상, p.) 부용화(Ⅰ, p. 743), 부처꽃(Ⅰ, p. 798), 비파나무(Ⅰ, p. 469), 사상자(Ⅰ, p. 895), 산달래(Ⅱ, p. 366), 쇠비름(Ⅰ, p. 228), 아마(Ⅰ, p. 625), 애광대버섯(Ⅱ, p. 634), 여뀌(Ⅰ, p. 202), 용담(Ⅰ, p. 947), 짚신나물(Ⅰ, p. 459), 패랭이꽃(Ⅰ, p. 233), 한삼덩굴(Ⅰ, p. 176), 해마(Ⅱ, p. 826), 형개(Ⅱ, p. 154), 홀아비꽃대(Ⅰ, p. 368), 화초나무(Ⅰ, p. 672)

항문질환(肛門疾患)

대변출혈(大便出血)__갑오징어(Ⅱ, p. 764), 범꼬리(Ⅰ, p. 198), 부처꽃(Ⅰ, p. 798), 손바닥선인장(Ⅰ, p. 261), 쏘가리(Ⅱ, p. 830), 연꽃(Ⅰ, p. 356), 오이풀(Ⅰ, p. 514), 원추리(Ⅱ, p. 388), 접시꽃(Ⅰ, p. 740)

치루(痔漏)__고슴도치(Ⅱ, p. 883), 두더지(Ⅱ, p. 883), 맨드라미(Ⅰ, p. 255), 방가지똥(Ⅱ, p. 343), 벼룩나물(Ⅰ, p. 239), 불나방(Ⅱ, p. 789), 석연(Ⅱ, p. 931), 쇠똥구리(Ⅱ, p. 795), 쇠별꽃(Ⅰ, p. 240), 수세미오이(Ⅰ, p. 788), 승냥이(Ⅱ, p. 892), 양지꽃(Ⅰ, p. 483), 원앙(Ⅱ, p. 863), 유채(Ⅰ, p. 415), 유홍초(Ⅱ, p. 90), 지칭개(Ⅱ, p. 315)

치질(痔疾)__남생이(Ⅱ, p. 849), 돌고래(Ⅱ, p. 890), 동과(Ⅰ, p. 781), 마디풀(Ⅰ, p. 211), 마타리(Ⅱ, p. 238), 며느리밑씻개(Ⅰ, p. 206), 명아주(Ⅰ, p. 243), 무화과나무(Ⅰ, p. 172), 바위솔(Ⅰ, p. 436), 바위취(Ⅰ, p. 455), 벼룩나물(Ⅰ, p. 239), 부처꽃(Ⅰ, p. 798), 비자나무(Ⅰ, p. 129), 살모사(Ⅱ, p. 858), 상수리나무(Ⅰ, p. 154), 속새(Ⅰ, p. 58), 손바닥선인장(Ⅰ, p. 261), 쇠별꽃(Ⅰ, p. 240), 쇠비름(Ⅰ, p. 228), 식나무(Ⅰ, p. 825), 아선약나무(Ⅱ, p. 78), 약모밀(Ⅰ, p. 359), 여뀌(Ⅰ, p. 202), 예덕나무(Ⅰ, p. 645), 오동나무(Ⅱ, p. 193), 은양지꽃

(Ⅰ, p. 485), 중대가리국화(Ⅱ, p. 326), 지갑화(Ⅰ, p. 797), 털게(Ⅱ, p. 774), 한삼덩굴(Ⅰ, p. 176), 할미꽃(Ⅰ, p. 328), 회화나무(Ⅰ, p. 597)

치창(痔瘡)__검정꽃해변말미잘(Ⅱ, p. 741), 낭독(Ⅰ, p. 640), 논고둥(Ⅱ, p. 749), 논병아리(Ⅱ, p. 861), 달팽이(Ⅱ, p. 754), 마름(Ⅰ, p. 799), 목이(Ⅱ, p. 722), 무당개구리(Ⅱ, p. 846), 뱀톱(Ⅰ, p. 51), 별상어(Ⅱ, p. 807), 비늘이끼(Ⅰ, p. 53), 비석(비상)(Ⅱ, p. 929), 쇠비름(Ⅰ, p. 228), 신갈나무(Ⅰ, p. 157), 원추리(Ⅱ, p. 388), 제비꿀(Ⅰ, p. 191)

치창출혈(痔瘡出血)__갯어리알버섯(Ⅱ, p. 672), 굴참나무(Ⅰ, p. 158), 긴담배풀(Ⅱ, p. 289), 떡갈나무(Ⅰ, p. 155), 서양톱풀(Ⅱ, p. 255), 선비늘이끼(Ⅰ, p. 52), 순애초(Ⅱ, p. 749), 큰절굿대(Ⅱ, p. 303), 토끼풀(Ⅰ, p. 602)

탈항(脫肛)__고슴도치(Ⅱ, p. 883), 광귤나무(Ⅰ, p. 656), 논병아리(Ⅱ, p. 861), 달팽이(Ⅱ, p. 754), 검정꽃해변말미잘(Ⅱ, p. 741), 독말풀(Ⅱ, p. 167), 말똥진흙버섯(Ⅱ, p. 720), 말오줌때(Ⅰ, p. 713), 목질진흙버섯(Ⅱ, p. 720), 무궁화(Ⅰ, p. 745), 사위질빵(Ⅰ, p. 316), 상수리나무(Ⅰ, p. 154), 쇠백로(Ⅱ, p. 862), 양귀비(Ⅰ, p. 412), 옴개구리(Ⅱ, p. 847), 천선과나무(Ⅰ, p. 171)

호흡기질환(呼吸器疾患)

객혈(喀血)__관음초(Ⅱ, p. 216), 꼬리풀(Ⅱ, p. 204), 마람(Ⅱ, p. 214), 문모초(Ⅱ, p. 205), 미국가막사리(Ⅱ, p. 283), 벼(Ⅱ, p. 467), 산흰쑥(Ⅱ, p. 270), 엉겅퀴(Ⅱ, p. 298), 오이풀(Ⅰ, p. 514), 윤판나물아재비(Ⅱ, p. 381), 쥐꼬리풀(Ⅱ, p. 363), 컴프리(Ⅱ, p. 98), 큰물칭개나물(Ⅱ, p. 203), 풍년화(Ⅰ, p. 432), 흑난초(Ⅱ, p. 563)

감기__개나리(Ⅰ, p. 929), 개별꽃(Ⅰ, p. 237), 갯기름나물(Ⅰ, p. 889), 고본(Ⅰ, p. 881), 고사리삼(Ⅰ, p. 60), 국화(Ⅱ, p. 295), 꽈리(Ⅱ, p. 175), 대나물(Ⅱ, p. 234), 방풍(Ⅰ, p. 893), 벌등골나물(Ⅱ, p. 309), 승마(Ⅰ, p. 314), 시호(Ⅰ, p. 861), 육계나무(Ⅰ, p. 285), 인동덩굴(Ⅱ, p. 227), 족도리풀(Ⅰ, p. 373), 중대가리국화(Ⅱ, p. 326), 진두발(Ⅱ, p. 587), 차즈기(Ⅱ, p. 142), 칡(Ⅰ, p. 591), 콩(Ⅰ, p. 564), 큰삽주(Ⅱ, p. 279), 큰잎용담(Ⅰ, p. 946), 티베트마황(Ⅰ, p. 133), 파(Ⅱ, p. 364), 향유(Ⅱ, p. 117), 형개(Ⅱ, p. 154)

기관지염(氣管支炎)__가자나무(Ⅰ, p. 803), 간버섯(Ⅱ, p. 714), 감초(Ⅰ, p. 568), 개회나무(Ⅰ, p. 938), 갯메꽃(Ⅱ, p. 82), 겨우살이(Ⅰ, p. 195), 구상란풀(Ⅱ, p. 897), 군소(Ⅱ, p. 753), 금창초(Ⅱ, p. 111), 긴잎꿩의다리(Ⅰ, p. 334), 꽃개회나무(Ⅰ, p. 939), 꽃송이버섯(Ⅱ, p. 719), 꿩의다리(Ⅰ, p. 332), 끈끈이주걱(Ⅰ, p. 397), 남천(Ⅰ, p. 343), 다북떡쑥(Ⅱ, p. 257), 독말풀(Ⅱ, p. 167), 돌외(Ⅰ, p. 786), 마(Ⅱ, p. 428), 모시대(Ⅱ, p. 244), 목련(Ⅰ, p. 268), 목향(Ⅱ, p. 280), 바디나물(Ⅰ, p. 887), 박태기나무(Ⅰ, p. 548), 병풀(Ⅰ, p. 864), 보골지(Ⅰ, p. 589), 부채마(Ⅱ, p. 431), 산들깨(Ⅱ, p. 136), 산딸기나무(Ⅰ, p. 508), 삼지구엽초(Ⅰ, p. 340), 서양할미꽃(Ⅰ, p. 327), 선비늘이끼(Ⅰ, p. 52), 손바닥난초(Ⅱ, p. 561), 쇠큰수염박쥐(Ⅱ, p. 884), 수세미오이(Ⅰ, p. 788), 수정란풀(Ⅰ, p. 897), 오미자(Ⅰ, p. 273), 유창목(Ⅰ, p. 621), 은행나무(Ⅰ, p. 115), 잔대(Ⅱ, p. 245), 전패모(Ⅱ, p. 385), 젓기락풀(Ⅱ, p. 329), 젖버섯(Ⅱ, p. 685), 조개풀(Ⅱ, p. 450), 조회형산호(Ⅱ, p. 742), 중대가리풀(Ⅱ, p. 292), 지네발란(Ⅱ, p. 565), 질경이택사(Ⅱ, p. 356), 차나무(Ⅰ, p. 390), 철쭉나무(Ⅰ, p. 905), 초마황(Ⅰ, p. 134), 침향나무(Ⅰ, p. 758), 팥꽃나무(Ⅰ, p. 760), 한입버섯(Ⅱ, p. 704), 헐떡이풀(Ⅰ, p. 456), 후박나무(Ⅰ, p. 270)

기침(咳嗽)·가래(痰)__가래나무(Ⅰ, p. 138), 가물치(Ⅱ, p. 837), 가시복(Ⅱ, p. 841), 갈고리층층둥굴레(Ⅱ, p. 406), 갈래곰보(Ⅱ, p. 589), 감수(Ⅰ, p. 635), 갓(Ⅰ, p. 416), 개미취(Ⅱ, p. 275), 개우무(Ⅱ, p. 589), 갯메꽃(Ⅱ, p. 82), 갯방풍(Ⅰ, p. 873), 고추나무(Ⅰ, p. 714), 곤약(Ⅱ, p. 488), 곰보버섯(Ⅱ, p. 726), 관동화(Ⅱ, p. 351), 구름버섯(Ⅱ, p. 715), 굴뚝새(Ⅱ, p. 881), 금불초(Ⅱ, p. 318), 금창초(Ⅱ, p. 111), 기름나물(Ⅰ, p. 890), 기린채(Ⅱ, p. 587), 까마귀(Ⅱ, p. 880), 끼무릇(Ⅱ, p. 499), 남천(Ⅰ, p. 343), 노랑망태버섯(Ⅱ, p. 668), 노루귀(Ⅰ, p. 325), 노루발풀(Ⅰ, p. 898), 누리장나무(Ⅱ, p. 104), 눈꽃동충하초(Ⅱ, p. 728), 닭의장풀(Ⅱ, p. 446), 당나귀(Ⅱ, p. 902), 덩굴백부(Ⅱ, p. 419), 도라지(Ⅱ, p. 252), 도화뱅어(Ⅱ, p. 814), 독말풀(Ⅱ, p. 167), 동과(Ⅱ, p. 781), 동충하초(Ⅱ, p. 729), 두엄먹물버섯(Ⅱ, p. 651), 들깨(Ⅱ, p. 141), 뜸부기(Ⅱ, p. 580), 로벨리아(Ⅱ, p. 251), 마(Ⅱ, p. 428), 마가목(Ⅰ, p. 517), 마늘(Ⅱ, p. 366), 마타리(Ⅱ, p. 238), 말굽잔나비버섯(Ⅱ, p. 702), 말불버섯(Ⅱ, p. 661), 망태버섯(Ⅱ, p. 667), 매실나무(Ⅰ, p. 493), 먼지버섯(Ⅱ, p. 670), 멸대(Ⅱ, p. 375), 모과나무(Ⅰ, p. 464), 모시대(Ⅱ, p. 244), 미나리아재비(Ⅰ, p. 330), 방울비짜루(Ⅱ, p. 375), 백리향(Ⅱ, p. 162), 백합(Ⅱ, p. 395), 백합(Ⅱ, p. 760), 뱀장어(Ⅱ, p. 823), 번데기동충하초(Ⅱ, p. 729), 복숭아나무(Ⅰ, p. 495), 봉밀(Ⅱ, p. 798), 비꼬리이끼(Ⅱ, p. 597), 비파나무(Ⅰ, p. 469), 뽕나무(Ⅰ, p. 178), 살구나무(Ⅰ, p. 489), 석이(Ⅱ, p. 594), 세네가(Ⅱ, p. 683), 수달(Ⅱ, p. 895), 숫잔대(Ⅱ, p. 251), 시호(Ⅰ, p. 861), 신감채(Ⅱ, p. 885), 실송라(Ⅱ, p. 592), 아주까리(Ⅰ, p. 649), 앵초(Ⅰ, p. 918), 양귀비(Ⅰ, p. 412), 영산홍(Ⅰ, p. 903), 왜솜다리(Ⅱ, p. 323), 요과(Ⅱ, p. 686), 우엉(Ⅱ, p. 259), 원지(Ⅱ, p. 684), 유엽백전(Ⅱ, p. 54), 은시호(Ⅱ, p. 240), 재첩(Ⅱ, p. 760), 점박이물범(Ⅱ, p. 899), 졸방제비꽃(Ⅰ, p. 772), 주름안

장버섯(Ⅱ, p. 727), 주사(Ⅱ, p. 943), 주엽나무(Ⅰ, p. 562), 쥐방울(Ⅰ, p. 370), 지렁이(Ⅱ, p. 743), 지모(Ⅱ, p. 372), 집오리(Ⅱ, p. 864), 척돌태충(Ⅱ, p. 802), 천남성(Ⅱ, p. 489), 천문동(Ⅱ, p. 374), 청몽석(Ⅱ, p. 944), 초석잠풀(Ⅱ, p. 159), 취윤조(Ⅱ, p. 575), 측백나무(Ⅰ, p. 125), 층층나무(Ⅰ, p. 826), 콩짜개덩굴(Ⅰ, p. 107), 팥꽃나무(Ⅰ, p. 760), 하늘타리(Ⅰ, p. 792), 합개(Ⅱ, p. 852), 향유고래(Ⅱ, p. 889), 흑돌잎(Ⅱ, p. 586), 홀아비꽃대(Ⅱ, p. 368), 황반해파리(Ⅱ, p. 740), 흰목이(Ⅱ, p. 725), 히솝(Ⅱ, p. 121)

담옹천해(痰壅喘咳)__다닥냉이(Ⅰ, p. 424), 수반하(Ⅱ, p. 503), 지마채(Ⅰ, p. 422), 헐떡이풀(Ⅰ, p. 456)

열감기(熱感氣)__개구리밥(Ⅱ, p. 504), 광곽향(Ⅱ, p. 145), 꿩의다리(Ⅰ, p. 332), 꿩의비름(Ⅰ, p. 439), 노루오줌(Ⅰ, p. 443), 모란(Ⅰ, p. 381), 바다거북(Ⅱ, p. 850), 박하(Ⅱ, p. 129), 배초향(Ⅱ, p. 110), 백미꽃(Ⅱ, p. 50), 산국(Ⅰ, p. 294), 시호(Ⅰ, p. 861), 코뿔소(Ⅱ, p. 915), 키나나무(Ⅱ, p. 63), 현삼(Ⅱ, p. 199), 흑곰(Ⅱ, p. 894)

천식(喘息)__고산약불꽃(Ⅱ, p. 149), 나비풀(Ⅱ, p. 48), 두잎갈퀴(Ⅱ, p. 70), 뜰보리수(Ⅰ, p. 766), 로벨리아(Ⅱ, p. 251), 말라바낫(Ⅱ, p. 215), 물질경이(Ⅱ, p. 360), 벨라돈나(Ⅱ, p. 164), 브룬펠시아(Ⅱ, p. 164), 사리풀(Ⅱ, p. 167), 소두구(Ⅱ, p. 529), 쇠서나물(Ⅱ, p. 327), 앉은부채(Ⅱ, p. 502), 여름새우난초(Ⅱ, p. 551), 홍천충(Ⅰ, p. 804), 후추나륵(Ⅱ, p. 139)

폐기종(肺氣腫)__노랑느타리(Ⅱ, p. 608), 느티만가닥버섯(Ⅱ, p. 630), 등대풀(Ⅰ, p. 633), 애기나리(Ⅱ, p. 382), 윤판나물(Ⅱ, p. 381)

폐열해수(肺熱咳嗽)__가막사리(Ⅱ, p. 284), 갈매기난초(Ⅱ, p. 564), 고사리삼(Ⅱ, p. 60), 낭아초(Ⅰ, p. 571), 닭의난초(Ⅱ, p. 558), 백미꽃(Ⅱ, p. 50), 비늘이끼(Ⅱ, p. 53), 사철란(Ⅱ, p. 560), 솜아마존(Ⅱ, p. 51), 수세미오이(Ⅰ, p. 788), 싸리나무(Ⅰ, p. 574), 여뀌바늘(Ⅰ, p. 820), 하전국(Ⅱ, p. 256), 흑난초(Ⅱ, p. 550)

폐옹(肺癰)__꽃며느리밥풀(Ⅱ, p. 191), 단양쑥부쟁이(Ⅱ, p. 272), 더덕(Ⅱ, p. 247), 둥근털제비꽃(Ⅰ, p. 773), 묘미사(Ⅰ, p. 604), 비양초(Ⅰ, p. 634), 비타민나무(Ⅰ, p. 767), 솜양지꽃(Ⅰ, p. 482), 천심련(Ⅱ, p. 213), 호박(Ⅰ, p. 785)

해수객혈(咳嗽喀血)__검양옻나무(Ⅰ, p. 690), 나도국수나무(Ⅰ, p. 477), 단풍취(Ⅱ, p. 256), 된장풀(Ⅰ, p. 554), 배롱나무(Ⅰ, p. 796), 왕과(Ⅰ, p. 791), 이삭여뀌(Ⅰ, p. 202)

호흡기질환에 작용하는 생약__반하(Ⅱ, p. 499), 길경(Ⅱ, p. 252), 사삼(Ⅱ, p. 245), 만삼(Ⅱ, p. 249), 원지(Ⅰ, p. 684), 세네가(Ⅰ, p. 683), 천문동(Ⅱ, p. 374), 맥문동(Ⅱ, p. 396), 패모(Ⅱ, p. 385), 행인(Ⅰ, p. 489), 비파엽(Ⅰ, p. 469)

기타 질환(其他疾患)

각기병(脚氣病)__거머리말(Ⅱ, p. 363), 덩굴강낭콩(Ⅰ, p. 587), 민자주방망이버섯(Ⅱ, p. 614), 양버들(Ⅰ, p. 143), 잉어(Ⅱ, p. 817), 참김(Ⅱ, p. 581), 털여뀌(Ⅰ, p. 205), 파초(Ⅱ, p. 539)

경기(驚氣)__바다거북(Ⅱ, p. 850), 소(Ⅱ, p. 910), 흑곰(Ⅱ, p. 894)

대사기능(代謝機能)·강장(强壯)__가래나무(Ⅰ, p. 138), 갈고리층층등굴레(Ⅱ, p. 406), 개연꽃(Ⅰ, p. 357), 구기자나무(Ⅱ, p. 168), 남오미자(Ⅰ, p. 265), 노각나무(Ⅰ, p. 388), 댑싸리(Ⅰ, p. 245), 덕다리버섯(Ⅱ, p. 703), 두충나무(Ⅰ, p. 430), 마(Ⅱ, p. 428), 마가목(Ⅰ, p. 517), 모과나무(Ⅰ, p. 464), 미역고사리(Ⅰ, p. 110), 바위손(Ⅰ, p. 52), 밤나무(Ⅰ, p. 152), 백자작나무(Ⅰ, p. 148), 범꼬리(Ⅰ, p. 198), 벚꽃버섯(Ⅱ, p. 611), 병아리꽃나무(Ⅰ, p. 501), 복분자딸기(Ⅰ, p. 510), 붉은산꽃버섯(Ⅱ, p. 610), 부처손(Ⅰ, p. 54), 브라질인삼(Ⅰ, p. 259), 산딸기나무(Ⅰ, p. 508), 산일엽초(Ⅰ, p. 108), 삼지구엽초(Ⅰ, p. 340), 삼칠(Ⅰ, p. 845), 오갈피나무(Ⅰ, p. 833), 월계수(Ⅰ, p. 287), 인삼(Ⅰ, p. 840), 잎새버섯(Ⅱ, p. 719), 잣나무(Ⅰ, p. 121), 잣버섯(Ⅱ, p. 708), 좁은잎돌꽃(Ⅰ, p. 437), 지황(Ⅱ, p. 197), 치마버섯(Ⅱ, p. 609), 큰갓버섯(Ⅱ, p. 662), 큰고니(Ⅱ, p. 866), 튤립나무(Ⅰ, p. 265), 팥배나무(Ⅰ, p. 516), 호도나무(Ⅰ, p. 139), 황기(Ⅰ, p. 533)

딸꾹질(噎氣)__감나무(Ⅰ, p. 922), 산달래(Ⅱ, p. 366), 석련나무(Ⅰ, p. 539), 왕대(Ⅱ, p. 471), 여지나무(Ⅰ, p. 698), 작두콩(Ⅰ, p. 541), 정향나무(Ⅰ, p. 810), 침향나무(Ⅰ, p. 758), 포도(Ⅰ, p. 732), 향과수(Ⅱ, p. 66), 헛개나무(Ⅰ, p. 718)

약용 식물 Ⅱ

피자식물 · 48

피자식물(被子植物, Angiospermae)

쌍자엽식물강(Dicotyledoneae)

관속이 골속(髓, pith)의 주위에 원통형으로 배열되고, 체관부와 목질부 사이에 있는 형성층의 활동에 의하여 새로운 조직이 형성된다. 잎은 망상맥이고, 꽃 부분은 4~5수(數)이고, 떡잎은 2개이다. 세계에 44목 258과 9500속 20만 종이 분포한다.

[박주가리과]

금관화

👁 인후염		🫁 해수
♀ 월경부조		습진

● 학명 : *Asclepias curassavica* L.　● 한자명 : 金冠花

`1 2 3 4 5 6 7 8 9 10 11 12`

여러해살이풀. 높이 60~100cm. 전체에 백색 유즙이 있다. 잎은 마주나고 피침형이다. 꽃은 원줄기 끝이나 잎겨드랑이에 취산화서로 핀다. 꽃잎은 적자색, 긴 타원형으로 뒤로 약간 젖혀지고, 부화관은 5개로 갈라지며 황색이다. 골돌은 길이 6~10cm이다.

분포ㆍ생육지 인도, 인도네시아, 중국 푸젠성(福建省), 광동성(廣東省), 윈난성(雲南省), 서인도 제도. 여러나라에서 널리 재배한다.

약용 부위ㆍ수치 전초를 여름과 가을에 채취하여 물에 씻은 후 썰어서 그대로 사용하거나 말린다.

약물명 연생계자화(連生桂子花), 방초화(芳草花), 금봉화(金鳳花)라고도 한다.

약효 청열해독(淸熱解毒), 활혈지혈(活血止血), 소종시통(消腫止痛)의 효능이 있으므로 인후염, 해수(咳嗽), 월경부조, 습진을 치료한다.

성분 calotropin, calopatropagenin, uzarigenin, carotoxigenin, caroglaucigenin, asclepogenin, clepogenin, ascurogenin, curassavicin 등이 함유되어 있다.

약리 뿌리 및 줄기의 열수추출물은 강심 작용이 있고, 에탄올추출물은 인체의 KB암세포의 세포 증식을 억제한다.

사용법 연생계자화 7g에 물 2컵(400mL)을 넣고 달여서 복용하고, 습진에는 짓찧어 즙액을 바르거나 환부에 붙인 후 붕대로 싸맨다.

❂ 꽃　　❂ 금관화

❂ 연생계자화(連生桂子花)

[박주가리과]

나비풀

🫁 기관지염, 천식		🫃 위장염
🦵 류머티즘		

● 학명 : *Asclepias tuberosa* L.　● 영명 : Butterfly-weed, Pleurisy root

`1 2 3 4 5 6 7 8 9 10 11 12`

여러해살이풀. 높이 60~80cm. 잎은 어긋나고 긴 타원형이다. 꽃은 5~7월에 원줄기나 가지 끝에 핀다. 꽃잎은 적황색, 적갈색의 반점이 있으며, 꽃받침은 녹색으로 5개로 갈라지며 바늘 모양이다. 화관은 겉에 털이 있으며 안쪽은 자주색이고 5개로 갈라진다.

분포ㆍ생육지 북아메리카 원산. 열대 지방으로 퍼져 자라며 재배하기도 한다.

약용 부위ㆍ수치 뿌리를 봄이나 늦여름에 채취하여 물에 씻은 후 그대로 말리거나 썰어서 말린다.

약물명 Asclepias Radix. 일반적으로 Pleurisy root, 또는 Butterfly-weed라고 한다.

약효 강장(强壯), 거담(祛痰)의 효능이 있으므로 기관지염, 천식, 위장염, 류머티즘을 치료한다.

성분 glucofrugoside, frugoside, 강심배당체 등이 함유되어 있다.

약리 열수추출물을 쥐에게 투여하면 심장 근육을 수축시킨다.

사용법 Asclepias Radix 1~2g을 뜨거운 물로 우려내어 복용한다.

주의 과량을 복용하면 오심, 구토, 설사를 일으킨다.

❂ 나비풀

소뿔박

해천담다

● 학명 : *Calotropis gigantea* (L.) Dry. ex Ait. [*Asclepias gigantea*]　●한자명 : 牛角瓜

| 1 | 2 | 3 | 4 | 5 | 6 | 7 | 8 | 9 | 10 | 11 | 12 |

❂ 소뿔박

❂ 소뿔박(꽃)

관목. 높이 3m 정도. 잎, 가지, 줄기 등에 상처를 내면 유액이 나온다. 잎은 마주나고 타원형이다. 꽃과 열매는 사시사철 피고 맺는다. 꽃잎은 남자주색, 기부에 선체가 있으며 부화관은 5개로 갈라진다. 골돌과는 팽대하며, 종자는 달걀 모양이다.

분포 · 생육지 중국 광둥성(廣東省), 하이난성(海南省), 윈난성(雲南省), 쓰촨성(四川省), 싱가포르, 인도, 네팔. 양지바른 산비탈이나 해변가에서 자란다.

약용 부위 · 수치 잎을 여름과 가을에 채취하여 물에 씻은 후 그대로 말리거나 썰어서 말린다.

약물명 우각과(牛角瓜). 우각과엽(牛角瓜葉), 양침수(羊浸樹)라고도 한다.

약효 거담정천해(祛痰定喘咳)의 효능이 있으므로 해천담다(咳喘痰多)를 치료한다.

성분 뿌리에 uscharitin, uzarigenin, calotropin, calactin, α−amyrin, β−sitosterol, φ−taraxasterol, lupeol acetate 등이 함유되어 있다.

약리 열수추출물을 쥐에게 투여하면 강심작용이 나타나고 자궁을 수축시킨다.

사용법 우각과 1g을 뜨거운 물로 우려내어 복용한다.

주의 유독하므로 사용량을 지켜야 한다.

❂ 소뿔박(잎. 상처를 내면 유액이 흘러나온다.)

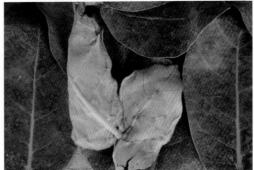

❂ 우각과(牛角瓜)

❂ 우각과(牛角瓜)로 만든 거담 진해약

[박주가리과]

백미꽃

신열반진, 창옹종독 | 폐열해수 | 인후통
온열병발열 | 산후허번 | 열림, 혈림

● 학명 : *Cynanchum atratum* Bunge　● 별명 : 백미

| 1 | 2 | 3 | 4 | 5 | 6 | 7 | 8 | 9 | 10 | 11 | 12 |

여러해살이풀. 높이 30~60cm. 줄기는 곧게 서고 전체에 잔털이 많으며, 잎은 마주난다. 꽃은 흑자색, 5~7월에 피고, 꽃자루는 거의 없고 작은 꽃대는 우산 모양으로 달리며 꽃보다 짧다. 꽃받침은 5개로 갈라지고 바깥에는 털이 있으나 안쪽에는 짙은 자주색으로 털이 없고, 화관은 암술대와 길이가 같다. 열매는 골돌로 넓은 바늘 모양이다.

분포 · 생육지 우리나라 전역. 중국, 일본, 몽골. 산과 들에서 자란다.

약용 부위 · 수치 뿌리를 봄부터 가을까지 채취하여 물에 씻어서 말린다. 말린 것을 그대로 사용하거나 약한 불에 볶아서 사용한다.

약물명 백미(白薇). 춘초(春草), 백막(白幕), 미초(薇草)라고도 한다. 대한민국약전외한약(생약)규격집(KHP)에 수재되어 있다.

본초서 백미(白薇)는 「신농본초경(神農本草經)」의 중품(中品)에 수재되어 있다. 양대(梁代) 도홍경(陶弘景)의 「본초경집주(本草經集注)」에 "백미(白薇)는 뿌리가 희고 가늘다." 하여 붙인 이름이다. 「동의보감(東醫寶鑑)」에 "온갖 나쁜 기운과 헛것에 들려 깜박깜박 잠들거나 사람을 잘 알아보지 못하고 미친 행동을 하는 것과 추웠다 열이 났다 하는 온학을 낫게 한다."고 하였다.

神農本草經: 主溫瘧狂易寒熱 癥瘕積聚 瘻氣 逐血止痛 金瘡.

名醫別錄: 治鼻衄.

本草綱目拾遺: 去腸垢 消積滯.

東醫寶鑑: 止百邪鬼魅 忽忽睡不知人 狂惑邪氣 實熱溫瘧.

성상 엷은 황갈색의 가늘고 긴 뿌리가 짧은 뿌리줄기에 모여 붙어 말꼬리 모양을 이루고 길이 10~25cm, 지름 1~2mm이다. 이 약은 부서지기 쉽고 그 꺾은 면은 황백색이며 피부와 목부가 구별된다. 특이한 냄새가 있고 맛은 조금 맵다. 뿌리가 고루 길고 황갈색인 것이 좋다.

기미 · 귀경 한(寒), 고(苦), 함(鹹) · 위(胃), 간(肝)

약효 청열익음(淸熱益陰), 이뇨통림(利尿通淋), 해독료창(解毒療瘡)의 효능이 있으므로 온열병발열(溫熱病發熱), 신열반진(身熱斑疹), 조열골증(潮熱骨蒸), 폐열해수(肺熱咳嗽), 산후허번(産後虛煩), 열림(熱淋), 혈림(血淋), 인후통, 창옹종독(瘡癰腫毒)을 치료한다.

성분 saponin: hederagenin 3−O−β−D−glucopyranoside, patensin, pusatilloside A, B 등과 그 밖에 protoanemonin, anemonin, ranunculin 등이 함유되어 있다.

약리 개구리의 적출 심장에 물에 달인 액을 투여하면 강심 작용을, 대량에서는 심장을 정지시킨다. 물에 달인 액은 아메바원충에 살충 작용이 있다.

사용법 백미 5g에 물 2컵(400mL)을 넣고 달여서 또는 술에 담가서 복용하거나 짓찧어 즙을 복용한다.

처방 백미산(白薇散): 백미(白薇) · 백렴(白薇) · 작약(芍藥) 각 40g (「향약집성방(鄕藥集成方)」). 소변을 자주 보고 참지 못하는 증상에 사용한다.

• 백미탕(白薇湯): 백미(白薇) · 당귀(當歸) 각 40g, 인삼(人蔘) 20g, 감초(甘草) 10g (「동의보감(東醫寶鑑)」). 갑자기 가슴이 답답하고 어지러우며 정신이 혼미한 증상에 사용한다.

＊ 우리나라의 산에서 흔하게 자라는 '민백미꽃 C. ascyrifolium'도 약효가 같다.

❍ 민백미꽃

❍ 백미꽃

❍ 백미꽃(꽃)

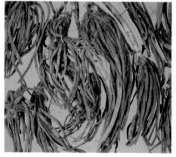
❍ 백미(白薇)

❍ 민백미꽃(뿌리)

❍ 백미(白薇)로 만든 해열 거담 진해약

솜아마존

열병발열　폐열해수
신열반진

● 학명 : *Cynanchum amplexicaule* (S. et Z.) Hemsl.　● 별명 : 합장소, 들협두

| 1 | 2 | 3 | 4 | 5 | 6 | 7 | 8 | 9 | 10 | 11 | 12 |

여러해살이풀. 높이 40~60cm. 전체에 흰빛이 돈다. 잎은 마주나고 잎자루가 없다.

꽃은 황백색, 5~7월에 잎겨드랑이에 모여 달리고, 꽃차례가 잎보다 짧으며 부화관의 갈래는 반원형이다. 열매는 골돌, 종자에 긴 백색 털이 붙어 있다.

분포·생육지 우리나라 중부 이남. 중국, 일본, 몽골, 우수리. 산이나 들에서 자란다.

약용 부위·수치 뿌리 또는 전초를 여름이나 가을에 채취하여 물에 씻은 후 썰어서 말린다.

약물명 합장소(合掌消). 합장초(合掌草), 토담초(土膽草)라고도 한다.

약효 청열익음(淸熱益陰), 이뇨통림(利尿通淋), 해독료창(解毒療瘡)의 효능이 있으므로 열병발열(熱病發熱), 신열반진(身熱斑疹), 폐열해수(肺熱咳嗽)를 치료한다.

사용법 합장소 10g에 물 3컵(600mL)을 넣고 달여서 복용한다.

* 꽃이 흑색인 '검은솜아마존 for. *castaneum*'도 약효가 같다.

◐ 솜아마존

◐ 합장소(合掌消)

◐ 솜아마존(어린싹)

극엽우피소

요슬산통　양위유정　두훈이명　심계실면
식욕부진　산후유즙부족　창옹종통

● 학명 : *Cynanchum bungei* Decne.　● 한자명 : 戟葉牛皮消, 大根牛皮消　● 별명 : 백수오

| 1 | 2 | 3 | 4 | 5 | 6 | 7 | 8 | 9 | 10 | 11 | 12 |

덩굴성 여러해살이풀. 잎은 마주나고 긴 심장형, 끝이 점점 좁아지고 길이 3~8cm이다. 꽃은 백색~황백색, 5~7월에 잎겨드랑이에 모여 달리고, 꽃받침은 녹색이다. 열매는 골돌과로 길이 4cm 정도이다.

분포·생육지 중국 원산. 우리나라 전역에서 재배한다.

약용 부위·수치 뿌리를 봄이나 늦여름에 채취하여 물에 씻은 후 그대로 말리거나 썰어서 말린다.

약물명 백수오(白首烏). 백하수(白何首), 백하수오(白何首烏)라고도 한다.

* 기타 사항은 '이엽우피소(耳葉牛皮消) *C. auriculatum*'와 같다.

◐ 극엽우피소

◐ 백수오(白首烏)

◐ 백수오(白首烏, 절편)

이엽우피소

 요슬산통　 양위유정　👁 두훈이명　🌙 심계실면
🐍 식욕부진　♀ 산후유즙부족　🗂 창옹종통

●학명 : *Cynanchum auriculatum* Royle ex Wight　●한자명 : 耳葉牛皮消, 牛皮消

| 1 | 2 | 3 | 4 | 5 | 6 | 7 | 8 | 9 | 10 | 11 | 12 |

덩굴성 여러해살이풀. 길이 1~2m. 잎은 마주나고 심장형, 길이 4~12cm, 잎자루는 길이 3~9cm이다. 꽃은 황백색, 5~7월에 잎겨드랑이에 모여 달리고, 꽃받침은 녹색으로 5개로 갈라지며 잔털이 있고 바늘 모양이다. 열매는 골돌과로 길이 8cm, 지름 1cm 정도이다.

분포·생육지 중국 원산. 우리나라 전역에서 재배한다.

약용 부위·수치 뿌리를 봄이나 늦여름에 채취하여 물에 씻은 후 그대로 말리거나 썰어서 말린다.

약물명 백수오(白首烏). 백하수(白何首), 백하수오(白何首烏)라고도 한다. 대한민국약전외한약(생약)규격집(KHP)에 수재되어 있다.

성상 덩이뿌리로 불규칙한 원기둥 모양이고 길이 5~10cm, 지름 2~4cm이며, 표면은 황백색이고 가로홈 무늬가 있고 코르크층은 얇지만 탈락한다. 질은 단단하고 횡단면은 백색이며 가루질, 방사상 무늬 및 틈새가 가끔 있다. 냄새는 약하고 맛은 쓰지만 조금 지나면 달다.

기미·귀경 평(平), 감(甘), 고(苦)·간(肝), 신(腎), 비(脾), 위(胃)

약효 보간신(補肝腎), 강근골(强筋骨), 익정혈(益精血), 건비소식(健脾消食)의 효능이 있으므로 요슬산통(腰膝酸痛), 양위유정(陽痿遺精), 두훈이명(頭暈耳鳴), 심계실면(心悸失眠), 식욕부진, 산후유즙부족, 창옹종통(瘡癰腫痛)을 치료한다.

성분 β-sitosterol, wilfoside C1N, wilfoside C3N, wilfoside K1N, methyleugenol, wilfoside C1G, phyospholipid, wilfoside, cynauricuroside A, B, C, daucosterol, 2,4-dihydroxyacetophenone, cyanandione A, 2,5-dihydroxyacetophenone, acetovanillone, *p*-hydroxyacetophenone, sucrose, genipobungeiside A, cyanoneside B, gagamine, caudatin, metaplexigenin, kidjolanin 등이 함유되어 있다.

약리 열수추출물을 쥐에게 투여하면 항산화 작용이 나타나고, 면역 조절 작용이 있으며, 항암 작용이 나타난다. 열수추출물을 적출한 개구리 심상에 투여하면 심장근 수축 작용이 나타난다 그 외에 용혈 작용과 혈압 하강 작용이 있다. 70%에탄올추출물은 ICR 수컷 흰쥐의 위장관 운동을 촉진한다.

사용법 백수오 10g에 물 3컵(600mL)을 넣고 달여서 복용하고, 외용에는 짓찧어 낸 즙액을 바른다.

＊하수오(何首烏)는 마디풀과 '하수오*Pleuropterus multiflorus*'의 뿌리줄기이다.

○ 이엽우피소

○ 이엽우피소(꽃)

○ 이엽우피소(열매)

○ 이엽우피소(뿌리)

◐ 백수오(白首烏)

○ 백수오(白首烏, 절편)

[박주가리과]

원화엽백전

해수담다, 기역천촉 ● 위완동통
타박상

● 학명 : *Cynanchum glaucescens* (Deone.) Hand.–Mazz. ● 한자명 : 芫花葉白前

| 1 | 2 | 3 | 4 | 5 | 6 | 7 | 8 | 9 | 10 | 11 | 12 |

◐ 원화엽백전

여러해살이풀. '유엽백전 *C. Stauntonii*'과 비슷하지만 줄기에 3줄로 된 부드러운 털이 있다. 꽃은 황백색, 잎은 짧고 넓으며 잎자루가 없다.

분포 · 생육지 중국 장쑤성(江蘇省), 안후이성(安徽省), 저장성(浙江省), 푸젠성(福建省), 광둥성(廣東省), 광시성(廣西省). 산과 들의 풀밭에서 자란다.

약용 부위 · 수치 뿌리를 여름과 가을에 채취하여 물에 씻은 후 말린다.

약물명 백전(白前). 석람(石藍), 유엽백전(柳葉白前), 죽엽백전(竹葉白前)이라고도 한다. 대한민국약전외한약(생약)규격집(KHP)에 수재되어 있다.

약효 거담지해(祛痰止咳), 사폐강기(瀉肺降氣), 건위조중(健胃調中)의 효능이 있으므로 해수담다(咳嗽痰多), 기역천촉(氣逆喘促), 위완동통(胃脘疼痛), 타박상을 치료한다.

* 기타 사항은 '유엽백전 *C. Stauntonii*'과 같다.

◐ 백전(白前)

[박주가리과]

선백미꽃

허로구수 ● 부종
백대, 월경불순 ● 나력, 창개

● 학명 : *Cynanchum inamoenum* (Max.) Loes. ● 별명 : 금강박주가리

| 1 | 2 | 3 | 4 | 5 | 6 | 7 | 8 | 9 | 10 | 11 | 12 |

◐ 선백미꽃

◐ 선백미꽃(열매)

◐ 노군수(老君鬚)

여러해살이풀. 높이 30~60cm. 잎은 마주난다. 꽃은 연한 황색, 7~8월에 핀다. 화관은 5개로 깊게 갈라지며 털이 없고, 부화관의 갈라진 조각은 수술대와 길이가 거의 비슷하다. 골돌은 비스듬히 벌어지고 뿔 같으며 길이 4~5cm, 지름 5mm 정도로 털이 없다. 종자는 넓은 달걀 모양, 길이 5mm 정도로 날개가 있다.

분포 · 생육지 우리나라 경남, 전북(지리산, 덕유산) 및 금강산 이북. 산지 그늘진 곳에서 자란다.

약용 부위 · 수치 뿌리를 여름과 가을에 채취하여 물에 씻은 후 말린다.

약물명 노군수(老君鬚). 정골초(正骨草)라고도 한다.

기미 평(平), 고(苦), 미신(微辛) · 폐(肺)

약효 보신(補腎), 건비(健脾), 화독(化毒)의 효능이 있으므로 허로구수(虛勞久嗽), 부종, 백대(白帶), 월경불순, 나력, 창개(瘡疥)를 치료한다.

성분 cynatratoside A, apocynin, *p*–hydroxy-acetophenone, alexandrine 등이 함유되어 있다.

사용법 노군수 10g에 물 3컵(600mL)을 넣고 달여서 복용하고, 외용에는 짓찧어 바른다.

[박주가리과]

산해박

 위통, 복수   치통   월경통
류머티즘성동통 습진, 독사교상

● 학명 : *Cynanchum paniculatum* Kitagawa ● 별명 : 산새박, 신해박

| 1 | 2 | 3 | 4 | 5 | 6 | 7 | 8 | 9 | 10 | 11 | 12 |

여러해살이풀. 높이 60cm 정도. 굵은 수염 뿌리가 있고, 줄기는 가늘고 단단하며 곧게 서고 마디 사이가 길다. 잎은 마주나고, 꽃은 황록색, 8~9월에 핀다. 골돌은 뿔 같으며 길이 6~8cm로 털이 없다.

분포 · 생육지 우리나라 전역. 중국, 일본, 다후리아. 산과 들의 풀밭에서 자란다.

약용 부위 · 수치 뿌리가 달린 전초를 여름에 채취하여 말린다.

약물명 서장경(徐長卿). 중국의 유명한 한의사가 산해박의 뿌리로 많은 병을 치료한 것에서 유래한다고 한다. 대한민국약전외한약(생약)규격집(KHP)에 수재되어 있다.

성상 뿌리줄기 및 뿌리로 되며, 뿌리줄기는 고르지 않은 원기둥 모양이고 황갈색, 뿌리는 가늘고 구부러졌고 길이 10~15cm, 지름 0.1~0.2cm이다. 표면은 황갈색, 미세한 세로 주름이 있다. 냄새가 있고 맛은 맵다.

기미 · 귀경 온(溫), 신(辛) · 폐(肺), 위(胃), 간(肝), 신(腎)

약효 지통, 지해(止咳), 이수(利水), 소종(消腫), 활혈(活血), 해독의 효능이 있으므로 위통, 치통, 류머티즘성동통, 월경통, 복수(腹水), 습진, 독사교상을 치료한다.

성분 paeonol, sarcostin, deacylcynanchogenin, tomentogenin 등이 함유되어 있다.

약리 열수추출물을 개, 토끼에게 주사하면 혈압이 하강하고 심박 수를 증가시킨다.

사용법 서장경 7g에 물 3컵(600mL)을 넣고 달여 복용하고 외용에는 짓찧어 바른다.

❍ 서장경(徐長卿)

❍ 산해박(뿌리)

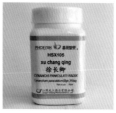
❍ 서장경(徐長卿)으로 만든 위통, 치통, 류머티즘 치료제

❍ 열매 ❍ 산해박

[박주가리과]

유엽백전

 해수담다, 기역천촉   위완동통
타박상

● 학명 : *Cynanchum stauntonii* (Deone.) Schltr. ex Levl. ● 한자명 : 柳葉白前

| 1 | 2 | 3 | 4 | 5 | 6 | 7 | 8 | 9 | 10 | 11 | 12 |

여러해살이풀. 높이 60~95cm. 굵은 수염 뿌리가 있다. 줄기는 가늘고 단단하며 곧게 서고 마디 사이가 길다. 잎은 마주나고 바늘 모양이다. 꽃은 적자색, 5~8월에 줄기 윗부분의 잎겨드랑이에 달리고, 꽃받침과 화관이 각각 5개로 갈라진다. 골돌은 길이 9cm에 달한다.

분포 · 생육지 중국 장쑤성(江蘇省), 안후이성(安徽省), 저장성(浙江省), 푸젠성(福建省), 광둥성(廣東省), 광시성(廣西省). 산과 들의 풀밭에서 자란다.

약용 부위 · 수치 뿌리를 여름과 가을에 채취하여 물에 씻은 후 말린다.

약물명 백전(白前). 석람(石藍), 유엽백전(柳葉白前), 죽엽백전(竹葉白前)이라고도 한다.

본초서 백전(白前)은 「명의별록(名醫別錄)」의 중품(中品)에 수재되어 있다. 예로부터 백전(白前)과 백미(白薇)는 혼동되어 왔으며, 「본초숭원(本草崇原)」에는 "소주(蘇州)의 약점(藥店)에서 백전(白前)을 백미(白薇)로, 백미(白薇)를 백전(白前)으로 잘못 판매하고 있으며, 이러한 일은 오래 지속되었다."고 기록되어 있다. 도홍경(陶弘景)의 「본초경집주(本草經集注)」에는 "이 약초는 산과 들에서 자란다. 뿌리는 세신(細辛)과 비슷하며 백색이고 마르면 부러지기 쉽다."고 하였다. 또 소경(蘇敬)의 「신수본초(新修本草)」의 설명도 '유엽백전(柳葉白前)'과 '원화백전(芫花白前)'의 형태와 일치한다.

名醫別錄: 主治胸脇逆氣, 咳嗽上氣.
新修本草: 主上氣沖喉中, 呼吸欲絕.
本草綱目: 降氣化痰.

성상 백전(白前)은 뿌리줄기 및 뿌리로, 뿌리줄기는 긴 원기둥 모양이고 분지하고 굽었으며, 뿌리는 가늘고 구부러지며 뿌리줄기의 마디에 모여나고 길이 10cm 이상이나 지름은 1~2mm이다. 냄새가 조금 나고 맛은 약간 달다.

기미 · 귀경 미온(微溫), 신(辛), 감(甘) · 폐(肺)

약효 거담지해(祛痰止咳), 사폐강기(瀉肺降氣), 건위조중(健胃調中)의 효능이 있으므로 해수담다(咳嗽痰多), 기역천촉(氣逆喘促), 위완동통(胃脘疼痛), 타박상을 치료한다.

성분 hancokinol, glaucoside A~K, glaucogenin, neoglaucoside A, B 등이 함유되어 있다.

약리 열수추출물을 개, 토끼에게 주사하면 기침을 멎게 하는 작용이 나타난다. 열수추출물을 쥐에게 투여하면 가래가 적어진다.

사용법 백전 10g에 물 3컵(600mL)을 넣고 달여서 복용하고, 외용에는 짓찧어 바른다.

처방 택칠탕(澤漆湯): 반하(半夏), 자소(紫蘇), 택칠(澤漆), 생강(生薑), 백전(白前), 감초(甘草), 황금(黃芩), 인삼(人蔘), 계지(桂枝) (「금궤요략(金匱要略)」).

• 백전탕(白前湯): 백전(白前), 자원(紫苑), 반하(半夏), 대극(大戟) (「천금방(千金方)」).

* 잎이 '팥꽃나무 *Daphne genkwa*'와 비슷하고 꽃이 황백색인 '원화엽백전 *C. glaucescens*'도 약효가 같다.

❂ 유엽백전

❂ 백전(白前)

❂ 유엽백전(재배품)

❂ 백전(白前)으로
만든 기침 가래약

[박주가리과]

은조롱

| 빈혈 | 만성풍비, 요슬산연 |
| 신경쇠약 | 치질 | 장출혈 |

● 학명 : *Cynanchum wilfordii* (Max.) Hemsl. ● 별명 : 큰조롱, 새박, 새박풀

| 1 | 2 | 3 | 4 | 5 | 6 | 7 | 8 | 9 | 10 | 11 | 12 |

덩굴성 여러해살이풀. 뿌리는 굵고, 잎은 어긋나며 심장형이다. 꽃은 황록색, 7~8월에 피며 꽃받침은 5개로 갈라지고, 화관도 5개로 갈라지며, 갈래는 안쪽으로 오그라든다. 골돌은 길이 8cm, 지름 1cm 정도로 바늘 모양이다.

분포·생육지 우리나라 전역. 중국, 일본, 우수리. 산과 들에서 자란다.

약용 부위·수치 땅속의 덩이줄기를 가을에 채취하여 씻어서 말린다.

약물명 격산소(隔山消), 격산우피소(隔山牛皮消), 백수오(白首烏), 백하수오(白何首烏)라고도 한다.

성상 격산소(隔山消)는 덩이뿌리로 원뿔처럼 생겼고, 표면은 황갈색에 가깝고 세로와

가로 주름이 많고 질은 단단하며, 횡단면은 백색이다. 냄새는 없고 맛은 떫고 달다.

기미·귀경 미온(微溫), 감(甘), 미고(微苦)·간(肝), 신(腎), 비(脾)

약효 보간신(補肝腎), 강근골(强筋骨), 건비위(健脾胃), 해독의 효능이 있으므로 빈혈, 만성풍비(慢性風痺), 요슬산연(腰膝酸軟), 신경쇠약, 치질, 장출혈을 치료한다.

성분 β-sitosterol, wilfoside C1N, wilfoside C3N, wilfoside K1N, methyleugenol, wilfoside C1G, phospholipid, wilfoside, cynauricuroside A, B, C, daucosterol, 2,4-dihydroxyacetophenone, cyanandione A, 2,5-dihydroxyacetophenone, acetovanillone, *p*-hydroxyacetophenone,

sucrose, conduritol F, genipobungeiside A, cyanoneside B, cynanchol 등이 함유되어 있다.

사용법 격산소 10g에 물 3컵(600mL)을 넣고 달여서 복용하거나 또는 환약으로 만들어 복용한다.

❂ 은조롱

❂ 격산소(隔山消, 횡단면)

❂ 격산소(隔山消)

❂ 은조롱(뿌리)

❂ 은조롱(열매)

[박주가리과]

남산등

감기 풍습관절염, 요통
임신구토

●학명 : *Dregea volubilis* (L. f.) Benth. ex Hook. f. [*Asclepias volubilis*, *Watakaka volubilis*] ●한자명 : 南山藤

| 1 | 2 | 3 | 4 | 5 | 6 | 7 | 8 | 9 | 10 | 11 | 12 |

덩굴나무. 줄기에는 돌기가 많고, 잎은 마주나며 타원형, 끝이 뾰족하고 가장자리는 밋밋하다. 꽃은 황록색, 4~9월에 피며 꽃받침은 5개로 갈라지고, 화관도 5개로 갈라진다. 골돌은 길이 12cm 정도로 원주형이다.

분포 · 생육지 중국, 인도, 타이완. 해발 500m 이하의 산지에서 자란다.

약용 부위 · 수치 지상부를 여름과 가을에 채취하여 썰어서 말린다.

약물명 남산등(南山藤)

약효 거풍제습(祛風除濕), 지통(止痛), 청열화위(淸熱和胃)의 효능이 있으므로 감기, 풍습관절염(風濕關節炎), 요통, 임신구토를 치료한다.

성분 drevogenin A, B, D, P, dregoside A, α−methylpachybioside, α−methyldrede-hongbioside 등이 함유되어 있다.

사용법 남산등 10g에 물 3컵(600mL)을 넣고 달여서 복용하거나 또는 환약으로 만들어 복용한다.

❶ 남산등

❶ 남산등(꽃)

[박주가리과]

큰풍선초

설사, 소화불량 폐로해수

●학명 : *Gomphocarpus fruticosus* (L.) R. Brown [*Asclepias fruticosa*]
●한자명 : 釘頭果

| 1 | 2 | 3 | 4 | 5 | 6 | 7 | 8 | 9 | 10 | 11 | 12 |

관목. 전체에 유액이 함유되어 있고, 잎은 마주나며 긴 타원형이다. 꽃은 연한 붉은색, 6~9월에 취산화서로 달리고 꽃받침은 담황색이다. 열매는 달걀 모양, 길이 5~6cm, 지름 3cm 정도로 부드러운 가시가 많이 붙어 있다.

분포 · 생육지 지중해 연안 원산. 중국, 인도 등에서 재식한다.

약용 부위 · 수치 지상부를 여름에 채취하여 물에 씻은 후 썰어서 말린다.

약물명 정두과(釘頭果)

약효 건비화위(健脾和胃), 익폐(益肺)의 효능이 있으므로 설사, 소화불량, 폐로해수(肺癆咳嗽)를 치료한다.

성분 강심배당체인 gomphoside, 4′−β−hy-droxygomphoside, 3′−didehydrogompho-side, 3′−epigomphoside, 3′−acetate 등이 함유되어 있다.

사용법 정두과 5g을 뜨거운 물로 우려내어 복용한다.

❶ 큰풍선초(열매)

❶ 큰풍선초

[박주가리과]

시갱등

풍습비통 인후종통
당뇨병

● 학명 : *Gymnema sylvestre* (Retz.) Schult. ● 영명 : Gymnema, Gurmar
● 한자명 : 匙羹藤

1	2	3	4	5	6	7	8	9	10	11	12

❍ 무화등(武靴藤)으로 만든 당뇨병 치료제

덩굴나무. 길이 4m 정도. 잎은 마주나며 타원형이다. 꽃은 연한 황록색, 5~9월에 잎겨드랑이에 달린다. 꽃받침잎은 5개로 갈라지고, 화관도 5개로 갈라지며 갈래는 안쪽으로 오그라든다. 열매는 골돌로 길이 5~8cm, 종자는 달걀 모양이다.

분포 · 생육지 중국 저장성(浙江省), 광둥성(廣東省). 타이완, 네팔. 산비탈에서 자란다.

약용 부위 · 수치 가지와 잎을 여름과 가을에 채취하여 씻어 썰어서 말린다.

약물명 무화등(武靴藤), 금강등(金剛藤)이라고도 한다.

약효 거풍지통(祛風止痛), 해독소종(解毒消腫)의 효능이 있으므로 풍습비통(風濕痺痛), 인후종통(咽喉腫痛), 당뇨병을 치료한다.

성분 gymnemic acid I~XVIII, gymnenasaponin I~VII 등이 함유되어 있다.

사용법 무화등 15g에 물 3컵(600mL)을 넣고 달여서 복용하거나 또는 환약으로 만들어 복용한다.

❍ 시갱등

[박주가리과]

콘두란고

소화불량, 식욕감퇴

● 학명 : *Marsdenia condurango* Reichb. f. ● 영명 : Condurango, Condor plant

1	2	3	4	5	6	7	8	9	10	11	12

덩굴나무. 잎은 마주나고 심장형, 가장자리가 밋밋하고 잎자루가 있다. 꽃은 녹백색, 잎겨드랑이에 모여난다. 꽃받침은 녹색, 밑부분까지 깊게 갈라지며, 화관은 넓은 종 모양이고 5개로 깊게 갈라지며 끝이 평평하게 퍼진다.

분포 · 생육지 남아메리카 에콰도르, 페루. 산에서 자라고, 동아프리카에서 재배한다.

약용 부위 · 수치 줄기껍질을 여름에 채취하여 말린다.

약물명 Condurango Cortex. 일반적으로 콘두란고(Condurango)라고 한다. 대한민국약전 외한약(생약)규격집(KHP)에 수재되어 있다.

성상 줄기껍질로 관상 또는 반관상이며 표면은 흑갈색이고 매끈한 부분도 있으나 때로는 거칠다. 횡단면은 바깥쪽은 섬유질이고 안쪽은 가루질이다. 냄새는 특이하고 맛은 쓰다.

약효 고미강장(苦味强壯)의 효능이 있으므로 소화불량, 식욕감퇴를 치료한다.

성분 condurangoglycoside A, A₀, A₁, B₀, C₀, D₀ 등이 함유되어 있다.

약리 열수추출물은 타액과 위액의 분비를 촉진하며, lipase의 기능을 항진시킨다. condurangoglycoside A₀, B₀, C₀, D₀는 Ehlich 복수종양 또는 Sarcoma 180에 항종양 효과를 나타낸다.

사용법 Condurango Cortex 2~3g을 뜨거운 물로 우려내어 복용한다. 유동추출물은 1회 0.2~0.5g을 뜨거운 물에 풀어서 복용한다.

❍ 콘두란고

❍ Condurango Cortex

❍ 콘두란고(줄기)

[박주가리과]

통관등

👁 인후통   🫁 폐열해천

🗄 창절   💃 암종

● 학명 : *Marsdenia tenacissima* (Roxb.) Wight et Arn. [*Asclepias tenacissima*]
● 한자명 : 通關藤

| 1 | 2 | 3 | 4 | 5 | 6 | 7 | 8 | 9 | 10 | 11 | 12 |

❂ 통관등

덩굴나무. 길이 6m 정도. 잎은 마주나며 심장형, 가장자리는 밋밋하고 잎자루는 길다. 꽃은 황자색, 6월에 잎겨드랑이에 산형화서로 달린다. 골돌은 피침형, 길이 8cm 정도이다.

분포 · 생육지 중국 후난성(湖南省), 타이완, 티베트. 산지에서 자란다.

약용 부위 · 수치 줄기를 여름에 채취하여 말린다.

약물명 통광산(通光散)

약효 청열해독(淸熱解毒), 지해평천(止咳平喘), 이습통유(利濕通乳), 항암의 효능이 있으므로 인후통, 폐열해천(肺熱咳喘), 창절(瘡癤), 암종(癌腫)을 치료한다.

성분 11α-*O*-tigloyl-12β-*O*-acetyltenacigcnin B, 11α-*O*-benzoyl-12β-*O*-acetyltenacigenin B, 11α-*O*-2-methylbutyryl-12β-*O*-acetyltenacigenin B, tenacissoside A~E, tenacigenin A~C, cissogenin, tenasogenin, drevogenin 등이 함유되어 있다.

사용법 통광산 10g에 물 3컵(600mL)을 넣고 달여서 복용한다.

❂ 통관등으로 만든 기침 가래약

[박주가리과]

나도은조롱

🧘 풍습골통   🫃 간종대

● 학명 : *Marsdenia tomentosa* Morr. et Decne.   ● 별명 : 영주치아아재비, 소젖덩굴

| 1 | 2 | 3 | 4 | 5 | 6 | 7 | 8 | 9 | 10 | 11 | 12 |

상록 덩굴나무. 길이 1~3m. 잎은 마주나며 심장형, 가장자리는 밋밋하고 잎자루가 있다. 꽃은 황백색, 지름 5mm 정도, 7~8월에 잎겨드랑이에 산형화서로 달린다. 골돌은 길이 15cm 정도, 종자에 백색의 긴 털이 있다.

분포 · 생육지 우리나라 제주도(섭섬), 거문도. 중국, 일본. 바닷가 바위틈에서 자란다.

약용 부위 · 수치 줄기껍질을 여름에 채취하여 말린다.

약물명 남엽등(藍葉藤), 초우이등(肖牛耳藤), 양각두(羊角豆)라고도 한다.

약효 거풍제습(祛風除濕), 화어산결(化瘀散結)의 효능이 있으므로 풍습골통(風濕骨痛), 간종대(肝腫大)를 치료한다.

성분 marsdenone, tinctoralactone, lupenyl palmitate, lupenyl acetate, lupenone 등이 함유되어 있다.

사용법 남엽등 7g에 물 3컵(600mL)을 넣고 달여서 복용한다.

❂ 나도은조롱

박주가리

 허손노상, 허로 　 양위, 유정 　 대하, 유즙불통

단독, 창종, 외상출혈 　 해수담다, 기천

● 학명 : *Metaplexis japonica* (Thunb.) Makino 　 ● 별명 : 교등, 구진등

| 1 | 2 | 3 | 4 | 5 | 6 | 7 | 8 | 9 | 10 | 11 | 12 |

덩굴성 여러해살이풀. 길이 3m 정도. 잎은 마주나고 심장형이다. 꽃은 연한 자주색, 7~8월에 피며, 꽃받침은 녹색, 화관은 넓은 종 모양이다. 열매는 표주박 같고 겉에 사마귀 같은 돌기가 있다. 종자는 편평한 달걀 모양, 명주실 같은 것이 달려 있다.

분포·생육지 우리나라 전역. 중국, 일본. 산과 들에서 흔하게 자란다.

약용 부위·수치 뿌리 또는 전초를 여름에 채취하여 말린다. 종자는 여름 또는 가을에, 열매껍질은 가을에 채취하여 말린다.

약물명 뿌리 또는 전초를 나마(蘿藦)라 하고 환란(芄蘭), 작표(雀瓢)라고도 한다. 종자를 나마자(蘿藦子), 열매껍질을 천장각

(天漿殼)이라 한다.

본초서 나마자(蘿藦子)는 「동의보감(東醫寶鑑)」에 수재되어 "몸과 마음이 허약하고 피로한 것을 다스리는데, 능히 몸을 도우며 기운을 넣어 준다."고 하였다.

東醫寶鑑: 主虛勞 能補益.

약효 나마(蘿藦)는 보정익기(補精益氣), 생유(生乳), 해독의 효능이 있으므로 허손노상(虛損勞傷), 양위(陽痿), 대하, 유즙불통(乳汁不通), 단독, 창종(瘡腫)을 치료한다. 나마자(蘿藦子)는 보신익정(補身益精), 생기지혈(生肌止血)의 효능이 있으므로 허로(虛勞), 유정, 양위(陽痿)를 치료한다. 천장각은 청폐화담(淸肺化痰), 산어지혈(散瘀止

血)의 효능이 있으므로 해수담다(咳嗽痰多), 기천(氣喘), 외상출혈을 치료한다.

성분 뿌리에는 benzoylramanone, metaplexigenin, isoramanone, sarcostin, gagaminin, dibenzoylgagaimol, deacylmetaplexigenin, pergularin, utendin 등, 지상부에는 kaempferol 3-α-L-arabinopyranoside, astragalin, guaijaverin, isoquercitrin, trifolin, hyperoside, nicotiflorin, biorobin, quercetin 3-robinobioside, rutin 등이 함유되어 있다.

사용법 나마, 나마자, 천장각 각 20g에 물 4컵(800mL)을 넣고 달여서 복용하고, 외용에는 짓찧어 바른다.

❶ 박주가리(열매)

❶ 박주가리(꽃)

❶ 천장각(天漿殼)

❶ 나마(蘿藦)

❶ 박주가리

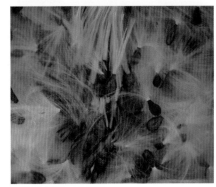
❶ 나마자(蘿藦子)

[박주가리과]

강류

| 풍습비통 | 수종 |
| 소변불리 | 심력쇠갈 |

●학명 : *Periploca sepium* Bunge ●한자명 : 杠柳, 黑骨藤

| 1 | 2 | 3 | 4 | 5 | 6 | 7 | 8 | 9 | 10 | 11 | 12 |

낙엽 덩굴성 여러해살이풀. 길이 1.5m 정도. 잎은 마주난다. 꽃은 5~6월에 잎겨드랑이에 취산화서로 달린다. 꽃받침은 5개로 갈라지며 화관은 적자색, 심피는 서로 떨어지고, 꽃가루는 과립상이다. 골돌은 쌍생(雙生)하고, 종자는 타원형이다.

분포·생육지 중국 지린성(吉林省), 랴오닝성(遼寧省), 허베이성(河北省), 신장성(新疆省). 내몽골. 산비탈이나 강변의 모래땅에서 자란다.

약용 부위·수치 뿌리껍질을 봄부터 가을까지 채취하여 흙과 먼지를 털어 썰어서 말린다.

약물명 향가피(香加皮). 취오가(臭五加), 북오가피(北五加皮), 강류피(杠柳皮)라고도 한다.

성상 보통 관상으로 말려 있고, 간혹 불규칙한 조각이 섞여 있다. 표면은 회갈색~황갈색으로 코르크층은 엉성하며 떨어지기 쉽다. 냄새는 강하나 역겹고 맛은 쓰다.

기미·귀경 미온(微溫), 고(苦), 신(辛), 유독(有毒)·간(肝), 신(腎), 심(心)

약효 거풍습(祛風濕), 이수소종(利水消腫), 강심(强心)의 효능이 있으므로 풍습비통(風濕痺痛), 수종(水腫), 소변불리(小便不利), 심력쇠갈(心力衰竭)을 치료한다.

성분 periplocin, periploside A~G, periplocymarin, daucosterol 등이 함유되어 있다.

약리 열수추출물에는 강심 작용, 혈압을 높이는 작용이 있고, 에탄올추출물에는 중추 신경 흥분 작용이 있으며 호흡 수를 증가시킨다. 메탄올추출물에는 S180 암세포의 증식을 억제하는 작용이 있다.

사용법 향가피 5g에 물 2컵(400mL)을 넣고 달여서 복용하고, 외용에는 짓찧어 바른다.
＊ 본 종이 오가피(五加皮)로 사용되고 있는 것은 잘못이다.

 꽃　　　　　 강류

❶ 향가피(香加皮)　　　❶ 강류(열매)

[박주가리과]

왜박주가리

| 풍습비통, 요통 | 해수 |
| 구강염, 안염 | |

●학명 : *Tylophora floribunda* Miquel

| 1 | 2 | 3 | 4 | 5 | 6 | 7 | 8 | 9 | 10 | 11 | 12 |

덩굴성 여러해살이풀. 뿌리가 수평으로 퍼지며 줄기는 가늘고 길다. 잎은 마주나고 표면에 털이 있다. 꽃은 암자색, 지름 4~5mm, 잎겨드랑이에 취산화서로 달린다. 꽃받침은 5개, 화관은 통부가 짧고 부화관의 갈래는 편구형이다. 골돌은 수평으로 퍼진다.

분포·생육지 우리나라 제주도, 무등산, 부안, 광릉, 소요산. 중국, 일본. 산지에서 자란다.

약용 부위·수치 뿌리를 봄부터 가을까지 채취하여 흙과 먼지를 털어서 물에 씻은 후 말린다.

약물명 칠층루(七層樓). 구탑주(九塔珠)라고도 한다.

약효 거풍화담(祛風化痰), 활혈지통(活血止痛), 해독소종(解毒消腫)의 효능이 있으므로 풍습비통(風濕痺痛), 해수(咳嗽), 요통, 구강염, 안염(眼炎)을 치료한다.

성분 tylophorine, tylocrebrine 등이 함유되어 있다.

약리 동물 실험에서 항염 작용, 항암 작용이 있다.

사용법 칠층루 7g에 물 2컵(400mL)을 넣고 달여서 복용하고, 외용에는 짓찧어 바른다.

❶ 꽃　　　　　❶ 왜박주가리

[꼭두서니과]

수단화

이질, 장염 / 부종 / 옹종창독, 습진

● 학명 : *Adina pilulifera* (Lam.) Franch. ex Drake [*Cephalanthus pilulifera*]
● 한자명 : 水團花

| 1 | 2 | 3 | 4 | 5 | 6 | 7 | 8 | 9 | 10 | 11 | 12 |

낙엽 관목. 높이 2~5m. 가지는 불규칙하게 갈라지고 약하다. 잎은 마주나고 길이 7~12cm, 너비 2~4cm, 가장자리가 밋밋하다. 꽃은 7~8월에 두상화서로 피며 구형, 화관은 백색, 5개로 갈라진다. 암술대가 길고 암술머리는 둥글며, 수술은 5개이다. 열매는 8~9월에 익는다.

분포 · 생육지 중국, 인도, 일본. 산골짜기에서 자란다.

약용 부위 · 수치 가지와 잎을 여름에 채취하여 적당한 크기로 썰어서 말린다.

약물명 수단화(水團花)

약효 청열거습(清熱祛濕), 산어지통(散瘀止痛), 지혈렴창(止血斂瘡)의 효능이 있으므로 이질, 장염, 부종, 옹종창독(癰腫瘡毒), 습진을 치료한다.

성분 β-sitosterol, stigmasterol, quinovic acid, morolic acid, cincholic acid, betulinic acid 등이 함유되어 있다.

사용법 수단화 15g에 물 3컵(600mL)을 넣고 달여서 복용하고, 외용에는 짓찧어 바른다.

❍ 수단화

❍ 수단화(꽃)

[꼭두서니과]

중대가리나무

습열설사, 이질 / 습진, 외상출혈 / 감모발열 / 해수 / 풍습관절염 / 인후통

● 학명 : *Adina rubella* Hance   ● 한자명 : 細葉水團花   ● 별명 : 구슬꽃나무

| 1 | 2 | 3 | 4 | 5 | 6 | 7 | 8 | 9 | 10 | 11 | 12 |

낙엽 관목. 높이 3~4m. 가지는 불규칙하게 갈라지고, 잎은 마주난다. 꽃은 7~8월에 피며 꽃받침은 선형, 화관은 적황색 또는 백색, 5개로 갈라진다. 암술대는 길고 암술머리는 둥글며, 수술은 5개이다. 열매는 10월에 익고 2개로 갈라진다.

분포 · 생육지 우리나라 제주도. 중국. 개울가에서 자란다.

약용 부위 · 수치 가지와 잎을 여름에 채취하여 적당한 크기로 썰어서 말린다.

약물명 수양매(水楊梅), 수양류(水楊柳)라고도 한다. 뿌리를 수양매근(水楊梅根)이라 한다.

약효 수양매(水楊梅)는 청리습열(清利濕熱), 해독소종(解毒消腫)의 효능이 있으므로 습열설사(濕熱泄瀉), 이질, 습진, 외상출혈을 치료한다. 수양매근(水楊梅根)은 청열해표(清熱解表), 활혈해독(活血解毒)의 효능이 있으므로 감모발열(感冒發熱), 해수(咳嗽), 인후통, 풍습관절염을 치료한다.

성분 tannin, ursolic acid, oleanolic acid 등이 함유되어 있다.

사용법 수양매 또는 수양매근 15g에 물 3컵(600mL)을 넣고 달여서 복용하고, 외용에는 짓찧어 바른다.

❍ 꽃   ❍ 중대가리나무

❍ 수양매근(水楊梅根)

[꼭두서니과]

선갈퀴

🤰 간장염, 소화불량, 비장염, 담석증, 황달

🫘 방광염, 부종

● 학명 : *Asperula odorata* L. [*Galium odorata*]
● 별명 : 선갈키, 수갈퀴아재비, 수레갈키아재비, 선갈퀴아재비

1	2	3	4	5	6	7	8	9	10	11	12

여러해살이풀. 높이 30~40cm. 땅속줄기가 옆으로 벋어 번식하며 곧게 자라고 네모진다. 잎은 6~10개가 돌려나며 잎자루가 없다. 꽃은 백색, 5~6월에 원줄기 끝에 취산화서로 많이 달리고 작은 꽃대가 있다. 화관은 깔때기 모양, 통부가 열편보다 약간 길다. 열매는 둥글고 갈고리 같은 털이 빽빽이 난다.

분포 · 생육지 우리나라 중부 이북, 울릉도. 중국, 일본. 나무 밑에서 자란다.

약용 부위 · 수치 전초를 여름에 채취하여 물에 씻은 후 적당한 크기로 썰어서 말린다.

약물명 Asperulae Herba

약효 간장염, 소화불량, 비장염, 담석증, 방광염, 부종, 황달을 치료한다.

사용법 Asperulae Herba 10g를 물 3컵(600 mL)을 넣고 달여서 복용한다.

＊ 독일에서는 Asperulae Herba를 '심장의 환희'라는 제제로 시판하고 있으며, 사도 바울이 이 약재를 백포도주에 넣어 그리스도 성전에 바쳤다고도 한다.

○ 선갈퀴

○ Asperulae Herba

○ 선갈퀴(꽃)

[꼭두서니과]

토나무

🤰 최토

🫁 거담

● 학명 : *Cephaelis ipecacuanha* A. Richard [*Uragoga ipecacuanha*]

1	2	3	4	5	6	7	8	9	10	11	12

반관목. 목질화(木質化)한 줄기가 길게 땅위로 기고, 보통의 줄기는 바로 서며 높이 10~40cm이다. 잎은 마주나며 잎겨드랑이에서 작은 꽃줄기가 나온다. 꽃은 두상화서로 10여 개가 핀다. 열매는 구형, 지름 1cm 정도, 흑색으로 익는다.

분포 · 생육지 브라질. 숲속에서 자란다.

약용 부위 · 수치 뿌리를 채취하여 흙과 먼지를 털고 적당한 크기로 잘라서 말린다.

약물명 토근(吐根). 대한민국약전(KP)에 수재되어 있다.

성상 뿌리는 가늘고 긴 원기둥 모양이며, 길이 3~15cm, 지름 0.5~0.9cm, 표면은 적갈색이며 불규칙한 윤절(輪節) 모양이다. 냄새가 특이하고 맛은 약간 쓰다.

약효 최토 작용, 거담 작용, 항아메바 작용이 있다.

성분 주성분인 emetine을 비롯하여 cephaeline, psychotrine, *O*-methylpsychotrine, emetamine, ipecamine 등의 알칼로이드가 함유되어 있다.

약리 cephaeline은 식도에 있는 말초 신경을 자극한 다음 구토 중추를 자극한다. 임상에서는 주로 시럽 형태로 사용된다. 분말을 생리 식염수에 현탁시켜 실험 동물의 위에 투여하면 기도 분비액이 현저하게 증가한다. 주성분인 emetine은 거담 작용을 나타내고, 아메바의 운동을 저지하므로 항아메바 작용을 나타낸다. 임상에서는 emetine의 유도체인 dehydroemetine을 아메바성 질환에 사용한다.

확인 시험 토근(吐根) 가루 0.5mg에 HCl 2.5mL를 넣어 때때로 흔들어 섞으면서 1시간 방치한 다음 여과한다. 여액을 증발 접시에 넣고 표백분의 작은 알갱이를 넣으면 그 주변은 붉은색을 나타낸다(Snelling 반응).

응용 emetine-HCl 제조 원료, 아편 · 토근산(Dover's powder)의 제조

사용법 토근 1g을 뜨거운 물로 우려내어 복용한다.

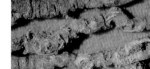

○ 토근(吐根)

○ 토근(吐根, 절편)

○ 토근(吐根)으로 만든 최토거담약

○ 토나무

[꼭두서니과]

풍상수

감모발열 · 해수 · 요로염
간염, 이질, 장염 · 치통

● 학명 : *Cephalanthus occidentalis* L. ● 한자명 : 風箱樹

| 1 | 2 | 3 | 4 | 5 | 6 | 7 | 8 | 9 | 10 | 11 | 12 |

○ 풍상수　　　　　　　　　　　　　○ 꽃

관목. 높이 2~4m. 잎은 마주난다. 꽃은 백색, 구형의 두상화서로 빽빽하게 핀다. 화관은 깔때기 모양, 통부가 열편보다 약간 길다. 삭과는 달걀 같은 원추형이다.

분포 · 생육지 북아메리카, 중국 남부 지방, 유럽. 숲속에서 자란다.

약용 부위 · 수치 뿌리를 수시로 채취하여 물에 씻은 후 적당한 크기로 썰어서 말린다. 잎은 여름에 채취하여 말린다.

약물명 뿌리를 풍상수근(風箱樹根), 잎을 풍상수엽(風箱樹葉)이라 한다.

약효 풍상수근(風箱樹根)은 청열이습(淸熱利濕), 거담지해(祛痰止咳), 산어소종(散瘀消腫)의 효능이 있으므로 감모발열, 해수(咳嗽), 간염, 요로염을 치료한다. 풍상수엽(風箱樹葉)은 청열해독(淸熱解毒), 산어소종(散瘀消腫)의 효능이 있으므로 이질, 장염, 치통을 치료한다.

성분 잎은 rhynchophylline, isorhynchophylline, hydrocorynantheine, hirsutine 등이 함유되어 있다.

사용법 풍상수근 또는 풍상수엽 20g에 물 4컵(800mL)을 넣고 달여서 복용한다.

[꼭두서니과]

키나나무

외감고열, 말라리아 · 취주

● 학명 : *Cinchona succirubra* Pavon et Klotsch

| 1 | 2 | 3 | 4 | 5 | 6 | 7 | 8 | 9 | 10 | 11 | 12 |

상록 교목. 줄기껍질은 어두운 적갈색을 띠고 겉에는 이끼류가 많이 붙어 있으며, 작은가지는 매우 쓰다. 잎은 마주나고, 꽃은 방사 상칭으로 5수성, 화관은 통 모양, 씨방하위, 2실이다. 열매는 방추형이다.

분포 · 생육지 남아메리카 원산. 인도네시아에서 많이 재배한다.

약용 부위 · 수치 줄기껍질을 봄과 여름에 채취하여 적당한 크기로 잘라서 말린다.

약물명 규나피(規那皮). 금계륵(金鷄勒), 금계납(金鷄納)이라고도 한다.

기미 · 귀경 한(寒), 고(苦) · 간(肝), 담(膽)

약효 항학퇴열(抗瘧退熱), 해정성비(解酲醒脾)의 효능이 있으므로 외감고열(外感高熱), 취주(醉酒)를 치료한다. 말라리아 치료, 건위제, 해열제, 양모제(養毛制), 대사 촉진제로 널리 사용하고 있다.

성분 주성분은 quinine이며 이외에 cinchonine, quinidine, cinchonidine 등 30종의 알칼로이드가 함유되어 있다.

약리 quinine은 말라리아 원충의 무성생식체(schizont)의 생육을 억제하는데 *Plasmodium falciparum*보다는 *P. vivax*에 더욱 효과가 있다. 또한 quinine은 원형질 독으로 세균, 효모, 동물의 정자 등을 죽이는 작용이 강하므로 이것을 피임약으로 사용하기도 한다. 그 밖에 고미건위 작용, 해열 작용, 진통 촉진 작용이 있다. quinidine은 심근의 흥분성과 수축성을 억제하므로 부정맥 치료제로 사용되고 있다.

확인 시험 규나피 가루 0.5g을 시험관에 넣고 가열하면 적자색의 증기가 나오고, 시험관의 상부에 부착하면 적색 tar가 된다. 이것은 묽은 에탄올에 녹는다(Grahe 반응: Cinchona tannin). 가루에 NaOH, CHCl₃를 넣어 흔들어 섞은 다음, 여과하여 여액을 증발시킨 후 묽은 브롬수와 묽은 NH₄OH를 넣으면 녹색을 나타낸다(Thalleioquin 반응: quinine, quinidine).

＊본 종을 '적색키나'라 하고, '*C. ledergeriana*'는 '황색키나'라고 한다. '적색키나'는 건위제, 해열제 등으로 사용하며, '황색키나'는 알칼로이드 함량이 15%에 달하고 이 가운데서 quinine이 10%이어서 quinine 제조용으로 사용한다. quinine은 말라리아 치료제로 사용하며, 이 물질과 입체 이성질체인 quinidine은 심장 근육을 수축시키고 흥분성을 조절하므로 부정맥 치료제로 사용하고 있다.

○ 키나나무

○ 규나피(規那皮)

○ 키나나무(줄기)

○ 규나피(規那皮)로 만든 말라리아 치료약

[꼭두서니과]

커피나무

 권태감   소변불리
식욕부진

● 학명 : *Coffea arabica* L.   ● 한자명 : 小果咖啡   ● 별명 : 아라비카커피나무

| 1 | 2 | 3 | 4 | 5 | 6 | 7 | 8 | 9 | 10 | 11 | 12 |

관목. 높이 4~7m. 잎은 마주나며 타원형, 길이 7~14cm, 너비 3.5~5cm이며, 가장자리는 약간 물결 모양, 양면에 털이 없고, 턱잎은 3각형이다. 잎자루는 길이 1~1.5cm이다. 꽃은 3~4월에 핀다. 열매는 9~11월에 적갈색으로 익으며 2개의 종자가 들어 있다.

분포 · 생육지 아프리카 에티오피아 원산. 세계 총 수확량의 90%를 차지하며 에티오피아, 케냐, 콜롬비아 등에서 재배된다.

약용 부위 · 수치 장과를 가을에 채취한다. 하나의 열매에 2개의 종자가 들어 있으며, 그 형태는 반절(半切) 타원형으로, 산지와 품종에 따라서 크기가 다르다. 종자를 건조하여 약한 불에 볶아서 사용한다.

약물명 커피두(咖啡豆). 소과커피(小果咖啡)라고도 한다.

약효 성신(醒神), 이뇨(利尿), 건위(健胃)이 효능이 있으므로 권태감, 소변이 잘 나오지 않는 증상, 식욕부진을 치료한다.

성분 주성분은 caffeine이며, trigonelline, cafestol, chlorogenic acid, 4,5−di−*O*−caffeoylquinic acid, kahweol, tetramethyl uric acid, mascaroside 등이 함유되어 있다.

약리 caffeine은 충추 신경을 흥분시키며 대뇌 피질, 감각 수용 능력 및 정신 기능을 항진시켜 졸음을 퇴치한다. 또한 심장에 직접 작용하여 심근의 수축력을 증강시키고 관상 동맥을 확장시킨다. 그 뿐만 아니라 신장의 사구체 여과를 항진하여 요(尿) 생성을 촉진하므로 이뇨 효과를 나타낸다.

사용법 커피두 6~10g에 물 2컵(400mL)을 넣고 달여서 복용한다.

＊‘*C. liberica*’는 아프리카 리베리아 원산으로 그 부근에서만 재배되고, ‘*C. canephora*’는 아프리가 콩고에서 새배된다.

✪ 커피두(咖啡豆)

✪ 커피나무(종자, 볶지 않은 것)

✪ 커피에서 추출한 카페인 결정체

✪ 커피나무(꽃)

✪ 포장된 커피콩

✪ 카페인이 배합된 두통 치료제

✪ 커피나무

[꼭두서니과]

리베리아커피나무

권태감　소변불리

식욕부진

●학명 : *Coffea liberica* Bull. ex Hien　●한자명 : 大果咖啡

| 1 | 2 | 3 | 4 | 5 | 6 | 7 | 8 | 9 | 10 | 11 | 12 |

관목. '커피나무'에 비하여 잎은 길이 15~30cm, 너비 6~12cm로 크고 끝이 갑자기 뾰족해진다. 잎 뒷면의 맥 주변에는 털이 많고, 열매는 타원상 구형으로 길이 1.9~2.1cm, 너비 1.5~1.7cm로 크다.

분포 · 생육지 아프리카 리베리아 원산. 그 부근에서 재배된다.

약용 부위 · 수치 장과를 가을에 채취한다. 하나의 열매에 2개의 종자가 들어 있으며, 그 형태는 반절(半切) 타원형이며, 산지와 품종에 따라서 크기가 다르다. 종자를 건조하여 약한 불에 볶아서 사용한다.

약물명 커피두(咖啡豆). 대과커피(大果咖啡)라고도 한다.

약효 성신(醒神), 이뇨(利尿), 건위(健胃)의 효능이 있으므로 권태감, 소변이 잘 나오지 않는 증상, 식욕부진을 치료한다.

사용법 커피두 6~10g에 물 2컵(400mL)을 넣고 달여서 복용한다.

※ 기타 사항은 '커피나무 *C. arabica*'와 같다.

○ 리베리아커피나무(꽃)

○ 리베리아커피나무

[꼭두서니과]

호자나무

통풍　해수　담마진

수종　황달　경폐

●학명 : *Damnacanthus indicus* Gaertner　●별명 : 화자나무, 범가시나무

| 1 | 2 | 3 | 4 | 5 | 6 | 7 | 8 | 9 | 10 | 11 | 12 |

상록 관목. 높이 1m 정도. 많은 가지가 차상(叉狀)으로 갈라져 옆으로 퍼진다. 잎은 마주나고 길이 1~2.5cm, 너비 0.7~2cm로 끝이 뾰족하고, 잎자루는 길이 1~2cm이다. 꽃은 백색, 6월에 잎겨드랑이에 1~2개씩 달리고 꽃대가 짧다. 화관은 통형, 끝이 4개로 갈라지고 통부 안쪽에 털이 있다. 열매는 둥글고 지름 5mm 정도로 9월에 붉은색으로 익는다.

분포 · 생육지 우리나라 제주도 및 남쪽 섬. 중국, 일본, 타이완, 인도, 타이. 산 숲속에서 자란다.

약용 부위 · 수치 가지와 잎을 여름에 채취하여 적당한 크기로 잘라서 말린다.

약물명 호자(虎刺). 수화침(繡花針)이라고도 한다.

약효 거풍이습(祛風利濕), 활혈소종(活血消腫)의 효능이 있으므로 통풍(痛風), 해수(咳嗽), 수종(水腫), 황달, 경폐(經閉), 담마진 등을 치료한다.

성분 뿌리는 damnacanthal, damnacanthol, damnidin, juzunal, norjuzunal 등이 함유되어 있다.

사용법 호자 10g에 물 3컵(600mL)을 넣고 달여서 복용한다.

○ 호자나무

○ 호자(虎刺)

○ 호자나무(열매)

[꼭두서니과]

수정목

체약혈허 부녀혈붕
장풍하혈

●학명 : *Damnacanthus macrophyllus* S. et Z. ●별명 : 수정나무

1	2	3	4	5	6	7	8	9	10	11	12

상록 관목. 높이 70cm 정도. 잎은 마주나고 광택이 나며 마디에 길이 1cm 정도의 가시가 있다. 끝이 뾰족하고 가장자리는 밋밋하다. 꽃은 백색, 6월에 핀다. 열매는 둥글고 붉은색으로 익는다. '호자나무'에 비하여 잎이 크며, 가시 길이는 1cm 정도로 잎보다 짧다.

분포 · 생육지 우리나라 제주도 및 남쪽 섬. 중국, 일본. 산 숲속에서 자란다.

약용 부위 · 수치 뿌리를 봄부터 가을까지 채취하여 물에 씻은 후 적당한 크기로 잘라서 말린다.

약물명 계근삼(鷄筋參). 황계반(黃鷄胖)이라고도 한다.

성상 원기둥 또는 염주 모양으로 목부가 제거된 것은 짧은 원통 모양이고 약간 구부러지고 길이는 일정하지 않다. 표면은 황갈색이고 세로 주름과 가로 주름이 있다. 질은 단단하고 질기다. 냄새는 약간 나고 맛은 약간 달다.

약효 익기보혈(益氣補血), 수렴지혈(收斂止血)의 효능이 있으므로 체약혈허(體弱血虛), 부녀혈붕(婦女血崩), 장풍하혈(腸風下血)을 치료한다.

사용법 계근삼 20g에 물 3컵(600mL)을 넣고 달여서 복용한다.

○ 수정목

○ 수정목(꽃)

[꼭두서니과]

향과수

반위, 구토, 애역

●학명 : *Emmenopterys henryi* Oliv. ●한자명 : 香果樹, 丁木

1	2	3	4	5	6	7	8	9	10	11	12

○ 향과수(열매)

낙엽 교목. 높이 30m 정도. 잎은 마주나고 타원형, 끝이 뾰족하고 가장자리는 밋밋하다. 꽃은 황적색 또는 황백색이고 6~7월에 피며, 꽃받침 1개는 잎처럼 크고 백색이다. 열매는 타원상 구형으로 붉은색으로 익는다.

분포 · 생육지 인도, 중국 양쯔강 이남. 습하고 비옥한 땅에서 자란다.

약용 부위 · 수치 줄기껍질을 수시로 채취하여 물에 씻은 후 잘라서 말린다.

약물명 향과수(香果樹). 대묘설(大猫舌), 엽상화(葉狀花)라고도 한다.

약효 온중화위(溫中和胃), 강역지구(降逆止嘔)의 효능이 있으므로 반위(反胃), 구토, 애역(呃逆)을 치료한다.

성분 teraxerone, teraxerol, ursolic acid acetate, scopoletin, umbelliferone, daucosterol 등이 함유되어 있다.

사용법 향과수 10g에 물 3컵(600mL)을 넣고 달여서 복용한다.

○ 향과수

[꼭두서니과]

긴잎갈퀴

| 폐렴해수 | 신염수종 |
| 요퇴동통 | 창선 |

●학명 : *Galium boreale* L. var. *vulgare* Turcz. ●별명 : 넓은잎꽃갈퀴

| 1 | 2 | 3 | 4 | 5 | 6 | 7 | 8 | 9 | 10 | 11 | 12 |

○ 침초(砧草)

○ 긴잎갈퀴(꽃)

덩굴성 한해~두해살이풀. 높이 30~60cm. 줄기는 곧게 서고 가지가 짧으며 털이 없다. 잎은 4개가 돌려나며, 잎맥이 3개, 가장자리가 밋밋하다. 꽃은 백색, 5~6월에 피며 4개로 갈라지고 작다. 열매는 2개가 함께 붙으며 털로 덮여 있다.

분포·생육지 우리나라 전역. 일본, 중국 둥베이(東北) 지방, 타이완, 시베리아, 유럽, 아프리카, 들에서 자란다.

약용 부위·수치 전초를 여름이나 가을에 채취하여 말린다.

약물명 침초(砧草)

약효 청열해독(淸熱解毒), 거풍활혈(祛風活血)의 효능이 있으므로 폐렴해수(肺炎咳嗽), 신염수종(腎炎水腫), 요퇴동통(腰腿疼痛), 창선(瘡癬)을 치료한다.

사용법 침초 10g에 물 3컵(600mL)을 넣고 달여서 복용한다.

○ 긴잎갈퀴

[꼭두서니과]

갈퀴덩굴

| 임탁, 요혈 | 타박상 |
| 중이염 | |

●학명 : *Galium spurium* L. ●별명 : 가시랑쿠

| 1 | 2 | 3 | 4 | 5 | 6 | 7 | 8 | 9 | 10 | 11 | 12 |

덩굴성 한해~두해살이풀. 길이 70~90cm. 줄기는 다른 물체에 붙어 올라간다. 잎은 6~8개가 돌려나며 바늘 모양, 가장자리와 중륵에 밑을 향한 잔가시가 있다. 꽃은 황록색, 5~6월에 핀다. 열매는 2개가 함께 붙으며 갈고리 같은 털로 덮여 있다.

분포·생육지 우리나라 전역. 일본, 중국 둥베이(東北) 지방, 타이완, 시베리아, 유럽, 아프리카, 들에서 자란다.

약용 부위·수치 전초를 가을에 채취하여 말린다.

약물명 팔선초(八仙草), 거자초(鋸子草), 납랍등(拉拉藤)이라고도 한다.

약효 청습열(淸濕熱), 산어혈(散瘀血), 소종(消腫)의 효능이 있으므로 임탁(淋濁), 타박상, 중이염, 요혈(尿血)을 치료한다.

성분 10-*trans-p*-coumaroylis-canoside, 10-*cis-p*-coumaroylis-canoside, quercetin-galactoside, asperuloside, asperulosidic acid, deacetyl asperulosidic acid, asperulosidic acid methyl ester, hesperidin 등이 함유되어 있다.

약리 에탄올추출물을 개에게 정맥주사하면 혈압이 강하나 심박 수에는 변화가 없다.

사용법 팔선초 10g에 물 3컵(600mL)을 넣고 달여서 복용하고, 중이염 치료에는 짓찧어 낸 즙을 귀에 점적한다.

○ 팔선초(八仙草)

○ 갈퀴덩굴

솔나물

| 간염 | | 편도선염 |
| 피부염, 담마진, 독사교상 | | |

●학명 : *Galium verum* L. var. *asiaticum* Nakai　●별명 : 큰솔나물

| 1 | 2 | 3 | 4 | 5 | 6 | 7 | 8 | 9 | 10 | 11 | 12 |

여러해살이풀. 높이 70~100cm. 줄기는 모여나고 곧게 선다. 잎은 8~10개가 돌려난다. 꽃은 황색, 6~8월에 잎겨드랑이에 원추화서로 많이 달리며, 화관이 4개로 갈라지고 4개의 수술이 있다. 열매는 9월에 익으며 2개씩 달리고 겉에 털이 없으며, 분과는 달걀 모양이다.

분포·생육지 우리나라 전역, 중국, 일본, 아시아, 유럽. 산과 들에서 자란다.

약용 부위·수치 전초를 여름에 채취하여 말린다.

약물명 봉자채(蓬子菜)

본초서 봉자채(蓬子菜)는 「구황본초(救荒本草)」에 처음 수재되었으며, 옛날에는 흉년

❶ 봉자채(蓬子菜)

❶ 유럽에서도 간염, 편도선염, 피부염 등에 사용한다.

이 들었을 때 식용으로도 많이 이용하였다.

약효 청열(淸熱), 해독, 행혈(行血), 지양(止痒)의 효능이 있으므로 간염, 편도선염, 피부염, 담마진, 혈기통(血氣痛), 독사교상(毒蛇咬傷)을 치료한다.

성분 봉자채는 caffeic acid, narcissin, luteolin-7-*O*-α-L-rhamnopyranosyl(1→2)-β-D-glucopyranoside, luteolin-7-*O*-β-D-glucopyranoside, palustroside, rutin, asperuloside, methylvanilin, piperonal, 뿌리는 rubiadine, primeveroside, pseudopurpurine glycoside 등이 함유되어 있다.

약리 물로 달인 액은 동물 실험에서 담즙 분비를 촉진하고 여러 병원균의 증식을 억제한다. 신선한 식물의 즙액은 각종 피부염을 일으킨 토끼에게 바르면 치료 효과가 나타난다. caffeic acid, rutin, luteolin-7-*O*-α-L-rhamnopyranosyl(1→2)-β-D-glucopyranoside는 항산화 작용이 있다.

사용법 봉자채 5g에 물 2컵(400mL)을 넣고 달여서 복용하고, 외용에는 짓찧어 환부에 바른다.

＊우리나라 한라산에서 자라며 전체가 소형인 '애기솔나물 *G. pusillum*'도 약효가 같다.

❶ 애기솔나물

❶ 솔나물

치자나무

| 열병심번 | | 간화목적, 토혈육혈 | | 두통 |
| 습열황달 | | 임증, 혈리뇨혈 | | 창양종독 |

●학명 : *Gardenia jasminoides* Ellis

| 1 | 2 | 3 | 4 | 5 | 6 | 7 | 8 | 9 | 10 | 11 | 12 |

상록 관목. 높이 1.5~2m. 줄기는 모여난다. 잎은 마주나고 앞면은 윤채가 돈다. 꽃은 백색, 6~7월에 가지 끝에 달리며 향기가 강하다. 꽃받침은 능각이 있고 끝이 6~7개로 갈라지고 꽃잎도 6~7개로 갈라지며, 수술은 6~7개이다. 열매는 능각이 있고 9월에 황적색으로 익는다.

분포·생육지 일본, 타이완, 중국, 인도차이나. 우리나라 남부 지방에서 재식하는 귀화 식물이다.

약용 부위·수치 열매는 가을에, 꽃과 잎은 여름에 채취하여 말린다.

약물명 열매를 치자(梔子), 꽃을 치자화(梔子花)라고 한다. 치자는 대한민국약전(KP)에 수재되어 있다.

본초서 치자(梔子)는 「신농본초경(神農本草經)」의 중품(中品)에 치자(屆子)라는 이름으

로 수재되어 있으며, "열매의 모양이 술잔을 닮았다고 하여 치자(梔子)라 한다."고 기록되어 있다. 「동의보감(東醫寶鑑)」에는 "가슴과 대소장에 몰려 있는 심한 열과 위장의 열을 내리고 가슴이 답답한 것을 낫게 한다. 열독을 없애고 오림(五淋)을 낫게 하며 소변을 잘 나오게 한다. 황달을 낫게 하고 갈증을 풀어 준다. 입안이 마르고 눈이 충혈되며 붓고 아픈 것, 코끝과 얼굴이 붉어지는 증상과 나병 등 온갖 피부 질환을 낫게 하고 가층의 독을 풀어 준다."고 하였다.

神農本草經: 主五内邪氣 胃中熱氣 面赤 酒皰 齇鼻 白癩赤癩 瘡瘍.

名醫別錄: 療目熱赤痛, 胸心大小腸大熱, 心中煩悶, 胃中熱氣.

東醫寶鑑: 主胸心大小腸大熱 胃中熱氣 心中煩悶 去熱毒風 利五淋 通小便 除五種黃病 止消渴 治口乾目赤腫痛 面赤酒皰 齇鼻白癩 赤癩 瘡瘍 殺䘌蟲毒.

성상 치자(梔子)는 긴 난형~난형이고 길이 1~5cm, 너비 10~15mm이며 흔히 6개 내외의 뚜렷한 능선이 세로로 뻗는다. 위 끝에는 꽃받침, 아래쪽에는 과병이 붙어 있는 것도 있다. 표면은 황갈색~흑갈색을 띠고 과피는 부스러지기 쉽다. 열매의 내부는 2실, 황적색~암적색의 태좌에 종자의 덩어리가 달려 있다. 종자는 거의 원형으로 편평하고 긴 지름이 0.5cm 정도이며 흑갈색 또는 황적색, 냄새가 있고 맛은 쓰다.

기미·귀경 한(寒), 고(苦)·심(心), 폐(肺), 위(胃), 간(肝), 삼초(三焦)

약효 치자(梔子)는 사화제번(瀉火除煩), 청열이습(淸熱利濕), 양혈해독(凉血解毒)의 효능이 있으므로 열병심번(熱病心煩), 간화목적(肝火目赤), 두통, 습열황달(濕熱黃疸), 임증(淋症), 토혈육혈(吐血衄血), 혈리뇨혈(血痢尿血), 구설생창(口舌生瘡), 창양종독(瘡

瘡腫毒)을 치료한다. 치자화(梔子花)는 청폐지해(淸肺止咳), 양혈지혈(凉血止血)의 효능이 있으므로 폐열해수(肺熱咳嗽), 비뉵(鼻衄)을 치료한다.

성분 6-*O*-sinapoyljasminoside A, 6-*O*-sinapoyljasminoside C, jasminodiol, jasminoside B, jasminoside H, jasminoside I, crocusatin-C, jasminoside A, epijasminoside A, gardenin, geniposide, genipin, genipin-1-*O*-β-D-isomaltoside, genipin-1,10-di-*O*-β-D-glucopyranoside, genipin-1-*O*-β-D-gentiobioside, scandoside methyl ester, deacetylasperulosidic acid methyl ester, 6-*O*-methyldeaectylasperulosidic acid methyl ester, gardenoside, crocin, crocetin, crocetin-dimethylester, *all-trans*-crocetin mono(β-D-gentiobiosyl-methyl) ester, *all-trans*-crocetin β-D-gentiobiosyl-β-D-glucosyl ester, *all-trans*-crocetin β-D-neapolitanosyl-methyl ester, 13-*cis*-crocetin di(β-D-gentiobiosyl) ester 등이 함유되어 있다.

약리 에탄올추출물을 토끼에게 투여했을 때 담즙 분비를 촉진하고, 담관을 묶은 동물에게 경구 또는 정맥주사하면 혈중 bilirubin 상승을 억제하는데, 활성 물질은 crocin, crocetin이며, 고양이나 쥐에게 투여하면 혈압 강하 작용이 있다. epijasminoside A, jasminoside H, geniposide, genipin-1-*O*-β-D-gentiobioside, scandoside methyl ester, deacetylasperulosidic acid methyl ester는 쥐의 부종을 치료하는 효과가 있다. geniposide는 쥐에서 분리한 인대 세포(RHALFs)의 증식과 collgagen의 합성을 촉진한다.

사용법 치자 또는 치자화 7g에 물 3컵(600 mL)을 넣고 달여서 복용한다.

처방 치자백피탕(梔子栢皮湯): 치자(梔子)·황백(黃柏) 20g, 감초(甘草) 12g (「동의보감(東醫寶鑑)」). 습열로 온몸에 황달이 오고 열이 나며 가슴이 답답하고 오줌이 잘 나오지 않는 증상에 사용한다.

• 치자시탕(梔子豉湯): 치자(梔子)·두시(豆豉) 각 12g (「상한론(傷寒論)」). 심번불안(心煩不安)이나 수면불녕(睡眠不寧)에 사용한다.

• 치자죽여탕(梔子竹茹湯): 치자(梔子) 12g, 진피(陳皮) 8g, 죽여(竹茹) 6g (「동의보감(東醫寶鑑)」). 위열(胃熱)로 메스껍고 헛구역이 멎지 않는 증상에 사용한다.

• 치자청간탕(梔子淸肝湯): 시호(柴胡) 8g, 치자(梔子)·목단피(牧丹皮) 각 5.2g, 복령(茯苓)·천궁(川芎)·작약(芍藥)·당귀(當歸)·우방자(牛蒡子) 각 4g, 진피(陳皮)·감초(甘草) 각 2g (「동의보감(東醫寶鑑)」). 간화(肝火)로 귀, 목, 가슴 등에 멍울이 생겨 붓고 아프며 오슬오슬 추우면서 열이 나는 증상에 사용한다.

＊꽃잎이 여러 겹인 '꽃치자 var. *radicans*' 도 약효가 같다.

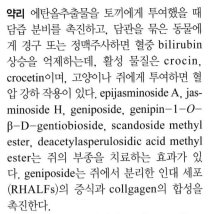
✿ 치자나무(꽃)

✿ 치자(梔子)

✿ 치자(梔子, 종단면)

✿ 치자화(梔子花)

✿ 치자(梔子)가 배합된 청열사화제(淸熱瀉火劑)

✿ 치자나무

✿ 꽃치자

[꼭두서니과]

두잎갈퀴

🫁 폐열천수　　👁 인후염

🐍 장옹, 황달　　📋 독사교상

● 학명 : *Hedyotis diffusa* Willd.　● 별명 : 백운풀

| 1 | 2 | 3 | 4 | 5 | 6 | 7 | 8 | 9 | 10 | 11 | 12 |

🌿 🍂 ⚘ 🎋 🌲 ✿ ❀ ❋ 🌾 💧 🍶

한해살이풀. 높이 10~30cm. 줄기는 가늘고 밑에서부터 가지가 갈라져 옆으로 자라거나 곧게 자란다. 잎은 마주난다. 꽃은 백색 또는 적백색, 8~9월에 핀다. 삭과는 둥글고 지름 5mm 정도, 꽃받침통 안에 들어 있으며, 종자는 모서리가 있다.

분포 · 생육지 우리나라 제주도 및 전남(백운산), 중국, 일본, 말레이시아, 인도. 습지 근처에서 사란다.

약용 부위 · 수치 전초를 여름이나 가을에 채취하여 말린다.

약물명 백화사설초(白花蛇舌草). 대한민국약전외한약(생약)규격집(KHP)에 수재되어 있다.

성상 전초로 줄기는 가늘고 서로 엉키며 표면은 회녹색~회갈색, 질은 약하고 쉽게 꺾인다. 꽃은 작고 백색, 잎은 대부분 부서져 있다. 냄새가 약간 있고 맛은 담담하다.

기미 · 귀경 한(寒), 고(苦), 감(甘) · 심(心), 폐(肺), 간(肝), 대장(大腸)

약효 청열해독(淸熱解毒), 이습(利濕)의 효능이 있으므로 폐열천수(肺熱喘嗽), 인후염, 장옹(腸癰), 황달, 독사나 독충에 물린 상처를 치료한다. 민간에서는 항암제로 널리 사용하고 있다.

성분 2-methyl-3-hydroxyanthraquinone, 2-methyl-3-hydroxy-4-methoxyanthraquinone, 2,3-dimethoxyanthraquinone, 2-hydroxymethyl-10-hydroxy-1,4-anthraquinone, 2,3-dimethoxy-9-hydroxy-1,4-anthraquinone, asperuloside, asperulosidic acid, deacetylasperulosidic acid, geniposidic acid, scandoside, E-6-O-p-methoxycinnamoyl scandoside methyl ester, Z-6-O-p-methoxycinnamoyl scandoside methyl ester, E-6-O-p-feruloyl scandoside methyl ester, E-6-O-p-coumaroyl scandoside methyl ester, ursolic acid, oleanolic acid, kaempferol-3-O-arabinopyranoside, kaempferol-3-O-rutinoside 등이 함유되어 있다.

약리 물로 달인 액은 L1210, HL60 등의 암세포 성장을 억제하고, 황색 포도상구균, 적리균에 항균 작용이 있다. 쥐에게 열수추출물을 투여하면 면역 증강 작용이 있다.

사용법 백화사설초 10g에 물 3컵(600mL)을 넣고 달여서 복용하거나 생즙을 내어 마신다.

처방 삼초폐암탕(三草肺癌湯), 육군자탕가미방(六君子湯加味方), 지백지황탕가미방(知柏地黃湯加味方), 사룡탕(蛇龍湯)

＊ 백화사설초는 본초서에는 수재되어 있지 않고 최근에 「광서중약지(廣西中藥志)」 등에 수재되었다. '두잎갈퀴'의 잎이 뱀의 혀처럼 좁아서 백화사설초라고 하며, 우리나라에는 '두잎갈퀴'와 비슷하나 잎의 너비가 보다 넓은 유사종이 백화사설초의 원료 식물로 재배되고 있다. 꽃대가 열매의 2~4배로 긴 '긴두잎갈퀴 var. *longipes*'도 약효가 같다.

◑ 백화사설초(白花蛇舌草)

◐ 두잎갈퀴

[꼭두서니과]

용선화

🧍 고혈압　　♀ 월경부조

📋 창양절종

● 학명 : *Ixora chinensis* Lam. [*Paveta chinensis*]　● 한자명 : 龍船花

| 1 | 2 | 3 | 4 | 5 | 6 | 7 | 8 | 9 | 10 | 11 | 12 |

🌿 🍂 ⚘ 🎋 🌲 ✿ ❀ ❋ 🌾 💧 🍶

상록 관목. 높이 1~2m. 작은가지는 남색이다. 잎은 마주나고 가장자리가 밋밋하며 잎자루가 짧다. 꽃은 붉은색, 8~9월에 취산화서로 핀다. 열매는 구형이고 적자색으로 익는다.

분포 · 생육지 인도, 인도네시아, 중국 푸젠성(福建省), 광둥성(廣東省), 광시성(廣西省), 구이저우성(貴州省), 타이완. 산비탈에서 자란다.

약용 부위 · 수치 꽃을 봄부터 가을까지 채취하여 물에 씻어서 말린다.

약물명 용선화(龍船花). 매자목(賣子木), 산단(山丹)이라고도 한다.

약효 청열양혈(淸熱凉血), 산어지통(散瘀止痛)의 효능이 있으므로 고혈압, 월경부조, 창양절종(瘡瘍癤腫)을 치료한다.

사용법 용선화 10g에 물 3컵(600mL)을 넣고 달여서 복용한다.

◑ 용선화(꽃)

◐ 용선화

[꼭두서니과]

황용선화

 타박상　　 월경부조, 폐경
 고혈압두통　　관절통

● 학명 : *Ixora lutea* Hutch.　● 한자명 : 黃龍船花

| 1 | 2 | 3 | 4 | 5 | 6 | 7 | 8 | 9 | 10 | 11 | 12 |

● 황용선화(黃龍船花)　● 황용선화(꽃)

상록 관목. 높이 2~3m. 잎은 마주나고 가장자리가 밋밋하며, 잎자루는 없거나 짧다. 꽃은 황색, 여름에 산방화서로 달린다.

분포 · 생육지 인도, 인도네시아, 중국 광둥성(廣東省), 윈난성(雲南省). 싱가포르. 산지에서 자란다.

약용 부위 · 수치 지상부를 여름에 채취하여 물에 씻은 후 썰어서 말린다.

약물명 황용선화(黃龍船花). 황선단화(黃仙丹花)라고도 한다.

약효 활혈화어(活血化瘀), 양혈지혈(凉血止血)의 효능이 있으므로 타박상, 월경부조(月經不調), 폐경, 고혈압두통, 관절통을 치료한다.

사용법 황용선화 10g에 물 3컵(600mL)을 넣고 달여서 복용한다.

● 황용선화

[꼭두서니과]

무주나무

 풍한습비, 근골동통

● 학명 : *Lasianthus japonicus* Miquel

| 1 | 2 | 3 | 4 | 5 | 6 | 7 | 8 | 9 | 10 | 11 | 12 |

● 무주나무(열매)

상록 관목. 높이 1m 정도. 잎은 마주나고 긴 타원형, 가장자리는 밋밋하다. 꽃은 백색, 잎겨드랑이에 달리며 화관은 종 모양이다. 열매는 장과로 둥글고 지름 6mm 정도이며 남색으로 익는다.

분포 · 생육지 우리나라 제주도. 중국, 일본, 타이완. 산지에서 자란다.

약용 부위 · 수치 뿌리를 봄부터 가을까지 채취하여 물에 씻은 후 썰어서 말린다.

약물명 조엽목(粗葉木)

약효 거풍승습(祛風勝濕), 활혈지통(活血止痛)의 효능이 있으므로 풍한습비(風寒濕痺), 근골동통(筋骨疼痛)을 치료한다.

사용법 조엽목 15g에 물 3컵(600mL)을 넣고 달여서 복용한다.

* 중국에서는 '조엽목(粗葉木) *L. chinensis*'을 사용한다.

● 무주나무

[꼭두서니과]

파극천

신허양위, 유정조설　소복냉통
궁냉불임　　　풍한습비, 요슬산연

● 학명 : *Morinda officinalis* How　● 한자명 : 巴戟天

1 2 3 4 5 6 7 8 9 10 11 12

상록 덩굴성 관목. 뿌리는 육질로 비후하고 염주상이며, 잎은 마주난다. 꽃은 잎겨드랑이에 두상화서로 달리며 2~10개가 핀다. 꽃잎은 백색으로 육질, 수술은 4개이다. 열매는 장과로 둥글고 붉은색으로 익는다.

분포 · 생육지 중국 광둥성(廣東省), 광시성(廣西省). 시장품은 재배한 것이다.

약용 부위 · 수치 뿌리를 가을에 채취하여 물에 씻은 후 적당한 크기로 자르고 주침(酒浸)하여 목부를 제거한 뒤에 말린다. 또는 감초와 함께 자(炙)하거나 염수초(鹽水炒)하여 사용한다.

약물명 파극천(巴戟天). 파극(巴戟), 파길천(巴吉天), 극천(戟天), 파극육(巴戟肉), 계장풍(鷄腸風), 묘장근(猫腸筋)이라고도 한다. 파극천은 쓰촨성(四川省)의 파군(巴郡)이라는 곳에서 많이 생산되며 뿌리가 창(戟)처럼 생겼으며 덩굴져 하늘(天)을 향하여 오르는 것에 유래한다. 대한민국약전외한약(생약)규격집(KHP)에 수재되어 있다.

본초서 「신농본초경(神農本草經)」의 상품(上品)에 수재되어 있다. 「도경본초(圖經本草)」에는 "파극천은 쓰촨성(四川省) 파군(巴郡)의 산과 들에서 자란다."고 하였으며, 도홍경(陶弘景)은 "뿌리의 형태가 목단(牡丹)과 같으나 가늘고 바깥은 붉은색이며 안쪽은 검다. 사용하려면 두드려서 심(心)을 제거한다."고 하였다. 「동의보감(東醫寶鑑)」에 "꿈을 꾸면서 정액이 배설되는 증상에 쓴다. 성욕은 있으나 음경이 제대로 발기되지 않는 것을 낫게 하고 정기를 도우므로 남자에게 좋다."고 하였다.

神農本草經: 主大風邪氣 陰痿不起 强筋骨 安五臟 補中增志益氣.

名醫別錄: 療頭面游風 小腹及陰中相引痛 下氣 補五勞 益精利男子.

❍ 파극천(뿌리)

❍ 파극천(巴戟天)

❍ 파극천(巴戟天, 절편)

❍ 파극천 재배(중국 광시성)

❍ 파극천

本草綱目: 治脚氣, 去風痰, 補血海.
東醫寶鑑: 主男子夜夢 鬼交泄精 治陰痿不起 益精 利男子.

성상 굽은 원주형으로 길이는 일정하지 않고 지름 1~2cm이다. 표면은 엷은 자주색~회갈색이며 거칠고 얕은 가로 주름과 같은 세로 주름이 나 있고 피부가 갈라져 목부가 노출된 것도 있다. 꺾은 면은 고르지 않고 피부는 엷은 자갈색이다. 목부는 황색~황갈색이며 피부는 목부의 2배가량 된다. 냄새가 없으며 맛은 달고 떫다. 피부가 두껍고 염주상이며 적자색인 것이 좋다.

기미 · 귀경 미온(微溫), 신(辛), 감(甘) · 간(肝), 신(腎)

약효 보신조양(補腎助陽), 강근장골(强筋壯骨), 거풍제습(祛風除濕)의 효능이 있으므로 신허양위(腎虛陽痿), 유정조설(遺精早泄), 소복냉통(小腹冷痛), 소변불금(小便不禁), 궁냉불임(宮冷不孕), 풍한습비(風寒濕痺), 요슬산연(腰膝酸軟), 풍습각기를 치료한다.

성분 rubiadin, rubiadin-1-methyl ether, physcion, 2-hydroxy-3-hydroxymethylanthraquinone, monotropein, asperuloside tetraacetate 등이 함유되어 있다.

약리 열수추출물을 쥐에게 매일 투여하면 수영(水泳) 시간이 연장되며, 쥐의 복강에 주사하면 항염증 작용이 나타난다.

사용법 파극천 10g에 물 3컵(600mL)을 넣고 달여서 복용하거나 술에 담가서 복용하고, 알약이나 가루약으로 복용해도 좋다.

처방 파극환(巴戟丸): 파극천(巴戟天) · 오미자(五味子) · 육종용(肉蓰蓉) · 토사자(菟絲子) · 인삼(人蔘) · 백출(白朮) · 숙지황(熟地黃) · 골쇄보(骨碎補) · 회향(茴香) · 용골(龍骨) · 석결명(石決明) · 복분자(覆盆子) · 익지인(益智仁) 동량(「동의보감(東醫寶鑑)」). 간신(肝腎)이 허약하여 얼굴에 핏기가 없고 식은땀이 나며 온몸이 노곤하면서 정액이 저절로 흘러나오는 증상에 사용한다.

• 삼용고본환(蔘茸固本丸): 숙지황(熟地黃) 60g, 감초(甘草) 50g, 인삼(人蔘) · 파극천(巴戟天) · 산약(山藥) · 복신(茯神) · 육종용(肉蓰蓉) · 당귀(當歸) · 토사자(菟絲子) 각 30g, 황기(黃耆) · 우슬(牛膝) · 육계(肉桂) · 구기자(枸杞子) 각 20g, 녹용(鹿茸) · 작약(芍藥) · 회향(茴香) · 진피(陳皮) · 백출(白朮) 각 16g을 1알이 0.3g이 되게 만들어 1회 50알씩 복용(「동의보감(東醫寶鑑)」). 원기부족, 허로손상, 병후보약으로 사용하거나 음위증, 빈혈 등에 사용한다.

❍ 파극천(巴戟天)으로 만든 자양강장제

❍ 파극천(열매)

❍ 귤엽파극

[꼭두서니과]

귤엽파극

이질　폐결핵

● 학명 : *Morinda citrifolia* L.　● 한자명 : 橘葉巴戟

| 1 | 2 | 3 | 4 | 5 | 6 | 7 | 8 | 9 | 10 | 11 | 12 |

상록 관목. 높이 3~5m. 가지는 둔한 사각형을 이룬다. 잎은 마주나며 타원형으로 길이 12~25cm, 너비 5~10cm, 뒷면의 맥위에 털이 있다. 꽃은 1~7월에 잎겨드랑이에 두상화서로 달리며 열매도 이때에 맺는다. 화관은 5개로 갈라진다.

분포 · 생육지 중국 광둥성(廣東省), 하이난성(海南省). 타이완, 인도네시아. 숲속에서 자란다.

약용 부위 · 수치 뿌리를 가을에 채취하여 썰어서 말린다.

약물명 귤엽파극(橘葉巴戟). 수동과(水冬瓜),

춘근(椿根)이라고도 한다.

약효 청열해독(淸熱解毒)의 효능이 있으므로 이질과 폐결핵을 치료한다.

성분 2-methyl-7-hydroxy-8-methoxy -anthraquinone 등이 함유되어 있다.

약리 에탄올추출물은 장내 기생충에 살충작용이 있다.

사용법 귤엽파극 10g에 물 2컵(400mL)을 넣고 달여서 복용한다.

＊ 열매나 잎을 당뇨병, 고혈압 치료에 사용하고 있다.

❍ 귤엽파극(종자)

❍ 귤엽파극(성숙한 열매)

❍ 귤엽파극(신선한 열매)

❍ 귤엽파극 열매로 만든 건강식품

[꼭두서니과]

옥엽금화

풍습요퇴동통　이질　말라리아
목적동통, 후통, 치통　나력　수종

● 학명 : *Mussaenda pubescens* Ait.　● 별명 : 백상산

| 1 | 2 | 3 | 4 | 5 | 6 | 7 | 8 | 9 | 10 | 11 | 12 |

❍ 옥엽금화

덩굴성 관목. 잎은 마주나거나 돌려나고 타원형, 길이 5~8cm, 너비 2~2.5cm, 가장자리는 밋밋하며, 꽃 주변의 작은잎 1~2개는 백색이다. 꽃은 황색, 6~9월에 가지 끝에 취산화서로 피고, 꽃잎은 꽃받침 길이의 2배이고 5갈래이다. 열매는 육질이며 달걀모양, 흑색으로 익는다.

분포 · 생육지 인도, 인도네시아, 중국 후난성(湖南省), 광둥성(廣東省), 광시성(廣西省), 윈난성(雲南省). 해발 400~500m의 산지에서 자란다.

약용 부위 · 수치 가지와 잎 또는 뿌리를 수시로 채취하여 말린다.

약물명 가지와 잎을 산감초(山甘草)라 하고, 뿌리를 백상산(白常山)이라 한다.

약효 산감초(山甘草)는 거풍(祛風), 청열(淸熱), 해독의 효능이 있으므로 풍습요퇴동통(風濕腰腿疼痛), 이질, 수종(水腫), 목적동통(目赤疼痛), 후통(喉痛), 치통, 나력(瘰癧)을 치료한다. 백상산(白常山)은 해열항학(解熱抗瘧)의 효능이 있으므로 말라리아를 치료한다.

성분 heinsiagenin A, mussaendoside A~ C, M, ursolic acid, ferulic acid, caffeic acid, shanzhiside methyl ester, arjunoric acid 등이 함유되어 있다.

사용법 산감초는 15g에 물 4컵(800mL)을 넣고, 백상산은 10g에 물 3컵(600mL)을 넣고 달여서 복용한다.

[꼭두서니과]

계뇨등

식적복창, 소아감적, 복사, 황달, 이질

풍습비통

무월경

● 학명 : *Paederia scandens* (Lour.) Merr. ● 별명 : 계요등

1 2 3 4 5 6 7 8 9 10 11 12

덩굴성 여러해살이풀. 길이 5~7m. 닭 오줌 냄새가 난다. 잎은 마주나고, 꽃은 7~8월에 잎겨드랑이에 달리며, 꽃받침은 끝이 5개로 갈라진다. 열매는 둥글며 지름 5~6mm로 9~10월에 황갈색으로 익는다.
분포 · 생육지 우리나라 전역. 중국, 일본, 타이완, 필리핀. 산기슭 양지나 물가에서 자란다.
약용 부위 · 수치 전초를 여름에 채취하여 적당한 크기로 썰어서 말린다.
약물명 계시등(鷄屎藤), 반구반(斑鳩飯), 여청(女靑), 주시등(主屎藤)이라고도 한다.

약효 거풍제습(祛風除濕), 소식화적(消食化積), 해독소종(解毒消腫), 활혈지통(活血止痛)의 효능이 있으므로 풍습비통(風濕痺痛), 식적복창(食積腹脹), 소아감적(小兒疳積), 복사(腹瀉), 황달, 이질, 식적(食積), 무월경을 치료한다.
성분 paederoside, scandoside, paedrosidic acid, deacetyl asperuloside, cyanidin glucoside, delphinidein, malvidin, peonidin, pelargonidin 등이 함유되어 있다.
약리 열수추출물을 쥐의 복강에 주사하면 진정(수면 연장), 진통 작용이 나타난다. 열수추출물은 적출한 동물의 장관에 수축 작용이 있다.
사용법 계시등 10g에 물 3컵(600mL)을 넣고 달여서 복용한다.
＊ 잎의 너비가 1cm 정도인 ‘좁은잎계뇨등 var. *angustifolia*’, 잎 뒷면에 부드러운 털이 많은 ‘털계뇨등 var. *velutina*’도 약효가 같다. 이 식물에서 닭 오줌 냄새가 나므로 계뇨등(鷄屎藤)이라 한다.

○ 계뇨등

○ 계시등(鷄屎藤)   ○ 계뇨등(열매)

[꼭두서니과]

요힘바나무

발기부전   기립성저혈압

만성변비

● 학명 : *Pausinystalia yohimbe* (K. Schum.) Beille [*Corynanthe yohimbe*]
● 영명 : Yohimbi tree ● 별명 : 요힘베

1 2 3 4 5 6 7 8 9 10 11 12

상록 교목. 높이 25~30m. 줄기껍질은 두껍고 적갈색이다. 잎은 마주나며 긴 타원형, 가장자리는 물결 모양이며 밑부분이 가지를 감싼다. 꽃은 황백색, 가지 끝에 작은 꽃이 달리고, 화관은 4~5개로 갈라지며 수술은 5개이다. 장과는 달걀 모양, 종자에 날개가 있다.
분포 · 생육지 서아프리카, 중앙아프리카(카메룬, 콩고). 산지에서 자란다.
약용 부위 · 수치 줄기 또는 가지의 껍질을 봄부터 가을까지 채취하여 흙을 털어서 말린 후 분말로 하거나 정제로 만든다.
약물명 Yohimbae Cortex
약효 강장의 효능이 있으므로 발기부전, 기립성저혈압, 만성변비를 치료한다.
성분 yohimbine, pseudoyohimbine, ajmalicine 등이 함유되어 있다.
약리 yohimbine은 말초 혈관을 확장시키므로 최음(aphrodisiac) 작용이 나타난다. yohimbine은 교감 신경을 억제하며 소량에서는 혈압을 올리지만 고농도에서는 혈압을 내린다. yohimbine과 열수추출물은 NO의 생산을 증가시킨다.
사용법 Yohimbae Cortex 분말의 하루 평균 용량은 3g이고, yohimbine은 1회 10mg이며 하루 20mg이다.
주의 과량을 복용하면 단백뇨가 나온다. 신장염, 전립선염, 당뇨병 환자는 복용을 피해야 한다.

○ Yohimbae Cortex

○ 요힘바나무 줄기껍질로 만든 자양강장제(액제)   ○ 요힘바나무 줄기껍질로 만든 자양강장제(환제)

○ 요힘바나무

꼭두서니

| 혈열객혈 | 토혈 | 요혈 |
| 혈붕, 자궁출혈 | 요통 | 옹독 |

● 학명 : *Rubia cordifolia* L. [*R. akane*]   ● 별명 : 꼭두선이, 가삼자리

| 1 | 2 | 3 | 4 | 5 | 6 | 7 | 8 | 9 | 10 | 11 | 12 |

덩굴성 식물. 길이 1m 정도. 줄기는 네모진다. 잎은 4개씩 돌려나며 2개는 정상 잎이고 2개는 턱잎이다. 꽃은 담황색, 7~8월에 줄기 끝과 잎겨드랑이에 달린다. 화관은 4~5개로 갈라지고 수술은 5개, 씨방은 털이 없다. 장과는 둥글며 2개씩 달리고 흑색으로 익는다.

분포 · 생육지 우리나라 전역. 중국, 인도, 일본, 타이완. 산과 들에서 자란다.

약용 부위 · 수치 뿌리는 봄부터 가을까지 채취하여 흙을 털어서 말리고, 지상부는 여름에 채취하여 말린다.

약물명 뿌리를 천초(茜草) 또는 천초근(茜草根)이라 하고, 줄기를 천초등(茜草藤) 또는 천초경(茜草莖)이라 한다. 천초는 둥베이(東北) 지방에는 적고 주로 서(西)쪽에서 자라는 풀이라는 뜻이다. 천초는 대한민국약전외한약(생약)규격집(KHP)에 수재되어 있다.

본초서 「동의보감(東醫寶鑑)」에 천초(茜草)는 "몸과 마음의 피로가 심하고 심장과 폐를 상하여 코피가 나거나 피를 토하며 뒤로 피를 쏟는 데 쓴다. 대소변에 피가 섞여 나오는 것, 여성의 음부로부터 분비물이 흘러 나오거나 피가 섞여 나오는 것, 하혈 등을 낫게 한다. 피부의 얕은 상처를 낫게 하고 독충의 독을 없앤다."고 하였다.

東醫寶鑑 : 主六極傷心肺 吐血瀉血用之 止衄吐便尿血 崩中下血 治瘡癤 殺蟲毒.

성상 천초(茜草)는 마디가 있는 뿌리줄기와 여기에 달린 뿌리로 구성된다. 뿌리줄기는 결절상이고 뿌리는 가는 원기둥 모양이며 굵기가 일정하지 않다. 질은 단단하나 부러지기 쉽다. 표면은 흑자색을 띠고 횡단면의 피층은 적자색이며 가운데는 적갈색이다. 냄새가 있고 맛은 쓰고 오래 씹으면 혀가 아리다.

기미 · 귀경 천초(茜草): 한(寒), 고(苦) · 간(肝), 심(心)

약효 천초(茜草)는 양혈지혈(凉血止血), 활혈화어(活血化瘀)의 효능이 있으므로 혈열객혈(血熱喀血), 토혈(吐血), 요혈(尿血), 혈붕(血崩), 요통, 옹독(癰毒)을 치료한다. 천초등(茜草藤)은 지혈(止血), 거어(祛瘀)의 효능이 있으므로 토혈(吐血), 자궁출혈, 요통을 치료한다.

성분 천초(茜草)는 purpurin, alizarin, pseudopurpurin, munjistin 등이 함유되어 있다.

약리 쥐에게 천초(茜草) 달인 액을 경구 투여하면 지해(止咳), 거담 작용이 나타나고, 토끼의 적출 장관에 투여하면 acetylcholine에 의한 수축 작용을 억제한다. 또 적리균, 황색 포도상구균, 대장균 등에 항균 작용이 있다.

사용법 천초 또는 천초등 10g에 물 3컵(600mL)을 넣고 달여서 복용하고, 외용에는 짓찧어 낸 즙을 바른다.

처방 고충탕(固沖湯): 백출(白朮) 40g, 황기(黃耆) 24g, 용골(龍骨) · 모려(牡蠣) · 산수유(山茱萸) 각 32g, 작약(芍藥) · 해표초(海螵蛸) · 천초(茜草) 12g, 종려탄(棕櫚炭) 8g, 오배자(五倍子) 2g 「의학충중참서록(醫學衷中參西錄)」). 열(熱)을 동반한 자궁출혈 또는 붕루(崩漏)에 사용한다.

＊ 잎이 6~10개씩 돌려나고 밑을 향한 가시가 있는 '갈퀴꼭두서니 var. *pratensis*', 식물체가 바로 서는 '큰꼭두서니 *R. chinensis*', 잎이 크고 가시가 많은 '대엽천초(大葉茜草) *R. schumanniana*'도 천초로 사용된다.

❍ 꼭두서니

❍ 갈퀴꼭두서니

❍ 큰꼭두서니

❍ 대엽천초

❍ 꼭두서니(열매)

❍ 꼭두서니(뿌리)

❍ 천초등(茜草藤)

❍ 천초(茜草)

❍ 천초(茜草)로 만든 객혈, 요혈 치료제

[꼭두서니과]

유럽꼭두서니

신장염, 방광결석

● 학명 : *Rubia tinctorum* L. ● 영명 : Madder ● 별명 : 염색꼭두서니

| 1 | 2 | 3 | 4 | 5 | 6 | 7 | 8 | 9 | 10 | 11 | 12 |

상록 여러해살이풀. 길이 1m 정도. 줄기는 네모진다. 잎은 5~6개씩 돌려나며 2개는 정상엽이고 2개는 턱잎이다. 꽃은 담황색,

7~8월에 줄기 끝과 잎겨드랑이에 달리고, 화관은 4~5개로 갈라진다. 열매는 장과로 둥글며 2개씩 달리고 흑갈색으로 익는다.

분포 · 생육지 남유럽, 아시아, 북아프리카. 산과 들에서 자란다.
약용 부위 · 수치 뿌리를 봄부터 가을까지 채취하여 물에 씻은 후 썰어서 말린다.
약물명 구천초(歐茜草)
성상 원뿌리는 뚜렷하고 지름 0.7~1.2cm, 뿌리는 원기둥 모양이고 직선이거나 구부러져 있다. 표면은 적갈색이고 코르크층이 떨어지기도 하며 질은 단단하고 가볍다. 냄새는 없고, 맛은 담담한 편이다.
약효 소염의 효능이 있으므로 신장염, 방광결석을 치료한다.
성분 ruberythric acid, alizarin, purpurin 등이 함유되어 있다.
사용법 구천초 10g에 물 3컵(600mL)을 넣고 달여서 복용한다.

○ 유럽꼭두서니

○ 구천초(歐茜草)

○ 구천초(歐茜草)로 만든 신장염, 방광결석 치료제

[꼭두서니과]

운남꼭두서니

풍습동통, 산후관절통   타박상
월경부조, 경폐, 대하

● 학명 : *Rubia yunnanensis* (Franch.) Diels ● 한자명 : 雲南茜草

| 1 | 2 | 3 | 4 | 5 | 6 | 7 | 8 | 9 | 10 | 11 | 12 |

덩굴성 여러해살이풀. 길이 1~2m. 뿌리는 모여나며 길고 비후하다. 줄기는 네모진다. 잎은 4개씩 돌려나며 2개는 정상엽이고 2개는 턱잎이다. 꽃은 녹황색, 6~8월에 줄기 끝과 잎겨드랑이에 달린다. 열매는 장과로 둥글며 2개씩 달리고 흑색으로 익는다.
분포 · 생육지 중국 원난성(雲南省). 산과 들에서 자란다.
약용 부위 · 수치 뿌리를 봄부터 가을까지 채취하여 물에 씻은 후 썰어서 말린다.
약물명 소홍삼(小紅蔘), 전자삼(滇紫蔘), 소홍약(小紅藥), 소서근(小舒根)이라고도 한다.
약효 활혈서근(活血舒根), 거어생신(祛瘀生新), 조양기혈(調養氣血)의 효능이 있으므로 풍습동통(風濕疼痛), 타박상, 월경부조, 경폐, 대하, 산후관절통을 치료한다.
성분 rubiarbonol A, G, rubiarbonone A, glycocyclohexapeptide 등이 함유되어 있다.

약리 쥐에게 S180 세포를 주입하여 암을 생성한 후 에탄올추출물을 투여하면 항암 작용이 나타난다.
사용법 소홍삼 10g에 물 3컵(600mL)을 넣고 달여서 복용한다.

○ 소홍삼(小紅蔘)

○ 운남꼭두서니

[꼭두서니과]

백정화

	풍습요퇴동통		이질		수종
	목적동통, 후비, 치통				나력

● 학명 : *Serissa japonica* Thunb. ● 별명 : 백마골, 만천성, 백정꽃, 두메별꽃

1	2	3	4	5	6	7	8	9	10	11	12

상록 관목. 높이 1m 정도. 가지가 많이 갈라져서 퍼진다. 잎은 마주나고 끝이 뾰족하며 털이 많다. 꽃은 백색, 5~6월에 잎겨드랑이에 달린다. 화관은 깔때기 모양, 끝이 5개로 갈라지며 약간 결각이 진다. 수술은 5개, 화관에 붙어 있고 암술보다 긴 것과 짧은 것 두 종류가 있다.

분포 · 생육지 중국 원산. 우리나라 남부 지방에서 흔히 심는 귀화 식물이다.

약용 부위 · 수치 가지와 잎을 수시로 채취하여 말린다.

약물명 백마골(白馬骨). 노변금(路邊金), 만천성(滿天星)이라고도 한다.

약효 거풍이습(祛風利濕), 청열해독(淸熱解毒)의 효능이 있으므로 풍습요퇴동통(風濕腰腿疼痛), 이질, 수종(水腫), 목적동통(目赤疼痛), 후비(喉痺), 치통, 나력(瘰癧)을 치료한다.

사용법 백마골 10g에 물 3컵(600mL)을 넣고 달여서 복용하고, 외용에는 짓찧어 낸 즙을 바른다.

● 백마골(白馬骨)

● 백정화(꽃)

● 백정화

[꼭두서니과]

백마골

	풍습요퇴동통		이질		수종
	목적동통, 후비, 치통				나력

● 학명 : *Serissa serissoides* (DC.) Druce ● 한자명 : 白馬骨, 路邊金

1	2	3	4	5	6	7	8	9	10	11	12

상록 관목. 높이 1m 정도. 가지가 많이 갈라져서 퍼진다. 잎은 마주나고 끝이 뾰족하며 털이 없다. 꽃은 백색, 5~6월에 잎겨드랑이에 달린다. 화관은 깔때기 모양, 끝이 5개로 갈라지며 결각이 지지 않는다.

분포 · 생육지 중국 원산. 우리나라 남부 지방에서 흔히 심는 귀화 식물이다.

약용 부위 · 수치 가지와 잎을 수시로 채취하여 말린다.

약물명 백마골(白馬骨). 노변금(路邊金), 만천성(滿天星)이라고도 한다.

약효 거풍이습(祛風利濕), 청열해독(淸熱解毒)의 효능이 있으므로 풍습요퇴동통(風濕腰腿疼痛), 이질, 수종(水腫), 목적동통(目赤疼痛), 후비(喉痺), 치통, 나력(瘰癧)을 치료한다.

사용법 백마골 10g에 물 3컵(600mL)을 넣고 달여서 복용하고 외용에는 짓찧어 낸 즙을 바른다.

● 백마골(꽃)

● 백마골(가지와 잎)

● 백마골

[꼭두서니과]

아선약나무

창양, 습창류수	구창
객혈	변혈

● 학명 : *Uncaria gambir* (Hunt) Roxb.   ● 영명 : Gambier, Gambier catechu
● 한자명 : 兒茶鉤藤

1	2	3	4	5	6	7	8	9	10	11	12

덩굴성 상록 나무. 줄기껍질은 갈색, 잎은 마주나고 타원형, 가장자리는 밋밋하며 턱잎이 있다. 꽃은 분홍색, 잎겨드랑이에 원추화서로 달리며, 화관은 길고 끝이 5개로 갈라진다. 삭과는 가늘고 길다.

분포 · 생육지 인도, 스리랑카, 인도네시아. 산골짜기에서 자란다.

약용 부위 · 수치 잎과 가지를 수시로 채취한 뒤 파쇄하여 가마솥에 넣고 물을 부어 6~8 시간 달인 후 찌꺼기는 건져 내고 달인 액을 농축하여 갈색 또는 갈자색의 덩어리를 얻는다.

약물명 방아차(方兒茶). 아선약(阿仙藥)이라고도 한다. 대한민국약전(KP)에 수재되어 있다.

성상 갈색~암갈색의 불규칙한 덩어리로 부서지기 쉬우며 안쪽은 담갈색을 띤다. 냄새는 특이하고 맛은 조금 떫고 쓰다.

약효 수습렴창(收濕斂瘡), 지혈정통(止血定痛), 청열화담(淸熱化痰)의 효능이 있으므로 창양(瘡瘍), 습창류수(濕瘡流水), 구창(口瘡), 객혈(喀血), 변혈(便血)을 치료한다.

성분 (+)-catechin, (+)-epicatechin, gambirin C, gambirtannin, gambirene, rotundifoline, isorhynchophylline, rhychophylline, quercetin, gambir-fluorescein 등이 함유되어 있다.

약리 5~10% 수용액을 토끼에게 경구 투여하면 소장의 연동 운동이 억제되어 지사 작용을 나타낸다. (+)-catechin은 대장균에 의한 amine류와 H_2S 및 indole의 생산을 비가역적으로 억제함으로써 항궤양 작용을 나타낸다.

사용법 방아차 1~3g을 뜨거운 물로 우려내어 복용하고, 창양(瘡瘍), 습창류수(濕瘡流水), 구창(口瘡) 등 외용에는 가루로 만들어 참기름에 섞어서 환부에 바른다.

❍ 방아차(方兒茶), 용담, 감초 등이 배합된 어린이 소화정장제

❍ 방아차(方兒茶)

❍ 아선약나무(잎과 꽃봉오리)

❍ 아선약나무

[꼭두서니과]

대엽구등

소아경풍, 간양현훈, 열성동풍
야제
간화두창통

● 학명 : *Uncaria macrophylla* Wallich   ● 한자명 : 大葉鉤藤

1	2	3	4	5	6	7	8	9	10	11	12

덩굴성 상록 나무. 작은가지는 네모지고, 낚싯바늘 모양의 가지는 잎겨드랑이에서 나와 아래로 굽는다. 잎은 마주나고 크며 가죽질이다. 꽃받침 열편이 선상으로 길고, 꽃과 삭과는 자루가 있으며 꽃 사이에 소포(小苞)가 없다.

분포 · 생육지 중국 광둥성(廣東省), 광시성(廣西省), 윈난성(雲南省). 산골짜기에서 자란다.

약용 부위 · 수치 봄에 발아하기 전에 갈고리가 붙은 줄기를 채취하여 적당한 크기로 잘라서 말린다.

성상 네모 기둥 모양, 지름 0.2~0.5cm, 표면은 회갈색~갈색, 양측에는 비교적 깊은 세로 주름이 있고 갈색 털이 덮여 있다. 가시는 길이 1.7~3.5cm, 안으로 심하게 구부러져 원형을 이룬다. 가시를 자르면 수부(髓部)가 대부분 비어 있다. 냄새는 없고 맛은 약간 떫다.

＊약효와 사용법은 '구등'과 같다.

❍ 대엽구등

구등

● 소아경풍, 간양현훈, 열성동풍
● 야제
● 간화두창통

● 학명 : *Uncaria rhynchophylla* (Miq.) Jackson ● 한자명 : 鉤藤

| 1 | 2 | 3 | 4 | 5 | 6 | 7 | 8 | 9 | 10 | 11 | 12 |

덩굴성 상록 나무. 작은가지는 네모지고, 낚싯바늘 모양의 가지는 잎겨드랑이에서 나와 아래로 굽는다. 잎은 마주나고 길이 7~12cm, 너비 3~7cm, 가장자리는 밋밋하며, 턱잎은 크다. 꽃은 황색, 잎겨드랑이에 총상화서로 달린다. 삭과는 곤봉 모양으로 털이 있다.

분포 · 생육지 중국 산시성(陝西省), 저장성(浙江省), 안후이성(安徽省), 장시성(江西省), 푸젠성(福建省), 광시성(廣西省). 산골짜기에서 자란다.

약용 부위 · 수치 봄에 발아하기 전에 갈고리가 붙은 줄기를 채취하여 적당한 크기로 잘라서 말린다.

약물명 조구등(釣鉤藤), 조등(釣藤), 조등(弔藤)이라고도 한다. 대한민국약전외한약(생약)규격집(KHP)에 수재되어 있다.

본초서 「명의별록(名醫別錄)」의 하품(下品)에 조등(釣藤)이라는 이름으로 수재되어 있다. 「본초강목(本草綱目)」에 "줄기에 붙어 있는 가시가 구부러져서 낚싯바늘과 닮았으므로 조구등(釣鉤藤)이라는 이름이 붙었다."고 적혀 있다. 「동의보감(東醫寶鑑)」에는 "어린아이가 놀란 것과 객오(客忤, 갑자기 소리 지르며 우는 병증), 갓난아이의 풍증을 낫게 하며, 오로지 놀라고 열나는 것을 치료한다."고 하였다.

名醫別錄 : 主小兒寒熱 十二驚癎.

本草綱目 : 治大人頭旋目眩 平肝風 除心熱 小兒內鉤腹痛 發斑疹.

東醫寶鑑 : 主小兒 十二驚癎 及客忤 胎風 專治驚熱.

성상 갈고리 모양의 가시와 짧은 줄기에 대생 또는 단생하는 가시로 이루어져 있다. 가시는 길이 1~3cm로 둥글고 구부러지고 끝은 뾰족하고, 표면은 적갈색~갈색이며, 횡단면은 긴 타원형~타원형이고 엷은 갈색을 띤다. 줄기는 가늘고 긴 방주형~원주형이며 엷은 갈색을 띤다. 질은 단단하지만 냄새는 없고 맛은 조금 떫다.

기미 · 귀경 미한(微寒), 감(甘) · 간(肝), 심포(心包)

약효 식풍지경(息風止痙), 청열평간(淸熱平肝)의 효능이 있으므로 소아경풍(小兒驚風), 야제(夜啼), 열성동풍(熱盛動風), 간양현훈(肝陽眩暈), 간화두창통(肝火頭脹痛)을 치료한다.

성분 rhynchophylline, isorhynchophylline, corynoxeine, isocorynoxeine, hirsutine, hirsutein, corynantheine, dehydrocorynantheine 등이 함유되어 있다.

약리 에탄올추출물은 개구리의 적출 심장에 억제 작용이 있으며, 개구리 뒷다리 혈관, 가토의 귀 혈관에 투여하면 수축 작용이 나타난다. 토끼에게 에탄올추출물을 정맥주사하면 혈압이 하강하며 호흡 수를 증가시키고 동맥 혈류를 억제한다. rhynchophylline은 원형질 독으로 quinine과 비슷하다. 이 물질은 중추 신경계에 소량에서는 호흡 수를 증가시키며 혈압을 낮춘다. rhynchophylline은 수면 시간을 연장시키고 숙면에 들게 하는 효능이 있다.

사용법 조구등 10g에 물 3컵(600mL)을 넣고 달여서 복용하거나 술에 담가 복용한다. 때로는 가루로 만들어 피부 발진에 바른다.

처방 구등산(鉤藤散): 조구등(釣鉤藤) · 대황(大黃) 각 20g, 황금(黃芩) 0.2g, 용치(龍齒) 40g, 석고(石膏) · 맥문동(麥門冬) 각 1.2g, 치자(梔子) 0.4g, 가루로 만들어 1회 4g 복용(「성혜방(聖惠方)」). 수족경련에 사용한다.

• 구등탕(鉤藤湯): 조구등(釣鉤藤) · 당귀(當歸) · 복신(茯神) · 인삼(人蔘) · 상기생(桑寄生) 각 4g, 길경(桔梗) 6g(「교주부인양방(校注婦人良方)」). 임신부의 태동불안에 사용한다.

• 구등음(鉤藤飮): 조구등(釣鉤藤) 16g, 전갈(全蝎) 8g, 목향(木香) · 천마(天麻) · 감초(甘草) 각 4g, 영양각(羚羊殼) 3g(「증치준승(證治準繩)」). 간열생풍(肝熱生風)에 의한 수족경련이나 전간(癲癎)에 사용한다.

○ 구등

○ 조구등(釣鉤藤)

○ 구등(열매)

○ 조구등(釣鉤藤)으로 만든 소아경풍, 현훈증 치료제

○ 구등(꽃)

[꼭두서니과]

고양이덩굴

| 기관지천식 | 방광염 |
| 류머티즘 | 위궤양 |

●학명 : *Uncaria tomentosa* (Wild ex Schult.) DC.　●영명 : Cat's claw

| 1 | 2 | 3 | 4 | 5 | 6 | 7 | 8 | 9 | 10 | 11 | 12 |

● Uncariae Radix로 만든 기관지천식 치료제

덩굴성 상록 나무. 길이 20~30m. 잎은 마주나고 긴 타원형, 길이 25cm 정도, 가장자리는 밋밋하고 끝은 뾰족하며 깃꼴 잎맥이 뚜렷하고 잎자루가 있다. 꽃은 작고 담황색, 집산화서를 이룬다. 열매는 둥글다.

분포 · 생육지 열대, 아열대, 라틴 아메리카. 산골짜기에서 자란다.

약용 부위 · 수치 뿌리를 봄과 여름에 채취하여 물에 씻은 후 썰어서 말린다.

약물명 Uncariae Radix. 일반적으로 Cat's claw라 한다.

약효 소염의 효능이 있으므로 기관지천식, 방광염, 류머티즘, 위궤양을 치료한다.

사용법 Uncariae Radix 10g에 물 3컵(600mL)을 넣고 달여서 복용하거나 술에 담가 복용한다.

● 고양이덩굴

[꽃고비과]

꽃고비

| 급만성기관지염, 해혈 | 토혈 |
| 자궁출혈 | |

●학명 : *Polemonium racemosum* (Regel) Kitamura [*P. coeruleum, P. laxiflorum*]
●별명 : 함영꽃고비

| 1 | 2 | 3 | 4 | 5 | 6 | 7 | 8 | 9 | 10 | 11 | 12 |

● 화인(花茵)

● 꽃고비(뿌리)

여러해살이풀. 높이 60~90cm. 뿌리잎은 모여나고, 줄기잎은 어긋나며 1회 깃꼴겹잎이다. 꽃은 자주색 또는 백색, 6~8월에 줄기 끝에 원추화서로 달린다. 꽃받침과 꽃잎은 5개로 갈라지며 수술은 5개이다. 열매는 달걀 모양이다.

분포 · 생육지 우리나라 평북, 함남북, 백두산. 중국, 우수리. 산과 들의 습지 근처에서 자란다.

약용 부위 · 수치 전초를 여름에 채취하여 말린다.

약물명 화인(花茵)

약효 거담(祛痰), 지혈(止血), 진정(鎭靜)의 효능이 있으므로 급만성기관지염, 해혈(咳血), 토혈(吐血), 자궁출혈을 치료한다.

성분 angelic acid, tiglic acid, polemoni-umgenin A, barrigenol, barringtogenol A, acacetin, polemoniogenin 등이 함유되어 있다.

약리 토끼에 대한 실험에서 항동맥 경화 작용이 있고, 정맥주사에 의하여 간 및 기타 내장의 지질 침착을 감소시키고, 심혈관에 작용하여 혈압을 하강시키는 작용이 있다.

사용법 화인 7g에 물 3컵(600mL)을 넣고 달여서 복용한다.

● 꽃고비

[메꽃과]

메꽃

 소화불량　　 당뇨병
　　　　　　　골절

● 학명 : *Calystegia japonica* Choisy　● 별명 : 메

| 1 | 2 | 3 | 4 | 5 | 6 | 7 | 8 | 9 | 10 | 11 | 12 |

○ 구구앙(狗狗秧)

덩굴성 여러해살이풀. 땅속 뿌리줄기가 사
방으로 길게 벋으며 군데군데에서 순이 나
와 엉킨다. 잎은 어긋난다. 꽃은 연한 붉은
색, 6~8월에 잎겨드랑이에 1개씩 달린다.
꽃받침 밑에 있는 2개의 포는 녹색, 열매는
잘 맺지 못한다.

분포 · 생육지 우리나라 전역. 중국, 인도,
일본. 들에서 흔하게 자란다.

약용 부위 · 수치 전초를 여름에 채취하여 흙
을 털어서 말린다.

약물명 구구앙(狗狗秧). 구왜앙(狗娃秧), 타
완화(打碗花)라고도 한다.

약효 청열(淸熱), 자음(滋陰), 강압(降壓),
이뇨(利尿)의 효능이 있으므로 소화불량,
당뇨병, 골절을 치료한다.

성분 지상부는 kaempferol-3-O-rham-
noglucoside, kaempferol 등이 함유되어
있다.

약리 kaempferol 및 kaempferol-3-O-
rhamnoglucoside는 이뇨 작용이 있다.

사용법 구구앙 10g에 물 3컵(600mL)을 넣
고 달여서 복용한다.

＊ 줄기가 바로 서거나 비스듬히 자라는 '선
메꽃 *C. dahurica*'도 약효가 같다.

○ 메꽃

[메꽃과]

애기메꽃

 소화불량, 비위허약　　 대하, 월경부조

● 학명 : *Calystegia hederacea* Wall.　● 별명 : 좀메꽃

| 1 | 2 | 3 | 4 | 5 | 6 | 7 | 8 | 9 | 10 | 11 | 12 |

덩굴성 여러해살이풀. 잎은 어긋나고, 꽃은
연한 붉은색, 5~8월에 잎겨드랑이에 1개씩
달리며 피침상 삼각형, 밑부분의 양쪽이 2
갈래로 갈라진다. 꽃은 지름 3.5cm 이하이
며, 꽃받침 밑에 있는 2개의 포는 녹색, 열
매는 잘 맺지 못한다.

분포 · 생육지 우리나라 전역. 중국, 인도, 일
본. 들에서 흔하게 자란다.

약용 부위 · 수치 전초를 여름에 채취하여 흙
을 털어서 말린다.

약물명 면근등(面根藤). 토아묘(兎兒苗)라고
도 한다.

약효 건비(健脾), 이습(利濕), 조경(調經)의
효능이 있으므로 비위허약(脾胃虛弱), 소화
불량, 대하, 월경부조(月經不調)를 치료한다.

사용법 면근등 10g에 물 3컵(600mL)을 넣
고 달여서 복용한다.

○ 애기메꽃

○ 면근등(面根藤)

[메꽃과]

큰메꽃

👁 면간	🐿 유정, 유뇨
🏠 단독, 금창	🐾 노손

● 학명 : *Calystegia sepium* (L.) R. Brown　● 별명 : 넓은메꽃

| 1 | 2 | 3 | 4 | 5 | 6 | 7 | 8 | 9 | 10 | 11 | 12 |

덩굴성 여러해살이풀. 잎은 어긋난다. 꽃은 연한 붉은색, 지름 3.5cm 이상이며 5~8월에 잎겨드랑이에 1개씩 달린다. 삼각상 달걀 모양이며, 밑부분의 양쪽이 2갈래로 갈라진다. 꽃받침 밑에 있는 2개의 포는 녹색이며, 열매는 잘 맺지 못한다.

분포 · 생육지 우리나라 전역. 중국, 인도, 일본. 들에서 흔하게 자란다.

약용 부위 · 수치 꽃을 6~7월에 채취하여 말리고, 잎과 줄기는 봄부터 여름까지 채취하여 말린다.

약물명 꽃을 선화(旋花)라고 하며, 근근화(筋根花)라고도 한다. 잎과 줄기를 선화묘(旋花苗)라고 하고, 뿌리를 선화근(旋花根)이라고 한다.

약효 선화(旋花)는 익기(益氣), 양안(養顔), 삽정(澁精)의 효능이 있으므로 면간(面䵟), 유정(遺精), 유뇨(遺尿)를 치료한다. 선화묘(旋花苗)는 청열해독(淸熱解毒)의 효능이 있으므로 단독(丹毒)을 치료한다. 선화근(旋花根)은 익기보허(益氣補虛), 속근접골(續筋接骨), 해독의 효능이 있으므로 노손, 금창(金瘡), 단독을 치료한다.

사용법 선화, 선화묘 또는 선화근 10g에 물 3컵(600mL)을 넣고 달여서 복용한다.

◑ 큰메꽃

◑ 큰메꽃(꽃)

[메꽃과]

갯메꽃

🦵 풍습비통	❤ 수종
🫁 해수담다	

● 학명 : *Calystegia soldanella* (L.) R. Br.　● 별명 : 해안메꽃, 개메꽃

| 1 | 2 | 3 | 4 | 5 | 6 | 7 | 8 | 9 | 10 | 11 | 12 |

덩굴성 여러해살이풀. 잎은 어긋나고, 꽃은 연한 홍색, 5~6월에 잎겨드랑이에 1개씩 달린다. 꽃받침 밑에 있는 2개의 포는 녹색, 밑부분이 약간 심장형, 화관은 길이 5~6cm, 지름 4~5cm이고, 수술은 5개이다. 열매는 둥글고 꽃받침에 싸여 있으며, 종자는 흑색이다.

분포 · 생육지 우리나라 전역. 중국, 인도, 일본. 바닷가에서 흔하게 자란다.

약용 부위 · 수치 뿌리를 여름에 채취하여 물에 씻은 후 말린다.

약물명 효선초근(孝扇草根)

약효 거풍습(祛風濕), 이수(利水), 화담지해(化痰止咳)의 효능이 있으므로 풍습비통(風濕痺痛), 수종(水腫), 해수담다(咳嗽痰多)를 치료한다.

사용법 효선초근 15g에 물 4컵(800mL)을 넣고 달여서 복용한다.

◑ 갯메꽃

◑ 효선초근(孝扇草根)

[메꽃과]

실새삼

| 요슬산통 | 유정, 음위 | 당뇨병 |
| 이질, 황달, 토혈 | 육혈, 목적종창 |

● 학명 : *Cuscuta australis* R. Brown

| 1 | 2 | 3 | 4 | 5 | 6 | 7 | 8 | 9 | 10 | 11 | 12 |

덩굴성 한해살이풀. 기생 식물. 종자는 땅에서 발아하지만 기주 식물에 붙게 되면 뿌리가 없어진다. 잎은 퇴화하여 비늘 같다. 꽃은 황백색, 8~9월에 핀다. 꽃받침은 5개로 갈라지며, 화관은 종형, 열매보다 짧고, 암술대는 2개, 삭과는 장난형(長卵形)이다.

분포 · 생육지 우리나라 전역, 중국, 일본, 타이완, 몽골, 아무르. 산과 들에서 흔하게 자란다.

약물명 토사자(菟絲子), 남토사자(南菟絲子) 또는 남방토사자(南方菟絲子)라고도 한다.

성상 장난형(長卵形)으로 지름 0.1~0.15cm, 복능선(腹稜線)이 불분명하고 부리 모양의 돌기가 뚜렷하지 않다. 바깥 면은 황색~진갈색이고 돌기가 '갯실새삼'에 비해 세밀하지 않다. 물에 넣어 가열하면 외피가 파열되면서 배아(胚芽)가 마치 실을 토하듯 나타난다. 냄새는 별로 없고 맛은 담담하다.

＊ 약효와 사용법은 '새삼'과 같다.

○ 실새삼

○ 실새삼(열매)

[메꽃과]

갯실새삼

| 요슬산통 | 유정, 음위 | 당뇨병 |
| 이질, 황달, 토혈 | 육혈, 목적종창 |

● 학명 : *Cuscuta chinensis* Lamarck

| 1 | 2 | 3 | 4 | 5 | 6 | 7 | 8 | 9 | 10 | 11 | 12 |

덩굴성 한해살이풀. 기생 식물. 종자는 땅에서 발아하지만 기주 식물에 붙게 되면 뿌리가 없어진다. 줄기는 철사 같고 황적색이 돌고, 잎은 퇴화하여 비늘 같다. 꽃은 8~9월에 황백색으로 피고, 꽃받침은 5개로 갈라지며 열매보다 길고, 암술대는 2개, 삭과는 편구형이다. '실새삼'에 비하여 화관(花冠)이 삭과보다 길고 비늘 조각이 뾰족하고 갈라지지 않는다.

분포 · 생육지 우리나라 전역, 중국, 일본, 타이완. 주로 '순비기나무'에 기생한다.

약물명 종자를 토사자(菟絲子)라 하며, 토사병(菟絲餅), 금사초(金絲草)라고도 한다.

성상 본 종의 종자는 '새삼'의 종자에 비하여 크기가 훨씬 작고, '실새삼'의 종자와 크기는 비슷하나 돌기된 작은 점의 망상피문(網狀皺紋)이 세밀하며 중앙에 배꼽(臍點)이 있다.

＊ 약효와 사용법은 '새삼'과 같다.

○ 갯실새삼(꽃)

○ 갯실새삼

○ 토사자(菟絲子)

○ 토사자(菟絲子, 신선품)

[메꽃과]

새삼

요슬산통 | 유정, 음위 | 당뇨병
이질, 황달, 토혈 | 육혈, 목적종창

●학명 : *Cuscuta japonica* Choisy　　●한자명 : 金灯藤, 大菟絲子

| 1 | 2 | 3 | 4 | 5 | 6 | 7 | 8 | 9 | 10 | 11 | 12 |

덩굴성 한해살이풀. 기생 식물. 종자는 땅에서 발아하지만 기주 식물에 붙게 되면 뿌리가 없어진다. 줄기는 철사 같고 황록색~황적색이 돌고 잎은 퇴화하여 비늘 같다. 꽃은 백색, 8~9월에 피고, 꽃받침은 5개로 갈라진다. 삭과는 달걀 모양, 지름 2.5~3mm이다.

분포·생육지 우리나라 전역. 중국, 일본, 타이완, 몽골, 아무르. 산과 들에서 흔하게 자란다.

약용 부위·수치 종자를 가을에 채취하여 말린 것을 그대로 사용한다. 냄비에 넣고 물을 가하여 터질 때까지 삶아 죽 모양으로 되면 충분히 으깨어 떡처럼 만들거나 막걸리와 밀가루로 반죽하여 떡으로 만들어 햇볕에 말린 것을 토사병(菟絲餠)이라 한다. 전초는 여름에 채취하여 말린다.

약물명 종자를 토사자(菟絲子)라 하며, 토사병(菟絲餠), 금사초(金絲草)라고도 한다. 중국에서는 '실새삼'과 '갯실새삼'의 종자에 비하여 크므로 대토사자(大菟絲子)라고도 한다. 전초를 토사(菟絲)라 한다. 토사자(菟絲子)는 대한민국약전외한약(생약)규격집(KHP)에 수재되어 있다.

본초서 토사자(菟絲子)는 「신농본초경(神農本草經)」의 상품(上品)에 수재되어 있으며, 토루(兎縷), 적망(赤網), 토로(兎蘆) 등의 별명이 있다. 「명의별록(名醫別錄)」에 "토사자(菟絲子)는 조선(朝鮮)의 연못이나 논밭에서 자라며, 다른 풀이나 나무를 감는다. 9월에 열매를 채집하여 햇볕에 말린다. 색깔이 황색이고 작은 것을 적망(赤網)이라 하며, 색이 엷고 큰 것을 토루(兎縷)라고 하고 약효가 같다."고 하였다. 「동의보감(東醫寶鑑)」에는 "주로 음경 속이 차거나 정액이 저절로 흘러나오는 것, 소변을 본 뒤에도 방울방울 떨어지는 것, 입맛이 쓰고 입이 마르며 갈증이 나는 것을 낫게 한다. 정액과 골수를 채워 주며 허리가 아프고 무릎이 찬 것을 치료한다."고 하였다.

神農本草經: 主續絕傷, 補不足, 益氣力, 肥健, 汁去面皯, 久服明目, 輕身延年.

雷公炮炙論: 補人衛氣, 助人筋脈.

名醫別錄: 養肌强陰, 堅筋骨, 主莖中寒, 精自出, 溺有餘瀝, 口苦燥渴, 寒血爲積.

東醫寶鑑: 主莖中寒精子出 尿有餘瀝 口苦燥渴 添精益髓 去腰痛膝冷.

성상 부리 모양이 있는 구형 또는 편구형으로 지름 2~3mm, 표면은 황갈색이며 광택이 나고 줄과 같은 무늬가 있다. 냄새는 없

고 맛은 달며 약간 쓰다.

기미·귀경 온(溫), 감(甘)·간(肝), 신(腎), 비(脾)

약효 토사자(菟絲子)는 강정(强精) 및 강장약(强壯藥)으로 보간신(補肝腎), 익정수(益精隨), 명목(明目)의 효능이 있으므로 요슬산통(腰膝酸痛), 유정(遺精), 음위(陰痿), 당뇨병을 치료한다. 토사(菟絲)는 청열해독(淸熱解毒), 양혈지혈(凉血止血), 건비이습(健脾利濕)의 효능이 있으므로 이질, 황달, 토혈, 육혈(衄血), 변혈(便血), 목적종창(目赤腫瘡)을 치료한다.

성분 β-carotene, γ-carotene, 5,6-epoxy-α-carotene, tetraxanthine, lutein 등이 함유되어 있다.

약리 물로 달인 액은 심박 수를 감소시켜 수축 폭을 크게 하며 혈압 강하 작용이 있고 장관의 운동을 억제한다.

사용법 토사자 또는 토사 10g에 물 3컵(600mL)을 넣고 달여서 복용하거나, 짓찧어 낸 즙 또는 술에 담가서 복용한다.

처방 토사자환(菟絲子丸): 토사자(菟絲子)·지골피(地骨皮) 각 120g, 지실(枳實) 320g, 우슬(牛膝)·생지황(生地黃) 소량, 1알이 0.3g이 되게 만들어 1회 15알 복용「향약집성방(鄕藥集成方)」). 음혈(陰血)이 부족하여 머리카락과 수염이 황색이나 백색으로 변하는 증상, 유정(遺精)에 사용한다.

• 수태환(壽胎丸): 토사자(菟絲子) 160g, 상기생(桑寄生)·속단(續斷)·아교(阿膠) 각 80g, 1알이 0.4g이 되게 만들어 1회 20알 복용「의학충중참서록(醫學衷中參西錄)」). 신허(腎虛)로 인한 태루(胎漏)나 태동(胎動)에 사용한다.

• 우귀환(右歸丸): 숙지황(熟地黃) 320g, 구기자(枸杞子)·산약(山藥)·녹각교(鹿角膠)·토사자(菟絲子)·두충(杜仲)·계피(桂皮) 각 160g, 산수유(山茱萸)·당귀(當歸) 각 120g, 포부자(炮附子) 80g「보양처방집(補陽處方集)」). 신양(腎陽)의 부족으로 온몸이 무겁고 가슴이 두근거리며 불안하고 허리와 팔다리를 제대로 움직이지 못하거나 성 기능이 저하된 증상에 사용한다.

❶ 토사(菟絲)

❶ 토사자(菟絲子)

❶ 새삼

❶ 새삼(꽃)

❶ 새삼(열매)

[메꽃과]

아욱메풀

황달, 이질 | 수종
종독, 타박상 | 임병

● 학명 : *Dichondra repens* Forster ● 별명 : 아욱메꽃, 마제금, 풍장등

| 1 | 2 | 3 | 4 | 5 | 6 | 7 | 8 | 9 | 10 | 11 | 12 |

❶ 소금전초(小金錢草)

❶ 소금전초(小金錢草)로 만든 풍습비통 치료제

여러해살이풀. 줄기가 땅 위로 벋으며 뿌리가 내린다. 잎은 마디에서 모여나고 심장형이다. 꽃은 황색, 5~6월에 잎겨드랑이에서 꽃줄기가 나와 1개씩 피며 꽃받침잎은 긴 타원형, 화관은 5개로 깊게 갈라진다. 삭과는 막질, 2개가 곧게 서며 분과는 둥글다.

분포 · 생육지 우리나라 제주도, 추자도, 전남(지리산). 중국, 일본, 타이완, 열대. 산과 들에서 자란다.

약용 부위 · 수치 전초를 여름과 가을에 채취하여 말린다.

약물명 소금전초(小金錢草), 하포초(荷包草), 황달초(黃疸草)라고도 한다.

약효 청열(淸熱), 해독, 이수(利水), 양혈(養血)의 효능이 있으므로 황달, 이질, 임병(淋病), 수종(水腫), 종독(腫毒), 타박상을 치료한다.

사용법 소금전초 10g에 물 3컵(600mL)을 넣고 달여서 복용하고, 외용에는 짓찧어 바른다.

❶ 아욱메풀

[메꽃과]

정공등

풍습비통, 반신불수 | 질타종통

● 학명 : *Erycibe obtusifolia* Benth. ● 한자명 : 丁公藤

| 1 | 2 | 3 | 4 | 5 | 6 | 7 | 8 | 9 | 10 | 11 | 12 |

덩굴나무. 길이 12m 정도. 작은가지는 황갈색을 띠며 능선이 있다. 잎은 홑잎으로 어긋나며, 꽃은 백색, 7~8월에 잎겨드랑이와 줄기 끝에서 취산화서로 달린다. 꽃받침은 5개로 갈라지며, 장과는 달걀 모양이다.

분포 · 생육지 중국 광둥성(廣東省), 윈난성(雲南省). 산지에서 자란다.

약용 부위 · 수치 줄기를 봄부터 가을까지 채취하여 썰어서 말린다.

약물명 정공등(丁公藤), 포공등(包公藤), 매화등(梅花藤)이라고도 한다. 대한민국약전외한약(생약)규격집(KHP)에 수재되어 있다.

본초서 「동의보감(東醫寶鑑)」에 "풍증을 낮게 하고 피가 뭉친 것을 풀어 주며 쇠약한 늙은이를 보한다. 성 기능을 활발하게 하고 허리와 다리 근육을 튼튼하게 하며 뼈마디가 아프고 저린 증상을 낮게 한다. 흰머리를 검어지게 하며 바람의 기운을 물리치기도 한다."고 하였다.

東醫寶鑑: 主風血 補衰老 起陽 强腰脚 除痺 變白 排風邪.

성상 덩굴성 줄기로 지름 3~10cm, 표면은 회갈색으로 거칠고 세로 주름과 가로무늬가 있다. 질은 단단하고 섬유질이며 꺾기 어렵다. 냄새는 없고 맛은 담담하다.

약효 거풍제습(祛風除濕), 소종지통(消腫止痛)의 효능이 있으므로 풍습비통(風濕痺痛), 반신불수(半身不遂), 질타종통(跌打腫痛)을 치료한다.

성분 baogongteng A, baogongteng C, scopoletin, scopolin, caffeic acid, chlorogenic acid 등이 함유되어 있다.

약리 열수추출물을 염증을 일으킨 쥐의 복강에 주사하면 다리에 생긴 부종을 감소시킨다. 열수추출물을 쥐에게 피하주사하면 면역력이 증대된다.

사용법 정공등 5g에 물 2컵(400mL)을 넣고 달여서 복용하고, 외용에는 짓찧어 바른다.

❶ 정공등

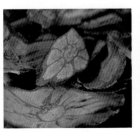

❶ 정공등(丁公藤, 절편)

❶ 정공등(丁公藤)

❶ 정공등(줄기)

덩굴메꽃

 변비

● 학명 : *Ipomoea acuminata* (Burm. f.) Merr.

| 1 | 2 | 3 | 4 | 5 | 6 | 7 | 8 | 9 | 10 | 11 | 12 |

덩굴성 여러해살이풀. 길이 2m 정도. 잎은 어긋나고 심장형, 끝은 뾰족하고 양쪽은 결각이 진다. 꽃은 적자색, 보라색, 백색 등이며, 잎겨드랑이에 취산화서로 달린다. 꽃받침은 5개로 갈라지며, 열매는 삭과이다.
분포 · 생육지 브라질, 페루, 아르헨티나, 북아메리카. 들에서 흔하게 자란다.
약용 부위 · 수치 뿌리를 여름과 가을에 채취하여 물에 씻은 후 썰어서 말린다.
약물명 Ipomoeae Radix
약효 사하(瀉下)의 효능이 있으므로 변비를 치료한다.
사용법 Ipomoeae Radix 5g을 뜨거운 물로 우려내어 마시거나 가루로 만들어 복용한다.

❶ 덩굴메꽃

공심채

 비뉵   변혈, 변비
 요혈

● 학명 : *Ipomoea aquatica* Forsk.

| 1 | 2 | 3 | 4 | 5 | 6 | 7 | 8 | 9 | 10 | 11 | 12 |

❶ 옹채(蕹菜)

덩굴성 한해살이풀. 줄기는 둥글고 마디가 두드러지며 마디에서 뿌리가 나온다. 잎은 어긋나고 심장형, 끝은 뾰족하고 가장자리는 밋밋하며 잎자루가 길다. 꽃은 적자색, 잎겨드랑이에 취산화서로 달리며, 꽃받침은 5개로 갈라진다.
분포 · 생육지 중국, 타이완, 인도, 티베트. 세계 각처에서 재배한다.
약용 부위 · 수치 여름에 줄기와 잎을 채취하여 물에 씻은 후 썰어서 말린다.
약물명 옹채(蕹菜). 옹(蕹), 공심채(空心菜)라고도 한다.
약효 양혈청열(凉血淸熱), 이습해독(利濕解毒)의 효능이 있으므로 비뉵(鼻衄), 변혈(便血), 요혈(尿血), 변비를 치료한다.
성분 α-tocopherol, β-carotene, lutein, luteinepoxide, violaxanthin, neoxanthin 등이 함유되어 있다.
사용법 옹채 60~120g에 물 5컵(1L)을 넣고 달여서 복용한다.

❶ 공심채

[메꽃과]

고구마

비허수종

변설, 대변비결, 토사

창양종독, 옹창

혈붕, 유즙불하

● 학명 : *Ipomoea batatas* Lam. [*Convolbulus batatas*] ● 별명 : 누른살고구마, 단고구마

| 1 | 2 | 3 | 4 | 5 | 6 | 7 | 8 | 9 | 10 | 11 | 12 |

덩굴성 한해살이풀. 덩이줄기는 타원상 구형이다. 잎은 어긋나고 길이 7~13cm, 너비 5~13cm, 잎자루는 길이 5~20cm이다. 꽃은 적자색, 7~8월에 잎겨드랑이에 취산화서로 달린다. 꽃받침은 5개로 갈라지며, 5개의 수술과 1개의 암술이 있고, 씨방은 2~4실이다.

분포 · 생육지 열대 아메리카 원산. 우리나라 전역에서 재배한다.

약용 부위 · 수치 덩이뿌리, 줄기와 잎을 가을에 채취하여 물에 씻은 후 썰어서 말린다.

약물명 덩이뿌리를 번서(番薯), 줄기와 잎을 번서등(番薯藤)이라 한다.

기미 · 귀경 번서(番薯): 평(平), 감(甘) · 비(脾), 신(腎)

약효 번서(番薯)는 보중화혈(補中和血), 익기생진(益氣生津), 관장위(寬腸胃), 통변비(通便秘)의 효능이 있으므로 비허수종(脾虛水腫), 변설(便泄), 창양종독(瘡瘍腫毒), 대변비결(大便秘結)을 치료한다. 번서등(番薯藤)은 양혈(養血), 보기(補氣)의 효능이 있으므로 토사(吐瀉), 변혈(便血), 혈붕(血崩), 유즙불하(乳汁不下), 옹창(癰瘡)을 치료한다.

사용법 번서는 적당량을 삶거나 생것을 먹는다. 번서등은 20g에 물 4컵(800mL)을 넣고 달여서 복용하고 외용에는 짓찧어 바른다.

● 고구마

● 번서(番薯)

● 번서등(番薯藤)

[메꽃과]

갯나팔꽃

풍습비통

옹종정독

유옹

치루

● 학명 : *Ipomoea pes-caprae* (L.) Sweet ● 한자명 : 厚藤 ● 별명 : 후등

| 1 | 2 | 3 | 4 | 5 | 6 | 7 | 8 | 9 | 10 | 11 | 12 |

덩굴성 여러해살이풀. 전체에 털이 없다. 줄기는 납작한 편이고, 잎은 어긋나며 타원형, 끝이 오목하고 가장자리는 밋밋하며 잎자루가 있다. 꽃은 적자색, 잎겨드랑이에 취산화서로 달린다.

분포 · 생육지 중국 저장성(浙江省), 푸젠성(福建省), 광둥성(廣東省). 타이완. 해변가 양지바른 곳에서 자란다.

약용 부위 · 수치 봄부터 가을에 걸쳐 전초 또는 뿌리를 채취하여 물에 씻은 후 썰어서 말린다.

약물명 마안등(馬鞍藤)

약효 거풍제습(祛風除濕), 소옹산결(消癰散結)의 효능이 있으므로 풍습비통(風濕痺痛), 옹종정독(癰腫疔毒), 유옹(乳癰), 치루(痔漏)를 치료한다.

성분 pescaproside A, B, E, *E*-phytol, 10*R*, 10*S*-actinidol, 4-vinylguaiacol, gibberellines 등이 함유되어 있다.

약리 동물 실험에서 소염 작용과 진통 작용이 나타난다.

사용법 마안등 30g에 물 4컵(800mL)을 넣고 달여서 복용한다.

● 갯나팔꽃

● 갯나팔꽃(꽃)

[메꽃과]

얄라파

 변비

●학명 : *Ipomoea purga* Hayane ●영명 : Jalappe

| 1 | 2 | 3 | 4 | 5 | 6 | 7 | 8 | 9 | 10 | 11 | 12 |

덩굴성 여러해살이풀. 줄기는 둥글고 미끄러우며 붉은색이 돌고 광택이 난다. 잎은 어긋나고 심장형이며, 꽃은 적자색, 잎겨드랑이에 취산화서로 달린다. 화관은 깔때기 모양으로 통부가 굵으며 5개의 수술과 1개의 암술이 있다.

분포·생육지 열대 아메리카 원산. 브라질, 아르헨티나에서 자란다.

약용 부위·수치 가을에 덩이뿌리를 채취하여 물에 씻은 후 썰어서 말린다.

약물명 얄라파근(Jalapae Rhizome)

약효 강력한 준하제 효능이 있으므로 변비를 치료한다.

사용법 얄라파근 5g에 물 2컵(400mL)을 넣고 달여서 복용한다.

주의 유독하므로 사용량을 지켜야 한다. 자주 사용하면 백대하, 뇌출혈, 신장염, 심장의 수종이 생기므로 주의하여야 한다.

○ 얄라파근

○ 얄라파

[메꽃과]

나팔꽃

부종 천만 담음, 대변비결 각기

●학명 : *Pharbitis nil* (L.) Choisy ●별명 : 털잎나팔꽃

| 1 | 2 | 3 | 4 | 5 | 6 | 7 | 8 | 9 | 10 | 11 | 12 |

덩굴성 한해살이풀. 잎은 어긋난다. 꽃은 홍자색, 백색, 붉은색 등 여러 가지가 있고 7~8월에 잎겨드랑이에서 꽃대가 나와 1~3개 달린다. 꽃받침은 5개로 깊게 갈라지고, 열매는 주름이 있으며 3실에 각각 2개의 흑색 종자가 들어 있다.

분포·생육지 히말라야 원산. 우리나라 전역에 분포하는 귀화 식물이다.

약용 부위·수치 가을에 열매가 익었을 때 종자를 채취하여 말려 사용하거나 종자를 냄비에 넣고 볶고 조금 부풀어 오르면 식힌다. 이것을 초견우자(炒牽牛子)라 한다. 생으로 사용하면 사하 작용과 이뇨 작용이 매우 강하여 혈뇨(血尿)나 구토가 있을 수 있으므로 이때는 불에 볶아서 사용한다.

약물명 견우자(牽牛子). 흑축(黑丑)이라고도 한다. 이 약을 복용하면 소를 끌 정도의 힘이 생긴다 하여 견우자(牽牛子)라고 한다. 대한민국약전(KP)에 수재되어 있다.

본초서 「명의별록(名醫別錄)」의 하품(下品)에 수재되어 있으며, "기(氣)를 내리고 각만(脚滿), 수종(水腫)을 치료하며 풍독(風毒)을 제거하여 소변을 잘 보게 하는 효능이 있다."고 하였다. 「동의보감(東醫寶鑑)」에 "기운을 잘 내리고 몸이 붓는 것을 가라앉히며 풍독을 없애고 대소변을 잘 나오게 한다. 찬 기운의 고름을 밀어내고 독충의 독을 없앤다. 유산될 수 있다."고 하였다.

名醫別錄 : 主下氣 療脚滿水腫 除風毒 利小便.

藥性論 : 治痃癖氣塊 利大小便 除水氣虛腫 落胎.

本草綱目 : 逐痰消飲 通大腸氣秘風秘 殺蟲 達命門.

東醫寶鑑 : 主下氣 治水腫 除風毒 利大小便 下冷膿 瀉蟲毒 落胎.

성상 표면은 흑색~흑적색이며 매끈하거나 약간 오므라들고 짧은 털이 빽빽이 나며, 융기선의 아래쪽에는 배꼽이 있다. 횡단면은 부채 모양이고 황갈색~회갈색을 나타내고 질은 치밀하다. 종피는 얇고 그 바깥층은 암회색, 안쪽 층은 회색이다. 짓찧으면 약간 냄새가 나고 맛은 기름과 비슷하며 조금 자극적이다.

기미·귀경 고(苦), 한(寒), 유독(有毒)·폐(肺), 신(腎), 대장(大腸)

약효 사수(瀉水), 강기(降氣), 살충의 효능이 있으므로 부종(浮腫), 천만(喘滿), 담음(淡飮), 각기(脚氣), 대변비결(大便秘結)을 치료한다.

성분 수지 성분인 pharbitin이 다량 함유되어 있고, pharbitic acid C, D, nilic acid, gallic acid와 알칼로이드로서 llysergol, chanoclavine, penniclavine, isopenniclavine, elymoclavine과 펩타이드 성분인 Pn-AMP1,

○ 나팔꽃(열매)

Pn-AMP2, 3,11-dihydroxydecanoic acid, peonidin 등이 함유되어 있다. 익지 않은 종자에는 gibberellenic acid, gibberellenic acid-3-O-β-D-glucoside가 함유되어 있다.

약리 pharbitin은 소장에서 담즙과 lipase에 의하여 가수분해되어 알칼리염으로 된 다음 대장에 이르러 강한 자극 작용이 나타난다. 따라서 대장의 연동 운동이 증가되어 사하 작용이 발현된다. 펩타이드 성분인 Pn-AMP1, Pn-AMP2는 세포벽을 파괴하는 작용이 있어서 항진균 활성을 나타낸다. 견우자 및 현호색의 에탄올추출물은 내장의 과민 반응을 현저하게 줄인다.

사용법 견우자를 가루로 만들어서 완하제로는 1회 0.2~0.3g을 복용하고, 준하제로는 1회 0.5~1g을 복용한다. pharbitin은

물에 녹지 않으므로 물에 달여서 복용하면 사하 작용이 약해진다.

주의 고한(苦寒)하므로 수종에 사용할 때는 보약을 배합하여 사용하거나 복용한 뒤에 보한다. 임신부나 노인은 피하고 변비가 심하거나 복부창만의 경우에는 사용하지 않는다.

처방 견우탕(牽牛湯): 견우자(牽牛子) 40g, 후박(厚朴) 20g 「향약집성방(鄕藥集成方)」. 습열(濕熱)로 속이 그득하면서 기침을 하고 숨이 차며 오줌이 잘 나오지 않고 다리가 붓는 증상에 사용한다.

• 주거환(舟車丸): 견우자(牽牛子) 160g, 대황(大黃) 80g, 감수(甘遂)·대극(大戟)·원화(芫花)·지각(枳殼)·진피(陳皮) 각 40g, 목향(木香) 20g 「동의보감(東醫寶鑑)」. 중초(中焦)에 습열(濕熱)이 성하여 몸이 붓고

헛배가 부르며 숨이 차고 구갈이 있으며 대소변이 시원하지 못한 증상에 사용한다.

＊잎이 갈라지지 않은 '둥근잎나팔꽃 *P. purpurea*'도 약효가 같다. 대한민국약전(KP), 중국약전(CP)에 수재되어 있다.

🔾 견우자(牽牛子)

🔾 나팔꽃

🔾 견우자(牽牛子), 향부자, 오령지가 배합된 소화제

🔾 둥근잎나팔꽃

[메꽃과]

유홍초

👁 이창   치루

🌿 독사교상

● 학명 : *Quamoclit pennata* (Lam.) Bojer   ● 별명 : 누홍초

| 1 | 2 | 3 | 4 | 5 | 6 | 7 | 8 | 9 | 10 | 11 | 12 |

한해살이풀. 길이 1~2m. 잎은 어긋나고 빗살처럼 완전히 갈라진다. 꽃은 홍색 또는 백색, 7~8월에 잎겨드랑이에서 나오는 긴 꽃줄기 끝에 1개가 달린다. 화관은 깔때기 모양으로 수평으로 퍼지고, 수술은 5개, 암술은 1개로 꽃 밖으로 나온다. 열매는 구형이다.

분포 · 생육지 열대 아메리카 원산. 우리나라 전역에서 자라는 귀화 식물이다.
약용 부위 · 수치 전초를 여름과 가을에 채취하여 적당한 크기로 썰어서 말린다.
약물명 조라송(蔦蘿松), 취령초(翠翎草), 금봉모(金鳳毛)라고도 한다.
약효 청열해독(清熱解毒), 양혈지혈(涼血止

血)의 효능이 있으므로 이창(耳瘡), 치루(痔漏), 독사교상(毒蛇咬傷)을 치료한다.
사용법 조라송 10g에 물 3컵(600mL)을 넣고 달여서 복용하고 외용에는 짓찧어 바른다.
※ 잎이 둥근 '둥근잎유홍초 *Q. angulata*'도 약효가 같다.

❶ 조라송(蔦蘿松)

❶ 유홍초

❶ 둥근잎유홍초

[지치과]

서양들지치

👥 신장염, 방광염, 소변불리

🫁 감기   🗂 탈모

● 학명 : *Anchusa azurea* Miller.   ● 영명 : Large blue-alcant

| 1 | 2 | 3 | 4 | 5 | 6 | 7 | 8 | 9 | 10 | 11 | 12 |

여러해살이풀. 높이 1.5m 정도. 윗부분은 덩굴지며 전체에 거친 털이 있다. 잎은 어긋나고 타원형, 잎자루가 없다. 꽃은 청색, 6~8월에 잎겨드랑이에서 나오는 꽃대 끝에 핀다. 견과는 4개의 핵과로 이루어진다.
분포 · 생육지 이베리아 반도, 독일, 프랑스, 스위스, 지중해 연안. 산과 들에서 자란다.
약용 부위 · 수치 전초를 여름에 채취하여 물에 씻은 후 썰어서 말린다.
약물명 Anchusae Azureae Herba. 일반적으로 Large blue-alcant라고 한다.
약효 소염, 해열, 이뇨, 거담의 효능이 있으므로 신장염, 방광염, 소변불리, 감기, 탈모를 치료한다.
사용법 Anchusae Azureae Herba 10g에 물 3컵(600mL)을 넣고 달여서 복용한다. 탈모는 달인 액으로 머리를 감거나 두피에 바른다.

❶ 서양들지치(꽃)

❶ 서양들지치

[지치과]

신강자초

반진, 습진, 화상, 동상　|　토혈
육혈　|　혈뇨

● 학명 : *Arnebia euchroma* Johnst.　● 한자명 : 新疆紫草, 軟紫草

| 1 | 2 | 3 | 4 | 5 | 6 | 7 | 8 | 9 | 10 | 11 | 12 |

여러해살이풀. 높이 15~40cm. 전체에 백색 또는 황백색 거센 털이 빽빽이 난다. 뿌리는 긴 원추형으로 굵고 뿌리의 두부는 몇 개의 측근으로 갈라지며, 표면은 암자색이

● 신강자초(5월 초까지 지상부가 시들어 있다.)

● 자근(紫根)

● 바로 채취한 신강자초

● 신강자초의 채취(중국 이닝)

다. 잎은 어긋나고 바늘 모양이며, 취산화서는 총생하며 자주색~담자색이다.

분포·생육지 티베트, 중국 신장성(新疆省), 간쑤성(甘肅省). 해발 2,500~4,200m의 초지에서 자란다.

약용 부위·수치 뿌리를 가을에 채취하여 물에 씻은 후 말린다.

약물명 자근(紫根). 자초근(紫草根), 노자초(老紫草), 경자초(硬紫草)라고 하나, 일반적으로 신강자초(新疆紫草) 또는 연자초(軟紫草)라고 한다. 대한민국약전(KP)에 수재되어 있다.

성상 표면은 적자색~갈자색이고 피층은 성글며 보통 10여 층이 겹쳐 있고 쉽게 벗겨진다. 몸체가 가볍고 엉성하며 단면은 일정하지 않고 목부가 작다. 냄새는 약간 나고 맛은 쓰며 떫다. '내몽자초'에 비하여 작다.

약효 양혈활혈(凉血活血), 해독투진(解毒透疹)의 효능이 있으므로 반진(斑疹), 토혈(吐血), 육혈(衄血), 혈뇨(血尿), 습진, 화상, 동상을 치료한다.

사용법 자근 10g에 물 3컵(600mL)을 넣고 달여서 복용하고, 외용에는 고약으로 만들어 바른다. 공업적으로는 자주색 염료로도 널리 이용한다.

[지치과]

내몽자초

반진, 습진, 화상, 동상　|　토혈
육혈　|　혈뇨

● 학명 : *Arnebia guttata* Bunge [*A. thomsonii*]　● 한자명 : 內蒙紫草, 軟紫草

| 1 | 2 | 3 | 4 | 5 | 6 | 7 | 8 | 9 | 10 | 11 | 12 |

여러해살이풀. 높이 15~40cm. 전체에 백색 또는 황백색 털이 빽빽이 난다. 줄기는 곧게 서고, 뿌리는 굵고 땅속 깊이 들어간다. 잎은 어긋나고 주걱형이며, 꽃은 황백색, 5~6월에 줄기와 가지 끝에 취산화서로 달린다. '신강자초'에 비하여 잎이 주걱형이고 짧으며, 털은 거칠고 짧고 적다.

분포·생육지 중국 내몽골, 신장성(新疆省), 간쑤성(甘肅省). 해발 2,500~4,200m의 초지에서 자란다.

약용 부위·수치 뿌리를 가을에 채취하여 물에 씻은 후 말린다.

약물명 자근(紫根). 자초근(紫草根), 노자초(老紫草), 경자초(硬紫草)라고 하나, 일반적으로 내몽자초(內蒙紫草) 또는 연자초(軟紫草)라고 한다.

성상 표면은 적자색~갈자색이고, 피층은 성글며 보통 10여 층이 겹쳐 있고 쉽게 벗겨진다. 몸체가 가볍고 엉성하며 단면은 일정하지 않고 목부가 작다. 냄새는 약간 나고 맛은 쓰며 떫다. '신강자초'에 비하여 크다.

약효 양혈활혈(凉血活血), 해독투진(解毒透疹)의 효능이 있으므로 반진(斑疹), 토혈(吐血), 육혈(衄血), 혈뇨(血尿), 습진, 화상, 동상을 치료한다.

사용법 자근 10g에 물 3컵(600mL)을 넣고 달여서 복용하고, 외용에는 고약으로 만들어 바른다. 공업적으로는 자주색 염료로도 널리 이용한다.

● 자근(紫根)

[지치과]

약지치

| 소변불리 | 무한 | 해수 |
| 종독 | 우울증 |

● 학명 : *Borago officinalis* L.   ● 영명 : Borage

| 1 | 2 | 3 | 4 | 5 | 6 | 7 | 8 | 9 | 10 | 11 | 12 |

여러해살이풀. 높이 30~40cm. 밑에서 가지가 많이 갈라져 곧게 서고, 전체에 굳센 털이 많다. 잎은 어긋나며 바늘 모양이다.

꽃은 연한 하늘색, 6월에 핀다. 꽃받침은 5개로 깊게 갈라지며, 화관도 5개로 갈라지고, 수술은 5개이다. 열매는 분과이다.

분포 · 생육지 유럽 남부, 지중해 연안. 산과 들에서 자라며, 세계 각처에서 약용 또는 향료로 재배하고 있다.

약용 부위 · 수치 전초를 가을과 겨울에 채취하여 말린다.

약물명 양자초(洋紫草). 보리지(borage)라고도 한다.

약효 항자극, 강장의 효능이 있으므로 소변불리(小便不利), 무한(無汗), 해수(咳嗽), 종독(腫毒), 우울증을 치료한다.

성분 꽃은 pyrrolizidine 알칼로이드인 amabiline, supinidine, lycosamine, intermedine, 종자는 γ-linolenic acid, linoleic acid, oleic acid가 다량 함유되어 있다.

약리 γ-linolenic acid는 스트레스 반응을 완화시키고 습진, 신경피부 질환에 투여하면 좋은 효과를 발휘한다.

사용법 양자초 2g을 뜨거운 물에 우려내어 복용한다.

○ 약지치

○ 양자초(洋紫草)

○ 양자초(洋紫草)에서 추출한 정유

[지치과]

꽃받이

| 해수 | 토혈 |

● 학명 : *Bothriospermum tenellum* (Hornem) Fisch. et Meyer   ● 별명 : 꽃바지, 나도꽃마리

| 1 | 2 | 3 | 4 | 5 | 6 | 7 | 8 | 9 | 10 | 11 | 12 |

○ 귀점정(鬼點汀)

한해~두해살이풀. 높이 5~30cm. 뿌리잎은 모여나며 주걱형, 줄기잎은 어긋나고 타원형이다. 꽃은 담청색 또는 백색, 지름 2~3mm, 4~9월에 핀다. 화관은 통부가 짧으며 후부에 5개의 비늘조각이 있고 5개로 갈라져서 퍼진다. 수술은 5개가 통부에 붙어 있으며, 분과는 달걀 모양이다.

분포 · 생육지 우리나라 제주도, 부산, 경남, 경북. 중국, 일본, 몽골, 타이완, 인도, 중앙아시아. 들에서 자란다.

약용 부위 · 수치 전초를 여름과 가을에 채취하여 물에 씻은 후 말린다.

약물명 귀점정(鬼點汀). 작령초(雀靈草)라고도 한다.

약효 지해(止咳), 지혈의 효능이 있으므로 해수(咳嗽), 토혈(吐血)을 치료한다.

사용법 귀점정 10g에 물 3컵(600mL)을 넣고 달여서 복용한다.

※ 꼬리 모양으로 말리는 총상화서에 1줄로 꽃이 배열하는 '참꽃받이 *B. secundum*'도 약효가 같다.

○ 꽃받이

[지치과]

약꽃마리

 요로감염　　⤻ 이질

해수

● 학명 : *Cynoglossum officinale* L.　● 별명 : 섬꽃마리

| 1 | 2 | 3 | 4 | 5 | 6 | 7 | 8 | 9 | 10 | 11 | 12 |

○ 약꽃마리(꽃)

두해살이풀. 높이 40~60cm. 뿌리는 원추형, 줄기는 바로 서며 전체에 털이 많고 흑갈색이다. 잎은 어긋나며 긴 타원형, 가장자리가 밋밋하다. 꽃은 적자색, 6~8월에 피고 꽃받침은 5개로 깊게 갈라지며, 수술이 꽃잎 밖으로 길게 나온다. 열매는 달걀 모양이다.

분포 · 생육지 유럽. 들에서 흔하게 자란다.

약용 부위 · 수치 뿌리를 여름과 가을에 채취하여 물에 씻은 후 썰어서 말린다.

약물명 약용도제호(藥用倒提壺)

약효 청열이습(清熱利濕), 지해(止咳), 지혈(止血)의 효능이 있으므로 요로감염, 이질, 해수를 치료한다.

성분 heliosupine *N*-oxide, heliotridine viridiflorate *N*-oxide, choline, heliosupine, echinatrine, viridifloric acid, allantoine 등이 함유되어 있다.

사용법 약용도제호 15g에 물 3컵(600mL)을 넣고 달여서 복용한다.

○ 약꽃마리

[지치과]

에치움

 피부병

● 학명 : *Echium vulgare* L.

| 1 | 2 | 3 | 4 | 5 | 6 | 7 | 8 | 9 | 10 | 11 | 12 |

○ Echii Herba

여러해살이풀. 높이 1m 정도. 줄기는 바로 서며 전체에 털이 많다. 잎은 어긋나며 긴 타원형, 가장자리가 밋밋하다. 꽃은 보라색, 6~8월에 피고 꽃받침은 5개로 깊게 갈라지며, 수술이 꽃잎 밖으로 길게 나온다.

분포 · 생육지 유럽, 터키. 들에서 흔하게 자란다.

약용 부위 · 수치 전초를 여름과 가을에 채취하여 짓찧어 사용한다.

약물명 Echii Herba. 일반적으로는 Viper's bugloss라 한다.

약효 소염의 효능이 있으므로 피부병을 치료한다.

성분 allantoin, cynoglossine 등이 함유되어 있다.

사용법 Echii Herba를 짓찧어 환부에 붙이거나 즙액을 환부에 바른다.

○ 에치움

송양나무

질타종통, 옹창홍종

●학명 : *Ehretia ovalifolia* Hassk.

| 1 | 2 | 3 | 4 | 5 | 6 | 7 | 8 | 9 | 10 | 11 | 12 |

낙엽 소교목. 높이 5~15m. 줄기껍질은 회갈색, 작은가지에 피목이 뚜렷하다. 잎은 어긋나며 타원형, 가장자리가 밋밋하다. 꽃은 백색, 4~5월에 가지 끝이나 잎겨드랑이에 핀다. 열매는 편구형이다.

분포·생육지 우리나라 제주도, 거문도, 남쪽 섬. 중국, 몽골, 타이완, 일본. 산비탈에서 자란다.

약용 부위·수치 줄기를 잘라 심재(心材)를 취하여 썰어서 말린다.

약물명 대강차(大崗茶). 영남백련차(領南白蓮茶), 대홍차(大紅茶)라고도 한다.

약효 산어(散瘀), 소종(消腫), 지통(止痛)의 효능이 있으므로 질타종통(跌打腫痛), 옹창홍종(癰瘡紅腫)을 치료한다.

사용법 대강차 10g에 물 3컵(600mL)을 넣고 달여서 복용하거나, 가루로 만들어 참기름에 섞어 환부에 붙이고 붕대로 싸맨다.

❶ 송양나무(열매)

❶ 송양나무(줄기)

❶ 송양나무

페루지치

타박상　정맥궤양　방광염

●학명 : *Heliotropium peruvianum* L. [*H. arborescens*]　●영명 : Cherry pie heliotrope
●한자명 : 香水木

| 1 | 2 | 3 | 4 | 5 | 6 | 7 | 8 | 9 | 10 | 11 | 12 |

관목. 높이 75~100cm. 줄기는 아치형으로 자란다. 잎은 어긋나며 타원형, 가장자리가 밋밋하며 양 끝이 뾰족하다. 꽃은 자주색, 4~5월에 가지 끝이나 잎겨드랑이에 핀다.

분포·생육지 페루, 브라질, 칠레. 산과 들에서 자라며, 세계 각처에서 재배한다.

약용 부위·수치 지상부를 여름과 가을에 채취하여 썰어서 말린다.

약물명 Heliotropii Herba

약효 소염(消炎)의 효능이 있으므로 타박상, 정맥궤양, 방광염을 치료한다.

사용법 Heliotropii Herba 10g에 물 3컵(600mL)을 넣고 달여서 복용한다.

❶ 페루지치(꽃)

❶ 페루지치

[지치과]

들지치

🔊 구충 구제

● 학명 : *Lappula echinata* (Ledeb.) Guercke ● 별명 : 털개지치

| 1 | 2 | 3 | 4 | 5 | 6 | 7 | 8 | 9 | 10 | 11 | 12 |

여러해살이풀. 높이 30~40cm. 밑에서 가지가 많이 갈라져 곧게 서고, 전체에 거센 털이 많다. 잎은 어긋나며 바늘 모양이다. 꽃은 연한 하늘색, 6월에 꽃이 어긋나게 달리는 총상화서를 이룬다. 꽃받침은 5개로 깊게 갈라지고, 화관도 5개로 갈라지며, 수술은 5개이다. 열매는 분과이고, 뒷면과 가장자리에 두드러기 같은 돌기가 있다.

분포 · 생육지 우리나라 황해 이북, 백두산. 중국, 동시베리아. 산과 들에서 자란다.

약용 부위 · 수치 전초를 여름과 가을에 채취하여 말린다.

약물명 뇌모자(賴毛子)

약효 구충(驅蟲)의 효능이 있으므로 장내 기생충병을 치료한다.

성분 1-*p*-coumaroyl-α-L-rhamnosylpyranose, viridifloric acid, allantoin, shikonin, acetylshikonin, 5-dehydroxyshikonin 등이 함유되어 있다.

사용법 뇌모자 10g에 물 3컵(600mL)을 넣

고 달여서 복용한다. 외용에는 짓찧어 붙이거나 즙액을 바른다.

❶ 들지치(뿌리)

❶ 들지치

[지치과]

개지치

📋 반진, 습진, 화상, 동상   🔊 토혈
👁 육혈   🫘 혈뇨

● 학명 : *Lithospermum arvense* L. [*Buglossoides arvensis*, *Rhytispermum arvensis*]
● 별명 : 들지치

| 1 | 2 | 3 | 4 | 5 | 6 | 7 | 8 | 9 | 10 | 11 | 12 |

❶ 개지치(꽃)

두해살이풀. 높이 20~40cm. 전체에 백색의 강모(剛毛)가 있다. 잎은 어긋나고 바늘 모양이다. 꽃은 백색, 5~6월에 줄기 윗부분의 잎겨드랑이에 피고, 꽃받침과 꽃잎은 5개로 깊게 갈라진다. 열매는 소견과로 달걀 모양, 끝이 둔하다.

분포 · 생육지 우리나라 전역. 인도, 중국, 일본. 산이나 들에서 자란다.

약용 부위 · 수치 열매를 가을에 채취하여 말린다.

약물명 전자초(田紫草). 양제아(羊蹄牙), 지선도(地仙桃)라고도 한다.

약효 양혈활혈(涼血活血), 해독투진(解毒透疹)의 효능이 있으므로 반진(斑疹), 토혈(吐血), 육혈(衄血), 혈뇨(血尿), 습진, 화상, 동상을 치료한다.

성분 caffeic acid, quercetin, isoquercitrin, astragalin, rutoside 등이 함유되어 있다.

약리 열수추출물을 쥐에게 투여하면 정력 증강 작용이 나타난다.

사용법 전자초 4g에 물 2컵(400mL)을 넣고 달여서 복용한다.

❶ 개지치

지치

| 반진, 습진, 화상, 동상 | 토혈 |
| 육혈 | 혈뇨 |

● 학명 : *Lithospermum erythrorhizon* S. et Z.　● 별명 : 지초, 자초

| 1 | 2 | 3 | 4 | 5 | 6 | 7 | 8 | 9 | 10 | 11 | 12 |

여러해살이풀. 높이 30~70cm. 줄기는 곧게 서고, 뿌리는 땅속 깊이 들어가고 굵다. 잎은 어긋나고 바늘 모양이다. 꽃은 백색, 5~6월에 줄기와 가지 끝에 수상화서로 피고, 화관은 끝이 5개로 갈라지고 수평으로 퍼진다. 분과는 회색이며 윤채가 돈다.

분포 · 생육지 우리나라 전역. 중국, 일본, 아무르, 우수리. 산에서 자란다.

약용 부위 · 수치 뿌리를 가을에 채취하여 물에 씻은 후 말린다.

약물명 자근(紫根). 자초근(紫草根), 노자초(老紫草), 경자초(硬紫草)라고도 한다. 자근(紫根)은 대한민국약전(KP)에 수재되어 있다.

본초서 자근(紫根)은 「신농본초경(神農本草經)」의 중품(中品)에 자초(紫草)라는 이름으로 수재되어 있고, 이시진의 「본초강목(本草綱目)」에는 "이 풀은 꽃도 자주색(紫色)이고 뿌리도 자주색(紫色)이므로 자초(紫草)라 하며, 자주색의 염료로도 이용한다."고 하였다. 「동의보감(東醫寶鑑)」에 "황달을 낫게 하고 소변을 잘 나오게 하며 배가 부풀어 올라 그득한 감이 드는 것을 없애 준다. 종기가 벌겋게 부어올라 아프고 가려우며 곪는 것과 병으로 오랜 기간 누워 지내는 환자의 엉덩이나 등에 부스럼이 생기는 것, 버짐, 코끝이 벌겋게 되는 증상과 어린아이의 두창을 낫게 한다."고 하였다.

神農本草經: 主心腹邪氣, 五疸, 補中益氣, 利九竅, 通水道.

藥性論: 能治惡瘡, 疥癬.

本草綱目: 治斑疹痘毒, 活血涼血, 利大腸.

東醫寶鑑: 主五疸 通水道 腹腫脹滿 療惡瘡 瘑癬 面皶 及小兒頭瘡.

기미 · 귀경 한(寒), 고(苦) · 심(心), 간(肝)

약효 양혈활혈(涼血活血), 해독투진(解毒透疹)의 효능이 있으므로 반진(斑疹), 토혈(吐血), 육혈(衄血), 혈뇨(血尿), 습진, 화상, 동상을 치료한다.

성분 shikonin, acetylshikonin, deoxyshikonin, alkanin, isobutylshikonin, β,β-dimethylacrylshikonin, β-hydroxyisovalerylshikonin, tetracrylshikonin 등이 함유되어 있다.

약리 주성분은 shikonin과 acetylshikonin으로 항염증 작용, 창상 치유 효과 및 항종양 작용이 있다. shikonin, acetylshikonin, deoxyshikonin은 farnesyl protein transferase의 활성을 억제한다.

사용법 자근 10g에 물 3컵(600mL)을 넣고 달여서 복용하고, 외용에는 고약으로 만들어 바른다. 공업적으로는 자주색 염료로도 널리 이용한다.

처방 자운고(紫雲膏): 자근(紫根), 당귀(當歸), 돈지(豚脂), 밀랍(蜜蠟), 호마유(胡麻油)를 섞어서 고약으로 만든 것. 화상, 독충에 물린 상처에 사용한다.

＊'몽고지치 *Arnebia euchroma* [*L. euchroma*]'의 뿌리를 자초(紫草) 또는 경자근(硬紫根)이라 하며, 본 종의 뿌리와 약효가 같다고 하나 충분한 검토가 필요하다.

● 자근(紫根)　　　　● 자근(紫根, 절편)

● 지치(뿌리)

● 지치

● 자근(紫根)의 정유. 토혈, 육혈, 혈뇨 치료제　● 자근(紫根)이 함유된 구내염, 설염 치료제

● 자근(紫根)으로 만든 연고. 반진, 습진, 화상, 동상 치료제

[지치과]

반디지치

 위완냉통작창, 범토산수　　타박상
골절

●학명 : *Lithospermum zollingeri* A. DC.　●별명 : 억센털개지치, 깔깔이풀

| 1 | 2 | 3 | 4 | 5 | 6 | 7 | 8 | 9 | 10 | 11 | 12 |

○ 반디지치(뿌리)

여러해살이풀. 높이 20~40cm. 줄기는 가늘고 밑에서 가지가 갈라져 비스듬히 자라며, 뿌리는 가늘고 흑자색이다. 잎은 어긋나고, 꽃은 벽자색, 5~6월에 피고, 꽃받침은 5개, 화관의 지름은 15~18mm이다. 열매는 분과로 백색, 밋밋하고 둥글며 꽃받침 길이의 반이다.

분포·생육지 우리나라 제주도, 전남, 경남 (거제도), 충남(안면도). 중국, 일본, 타이완. 산과 들에서 자란다.

약용 부위·수치 열매를 7~9월에 채취하여 말린다.

약물명 지선도(地仙桃). 마비(馬非)라고도 한다.

약효 온중산한(溫中散寒), 행기활혈(行氣活血), 소종지통(消腫止痛)의 효능이 있으므로 위완냉통작창(胃脘冷痛作脹), 범토산수(泛吐酸水), 타박상, 골절을 치료한다.

성분 rutin, caffeic acid 등이 함유되어 있다.

사용법 지선도 5g에 물 2컵(400mL)을 넣고 달여서 복용하고, 외용에는 고약으로 만들어 바른다.

＊ '지치', '개지치'에 비하여 줄기 밑쪽에서 기는가지를 내고, 꽃은 크며 벽자색이다.

○ 반디지치

[지치과]

모래지치

 임파결핵

●학명 : *Messerschmidia sibirica* L.　●별명 : 갯모래지치

| 1 | 2 | 3 | 4 | 5 | 6 | 7 | 8 | 9 | 10 | 11 | 12 |

○ 모래지치(꽃)

여러해살이풀. 높이 25~35cm. 뿌리줄기를 뻗어서 번식하고 부드러운 털이 많다. 잎은 어긋나고 잎자루가 없다. 꽃은 백색, 5~8월에 피고 꽃받침은 5개이다. 열매는 핵과이며 구형이고 4개의 능선이 있다.

분포·생육지 우리나라 전역. 중국, 일본, 타이완. 바닷가 모래땅에서 자란다.

약용 부위·수치 전초를 여름에 채취하여 물에 씻어서 사용한다.

약물명 사인초(砂引草)

약효 연견산결(軟堅散結)의 효능이 있으므로 임파결핵(淋巴結核)을 치료한다.

사용법 사인초를 짓찧어 환부에 붙이거나, 외용에는 고약으로 만들어 바른다.

○ 모래지치

[지치과]

폐병초

| 기관지천식 | 위장병 |
| 타박상 | 치질 |

● 학명 : *Pulmonaria officinalis* L. ● 영명 : Lungwort
● 한자명 : 肺病草 ● 별명 : 폐병풀

| 1 | 2 | 3 | 4 | 5 | 6 | 7 | 8 | 9 | 10 | 11 | 12 |

여러해살이풀. 높이 30cm 정도. 털이 많고 가시가 있다. 잎은 어긋나고 긴 타원형, 표면에는 백색 점이 드문드문 있고 가장자리는 밋밋하다. 꽃은 적자색, 줄기의 윗부분 잎겨드랑이에 달린다. 꽃받침잎은 5개, 화관의 지름 15~18mm, 분과는 백색, 둥글다.

❶ 폐병초

분포 · 생육지 유럽, 러시아. 세계 각처에서 재배한다.

약용 부위 · 수치 잎을 7~9월에 채취하여 말린다.

약물명 Pulmonariae Folium. 일반적으로는 렁워트(Lungwort)라고 한다.

약효 거담(祛痰)의 효능이 있으므로 기관지천식, 위장병, 타박상, 치질을 치료한다.

성분 mucilage, kaempferol, quercetin, catechol tannins, gallotannins, allantoin 등이 함유되어 있다.

약리 진통 작용은 mucilage, 이뇨 효능을 가진 플라보노이드와 규산 때문이다. allantoin은 화상, 궤양, 습진을 치료하는 효능이 있다.

사용법 Pulmonariae Folium 2~3g을 뜨거운 물로 우려내어 복용하고, 외용에는 고약으로 만들어 바른다.

❶ 폐병초(꽃)

[지치과]

컴프리

| 신체허약 | 빈혈 |
| 간염, 황달, 설사 | 외상출혈 |

● 학명 : *Symphytum officinale* L. ● 별명 : 캄프리

| 1 | 2 | 3 | 4 | 5 | 6 | 7 | 8 | 9 | 10 | 11 | 12 |

여러해살이풀. 높이 60~90cm. 줄기는 곧게 서고 가지가 갈라지며 날개가 약간 있다. 잎은 어긋난다. 꽃은 자주색, 6~7월에 핀다. 화관은 넓은 통 모양으로 윗부분이 종처럼 다소 벌어지며, 수술은 5개로 통부에 붙어 있다. 열매는 4개의 분과로 되며 달걀 모양이다.

분포 · 생육지 유럽 원산. 우리나라 전역에서 재배하는 귀화 식물이다.

약용 부위 · 수치 뿌리 또는 전초를 여름부터 가을까지 채취하여 말린다.

약물명 감부리(甘富利)

약효 보혈(補血), 해수지혈(咳嗽止血)의 효능이 있으므로 신체허약, 빈혈, 간염, 황달, 설사, 외상출혈 등을 치료한다.

성분 allantoin, pyrrolizidine 알칼로이드, rosmarinic acid, consolidine, symphytocynoglossine 등이 함유되어 있다.

약리 allantoin과 점액질은 손상된 조직의 재생에 효능이 있다. rosmarinic acid는 항염증 작용이 있다.

사용법 감부리 10g에 물 3컵(600mL)을 넣고 달여서 복용하거나 즙을 내어 복용한다. 외용에는 짓찧어 바르거나 가루로 하여 환부에 뿌린다.

＊건강식품, 음료 등으로 시판되고 있다. pyrrolizidine 알칼로이드는 DNA를 알킬화함으로써 발암성이 될 수 있으므로 오랫동안 사용은 금한다.

❶ 컴프리

❶ 감부리(甘富利)

❶ 감부리(甘富利)로 만든 간염 치료제

[지치과]

꽃마리

 비위허한, 완복냉통

● 학명 : *Trigonotis peduncularis* (Trevur) Bentham ● 별명 : 꽃말이, 꽃따지, 잣냉이

| 1 | 2 | 3 | 4 | 5 | 6 | 7 | 8 | 9 | 10 | 11 | 12 |

두해살이풀. 높이 10~30cm. 밑부분에서 줄기가 갈라져 한곳에서 여러 개가 나온 것 같다. 잎은 어긋나고, 꽃은 청람색, 4~7월에 총상화서를 이루며, 꽃차례는 태엽처럼 풀리면서 자란다. 분과는 윗부분이 뾰족하다.

분포 · 생육지 우리나라 전역. 중국, 일본, 몽골, 유럽. 산과 들에서 자란다.

약용 부위 · 수치 전초를 여름에 채취하여 말린다.

약물명 염장초(艷腸草). 부지채(附地菜), 계장초(鷄腸草)라고도 한다.

약효 온중건위(溫中健胃)의 효능이 있으므로 비위허한(脾胃虛寒), 완복냉통(脘腹冷痛)을 치료한다.

성분 kaempferol, quercetin, trigonotin A, C, astragalin, kaempferol-3-O-α-L-rhamnopyranosy(1→6)-β-D-glucopyranoside, quercetin-3-O-α-L-rhamnopyranosy (1→6)-β-D-glucopyranoside 등이 함유되어 있다.

약리 trigonotin A, C는 DPPH radical 소거 활성에 의하여 항산화 작용이 있다.

사용법 염장초 10g에 물 3컵(600mL)을 넣고 달여서 복용하거나 술에 담가서 복용한다.

＊ 덩굴성인 '덩굴꽃마리 *T. icumae*', 꽃이 작은 '좀꽃마리 *T. coreana*', 꽃은 잎겨드랑이에 달리고 줄기가 비스듬히 서는 '참꽃마리 *T. nakaii*'도 약효가 같다.

❂ 꽃마리

❂ 염장초(艷腸草)

[마편초과]

레몬향나무

 신경장애 　 감기, 천식

소화불량

● 학명 : *Aloysia triphylla* (L'Herit.) Britton [*Lippia citriodora*]
● 영명 : Lemon varbena, Vervain ● 별명 : 레몬바베나

| 1 | 2 | 3 | 4 | 5 | 6 | 7 | 8 | 9 | 10 | 11 | 12 |

상록 관목. 높이 1~1.2m. 식물체에서 강한 레몬향이 난다. 잎은 줄기에 3개씩 돌려 나며 잎자루가 거의 없고, 잎몸은 긴 타원형으로 털이 있고 가장자리에 톱니가 없다.

꽃은 연한 자주색, 7~8월에 잎겨드랑이에 취산화서로 달린다.

분포 · 생육지 남아메리카(아르헨티나, 칠레). 세계 각처에서 재배한다.

약용 부위 · 수치 잎을 여름에 채취하여 적당한 크기로 썰어서 말린다.

약물명 Lemon varbena 또는 Vervain이라고 한다.

약효 해열, 진경, 진정, 건위의 효능이 있으므로 신경장애, 감기, 천식, 소화불량을 치료한다.

성분 monoterpene(borneol, limonene, geraniol, nerol), sesquiterpene(caryophyllene, curcumene, myrcenene, isovalerianic acid), apigenin, luteolin, eupafolin, hispidulin, eupatorin, salvigenin 등이 함유되어 있다.

사용법 Lemon varbena 1~2g을 뜨거운 물로 우려내어 복용한다.

❂ 레몬향나무

❂ Lemon varbena로 만든 감기 치료제

[마편초과]

좀작살나무

| 객혈 | 구혈 |
| 육혈, 치은출혈, 편도선염 | 혈뇨 |

●학명 : *Callicarpa dichotoma* (Lour.) K. Koch

| 1 | 2 | 3 | 4 | 5 | 6 | 7 | 8 | 9 | 10 | 11 | 12 |

낙엽 관목. 높이 1.5m 정도. 작은가지는 네모진다. 잎은 마주나고 타원형, 가장자리 윗부분에만 톱니가 있다. 꽃은 연한 자주색, 7~8월에 잎겨드랑이에 취산화서로 달린다. 열매는 둥글며 자주색으로 익는다.
분포·생육지 우리나라 황해도 이남. 중국, 일본, 타이완. 산골짜기의 암석지에서 자란다.

◐ 좀작살나무

[마편초과]

작살나무

| 객혈 | 구혈 |
| 육혈, 치은출혈, 편도선염 | 혈뇨 |

●학명 : *Callicarpa japonica* Thunb.　●별명 : 송금나무

| 1 | 2 | 3 | 4 | 5 | 6 | 7 | 8 | 9 | 10 | 11 | 12 |

낙엽 관목. 높이 2~3m. 작은가지는 둥글며 별 같은 털이 있으나 점차 없어진다. 잎은 마주나고 타원형이다. 꽃은 연한 자주색, 7~8월에 핀다. 열매는 둥글며 지름 4~5mm, 10월에 자주색으로 익는다.
분포·생육지 우리나라 전역. 중국, 일본, 타이완. 산골짜기의 암석지에서 자란다.
약용 부위·수치 잎을 여름에 채취하여 적당한 크기로 썰어서 말린다.
약물명 자주(紫珠). 자형(紫荊), 자주초(紫珠草)라고도 한다.

◐ 자주(紫珠)

◐ 작살나무(열매)

약용 부위·수치 잎을 여름에 채취하여 적당한 크기로 썰어서 말린다.
약물명 Callicarpae Folium
약효 수렴지혈(收斂止血), 청열해독(清熱解毒)의 효능이 있으므로 객혈(喀血), 구혈(嘔血), 육혈(衄血), 치은출혈(齒齦出血), 혈뇨(血尿), 편도선염을 치료한다.
＊기타 사항은 '작살나무'와 같다.

◐ 좀작살나무(열매)

◐ Callicarpae Folium

약효 수렴지혈(收斂止血), 청열해독(清熱解毒)의 효능이 있으므로 객혈(喀血), 구혈(嘔血), 육혈(衄血), 치은출혈(齒齦出血), 혈뇨(血尿), 편도선염을 치료한다.
성분 3,5,7,4ʹ-tetramethoxyflavone, 3,5,7,3ʹ,4ʹ-pentamethoxyflavone, 5-hydorxy-3,4,7,3ʹ-tetramethoxyflavone, 3,4,7,3ʹ-tetramethoxy-flavone, ursolic acid, 2α,3α-dihydroxyurs-12-en-28-oic acid 등이 함유되어 있다.
약리 잎의 메탄올추출물은 황색 포도상구균, 대장균에 항균 작용이 있다.

사용법 자주 10g에 물 3컵(600mL)을 넣고 달여서 복용하고, 외용에는 분말로 하여 바른다.
＊본 종에 비하여 잎의 길이가 10~20cm로 길고 두껍고 윤채가 도는 '왕작살나무 var. *luxurians*'도 약효가 같다.

◐ 작살나무

[마편초과]

누린내풀

감모두통
해수, 백일해
림프샘염

●학명 : *Caryopteris divaricata* (S. et Z.) Max. ●별명 : 노린재풀, 구렁내풀

1	2	3	4	5	6	7	8	9	10	11	12

여러해살이풀. 높이 1m 정도. 줄기는 곧게 서고 네모지며 냄새가 강하다. 잎은 마주나고, 꽃은 자주색, 7~8월에 취산화서로 피며, 화관은 윗부분이 2개로 갈라져서 벌어지고, 수술은 길게 꽃 밖으로 나온다. 열매는 4개로 갈라지고 종자는 달걀 모양, 그물같은 무늬와 선점이 있다.

분포·생육지 우리나라 경기, 강원 이남. 중국, 일본. 산기슭에서 자란다.

약용 부위·수치 전초를 여름에 채취하여 적당한 크기로 썰어서 말린다.

약물명 화골단(化骨丹)

약효 해열(解熱), 지해(止咳)의 효능이 있으므로 감모두통(感冒頭痛), 해수(咳嗽), 백일해, 림프샘염을 치료한다.

사용법 화골단 10g에 물 3컵(600mL)을 넣고 달여서 복용한다.

❍ 누린내풀(꽃)

❍ 누린내풀

❍ 화골단(化骨丹)

❍ 누린내풀(잎)

[마편초과]

층꽃풀

감모발열
풍습비통
백일해, 만성기관지염
월경불순

●학명 : *Caryopteris incana* (Thunb.) Miquel ●별명 : 층꽃나무

1	2	3	4	5	6	7	8	9	10	11	12

여러해살이풀. 높이 30~60cm. 줄기는 곧게 서고 밑부분이 목질이며 전체에 잔털이 있다. 잎은 마주나고 뒷면은 회색이다. 꽃은 하늘색이 도는 자주색, 7~8월에 윗부분의 잎겨드랑이에 취산화서로 많이 모여 달려 층계처럼 보인다. 열매는 달걀 모양이다.

분포·생육지 우리나라 전남, 경남(부산, 청도), 남쪽 섬. 중국, 일본, 타이완. 산과 들에서 자란다.

약용 부위·수치 전초를 여름과 가을에 채취하여 적당한 크기로 썰어서 말린다.

약물명 난향초(蘭香草). 석장군(石將軍), 자라구(紫羅毬)라고도 한다.

약효 거풍(祛風), 제습(除濕), 지해(止咳), 산어(散瘀)의 효능이 있으므로 감모발열(感冒發熱), 풍습비통(風濕痺痛), 백일해, 만성기관지염, 월경불순을 치료한다.

성분 flavonoid, alkaloid, phenol, tannin 등이 함유되어 있다.

약리 황색 포도상구균, 디프테리아균, 적리균에 항균 작용이 있으며, 암모니아수 자극으로 일으킨 쥐의 만성기관지염에는 지해(止咳) 작용이 있다.

사용법 난향초 10g에 물 3컵(600mL)을 넣고 달여서 복용하거나 술에 담가서 복용한다. 외용에는 달인 액으로 씻는다.

❍ 층꽃풀(꽃이 피기 전)

❍ 난향초(蘭香草)

❍ 층꽃풀(흰 꽃)

❍ 층꽃풀

[마편초과]

취목단

감모발열	이질
객혈	옹저

●학명 : *Clerodendrum bungei* Steud. [*C. foetidum*]　●한자명 : 臭牡丹

`1` `2` `3` `4` `5` `6` `7` `8` `9` `10` `11` `12`

관목. 높이 2m 정도. 식물체로부터 냄새가 강하게 난다. 잎은 마주나고 잎자루는 길이 5~10cm이다. 꽃은 8~9월에 새 가지 끝에 취산화서로 피며, 꽃받침은 붉은색으로 5개로 깊게 갈라진다. 열매는 둥글며 지름 6~8mm로 10월에 남자색으로 익는다.

분포 · 생육지 중국, 타이완. 산기슭이나 골짜기에서 자란다.

약용 부위 · 수치 가지와 잎을 여름에 채취하여 말린다.

약물명 취목단(臭牡丹). 취팔보(臭八寶), 대홍포(大紅袍)라고도 한다.

약효 청열해독(淸熱解毒), 양혈지혈(涼血止血)의 효능이 있으므로 감모발열, 이질, 객혈, 옹저(癰疽)를 치료한다.

성분 clerodendrin A, B, clerodendrinin A, B, acacetin-7-glucoglucuronide 등이 함유되어 있다.

사용법 취목단 15g에 물 3컵(600mL)을 넣고 달여서 복용한다. 외용에는 달인 액으로 씻는다.

❍ 취목단(꽃)

❍ 취목단

[마편초과]

붉은누리장나무

심계실면	치창출혈
편두통	옹종창독

●학명 : *Clerodendrum japonicum* (Thunb.) Sweet　●한자명 : 赬桐

`1` `2` `3` `4` `5` `6` `7` `8` `9` `10` `11` `12`

낙엽 관목. 높이 2~4m. 작은가지는 네모지고 속이 비어 있다. 잎은 마주나고 심장형, 끝은 점차 뾰족해지고 가장자리에 작은 톱니가 있다. 꽃은 붉은색, 5~11월에 새 가지 끝에 취산화서로 핀다. 열매는 둥글며 지름 8~10mm로 10월에 남자색으로 익는다.

분포 · 생육지 중국, 타이완, 인도, 인도네시아. 산골짜기나 들에서 자란다.

약용 부위 · 수치 꽃 또는 잎을 여름에 채취하여 말린다.

약물명 꽃을 하포화(荷苞花)라 하며, 정동화(赬桐花)라고도 한다. 잎을 정동엽(赬桐葉)이라고 한다.

약효 하포화(荷苞花)는 안신지혈(安神止血)의 효능이 있으므로 심계실면(心悸失眠), 치창출혈(痔瘡出血)을 치료한다. 정동엽(赬桐葉)은 거풍산어(祛風散瘀), 해독소종(解毒消腫)의 효능이 있으므로 편두통, 옹종창독(擁腫瘡毒)을 치료한다.

사용법 하포화 15g에 물 3컵(600mL)을 넣고 달여서 복용하거나 술에 담가서 복용한다. 정동엽은 짓찧어서 환부에 붙이고 붕대로 싸맨다.

❍ 붉은누리장나무(꽃과 잎)

❍ 붉은누리장나무

[마편초과]

삼태화

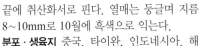
습열이질　풍습열비
혈어통경　인후통

●학명 : *Clerodendrum serratum* L.　●한자명 : 三台花

| 1 | 2 | 3 | 4 | 5 | 6 | 7 | 8 | 9 | 10 | 11 | 12 |

낙엽 관목. 높이 2~4m. 줄기껍질은 회황색이다. 잎은 마주나거나 3개가 돌려나고, 끝은 점차 뾰족해지고 가장자리에 톱니가 있다. 꽃은 담자색, 8~9월에 새 가지 끝에 취산화서로 핀다. 열매는 둥글며 지름 8~10mm로 10월에 흑색으로 익는다.

분포 · 생육지 중국, 타이완, 인도네시아. 해발 600~1,700m의 산기슭이나 골짜기에서 자란다.

약용 부위 · 수치 뿌리껍질을 여름에 채취하여 말린다.

약물명 삼태홍화(三台紅花), 삼다(三多), 대라산(大羅山), 대상산(大常山)이라고도 한다.

약효 청열이습(淸熱利濕), 산어지통(散瘀止痛), 해독소종(解毒消腫)의 효능이 있으므로 습열이질(濕熱痢疾), 풍습열비(風濕熱痺), 혈어통경(血瘀痛經), 인후통을 치료한다.

성분 luteolin-7-*O*-β-D-glucoside, α-spinasterol, luteolin, apigenin, baicalein, scutellarein, 6-hydroxyluteolin, caffeic acid, ferulic acid 등이 함유되어 있다.

사용법 삼태홍화 10g에 물 3컵(600mL)을 넣고 달여서 복용하거나 술에 담가서 복용한다. 외용에는 달인 액으로 씻는다.

❶ 삼태화

❶ 삼태화(열매)

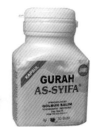
❶ 삼태홍화(三台紅花)로 만든 감기, 이질, 인후통 치료제

[마편초과]

용토주

만성중이염　타박상

❶ 용토주(흰 꽃)

●학명 : *Clerodendrum thomsoniae* Balf.　●한자명 : 龍吐珠

| 1 | 2 | 3 | 4 | 5 | 6 | 7 | 8 | 9 | 10 | 11 | 12 |

낙엽 관목. 높이 2~5m. 줄기껍질은 회황색이다. 잎은 마주나고 끝이 점차 뾰족해지고 가장자리에 톱니가 있다. 꽃은 적자색, 7~11월에 새 가지 끝에 취산화서로 핀다. 열매는 둥글며 흑갈색으로 익는다.

분포 · 생육지 중국, 인도, 타이완, 인도네시아. 산기슭이나 들에서 자란다.

약용 부위 · 수치 잎, 가지, 꽃 등을 여름에 채취하여 말린다.

약물명 구룡토주(九龍吐珠)

약효 해독의 효능이 있으므로 만성중이염, 타박상을 치료한다.

성분 melittoside, 8-*O*-acetylharpagide, aucubin, reptoside, ajugoside, 8-*O*-acetylmioporoside 등이 함유되어 있다.

사용법 구룡토주 10g에 물 3컵(600mL)을 넣고 달여서 복용한다. 외용에는 짓찧어 환부에 붙여 붕대로 감싼다.

❶ 용토주

누리장나무

옹저, 정창, 습진, 단독	유옹	풍습비통
치창	치통	두풍통	완복창통

● 학명 : *Clerodendrum trichotomum* Thunb.
● 한자명 : 海州常山　● 별명 : 노나무, 개나무, 구릿대나무, 개똥나무

| 1 | 2 | 3 | 4 | 5 | 6 | 7 | 8 | 9 | 10 | 11 | 12 |

낙엽 관목. 높이 2m 정도. 줄기껍질은 회색이다. 잎은 마주나고, 꽃은 8~9월에 새 가지 끝에 취산화서로 핀다. 열매는 둥글고 지름 6~8mm, 10월에 청자색으로 익으며 붉은색의 꽃받침으로 싸여 있다가 나출된다.

분포 · 생육지 우리나라 중부 이남. 중국, 일본, 타이완. 산기슭이나 골짜기에서 자란다.

약용 부위 · 수치 가지와 잎을 여름에 채취하여 썰어서 말린다. 열매를 가을에 채취하여 말리고, 뿌리는 수시로 채취하여 물에 씻은 후 썰어서 말린다.

약물명 가지와 잎을 취오동(臭梧桐)이라 하며, 취동(臭桐), 취부용(臭芙蓉)이라고도 한다. 열매를 취오동자(臭梧桐子), 뿌리를 취오동근(臭梧桐根)이라 한다.

약효 취오동(臭梧桐)은 해독소종(解毒消腫), 거풍습(祛風濕), 강혈압(降血壓)의 효능이 있으므로 옹저(癰疽), 정창(疔瘡), 유옹(乳癰), 치창(痔瘡), 습진, 단독(丹毒)을 치료한다. 취오동자(臭梧桐子)는 거풍지통(祛風止痛), 평천(平喘)의 효능이 있으므로 풍습비통(風濕痺痛), 치통을 치료한다. 취오동근(臭梧桐根)은 거풍지통(祛風止痛), 행기소식(行氣消食)의 효능이 있으므로 두풍통(頭風痛), 풍습비통(風濕痺痛), 완복창통(脘腹脹痛)을 치료한다.

성분 취오동(臭梧桐)은 clerodendrin A, B, clerodendrinin A, B, acacetin-7-glucoglucuronide 등이 함유되어 있다. 꽃은 acteoside, martynoside, leucoceptoside A, isoacteoside, neohancoside A 등이 함유되어 있다.

약리 취오동(臭梧桐)의 열수추출물은 쥐, 토끼, 개에 대한 실험에서 혈압을 하강하고, 진정, 진통 작용이 나타난다. 취오동자(臭梧桐子)의 메탄올추출물은 황색 포도상구균, 대장균에 항균 작용이 있다.

사용법 취오동, 취오동자 또는 취오동근 10g에 물 3컵(600mL)을 넣고 달여서 복용하거나, 술에 담가서 복용한다.
＊잎이 심장형이고 끝이 길게 뾰족하며 꽃차례가 짧은 '섬누리장나무 var. *esculentum*'도 약효가 같다.

❶ 누리장나무

❶ 취오동(臭梧桐)

❶ 취오동(臭梧桐)

❶ 취오동근(臭梧桐根, 채집품)

❶ 취오동자(臭梧桐子)

❶ 누리장나무(열매)

❶ 누리장나무(뿌리)

마영단

폐로객혈		복통토사
습진, 옹종창독, 개선, 피부염		음양

● 학명 : *Lantana camara* L. ● 한자명 : 馬纓丹 ● 별명 : 란타나

1	2	3	4	5	6	7	8	9	10	11	12

낙엽 관목. 높이 1~2m. 줄기와 가지는 네
모지고 냄새가 많이 난다. 잎은 마주나고
길이 3~9cm, 너비 2~5cm, 가장자리는
톱니가 있으며, 잎자루는 길이 1cm이다.
꽃은 분홍색, 붉은색 등 다양하고 잎겨드랑
이에 취산화서로 핀다. 열매는 원구형이다.

분포·생육지 열대 아메리카 원산. 우리나
라 전역에서 재배한다.

약용 부위·수치 꽃 또는 잎을 여름에 채취
하여 말린다.

약물명 꽃을 오색매(五色梅)라 하며, 용선화
(龍船花), 산대단(山大丹)이라고도 한다. 잎
은 오색매엽(五色梅葉)이라 하며, 취금봉엽
(臭金鳳葉)이라고도 한다.

약효 오색매(五色梅)는 청열(淸熱), 지혈(止
血)의 효능이 있으므로 폐로객혈(肺癆喀血),
복통토사(腹痛吐瀉), 습진, 음양(陰痒)을 치
료한다. 오색매엽(五色梅葉)은 청열해독(淸
熱解毒), 거풍지양(祛風止痒)의 효능이 있으
므로 옹종창독(癰腫瘡毒), 습진, 개선(疥癬),
피부염을 치료한다.

사용법 오색매는 2g을 뜨거운 물에 우려내
어 복용하고, 습진, 음양(陰痒)에는 신선한
꽃을 짓이겨 환부를 씻는다. 오색매엽은 15g
에 물 3컵(600mL)을 넣고 달여서 복용하고
습진 등 피부염에는 오색매와 같이 한다.

❶ 마영단(붉은색 꽃)

❶ 꽃(분홍색 꽃)

❶ 오색매(五色梅)

❶ 오색매엽(五色梅葉)

멕시코마편초

당뇨병		해수
소화불량		

● 학명 : *Lippia dulcis* Rue. ● 영명 : Mexican lippia

1	2	3	4	5	6	7	8	9	10	11	12

여러해살이풀. 높이 30cm 정도. 잎은 마주
나고 타원형으로 가장자리에 굵은 톱니가
있으며 잎자루가 있다. 꽃은 백색, 잎겨드
랑이에 취산화서로 핀다.

분포·생육지 라틴 아메리카 원산. 멕시코,
과테말라, 브라질, 파나마. 산과 들에서 자
란다.

약용 부위·수치 잎을 여름에 채취하여 말
린다.

약물명 Lippiae Herba. 일반적으로 Mexican
lippia라고 한다.

약효 청열정혈(淸熱靜血)의 효능이 있으므
로 당뇨병, 해수(咳嗽), 소화불량을 치료
한다.

사용법 Lippiae Herba 10g에 물 3컵(600
mL)을 넣고 달여서 복용한다.

❶ Lippiae Herba로 만든 건강 차

❶ 멕시코마편초

[마편초과]

가마편

 열림, 석림, 백탁　　풍습골통

담낭염

●학명 : *Stachytarpheta jamaicensis* (L.) Vahl [*S. indica*]　●한자명 : 假馬鞭

| 1 | 2 | 3 | 4 | 5 | 6 | 7 | 8 | 9 | 10 | 11 | 12 |

여러해살이풀. 높이 1~2m. 줄기와 가지는 네모진다. 잎은 마주나고 가장자리는 톱니가 있다. 꽃은 남자색, 잎겨드랑이에 수상화서로 피며 끝이 5개로 갈라진다. 열매는 2분과이다.

분포·생육지 인도, 인도네시아, 중국, 아프리카. 해발 300~500m의 햇볕이 들고 습기가 있는 곳에서 자란다.

약용 부위·수치 지상부를 여름이나 가을에 채취하여 썰어서 말린다.

약물명 옥룡편(玉龍鞭), 옥랑편(玉郎鞭), 대란초(大蘭草), 만능초(萬能草)라고도 한다.

약효 청열이습(淸熱利濕), 해독소종(解毒消腫)의 효능이 있으므로 열림(熱淋), 석림(石淋), 백탁(白濁), 풍습골통(風濕骨痛), 담낭염을 치료한다.

성분 choline, iridoid, phenolic acid, chlorogenic acid, catechruric tannin, 6-hydroxy-luteolin-7-glucuronide, luteolin-7-glucuronide 등이 함유되어 있다.

약리 물로 달인 액은 쥐의 회장을 수축시키며, 토끼의 심장을 흥분시키고 혈관을 확장시킨다.

사용법 옥룡편 15g에 물 3컵(600mL)을 넣고 달여서 복용한다.

❍ 가마편

❍ 옥룡편(玉龍鞭)

[마편초과]

유목

 오심, 구토　　 풍진소양

●학명 : *Tectona grandis* L. f.　●한자명 : 柚木　●별명 : 티크

| 1 | 2 | 3 | 4 | 5 | 6 | 7 | 8 | 9 | 10 | 11 | 12 |

낙엽 교목. 높이 40m 정도. 작은가지는 네모진다. 잎은 마주나고 가장자리에 톱니가 없다. 꽃은 백색, 원추화서로 피며 끝이 6개로 갈라진다. 열매는 2분과이다.

분포·생육지 인도, 중국, 네팔. 해발 800m의 산골짜기에서 자란다.

약용 부위·수치 가지와 잎을 여름이나 가을에 채취하여 썰어서 말린다.

약물명 자유목(紫柚木)

약효 화중지구(和中止嘔), 거풍지양(祛風止痒)의 효능이 있으므로 오심(惡心), 구토, 풍진소양(風疹瘙痒)을 치료한다.

성분 잎은 tectograndinol, tectograndone, 종자는 carpic acid, lauric acid, myristic acid, palmitic acid, 뿌리는 lapachol, mujistin, dehydro-α-lapachone, β-lapachone, teceoquinone, obtusifolin, betulinic acid 등이 함유되어 있다.

약리 lapachol 150mg/kg을 쥐에게 4일간 투여하면 항암 작용을 보인다.

사용법 자유목 15g에 물 3컵(600mL)을 넣고 달여서 복용한다.

❍ 유목(열매)

❍ 유목

[마편초과]

마편초

 감모발열 인후종통, 치주염
황달, 이질 혈어경폐 피부병

● 학명 : *Verbena officinalis* L. ● 별명 : 말초리풀

여러해살이풀. 높이 30~60cm. 줄기는 곧게 서고 네모지며, 밑부분은 목질화되고 가지가 많이 갈라진다. 잎은 마주나고, 꽃은 7~8월에 피며 담자색, 화관은 위에서 한쪽으로 굽으며, 수술은 4개가 화관 속에 붙는다. 열매는 분과로 4개이다.

분포·생육지 우리나라 제주도, 전남북, 경남 및 남쪽 해안. 중국, 일본, 타이완, 아시아, 유럽, 아프리카. 들에서 자란다.

약용 부위·수치 전초를 여름과 가을에 채취하여 적당한 크기로 썰어서 말린다.

약물명 마편초(馬鞭草). 마편(馬鞭), 구아초(狗牙草)라고도 한다. 대한민국약전외한약(생약)규격집(KHP)에 수재되어 있다.

본초서 마편초(馬鞭草)는 「명의별록(名醫別錄)」의 하품(下品)에 처음 수재되었다. 소경(蘇敬)은 "꽃이삭(穗)이 말의 채찍을 닮았으므로 마편초(馬鞭草)라 한다."고 하였다. 「동의보감(東醫寶鑑)」에 "징벽(癥癖, 나쁜 기운이 몰려 옆구리가 아픈 병증)과 아랫배에 피가 몰리면서 점점 커지는 증상 및 오래된 학질을 낫게 한다. 피가 뭉친 것을 풀어 주고 생리를 순조롭게 한다. 촌충과 회충을 구제하며, 음부에 벌레가 파먹은 것처럼 헌데를 아물게 한다."고 하였다.

東醫寶鑑: 主癥癖 血瘕久瘧 破血 通月經 殺蟲 良治下部䘌.

성상 지상부로 줄기는 네모지고, 표면은 회녹색이고 세로 주름이 있으며 털이 있다. 잎은 마주나고, 꽃은 수상화서이다. 냄새는 특이하고 맛은 쓰다.

기미·귀경 미한(微寒), 고(苦), 신(辛)·간(肝), 비(脾)

약효 청열해독(淸熱解毒), 활혈통경(活血通經), 이수소종(利水消腫), 재학(裁瘧)의 효능이 있으므로 감모발열(感冒發熱), 인후종통(咽喉腫痛), 황달, 이질, 혈어경폐(血瘀經閉), 치주염 및 피부병을 치료한다.

성분 verbenalin(cornin), hastatoside, artemetin, aucubin, verbascoside 등이 함유되어 있다.

약리 열수와 에탄올추출물은 토끼 대상 실험에서 소염 작용이 있고, verbenalin은 토끼 대상 실험에서 혈액 응고 촉진 작용이 있다. verbenalin은 소량에서는 말초 교감 신경을 흥분시키고 대량에서는 억제한다. 70%메탄올추출물은 혈압에 관여하는 angiotensin converting enzyme의 활성을 저해한다.

사용법 마편초 10g에 물 3컵(600mL)을 넣고 달여서 복용하고, 외용에는 짓찧어 바르거나 씻는다.

❶ 마편초(꽃)

❶ 마편초(잎)

❶ 마편초(馬鞭草)

❶ 마편초

[마편초과]

서양목형

 월경불순, 유방염, 유즙부족

●학명 : *Vitex agnus-castus* L. ●영명 : Chaste tree ●별명 : 이탈리아목형

| 1 | 2 | 3 | 4 | 5 | 6 | 7 | 8 | 9 | 10 | 11 | 12 |

낙엽 관목. 높이 2~3m. 잎은 마주나고 7~9개의 작은잎으로 구성되며 작은잎은 바늘 모양, 가지 끝의 잎은 3개이다. 꽃은 자주색, 7~9월에 피며, 화관은 표면에 털이 있고, 수술은 화관보다 길게 나온다. 열매는 달걀 모양, 적갈색으로 익는다.

분포 · 생육지 유럽, 지중해 연안. 산기슭 바위 주변에서 자란다.

약용 부위 · 수치 열매를 가을에 채취하여 말린다.

약물명 Vitecis Fructus

약효 소염의 효능이 있으므로 월경불순, 유방염, 유즙부족을 치료한다.

성분 agnuside, aucubin, casticin, penduletin, chrysospenol-D, vitexlactone, rotundifurane 등이 함유되어 있다.

❶ Vitecis Fructus로 만든 생리통, 유방염 치료제

❶ Vitecis Fructus

❶ 서양목형(잎에 거치가 없다.)

사용법 Vitecis Fructus 10g에 물 3컵(600mL)을 넣고 달여서 복용한다.

＊수도원에서 성욕 억제제로 사용하였다고 한다.

❶ 서양목형

[마편초과]

좀목형

해수기천, 감기　위통, 복통, 설사
산기통　풍진소양　각기

●학명 : *Vitex cannabifolia* S. et Z. [*V. negundo* var. *cannabifolia*] ●별명 : 애기순비기나무

| 1 | 2 | 3 | 4 | 5 | 6 | 7 | 8 | 9 | 10 | 11 | 12 |

낙엽 관목. 높이 3m 정도. 잎은 마주난다. 꽃은 자주색, 7~9월에 가지 끝부분의 잎겨드랑이에 달린다. 꽃받침잎은 통 모양이고 털이 있으며, 화관은 표면에 털이 있고 수술은 화관보다 길게 나온다.

분포 · 생육지 우리나라 경남북, 경기. 중국. 산기슭 바위 곁에서 자란다.

약용 부위 · 수치 열매를 가을에, 잎과 줄기를 여름에 채취하여 말린다.

약물명 열매를 모형자(牡荊子), 잎을 모형엽(牡荊葉), 줄기를 모형경(牡荊莖)이라 한다.

기미 · 귀경 모형자(牡荊子): 온(溫), 신(辛), 고(苦) · 폐(肺), 위(胃), 간(肝)

약효 모형자(牡荊子)는 화습거담(化濕祛痰), 지해평천(止咳平喘)의 효능이 있으므로 해수기천(咳嗽氣喘), 위통, 산기통(疝氣痛)을 치료한다. 모형엽(牡荊葉)은 해표화습(解表化濕), 거담평천(祛痰平喘), 해독의 효능이 있으므로 상풍감모(傷風感冒), 위통, 복통, 설사, 풍진소양(風疹瘙痒)을 치료한다. 모형경(牡荊莖)은 거풍해표(祛風解表), 소종지통(消腫止痛)의 효능이 있으므로 감기, 후비(喉痺), 각기를 치료한다.

성분 모형자(牡荊子)에는 syringic acid, vanillic acid, vitexlignan, palmitic acid, stearic acid, oleic acid, linoleic acid 등이 함유되어 있다. 모형엽(牡荊葉)은 β-caryophyllene, α-thujene, sabinene, pinene, camphene, myrcene, α-phellandrene, *p*-cymene, bornyl acetate, β-bisbolene,

β-eudesmol 등이 함유되어 있다.

약리 모형자(牡荊子) 또는 모형엽(牡荊葉)을 물로 달인 액은 쥐를 사용한 동물 실험에서 평천(平喘) 작용, 거담 작용, 진해(鎭咳) 작용이 나타난다.

사용법 모형자, 모형엽 또는 모형경 10g에 물 3컵(600mL)을 넣고 달여서 복용하거나 술에 담가서 복용한다. 외용에는 달인 액으로 씻거나 양치질을 한다.

❶ 좀목형

❶ 모형자(牡荊子)

❶ 모형경(牡荊莖)

❶ 모형엽(牡荊葉)

❶ 좀목형(꽃)

❶ 좀목형(열매)

[마편초과]

순비기나무

외감풍열, 두혼두통, 편두통 / 치통 / 현기증 / 관절염

● 학명 : Vitex rotundifolia L. fil. ● 별명 : 풍나무, 만형자나무

| 1 | 2 | 3 | 4 | 5 | 6 | 7 | 8 | 9 | 10 | 11 | 12 |

낙엽 관목. 높이 30~50cm. 줄기는 길게 옆으로 벋고, 잎은 마주난다. 꽃은 7~9월에 가지 끝에 원추화서로 달리고, 화관은 벽자색이다. 열매는 원형 또는 달걀 모양, 딱딱하며 지름 5~7mm로 9~10월에 흑자색으로 익는다.

분포·생육지 우리나라 강원, 황해 이남. 중국, 일본, 타이완, 동남아시아, 오스트레일리아. 바닷가에서 자란다.

약용 부위·수치 열매를 가을에 채취하여 말린다.

약물명 만형자(蔓荊子). 만형실(蔓荊實)이라고도 한다. 대한민국약전(KP)에 수재되어 있다.

본초서 「동의보감(東醫寶鑑)」에는 만형실(蔓荊實)이라는 이름으로 수재되어 "바람의 기운으로 인해 머리가 아프고 뇌가 울리고 눈물이 나는 것을 낫게 하고 눈을 밝게 하며 치아를 튼튼하게 한다. 몸에 있는 구규(九竅)를 잘 통하게 하고 수염과 머리카락을 잘 자라게 한다. 습한 기운으로 인해 살이 오그라드는 것을 낫게 하며 촌충과 회충을 구제한다."고 하였다.

東醫寶鑑: 主風頭痛 腦鳴淚出 明目 堅齒 利九竅 長髮 治濕痺拘攣 去白蟲長蟲.

성상 구형으로 지름 0.5~0.6cm, 표면은 회갈색~흑갈색, 부드러운 털이 있고 양 끝에는 꼭지와 꽃받침이 있다. 횡단면에는 4개의 방이 있고, 각 방에는 종자가 1개씩 들어 있다. 냄새는 방향성이고 맛은 약간 맵다.

기미·귀경 미한(微寒), 신(辛), 고(苦)·폐(肺), 간(肝), 위(胃)

약효 소산풍열(疏散風熱), 청리두목(淸利頭目)의 효능이 있으므로 외감풍열(外感風熱), 두혼두통(頭昏頭痛), 편두통, 치통, 눈의 충혈, 현기증, 관절염 등을 치료한다.

성분 vitricin, myristic acid, γ-tocopherol, vitexcarpin(casticin), vitexifolin, vitexilactone, artemetin, vitetrifolin A, B, C, D, E 등이 함유되어 있다.

약리 전초의 50%에탄올추출물은 264.7 세포의 실험 결과 항염증 작용이 있으며, 암세포인 HL60의 증식을 억제한다. 열수추

출물은 항알레르기 작용 및 항염증 작용이 있다.

사용법 만형자 10g에 물 3컵(600mL)을 넣고 달여서 복용하거나 짓찧어 낸 즙을 술에 타서 마신다.

처방 만형자산(蔓荊子散): 만형자(蔓荊子)·복령(茯苓)·감국(甘菊)·전호(前胡)·생지황(生地黃)·맥문동(麥門冬)·상백피(桑白皮)·작약(芍藥)·목통(木桶)·승마(升麻)·감초(甘草) 각 2.8g, 생강(生薑) 3쪽, 대추(大棗) 2알(「동의보감(東醫寶鑑)」). 풍열(風熱)로 귀에서 열이 나고 아프며 고름이 나오고 소리가 나며 잘 들리지 않는 증상에 사용한다.

• 강활유풍탕(羌活愈風湯): 창출(蒼朮)·석고(石膏)·생지황(生地黃) 각 2.4g, 강활(羌活)·방풍(防風)·당귀(當歸)·만형자(蔓荊子)·천궁(川芎), 세신(細辛)·황기(黃耆)·지실(枳實)·인삼(人蔘)·마황(麻黃)·백지(白芷)·감국(甘菊)·박하(薄荷)·구기자(枸杞子)·시호(柴胡)·지모(知母)·독활(獨活)·두충(杜仲)·진교(秦艽)·황금(黃芩)·작약(芍藥)·감초(甘草) 각 1.6g, 육계(肉桂) 0.8g, 생강(生薑) 3쪽(「동의보감(東醫寶鑑)」). 손발이 뻣뻣하고 감각이 둔해지며 팔다리에 힘이 없고 가슴이 답답하며 가래가 끓는 증상에 사용한다.

※ 중국에 분포하는 '세잎순비기나무 V. trifolia'의 열매도 약효가 같다.

● 순비기나무(꽃)

● 순비기나무(열매)

● 세잎순비기나무

● 순비기나무

● 만형자(蔓荊子)

● 순비기나무(바닷가에서 흔하게 자란다. 충남 태안)

[꿀풀과]

배초향

하냉감모　한열두통　수족선
구토설사, 흉완비민　비연

● 학명 : *Agastache rugosa* (Fisch. et Meyer) O. Kuntze　● 방앳잎, 방아잎, 중개풀, 방아풀

| 1 | 2 | 3 | 4 | 5 | 6 | 7 | 8 | 9 | 10 | 11 | 12 |

여러해살이풀. 높이 1~1.5m. 곧게 서고 윗부분에서 가지가 갈라지며 네모진다. 잎은 마주나고, 꽃은 자주색, 7~9월에 윤산화서로 핀다. 꽃잎은 5개로 갈라지며 하순 꽃잎이 크고, 수술은 2개가 길게 밖으로 나온다. 열매는 분과로 달걀 모양이다.

분포 · 생육지 우리나라 전역, 중국, 일본, 타이완, 아무르. 산과 들에서 자란다.

약용 부위 · 수치 전초를 가을에 채취하여 썰어서 말린다.

약물명 곽향(藿香). 토곽향(土藿香), 야곽향(野藿香), 배향초(排香草)라고도 한다. 대한민국약전외한약(생약)규격집(KHP)에 수재되어 있다.

본초서 곽향(藿香)은 「명의별록(名醫別錄)」 상품(上品)의 침향(沈香) 항목에 처음 나타나며, 송나라 「가우본초(嘉祐本草)」에 독립된 항목으로 처음 수재되어 있다. 「본초강목(本草綱目)」에는 "곽향(藿香)은 사각(四角)으로 절(節)이 있으며 가운데가 비어 있다. 잎은 가엽(茄葉)과 비슷하다."고 하였다. 청나라 오기준(吳基濬)의 「식물명실도고(植物名實圖考)」에 수록된 야곽향(野藿香) 그림은 배초향의 형태와 같다. 「동의보감(東醫寶鑑)」에는 "바람이나 물로 인하여 생기는 종기를 낫게 하고 나쁜 기운을 없애며 구토와 설사가 계속되는 것을 그치게 한다. 음식물을 토하거나 구역질을 낫게 하는 데 가장 중요한 약이다."라고 하였다.

名醫別錄 : 去惡氣 止癨亂心腹痛.

珍珠囊 : 脾胃吐逆胃要藥.

湯液本草 : 溫中快氣 肺虛有寒 上焦壅熱 飮酒口臭 煎湯漱.

東醫寶鑑 : 療風水毒腫 去惡氣 止癨亂 治脾胃吐逆 爲最要之藥.

성상 잎이 달린 줄기로 때로는 꽃이삭이 달린 것도 있다. 줄기는 네모이고 지름 3~8mm, 대상으로 분지되어 있다. 잎은 마주나고 쭈그러졌거나 부서져 있지만 물에 적셔 펴보면 완전한 것은 난형~장난형으로 길이 2~8cm, 너비 1~5cm, 표면은 녹색, 뒷면은 엷은 녹색이며, 끝이 뾰족하고 기부는 심장형이고 거치가 있다. 특이한 향기가 있고 맛은 덤덤하며 시원하다.

품질 줄기나 잎이 녹색이며 잎이 많고 방향이 강한 것이 좋다.

포제 말린 것을 바람이 잘 통하고 시원한 곳에 저장한다.

기미 · 귀경 미온(微溫), 신(辛) · 비(脾), 위(胃), 폐(肺)

약효 거서해표(袪暑解表), 화습화위(化濕和胃)의 효능이 있으므로 하냉감모(夏冷感冒), 한열두통(寒熱頭痛), 흉완비민(胸脘痞悶), 구토설사, 임신구토, 비연(鼻淵), 수족선(手足癬)을 치료한다.

성분 정유의 주성분은 methylchavicol이고 그 외 anethole, anisaldehyde, α-limonene, p-methoxycinnamaldehyde, α-pinene 등이다.

약리 물로 달인 액은 백선균과 무좀균에 항진균 작용이 있다.

사용법 곽향 5g에 물 2컵(400mL)을 넣고 달여서 복용하거나 알약이나 가루약으로 만들어 사용한다. 외용에는 달인 액을 입에 물고 양치질을 해서 씻거나 약간 구워 바른다. 곽향로(줄기 또는 잎을 증류해서 얻은 방향수)는 60mL를 따뜻하게 하여 복용한다.

처방 곽향정기산(藿香正氣散) : 곽향(藿香) 6g, 소엽(蘇葉) 4g, 백지(白芷) · 대복피(大腹皮) · 복령(茯苓) · 백출(白朮) · 후박(厚朴) · 진피(陳皮) · 반하(半夏) · 길경(桔梗) · 구감초(炙甘草) 각 2g, 생강(生薑) 3쪽, 대추(大棗) 2알 (「동의보감(東醫寶鑑)」). 풍한에 상한 데다 음식을 잘못 먹고 체하여 오슬오슬 춥다가 열이 나면서 머리가 아프고 명치 밑이 불편한 증상에 사용한다.

• 곽향안위산(藿香安胃散) : 진피(陳皮) 20g, 곽향(藿香) · 인삼(人蔘) · 정향(丁香) 각 10g (「동의보감(東醫寶鑑)」). 비위가 허약하여 먹은 것이 잘 내려가지 않고 명치 밑이 불편하며 먹은 것을 게우는 증상에 사용한다.

※ 중국에서는 *Pogostemon cablin* (Blanco) Benth.의 지상부 또는 잎을 광곽향(廣藿香)이라 하여 사용하며, 우리나라에 수입되는 곽향(藿香)도 대부분 이것이다.

❁ 배초향

❁ 배초향(열매)

❁ 곽향(藿香, 신선품)

❁ 곽향(藿香, 절편)

❁ 배초향(잎)

❁ 곽향(藿香)이 함유된 곽향정기산(藿香正氣散)

[꿀풀과]

금창초

🫁 기관지염　🩸 토혈, 적리
👁 인후종통

● 학명 : *Ajuga decumbens* Thunb.　● 별명 : 금란초, 가지조개나물

1	2	3	4	5	6	7	8	9	10	11	12

여러해살이풀. 높이 5~15cm. 뿌리줄기는 짧고 줄기는 사방으로 긴다. 뿌리잎은 방사상으로 퍼지며, 꽃은 짙은 자주색, 5~6월에 잎겨드랑이에 몇 개씩 달린다. 꽃받침은 5개, 화관은 길이 1cm 정도로 윗부분의 것은 반원형이며 중앙부가 오그라들거나 갈라지고 밑부분의 것은 3개로 갈라진다. 4개의 수술 중 2개는 길다.

분포 · 생육지 우리나라 충청도, 경상도, 전라도 및 제주도. 중국, 일본. 산기슭이나 들에서 자란다.

약용 부위 · 수치 전초를 여름 또는 가을에 채취하여 물에 씻어서 말린다.

약물명 백모하고초(白毛夏枯草). 설리청(雪里靑), 견혈청(見血靑)이라고도 한다.

기미 · 귀경 한(寒), 고(苦), 감(甘) · 폐(肺), 간(肝)

약효 청열해독(淸熱解毒), 화담지해(化痰止咳), 양혈산혈(凉血散血)의 효능이 있으므로 기관지염, 토혈(吐血), 적리(赤痢), 인후종통(咽喉腫痛)을 치료한다.

성분 steroid 성분으로 cyasterone, ecdysterone, ajugasterone C, ajugalactone이, flavonoid 성분으로 luteolin 등이 함유되어 있다.

약리 에탄올추출물은 쥐에 대해 지해(止咳) 작용을 하고, 황색 포도상구균, 폐렴균 등에 항균 작용을 한다.

사용법 백모하고초 10g에 물 3컵(600mL)을 넣고 달여서 복용하고 외용에는 짓찧어 바른다.

＊소염 작용이 강하고 꽃이 장미색인 '내장금창초 var. *rosa*'도 약효가 같다.

❍ 금창초

❍ 백모하고초(白毛夏枯草)

❍ 백모하고초(白毛夏枯草)로 만든 건강식품

[꿀풀과]

자란초

🧴 치매 예방

● 학명 : *Ajuga spectabilis* Nakai　● 한자명 : 紫蘭草

1	2	3	4	5	6	7	8	9	10	11	12

여러해살이풀. 높이 50cm 정도. 뿌리줄기는 옆으로 벋고 줄기는 바로 서며, 잎은 마주나고 타원형, 가장자리에 톱니가 성기다. 꽃은 자주색, 6월에 줄기 끝에 조밀하게 핀다.

분포 · 생육지 우리나라 전역. 산속 음지에서 자란다.

약용 부위 · 수치 전초를 여름 또는 가을에 채취하여 물에 씻어서 말린다.

약물명 자란초(紫蘭草)

약효 동물 실험 결과 자란초의 에탄올추출물이 ROS의 생성을 억제하고 세포 생존률을 증가시킴에 따라 신경 세포 손상을 억제하거나 보호하므로 치매 예방에 도움을 준다.

성분 luteolin-5-*O*-β-D-glucopyranoside 등이 함유되어 있다.

약리 luteolin-5-*O*-β-D-glucopyranoside 는 H_2O_2로 유도되는 산화적 스트레스 상태에서 ROS 생성을 억제하고 세포 생존률을 증가시킴에 따라 신경 세포 손상을 억제하거나 보호한다.

사용법 자란초 10g에 물 3컵(600mL)을 넣고 달여서 복용한다.

❍ 자란초(紫蘭草)

❍ 자란초(뿌리)

❍ 자란초

❍ 자란초(지리산, 덕유산, 계룡산 등 음지에서 군생한다.)

[꿀풀과]

조개나물

| 폐렴, 기관지염 | 급성담낭염, 간염, 이질 |
| 편도선염 | 매독 |

● 학명 : *Ajuga multiflora* Bunge

| 1 | 2 | 3 | 4 | 5 | 6 | 7 | 8 | 9 | 10 | 11 | 12 |

여러해살이풀. 높이 20~30cm. 줄기는 곧게 서고 백색의 긴 털이 많다. 잎은 마주나며 타원형이다. 꽃은 벽자색, 5~6월에 잎겨드랑이에 윤산화서로 달린다. 꽃받침은 통형, 5개로 갈라지고, 화관은 2개로 갈라지며 밑부분의 것이 다시 3개로 갈라진다. 수술은 2개가 크고, 분과는 편구형으로 꽃받침에 싸여 있다.

분포 · 생육지 우리나라 전역. 중국, 일본, 아무르, 우수리, 일본. 들에서 자란다.
약용 부위 · 수치 전초를 여름 또는 가을에 채취하여 흙을 털어서 말린다.
약물명 다화근골초(多花筋骨草)
약효 소염, 양혈(凉血), 접골의 효능이 있으므로 폐렴, 기관지염, 급성담낭염, 간염, 편도선염, 이질, 매독을 치료한다.
성분 harpagide, 8-*O*-acetylharpagide, ajugoside, ajugol 등이 함유되어 있다.
사용법 다화근골초 10g에 물 3컵(600mL)을 넣고 달여서 복용하고 외용에는 짓찧어 바른다.

❍ 조개나물

❍ 조개나물(꽃)

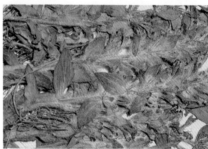

❍ 다화근골초(多花筋骨草)

[꿀풀과]

서양조개나물

| 내출혈, 위궤양 | 폐렴 |
| 출혈성 치질 | |

● 학명 : *Ajuga reptans* L.   ● 영명 : Commonbugle

| 1 | 2 | 3 | 4 | 5 | 6 | 7 | 8 | 9 | 10 | 11 | 12 |

여러해살이풀. 높이 20~30cm. 땅속줄기는 옆으로 벋으며. 꽃대는 곧게 선다. 잎은 마주나고 잎자루가 없다. 꽃은 벽자색, 5~6월에 잎겨드랑이에 윤산화서로 달린다. 분과는 편구형으로 꽃받침에 싸여 있다.
분포 · 생육지 유럽, 남아메리카. 들에서 자란다.
약용 부위 · 수치 전초를 여름 또는 가을에 채취하여 물에 씻은 후 말린다.
약물명 Ajugae Herba
약효 소염, 양혈(凉血)의 효능이 있으므로 내출혈, 위궤양, 폐렴, 출혈성 치질을 치료한다.
사용법 Ajugae Herba 10g에 물 3컵(600mL)을 넣고 달여서 복용하고, 치질에는 달인 액을 복용하고 짓찧어 낸 즙액을 바른다.

❍ 서양조개나물(꽃대가 나오기 전)

❍ 서양조개나물

[꿀풀과]

개차즈기

감기　두통　인통
마진불출, 담마진, 피부소양

● 학명 : *Amethystea caerulea* L. ● 별명 : 개차즈개, 개차조기, 보랏빛차즈기

| 1 | 2 | 3 | 4 | 5 | 6 | 7 | 8 | 9 | 10 | 11 | 12 |

한해살이풀. 높이 30~80cm. 줄기는 곧게 서고 가지가 갈라지며 네모진다. 마디에만 털이 있고 흑자색이 돈다. 잎은 마주나고, 꽃은 하늘색, 8~9월에 핀다. 화관은 길이 4mm 정도로 4개로 갈라지며, 첫째 갈라진 조각이 다른 것보다 크고 2개의 수술과 1개의 암술이 꽃 밖으로 길게 나온다. 분과는 달걀 모양, 그물 같은 무늬가 있다.

분포 · 생육지 우리나라 전역. 중국, 일본, 아무르, 우수리, 몽골, 시베리아. 산과 들에서 자란다.

약용 부위 · 수치 전초를 여름 또는 가을에 채취하여 흙을 털어서 말린다.

약물명 수자침(水刺針)

기미 · 귀경 평(平), 신(辛) · 폐(肺)

약효 거풍해표(祛風解表), 투진(透疹)의 효능이 있으므로 감기, 두통, 인통(咽痛), 마진불출(麻疹不出), 담마진(蕁麻疹), 피부소양(皮膚瘙痒)을 치료한다.

사용법 수자침 10g에 물 3컵(600mL)을 넣

고 달여서 복용하고 외용에는 짓찧어 바른다.

※ '조개나물 *Ajuga multiflora*'과 '개곽향 *Teucrium japonicum*'에 비하여 잎이 깃 조각으로 갈라지고 수술이 2개이며 화관이 4개로 갈라진다.

❍ 수자침(水刺針)

❍ 개차즈기

[꿀풀과]

고박하

신경장애　불면증
위경련

● 학명 : *Ballota nigra* L. ● 영명 : Black horehound ● 한자명 : 苦薄荷
● 별명 : 검은하지초

| 1 | 2 | 3 | 4 | 5 | 6 | 7 | 8 | 9 | 10 | 11 | 12 |

❍ 고박하(꽃)

여러해살이풀. 높이 1m 정도. 줄기는 곧게 서고 전체에 백색 털이 많으며 자주색을 띤다. 잎은 마주나고 타원형, 가장자리에 톱니가 있다. 꽃은 담자색으로 가지를 따라 무리 지어 피며, 잎겨드랑이에 윤산화서로 달린다. 꽃받침은 통형이며 5개로 갈라지고, 화관은 2개로 갈라진다.

분포 · 생육지 유럽, 아시아, 북아메리카. 들에서 자란다.

약용 부위 · 수치 꽃봉오리를 여름에 채취하여 말린다.

약물명 고박하(苦薄荷). 야생박하(野生薄荷), Black horehound라고도 한다.

약효 진경(鎭痙), 진정(鎭靜)의 효능이 있으므로 신경장애(神經障碍), 불면증, 위경련을 치료한다.

성분 ballotenol, ballotinone, 7α-acetoxy-marrubiin, preleosibirin 등이 함유되어 있다.

사용법 고박하 1~2g을 따뜻한 물로 우려내어 복용하거나, 25%농축액을 에탄올과 1:1로 섞은 것을 1회 1mL씩 복용한다.

❍ 고박하

[꿀풀과]

층층이꽃

🫁 감기	🌀 급성담낭염, 간염, 장염, 이질
♀ 유선염	🩹 피부염, 타박상, 옹종

● 학명 : Clinopodium chinense (Benth.) O. Kuntze var. parviflorum (Kudo) Hara
● 별명 : 층꽃, 층층꽃

1	2	3	4	5	6	7	8	9	10	11	12

여러해살이풀. 높이 15~40cm. 전체에 짧은 털이 있고, 줄기는 밑부분이 약간 옆으로 자라다가 곧게 선다. 잎 가장자리에는 털이 있다. 꽃은 연한 붉은색, 7~8월에 원줄기와 가지 끝에 층층으로 달리고 소포(小苞)는 선형이며 소화경보다 길고 퍼진 털이 나 있다.

분포 · 생육지 우리나라 전역. 중국, 일본. 산과 들에서 자란다.

약용 부위 · 수치 전초를 여름 또는 가을에 채취하여 흙을 털어서 말린다.

약물명 풍륜채(風輪菜), 봉와초(蜂窩草), 절절초(節節草), 구층탑(九層塔)이라고도 한다.

약효 소풍(消風), 청열(淸熱), 해독, 소종(消腫)의 효능이 있으므로 감기, 서체(暑滯), 급성담낭염, 간염, 장염, 이질, 유선염(乳腺炎), 피부염, 타박상, 옹종(癰腫)을 치료한다.

성분 clinoposide, didymin, hesperidin, apigenin, isosakuranelin, ursolic acid 등이 함유되어 있다.

약리 토끼의 귀 주변에 상처를 내고 풍륜채(風輪菜) 가루를 바르면 지혈 작용이 대조군에 비하여 빠르게 나타나고, 열수추출물은 황색 포도상구균에 항균 작용을 나타낸다.

사용법 풍륜채 5g에 물 2컵(400mL)을 넣고 달여서 복용하고, 외용에는 짓찧어 바른다.

＊ 꽃받침에 선모(腺毛)가 있고 잎이 좁은 '산층층이 var. shibetchense', 꽃이 크고 소포는 작으며 꽃받침에 선모가 있는 '두메층층이 C. micranthum'도 약효가 같다.

❶ 층층이꽃

❶ 풍륜채(風輪菜)

[꿀풀과]

애기탑꽃

💊 감기두통	🌀 장염
♀ 급성유선염, 혈붕	🩹 타박상, 담마진

● 학명 : Clinopodium gracile (Benth.) O. Kuntze

1	2	3	4	5	6	7	8	9	10	11	12

여러해살이풀. 높이 15~30cm. 줄기는 비스듬히 서서 가지가 갈라지며, 잎은 마주 나고 길이 1~3cm이다. 꽃은 연한 붉은색, 6~8월에 피며 화관은 길이 5~6mm, 꽃받침은 길이 3.5~4mm로 짧은 털이 있다.

분포 · 생육지 우리나라 전역. 중국, 일본, 타이완, 말레이시아, 인도. 산지에서 자란다.

약용 부위 · 수치 전초를 여름 또는 가을에 채취하여 물에 씻어서 말린다.

약물명 전도초(剪刀草), 옥여의(玉如意), 야박하(野薄荷), 야향초(野香草)라고도 한다.

약효 거풍청열(祛風淸熱), 산어소종(散瘀消腫)의 효능이 있으므로 감기두통, 장염, 급성유선염, 타박상, 혈붕(血崩), 담마진(蕁麻疹)을 치료한다.

사용법 전도초 10g에 물 3컵(600mL)을 넣고 달여서 복용하고, 외용에는 짓찧어 바른다.

＊ 잎 가장자리에 털이 없고 꽃이 백색이며 길이가 8~9mm인 '탑꽃 var. multicaule'도 약효가 같다.

❶ 애기탑꽃

❶ 전도초(剪刀草)

[꿀풀과]

소오채소

🔲 창양종독

● 학명 : *Coleus pumilus* Blanco [*C. scutellarioides* var. *crispipilus*]
● 한자명 : 小五彩蘇

| 1 | 2 | 3 | 4 | 5 | 6 | 7 | 8 | 9 | 10 | 11 | 12 |

● 소오채소(잎)

여러해살이풀. 높이 20~30cm. 줄기는 자주색을 띠며, 잎은 마주나고 자주색 또는 자갈색으로 변이가 심하다. 꽃은 연한 적자색, 5~7월에 피며, 열매는 넓은 달걀 모양이다.

분포 · 생육지 중국 윈난성(雲南省) 서남부. 산골짜기에서 자란다.

약용 부위 · 수치 전초를 여름부터 가을에 채취하여 물에 씻어서 말리거나 생으로 사용한다.

약물명 소오채소(小五彩蘇). 양자소(洋紫蘇), 금이환(金耳環), 오색초(五色草)라고도 한다.

약효 청열해독(淸熱解毒)의 효능이 있으므로 창양종독(瘡瘍腫毒)을 치료한다.

사용법 소오채소를 짓찧어 환부에 즙액을 바르거나 붙이고 붕대로 싸맨다.

● 소오채소

[꿀풀과]

수려화파화

🔲 열독혈리 🔲 골절
🔲 외상출혈

● 학명 : *Colquhounia elegans* Wall. ● 한자명 : 秀麗火把花

| 1 | 2 | 3 | 4 | 5 | 6 | 7 | 8 | 9 | 10 | 11 | 12 |

관목. 높이 3m 정도. 잎은 마주나고 타원형, 가장자리에 톱니가 있다. 꽃은 황색 또는 붉은색, 11월에서 다음 해 2월에 잎겨드랑이에 윤산화서로 핀다.

분포 · 생육지 중국 윈난성(雲南省) 남부. 해발 1,000~1,800m의 산에서 자란다.

약용 부위 · 수치 잎을 여름에 채취하여 물에 씻어서 말린다.

약물명 쇄밀화(碎密花). 잡밀화(雜密花)라고도 한다.

약효 해독지리(解毒止痢), 접골지혈(接骨止血)의 효능이 있으므로 열독혈리(熱毒血痢), 골절, 외상출혈을 치료한다.

사용법 쇄밀화 10g에 물 3컵(600mL)을 넣고 달여서 복용하고, 골절과 외상출혈에는 짓찧어 환부에 즙액을 바르거나 붙이고 붕대로 싸맨다.

● 수려화파화

[꿀풀과]

용머리

기관지염　　인후종통
두통

●학명 : *Dracocephalum argunense* Fisch.

| 1 | 2 | 3 | 4 | 5 | 6 | 7 | 8 | 9 | 10 | 11 | 12 |

여러해살이풀. 높이 20~40cm. 잎은 마주 난다. 꽃은 자주색, 6~8월에 핀다. 꽃받침은 중앙까지 5개로 갈라지며, 화관은 양순형이고 꽃밥과 더불어 털이 있다. 통부가 갑자기 굵어지며 상순꽃잎이 약간 오목하고 하순꽃잎이 3개로 갈라지며 자주색 반점이 있다.

분포·생육지 우리나라 경남북, 충북(단양), 강원, 평북, 함남. 중국, 일본, 아무르, 동시베리아. 산과 들에서 자란다.

약용 부위·수치 전초를 여름 또는 가을에 채취하여 물에 씻어서 말린다.

약물명 전엽청란(全葉靑蘭). 광악청란(光萼靑蘭), 청란(靑蘭)이라고도 한다.

약효 거담지해(祛痰止咳), 평천(平喘), 진통의 효능이 있으므로 기관지염, 인후종통(咽喉腫痛), 두통을 치료한다.

사용법 전엽청란 10g에 물 3컵(600mL)을 넣고 달여서 복용하고, 외용에는 짓찧어 바른다.

❂ 전엽청란(全葉靑蘭)

❂ 용머리

❂ 용머리(열매)

[꿀풀과]

벌깨풀

풍습두통　　인통해수
흉강창만

●학명 : *Dracocephalum rupestre* Hance　●별명 : 바위용머리

| 1 | 2 | 3 | 4 | 5 | 6 | 7 | 8 | 9 | 10 | 11 | 12 |

여러해살이풀. 높이 20~30cm. 줄기는 짧은 뿌리줄기에서 모여나고, 잎은 마주나며 잎자루가 짧고 가장자리에 둥근 톱니가 있다. 꽃은 자주색, 7~8월에 원줄기 끝에 조밀하게 달리고, 꽃받침은 중앙까지 5개로 갈라지며 끝이 가시와 비슷하다.

분포·생육지 우리나라 강원(자병산), 백두산. 중국, 몽골. 산과 들에서 자란다.

약용 부위·수치 전초를 여름 또는 가을에 채취하여 물에 씻어서 말린다.

약물명 암청란(巖靑蘭)

약효 소풍청열(疏風淸熱), 양간지혈(凉肝止血)의 효능이 있으므로 풍습두통(風濕頭痛), 인통해수(咽痛咳嗽), 흉강창만(胸腔脹滿)을 치료한다.

사용법 암청란 10g에 물 3컵(600mL)을 넣고 달여서 복용한다.

❂ 벌깨풀(꽃)

❂ 벌깨풀

향유

	하계감모		중서		수종
	설사, 복통, 구토, 하리				각기

● 학명 : *Elsholtzia ciliata* (Thunb.) Hylander ● 별명 : 노야기

| 1 | 2 | 3 | 4 | 5 | 6 | 7 | 8 | 9 | 10 | 11 | 12 |

한해살이풀. 높이 30~60cm. 원줄기는 사각형이고 가지가 많이 갈라지며 향기가 강하다. 잎은 마주나고, 꽃은 홍자색, 8~9월에 한쪽으로 치우쳐서 빽빽하게 달리며, 포는 둥근 부채 같고 자줏빛이 돈다. 꽃받침은 5개로 갈라지고, 화관은 4개로 갈라지며 털이 있다. 수술은 4개이고, 분과는 달걀 모양이다.

분포 · 생육지 우리나라 전역. 중국, 일본, 몽골, 사할린, 유럽. 산에서 자란다.

약용 부위 · 수치 전초를 여름 또는 가을에 채취하여 흙을 털고 적당한 크기로 썰어서 말린다.

약물명 향유(香薷). 토향유(土香薷), 향초두(香草頭), 토박하(土薄荷), 토곽향(土藿香), 야자소(野紫蘇)라고도 한다. 중국에서는 토향유(土香薷)라 한다. 대한민국약전외한약(생약)규격집(KHP)에 수재되어 있다.

본초서 향유(香薷)는 「명의별록(名醫別錄)」의 중품(中品)에 처음 수재되었고, 「본초강목(本草綱目)」에는 "온역에는 술에 담갔다 복용하고 생으로 복용하면 토하게 된다. 쪄서 숙성시킨 것을 복용하면 토하는 것을 멈추게 한다."고 하였다. 「동의보감(東醫寶鑑)」에는 "구토와 설사가 계속되어 배가 아픈 것을 낫게 한다. 몸이 붓는 것을 가라앉히고, 더위 먹은 것과 습한 기운으로 인하여 생기는 병을 낫게 한다. 위장의 기운을 따뜻하게 하고 가슴이 답답하고 열이 나는 것을 풀어 준다."고 하였다.

東醫寶鑑: 主霍亂腹痛吐下 散水腫 消暑濕 煖胃氣 除煩熱.

성상 가늘고 네모진 줄기에 긴 타원형~난형의 잎이 마주나며, 잎 끝은 뾰족하고 가장자리에 톱니가 있으며 줄기 끝에 꽃대가 있다. 줄기 길이는 20~50cm, 잎 길이 3~10cm, 너비 1~3cm이고, 꽃이삭 길이 3~10cm, 지름 5~10mm이다. 표면은 회녹색~황록색이며, 꽃은 적자색~적갈색이고 짧은 흰 털이 있다. 특이한 방향이 있고 맛은 시원하고 맵다.

기미 · 귀경 미온(微溫), 신(辛) · 비(脾), 위(胃), 폐(肺).

약효 발한해서(發汗解暑), 화습이뇨(化濕利尿)의 효능이 있으므로 하계감모(夏季感冒), 중서(中暑), 설사, 오한무한(惡寒無汗), 복통, 구토, 하리(下痢), 수종, 각기를 치료한다.

성분 정유가 함유되어 있고 주성분은 elsholt-ziaketone이고, *p*-cymene, cavacrol, fluoranthene 등으로 구성된다. 이외에 5-hydroxy-6,7-dimethoxyflavone, 5-hydroxy-7,8-dimethoxyflavone, 5,7-dihydroxy-4′-methoxyflavone, acacetin-7-*O*-β-D-glucopyranoside, daucosterol 등이 함유되어 있다.

약리 에탄올추출물은 염증을 제거하며 진통작용이 있다. fluoranthene은 UV 조사 하에서 모기 바이러스인 Sindbis와 쥐의 거대세포 바이러스에 억제 작용을 보인다. 정유(精油)는 콜린에스테라제의 활성을 억제한다.

사용법 향유 10g에 물 3컵(600mL)을 넣고 달여서 복용한다.

처방 향유음(香薷飮): 생강(生薑) 120g, 향유(香薷) 15g, 모과(木瓜) 1개 (「향약집성방(鄕藥集成方)」). 곽란을 앓고 난 뒤에 위기(胃氣)가 허하여 명치 밑이 그득하고 답답하면서 편안히 누워 있지 못하는 증상에 사용한다.

• 향유탕(香薷湯): 향유(香薷) 12g, 후박(厚朴) · 백편두(白扁豆) · 백출(白朮) · 복령(茯苓) · 감초(甘草) 각 6g (「향약집성방(鄕藥集成方)」). 더위를 먹어 게우고 설사하는 증상에 사용한다.

※ 꽃이 붉은색이고 꽃차례 길이가 3~5cm인 '꽃향유 E. splendens'도 약효가 같다. 중국에서는 'E. haichowensis'의 전초를 강향유(江香薷), 'Mosla chinensis'의 전초를 향유(香薷) 또는 청향유(淸香薷)라 하여 사용한다.

● 향유

● 꽃향유

● 향유를 기원으로 하는 향유(香薷)

● 향유(香薷)로 만든 피부병 치료제

● 꽃향유를 기원으로 하는 향유(香薷)

[꿀풀과]

광방풍

 감기　 풍습비통

습진

●학명 : *Epimeredi indica* (L.) Rothm. [*Anisomeles indica*]　●한자명 : 廣防風

| 1 | 2 | 3 | 4 | 5 | 6 | 7 | 8 | 9 | 10 | 11 | 12 |

❶ 광방풍(꽃)

여러해살이풀. 높이 2m 정도. 줄기는 바로 서며 네모진다. 잎은 마주나며 타원형, 가장자리에 톱니가 있다. 꽃은 연한 자주색, 8~9월에 잎겨드랑이에 달리며, 꽃받침은 중앙까지 5개로 갈라진다. 소견과는 구형이며 흑색으로 익는다.

분포 · 생육지 인도, 타이완, 중국 저장성(浙江省), 푸젠성(福建省), 후난성(湖南省). 산과 들에서 산다.

약용 부위 · 수치 지상부를 여름 또는 가을에 채취하여 물에 씻어서 말린다.

약물명 낙마의(落馬衣). 마의엽(馬衣葉)이라고도 한다.

약효 거풍습(祛風濕), 소창양(消瘡瘍)의 효능이 있으므로 감기, 풍습비통(風濕痺痛), 습진을 치료한다.

사용법 낙마의 10g에 물 3컵(600mL)을 넣고 달여서 복용한다.

❶ 광방풍

[꿀풀과]

털향유

 목적종통, 예장　 창양

●학명 : *Galeopsis bifida* Boenn.　●별명 : 털광대수염, 큰광대수염

| 1 | 2 | 3 | 4 | 5 | 6 | 7 | 8 | 9 | 10 | 11 | 12 |

한해살이풀. 높이 25~50cm. 전체에 강모가 빽빽이 난다. 줄기는 네모지고, 잎은 마주나며 가장자리에 톱니가 있다. 꽃은 분홍색, 6~8월에 줄기의 마디에 달린다. 꽃받침은 중앙까지 5개로 갈라지며, 화관은 양순형(兩脣形)으로 중간 정도까지 갈라진다.

분포 · 생육지 우리나라 금강산 이북. 중국. 산지의 습한 곳에서 자란다.

약용 부위 · 수치 지상부를 여름 또는 가을에 채취하여 물에 씻어서 말린다.

약물명 유판화(鼬瓣花). 호병화(壺瓶花)라고도 한다.

약효 청열해독(淸熱解毒), 명목퇴예(明目退翳)의 효능이 있으므로 목적종통(目赤腫痛), 예장(翳障), 창양(瘡瘍)을 치료한다.

사용법 유판화 7g에 물 2컵(400mL)을 넣고 달여서 복용한다.

❶ 털향유

❶ 털향유(꽃)

밭향유

 기관지염, 기침

● 학명 : *Galeopsis segetum* Necker   ● 영명 : Downy hemp-nettle
● 별명 : 가레오프시스

| 1 | 2 | 3 | 4 | 5 | 6 | 7 | 8 | 9 | 10 | 11 | 12 |

여러해살이풀. 높이 40~50cm. 줄기는 네모지고, 잎은 마주나며 잎자루가 있고 가장자리에 톱니가 드문드문 있다. 꽃은 담황색, 6~8월에 줄기의 마디에 달린다. 꽃받침은 중앙까지 5개로 갈라지며, 화관은 양순형이고 하순꽃잎에 2개의 구멍이 있다.

분포 · 생육지 유럽. 밭이나 들에서 자란다.

약용 부위 · 수치 지상부를 여름 또는 가을에 채취하여 물에 씻어서 말린다.

약물명 Galeopsis Herba. 일반적으로 Downy hemp-nettle이라 한다.

약효 거담(祛痰), 수렴(收斂)의 효능이 있으므로 기관지염, 기침을 치료한다.

사용법 Galeopsis Herba 5g을 뜨거운 물로 우려내어 복용한다.

❍ 밭향유

긴병꽃풀

 열림석림   습열황달
창옹종통, 타박상

● 학명 : *Glechoma longituba* (Nakai) Kupr [*G. hederacea* var. *longituba*]
● 별명 : 조선광대수염, 덩굴광대수염, 장군덩이

| 1 | 2 | 3 | 4 | 5 | 6 | 7 | 8 | 9 | 10 | 11 | 12 |

여러해살이풀. 높이 10~20cm. 처음에는 곧게 자라다가 옆으로 벋는다. 잎은 마주나고 원형이다. 꽃은 연한 자주색, 4~5월에 잎겨드랑이에 1~3개씩 달린다. 분과는 꽃받침 안에 들어 있다.

분포 · 생육지 우리나라 전남(광주), 경남(산청, 지리산), 경기(북한산), 황해. 중국, 일본, 시베리아. 산과 들에서 자란다.

약용 부위 · 수치 전초를 가을과 겨울에 채취하여 말린다.

약물명 활혈단(活血丹). 편지향(遍地香), 지전아(地錢兒), 연전초(連錢草), 금전초(金錢草), 동전초(銅錢草)라고도 한다. 대한민국약전외한약(생약)규격집(KHP)에 수재되어 있다.

본초서 활혈단(活血丹)은 「백초경(百草鏡)」에 처음 수재되어 "타박상, 학질, 산후경풍, 두옹(肚癰), 변독(便毒), 치루(痔漏)를 치료한다."고 하였으며, 「본초강목습유(本草綱目拾遺)」에는 "풍을 몰아내고, 습열(濕熱)을 치료한다."고 하였다.

百草鏡: 治跌打損傷 瘧疾 産後驚風 肚癰 便毒 治漏.

本草綱目拾遺: 祛風 治濕熱.

성상 줄기는 가늘고 길고 구부러졌으며 네모지고 길이 10~20cm, 지름 1~2mm이다. 표면은 황록색 또는 적자색, 세로줄과 털이 있다. 마디에는 뿌리가 있으며 속은 가운데가 비어 있다. 잎은 흔히 말려서 오그라졌다. 냄새는 향기롭고 맛은 쓰다.

기미 · 귀경 양(凉), 고(苦), 신(辛) · 간(肝), 담(膽), 방광(膀胱)

약효 이습통림(利濕通淋), 청열해독(淸熱解毒), 산어소종(散瘀消腫)의 효능이 있으므로 열림석림(熱淋石淋), 습열황달(濕熱黃疸), 창옹종통(瘡癰腫痛), 타박상을 치료한다.

성분 정유 0.03% 내외, *l*-minocamphone, *l*-methone, *l*-pulegone, β-pinene, limonene, isomenthone, 1,8-cineole 등, sterol: β-sitosterol, ursolic acid, oleanolic acid 등이 함유되어 있다.

약리 물에 달인 액을 복용하면 소변이 산성으로 되어 알칼리 상태에 있는 결석을 용해하여 배출하는 것으로 생각된다. 물에 달인 액을 복용하면 담즙이 많이 분비되는데, 이것은 담도 괄약근의 연동을 촉진하므로 담즙 분비가 촉진되는 것이다. ursolic acid와 oleanolic acid는 TPA로 유도한 Epstein-Barr 바이러스에 의한 피부암 발생을 억제한다. 메탄올추출물은 *Micrococcus luteus*의 성

장을 억제한다(최소 저지 농도 62.5μg/mL).

사용법 활혈단 5g에 물 2컵(400mL)을 넣고 달여서 복용하거나 알약 또는 술에 담가서 복용하고, 외용에는 짓찧어 바른다. 볼거리에 짓찧어서 붙이면 효과가 있다.

주의 허약 체질의 종양이나 비허(脾虛)로 인하여 설사하는 사람은 복용을 금한다.

❍ 활혈단(活血丹)

❍ 긴병꽃풀(잎)

❍ 긴병꽃풀

[꿀풀과]

조구초

감기 　복통, 소화불량
고혈압

●학명 : *Hyptis rhomboidea* Mart. et Gal. ●한자명 : 弔球草

1 2 3 4 5 6 7 8 9 10 11 12

한해살이풀. 높이 60cm 정도. 줄기는 바로
서며, 밑부분은 목질화된다. 잎은 마주나고
긴 타원형으로 가장자리에 잔톱니가 있다.
꽃은 백색, 총상화서에 두상으로 핀다.
분포 · 생육지 중국 푸젠성(福建省), 광둥성
(廣東省). 북아메리카, 브라질. 산과 들에서
자란다.
약용 부위 · 수치 잎을 여름에 채취하여 물에
씻은 후 썰어서 말린다.
약물명 Hyptis Folium
약효 해표이습(解表利濕), 행기산어(行氣散
瘀)의 효능이 있으므로 감기, 복통, 고혈압,
소화불량을 치료한다.
사용법 Hyptis Folium 10g에 물 3컵(600
mL)을 넣고 달여서 복용한다.

❶ 조구초

[꿀풀과]

산향

감기 　풍습비통
습진

●학명 : *Hyptis suaveolens* (L.) Poit. ●한자명 : 山香, 香苦草

1 2 3 4 5 6 7 8 9 10 11 12

❶ 산향(꽃)

한해살이풀. 높이 1.5m 정도. 줄기는 바로
서며, 잎은 마주나고 원심형, 가장자리에
잔톱니가 있다. 꽃은 남색, 사시사철 잎겨
드랑이에 취산화서로 핀다. 소견과는 달걀
모양으로 암갈색으로 익는다.
분포 · 생육지 중국 푸젠성(福建省), 광둥성
(廣東省), 광시성(廣西省). 인도, 타이완.
산과 들에서 자란다.
약용 부위 · 수치 줄기와 잎을 여름에 채취하
여 물에 씻은 후 썰어서 말린다.
약물명 사백자(蛇百子). 모노호(毛老虎)라
고도 한다.
약효 해표이습(解表利濕), 행기산어(行氣散
瘀)의 효능이 있으므로 감기, 풍습비통(風
濕痺痛), 습진을 치료한다.
성분 fridelin, lupeol, ursolic acid, lupeo-
lacetate 등이 함유되어 있다.
약리 물로 달인 액은 쥐의 회장을 흥분시
킨다.
사용법 사백자 10g에 물 3컵(600mL)을 넣
고 달여서 복용한다.

❶ 산향

[꿀풀과]

히솝

 거담, 기침, 호흡곤란, 천식   치주염, 치통

● 학명 : *Hyssopus officinalis* L.   ● 별명 : 우슬초, 코딱지풀, 코딱지나물, 작은잎꽃수염풀

| 1 | 2 | 3 | 4 | 5 | 6 | 7 | 8 | 9 | 10 | 11 | 12 |

여러해살이풀. 높이 50~60cm. 잎은 마주
나고 타원형, 가장자리에 톱니가 있고 잎
자루가 길다. 꽃은 적자색, 5~7월에 잎겨
드랑이와 줄기 끝에 총상화서로 핀다. 꽃받
침은 5개로 갈라지고, 화관은 통부가 길다.
열매는 분과이다.

분포·생육지 지중해 연안 원산. 중앙아시
아, 유럽, 브라질, 아르헨티나. 산과 들에서
자란다.

약용 부위·수치 전초를 여름에 채취하여 물
에 씻은 후 썰어서 말린다.

약물명 Hissopi Herba. Hissopo라고도 한다.

약효 거담, 기침, 호흡곤란, 경련성 천식,
응혈, 치주염, 치통을 치료한다.

사용법 Hissopi Herba 10g에 물 3컵(600
mL)을 넣고 달여서 복용한다. 유럽에서는
체중을 줄이기 위하여 꽃 20g에 물 800mL
를 넣고 달여서 수시로 마시기도 한다.

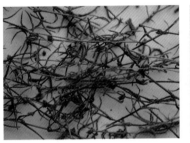
✿ Hissopi Herba

✿ 히솝(꽃이 진 뒤)

✿ 히솝 정유

✿ 히솝

[꿀풀과]

왜광대수염

폐열해혈   혈림, 혈뇨   토혈
월경부조, 붕루, 대하   종독

● 학명 : *Lamium album* L.   ● 별명 : 산광대, 꽃수염풀

| 1 | 2 | 3 | 4 | 5 | 6 | 7 | 8 | 9 | 10 | 11 | 12 |

여러해살이풀. 높이 30~60cm. 줄기는 곧
게 서고 네모지며 전체에 털이 많다. 잎은
마주나고 긴 타원형이다. 꽃은 연한 붉은색
또는 백색, 5~6월에 핀다. 꽃받침은 5개로
갈라지고, 화관은 상순꽃잎이 앞으로 굽으
며 하순꽃잎은 밑으로 넓게 퍼지고, 암술은
1개이다. 분과는 3개의 능선이 있고 길이
3mm 정도로 도란형이다.

분포·생육지 우리나라 전남, 경남, 강원,
평북, 함남, 함북. 중국, 몽골, 히말라야,
러시아. 산지의 그늘진 곳에서 자란다.

약용 부위·수치 전초를 여름에 채취하여 물
에 씻은 후 잘라서 말린다.

약물명 야지마(野芝麻), 백화익모초(白花益

母草), 백화채(白花菜), 흡흡초(吸吸草)라고
도 한다.

본초서 「식물명실도고(植物名實圖考)」에 처
음 수재되었으며 속단(續斷), 백화채(白花
菜)라고 하기도 한다.

약효 양혈지혈(凉血止血), 활혈지통(活血止
痛), 이습소종(利濕消腫)의 효능이 있으므
로 폐열해혈(肺熱咳血), 혈림(血淋), 월경부
조(月經不調), 붕루(崩漏), 토혈(吐血), 혈뇨
(血尿), 대하(帶下), 종독(腫毒)을 치료한다.

성분 flavonoid 성분인 kaempferol-3-*O*-
glucoside, quercimetrin, lamioside, rutin
등과 saponin이 함유되어 있다.

약리 열수추출물은 동맥 및 자궁을 수축시

키므로 자궁출혈에 사용되고, 이 식물에 들
어 있는 saponin은 용혈 작용이 있다.

사용법 야지마 5g에 물 2컵(400mL)을 넣고
달여서 복용하고 외용에는 짓찧어 바른다.

※ 변종인 '광대수염 var. *barbatum*'은 전체
적으로 털이 적고 잎이 달걀 모양이며 꽃은
백색으로 약효가 같다.

✿ 광대수염

✿ 왜광대수염

✿ 야지마(野芝麻)

✿ 유럽에서는 꽃을 근골동통에 사용한다.

✿ 왜광대수염(뿌리)

[꿀풀과]

광대나물

근골동통, 사지마목 타박상, 나력

토혈

● 학명 : *Lamium amplexicaule* L. ● 별명 : 코딱지풀, 코딱지나물, 작은잎꽃수염풀

1 2 3 4 5 6 7 8 9 10 11 12

한해~두해살이풀. 높이 10~30cm. 잎은 마주나고 둥근 심장형이다. 꽃은 홍자색, 4~5월에 잎겨드랑이에서 여러 개가 나와 돌려난다. 꽃받침은 5개로 갈라지고 잔털이 있으며, 화관은 통부가 길다. 열매는 분과로 3개의 능선이 있고 도란형이며 전체에 백색 반점이 있다.

분포 · 생육지 우리나라 전역. 중국, 일본, 아무르, 몽골, 시베리아, 유럽. 밭이나 길가에서 자란다.

약용 부위 · 수치 전초를 여름에 채취하여 흙을 털어서 적당한 크기로 잘라 말린다.

약물명 보개초(寶蓋草), 접골초(接骨草), 진주련(珍珠蓮)이라고도 한다.

약효 활혈통락(活血通絡), 해독소종(解毒消腫)의 효능이 있으므로 근골동통(筋骨疼痛), 사지마목(四肢麻木), 타박상, 나력(瘰癧), 토혈(吐血)을 치료한다.

성분 laminoside, lamiol, lamiide, ipolamiide 등이 함유되어 있다.

사용법 보개초 10g에 물 3컵(600mL)을 넣고 달여서 복용하고, 외용에는 짓찧어 바른다.

＊'광대수염'에 비하여 작고 잎이 2가지이며 화관 안쪽에 털의 고리가 없다.

❶ 광대나물

❶ 보개초(寶蓋草)

[꿀풀과]

라벤더

두통 두훈

구설생창, 인후홍종 풍진, 개선

● 학명 : *Lavandula angustifolia* Mill. [*L. officinalis*] ● 영명 : Lavender

1 2 3 4 5 6 7 8 9 10 11 12

상록 관목. 줄기는 가지가 갈라지고 털이 약간 있다. 잎은 다닥다닥 모여나고 바늘 모양, 길이 3~5cm, 너비 0.4~0.5cm, 끝은 뾰족하고 가장자리는 밋밋하다. 꽃은 5~6월에 가지 끝에 윤산화서로 피며 6~10개가 달린다. 소견과는 4개이며 광활하다.

분포 · 생육지 지중해 연안 원산. 우리나라 전역에서 재배한다.

약용 부위 · 수치 꽃 또는 전초를 여름에 채취하여 물에 씻은 후 말린다.

약물명 훈의초(薰衣草)

약효 청열해독(淸熱解毒), 산풍지양(散風止痒)의 효능이 있으므로 두통, 두훈(頭暈), 구설생창(口舌生瘡), 인후홍종(咽喉紅腫), 풍진(風疹), 개선(疥癬)을 치료한다.

성분 linaloyl acetate, linalool, *cis*-β-ocimene, *trans*-β-ocimene, camphor, 1,8-cineole 등이 함유되어 있다.

약리 정유 성분들은 생체막과 상호 작용을 하고, ion channel 운송과 수용체의 활성을 변경시킨다. 이렇게 함으로써 진정 작용, 진경 작용, 항균 작용을 나타낸다.

사용법 훈의초 5g에 물 2컵(400mL)을 넣고 달여서 복용한다.

＊ 붉은색 꽃이 피는 '베라라벤더 *L. vera*'도 약효가 같다.

❶ 라벤더

❶ 라벤더(꽃)

❶ 훈의초(薰衣草, 꽃)

❶ 훈의초(薰衣草, 전초)

❶ 라벤더 정유

❶ 훈의초(薰衣草)는 민간에서 두통과 인후염 치료에 이용한다.

❶ 라벤더꽃 차

[꿀풀과]

치아라벤더

요로염, 방광염	황달
편두통	류머티즘

❂ 치아라벤더(잎)

● 학명 : *Lavandula dentata* L. [*L. pinnata, L. santolinifolia*]   ● 영명 : Dentata lavender

1 2 3 4 5 6 7 8 9 10 11 12

상록 관목. 높이 1.5m 정도. 줄기는 바로 서고 털이 약간 있다. 잎은 다닥다닥 모여 나고 바늘 모양, 가장자리에 치아 같은 톱 니가 있다. 꽃은 연한 붉은색, 5~6월에 가 지 끝에 윤산화서로 달린다.

분포·생육지 지중해 연안, 북아프리카, 남 아메리카. 세계 각처에서 재배한다.

약용 부위·수치 꽃을 여름에 채취하여 물에 씻은 후 말린다.

약물명 Lavandulae Dentatae Flos

약효 소염, 방부, 살균의 효능이 있으므로 요로염, 방광염, 황달, 편두통, 류머티즘을 치료한다.

사용법 Lavandulae Dentatae Flos 15g에 물 3컵(600mL)을 넣고 달여서 복용한다.

❂ 치아라벤더

[꿀풀과]

백포라벤더

요로염, 방광염	천식
편두통	통풍

❂ 백포라벤더(꽃)

● 학명 : *Lavandula stoechas* L.   ● 영명 : French lavender

1 2 3 4 5 6 7 8 9 10 11 12

상록 관목. 높이 70~80cm. 줄기는 바로 서고 털이 약간 있다. 잎은 다닥다닥 모여 나고 바늘 모양, 가장자리는 밋밋하다. 꽃 은 연한 자주색, 5~6월에 가지 끝에 윤산 화서로 핀다.

분포·생육지 지중해 연안, 북아프리카, 남 아메리카. 세계 각처에서 재배한다.

약용 부위·수치 꽃을 여름에 채취하여 물에 씻은 후 말린다.

약물명 Lavandulae Stoechas Flos

약효 소염, 방부, 살균의 효능이 있으므로 요로염, 방광염, 천식, 편두통, 통풍을 치료 한다.

사용법 Lavandulae Stoechas Flos 10g에 물 3컵(600mL)을 넣고 달여서 복용한다.

❂ 백포라벤더

[꿀풀과]
서양익모초

	간장염, 소화불량		기관지천식, 후두염
	심계항진		피부염

● 학명 : *Leonurus cardiaca* L.　● 영명 : Common motherwort　● 별명 : 심장익모초

| 1 | 2 | 3 | 4 | 5 | 6 | 7 | 8 | 9 | 10 | 11 | 12 |

❍ 서양익모초

여러해살이풀. 높이 1m 정도. 잎은 마주나고 손바닥 모양, 큰 결각이 4개, 작은 결각이 있고 끝이 날카롭고 잎자루가 길다. 꽃은 5~6월에 잎겨드랑이에 윤산화서로 피며 6~10개가 달린다. 소견과는 4개이다.

분포 · 생육지 유럽 원산. 세계 각처에서 재배한다.

약용 부위 · 수치 전초를 봄과 여름에 채취하여 물에 씻은 후 썰어서 말린다.

약물명 Leonuri Cardiacae Herba

약효 청열해독(淸熱解毒)의 효능이 있으므로 간장염, 소화불량, 기관지천식, 후두염, 심계항진, 피부염을 치료한다.

사용법 Leonuri Cardiacae Herba 5g을 뜨거운 물로 우려내어 복용한다.

❍ Leonuri Cardiacae Herba

❍ 서양익모초로 만든 간장염 치료제

[꿀풀과]
익모초

	산후출혈, 월경불순, 대하, 태루난산, 포의불하, 산후혈훈
	혈뇨
	사혈

● 학명 : *Leonurus japonicus* L.　● 영명 : Motherwort　● 별명 : 임모초, 개방아

| 1 | 2 | 3 | 4 | 5 | 6 | 7 | 8 | 9 | 10 | 11 | 12 |

두해살이풀. 높이 1m 정도. 줄기는 곧게 서고, 뿌리잎은 잎자루가 길며 줄기잎은 마주나고 깊게 갈라진다. 꽃은 연한 적자색, 7~8월에 피며 길이 1~1.2cm, 윗부분의 잎겨드랑이에 몇 개씩 층층으로 달린다. 꽃받침은 5개로 갈라지며, 화관은 아래위 2개로 갈라지며 밑부분의 것이 다시 3개로 갈라지고 붉은색 줄이 있다.

분포 · 생육지 우리나라 전역. 중국, 일본, 인도차이나, 인도, 말레이시아. 들에서 자란다.

약용 부위 · 수치 전초를 여름에 채취하여 흙을 털어 잘라서 말린다. 열매는 가을에 채취하여 말려서 사용한다.

약물명 전초를 익모초(益母草), 열매를 충위자(茺蔚子)라 한다. 익모초는 대한민국약전(KP)에, 충위자는 대한민국약전외한약(생약)규격집(KHP)에 수재되어 있다.

본초서 익모초(益母草)는 「신농본초경(神農本草經)」의 상품(上品)에 수재되어 있다. 「본초강목(本草綱目)」에 "익모초(益母草)를 복용하면 눈이 밝아지고 여자는 아이를 갖게 되며, 산모(産母)를 이롭게 하고 부인병에 자주 쓰는 약초라는 뜻으로 익모초(益母草)라 한다."고 하였다. 충위자(茺蔚子)는 「신농본초경(神農本草經)」의 상품(上品)에 수재되어 있다. 「동의보감(東醫寶鑑)」에는 "구토와 설사가 계속되어 배가 아픈 것을 낫게 한다. 몸이 붓는 것을 가라앉히고, 더위 먹은 것과 습한 기운으로 인하여 생기는 병을 낫게 한다. 위장의 기운을 따뜻하게 하고 가슴이 답답하고 열이 나는 것을 풀어 준다."고 하였다. 또 충위자(茺蔚子)는 "주로 눈을 밝게 하고 정기를 도우며 몸이 붓는 것을 가라앉힌다."고 하였다.

神農本草經: 主隱疹痒, 可作浴湯.

本草衍義補遺: 治産前産後諸疾 行血養血 難産作膏服.

本草蒙筌: 去死胎 安生胎 行瘀血 生新血 治小兒疳痢.

東醫寶鑑: 益母草 主霍亂腹痛吐下 散水腫 消暑濕 煖胃氣 除煩熱.

茺蔚子 主明目 益精諸水氣.

❍ 익모초

❍ 익모초(열매)

성상 익모초(益母草)는 네모난 줄기와 여기에 달린 잎과 꽃으로 이루어진다. 줄기는 길이 30~60cm, 지름 1~5mm이고 황록색~녹갈색을 띠며 흰 짧은 털이 빽빽하다. 줄기의 횡단면은 백색의 커다란 수가 있고 질은 가볍다. 냄새가 조금 나고 맛은 쓰다. 충위자(茺蔚子)는 삼각추 모양, 길이 2~3mm, 지름 1~2mm, 표면은 회갈색, 한쪽은 뾰족하고 다른 쪽은 편평하다. 냄새는 없고 맛은 쓰다.

기미 · 귀경 익모초(益母草): 미한(微寒), 신(辛), 고(苦) · 심(心), 간(肝), 방광(膀胱). 충위자(茺蔚子): 심포(心包), 간(肝)

약효 익모초(益母草)는 활혈(活血), 거어(祛瘀), 조경(調經)의 효능이 있으므로 산후출혈, 월경불순, 태루난산(胎漏難産), 포의불하(胞衣不下), 혈뇨(血尿), 사혈(瀉血), 산후혈훈(産後血暈)을 치료한다. 충위자(茺蔚子)는 활혈(活血), 거어(祛瘀), 조경(調經), 청열(淸熱)의 효능이 있으므로 월경불순, 대하, 산후어혈에 의한 통증을 치료한다.

성분 익모초(益母草)에는 알칼로이드 성분인 leonurine, stachydrine, leonuridine, leonurinine, 4-guanidinobutyric acid, diter-pene인 leosibirin, isoleosibirin, leosibiricin, ballotenol, isoballotenol acetate, pregaleopsin, prehispanolon, 플라보노이드인 rutin, apigenin, luteolin, kaempferol, quercetin, myricetin, 페놀 성분인 gallic acid, syringic acid 등이 함유되어 있다.

약리 익모초(益母草)의 열수추출물은 토끼, 개의 적출 자궁에 흥분 작용이 나타나고, 그 주성분은 leonurine이다. 열수추출물은 phenylephrine으로 유도한 대동맥의 수축력을 강화한다. leonurine은 칼슘 이온의 세포 내 유입과 세포 내 칼슘 이온의 유리를 억제함으로써 대동맥의 혈관 평활근의 긴장을 완화한다. 또 당의 대사 과정에 영향을 주어 혈당 저하 작용을 나타낸다. leonurine을 마취한 개에게 정맥주사하면 일과성으로 혈압 강하가 일어난다. luteolin, kaempferol, quercetin, gallic acid, syringic acid는 항산화 작용이 강하게 나타난다. 70%메탄올추출물은 혈압에 관여하는 angiotensin converting enzyme의 활성을 저해한다. 메탄올추출물은 황색 포도상구균, 대장균에 항균 작용을 한다.

사용법 익모초 또는 충위자 10g에 물 3컵 (600mL)을 넣고 달여서 복용하고, 외용에는 짓찧어 바른다.

처방 익모초환(益母草丸): 익모초(益母草) 추출물 22.5g, 익모초(益母草) 가루 10g, 향부자(香附子) 가루 40g(「약전(藥典)」). 월경불순, 부인들의 갱년기 장애에 사용한다.

• 조경탕(調經湯): 당귀(當歸) · 연호색(延胡索) · 백출(白朮) 각 8g, 향부자(香附子) · 작약(芍藥) · 지황(地黃) 각 4g, 천궁(川芎) · 진피(陳皮) · 목단피(牡丹皮) 각 3.2g, 감초(甘草) 2.4g, 익모초(益母草) 1.2g(「부과옥척(婦科玉尺)」). 월경부조(月經不調), 생리통, 산후통에 사용한다.

• 부익지황환(附益地黃丸): 숙지황(熟地黃) 320g, 향부자(香附子) 200g, 산약(山藥) · 산수유(山茱萸) · 익모초(益母草) · 당귀(當歸) 각 160g, 복령(茯苓) · 목단피(牡丹皮) · 단삼(丹蔘) 각 120g, 택사(澤瀉) · 오수유(吳茱萸) · 육계(肉桂) 각 80g을 알약(오동자 크기)으로 만들어 1회 100알 복용(「방약합편(方藥合編)」). 월경부조(月經不調)로 인한 불임증에 사용한다.

◑ 충위자(茺蔚子)를 채취하기 위하여 수확한 익모초

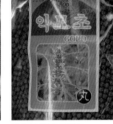
◑ 익모초(益母草)로 만든 환약

◑ 익모초(益母草)

◑ 익모초(益母草, 절편)

◑ 충위자(茺蔚子)

[꿀풀과]

세엽익모초

♀ 산후출혈, 월경불순, 대하, 태루난산, 포의불하, 산후혈훈

👥 혈뇨   ☯ 사혈

● 학명 : *Leonurus sibiricus* L.　　● 영명 : Giant horsetail
● 한자명 : 細葉益母草　　● 별명 : 만주익모초

| 1 | 2 | 3 | 4 | 5 | 6 | 7 | 8 | 9 | 10 | 11 | 12 |

◑ 세엽익모초

한해~두해살이풀. 높이 80cm 정도. '익모초'에 비하여 잎의 조각이 가늘고, 꽃의 지름은 1.5~2cm로 크다.

분포 · 생육지 우리나라 백두산 주변. 중국 내몽골, 허베이성(河北省), 산시성(陝西省), 간쑤성(甘肅省). 산과 들에서 자란다.

약용 부위 · 수치 전초를 여름부터 가을에 걸쳐 채취하여 물에 씻은 후 썰어서 말린다. 열매는 가을에 채취하여 말려서 사용한다.

약물명 전초를 익모초(益母草), 열매를 충위자(茺蔚子)라 한다. 익모초는 대한민국약전(KP)에, 충위자는 대한민국약전외한약(생약)규격집(KHP)에 수재되어 있다.

약효 익모초(益母草)는 활혈(活血), 거어(祛瘀), 조경(調經)의 효능이 있으므로 산후출혈(産後出血), 월경불순, 태루난산(胎漏難産), 포의불하(胞衣不下), 혈뇨, 사혈(瀉血), 산후혈훈(産後血暈)을 치료한다. 충위자(茺蔚子)는 활혈(活血), 거어(祛瘀), 조경(調經), 청열(淸熱)의 효능이 있으므로 월경불순, 대하, 산후어혈에 의한 통증을 치료한다.

사용법 익모초 또는 충위자 10g에 물 3컵(600mL)을 넣고 달여서 복용하고, 외용에는 짓찧어 바른다.

◑ 세엽익모초로 만든 생리통 치료제

[꿀풀과]

송장풀

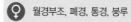 ♀ 월경부조, 폐경, 통경, 붕루

● 학명 : *Leonurus macranthus* Maxim. ● 별명 : 개속단, 개방앳잎, 산익모초

1	2	3	4	5	6	7	8	9	10	11	12

여러해살이풀. 높이 1~1.2m. 전체에 부드러운 털이 있고 줄기는 네모진다. 잎은 마주나고 타원형, 가장자리에 거친 톱니가 있다. 꽃은 엷은 분홍색, 6~9월에 잎겨드랑

❶ 송장풀

이에 윤산화서로 피며 10여 개가 달린다. 소견과는 4개로 길이 2.5mm 정도이다.

분포 · 생육지 우리나라 전역. 중국, 일본, 우수리. 산지에서 자란다.

약용 부위 · 수치 전초를 여름부터 가을에 걸쳐 채취하여 물에 씻은 후 썰어서 말린다.

약물명 참채(塹菜). 누태초(樓台草)라고도 한다.

약효 활혈조경(活血調經), 해독소종(解毒消腫)의 효능이 있으므로 월경부조, 폐경, 통경(痛經), 붕루(崩漏)를 치료한다.

사용법 참채 10g에 물 3컵(600mL)을 넣고 달여서 복용한다.

❶ 참채(塹菜)

[꿀풀과]

쉽싸리

 ♀ 월경폐지, 산후어체 🌙 기허핍력 👥 부종
 🗂 타박상, 옹종 👁 육혈 💧 복통, 토혈, 황달

● 학명 : *Lycopus lucidus* Turcz. [*L. ramossimus* var. *japonica*]
● 별명 : 쉽사리, 쉽싸리, 개조박

1	2	3	4	5	6	7	8	9	10	11	12

여러해살이풀. 높이 1m 정도. 땅속줄기는 백색, 원줄기는 네모진다. 잎은 마주나고, 꽃은 백색, 7~8월에 잎겨드랑이에 많이 모여 달린다. 꽃받침은 길이 3mm 정도, 5개로 갈라지고 화관도 꽃받침과 길이가 비슷하다. 수술은 2개이고 암술대는 꽃 밖으로 나와 2개로 갈라진다.

분포 · 생육지 우리나라 전역. 중국, 일본, 타이완, 아무르, 우수리. 습지에서 자란다.

약용 부위 · 수치 여름에 지상부와 뿌리줄기를 채취하여 흙을 털어 적당한 크기로 잘라서 말린다.

약물명 지상부를 택란(澤蘭)이라 하며, 호란(虎蘭), 수향(水香)이라고도 한다. 뿌리줄기를 지순(地笋)이라 하며, 택란근(澤蘭根), 지과아(地瓜兒), 지과(地瓜), 지순자(地笋子)라고도 한다. 택란은 대한민국약전(KP)에 수재되어 있다.

본초서 택란(澤蘭)은 「신농본초경(神農本草經)」의 상품(上品)에 난초(蘭草)라는 이름으로 수재되어 "이 식물이 연못에서 자라며, 부인들이 머리카락의 윤기(澤)를 내기 위하여 머릿기름으로 사용하였으므로 택란(澤蘭)이라 하게 되었다."고 하였다. 「동의보감(東醫寶鑑)」에 "출산 전후의 여러 질병, 산후 복통을 낫게 하며, 아이를 자주 낳거나 과로하여 피가 부족하고 기력이 쇠약하여 몸이 차가워지며 여윈 것을 낫게 한다. 쇠붙이에 의한 상처와 종기를 아물게 하고 타박상으로 인해 피가 뭉친 것을 풀어 준다."고 하였다.

東醫寶鑑: 主産前後百病 産後腹痛 頻産血氣衰冷 成勞羸瘦及金瘡癰腫 消撲損瘀血.

성상 지상부로 줄기는 네모지고 가지가 많이 갈라지지 않는다. 표면은 녹황색이나 마디 부근은 자주색이 뚜렷하다. 잎은 가장자리에 날카로운 톱니가 있고, 꽃은 마디에 돌려난다. 냄새는 없고 맛은 담담하다.

기미 · 귀경 택란(澤蘭): 미한(微寒), 신(辛) · 고(苦) · 비(脾), 간(肝). 지순(地笋): 평(平), 감(甘), 신(辛)

약효 택란(澤蘭)은 활혈거어(活血祛瘀), 이뇨퇴종(利尿退腫)의 효능이 있으므로 월경폐지, 산후어체(産後瘀滯), 복통, 부종, 타박상, 옹종(癰腫)을 치료한다. 지순(地笋)은 화어지혈(化瘀止血), 익기이수(益氣利水)의 효능이 있으므로 육혈, 토혈(吐血), 산후복통, 황달, 수종(水腫), 대하, 기허핍력(氣虛乏力)을 치료한다.

성분 택란(澤蘭)과 지순(地笋)에는 thymol, caryophyllene, carvacrol, 2,5-dimethoxy-*p*-cymene, spathurenol, betulinic acid 등이 함유되어 있다.

약리 betulinic acid는 여러 종류의 암세포 성장을 저지한다.

사용법 택란은 10g에 물 3컵(600mL)을, 지순은 7g에 물 2컵(400mL)을 넣고 달여서 복용하고, 외용에는 짓찧어 바른다.

처방 택란산(澤蘭散): 택란(澤蘭) · 방기(防己) 동량, 가루로 만들어 8g 복용(「동의보감(東醫寶鑑)」). 산후(産後)에 풍종(風腫)과 수종(水腫)으로 온몸이 붓고 소변 보는 것이 시원하지 않은 증상에 사용한다.

• 택란탕(澤蘭湯): 택란(澤蘭) 8g, 당귀(當歸) · 작약(芍藥) · 감초(甘草) 각 4g(「동의보감(東醫寶鑑)」). 아랫배가 아프면서 생리가 없는 증상에 사용한다.

* 본 종에 비하여 전체가 작고 줄기는 지름이 3mm 이내이며 마디에 털이 없는 '애기쉽싸리 *L. maackianus*', 잎 가장자리에 톱니가 3~4개 있는 '개쉽싸리 *L. ramosissimus*'도 약효가 같다.

❶ 택란(澤蘭)

❂ 쉽싸리

❂ 쉽싸리(뿌리와 뿌리줄기)

❂ 지순(地笋)

❂ 쉽싸리(꽃)

❂ 쉽싸리 재배(습기가 있는 곳에서 잘 자란다. 대전)

[꿀풀과]

흰꽃광대나물

<table>
<tr><td>♀</td><td>월경부조, 산후어체복통</td></tr>
<tr><td>♥</td><td>수종, 혈허두훈</td></tr>
</table>

● 학명 : *Marrubium incisum* Bentham [*Lagopsis supina*]　　● 별명 : 층꽃나물

| 1 | 2 | 3 | 4 | 5 | 6 | 7 | 8 | 9 | 10 | 11 | 12 |

여러해살이풀. 높이 50cm 정도. 줄기는 뿌리로부터 많이 나와 비스듬히 자라며 네모진다. 잎은 마주나고 둥근 타원형, 꽃은 백색 또는 자주색, 5~7월에 잎겨드랑이에서 나오는 꽃대에 조밀하게 많이 핀다. 열매는 소견과이다.

분포 · 생육지 우리나라 안동, 중부 이북. 중국. 밭이나 들에서 자란다.

약용 부위 · 수치 전초를 여름에 채취하여 물에 씻은 후 잘라서 말린다.

약물명 하지초(夏至草), 백화익모(白花益母), 소익모초(小益母草)라고도 한다.

약효 양혈활혈(養血活血), 청열이습(淸熱利濕)의 효능이 있으므로 월경부조, 산후어체복통(産後瘀滯腹痛), 수종, 혈허두훈(血虛頭暈)을 치료한다.

사용법 하지초 10g에 물 3컵(600mL)을 넣고 달여서 복용한다.

❂ 흰꽃광대나물

❂ 흰꽃광대나물(꽃)

[꿀풀과]

흰털박하

소화불량　기관지염

●학명 : *Marrubium vulgare* L.　●영명 : Arrowroot, White horehound　●별명 : 쓴잎박하

| 1 | 2 | 3 | 4 | 5 | 6 | 7 | 8 | 9 | 10 | 11 | 12 |

여러해살이풀. 높이 50cm 정도. 향기가 강하고 줄기는 네모지며, 잎은 마주나고 둥근 타원형, 쭈글쭈글하며 가장자리에 둔한 톱니가 있다. 꽃은 백색, 6~10월에 잎겨드랑이에 나오는 꽃대에 많은 꽃이 조밀하게 피고 긴 털이 있으며, 수술은 2강웅예이다. 열매는 소견과이다.

분포·생육지 지중해, 소아시아. 향료나 약초용으로 여러 나라에서 재배한다.

약용 부위·수치 전초를 여름에 채취하여 물에 씻은 후 잘라서 말린다.

약물명 Marrubii Vulgare Herba. 일반적으로 White horehound라 한다.

약효 소화력을 돋우고 거담의 효능이 있으므로 소화불량, 기관지염을 치료한다.

성분 marrubiin, marrubinic acid, marrubenol, peregrinol, vulgarenol, quercetin, luteolin 등이 함유되어 있다.

약리 marrubiin, marrubinic acid는 담즙 분비를 촉진한다. marrubiin은 기관지 점막을 자극하여 거담 작용을 한다.

사용법 Marrubii Vulgare Herba 1~2g을 뜨거운 물에 우려내어 복용한다.

❶ 흰털박하

❶ 흰털박하로 만든 소화불량, 기관지염 치료제

❶ Marrubii Vulgare Herba

[꿀풀과]

벌깨덩굴

풍한감모　타박상, 창양종독, 독사교상

●학명 : *Meehania urticifolia* Mill.　●별명 : 벌개덩굴

| 1 | 2 | 3 | 4 | 5 | 6 | 7 | 8 | 9 | 10 | 11 | 12 |

여러해살이풀. 향기가 있고 줄기는 네모지며, 꽃대는 바로 서고 높이 15~30cm이다. 꽃이 진 뒤에 가지가 옆으로 벋으면서 마디에서 뿌리를 내려 다음 해에 꽃대를 낸다. 잎은 마주나고 심장형, 가장자리에 둔한 톱니가 있다. 꽃은 자주색, 5~6월에 핀다. 열매는 분과이다.

분포·생육지 우리나라 전역. 중국, 일본, 우수리. 산지 응달에 자란다.

약용 부위·수치 전초를 여름에 채취하여 물에 씻은 후 잘라서 말린다.

약물명 홍자소(紅紫蘇). 수서취(水樨臭)라고도 한다.

약효 발표산한(發表散寒), 소종해서(消腫解暑)의 효능이 있으므로 풍한감모(風寒感冒), 타박상, 창양종독(瘡瘍腫毒), 독사교상(毒蛇咬傷)을 치료한다.

사용법 홍자소 5g에 물 2컵(400mL)을 넣고 달여서 복용하고, 외용에는 짓찧어 바른다.

❶ 홍자소(紅紫蘇)

❶ 벌깨덩굴

[꿀풀과]

향봉화

 신경성소화장애 불면증

● 학명 : *Melissa officinalis* L. ● 별명 : 레몬밤, 향수박하

| 1 | 2 | 3 | 4 | 5 | 6 | 7 | 8 | 9 | 10 | 11 | 12 |

여러해살이풀. 높이 90cm 정도. 향기가 강하고, 줄기는 네모진다. 잎은 마주나고 타원형, 가장자리에 둔한 톱니가 있다. 꽃은 백색, 6~10월에 잎겨드랑이에서 나오는 꽃대에 피고 털이 있으며, 수술은 2강웅예이다. 열매는 분과이다.

분포 · 생육지 지중해, 소아시아. 향료나 약초용으로 여러 나라에서 재배한다.

약용 부위 · 수치 전초를 여름에 채취하여 물에 씻은 후 잘라서 말린다.

약물명 향봉화(香蜂花). Lemon balm, Sweet balm이라고도 한다.

약효 진정(鎭靜)의 효능이 있으므로 신경성 소화장애, 불면증을 치료한다.

성분 rosmarinic acid, scopolin, scopoletin 등이 함유되어 있다.

약리 열수추출물은 혈관 신생을 76% 억제하는 작용이 있다. rosmarinic acid는 바이러스 살균 작용이 있다.

사용법 향봉화 30g에 물 4컵(800mL)을 넣고 달여서 복용하고, 외용에는 짓찧어 바른다.

＊ '밀봉화(蜜蜂花) *M. axillaris*'의 전초를 비혈초(鼻血草)라 하며 토혈(吐血), 육혈(衄血), 붕루(崩漏), 대하(帶下), 마풍(麻風), 피부소양(皮膚瘙痒), 개창(疥瘡) 치료에 사용한다.

◐ 향봉화

◑ 향봉화(꽃이 피기 전)

◐ 향봉화(香蜂花)

◑ 향봉화(香蜂花)로 만든 건강식품

[꿀풀과]

박하

 풍열두통   적목, 인후종통, 치통 복부고창 창개, 피부소양

● 학명 : *Mentha arvensis* L. var. *piperascens* Malinv. ● 별명 : 털박하

| 1 | 2 | 3 | 4 | 5 | 6 | 7 | 8 | 9 | 10 | 11 | 12 |

여러해살이풀. 높이 50cm 정도. 줄기는 네모지고, 잎은 마주난다. 꽃은 연한 적자색, 7~9월에 가지의 잎겨드랑이에 모여 달려 층을 이룬다. 화관은 길이 4~5mm로 4개로 갈라지며 수술은 4개이다. 분과는 달걀 모양이다.

분포 · 생육지 우리나라 전역. 중국, 일본, 아무르, 사할린, 몽골, 시베리아. 습지나 냇가에서 자란다.

약용 부위 · 수치 전초를 여름에 채취하여 물에 씻은 후 썰어서 말린다.

약물명 박하(薄荷). 대한민국약전(KP)에 수재되어 있다.

본초서 「동의보감(東醫寶鑑)」에는 "모든 약기운이 기혈에 들어가 순환을 잘 시키고 땀을 나게 하여 몸속의 독을 빠지게 한다. 감기로 인한 두통과 중풍을 낫게 하고, 뼈마디의 움직임을 부드럽게 하며 몹시 피로한 것을 풀어 준다."고 하였다.

東醫寶鑑: 能引諸藥入榮衛 發毒汗 療傷寒頭痛 治中風賊風 頭風 通利關節 大解勞乏.

＊ 중국은 '중국박하 *M. canadensis*'의 전초를, 우리나라에서는 본 종의 전초를 사용하며, 약효 및 사용법은 '중국박하'와 같다.

◐ 박하

◑ 박하(薄荷)가 배합된 습진, 피부염 치료제

◐ 박하(薄荷)

◑ 박하(薄荷)가 함유된 구강청정제

[꿀풀과]

중국박하

풍열두통
복부고창
적목, 인후종통, 치통
창개, 피부소양

●학명 : *Mentha canadensis* L. [*M. arvensis*, *M. haplocalyx*, *M. arvensis* var. *haplocalyx*]

1	2	3	4	5	6	7	8	9	10	11	12

여러해살이풀. 높이 50~80cm. 땅속 뿌리줄기는 옆으로 뻗고, 줄기는 네모지며 잎은 마주난다. 꽃은 담황색 또는 담자색, 7~9월에 윗부분과 가지의 잎겨드랑이에 모여 달려 층을 이룬다. 화관은 4개로 갈라지며 수술은 4개이다. 분과는 둥글다.

분포 · 생육지 중국 저장성(浙江省), 후난성(湖南省). 습지나 냇가에서 자란다.

약용 부위 · 수치 전초를 여름과 가을에 채취하여 물에 씻은 후 썰어서 말린다.

약물명 박하(薄荷), 박하초(薄荷草), 승양채(升陽菜), 번하채(蕃荷菜), 소박하(蘇薄荷)라고도 한다. 대한민국약전(KP)에 수재되어 있다.

본초서 박하(薄荷)는 당대(唐代)의 「신수본초(新修本草)」에 처음 수재되었다. 이시진(李時珍)의 「본초강목(本草綱目)」에는 "박하(薄荷)는 재배를 많이 하는데 2월에 싹이 나고 청명절(淸明節)을 전후하여 포기를 나눈다. 줄기는 네모지며 붉고, 잎은 마주나며 오(吳), 월(越), 천(川), 호(湖) 지방에서 차(茶) 대신 마신다."고 하였다. 박하(薄荷)는 꽃과 잎이 가볍고 향기가 맑아서 둔탁하지 않다는 뜻이다.

藥性論: 能去憤氣, 拔毒汗, 破血, 止痢, 通利關節.

新修本草: 主賊風傷寒, 發汗, 惡氣心腹脹滿, 癨亂, 宿食不消, 下氣.

本草圖經: 治傷風, 頭腦風, 通關格及小兒風涎, 爲要折之藥.

성상 잎이 달린 줄기이며 줄기는 사각형이고 엷은 갈색~적자색을 띠며 가는 털이 있다. 물에 담가 주름진 잎을 풀면 잎은 난원형이고 가장자리에는 불규칙한 톱니가 있다. 특이한 냄새가 있고 맛은 입에 넣으면 시원한 느낌을 남긴다. 장쑤성(江蘇省)에서 재배되는 소박하(蘇薄荷)가 품질이 좋다.

기미 · 귀경 양(凉), 신(辛) · 폐(肺), 간(肝)

약효 거풍(祛風), 해열, 해독의 효능이 있으므로 풍열두통(風熱頭痛), 적목(赤目), 인후종통(咽喉腫痛), 복부고창(腹部鼓脹), 치통, 창개(瘡疥), 피부소양(皮膚瘙痒)을 치료한다.

성분 *l*-menthol이 주성분이고 *l*-menthone, camphene, *l*-limonene, isomenthone, piperitone, pulegene 등이 함유되어 있다. *l*-menthol은 이담 작용, 국소 자극 작용, 국소 마취 작용, 진경 작용, 구풍 작용, 구충 작용 등이 있다. *l*-menthol은 박하를 증류하여 정유를 뽑아 얼음에 소금을 넣은 한제(寒劑)로 냉각시키면 결정으로 석출된다.

약리 방향성 정유는 위 운동을 항진시키고 위 내 가스를 배출시켜 식욕을 증진시킨다. menthol에는 이담 작용, 국소 자극 작용, 국소 마취 작용, 진경 작용, 구풍 작용, 구충 작용이 있다. menthol의 이성질체 가운데서 (−)-menthol의 약효가 좋다. 50%메탄올추출물은 초산액으로 유도한 실험 동물의 통증(writhing)을 억제한다. 물로 달인 액은 면역학적 또는 비면역학적 자극에 따라 발생하는 anaphylaxis를 감소시키며 거대 세포에서 TNF−α 생성을 억제한다. 정유를 실험 동물에게 주사하면 중추 신경 특히 미주 신경을 억제한다. menthol과 menthone을 토끼의 장관에 투여하면 연동 운동이 느려진다. 정유 성분들은 생체 실험과 시험관 실험에서 피부 진균의 성장을 억제한다. 물로 달인 액을 피부에 바르면 엑스레이에 의한 피부 손상이 억제된다.

사용법 박하 5g에 물 2컵(400mL)을 넣고 달여서 복용하고, 외용에는 짓찧어 바른다. 간장 질환에는 시호(柴胡), 작약(芍藥)과 같은 양으로 배합하여 물에 달여 복용하고, 여름철 배앓이에는 곽향(藿香)과 같은 양으로 배합하여 물에 달여 복용하면 효과가 좋다.

처방 박하환(薄荷丸): 박하(薄荷) · 형개(荊芥) · 갈근(葛根) · 승마(升麻) 각 90g, 1회

○ 중국박하

5g 복용(「동의보감(東醫寶鑑)」). 감기에 걸려 갑자기 춥고 떨리다가 열이 나면서 온몸이 아픈 증상에 사용한다.

• 은교산(銀翹散): 금은화(金銀花)·연교(連翹) 각 16g, 길경(桔梗)·두시(豆豉)·죽엽(竹葉) 각 12g, 우방자(牛蒡子) 8g, 형개(荊芥)·박하(薄荷)·감초(甘草) 각 4g

「온병조변(溫病條辨)」). 열이 나고 땀이 나지 않는 감기 초기, 약간 춥고 두통이 나며 갈증이 나는 증상에 사용한다.

• 소요산(逍遙散): 백출(白朮)·작약(芍藥)·복령(茯苓)·시호(柴胡)·당귀(當歸)·맥문동(麥門冬) 각 4g, 감초(甘草)·박하(薄荷) 각 2g, 생강(生薑) 3쪽(「동의보

감(東醫寶鑑)」). 옆구리가 아프고 어지러우며 오슬오슬 추웠다 열이 났다 하며 입맛이 없고 명치 밑이 그득한 증상에 사용한다.

＊ 본 종에 비하여 잎이 좁은 '서양박하 M. piperita', 식물 전체가 푸른색이 짙은 '녹박하 M. spicata'도 약효가 같다.

❍ 중국박하(꽃이 피기 전)

❍ 박하(薄荷)

❍ 박하(薄荷)에서 분리한 l-menthol

❍ 박하(薄荷)가 배합된 약용 치약

❍ 박하(薄荷)로 만든 인후염 치료제

❍ 박하유(薄荷油). 인후염과 근육통에 사용한다.

[꿀풀과]

서양박하

● 학명: Mentha piperita L. ● 한자명: 歐薄荷

감기, 해수
두통
목적, 인후염

1	2	3	4	5	6	7	8	9	10	11	12

여러해살이풀. 높이 50~100cm. 줄기는 네모지고, 잎은 마주나고 표면이 울퉁불퉁하다. 꽃은 백색 또는 담자색, 7월에 가지 끝에 층층으로 달린다. 화관은 길이 3mm 정도로 4개로 갈라진다.

분포·생육지 불가리아 원산. 세계 각처에서 재배한다.

약용 부위·수치 전초를 여름에 채취하여 물에 씻은 후 썰어서 말린다.

약물명 날박하(辣薄荷). 구박하(歐薄荷)라고도 한다.

약효 소산풍열(疏散風熱), 해독산결(解毒散結)의 효능이 있으므로 감기, 해수(咳嗽), 두통, 목적(目赤), 인후염을 치료한다.

사용법 날박하 10g에 물 3컵(600mL)을 넣고 달여서 복용한다.

❍ 날박하(辣薄荷)

❍ 날박하(辣薄荷)로 만든 인후염 치료제

❍ 서양박하

❍ 날박하(辣薄荷)에서 추출한 정유. 인후염에 사용한다.

[꿀풀과]

목초박하

신경통, 류머티즘　　방광염
불면증

● 학명 : *Mentha pulegium* L.　● 영명 : Pennyroyal

| 1 | 2 | 3 | 4 | 5 | 6 | 7 | 8 | 9 | 10 | 11 | 12 |

○ Menthae Pulegii Herba를 함유한 타박상 치료제

여러해살이풀. 뿌리는 수염 같고, 줄기는 가늘며 덩굴손이 있고 높이 30cm 정도이다. 잎은 마주나고 가장자리에 톱니가 드문드문 있다. 꽃은 연한 적자색, 7월에 줄기나 가지에 층층으로 달린다. 수과는 달걀 모양이다.

분포·생육지 독일 원산. 세계 각처에서 재배한다.

약용 부위·수치 전초를 여름에 채취하여 물에 씻은 후 썰어서 말린다.

약물명 Menthae Pulegii Herba. 일반적으로 Pennyroyal이라고 한다.

약효 소염, 진통의 효능이 있으므로 신경통, 류머티즘, 방광염, 불면증을 치료한다.

사용법 Menthae Pulegii Herba 10g에 물 3컵(600mL)을 넣고 달여서 복용한다.

○ 목초박하

[꿀풀과]

둥근잎박하

감기　　위통
목질　　창절, 각생균열

● 학명 : *Mentha rotundifolia* (L.) Huds.　● 영명 : Applemint

| 1 | 2 | 3 | 4 | 5 | 6 | 7 | 8 | 9 | 10 | 11 | 12 |

여러해살이풀. 높이 80cm 정도. 쉽게 부스러지고 줄기는 네모진다. 잎은 마주나고 둥글며 끝이 약간 뾰족하고, 표면에 잎맥이 들어가며 잎자루는 없다. 꽃은 백색, 8~9월에 가지 끝에 층층으로 달린다.

분포·생육지 유럽 원산. 세계 각처에서 재배한다.

약용 부위·수치 지상부를 여름에 채취하여 물에 씻은 후 썰어서 말린다.

약물명 어향초(魚香草). 유향란(留香蘭), 토박하(土薄荷)라고도 한다.

약효 거풍해독(祛風解毒), 화위(和胃), 윤부(潤膚)의 효능이 있으므로 감기, 위통, 목질(目疾), 창절(瘡癤), 각생균열(脚生皸裂)을 치료한다.

성분 neoisopulegol, caffeic acid, apigenin, pelargonidin, apigenin, luteolinidin, rosmarinic acid 등이 함유되어 있다.

사용법 어향초 10g에 물 3컵(600mL)을 넣고 달여서 복용하고, 각생균열(脚生皸裂)에는 짓찧어 환부에 붙이거나 즙액을 바른다.

○ 둥근잎박하

○ 어향초(魚香草)

[꿀풀과]

녹박하

감기, 해수 　두통
인후염 　토사곽란

● 학명 : *Mentha spicata* L.

| 1 | 2 | 3 | 4 | 5 | 6 | 7 | 8 | 9 | 10 | 11 | 12 |

여러해살이풀. 높이 50~130cm. 털이 없다. 줄기는 네모지고 가지를 많이 친다. 잎은 마주나고, 꽃은 연한 자주색, 7~9월에 주로 가지 끝에 층층이 달려 수상화서를 이룬다. 화관은 길이 4mm 정도로 2개로 갈라지며, 상순이 비교적 넓다. 열매는 달걀 모양, 흑색으로 익는다.

분포·생육지 남아메리카 원산. 세계 각처에서 재배한다.

약용 부위·수치 전초를 여름에 채취하여 물에 씻은 후 썰어서 말린다.

약물명 유란향(留蘭香). 녹박하(綠薄荷), 남박하(南薄荷), 승양채(升陽菜), 향화채(香花菜)라고도 한다.

약효 해표(解表), 화중(和中), 이기(理氣)의 효능이 있으므로 감기, 해수(咳嗽), 두통, 인후염, 토사곽란을 치료한다.

사용법 유란향 10g에 물 3컵(600mL)을 넣고 달여서 복용한다.

● 녹박하

● 녹박하(꽃이 피기 전)

● 유란향(留蘭香)

[꿀풀과]

벌꽃

감기 　소화불량

● 학명 : *Monarda didyma* L. ● 영명 : Bee balm

| 1 | 2 | 3 | 4 | 5 | 6 | 7 | 8 | 9 | 10 | 11 | 12 |

여러해살이풀. 높이 60~100cm. 줄기는 네모지며 곧게 선다. 잎은 마주나고 끝이 뾰족한 타원형, 길이 10~14cm, 가장자리에 톱니가 있고 잎자루가 있다. 꽃은 분홍색 또는 붉은색, 6~10월에 줄기 끝에 돌려난다.

분포·생육지 북아메리카 동부, 중부. 5~9℃에서 잘 자란다.

약용 부위·수치 전초를 여름에 채취하여 물에 씻은 후 잘라서 말린다.

약물명 Monardae Didymae Herba. 일반적으로 Bee balm이라 한다.

약효 해열, 소화 촉진의 효능이 있으므로 감기, 소화불량을 치료한다.

사용법 Monardae Didymae Herba 10g에 물 3컵(600mL)을 넣고 달여서 복용한다.

● Monardae Didymae Herba

● 벌꽃

● 벌꽃(잎)

[꿀풀과]

들벌꽃

인후염　위장염　피부염

● 학명 : *Monarda fistulosa* L.　● 영명 : Wild bergamot　● 별명 : 들베르가못

1 2 3 4 5 6 7 8 9 10 11 12

❍ 들벌꽃(꽃)

여러해살이풀. 높이 60~120cm. 줄기는 네모지며 전체에 털이 많다. 잎은 마주나고 타원형, 잎자루가 없고 끝이 뾰족하다. 꽃은 분홍색, 6~10월에 줄기 끝에 돌려난다. 열매는 삭과이다.

분포 · 생육지 북아메리카 동부, 중부. 5~9℃에서 잘 자란다.

약용 부위 · 수치 전초를 여름에 채취하여 물에 씻은 후 잘라서 말린다.

약물명 Monardae Fistulosae Herba. 일반적으로 Wild bergamot이라 한다.

약효 소염의 효능이 있으므로 인후염, 위장염, 피부염을 치료한다.

사용법 Monardae Fistulosae Herba 10g에 물 3컵(600mL)을 넣고 달여서 복용하고, 외용에는 짓찧어 바른다.

❍ 들벌꽃

[꿀풀과]

베르가못

인후염　위장염　피부염

● 학명 : *Monarda punctata* L.　● 영명 : Bergamot

1 2 3 4 5 6 7 8 9 10 11 12

❍ 베르가못(꽃)

한해살이풀. 높이 60cm 정도. 줄기는 네모지며, 잎은 마주나고 타원형, 잎자루가 없고 끝이 뾰족하다. 꽃은 붉은색, 6~10월에 줄기 끝에 돌려나며, 열매는 삭과이다.

분포 · 생육지 북아메리카 동부, 중부. 5~9℃에서 잘 자란다.

약용 부위 · 수치 전초를 여름에 채취하여 물에 씻은 후 잘라서 말린다.

약물명 Monardae Herba. 일반적으로는 Bergamot이라 한다.

약효 소염의 효능이 있으므로 인후염, 위장염, 피부염을 치료한다.

사용법 Monardae Herba 10g에 물 3컵(600mL)을 넣고 달여서 복용하고, 외용에는 짓찧어 바른다.

❍ 베르가못

[꿀풀과]

가는잎산들깨

풍한감모 · 음서두통, 오한발열 · 소변불리 · 수종

● 학명 : *Mosla chinensis* Max. [*Orthodon angustifolia*]　● 별명 : 쥐깨, 간장풀

| 1 | 2 | 3 | 4 | 5 | 6 | 7 | 8 | 9 | 10 | 11 | 12 |

한해살이풀. 높이 20~50cm. 원줄기는 네모지고, 잎은 마주난다. 꽃은 백색이지만 때로는 붉은색이 돌며 7~9월에 가지 끝과 원줄기 끝에 총상화서로 핀다. 꽃받침은 5개로 갈라지고, 화관은 입술 모양, 길이 4mm 정도, 4개의 수술 중 2개가 길다. 열매는 분과로 달걀 모양이다.

분포 · 생육지 우리나라 중부 이남. 중국, 일본, 타이완. 산과 들에서 자란다.

약용 부위 · 수치 전초를 여름에 채취하여 물에 씻은 후 썰어서 말린다.

약물명 향유(香薷). 향채(香菜), 향유(香茹), 석향유(石香薷)라고도 한다.

약효 발표거서(發表祛暑), 화중화습(和中化濕), 행수소종(行水消腫)의 효능이 있으므로 풍한감모(風寒感冒), 음서두통(陰暑頭痛), 오한발열(惡寒發熱), 소변불리, 수종을 치료한다.

사용법 향유 10g에 물 3컵(600mL)을 넣고 달여서 복용하고, 외용에는 짓찧어 바른다.

* 우리나라와 일본은 향유(香薷)의 기원으로 '향유 *Elsholtzia ciliata*' 또는 '꽃향유 *E. splendens*'를 사용한다.

❍ 향유(香薷)

❍ 가는잎산들깨

[꿀풀과]

쥐깨풀

풍한감모, 감기해수, 기관지염 · 음서두통 · 오심, 기생충병 · 풍진

● 학명 : *Mosla dianthera* Max.　● 별명 : 쥐깨, 간장풀

| 1 | 2 | 3 | 4 | 5 | 6 | 7 | 8 | 9 | 10 | 11 | 12 |

한해살이풀. 높이 20~50cm. 원줄기는 네모지고, 잎은 마주난다. 꽃은 백색이지만 때로는 붉은빛이 돌며 7~9월에 가지 끝과 원줄기 끝에서 마주나고 4개의 수술 중 2개가 길다. 열매는 분과로 달걀 모양이다.

분포 · 생육지 우리나라 전역. 중국, 일본, 인도, 말레이시아. 들에서 자란다.

약용 부위 · 수치 전초를 여름에 채취하여 흙을 털어서 적당한 크기로 썰어서 말린다.

약물명 열비초(熱痹草). 제녕(薺薴)이라고도 한다.

기미 · 귀경 미온(微溫), 신(辛), 고(苦) · 폐(肺), 비(脾), 위(胃)

약효 발표거서(發表祛暑), 이습화중(利濕和中), 소종지혈(消腫止血), 산풍지양(散風止痒)의 효능이 있으므로 풍한감모(風寒感冒), 음서두통(陰暑頭痛), 오심(惡心), 감기해수(感氣咳嗽), 기관지염, 풍진(風疹), 기생충병을 치료한다.

성분 thymol, thujone, carvacrol, elemicine, asarone, apiole, dillapiole, copaene 등이 함유되어 있다.

약리 thymol은 십이지장충에 살충 작용이 있다.

사용법 열비초 10g에 물 3컵(600mL)을 넣고 달여서 복용하고, 외용에는 짓찧어 바른다.

❍ 열비초(熱痹草)

❍ 쥐깨풀

산들깨

| | 토혈, 혈리, 기생충병 | | 풍진 |
| 감기해수, 기관지염 | | |

●학명 : *Mosla japonica* Max.　●별명 : 산차즈기

| 1 | 2 | 3 | 4 | 5 | 6 | 7 | 8 | 9 | 10 | 11 | 12 |

한해살이풀. 높이 10~40cm. 잎은 마주난다. 꽃은 연한 적자색, 7~8월에 총상화서로 핀다. 꽃받침은 길이 3mm 정도이지만 열매가 익을 때에는 7~8mm로 되고 끝이 5개로 갈라진다. 화관은 길이 3mm 정도로 통부가 짧고 4개의 수술 중 2개는 길다. 분과는 둥글고 지름 1.3mm 정도로 겉에 불규칙한 그물 무늬가 있다.

분포 · 생육지 우리나라 전라도, 경상도(진주) 및 경기도. 일본. 산과 들에서 자란다.

약용 부위 · 수치 전초를 여름에 채취하여 흙을 털어서 적당한 크기로 썰어서 말린다.

약물명 산자소(山紫蘇)

약효 살충, 거풍습(祛風濕), 소종(消腫), 해독의 효능이 있으므로 토혈(吐血), 혈리(血痢), 감기해수(感氣咳嗽), 기관지염, 풍진(風疹), 기생충병을 치료한다.

성분 thymol, carvacrol, cymene, caryophyllene 등이 함유되어 있다.

약리 thymol은 십이지장충의 운동 신경을 마비시키는 작용이 있다.

사용법 산자소 10g에 물 3컵(600mL)을 넣고 달여서 복용하고 외용에는 짓찧어 바른다.

＊ thymol의 원료 식물이다. 수증기 증류로 얻는 정유를 산자소유(山紫蘇油)라 하며 구충제, 구강방부, 치약 등에 이용한다.

❍ 산자소(山紫蘇)

❍ 산들깨

들깨풀

| | 서열 | | 토혈, 혈리 |
| 감기해수, 기관지염 | | 풍진, 땀띠 |

●학명 : *Mosla punctulata* (Gmel.) Nakai　●별명 : 개향유

| 1 | 2 | 3 | 4 | 5 | 6 | 7 | 8 | 9 | 10 | 11 | 12 |

한해살이풀. 높이 20~60cm. 줄기는 곧게 서며 흔히 자줏빛이 돌고, 잎은 마주난다. 꽃은 연한 자주색, 8~9월에 피고, 화관은 2개로 갈라지며 윗입술은 중앙부가 약간 파지고 하순꽃잎은 3개로 갈라진다. 4개의 분과는 꽃받침에 싸여 있으며 도란형, 지름 1mm 정도, 그물 무늬가 있다.

분포 · 생육지 우리나라 전역. 중국, 일본. 들에서 자란다.

약용 부위 · 수치 전초를 여름에 채취하여 흙을 털어서 적당한 크기로 썰어서 말리고, 열매는 가을에 채취하여 말린다.

약물명 석제녕(石薺薴). 향여초(香茹草)라고도 한다.

약효 청서열(淸暑熱), 거풍습(祛風濕), 소종(消腫), 해독의 효능이 있으므로 서열(暑熱), 토혈(吐血), 혈리(血痢), 감기해수(感氣咳嗽), 기관지염, 풍진(風疹), 땀띠를 치료한다.

성분 석제녕(石薺薴)은 정유의 주성분으로 methyleugenol이고 그 외 *l*−abolene, α−caryophyllene 등이 함유되어 있다.

사용법 석제녕 5g에 물 2컵(400mL)을 넣고 달여서 복용하거나 알약이나 가루약으로 만들어 복용한다.

❍ 석제녕(石薺薴)

❍ 들깨풀

[꿀풀과]

개박하

| 외감풍열, 두통인통 | 토혈 | 육혈 |
| 마진투발불창, 외상출혈, 타박상, 창옹종독 | | |

● 학명 : *Nepeta cataria* L. ● 별명 : 돌박하

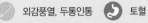

| 1 | 2 | 3 | 4 | 5 | 6 | 7 | 8 | 9 | 10 | 11 | 12 |

여러해살이풀. 높이 60~100cm. 전체에 백색 털이 빽빽이 나 있다. 줄기는 네모지며 윗부분에서 굵은 가지가 갈라지고, 잎은 마주난다. 꽃은 흰색 바탕에 자주색 점이 퍼지고 6~8월에 피며, 꽃차례는 길이 2~4cm, 꽃받침은 통 모양으로 끝이 5갈래, 수술은 4개이며 2개는 길다. 열매는 소견과이고 꽃받침 속에 들어 있다.

분포·생육지 우리나라 전역. 중국, 일본, 유럽. 산과 들에서 자란다.

약용 부위·수치 전초를 여름에 채취하여 흙을 털어서 적당한 크기로 썰어서 말린다.

약물명 심엽형개(心葉荊芥). 가형개(假荊芥), 가소(假蘇), 산곽향(山藿香)이라고도 한다.

약효 소풍청열(消風淸熱), 활혈지혈(活血止血)의 효능이 있으므로 외감풍열(外感風熱), 두통인통(頭痛咽痛), 마진투발불창(麻疹透發不暢), 토혈(吐血), 육혈(衄血), 외상출혈, 타박상, 창옹종독(瘡癰腫毒)을 치료

한다.

사용법 심엽형개 10g에 물 3컵(600mL)을 넣고 달여서 복용하고, 외용에는 짓찧어 바르거나 붙인다.

● 심엽형개(心葉荊芥)

● 개박하(잎)

● 개박하(꽃)

● 개박하

[꿀풀과]

나륵

| 외감풍열, 두통인통 | 토혈 | 육혈 |
| 마진투발불창, 외상출혈, 타박상, 창옹종독 | | |

● 학명 : *Ocimum basilicum* L. ● 영명 : Basil, Sweet basil

| 1 | 2 | 3 | 4 | 5 | 6 | 7 | 8 | 9 | 10 | 11 | 12 |

여러해살이풀. 높이 60~80cm. 줄기는 네모지고, 잎은 마주나며 타원형으로 길이 3~6cm, 너비 2~3.5cm, 끝은 뾰족하고 윤채가 돌고 가장자리에 희미한 톱니가 있다. 잎자루는 길이 1~3cm, 가장자리에 톱니가 있다. 꽃은 담자색 또는 백색, 6~8월에 피며, 꽃받침은 통 모양으로 끝이 5갈래, 수술은 4개이며 2개는 길다. 열매는 소견과로 달걀 모양, 갈색이다.

분포·생육지 중국, 인도, 유럽. 산과 들에서 자란다.

약용 부위·수치 전초를 여름에 채취하여 물에 씻은 후 썰어서 말린다.

약물명 나륵(羅勒). 훈초(薰草), 연초(燕草), 혜초(蕙草)라고도 한다.

본초서 「동의보감(東醫寶鑑)」에 "중초의 기운을 다스리고 음식을 잘 소화시키며, 몸의 나쁜 기운을 없앤다. 생것으로 먹을 수 있으나 많이 먹지 않는 것이 좋다."고 하였다.
東醫寶鑑: 調中消食 去惡氣 宣生食之 然不可多食.

기미·귀경 온(溫), 신(辛), 감(甘)·폐(肺), 비(脾), 위(胃), 대장(大腸)

약효 소풍청열(消風淸熱), 활혈지혈(活血止血)의 효능이 있으므로 외감풍열(外感風熱), 두통인통(頭痛咽痛), 마진투발불창(麻疹透發不暢), 토혈(吐血), 육혈(衄血), 외상출혈(外傷出血), 타박상, 창옹종독(瘡癰腫毒)을 치료한다.

성분 eugenol, geraniol, linalool, methylchavicol, ocimene, limonene, bicyclosesquiphellandrene, eugenolmethylether, furfurane, rosmarinic acid, quercetin 등이 함유되어 있다.

약리 열수추출물을 쥐에게 투여하면 위점막 보호 작용이 나타나고, 보체 활성 작용이 있다.

사용법 나륵 10g에 물 3컵(600mL)을 넣고 달여서 복용하고, 외용에는 짓찧어서 바르거나 붙인다.

● 나륵(잎. 윤채가 돌고 가장자리에 희미한 톱니가 있다.)

● 나륵

● 나륵(羅勒, 신선품)

● 나륵 종자는 감기에 사용된다.

[꿀풀과]

정향나룩

외감풍열, 두통인통   소화불량
창옹종독

● 학명 : *Ocimum gratissimum* L.   ● 영명 : Sweetscented basil
● 한자명 : 丁香羅勒   ● 별명 : 인도바질, 아리수나무

1	2	3	4	5	6	7	8	9	10	11	12

● 정향나룩(꽃)   ● 정향나룩(잎)

여러해살이풀. 높이 1m 정도. 줄기는 네모
지고, 잎은 마주나고 타원형, 가장자리에
톱니가 있다. 꽃은 담자색 또는 백색, 6~8
월에 피며 꽃받침은 통 모양으로 끝이 5갈
래이고, 수술은 4개이며 2개는 길다. 열매
는 소견과로 달걀 모양이다.
분포·생육지 인도, 중국. 산과 들에서 자
란다.
약용 부위·수치 전초를 여름에 채취하여 물
에 씻은 후 썰어서 말린다.
약물명 모엽서향나룩(毛葉西香羅勒)
약효 소풍발표(疏風發表), 화습화중(化濕和
中), 산한지통(散寒止痛)의 효능이 있으므
로 외감풍열(外感風熱), 두통인통(頭痛咽
痛), 소화불량, 창옹종독(瘡癰腫毒)을 치료
한다.
사용법 모엽서향나룩 10g에 물 3컵(600mL)
을 넣고 달여서 복용하고, 외용에는 짓찧어
바르거나 붙인다.

● 정향나룩

[꿀풀과]

장뇌나룩

외감풍열

● 학명 : *Ocimum kilimandscharicum* Baker   ● 영명 : African blue basil
● 한자명 : 樟腦羅勒

1	2	3	4	5	6	7	8	9	10	11	12

관목성 여러해살이풀. 높이 1~1.2m. 줄기
는 네모지며 전체에 털이 빽빽이 난다. 잎
은 마주나고 타원형, 가장자리에 희미한 톱
니가 있다. 꽃은 백색 또는 연한 붉은색,
6~8월에 피며 꽃받침은 통 모양으로 끝이
5갈래이다.
분포·생육지 열대 동부 아프리카. 산과 들
에서 자란다.
약용 부위·수치 잎 또는 종자를 여름과 가
을에 채취하여 말린다.
약물명 장뇌나룩(樟腦羅勒)
약효 소풍발표(疏風發表)의 효능이 있으므
로 외감풍열(外感風熱)을 치료한다.
사용법 장뇌나룩 10g에 물 3컵(600mL)을
넣고 달여서 복용한다.

● 장뇌나룩

● 장뇌나룩(꽃)

[꿀풀과]

성나릭

 두통   효천

● 학명 : *Ocimum sanctum* L. [*O. tenuiflorum*]   ● 영명 : Holy basil
● 한자명 : 聖羅勒

| 1 | 2 | 3 | 4 | 5 | 6 | 7 | 8 | 9 | 10 | 11 | 12 |

관목성 여러해살이풀. 높이 1m 정도. 줄기는 네모지며 바로 서고 기부는 목질화한다. 전체에 부드러운 털이 있다. 잎은 마주나고 타원형, 가장자리에 희미한 톱니가 있다. 꽃은 백색 또는 연한 붉은색, 6~8월에 피며 꽃받침은 통 모양으로 끝이 5갈래이다.

분포 · 생육지 인도, 인도네시아, 중국 하이난성(海南省), 타이완. 산과 들에서 자란다.

약용 부위 · 수치 전초를 여름에 채취하여 말린다.

약물명 성나릭(聖羅勒)

약효 지해평천(止咳平喘)의 효능이 있으므로 두통, 효천(哮喘)을 치료한다.

성분 eugenol, β–carotene, caryophyllene, ursolic acid, 4–hydroxy–7,8–dihydro–β–ionol 등이 함유되어 있다.

사용법 성나릭 7g에 물 2컵(400mL)을 넣고 달여서 복용한다.

❍ 성나릭(어린 줄기에 백색 털이 빽빽이 난다.)

❍ 성나릭(열매)

❍ 성나릭(聖羅勒)이 배합된 감기약(인도네시아)

❍ 성나릭

[꿀풀과]

후추나릭

 기관지천식   소화불량

● 학명 : *Ocimum selloi* Benth.   ● 영명 : Pepper basil   ● 한자명 : 胡椒羅勒

| 1 | 2 | 3 | 4 | 5 | 6 | 7 | 8 | 9 | 10 | 11 | 12 |

한해살이풀. 높이 50cm 정도. 줄기는 네모지며 바로 선다. 잎은 마주나고 타원형, 가장자리에 희미한 톱니가 있다. 꽃은 적자색, 6~8월에 잎겨드랑이에 총상화서로 피며, 꽃받침은 통 모양으로 끝이 5갈래이다. 아니스향이 있다.

분포 · 생육지 남아메리카 원산. 세계 각처에서 재배한다.

약용 부위 · 수치 전초를 여름에 채취하여 말린다.

약물명 후추나릭(胡椒羅勒)

약효 지해평천(止咳平喘), 소화 촉진의 효능이 있으므로 기관지천식, 소화불량을 치료한다.

사용법 후추나릭 7g에 물 2컵(400mL)을 넣고 달여서 복용한다.

❍ 후추나릭

꽃박하

| 감모발열 | 중서 |
| 흉격창만, 복통토사, 황달 | |

● 학명 : *Origanum vulgare* L. ● 영명 : Oregano ● 한자명 : 葉薄荷, 牛至

| 1 | 2 | 3 | 4 | 5 | 6 | 7 | 8 | 9 | 10 | 11 | 12 |

❍ 우지(牛至)

여러해살이풀. 높이 30~60cm. 줄기는 네모지며 자주색을 띤다. 잎은 마주나고 타원형, 길이 2~4cm, 너비 1~1.5cm, 끝은 뾰족하고, 잎자루는 길이 2~5mm, 가장자리는 밋밋하다. 꽃은 백색, 7~9월에 산방상 원추화서로 피며 꽃받침은 통 모양으로 끝이 5갈래, 수술은 4개이며 2개는 길다. 열매는 소견과로 달걀 모양, 갈색이다.

분포 · 생육지 유럽, 중앙아시아, 지중해, 인도, 중동, 중국 산시성(陝西省), 간쑤성(甘肅省), 신장성(新疆省). 산과 들에서 자란다.

약용 부위 · 수치 전초를 여름에 채취하여 흙을 털어서 적당한 크기로 썰어서 말린다.

약물명 우지(牛至), 소엽박하(小葉薄荷), 백화인진(白花茵陳)이라고도 한다. 서양에서는 'Oregano'라고 한다.

약효 해표이기(解表理氣), 청서이습(淸暑利濕)의 효능이 있으므로 감모발열(感冒發熱), 중서(中暑), 흉격창만(胸膈脹滿), 복통토사(腹痛吐瀉), 황달을 치료한다.

성분 methylchavicol, carvacrol, ursolic acid, gernyl acetate 등이 함유되어 있다.

약리 정유 성분은 이질간균, 황색 포도상구균에 항균 작용이 있다. 쥐의 적출한 장관에 열수추출물을 투여하면 수축 작용이 나타나고, 또 쥐에게 투여하면 면역 증강 작용이 나타난다. 에탄올추출물을 쥐에게 투여하면 발모를 촉진한다.

사용법 우지 7g에 물 2컵(400mL)을 넣고 달여서 복용하고, 외용에는 짓찧어 바르거나 붙인다.

❍ 우지(牛至)로 만든 건강 차

❍ 꽃박하

고양이수염풀

| 신장염, 방광염 | 카타르 |

● 학명 : *Orthosiphon aristata* L. [*Clerodendranthus spicatus*] ● 영명 : Java tea
● 한자명 : 猫鬚草

| 1 | 2 | 3 | 4 | 5 | 6 | 7 | 8 | 9 | 10 | 11 | 12 |

여러해살이풀. 줄기는 네모지며 바로 서고 자주색을 띤다. 뿌리는 수염 같고, 잎은 마주나며 타원형, 끝은 뾰족하고 잎자루가 있으며 가장자리는 톱니처럼 생겼다. 꽃은 백색, 7~9월에 총상화서로 조밀하게 피며, 꽃받침은 통 모양으로 끝이 5갈래, 수술은 4개이며 꽃잎 밖으로 길게 나온다. 열매는 소견과이다.

분포 · 생육지 인도네시아(Java), 인도, 중국, 말레이시아, 오스트레일리아. 산과 들에서 자란다. 요즘은 전 세계에서 재배한다.

약용 부위 · 수치 전초를 여름에 채취하여 말린다.

약물명 묘수초(猫鬚草). 자바 차(Java tea)라고도 한다.

약효 이뇨(利尿), 진경(鎭痙)의 효능이 있으므로 신장과 방광의 만성염증, 카타르, 세균 감염과 방광을 자극하는 경우에 이뇨제로 사용한다.

성분 borneol, limonene, thymol, eupatorin, rhamnazin, scutellarein, tetramethyl ether, salvigenin, sinensetin 등이 함유되어 있다.

약리 열수추출물은 항균, 항염, 이뇨 작용을 나타낸다. sinensetin과 scutellarein은 5-lipoxygenase의 활성을 억제한다. 요관을 확장시켜서 오줌 속의 작은 신장 결석을 제거할 수도 있다.

사용법 묘수초 2~3g을 물에 우려내어 복용하며, 1일 용량은 6~12g이다.

❍ 고양이수염풀

❍ 묘수초(猫鬚草)

❍ 묘수초(猫鬚草, 신선품)

❍ 묘수초(猫鬚草)가 배합된 당뇨병 치료제

❍ 묘수초(猫鬚草)가 배합된 신장 결석 치료제

[꿀풀과]

들깨

해역, 담천, 해수
기체변비, 식적
발열, 오한

● 학명 : *Perilla frutescens* (L.) Britton var. *japonica* Hara   ● 별명 : 백소, 수임, 야임

1	2	3	4	5	6	7	8	9	10	11	12

한해살이풀. 높이 0.9~1.5m. 줄기는 네모지며, 잎은 마주난다. 꽃은 백색, 8~9월에 가지와 줄기 끝에 총상화서로 피고 꽃받침은 종 모양, 화관은 2개의 입술로 되며 아래쪽의 가운데 것은 밑을 향해 접혀 있다. 4개의 수술 중 2개가 길며, 분과는 꽃받침 안에 들어 있다.

분포·생육지 동남아시아 원산. 우리나라 전역에서 재배한다.

약용 부위·수치 종자, 잎을 가을에 채취하여 말린다.

약물명 종자를 백소자(白蘇子)라 하며, 임자(荏子)라고도 한다. 잎을 백소엽(白蘇葉)이라고 한다. 임자(荏子)는 대한민국약전외한약(생약)규격집(KHP)에 수재되어 있다.

본초서 「동의보감(東醫寶鑑)」에 임자(荏子)는 "기운을 내리고 기침을 그치게 하며 갈증을 풀어 준다. 폐의 기능을 도와 중초의 기운을 다스리며 뼈 속에 있는 골수를 채워 준다."고 하였다.

東醫寶鑑: 下氣止咳止渴 潤肺補中 塡精髓.

성상 백소자(白蘇子)는 달걀 모양, 한쪽 끝이 약간 뾰족하고, 길이 0.3~0.4cm, 너비 0.2~0.3cm이고, 표면은 황백색으로 그물무늬가 선명하다. 냄새가 조금 나고 맛은 약간 고소하다.

기미·귀경 백소자(白蘇子): 온(溫), 신(辛)·폐(肺), 위(胃), 대장(大腸). 백소엽(白蘇葉): 온(溫), 신(辛)·폐(肺), 비(脾), 위(胃)

약효 백소자(白蘇子)는 강기(降氣), 소담(消痰), 윤폐(潤肺), 활장(滑腸)의 효능이 있으므로 해역(咳逆), 담천(痰喘), 기체변비(氣滯便秘)를 치료한다. 백소엽(白蘇葉)은 해표(解表), 산한(散寒), 소식(消食)의 효능이 있으므로 해수(咳嗽), 발열(發熱), 오한(惡寒), 식적(食積)을 치료한다.

성분 백소자(白蘇子)에는 정유가 많이 함유되어 있으며 주성분은 perillaketone이고, linoleic acid, palmitic acid 등이 함유되어 있다. 백소엽(白蘇葉)에는 정유 성분인 l-perillaldehyde, egomaketone, matsutakealcohol, l-linalool 등이 함유되어 있다.

사용법 백소자 7g에 물 3컵(600mL)을, 백소엽 10g에 물 3컵(600mL)을 넣고 달여서 복용한다.

● 들깨

● 백소엽(白蘇葉)

● 백소자(白蘇子)

● 들기름(식용 또는 건강식품으로 널리 이용된다.)

● 들깨(종자 채취용)

[꿀풀과]

천령초

풍습성관절염
감기

● 학명 : *Phlomis mongolica* Turcz.   ● 한자명 : 串鈴草

1	2	3	4	5	6	7	8	9	10	11	12

여러해살이풀. 높이 70cm 정도. 줄기는 곧게 서며, 잎은 마주난다. 꽃은 자주색, 6~8월에 피며 꽃받침은 통형, 화관은 입술 모양, 상순꽃잎은 겉에 털이 빽빽하며 하순꽃잎은 3개로 갈라진다. 열매는 세모진 달걀 모양이다.

분포·생육지 인도, 중국 내몽골, 간쑤성(甘肅省), 허베이성(河北省). 높은 산의 풀밭에서 자란다.

약용 부위·수치 전초를 여름이나 가을에 채취하여 물에 씻은 후 그대로 또는 썰어서 말린다.

약물명 천령초(串鈴草), 모첨차(毛尖茶)라고도 한다.

약효 거풍제습(祛風除濕), 활혈지통(活血止痛)의 효능이 있으므로 풍습성관절염, 감기를 치료한다.

사용법 천령초 10g에 물 3컵(600mL)을 넣고 달여서 복용한다.

● 천령초(꽃)

● 천령초

차즈기

 감기풍한, 오한발열
 기체변비
해역, 해수, 천식, 담천

● 학명 : *Perilla frutescens* (L.) Britton var. *acuta* Kudo   ● 별명 : 차조기, 소엽

| 1 | 2 | 3 | 4 | 5 | 6 | 7 | 8 | 9 | 10 | 11 | 12 |

한해살이풀. 높이 50~80cm. 줄기는 곧게 서며, 잎은 마주난다. 꽃은 연한 자주색, 8~9월에 줄기와 가지 끝, 잎겨드랑이에 달린다. 꽃받침은 2개로 갈라지며 위쪽 것이 다시 3개로 갈라지고 아래쪽 것은 2개로 갈라지며 통부에 털이 있다. 화관은 통부가 짧고, 수술은 4개, 분과는 꽃받침 안에 들어 있으며 지름 1.5mm 정도로 둥글다.

분포·생육지 중국 원산. 우리나라 전역에서 재배하는 귀화 식물이다.

약용 부위·수치 잎과 열매를 가을에 채취하여 바람이 잘 통하는 그늘진 곳에서 말린다.

약물명 잎을 자소엽(紫蘇葉)이라 하며, 자소(紫蘇), 소엽(蘇葉)이라고도 한다. 종자를 자소자(紫蘇子)라고 한다. 자소엽(紫蘇葉)은 대한민국약전(KP)에, 자소자(紫蘇子)는 대한민국약전외한약(생약)규격집(KHP)에 수재되어 있다.

본초서 자소자(紫蘇子)는 「명의별록(名醫別錄)」의 중품(中品)에 소(蘇)로 수재되어 있다. 자소엽(紫蘇葉)은 「명의별록(名醫別錄)」의 중품(中品)에 소(蘇)로 수재되어 있다. 「식료본초(食療本草)」에는 자소(紫蘇)로

되어 있으며, 주후방(肘後方)에는 적소(赤蘇)로 수재되어 있다. 도홍경(陶弘景)은 "소(蘇)는 잎의 뒷면이 자주색이며 향기가 있다. 뒷면이 자주색이 아니고 향기가 없는 들깨는 야소(野蘇)이며 약용하지 않는다. 그 종자는 기(氣)를 내리게 하는 효능은 귤피(橘皮)와 비슷하다."고 하였다. 「동의보감(東醫寶鑑)」에는 "명치 밑이 부풀어 오르고 답답한 증상, 구토와 설사가 계속되는 것, 다리가 붓는 것을 낫게 하며, 대소변을 잘 나오게 한다. 몸속의 찬 기운을 없애고 감기로 인하여 몸에 열이 나고 아픈 데를 다스리며, 가슴에 있는 담을 삭인다."고 하였다.

名醫別錄: 主下氣, 除寒中.

本草綱目: 解肌發表, 散風寒, 行氣貫中, 消痰利肺, 和血, 溫中, 止痛, 定喘, 安胎, 解魚蟹毒, 治蛇犬傷.

東醫寶鑑: 治心腹脹滿 止霍亂 療脚氣 通大小腸 除一切冷氣 散風寒邪 又能下胸脹痰氣.

성상 자소엽(紫蘇葉)은 주름지고 쭈그러진 잎과 그 파편이며, 때때로 가는 줄기를 가진다. 잎은 양면이 모두 갈색을 띤 자주색이거나 표면은 회녹색~녹색이고 뒷면은 갈색을 띤 자주색이다. 양면에 드문드문 털

이 있고 특히 잎맥 위에 더욱 많으며 뒷면에는 가는 선모를 볼 수 있다. 향기가 있고 맛은 약간 쓰다. 자소자(紫蘇子)는 달걀 모양, 지름 1~2mm, 표면은 회갈색, 약간 융기된 그물 무늬가 있다. 냄새는 거의 없고 맛은 텁텁하고 맵다.

기미·귀경 자소엽(紫蘇葉): 온(溫), 신(辛)·폐(肺), 비(脾). 자소자(紫蘇子): 온(溫), 신(辛)·폐(肺), 대장(大腸)

약효 자소엽(紫蘇葉)은 발한해표(發寒解表), 행기관중(行氣寬中), 해독의 효능이 있으므로 감기풍한(感氣風寒), 오한발열(惡寒發熱), 해수(咳嗽), 천식(喘息)을 치료한다. 자소자(紫蘇子)는 강기(降氣), 소담(消痰), 윤폐(潤肺), 활장(滑腸)의 효능이 있으므로 해역(咳逆), 담천(痰喘), 기체변비(氣滯便秘)를 치료한다.

성분 정유 성분은 apiol, myristicin, perillaldehyde, l-limonene, perillaketone, β-farnesene, dillapiole, isogomaketone, eugenol, perilloside E, eugenyl-β-D-glucopyranoside, rosmarinic acid, magnosalin, andamanicin이며, 플라보노이드 성분으로 luteolin, apigenin 등이, 트리테르페노이드 성분으로 arjunic acid, maslinic acid, oleanolic acid, euscaphic acid, tormentic acid, 3-O-trans-p-coumaroyltormentic acid, ursolic acid, 28-formyloxy-3β-hydroxy-urs-12-ene, corosolic acid 등이 함유되어 있다.

약리 자소엽(紫蘇葉)의 열수추출물은 발한(發汗)과 해열 작용이 있다. perillaketone은

❶ 차즈기(꽃이 피기 전)

❶ 차즈기

❶ 자소엽(紫蘇葉)

❶ 자소자(紫蘇子, 분말)

❶ 자소자(紫蘇子)

소장(小腸)의 연동 운동을 촉진한다. rosmarinic acid에는 fibrin을 분해하는 작용과 항산화 작용이 있어서 사구체신염(glomerulonephritis)의 발생을 억제한다. 자소엽의 열수추출물은 TPA로 유도한 피부암의 발생을 줄인다. rosmarinic acid와 luteolin은 β-secretase(BACE-1)의 활성을 비경쟁적으로 억제한다. apiol, myristicin은 장염균에 항균 작용이 있다. oleanolic acid, 3-O-trans-p-coumaroyltormentic acid, ursolic acid 및 corosolic acid는 암세포인 A549, SK-OV-3, SK-MEL-2 및 HCT W-15에 세포 독성이 있다.

사용법 자소엽 또는 자소자 10g에 물 3컵(600mL)을 넣고 달여서 복용한다.

처방 곽향정기산(藿香正氣散): 곽향(藿香) 6g, 자소엽(紫蘇葉) 4g, 백지(白芷)·대복피(大腹皮)·복령(茯苓)·백출(白朮)·후박(厚朴)·진피(陳皮)·반하(半夏)·길경(桔梗)·구감초(灸甘草) 각 2g, 생강(生薑) 3쪽, 대추(大棗) 2알(『동의보감(東醫寶鑑)』).

풍한에 상한 데다 음식을 잘못 먹고 체하여 오슬오슬 춥다가 열이 나면서 머리가 아프고 명치 밑이 불편한 증상에 사용한다.

• 삼소음(蔘蘇飮): 인삼(人蔘)·자소엽(紫蘇葉)·전호(前胡)·반하(半夏)·갈근(葛根)·복령(茯苓) 각 4g, 진피(陳皮)·길경(桔梗)·지실(枳實)·감초(甘草) 각 3g, 생강(生薑) 3쪽, 대추(大棗) 2알(『동의보감(東醫寶鑑)』). 허약한 사람이나 노인이 풍한(風寒)으로 춥고 열이 나며 머리가 아프고 코가 메며 기침을 하고 가래가 나오면서 숨이 찬 증상에 사용한다.

• 소자강기탕(蘇子降氣湯): 반하(半夏)·자소자(紫蘇子) 각 4g, 육계(肉桂)·진피(陳皮) 각 3g, 당귀(當歸)·전호(前胡)·후박(厚朴)·감초(甘草) 각 2g, 생강(生薑) 3쪽, 대추(大棗) 2알, 자소엽(紫蘇葉) 5잎(『동의보감(東醫寶鑑)』). 담연(痰涎)이 심하여 기침이 나고 숨이 차며 가슴과 명치 밑이 그득하고 목 안이 아프며 대소변이 시원하지 않은 증상에 사용한다.

• 향소산(香蘇散): 향부자(香附子)·자소엽(紫蘇葉) 각 8g, 창출(蒼朮) 6g, 진피(陳皮) 4g, 감초(甘草) 2g, 생강(生薑) 3쪽, 총백(蔥白) 2개(『동의보감(東醫寶鑑)』). 풍한(風寒)에 의하여 오슬오슬 춥고 열이 나며 머리와 온몸이 아프고 땀이 나지 않는 증상에 사용한다.

※ 중국 사람들은 예전에는 이 식물을 소(蘇)라 하였으나 전체가 자주색을 띠므로 후에 자소(紫蘇)라고 하였다.

◑ 자소엽(紫蘇葉)이 배합된 향소산(香蘇散). 감기몸살에 사용한다.

◑ 자소엽(紫蘇葉)이 배합된 감기약

[꿀풀과]

한속단

● 학명 : *Phlomis umbrosa* Turcz.   ● 별명 : 속단, 토속단

여러해살이풀. 높이 1m 정도. 줄기는 곧게 서며, 잎은 마주난다. 꽃은 붉은빛이 돌고 7월에 핀다. 꽃받침은 통형, 화관은 입술 모양, 상순꽃잎은 겉에 털이 빽빽하게 나고 하순꽃잎은 3개로 갈라진다. 소포는 길이 7~10mm로 선형이며 짧은 털이 있고, 열매는 꽃받침으로 싸여 익는다.

분포·생육지 우리나라 전역. 중국. 산속 음지에서 자란다.

약용 부위·수치 뿌리를 가을에 채취하여 물에 씻은 후 썰어서 말리고, 전초를 여름이나 가을에 채취하여 물에 씻은 후 그대로 또는 썰어서 말린다.

약물명 뿌리를 한속단(韓續斷) 또는 토속단(土續斷)이라 하며, 속단(續斷)의 대용품으로 사용한다. 중국에서는 뿌리가 달린 전초를 조소(糙蘇)라 하며, 산소자(山蘇子), 속단(續斷), 산지마(山之麻)라고도 한다. 한속단(韓續斷)은 대한민국약전외한약(생약)규격집(KHP)에 수재되어 있다.

성상 한속단(韓續斷)은 원기둥 모양으로 뿌리줄기에 여러 개의 뿌리가 붙어 있고 단단하다. 표면은 담갈색이며, 횡단면은 회백색이다. 냄새는 향기롭고 맛은 쓰다.

약효 거풍화담(祛風化痰), 이습제비(利濕除痺), 거담(祛痰), 해독소종(解毒消腫)의 효능이 있으므로 감기, 해수담다(咳嗽痰多), 풍습비통(風濕痺痛), 타박상, 창옹종독(瘡癰腫毒)을 치료한다.

성분 shanzhiside methyl ester, succinic acid, betonicine 등이 함유되어 있다.

사용법 한속단 10g에 물 3컵(600mL)을 넣고 달여서 복용한다.

※ 높이 40~60cm이고 잎의 양면에 털이 많이 있는 '산속단 *P. koraiensis*'도 약효가 같다. 중국에서는 산토끼꽃과의 '*Dipsacus asperoides*'의 뿌리를, 일본에서는 국화과의 '*Cirsium*속'의 뿌리를 속단(續斷)으로 사용하고 있다.

◑ 한속단

◑ 한속단(꽃)

◑ 한속단(뿌리)

◑ 한속단(열매)

◑ 조소(糙蘇)

◑ 한속단(韓續斷)

[꿀풀과]

오리방풀

| 감모두통 | 풍습비통, 골절 |
| 외상출혈, 독사교상 | |

● 학명 : *Plectranthus excisus* Max. [*Isodon excisus, Rabdosia excisoides*]
● 별명 : 둥근오리방풀, 지이오리방풀

| 1 | 2 | 3 | 4 | 5 | 6 | 7 | 8 | 9 | 10 | 11 | 12 |

여러해살이풀. 높이 50~100cm. 줄기는 곧게 서고 네모지며, 잎은 마주나고 끝이 거북꼬리 모양이다. 꽃은 6~8월에 잎겨드랑이와 원줄기 끝에서 마주나고, 꽃받침과 더불어 퍼진 털이 있다. 꽃받침은 녹색, 5 개로 갈라지고, 화관은 통부가 짧고 길이 8~12mm로 자주색이다. 4개의 수술 중 2 개가 길며, 분과는 꽃받침 속에 들어 있다.

분포·생육지 우리나라 전역. 중국, 일본.

❍ 의결향차채(擬缺香茶菜)

❍ 오리방풀(뿌리)

깊은 산골짜기에서 흔하게 자란다.

약용 부위·수치 전초를 여름에 채취하여 물에 씻어서 적당한 크기로 썰어서 말린다.

약물명 의결향차채(擬缺香茶菜). 야자소(野紫蘇)라고도 한다.

약효 거풍활혈(祛風活血), 해독소종(解毒消腫)의 효능이 있으므로 감모두통(感冒頭痛), 풍습비통(風濕痺痛), 골절, 외상출혈, 독사교상(毒蛇咬傷)을 치료한다.

성분 3-(3,4-dihydroxyphenyl) acrylic acid 등이 함유되어 있다.

약리 3-(3,4-dihydroxyphenyl) acrylic acid 는 OR12 췌장염을 유발하는 Coxsackievirus B4의 증식을 억제한다.

사용법 의결향차채 10g에 물 3컵(600mL)을 넣고 달여서 복용하고, 외용에는 짓찧어 바른다.

❍ 오리방풀

[꿀풀과]

방아풀

| 간염, 위염 | 유선염, 폐경 |
| 타박상, 독사교상 | 관절통 |

● 학명 : *Plectranthus japonicus* (Burm.) Koidz. [*Rabdosia japonica*]
● 별명 : 회채화, 방아오리방풀

| 1 | 2 | 3 | 4 | 5 | 6 | 7 | 8 | 9 | 10 | 11 | 12 |

여러해살이풀. 높이 50~100cm. 잎은 마주나고 끝은 뾰족하며 밑부분은 좁아져서 잎자루로 흘러 좁은 날개처럼 된다. 꽃은 8~9월에 피고, 꽃받침 조각은 삼각형이다. 화관은 입술 모양이고 담자색이다. 분과는 편원형이고 윗부분에 점 같은 선이 있다.

분포·생육지 우리나라 전역. 중국, 일본. 산과 들에서 자란다.

약용 부위·수치 전초를 여름에 채취하여 물에 씻어서 적당한 크기로 썰어서 말린다.

약물명 사릉간(四棱杆). 향차채(香茶菜), 연명초(延命草)라고도 한다.

본초서 일본의 대표적인 민간약이다. 「화한삼세도회(和漢三世圖會)」의 방초류(芳草類)에 수재되어 있다. 사람들이 갑자기 복통을 일으켜 죽을 뻔할 때 이 약초를 달여서 먹여 치료되었으므로 연명초(延命草)라 부르게 되었다.

약효 청열해독(淸熱解毒), 활혈소종(活血消腫)의 효능이 있으므로 간염, 위염, 유선염(乳腺炎), 폐경, 타박상, 관절통, 독사교상(毒蛇咬傷)을 치료한다.

성분 diterpene계 화합물인 enmein, dihydroenmein, enmein-3-acetate, isodocarpin, nodosin, oridonin, poncidin, epinodosinol, sodoponin, isodoacetal, nodosinin, odocinin 등이 함유되어 있다.

약리 주성분인 enmein을 Ehrlich 복수암을 접종시킨 쥐에게 매일 1mg/kg을 투여하면 대부분이 40일 이상 생명을 연장한다. 쥐에게 열수추출물을 투여하면 위산 과잉 분비를 억제하고, 궤양을 치료하는 작용이 있다. enmein은 각종 세균 증식을 억제한다.

사용법 사릉간 10g에 물 3컵(600mL)을 넣고 달여서 복용하고, 외용에는 짓찧어 바른다.

＊ 우리나라 전역 산골짜기에 분포하며, 본종에 비하여 잎이 작고 꽃은 짙은 자주색이며, 수술과 암술은 꽃 밖으로 나오지 않는 '산박하 *P. inflexus*'도 약효가 같다.

❍ 사릉간(四棱杆)

❍ 방아풀

[꿀풀과]

자주방아풀

 황달, 담낭염, 설사, 이질 ▢ 창종

● 학명 : *Plectranthus serra* (Burm.) Koidz. [*Isodon serra*, *Rabdosia serra*]
● 별명 : 자주오리방풀, 자주회채화

| 1 | 2 | 3 | 4 | 5 | 6 | 7 | 8 | 9 | 10 | 11 | 12 |

여러해살이풀. 높이 1m 정도. 줄기의 능선이 예리하며, 잎은 마주난다. 꽃은 자주색, 9~10월에 피고 꽃받침은 길이 2mm 정도로 5개로 갈라진다. 분과는 편원형으로 윗부분에 선점과 털이 있다.

분포·생육지 우리나라 전역, 중국, 일본. 산과 들에서 자란다.

약용 부위·수치 전초를 여름에 채취하여 물에 씻은 후 썰어서 말린다.

약물명 계황초(溪黃草), 웅담초(熊膽草), 혈풍초(血風草)라고도 한다.

약효 청열해독(淸熱解毒), 이습퇴황(利濕退黃), 산어소종(散瘀消腫)의 효능이 있으므로 황달, 담낭염, 설사, 이질, 창종(瘡腫)을 치료한다.

성분 rabdoserrin A, B, D, excisanin A, ursolic acid, 2α-hydroxylursolic acid, daucosterol 등이 함유되어 있다.

사용법 계황초 15g에 물 3컵(600mL)을 넣고 달여서 복용한다.

❶ 자주방아풀

❶ 자주방아풀(뿌리)

[꿀풀과]

광곽향

 하냉감모 ▨ 한열두통 ▢ 수족선
▧ 흉완비민, 구토설사 👁 비연

● 학명 : *Pogostemon cablin* (Blanco) Benth. ● 영명 : Patchouli ● 한자명 : 廣藿香

| 1 | 2 | 3 | 4 | 5 | 6 | 7 | 8 | 9 | 10 | 11 | 12 |

여러해살이풀. 높이 1m 정도. 줄기는 곧게 서며 향기가 강하고 네모진 능선에 짧은 털이 있다. 잎은 마주나고 달걀 모양, 가장자리에는 굵은 톱니가 있으며, 양면에 털이 많다. 꽃은 자주색, 7~9월에 윤산화서로 달리고, 꽃잎은 5개로 갈라지며, 수술은 4개로 길고 하순꽃잎이 크다. 열매는 둥글납작하고 매끈하다.

분포·생육지 중국 광둥성(廣東省), 하이난섬(海南島). 산과 들에서 자라고, 물기가 많은 밭에서 재배한다.

약용 부위·수치 지상부를 8~9월에 채취하여 먼지를 털고 적당한 크기로 잘라 그늘에서 말린다.

약물명 광곽향(廣藿香). 해곽향(海藿香)이라고도 한다. 광곽향(廣藿香)은 광둥성(廣東省)에서 주로 재배되므로 붙여진 이름이고, 해곽향(海藿香)은 해양성 기후에서 잘 자라는 것에서 유래한다. 대한민국약전(KP)에 수재되어 있다.

성상 줄기와 잎으로 구성되고 잎은 말라서 쭈그러졌으나 물에 적시어 펴면 난형~타원형이다. 길이 4~9cm, 너비 3~7cm, 양면에 회백색의 털이 빽빽하고 가장자리에는 불규칙한 톱니가 있다. 표면은 어두운 갈색, 뒷면은 회갈색이고, 가늘고 긴 잎자루에는 부드러운 털이 덮여 있다. 줄기는 네모지고 위에는 잎이 많이 붙어 있는 가지가 있으며 높이 50~60cm, 지름 2~7mm, 겉에 부드러운 털이 있다. 특이한 방향이 있고 맛은 조금 쓰다.

＊ 약효와 사용법은 '배초향 *Agastache rugosa*'과 같다.

❶ 광곽향(꽃)

❶ 광곽향(廣藿香, 신선품)

❶ 광곽향(廣藿香, 오래 묵은 것)

❶ 광곽향(廣藿香)

❶ 광곽향(廣藿香)의 건조(인도네시아 향료 연구소)

❶ 광곽향(廣藿香)에서 추출한 정유

❶ 광곽향

꿀풀

| 목적수명, 목주동통, 이명 | 두통현훈 | 유옹 |
| 나력, 옹절종독 | 간염 | 고혈압 |

● 학명 : *Prunella vulgaris* L. var. *lilacina* Nakai
● 별명 : 꿀방망이, 가지골나물, 붉은꿀풀, 가지가래꽃

| 1 | 2 | 3 | 4 | 5 | 6 | 7 | 8 | 9 | 10 | 11 | 12 |

여러해살이풀. 높이 20~30cm. 잎은 마주 난다. 꽃은 적자색, 5~7월에 양순형으로 각각 3개의 꽃이 달린다. 꽃받침은 5개로 갈라지며 겉에 잔털이 있고, 하순꽃잎은 다시 3개로 갈라지며 가운데 조각에 톱니가 있다. 분과는 길이 1.6mm 정도로 황갈색 이다.

분포 · 생육지 우리나라 전역. 중국, 일본, 우수리. 들에서 자란다.

약용 부위 · 수치 과수를 5~6월에 채취하여 흙을 털어서 썰어 말린다. 한국산은 전초를 약용한다.

약물명 하고초(夏枯草). 석구(夕句), 내동 (乃東), 연면(燕面), 맥하고(麥夏枯), 철색초 (鐵色草)라고도 한다. 대한민국약전(KP)에 수재되어 있다.

본초서 하고초(夏枯草)는 「신농본초경(神 農本草經)」의 하품(下品)에 수재되어, 별명 을 석구(夕句), 내동(乃東), 연면(燕面)이라 고 한다. 주진형(朱震亨)은 "이 풀은 하지 (夏至)를 지나면 말라 죽기 때문에 하고초 (夏枯草)라고 한다."고 하였다. 「당본주(唐 本注)」에는 "이 풀은 평택(平澤)에서 자라 며, 잎은 선복화(旋腹花)와 비슷하고 이른 봄에 싹이 나와 4월에 새싹을 내며 꽃은 자 주색으로 단삼(丹蔘)과 비슷하다. 5월에 말 라 죽으며, 여러 곳에 분포한다."라고 기록 되어 있다. 「본초강목(本草綱目)」에는 "들에 흔히 자라며, 높이 1~2척이며 줄기는 네 모나고 잎은 마디에서 나오고 담자색 꽃이 핀다."고 기록되어 있다. 「동의보감(東醫寶

鑑)」에는 "추웠다 열이 났다 하는 나력, 서 루(鼠瘻, 나력으로 생긴 작은 구멍), 머리에 생긴 상처를 낫게 한다. 뱃속에 덩어리가 생긴 것과 영류(瘻瘤, 목에 생기는 혹)를 삭 이고 기운이 몰린 것을 풀어 주며 눈이 아 픈 것을 낫게 한다."고 하였다.

神農本草經: 主寒熱, 瘰癧, 鼠瘻, 頭瘡, 破癥, 散癭結氣, 各種濕痺, 輕身.
本草綱目: 能解內熱, 緩肝火.
東醫寶鑑: 主寒熱 瘰癧鼠瘻 頭瘡 破癥 散 癭結氣 治目疼.

성상 하고초(夏枯草)는 대부분 줄기가 달 린 꽃이삭이며 많은 포엽과 꽃받침이 붙어 있고 표면은 회갈색~적갈색, 질은 가볍다. 꽃받침 속에 분과가 있고, 포엽은 심장형이 고 전체에 털이 있다. 냄새는 없고 맛은 담 담하다. 꽃이삭만 있는 것을 하고초 또는 하고구(夏枯球)라 한다.

기미 · 귀경 한(寒), 고(苦), 신(辛) · 간(肝), 담(膽).

약효 청간명목(淸肝明目), 산결해독(散結 解毒)의 효능이 있으므로 목적수명(目赤羞 明), 목주동통(目珠疼痛), 두통현훈(頭痛眩 暈), 이명(耳鳴), 나력(瘰癧), 유옹(乳癰), 옹절종독(癰癤腫毒), 간염, 고혈압을 치료 한다.

성분 triterpenoid계 성분인 oleanolic acid, ursolic acid, $2\alpha,3\alpha,19$-trihydroxyurs- 12-en-28-oic acid, $2\alpha,3\alpha,19\alpha,23$- tetrahydroxyurs-12-en-28-oic acid, $2\alpha,3\alpha,23$-trihydroxyurs-12-en-28-oic acid, $2\alpha,3\alpha$-dihydroxyurs-12-en-28-oic acid, $2\alpha,3\beta$-dihydroxyolean-12-en-28- oic acid, $2\alpha,3\alpha,24$-trihydroxyolean-12- en-28-oic acid, flavonoid계 성분인 rutin, hyperoside, quercetin-3-O-β-glucopy- ranoside, kaempferol-3-O-α-L-rham- nopyranosyl(1''-6'')-β-glucopyranoside, kaempferol-3-O-β-glucopyranoside, quercetin-3-O-α-L-rhamnopyrano- syl(1''-6'')-β-glucopyranoside, phenylpro- panoid계 성분인 caffeic acid, caffeic acid methyl ester, p-hydroxy cinnamic acid, rosmarinic acid, danshensu 등이 함유되어 있다.

약리 열수추출물을 토끼나 개에게 투여 또 는 주사하면 혈압이 하강하고, 녹농균에 항 균 작용이 있으며, 이뇨 작용이 나타난다. 메탄올추출물은 MAO 저해 활성을 나타내 어 운동력 향상, 피로 회복, 우울증 개선의 효능이 있다. 70%메탄올추출물은 혈압에 관 여하는 angiotensin converting enzyme의 활성을 저해한다. danshensu는 NMDA 수 용체 길항제인 MK801의 투여로 유도된 사 전 자극 억제 결손을 개선시킨다.

사용법 하고초 10g에 물 3컵(600mL)을 넣 고 달여서 복용하거나 환약으로 만들어 복 용한다. 황달이 있는 간염에는 꿀풀 25g에 대추 15g을 배합하여 물을 넣고 달여서 복 용한다. 신경성 고혈압에는 두충(杜冲), 조 구등(釣鉤藤)과 같은 양으로 배합하여 물을 넣고 달여서 복용하면 효과가 있다.

처방 보간산(補肝散): 하고초(夏枯草) 80g, 향부자(香附子) 40g, 감초(甘草) 20g(「동의 보감(東醫寶鑑)」). 간허(肝虛)로 눈이 아프 고, 눈물이 많이 나면서 눈이 부신 데 사용 한다.

• 하고초산(夏枯草散): 하고초(夏枯草) 24g, 감초(甘草) 4g(「동의보감(東醫寶鑑)」). 나력 (瘰癧)에 사용한다.

＊줄기는 밑에서부터 곧게 서고 땅에 기는 줄기가 없으며 짧은 새순이 줄기 밑에서 나오 는 '두메꿀풀 var. *aleutica*'도 약효가 같다.

○ 꿀풀(흰 꽃)

○ 꿀풀(열매)

○ 하고초(夏枯草, 중국산)

○ 하고초(夏枯草, 한국산)

○ 꿀풀

[꿀풀과]

현맥향차채

 급성간염, 소화불량   농포창

● 학명 : *Rabdosia nervosa* (Hemsl.) C. Y. Wu et H. W. Li [*Plectranthus nervosa*, *Isodon nervosa*]   ● 한자명 : 顯脈香茶菜

1	2	3	4	5	6	7	8	9	10	11	12

❍ 현맥향차채

여러해살이풀. 높이 1m 정도. 잎은 마주나고 긴 타원형, 잎자루가 짧다. 꽃은 자주색, 줄기 및 가지 윗부분의 잎겨드랑이에 총상화서로 핀다. 소견과는 달걀 모양, 부드러운 털에 싸여 있다.

분포·생육지 인도, 중국 산시성(陝西省), 장쑤성(江蘇省). 산지의 풀밭에서 자란다.

약용 부위·수치 전초를 가을에 채취하여 물에 씻은 후 썰어서 말린다.

약물명 대엽사총관(大葉蛇愳管). 맥엽향차채(脈葉香茶菜)라고도 한다.

약효 이습화위(利濕和胃), 해독렴창(解毒斂瘡)의 효능이 있으므로 급성간염, 소화불량, 농포창(膿疱瘡)을 치료한다.

성분 effusanin A, E, ursolic acid, nervosin, neorabdosin 등이 함유되어 있다.

사용법 대엽사총관 15g에 물 3컵(600mL)을 넣고 달여서 복용하고, 외용에는 짓찧어 바른다.

❍ 대엽사총관(大葉蛇愳管)으로 만든 간염 치료제

[꿀풀과]

로즈마리

 두통   탈발증

● 학명 : *Rosmarinus officinalis* L.   ● 영명 : Rosemary   ● 별명 : 미질향

1	2	3	4	5	6	7	8	9	10	11	12

두해살이풀. 높이 30~60cm. 줄기잎은 마주난다. 꽃은 연한 자주색, 5~7월에 원줄기 끝과 윗부분의 잎겨드랑이에 총상화서로 핀다. 꽃받침잎은 양순형, 화관도 길이 0.4~0.5cm로 양순형이며, 수술은 2개이다. 분과는 넓은 타원형, 길이 0.8mm 정도로 능각이 없다.

분포·생육지 지중해 연안 원산. 세계 각처에서 재배한다.

약용 부위·수치 전초를 여름에 채취하여 물에 씻은 후 썰어서 말린다.

약물명 미질초(迷迭草)

약효 발한건비(發汗健脾), 안신지통(安神止痛)의 효능이 있으므로 두통, 탈발증(脫髮症)을 치료한다. 서양에서는 오랫동안 구풍제, 복통, 위장약, 식욕 자극, 신경장애, 두통에 사용해 왔다.

성분 정유(2.5%)에는 주성분인 1,8-cineole, α-pinene, comphor와 소량 성분인 β-pinene, borneol, isobornyl acetate, limonene, linalool, 3-octanone, terpineol, verbinol 등이 함유되어 있다. 일반 성분으로는 hesperidin, diosmin, cirsimarin, phegopolin, eupafolin-3′-O-glucoside, homoplantaginin, nepetrin, apigetrin, luteolin-7-O-glucoside, luteolin-3′-O-glucuronide, carnosol, rosmaricine, isorosmaricine, rosmarinic acid, chlorosmaridione, taxodione 등이 함유되어 있다.

약리 동물 실험과 *in vitro* 실험에서 항균, 항진균, 항바이러스, 진경, 항산화, 평활근 조절, 항염증, 정맥 강장 효능이 있으며, 담즙 분비 촉진 작용이 있다.

사용법 미질초 5g에 물 2컵(400mL)을 넣고 달여서 복용하고, 외용에는 짓찧어 바른다.

❍ 로즈마리로 만든 건강식품   ❍ 로즈마리 (정유)

❍ 로즈마리가 배합된 샴푸

❍ 로즈마리

❍ 미질초(迷迭草)

[꿀풀과]

참배암차즈기

월경부조, 통경, 유옹   풍습골통

창종

●학명 : *Salvia chanroenica* Nakai ●별명 : 토단삼

| 1 | 2 | 3 | 4 | 5 | 6 | 7 | 8 | 9 | 10 | 11 | 12 |

여러해살이풀. 높이 40~50cm. 줄기는 곧게 서고 갈색 털이 빽빽이 나며, 잎은 마주난다. 꽃은 황색, 7~8월에 위쪽의 마디에 모여나며 작은 꽃대는 길이 5~6mm, 포는 바늘 모양이다. 수술은 2개, 암술대는 길게 밖으로 나오며 끝이 두 갈래이다.

분포·생육지 우리나라 경기, 강원, 경북. 중국, 일본, 타이완. 산에서 자란다.

약용 부위·수치 전초를 여름에 채취하여 물에 씻은 후 말린다.

약물명 황화서미초(黃花鼠尾草). 대자단삼(大紫丹蔘), 황화단삼(黃花丹蔘)이라고도 한다.

약효 활혈조경(活血調經), 화어지통(化瘀止痛)의 효능이 있으므로 월경부조(月經不調), 통경(痛經), 풍습골통(風濕骨痛), 유옹(乳癰), 창종(瘡腫)을 치료한다.

사용법 황화서미초 10g에 물 3컵(600mL)을 넣고 달여서 복용하고, 외용에는 짓찧어 바른다.

＊중국에서는 'S. flava'의 뿌리를 '황화서미초(黃花鼠尾草)'라고 한다.

❶ 황화서미초(黃花鼠尾草)

❶ 참배암차즈기

[꿀풀과]

주순

혈붕   고열

복통

●학명 : *Salvia coccinea* L. ●영명 : Scarlet sage ●한자명 : 朱脣

| 1 | 2 | 3 | 4 | 5 | 6 | 7 | 8 | 9 | 10 | 11 | 12 |

여러해살이풀. 높이 70cm 정도. 줄기는 곧게 서고 회백색 털이 빽빽이 나며, 잎은 마주난다. 꽃은 붉은색, 7~8월에 위쪽의 마디에 모여나며, 소견과는 달걀 모양이다.

분포·생육지 우리나라 경기, 강원, 경북. 중국, 일본, 타이완. 산에서 자란다.

약용 부위·수치 전초를 여름에 채취하여 물에 씻은 후 말린다.

약물명 주순(朱脣). 삼엽청(三葉靑), 소홍화(小紅花)라고도 한다.

약효 냉혈지혈(冷血止血), 청열이습(淸熱利濕)의 효능이 있으므로 혈붕(血崩), 고열, 복통을 치료한다.

성분 pelargonidin-3-caffeoylglucoside-5-dimalonylglucoside, dehydrouvaol, salviacoccin, uvaol 등이 함유되어 있다.

사용법 주순 10g에 물 3컵(600mL)을 넣고 달여서 복용한다.

❶ 주순(朱脣)

❶ 주순

[꿀풀과]

고산약불꽃

| | 치질 | | 천식 |
| 부정맥 | |

●학명 : *Salvia greggii* A. Gray　●영명 : Baby salvia　●별명 : 고산사루비아

| 1 | 2 | 3 | 4 | 5 | 6 | 7 | 8 | 9 | 10 | 11 | 12 |

❶ 고산약불꽃

상록 관목. 높이 1m 정도. 잎은 마주나며 타원형으로 가장자리에 톱니가 있고, 잎자루가 있다. 꽃은 붉은색, 7~8월에 줄기와 가지 끝의 꽃대에 핀다.

분포·생육지 북아메리카, 중국, 남아메리카. 세계 각처에서 재배한다.

약용 부위·수치 전초를 여름에 채취하여 물에 씻은 후 말린다.

약물명 Salviae Greggii Herba. 일반적으로 Baby salvia라고 한다.

약효 소염, 강심의 효능이 있으므로 치질, 천식, 부정맥을 치료한다.

사용법 Salviae Greggii Herba 15g에 물 4컵(800mL)을 넣고 달여서 복용하고, 외용에는 짓찧어 바른다.

❶ Salviae Greggii Herba

[꿀풀과]

둥근배암차즈기

| | 황달, 적백하리 | ♀ | 습열대하, 통경 |
| 창양절종 | |

●학명 : *Salvia japonica* Thunb.　●별명 : 토단삼

| 1 | 2 | 3 | 4 | 5 | 6 | 7 | 8 | 9 | 10 | 11 | 12 |

여러해살이풀. 높이 40~50cm. 줄기는 곧게 서고, 잎은 마주나며 홑잎 또는 1~2회 깃꼴겹잎, 작은잎은 3~7개이며 가장자리에 톱니가 있다. 꽃은 담자색, 7~8월에 줄기 끝에 층층으로 달린다. 화관은 양순형, 화통 내부에 털이 있고 수술은 2개, 암술대는 길게 밖으로 나오며 끝이 두 갈래이다. 열매는 분과이다.

분포·생육지 우리나라 경남, 전남. 중국, 일본, 타이완. 산에서 자란다.

약용 부위·수치 전초를 여름에 채취하여 물에 씻은 후 썰어 말린다.

약물명 서미초(鼠尾草). 갱소(坑蘇), 자화단(紫花丹)이라고도 한다.

약효 청열이습(淸熱利濕), 활혈조경(活血調經), 해독소종(解毒消腫)의 효능이 있으므로 황달, 적백하리(赤白下痢), 습열대하(濕熱帶下), 통경(痛經), 창양절종(瘡瘍癤腫)을 치료한다.

성분 daucosterol, ursolic acid, oleanolic acid, 2α-hydroxyursolic acid, tormentic acid, caffeic acid, maslinic acid 등이 함

유되어 있다.

사용법 서미초 15g에 물 4컵(800mL)을 넣고 달여서 복용하고, 외용에는 짓찧어 바른다.

❶ 둥근배암차즈기(열매)

❶ 둥근배암차즈기

[꿀풀과]

단삼

| 심교통 | 월경불순, 월경통, 혈붕, 대하 |
| 어혈복통 | 골절동통 |

● 학명 : *Salvia miltiorrhiza* Bunge

1 2 3 4 5 6 7 8 9 10 11 12

여러해살이풀. 높이 40~80cm. 뿌리는 긴 원주형, 외피는 적자색을 띠고, 잎은 마주 난다. 꽃은 자주색, 5~6월에 층층으로 달리며 꽃대에 선모가 빽빽이 난다. 포는 선형 또는 바늘 모양, 꽃받침은 통형이고 자줏빛이 돌며 선모가 있다. 화관은 양순형, 길이 2~2.5cm로 하순이 3개로 갈라진다. 수술이 길게 밖으로 나온다.

분포·생육지 중국 안후이성(安徽省), 산시성(山西省), 쓰촨성(四川省). 거의 재배하여 출하한다.

약용 부위·수치 뿌리를 가을에 채취하여 흙을 털고 말려서 사용하거나, 치료 목적에 따라 초(炒)하거나 주초(酒炒)하여 사용한다.

약물명 단삼(丹蔘), 자단삼(紫丹蔘), 적삼(赤蔘), 목양유(木羊乳), 축마(逐馬), 분마초(奔馬草)라고도 한다. 대한민국약전(KP)에 수재되어 있다.

본초서 단삼(丹蔘)은 「신농본초경(神農本草經)」의 상품(上品)에 수재되어 있고, 「명의별록(名醫別錄)」에는 별명을 적삼(赤蔘)이라고 하였는데, 뿌리를 캐어 보면 색깔이 붉기 때문이다. 명나라 이시진(李時珍)의 「본초강목(本草綱目)」에는 "오삼(五蔘)은 오색(五色)이 각각 오장(五臟)에 짝지어지는 것이다. 인삼(人蔘)은 비(脾)에 작용하므로 황삼(黃蔘), 사삼(沙蔘)은 폐(肺)에 작용하므로 백삼(白蔘), 현삼(玄蔘)은 신(腎)에 작용하므로 흑삼(黑蔘), 권삼(拳蔘)은 간(肝)에 작용하므로 자삼(紫蔘), 단삼(丹蔘)은 심(心)에 작용하므로 적삼(赤蔘)이라 한다. 고삼(苦蔘)은 우신(右腎), 명문(命門)의 약이다. 옛 사람이 자삼(紫蔘)을 버리고 고삼(苦蔘)만을 말하는 것은 잘못이다."라고 오행설을 말하고 있다. 「동의보감(東醫寶鑑)」에는 "다리가 약하면서 저리고 아픈 것과 팔다리를 자유롭게 쓰지 못하는 것을 낫게 한다. 또 고름을 빨아내고 통증을 가라앉히며 새살이 돋아나게 하고 피가 뭉쳐 오래된 것을 풀고 새로운 피를 채워 준다. 태아가 움직여서 임신부의 배와 허리가 아프고 낙태의 염려가 있는 것을 다스려 편안하게 하며, 뱃속에서 죽은 태아를 나오게 한다. 또 월경을 순조롭게 하고 자궁에서 분비물이 나오는 것을 그치게 한다."고 하였다.

神農本經: 主心腹邪氣, 腸鳴幽幽如走水, 寒熱積聚, 破癥除瘕, 止煩滿, 益氣.

名醫別錄: 養血, 去心腹痼疾, 結氣, 腰脊強, 脚痺, 除風邪留熱, 久服利人.

本草綱目: 活血, 通心包絡, 治疝痛.

東醫寶鑑: 治脚軟 疼痺 四肢不遂 排膿止痛 生肌長肉 破宿血 補新血 安生胎 落死胎 調婦人經脈不勻 止崩漏帶下.

성상 뿌리줄기가 짧고 거칠며 정단에는 보통 줄기가 붙었던 자국이 남아 있다. 뿌리는 긴 원주형으로 때로는 1~2개 또는 여러 개로 갈라졌으며 길이 8~25cm, 지름 3~10mm이다. 표면은 적갈색, 질은 단단하고 꺾은 면은 치밀하지 않으며 빈틈이 있거나 대개 고르면서 치밀하고, 특이한 향기가 있고 맛은 약간 쓰고 떫다.

기미·귀경 미한(微寒), 고(苦)·심(心), 심포(心包), 간(肝)

약효 활혈(活血), 거어(祛瘀), 청심제번(清心除煩), 양혈소옹(凉血消癰), 배농지통(排膿止痛)의 효능이 있으므로 심교통(心交痛), 월경불순, 월경통, 월경폐지, 혈붕(血崩), 대하(帶下), 어혈복통(瘀血腹痛), 골절동통(骨節疼痛)을 치료한다.

성분 tanshinone I, tanshinone IIA, cryptotanshinone, tanshinol I, tanshinol II, 15,16-dihydrotanshinone I, rosmarinic acid, lithospermate B, methylrosmarinic acid 등이 함유되어 있다.

약리 에탄올추출물 또는 열수추출물을 경구 투여하거나 피하주사하면 토끼의 적혈구와 헤모글로빈이 약간 증가한다. 열수추출물은 phophodiesterase의 활성을 억제함으로써 cAMP의 농도를 증가시켜 강심 작용을 나타낸다. 열수추출물은 자가 면역 질환인 전신성 홍반성낭창(systemic lupus erythmatosus)에서 나타나는 장기에 공격적 항체(anti-ds DNA antibody)의 생산을 억제함으로써 생존 기간을 연장시킨다. 알칼로이드 분획물은 세포의 유사 분열 체계(MAPK-dependent signaling pathway의 up-stream)에 작용함으로써 nerve growth factor로 유도한 신경 돌기의 성장을 촉진한다. 열수추출물은 스트레스나 초산, 수산화나트륨으로 유도한 위궤양으로부터 위세포를 보호한다. 에탄올추출물을 개의 정맥이나 복강에 주사하면 혈압이 내려간다. tanshinone I, cryptotanshinone, 15,16-dihydrotanshinone I은 prostaglandin과 nitric oxide의 생성을 억제한다. tanshinone IIA는 에탄올에 의하여 손상된 간의 회복을 도와준다. rosmarinic acid, methylrosmarinic acid는 tyrosinase의 활성을 억제한다.

● 단삼

● 단삼(흰 꽃)

● 단삼 재배(중국 상락)

cryptotanshinone과 15,16–dihydrotan-shinone I은 *Streptococcus epidermis*, *S. pyogenes* 등에 항균 작용이 있다. 에탄올 추출물은 비만 세포 초기 신호 전달 물질인 Src–family kinase의 활성을 억제함으로써 항알레르기 효과를 나타낸다.

사용법 단삼 10g에 물 3컵(600mL)을 넣고 달여서 복용하고, 외용에는 짓찧어 바른다.

어혈(瘀血)이 없는 경우에는 복용에 주의하고 소금물과는 상외(相畏), 여로(藜蘆)와는 상반(相反) 작용이 있다.

처방 단삼산(丹蔘散): 단삼(丹蔘)·당귀(當歸) 각 40g, 작약(芍藥) 10g (「처방집(處方集)」). 빈혈에 사용한다. 위의 약을 가루 내어 1회 5g씩 복용한다.

• 단삼음(丹蔘飮): 단삼(丹蔘) 30g, 사인

(砂仁)·단향(檀香) 각 4.5g (「시방가괄(時方歌括)」). 기체혈어(氣滯血瘀)가 중초에 모여서 복통, 가슴이 답답하고 아픈 증상에 사용한다.

※ 잎이 홑잎이고 밑부분이 심장형인 '감숙단삼 S. przewalskii'도 약효가 같다.

❂ 단삼(丹蔘)

❂ 단삼(丹蔘, 절편)

❂ 단삼(丹蔘, 절편)

❂ 단삼(丹蔘)이 배합된 어혈 치료제

❂ 단삼(뿌리)

❂ 단삼(丹蔘)이 배합된 심장병 치료용 주사제

❂ 단삼(丹蔘)이 배합된 심장병 치료제

❂ 단삼(丹蔘)이 배합된 어혈 치료제

[꿀풀과]

세이지

👁	치주염, 구강염, 인후염	💧	다한증
🖐	소화불량		

● 학명 : *Salvia officinalis* L.　● 영명 : Sage, Garden sage, Common sage
● 별명 : 샐비어

1	2	3	4	5	6	7	8	9	10	11	12

여러해살이풀. 높이 40~60cm. 줄기는 곧게 서며, 잎은 마주나고 홑잎, 가장자리에 작은 톱니가 있다. 꽃은 담자색, 7~8월에

줄기 끝에 층층으로 달린다. 화관은 양순형, 수술은 2개, 암술대는 길게 밖으로 나오며 끝이 두 갈래이다. 열매는 분과이다.

분포·생육지 지중해 연안, 남유럽. 여러 나라에서 재배한다.

약용 부위·수치 잎을 여름에 채취하여 말린다.

약물명 Salviae Herba. 일반적으로 세이지(Sage)라고 한다.

약효 방부살균(防腐殺菌), 진경(鎭痙), 구풍(驅風)의 효능이 있으므로 치주염, 구강염, 인후염, 다한증, 소화불량을 치료한다.

성분 정유(3.6%)에는 주성분인 α–thujone, β–thujone과 소량 성분인 camphor, 1,8–cineole, rosmarinic acid, carnosol, oleanolic acid, rosmanol 등이 함유되어 있다.

사용법 Salviae Herba 1~2g을 뜨거운 물에 우려내서 복용한다. 1일 복용량은 4~6g이다.

※ 상순꽃잎이 담자색을 띠고 하순꽃잎이 백자색인 '서양샐비어 S. sclarea'도 약효가 같다.

❂ 세이지

❂ 세이지(꽃)

❂ Salviae Herba

배암차즈기

 감모발열　 인후종통　폐열해수

혈뇨, 치창출혈　붕루　습진소양

● 학명 : *Salvia plebeia* R. Br.　● 별명 : 뱀배추, 뱀차즈기, 곰보배추

1	2	3	4	5	6	7	8	9	10	11	12

❶ 꽃　❶ 배암차즈기

❶ 여지초(荔枝草)

❶ 배암차즈기(뿌리)

❶ 여지초(荔枝草)로 만든 건강식품

여러해살이풀. 높이 30~60cm. 줄기는 네모지고, 잎은 마주난다. 꽃은 연한 자주색, 5~7월에 피고 총상화서는 원줄기 끝과 윗부분의 잎겨드랑이에서 나온다. 꽃받침과 화관은 양순형이다. 분과는 편구형이다.

분포 · 생육지 우리나라 전역. 중국, 일본, 우수리. 습지에서 자란다.

약용 부위 · 수치 전초를 여름에 채취하여 흙을 털어서 썰어 말린다.

약물명 여지초(荔枝草). 수양이(水羊耳), 과동청(過冬靑)이라고도 한다.

기미 · 귀경 양(凉), 고(苦), 신(辛) · 폐(肺), 위(胃)

약효 청열해독(淸熱解毒), 양혈산어(凉血散瘀), 이수소종(利水消腫)의 효능이 있으므로 감모발열(感冒發熱), 인후종통(咽喉腫痛), 폐열해수(肺熱咳嗽), 해혈(咳血), 혈뇨(血尿), 붕루(崩漏), 치창출혈(痔瘡出血), 신염수종(腎炎水腫), 습진소양(濕疹瘙痒)을 치료한다.

성분 homoplantaginin, hispidulin, eupafolin, eupafolin-7-*O*-β-D-glucoside, nepitrin, 4-hydroxyphenyllactic acid, caffeic acid 등이 함유되어 있다.

약리 열수추출물은 *in vitro* 실험에서 황색포도상구균, 고초간균 등에 항균 작용이 있다. 열수추출물은 동물 실험에서 기침과 숨찬 증상을 완화시키는 작용이 있다. 메탄올추출물은 항산화 작용과 아질산염 소거 작용이 있다.

사용법 여지초 10g에 물 3컵(600mL)을 넣고 달여서 복용하거나 알약으로 만들어 복용한다.

감숙단삼

심교통　월경불순, 월경통, 혈붕, 대하

어혈복통　골절동통

● 학명 : *Salvia przewalskii* Maxim.　● 별명 : 자단삼, 홍진교, 대자단삼

1	2	3	4	5	6	7	8	9	10	11	12

❶ 자단삼(紫丹蔘)

여러해살이풀. 높이 40~80cm. 뿌리는 긴 원주형으로 목질이며, 외피는 적자색을 띤다. 잎은 마주나고 홑잎, 심장형이다. 꽃은 자주색, 5~6월에 층층으로 달리며 꽃대에 선모가 빽빽이 난다.

분포 · 생육지 중국 간쑤성(甘肅省), 윈난성(雲南省). 해발 2,000~4,000m의 산지에서 자란다.

약용 부위 · 수치 뿌리를 가을에 채취하여 흙을 털고 말려서 사용하거나 약한 불에 볶아서 사용한다.

약물명 자단삼(紫丹蔘). 홍진교(紅秦艽), 대자단삼(大紫丹蔘)이라고도 한다.

＊ 약효와 사용법은 '단삼 *S. miltiorrhiza*'과 같다.

❶ 감숙단삼

[꿀풀과]

서양샐비어

● 학명 : *Salvia sclarea* L.　● 영명 : Clary sage　● 별명 : 클라리 세이지

| 1 | 2 | 3 | 4 | 5 | 6 | 7 | 8 | 9 | 10 | 11 | 12 |

여러해살이풀. 높이 1m 정도. 줄기는 사각형이고 가지가 위에서 많이 갈라진다. 잎은 마주나고 넓은 타원형, 가장자리는 밋밋하고 잎자루는 약간 길다. 꽃은 담자색, 5~7월에 원줄기 끝과 윗부분의 잎겨드랑이에 긴 총상화서로 핀다. 화관은 양순형, 상순은 2개, 하순은 백자색이고 끝부분은 황색이다.

분포 · 생육지 유럽, 중앙아시아, 러시아. 양지에서 자라거나 재배한다.

약용 부위 · 수치 잎을 여름에 채취하여 말린다.

약물명 Salviae Folium. 일반적으로 Clary sage라 한다.

약효 구풍(驅風), 수렴(收斂), 살균의 효능이 있으므로 소화불량, 요로감염, 생리장애를 치료한다. 공업적으로는 향료를 뽑아 화장품, 비누, 세제로도 이용한다.

성분 rosmarinic acid, sclareol 등이 함유되어 있다.

사용법 Salviae Folium 2~3g을 뜨거운 물로 우려내어 1일 2~3회 복용한다.

❶ 서양샐비어

❶ 서양샐비어(꽃)

❶ 서양샐비어(잎)

[꿀풀과]

유럽광대나물

● 학명 : *Satureja montana* L.　● 영명 : Winter savory

| 1 | 2 | 3 | 4 | 5 | 6 | 7 | 8 | 9 | 10 | 11 | 12 |

여러해살이풀. 높이 30cm 정도. 줄기는 사각형, 잎은 마주나고 가장자리는 밋밋하며 잎자루는 거의 없다. 꽃은 백색 또는 연한 붉은색, 5~7월에 원줄기 끝과 윗부분의 잎겨드랑이에 총상화서로 나온다. 화관은 양순형, 상순은 2개로, 하순은 3개로 갈라진다.

분포 · 생육지 유럽 남동부, 북아프리카. 여러 나라에서 재배한다.

약용 부위 · 수치 꽃봉오리를 여름에 채취하여 말린다.

약물명 Saturejae Flos. 일반적으로 Winter savory라고 한다.

약효 건위(健胃), 구풍(驅風), 수렴(收斂), 살균의 효능이 있으므로 소화불량, 요로감염, 화상, 피부염, 천식을 치료한다. 공업적으로는 화장품, 비누, 세제로도 이용한다.

성분 carvacrol(50%), *p*-cymol, γ-terpinene, rosmarinic acid, hydroxycinnamic acid 등이 함유되어 있다.

약리 carvacrol은 생물 막이나 막단백질과 쉽게 상호 작용을 함으로써 진경, 이뇨, 항균 작용을 나타낸다.

사용법 Saturejae Flos 2g을 뜨거운 물로 우려내어 복용한다. 1일 2~3회 복용하며, 피부염에는 짓찧어 바르거나 목욕물에 넣어 사용한다.

❶ 유럽광대나물

❶ 유럽광대나물(꽃이 피기 전)

❶ 유럽광대나물에서 추출한 정유

형개

	토혈, 혈변		자궁출혈, 산후혈훈
	발열, 두통		인후종통	옹종

● 학명 : *Schizonepeta tenuifolia* Briquet var. *japonica* Kitagawa　　● 한자명 : 荊芥

| 1 | 2 | 3 | 4 | 5 | 6 | 7 | 8 | 9 | 10 | 11 | 12 |

한해살이풀. 높이 60cm 정도. 잎은 마주나고 깃 모양이다. 꽃은 8~9월에 피며, 꽃받침은 통형이고 끝이 5개로 갈라진다. 화관은 양순형, 하순이 3개로 갈라지며 중앙의 것이 가장 크다. 수술은 4개로 그중 2개가 길다. 분과는 4개, 달걀 모양이다.

분포·생육지 중국 원산. 우리나라 전역에서 재배한다.

약용 부위·수치 전초를 늦여름에 채취하여 적당한 크기로 썰어서 말린다. 지혈이 목적인 경우 초흑(炒黑)하여 사용한다.

약물명 형개(荊芥). 가소(假蘇), 서명(鼠蓂), 강개(姜芥)라고도 한다. 대한민국약전(KP)에 수재되어 있다.

본초서 형개(荊芥)는 「신농본초경(神農本草經)」의 중품(中品)에 가소(假蘇)라는 이름으로 수재되어 있다. 「오보본초(吳普本草)」에는 "일명 형개(荊芥)라 하며, 잎은 가늘게 쪼개져 있다."라고 기록된 것으로 보아 오늘날의 약물과 형태가 일치한다. 「동의보감(東醫寶鑑)」에 "추위로 인해 바람 끝이 싫어지며 두통, 근육이 욱신거리며 아픈 것, 어지러운 것을 낫게 한다. 또 림프절에 멍울이 생긴 것과 몸에 생긴 여러 피부병을 낫게 한다."고 하였다.

神農本草經: 主寒熱, 鼠瘻, 瘰癧生瘡, 破結聚氣, 下瘀血, 除濕痺.

食料本草: 助脾胃.

日華子: 利五臟, 消食下氣, 醒酒, 作菜生熟食并煎茶, 治頭風并汗出, 豉汁煎治暴傷寒.

東醫寶鑑: 治惡風, 賊風, 遍身瘇痺, 傷寒頭痛 筋骨煩疼 血勞風氣 療瘰癧瘡瘍.

성상 보통 꽃, 잎, 줄기로 되나 때때로 줄기에 마주난 잎도 있다. 줄기는 네모나며 자갈색, 잎은 좁은 피침형이며 때로는 떨어져 있다. 꽃대는 길이 5~10cm이고 작은 순형화와 때로는 열매를 가지는 꽃받침통이 붙어 있다. 특이한 냄새가 있고 입속에 넣으면 약간 청량감이 있다. 꽃이삭(수상화서)만 있는 것을 형개수(荊芥穗)라 한다.

기미·귀경 온(溫), 신(辛)·폐(肺), 간(肝)

약효 해표(解表), 거풍(祛風), 이혈(理血)의 효능이 있으므로 토혈(吐血), 혈변(血便), 자궁출혈, 발열, 두통, 인후종통(咽喉腫痛), 산후혈훈(産後血暈), 옹종(癰腫)을 치료한다.

성분 flavonoid 성분인 apigenin-7-O-glucoside, schizonodiol, schizonol, hesperidin, apigenin-7-O-β-D-glucopyranoside, luteolin-7-O-β-D-glucopyranoside, monoterpene 성분인 (−)-pulegone, (+)-piperitenone, *p*-cymene-3,8-diol, (+)-spatulenol, (+)-methone, 2-hydroxy-2-isopropenyl-5-methyl cyclohexanone, 8-hydroxy-*p*-menthen-3-one, *cis*-pulegoneoxide, 1,4-dimethoxybenzene, schizonepetoside A, B, C, D and E, triterpenoid 성분인 ursolic acid, 2α,3α,24-trihydroxyolean-12-en-28-oic acid, 5α, 8α-epidioxyergosta-6,22-diol-3β-ol, β-sitosterol, stimasta-4-en-3-one, phenylpropanoid 성분인 caffeic acid, rosmarinic acid, 기타 (Z)-3-hexenyl-1-O-β-D-glucopyranoside, *trans*-phytol 등이 함유되어 있다.

약리 인위적으로 발열시킨 토끼에게 열수추출물을 투여하면 해열 작용이 약간 있고, 폐결핵균에 항균 작용이 있다. 열수추출물은 mast cell로 유도한 알레르기 모델에서 항알레르기 작용을 나타낸다.

사용법 형개 5g에 물 2컵(400mL)을 넣고 달여서 복용하거나 알약이나 가루약으로 만들어 복용하고, 외용에는 짓찧어 바른다. 출혈에는 볶아서 사용하면 효과가 더욱 좋다.

처방 형개연교탕(荊芥連翹湯): 형개(荊芥)·연교(連翹)·방풍(防風)·당귀(當歸)·천궁(川芎)·작약(芍藥)·시호(柴胡)·지실(枳實)·황금(黃芩)·치자(梔子)·백지(白芷)·길경(桔梗) 각 2.8g, 감초(甘草) 2g(「동의보감(東醫寶鑑)」). 풍열(風熱)이 신경맥에 침입하여 양쪽 귀가 붓고 아픈 데 사용한다.

• 형개탕(荊芥湯): 길경(桔梗) 80g, 감초(甘草) 40g, 형개(荊芥) 20g(「동의보감(東醫寶鑑)」). 풍열(風熱)로 목 안이 붓고 아프며 목이 쉬고 콧물이 흐르는 증상에 사용한다.

• 형방패독산(荊防敗毒散): 형개(荊芥)·방풍(防風)·강활(羌活)·독활(獨活)·전호(前胡)·복령(茯苓)·인삼(人蔘)·지실(枳實)·길경(桔梗)·천궁(川芎)·감초(甘草) 각 4g(「동의보감(東醫寶鑑)」). 창양(瘡瘍) 초기에 표증 증상이 있거나 온역(溫疫) 초기에 사용한다.

※ 본 종에 비하여 잎이 더 많이 갈라진 '다열엽형개 S. multifida'도 약효가 같다.

❶ 형개(荊芥)가 주약으로 배합된 형개연교탕. 귀가 붓고 아픈 데 사용한다.

❶ 형개(잎)

❶ 형개 재배(일본 도야마)

❶ 형개

❶ 형개(荊芥, 중국산)

❶ 형개(荊芥, 한국산)

속썩은풀

폐열해수　열병고열신혼, 간화두통
목적종통　습열황달　자궁출혈

● 학명 : *Scutellaria baicalensis* Georgi　● 별명 : 황금

| 1 | 2 | 3 | 4 | 5 | 6 | 7 | 8 | 9 | 10 | 11 | 12 |

여러해살이풀. 높이 60cm 정도. 뿌리는 굵고 껍질은 암갈색이나 내부는 황색이고, 잎은 마주난다. 꽃은 자주색, 7~8월에 피며 꽃받침은 종형이다. 열매는 꽃받침 안에 들어 있고 둥글다.

분포 · 생육지 우리나라 중부 이북. 중국 둥베이(東北) 지방, 아무르, 몽골, 동시베리아. 산에서 자란다.

약용 부위 · 수치 뿌리를 봄과 여름에 채취하여 흙을 털어서 적당한 크기로 썰어 말린다.

약물명 황금(黃芩). 부장(腐腸), 공장(空腸)이라고도 한다. 대한민국약전(KP)에 수재되어 있다.

본초서 황금(黃芩)은 「신농본초경(神農本草經)」의 중품(中品)에 수재되어 "열병, 황달, 복통, 설사의 요약으로 사용되어 왔다. 뿌리는 오래되면 목부(木部)의 일부가 썩어서 비므로 속썩은풀, 부장(腐腸), 공장(空腸) 등의 별명이 있다."고 하였다. 「동의보감(東醫寶鑑)」에 "더위로 인한 발진과 뼈 속이 후끈 달아오르는 증상, 추웠다 더웠다 하는 것을 낫게 하고 열로 인한 갈증을 풀어 준다. 황달, 이질, 설사와 함께 담으로 인해 열이 나는 것을 낫게 하고, 위장의 열을 내려 준다. 소장의 기운을 통하게 하고 젖이 곪는 것, 등에 종기가 난 것, 종기가 벌겋게 부어올라 아프고 가려우며 곪는 것을 삭이고 돌림병을 낫게 한다."고 하였다.

神農本草經: 主諸熱黃疸 腸澼 泄痢 逐水 下血閉 惡瘡 疽飮 火瘍

眞珠囊: 酒炒上頸 主上部積血 除陽有余 凉心去熱 通寒格.

本草綱目: 治風熱濕熱頭疼 奔豚熱痛 火咳肺痿喉腥 諸失血.

東醫寶鑑: 治熱毒 骨蒸 寒熱往來 解熱渴 療黃疸 腸澼泄痢 痰熱 胃熱 利小便 治乳癰發背惡瘡 及天行熱疾.

성상 방추형~곤봉상의 뿌리로 표면은 황갈색이고 선명한 세로 주름이 있다. 곳곳에 측근의 흔적 및 갈색의 주피(周皮)가 있으며, 오래된 뿌리에는 가운데가 부패하여 흑갈색으로 되거나 비어 있다.

품질 황색으로 목부(木部)가 충실하며 질이 무겁고 쓴맛이 많을수록 좋다.

기미 · 귀경 한(寒), 고(苦) · 심(心), 폐(肺), 위(胃), 담(膽), 대장(大腸)

약효 청열사화(淸熱瀉火), 조습해독(燥濕解毒), 지혈, 안태(安胎)의 효능이 있으므로 폐열해수(肺熱咳嗽), 열병고열신혼(熱病高熱神昏), 간화두통(肝火頭痛), 목적종통(目赤腫痛), 습열황달(濕熱黃疸), 사리(瀉痢), 열림(熱淋), 토뉵(吐衄), 붕루(崩漏), 번갈(煩渴), 자궁출혈, 태동불안을 치료한다.

성분 flavonoid 성분으로 baicalin, baicalein, wogonin, wogonin-7-*O*-glucuronide, oroxylin A, skucapflavone I, II, chrysin, dihydrooroxylin A, 2′,5′,6′-trihydroxy-7,8-dimethoxyflavone, 2′,5,7-trihydroxy-6′,8-dimethoxyflavone, 5,7,2′,6′-tetrahydroxyflavone, 5,7,2′,5′-tetrahydroxy-8,6′-dimethoxyflavone, rutin 등, diterpenoid 성분으로 scutebaicalin, scutalpin 등이 함유되어 있다.

약리 baicalin은 전염성간염 71의 예를 치료한 결과 치료율이 97%였고, baicalein은 이뇨 작용을 나타내었다. baicalin은 동물 실험에서 간 보호 작용이 나타난다. 열수추출물은 해열 작용이 있으며, 그 주성분은 baicalein이다. baicalin과 baicalein은 담즙의 분비를 촉진한다. baicalein은 thrombin과 thrombin agonist로 유도한 plasminogen activator inhibitor-1의 생산을 억제함으로써 혈전을 용해하는 plasminogen의 활성을 도와준다. 또한 동맥의 수축과 이완에 영향을 주어 혈압을 낮춘다. wogonin은 COX-1과 fibronectin의 발현은 증가시키는 반면, COX-2와 TNFα의 발현은 억제한다. oroxylin A와 wogonin은 benzodiazepine receptor에 결합하여 선택적으로 길항함으로써 불안 완화 작용을 나타낸다. 에탄올추출물은 histamine의 유리를 억제하여 항알레르기 작용을 나타낸다. 메탄올추출물은 RANKL로 유도되는 파골 세포(osteoclast)의 분화를 억제한다.

확인 시험 가루 0.5g에 에테르 20mL를 넣고 환류 냉각기를 달아 수욕상에서 5분간 천천히 끓이고 식힌 다음 여과한다. 여액을 증발시켜 얻은 잔류물에 에탄올 10mL를 넣어 녹인 후 그 3mL에 묽은 $FeCl_3$ 시액 1방울을 떨어뜨리면 액은 회녹색을 나타내고 나중에 자갈색으로 변한다.

사용법 황금 10g에 물 3컵(600mL)을 넣고 달여서 복용하고, 외용에는 짓찧어 바른다.

주의 비위허한(脾胃虛寒)하거나, 임신부는 복용을 피한다.

처방 황금탕(黃芩湯): 황금(黃芩) · 치자(梔子) · 길경(桔梗) · 작약(芍藥) · 상백피(桑白皮) · 맥문동(麥門冬) · 형개(荊芥) · 박하(薄荷) · 연교(連翹) 각 4g, 감초(甘草) 1.2g 「동의보감(東醫寶鑑)」. 폐열로 코가 마르고 헐며 붓고 아픈 증상에 사용한다.

• 황금작약탕(黃芩芍藥湯): 황금(黃芩) · 작약(芍藥) 각 8g, 감초(甘草) 4g 「동의보감(東醫寶鑑)」. 이질로 열이 나고 배가 아프며 대변에 피가 섞여 나오는 증상에 사용한다.

• 청폐탕(淸肺湯): 황금(黃芩) 6g, 길경(桔梗) · 복령(茯苓) · 상백피(桑白皮) · 진피(陳皮) · 패모(貝母) 각 4g, 당귀(當歸) · 천문동(天門冬) · 치자(梔子) · 행인(杏仁) · 맥문동(麥門冬) 각 2.8g, 오미자(五味子) 7알, 생강(生薑) 3쪽, 대추(大棗) 2개 「만병회춘(萬病回春)」. 폐열해수(肺熱咳嗽)에 사용한다.

＊ '산수유', '용골'과는 상사(相使) 작용, '목단', '여로'와는 상외(相畏) 작용이 있다.

❖ 속썩은풀

❖ 속썩은풀(뿌리)

● 황금(黃芩)

● 황금(黃芩, 절편)

● 속썩은풀(열매)

● 황금(黃芩), 대황(大黃), 삼지구엽초로 만든 해열제

● 황금(黃芩)이 배합된 폐열해수 치료제

● 황금(黃芩)이 배합된 콧물감기 치료제

[꿀풀과]

반지련

| 열독옹종, 나력 | 인후동통, 육혈 |
| 폐옹 | 장옹, 토혈 | 암종 |

● 학명 : *Scutellaria barbata* D. Don.　　● 한자명 : 半枝蓮

| 1 | 2 | 3 | 4 | 5 | 6 | 7 | 8 | 9 | 10 | 11 | 12 |

여러해살이풀. 높이 15~35cm. 뿌리는 가늘고 잎은 마주난다. 가지 끝에 꽃차례가 있고, 화관은 양순형이며 짙은 남자색으로 길이 1.2cm 정도이고 털로 덮여 있다. 열매는 납작한 구형, 담갈색이다.

분포·생육지 중국 허베이성(河北省), 쓰촨성(四川省), 일본. 산과 들의 습지에서 자란다.

● 반지련(半枝蓮)

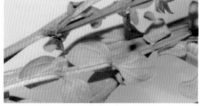

● 반지련(잎)

● 반지련

약용 부위·수치 전초를 여름에 채취하여 물에 씻은 후 말린다.

약물명 반지련(半枝蓮). 대한민국약전외한약(생약)규격집(KHP)에 수재되어 있다.

성상 전초로 줄기는 뭉쳐나고 네모지며 표면은 녹갈색~자주색이다. 잎은 마주나고 타원형, 표면은 녹색, 뒷면은 회녹색, 가장자리가 밋밋하고 잎자루가 있다. 냄새가 특이하고 맛은 쓰다.

기미·귀경 평(平), 신(辛)·폐(肺), 위(胃), 간(肝)

약효 청열해독(淸熱解毒), 산어지혈(散瘀止血), 이뇨소종(利尿消腫)의 효능이 있으므로 열독옹종(熱毒癰腫), 인후동통(咽喉疼痛), 폐옹(肺癰), 장옹(腸癰), 나력(瘰癧), 토혈(吐血), 육혈(衄血), 암종(癌腫)을 치료한다.

성분 diterpene계 화합물인 enmein, dihydroenmein, enmein-3-acetate, isodocarpin, nodosin, oridonin, poncidin, epinodosinol, sodoponin, isodoacetal, nodosinin, odocinin 등이 함유되어 있다.

약리 주성분인 enmein을 Ehrlich 복수암을 접종시킨 쥐에게 매일 1mg/kg을 투여하면 대부분이 40일 이상 생명을 연장한다. 쥐에게 열수추출물을 투여하면 위산 과잉 분비를 억제하고 궤양을 치료하는 작용이 있다. enmein은 각종 세균의 증식을 억제한다. 열수추출물은 LPS에 의하여 활성화된 대식세포로부터 NO 생성, LPS에 매개되는 세포 사멸 작용, FITC-dextran의 대식 세포 내 탐식 작용을 억제한다.

사용법 반지련 10g에 물 3컵(600mL)을 넣고 달여서 복용하고, 외용에는 짓찧어 바른다. *「중국약전(中國藥典)」에 수재된 생약이며, 중국에서는 항암 치료제로 많이 사용하고 있다.

[꿀풀과]

병두황금

 간염, 간경화복수　 유선염

● 학명 : *Scutellaria cordifolia* Fisch.　● 한자명 : 幷頭黃芩

| 1 | 2 | 3 | 4 | 5 | 6 | 7 | 8 | 9 | 10 | 11 | 12 |

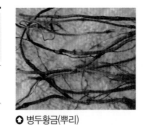

● 병두황금(뿌리)

● 두건초(頭巾草)가 배합된 탈모 치료제

여러해살이풀. 높이 35cm 정도. 줄기는 바로 서고, 잎은 마주난다. 꽃은 남자색, 6~8월에 한쪽으로 치우쳐서 2줄로 달린다. 열매는 소견과로 4개가 꽃받침으로 싸여 있다.

분포·생육지 중국 내몽골, 헤이룽장성. 산지에서 자란다.

약용 부위·수치 전초를 여름에 채취하여 흙을 털고 물에 씻어서 말린다.

약물명 두건초(頭巾草)

약효 청열이습(淸熱利濕), 해독소종(解毒消腫)의 효능이 있으므로 간염, 간경화복수, 유선염(乳腺炎)을 치료한다.

성분 chrysin, chrysin-7-*O*-β-D-glucoside 등이 함유되어 있다.

사용법 두건초 15g에 물 3컵(600mL)을 넣고 달여서 복용한다.

● 병두황금

[꿀풀과]

골무꽃

 타박상, 창독　 토혈
 급성인후염, 치통

● 학명 : *Scutellaria indica* L.

| 1 | 2 | 3 | 4 | 5 | 6 | 7 | 8 | 9 | 10 | 11 | 12 |

여러해살이풀. 높이 20~40cm. 줄기는 곧게 서나 밑부분은 비스듬히 선다. 잎은 마주나고, 꽃은 연한 자주색, 5~6월에 한쪽으로 치우쳐서 2줄로 달리고, 수술은 4개로 그 중 2개가 길다. 분과는 꽃받침으로 싸여 있고 길이 1mm 정도로 돌기가 빽빽이 난다.

분포·생육지 우리나라 진도, 완도, 해남 및 남부 해안. 중국, 타이완, 일본, 인도차이나. 산과 들에서 자란다.

약용 부위·수치 전초를 여름에 채취하여 흙을 털고 물에 씻어서 말린다.

약물명 한신초(韓信草), 대력초(大力草), 이알초(耳挖草), 금차시(金茶匙)라고도 한다.

기미·귀경 한(寒), 감(甘), 함(鹹)·심(心), 간(肝).

약효 거풍(祛風), 활혈(活血), 해독 및 지통의 효능이 있으므로 타박상, 토혈(吐血), 창독(瘡毒), 급성인후염 및 치통을 치료한다.

성분 flavonoid 성분인 wogonin, scutellarin, skullcapflavone II, 2(*S*)-5,7-dihydroxy-8,2´-dimethoxyflavanone, 2(*S*)-5,7,2´-8-methoxyflavanone, 2(*S*)-5,2´,5´-trihydroxy-7,8-dimethoxyflavanone 등이 함유되어 있다.

약리 wogonin, skullcapflavone II는 L1210, HL60 등 암세포의 성장을 억제한다. wogonin, 2(*S*)-5,7-dihydroxy-8,2´-dimethoxyflavanone, 2(*S*)-5,7,2´-8-methoxyflavanone, 2(*S*)-5,2´,5´-trihydroxy-7,8-dimethoxyflavanone은 protein tyrosine phosphatase 1B의 활성을 저해한다.

사용법 한신초 10g에 물 3컵(600mL)을 넣고 달여서 복용하고, 외용에는 짓찧어 바른다.
＊ 꽃의 지름 2~2.5cm이고 잎 가장자리의 톱니가 둔한 '참골무꽃 *S. strigillosa*', 꽃 잎자루가 거의 없고 잎 가장자리의 톱니가 뾰족한 '광릉골무꽃 *S. insignis*', 꽃이 잎겨드랑이에 달리는 '애기골무꽃 *S. dependens*', 화관이 아래로 많이 구부러지는 '호골무꽃 *S. pekinensis* var. *ussuriensis*', 잎이 작고 땅속줄기의 마디가 비후한 '수골무꽃 *S. dentata* var. *alpina*'도 약효가 같다.

● 골무꽃

● 한신초(韓信草)

● 골무꽃(뿌리)

호골무꽃

 고열번갈   폐열해수

● 학명 : *Scutellaria pekinensis* Max. var. *ussuriensis* Handel–Mazzeti

| 1 | 2 | 3 | 4 | 5 | 6 | 7 | 8 | 9 | 10 | 11 | 12 |

여러해살이풀. 높이 25cm 정도. 땅속 뿌리
줄기는 가늘고 길며 백색이다. 줄기는 바로
서며 모가 지고 잎은 마주난다. 꽃은 자주
색, 5~6월에 총상화서로 성글게 피고 하순
꽃잎은 백색으로 자주색 반점이 많다. 화관
은 약간 굽는다.
분포·생육지 우리나라 전역. 중국, 동시베
리아. 산시에서 사란다.
약용 부위·수치 뿌리를 여름에 채취하여 흙
을 털고 물에 씻어서 말린다.
약물명 오소리황금(烏蘇里黃芩)
약효 청열해독(淸熱解毒), 지혈안태(止血
安胎)의 효능이 있으므로 고열번갈(高熱煩
渴), 폐열해수(肺熱咳嗽)를 치료한다.
사용법 오소리황금 10g에 물 3컵(600mL)
을 넣고 달여서 복용한다.

○ 호골무꽃(꽃)

○ 호골무꽃

가는골무꽃

 치주염   농종

● 학명 : *Scutellaria regeliana* Nakai

| 1 | 2 | 3 | 4 | 5 | 6 | 7 | 8 | 9 | 10 | 11 | 12 |

여러해살이풀. 높이 30cm 정도. 땅속 뿌리
줄기는 가늘고, 줄기는 바로 선다. 잎은 마
주나고 긴 타원형, 가장자리에 얕은 톱니
가 5개 정도 있다. 꽃은 자주색, 6~9월에
한쪽으로 치우쳐서 달리며, 화관의 길이는
1.5cm 정도이다.
분포·생육지 우리나라 북부 지방. 중국, 아
무르, 우수리. 산지에서 자란다.
약용 부위·수치 뿌리를 여름에 채취하여 흙
을 털고 물에 씻어서 말린다.
약물명 박엽황금(薄葉黃芩)
약효 청열해독(淸熱解毒)의 효능이 있으므
로 치주염, 농종(膿腫)을 치료한다.
성분 ikonikoside, scutellarin, baicalin,
norwogonin–8–*O*–glucuronide, chrysin
–7–*O*–glucuronide 등이 함유되어 있다.
사용법 박엽황금 10g에 물 3컵(600mL)을
넣고 달여서 복용한다.

○ 가는골무꽃

[꿀풀과]

초석잠풀

 폐로해수, 폐허기천 　 토혈, 소아감적　 도한

● 학명 : *Stachys geobombycis* C. Y. Wu　● 별명 : 초석장, 지잠, 오안초, 야마자

| 1 | 2 | 3 | 4 | 5 | 6 | 7 | 8 | 9 | 10 | 11 | 12 |

여러해살이풀. 높이 40~50cm. 뿌리줄기는 옆으로 벋으며 육질이고 비대하다. 줄기는 곧게 서며, 잎은 마주난다. 꽃은 담자색, 4~5월에 잎겨드랑이에 4~6개의 꽃이 돌려난다. 열매는 소견과로 흑색이다.

분포·생육지 중국 저장성(浙江省), 지린성(吉林省), 랴오닝성(遼寧省), 내몽골. 습지에서 자란다. 우리나라 각처에서 재배한다.

약용 부위·수치 전초를 가을에 채취하여 말린다.

약물명 지잠(地蠶). 토충초(土蟲草), 토동충초(土冬蟲草), 백동충초(白冬蟲草), 백충초(白蟲草)라고도 한다.

약효 익신윤폐(益腎潤肺), 보혈소감(補血消疳)의 효능이 있으므로 폐로해수(肺癆咳嗽), 토혈, 도한(盜汗), 폐허기천(肺虛氣喘), 소아감적(小兒疳積)을 치료한다.

사용법 지잠 10g에 물 3컵(600mL)을 넣고 달여서 복용한다.

○ 지잠(地蠶)

○ 지잠(地蠶)을 닭 요리에 넣어 강장제로 사용하기도 한다.

○ 초석잠풀

[꿀풀과]

석잠풀

감기, 풍열해수, 백일해 　 인후종통
이질　 대상포진

● 학명 : *Stachys japonica* Miq. [*S. riederi* var. *japonica*]
● 별명 : 배암배추, 뱀배추, 민석잠화

| 1 | 2 | 3 | 4 | 5 | 6 | 7 | 8 | 9 | 10 | 11 | 12 |

여러해살이풀. 높이 30~60cm. 줄기는 곧게 서며, 잎은 마주난다. 꽃은 연한 붉은색, 6~9월에 길이 12~15mm로 마디 사이에서 돌려난다. 꽃받침은 길이 6~8mm로 밑부분에 털이 약간 있고, 갈래는 가시처럼 뾰족하며 통부보다 짧다.

분포·생육지 우리나라 전역. 중국, 일본, 아무르. 산과 들의 물가에서 자란다.

약용 부위·수치 전초를 가을에 채취하여 말린다.

약물명 수소(水蘇). 계소(鷄蘇), 개조(芥蒩)라고도 한다.

기미·귀경 양(凉), 신(辛)·폐(肺), 위(胃)

약효 청열해독(淸熱解毒), 지해이인(止咳利咽), 지혈소종(止血消腫)의 효능이 있으므로 감기, 풍열해수(風熱咳嗽), 인후종통(咽喉腫痛), 백일해, 이질, 대상포진을 치료한다.

성분 caffeic acid, 7-methoxybaicalein, palustrine, palustrinoside 등이 함유되어 있다.

사용법 수소 10g에 물 3컵(600mL)을 넣고 달여서 복용하고, 외용에는 짓찧어 낸 즙을 바른다.

＊ 꽃밥이 세로로 터지고 전체에 털이 많은 '털석잠풀 var. *villosa*'도 약효가 같다.

○ 수소(水蘇)

○ 석잠풀

○ 털석잠풀

약석잠풀

| 설사, 소화불량 | 구강염, 치주염 |
| 두통 | 신경통 |

● 학명 : *Stachys officinalis* (L.) Trev.　● 영명 : Betony, Wood betony　● 별명 : 베토니

| 1 | 2 | 3 | 4 | 5 | 6 | 7 | 8 | 9 | 10 | 11 | 12 |

여러해살이풀. 높이 60cm 정도. 잎은 마주나고 타원형, 가장자리에 톱니가 있다. 꽃은 보라색, 6~9월에 줄기 끝에서 피며 길이 12~15mm로 마디 사이에서 돌려난다. 꽃받침은 길이 6~8mm로 밑부분에 털이 약간 있고, 갈래는 뾰족하며 통부보다 짧다.

분포·생육지 유럽과 아시아. 산과 들에 자라고, 세계 각처에서 관상용으로 널리 재배한다.

약용 부위·수치 전초를 여름에 채취하여 말린다.

약물명 Stachys Herba. Betony라고도 한다.

약효 진정(鎭靜), 고미강정(苦味强精)의 효능이 있으므로 설사, 소화불량, 구강염, 치주염, 두통, 신경통을 치료한다.

성분 알칼로이드인 stachydrine, betonicine, 배당체인 acetoside, forsythoside B, leuco-sceptoside B, betonyoside A~F가 함유되어 있다.

약리 알칼로이드인 stachydrine, betonicine은 진정 작용을 나타낸다.

사용법 Stachys Herba 1~2g을 뜨거운 물로 우려내어 복용한다.

❍ Stachys Herba

❍ 약석잠풀(꽃)

❍ 약석잠풀(잎)

❍ 약석잠풀

우단석잠풀

| 인후통 | 폐옹 |
| 유옹 | |

● 학명 : *Stachys palustris* L. var. *imaii* Nakai　● 별명 : 털석잠풀, 우단석잠꽃, 멍울곽향

| 1 | 2 | 3 | 4 | 5 | 6 | 7 | 8 | 9 | 10 | 11 | 12 |

여러해살이풀. 높이 60~110cm. 줄기는 곧게 서며 네모지고 굽은 털이 약간 있다. 잎은 마주나고 긴 타원형, 끝이 둔하며, 가장자리에 톱니가 있다. 꽃은 자주색, 6~9월에 줄기 끝에 수상화서를 이루며 상순꽃잎이 짧고 수평이다. 열매는 소견과이다.

분포·생육지 우리나라 황해도 이북, 중국, 일본, 인도. 산과 들에서 자란다.

약용 부위·수치 전초를 여름에 채취하여 말린다.

약물명 망강청(望江靑). 천지마(天芝麻), 오성초(五星草)라고도 한다.

약효 청열해독(淸熱解毒), 양혈활혈(凉血活血)의 효능이 있으므로 인후통, 폐옹(肺癰), 유옹(乳癰)을 치료한다.

사용법 망강청 15g에 물 3컵(600mL)을 넣고 달여서 복용한다.

❍ 우단석잠풀(줄기와 잎)

❍ 우단석잠풀

[꿀풀과]

서양개곽향

 감기몸살 기관지염 ● 혈뇨
● 수포진 ● 류머티즘 ● 구강염

● 학명 : *Teucrium chamaedrys* L. ● 영명 : Germander, Wall germander

| 1 | 2 | 3 | 4 | 5 | 6 | 7 | 8 | 9 | 10 | 11 | 12 |

여러해살이풀. 높이 20~30cm. 줄기가 옆으로 벋으면서 곧게 자란다. 잎은 마주나고, 가장자리에 둔한 톱니가 있다. 꽃은 담자색, 7~8월에 총상화서로 달린다. 꽃받침은 윗부분에 긴 선모가 있고, 화관은 털이 없다. 분과는 둥글다.

분포·생육지 지중해 연안, 중부 유럽, 서아시아. 산지의 습한 곳에서 흔하게 자란다.

약용 부위·수치 전초를 여름과 가을에 채취하여 물에 씻고 썰어서 말린다.

약물명 Teucrii Herba. 일반적으로 Germander 라고 한다.

약효 고미강장(苦味强壯), 수렴의 효능이 있으므로 감기몸살, 기관지염, 혈뇨, 수포진(水疱疹), 류머티즘, 구강염을 치료한다.

성분 dihydroteugin, teucrins A~G, teufline, teuflidin 등이 함유되어 있다.

사용법 Teucrii Herba 10g에 물 3컵(600mL)을 넣고 달여서 복용한다.

※ 높이 30~60cm이고 꽃이 황백색인 'T. flavum'도 약효가 같다.

✿ Teucrii Herba

✿ 서양개곽향

[꿀풀과]

개곽향

● 두통, 감기몸살 ● 근육통, 관절염

● 학명 : *Teucrium japonicum* Houttuyn ● 별명 : 가지개곽향, 좀곽향

| 1 | 2 | 3 | 4 | 5 | 6 | 7 | 8 | 9 | 10 | 11 | 12 |

여러해살이풀. 높이 40~70cm. 전체에 길이 1~2mm의 털이 있으며, 줄기는 옆으로 벋으면서 곧게 자라고, 잎은 마주난다. 꽃은 연한 붉은색, 7~8월에 총상화서로 달린다. 분과는 둥글고, 꽃받침 속에 벌레가 침입하여 커지는 것이 특징이다.

분포·생육지 우리나라 제주도, 전남, 경남, 함북. 중국, 일본. 산지의 습한 곳에서 흔하게 자란다.

약용 부위·수치 전초를 여름과 가을에 채취하여 흙을 털고 썰어서 말린다.

약물명 수곽향(水藿香). 야곽향(野藿香), 모수재(毛手才)라고도 한다.

약효 발표산한(發表散寒), 이습제비(利濕除痺)의 효능이 있으므로 감기몸살, 두통, 근육통, 관절염을 치료한다.

성분 teucvin, teucjaponin A, B, teuponin, acacetin, circimaritin 등이 함유되어 있다.

사용법 수곽향 10g에 물 3컵(600mL)을 넣고 달여서 복용한다.

※ 높이 20~30cm이며 줄기에 직모가 있는 '곽향 T. veronicoides'도 약효가 같다.

✿ 수곽향(水藿香)

✿ 개곽향(잎)

✿ 개곽향

✿ 곽향

[꿀풀과]

혈견수

해혈　토혈　육혈

●학명 : *Teucrium viscidum* Bl.　●한자명 : 血見愁

| 1 | 2 | 3 | 4 | 5 | 6 | 7 | 8 | 9 | 10 | 11 | 12 |

○ 혈견수

여러해살이풀. 높이 40~70cm. 잎은 마주
난다. 꽃은 7~8월에 윗부분의 잎겨드랑이
와 끝에 총상화서로 달리며, 화관은 연한
붉은색이다. 소견과는 편원형이다.
분포·생육지 중국, 타이완. 산지의 습한 곳
에서 자란다.
약용 부위·수치 전초를 여름과 가을에 채취
하여 흙을 털고 썰어서 말린다.
약물명 산곽향(山藿香), 혈견수(血見愁), 혈
부용(血芙蓉), 야석잠(野石蠶)이라고도 한다.
약효 양혈지혈(涼血止血), 해독소종(解毒消
腫)의 효능이 있으므로 해혈(咳血), 토혈,
육혈(衄血)을 치료한다.
성분 teucvin 등이 함유되어 있다.
사용법 산곽향 15g에 물 3컵(600mL)을 넣
고 달여서 복용한다.
＊땅속줄기가 옆으로 길게 벋는 '덩굴곽향 var.
miquelianum'도 약효가 같다.

[꿀풀과]

백리향

토역, 복통, 설사　인종, 치통
피부소양　풍한천수

●학명 : *Thymus quinquecostatus* Celak.

| 1 | 2 | 3 | 4 | 5 | 6 | 7 | 8 | 9 | 10 | 11 | 12 |

낙엽 관목. 가지가 많이 갈라지고 땅 위를
기며 끝이 비스듬히 선다. 잎은 마주나고,
꽃은 6월에 피며 잎겨드랑이에 2~4개씩
달리지만 가지 끝부분에서는 모여난다. 꽃
받침은 10개의 맥이 있고, 화관은 적자색,
수술은 4개이다. 분과는 둥글고 지름 1mm
정도, 9월에 암갈색으로 익는다.
분포·생육지 우리나라 전역. 일본, 중국 둥
베이(東北) 지방, 몽골, 인도. 산이나 바닷
가의 바위 지대에서 드물게 자란다.
약용 부위·수치 전초를 여름에 채취하여 흙
을 털고 물에 씻어서 말린다.
약물명 지초(地椒), 사향초(麝香草), 지화초
(地花椒), 산호초(山胡椒)라고도 한다. 대한
민국약전외한약(생약)규격집(KHP)에 수재

되어 있다.
성상 전초로 줄기는 길고 가늘며 적갈색,
잎은 마주 붙어 있고 마디에 가는 뿌리가
남아 있는 것도 있다. 냄새는 향기롭고 맛
은 매우 맵다.
약효 온중(溫中), 산한(散寒), 구풍(驅風),
지통(止痛)의 효능이 있으므로 토역(吐逆),
복통, 설사, 식소비창(食少痞脹), 풍한천수
(風寒喘嗽), 인종(咽腫), 치통, 신통(身痛),
피부소양(皮膚搔痒)을 치료한다.
성분 thymol, scutllareinheteroside, luteo-
lin-7-*O*-glucoside, apigenin 등이 함유
되어 있다.
약리 물로 달인 액은 신경염 또는 신경근
염의 진통제로 응용되는데, 이는 thymol에

기인한다.
사용법 지초 10g에 물 3컵(600mL)을 넣고
달여서 복용하고, 외용에는 짓찧어 바른다.
＊본 종에 비하여 줄기는 굵고 잎이 약간 둥
글고 크며 꽃이 큰 '섬백리향 *T. magnus*'도
약효가 같다.

○ 백리향

○ 지초(地椒)

○ 섬백리향

○ 백리향에서 추출한 정유(국내산)

○ 백리향에서 추출한 정유
(인도네시아산)

[꿀풀과]

미국백리향

 기관지염　　류머티즘
구토, 복통, 설사

● 학명 : *Thymus serpyllum* L.　● 영명 : Mother thyme

| 1 | 2 | 3 | 4 | 5 | 6 | 7 | 8 | 9 | 10 | 11 | 12 |

○ 미국백리향(꽃)

덩굴성 여러해살이풀. 높이 30cm 정도. 땅으로 누워 기고 가지를 친다. 잎은 마주나고 타원형이다. 꽃은 분홍색, 6월에 잎겨드랑이에 2~4개씩 달리고, 가지 끝부분에서는 모여난다.

분포 · 생육지 미국 원산. 유럽, 남아메리카. 산이나 들에서 자란다.

약용 부위 · 수치 전초를 여름에 채취하여 흙을 털고 물에 씻어서 말린다.

약물명 Thymi Serpylli. 일반적으로 Mother thyme이라고 한다.

약효 온중(溫中), 산한(散寒), 구풍(驅風), 지통(止痛)의 효능이 있으므로 기관지염, 류머티즘, 구토, 복통, 설사를 치료한다.

사용법 Thymi Serpylli 10g에 물 3컵(600mL)을 넣고 달여서 복용한다.

○ 미국백리향

[꿀풀과]

들백리향

 소화불량, 복부팽만증, 복통, 설사

● 학명 : *Thymus vulgaris* L.　● 영명 : Garden thyme

| 1 | 2 | 3 | 4 | 5 | 6 | 7 | 8 | 9 | 10 | 11 | 12 |

○ 들백리향에서 추출한 정유. 소화불량, 복부팽만 등에 사용한다.

기침·가래·천식
브로콜
시럽

○ Thymi Herba가 함유된 기침약

낙엽 관목. 높이 10~20cm로 곧게 자란다. 줄기에 가시가 있으며 가지가 많고, 잎은 마주난다. 꽃은 적백색, 6월에 잎겨드랑이에 2~4개씩 달리고, 가지 끝부분에서는 모여난다.

분포 · 생육지 유럽 원산. 유라시아, 남아메리카. 산이나 들에서 자란다.

약용 부위 · 수치 전초를 여름에 채취하여 흙을 털고 물에 씻어서 말린다.

약물명 Thymi Herba. 일반적으로 Garden thyme이라고 한다.

약효 온중(溫中), 산한(散寒), 구풍(驅風), 지통(止痛)의 효능이 있으므로 소화불량, 복부팽만증, 복통, 설사를 치료한다.

사용법 Thymi Herba 10g에 물 3컵(600mL)을 넣고 달여서 복용하고, 외용에는 짓찧어 바른다.

○ 들백리향

[가지과]

벨라돈나

천식　비통, 각기
탈항

●학명 : *Atropa belladonna* L. [*A. acuminata*]　●별명 : 벨라돈나풀

| 1 | 2 | 3 | 4 | 5 | 6 | 7 | 8 | 9 | 10 | 11 | 12 |

여러해살이풀. 높이 1~1.2m. 굵은 가지가 많이 갈라진다. 잎은 어긋나고 달걀 모양, 가장자리에 불규칙한 결각상 톱니가 있다. 꽃은 연한 자갈색, 8~9월에 잎겨드랑이에 피며 나팔꽃 모양이다. 꽃받침은 통형, 끝이 5개로 갈라지고, 화관은 가장자리가 5개로 약간 갈라진다. 열매는 액과로 지름 1.5~2cm의 구형이며 흑자색이다.

분포·생육지 열대 아메리카 원산. 우리나라 전역에서 재배하는 귀화 식물이다.

약용 부위·수치 전초를 여름 또는 가을에 채취하여 물에 씻은 후 썰어서 말린다.

약물명 전가초(顚茄草). 미녀초(美女草)라고도 한다. 대한민국약전외한약(생약)규격집(KHP)에 수재되어 있다. 뿌리를 벨라돈나근이라 하며, 대한민국약전(KP)에 수재되어 있다.

약효 천식, 비통(痺痛), 각기(脚氣), 탈항을 치료한다.

성분 atropine, hyoscyamine, scopolamine, hyoscine *N*-oxide, 7-methylquercetin, kaempferol-3-*O*-rhamnoglucoside, quercetin-3-*O*-rhamnoglucoside, quercetin-7-*O*-glucoside 등이 함유되어 있다.

약리 hyoscyamine, scopolamine, atropine 은 acetylcholine 수용체를 차단함으로써 부교감 신경을 억제한다.

사용법 전가초 0.1g을 가루로 하여 복용한다.
＊ atropine이 함유된 기침감기약, scopolamine 으로 만든 멀미치료제가 시판되고 있다.

○ 벨라돈나

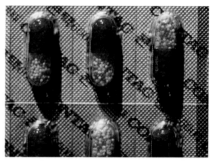
○ 전가초(顚茄草)가 함유된 기침감기약

[가지과]

브룬펠시아

류머티즘, 요통, 좌골신경통　천식

●학명 : *Brunfelsia uniflora* L.　●영명 : Morning noon and night

| 1 | 2 | 3 | 4 | 5 | 6 | 7 | 8 | 9 | 10 | 11 | 12 |

낙엽 관목. 높이 2~4m. 잎은 어긋나고 타원형, 가장자리에 3~4개의 톱니가 있다. 꽃은 8~9월에 잎겨드랑이에서 피며 나팔꽃 모양, 하늘색 또는 자갈색으로 피었다가 점차 엷은 색이 된다.

분포·생육지 브라질, 멕시코, 아르헨티나. 산과 들에서 자란다.

약용 부위·수치 뿌리를 가을에 채취하여 물에 씻은 후 썰어서 말린다.

약물명 Brunfelsiae Radix

약효 소염진통의 효능이 있으므로 류머티즘, 요통, 좌골신경통, 천식을 치료한다.

사용법 Brunfelsiae Radix 10g에 물 3컵(600mL)을 넣고 달여서 복용한다.

○ 브룬펠시아

○ 브룬펠시아(꽃)

[가지과]

고추

 한체복통, 구토, 하리   개선

● 학명 : *Capsicum annuum* L.   ● 별명 : 당초, 고초, 남고추

| 1 | 2 | 3 | 4 | 5 | 6 | 7 | 8 | 9 | 10 | 11 | 12 |

한해살이풀. 높이 60cm 정도. 줄기는 곧게 서며, 잎은 어긋난다. 꽃은 백색, 여름철에 잎겨드랑이에 1개씩 밑을 향해 달린다. 꽃받침은 녹색이고 끝이 5개로 갈라지며, 화관은 얇은 접시 모양이고, 수술은 5개가 중앙에 모여 달리며, 꽃밥은 황색이다. 장과는 붉은색으로 익는다.

분포 · 생육지 남아메리카 원산. 우리나라 전역에서 재배하는 귀화 식물이다.

약용 부위 · 수치 열매를 가을에 채취하여 썰어서 말린다.

약물명 날초(辣草). 번초(番椒), 날가(辣茄), 고추(苦椒)라고도 한다. 고추(苦椒)와 고추팅크(Capsicum Tincture)가 대한민국약전(KP)에 수재되어 있다.

기미 · 귀경 열(熱), 신(辛) · 비(脾), 위(胃)

약효 온중산한(溫中散寒), 개위소식(開胃消食)의 효능이 있으므로 한체복통(寒滯腹痛), 구토, 하리(下痢), 개선(疥癬)을 치료한다.

성분 capsaicinoid 화합물이며 매운맛을 가진 capsaicine, dihydrocapsaicine, nor-dihyrdrocapsaicine, carotenoid 화합물인 capxanthin, β-carotene, violaxanthin, capsorubin 등이 함유되어 있다. 고추 종자는 icariside E$_5$, vanilloyl icariside E$_5$ 등이 함유되어 있다.

약리 에탄올추출물은 사람이나 동물의 소화액 분비를 촉진하고, capsaicine은 황색 포도상구균, 고초균에 항균 작용이 있고, 피부나 점막에 바르면 국소는 혈관이 확장되어 붉게 된다. 또한 capsaicine은 백혈병 세포주의 성장을 억제하며, 세포막의 NADH oxidase를 억제함으로써 흑색종 세포주의 성장을 억제한다. phorbol ester로 유도한 NFkB의 활성화를 억제하며, Bcl-2의 발현을 줄이고 caspase-3를 활성화함으로써 간암 세포의 세포 사멸을 촉진한다. capsaicine을 생쥐의 등 부위 상피 세포에 바르면 phorbol ester에 의하여 발현되는 피부암을 억제한다. capsaicine은 진통, 항염증 작용이 있어서 신경통, 관절염, 골관절염에 수반하는 통증에 사용하고 있다.

확인 시험 TLC법에 따라 표준품 capsaicine과 대조로 Et$_2$O-MeOH(9:1)로 전개하고 2,6-dibromo-*N*-chloro-1,4-benzoquinone monoimine 시액을 분무하여 암모니아 가스 중에서 방치하면 청색 반점과 색상 및 Rf값(0.5)이 같다.

사용법 날초 10g에 물 3컵(600mL)을 넣고 달여서 복용하고, 외용에는 짓찧어 바른다.

❶ 날초(辣草)가 배합된 건강식품 (인도네시아)   ❶ 날초(辣草)가 배합된 소화제

❶ 고추(꽃)

❶ 날초(辣草)

❶ 고추 종자로부터 뽑은 기름. 건강식품으로 쓰인다.

❶ 고추

[가지과]

천사의나팔

천해, 천식 | 비통, 각기, 류머티즘
탈항 | 경간 | 하리

●학명 : *Datura arborea* L. [*Brugmansia arborea*] ●한자명 : 木曼陀羅

| 1 | 2 | 3 | 4 | 5 | 6 | 7 | 8 | 9 | 10 | 11 | 12 |

❍ 천사의나팔

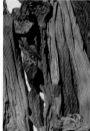
❍ 천사의나팔로 만든 기침, 가래 치료제

❍ 만다라엽(曼陀羅葉)　❍ 양금화(洋金花)

한해살이풀. 높이 1~2m. 잎은 어긋나고, 꽃은 담황색, 6~7월에 잎겨드랑이에 1개씩 달리고 밑을 향한다. 꽃받침은 통 모양, 길이 15cm 내외이고, 화관은 깔때기 모양, 백색, 수술은 5개, 암술은 1개이다. 삭과는 둥글다. 열대 지방에서는 높이 3m 정도까지 자란다.

분포 · 생육지 열대 아시아 원산. 우리나라 전역에서 자라는 귀화 식물이다.

약용 부위 · 수치 잎과 꽃은 여름에, 뿌리, 열매, 종자는 가을에 채취하여 말린다.

＊약효와 사용법은 '흰독말풀 *D. metel*'과 같다.

[가지과]

흰독말풀

천해, 천식 | 비통, 각기, 류머티즘
탈항 | 경간 | 하리

●학명 : *Datura metel* L. [*D. alba*] ●별명 : 네조각독말풀, 양독말풀

| 1 | 2 | 3 | 4 | 5 | 6 | 7 | 8 | 9 | 10 | 11 | 12 |

한해살이풀. 높이 1m 정도. 잎은 어긋나고, 꽃은 연한 자주색, 6~7월에 잎겨드랑이에 1개씩 달리고, 꽃받침은 통 모양으로 길이 15cm 내외이다. 화관은 깔때기 모양, 백색, 수술은 5개, 암술은 1개이다. 삭과는 둥글며, 종자는 백색이다

분포 · 생육지 열대 아시아 원산. 우리나라 전역에서 자라는 귀화 식물이다.

약용 부위 · 수치 잎과 꽃은 여름에, 뿌리, 열매, 종자는 가을에 채취하여 말린다.

약물명 잎을 만다라엽(曼陀羅葉), 꽃을 양금화(洋金花), 열매 또는 종자를 만다라자(曼陀羅子)라고 한다. 만다라엽은 대한민국약전외한약(생약)규격집(KHP)에 수재되어 있다.

성상 만다라엽(曼陀羅葉)은 타원형이며 가장자리에 굵은 톱니가 있고 잎자루가 길다.

냄새가 특이하고 맛은 쓰며 구토증을 일으킨다.

기미 · 귀경 만다라엽(曼陀羅葉): 온(溫), 고(苦), 신(辛), 유독(有毒). 양금화(洋金花): 온(溫), 신(辛), 유독(有毒) · 폐(肺), 간(肝). 만다라자(曼陀羅子): 온(溫), 고(苦), 신(辛), 유독(有毒) · 간(肝), 비(脾).

약효 만다라엽(曼陀羅葉)은 진해평천(鎭咳平喘), 지통발농(止痛拔膿)의 효능이 있으므로 천해(喘咳), 비통(痺痛), 각기, 탈항을 치료한다. 양금화(洋金花)는 평천(平喘), 거풍(祛風), 마취(麻醉), 지통(止痛)의 효능이 있으므로 천식, 경간(驚癎), 류머티즘을 치료한다. 만다라자(曼陀羅子)는 평천(平喘), 거풍(祛風), 지통(止痛)의 효능이 있으므로 천식, 경간(驚癎), 탈항, 하리(下痢)를 치료한다.

성분 만다라엽(曼陀羅葉)은 hyoscyamine, scopolamine, atropine, 양금화(洋金花)는 yangjinhualine A, grasshopper ketone, citroside A, vomifoliol 등이 함유되어 있다.

약리 hyoscyamine, scopolamine, atropine은 acetylcholine 수용체를 차단함으로써 부교감 신경을 억제한다.

사용법 만다라엽, 양금화 또는 만다라자를 가루로 만들어 0.1g을 복용하고, 외용에는 짓찧어 바른다. 독성이 강하므로 복용에 주의하여야 한다.

❍ 흰독말풀

❍ 흰독말풀(종자)

❍ 흰독말풀(열매)

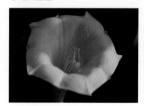
❍ 흰독말풀(꽃)

❍ 흰독말풀(잎)

[가지과]

독말풀

천해, 천식 / 비통, 각기, 류머티즘 / 탈항 / 경간 / 하리

● 학명 : *Datura stramonium* L. ● 별명 : 네조각독말풀, 양독말풀

| 1 | 2 | 3 | 4 | 5 | 6 | 7 | 8 | 9 | 10 | 11 | 12 |

한해살이풀. 높이 1m 정도. 잎은 어긋나고, 꽃은 연한 자주색, 6~7월에 잎겨드랑이에 1개씩 달리고, 꽃받침은 통 모양으로 길이 15cm 내외이다. 화관은 깔때기 모양이고 통부가 길며 가장자리가 얕게 5개로 갈라지고, 수술은 5개, 암술은 1개이다. 삭과는 달걀 모양, 종자는 흑색이다.

분포 · 생육지 열대 아시아 원산. 우리나라 전역에서 자라는 귀화 식물이다.

약용 부위 · 수치 잎과 꽃은 여름에, 뿌리, 열매, 종자는 가을에 채취하여 말린다.

약물명 잎을 만다라엽(曼陀羅葉), 꽃을 양금화(洋金花), 열매 또는 종자를 만다라자(曼陀羅子)라고 한다.

* 기타 사항은 '흰독말풀 *D. metel*'과 같다.

◑ 만다라엽(曼陀羅葉)

◑ 만다라자(曼陀羅子)

◑ 독말풀

◑ 독말풀(열매)

[가지과]

사리풀

전광 / 중풍 / 천식, 해수기천 / 설사, 위장경련 / 탈항 / 치통

● 학명 : *Hyoscyamus niger* L. ● 별명 : 싸리풀, 이앓이풀

| 1 | 2 | 3 | 4 | 5 | 6 | 7 | 8 | 9 | 10 | 11 | 12 |

한해살이풀. 높이 1m 정도. 뿌리잎은 잎자루가 있으나 줄기잎은 잎자루가 없고 원줄기를 약간 감싼다. 꽃은 6~7월에 윗부분의 잎겨드랑이에 피고, 꽃잎은 담황색으로 자주색 줄무늬가 있다. 꽃받침은 통형, 5개로 얕게 갈라지고, 화관은 깔때기 모양, 5개로 갈라지며, 통부는 자줏빛, 수술은 통부 중앙에 달린다. 열매는 삭과로 2실로 된다.

분포 · 생육지 유럽 원산. 우리나라 중부 이남에서 자라는 귀화 식물이다.

약용 부위 · 수치 종자는 가을에, 잎은 여름에 채취하여 말린다.

약물명 종자를 천선자(天仙子)라 하며, 낭탕자(莨菪子), 아통자(牙痛子)라고도 한다. 잎을 낭탕엽(莨菪葉)이라고 하며, 대한민국약전외한약(생약)규격집(KHP)에 수재되어 있다.

본초서 「동의보감(東醫寶鑑)」에 천선자(天仙子)는 "치통을 멎게 하고 치통을 유발하는 벌레를 나오게 한다. 많이 복용할 경우 미쳐서 뛰어다니며 헛것이 보인다."고 하였다.

東醫寶鑑: 主齒痛出蟲 多食令人狂走見鬼.

기미 · 귀경 천선자(天仙子): 고(苦), 신(辛),

온(溫), 대독(大毒) · 심(心), 간(肝), 위(胃). 낭탕엽(莨菪葉): 한(寒), 고(苦), 대독(大毒)

약효 천선자(天仙子)는 해경지통(解痙止痛), 안심정옹(安心定癰)의 효능이 있으므로 전광(癲狂), 중풍, 천식, 설사, 탈항, 치통을 치료한다. 낭탕엽(莨菪葉)은 진통, 해경(解痙)의 효능이 있으므로 완복동통(脘腹疼痛), 위장경련, 치통, 해수기천(咳嗽氣喘), 불면증을 치료한다.

성분 천선자(天仙子)는 hyoscyamine 0.02~0.17%, scopolamine 0.01~0.08%, atropine 등, 낭탕엽(莨菪葉)은 hyoscyamine, scopolamine, atropine, hyospicrin이 함유되어 있다.

약리 hyoscyamine, scopolamine, atropine은 acetylcholine 수용체를 차단함으로써 부교감 신경을 억제한다.

사용법 천선자는 0.5g에 물 2컵(400mL)을 넣고 달여서 복용하고, 낭탕엽은 0.1g을 뜨거운 물에 우려내어 복용한다. 외용에는 짓찧어 바른다.

* 꽃이 흰색인 '흰사리풀 *H. albus*'도 약효가 같다. 독성이 강하므로 복용에 주의하여야 한다.

◑ 사리풀

◑ 낭탕엽(莨菪葉)

◑ 천선자(天仙子)

◑ 사리풀(열매)

◑ 사리풀로 만든 불면증 치료제

[가지과]

영하구기

 간신휴허　두훈목현　요슬산연
양위유정, 혈뇨　허로해수　당뇨병

●학명 : *Lycium barbarum* L.　●한자명 : 寧夏枸杞

| 1 | 2 | 3 | 4 | 5 | 6 | 7 | 8 | 9 | 10 | 11 | 12 |

낙엽 관목. 높이 1~3m. 줄기는 비스듬하게 자라면서 끝이 밑으로 처지고, 많은 가지가 갈라지며 가지에 가시가 있다. 잎은 길이 3~8cm, 너비 1~3cm, 가장자리가 밋밋하다. 열매는 타원상 구형이며 광택이 나고 붉은색이다.

분포 · 생육시 중국 간쑤성(甘肅省), 구이저우성(貴州省), 화베이성(華北省), 내몽골, 특히 영하(寧夏) 부근에서 많이 재배한다.

성상 네모 모양으로 약간 납작하며 길이 1~2cm, 지름 0.5~1cm, 표면은 선명한 붉은색이고 쭈글쭈글하며 끝에는 약간 돌출된 암술대의 흔적이 있다. 냄새는 없고 맛은 달며 조금 시다. '구기자나무'의 열매에는 종자가 20개 내외인데 비하여, '영하구기'에는 20~50개가 들어 있다.

* 기타 사항은 '구기자나무 *L. chinense*'와 같다.

❂ 영하구기(꽃)

❂ 구기자(枸杞子)

❂ 영하구기

❂ 영하구기 재배. 중국 영하(寧夏)

❂ 중국 영하(寧夏)에 있는 구기자 연구소

❂ 구기자주. 중국 영하산(寧夏産)

❂ 구기자(枸杞子) 제품(영하구기라는 이름으로 판매된다.)

[가지과]

구기자나무

간신휴허　두훈목현　요슬산연
양위유정, 혈뇨　허로해수　당뇨병

●학명 : *Lycium chinense* Mill.　●별명 : 구기자

| 1 | 2 | 3 | 4 | 5 | 6 | 7 | 8 | 9 | 10 | 11 | 12 |

낙엽 관목. 높이 1~2m. 줄기는 비스듬하게 자라면서 끝이 밑으로 처지고, 가지에 가시가 있다. 잎은 마디에 하나 또는 몇 개가 모여난다. 꽃은 담자색, 6~9월에 피며 꽃받침은 종 모양, 화관은 끝이 5개로 갈라진다. 열매는 타원상 구형이다.

분포 · 생육지 우리나라 전역. 중국, 일본. 마을 근처에서 재배한다.

약용 부위 · 수치 잎을 봄과 여름에 채취하여 말린다. 열매를 가을에, 뿌리를 수시로 채취하여 말린다.

약물명 잎을 구기엽(枸杞葉)이라 한다. 열매

를 구기자(枸杞子)라고 하며, 구기자(苟起子), 첨채자(恬菜子)라고도 한다. 뿌리껍질을 지골피(地骨皮)라 하며, 지골(地骨), 기근(杞根), 구기근피(枸杞根皮)라고도 한다. 구기자(枸杞子)는 대한민국약전(KP)에, 지골피(地骨皮)는 대한민국약전외한약(생약)규격집(KHP)에 수재되어 있다.

본초서 「신농본초경(神農本草經)」의 상품(上品)에 구기(枸杞)라는 이름으로 수재되어 있으며, 지골피(地骨皮)는 구기(枸杞)의 항목에 처음 보인다. 「동의보감(東醫寶鑑)」에 구기자(枸杞子)는 "내장 장기의 기운이 허해져 몹시 피로하고 숨 쉬기 힘든 것을 낫게 하며 근골을 튼튼하게 하고 양기를 도운다. 오로칠상(五勞七傷)을 낫게 한다. 정기를 돕고 얼굴빛을 젊게 하며 흰머리를 검게 한다. 눈을 밝게 하고 정신을 안정시키며 오래 살게 한다."고 하였다. 지골피(地骨皮)는 "족소음경과 수소양경에 들어가 뼛속이 후끈후끈 달아오르며 땀이 나는 것을 낫게 한다."고 하였다.

구기자(枸杞子)
本草經集注: 補益精氣, 強盛陰道.
藥性論: 能補益精諸不足, 易顔色, 變白, 明目, 安神, 令人長壽.
本草綱目: 滋腎, 潤肺, 明目.
東醫寶鑑: 補內傷大勞噓吸 堅筋骨 僚五勞七傷 補益精氣 易顔色變白 明目安神 令人長壽.

지골피(地骨皮)
神農本草經: 主五內邪氣, 熱中, 消渴, 周痺. 久服堅筋骨, 輕身不老.
名醫別錄: 主風濕, 下胸肋氣, 客熱頭痛, 補內傷大勞噓吸, 堅筋骨, 強陰, 利大小腸.
東醫寶鑑: 入足少陰經 手少陽經 治有汗骨蒸 善解肌熱.

성상 구기자(枸杞子)는 한쪽이 뾰족한 방추상으로 길이 2~3cm, 지름 0.5~1cm, 과피는 암적색이다. 표면은 쭈글쭈글하고 속에 황색을 띤 백색의 종자가 들어 있다. 종자는 납작한 타원형이며 지름 약 2mm로 냄새가 거의 없고 맛은 약간 달다. 지골피(地骨皮)는 불규칙한 원주형으로 조금 구부러져 있고 길이 6~15cm, 지름 1~2cm, 표면은 회갈색이며 매우 거칠고 세로로 주름이 있다. 질은 비교적 단단하고 꺾은 면은 황백색이며 목부와 피층이 확실하게 구분된다. 냄새가 없으며 아린 맛이 있다.

❂ 구기자나무

품질 표면이 깨끗하고 두께 5mm 이상, 길이 5cm 이상이며 목부가 없고 황색인 것이 좋다.

기미·귀경 구기엽(枸杞葉): 양(涼), 고(苦), 감(甘)·간(肝), 비(脾), 신(腎). 구기자(枸杞子): 평(平), 감(甘)·간(肝), 신(腎). 지골피(地骨皮): 한(寒), 감(甘), 담(膽)·간(肝), 폐(肺), 신(腎)

약효 구기엽(枸杞葉)은 보허익정(補虛益精), 청열명목(清熱明目)의 효능이 있으므로 번갈(煩渴), 목적혼통(目赤昏痛), 장예야맹(障翳夜盲), 붕루대하(崩漏帶下), 열독창종(熱毒瘡腫)을 치료한다. 구기자(枸杞子)는 양간자신(養肝滋腎), 윤폐(潤肺)의 효능이 있으므로 간신휴허(肝腎虧虛), 두훈목현(頭暈目眩), 목시불청(目視不清), 요슬산연(腰膝酸軟), 양위유정(陽痿遺精), 허로해수(虛勞咳嗽), 소갈인음(消渴引飲)을 치료한다. 지골피(地骨皮)는 청허열(清虛熱), 사폐화(瀉肺火), 양혈(涼血)의 효능이 있으므로 음허노열(陰虛勞熱), 골증도한(骨蒸盜汗), 폐열해수(肺熱咳嗽), 토혈(吐血), 혈뇨(血尿), 당뇨병을 치료한다.

성분 구기자(枸杞子)에는 betaine 0.1%가 함유되어 있고 열매껍질의 색소 zeaxanthin, physalien(zeaxanthindipalmitate), pyrrol 유도체인 4[formyl−5−(hydroxymethyl)−1*H*−pyrrol−1−yl] butanoic acid, 4[formyl−5−(methoxyethyl)−1*H*−pyrrol−1−yl] butanoic acid, 4[formyl−5−(methoxymethyl)−1*H*−pyrrol−1−yl] butanoic acid, 5−[methoxymethyl−1*H*−pyrrol−1−yl] butanoate, *N*−methylcalystegine B$_2$, thiamine, safranal, dehydroactinidiolide, megastigmatrienne, scopoletin 등이 함유되어 있다. 지골피(地骨皮)에는 kukoamine A, kukoamine B, betaine, clyciumamide, sugiol, linoleic acid, 5α−stigmastan−3,6−dione 등이 함유되어 있다.

약리 구기자(枸杞子)의 열수추출물과 betaine에는 간 기능 보호 작용이 있다. betaine은 choline이 산화되어 생성되는 대사물로 동물 조직에 분포하고, 간세포와 신장 세포의 삼투압 조절에 관여하며 homocystinuria의 치료제로 사용된다. 또한 methionine과 hepatic glutathione의 합성에 관여한다. 구기자에서 분리된 pyrrol 유도체들은 사염화

❂ 구기자(枸杞子)

❂ 지골피(地骨皮)

❂ 구기자나무(꽃)

탄소나 galactosamine에 의한 간 독성으로부터 간세포를 보호한다. physalien은 간 섬유화를 억제한다. 열수추출물은 간 독성이 유발된 쥐의 혈청에서 GOT, GPT 그리고 LDH를 감소시킨다. 지골피(地骨皮)의 열수추출물을 개, 고양이, 토끼에게 정맥주사하면 혈압이 하강하며 심장 박동 수가 감소하고 호흡이 빨라진다. 혈압이 내려가는 동안에 심전도에서는 심장 박동 수의 감소와 T파에는 뚜렷한 변화가 없다. kukoamine을 동물에게 투여하면 혈압이 강하한다. 열수추출물을 토끼에게 경구로 투여하면 혈당이 처음에는 오르다가 이후에는 지속적으로 하강하며 4~8시간 후에도 정상으로 돌아오지 않는다. 피하로 주사하여도 혈당이 떨어진다. 아드레날린으로 주사한 고혈당에 저항 작용은 발견되지 않는다. 구기자는 혈당 강하 작용, 항지간(抗脂肝) 작용, 혈압 강하 작용이 있다. betaine은 choline의 생체 내 대사 산물이며, choline 대사계의 methyl 공여체로 항지간(抗脂肝) 작용으로 설명되며, 혈압 강하 작용은 atropine 및 미주 신경 절단에 의하여 차단된다.

확인 시험 구기자 가루 1g에 묽은 에탄올 20mL를 넣고 수욕에서 15분간 환류 추출하고 식힌 다음 여과한다. 여액 1mL에 2% ninhydrine 3방울을 넣고 흔들어 5분간 끓이면 남자색을 나타낸다. 여액 1mL에 10% NaOH 용액 2방울을 넣고 흔들어 섞은 다음 0.5% CuSO₄ 용액을 넣으면 남자색을 나타낸다.

사용법 구기엽은 60g을 물 5컵(1L)에 달여서 복용하거나 즙을 내어 복용한다. 구기자나 지골피 10g에 물 3컵(600mL)을 넣고 달여서 복용하거나 환약으로 복용한다. 술에 담가서 복용하면 편리하고, 외용에는 짓찧어 바른다.

처방 구기자환(枸杞子丸): 계내금(鷄內金)·맥문동(麥門冬) 각 60g, 구기자(枸杞子)·복령(茯苓)·황기(黃芪)·석결명(石決明) 각 40g, 택사(澤瀉)·목단피(牡丹皮)·산수유(山茱萸) 각 20g, 천화분(天花粉)·상표초(桑螵蛸)·차전자(車前子) 각 12g(『동의보감(東醫寶鑑)』). 목이 마르고 오줌을 자주 누며 맥이 없고 여위며 속이 몹시 답답한 증상에 사용한다. 1알이 0.3g 되게 만들어 1회 30알씩 복용한다.

• 우귀환(右歸丸): 숙지황(熟地黃) 320g, 구기자(枸杞子)·산약(山藥)·녹각교(鹿角膠)·토사자(菟絲子)·두충(杜仲)·계피(桂皮) 각 160g, 산수유(山茱萸)·당귀(當歸) 각 120g, 포부자(炮附子) 80g(『보양처방집(補陽處方集)』). 신양(腎陽)의 부족으로 온 몸이 무겁고 가슴이 두근거리며 불안하고 허리와 팔다리를 제대로 움직이지 못하거나 성 기능이 저하된 증상에 사용한다.

• 지골피산(地骨皮散): 지모(知母)·반하(半夏)·시호(柴胡)·인삼(人蔘)·지골피(地骨皮)·감초(甘草) 각 2g, 생강(生薑) 3쪽(『동의보감(東醫寶鑑)』). 허열이 내리지 않고 추웠다 열이 났다 하면서 기침을 하고 식은땀이 나는 증상에 사용한다.

• 지골피탕(地骨皮湯): 지골피(地骨皮)·별갑(鼈甲)·지모(知母)·은시호(銀柴胡)·진교(秦艽)·패모(貝母)·당귀(當歸)(『성제총록(聖濟總錄)』). 열이 나고 기침과 가래가 있는 증상에 사용한다.

• 청심연자환(淸心蓮子丸): 연자(蓮子) 8g, 인삼(人蔘)·황기(黃芪)·적복령(赤茯苓) 각 4g, 황금(黃芩)·차전자(車前子)·맥문동(麥門冬)·지골피(地骨皮)·감초(甘草) 각 2.5g(『동의보감(東醫寶鑑)』). 입이 마르고 갈증이 생기며 소변이 붉으면서 시원하게 나오지 않는 증상에 사용한다.

＊우리나라 충남 청양에서 많이 재식하며, 구기자 연구소도 있다. 중국의 영하(寧夏) 지방에서 재배되는 것은 'L. barbarum'의 열매로 영하구기자(寧夏枸杞子)라 하며 색깔이 선명하고 약효가 좋은 것으로 알려져 있다.

❶ 구기자(枸杞子)는 팔보채 요리의 식재료로도 이용된다.

❶ 구기자나무 재배(충남 청양 구기자 연구소)

[가지과]

흑구기

간신휴허 두훈목현 요슬산연
양위유정, 혈뇨 허로해수 당뇨병

●학명 : *Lycium ruthenicum* Murr.　●한자명 : 黑枸杞

| 1 | 2 | 3 | 4 | 5 | 6 | 7 | 8 | 9 | 10 | 11 | 12 |

낙엽 관목. 높이 0.5~1.5m. 줄기는 비스듬하게 자라면서 끝이 밑으로 처지고, 많은 가지가 갈라지고, 줄기와 가지에 긴 가시가 많다. 잎은 길이 1~3cm, 너비 0.6~2.5cm, 가장자리가 밋밋하다. 꽃은 6~8월에 피며, 장과는 8~10월에 익으며 구형이고 흑색이다. 종자는 갈색으로 지름 1.5~2mm이다.

분포·생육지 중국 신장성(新疆省), 중앙아시아, 러시아 남부, 파키스탄. 산과 들에서 자란다.
＊기타 사항은 '구기자나무'와 같다.

○ 흑구기

○ 흑구기(잎과 가시)

○ 흑구기(열매)

○ 흑구기자(黑枸杞子)로 만든 건강식품

[가지과]

토마토

👁 구갈   📞 식욕부진

● 학명 : *Lycopersicon esculentum* Mill.

| 1 | 2 | 3 | 4 | 5 | 6 | 7 | 8 | 9 | 10 | 11 | 12 |

한해살이풀. 높이 1~2m. 잎은 어긋나고 깃꼴겹잎이다. 꽃은 황색, 마디 사이의 중앙에서 꽃줄기가 나와 달리고, 화관은 얕은 접시 모양, 지름 2cm 정도이다. 열매는 장과로 편구형이고 지름 5~10cm, 붉은색으로 익는다.

분포·생육지 안데스 산맥 주변 원산. 우리나라 전역에서 재배한다.

약용 부위·수치 여름에 열매를 채취하여 그대로 쓴다.

약물명 번가(番茄), 소금과(小金瓜), 서홍시(西紅柿)라고도 한다.

약효 생진지갈(生津止渴), 건위소식(健胃消食)의 효능이 있으므로 구갈(口渴), 식욕부진을 치료한다.

성분 solamine, solasodine, tomentoside, tomatine, nicotine, trigonelline, choline, adenine, caffeic acid, ascorbic acid, lycopene, β−carotene 등이 함유되어 있다.

약리 tomatine 1~10mg/kg을 쥐에 주사하면 항염증 작용이 나타난다. tomentoside는 항진균 작용이 있고, 토마토를 먹인 쥐는 혈청 중 콜레스테롤 함량이 낮아지며, 항산화 작용이 나타난다.

사용법 번가 20g에 물 3컵(600mL)을 넣고 달여서 복용하거나 즙을 내어 먹는다.

○ 토마토(꽃)

○ 번가(番茄)

○ 번가(番茄, 절편)

○ 토마토

[가지과]

개꽈리

감기　축농증　수종

●학명 : *Nicandra physalodes* (L.) Gaertn.　●한자명 : 假酸漿　●별명 : 페루꽈리

| 1 | 2 | 3 | 4 | 5 | 6 | 7 | 8 | 9 | 10 | 11 | 12 |

❍ 개꽈리(꽃)

한해살이풀. 높이 0.5~1.5m. 줄기는 능선이 있는 원주형이며 상부는 3개로 갈라지기도 한다. 잎은 어긋나고 넓은 타원형으로 가장자리는 결각이 있다. 꽃은 담남색, 잎자루에 취산화서로 핀다. 장과는 구형, 황색, 꽃받침에 싸여 있다.
분포·생육지 남아메리카 원산. 페루, 브라질, 볼리비아. 산과 들에서 자란다.
약용 부위·수치 전초를 여름과 가을에 채취하여 썰어서 말린다.
약물명 가산장(假酸漿), 빙분(冰粉), 난화천선자(蘭花天仙子), 야목과(野木瓜)라고도 한다.
약효 청열해독(淸熱解毒), 이뇨진정(利尿鎭靜)의 효능이 있으므로 감기, 축농증, 수종을 치료한다.
성분 nicandrenone, nicandrin, daturalactone 등이 함유되어 있다.
약리 nicandrenone은 항종양 작용이 있다.
사용법 가산장 7g에 물 2컵(400mL)을 넣고 달여서 복용한다.

❍ 개꽈리

[가지과]

담배나무

종기　궤양　이하선염　류머티즘, 관절염

●학명 : *Nicotiana glauca* Graham

| 1 | 2 | 3 | 4 | 5 | 6 | 7 | 8 | 9 | 10 | 11 | 12 |

❍ 담배나무

상록 관목. 높이 4~5m. 줄기는 곧게 자란다. 잎은 어긋나고 넓은 타원형, 가장자리는 밋밋하고 잎자루가 길다. 꽃은 황색, 잎자루에 취산화서로 피고, 꽃받침은 원통형, 화관은 통부의 윗부분이 5개로 갈라지며, 수술은 5개이다. 삭과는 달걀 모양이다.
분포·생육지 남아메리카 원산. 페루, 브라질, 볼리비아. 산지에서 자란다.
약용 부위·수치 잎을 여름에 채취하여 썰어서 말린다.
약물명 Nicotianae Glaucae Folium
약효 소염해독(消炎解毒)의 효능이 있으므로 종기, 궤양, 이하선염, 류머티즘, 관절염을 치료한다.
사용법 Nicotianae Glaucae Folium 10g에 물 3컵(600mL)을 넣고 달여서 복용하고, 외용에는 잎을 짓찧어 붙이거나 바른다.

❍ 담배나무(꽃)

[가지과]

담배

포창

개선, 독사교상

기결동통

●학명 : *Nicotiana tabacum* L.   ●별명 : 연초

1	2	3	4	5	6	7	8	9	10	11	12

여러해살이풀. 높이 1.5~2m. 잎은 어긋난다. 꽃은 7~8월에 피고, 꽃받침은 원통형, 선모가 있다. 화관은 통부의 윗부분이 5개로 갈라지고 연한 붉은색, 끝부분의 색이 짙으며, 수술은 5개이다. 삭과는 달걀 모양으로 꽃받침으로 싸여 있으며 많은 종자가 들어 있다.

분포·생육지 남아메리카 원산. 우리나라 전역에서 재배하는 귀화 식물이다.

약용 부위·수치 잎을 여름에 채취하여 썰어서 말린다.

약물명 연초(煙草). 야연(野烟), 상사초(想思草), 반혼연(返魂煙)이라고도 한다.

약효 행기지통(行氣止痛), 해독살충(解毒殺蟲)의 효능이 있으므로 식체(食滯)에 의한 포창(飽脹), 기결동통(氣結疼痛), 개선(疥癬), 독사교상(毒蛇咬傷)을 치료한다.

성분 nicotine, anabasine, anatabine 등이 함유되어 있다.

약리 주성분인 nicotine은 살충 작용이 있다.

사용법 연초 10g에 물 3컵(600mL)을 넣고 달여서 복용하고 외용에는 짓찧어 바른다.

＊성인의 nicotine 치사량은 50mg이며, 담배 1개비에는 20~30mg이 함유되어 있다.

❍ 담배

❍ 연초(煙草)

❍ 담배(열매)

❍ 담배 재배(중국 화룽)

[가지과]

가시꽈리

허로

●학명 : *Physaliastrum japonicum* Honda [*P. echinatum*]   ●별명 : 가시꼬아리

1	2	3	4	5	6	7	8	9	10	11	12

여러해살이풀. 높이 50~70cm. 가지가 차상(叉狀)으로 갈라지고 전체에 부드러운 털이 있다. 잎은 어긋나지만 마디에서는 2개씩 달린다. 꽃은 담황색, 6~8월에 잎겨드랑이에 1~3개씩 피고 밑을 향한다. 장과는 백색, 둥근 꽃받침에 싸이며, 표면에 가시 같은 돌기가 많다.

분포·생육지 우리나라 제주도, 완도, 경기, 평북. 산이나 들에서 자란다.

약용 부위·수치 뿌리를 여름과 가을에 채취하여 물에 씻은 후 말린다.

약물명 용수삼(龍須蔘)

약효 보기(補氣)의 효능이 있으므로 허로(虛勞)를 치료한다.

사용법 용수삼 10g에 물 3컵(600mL)을 넣고 달여서 복용한다.

❍ 가시꽈리

땅꽈리

 감기, 폐열해수　　인후종통

● 학명 : *Physalis angulata* L.

| 1 | 2 | 3 | 4 | 5 | 6 | 7 | 8 | 9 | 10 | 11 | 12 |

한해살이풀. 높이 30~50cm. 가지가 많고 전체에 부드러운 털이 조금 있거나 없다. 잎은 어긋나고 길이 3~6cm, 타원형, 가장자리에 굵은 톱니가 있으며 잎자루가 길다. 꽃은 황백색, 6~8월에 잎겨드랑이에서 피고 밑을 향한다. 장과는 백색이고 둥근 꽃받침에 싸이며 녹색으로 성숙한다.

분포·생육지 열대 아메리카 원산. 우리나라 제주도, 목포, 완도, 울릉도, 경기. 산이나 들에서 자란다.

약용 부위·수치 전초를 여름과 가을에 채취하여 물에 씻은 후 말린다.

약물명 고직(苦蘵)

약효 청열이뇨(淸熱利尿), 해독소종(解毒消腫)의 효능이 있으므로 감기, 폐열해수(肺熱咳嗽), 인후종통(咽喉腫痛)을 치료한다.

성분 withagulatin A, D, phygrine, physalin B, D, E, F, G, H, I, J, K, physagulin A, B, D, E, F, G, vamonolide, physagulide 등이 함유되어 있다.

약리 physalin F, D는 인체에서 유래한 간암 HA22T, 자궁암 HeLa, 인후암 KB, 직장암 Colo205 등에 세포 독성이 있다. 쥐의 림프선 백혈병에 항암 작용이 있다.

사용법 고직 15g에 물 3컵(600mL)을 넣고 달여서 복용한다.

❂ 땅꽈리

애기꽈리

 감기, 백일해　　고환염, 탈항
이질　　자궁탈수　　습진

● 학명 : *Physalis minima* L.　　● 영명 : Native gooseberry　　● 별명 : 작은꽈리

| 1 | 2 | 3 | 4 | 5 | 6 | 7 | 8 | 9 | 10 | 11 | 12 |

한해살이풀. 높이 30~40cm. 잎은 어긋나고 끝이 뾰족하다. 꽃은 황백색, 7~8월에 잎겨드랑이에 밑을 향해 달리고, 작은 꽃자루는 길이 1cm 정도이다. 꽃받침은 통형, 화관은 길이 8mm 정도로 가장자리가 오각형으로 되며, 수술은 5개이고 꽃밥은 보통 자주색이다. 열매는 황색으로 성숙하며 둥글다.

분포·생육지 열대 아메리카 원산. 우리나라 남부 지방에서 재배한다.

약용 부위·수치 열매를 여름과 가을에 채취하여 말린다.

약물명 천포자(天泡子). 사등롱(沙燈籠), 등롱초(燈籠草)라고도 한다.

약효 청열해독(淸熱解毒), 화담지해(化痰止咳)의 효능이 있으므로 감기, 백일해, 고환염(睾丸炎), 이질, 자궁탈수, 탈항, 습진을 치료한다.

성분 physalin B~K, 5,6-dihydroxydihydrophysalin, 24,25-epoxyvitanolide D, physagrine 등이 함유되어 있다.

약리 에탄올추출물은 간암 세포 HA22T, 직장암 세포 Colo205, 폐암 세포 Calu-1 등에 세포 독성을 나타낸다.

사용법 천포자 10g에 물 3컵(600mL)을 넣고 달여서 복용하거나 가루 내어 복용하고, 외용에는 짓찧어 바른다.

❂ 천포자(天泡子)

❂ 천포자(天泡子, 신선품)

❂ 애기꽈리

[가지과]

꽈리

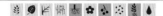

| 열해 | 인통, 인후종통 | 황달 |
| 부종 | 습진 | 말라리아 |

●학명 : *Physalis alkekengi* L. var. *franchetii* (Mas.) Makino　●별명 : 꼬아리, 때꽐

| 1 | 2 | 3 | 4 | 5 | 6 | 7 | 8 | 9 | 10 | 11 | 12 |

여러해살이풀. 높이 40~90cm. 잎은 어긋나고, 꽃은 황백색, 6~7월에 잎 사이에 1개씩 달리며, 화관은 약간 누른빛이 돈다. 꽃이 핀 다음 꽃받침은 열매를 완전히 둘러싸고 붉은색으로 익는다. 열매는 장과로 둥글며 지름 1.5cm 정도이다.

분포·생육지 우리나라 전역. 중국, 인도, 일본. 마을 근처에서 자란다.

❶ 괘금등(掛金燈)

❶ 꽈리(뿌리)

약용 부위·수치 전초와 열매 또는 뿌리를 가을에 채취하여 말린다.

약물명 전초를 산장(酸漿), 뿌리를 산장근(酸漿根), 열매를 괘금등(掛金燈)이라 한다.

본초서 산장(酸漿)은 「신농본초경(神農本草經)」에 수재되어 "열로 가슴이 답답하고 그득한 감이 드는 것을 없애 주고, 마음을 굳건히 하며 기운을 내게 하고 소변을 잘 보

❶ 산장(酸漿)

❶ 산장근(酸漿根)

게 한다."고 하였다. 「동의보감(東醫寶鑑)」에는 "열로 가슴이 답답하고 그득한 감이 드는 것을 없애 주고, 소변을 잘 나오게 한다. 난산을 순산으로 유도하고 목 안이 벌겋게 붓고 아프며 막힌 감이 있는 것을 낫게 한다."고 하였다.

神農本草經: 主熱煩滿 定志益氣 利水道.
東醫寶鑑: 主熱煩滿 利水道 治難産 療喉痺.

기미·귀경 산장(酸漿): 한(寒), 산(酸), 고(苦)·폐(肺), 비(脾). 산장근(酸漿根): 한(寒), 고(苦)·폐(肺), 비(脾). 괘금등(掛金燈): 산(酸), 감(甘), 한(寒)·폐(肺), 신(腎)

약효 산장(酸漿)은 청열(淸熱), 해독, 이수(利水)의 효능이 있으므로 열해(熱咳), 인통(咽痛), 인후종통(咽喉腫痛), 황달, 부종, 습진을 치료한다. 산장근(酸漿根)은 청열(淸熱), 이수(利水)의 효능이 있으므로 열해(熱咳), 인통(咽痛), 황달, 말라리아를 치료한다. 괘금등(掛金燈)은 청열(淸熱), 해독, 이뇨의 효능이 있으므로 해수(咳嗽), 인후종통(咽喉腫痛), 부종, 황달을 치료한다.

성분 산장(酸漿)에는 luteolin-7-*O*-β-D-glucoside, physalactone, 산장근(酸漿根)에는 3α-tigloyloxytropane, 괘금등(掛金燈)에는 physalin A, B, C, luteolin, luteolin-7-*O*-β-D-glucoside 등이 함유되어 있다.

약리 산장(酸漿)을 물로 달인 액은 황색 포도상구균, 녹농균에 항균 작용이 있고, 토끼의 적출 자궁에 흥분 작용이 있다.

사용법 산장, 산장근, 괘금등 10g에 물 3컵(600mL)을 넣고 달여서 복용하거나 가루 내어 복용하고, 외용에는 짓찧어 바른다.

＊꽈리의 기본 종인 '서양꽈리 *P. alkekengi*'도 약효가 같다.

❶ 꽈리(꽃)

❶ 서양꽈리

❶ 꽈리

[가지과]

식용꽈리

만성류머티즘, 요통

● 학명 : *Physalis edulis* Sims. ● 별명 : 브라질구즈베리, 금땅꽈리

1 2 3 4 5 6 7 8 9 10 11 12

✿ 식용꽈리(열매)

여러해살이풀. 높이 80~90cm. 잎은 어긋나고 넓은 타원형, 가장자리에 톱니가 있고 잎자루가 있다. 꽃은 담황색, 7~8월에 잎겨드랑이에 옆을 향해 달린다. 꽃받침은 통형, 열매는 둥글다.

분포·생육지 열대 아메리카 원산. 브라질과 아르헨티나에서 많이 재배한다.

약용 부위·수치 전초를 여름과 가을에 채취하여 말린다.

약물명 Physalis Herba. Cape gooseberry 라고도 한다.

약효 청열해독(淸熱解毒), 진통(鎭痛)의 효능이 있으므로 만성류머티즘, 요통을 치료한다.

사용법 Physalis Herba 10g에 물 2컵(400mL)을 넣고 달여서 복용한다.

✿ 식용꽈리

[가지과]

들가지

해수, 효천 · 풍습동통

● 학명 : *Solanum coagulans* Forsk. ● 한자명 : 野茄

1 2 3 4 5 6 7 8 9 10 11 12

덩굴성 반관목. 높이 0.5~2m. 작은가지, 잎 뒷면, 잎자루, 꽃차례에 회갈색 털과 가시가 있다. 잎은 어긋나고 타원형, 가장자리에 큰 결각이 있다. 꽃은 자주색, 7~8월에 잎겨드랑이에 취산화서로 달린다. 열매는 황색, 둥글고 지름 2~3cm이다.

분포·생육지 인도, 중국 하이난성(海南省), 광둥성(廣東省), 광시성(廣西省), 타이완. 들에서 자란다.

약용 부위·수치 전초를 여름과 가을에 채취하여 물에 씻은 후 썰어서 말린다.

약물명 황수가(黃水茄), 황자가(黃刺茄)라고도 한다.

약효 지해평천(止咳平喘), 해독소종(淸熱消腫)의 효능이 있으므로 해수(咳嗽), 효천(哮喘), 풍습동통(風濕疼痛)을 치료한다.

사용법 황수가 15g에 물 3컵(600mL)을 넣고 달여서 복용한다.

✿ 들가지

[가지과]

미치광이풀

🧴 동통, 정신광조, 주독에 의한 떨림
🩹 옹창종독, 외상출혈

● 학명 : *Scopolia japonica* Max.　● 별명 : 미치광이

| 1 | 2 | 3 | 4 | 5 | 6 | 7 | 8 | 9 | 10 | 11 | 12 |

여러해살이풀. 높이 30~60cm. 줄기는 차상(叉狀)으로 갈라지고, 뿌리줄기는 옆으로 벋으며 굵다. 잎은 어긋나며, 꽃은 4~5월에 잎겨드랑이에 1개씩 달려 밑으로 처진다. 꽃받침은 얕게 5개로 갈라지고, 꽃잎은 종 모양, 끝이 매우 얕게 갈라지고 자줏빛이 도는 황색이다. 삭과는 구형이다.

분포 · 생육지 우리나라 전역. 중국, 인도, 일본. 깊은 산 숲속에서 자란다.

약용 부위 · 수치 뿌리줄기를 봄, 가을에 채취하여 말린다. 건조한 것을 약한 불에 볶아서 사용한다.

약물명 낭탕근(莨菪根). 남천(南天), 남천죽자(南天竹子), 백남천(白南天), 천축자(天竺子)라고도 한다. 대한민국약전(KP)에 수재되어 있다.

본초서 낭탕(莨菪)은 「신농본초경(神農本草經)」의 하품(下品)에 낭탕자(莨菪子)라는 이름으로 수재되어 "치통, 출충(出蟲), 육비(肉痺), 구급(拘急)을 치료하며, 많이 복용하면 사람을 미치게 하지만 장기간 소량씩 복용하면 몸을 가볍게 하고 정신을 통하게 한다."고 기록되어 있다.

성상 불규칙하게 갈라지고 다소 구부러진 뿌리줄기로 길이 5~15cm, 지름 1~3cm이며 때로는 세로로 쪼개져 있다. 표면은 회갈색~흑갈색이고 주름이 있으며 군데군데 잘록한 마디가 있으며 끝 쪽에 잔경(殘莖)이 남아 있는 것도 있다. 각 마디의 위쪽에는 줄기 자국이 있으며 아래쪽에는 뿌리 또는 뿌리 자국이 있다. 특이한 냄새가 있고 맛은 조금 달고 나중에는 약간 쓰다.

품질 뿌리줄기가 살찌고 크며 충실한 것과 알칼로이드 총 함량이 0.3% 이상인 것이 좋다.

약효 해경(解痙), 진통(鎭痛), 수한(收汗), 삽장(澁腸)의 효능이 있으므로 동통(疼痛), 정신광조(精神狂躁), 주독(酒毒)에 의한 떨림, 옹창종독(癰瘡腫毒), 외상출혈을 치료한다.

성분 알칼로이드가 0.3% 이상 함유되어 있으며, 주성분은 *l*-hyoscyamine, atropine, scopolamine 등이다.

약리 열수추출액은 모르모트 소장에 항히스타민 작용, 위경련 억제 작용, 소화액 분비 억제 작용이 있고, 치질에 연고로 사용한다. scopolamine은 멀미 중추를 억제하므로 차, 비행기, 배 등의 멀미약으로 이용한다.

사용법 낭탕근을 초탄(炒炭)하여 가루로 만들어 0.5g을 복용하고, 외용에는 짓찧어 바른다.

주의 *l*-hyoscyamine, atropine 등 알칼로이드가 많이 함유되어 있으므로 다량으로 복용하면 부작용은 물론 치명적일 수도 있다. 본 종의 뿌리줄기를 '마'의 뿌리줄기(山藥)로 잘못 알고 복용하여 중독 사고가 많이 일어나기도 하므로 조심하여야 한다.

※ 중국에서는 '사리풀 *Hyoscyamus niger*'의 뿌리를 낭탕근(莨菪根)이라 한다.

❂ 미치광이풀

❂ 미치광이풀(뿌리줄기)

❂ 미치광이풀(꽃의 내부)

❂ 낭탕근(莨菪根)

❂ 낭탕근(莨菪根, 채집품)

❂ 낭탕근(莨菪根)이 배합된 건위정장제

❂ 낭탕근(莨菪根)이 배합된 복통 치료제

[가지과]

쓴가지

🦵 풍습동통
파상풍, 옹종, 악창, 개창, 외상출혈

●학명 : *Solanum dulcamara* L.   ●영명 : Bittersweet   ●한자명 : 苦茄

| 1 | 2 | 3 | 4 | 5 | 6 | 7 | 8 | 9 | 10 | 11 | 12 |

● 쓴가지(꽃)

덩굴성 반관목. 털이 없거나 부드러운 털이 약간 있으며, 잎은 어긋난다. 꽃은 자주색, 7~8월에 잎겨드랑이에 취산화서로 달린다. 꽃받침은 통형, 화관은 길이 8mm 정도로 가장자리가 오각형으로 되며, 수술은 5개이다. 열매는 붉은색, 둥글고 지름 6~8mm이며, 종자는 달걀 모양이다.

분포·생육지 유럽, 북아메리카, 중국 쓰촨성(四川省), 윈난성(雲南省). 들에서 자라고 세계 각처에서 관상용으로 재배한다.

약용 부위·수치 전초를 여름과 가을에 채취하여 물에 씻은 후 썰어서 말린다.

약물명 고가(苦茄). 천포초(天泡草)라고도 한다.

약효 구풍제습(驅風除濕), 청열해독(淸熱解毒)의 효능이 있으므로 풍습동통(風濕疼痛), 파상풍, 옹종(癰腫), 악창(惡瘡), 개창(疥瘡), 외상출혈을 치료한다.

사용법 고가 15g에 물 3컵(600mL)을 넣고 달여서 복용하고, 외용에는 짓찧어 바른다.

● 쓴가지

[가지과]

좁은잎배풍등

🦵 풍습비통   ♀ 경폐

●학명 : *Solanum japonense* Nakai [*S. dulcamara* var. *heterophyllum*, *S. nipponense*]
●별명 : 산꽈리

| 1 | 2 | 3 | 4 | 5 | 6 | 7 | 8 | 9 | 10 | 11 | 12 |

● 좁은잎배풍등(꽃)

여러해살이풀. 길이가 3m에 달하며 끝이 덩굴 같고 선모(腺毛)가 많다. 잎은 어긋나고, 꽃은 백색, 꽃차례는 잎과 마주나고, 꽃받침은 너비보다 길이가 짧다. 화관은 수레바퀴 모양이며 5개로 깊게 갈라진다. 장과는 둥글고 붉은색으로 익는다.

분포·생육지 우리나라 황해도, 경기도 이남. 중국, 일본. 산지에서 자란다.

약용 부위·수치 전초를 여름과 가을에 채취하여 물에 씻은 후 썰어서 말린다.

약물명 모풍등(毛風藤). 백모영(白毛英)이라고도 한다.

약효 거풍습(祛風濕), 활혈통경(活血通經)의 효능이 있으므로 풍습비통(風濕痹痛), 경폐(經閉)를 치료한다.

사용법 모풍등 15g에 물 3컵(600mL)을 넣고 달여서 복용하거나, 술에 담가서 복용한다.

● 열매   ● 좁은잎배풍등

[가지과]

배풍등

황달, 담낭염, 담석증 | 신염수종
풍습관절통 | 습진소양

●학명 : *Solanum lyratum* Thunb. ●한자명 : 排風藤 ●별명 : 배풍등나무

| 1 | 2 | 3 | 4 | 5 | 6 | 7 | 8 | 9 | 10 | 11 | 12 |

여러해살이풀. 길이가 3m에 달하며 끝이 덩굴 같고, 선모(腺毛)가 많다. 잎은 어긋나고, 꽃은 백색, 꽃차례는 잎과 마주나며, 꽃받침에 둔한 톱니가 있고 너비가 길이보다 길다. 화관은 수레바퀴 모양이며 5개로 깊게 갈라지고 갈라진 조각은 바늘 모양, 뒤로 젖혀진다. 장과는 둥글고 붉은색으로 익는다.

분포·생육지 우리나라 황해도 이남. 중국, 일본, 타이완, 인도. 산에서 자란다.

약용 부위·수치 전초를 여름에 채취하여 말린다.

약물명 백모등(白毛藤). 부(苻), 귀목초(鬼目草), 배풍등(排風藤)이라고도 한다.

기미·귀경 한(寒), 감(甘), 고(苦), 소독(小毒)·간(肝), 담(膽), 신(腎)

약효 청열이습(清熱利濕), 해독소종(解毒消腫)의 효능이 있으므로 황달, 담낭염, 담석증, 신염수종(腎炎水腫), 풍습관절통(風濕關節痛), 습진소양(濕疹瘙痒)을 치료한다.

성분 tomatidenol, soladodine, soladulcidine, α-solamarine, β-solamarine, α-solasonine, solamargine 등이 함유되어 있다.

약리 β-solamarine은 쥐의 Ehrlich 복수암에 성장 억제 작용이 있다.

사용법 백모등 15g에 물 4컵(800mL)을 넣고 달여서 복용하고, 외용에는 짓찧어 바른다.
※ 줄기에 털이 없고 잎에 털이 있으며 전혀 갈라지지 않은 '왕배풍등 *S. megacarpum*'도 약효가 같다.

● 배풍등

● 배풍등(꽃)

● 배풍등(열매)

● 백모등(白毛藤)

[가지과]

여우가지

옹종, 단독, 나력

●학명 : *Solanum mammosum* L. ●별명 : 노랑혹가지

| 1 | 2 | 3 | 4 | 5 | 6 | 7 | 8 | 9 | 10 | 11 | 12 |

한해살이풀. 줄기는 바로 서고 높이 1m 정도. 작은가지에는 황색의 가시와 털이 무성하고 반들반들하다. 잎은 어긋나고, 꽃은 자주색, 백색, 미상화서에 달리고 꽃받침은 5개로 깊이 갈라진다. 열매는 장과로 길이 5~6cm, 등황색, 젖꼭지 같은 돌기가 있다.

분포·생육지 북아메리카와 남아메리카 원산. 우리나라, 중국, 일본 등에서 재배한다.

약용 부위·수치 열매를 여름에 채취하여 말린다.

약물명 오지가(五指茄). 오각정가(五角丁茄)

라고도 한다.

약효 청열해독(清熱解毒), 소종(消腫)의 효능이 있으므로 옹종(癰腫), 단독(丹毒), 나력(瘰癧)을 치료한다.

성분 solasonine, solamargine, solasodine, solasodiene, diosgenin, cholesterol, campesterol, sisterol, stimasterol 등이 함유되어 있다.

사용법 외용으로만 사용하며, 신선한 열매를 2개로 쪼개어 짓찧어서 환부에 바르거나 붙인다.

● 여우가지

● 여우가지(꽃)

● 오지가(五指茄)

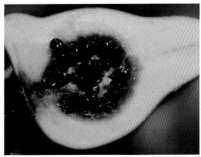
● 여우가지(종자)

[가지과]

가지

장풍하혈, 혈리, 구리 | 열독, 피부궤양, 옹종
혈림 | 풍습열비, 각기 | 치통

● 학명 : *Solanum melongena* L. ● 별명 : 까지

| 1 | 2 | 3 | 4 | 5 | 6 | 7 | 8 | 9 | 10 | 11 | 12 |

한해살이풀. 높이 60~100cm. 줄기는 곧게 서며, 잎은 어긋난다. 꽃은 자주색, 6~9월에 마디 사이의 중앙에서 꽃대가 나와 몇 개가 달리고, 꽃받침은 보통 자주색이며 5개로 갈라진다. 열매는 긴 원통형, 흑자색이다.

분포·생육지 인도 원산. 우리나라 전역에서 재배하는 귀화 식물이다.

약용 부위·수치 열매, 뿌리, 잎을 가을에 채취하여 말린다.

약물명 열매를 가자(茄子), 잎을 가엽(茄葉), 뿌리를 가근(茄根)이라 한다.

본초서 「동의보감(東醫寶鑑)」에 가자(茄子)는 "오장의 기운이 떨어져 추웠다 열이 났다 하는 증상과 결핵균이 폐에 침입하여 생긴 전염성 질병을 낫게 한다."고 하였다.
東醫寶鑑: 主寒熱 五臟勞及傳尸勞氣.

기미·귀경 가자(茄子): 양(凉), 감(甘)·비(脾), 위(胃), 대장(大腸). 가엽(茄葉): 평(平), 감(甘), 신(辛). 가근(茄根): 한(寒), 감(甘), 신(辛)

약효 가자(茄子)는 청열(淸熱), 활혈(活血), 지통(止痛), 소종(消腫)의 효능이 있으므로 장풍하혈(腸風下血), 열독(熱毒), 피부궤양을 치료한다. 가엽(茄葉)은 산혈소종(散血消腫)의 효능이 있으므로 혈림(血淋), 혈리(血痢), 장풍하혈(腸風下血), 옹종(癰腫), 동상을 치료한다. 가근(茄根)은 거풍이습(祛風利濕), 청열지혈(淸熱止血)의 효능이 있으므로 풍습열비(風濕熱痺), 구리(久痢), 혈변(血便), 각기, 치통을 치료한다.

성분 가엽(茄葉)은 solanine, trigonelline, imidazolylethiamine, solasonine, caffeic acid 등이 함유되어 있다.

약리 사람 또는 토끼에게 가자(茄子) 또는 가엽(茄葉)의 열수추출물을 주사하거나 경구 투여하면 혈액 중의 cholesterol 함량이 내려간다.

사용법 가자, 가근 또는 가엽 10g에 물 3컵(600mL)을 넣고 달여서 복용하고, 외용에는 짓찧어 바른다.

❂ 꽃　　　❂ 가지

❂ 가자(茄子)

❂ 가엽(茄葉)

[가지과]

까마중

옹종, 단독 | 만성기관지염
급성신장염, 임탁, 요로결석 | 이질

● 학명 : *Solanum nigrum* L. ● 별명 : 가마중, 강태, 깜두라지

| 1 | 2 | 3 | 4 | 5 | 6 | 7 | 8 | 9 | 10 | 11 | 12 |

한해살이풀. 높이 20~90cm. 줄기는 곧게 서며, 잎은 어긋난다. 꽃은 백색, 5~7월에 피며 지름 6~7mm, 꽃차례는 잎보다 위에서 나오고 꽃이 우산 모양으로 달린다. 꽃받침은 5개로 갈라지고 화관도 5개로 갈라지며 옆으로 퍼지고 1개의 암술과 5개의 수술이 있다. 장과는 둥글고 지름 6~7mm이며 흑색이다.

분포·생육지 우리나라 전역. 온대와 열대. 밭이나 길가에서 자란다.

약용 부위·수치 지상부와 뿌리를 가을에 채취하여 말린다.

약물명 지상부를 용규(龍葵), 뿌리를 용규근(龍葵根)이라 한다. 용규는 대한민국약전외한약(생약)규격집(KHP)에 수재되어 있다.

본초서 「동의보감(東醫寶鑑)」에 용규(龍葵)는 "몸의 피로를 풀어 주고 열로 인해 부은 것을 낫게 하며, 졸리지 않게 한다."고 하였다.
東醫寶鑑: 解勞少睡 去熱腫.

성상 용규(龍葵)는 지상부로 꽃이 들어 있기도 하다. 줄기는 원기둥 모양, 분지하며 속이 비어 있다. 잎은 쭈그러져 있고 물에 담가 보면 타원형, 가장자리에 물결 같은 톱니가 있다. 냄새가 특이하고 맛은 담담하다.

약효 용규(龍葵)는 청열(淸熱), 해독, 활혈(活血), 소종(消腫)의 효능이 있으므로 옹종(癰腫), 단독(丹毒), 만성기관지염, 급성신장염을 치료한다. 용규근(龍葵根)은 청열이습(淸熱利濕), 활혈해독(活血解毒)의 효능이 있으므로 이질, 임탁(淋濁), 요로결석, 백대(白帶), 옹종(癰腫)을 치료한다.

성분 용규(龍葵)에는 solanine, solasonine, solamargine 등이 함유되어 있다.

약리 용규(龍葵)의 열수추출물은 항염증 작용이 있고, 쥐에게 solasonine을 복강 내 주사하면 혈당이 떨어지고 심장을 흥분시킨다. 열수추출물은 TGEV의 숙주 세포인 ST 세포에 농도에 따라 20~50%의 세포독성을 나타낸다.

사용법 용규 또는 용규근 10g에 물 3컵(600mL)을 넣고 달여서 복용하고, 외용에는 짓찧어 바른다.

＊'배풍등'에 비하여 줄기가 곧게 서고 꽃차례가 갈라지지 않으며 열매가 검게 익는다.

❂ 꽃　　　❂ 까마중

❂ 용규(龍葵)

❂ 용규근(龍葵根)

[가지과]

산호앵

 요통

● 학명 : *Solanum pseudocapsicum* L. ● 영명 : Jerusalem cherry
● 한자명 : 珊瑚櫻 ● 별명 : 예루살렘체리

1 2 3 4 5 6 7 8 9 10 11 12

관목. 높이 2m 정도. 줄기는 곧게 서며 털이 없다. 잎은 어긋나고 타원형, 가장자리가 밋밋하다. 꽃은 등황색, 나선형, 5~8월에 잎겨드랑이에 취산화서로 핀다. 열매는 장과로 구형, 붉은색으로 성숙한다.

분포 · 생육지 브라질. 세계 각처에서 재식한다.

약용 부위 · 수치 뿌리를 봄부터 가을까지 채취하여 물에 씻은 후 썰어서 말린다.

약물명 옥산호근(玉珊瑚根)

약효 활혈지통(活血止痛)의 효능이 있으므로 요통을 치료한다.

성분 quercitol-3-dirhamnoglucoside, quercitol-3-glucoside, quercitol-3-rhamnoglucoside, slanocapsine 등이 함유되어 있다.

사용법 옥산호근을 가루로 만들어 2~3g을 복용한다.

◐ 산호앵

[가지과]

감자

 위통   옹종, 습진

● 학명 : *Solanum tuberosum* L. ● 영명 : Potato

1 2 3 4 5 6 7 8 9 10 11 12

한해살이풀. 높이 60~90cm. 줄기는 곧게 서며, 뿌리줄기 끝이 덩이처럼 된다. 잎은 어긋나고 1회 깃꼴겹잎으로 잎자루가 길다. 꽃은 자주색 또는 백색, 5~7월에 피며 꽃차례는 잎보다 위에서 나온다.

분포 · 생육지 칠레, 페루 등 안데스 산맥 원산. 세계 각처에서 재배한다.

약용 부위 · 수치 덩이줄기를 여름에 채취하여 물에 씻은 후 말린다.

약물명 마령서(馬鈴薯), 양우(陽芋), 산약단(山藥蛋), 양번서(洋番薯), 토두(土豆), 산양우(山洋芋)라고도 한다.

약효 화위건중(和胃健中), 해독소종(解毒消腫)의 효능이 있으므로 위통(胃痛), 옹종(雕腫), 습진을 치료한다.

성분 solanidine, leptinidine, tornatine, acetylleptinidine, solanideine, solasonine, solamargine 등이 함유되어 있다.

사용법 마령서 적당량을 삶아서 복용하고, 습진은 생것을 짓찧어 바른다.

◐ 감자

◐ 감자(흰 꽃)

◐ 마령서(馬鈴薯)

[가지과]

가연엽수

 위통, 복통   통풍, 골절

●학명 : *Solanum verbascifolium* L. ●한자명 : 假烟葉樹

1 2 3 4 5 6 7 8 9 10 11 12

○ 가연엽수

소교목. 높이 10m 정도. 작은가지는 부드러운 털로 덮인다. 잎은 어긋나고 두꺼우며 가장자리가 물결 모양이다. 꽃은 백색, 5~7월에 핀다. 열매는 구형으로 황갈색으로 익으며, 종자는 편평하다. 꽃은 위로 향하고, 열매는 아래로 향하는 것이 특징이다.

분포 · 생육지 중국 푸젠성(福建省), 광둥성(廣東省), 타이완. 황폐한 숲에서 자란다.

약용 부위 · 수치 잎을 여름에 채취하여 물에 씻은 후 말린다.

약물명 야연엽(野烟葉), 대왕엽(大王葉)이라고도 한다.

약효 행기혈(行氣血), 소종독(消腫毒), 지통(止痛)의 효능이 있으므로 위통(胃痛), 복통, 통풍, 골절을 치료한다.

성분 solasodine, solasodinene, solafloridine, tomatidenol, vespertilin, solaverbascine 등이 함유되어 있다.

사용법 야연엽 5g을 뜨거운 물로 우려내어 복용한다.

주의 독성이 강하므로 다량의 복용을 금한다.

[가지과]

알꽈리

 소변임통   이질   정창

●학명 : *Tubocapsicum anomalum* (Franch. et Sav.) Makino
●별명 : 민꼬아리, 민꽈리, 산꽈리

1 2 3 4 5 6 7 8 9 10 11 12

○ 알꽈리(열매)

여러해살이풀. 높이 60~90cm. 줄기는 비스듬히 선다. 잎은 어긋나고 타원형, 가장자리는 밋밋하다. 꽃은 담황색, 7~8월에 잎겨드랑이에 1~5개씩 달리고 꽃받침은 잔 모양, 화관은 종 모양이다. 장과는 구형으로 붉은색으로 익는다.

분포 · 생육지 우리나라 경기 이남. 일본, 타이완, 필리핀, 인도. 산골짜기에서 자란다.

약용 부위 · 수치 전초를 여름에 채취하여 물에 씻은 후 썰어서 말린다.

약물명 용주(龍珠). 적주(赤珠)라고도 한다.

약효 청열해독(清熱解毒), 이소변(利小便)의 효능이 있으므로 소변임통(小便淋痛), 이질, 정창(疔瘡)을 치료한다.

성분 tubocapside A, B 등이 함유되어 있다.

사용법 용주 30g에 물 3컵(600mL)을 넣고 달여서 복용한다.

○ 알꽈리

[가지과]

인도인삼목

정신불안, 불면증 　 피부궤양
치질 　 관절염

●학명 : *Withania somnifera* (L.) Dunal ●영명 : Winter cherry, Ashwagandha

| 1 | 2 | 3 | 4 | 5 | 6 | 7 | 8 | 9 | 10 | 11 | 12 |

여러해살이풀. 높이 1m 정도. 줄기는 곧게 서고 굵고 단단하며 전체에 회색 털이 있다. 잎은 어긋나고 타원형, 가장자리는 밋밋하거나 물결처럼 된다. 꽃은 담황색, 6~9월에 잎겨드랑이에 1~2개가 나오며, 꽃잎이 5개로 약간 갈라진다. 열매는 구형, 붉은색이며 갈색 꽃받침에 반 정도 싸인다.

분포·생육지 아프리카, 유럽, 아시아. 산과 들에서 자라고, 세계 각처로 귀화되어 자란다.

약용 부위·수치 뿌리는 가을에 채취하여 물에 씻은 후 말리고, 잎은 여름에 채취하여 말린다. 주로 뿌리를 사용하고, 잎은 차로 사용한다.

약물명 Withaniae Radix. 일반적으로 Winter cherry 또는 Ashwagandha라고 한다.

약효 진정(鎭靜), 강장(强壯)의 효능이 있으므로 정신불안, 불면증, 피부궤양, 치질, 관절염을 치료한다.

성분 withoferin A 등의 스테로이드 화합물, withasomnine 등의 알칼로이드가 함유되어 있다.

약리 withoferin A 등의 스테로이드 화합물과 withasomnine은 소염, 항종양, 세포 보호, 콜레스테롤 저하 작용 등이 있다.

사용법 물 2컵(400mL)에 Withaniae Radix 5g을 넣고 달여서 복용하고, 외용에는 짓찧어 바른다.

○ Withaniae Radix

○ Withaniae Radix로 만든 강장제

○ 인도인삼목

[현삼과]

금어초

창양종독, 타박상

●학명 : *Antirrhinum majus* L. ●별명 : 참깨풀, 비어초, 금붕어초, 금붕어풀

| 1 | 2 | 3 | 4 | 5 | 6 | 7 | 8 | 9 | 10 | 11 | 12 |

여러해살이풀. 높이 50~80cm. 줄기는 바로 선다. 잎은 마주나고 긴 타원형이다. 꽃은 붉은색, 황색, 백색 등 여러 색이고 4~7월에 줄기 끝에 총상화서로 조밀하게 달린다. 화관은 두툼한 입술 모양이고, 수술은 2강웅예이다. 삭과는 찌그러진 달걀 모양이다.

분포·생육지 유럽 남부 및 아프리카 북부. 우리나라 전역에서 재배한다.

약용 부위·수치 전초를 여름에 채취하여 물에 씻은 후 말린다.

약물명 금어초(金魚草). 향채작(香彩雀), 용두채(龍頭菜)라고도 한다.

약효 청열해독(淸熱解毒), 활혈소종(活血消腫)의 효능이 있으므로 창양종독(瘡瘍腫毒), 타박상을 치료한다.

성분 antirrhinoside, linolenic acid, deoxy nucleic acid, ribonucleic acid, *p*-coumaric acid, 16-methylheptadecanoic acid, caffeic acid, ferulic acid 등이 함유되어 있다.

사용법 금어초 15g에 물 4컵(800mL)을 넣고 달여서 복용하고, 외용에는 짓찧어서 바른다.

○ 금어초

○ 금어초(흰 꽃)

○ 금어초(붉은 꽃)

○ 금어초(金魚草)

[현삼과]

개쇠비름

 창양종독, 타박상, 궤양

천식   빈혈

● 학명 : *Bacopa monnieri* (L.) Wettst.   ● 한자명 : 假馬齒莧   ● 별명 : 바코파

1 2 3 4 5 6 7 8 9 10 11 12

덩굴성 풀. 마디에서 뿌리가 나온다. 잎은 마주나고 타원형, 끝이 둥글며 가장자리는 밋밋하다. 꽃은 백색, 4~7월에 잎겨드랑이에서 1개씩 핀다. 화관은 두툼한 입술 모양, 수술은 4개로 2개는 길다. 삭과는 찌그러진 달걀 모양이다.

분포 · 생육지 유럽 넘부 및 아프리카 북부, 중국, 인도. 우리나라 전역에서 재배한다.

약용 부위 · 수치 전초를 여름에 채취하여 물에 씻은 후 말린다.

약물명 백화저모채(白花豬母菜). 사린채(蛇鱗菜), 백선초(白線草)라고도 한다.

약효 청열해독(淸熱解毒), 활혈소종(活血消腫)의 효능이 있으므로 창양종독(瘡瘍腫毒), 천식, 궤양, 빈혈, 기억력 증진, 타박상을 치료한다.

성분 hersaponin, bacoside A, B, jujubogenin, pseuojujubogenin 등이 함유되어 있다.

사용법 백화저모채 15g에 물 3컵(600mL)을 넣고 달여서 복용하고, 외용에는 짓찧어 바른다.

＊ 인도의 아유르베다 의학에서 자주 쓰이는 천연 약이다.

❁ 백화저모채(白花豬母菜, 신선품)

❁ 백화저모채(白花豬母菜)로 만든 기억력 증진, 피부병 및 타박상 치료제(인도네시아)

❁ 개쇠비름

[현삼과]

성주풀

 객혈, 해혈   풍습비통

● 학명 : *Centranthera cochinchinensis* (Lour.) Merrill   ● 별명 : 나도깨풀, 가시나물

1 2 3 4 5 6 7 8 9 10 11 12

한해살이풀. 높이 20~40cm. 전체에 강모가 있다. 잎은 마주나고 피침형, 끝이 뾰족하고 가장자리는 밋밋하다. 꽃은 담황색, 8~9월에 줄기 윗부분에 수상화서로 핀다. 삭과는 긴 타원형으로 끝이 뾰족하다.

분포 · 생육지 우리나라 제주도를 비롯한 남부. 말레이시아, 싱가포르, 베트남, 중국. 습지에서 자란다.

약용 부위 · 수치 전초를 여름에 채취하여 물에 씻은 후 말린다.

약물명 호마초(胡麻草)

약효 산어지혈(散瘀止血), 소종지통(消腫止痛)의 효능이 있으므로 객혈, 해혈(咳血), 풍습비통(風濕痺痛)을 치료한다.

사용법 호마초 15g에 물 3컵(600mL)을 넣고 달여서 복용하고, 외용에는 짓찧어 바른다.

❂ 성주풀

[현삼과]

털디기탈리스

 심기능부전, 심장무력, 만성판막증 부종

● 학명 : *Digitalis lanata* L.

`1 2 3 4 5 6 7 8 9 10 11 12`

여러해살이풀. 높이 1~1.5m. 줄기는 곧게 자라며 전체에 짧은 털이 있다. 잎은 어긋 나고 긴 타원형, 길이 5~30cm, 가장자리 는 밋밋하고 밑부분이 줄기를 감싼다. 꽃은 7~8월에 피고 길이 2cm 정도, 화관은 유 백색이고 꽃자루는 길이 2mm 정도로 짧다. 꽃과 꽃자루, 잎 등에 부드러운 털이 많다.
분포 · 생육지 유럽 원산. 약용 또는 관상용 으로 재배하는 귀화 식물이다.
＊ 약용 부위, 약물명, 사용법은 '디기탈리스 *D. purpurea*'와 같다.

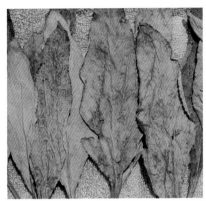

❖ 양지황(洋地黃)

❖ 열매　　　　❖ 털디기탈리스

[현삼과]

디기탈리스

심기능부전, 심장무력, 만성판막증 부종

● 학명 : *Digitalis purpurea* L.

`1 2 3 4 5 6 7 8 9 10 11 12`

여러해살이풀. 높이 1~1.5m. 줄기는 곧 게 자라며 전체에 짧은 털이 있다. 잎은 어 긋나고, 꽃은 7~8월에 피고, 화관은 적자 색, 짙은 반점이 있으며 종 모양, 4개의 수 술 중 2개가 길다. 삭과는 원추형, 꽃받침 이 남아 있다.
분포 · 생육지 유럽 원산. 약용 또는 관상용 으로 재배하는 귀화 식물이다.
약용 부위 · 수치 잎을 가을에 채취하여 말 린다.
약물명 양지황(洋地黃), 지종화(地種花), 양지 황엽(洋地黃葉)이라고도 한다. 대한민국약전 외한약(생약)규격집(KHP)에 수재되어 있다.
성상 회녹색~회황록색으로 잎을 잘게 썬 것이다. 잎의 표면은 털이 적고, 잎맥에 따 라서 오목하게 들어가며 뒷면은 털이 많고 잎맥이 돌출된다. 또 끝이 뾰족한 다세포모 와 선모(腺毛)가 잎의 양면에 있다. 냄새가 약간 나고 맛은 매우 쓰다.
약효 강심 및 이뇨의 효능이 있으므로 심

기능부전, 심장무력, 만성판막증(慢性瓣膜 症), 부종을 치료한다.
성분 purpureaglycoside A, B, digitoxin, gitoxin, gitaloxin 등이 함유되어 있다.
약리 purpureaglycoside A, B, digitoxin, gitoxin, gitaloxin 등은 심근 섬유막에서 Na^+, K^+ pump의 기능을 억제하며, Na^+ 농 도를 상승시키고 Ca^{2+}의 유입을 증가시켜 심근을 수축시키며 심박 수를 감소시킨다. 심 기능의 강화는 혈압을 상승시키고 2차 적으로 이뇨 효과를 높여 준다.
확인 시험 가루 1g에 묽은 에탄올을 넣고 2 분간 끓인 다음 여과한다. 여액 5mL에 물 10mL 및 차초산납 시액 0.5mL를 넣고 흔 들어 섞은 다음 여과한다. 이 여액에 클로 로포름 5mL를 넣어 흔들어 섞고 클로로포 름 층을 취하여 수욕상에서 조심하여 증발 시킨다. 이것을 식힌 다음 잔류물에 초산에 녹인 황산 제2철 1mL를 넣어 흔들어 섞고 이 용액에 황산 1mL를 흘려 넣어서 2층으

로 할 때 접계면은 적갈색의 띠를 나타내며 위층은 암녹색을 띠다가 어두운 색이 된다 (digitoxose, Keller-Killiani 반응).
사용법 양지황을 가루로 만들어 0.05~0.1g 을 복용한다. 독성이 강하므로 복용에 주의 하여야 한다.
＊ 식물체에 털이 많은 '털디기탈리스 *D. lanata*'에는 lanatoside A~C, digoxin 등이 함유되어 있으며 본 종보다 강심 효과가 빠 르고 축적 작용이 적다.

❖ 양지황(洋地黃)

❖ 디기탈리스

❖ 디기탈리스(열매)

❖ 디기탈리스(꽃)

❖ 디기탈리스(잎)

선좁쌀풀

열병구갈, 두통 | 폐열해수 | 옹종
인후종통, 구창 | 열림, 소변불리

● 학명 : *Euphrasia maximowiczii* Wettstein　● 별명 : 앉은좁쌀풀

1	2	3	4	5	6	7	8	9	10	11	12

한해살이풀. 높이 15~30cm. 줄기는 곧게 서고, 상부에서 가지가 갈라지며 밑을 향한 짧은 털이 있다. 잎은 마주난다. 꽃은 백색이고 자주색 줄이 있으며 6~8월에 잎겨드랑이에서 1개씩 나온다. 화관은 길이 5~6mm이고 하순 중앙부에 황색 반점이 있다. 삭과는 타원상 ⼗형이며 꽃받침과 길이가 거의 같다.

분포 · 생육지 우리나라 제주도. 중국, 일본, 인도, 오스트레일리아. 논밭이나 습지에서 자란다.

약용 부위 · 수치 전초를 여름과 가을에 채취하여 물에 씻어서 말린다.

약물명 소미초(小米草). 망소미초(芒小米草)라고도 한다.

기미 · 귀경 미한(微寒), 고(苦) · 방광(膀胱)

약효 청열해독(淸熱解毒), 이뇨의 효능이 있으므로 열병구갈(熱病口渴), 두통, 폐열해수(肺熱咳嗽), 인후종통(咽喉腫痛), 열림(熱淋), 소변불리(小便不利), 구창(口瘡), 옹종(癰腫)을 치료한다.

사용법 소미초 10g에 물 3컵(600mL)을 넣고 달여서 복용하고, 외용에는 짓찧어 바른다.

* '좁쌀풀 *Lysimachia vulgaris*'에 비하여 전체에 털이 많고 잎가장자리가 덜 예리한 '털좁쌀풀 *E. retrotricha*'도 약효가 같다.

○ 선좁쌀풀(꽃)

○ 선좁쌀풀

서양좁쌀풀

안염, 시력장애, 결막염 | 피부병

● 학명 : *Euphrasia officinalis* L.　● 영명 : Eyebright

1	2	3	4	5	6	7	8	9	10	11	12

한해살이풀. 높이 30~40cm. 줄기는 곧게 서고, 상부에서 가지가 갈라지며 밑을 향한 짧은 털이 있고, 잎은 마주난다. 꽃은 분홍색이고 자주색 줄이 있으며 6~8월에 잎겨드랑이에서 1개씩 나온다. 화관은 길이 5~6mm이고 하순 중앙부에 황색 반점이 있다. 삭과는 타원상 구형이며 꽃받침과 길이가 거의 같다.

분포 · 생육지 유럽. 밭이나 습지에서 자란다.

약용 부위 · 수치 전초를 여름과 가을에 채취하여 물에 씻어서 말린다.

약물명 Euphrasiae Herba. 일반적으로 Eyebright 라 한다.

약효 안염(blepharitis), 시력장애, 눈의 피로, 결막염, 피부병을 치료한다.

사용법 Euphrasiae Herba 2~3g을 뜨거운 물로 우려내어 복용하고, 외용에는 짓찧어 바른다.

○ 서양좁쌀풀

○ Euphrasiae Herba

○ Euphrasiae Herba로 만든 시력 장애 치료제

[현삼과]

고추풀

- 심장질환
- 통풍

●고추풀(꽃)

○ Gratiolae Folium으로 만든 심장질환 및 통풍 치료제

●학명 : *Gratiola officinalis* L. ●영명 : Heage hyssop

1	2	3	4	5	6	7	8	9	10	11	12

한해살이풀. 줄기는 네모지고 포도처럼 덩굴손이 있다. 잎은 마주나고 긴 타원형으로 가장자리에 톱니가 있으며 잎자루가 없다. 꽃은 6~8월에 잎겨드랑이에 황색, 분홍색, 백색 등으로 핀다.

분포·생육지 남아메리카, 유럽. 산지에서 자란다.

약용 부위·수치 잎을 여름에 채취하여 물에 씻어서 말린다.

약물명 Gratiolae Folium. 일반적으로 Heage hyssop이라 한다.

약효 소염진통의 효능이 있으므로 심장질환, 통풍을 치료한다.

사용법 Gratiolae Folium 2~3g을 뜨거운 물로 우려내어 복용한다.

주의 유독하므로 장기간 복용은 금한다.

● 고추풀

[현삼과]

소엽풀

- 감모해수
- 독사교상, 창옹종독, 개선, 피부소양

● 소엽풀(잎)

●학명 : *Limnophila aromatica* (Lam.) Merill ●별명 : 소향풀, 참소엽풀

1	2	3	4	5	6	7	8	9	10	11	12

한해살이풀. 높이 20~25cm. 줄기에 털이 없으며 가지는 갈라지지 않는다. 잎은 마주나거나 3개씩 돌려난다. 꽃은 황백색, 9~10월에 잎겨드랑이에서 1개씩 나오며, 꽃받침은 5개로 깊게 갈라지고, 수술은 2강웅예이다. 열매는 넓은 달걀 모양이다.

분포·생육지 우리나라 제주도, 중국, 일본, 인도, 오스트레일리아. 논밭이나 습지에서 자란다.

약용 부위·수치 전초를 여름과 가을에 채취하여 물에 씻어서 말린다.

약물명 수부용(水芙蓉). 수박하(水薄荷), 수관초(水管草)라고도 한다.

약효 청폐지해(清肺止咳), 소종해독(消腫解毒)의 효능이 있으므로 감모해수(感冒咳嗽), 독사교상(毒蛇咬傷), 창옹종독(瘡癰腫毒), 개선(疥癬), 피부소양(皮膚瘙痒)을 치료한다.

사용법 수부용 10g에 물 3컵(600mL)을 넣고 달여서 복용하고, 외용에는 짓찧어 바른다.

● 소엽풀

[현삼과]

구와말

소탕상, 창절종독, 두슬

● 학명 : *Limnophila sessiliflora* Blume ● 별명 : 논말, 국화말

| 1 | 2 | 3 | 4 | 5 | 6 | 7 | 8 | 9 | 10 | 11 | 12 |

❖ 구와말(꽃)

여러해살이풀. 높이 15~30cm. 뿌리줄기는 진흙 밑에서 옆으로 벋으며, 줄기는 자주색이다. 물 위의 잎은 5~8개가 돌려나며, 물속의 잎은 1~3회 깃꼴로 완전히 갈라지고 갈래는 실 모양이다. 꽃은 적자색, 8~9월에 잎겨드랑이에서 1개씩 나오며, 꽃자루는 없다. 열매는 달걀 모양이다.

분포·생육지 우리나라 중부 이남. 중국, 일본. 연못이나 논, 습지에서 자란다.

약용 부위·수치 전초를 여름과 가을에 채취하여 물에 씻어서 말린다.

약물명 슬파초(虱婆草)

약효 소종해독(消腫解毒), 살충멸슬(殺蟲滅虱)의 효능이 있으므로 소탕상(燒湯傷), 창절종독(瘡癤腫毒), 두슬(頭虱)을 치료한다.

사용법 슬파초 7g에 물 3컵(600mL)을 넣고 달여서 복용하고, 외용에는 짓찧어 바른다.

＊본 종보다 작으며 원줄기에 털이 없는 '민구와말 *L. indica*'도 약효가 같다.

❖ 구와말

[현삼과]

좁은잎해란초

두통   두훈, 수종

황달   피부병

● 학명 : *Linaria vulgaris* Hill. ● 별명 : 가는잎꽁지초, 풍란초, 가는운란초

| 1 | 2 | 3 | 4 | 5 | 6 | 7 | 8 | 9 | 10 | 11 | 12 |

❖ 좁은잎해란초(뿌리)

여러해살이풀. 높이 25~40cm. 줄기는 바로 서고 윗부분에서 가지가 갈라지며, 전체에 흰색이 돈다. 잎은 어긋나거나 돌려나고 바늘 모양, 양 끝이 좁아지며 가장자리는 밋밋하고 잎자루는 없다. 꽃은 황백색, 7~8월에 피고, 거(距)는 길이 5~10mm로 밑부분이 굵고 끝을 향해 약간 밑으로 굽는다. 삭과는 둥글다.

분포·생육지 우리나라 평북, 함북(백두산). 중국, 몽골, 아무르, 사할린. 양지바른 풀밭에서 자란다.

약용 부위·수치 전초를 여름에 채취하여 말린다.

약물명 유천어(柳穿魚)

약효 청열해독(淸熱解毒), 산어소종(散瘀消腫)의 효능이 있으므로 두통, 두훈(頭暈), 황달, 수종(水腫) 및 피부병을 치료한다.

성분 peganine, linarin, pectolinarin, neolinarin 등이 함유되어 있다.

사용법 유천어 10g에 물 3컵(600mL)을 넣고 달여서 복용하고, 외용에는 짓찧어 바른다.

＊본 종에 비해 잎이 넓은 '해란초 *L. japonica*'도 약효가 같다.

❖ 유천어(柳穿魚)

❖ 해란초

❖ 좁은잎해란초

[현삼과]

논둑외풀

 황달, 설사, 이질　 인후통
타박상

● 학명 : *Lindernia angustifolia* (Benth.) Wettstein　● 별명 : 나도고추풀

| 1 | 2 | 3 | 4 | 5 | 6 | 7 | 8 | 9 | 10 | 11 | 12 |

한해살이풀. 높이 10~25cm. 줄기 밑에서 가지가 갈라지고 털이 없다. 잎은 마주나고 긴 타원형이다. 꽃은 적자색, 7~8월에 잎겨드랑이에서 1개씩 피며 꽃받침은 5개로 깊게 갈라지고, 화관의 통부 끝이 양순형이며 4개의 수술 중 2개가 길다. 삭과는 선형이고 끝이 뾰족하다.

분포 · 생육지 우리나라 중부 이남. 중국, 일본. 밭이나 들에서 흔하게 자란다.

약용 부위 · 수치 전초를 여름과 가을에 채취하여 물에 씻어서 말린다.

약물명 양각초(羊角草), 양각도(羊角桃), 전소향(田素香)이라고도 한다.

약효 청열이습(淸熱利濕), 해독소종(解毒消腫)의 효능이 있으므로 황달, 설사, 이질, 인후통, 타박상을 치료한다.

사용법 양각초 15g에 물 3컵(600mL)을 넣고 달여서 복용하고, 외용에는 짓찧어 바른다.

❂ 논둑외풀

❂ 양각초(羊角草)

[현삼과]

외풀

 풍습감모　 습열사리　♀ 백대
신염수종　옹절종독, 타박상

● 학명 : *Lindernia crustacea* (L.) F. Mueller　● 별명 : 나도고추풀

| 1 | 2 | 3 | 4 | 5 | 6 | 7 | 8 | 9 | 10 | 11 | 12 |

한해살이풀. 높이 7~15cm. 줄기 밑에서 가지가 갈라져 사방으로 퍼진다. 잎은 마주난다. 꽃은 연한 자주색, 7~8월에 잎겨드랑이에서 1개씩 핀다. 꽃받침은 길이 4~5mm로 5개로 깊게 갈라지고 갈라진 조각은 선형, 통부 끝이 양순형이며 4개의 수술 중 2개가 길다. 삭과는 타원상 구형이고, 작은 종자가 많이 들어 있다.

분포 · 생육지 우리나라 제주도, 전남. 중국, 일본. 밭이나 들에서 흔하게 자란다.

약용 부위 · 수치 전초를 여름과 가을에 채취하여 물에 씻어서 말린다.

약물명 모초(母草), 사방거초(四方舉草), 기통초(氣通草)라고도 한다.

약효 청열이습(淸熱利濕), 활혈지통(活血止痛)의 효능이 있으므로 풍습감모(風濕感冒), 습열사리(濕熱瀉痢), 신염수종, 백대(白帶), 옹절종독(癰癤腫毒), 타박상을 치료한다.

사용법 모초 10g에 물 3컵(600mL)을 넣고 달여서 복용하고, 외용에는 짓찧어 바른다.

❂ 외풀

❂ 모초(母草)

밭둑외풀

 월경부조, 통경, 유옹   타박상

● 학명 : Lindernia procumbens (Krock.) Philcox   ● 별명 : 나도고추풀

| 1 | 2 | 3 | 4 | 5 | 6 | 7 | 8 | 9 | 10 | 11 | 12 |

한해살이풀. 높이 7~15cm. 줄기 밑에서 가지가 갈라져 사방으로 퍼진다. 잎은 마주나고 긴 타원형이며 잎자루가 없다. 꽃은 적자색, 7~8월에 잎겨드랑이에서 1개씩 피며, 꽃받침은 길이 3~4mm로 5개로 깊게 갈라진다. 삭과는 원통형이다.

분포 · 생육지 우리나라 제주도, 전남. 중국, 일본. 밭이나 들에서 흔하게 자란다.

약용 부위 · 수치 전초를 여름과 가을에 채취하여 물에 씻어서 말린다.

약물명 백저모채(白猪母菜). 유월설(六月雪)이라고도 한다.

약효 이기활혈(理氣活血), 해독소종(解毒消腫)의 효능이 있으므로 월경부조, 통경(痛經), 유옹(乳癰), 타박상을 치료한다.

사용법 백저모채 10g에 물 3컵(600mL)을 넣고 달여서 복용하고, 외용에는 짓찧어 바른다.

❶ 밭둑외풀

❶ 백저모채(白猪母菜)

주름잎

 열독옹종, 농포창, 창상   황달
요로감염

● 학명 : Mazus pumilus (Burm. f.) Van Steenis [M. japonicus (Thunb.) O. Kuntze]
● 별명 : 고추풀, 주름잎풀

| 1 | 2 | 3 | 4 | 5 | 6 | 7 | 8 | 9 | 10 | 11 | 12 |

한해살이풀. 높이 5~20cm. 밑에서 몇 개의 줄기가 자라며 털이 약간 있다. 잎은 마주난다. 꽃은 연한 자주색, 가장자리는 백색, 5~8월에 핀다. 화관은 양순형으로 상순꽃잎은 2개, 하순꽃잎은 3개로 갈라지는데, 중앙의 갈라진 조각보다 측면의 갈라진 조각이 크다. 4개의 수술 중 2개가 길며, 삭과는 둥글며 길이 4mm 정도로 꽃받침에 싸여 있다.

분포 · 생육지 우리나라 전역. 중국, 일본, 아무르, 우수리, 중앙아시아, 인도, 자바. 논둑이나 습기가 있는 곳에서 자란다.

약용 부위 · 수치 전초를 여름과 가을에 채취하여 물에 씻어서 말린다.

약물명 녹란화(綠蘭花). 농포약(膿泡藥), 탕습초(湯濕草), 통천초(通泉草)라고도 한다.

약효 청열해독(淸熱解毒), 이습통림(利濕通淋), 건비소적(健脾消積)의 효능이 있으므로 열독옹종(熱毒癰腫), 농포창(膿疱瘡), 요로감염, 황달, 창상(瘡傷)을 치료한다.

사용법 녹란화 10g에 물 3컵(600mL)을 넣고 달여서 복용하고, 외용에는 짓찧어 바른다.
＊ 줄기가 땅 위로 기는 '누운주름잎 M. miquelii'도 약효가 같다.

❶ 주름잎

❶ 녹란화(綠蘭花)

❶ 누운주름잎

[현삼과]

꽃며느리밥풀

옹창종독　폐옹　장옹

● 학명 : *Melampyrum roseum* Max.　● 별명 : 꽃며느리바풀, 꽃새애기풀

| 1 | 2 | 3 | 4 | 5 | 6 | 7 | 8 | 9 | 10 | 11 | 12 |

✿ 산라화(山蘿花)

한해살이풀. 높이 30~50cm. 줄기는 곧게 서며, 잎은 마주난다. 꽃은 붉은색, 7~8월에 수상화서로 달리고, 포는 중앙부의 잎과 같은 형태이다. 화관의 겉에 잔 돌기가 있으며 안쪽에 털이 있고, 하순꽃잎에 밥풀 같은 2개의 무늬가 있다. 삭과는 달걀 모양, 종자는 타원형이고 길이 3mm 정도이다.

분포 · 생육지 우리나라 전역. 중국, 일본, 아무르, 우수리. 산지에서 자란다.

약용 부위 · 수치 전초를 여름과 가을에 채취하여 흙을 털어서 말린다.

약물명 산라화(山蘿花). 구수초(球銹草)라고도 한다.

약효 청열해독(淸熱解毒)의 효능이 있으므로 옹창종독(癰瘡腫毒), 폐옹(肺癰), 장옹(腸癰)을 치료한다.

성분 aucubin, catalpol, harpagide, mussaenoside 등이 함유되어 있다.

사용법 산라화 15g에 물 3컵(600mL)을 넣고 달여서 복용하고, 외용에는 짓찧어 바른다.

✿ 꽃며느리밥풀(열매)

✿ 꽃며느리밥풀

[현삼과]

물꽈리아재비

습열이질, 비허설사　백대

● 학명 : *Mimulus nepalensis* Benth.　● 별명 : 물꼬리아재비

| 1 | 2 | 3 | 4 | 5 | 6 | 7 | 8 | 9 | 10 | 11 | 12 |

✿ 물꽈리아재비(꽃)

여러해살이풀. 높이 10~30cm. 줄기는 네모지며 털이 없고 잎은 마주난다. 꽃은 황색, 6~7월에 잎겨드랑이에 1개씩 달리고, 꽃받침은 꽃이 필 때는 길이 8~10mm이지만 열매를 맺을 때는 길이 10~15mm로 되며, 화관은 안쪽 위에 2줄의 털 같은 돌기가 있다. 열매는 타원형, 길이 8~10mm로 꽃받침으로 싸여 있고, 종자는 매우 작다.

분포 · 생육지 우리나라 평북 이남. 중국, 일본, 타이완. 물가의 습지에서 자란다.

약용 부위 · 수치 전초를 여름과 가을에 채취하여 흙을 털어서 말린다.

약물명 묘안청(猫眼睛)

약효 수렴지사(收斂止瀉)의 효능이 있으므로 습열이질(濕熱痢疾), 비허설사(脾虛泄瀉), 백대(白帶)를 치료한다.

사용법 묘안청 15g에 물 3컵(600mL)을 넣고 달여서 복용하고, 외용에는 짓찧어 바른다.

＊본 종에 비해 꽃자루가 짧고 꽃받침과 잎이 작은 '애기물꽈리아재비 *M. tenellus*'도 약효가 같다.

✿ 물꽈리아재비

참오동나무

 풍습열비 　치창, 임병 　단독, 타박상, 옹저
폐열해수, 해수객담 　편도선염, 급성결막염, 시선염

●학명 : *Paulownia tomentosa* (Thunb.) Steud　●별명 : 참오동

1　2　3　4　5　6　7　8　9　10　11　12

낙엽 교목. 높이 15m 정도. 잎은 마주나고, 꽃은 5~6월에 가지 끝에 원추화서로 핀다. 꽃받침은 5개로 갈라지며, 화관은 길이 6cm 정도로 자주색이지만 후부(喉部)는 황색이고 자주색 점선이 뚜렷하다. 수술은 2개가 길고, 열매는 10월에 익고 끝이 뾰족하며 길이 3cm 정도이다.

분포·생육지 우리나라 평남, 경기 이남. 마을 근처에서 자란다.

약용 부위·수치 줄기껍질은 수시로, 꽃은 봄에, 열매는 가을에, 잎은 여름에 채취하여 말린다.

약물명 줄기껍질을 포동수피(泡桐樹皮)라 하며, 동피(桐皮), 백동피(白桐皮), 수동수피(水桐樹皮)라고도 한다. 꽃을 포동화((泡桐花), 열매를 포동과(泡桐果), 잎을 포동엽(泡桐葉)이라 한다.

본초서 「동의보감(東醫寶鑑)」에는 잎이 동엽(桐葉)이라는 이름으로 수재되어 "음부가 헌 것을 낫게 한다."고 하였다. 동피(桐皮)는 "치질을 낫게 하며, 촌백충과 회충을 구제하고, 오림(五淋)을 치료하며 달인 물로 머리를 감으면 풍증이 없어지고 머리카락이 난다."고 하였다.
東醫寶鑑: 桐葉 主惡蝕瘡 着陰.
桐皮 主五痔 殺三蟲 治五淋 沐頭 去風生髮.

성상 포동화(泡桐花)는 꽃으로, 종 모양이며 가죽질이고 끝은 5개로 갈라져 있다. 화관 내에는 자주색 반점이 있고 수술은 4개, 암술대는 가늘고 길다. 냄새가 약간 나고 맛은 담담하다.

약효 포동수피(泡桐樹皮)는 거풍제습(祛風除濕), 소종해독(消腫解毒)의 효능이 있으므로 풍습열비(風濕熱痺), 치창(痔瘡), 임병(淋病), 단독(丹毒), 타박상을 치료한다. 포동화(泡桐花)는 청폐이인(淸肺利咽), 소종해독(消腫解毒)의 효능이 있으므로 폐열해수(肺熱咳嗽), 편도선염, 균리(菌痢), 급성장염, 급성결막염, 시선염(腮腺炎), 절종(癤腫), 창선(瘡癬)을 치료한다. 포동과(泡桐果)는 화담(化痰), 지해(止咳), 평천(平喘)의 효능이 있으므로 만성기관지염, 해수객담(咳嗽喀痰)을 치료한다. 포동엽(泡桐葉)은 청열해독(淸熱解毒), 지혈소종(止血消腫)의 효능이 있으므로 옹저(癰疽), 정창종독(疔瘡腫毒), 창상출혈(瘡傷出血)을 치료한다.

성분 포동수피(泡桐樹皮)는 paulownin, iso-paulownin, sesamin, asarinin, catalpinoside 등, 포동엽(泡桐葉)은 ursolic acid, oleanolic acid 등이 함유되어 있다.

약리 ursolic acid는 L1210, HL60 등 암세포의 성장을 억제한다.

사용법 포동수피, 포동화 또는 포동과 15g에 물 4컵(800mL)을 넣고 달여서 복용하고, 포동엽은 짓찧어 붙이거나 즙액을 바른다.

❶ 포동과(泡桐果)

❶ 포동수피(泡桐樹皮)

❶ 포동엽(泡桐葉)

❶ 참오동나무

❶ 포동화((泡桐花)

[현삼과]

오동나무

 풍습열비

치창, 임병

단독, 타박상

● 학명 : *Paulownia coreana* Uyeki   ● 별명 : 오동, 동피

| 1 | 2 | 3 | 4 | 5 | 6 | 7 | 8 | 9 | 10 | 11 | 12 |

낙엽 교목. 높이 15m 정도. 잎은 마주나고, 꽃은 5~6월에 가지 끝에 원추화서로 피며 꽃받침은 5개로 갈라진다. 꽃의 후부(喉部)에 자주색 점선이 없고, 잎 뒷면에 다갈색 털이 없는 점 등으로 '참오동나무'와 구분한다.

분포 · 생육지 우리나라 평남, 경기 이남. 마을 근처에서 자란다.

약용 부위 · 수치 줄기껍질을 봄에 채취하여 썰어서 말린다.

약물명 동피(桐皮)

약효 거풍제습(祛風除濕), 소종해독(消腫解毒)의 효능이 있으므로 풍습열비(風濕熱痹), 치창(痔瘡), 임병(淋病), 단독(丹毒), 타박상을 치료한다.

성분 pomolic acid, euscaphic acid, arjunic acid, daucosterol, syringin, ursolic acid 등이 함유되어 있다.

약리 ursolic acid는 L1210, HL60 등 암세포의 성장을 억제한다.

사용법 동피 15g에 물 4컵(800mL)을 넣고 달여서 복용한다.

○ 오동나무(꽃)

○ 오동나무(열매)

○ 오동나무

[현삼과]

노란송이풀

배뇨곤란, 석림

● 학명 : *Pedicularis flava* Pall.

| 1 | 2 | 3 | 4 | 5 | 6 | 7 | 8 | 9 | 10 | 11 | 12 |

여러해살이풀. 높이 10~20cm. 뿌리는 굵고, 줄기는 곧게 서며, 잎은 어긋나거나 마주나고 가장자리가 갈라진다. 꽃은 황색, 8~9월에 포 같은 잎 사이에 달리며 꽃받침은 앞쪽이 깊게 갈라지고, 화관은 새 부리처럼 꼬부라진다. 삭과는 끝이 뾰족한 긴 달걀 모양이다.

분포 · 생육지 중국 쓰촨성(四川省), 몽골. 산지에서 자란다.

약용 부위 · 수치 전초를 여름에 채취하여 물에 씻어서 말린다.

약물명 황화마선호(黃花馬先蒿)

약효 이수통림(利水通淋)의 효능이 있으므로 배뇨곤란, 석림(石淋)을 치료한다.

사용법 황화마선호 10g에 물 3컵(600mL)을 넣고 달여서 복용한다.

○ 노란송이풀

[현삼과]

송이풀

풍습관절동통 / 요로결석, 소변불리 / 백대 / 대풍나질, 개창

●학명 : *Pedicularis resupinata* L. ●별명 : 수송이풀, 도시락나물

| 1 | 2 | 3 | 4 | 5 | 6 | 7 | 8 | 9 | 10 | 11 | 12 |

❶ 마선호(馬先蒿) ❶ 송이풀(어린싹)

여러해살이풀. 높이 30~60cm. 줄기는 곧게 서며, 잎은 어긋나거나 마주난다. 꽃은 홍자색, 8~9월에 포 같은 잎 사이에 달린다. 꽃받침은 앞쪽이 깊게 갈라지고, 화관은 홍자색, 길이 2mm 정도로 끝이 새 부리처럼 꼬부라지며 하순이 옆으로 퍼져서 끝이 3개로 갈라진다. 삭과는 끝이 뾰족한 긴 달걀 모양이며 길이 8~12mm이다.

분포·생육지 우리나라 전역, 중국, 일본, 사할린, 동시베리아. 산에서 자란다.

약용 부위·수치 전초를 여름과 가을에 채취하여 흙을 털어서 말린다.

약물명 마선호(馬先蒿)

약효 거풍습(祛風濕), 이소변(利小便)의 효능이 있으므로 풍습관절동통(風濕關節疼痛), 요로결석(尿路結石), 소변불리(小便不利), 백대(白帶), 대풍나질(大風癩疾), 개창(疥瘡)을 치료한다.

사용법 마선호 10g에 물 3컵(600mL)을 넣고 달여서 복용하고, 외용에는 짓찧어 바른다.

※ 잎이 마주나는 '마주송이풀 var. *oppositifolia*'도 약효가 같다.

❶ 송이풀(열매)

❶ 마주송이풀

❶ 송이풀

[현삼과]

구름송이풀

기혈부족, 체허다한 / 심계정충

●학명 : *Pedicularis verticillata* L.

| 1 | 2 | 3 | 4 | 5 | 6 | 7 | 8 | 9 | 10 | 11 | 12 |

❶ 구름송이풀(꽃)

여러해살이풀. 높이 10~15cm. 줄기는 곧게 서며, 뿌리잎은 모여나고 깃꼴이다. 줄기잎은 3~4층으로 3~6개가 돌려난다. 꽃은 적자색, 7~9월에 피며 삭과는 긴 달걀 모양이다.

분포·생육지 우리나라 전역, 중국, 일본, 북아메리카, 유럽. 산지에서 자란다.

약용 부위·수치 전초를 여름과 가을에 채취하여 물에 씻은 후 말린다.

약물명 윤엽마선호(輪葉馬先蒿)

약효 익기생진(益氣生津), 양심안신(養心安神)의 효능이 있으므로 기혈부족(氣血不足), 체허다한(體虛多汗), 심계정충(心悸怔忡)을 치료한다.

사용법 윤엽마선호 7g에 물 2컵(400mL)을 넣고 달여서 복용한다.

❶ 구름송이풀

[현삼과]

나도송이풀

| 🖐 황달 | 🖐 수종 |
| 🫁 풍열감모 | 👁 비염 |

● 학명 : *Phtheirospermum japonicum* (Thunb.) Kanitz

| 1 | 2 | 3 | 4 | 5 | 6 | 7 | 8 | 9 | 10 | 11 | 12 |

반기생 한해살이풀. 높이 30~60cm. 잎은 마주나고, 꽃은 연한 적자색, 8~9월에 피고 꽃받침은 비스듬하게 5개로 갈라진다. 화관은 길이 2cm 정도, 끝이 2개로 갈라지며, 상순은 젖혀져서 끝이 파이고, 하순은 옆으로 퍼져서 3개로 갈라지고 4개의 수술 중 2개가 길다. 삭과는 일그러진 좁은 달걀 모양이며, 종자는 타원형으로 길이 1mm 정도이다.

분포 · 생육지 우리나라 전역. 중국, 일본.

산과 들에서 흔하게 자란다.

약용 부위 · 수치 전초를 여름과 가을에 채취하여 말린다.

약물명 송호(松蒿). 세융호(細絨蒿), 초인진(草茵蔯)이라고도 한다.

약효 청열이습(淸熱利濕), 해독의 효능이 있으므로 황달, 수종(水腫), 풍열감모(風熱感冒), 비염을 치료한다.

성분 phtheirospermoside, acteoside, leucosceptoside A, martynoside, aucubin, geniposidic acid, plantarenaloside, dorsythoside 등이 함유되어 있다.

사용법 송호 15g에 물 4컵(800mL)을 넣고 달여서 복용하고, 외용에는 짓찧어 붙이거나 즙액을 바른다.

♦ 송호(松蒿)

♦ 나도송이풀(꽃)

♦ 나도송이풀

[현삼과]

호황련

| 🦵 음허골증 | 🖐 조열도한 | 👁 목적종통 |
| 🖐 소아감적, 습열사리, 황달, 토혈 | | ▭ 치창종독 |

● 학명 : *Picrorhiza kurroa* Royle ● 영명 : Kulti ● 한자명 : 印度胡黃蓮

| 1 | 2 | 3 | 4 | 5 | 6 | 7 | 8 | 9 | 10 | 11 | 12 |

여러해살이풀. 전체에 털이 많고, 잎이 길며 끝이 뾰족하고 가장자리에 톱니가 많다. 꽃받침은 5개이며, 뿌리줄기가 굵고 짧다.

분포 · 생육지 인도, 말레이시아. 해발 3,000~4,000m의 높은 산 초지에서 자란다.

약용 부위 · 수치 뿌리줄기를 여름과 가을에 채취하여 물에 씻은 후 그대로 또는 썰어서 말린다.

약물명 호황련(胡黃蓮). 호련(胡蓮), 가황련(假黃蓮)이라고도 한다. 대한민국약전외한약(생약)규격집(KHP)에 수재되어 있다.

성상 원주형으로 조금 구부러지고 길이 2~9cm, 지름 3~8mm이며 대개 분지하지 않는다. 표면은 회황색~회갈색으로 거칠며 세로 주름과 가로의 고리 무늬가 있고 코르크층이 떨어진 부분은 갈색을 나타낸다. 질은 단단하면서도 부스러지기 쉬워 쉽게 꺾어진다. 꺾은 면은 평탄하고 황갈색~진한 갈색이며 4~7개의 유관속이 환상으로 배열되어 있다. 냄새가 거의 없고 맛은 매우 쓰며 지속적이다.

약효 퇴허열(退虛熱), 소감열(消疳熱), 청열조습(淸熱燥濕), 사화해독(瀉火解毒)의 효능이 있으므로 음허골증(陰虛骨蒸), 조열도한(潮熱盜汗), 소아감적(小兒疳積), 습열사리(濕熱瀉痢), 황달, 토혈, 목적종통(目赤腫痛), 치창종독(痔瘡腫毒)을 치료한다.

사용법 호황련 10g에 물 3컵(600mL)을 넣고 달여서 복용하며, 치질에는 짓찧어 환부에 붙이거나 즙액을 바른다.

＊ '티베트호황련 *P. scrophulariiflora*'과 형태가 비슷하다.

♦ 호황련(胡黃蓮)

♦ 호황련(胡黃蓮, 신선품)

♦ 호황련(胡黃蓮)으로 만든 설사, 황달 및 안염 치료제

♦ 호황련

[현삼과]

티베트호황련

음허골증 | 조열도한 | 목적종통
소아감적, 습열사리, 황달, 토혈 | 치창종독

● 학명 : *Picrorhiza scrophulariiflora* Pennel　● 한자명 : 西藏胡黃蓮

| 1 | 2 | 3 | 4 | 5 | 6 | 7 | 8 | 9 | 10 | 11 | 12 |

여러해살이풀. 높이 10~20cm. 뿌리줄기는 옆으로 벋고 굵으며 마디에서 긴 뿌리를 내린다. 잎은 뿌리 부근에서 모여나며, 꽃은 총상화서를 이룬다. 꽃받침은 5개로 갈라지고, 꽃잎은 자주색으로 입술 모양이며, 수술은 4개인데 2개가 크며 화관 밑에서 나온다. 열매는 삭과로 타원상 구형이고 4개로 벌어지며, 종자는 흑색이다.

분포 · 생육지 중국 쓰촨성(四川省), 윈난성(雲南省), 신장성(新疆省), 티베트. 해발 3,000~4,000m의 높은 산 초지에서 자란다.

약용 부위 · 수치 뿌리줄기를 여름과 가을에 채취하여 물에 씻은 후 그대로 또는 썰어서 말린다.

약물명 호황련(胡黃蓮). 서장호황련(西藏胡黃蓮)이라고도 한다. 대한민국약전외한약(생약)규격집(KHP)에 수재되어 있다.

본초서 중국에서는 이란이나 이라크를 호국(胡國)이라 하였다. 그러므로 호황련(胡黃蓮)은 이들 나라에서 중국으로 전해진 것으로 생각된다. 송나라의 「개보본초(開寶本草)」에 처음 수재된 사실로 보아 당나라 시대의 교역에 의하여 중국으로 반입되었을 것으로 추정할 수 있다. 현재 히말라야 지방의 원주민들은 이 식물의 뿌리줄기를 우리의 인삼처럼 사용하고 있다. 「동의보감(東醫寶鑑)」에 "뼛속이 후끈후끈 달아오르는 증상과 몸과 마음이 허약하고 피로하여 열이 나는 것을 낮게 하고 간과 쓸개의 기운을 보하며 눈을 밝게 한다. 어린아이가 오랜 이질로 감질(疳疾, 비위의 기능 장애로 몸이 여위는 병증)이 된 것과 갑자기 놀라는 것, 부인의 임신 중에 나는 열과 남자의 가슴이 답답하고 열이 나는 것을 낮게 한다."고 하였다.

東醫寶鑑: 主骨蒸勞熱 補肝膽明目 小兒久痢成疳 及驚癎 婦人胎蒸 男子煩熱.

성상 원주형으로 조금 구부러지고 길이 3~12cm, 지름 2~14mm이며 분지한다. 표면은 회갈색~암갈색으로 거칠며 세로 주름과 가로 고리 무늬가 있고 코르크층이 떨어진 부분은 갈색을 나타낸다. 질은 단단하면서도 부스러지기 쉬워 쉽게 꺾어진다. 꺾인 면은 평탄하고 황갈색~진한 갈색이며, 4~10개의 유백색 점상 유관속이 환상으로 배열되어 있다. 냄새가 거의 없고 맛은 매우 쓰다.

기미 · 귀경 한(寒), 고(苦) · 간(肝), 위(胃), 대장(大腸)

약효 퇴허열(退虛熱), 소감열(消疳熱), 청열조습(淸熱燥濕), 사화해독(瀉火解毒)의 효능이 있으므로 음허골증(陰虛骨蒸), 조열도한(潮熱盜汗), 소아감적(小兒疳積), 습열사리(濕熱瀉痢), 황달, 토혈(吐血), 목적종통(目赤腫痛), 치창종독(痔瘡腫毒)을 치료한다.

성분 picroside I~III, aucubin, catalpol, androsin, vanillic acid, cinnamic acid, ferulic acid, apocynin, 6-vanlloylcatalpol, kutkoside, minecoside, veronicoside, picein, pentacetyl-6'-cinnamoyl catalpol 등이 함유되어 있다.

약리 picroside I~III, aucubin 등은 동물 실험에서 간 보호 작용이 나타난다. 열수추출물은 면역 증강 작용이 있고, 무좀균의 성장을 억제하며 여러 세균에 항균 작용이 있다.

사용법 호황련 10g에 물 3컵(600mL)을 넣고 달여서 복용하며, 치질에는 짓찧어 환부에 붙이거나 즙액을 바른다.

처방 호황련환(胡黃蓮丸): 호황련(胡黃蓮), 황련(黃蓮) 각 20g, 주사(朱砂) 10g, 노회(蘆薈), 청대(靑黛), 개구리(태운 가루) 각 8g, 사향(麝香) 0.4g「동의보감(東醫寶鑑)」). 어린이가 열감으로 볼이 붉고 입술이 마르며 열이 나고 대변이 잘 나오지 않는 증상에 사용한다.

❶ 호황련(胡黃蓮)

❶ 호황련(胡黃蓮, 절편)

❶ 호황련(胡黃蓮, 신선품)

❶ 티베트호황련

❶ 티베트호황련(뿌리)

지황

| 급성열병 | 반진, 옹종 | 진상번갈, 육혈 | 붕루, 월경부조 |
| 변혈 | 요혈 | 혈허위황 | 노열해수 | 당뇨병 |

● 학명 : *Rehmannia glutinosa* (Gaertner) Liboshchitz

| 1 | 2 | 3 | 4 | 5 | 6 | 7 | 8 | 9 | 10 | 11 | 12 |

여러해살이풀. 높이 20~30cm. 줄기는 곧게 서고, 뿌리는 굵고 옆으로 벋으며, 뿌리잎은 모여난다. 꽃은 연한 적자색. 6~7월에 피며 잎 같은 포(苞)가 있다. 꽃받침은 종 모양으로 끝이 5개로 얕게 갈라지며, 화관은 통 모양이고 끝이 5개로 펴지며 길이 3cm 정도, 4개의 수술 중 2개가 길다. 열매는 삭과로 타원상 구형이다.

분포 · 생육지 중국 원산. 우리나라 전역에서 재배하는 귀화 식물이다.

약용 부위 · 수치 뿌리를 채취하여 씻은 것을 생지황(生地黃)이라 하며, 생지황 말린 것을 건지황(乾地黃)이라 한다. 생지황을 사인(砂仁)과 함께 술에 담갔다가 아홉 번 찌고 말린 것을 숙지황(熟地黃)이라 한다.

약물명 수치 방법에 따라 생지황(生地黃), 건지황(乾地黃), 숙지황(熟地黃)이라 한다. 건지황과 숙지황은 대한민국약전(KP)에, 생지황은 대한민국약전외한약(생약)규격집(KHP)에 수재되어 있다.

본초서 지황(地黃)은 「신농본초경(神農本草經)」의 상품(上品)에 건지황(乾地黃)의 이름으로 수재되어 있다. 「명의별록(名醫別錄)」에 "땅(地)이 노란(黃) 곳에서 자라는 것이 약효가 좋다."라고 한 것에서 붙여진 이름이다. 「동의보감(東醫寶鑑)」에는 "생지황(生地黃)을 캐어 물에 가라앉는 것을 지황(地黃)이라 하며, 절반 정도 가라앉는 것을 인황(人黃)이라 하고, 물 위에 뜨는 것을 천황(天黃)이라고 한다."고 하였다. 또 생지황은 "몸속의 모든 열을 내리고 피가 몰리거나 뭉친 것을 풀어 준다. 생리를 순조롭게

하며, 부인의 자궁에서 나오는 분비물과 태동으로 인한 하혈과 코피, 피를 토하는 것을 낫게 한다."고 하였다. 숙지황은 "몸속에 부족한 피를 채우는 데 효과가 크다. 수염과 머리카락을 검게 하고 골수를 채우며 살이 찌게 하고 근골을 튼튼하게 한다. 또 몸과 마음이 허약하고 피로할 때 기운을 돕고 혈맥을 잘 통하게 하며 눈과 귀를 밝게 한다."고 하였다.

東醫寶鑑: 生地黃 解諸熱 破血消瘀血 通利月水 主婦人崩中血不止及胎動下血 并衄血吐血.

熟地黃 大補血衰 善黑鬚髮 塡骨髓 長肌肉助筋骨 補虛損 通血脈 益氣力 利耳目.

성상 생지황(生地黃): 원주형~방추형을 이루고 길이 5~15cm, 지름 8~20mm로 드물게 꺾였거나 구부러진 것도 있다. 표면은 황적색~황적갈색을 띠고 가로로 깊이 팬 골이 있다. 질은 매우 연하여 잘 꺾인다. 꺾인 면은 평탄하며 목부는 백색, 피부는 엷은 황적색이다. 피부와 목부에는 전혀 기계조직이 없고 목부에는 망문도관이 방사상으로 배열되어 있다. 특이한 냄새가 좀 있고 맛은 달며 조금 쓰다. 크고 밝은 붉은색인 것이 좋다.

• 건지황(乾地黃): 원주형~방추형을 이루고 길이 5~15cm, 지름 6~15mm로 때로는 꺾였거나 변형되어 있다. 표면은 황갈색~흑갈색을 띠고 깊은 세로 주름과 가로로 곁뿌리의 자국과 피목이 있다. 질은 연하여 쉽게 꺾어진다. 횡단면은 흑색이며 광택이 있고 평탄하다. 특이한 냄새가 있고 맛은

처음에는 단 것 같으나 후에는 좀 쓰다.

• 숙지황(熟地黃): 불규칙한 덩어리 또는 부서진 덩어리로 크기가 고르지 않으며 표면은 검고 광택이 나며 점성이 크다. 질은 유연하고 질겨서 잘 갈라지지 않으며, 갈라진 면은 흑색이고 광택이 있다. 냄새는 없고 맛은 달다. 비대하며 맛은 달고도 조금 쓴 것이 좋다.

기미 · 귀경 생지황(生地黃): 감(甘), 고(苦), 한(寒) · 심(心), 간(肝), 신(腎). 건지황(乾地黃): 감(甘), 고(苦), 미한(微寒) · 심(心), 간(肝), 신(腎). 숙지황(熟地黃): 감(甘) · 미온(微溫) · 간(肝), 신(腎)

약효 생지황(生地黃)은 청열양혈(淸熱凉血), 생진윤조(生津潤燥)의 효능이 있으므로 급성열병(急性熱病), 고열신혼(高熱神昏), 반진(斑疹), 진상번갈(津傷煩渴), 혈열망행지토혈(血熱妄行之吐血), 육혈(衄血), 붕루(崩漏), 변혈(便血), 구설생창(口舌生瘡), 인후종통(咽喉腫痛), 노열해수(勞熱咳嗽), 타박상, 옹종(癰腫)을 치료한다. 건지황(乾地黃)은 자음청열(滋陰淸熱), 양혈보혈(凉血補血)의 효능이 있으므로 열병번갈(熱病煩渴), 내열소갈(內熱消渴), 골증노열(骨蒸勞熱), 온병발반(溫病發斑), 혈열소치토혈(血熱所致吐血), 육혈(衄血), 붕루(崩漏), 요혈(尿血), 변혈(便血), 혈허위황(血虛萎黃), 현훈심계(眩暈心悸)를 치료한다. 숙지황(熟地黃)은 보혈자음(補血滋陰), 익정전수(益精塡髓)의 효능이 있으므로 혈허위황(血虛萎黃), 현훈심계(眩暈心悸), 월경부조(月經不調), 붕루부지(崩漏不止), 간신음휴(肝腎陰虧), 조열도한(潮熱盜汗), 유정양위(遺精陽痿), 불육불잉(不育不孕), 요슬산연(腰膝酸軟), 이명이롱(耳鳴耳聾), 두목혼화(頭目昏花), 수발조백(鬚髮早白), 당뇨병, 변비, 신허천촉(腎虛喘促)을 치료한다.

성분 지황은 β-sitosterol, paulownin, monopalmitin, rehmannioside A, B, C, D, ethyl β-D-fructofuranoside, pinellic acid, jio-cerebroside, eleutheroside C, acteoside, decaffeoyl acteoside, isoacteoside, 6-O-(4″-O-α-L-rhamnopyranosyl) vanilloyl

❂ 지황

❂ 지황 재배(충남 금산)

ajugol, ajugol, catalpol, aucubin, leonuride, monomelitoside, melitoside, cerebroside, astringin, resveratrol, resveratrol-3-*O*-β-D-glucopyranoside 등이 함유되어 있다. 숙지황은 oleanolic acid, pomonic acid, 5-hydroxymethyl-2-furaldehyde, 5-hydroxymethyl-2-furaldehyde acetate, 2,5-dihydroxyacetophenone, 5-hydroxy-2-furfural, 5-hydroxymethyl-2-furancarboxy acid, succinic acid, daucosterol, β-sitosterol, L-arabinose, catalpol, darendoside, 5-(α-D-galactopyranosyloxymethyl)-2-furancarboxaldehyde, phenylethyl alcohol 2-*O*-β-D-xylopyranosy(1-6) β-D-glucopyranoside, uridine, salidroside, raffinose, stachynose, mannitol 등이 함유되어 있다.

약리 열수추출물은 강심 작용, 신혈관 확장 작용, catalpol은 설사 및 이뇨 작용이 있고, 혈당 강하 작용 등이 있다. 메탄올추출물은 암 조직의 신생 혈관 형성을 억제한다. resveratrol, resveratrol-3-*O*-β-D-glucopyranoside는 항산화 작용이 있다. 에탄올추출물은 아토피 동물 모델에서 항아토피 효과가 있으며, IgE 및 히스타민 유리 억제 효과가 있다.

사용법 생지황, 건지황 또는 숙지황 10~20g에 물 4컵(800mL)을 넣고 달여서 복용하고 외용에는 짓찧어 바른다.

처방 사물탕(四物湯): 당귀(當歸)·작약(芍藥)·천궁(川芎)·숙지황(熟地黃) 각 4g(『동의보감(東醫寶鑑)』). 빈혈증, 피부가 거칠고 건조한 증상, 생리불순에 사용한다.

• 육미지황환(六味地黃丸): 숙지황(熟地黃) 320g, 산약(山藥)·산수유(山茱萸) 각 160g, 택사(澤瀉)·목단피(牡丹皮)·복령(茯苓) 각 120g(『동의보감(東醫寶鑑)』). 신음(腎陰) 부족으로 몸이 여위고 허리와 무릎에 힘이 없으며 시큰시큰 아프고 어지러우며 귀에서 소리가 나는 증상에 사용한다.

• 팔미지황환(八味地黃丸): 숙지황(熟地黃) 320g, 산약(山藥)·산수유(山茱萸) 각 160g, 택사(澤瀉)·목단피(牡丹皮)·복령(茯苓) 각 120g, 육계(肉桂)·포부자(炮附子)(『동의보감(東醫寶鑑)』). 신양(腎陽) 부족으로 몸이 여위고 허리와 무릎에 힘이 없으며 시큰시큰 아프고 어지러우며 귀에서 소리가 나는 증상, 오랜 설사, 당뇨병 등에 사용한다.

• 십보환(十補丸): 숙지황(熟地黃)·부자(附子)·오미자(五味子) 각 80g, 산수유(山茱萸)·산약(山藥)·목단피(牧丹皮)·녹용(鹿茸)·계심(桂心)·복령(茯苓)·택사(澤瀉) 각 40g(『의림(醫林)』). 손발이 저리며 차고 오줌이 시원하지 않으며 허리와 무릎이 시린 증상에 사용한다.

• 경옥고(瓊玉膏): 생지황(生地黃) 960g, 인삼(人蔘) 90g, 백복령(白茯苓) 180g, 봉밀(蜂蜜) 600g(『동의보감(東醫寶鑑)』). 정수(精髓)와 기혈(氣血)을 보하여 늙는 것을 막고 몸을 튼튼하게 하며, 머리카락이 빨리 희어지고 자주 피곤한 증상에 사용한다.

❶ 생지황(生地黃)

❶ 지황(뿌리)

❶ 왼쪽부터 생지황(生地黃), 건지황(乾地黃), 숙지황(熟地黃)

❶ 건지황(乾地黃)

❶ 건지황(乾地黃, 절편)

❶ 건지황(乾地黃, 최고급품)

❶ 숙지황(熟地黃)

❶ 숙지황(熟地黃)의 건조

❶ 숙지황(熟地黃, 최고급품)

❶ 생지황(生地黃)이 배합된 신경안정제   ❶ 숙지황(熟地黃)이 배합된 여성갱년기 치료제

❶ 숙지황(熟地黃)이 배합된 육미지황환(六味地黃丸)

❶ 지황과 당귀 등이 배합된 비뇨기염 치료제

[현삼과]

폭장죽

 타박상　　 골절근상

● 학명 : *Russelia equisetiformis* Schleht. et Cham. [*R. juncea*]　● 한자명 : 爆仗竹

| 1 | 2 | 3 | 4 | 5 | 6 | 7 | 8 | 9 | 10 | 11 | 12 |

관목. 높이 1m 정도. 전체에 털이 없고 광택이 약간 있다. 줄기는 네모지며 끝부분은 아래로 처지고, 잎은 없다. 꽃은 붉은색으로 4~7월에 피며, 꽃받침은 작고 담녹색이다. 삭과는 둥글다.

분포·생육지 열대 및 아열대. 세계 각처에서 재배한다.

약용 부위·수치 지상부를 여름과 가을에 채취하여 물에 씻은 후 썰어서 말린다.

약물명 폭장죽(爆仗竹). 길상초(吉祥草), 관음류(觀音柳)라고도 한다.

약효 속근접골(續筋接骨), 활혈산어(活血散瘀)의 효능이 있으므로 타박상, 골절근상을 치료한다.

사용법 폭장죽 15g에 물 4컵(800mL)을 넣고 달여서 복용하고, 외용에는 생것을 짓찧어 붙이거나 즙액을 바른다.

❍ 폭장죽(꽃)

❍ 폭장죽

[현삼과]

현삼

 신열　　 번갈, 목삽혼화　　 골증로수

진상변비　　옹저창독, 나력담핵

● 학명 : *Scrophularia buergeriana* Miq.　● 한자명 : 玄蔘, 元蔘, 北玄蔘

| 1 | 2 | 3 | 4 | 5 | 6 | 7 | 8 | 9 | 10 | 11 | 12 |

여러해살이풀. 높이 80~150cm. 줄기는 네모지고 털이 없다. 잎은 마주나고, 꽃은 황록색, 8~9월에 피는 취산화서는 수상화서로 되며 포(苞)가 작다. 꽃받침은 5개로 갈라지고, 화관은 길이 6~7mm로 통부가 단지 모양, 끝이 입술 모양이고 황록색, 하순꽃잎은 밑으로 젖혀지고, 4개의 수술 중 2개가 길다. 삭과는 달걀 모양이다.

분포·생육지 우리나라 전역. 중국, 일본, 아무르, 우수리. 산에서 자란다.

약용 부위·수치 뿌리를 여름과 가을에 채취하여 흙을 털고 잔뿌리를 제거한다. 이것을 찜통에 넣어 찐 다음 바람이 잘 통하는 곳에서 햇볕에 말린다.

약물명 현삼(玄蔘). 토현삼(土玄蔘), 원삼(元蔘)이라고도 한다. 대한민국약전(KP)에 수재되어 있다.

약효 '중국현삼'과 같다.

사용법 현삼 10g에 물 3컵(600mL)을 넣고 달여서 복용하며, 치질에는 짓찧어 환부에 붙이거나 즙액을 바른다.

＊ 꽃이 적자색인 '큰개현삼 *S. kakudensis*'도 약효가 같다.

❍ 현삼

❍ 현삼(玄蔘)

❍ 현삼(玄蔘, 절편)

❍ 현삼(玄蔘, 채집품)

❍ 현삼(뿌리)

❍ 현삼(열매)

❍ 큰개현삼

❍ 현삼(꽃)

❍ 현삼(어린싹)

중국현삼

 신열 번갈, 목삽혼화 골증로수
진상변비 옹저창독, 나력담핵

● 학명 : *Scrophularia ningpoensis* Hemsl.

| 1 | 2 | 3 | 4 | 5 | 6 | 7 | 8 | 9 | 10 | 11 | 12 |

여러해살이풀. 높이 80~120cm. 뿌리는 비대하고 원주형, 줄기는 바로 서고 네모진다. 잎은 하부에서는 마주나고, 상부에는 가끔 어긋난다. 꽃은 암자색, 7~8월에 핀다. 화관은 길이 6~7mm로 통부가 단지 모양이며 끝이 입술 모양, 황록색, 하순꽃잎은 밑으로 젖혀지고 4개의 수술 중 2개가 길다. 삭과는 달걀 모양이다.

분포·생육지 중국의 허베이성(河北省), 산시성(山西省), 산시성(陝西省), 장쑤성(江蘇省), 안후이성(安徽省), 저장성(浙江省), 푸젠성(福建省) 산에서 자라며, 현재 중국의 여러 지방에서 재배한다.

약용 부위·수치 뿌리를 여름과 가을에 채취하여 흙을 털고 잔뿌리를 제거한다. 이것을 찜통에 넣어 찐 다음 바람이 잘 통하는 곳에서 햇볕에 말린다.

약물명 현삼(玄蔘). 원삼(元蔘), 흑삼(黑蔘)이라고도 한다. 대한민국약전(KP)에 수재되어 있다.

본초서 현삼(玄蔘)은 「신농본초경(神農本草經)」의 중품(中品)에 수재되어 있다. 도홍경(陶弘景)은 "뿌리를 물에 찌면 흑색(黑色)이 되고, 모양이 인삼과 비슷하므로 현삼(玄蔘)이라고 한다."고 하였다. 「동의보감(東醫寶鑑)」에 "열독과 얼굴이 붓는 것을 낫게 하고 몸과 마음이 허약하며 피곤한 것을 보한다. 몸이 허약하여 뼛속이 후끈 달아오르는 증상과 전시사기(傳尸邪氣, 전염병의 나쁜 기운)를 없애고 독성 종기를 삭인다. 영류(瘦瘤)와 나력을 없애며 신장의 기운을 도

와 눈을 밝게 한다."고 하였다.

神農本草經: 主腹中寒熱積聚, 女子産乳余疾, 補腎氣, 令人目明.

藥性論: 能治暴結熱, 主熱風頭痛, 傷寒勞複, 散瘤瘻, 瘰癧.

本草綱目: 滋陰降火, 解斑毒, 利咽喉, 通小便血滯.

東醫寶鑑: 治熱毒遊風 補虛勞 骨蒸 傳尸邪氣 消腫毒 散瘦瘤瘰癧 補腎氣 令人明目.

성상 현삼(玄蔘)은 불규칙하게 구부러져 있고 방추형 또는 원기둥 모양으로 표면은 황갈색이고 거친 세로 주름이 있으며 껍질눈과 잔뿌리 흔적이 있다. 질은 단단하며 꺾기 힘들고 횡단면은 흑색~흑갈색이다. 냄새가 강하고 맛은 달며 후에 쓰다.

기미·귀경 미한(微寒), 고(苦), 함(鹹)·폐(肺), 위(胃), 신(腎).

약효 청열양혈(淸熱凉血), 자음강화(滋陰降火), 해독산결(解毒散結)의 효능이 있으므로 온열병입혈(溫熱病入血), 신열(身熱), 번갈(煩渴), 설강(舌絳), 발반(發斑), 골증로수(骨蒸勞嗽), 허번불침(虛煩不寢), 진상변비(津傷便秘), 목삽혼화(目澁昏花), 인후종통(咽喉腫痛), 나력담핵(瘰癧痰核), 옹저창독(癰疽瘡毒)을 치료한다.

성분 iridoid 화합물인 buergerinin F, G, *E*-harpagoside, *Z*-harpagoside, harpagide, aucubin, sinuatol, 8-*O*-(*E*)-*p*-methoxycinnamoylharpagide, 8-*O*-(*Z*)-*p*-methoxycinnamoylharpagide 등, phenylpropanoid인 cinnamic acid, *p*-methoxy-

cinnamic acid, *p*-methoxycinnamic acid methyl ester, ferulic acid, caffeic acid, *p*-coumaric acid, buergeriside A_1, B_1, B_2, C_1 등이 함유되어 있다.

약리 열수추출물은 동물 실험에서 심박동 수는 감소시키지만 심근 수축력을 증가시켜 강심 작용을 나타낸다. 열수추출물을 마취한 개에게 정맥주사(50mg/kg)하면 혈압이 강하한다. buergeriside A_1, B_1, B_2, C_1 등은 scopolamine으로 유도한 기억력 감퇴와 공간 지각력의 손상을 개선하는 효과가 있다. 열수추출물은 말초 혈관 확장 작용이 있어서 혈전성 정맥염에 사용할 수 있다. *E*-harpagoside는 NO의 생성을 저해한다.

확인 시험 가루 0.5g에 물 10mL를 넣고 수욕 중에서 3분간 가열한 다음 여과한다. 여액 4mL에 Fehling 시액 2mL를 넣고 수욕 중에서 가열할 때 붉은색의 침전이 생긴다.

사용법 현삼 10g에 물 3컵(600mL)을 넣고 달여서 복용하며, 치질에는 짓찧어 환부에 붙이거나 즙액을 바른다.

처방 현삼승마탕(玄蔘升麻湯): 현삼(玄蔘)·승마(升麻)·감초(甘草) 각 12g 「동의보감(東醫寶鑑)」. 상한(傷寒)으로 인하여 반진(斑疹)이 돋으면서 헛소리를 하고 목 안이 아프며 붓는 증상에 사용한다.

• 현삼패모탕(玄蔘貝母湯): 방풍(防風)·패모(貝母)·괄루근(括蔞根)·황백(黃柏)·복령(茯苓)·현삼(玄蔘)·백지(白芷)·만형자(蔓荊子)·천마(天麻)·반하(半夏) 각 4g, 감초(甘草) 2g, 생강(生薑) 3쪽 「동의보감(東醫寶鑑)」. 담화(痰火)로 인하여 귀에서 열이 나고 고름이 나오며 가려운 증상에 사용한다.

• 양음청폐탕(養陰淸肺湯): 생지황(生地黃) 8g, 현삼(玄蔘)·패모(貝母)·목단피(牡丹皮)·작약(芍藥) 각 3.2g, 감초(甘草)·박하(薄荷) 각 2g 「중루옥론(重樓玉論)」. 만성 인후염, 편도선염에 사용한다.

❍ 현삼(玄蔘)

❍ 현삼(玄蔘, 절편)

❍ 현삼(玄蔘, 절편 우량품)

❍ 중국현삼(꽃이 피기 전)

❍ 중국현삼(뿌리)

❍ 현삼(玄蔘)으로 만든 불면증 치료제

❍ 중국현삼

[현삼과]

섬현삼

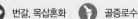 신열 · 번갈, 목삽혼화 · 골증로수
진상변비 · 옹저창독, 나력담핵

○ 섬현삼(열매)

○ 섬현삼(뿌리)

● 학명 : *Scrophularia takesimensis* Nakai

| 1 | 2 | 3 | 4 | 5 | 6 | 7 | 8 | 9 | 10 | 11 | 12 |

여러해살이풀. 높이 80~150cm. 줄기는 네모지고 털이 없다. 뿌리는 원주형으로 굵고 길다. 잎은 마주나고, 꽃은 녹색을 띤 자주색, 8~9월에 피는 취산화서는 수상화서로 되며 포(苞)가 작다. 잎이 넓은 타원형이며, 뿌리가 굵고 긴 것이 특징으로 우리나라 특산 식물이다.

분포·생육지 우리나라 울릉도. 산지의 골짜기에서 자란다.

약용 부위·수치 뿌리를 여름과 가을에 채취하여 흙을 털고 잔뿌리를 제거한다. 이것을 찜통에 넣어 찐 다음 바람이 잘 통하는 곳에서 햇볕에 말린다.

※ 약효와 사용법은 '중국현삼'과 같다.

○ 섬현삼(꽃)

○ 섬현삼

[현삼과]

절국대

습열황달, 장염이질, 변혈 · 소변임탁, 요혈
옹저단독 · 통경, 어혈경폐

● 학명 : *Siphonostegia chinensis* Bentham ● 별명 : 절국때, 절굿대

| 1 | 2 | 3 | 4 | 5 | 6 | 7 | 8 | 9 | 10 | 11 | 12 |

반기생 한해살이풀. 높이 30~70cm. 줄기는 바로 서고 위에서 가지를 약간 친다. 잎은 마주나고 깃꼴로 깊이 갈라지며 열편은 밋밋하거나 톱니가 있다. 꽃은 담황색, 7~8월에 잎겨드랑이에 1개씩 옆을 향해 달린다. 꽃받침은 통형, 화관은 순형, 하순은 3개로 갈라지며, 수술 4개가 화관에 달린다. 열매는 삭과로 꽃받침 안에 들어 있다.

분포·생육지 우리나라 전역. 중국, 일본, 아무르, 우수리. 산지의 양지바른 곳에서 자란다.

약용 부위·수치 전초를 여름과 가을에 채취하여 물에 씻은 후 말린다.

약물명 금종인진(金鍾茵蔯). 황화인진(黃花茵蔯), 조종초(弔鐘草)라고도 한다.

약효 청열이습(淸熱利濕), 양혈지혈(凉血止血), 거담지통(祛痰止痛)의 효능이 있으므로 습열황달(濕熱黃疸), 장염이질(腸炎痢疾), 소변임탁(小便淋濁), 옹저단독(癰疽丹毒), 요혈(尿血), 변혈(便血), 통경(痛經), 어혈경폐(瘀血經閉)를 치료한다.

성분 3-hydroxy-16-methylheptadecanoic acid, luteolin, siphonostegiol, isocantleyine, eudesmol, dihydroactinidiolide, ascaridole 등이 함유되어 있다.

약리 열수추출물을 쥐에게 투여하면 담즙 생성이 증가하고 혈중 콜레스테롤 함량이 감소한다.

사용법 금종인진 10g에 물 3컵(600mL)을 넣고 달여서 복용하고, 외용에는 생것을 짓찧어 붙이거나 즙액을 바른다.

○ 금종인진(金鍾茵蔯)

○ 절국대

○ 절국대(열매)

[현삼과]

황금현삼

치질　　기침, 기관지염
귀앓이

●학명 : *Verbascum phlomoides* L. [*V. arabica*]　●영명 : Mullein, Orange mullein

| 1 | 2 | 3 | 4 | 5 | 6 | 7 | 8 | 9 | 10 | 11 | 12 |

두해살이풀. 높이 70~120cm. 전체에 황색 별 모양 털이 빽빽이 나며 줄기는 바로 선다. 잎은 줄기 중간 이하에서 돌려나고, 꽃은 황색으로 6~8월에 피며 수술은 5개이다. 삭과는 달걀 모양으로 꽃받침이 남아 있다.

분포 · 생육지 유럽, 중앙아시아, 중동, 서아시아, 북아프리카(이집트). 산지의 풀밭 또는 들에서 자란다.

약용 부위 · 수치 전초를 여름과 가을에 채취하여 물에 씻은 후 썰어서 말린다.

약물명 Verbasci Herba. 일반적으로 Mullein, Orange mullein이라고 한다.

약효 진해거담, 소염의 효능이 있으므로 귀앓이, 치질, 기침, 기관지염을 치료한다.

성분 rutin, hesperidin, aucubin, catapol 등이 함유되어 있다.

약리 열수추출물을 쥐에게 투여하면 항병독 작용이 나타나고 과민 증상을 억제하며, 혈당 저하 작용이 있다.

사용법 Verbasci Herba 3~4g을 뜨거운 물로 우려내어 복용한다.

○ 황금현삼(꽃)

○ 황금현삼

[현삼과]

우단담배풀

폐렴　　창독, 타박상, 창상출혈

●학명 : *Verbascum thapsus* L.

| 1 | 2 | 3 | 4 | 5 | 6 | 7 | 8 | 9 | 10 | 11 | 12 |

두해살이풀. 높이 1.5m 정도. 전체에 황색 별 모양 털이 빽빽이 나며, 잎은 줄기 중간 이하에서 조밀하게 달리고, 잎자루가 없다. 꽃은 황색, 6~8월에 피며 지름 1~2cm, 수상화서로 달린다. 꽃받침은 5개로 갈라지고, 열편은 바늘 모양, 수술은 5개이다. 삭과는 달걀 모양이다.

분포 · 생육지 중국 신장성(新疆省), 장쑤성(江蘇省), 저장성(浙江省), 쓰촨성(四川省), 윈난성(雲南省), 시장성(西藏省), 오스트레일리아, 뉴질랜드. 산지의 풀밭에서 자란다. 우리나라에도 귀화하여 자란다.

약용 부위 · 수치 전초를 여름과 가을에 채취하여 물에 씻은 후 썰어서 말린다.

약물명 모예화(毛蕊花). 일주향(一株香), 대모엽(大毛葉)이라고도 한다.

약효 청열해독(清熱解毒), 지혈산어(止血散瘀)의 효능이 있으므로 폐렴(肺炎), 창독(瘡毒), 타박상, 창상출혈(創傷出血)을 치료한다.

성분 rotenone, coumarin 등이 함유되어 있다.

약리 열수추출물을 쥐에게 투여하면 항병독 작용이 나타나고 과민 증상을 억제하며, 혈당 저하 작용이 있다.

사용법 모예화 15g에 물 4컵(800mL)을 넣고 달여서 복용하고, 외용에는 생것을 짓찧어 붙이거나 즙액을 바른다.

○ 우단담배풀

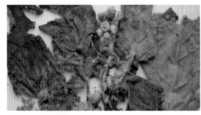
○ 모예화(毛蕊花)

○ 우단담배풀(꽃)

○ 우단담배풀. 목초지나 자갈밭에서도 잘 자란다. 중국 이닝(伊寧)

[현삼과]

큰물칭개나물

감기, 객혈 인후통
이질 월경부조

* 높이 30~50cm, 소화경 4~6mm, 잎 길이 4~7cm인 '물칭개나물 V. undulata'도 약효가 같다.

● 학명 : *Veronica anagallis-aquatica* L.

| 1 | 2 | 3 | 4 | 5 | 6 | 7 | 8 | 9 | 10 | 11 | 12 |

두해살이풀. 높이 40~80cm. 곧게 자라며 전체에 털이 없다. 잎은 마주나고 원줄기를 둘러싼다. 꽃은 벽자색, 5~8월에 잎겨드랑이에 총상화서로 핀다. 꽃받침은 4개로 갈라지고, 화관은 길이 6~7mm로 깊게 갈라지며 자주색 맥이 있다.

분포 · 생육지 아시아의 열대에서 난대. 우리나라 전역의 냇가에서 자란다.

약용 부위 · 수치 전초를 여름과 가을에 채취하여 물에 씻은 후 말린다.

약물명 수고매(水苦蕒). 접골선도(接骨仙桃),

선도초(仙桃草)라고도 한다.

약효 청열해독(淸熱解毒), 화혈지혈(活血止血)의 효능이 있으므로 감기, 인후통, 객혈, 이질, 월경부조를 치료한다.

성분 benzoic acid, protocatechuic acid, caffeic acid, 3-hydroxy-benzoic acid, vanillic acid, ferulic acid, isoferulic acid, aucuboside 등이 함유되어 있다.

사용법 수고매 10g에 물 3컵(600mL)을 넣고 달여서 복용하고, 외용에는 생것을 짓찧어 붙이거나 즙액을 바른다.

❶ 수고매(水苦蕒)

❶ 물칭개나물

❶ 큰물칭개나물

[현삼과]

선개불알풀

말라리아

❶ 폐한초(肺寒草)

● 학명 : *Veronica arvensis* L. ● 별명 : 선개불알꽃, 선봄가지꽃, 개불알꽃

| 1 | 2 | 3 | 4 | 5 | 6 | 7 | 8 | 9 | 10 | 11 | 12 |

한두해살이풀. 높이 10~30cm. 밑에서 갈라져 곧게 자라며 짧은 털이 있다. 잎은 마주나고, 꽃은 벽자색, 5~6월에 피며 화관은 4개로 갈라진다. 삭과는 끝이 깊게 파진다.

분포 · 생육지 유럽, 아프리카 원산. 우리나라 중부 지방 이남의 풀밭에서 흔히 자라는 귀화 식물이다.

약용 부위 · 수치 전초를 여름과 가을에 채취하여 물에 씻은 후 말린다.

약물명 폐한초(肺寒草)

약효 청열(淸熱), 제학(除虐)의 효능이 있으므로 말라리아를 치료한다.

성분 aucubin, D-mannitol 등이 함유되어 있다.

사용법 폐한초 10g에 물 3컵(600mL)을 넣고 달여서 복용한다.

❶ 선개불알풀

[현삼과]

개불알풀

신허요통　산기
백대

● 학명 : *Veronica didyma* Tenore var. *lilacina* (Hara) Yamazaki
● 별명 : 봄까지꽃, 개불알꽃, 지금, 개불꽃

| 1 | 2 | 3 | 4 | 5 | 6 | 7 | 8 | 9 | 10 | 11 | 12 |

두해살이풀. 높이 5~15cm. 밑에서부터 가지가 갈라져 옆으로 자라거나 비스듬히 선다. 잎은 밑부분에서는 마주나고 윗부분에서는 어긋난다. 꽃은 연한 적자색, 5~6월에 피며 꽃받침은 4개로 갈라지고, 화관은 지름 3~4mm, 통부가 짧다. 열매는 신장형이고 부풀며 지름 6mm 정도, 종자는 지름 1.2mm 정도로 희미한 주름이 있다.

❖ 개불알풀

분포·생육지 우리나라 남부 지방이나 제주도, 중국, 일본, 타이완, 아무르, 몽골, 시베리아. 산과 들에서 자란다.
약용 부위·수치 전초를 여름과 가을에 채취하여 흙을 털어서 말린다.
약물명 파파납(婆婆納), 구란초(狗卵草), 쌍주초(双珠草)라고도 한다.
기미·귀경 양(凉), 감(甘), 담(淡)·간(肝), 신(腎)
약효 보신강요(補腎强腰), 해독소종(解毒消腫)의 효능이 있으므로 신허요통(腎虛腰痛), 산기(疝氣), 백대(白帶)를 치료한다.
성분 sosmosin, cynaroside, 4′-methoxy-scutellarein-7-*O*-D-glucoside, 6-hydroxy-luteolin-7-*O*-β-D-glucopyranoside, 6-hydroxyluteolin-7-*O*-D-diglucoside 등이 함유되어 있다.
사용법 파파납 15g에 물 4컵(800mL)을 넣고 달여서 복용한다.

❖ 개불알풀(꽃)

[현삼과]

꼬리풀

만성기관지염, 폐화농증, 해토농혈

● 학명 : *Veronica linariifolia* Pall.　● 별명 : 자주꼬리풀, 가는잎꼬리풀

| 1 | 2 | 3 | 4 | 5 | 6 | 7 | 8 | 9 | 10 | 11 | 12 |

여러해살이풀. 높이 40~70cm. 줄기는 곧게 서고 잎은 마주난다. 꽃은 청자색, 7~8월에 피며 꽃받침은 4개로 깊게 갈라지고, 화관은 4개로 갈라져서 수평으로 퍼진다. 수술은 2개, 열매는 꽃받침보다 편원형으로 끝이 패어 있으며 길이 6~7mm의 암술대가 달려 있다.
분포·생육지 우리나라 전역, 중국, 일본, 아무르, 우수리, 몽골, 시베리아. 산과 들에서 자란다.
약용 부위·수치 전초를 여름과 가을에 채취하여 흙을 털어서 말린다.

약물명 수만청(水蔓青). 일지향(一枝香)이라고도 한다.
약효 지해화담(止咳化痰), 청폐(淸肺), 해독의 효능이 있으므로 만성기관지염, 폐화농증(肺化膿症), 해토농혈(咳吐膿血)을 치료한다.
성분 catalposide, verproside, verminoside, picroside, rehmanglutin D, jiofuran, 6-hydroxyluteolin, mannitol 등이 함유되어 있다.
약리 쥐에게 암모니아 증기법으로 mannitol을 투여하면 현저한 진해 작용이 있고,

또한 설사 작용이 있다.
사용법 수만청 10g에 물 3컵(600mL)을 넣고 달여서 복용한다.
＊ 줄기에 털이 없는 '큰산꼬리풀 *V. rotunda* var. *coreana*', 잎이 짧고 넓은 '탐라꼬리풀 *V. kiusiana*'도 약효가 같다.

❖ 수만청(水蔓青)

❖ 꼬리풀(뿌리)

❖ 꼬리풀

[현삼과]

긴산꼬리풀

 풍습성요퇴통　 복사

● 학명 : *Veronica longifolia* L.　● 별명 : 가는잎산꼬리풀, 가는산꼬리풀

| 1 | 2 | 3 | 4 | 5 | 6 | 7 | 8 | 9 | 10 | 11 | 12 |

여러해살이풀. 높이 70~100cm. 줄기는 곧게 서고, 잎은 마주나거나 3~4개씩 돌려 난다. 꽃은 벽자색, 7~8월에 총상화서로 달리며, 포는 꽃자루와 길이가 같다.
분포 · 생육지 우리나라 전역. 중국, 일본, 아무르, 우수리, 몽골, 시베리아. 산과 들에 서 자란다.
약용 부위 · 수치 전초를 여름과 가을에 채취하여 물에 씻은 후 썰어서 말린다.
약물명 장미파파납(長尾婆婆納)
약효 거풍지통(祛風止痛), 소염지사(消炎止瀉)의 효능이 있으므로 풍습성요퇴통(風濕性腰腿痛), 복사(腹瀉)를 치료한다.
사용법 장미파파납 10g에 물 3컵(600mL)을 넣고 달여서 복용한다.

● 장미파파납(長尾婆婆納)

● 긴산꼬리풀(열매와 잎)

● 긴산꼬리풀

[현삼과]

문모초

타박상, 옹저창양　 인후종통　해혈　변혈, 간위기통

● 학명 : *Veronica peregrina* L.　● 별명 : 벌레풀, 털문모초

| 1 | 2 | 3 | 4 | 5 | 6 | 7 | 8 | 9 | 10 | 11 | 12 |

한두해살이풀. 높이 10~20cm. 잎은 마주 나고, 꽃은 적자색, 4~5월에 잎겨드랑이에 1개씩 달리며 꽃자루는 짧다. 화관은 지름 2~3mm, 열매는 납작한 구형으로 흔히 벌 레집으로 이용한다.
분포 · 생육지 우리나라 중부 이남. 중국, 일본, 아무르, 우수리, 몽골, 시베리아. 논밭 근처와 냇가에서 자란다.
약용 부위 · 수치 전초를 여름과 가을에 채취하여 흙을 털어서 말린다.
약물명 선도초(仙桃草), 영도초(英桃草), 소두홍(小頭紅)이라고도 한다.
기미 · 귀경 평(平), 감(甘), 신(辛) · 간(肝), 위(胃), 폐(肺)
약효 화어지혈(化瘀止血), 청열소종(清熱消腫), 지통(止痛)의 효능이 있으므로 타박상, 인후종통(咽喉腫痛), 옹저창양(癰疽瘡瘍), 해혈(咳血), 변혈(便血), 간위기통(肝胃氣痛)을 치료한다.
성분 iridoid 배당체인 veronicoside, minecoside, specioside, amphicoside, catalposide, 6-*O*-*cis*-*p*-coumaroyl catalpol, 그 외 protocatechuic acid, *p*-hydroxybenzoic acid, *p*-hydroxybenzoic acid methylester, apigenin, caffeic acid methylester, luteolin, chrysoeriol, diosmetin, chrysoeriol 7-*O*-glucuronide 등이 함유되어 있다.
약리 luteolin, chrysoeriol, minecoside, *p*-hydroxybenzoic acid, specioside, amphicoside는 superoxide radical 소거 작용이 있으므로 노화를 방지한다.
사용법 선도초 15g에 물 3컵(600mL)을 넣고 달여서 복용하고, 외용에는 짓찧어 붙이거나 즙액을 바른다.

● 문모초

[현삼과]

큰개불알풀

 풍습비통, 요통 산기
백대

●학명 : *Veronica persica* Poir. ●별명 : 큰개불알꽃, 큰지금

| 1 | 2 | 3 | 4 | 5 | 6 | 7 | 8 | 9 | 10 | 11 | 12 |

○ 신자초(腎子草)

두해살이풀. 줄기는 가지를 쳐서 옆으로 퍼진다. 잎은 밑부분에서 마주나고 윗부분에서는 어긋난다. 꽃은 짙은 하늘색 줄이 있고 5~6월에 핀다. 화관은 지름 8mm 정도, 4개로 갈라지며 앞쪽의 것이 다소 작다. 삭과는 평평한 심장형, 끝이 패어 있고 무늬가 있다.

분포 · 생육지 유럽 및 아프리카 원산. 우리나라 남부 지방. 길가나 빈터에서 자란다.

약용 부위 · 수치 전초를 여름과 가을에 채취하여 흙을 털어서 말린다.

약물명 신자초(腎子草), 등롱초(燈籠草)라고도 한다.

약효 거풍제습(祛風除濕), 장요(壯腰), 절학(截瘧)의 효능이 있으므로 풍습비통(風濕痺痛), 산기(疝氣), 요통, 백대(白帶)를 치료한다.

사용법 신자초 10g에 물 3컵(600mL)을 넣고 달여서 복용하거나 짓찧어 낸 즙을 복용한다.

○ 큰개불알풀(꽃)

○ 큰개불알풀(열매)

○ 큰개불알풀

[현삼과]

산꼬리풀

독충교상

●학명 : *Veronica rotunda* Nakai var. *subintegra* (Nakai) Yamazaki
●별명 : 북꼬리풀

| 1 | 2 | 3 | 4 | 5 | 6 | 7 | 8 | 9 | 10 | 11 | 12 |

○ 동북파파납(東北婆婆納)

○ 산꼬리풀(뿌리)

여러해살이풀. 높이 60~100cm. 줄기는 곧게 서고 가지가 갈라지지 않는다. 잎은 마주나고 타원형, 밑부분이 좁아져 잎자루처럼 되며 잎 가장자리에 톱니가 있다. 꽃은 청자색, 7~8월에 총상화서에 달린다.

분포 · 생육지 우리나라 전역. 중국, 일본, 아무르, 우수리, 몽골, 시베리아. 산에서 자란다.

약용 부위 · 수치 전초를 여름과 가을에 채취하여 짓찧어 사용한다.

약물명 동북파파납(東北婆婆納)

약효 해독소종((解毒消腫)의 효능이 있으므로 독충교상(毒蟲咬傷)을 치료한다.

사용법 동북파파납을 짓찧어 즙액을 환부에 바르거나 붙이고 붕대로 감싼다.

○ 산꼬리풀

[현삼과]

냉초

 감모풍열　 인후종통, 시선염
 풍습비통　 충사소상

● 학명 : *Veronicastrum sibiricum* (L.) Pennell　● 별명 : 숨위나물, 털냉초, 민들냉초

| 1 | 2 | 3 | 4 | 5 | 6 | 7 | 8 | 9 | 10 | 11 | 12 |

여러해살이풀. 높이 50~90cm. 줄기는 곧게 서며, 잎은 3~8개씩 돌려난다. 꽃은 적자색, 7~8월에 피며, 화통 안쪽에 털이 빽빽이 난다. 수술은 2개, 씨방은 2실로 길게 밖으로 나온다. 열매는 삭과로 끝이 뾰족한 넓은 달걀 모양이다.

분포·생육지 우리나라 전역(제주도 제외). 중국, 일본, 아무르, 사할린, 시베리아. 산지의 풀밭에서 자란다.

약용 부위·수치 전초를 여름과 가을에 채취하여 흙을 털고 물에 씻어서 말린다.

약물명 참룡검(斬龍劍). 초본위령선(草本威靈仙)이라고도 한다.

본초서 당나라의 「신수본초(新修本草)」에 처음 수재되었으며, "상주(商州), 낙양(洛陽)에서 생산되고 가을에 채취하며, 매년 개체가 불어나서 채취할 수 있다."고 하였다. 송나라의 「개보본초(開寶本草)」에는 "이 식물을 위령선(威靈仙)이라 하며 줄기는 각이 지고 잎은 마주나며 꽃은 옅은 자주색을 띠며 뿌리는 조밀하다."고 기록되어 있다. 명나라 초기에 출간된 「구황본초(救荒本草)」에도 이 식물이 수재되어 있는 것으로 보아 식용한 것 같다.

약효 거풍제습(祛風除濕), 청열해독(淸熱解毒)의 효능이 있으므로 감모풍열(感冒風熱), 인후종통(咽喉腫痛), 시선염(腮腺炎), 풍습비통(風濕痺痛), 충사소상(蟲蛇所傷)을 치료한다.

성분 flavonoid 화합물인 luteolin−7−*O*−neohesperidoside, luteolin−7−*O*−glucoside, iridoid 화합물인 minecoside 등이 함유되어 있다.

약리 뿌리의 메탄올추출물을 쥐에게 투여하면 진통 작용과 해열 작용이 나타나고, 연쇄구균, 간균에 항균 작용이 있다.

사용법 참룡검 15g에 물 3컵(600mL)을 넣고 달여서 복용하고, 외용에는 짓찧어 바른다.

✿ 냉초

✿ 냉초(열매)

✿ 참룡검(斬龍劍)

✿ 냉초(백두산 주변의 습지 가까운 곳에서 군생한다.)

[능소화과]

미국능소화나무

 류머티즘　 피부질환, 외상

● 학명 : *Campsis radicans* L.　● 별명 : 미주능소화, 미주능소화나무

| 1 | 2 | 3 | 4 | 5 | 6 | 7 | 8 | 9 | 10 | 11 | 12 |

낙엽 덩굴나무. 길이 10m 정도. 흡착근으로 벽에 올라간다. 잎은 마주나고 홀수 1회 깃꼴겹잎이다. 꽃은 붉은색, 8~9월에 피고, 화관은 깔때기 비슷한 종 모양이다.

분포·생육지 중국 원산. 우리나라 중부 지방 이남에서 재배하는 귀화 식물이다.

약용 부위·수치 잎을 여름에 채취하여 말린다.

약물명 Campsis Folium

약효 정혈(靜血)의 효능이 있으므로 류머티즘, 피부질환, 외상을 치료한다.

사용법 Campsis Folium 10g에 물 3컵(600mL)을 넣고 달여서 복용한다.

✿ 미국능소화나무

✿ Campsis Folium

능소화나무

 월경불순   피부소양, 풍진
혈체   인후종통   요각불수

●학명 : *Campsis grandiflora* (Thunb.) K. Schum.   ●별명 : 능소화, 금동화

낙엽 덩굴나무. 길이 10m 정도. 흡착근으로 벽에 올라간다. 잎은 마주나고 홀수 1회 깃꼴겹잎이다. 꽃은 황적색, 8~9월에 피고 화관은 깔때기 비슷한 종 모양, 지름 6~7cm이며, 수술은 2개가 크다. 삭과는 네모지고 2개로 갈라지며 10월에 익는다.

분포·생육지 중국 원산. 우리나라 중부 지방 이남에서 재배하는 귀화 식물이다.

약용 부위·수치 꽃, 잎과 줄기를 여름에 채취하여 말린다. 뿌리는 봄부터 가을까지 채취하여 물에 씻은 후 썰어서 말린다.

약물명 꽃을 능소화(凌霄花), 능소(凌霄), 육소(陸苕), 여위(女葳), 자위(紫葳)라 하며, 잎과 줄기를 자위경엽(紫葳莖葉), 뿌리를 자위근(紫葳根)이라 한다. 능소화는 대한민국약전외한약(생약)규격집(KHP)에 수재되어 있다.

본초서 능소화(凌霄花)는 「신농본초경(神農本草經)」의 중품(中品)에 자위(紫葳)라는 이름으로 수재되어 있고, "출산의 여병(餘病), 붕중대하(崩中帶下), 징가(癥瘕), 혈폐(血閉), 한열(寒熱)을 치료하며 태아에 이롭다."고 하였다. 「동의보감(東醫寶鑑)」에는 "산후에 생긴 병, 자궁에서 분비물이 나오는 것, 뱃속에 덩어리가 생긴 것, 생리가 중단된 것을 낫게 한다. 또 산후에 뭉친 피가 돌아다니는 것을 낫게 하고, 혈액 순환을 돕는다. 태아가 움직여서 임신부의 배와 허리가 아프고 낙태의 염려가 있는 것을 다스려 편하게 한다. 술독으로 코 끝이 붉은 것, 열독으로 몸이 가려운 것을 낫게 하며, 대소변을 잘 나오게 한다."고 하였다.

神農本草經: 出産餘病 崩中帶下 癥瘕血閉 寒熱 胎兒.

東醫寶鑑: 主婦人産乳餘疾 崩中癥瘕 血閉 産後奔血不定 及崩中帶下 能養血安胎 治酒

瘡 熱毒風刺 利大小便.

성상 건조한 꽃은 주름이 많아 오그라져 있거나 겹쳐 있다. 완전한 꽃은 길이 6~8cm이고, 꽃받침은 암갈색이며 길이 3cm 정도로 기부는 합쳐져서 대롱 모양이고 윗부분에 5개의 열편이 있다. 화관은 깔때기 비슷한 종 모양이고 통부가 꽃받침 밖으로 나오지 않는다. 냄새는 약간 향이 있고 맛은 쓰고 시다.

기미·귀경 능소화(凌霄花): 미한(微寒), 산(酸)·간(肝). 자위경엽(紫葳莖葉): 평(平), 고(苦). 자위근(紫葳根): 한(寒), 감(甘), 신(辛).

약효 능소화(凌霄花)는 양혈(凉血), 거어(祛瘀)의 효능이 있으므로 혈체(血滯), 월경불순, 혈열풍양(血熱風痒)을 치료한다. 자위경엽(紫葳莖葉)은 양혈(凉血), 산어(散瘀)의 효능이 있으므로 혈열생풍(血熱生風), 피부소양(皮膚瘙痒), 풍진(風疹), 인후종통(咽喉腫痛)을 치료한다. 자위근(紫葳根)은 양혈(凉血), 거풍(祛風), 산어(散瘀)의 효능이 있으므로 피부소양(皮膚瘙痒), 풍진(風疹), 요각불수(腰脚不隨)를 치료한다.

성분 7-*O*-(*E*)-*p*-coumaroylcachineside I, ixoroside, campsiside, campsinol, 7-*O*-(*Z*)-*p*-coumaroylcachineside V, 5-hydroxycampsiside, campenoside, 5-hydroxycampenoside, cachineside I, acteoside, leucosceptoside A, campenoside II, β-hydroxyacteoside 등이 함유되어 있다.

약리 열수추출물을 돼지 관상 동맥에 주입하면 수축력을 억제한다. 열수추출물을 쥐에게 투여하면 혈전 형성을 억제하고 자궁을 수축하는 작용이 있다.

사용법 능소화는 5g에 물 2컵(400mL)을, 자위경엽 또는 자위근은 10g에 물 3컵(600mL)을 넣고 달여서 복용한다.

✿ 능소화(凌霄花)

✿ 능소화(凌霄花, 신선품)

✿ 자위근(紫葳根)

✿ 능소화나무

✿ 자위경엽(紫葳莖葉)

[능소화과]

개오동나무

| 🌙 | 황달, 반위 | 🟦 | 피부소양, 창개 |
| 🫘 | 만성신염, 부종, 단백뇨 | | |

● 학명 : *Catalpa ovata* G. Don　　● 별명 : 개오동, 향오동

| 1 | 2 | 3 | 4 | 5 | 6 | 7 | 8 | 9 | 10 | 11 | 12 |

낙엽 교목. 높이 10m 정도. 줄기껍질은 회갈색이다. 잎은 마주나거나 3개가 돌려난다. 꽃은 6월에 피며 황백색, 안쪽 양면에 황색 선과 자주색 점이 있다. 수술은 완전한 것이 2개, 꽃밥이 없는 것이 3개이고 기부에 자주색 반점이 있다. 삭과는 길이 20~36cm, 지름 5~8mm, 10월에 익으며, 종자는 양쪽에 털이 있고 갈색이다.

분포·생육지 중국 원산. 우리나라 전역에서 재식하는 귀화 식물이다.

약용 부위·수치 뿌리껍질 또는 줄기껍질을 가을부터 겨울까지 채취하여 말린다. 열매의 껍질과 과육을 벗기고 종자를 채취, 물에 깨끗이 씻어서 말린다. 물에 달일 때는 부수어 사용한다.

약물명 뿌리껍질 또는 줄기껍질을 재백피(梓白皮)라 하며, 재피(梓皮), 재목백피(梓木白皮)라고도 한다. 열매를 재실(梓實)이라 한다. 재실은 대한민국약전외한약(생약)

규격집(KHP)에 수재되어 있다.

본초서 재백피(梓白皮)는 「신농본초경(神農本草經)」의 하품(下品)에 수재되어 있으나, 재실(梓實)은 최근에 중국에서 민간약으로 사용하고 있다.

성상 재실(梓實)은 가늘고 긴 바늘 모양으로 길이 30~40cm, 지름 0.5cm 정도이다. 열매껍질은 암흑색으로 부서지기 쉬우며 종자가 많이 들어 있다. 종자는 반관상으로 길이 3cm, 지름 0.3cm 정도로 회갈색을 띠며 양쪽에 길이 1cm 정도의 부드러운 백색 털이 많이 붙어 있다. 냄새는 거의 없으며 맛은 떫다. '꽃개오동' 열매는 길이 25~40cm, 지름 1.2~1.5cm이다.

기미·귀경 재백피(梓白皮): 한(寒), 고(苦)·담(膽), 위(胃). 재실(梓實): 평(平), 감(甘).

약효 재백피(梓白皮)는 청열(淸熱), 해독, 살충의 효능이 있으므로 황달, 반위(反胃),

피부소양(皮膚瘙痒), 창개(瘡疥)를 치료한다. 재실(梓實)은 이뇨(利尿), 소종(消腫), 살충의 효능이 있으므로 만성신염(慢性腎炎), 부종, 단백뇨를 치료한다.

성분 iridoid: cataiposide(0.1%), catalpol, catalpin, phenylnaphthoquinone: catalpalactone, catalponol, (2*R*)-catalponone, deoxylapachol, flavonoid: 5,6-dihydroxy-7,4'-dimethoxyflavone-6-glucoside, 5,6-dihydroxy-7,4'-dimethoxyflavone-6-sophoroside 등이 함유되어 있다.

약리 열수추출물 또는 catalposide를 쥐에게 경구 투여하면 소변 양이 증가하고 catalposide는 소변의 나트륨 이온의 배설을 촉진시킨다. catalposide는 heme oxygenase-1의 발현을 촉진함으로써 과산화물에 의한 세포 독성으로부터 신경 세포인 neuro 2A를 보호한다. LPS로 유도한 TNF-α, IL-1β, IL-6, iNOS의 생성을 억제하고 NF-*k*B의 활성화를 억제한다. phenylnaphthoquinone 화합물은 TPA로 유도한 종양 생성을 억제한다.

사용법 재백피는 7g에 물 2컵(400mL)을 넣고, 재실은 10g에 물 2컵(400mL)을 넣고 달여서 복용한다.

＊ 꽃이 백색이고 암자색 반점이 있는 '꽃개오동 *C. bignonioides*'도 약효가 같다.

❂ 재백피(梓白皮)　　❂ 재백피(梓白皮, 절편)

❂ 재실(梓實)

❂ 개오동나무

[능소화과]

호리병박나무

치질　　　만성기관지염

❂ 호리병박나무(꽃)

● 학명 : *Crescentia cujete* Chuchu.　● 별명 : 칼라바시

| 1 | 2 | 3 | 4 | 5 | 6 | 7 | 8 | 9 | 10 | 11 | 12 |

상록 교목, 높이 10~15m. 가지가 많고 굴곡이 심하다. 잎은 어긋나지만 조밀하여 돌려난 것처럼 보이며 타원형, 가장자리가 밋밋하고, 잎자루가 짧다. 꽃은 줄기에 여러 개가 피고, 열매는 달걀 모양으로 길이 30cm에 이른다.

분포·생육지 남아메리카(페루, 브라질), 에스파냐, 스리랑카, 인도. 산지나 들에서 사란다.

약용 부위·수치 잎을 여름에 채취하여 말린다.

약물명 Crescentiae Folium

약효 수렴(收斂), 정혈(靜血)의 효능이 있으므로 치질, 만성기관지염을 치료한다.

사용법 Crescentiae Folium 10g에 물 2컵(400mL)을 넣고 달여서 복용한다.

❂ 호리병박나무

[능소화과]

소시지나무

궤양, 소화불량, 변비

건선, 피부색소, 피부각질

● 학명 : *Kigelia africana* (Lam.) Benth.　● 별명 : 아프리카소시지나무

| 1 | 2 | 3 | 4 | 5 | 6 | 7 | 8 | 9 | 10 | 11 | 12 |

상록 교목, 높이 10~12m. 줄기껍질은 매끈하고 회색을 띠며, 잎은 깃꼴겹잎이다. 꽃은 적갈색, 8~9월에 가지 끝에 원추화서로 많은 꽃이 달리며 아래로 처진다. 꽃받침은 5개로 갈라지고 끝이 뾰족하며, 화관은 깔때기 비슷한 종 모양이다. 삭과는 회백색의 소시지 모양이며 큰 것은 길이 1m에 이른다.

분포·생육지 열대 아프리카. 산지에서 자란다.

약용 부위·수치 열매를 가을에 채취하여 썰어서 말린다.

약물명 Kigeliae Fructus. 일반적으로 Kigelina Fruit라 한다.

약효 수렴(收斂)의 효능이 있으므로 궤양, 소화불량, 변비, 건선(乾癬), 피부색소, 피부각질을 치료한다.

성분 iridoid: specioside, verminoside, minecoside, norviburtinal, naphthoquinone: lapachol, dihydrocoumarin: kigelin, 기타 kigelinone, pinnatal, isopinnatal 등이 함유되어 있다.

약리 kigelinone, isopinnatal, kigelin은 항균 작용과 항진균 작용이 있다. specioside, verminoside, minecoside는 통증을 유발하는 prostaglandin의 생성을 억제한다.

사용법 Kigeliae Fructus 1g을 뜨거운 물로 우려내어 복용하고, 외용에는 연고로 만들어 바른다.

❂ 소시지나무

❂ 소시지나무(꽃봉오리)

❂ Kigeliae Fructus로 만든 피부 궤양 치료제

[능소화과]

목호접나무

👁 인통후비　🫁 해수
🫃 간위기통　🗂 창양구궤불렴, 침음창

●학명 : *Oroxylum indicum* (L.) Vent.　●별명 : 목호접

| 1 | 2 | 3 | 4 | 5 | 6 | 7 | 8 | 9 | 10 | 11 | 12 |

상록 소교목. 높이 7~12m. 줄기껍질은 두껍고 피공(皮孔)이 있다. 잎은 마주나고 홀수 깃꼴겹잎, 작은잎은 5~7개, 타원형, 길이 6~14cm, 너비 4~9cm, 가장자리가 밋밋하고 잎자루가 있다. 꽃은 자주색, 7~10월에 핀다. 열매는 10~12월에 익으며 나비 모양, 종자는 약간 아랫부분에 있고 그 주위에 얇은 날개가 펴져 있다.

분포 · 생육지 인도, 중국 윈난성(雲南省), 광시성(廣西省), 구이저우성(貴州省), 푸젠성(福建省), 하이난성(海南省), 광둥성(廣東省), 쓰촨성(四川省). 산지에서 자란다.

약용 부위 · 수치 늦가을부터 초겨울에 성숙한 종자를 채취하여 말린다.

약물명 목호접(木蝴蝶), 천장지(千張紙), 대도수(大刀樹), 옥호접(玉蝴蝶)이라고도 한다.

본초서 「진남본초(滇南本草)」에는 "열매가 편두(扁豆)처럼 납작하고 크며 가운데가 종이를 겹으로 접어 둔 것 같고 가장자리가 나비의 날개처럼 생겨 목호접(木蝴蝶) 또는 천장지(千張紙)라고 한다."고 하였다.

기미 · 귀경 미한(微寒), 고(苦), 감(甘) · 폐(肺), 간(肝), 위(胃)

약효 이인윤폐(利咽潤肺), 소간화위(疏肝和胃), 염창생기(斂瘡生肌)의 효능이 있으므로 인통후비(咽痛喉痺), 해수(咳嗽), 간위

기통(肝胃氣痛), 창양구궤불렴(瘡瘍久潰不斂), 침음창(浸淫瘡)을 치료한다.

성분 benzoic acid, chrysin, oroxin, baicalein, tetuin, 5-hydroxy-6,7-di-methoxyflavone, 5,6-dihydroxy-7-methoxyflavone, oroxylin, hispidulin, apigenin, scutellarein, chrysin-7-*O*-β-D-glucopyranoside, chrysin-7-*O*-β-D-glucuronopyranoside, chrysin-7-*O*-β-D-getiobioside, baicalin, scutel-larin, wogonin-7-*O*-β-D-glucuronide 등이 함유되어 있다.

약리 열수추출물을 백내장이 있는 쥐의 복강에 주사하면 90% 이상이 완치된다.

임상 응용 급성기관지염, 백일해에는 목호접(木蝴蝶) 3g, 안남자(安南子) 10g, 길경(桔梗) 5g, 감초(甘草) 3g, 상백피(桑白皮) 10g, 관동화(款冬花) 10g을 물 3컵(600mL)에 달여서 복용한다(「현대실용중약(現代實用中藥)」). 간해성아(干咳聲啞)에는 목호접(木蝴蝶) 2.4g, 현삼(玄蔘) 9g을 물 5컵(1L)에 달여서 복용한다.

사용법 목호접 10g에 물 3컵(600mL)을 넣고 달여서 복용하고, 외용에는 연고로 만들어 바른다.

❍ 목호접나무

❍ 목호접나무(열매)

❍ 목호접나무(줄기)

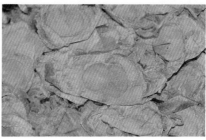
❍ 목호접(木蝴蝶)

[능소화과]

포장화

🫁 폐로, 해수　👁 인후염

●학명 : *Pyrostegia venusta* (Ker-Gawl.) Miers. [*Bignonia venusta*]
●한자명 : 炮仗花

| 1 | 2 | 3 | 4 | 5 | 6 | 7 | 8 | 9 | 10 | 11 | 12 |

덩굴성 나무. 잎은 마주나고, 작은잎은 보통 3출엽으로 잎자루가 길다. 꽃은 등황색, 가지 끝에 원추화서로 여러 개가 달린다. 열매는 길며 배 모양, 껍질은 가죽질이며, 종자는 얇은 날개가 있다.

분포 · 생육지 브라질, 베트남, 네팔, 인도, 중국 남부, 타이완. 산과 들에서 자란다.

약용 부위 · 수치 꽃과 잎을 봄과 여름에 채취하여 말린다.

약물명 포장화(炮仗花), 황선등(黃鱔藤)이라고도 한다.

약효 윤폐지해(潤肺止咳), 청열이인(淸熱利咽)의 효능이 있으므로 폐로(肺癆), 해수(咳嗽), 인후염을 치료한다.

사용법 포장화 10g에 물 3컵(600mL)을 넣고 달여서 복용한다.

❍ 포장화(꽃)

❍ 포장화

[쥐꼬리망초과]

곰궁둥이

 구강염　　 이질, 설사

●학명 : *Acanthus mollis* L.　●영명 : Bear's breech　●별명 : 아칸자

1	2	3	4	5	6	7	8	9	10	11	12

여러해살이풀. 높이 1~1.5m. 전체에 부드러운 털이 있다. 잎은 단엽이나 깃꼴로 심하게 갈라진다. 꽃은 줄기 끝에서 총상화서로 피고 위의 꽃잎은 분홍색, 아래 꽃잎은 백색이다.

분포·생육지 북아프리카, 서남아시아 원산. 남아메리카를 비롯하여 세계 각처에서 재배한다.

약용 부위·수치 여름에 잎을 채취하여 썰어서 말린다.

약물명 Acanthi Folium

약효 수렴(收斂)의 효능이 있으므로 구강염, 이질, 설사를 치료한다.

사용법 Acanthi Folium 10g에 물 3컵(600mL)을 넣고 달여서 복용한다.

❍ 꽃　　　❍ 곰궁둥이

❍ 곰궁둥이(잎)

[쥐꼬리망초과]

압취화

 근상골절, 요통　　 어혈종통

월경과다, 붕루

●학명 : *Adhatoda vasica* Nees　●영명 : Malabar nut　●한자명 : 鴨嘴花

1	2	3	4	5	6	7	8	9	10	11	12

덩굴성 관목. 높이 1~3m. 줄기는 원주형이며 약간 덩굴진다. 전체에 부드러운 털이 있다. 잎은 마주나고 홑잎이며 가장자리가 밋밋하다. 꽃은 줄기 끝 잎겨드랑이에 총상화서로 피고, 위의 꽃잎은 분홍색, 아래 꽃잎은 백색이다. 삭과는 목질이고 길이 2.5cm 정도이다.

분포·생육지 인도, 네팔, 말레이시아, 베트남, 타이, 중국. 산지나 들에서 자란다.

약용 부위·수치 여름에 잎, 가지를 채취하여 썰어서 말린다.

약물명 대박골(大駁骨). 압자화(鴨子花), 대환혼(大還魂)이라고도 한다.

기미·귀경 평(平), 신(辛), 고(苦)·간(肝), 비(脾)

약효 활혈지통(活血止痛), 접골속상(接骨續傷), 지혈의 효능이 있으므로 근상골절(筋傷骨折), 어혈종통(瘀血腫痛), 요통, 월경과다, 붕루(崩漏)를 치료한다.

성분 vasicinol, vasicol, deoxyvasicinone, 9-acetamido-3,4-dihydropyrido[3,4-b]indol 등이 함유되어 있다.

약리 vasicinol은 자궁 흥분 작용이 있고, deoxyvasicinone은 국소 마취 작용이 있다.

사용법 대박골 10g에 물 3컵(600mL)을 넣고 달여서 복용하거나 술에 담가서 복용한다.

❍ 대박골(大駁骨)

❍ 압취화

[쥐꼬리망초과]

천심련

풍열감모, 폐옹 · 온병발열 · 인후종통 · 습열황달 · 단독, 창양옹종

● 학명 : *Andrographis paniculata* (Burm. f.) Nees [*Justicia paniculata* Burm. f.]
● 한자명 : 穿心蓮

| 1 | 2 | 3 | 4 | 5 | 6 | 7 | 8 | 9 | 10 | 11 | 12 |

한해살이풀. 줄기는 바로 서고 4개의 골이 있으며 마디 부근은 다소 부풀며 상부에서 가지가 갈라진다. 잎은 마주나고 털이 없다. 꽃은 담자색, 9~10월에 줄기 끝이나 잎겨드랑이에서 총상화서로 피며, 수술은 2개이다. 삭과는 10~11월에 성숙하고 납작하며 길고 12개의 종자가 들어 있다.

분포 · 생육지 인도, 말레이시아, 베트남, 타이. 산지에서 자라고, 중국에서는 남부 지방인 윈난성(雲南省), 광둥성(廣東省) 등에서 재배한다.

약용 부위 · 수치 여름에 전초를 채취하여 썰어서 말린다.

약물명 천심련(穿心蓮). 일견희(一見喜), 만병선초(萬病仙草)라고도 한다.

기미 · 귀경 한(寒), 고(苦) · 심(心), 폐(肺), 대장(大腸), 방광(膀胱)

약효 청열해독(淸熱解毒), 사화조습(瀉火燥濕)의 효능이 있으므로 풍열감모(風熱感冒), 온병발열(溫病發熱), 폐옹(肺癰), 인후종통(咽喉腫痛), 습열황달(濕熱黃疸), 단독(丹毒), 창양옹종(瘡瘍癰腫)을 치료한다.

성분 andrographolide, 14-deoxyandrographolide, neoandrographolide, andropanoside, andrograpanin, oroxylin, wogonin, caffeic acid 등이 함유되어 있다.

약리 andrographolide, 14-deoxyandrographolide를 쥐에게 주사하면 해열 작용과 항염증 작용이 나타난다. 열수추출물을 쥐에게 투여하면 담즙 분비가 촉진된다.

사용법 천심련 10g에 물 3컵(600mL)을 넣고 달여서 복용하거나 가루로 만들어 1g을 복용한다.

❍ 천심련(穿心蓮)

❍ 천심련(穿心蓮)이 배합된 소염이담제

❍ 천심련

[쥐꼬리망초과]

노란새우풀

정창절종, 타박상

● 학명 : *Drejerella guttata* Brand. [*Beloperone guttata*, *Calliaspidia guttata*]
● 한자명 : 蝦衣

| 1 | 2 | 3 | 4 | 5 | 6 | 7 | 8 | 9 | 10 | 11 | 12 |

여러해살이풀. 높이 20~50cm. 기부에서 가지가 많이 갈라진다. 잎은 마주나고 타원형, 가장자리가 밋밋하다. 꽃은 자주색, 가지 끝에 수상화서로 조밀하게 피고 꽃잎은 백색이다.

분포 · 생육지 인도, 스리랑카, 남아메리카 등 열대 및 아열대. 세계 각처에서 재배한다.

약용 부위 · 수치 지상부를 여름과 가을에 채취하여 썰어서 말린다.

약물명 기린토주(麒麟吐珠). 청사선(靑絲線), 기린탑(麒麟塔)이라고도 한다.

약효 청열해독(淸熱解毒), 산어소종(散瘀消腫)의 효능이 있으므로 정창절종(疔瘡癤腫), 타박상을 치료한다.

사용법 기린토주 15g에 물 3컵(600mL)을 넣고 달여서 복용한다.

❍ 노란새우풀

[쥐꼬리망초과]

마람

열독반진, 단독
혈열토혈
객혈
인후종통

● 학명 : *Baphicacanthus cusia* (Nees) Bremeck

| 1 | 2 | 3 | 4 | 5 | 6 | 7 | 8 | 9 | 10 | 11 | 12 |

여러해살이풀. 높이 30~70cm. 건조하면 줄기와 잎이 남색 또는 흑록색을 띤다. 뿌리는 굵고, 횡단면은 남색을 띤다. 잎은 마주나며, 꽃은 담자색, 6~9월에 핀다. 열매는 9~11월에 성숙하며 타원상 구형이다.

분포·생육지 인도, 인도네시아, 중국 장쑤성(江蘇省), 저장성(浙江省), 푸젠성(福建省), 후베이성(湖北省), 광시성(廣西省), 쓰촨성(四川省), 윈난성(雲南省). 산기슭이나 산 입구에서 자란다.

약용 부위·수치 잎과 줄기를 여름과 가을에 채취한다. 이것에 물을 가하여 약간 발효시킨 후 석회를 가하여 충분히 교반, 여과하여 여과액을 얻고 햇볕에 말려 남색 가루를 얻는다.

약물명 청대(靑黛). 대한민국약전외한약(생약)규격집(KHP)에 수재되어 있다.

본초서 청대(靑黛)는 송대(宋代)의 「개보본초(開寶本草)」에 처음 수재되어 "청대(靑黛)는 맛이 떫고 차며 무독하다. 모든 약의 독을 풀어 주며 어린아이의 열병, 경련을 치료한다."고 하였다. 구종석(寇宗奭)은 "청대(靑黛)가 되는 것은 남(藍)으로 만든다."고 하였으나 남(藍)이라는 식물은 한 가지가 아니라 여러 가지이다.

성상 잎과 줄기를 발효시켜 얻은 가루 또는 불규칙한 덩어리로 남색을 띤다. 덩어리를 손으로 비비면 고운 가루로 되며, 질은 가볍다. 풀 냄새가 약간 나고 맛은 담담하며, 씹으면 침에 남색이 돈다.

기미·귀경 한(寒), 함(鹹)·간(肝), 폐(肺), 위(胃)

약효 청열해독(淸熱解毒), 양혈지혈(涼血止血), 청간사화(淸肝瀉火)의 효능이 있으므로 열독반진(熱毒斑疹), 혈열토혈(血熱吐血), 객혈(喀血), 인후종통(咽喉腫痛), 단독(丹毒)을 치료한다.

성분 indirubin, indigo, isoindigo, lacerol, *N*-phenyl-2-naphthylamine, indican, isatin B, qingdainone 등이 함유되어 있다.

약리 청대 에탄올추출물을 쥐에 주사하면 항종양 작용이 나타난다. 황색 포도상구균 등의 병원 미생물에 항균 작용이 있다.

사용법 청대 가루 1~2g을 복용한다.

＊ 청대(靑黛)의 원료 식물은 3종으로, 본 종과 '쪽(蓼藍) *Polygonum tinctorium*', '목람(木藍) *Indigofera tinctoria*'이다.

❶ 마람

❶ 청대(靑黛)의 원료

❶ 청대(靑黛)

[쥐꼬리망초과]

박골단

풍습비통. 골절
타박상
월경부조, 산후복통

● 학명 : *Gendarussa vulgaris* Nees ● 한자명 : 駁骨丹

| 1 | 2 | 3 | 4 | 5 | 6 | 7 | 8 | 9 | 10 | 11 | 12 |

관목. 높이 1m 정도. 줄기는 원주형이며 마디가 팽대하고 가지는 많이 갈라진다. 잎은 마주나고 긴 타원형, 가장자리가 밋밋하다. 꽃은 자주색, 가지 끝에 수상화서로 핀다. 삭과는 막대 모양으로 길이 1.2cm 정도이다.

분포·생육지 중국, 인도, 스리랑카, 네팔. 산지에서 자란다.

약용 부위·수치 지상부를 여름과 가을에 채취하여 썰어서 말린다.

약물명 박골단(駁骨丹)

약효 거풍습(祛風濕), 산어혈(散瘀血), 속근골(續筋骨)의 효능이 있으므로 풍습비통(風濕痹痛), 월경부조(月經不調), 산후복통, 골절, 타박상을 치료한다.

사용법 박골단 15g에 물 3컵(600mL)을 넣고 달여서 복용한다.

❶ 박골단(잎)

❶ 박골단

[쥐꼬리망초과]

대화노아취

 풍습비통, 골절　　통경

타박상

● 학명 : *Thunbergia grandiflora* (Roxb. ex Willd.) Roxb.
● 한자명 : 大花老鴉嘴, 大花山牽牛

1	2	3	4	5	6	7	8	9	10	11	12

덩굴성 나무. 줄기는 길이 10m 정도로 벋고 가지가 많이 갈라진다. 잎은 마주나고 심장형, 가장자리에 결각이 있다. 꽃은 담남색, 크고 6~8월에 잎겨드랑이에 총상화서로 핀다.

분포 · 생육지 인도, 인도네시아, 중국, 캄보디아. 물가의 음지나 산골짜기에서 자란다.

약용 부위 · 수치 뿌리와 잎을 여름과 가을에 채취하여 물에 씻은 후 말린다.

약물명 뿌리를 통골소근(通骨消根)이라 하며, 토우칠(土牛七), 강과두(强過頭)라고도

한다. 잎을 통골소경엽(通骨消莖葉)이라고 한다.

약효 통골소근(通骨消根)은 거풍통락(祛風通絡), 산어지통(散瘀止痛)의 효능이 있으므로 풍습비통(風濕痺痛), 통경(痛經), 타박상, 골절을 치료한다. 통골소경엽(通骨消莖葉)은 활혈지통(活血止痛), 해독소종(解毒消腫)의 효능이 있으므로 타박상과 골절을 치료한다.

사용법 통골소근 또는 통골소경엽 15g에 물 4컵(800mL)을 넣고 달여서 복용한다.

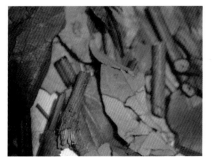
○ 통골소경엽(通骨消莖葉)

○ 대화노아취(꽃)

○ 대화노아취

[쥐꼬리망초과]

말라바낫

 천식, 기침

● 학명 : *Justicia adhatoda* L.　　● 영명 : Malabar nut　　● 별명 : 바사카

1	2	3	4	5	6	7	8	9	10	11	12

상록 관목. 높이 1.5~2m. 가지는 많이 갈라지고 약간 덩굴진다. 잎은 마주나고 타원형, 가장자리가 밋밋하다. 꽃은 백색, 가운데가 붉은색을 띠고 가지 끝에 수시로 핀다.

분포 · 생육지 인도, 스리랑카, 네팔. 산기슭이나 산 입구에서 흔하게 자란다.

약용 부위 · 수치 잎과 꽃을 봄과 여름에 채취하여 말린다.

약물명 Justiciae Folium et Flos

약효 진해거담(鎭咳祛痰)의 효능이 있으므로 천식, 기침을 치료한다.

사용법 Justiciae Folium et Flos 10g에 물 2컵(400mL)을 넣고 달여서 복용한다.

○ Justiciae Folium et Flos

○ Justiciae Folium et Flos로 만든 천식 치료제

○ 말라바낫

[쥐꼬리망초과]

쥐꼬리망초

 감모발열 해수 ● 인후종통, 목적종통 ● 습열사리, 황달
● 근골동통 ● 부종 ● 옹저창양, 습진

●학명 : *Justicia procumbens* L. ●별명 : 무릎꼬리풀, 쥐꼬리망풀

| 1 | 2 | 3 | 4 | 5 | 6 | 7 | 8 | 9 | 10 | 11 | 12 |

한해살이풀. 높이 30cm 정도. 원줄기는 네모지고, 가지가 많이 갈라진다. 잎은 마주나고, 꽃은 연한 적자색, 7~9월에 피고 꽃차례는 원줄기 끝과 가지 끝에 달린다. 열매는 삭과로 2개로 갈라지며, 종자는 4개이다.

분포·생육지 우리나라 전역. 중국, 일본, 인도차이나, 인도. 산기슭이나 산 입구에서 흔하게 자란다.

약용 부위·수치 전초를 가을에 채취하여 흙을 털어서 말린다.

약물명 작상(爵床). 작경(爵卿), 향소(香蘇)라고도 한다.

본초서 작상(爵床)은 「신농본초경(神農本草經)」에 수재되어 "허리와 등의 통증, 의자나 침대에 눕지 못하는 증상, 고열을 치료한다."고 하였으며, 당나라의 「신수본초(新修本草)」에는 "주로 피부병에 효과가 있으며 즙액을 바른다."고 하였다. 이시진(李時珍)의 「본초강목(本草綱目)」에는 "피가 섞인 설사에 복통이 있는 증상, 뱀에 물린 상처를 치료한다."고 기록되어 있다. 「본초회언(本草滙言)」에는 "독을 풀며, 열을 내리므로 감기몸살, 피가 섞인 설사, 술독을 푼다."고 하였다.

기미·귀경 고(苦), 함(鹹), 신(辛), 한(寒)·폐(肺), 간(肝), 방광(膀胱)

약효 청열해독(淸熱解毒), 이습소적(利濕消積), 활혈지통(活血止痛)의 효능이 있으므로 감모발열(感冒發熱), 해수(咳嗽), 인후종통(咽喉腫痛), 목적종통(目赤腫痛), 습열사리(濕熱瀉痢), 황달, 부종, 근골동통(筋骨疼痛), 옹저창양(癰疽瘡瘍), 습진을 치료한다.

성분 justicidin A, E, diphyllin, neojusticidin A, B, C, D 등이 함유되어 있다.

약리 열수추출물은 황색 포도상구균에 항균 작용이 있고, 에탄올추출물은 항산화 작용이 있다.

사용법 작상 10g에 물 3컵(600mL)을 넣고 달여서 복용하거나 알약으로 만들어 복용하고, 외용에는 짓찧어 바른다.

❶ 쥐꼬리망초

❶ 쥐꼬리망초(꽃)

❶ 쥐꼬리망초(뿌리)

❶ 작상(爵床)

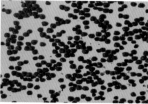

❶ 쥐꼬리망초(종자)

[쥐꼬리망초과]

관음초

 폐열해수, 폐로객혈 ● 토혈
● 인후염

●학명 : *Peristrophe baphica* (Spreng.) Bremek. [*Justicia tinctoria, J. vivalvis, P. roxburghiana*] ●한자명 : 觀音草

| 1 | 2 | 3 | 4 | 5 | 6 | 7 | 8 | 9 | 10 | 11 | 12 |

여러해살이풀. 높이 50~80cm. 전체에 회백색 털이 있고, 줄기는 바로 서며 둔한 네모가 지고 마디 사이가 길다. 잎은 마주나고 타원형, 길이 4~10cm, 너비 3~7cm, 끝은 뾰족하고 가장자리는 둔한 톱니가 있다. 꽃은 연한 붉은색, 8~9월에 피고 열매는 달걀 모양, 종자는 4개가 들어 있으며 흑색이다.

분포·생육지 중국 양쯔강 이남. 숲속 풀밭에서 자란다.

약용 부위·수치 전초를 가을에 채취하여 흙을 털어서 말린다.

약물명 야전청(野靛靑). 홍사선(紅絲線), 항개구(項開口), 백우슬(白牛膝), 홍람(紅藍), 산람(山藍)이라고도 한다.

약효 청열해독(淸熱解毒), 양혈식풍(凉血熄風), 산어소종(散瘀消腫)의 효능이 있으므로 폐열해수(肺熱咳嗽), 폐로객혈(肺癆喀血), 토혈(吐血), 인후염을 치료한다.

사용법 야전청 10g에 물 3컵(600mL)을 넣고 달여서 복용한다.

❶ 관음초

[쥐꼬리망초과]

방울꽃

 감모발열　 열병경궐
외상출혈

● 학명 : *Strobilanthes oliganthus* Miq.　● 별명 : 자운채, 광대나물아재비

| 1 | 2 | 3 | 4 | 5 | 6 | 7 | 8 | 9 | 10 | 11 | 12 |

여러해살이풀. 높이 30~80cm. 뿌리줄기는 짧고 줄기는 바로 서며 둔하게 네모지고 드문드문 가지가 갈라진다. 잎은 마주나고, 꽃은 연한 자주색, 8~9월에 윗부분의 잎겨드랑이에 달리고 아침에 피었다가 저녁에 진다. 수술은 2강웅예, 열매는 삭과이다.

분포·생육지 우리나라 제주도. 일본, 중국. 물가의 음지에서 자란다.

약용 부위·수치 전초를 가을에 채취하여 물에 씻은 후 말린다.

약물명 자운채(紫雲菜). 도창약(刀槍藥), 영충화(鈴蟲花)라고도 한다.

약효 청열정경(淸熱定驚), 지혈의 효능이 있으므로 감모발열(感冒發熱), 열병경궐(熱病驚厥), 외상출혈을 치료한다.

사용법 자운채 15g에 물 4컵(800mL)을 넣고 달여서 복용하고, 외용에는 짓찧어 바른다.

❶ 방울꽃

[열당과]

야고

 인후종통　 해수　 독사교상, 정창
요로감염　　골수염

● 학명 : *Aeginetia indica* L.　● 별명 : 담배대더부살이, 사탕수수겨우살이

| 1 | 2 | 3 | 4 | 5 | 6 | 7 | 8 | 9 | 10 | 11 | 12 |

'억새'에 기생하는 한해살이풀. 적갈색 비늘 조각 같은 잎이 어긋나고, 꽃은 연한 홍자색, 8~9월에 잎겨드랑이의 꽃대에 1개의 꽃이 옆을 향해 달린다. 꽃받침은 배 모양으로 한쪽이 갈라지고, 화관은 통부가 길고 가장자리가 5개로 얕게 갈라지며, 수술은 4개, 통부에 붙는다. 삭과는 달걀 모양, 씨방은 1실이며 작은 종자가 많이 들어 있다.

분포·생육지 우리나라 제주도(한라산). 중국, 일본, 인도, 필리핀. 억새밭에서 자란다.

약용 부위·수치 전초를 여름에 채취하여 물에 씻은 후 말린다.

약물명 야고(野菰). 토영지초(土靈芝草)라고도 한다.

약효 청열해독(淸熱解毒)의 효능이 있으므로 인후종통(咽喉腫痛), 해수(咳嗽), 요로감염, 골수염, 독사교상(毒蛇咬傷), 정창(疔瘡)을 치료한다.

성분 aeginatic acid, aeginetolide, apigenine, daucosterol 등이 함유되어 있다.

약리 암세포를 이식한 쥐에게 열수추출물을 복강 내 주사하면 항암 작용이 나타난다.

사용법 야고 10g에 물 3컵(600mL)을 넣고 달여서 복용하거나 알약으로 만들어 복용하고, 외용에는 짓찧어 바른다.

❶ 야고(野菰)

❶ 야고(열매)

❶ 야고

[열당과]

오리나무더부살이

신허양위, 유정, 요혈, 방광염　　요슬냉통

궁냉불잉, 대하　　변비

● 학명 : *Boschniakia rossica* (Chamisso et Schlecht.) B. Fedtsch.
● 별명 : 오리나무더부사리

| 1 | 2 | 3 | 4 | 5 | 6 | 7 | 8 | 9 | 10 | 11 | 12 |

'두메오리나무'의 뿌리에 기생하는 한해살이풀. 높이 20~30cm. 꽃은 암자색, 7~8월에 많은 꽃이 수상화서로 달린다. 화관은 양순형, 상순꽃잎은 끝이 파지고, 수술은 2개가 크다. 열매는 2개로 갈라진다.

분포 · 생육지 우리나라 백두산 주변. 중국, 일본, 아무르, 사할린, 시베리아, 유럽, 북아메리카. 높은 산에서 자란다.

약용 부위 · 수치 전초를 수시로 채취하여 흙을 털어서 말린다.

약물명 초종용(草蓗蓉). 금순(金笋), 지정(地精), 불로초(不老草)라고도 한다.

성상 전초로 줄기는 굵고 원기둥 모양, 줄기 끝에 조밀하게 난 꽃이삭과 비늘잎이 붙어 있다. 표면은 황갈색이고 부드러운 털로 덮여 있다. 뿌리줄기는 굵고 육질이다. 냄새가 있고 맛은 쓰다.

약효 보신장양(補腎壯陽), 윤장통변(潤腸通便), 지혈(止血)의 효능이 있으므로 신허양위(腎虛陽痿), 유정(遺精), 요슬냉통(腰膝冷痛), 소변유력(小便遺瀝), 요혈(尿血), 궁냉불잉(宮冷不孕), 대하(帶下), 변비, 방광염, 방광출혈을 치료한다.

성분 8-epideoxyloganic acid, rossicaside B, C, D, pinoresinol–*O*–β–D–glucopyranoside, *p*-coumaric acid, methyl *p*-coumarate, leanolic acid, boschniakine, boschnialactone 등이 함유되어 있다.

사용법 초종용 10g에 물 3컵(600mL)을 넣고 달여서 복용하거나 알약으로 만들어 복용하고, 외용에는 짓찧어 바른다.

❶ 초종용(草蓗蓉)

❶ 오리나무더부살이

[열당과]

육종용

신양허쇠　　정혈부족양위, 유정, 백탁

궁한불잉　　장조변비

● 학명 : *Cistanche deserticola* Y. C. Ma　　● 한자명 : 肉蓗蓉

| 1 | 2 | 3 | 4 | 5 | 6 | 7 | 8 | 9 | 10 | 11 | 12 |

여러해살이풀. 기생식물. 높이 70~150cm. 줄기는 육질이고, 잎은 많으며 비늘 모양이다. 꽃은 황백색~담자색, 5~6월에 수상화서로 피며 길이 15~50cm, 포편은 1개, 소포편은 2개이다. 꽃받침은 종 모양, 화관은 통 모양이다. 열매는 6~7월에 성숙하며 달걀 모양, 종자는 다수로 작다.

분포 · 생육지 중국 산시성(陝西省), 간쑤성(甘肅省), 신장성(新疆省) 및 내몽골. 사막 지대에서 자라는 여뀌과의 '쇄쇄(瑣瑣) *Haloxylon ammodendron*', '위성류 *Tamarix chinensis*'의 뿌리에 기생한다.

약용 부위 · 수치 육질경(肉質莖)을 채취하여 물에 씻은 후 말린다. 이것을 12시간 정도 술에 담가 두었다가 찌거나 자(炙)하여 사용한다.

약물명 육종용(肉蓗蓉). 육송용(肉松蓉), 종용(蓗蓉), 대운(大芸), 황막육종용(荒漠肉蓗蓉)이라고도 한다. 대한민국약전외한약(생약)규격집(KHP)에 수재되어 있다.

본초서 「신농본초경(神農本草經)」의 상품(上品)에 수재되어 있다. 「본초강목(本草綱目)」에는 "이 약물은 육질(肉質)이고 몸을 추스리는 데 좋으며 약효가 급하지 않고 부드럽게(從容) 나타나게 하는 풀이므로 육종용(肉蓗蓉)이라 한다."고 하였다. 「동의보감(東醫寶鑑)」에 "오로칠상을 다스리고 음경 속이 차가웠다 열이 났다 하면서 아픈 것을 낫게 하며 양기와 정기를 도와서 아이를 많이 낳게 한다. 양기가 부족하여 음경이 제대로 발기되지 않는 것과 음기가 부족해 임신이 잘 되지 않는 것을 도와준다. 오장을 튼튼하게 하며 살이 찌게 하고 허리와 무릎에 힘을 길러 준다. 남자가 꿈을 꾸면서 정액이 배설되는 것을 낫게 하고 정액을 보충한다. 소변에 피가 섞여 나오는 것과 소변이 방울방울 떨어지는 것, 자궁에서 분비물이 나오는 것과 음부의 통증을 낫게 한다."고 하였다.

神農本草經: 主五勞七傷, 補中, 除莖中寒熱痛, 養五臟, 强陰, 益精氣, 多子, 婦人癥瘕, 久服輕身.

❶ 육종용

名醫別錄: 除膀胱邪氣, 腰痛, 止痢.

藥性論: 益髓, 悅顏色, 延年, 治女人血崩, 壯陽, 大補益, 主赤白下.

東醫寶鑑: 主五勞七傷 除莖中寒熱痛 强陰 益精氣 令多子 治男絕陽不興 女絕陰不産 潤五臟 長肌肉 煖腰膝男子泄精 尿血遺瀝 女子帶下陰痛.

성상 원주상으로 밑부분이 조금 굵으며 약간 구부러져 있고 길이는 10~25cm, 지름은 3~6cm이다. 표면은 황갈색~암갈색이며 흔히 세로로 갈라져 있고 기왓장 같은 비늘조각으로 싸여 있다. 질은 조금 부드럽고 잘 꺾이지 않으나 꺾인 면은 엷은 갈색으로 유관속이 점 모양으로 배열되어 있다. 특이한 냄새가 있으며, 맛은 달고 뒤에 조금 쓰다.

품질 육질이 충실하고 색깔이 황갈색으로 밝고 부드러운 것이 좋다.

기미·귀경 온(溫), 감(甘), 함(鹹)·신(腎), 대장(大腸)

약효 보신양(補腎陽), 익정혈(益精血), 윤장도(潤腸道)의 효능이 있으므로 신양허쇠(腎陽虛衰), 정혈부족양위(精血不足陽痿), 유정(遺精), 백탁(白濁), 요빈여력(尿頻餘瀝), 요통각약(腰痛脚弱), 이명목화(耳鳴目花), 궁한불잉(宮寒不孕), 장조변비(腸燥便秘)를 치료한다.

성분 daucosterol, acteoside, 2′-O-acety-lacteoside, isoacteoside, tubuloside B, 8-epi-loganic acid, echinocoside, cistanoside A, osmanthuside B 등이 함유되어 있다.

약리 열수추출물은 실험 동물(쥐)의 체중 증가, 수영 시간 연장, 무산소 상태에서의 내성 증가 등의 효능이 있다. 또 열수추출물은 마취한 실험 동물의 혈압을 내리고 쥐의 타액 분비를 촉진한다. daucosterol은 전립선 비대증(prostatic hypertropy)에 치료 효과가 있다. 50%에탄올추출물과 부탄올 분획물은 진통 작용 및 항염증 작용이 나타나며, 부탄올 분획물의 효능은 아편 수용체나 면역계에 관여하지 않는다. 에탄올 추출물과 물 분획물은 hexobarbital에 의한 수면 시간을 연장시키는 등의 진정 효과를 나타낸다.

사용법 육종용 10g에 물 3컵(600mL)을 넣고 달여서 복용하거나 알약으로 만들어 복용하고, 외용에는 짓찧어 바른다.

처방 육종용환(肉蓯蓉丸): 육종용(肉蓯蓉)·복령(茯苓)·황기(黃耆)·택사(澤瀉)·석결명(石決明)·오미자(五味子)·용골(龍骨)·당귀(當歸) 각 40g (『동의보감(東醫寶鑑)』). 아랫배에 열이 몰려서 불편하고 아프며 오줌이 잘 나오지 않고 흐린 증상에 사용한다.

• 금앵단(金櫻丹): 금앵자(金櫻子)·창출(蒼朮)·생지황(生地黃)·세신(細辛)·육종용(肉蓯蓉)·토사자(菟絲子)·우슬(牛膝)·감실(芡實)·연심(蓮心)·산약(山藥)·인삼(人蔘)·복령(茯苓)·정향(丁香)·목향(木香)·석창포(石菖蒲)·사향(麝香)·감초(甘草)·진피(陳皮)·백자인(柏子仁) 각 40g (『보양처방집(補陽處方集)』). 정혈 부족으로 몸이 여위고 오후마다 미열이 나며 식은땀이 나거나 건망증, 가슴이 울렁거리는 증상에 사용한다.

• 염생육종용(塩生肉蓯蓉): C. salsa의 육질경(肉質莖)을 건조한 것으로 중국 내몽골, 간쑤성(甘肅省), 신장성(新疆省) 등지에서 생산된다.

• 관화육종용(管花肉蓯蓉): C. tubulosa의 육질경(肉質莖)을 건조한 것으로 중국 신장성(新疆省)에서 주로 생산된다.

• 사종용(沙蓯蓉): C. sinensis의 육질경(肉質莖)을 건조한 것으로 중국 내몽골, 영하, 간쑤성(甘肅省)에서 생산된다.

• 초종용(草蓯蓉): 오리나무더부살이 Boschniakia rossica의 육질경(肉質莖)을 건조한 것으로 중국 내몽골, 영하, 간쑤성(甘肅省) 및 일본에서 생산된다.

※ 중국 생약 시장에서는 대부분 육종용(肉蓯蓉)이 시판되고 있으나 염생육종용(塩生肉蓯蓉), 관화육종용(管花肉蓯蓉), 사종용(沙蓯蓉), 초종용(草蓯蓉) 등도 출하되고 있다.

✿ 육종용(肉蓯蓉)

✿ 육종용(肉蓯蓉, 절편)

✿ 육종용(肉蓯蓉, 절편 수치한 것)

✿ 육종용(肉蓯蓉, 종단면)

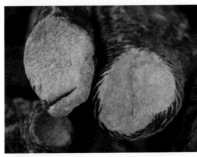

✿ 육종용(肉蓯蓉, 횡단면)

✿ 육종용(봄에 나올 새순이 땅속에 있다.)

✿ 쇄쇄(사막 지대에서 자란다.)

✿ 육종용(새순)

✿ 육종용(肉蓯蓉)으로 만든 자양강장제

[열당과]

쑥더부살이

신허양위, 유정   궁한불잉
요슬냉통, 근골연약   장조변비

● 학명 : *Orobanche coerulescens* Stephan   ● 별명 : 쑥더부사리, 초종용

| 1 | 2 | 3 | 4 | 5 | 6 | 7 | 8 | 9 | 10 | 11 | 12 |

쑥속(*Artemisia*) 특히 '사철쑥' 뿌리에 기생하는 한해살이풀. 높이 20~30cm. 잎은 비늘 모양이다. 꽃은 담자색, 5~7월에 피며, 포는 바늘 모양 또는 좁은 달걀 모양으로 끝이 뾰족하다. 꽃받침은 2개로 끝이 2개로 갈라지고 화관 길이의 반이며, 화관은 입술 모양, 길이 2cm 정도, 수술은 2개가 크다. 열매는 삭과이다.

분포·생육지 우리나라 전역. 중국, 일본, 시베리아, 유럽. 바닷가나 강가의 모래땅에서 드물게 자란다.

약용 부위·수치 전초를 여름에 채취하여 물에 씻은 후 말린다.

약물명 열당(列當). 율당(栗當), 화종용(花蓯蓉), 독근초(獨根草)라고도 한다. 대한민국약전외한약(생약)규격집(KHP)에 수재되어 있다.

기미·귀경 온(溫), 감(甘)·신(腎), 간(肝), 대장(大腸)

약효 보신장양(補腎壯陽), 강근골(強筋骨),

윤장(潤腸)의 효능이 있으므로 신허양위(腎虛陽痿), 유정(遺精), 궁한불잉(宮寒不孕), 요슬냉통(腰膝冷痛), 근골연약(筋骨軟弱), 장조변비(腸燥便秘)를 치료한다.

약리 열수추출물, 에탄올추출물을 고양이, 토끼에게 투여하면 혈압이 강하하고, 쥐에게 투여하면 타액 분비를 촉진한다.

사용법 열당 10g에 물 3컵(600mL)을 넣고 달여서 복용하거나 알약으로 만들어 복용하고, 외용에는 짓찧어 바른다.

❶ 열당(列當)

❶ 쑥더부살이

[열당과]

가지더부살이

두훈   신경쇠약   요슬산통
장염   무명종독

● 학명 : *Phacellanthus tubiflorus* S. et Z.   ● 별명 : 가지더부사리, 노랑더부살이

| 1 | 2 | 3 | 4 | 5 | 6 | 7 | 8 | 9 | 10 | 11 | 12 |

❶ 가지더부살이(열매)

여러해살이풀. 기생 식물. 높이 5~10cm. 처음에는 백색이나 차차 담황색으로 바뀐다. 잎은 비늘줄기처럼 생겨 조밀하고 길이 4~8mm이다. 꽃은 백색, 6~7월에 피며, 줄기 끝에 5~10개의 꽃이 속생하고 꽃자루는 짧다. 화관은 양순형으로 길이 2.5~3cm, 하순은 3갈래이다. 열매는 둥글며 담황색, 암술대가 붙어 있다.

분포·생육지 우리나라 중부 이남. 중국, 일본, 아무르, 사할린, 시베리아. 참나무 뿌리, 수국류의 뿌리에 기생한다.

약용 부위·수치 전초를 수시로 채취하여 흙을 털어서 말린다.

약물명 황통화(黃筒花)

약효 보간신(補肝腎), 강요슬(強腰膝), 청열해독(淸熱解毒)의 효능이 있으므로 두훈(頭暈), 신경쇠약, 요슬산통(腰膝酸痛), 장염, 무명종독(無名腫毒)을 치료한다.

사용법 황통화 10g에 물 3컵(600mL)을 넣고 달여서 복용하거나 알약으로 만들어 복용하고, 외용에는 짓찧어 바른다.

❶ 가지더부살이

[참깨과]

악마의발톱

소화불량　관절염
피부궤양　감기

● 학명 : *Harpagophytum procumbens* DC. ex Meissn.　　● 영명 : Devil's claw
● 별명 : 천수

| 1 | 2 | 3 | 4 | 5 | 6 | 7 | 8 | 9 | 10 | 11 | 12 |

상록 여러해살이풀. 줄기는 뿌리에서 여러 개가 나와 땅 위로 여기저기 벋는다. 처음 뿌리는 2차 뿌리로 둘러싸인다. 잎은 녹백색으로 가장자리가 불규칙하게 찢어져 있다. 꽃은 바깥 부분은 보라색이고 통부의 안쪽은 백색이다. 열매는 많은 가지가 있고 날카로운 가시가 있다.

분포 · 생육지 남아프리카(칼라하리 사막, 앙골라, 나미비아 등). 사막에서 자란다.

약용 부위 · 수치 뿌리를 채취하여 물에 씻은 후 썰어서 말린다.

약물명 Harpagophyti Radix. 일반적으로 devil's claw(악마의발톱)라 한다. 대한민국약전외한약(생약)규격집(KHP)에 수재되어 있다.

성상 뿌리는 원기둥 모양이나 보통 길이 0.5~1cm로 잘라져 있으며 지름은 2~4cm 이다. 표면은 세로 주름이 있고 적갈색이며 횡단면은 황갈색이고 주름진 피층은 갈색이다. 냄새가 약간 나고 맛은 쓰다.

약효 고미강장(苦味强壯), 소염, 진통의 효능이 있으므로 소화불량, 관절염, 피부궤양, 감기를 치료한다.

성분 harpagoside(0.5~2%), harpagide, procumbide, cinnamic acid, coumaric acid esters, acteoside, isoacteoside 등이 함유되어 있다.

약리 지상부의 열수추출물을 토끼의 적출 자궁에 투여하면 흥분 작용이 있고, 종자의 열수추출물을 쥐에게 먹이면 혈당을 강하한다.

사용법 Harpagophyti Radix 2~3g을 뜨거운 물로 우려내어 복용한다.

❶ 악마의발톱(뿌리)

❶ 악마의발톱(열매)

❶ Harpagophyti Radix로 만든 류머티즘 및 관절염 치료제

❶ 악마의발톱

[참깨과]

참깨

간신부족두훈이명　요슬위연, 풍비　대변조결, 토혈
천식　부종　중이염　옹양

● 학명 : *Sesamum indicum* L.　　● 별명 : 호마

| 1 | 2 | 3 | 4 | 5 | 6 | 7 | 8 | 9 | 10 | 11 | 12 |

한해살이풀. 높이 1m 정도. 원줄기는 네모지며, 잎은 마주난다. 꽃은 백색 바탕에 연한 자줏빛이 돌며 7~8월에 피고 꽃받침이 5개로 갈라진다. 화관은 길이 2.5cm 정도로 양순형이고 상순은 2개, 하순은 3개로 갈라지며 4개의 수술 중 2개가 길다. 열매는 짧은 원주형, 길이 2.5cm 정도, 4실, 종자는 백색, 황색 또는 흑색이다.

분포 · 생육지 인도 및 이집트 원산. 우리나라 전역에서 재배하는 귀화 식물이다.

약용 부위 · 수치 가을에 열매가 익었을 때 종자를 채취하여 씻어서 말린다. 치료 목적에 따라 주초(酒炒), 염수초(鹽水炒)한다.

약물명 종자를 흑지마(黑芝麻)라 하며, 호마(胡麻), 거승(巨勝), 등홍(藤苰), 오마자(烏麻子), 소호마(小胡麻)라고도 한다. 줄기를 마갈(麻秸), 잎을 호마엽(胡麻葉)이라 한다. 흑지마(黑芝麻)는 대한민국약전외한약(생약)규격집(KHP)에 수재되어 있다.

본초서 「동의보감(東醫寶鑑)」에 호마(胡麻)와 백유마(白油麻)가 수재되어 있다. 호마는 "흑지마(黑芝麻, 검은깨)와 백지마(白芝麻, 흰깨)의 2종류가 있는데, 흑지마는 기운을 돕고 살을 찌게 하며 골수와 뇌수를 채워 주고 오장을 윤택하게 하며 오래 살게 하고 피부를 탄력 있게 한다."고 하였다. 백

유마는 백지마라고도 하며, "위와 대소장을 부드럽게 하고 혈액 순환이 잘 되게 하며 피부를 윤택하게 한다."고 하였다.

神農本草經: 主傷中虛羸 補五內 益氣力 長肌肉 塡髓腦.

本草備要: 補肝腎 潤五臟 滑腸…. 明耳目 烏鬚髮 利大小腸.

東醫寶鑑: 黑芝麻 益氣力 長肌肉 塡髓腦 堅筋骨 潤五臟, 補精塡精延年駐色.

白油麻 滑腸胃 通血脈 行風氣 潤肌膚.

성상 흑지마(黑芝麻)는 납작한 달걀 모양으로 한쪽 끝이 뾰족하고 길이 3mm, 너비 2mm, 두께 1.5mm 정도, 표면은 흑색 또는

황백색이다. 냄새가 조금 있고 맛은 담담하나 씹으면 매우 고소하다.

기미 · 귀경 흑지마(黑芝麻): 평(平), 감(甘) · 간(肝), 비(脾), 신(腎)

약효 흑지마(黑芝麻)는 보익간신(補益肝腎), 양혈익정(凉血益精), 윤장통변의 효능이 있으므로 간신부족두훈이명(肝腎不足頭暈耳鳴), 요슬위연(腰膝痿軟), 풍비(風痺), 옹양(癰瘍), 대변조결(大便燥結)을 치료한다. 마갈(麻秸)은 천식, 부종, 중이염을 치료한다. 호마엽(胡麻葉)은 풍한습비(風寒濕痺), 토혈(吐血), 외음소양증을 치료한다.

성분 종자는 지방유 60%, oleic acid, linoleic acid, arachidic acid, tetracosanoic acid, (−)-sesamin 등, 잎은 pedalin이 함유되어 있다.

약리 지상부의 열수추출물을 토끼의 적출자궁에 투여하면 흥분 작용이 있고, 종자의 열수추출물을 쥐에게 먹이면 혈당을 강하한다. (−)-sesamin은 MPTP로 유도한 쥐의 파킨슨병을 완화시키는 작용이 있다.

사용법 흑지마, 마갈 또는 호마엽 10g에 물 3컵(600mL)을 넣고 달여서 복용하고, 외용에는 짓찧어 바른다.

○ 흑지마(黑芝麻)

○ 백지마(白芝麻)

○ 참깨(열매)

○ 참기름

○ 참깨

[파리풀과]

파리풀

🏷️ 개창, 옴

● 학명 : *Phryma leptostachya* L. var. *asiatica* Hara ● 별명 : 꼬리창풀

| 1 | 2 | 3 | 4 | 5 | 6 | 7 | 8 | 9 | 10 | 11 | 12 |

여러해살이풀. 높이 40~70cm. 잎은 마주나고, 꽃은 연한 자주색, 7~9월에 원줄기 끝과 가지 끝에 수상화서로 달린다. 꽃받침은 통형, 화관은 길이 5mm 정도, 입술 모양, 4개의 수술 중 2개가 길다. 삭과는 꽃받침으로 싸여 있고, 1개의 종자가 들어 있다.

분포 · 생육지 우리나라 전역. 인도, 중국, 일본, 아무르, 우수리, 동시베리아. 산의 숲속에서 자란다.

약용 부위 · 수치 전초를 가을에 채취하여 흙을 털고 물에 씻은 후 썰어서 말린다.

약물명 노파자침선(老婆子針線)

약효 해독, 살충의 효능이 있으므로 개창(疥瘡), 옴을 치료한다.

성분 phrymarolin II, leptostachyolacetate 등이 함유되어 있다.

약리 leptostachyolacetate는 파리, 모기 등 해충을 잘 죽인다.

사용법 노파자침선 10g에 물 3컵(600mL)을 넣고 달여서 복용하거나 알약으로 만들어 복용하고, 외용에는 짓찧어 바른다.

* 예로부터 파리풀 짓찧어 낸 즙액을 살충제로 이용해 오고 있다.

❍ 파리풀

❍ 노파자침선(老婆子針線)

❍ 파리풀(뿌리)

[질경이과]

질경이

	소변불리, 임탁대하, 혈뇨		황달, 서습사리
	수종		간열목적		담열해천

● 학명 : *Plantago asiatica* L.
● 별명 : 길장구, 빼부장, 배합조개, 빠부쟁이, 배부장이, 톱니질경이

| 1 | 2 | 3 | 4 | 5 | 6 | 7 | 8 | 9 | 10 | 11 | 12 |

여러해살이풀. 잎이 뿌리에서 나와 비스듬히 퍼진다. 꽃은 백색, 6~8월에 잎 사이에서 나온 길이 10~50cm의 꽃대에 수상화서로 밀착하여 달린다. 포는 좁은 달걀 모양이고, 꽃받침은 4개로 갈라지고 수술이 길게 밖으로 나오며 씨방상위, 암술은 1개이다. 삭과는 익으면 옆으로 갈라지면서 뚜껑이 열리고 6~8개의 흑색 종자가 나온다.
분포 · 생육지 우리나라 전역. 중국, 일본, 아무르, 우수리, 동시베리아. 길가나 들에서 자란다.
약용 부위 · 수치 전초를 가을에 채취하여 물에 씻어 말리고, 종자는 6~10월에 채취하여 염수초(鹽水炒)하거나 솥에 쪄서 말린다.
약물명 전초를 차전초(車前草)라고 하며, 부이(芣苢), 차전(車前), 우설초(牛舌草)라고도 한다. 종자를 차전자(車前子)라고 하며, 당도(當道), 하마의(蝦蟆衣)라고도 한다. 차전자는 대한민국약전(KP)에, 차전초는 대한민국약전외한약(생약)규격집(KHP)에 수재되어 있다.
본초서「신농본초경(神農本草經)」의 상품(上品)에 수재되어 "기가 노쇠하여 생기는 통증을 치료하고 이뇨 작용이 있어 습비를

제거한다."고 하였고,「본초강목(本草綱目)」에는 "이 풀은 길가의 수레바퀴가 지나는 곳에 흔히 보이므로 차전(車前)이라고 한다. 그리고 두꺼비가 이 풀 밑에 잘 숨기 때문에 하마의(蝦蟆衣)라고 하기도 한다."고 하였다.「동의보감(東醫寶鑑)」에 차전자는 "주로 기의 장애로 소변이 잘 나오지 않는 증상에 쓰며 소변을 잘 나오게 한다. 눈을 밝게 하고 바람으로 인해 간에 난 열과 독이 위로 치밀어 눈이 충혈되고 아프며 장예(障翳)가 생긴 것을 없앤다."고 하였다.
神農本草經: 主氣癃 止痛 利水道小便 除濕痹.
藥性論: 能去風毒 肝中風熱 毒風衝眼 赤痛障翳 腦痛淚出 去心胸煩熱.
東醫寶鑑: 主氣癃 通五淋 利水道 通小便淋澁 明目 能去肝中風熱 毒風衝眼 赤痛障翳.
성상 차전자(車前子)는 납작한 타원형으로 길이 2~2.5mm, 너비 0.7~1mm, 두께 0.3~0.5mm이다. 표면은 광택이 있는 갈색~황갈색을 띤다. 등 쪽은 활 모양으로 융기하지만 아래쪽은 다소 오목하다. 냄새가 없고 맛은 약간 쓰며, 점액성이다. 품질은 신선한 것일수록 좋다.

기미 · 귀경 차전초(車前草): 한(寒), 감(甘) ·

간(肝), 신(腎), 방광(膀胱). 차전자(車前子): 미한(微寒), 감(甘), 담(淡) · 폐(肺), 간(肝), 신(腎), 방광(膀胱).
약효 차전초(車前草)는 청열이뇨(清熱利尿), 양혈(凉血), 해독의 효능이 있으므로 소변불리(小便不利), 임탁대하(淋濁帶下), 혈뇨, 황달, 수종, 간열목적(肝熱目赤)을 치료한다. 차전자(車前子)는 청열이뇨(清熱利尿), 삼습지사(滲濕止瀉), 명목(明目), 거담(祛痰)의 효능이 있으므로 소변불리(小便不利), 임탁대하(淋濁帶下), 수종창만(水腫脹滿), 서습사리(暑濕瀉痢), 목적장예(目赤障翳), 담열해천(痰熱咳喘)을 치료한다.
성분 차전초(車前草)는 ursolic acid, β-sitosteryl palmitate, luteolin−7−*O*−β−glucopyranoside, aucubin, catapol, plantagin, acteoside, syringin, plantamajoside, hellicoside, hentridcontane 등이 함유되어 있다. 차전자(車前子)는 aucubin, plantgoside, gentiposidic acid, plantenolic acid, daucosterol 등이 함유되어 있다.
약리 차전초(車前草)의 열수추출물을 토끼에게 주사하면 이뇨 작용이 나타나고 고양이에게 주사하면 기침과 가래가 줄어든다. 차전자(車前子)의 열수추출물을 토끼의 무릎 관절에 주입하면 처음에는 골막에 염증이 생기지만 차차 결합 조직이 증식하기 시작한다. 따라서 이완된 관절낭에 본래의 긴장을 회복시킬 가능성이 있어 임상적으로 주목된다.
사용법 차전초는 20g에 물 4컵(800mL)을, 차전자는 10g에 물 3컵(600mL)을 넣고 달

여서 복용하거나 알약으로 만들어 복용한다. 외용에는 짓찧어 바른다. 차전자는 변비 치료제로 제약 산업에서 널리 이용하고 있다.

처방 차전자환(車前子丸): 차전자(車前子)·영양각(羚羊角)·방풍(防風)·토사자(菟絲子) 각 40g, 결명자(決明子) 60g(『향약집성방(鄕藥集成方)』). 간에 풍열(風熱)이 있어서 시력이 나빠지는 증상에 사용한다.

• 차전초탕(車前草湯): 차전초(車前草)·애엽(艾葉)·백출(白朮)·산사자(山査子) 각 4g, 대추(大棗) 3g, 감초(甘草) 2g(『동약건강(東藥健康)』). 만성간염으로 소화가 잘 되지 않으면서 간이 붓거나 몸이 붓는 증상에 사용한다.

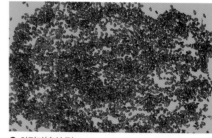

❍ 차전자(車前子)

❍ 차전초(車前草)

❍ 차전자(車前子)가 배합된 기침약

❍ 차전자(車前子)가 배합된 변비약

❍ 질경이

[질경이과]

창질경이

🫘 요로감염, 신장염		❤️ 수종
🤰 이질, 간염		👁️ 결막염

● 학명 : *Plantago lanceolata* L. ● 별명 : 양질경이

1	2	3	4	5	6	7	8	9	10	11	12

여러해살이풀. 뿌리줄기는 굵다. 잎이 뿌리에서 나와 비스듬히 퍼지며 긴 타원형이다. 꽃은 백색, 6~8월에 피며, 꽃받침은 길이 2mm 정도로 4개로 갈라지고 수술이 길게 밖으로 나오며 암술은 1개이다. 삭과는 꽃받침보다 2배 정도 길며, 6~8개의 흑색 종자가 나온다.

분포·생육지 유럽 원산. 우리나라 전역에 널리 퍼져 있는 귀화 식물이다.

약용 부위·수치 전초를 여름부터 가을까지 채취하여 말린다.

약물명 장엽차전(長葉車前)

약효 청열(淸熱), 이뇨(利尿), 명목(明目)의 효능이 있으므로 요로감염, 신장염, 수종, 이질, 간염, 결막염을 치료한다.

사용법 장엽차전 10g에 물 3컵(600mL)을 넣고 달여서 복용한다.

❍ 장엽차전(長葉車前)

❍ 창질경이

왕질경이

소변불리, 임탁대하, 헐뇨　　황달, 서습사리
수종　　간열목적　　담열해천

● 학명 : *Plantago major* L.　● 별명 : 큰질경이

| 1 | 2 | 3 | 4 | 5 | 6 | 7 | 8 | 9 | 10 | 11 | 12 |

여러해살이풀. 뿌리줄기는 굵다. 전체에 털이 거의 없다. 잎은 길이 30cm 정도로 크다. 삭과는 옆으로 갈라지면서 뚜껑이 열리고 8~12개의 암갈색 종자가 나온다.
분포·생육지 우리나라 전역. 중국, 일본. 바닷가에서 자란다.

약용 부위·수치 지상부는 여름에, 종자는 가을에 채취하여 흙을 털어서 말린다. 종자는 염수초(鹽水炒)하거나 술에 담갔다가 쪄서 말린다.
성분 10-hydroxymajoroside, (7*S*,8*R*) dehydrodiconiferyl alcohol, plantamajo-side, plantainoside E, hemiphroside A, 3-*epi*-oleanolic acid, 3-*epi*-ursolic acid, 6-hydroxyapigenin-7-*O*-β-D-glucoside 등이 함유되어 있다.
약리 10-hydroxymajoroside는 angiotensin converting enzyme의 활성을 억제한다.
사용법 차전자 10g에 물 3컵(600mL)을 넣고 달여서 복용한다.
＊기타 사항은 '질경이'와 같다.

○ 왕질경이

○ 차전자(車前子)

○ 왕질경이(꽃)　　　○ 왕질경이(열매)

약질경이

변비

● 학명 : *Plantago psyllium* L. [*P. afra*]　● 영명 : Husk, Psyllium, Black psyllium

| 1 | 2 | 3 | 4 | 5 | 6 | 7 | 8 | 9 | 10 | 11 | 12 |

한해살이풀. 전체에 부드러운 백색 털이 많다. 잎은 줄기 윗부분과 끝에 달리고 피침형으로 길며 가장자리는 밋밋하다. 꽃은 백색, 줄기 끝에서 수상화서로 조밀하게 핀다. 종자는 작고 흑색이다.
분포·생육지 유럽 원산. 서아시아, 아프리카, 미국, 오스트레일리아, 남아메리카 등에 귀화하여 들이나 길가에서 흔하게 자란다.
약용 부위·수치 종자를 가을에 채취하여 건조시킨 뒤 빻아서 껍질을 채취하여 사용한다.
약물명 Plantaginis Semen. Psyllium 또는 Fleawort라고도 한다.
약효 사하(瀉下)의 효능이 있으므로 변비를 치료한다.
성분 점액질(arabinose 또는 xylose의 다당체)을 많이 함유한다.
약리 점액질은 팽윤(膨潤) 작용이 있으므로 장내의 숙변을 배출시킨다.
사용법 Plantaginis Semen 1~2g을 뜨거운 물로 우려내어 복용한다.

○ 약질경이

○ Plantaginis Semen

○ Plantaginis Semen으로 만든 변비약

[인동과]

육도목

풍습비통 열독옹창

●학명 : *Abelia biflora* Turcz. ●한자명 : 六道木

1	2	3	4	5	6	7	8	9	10	11	12

✪ 육도목(꽃봉오리)

낙엽 관목. 높이 1~3m. 어린가지는 털이 많으나 차츰 없어진다. 잎은 마주나고 타원형, 가장자리는 작거나 굵은 톱니가 있다. 꽃은 황백색, 4~6월에 잎겨드랑이에서 꽃줄기가 나와 끝에 2개씩 달린다. 열매는 수과 같은 핵과로 길이 8mm 정도이다.

분포 · 생육지 중국. 해발 1,200~2,000m에서 자란다.

약용 부위 · 수치 열매를 7~8월에 채취하여 말린다.

약물명 교시목(交翅木)

약효 거풍제습(祛風除濕), 해독소종(解毒消腫)의 효능이 있으므로 풍습비통(風濕痺痛), 열독옹창(熱毒癰瘡)을 치료한다.

사용법 교시목 10g에 물 3컵(600mL)을 넣고 달여서 복용한다.

✪ 육도목

[인동과]

댕댕이나무

정창, 단독 유옹

장옹, 습열이질

●학명 : *Lonicera caerulea* L. var. *edulis* Turcz. ●별명 : 댕강나무

1	2	3	4	5	6	7	8	9	10	11	12

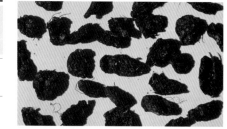

✪ 남정과(藍錠果)

낙엽 관목. 높이 1.5m 정도. 가지가 많이 갈라지고, 줄기 속은 꽉 차며 줄기껍질은 오래되면 세로로 터진다. 잎은 마주나고 타원형, 길이 2~4cm, 너비 1~1.5cm, 가장자리는 밋밋하다. 꽃은 황백색, 5~6월에 잎겨드랑이에서 꽃줄기가 나와 끝에 2개씩 달린다. 열매는 장과로 타원상 구형, 7~8월에 흑자색으로 익고, 흰 가루로 뒤덮인다.

분포 · 생육지 우리나라 전역. 중국. 일본. 높은 산에서 자란다.

약용 부위 · 수치 열매를 7~8월에 채취하여 말린다.

약물명 남정과(藍錠果). 구내자(狗奶子)라고도 한다.

약효 청열해독(淸熱解毒), 산옹소종(散癰消腫)의 효능이 있으므로 정창(疔瘡), 유옹(乳癰), 장옹(腸癰), 단독(丹毒), 습열이질(濕熱痢疾)을 치료한다.

사용법 남정과 10g에 물 3컵(600mL)을 넣고 달여서 복용하거나 술에 담가서 복용한다.

✪ 열매   ✪ 댕댕이나무

[인동과]

각시괴불나무

정창, 옹종

● 학명 : *Lonicera chrysantha* Turcz. ● 별명 : 푸른괴불나무, 푸른아귀꽃나무

1	2	3	4	5	6	7	8	9	10	11	12

낙엽 관목. 높이 3~4m. 속이 비어 있으며, 잎은 마주나고 넓은 타원형, 길이 5~12cm, 너비 3~5cm, 가장자리는 밋밋하고 털이 있으며, 잎자루는 길이 3~7mm이다. 꽃은 황백색, 5~6월에 잎겨드랑이에서 꽃줄기가 나와 끝에 2개씩 달린다. 열매는 장과로 구형, 8~9월에 붉은색으로 익는다.

분포 · 생육지 우리나라 전역. 중국, 일본. 높은 산에서 자란다.

약용 부위 · 수치 열매를 7~8월에 채취하여 말린다.

약물명 황화인동(黃花忍冬)

약효 청열해독(淸熱解毒), 산옹소종(散癰消腫)의 효능이 있으므로 정창(疔瘡), 옹종(癰腫)을 치료한다.

사용법 황화인동 10g에 물 3컵(600mL)을 넣고 달여서 복용하거나 술에 담가서 복용한다.

○ 황화인동(黃花忍冬)

○ 각시괴불나무(꽃)

○ 각시괴불나무

[인동과]

인동덩굴

발열　열독혈리　종독, 나력
이하선염, 서온구갈　근골동통

● 학명 : *Lonicera japonica* Thunb. ● 별명 : 인동, 눙박나무

1	2	3	4	5	6	7	8	9	10	11	12

반상록 덩굴성 나무. 잎은 마주나고, 꽃은 6~7월에 잎겨드랑이에 1~2개가 달리며, 꽃받침은 털이 없다. 화관은 길이 3~4cm, 백색에서 황색으로 되며 겉에 털이 있고 끝이 5갈래, 그중 1개가 깊게 갈라져서 뒤로 말린다. 수술은 5개, 암술은 1개이다. 열매는 둥글고 지름 7~8mm, 9~10월에 흑색으로 익는다.

분포 · 생육지 우리나라 전역. 중국, 일본. 산기슭에서 자란다.

약용 부위 · 수치 줄기는 수시로, 꽃은 6월에 채취하여 말린다. 꽃은 건조한 그대로 사용하거나 약한 불에 살짝 볶아서 사용한다.

약물명 꽃을 금은화(金銀花)라 하고, 은화(銀花), 이보화(二寶花), 이화(二花), 인동화(忍冬花), 쌍화(雙花)라고도 한다. 줄기를 인동등(忍冬藤), 꽃을 수증기 증류하여 만든 액을 금은화로(金銀花露)라 한다. 금은화(金銀花)와 인동등(忍冬藤)은 대한민국약전(KP)에 수재되어 있다.

본초서 금은화(金銀花)는 「명의별록(名醫別錄)」의 상품(上品)에 인동(忍冬)이라는 이름으로 수재되어 있다. 명(明)나라 이시진의 「본초강목(本草綱目)」에는 "인동(忍冬)은 각처에 있으며 다른 나무에 붙어서 덩굴을 이루고, 줄기는 자주색이며 마디에 잎이 나고 3~4월에 꽃이 피며 4월에 꽃을 채집하여 음지에서 말린다."고 하였다. 금은화(金銀花)라는 이름은 「본초강목(本草綱目)」에 처음 나타나며, 꽃이 은색(銀色)으로 피었다가 금색(金色)으로 시들기 때문에 붙여진 이름이라고 하였다. 인동등(忍冬藤)은 「명의별록(名醫別錄)」에 수재되어 "추웠다 열이 났다 하면서 몸이 붓는 것에 효능이 있으며 오랫동안 복용하면 몸이 튼튼해지고 오래 산다."고 하였고, 「본초강목(本草綱目)」에는 "풍습기 질병 및 여러 종독, 옴, 피부병, 악창 등을 치료한다."고 하였다. 「동의보감(東醫寶鑑)」에 금은화는 "추웠다 열이 났다 하면서 몸이 붓는 것, 더위 때문에 생기는 발진, 피가 섞인 대변, 오시(五尸, 다섯 가지 전염병)를 낫게 한다."고 하였다.

金銀花
滇南本草: 淸熱, 解諸瘡 癰疽發背 無名腫毒 丹瘤 瘰癧.
雷公炮制藥性解: 主熱毒血痢 消癰散毒 補虛 療風 久服延年.
本草滙言: 驅風除濕 散熱療庳 消癰止痢.
東醫寶鑑: 主寒熱身腫 熱毒血痢 療五尸.
忍冬藤
名醫別錄: 主寒熱身腫 久服輕身 長年益壽.
本草綱目: 一切風濕氣及諸腫毒 癰疽疥癬 楊梅惡瘡 散熱解毒.

○ 인동덩굴

성상 금은화(金銀花)는 가는 막대기~깔때기 모양을 한 꽃봉오리 혹은 막 핀 꽃으로 길이 15~35mm이고 윗부분은 지름 3mm 정도, 아랫부분은 2mm 정도이다. 표면은 황백색~황록색이고 오래 저장된 것일수록 색이 짙어진다. 확대경으로 보면 엷은 갈색 털이 있고 꽃받침은 녹색으로 5개로 갈라져 있다. 수술 5개, 암술 1개이며, 씨방에는 털이 없다. 특이한 냄새가 있고 맛은 담백하며 약간 쓰고 수렴성이다. 인동등(忍冬藤)은 줄기로 원주형이고 마디에는 잎이 붙었던 자국과 가지를 자른 흔적이 있다. 표면은 엷은 홍색~어두운 홍색으로 세로무늬가 있고 잔털이 있다. 횡단면은 섬유상으로 황백색이며 중심은 비어 있다. 냄새가 없고 맛은 조금 떫고 쓰다.

기미·귀경 금은화(金銀花): 한(寒), 감(甘)·폐(肺), 심(心), 위(胃). 인동등(忍冬藤): 한(寒), 감(甘)·심(心), 폐(肺)

약효 금은화(金銀花)는 청열(淸熱), 해독의 효능이 있으므로 발열(發熱), 열독혈리(熱毒血痢), 종독(腫毒), 나력(瘰癧), 이하선염(耳下腺炎)을 치료한다. 인동등(忍冬藤)은 청열(淸熱), 해열, 통경락(通經絡)의 효능이 있으므로 온병발열(溫病發熱), 열독혈리(熱毒血痢), 간염, 근골동통(筋骨疼痛)을 치료한다. 금은화로(金銀花露)는 청열(淸熱), 양혈(養血), 소서(消暑), 지갈(止渴)의 효능이 있으므로 서온구갈(暑溫口渴), 열독(熱毒), 매독, 혈리(血痢)를 치료한다.

성분 금은화(金銀花)는 flavonoid인 luteolin, luteolin-O-glucoside, isoquercitrin, rhoifolin, flavoyadorinin B, artemicapin C, apigenin, coumarin인 6,7-dimethoxycoumarin, herniarin, daphnetin dimethyl ether, 7,8-methylenedioxycoumarin, 5-hydroxy-6,8-methylenedioxycoumarin, 6-hydroxy-7,8-methylenedioxycoumarin, 5,6-dimethoxy-7,8-methylenedioxycoumarin, 6-methoxy-7,8-methylenedioxycoumarin, 5,6,7-trimethoxycoumarin, phenylpropanoid인 4,5-dicaffeoylquinic acid, 4,5-dicaffeoylquinic acid methyl ester, 3,5-dicaffeoylquinic acid, 3,5-dicaffeoylquinic acid methyl ester, chlorogenic acid, methyl chlorogenate, caffeic acid, iridoid: centauroside, 7-dehydrologanin, secologanin dimethyl acetal 등이 함유되어 있다. 정유(精油)는 0.3%이며, 주성분은 1,8-cineole(eucalyptol), cuminal, artemisia alcohol이다. 인동등(忍冬藤)은 iridoid glycoside인 loganin, loganic acid, secologanin, secologanin dimethyl acetal, sweroside, demethylsecologanol, secologanoside 7-methylester, kingiside, morroniside, 8-epiloganin, vogeloside, epi-vogeloside, loniceracetalide A, B, flavonoid인 luteolin, lonicerin, apigenin, triterpenoid saponin: loniceroside A, B, C, obtusifoliol, 24(S)-cycloart-24-en-3β,24-diol, gramisterol, citrostadienol, ursolic acid, pomolic acid, euscaphic acid, phenolic compound: caffeic acid, caffeic acid methyl ester, coniferylaldehyde 4-O-glucoside, coniferin, 3-caffeoylquinic acid methyl ester, 3,5-dicaffeoylquinic acid, vanillic acid, eugenol, chlorogenic acid, 2-phenylethanol, 7,8-threo-4,7,9,3′,9′-pentahydroxy-3-methoxy-8-O-4′-neoligan, lignan인 pinoresinol glucoside, 9α-pinoresinol, (+)-5-demethyl-3-methoxyisolariciresinol, fatty acid인 trilinolein, pinellic acid, 9,12,13-trihydroxyoctadeca-10(E), 15(Z)-dienoic acid 등이 함유되어 있다.

약리 금은화(金銀花): luteolin은 토끼의 적출 장관에 진경 작용이 있으나 papaverine보다 약하다. 잎의 에탄올추출물은 티푸스균, 대장균, 녹농균 등에 항균 작용이 있다. 메탄올추출물은 L1210 등의 암세포의 성장을 저지시킨다. methylcaffeate는 암세포인 A549, HCT-15의 증식을 억제한다. chlorogenic acid는 혈관 신생을 억제한다. caffeic acid, lonicerin, kaempferol-O-rutinoside, quercetin, luteolin은 glutamate로 유도한 신경 독성에 신경 보호 작용을 나타낸다. 인동등(忍冬藤): 핵산 분획물과 부탄올 분획물은 DPPH에 free radical 소거 활성을 크게 나타낸다. 에탄올추출물은 Leptospira의 성장을 억제하는데 그 효과는 연교, 황백, 조휴와 비슷하다. 물로 달인 액을 동물에게 투여하면 땀이 나면서 열이 내려간다. ochnaflavone, α-hederin, luteolin은 암세포인 A549, HCT-15의 증식을 억제한다. rhoifolin, diosmetin 7-O-glucoside, loniceroside는 암 전이를 억제한다.

사용법 금은화 또는 인동능 10g에 물 3컵(600 mL)을 넣고 달여서 복용하고, 외용에는 짓찧어 낸 즙을 바른다. 금은화로는 10mL를 물에 희석하여 복용한다.

처방 은교산(銀翹散): 금은화(金銀花)·연교(連翹) 각 16g, 길경(桔梗)·두시(豆豉)·죽엽(竹葉) 각 12g, 우방자(牛蒡子) 8g, 형개(荊芥)·박하(薄荷)·감초(甘草) 각 4g(『온병조변(溫病條辨)』). 열이 나고 땀이 나지 않는 초기 감기, 춥고 두통이 나며 갈증이 나는 증상에 사용한다.

• 은화진피탕(銀花陳皮湯): 금은화(金銀花) 15g, 포공영(蒲公英) 10g, 연교(連翹)·진피(陳皮)·감초(甘草) 각 4g(『처방집(處方集)』). 급성유선염이나 여러 화농성 염증에 사용한다.

• 인동환(忍冬丸): 인동등(忍冬藤)과 감초(甘草)를 2:1로 섞어서 알약으로 만듦(『동의보감(東醫寶鑑)』). 당뇨병으로 인하여 옹저(癰疽)가 생긴 것을 치료하거나 예방하기 위하여 사용한다.

• 인동주(忍冬酒): 금은화(金銀花)·감초(甘草) 동량(『증치준승(證治準繩)』). 옹저(癰疽)를 치료한다.

＊중국에 분포하는 '화남인동(華南忍冬) L. confusa', '고선인동(菰腺忍冬) L. hypoglauca', '황갈모인동(黃褐毛忍冬) L. fulvotomentosa'도 약효가 같다.

❶ 금은화(金銀花)

❶ 금은화(金銀花, 신선품)

❶ 인동등(忍冬藤)

❶ 금은화(金銀花)가 배합된 편도선염, 인후염 치료제

❶ 인동덩굴(뿌리)

❶ 인동덩굴(꽃)

❶ 인동덩굴(열매)

❶ 은교산(銀翹散). 목감기 치료제

[인동과]

화남인동

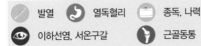
발열 | 열독혈리 | 종독, 나력
이하선염, 서온구갈 | 근골동통

● 학명 : *Lonicera confusa* (Sweet) DC. [*L. multiflora*]　● 한자명 : 華南忍冬

1	2	3	4	5	6	7	8	9	10	11	12

반상록성 덩굴나무. '인동덩굴'과 비슷하나 어린가지, 잎자루, 꽃자루, 소포편에 황색의 구부러진 털이 많이 있는 점이 다르다.

분포 · 생육지 중국 광둥성(廣東省), 광시성(廣西省), 하이난성(海南省). 산골짜기에서 자란다.

약용 부위 · 수치 줄기는 수시로, 꽃은 6월에 채취하여 말린다.

약물명 꽃을 금은화(金銀花) 또는 산은화 (山銀花)라 하고, 줄기를 인동등(忍冬藤), 꽃을 수증기 증류하여 만든 액을 금은화로(金銀花露)라 한다.

약효 금은화(金銀花)는 청열(淸熱), 해독의 효능이 있으므로 발열(發熱), 열독혈리(熱毒血痢), 종독(腫毒), 나력(瘰癧), 이하선염을 치료한다. 인동등(忍冬藤)은 청열(淸熱), 해열(解熱), 통경락(通經絡)의 효능이 있으므로 온병발열(溫病發熱), 열독혈리(熱毒血痢), 간염, 근골동통을 치료한다. 금은화로(金銀花露)는 청열(淸熱), 양혈(養血), 소서(消暑), 지갈(止渴)의 효능이 있으므로 서온구갈(暑溫口渴), 열독, 매독, 혈리를 치료한다.

사용법 금은화 또는 인동등 10g에 물 3컵(600mL)을 넣고 달여서 복용하고, 외용에는 짓찧어 낸 즙을 바른다. 금은화로는 10mL를 물에 희석하여 복용한다.

* 중국에서는 '인동덩굴'의 꽃과 함께 금은화로 많이 사용하고 있다.

❍ 화남인동

❍ 금은화(金銀花)

❍ 금은화(金銀花, 신선품)

[인동과]

괴불나무

감기, 해수, 폐옹 | 인후종통
유옹 | 습창

● 학명 : *Lonicera maackii* Max.　● 별명 : 절초나무, 아귀꽃나무

1	2	3	4	5	6	7	8	9	10	11	12

❍ 괴불나무

낙엽 관목. 높이 3~5m. 가지는 속이 비어 있으며, 잎은 마주난다. 꽃은 5~6월에 잎겨드랑이에 피며, 꽃받침은 5개로 깊게 갈라진다. 화관은 지름 2cm 정도, 백색에서 황색으로 변하고, 통부는 길이 3mm 정도이다. 수술대 기부에 털이 있으며, 꽃밥은 황색, 암술머리는 황록색이다. 열매는 9~10월에 붉은색으로 익고 달걀 모양 또는 구형이다.

분포 · 생육지 우리나라 전역. 중국, 일본. 산기슭에서 자란다.

약용 부위 · 수치 가지와 잎을 봄에 채취하여 썰어서 말린다.

약물명 금은인동(金銀忍冬). 목금은(木金銀), 수금은(水金銀), 금은등(金銀藤)이라고도 한다.

약효 거풍(祛風), 청열해독(淸熱解毒)의 효능이 있으므로 감기, 해수(咳嗽), 인후종통(咽喉腫痛), 폐옹(肺癰), 유옹(乳癰), 습창(濕瘡)을 치료한다.

성분 hexahydroxyamentoflavone, 5,7,4′-trihydroxyflavone, mono-*O*-methylmentoflavone, di-*O*-methylmentoflavone, hesperetin-*O*-glucoside, luteolin-7-*O*-β-D-glucoside, *epi*-vogeloside, vogeloside 등이 함유되어 있다.

약리 열수추출물을 쥐의 복강에 주사하면 면역 증강 작용이 나타난다.

사용법 금은인동 10g에 물 3컵(600mL)을 넣고 달여서 복용하고, 외용에는 짓찧어 상처에 붙이거나 즙액을 바른다.

❍ 금은인동(金銀忍冬)

❍ 괴불나무(열매)

❍ 괴불나무(꽃)

[인동과]

홍산화

 급만성신장염　풍습동통, 골절상
풍진소양

● 학명 : *Sambucus adnata* Wall.　● 한자명 : 紅山花

| 1 | 2 | 3 | 4 | 5 | 6 | 7 | 8 | 9 | 10 | 11 | 12 |

낙엽 관목. 높이 1~2m. 뿌리와 뿌리줄기는 붉은색이다. 잎은 마주나고 3~5쌍의 작은잎으로 구성된 홀수 1회 깃꼴겹잎이며, 작은잎은 가장자리에 뾰족한 톱니가 있다. 꽃은 백색, 5~7월에 가지 끝에 원추화서로 피고 꽃밥은 황색이다. 열매는 핵과로 둥글며 붉은색으로 익는다.

분포·생육지 중국 칭하이성(靑海省), 간쑤성(甘肅省), 쓰촨성(四川省). 해발 1,600~3,600m의 산지에서 자란다.

약용 부위·수치 지상부 또는 뿌리껍질을 여름에 채취하여 물에 씻은 후 썰어서 말린다.

약물명 혈만초(血滿草), 접골약(接骨藥), 접골단(接骨丹), 혈관초(血管草)라고도 한다.

약효 거풍이수(祛風利水), 활혈통락(活血通絡)의 효능이 있으므로 급만성신장염, 풍습동통(風濕疼痛), 풍진소양(風疹瘙痒), 골절상을 치료한다.

성분 잎에는 rutin, isoquercitrin, hyperoside가 함유되어 있다.

사용법 혈만초 10g에 물 3컵(600mL)을 넣고 달여서 복용하고, 골절상에는 짓찧어 환부에 붙이고 붕대로 싸맨다.

❍ 홍산화

❍ 홍산화(꽃)

[인동과]

육영

 풍습비통, 요통, 골절상　 황달

● 학명 : *Sambucus chinensis* Lindl.　● 한자명 : 陸英

| 1 | 2 | 3 | 4 | 5 | 6 | 7 | 8 | 9 | 10 | 11 | 12 |

낙엽 관목. 높이 2m 정도. 가지는 능각이 있으며 수(髓)는 백색이다. 잎은 마주나고 2~3쌍의 작은잎으로 구성된 홀수 1회 깃꼴겹잎이며, 작은잎은 가장자리에 뾰족한 톱니가 있다. 꽃은 황자색, 5~7월에 가지 끝에 원추화서로 핀다. 열매는 핵과로 둥글며 붉은색으로 익는다.

분포·생육지 중국 산시성(陝西省), 구이저우성(貴州省), 쓰촨성(四川省), 간쑤성(甘肅省). 산지에서 자란다.

약용 부위·수치 가지와 잎을 여름과 가을에 채취하여 물에 씻은 후 썰어서 말린다.

약물명 육영(陸英)

약효 거풍이수(祛風利水), 서근활혈(舒筋活血)의 효능이 있으므로 풍습비통(風濕痺痛), 요통, 황달, 골절상을 치료한다.

사용법 육영 10g에 물 3컵(600mL)을 넣고 달여서 복용하고, 골절상에는 짓찧어 환부에 붙이고 붕대로 싸맨다.

❍ 육영(잎)

❍ 육영(陸英)

❍ 육영

[인동과]

검은딱총나무

🫁 감기　　👁 건초열
🌀 변비, 소화불량

● 학명 : *Sambucus nigra* L.　● 영명 : Elder, Elderberry tree　● 별명 : 검은딱총

| 1 | 2 | 3 | 4 | 5 | 6 | 7 | 8 | 9 | 10 | 11 | 12 |

❍ 검은딱총나무

낙엽 관목. 높이 3~4m. 줄기껍질에 혹이 많다. 잎은 마주나고 2~3쌍의 작은잎으로 구성된 홀수 1회 깃꼴겹잎이며 작은잎은 가장자리에 뾰족한 톱니가 있다. 꽃은 백색, 5월에 가지 끝에 원추화서로 피고 꽃밥은 황색이다. 열매는 핵과로 둥글며 흑색으로 익는다.

분포 · 생육지 폴란드 원산. 유럽, 북아프리카, 북아메리카, 남아메리카에서 재식한다.

약용 부위 · 수치 꽃은 봄에, 열매는 가을에 채취하여 말린다.

약물명 꽃을 Sambuci Nigrae Flos, 열매를 Sambuci Nigrae Fructus라 한다.

약효 꽃은 감기, 건초열을 치료하고, 열매는 변비, 소화불량을 치료한다.

성분 잎에는 rutin, isoquercitrin, hyperoside가 함유되어 있다.

사용법 Sambuci Nigrae Flos 또는 Sambuci Nigrae Fructus 3g을 뜨거운 물에 우려내어 복용한다.

❍ Sambuci Nigrae Flos

[인동과]

서양딱총나무

🫁 감기

● 학명 : *Sambucus racemosa* L.

| 1 | 2 | 3 | 4 | 5 | 6 | 7 | 8 | 9 | 10 | 11 | 12 |

낙엽 관목. 높이 3~5m. 잎은 마주나고 보통 2쌍의 작은잎으로 구성된 홀수 1회 깃꼴겹잎이다. 꽃은 황색 또는 연한 녹색, 5월에 가지 끝에 원추화서로 핀다. 꽃밥은 황색, 가지에는 도드라진 원형의 피목이 있고, 수(髓)는 백색이다.

분포 · 생육지 유럽 원산. 산골짜기에서 자라며 중국, 일본 등에서 재식한다.

약용 부위 · 수치 꽃을 봄에 채취하여 말린다.

약물명 Sambuci Racemosae Flos

약효 감기를 치료한다.

사용법 Sambuci Racemosae Flos 3g을 뜨거운 물에 우려내어 복용한다.

HOLUNDERBLÜTEN
Erkältungskrankheiten
100 g　€ 5,⁸⁰　Nr.: 60

❍ Sambuci Racemosae Flos

❍ 서양딱총나무(열매)

❍ 서양딱총나무

[인동과]

딱총나무

풍습비통, 통풍, 대골절병
타박상, 풍진, 외상출혈
급만성신염, 소변불리
감기

●학명 : *Sambucus sieboldiana* (Miq.) Bl. var. *miquelii* (Nakai) Hara　●별명 : 개똥나무

| 1 | 2 | 3 | 4 | 5 | 6 | 7 | 8 | 9 | 10 | 11 | 12 |

낙엽 관목. 높이 3~5m. 잎은 마주나고 2~3쌍의 작은잎으로 구성된 홀수 1회 깃꼴겹잎이고, 작은잎은 가장자리에 뾰족한 톱니가 있으며 안으로 굽지 않는다. 꽃은 연한 황색 또는 연한 녹색, 5월에 가지 끝에 원추화서로 피며, 꽃밥은 황색이고 암술머리는 보라색이다. 열매는 핵과로 둥글며 7월에 암적색으로 익는다.

분포·생육지 우리나라 전역(제주도 제외). 중국, 일본, 사할린, 우수리. 산골짜기에서 자란다.

약용 부위·수치 줄기와 가지 또는 잎을 여름에 채취하여 썰어서 말린다. 꽃은 4~5월에 채취한다.

약물명 줄기와 가지를 접골목(接骨木)이라 하며, 속골목(續骨木)이라고도 한다. 잎을 접골목엽(接骨木葉), 꽃을 접골목화(接骨木花)라 한다. 접골목(接骨木)은 대한민국약전외한약(생약)규격집(KHP)에 수재되어 있다.

본초서 접골목(接骨木)은 「신수본초(新修本草)」의 목부(木部) 하품(下品)에 처음 수재되었으며, 상처난 뼈나 근육의 상처에 사용하므로 붙여진 이름이다. 「동의보감(東醫寶鑑)」에는 삭조(蒴藋)라는 이름으로 수재되어 "바람의 기운으로 몸이 가렵거나 오랜 기간 누워 지내는 환자의 엉덩이나 등이 짓무른 것, 몸과 팔다리가 마비되고 감각이 둔해지는 것을 낫게 한다."고 하였다.

東醫寶鑑: 主風瘙 癮疹 身痒 瘑癩 風痺.

성상 줄기 및 가지로 가는 원기둥 모양, 지름 1~1.5cm, 표면은 녹갈색이고 세로 주름과 튀어나온 흑갈색의 껍질눈(皮目)이 있다. 횡단면의 피층은 갈색이고 목부는 황백색이며 방사상의 무늬가 있다. 냄새는 없고 맛은 조금 쓰다.

기미·귀경 접골목(接骨木): 한(寒), 감(甘)·폐(肺)

약효 접골목(接骨木)은 거풍이습(祛風利濕), 활혈(活血), 지혈(止血)의 효능이 있으므로 풍습비통(風濕痺痛), 통풍(痛風), 대골절병(大骨節病), 급만성신염(急慢性腎炎), 풍진(風疹), 타박상, 골절종통(骨折腫痛), 외상출혈을 치료한다. 접골목엽(接骨木葉)은 활혈(活血), 서근(舒筋), 지통(止痛), 이습(利濕)의 효능이 있으므로 골절(骨折), 근골동통(筋骨疼痛), 풍습동통(風濕疼痛), 통풍(痛風), 각기(脚氣)를 치료한다. 접골목화(接骨木花)는 발한이뇨(發汗利尿)의 효능이 있으므로 감기, 소변불리를 치료한다.

성분 cerylalcohol, betulin, oleanolic acid, betulic acid 등이 함유되어 있다.

약리 접골목(接骨木) 달인 액을 쥐에게 투여하면 진정 작용이 있는데, 모르핀(morphine)보다 약하나 sulpyrine보다는 강하다.

사용법 접골목, 접골목엽 또는 접골목화 5g에 물 2컵(400mL)을 넣고 달여서 복용하고, 외용에는 짓찧어 낸 즙액을 바르며, 골절상에는 짓찧어 환부에 붙이고 붕대로 싸맨다.

＊ 작은잎이 급히 뾰족해져 꼬리 모양으로 되고 꽃차례는 반원형이며 식물체에 털이 없는 '넓은잎딱총나무 *S. latipinna*', 작은잎의 가장자리 톱니가 안으로 굽는 '덧나무 *S. sieboldiana*', 가장자리의 톱니가 안으로 굽고 꽃차례가 밑으로 드리우는 '말오줌나무 *S. sieboldiana* var. *pendula*'도 약효가 같다.

◐ 접골목엽(接骨木葉)

◐ 딱총나무

◐ 딱총나무(잎)

◐ 딱총나무(꽃)

◐ 접골목(接骨木)

◐ 접골목(接骨木, 중국산)

◐ 접골목(接骨木, 절편)

◐ 접골목(接骨木, 절편, 중국산)

[인동과]

가막살나무

| 감기 | 림프결핵 | 산후상풍 |
| 타박상 | 골절상 | 치통 |

●학명 : *Viburnum dilatatum* Thunb. ●별명 : 털가막살나무

| 1 | 2 | 3 | 4 | 5 | 6 | 7 | 8 | 9 | 10 | 11 | 12 |

낙엽 관목. 높이 2~3m. 잎은 마주나고 턱잎이 없다. 꽃은 5월에 짧은 가지 끝 밑부분에서 겹산형화서로 핀다. 꽃차례는 지름 8~12cm, 꽃의 지름은 5~6mm이며, 화관에 별 모양 털이 있고 수술이 화관보다 길다. 열매는 달걀 모양, 지름 8mm 정도, 9월에 붉은색으로 익는다.

분포 · 생육지 우리나라 황해도 및 강원도 이남. 중국, 일본. 산중턱 이하의 산골짜기에서 자란다.

약용 부위 · 수치 가지와 잎을 여름에 채취하여 적당한 크기로 썰어서 말린다. 뿌리는 수시로 채취하여 말린다.

약물명 가지와 잎을 협미(莢迷)라 하며, 산탕간(酸湯杆)이라고도 한다. 뿌리를 협미근(莢迷根)이라 한다.

약효 협미(莢迷)는 소풍해표(消風解表), 청열해독(淸熱解毒), 활혈(活血)의 효능이 있으므로 풍열(風熱)에 의한 감기, 산후상풍(産後傷風), 타박상이나 골절상을 치료한다. 협미근(莢迷根)은 거어소종(祛瘀消腫), 해독의 효능이 있으므로 타박상, 치통, 림프결핵을 치료한다.

성분 협미(莢迷)는 dilaspirolactone, ursolic acid, daucosterol, isoquercitrin, quercetin, kaempferol, salidroside, arbutin 및 coumarin계 성분이 함유되어 있다.

약리 협미(莢迷)의 메탄올추출물은 혈장 내 담즙 침착을 억제하는 효능이 있다.

사용법 협미 또는 협미근 15g에 물 4컵(800mL)을 넣고 달여서 복용하고, 외용에는 짓찧어 붙이거나 즙액을 바른다.

❍ 가막살나무

❍ 협미(莢迷)

❍ 협미근(莢迷根)

❍ 가막살나무(열매)

❍ 가막살나무(꽃)

[인동과]

덜꿩나무

| 풍습비통 | 구강염 |
| 습진 | |

●학명 : *Viburnum erosum* Thunb. ●별명 : 털가막살나무

| 1 | 2 | 3 | 4 | 5 | 6 | 7 | 8 | 9 | 10 | 11 | 12 |

낙엽 관목. 높이 2m 정도. 어린가지에 별 모양 털이 빽빽이 난다. 잎은 마주나고 턱잎이 있으며 잎자루가 2~6mm로 짧다. 꽃은 백색, 5월에 짧은 가지 끝에 겹우산 모양 꽃차례로 밑부분에 핀다. 열매는 달걀 모양, 지름 6mm, 9월에 붉은색으로 익는다.

분포 · 생육지 우리나라 황해도 및 강원도 이남. 중국, 일본. 산중턱 이하의 산골짜기에서 자란다.

약용 부위 · 수치 가지와 잎을 여름에 채취하여 적당한 크기로 썰어서 말린다. 뿌리는 수시로 채취하여 말린다.

약물명 뿌리를 의창협미(宜昌莢迷), 가지와 잎을 의창협미엽(宜昌莢迷葉)이라 한다.

약효 의창협미(宜昌莢迷)는 거풍제습(祛風除濕)의 효능이 있으므로 풍습비통(風濕痺痛)을 치료한다. 의창협미엽(宜昌莢迷葉)은 거어(祛瘀), 해독, 지양(止痒)의 효능이 있으므로 구강염, 습진을 치료한다.

사용법 의창협미는 10g에 물 3컵(600mL)을 넣고 달여서 복용하고, 의창협미엽은 짓찧어 붙이거나 즙액 또는 물에 달인 액을 바른다.

❍ 덜꿩나무

❍ 덜꿩나무(꽃)

❍ 덜꿩나무(잎)

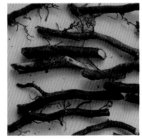

❍ 의창협미(宜昌莢迷)

❍ 의창협미엽(宜昌莢迷葉)

[인동과]

산호수

 감기 풍습비통, 골절
타박상

●학명 : *Viburnum odoratum* Kerr-Gawl. ●한자명 : 珊瑚樹

| 1 | 2 | 3 | 4 | 5 | 6 | 7 | 8 | 9 | 10 | 11 | 12 |

❶ 산호수

상록 소교목. 높이 10m 정도. 잎은 마주나고 타원형으로 가죽질이다. 꽃은 백색, 4~5월에 원추화서로 달리며, 핵과는 달걀 모양으로 붉은색으로 익다가 흑색이 된다.

분포 · 생육지 중국 후베이성((湖北省), 쓰촨성(四川省), 윈난성(雲南省). 산중턱 이하의 산골짜기에서 자란다.

약용 부위 · 수치 줄기껍질과 잎을 여름에 채취하여 적당한 크기로 썰어서 말린다.

약물명 조화수(早花樹), 뇌편목(雷片木)이라고도 한다.

약효 거풍제습(祛風除濕), 통경활락(通經活絡)의 효능이 있으므로 감기, 풍습비통(風濕痺痛), 타박상, 골절을 치료한다.

성분 chlorogenic acid, succinic acid, quercetin, rutin, vitamin A~F 등이 함유되어 있다.

사용법 조화수 10g에 물 3컵(600mL)을 넣고 달여서 복용하고, 외용에는 짓찧어 붙이거나 즙액을 바른다.

[인동과]

백당나무

요퇴동통 창절, 개선, 피부소양
해수

●학명 : *Viburnum sargentii* Koehne ●별명 : 청백당나무, 접시꽃나무

| 1 | 2 | 3 | 4 | 5 | 6 | 7 | 8 | 9 | 10 | 11 | 12 |

낙엽 관목. 높이 3m 정도. 잎은 마주나고 흔히 3갈래, 길이 5~10cm이다. 꽃은 황백색, 새 가지 끝에 취산화서로 달리며, 가장자리의 것은 중성화, 지름 3cm 정도이고, 가운데 것은 양성화로 종 모양이며 작다. 열매는 핵과로 지름 1cm 정도, 둥글고 붉은색으로 익는다.

분포 · 생육지 우리나라 전역. 중국, 일본. 산중턱 이하의 산골짜기에서 자란다.

약용 부위 · 수치 가지와 잎을 여름에 채취하여 썰고, 열매는 가을에 채취하여 말린다.

약물명 가지와 잎을 계수조(鷄樹條)라 하며, 산죽자(山竹子)라고도 한다. 열매를 계수조과(鷄樹條果)라 한다.

약효 계수조(鷄樹條)는 통경활락(通經活絡), 해독지양(解毒止痒)의 효능이 있으므로 요퇴동통(腰腿疼痛), 창절(瘡癤), 개선(疥癬), 피부소양(皮膚瘙痒)을 치료한다. 계수조과(鷄樹條果)는 지해(止咳)의 효능이 있으므로 해수(咳嗽)를 치료한다.

성분 계수조(鷄樹條)에는 chlorogenic acid, neochlorogenic acid, caffeic acid, arbutin, daucosterol, scopoletin, viopudial, opulus iridoid I~VIII 등이 함유되어 있다. 계수조과(鷄樹條果)에는 catechins, ascorbic acid(vitamin C), chlorogenic acid, sugar, leukoanthocyanins, urosolic acid 등이 함유되어 있다.

약리 opulus iridoid I을 쥐에게 투여하면 경련을 멈추게 하는 작용이 있다. 에탄올추출물은 자궁 수축 작용이 있으며, 혈액 응고 작용을 증강시킴으로써 지혈 작용을 나타낸다.

사용법 계수조 또는 계수조과 10g에 물 3컵(600mL)을 넣고 달여서 복용하고, 외용에는 짓찧어 붙이거나 즙액을 바른다.

❶ 백당나무

❶ 계수조과(鷄樹條果)

❶ 계수조(鷄樹條)

❶ 백당나무(열매)

❶ 백당나무(꽃)

[인동과]

상록협미

타박상　　어혈종통

● 학명 : *Viburnum sempervirens* K. Koch　● 한자명 : 常綠莢迷

1	2	3	4	5	6	7	8	9	10	11	12

상록 관목. 높이 4m 정도. 줄기껍질은 갈색, 잎은 마주나고 타원형, 가장자리에 톱니가 있다. 꽃은 백색, 5월에 취산화서로 달리며, 핵과는 편원형이다.

분포 · 생육지 광둥성(廣東省), 광시성(廣西省), 윈난성(雲南省). 산중턱 이하의 산골짜기에서 자란다.

약용 부위 · 수치 신선한 잎을 봄에 채취하여 짓찧어 사용한다.

약물명 백화견협수(白花堅莢樹). 견협수(堅莢樹)라고도 한다.

약효 활혈산어(活血散瘀), 속상지통(續傷止痛)의 효능이 있으므로 타박상, 어혈종통(瘀血腫痛)을 치료한다.

사용법 백화견협수 적당량을 짓찧어 환부에 붙이고 붕대로 싸맨다.

❍ 상록협미(꽃과 잎)

❍ 상록협미

[인동과]

병꽃나무

기허식소, 소화불량　　옹저, 창절

● 학명 : *Weigela subsessilis* L. H. Bailey　● 별명 : 청백당나무, 접시꽃나무

1	2	3	4	5	6	7	8	9	10	11	12

낙엽 관목. 높이 2~3m. 잎은 마주난다. 꽃은 황록색이 돌지만 붉은색으로 변하며 5월에 잎겨드랑이에 1~2개씩 달린다. 열매는 원주형으로 잔털이 있고 길이 1~1.5cm,

9월에 성숙하며 종자에 날개가 있다.

분포 · 생육지 우리나라 전역. 중국, 일본. 산중턱 이하의 산골짜기에서 자란다.

약용 부위 · 수치 뿌리는 봄부터 가을까지 채취하여 물에 씻은 후 썰어서 말리고, 잎과 가지는 봄부터 가을까지 생것을 채취하여 사용한다.

약물명 뿌리를 수마상(水馬桑)이라 하며, 백마상(白馬桑), 수탄골(水呑骨)이라고도 한다. 잎과 가지를 수마상지엽(水馬桑枝葉)이라 한다.

약효 수마상(水馬桑)은 익기(益氣), 건비(健脾)의 효능이 있으므로 기허식소(氣虛食少), 소화불량을 치료한다. 수마상지엽(水馬桑枝葉)은 청열해독(淸熱解毒)의 효능이 있으므로 옹저(癰疽), 창절(瘡癤)을 치료한다.

성분 squalene, β-sitosterol, β-sitosterol acetate, daucosterol, ursolic acid, ilekudinol A, ilekudinol B, corosolic acid, esculentic acid, promolic acid, asiatic acid, scopoletin, scopolin, cleomiscosin A, fraxin, alboside I 등이 함유되어 있다.

약리 cleomiscosin A는 DPPH 소거 작용과 Cu²⁺에 의한 과산화 지질을 억제하는 효능이 있다. ursolic acid, ilekudinol A, ilekudinol B, corosolic acid, esculentic acid는 암세포인 L1210, K562, HL60의 증식을 억제한다. promolic acid는 항보체 활성이 있다.

사용법 수마상은 15g에 물 4컵(800mL)을 넣고 달여서 복용하고, 수마상지엽은 외용으로만 사용하며, 생것을 짓찧어 붙이거나 즙액을 바른다.

＊화관 겉에 털이 없는 '골병꽃나무 *W. hortensis*', 꽃받침이 중간 정도 갈라지며 잎의 양면에 털이 있는 '소영도리나무 *W. praecox*', 꽃받침이 중간 정도 갈라지며 잎 뒷면의 맥에만 털이 있는 '붉은병꽃나무 *W. florida*'도 약효가 같다.

❍ 병꽃나무

❍ 수마상(水馬桑)

❍ 수마상지엽(水馬桑枝葉)

❍ 병꽃나무(꽃)

연복초

전신무력증, 피로감, 병후허약증

●학명 : *Adoxa moschatellina* L.　●별명 : 련복초

1	2	3	4	5	6	7	8	9	10	11	12

여러해살이풀. 높이 5~15cm. 뿌리줄기는 옆으로 벋고 백색으로 끝이 굵다. 뿌리잎은 잎자루가 길고 1~3회 3출겹잎이며, 줄기잎은 1쌍이고 3갈래이다. 꽃은 황록색, 줄기 끝에 5개씩 빽빽이 나며 꽃자루가 없다. 화관은 4갈래, 수술 8~10개, 씨방은 반하위이다. 열매는 핵과로 3~5개씩 달리며 단단하다.

분포·생육지 우리나라 경남(가야산), 충남, 중부 이북. 중국, 일본, 유라시아. 음습한 곳에서 자란다.

약용 부위·수치 전초를 여름에 채취하여 말

○ 연복초(뿌리)

○ 연복초(꽃)

린다.

약물명 Adoxae Herba

약효 보양(補陽)의 효능이 있으므로 전신 무력증, 피로감, 병후허약증을 치료한다.

사용법 Adoxae Herba 10g에 물 3컵(600 mL)을 넣고 달여서 복용한다.

○ 연복초

감송향

완복창통, 불사음식　치통

각기

●학명 : *Nardostachys chinensis* Batal.

1	2	3	4	5	6	7	8	9	10	11	12

여러해살이풀. 잎이 모여나며 좁고 길며 가장자리가 밋밋하다. 꽃은 분홍색, 취산화서는 원두상이며 꽃받침에 5개의 톱니가 있다. 화관은 통 모양, 수술은 4개, 씨방은 하위로 털이 없다. 수과는 달걀 모양으로 끝에 가늘고 작은 꽃받침이 남아 있으며, 종자는 1개씩 들어 있다.

분포·생육지 중국 쓰촨성(四川省). 산지 고원 지대 풀밭에서 자란다.

약용 부위·수치 뿌리줄기를 여름에 채취하여 흙을 털어 말려서 사용하고, 때로는 약한 불에 볶아서 사용하기도 한다.

약물명 감송향(甘松香). 감송(甘松)이라고도 한다. 대한민국약전외한약(생약)규격집(KHP)에 수재되어 있다.

본초서 감송향(甘松香)은 송대(宋代) 「개보본초(開寶本草)」에 처음 수재되었으나, 당대(唐代) 「본초습유(本草拾遺)」나 「해약본초(海藥本草)」에도 그 이름이 나오기도 한다.

명대(明代) 이시진(李時珍)의 「본초강목(本草綱目)」에는 "쓰촨성(四川省) 송주(松州)에서 많이 생산되고 그 맛이 달고 향기가 좋기 때문에 감송향(甘松香)이라고 한다."고 하였다. 「동의보감(東醫寶鑑)」에는 "명치 아래의 통증과 배가 아픈 것을 낫게 하며, 기운을 내린다."고 하였다.

名醫別錄 : 消穀逐水 諸痰痺 殺三蟲 療寸白.
藥性本草 : 宣利五臟六腑 破堅滿氣 下水腫.
本草綱目 : 治瀉痢後重 心腹諸痛 大小便氣秘 痰氣喘急 療諸瘻.
東醫寶鑑 : 主心腹痛 下氣.

성상 뿌리줄기가 짧고 원뿌리는 원주상이며 자갈색을 띠고, 향기가 강하며 씹어 보면 단맛이 난다. 신선하고 향기가 강하며 단맛이 많은 것이 좋다.

기미·귀경 온(溫), 신(辛), 감(甘)·비(脾)·위(胃)

약효 이기약(理氣藥)으로 이기지통(理氣止痛), 개울성비(開鬱醒脾)의 효능이 있으므로 완복창통(脘腹脹痛), 불사음식(不思飮食), 치통, 각기를 치료한다.

성분 nardosinone, valeranone, aristolene, nardostachone, debilone, patchouli alcohol, narchinol A 등이 함유되어 있다.

약리 물에 달인 액을 생쥐와 토끼에게 투여하면 진정 작용이 나타난다. nardosinone은 항부정맥 작용, 혈압 강하 작용이 있다.

사용법 감송향 5g에 물 2컵(400mL)을 넣고 달여 복용하거나 가루로 만들어 1g씩 복용한다. 외용에는 물에 달인 액을 바르거나 생것을 짓찧어 환부에 바른다. 다리가 붓는 증상에는 달인 액을 수건에 적셔 환부를 감싼다.
* 윈난성(雲南省)에서 생산되는 '감송(甘松)'은 'N. grandiflora'의 뿌리줄기이고, 인도, 네팔에서 생산되는 '시엽감송(匙葉甘松)'은 'N. jatamanse'의 뿌리줄기이다.

○ 감송향(甘松香)

○ 감송향(甘松香, 분말)

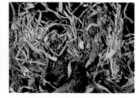
○ 감송향(甘松香, 전초를 말린 것)

○ 꽃　　○ 감송향

[마타리과]

돌마타리

🕐 이질, 하리, 황달, 장옹

● 학명 : *Patrinia rupestris* (Pallas) Jussieu ● 별명 : 들마타리

| 1 | 2 | 3 | 4 | 5 | 6 | 7 | 8 | 9 | 10 | 11 | 12 |

여러해살이풀. 높이 30~60cm. 줄기는 곧게 자라며, 뿌리잎은 모여 나고, 줄기잎은 마주나며 깃 모양이다. 꽃은 황색, 7~9월에 가지 끝과 원줄기 끝에 산방상으로 달린

다. 화관도 황색, 지름 3~4mm, 5개로 갈라지며 통부가 짧고 수술 4개, 암술 1개, 씨방하위이다. 열매는 타원상 구형, 소포와 합쳐져 날개가 있다.

❖ 돌마타리

분포 · 생육지 우리나라 전역. 중국, 일본, 사할린, 몽골, 동시베리아. 양지바른 산기슭의 암석 지질에서 자란다.

약용 부위 · 수치 뿌리를 여름에 채취하여 흙과 먼지를 턴 뒤 썰어서 말린다.

약물명 암패장(岩敗醬)

기미 · 귀경 양(凉), 고(苦), 미산삽(微酸澁) · 심(心), 간(肝)

약효 청열해독(淸熱解毒), 활혈(活血), 배농(排膿)의 효능이 있으므로 이질, 하리(下痢), 황달, 장옹(腸癰)을 치료한다.

성분 caffeic acid, chlorogenic acid, kaempferol, quercetin, rutin 등이 함유되어 있다.

약리 열수추출물은 황색 포도상구균, 백색 포도상구균에 항균 작용이 있다.

사용법 암패장 15g에 물 4컵(800mL)을 넣고 달여서 복용한다. 황달의 치료에는 암패장 15g, 인진 15g에 물을 넣고 달여서 복용한다.

＊ 잎이 중간 정도로 갈라지고 거(距)가 있는 '금마타리 *P. saniculaefolia*'도 약효가 같다.

❖ 암패장(岩敗醬)

[마타리과]

금마타리

🕐 이질, 하리, 황달, 장옹

● 학명 : *Patrinia saniculaefolia* Hemsl. ● 별명 : 향마타리

| 1 | 2 | 3 | 4 | 5 | 6 | 7 | 8 | 9 | 10 | 11 | 12 |

여러해살이풀. 뿌리줄기는 굵으며, 잎은 손바닥 모양으로 갈라지고, 뿌리잎은 꽃이 필 때까지 남아 있다. 꽃은 황색, 5~6월에 피며 화관 기부에 거(距)가 있다.

분포 · 생육지 우리나라 전역. 중국, 일본, 사할린, 몽골, 동시베리아. 양지바른 산기슭이나 풀밭에서 자란다.

약용 부위 · 수치 뿌리를 여름에 채취하여 물에 씻은 후 말린다.

성분 β-farnesene, squalene, nardostachin, patridoid I, patridoid II, patridoid II-A, oleanolic acid, oleanonic acid, 23-hydroxyursolic acid 등이 함유되어 있다.

약리 patridoid I, patridoid II는 COX-2, LTC4의 실험 결과 소염 효과가 나타났다.

＊약효와 사용법은 '돌마타리'와 같다. 앞으로 성분 및 약리 실험이 많이 진행되면 약용 가치가 높을 것으로 생각된다.

❖ 금마타리(꽃)

❖ 금마타리

마타리

 충수염, 하리　 적백대하, 산후어체복통

목적종통

● 학명 : *Patrinia scabiosaefolia* Fisch.　● 별명 : 가양취, 가얌취

| 1 | 2 | 3 | 4 | 5 | 6 | 7 | 8 | 9 | 10 | 11 | 12 |

여러해살이풀. 높이 1~1.5m. 뿌리줄기는 굵으며 옆으로 벋고, 뿌리잎은 모여나고, 줄기잎은 마주나며 깃 모양이다. 꽃은 황색, 7~8월에 피며 화관도 황색, 지름 3~4mm, 5개로 갈라지며 통부가 짧다. 수술 4개, 암술 1개, 씨방하위, 3실이고 이 가운데서 1개에만 열매를 맺는다. 열매는 타원상 구형, 길이 3~4mm이다.

분포 · 생육지 우리나라 전역, 중국, 일본, 사할린, 몽골, 동시베리아. 양지바른 산기슭이나 풀밭에서 자란다.

약용 부위 · 수치 전초를 여름에 채취하여 흙과 먼지를 턴 뒤 썰어서 말린다. 대한민국약전외한약(생약)규격집(KHP)에 수재되어 있다.

약물명 패장(敗醬), 녹장(鹿腸), 녹수(鹿首), 마초(馬草), 택패(澤敗)라고도 한다.

본초서 패장(敗醬)은 「신농본초경(神農本草經)」에 녹장(鹿腸)이라는 이름으로 수재되었고, 「본초경집주(本草經集注)」에는 "냄새가 콩으로 만든 간장이나 된장보다 강하므로 패장(敗醬)이라는 이름이 붙었다."고 하였다. 「동의보감(東醫寶鑑)」에 "피가 오랫동안 뭉쳐 있던 것을 풀어 주고 고름을 삭여 물로 만들며 여러 산후병을 치료한다. 순산하게 하지만 유산될 수도 있다. 뜨거운 열과 불에 덴 상처, 피부 헌데가 부은 것, 옴과 버짐, 피부가 벌겋게 되면서 화끈 달아 오르고 열이 나는 증상을 낫게 하고 눈이 충혈되는 예장과 예막이 생긴 것, 눈에 군살이 돋아난 것 등을 없애 준다. 귀가 잘 들리지 않는 것을 낫게 하고 고름을 없애며 병적으로 생긴 작은 구멍을 아물게 한다."고 하였다.

神農本草經: 主暴熱火瘡 赤氣 疥瘙疽痔 馬鞍熱氣.

名醫別錄: 除癰腫, 浮腫, 熱結, 風痺不足, 産後疾痛.

藥性論: 治毒風㾌痺 主破多年凝血 能化膿爲水及産後諸病 止腹痛.

東醫寶鑑: 主破多年凝血 能化膿爲水及産後諸病 能催生落胞 療暴熱火瘡瘡瘍疥癬丹毒 治赤眼障膜努肉 聤耳又排膿補瘻.

성상 뿌리줄기와 뿌리로 구성되며, 뿌리줄기와 뿌리는 원기둥 모양이고 구부러져 있으며 표면은 암갈색을 띠고 중간에 튀어나온 부분이 있다. 횡단면은 섬유질이고 가운데는 갈색이다. 냄새가 특이하고 맛은 쓰다.

기미 · 귀경 한(寒), 신(辛), 고(苦) · 위(胃), 대장(大腸), 간(肝)

약효 청열(淸熱), 해독, 배농파어(排膿破瘀)의 효능이 있으므로 충수염(蟲垂炎), 하리(下痢), 적백대하(赤白帶下), 산후어체복통(産後瘀滯腹痛), 목적종통(目赤腫痛)을 치료한다.

성분 morroniside, loganin, patrinoside C, D, villoside, scabioside A~G 등이 함유되어 있다.

약리 뿌리의 에탄올추출물은 혈중의 trans-aminase의 효능을 증가시키고, 간 조직에 있는 Kupffer cell을 활성화시킨다. patrinoside 및 그 비당부는 쥐의 혈압을 하강시키고, 진통 작용이 있다.

사용법 패장 10g에 물 3컵(600mL)을 넣고 달여서 복용하고, 외용에는 짓찧어 낸 즙을 바른다.

처방 의이부자패장탕(薏苡附子敗醬湯): 의이인(薏苡仁) 20g, 패장(敗醬) 7g, 부자(附子) 2g, 2회에 나누어 복용(「금궤요략(金匱要略)」). 배농소옹(排膿消癰)하는 효능이 있으므로 장옹(腸癰)에 사용한다.

• 장옹방(腸癰方): 패장(敗醬) · 의이인(薏苡仁) · 금은화(金銀花) · 지정(地丁) 각 20g, 목단피(牡丹皮) · 연교(連翹) 각 12g, 도인(桃仁) · 진피(秦皮) · 현호색(玄胡索) 각 6g (「중약임상(中藥臨床)」). 배농소옹(排膿消癰)하는 효능이 있으므로 장옹(腸癰)에 사용한다.

● 마타리

● 패장(敗醬)

● 마타리(꽃)

[마타리과]

뚝갈

 충수염, 하리 　 적백대하, 산후어체복통
목적종통

● 학명 : *Patrinia villosa* (Thunb.) Juss.　● 별명 : 뚝깔, 뚜깔, 흰미역취

| 1 | 2 | 3 | 4 | 5 | 6 | 7 | 8 | 9 | 10 | 11 | 12 |

여러해살이풀. 높이 1m 정도. 전체에 털이 빽빽이 난다. 줄기는 곧게 서며, 잎은 마주 나고 달걀 모양, 깃 모양으로 갈라지며, 가장자리에 톱니가 있고, 잎자루는 없다. 꽃은 백색, 7~8월에 피며 수술 4개, 암술 1개, 씨방하위, 3실이다. 열매는 달걀 모양, 날개는 둥근 심장형이다.

분포 · 생육지 우리나라 전역. 중국, 일본, 사할린, 몽골, 동시베리아. 양지바른 산기슭이나 풀밭에서 자란다.

약용 부위 · 수치 전초를 여름에 채취하여 흙 과 먼지를 턴 뒤 썰어서 말린다.

약물명 패장(敗醬), 녹장(鹿腸), 녹수(鹿首), 마초(馬草), 택패(澤敗)라고도 한다.

약효 청열(清熱), 해독, 배농파어(排膿破瘀)의 효능이 있으므로 충수염(蟲垂炎), 하리(下痢), 적백대하(赤白帶下), 산후어체복통(産後瘀滯腹痛), 목적종통(目赤腫痛)을 치료한다.

사용법 패장 10g에 물 3컵(600mL)을 넣고 달여서 복용하고, 외용에는 짓찧어 낸 즙을 바른다.

○ 뚝갈(열매)

○ 뚝갈(꽃)

○ 뚝갈

○ 패장(敗醬)

○ 뚝갈(뿌리)

[마타리과]

넓은잎쥐오줌풀

 불면증, 심계항진, 정신불안 　 요통

● 학명 : *Valeriana dageletiana* Nakai ex F. Maekawa [*V. offcinalis* var. *latifolia*]
● 별명 : 넓은잎바구니나물

| 1 | 2 | 3 | 4 | 5 | 6 | 7 | 8 | 9 | 10 | 11 | 12 |

여러해살이풀. 높이 70cm 정도. 줄기는 통통하며, 잎은 깃꼴겹잎, 작은잎은 달걀 모양으로 털이 없고 전체가 갈라지며 가장자리에 거친 톱니가 있다. 잎자루는 잎몸과 길이가 비슷하다. 꽃은 붉은색이 돌며 5~7월에 피고 포는 바늘 모양이다. 다른 종에 비하여 잎이 길고 넓다.

분포 · 생육지 우리나라 울릉도, 북부 고산지대. 한반도 특산 식물로 산속 그늘진 곳이나 골짜기에서 자란다.

약용 부위 · 수치 뿌리를 가을에 채취하여 물에 씻은 후 말린다.

약물명 Valerianae Dageletianae Radix

약효 진경(鎭驚), 진정(鎭靜)의 효능이 있으므로 불면증, 심계항진(心悸亢進), 정신불안, 요통 등을 치료한다.

사용법 Valerianae Dageletianae Radix 10g에 물 3컵(600mL)을 넣고 달여서 복용하거나, 술에 담가서 복용한다.

○ Valerianae Dageletianae Radix

○ 넓은잎쥐오줌풀(꽃)

○ 넓은잎쥐오줌풀

[마타리과]

쥐오줌풀

| 정신불안, 신경쇠약, 동계 | 요통, 관절염 |
| 월경불순, 무월경 | 위장경련 |

● 학명 : *Valeriana fauriei* Briq. ● 별명 : 은댕가리

1 2 3 4 5 6 7 8 9 10 11 12

여러해살이풀. 높이 40~80cm. 뿌리에서 강한 냄새가 난다. 줄기잎은 마주나고, 밑의 것은 잎자루가 길고 깃 모양으로 갈라진다. 꽃은 붉은색이 돌며 5~8월에 피고, 포는 바늘 모양이다. 화관은 5개로 갈라지며 3개의 수술이 길게 꽃 밖으로 나온다. 열매는 바늘 모양, 길이 4mm 정도, 윗부분에 꽃받침이 관모상으로 달려서 바람에 날린다.

분포·생육지 우리나라 전역. 중국, 일본, 사할린. 산속 그늘진 곳이나 골짜기에서 자란다.

약용 부위·수치 뿌리를 가을에 채취하여 물에 씻은 후 말린다.

약물명 길초근(吉草根). 대한민국약전(KP)에 수재되어 있다.

성상 짧은 뿌리줄기와 가늘고 긴 뿌리이다. 뿌리줄기는 달걀 같고, 길이 1~2cm, 지름 0.1~0.3cm이다. 위쪽 끝에는 싹눈과 줄기의 흔적이 있고 그 측면에는 굵고 짧은 옆으로 기는 줄기가 있기도 하다. 쥐 오줌 냄새가 나고 맛은 약간 쓰다.

약효 정신불안, 요통, 월경불순, 신경쇠약, 무월경, 월경곤란, 뇌신경, 심, 위 등의 쇠약 및 만성신경증, 동계(動悸), 히스테리, 위장경련, 관절염 등을 치료한다.

성분 valeric acid, hydroxyvaleric acid, acetoxyvaleric acid, valtrate, isovaltrate, acetovaltrate 등이 함유되어 있다.

약리 '서양쥐오줌풀' 참고

사용법 길초근 7g에 물 3컵(600mL)을 넣고 달여서 복용하거나, 술에 담가서 복용한다.
＊ 열매에 털이 나 있는 '광릉쥐오줌풀 var. *dasycarpa*'도 약효가 같다.

● 쥐오줌풀

● 광릉쥐오줌풀

● 길초근(吉草根)

● 쥐오줌풀(뿌리)

● 쥐오줌풀(열매)

● 쥐오줌풀(꽃)

● 쥐오줌풀에서 추출한 정유

[마타리과]

지주향

| 완복창통, 구토설사 | 풍한습비, 각기수종 |

● 학명 : *Valeriana jatamansii* Jones ● 별명 : 연향초, 심엽힐초

1 2 3 4 5 6 7 8 9 10 11 12

여러해살이풀. 높이 40~70cm. 뿌리에서 강한 냄새가 난다. 줄기잎은 없고 뿌리잎만 있다. 꽃은 붉은색을 약간 띤 백색이고, 6~7월에 핀다. 열매는 수과로 긴 달걀 모양이다.

분포·생육지 중국 윈난성(雲南省), 산시성(陝西省), 후베이성(湖北省), 하이난성(海南省), 쓰촨성(四川省). 해발 2,500m 부근의 풀밭에서 자란다.

약용 부위·수치 뿌리를 가을에 채취하여 물에 씻은 후 썰어서 말린다.

약물명 지주향(蜘蛛香). 마제향(馬蹄香), 뇌공칠(雷公七)이라고도 한다.

약효 이기화중(利氣和中), 산한제습(散寒除濕), 활혈소종(活血消腫)의 효능이 있으므로 완복창통(脘腹脹痛), 구토설사, 풍한습비(風寒濕痺), 각기수종을 치료한다.

성분 caffeic acid, valerodidatum, linarin, linarin isovalerate, 5,6-dihydrovaltrate, acetoxyvalepotriate, chlorogenic acid 등이 함유되어 있다.

약리 열수추출물은 동물 실험에서 중추 신경을 안정시키는 작용이 있다.

사용법 지주향 7g에 물 3컵(600mL)을 넣고 달여서 복용하거나 술에 담가서 복용한다.

● 지주향

● 지주향(蜘蛛香)

● 지주향(꽃이 피기 전)

● 지주향(蜘蛛香)으로 만든 구토 설사약

[마타리과]

서양쥐오줌풀

| 심신불안, 심계실면 | 장조, 완복창통 |
| 풍습비통 | 통경, 경폐 |

● 학명 : *Valeriana offcinalis* L. ● 영명 : Valerian, Common valerian

| 1 | 2 | 3 | 4 | 5 | 6 | 7 | 8 | 9 | 10 | 11 | 12 |

여러해살이풀. 높이 1~1.5m. 뿌리줄기는 짧고, 뿌리는 수염뿌리이며 강한 냄새가 난다. 줄기는 바로 서며 속이 비었고 털이 많다. 줄기잎은 마주나고 깃꼴겹잎이다. 꽃은 백색 또는 연한 홍자색, 5~7월에 줄기나 가지 끝에 취산화서로 달린다. 수술은 3개, 씨방하위, 수과는 긴 달걀 모양으로 길이 4mm 정도, 작은 날개가 있다.

분포 · 생육지 중국 둥베이(東北) 지방, 서남지방, 유럽. 산속 그늘진 곳이나 골짜기에서 자란다. 우리나라 및 세계 각처에서 약용으로 재배한다.

약용 부위 · 수치 뿌리를 가을에 채취하여 물에 씻은 후 말린다.

약물명 힐초(纈草). 향초(香草), 오리향(五里香)이라고도 하며, 생약명은 Valerianae Radix이다.

성상 짧은 뿌리줄기와 가늘고 긴 뿌리이다.

뿌리줄기는 달걀 같고 굵으며 짧다. 위쪽 끝에는 싹눈과 줄기의 흔적이 있고 그 측면에는 굵고 짧은 옆으로 기는 줄기가 있기도 한다. 횡단면은 안쪽은 황백색이고 바깥쪽물갈색이다. 쥐 오줌 냄새가 나고 맛은 약간 아리고 쓰다.

기미 · 귀경 온(溫), 신(辛), 고(苦) · 심(心), 간(肝)

약효 안심신(安心神), 거풍습(祛風濕), 행혈기(行血氣), 지통(止痛)의 효능이 있으므로 심신불안, 심계실면(心悸失眠), 전광(癲狂), 장조(臟燥), 풍습비통(風濕痺痛), 완복창통(脘腹脹痛), 통경(痛經), 경폐(經閉), 타박상을 치료한다.

성분 정유 1~2%가 함유되고, 이것의 주성분은 bornylisovalerate이다. 이외에 borneol, camphene, phellandrene, myrcene, kessylglycol, α-kessylalcohol 등이 함유되어 있다.

약리 kessylglycol, α-kessylalcohol은 수면 시간 연장 효능, 진정 효과가 있고, 50% 에탄올추출물은 항스트레스성 위궤양 작용이 있다.

사용법 힐초 7g에 물 3컵(600mL)을 넣고 달여서 복용하거나, 술에 담가서 복용한다.

❍ 서양쥐오줌풀(잎)

❍ Valerianae Radix

❍ 서양쥐오줌풀에서 추출한 정유. 심신불안에 사용한다.　❍ 힐초(纈草)

❍ 서양쥐오줌풀

[산토끼꽃과]

도깨비산토끼꽃

| 🧴 두발변색 방지 |

● 학명 : *Dipsacus fullonum* L. ● 영명 : Common teasel

| 1 | 2 | 3 | 4 | 5 | 6 | 7 | 8 | 9 | 10 | 11 | 12 |

두해살이풀. 높이 1m 정도. 잎은 마주나고 십자형을 이루며 끝이 날카롭고 밑부분이 줄기를 감싸며, 가장자리는 작은 거치가 있고 잎자루가 없다. 꽃은 분홍색, 두상화서로 핀다.

분포 · 생육지 유라시아, 지중해 연안, 남아메리카, 아프리카. 산지에서 자란다.

약용 부위 · 수치 꽃을 봄에 채취하여 사용한다.

약물명 Dipsaci Flos

약효 두발(頭髮)의 변색을 막아 준다.

사용법 Dipsaci Flos에 물을 넣고 달인 액으로 머리를 감는다.

❍ 도깨비산토끼꽃

❍ 도깨비산토끼꽃(열매)

❍ 도깨비산토끼꽃(잎)

[산토끼꽃과]

천속단

요배산통, 지절위비, 손근절골 | 유정
타박상, 옹저창종 | 혈붕, 대하

●학명 : *Dipsacus asperoides* C. Y. Cheng [*D. chinensis* Bat.] ●한자명 : 川續斷

| 1 | 2 | 3 | 4 | 5 | 6 | 7 | 8 | 9 | 10 | 11 | 12 |

여러해살이풀. 높이 1~2m. 뿌리는 원주상으로 황갈색이며 육질이고 측근이 있다. 줄기는 바로 서고 6~8개의 능선이 있으며 자모(刺毛)가 있다. 줄기 밑에 나는 잎은 총생하고 깃꼴이며, 꽃은 황백색, 8~9월에 핀다. '산토끼꽃'에 비하여 줄기 윗부분 잎은 갈라지고 잎자루가 있으며, 수과에 4개의 능선이 있다.

분포 · 생육지 중국 후베이성(湖北省), 쓰촨성(四川省). 산속 양지바른 산기슭에서 자란다.

약용 부위 · 수치 뿌리를 가을에 채취하여 물에 씻은 후 말려서 그대로 사용하거나 약한 불에 볶아서 사용한다.

약물명 속단(續斷). 천속단(川續斷), 속절(屬折), 접골(接骨), 용두(龍豆), 남초(南草)라고도 한다. 대한민국약전외한약(생약)규격집(KHP)에 수재되어 있다.

본초서 속단은 「신농본초경(神農本草經)」의 상품(上品)에 수재되어 있으며, 별명은 속절(屬絕), 접골(接骨)로 예로부터 금창(金瘡), 옹종(擁腫), 근골(筋骨)의 절상(折傷) 등에 사용되어 왔다. 이와 같은 약효로 속단(續斷)이라는 이름이 붙여진 것이다. 「동의보감(東醫寶鑑)」에는 "기혈을 잘 통하게 하며 근골을 이어 주고, 기운을 돕는다. 혈액 순환이 잘 되게 하며 산후에 생길 수 있는 모든 병에 쓴다."고 하였다.

神農本草經: 主傷寒, 補不足, 金瘡, 癰瘍, 折跌, 續筋骨, 婦女乳癰, 久服益氣力.

名醫別錄: 主崩中漏血 金瘡血內漏, 止痛,

生肌肉, 及跇傷, 惡血, 腰痛, 關節緩急.

藥性論: 主折傷, 祛諸溫毒, 能宣通經絡.

東醫寶鑑: 能通經脈 續筋骨 助氣 調血脈 婦人産後一切病.

성상 납작한 긴 원주형이고 조금 구부러져 있으며, 길이 5~15cm, 지름 0.5~2cm이다. 표면은 회갈색~황갈색이고, 뿌리가 심하게 꼬여 있으며 세로 주름과 홈 같은 무늬가 있다. 또한 가로로 된 피공(皮孔)과 잔뿌리의 자국이 있다. 질은 연하나 오래 두면 굳는다. 꺾기 쉽고 횡단면은 평탄하지 않다. 냄새는 미약하고, 맛은 쓰고 조금 달다가 나중에는 떫다.

기미 · 귀경 미온(微溫), 고(苦), 신(辛) · 간(肝), 신(腎)

약효 보허약(補虛藥)으로 보간신(補肝腎), 한습비통(寒濕痺痛), 질타손상(跌打損傷), 근골절상(筋骨折傷)의 효능이 있으므로 요배산통(腰背酸痛), 지절위비(肢癤痿痺), 타박상, 손근절골(損筋折骨), 태동누홍(胎動淚紅), 혈붕(血崩), 유정(遺精), 대하(帶下), 옹저창종(癰疽瘡腫)을 치료한다. 속단(續斷)과 두충(杜仲)은 보간신(補肝腎), 안태(安胎)의 효능이 있으므로 요통에 사용한다. 속단(續斷)은 통맥(通脈)이 뛰어나서 타박상에 의한 근골접속(筋骨接續)에 사용하고, 두충(杜仲)은 보익(補益)이 뛰어나서 강근골(強筋骨)에 사용한다.

성분 sweroside, loganin, cantleyoside, akebiaside D, dibenzofuran, daucosterol, hederagenin, carvotanacetone, 2,4-dimethylphenol, 3,4-di-*O*-caffoylquinic acid, methyl 3,4-di-*O*-caffoyl quinate, 3,5-di-*O*-caffoylquinic acid, methyl 3,5-di-*O*-caffoyl quinate, 4,5-di-*O*-caffoylquinic acid, methyl 4,5-di-*O*-caffoyl quinate 등이 함유되어 있다.

약리 열수추출물은 혈압을 강하하는 작용이 있고, 항산화 작용 및 항염증 작용이 있다. 3,4-di-*O*-caffoylquinic acid, methyl 3,4-di-*O*-caffoyl quinate, 3,5-di-*O*-caffoylquinic acid, methyl 3,5-di-*O*-caffoyl quinate, 4,5-di-*O*-caffoylquinic acid, methyl 4,5-di-*O*-caffoyl quinate는 superoxide 제거 활성 및 AAPH-mediated 산화 검색법에 의한 실험 결과 항산화 작용이 강하게 나타난다. akebiaside D는 암세포의 apoptosis를 유도한다.

사용법 속단 10g에 물 3컵(600mL)을 넣고 달여서 복용하고, 가루약이나 알약은 2g을 1회용으로 만들어 복용한다. 타박상 등 외용에는 짓찧어 바른다.

처방 속단환(續斷丸): 속단(續斷) · 비해(萆薢) · 두충(杜仲) 각 80g, 1회 5g, 1일 3회 (「보양처방집(補陽處方集)」). 풍한습(風寒濕)으로 힘줄이 조여들고 뼈가 아픈 데, 류머티즘성관절염, 신경통에 사용한다.

• 속단단(續斷丹): 속단(續斷) · 비해(萆薢) · 우슬(牛膝) · 모과(木瓜) 각 동량, 1회 5g, 1일 3회 (「증치준승(證治準繩)」). 풍한습(風寒濕)에 의한 류머티즘성관절염, 신경통에 사용한다.

* '산토끼꽃 *D. japonicus*'도 약효가 같다. 한속단(韓續斷)은 꿀풀과(Labiatae) '속단 *Phlomis umbrosa*'의 뿌리를 건조한 것으로 우리나라, 중국의 일부 지역에 분포하나 거의 사용하지 않는다.

○ 속단(續斷)

○ 속단(續斷, 횡단면)

○ 천속단(뿌리)

○ 속단(續斷, 절편)

○ 천속단(꽃)

○ 속단(續斷)이 배합된 근육통 치료제

○ 천속단

[산토끼꽃과]

산토끼꽃

요배산통, 지절위비, 손근절골 　유정
타박상, 옹저창종 　혈붕, 대하

● 학명 : *Dipsacus japonicus* Miquel　● 별명 : 산토끼풀

| 1 | 2 | 3 | 4 | 5 | 6 | 7 | 8 | 9 | 10 | 11 | 12 |

○ 산토끼꽃(뿌리)

두해살이풀. 높이 1~1.2m. 잎은 마주나고 십자형을 이루며 끝이 날카롭고 밑부분이 줄기를 감싼다. 꽃은 분홍색, 두상화서로 핀다. '천속단'에 비하여 줄기의 윗부분 잎은 갈라지지 않고 잎자루가 없다. 수과에 8개의 능선이 있다.

분포·생육지 우리나라 경북, 충북, 강원도. 유라시아, 지중해 연안, 아프리카. 산지에서 자란다.

약용 부위·수치 뿌리를 가을에 채취하여 물에 씻은 후 말린다.

약물명 토속단(土續斷)

성상 대개 한 뿌리이거나 몇 개로 갈라지며 반듯하고, 표면은 황갈색으로 짙은 부드럽고 쉽게 부러지지 않는다. 횡단면에서 피층이 암갈색이며, 목부는 황백색, 흑갈색의 환문이 있다. 향기가 있으며, 맛은 쓰다.

※ 약효 및 사용법은 '천속단'과 같다.

○ 산토끼꽃

○ 산토끼꽃(꽃이 피기 전)

[산토끼꽃과]

솔체꽃

두통, 발열 　폐열해수
황달

● 학명 : *Scabiosa tschiliensis* Gruenning [*S. mansenensis* Nakai]　● 별명 : 체꽃

| 1 | 2 | 3 | 4 | 5 | 6 | 7 | 8 | 9 | 10 | 11 | 12 |

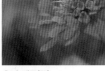

○ 산라복(山蘿蔔)　○ 솔체꽃(꽃)

두해살이풀. 높이 50~90cm. 줄기는 곧게 서고 전체에 털이 있다. 뿌리잎은 잎자루가 길고, 줄기잎은 마주난다. 꽃은 7~9월에 하늘색으로 피고, 가장자리의 꽃은 지름 13mm 정도로 크고 겉에 털이 많으며 5개로 갈라진다. 열매는 바늘 모양이다.

분포·생육지 우리나라 경북, 강원 이북. 중국. 양지바른 산기슭에서 자란다.

약용 부위·수치 꽃을 여름에 채취하여 말린다.

약물명 산라복(山蘿蔔)

약효 청열(淸熱), 사화(瀉火)의 효능이 있으므로 간화(肝火)로 인한 두통, 발열(發熱), 폐열(肺熱)에 의한 해수(咳嗽), 황달을 치료한다.

성분 알칼로이드, 사포닌, chlorogenic acid, caffeic acid, luteolinic acid, diosmetin이 함유되어 있다.

사용법 산라복을 가루 내어 3g을 물과 복용하거나 알약으로 만들어 복용한다.

○ 솔체꽃

[초롱꽃과]

도라지모시대

● 학명 : *Adenophora grandiflora* Nakai　● 별명 : 큰잔대

| 1 | 2 | 3 | 4 | 5 | 6 | 7 | 8 | 9 | 10 | 11 | 12 |

여러해살이풀. 높이 70cm 정도. 뿌리가 굵다. 잎은 어긋나고 털이 많다. 꽃은 보라색, 8~9월에 원줄기 끝에서 밑을 향해 한쪽으로 치우쳐 달린다. 화관은 넓은 종 모양, 길이 4cm 정도, 수술은 5개로 밑이 서로 붙고 뒤로 젖혀지며, 씨방은 3실이다.

분포 · 생육지 우리나라 전역. 중국, 일본, 우수리. 산의 숲속에서 자란다.

약용 부위 · 수치 뿌리를 가을과 겨울에 채취하여 흙을 털어서 말린다.

약물명 제니(薺苨). 니(苨), 첨길경(甛桔梗), 토길경(土桔梗)이라고도 한다.

약효 윤조화담(潤燥化痰), 청열해독(淸熱解毒)의 효능이 있으므로 폐조해수(肺燥咳嗽), 인후종통(咽喉腫痛), 당뇨병, 정옹창독(疔癰瘡毒), 약물중독을 치료한다.

사용법 제니 10g에 물 3컵(600mL)을 넣고 달여서 복용하고, 외용에는 짓찧어 낸 즙을 바른다.

○ 도라지모시대

○ 도라지모시대(뿌리)

성분 β-sitosterol, daucosterol 등이 함유되어 있다.

사용법 제니 10g에 물 3컵(600mL)을 넣고 달여서 복용하고, 외용에는 짓찧어 낸 즙을 바른다.

[초롱꽃과]

모시대

● 학명 : *Adenophora remotiflora* (S. et Z.) Miq.
● 별명 : 모시때, 모싯대, 그늘모시대, 모시잔대

| 1 | 2 | 3 | 4 | 5 | 6 | 7 | 8 | 9 | 10 | 11 | 12 |

여러해살이풀. 높이 40~100cm. 뿌리가 굵고, 잎은 어긋난다. 꽃은 자주색, 8~9월에 원줄기 끝에서 밑을 향해 달려 엉성한 원추화서를 이룬다. 꽃받침은 5개로 갈라지고 가장자리가 밋밋하다. 화관은 길이 2~3cm로 끝이 5개로 갈라지고, 수술은 5개, 암술은 1개, 씨방은 하위이고 암술머리가 3개로 갈라진다.

분포 · 생육지 우리나라 전역. 중국, 일본, 우수리. 산의 숲속에서 자란다.

약용 부위 · 수치 뿌리를 가을과 겨울에 채취하여 흙을 털어서 말린다.

약물명 제니(薺苨). 니(苨), 첨길경(甛桔梗), 토길경(土桔梗)이라고도 한다. 대한민국약전외한약(생약)규격집(KHP)에 수재되어 있다.

본초서 제니(薺苨)는 「명의별록(名醫別錄)」에 처음 수재되어 "여러 약물의 독을 풀어 준다."고 하였다. 「본초강목(本草綱目)」에는 주로 "해수(咳嗽), 소갈(消渴) 등을 치료한다."고 하였다. 「동의보감(東醫寶鑑)」에는 "해독 작용이 있어 모든 약의 독과 몸속의 독을 풀어 주고, 뱀이나 벌레에 물린 것과 독화살에 의한 상처를 낫게 한다."고 하였다.

名醫別錄 : 主解百藥毒.

本草綱目 : 主咳嗽 消渴 强中 瘡毒療腫 辟沙虫短孤毒.

東醫寶鑑 : 解百藥毒 殺蠱毒 治蛇蟲咬 罿毒箭傷.

기미 · 귀경 한(寒), 감(甘) · 폐(肺), 비(脾)

약효 윤조화담(潤燥化痰), 청열해독(淸熱解毒)의 효능이 있으므로 폐조해수(肺燥咳嗽), 인후종통(咽喉腫痛), 당뇨병, 정옹창독(疔癰瘡毒), 약물중독을 치료한다.

○ 모시대

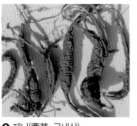

○ 제니(薺苨, 국내산)

○ 제니(薺苨, 중국산)

○ 제니(薺苨, 절편, 중국산)

○ 모시대(뿌리)

[초롱꽃과]

잔대

음허구해, 노수담혈, 조해담소

허열후비, 진상구갈

● 학명 : *Adenophora triphylla* (Thunb.) A. DC. [*A. radiatifolia, A. verticilata*]
● 별명 : 층층잔대

| 1 | 2 | 3 | 4 | 5 | 6 | 7 | 8 | 9 | 10 | 11 | 12 |

여러해살이풀. 높이 70~120cm. 줄기는 곧게 서고 줄기잎은 3~5개씩 돌려나며, 뿌리는 굵다. 꽃은 7~9월에 원줄기 끝에 핀다. 꽃받침은 5개로 갈라지고 화관은 종 모양, 하늘색, 암술대는 약간 밖으로 나오며 3개로 갈라지고, 수술은 5개로 화관으로부터 떨어진다. 삭과는 끝에 꽃받침이 달린 채로 익으며 술잔 비슷하고 측면의 능선 사이에서 터진다.

분포·생육지 우리나라 전역, 중국, 아무르, 몽골, 다후리아. 산에서 자란다.

약용 부위·수치 뿌리를 가을에 채취하여 말린다.

약물명 사삼(沙蔘), 양유(羊乳), 백사삼(白沙蔘), 호수(虎鬚)라고도 한다. 대한민국약전외한약(생약)규격집(KHP)에 수재되어 있다.

본초서 사삼(沙蔘)은 「신농본초경(神農本草經)」의 상품(上品)에 수재되어 있으며, 「오보본초(吳普本草)」에 별명을 백삼(白蔘), 「명의별록(名醫別錄)」에는 지모(知母)라고 하였다. 도홍경(陶弘景)은 "인삼(人蔘), 현삼(玄蔘), 단삼(丹蔘), 고삼(苦蔘)과 더불어 오삼(五蔘)이라고 한다. 그 형태는 비슷하지 않지만 약효가 비슷하기 때문에 삼(蔘)을 붙인 것이다."라고 하였다. 「본초강목(本草綱目)」에는 "인삼처럼 백색이고 사지(沙地)에서 잘 자라므로 사삼(沙蔘)이라고 한다."고 하였다. 「동의보감(東醫寶鑑)」에

는 "비위를 보하고 폐기를 보충하는 데 산기(疝氣)로 음낭이 처진 것을 낮게 한다. 또 고름을 빼내고 종독을 삭이며 오장에 있는 풍기를 풀어 준다."고 하였다.

東醫寶鑑: 補中益肺氣 治疝氣下墜 排膿消腫毒 宣五臟風氣.

성상 방추형 또는 긴 원추형으로 약간 굽어 있기도 하며, 곁뿌리가 가끔 붙어 있다. 길이 10~20cm, 지름 2~3cm이다. 표면은 황백색, 위쪽은 뚜렷한 가로 주름이 있으며, 아랫부분은 세로 및 가로 주름이 있다. 질은 가볍고 꺾기 쉬우며, 횡단면은 유백색을 나타내며 공간이 많다. 특이한 냄새가 나며, 맛은 달고 씹으면 점액성이 있다.

기미·귀경 미한(微寒), 감(甘), 미고(微苦)·폐(肺), 위(胃)

약효 양음청열(養陰淸熱), 윤폐화담(潤肺化痰), 익위생진(益胃生津)의 효능이 있으므로 음허구해(陰虛久咳), 노수담혈(癆嗽痰血), 조해담소(燥咳痰少), 허열후비(虛熱候痺), 진상구갈(津傷口渴)을 치료한다.

성분 shashenoside I, II, III, siringinoside, daucostreol, linoleic acid, methylstearate, 6-hydroxyeugenol 등이 함유되어 있다.

약리 물에 달인 액을 토끼에게 투여하면 거담 작용이 있고, 두꺼비의 적출 심장에 강심 작용, 피부 진균에 항진균 작용이 있다.

사용법 사삼 10~15g에 물 3컵(600mL)을 넣고 달여서 복용한다.

처방 사삼맥문동탕(沙蔘麥門冬湯): 사삼(沙蔘)·황정(黃精) 각 12g, 상엽(桑葉)·백편두(白扁豆)·맥문동(麥門冬)·괄루근(括蔞根)·감초(甘草) 각 6g (「동의보감(東醫寶鑑)」). 폐와 위의 진액이 부족하여 미열이 나고 기침이 오래 계속되거나 입안이 몹시 마르는 증상에 사용한다.

• 사삼환(沙蔘丸): 사삼(沙蔘) 80g, 곤포(昆布)·회향(茴香) 각 20g (「향약집성방(鄕藥集成方)」). 산증(疝症)으로 아랫배가 몹시 차고 아픈 증상에 사용한다.

＊ 우리나라에서는 본 종을 비롯하여 '가는층층잔대 var. *angustifolia*'의 뿌리를 사삼(沙蔘)으로 사용한다. 중국은 '당잔대 *A. stricta*'를 비롯하여 '행엽사삼(杏葉沙蔘) *A. hunan-ensis*', '윤엽사삼(輪葉沙蔘) *A. tetraphylla*', '윈난사삼(雲南沙蔘) *A. perekiaefolia*', '포사삼(泡沙蔘) *A. potaninii*'의 뿌리를 사삼(沙蔘)으로 사용한다.

❍ 가는층층잔대

❍ 잔대

❍ 사삼(沙蔘)

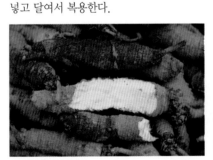
❍ 사삼(沙蔘, 신선품)

❍ 사삼(沙蔘, 절편)

❍ 잔대(뿌리)

❍ 사삼주(沙蔘酒)

● 사삼(沙蔘)　　　　● 당잔대(꽃)

[초롱꽃과]

당잔대

 음허구해, 노수담혈, 조해담소

 허열후비, 진상구갈

● 학명 : *Adenophora stricta* Miquel　●별명 : 둥근잎잔대

| 1 | 2 | 3 | 4 | 5 | 6 | 7 | 8 | 9 | 10 | 11 | 12 |

여러해살이풀. 높이 1m 정도. 뿌리가 굵고, 줄기는 바로 선다. 잎은 어긋나고, 뿌리잎은 심장형으로 잎자루가 길지만 줄기잎은 잎자루가 없고 가장자리에 거친 톱니가 있다. 꽃은 자주색, 7~8월에 피고 암술대가 화관 밖으로 약간 돌출한다.

분포 · 생육지 우리나라 전역. 중국, 일본. 산의 숲속에서 자란다.

약용 부위 · 수치 뿌리를 가을에서 겨울까지 채취하여 흙을 털어서 말린다.

약물명 사삼(沙蔘)

약효 양음청열(養陰淸熱), 윤폐화담(潤肺化痰), 익위생진(益胃生津)의 효능이 있으므로 음허구해(陰虛久咳), 노수담혈(癆嗽痰血), 조해담소(燥咳痰少), 허열후비(虛熱喉痺), 진상구갈(津傷口渴)을 치료한다.

사용법 사삼 10~15g에 물 3컵(600mL)을 넣고 달여서 복용한다.

● 당잔대

[초롱꽃과]

자주꽃방망이

 인후염　　　　○ 두통

● 학명 : *Campanula glomerata* L. var. *dahurica* Fischer [*C. cephalotes* Fischer]
● 별명 : 자주꽃방맹이. 꽃방맹이. 꽃방망이

| 1 | 2 | 3 | 4 | 5 | 6 | 7 | 8 | 9 | 10 | 11 | 12 |

여러해살이풀. 높이 50~100cm. 줄기는 바로 서고 전체에 털이 있다. 뿌리줄기는 짧고 흔히 옆으로 땅속줄기를 낸다. 줄기잎은 어긋나고 날개가 있는 잎자루가 있으나 위로 갈수록 없어진다. 꽃은 백색 또는 연한 홍자색 바탕에 짙은 반점이 있으며 6~8월에 긴 꽃줄기 끝에 길이 4~5cm의 종 같은 꽃이 옹기종기 모여 위로 향한다. 꽃받침은 5개로 갈라지며, 수술은 5개, 암술은 1개이다.

분포 · 생육지 우리나라 전역. 중국, 일본, 아무르, 우수리, 사할린, 동시베리아. 산과 들의 풀밭에서 자란다.

약용 부위 · 수치 전초를 여름에 채취하여 썰어서 말린다.

약물명 취화풍령초(聚花風鈴草). 등롱화(燈籠花)라고도 한다.

기미 · 귀경 양(凉), 고(苦) · 폐(肺)

약효 청열해독(淸熱解毒)의 효능이 있으므로 인후염과 두통을 치료한다.

사용법 취화풍령초 10g에 물 3컵(600mL)을 넣고 달여서 복용한다.

● 자주꽃방망이(뿌리)

● 취화풍령초(聚花風鈴草)

● 자주꽃방망이

[초롱꽃과]

초롱꽃

 인후염   두통

● 학명 : *Campanula punctata* Lamarck

| 1 | 2 | 3 | 4 | 5 | 6 | 7 | 8 | 9 | 10 | 11 | 12 |

여러해살이풀. 높이 40~100cm. 뿌리잎은 잎자루가 길고, 줄기잎은 날개가 있는 잎자루가 있거나 없다. 꽃은 백색 또는 연한 홍자색 바탕에 반점이 있으며 6~8월에 꽃대에 종 같은 꽃이 달려 밑으로 처진다. 꽃받침은 녹색, 5개로 갈라지며 털이 있고 갈라진 조각 사이에 뒤로 젖혀지는 부속체가 있다.

분포 · 생육지 우리나라 전역. 중국, 일본, 아무르, 우수리, 사할린, 동시베리아. 산과 들의 풀밭에서 자란다.

약용 부위 · 수치 전초를 여름과 가을에 채취하여 말린다.

약물명 자반풍령초(紫斑風鈴草)

약효 청열해독(淸熱解毒), 지통(止痛)의 효능이 있으므로 인후염과 두통을 치료한다.

사용법 자반풍령초 10g에 물 3컵(600mL)을 넣고 달여서 복용한다.

* 꽃이 짙은 자주색인 '자주초롱꽃 var. *rubrifolia*', 잎이 두껍고 광택이 나며 꽃받침의 맥이 뚜렷한 '섬초롱꽃 var. *takesimana*'도 약효가 같다.

⬆ 초롱꽃

⬆ 자반풍령초(紫斑風鈴草)

⬆ 초롱꽃(뿌리)

⬆ 섬초롱꽃

[초롱꽃과]

더덕

 신피핍력   두훈두통   폐옹
 유선염, 유즙부족, 백대   종독, 나력

● 학명 : *Codonopsis lanceolata* (S. et Z.) Trautv.   ● 별명 : 참더덕

| 1 | 2 | 3 | 4 | 5 | 6 | 7 | 8 | 9 | 10 | 11 | 12 |

덩굴성 여러해살이풀. 길이 2~3m. 뿌리가 굵다. 잎은 어긋나지만 가지 끝에서는 3~4개씩 모여난다. 꽃은 8~9월에 짧은 가지 끝에 밑을 향해 달리며, 꽃받침은 5개로 갈라지고 끝이 뾰족하며 녹색이다. 화관은 길이 2.7~3.5cm로 끝이 5개로 갈라져 뒤로 약간 말리며 겉은 연한 녹색이고 안쪽에 갈자색 반점이 있다.

분포 · 생육지 우리나라 전역. 중국, 일본, 아무르, 사할린, 동시베리아. 산과 들에서 자란다.

약용 부위 · 수치 뿌리를 가을에 채취하여 물에 씻은 후 말린다.

약물명 산해라(山海螺), 백하차(白河車), 우부자(牛附子), 유부인(乳夫人)이라고도 한다.

기미 · 귀경 평(平), 감(甘), 신(辛) · 비(脾), 폐(肺)

약효 익기양음(益氣養陰), 해독소종(解毒消腫), 배농(排膿), 거담(袪痰), 하유즙(下乳汁)의 효능이 있으므로 신피핍력(神疲乏力), 두훈두통(頭暈頭痛), 폐옹(肺癰), 유선염(乳腺炎), 종독(腫毒), 나력(瘰癧), 유즙

부족(乳汁不足), 백대(白帶)를 치료한다.

성분 N₉-formylharman, 1-carbomethoxy-β-carboline, perlolyne, norharman, cycloartenol 등이 함유되어 있다.

약리 물로 달인 액을 토끼에게 투여하면 거담 작용이 나타나고, 두꺼비의 적출 심장에 강심 작용이 있다.

사용법 산해라 30g에 물 6컵(1.2L)을 넣고 달여서 복용한다.

⊙ 더덕(종자)

⊙ 더덕(열매)

⊙ 더덕(어린 뿌리)

⊙ 산해라(山海螺, 신선품)

⊙ 산해라(山海螺, 절편)

⊙ 산해라(山海螺)의 건조

⊙ 더덕 재배(울릉도 나리분지)

⊙ 식용 또는 약용으로 거래되는 더덕 뿌리

⊙ 더덕

[초롱꽃과]

만삼

비위허약, 식욕부진, 구사 / 정신불안 / 구갈, 번갈 / 기혈허약, 체권무력

● 학명 : *Codonopsis pilosula* (Fr.) Nannf.

| 1 | 2 | 3 | 4 | 5 | 6 | 7 | 8 | 9 | 10 | 11 | 12 |

덩굴성 여러해살이풀. 뿌리는 굵다. 잎은 어긋나고, 꽃은 7~8월에 가지 끝에 1개씩 달리고 그 밑의 잎겨드랑이에서도 핀다. 꽃 받침은 5개로 갈라지고, 화관은 종형, 길이 2.5cm, 지름 1.5cm 정도로 끝이 5개로 갈 라지며, 갈라진 조각은 삼각형, 길이 5mm 정도이다.

분포·생육지 우리나라 전남(지리산), 강원 도 이북, 중국, 아무르, 우수리. 산과 들에 서 자란다.

약용 부위·수치 뿌리를 가을에 채취하여 노 두(蘆頭)를 제거하고 건조하여 사용하거나 밀자(蜜炙) 또는 부초(麩炒)하여 사용한다.

약물명 당삼(黨蔘), 만삼(蔓蔘), 서당(西黨), 태당(太黨), 천당(川黨), 로당(潞黨)이라고도 한다. 대한민국약전(KP)에 수재되어 있다.

본초서 당삼(黨蔘)은 「본초종신(本草從新)」 에 수재되어 "감평(甘平), 중초(中焦)를 도 우며 기(氣)를 이롭게 하고 비위(脾胃)를 조 화시키며 번갈(煩渴)을 없앤다."라고 기록 되어 있다. 「본초강목습유(本草綱目拾遺)」 에는 상당삼(上堂蔘)이라는 이름이 수재되 어 있는데, 이것은 노주(潞州)에서 생산되 는 인삼(人蔘)을 말한다.

本草從新: 補中, 益氣, 和脾胃, 除煩渴.

本草綱目拾遺: 治肺虛 能益肺氣.
藥性集要: 能補脾肺, 益氣生津.

성상 원기둥 모양에 가깝고 끝은 약하며, 길이 8~20cm, 지름 0.5~1.3cm이다. 표 면은 회황색 또는 연한 갈색이고 세로무늬 가 있다. 질은 약간 단단하고 부서지기 쉬 우며 쉽게 끊어진다. 끊어진 단면은 껍질 쪽이 희고 갈라졌으며, 안쪽은 담황색이고 약간 단맛이 있는 특수한 냄새가 난다.

품질 방향이 강하며 감미가 있고 씹었을 때 찌꺼기가 적으며 황갈색이고 굵은 것으로 길이 15cm, 지름 1cm 이상인 것이 좋다.

기미·귀경 미한(微寒), 감(甘), 미고(微苦)· 폐(肺), 위(胃)

약효 보중(補中), 익기(益氣), 생진액(生津 液)의 효능이 있으므로 비위허약(脾胃虛 弱), 기혈허약(氣血虛弱), 체권무력(體倦無 力), 식욕부진, 구갈(口渴), 정신불안, 번갈 (煩渴), 구사(久瀉)를 치료한다.

성분 α-spinasterol, taraxerol, α-spinas-terylglucoside, taraxerylacetate, friedelin, hydroxymethylfuraldehyde, methoxymeth-ylfuraldehyde 등이 함유되어 있다.

약리 물로 달인 액을 토끼에게 투여하면 거 담 작용이 있다. 에탄올추출물 또는 열수

추출물을 경구로 투여하거나 피하 주사하면 토끼의 적혈구와 헤모글로빈이 약간 증가한 다. 열수추출물은 phophodiesterase의 활성 을 억제함으로써 cAMP의 농도를 증가시켜 강심 작용을 나타낸다. 열수추출물은 자가 면역 질환인 전신성 홍반성낭창(systemic lupus erythmatosus)에서 나타나는 장기에 대한 공격적 항체(anti-ds DNA antibody) 생산을 억제함으로써 생존 기간을 연장시킨 다. 알칼로이드 분획물은 세포의 유사 분열 체계(MAPK-dependent signaling path-way의 up-stream)에 작용함으로써 nerve growth factor로 유도한 신경 돌기의 성장을 촉진한다. 열수추출물은 스트레스나 초산, 수산화나트륨으로 인한 위궤양으로부터 위 세포를 보호한다. 에탄올추출물을 개의 정맥 이나 복강에 주사하면 혈압이 내려간다.

사용법 당삼 10g에 물 3컵(600mL)을 넣고 달여서 또는 술에 담가서 복용한다. 가루약 은 1~1.5g을 복용한다.

처방 당삼고(黨蔘膏): 당삼(黨蔘), 황정(黃 精) 동량(「동의보감(東醫寶鑑)」). 허약한 사 람이나 병후의 보익제로 빈혈, 호흡기질병, 신장염이나 대장염에 사용한다.

• 삼기지황탕(蔘耆地黃湯): 당삼(黨蔘), 황 기(黃耆), 편축(萹蓄), 산약(山藥), 산수유 (山茱萸), 목단피(牡丹皮), 택사(澤瀉), 감초 (甘草)(「동의보감(東醫寶鑑)」). 허약한 사람 의 만성기관지염에 사용한다.

○ 만삼

○ 만삼(꽃봉오리)

○ 당삼(黨蔘)

○ 당삼(黨蔘, 절편)

○ 당삼(黨蔘, 토질(土質)에 따라 색깔이 다르다.)

○ 당삼(黨蔘)이 함유된 비위허약, 번갈 치료제

[초롱꽃과]

소경불알

 폐음허해수   비위허약

- 학명 : *Codonopsis ussuriensis* (Rupr. et Max.) Hemsl.
- 별명 : 알더덕, 소경불알더덕, 알만삼

| 1 | 2 | 3 | 4 | 5 | 6 | 7 | 8 | 9 | 10 | 11 | 12 |

⚫ 작반당삼(雀斑黨蔘)   ⚫ 소경불알(뿌리)

덩굴성 여러해살이풀. 뿌리는 구형이고, 줄기는 감아 올라가며 자르면 유액이 나오고 처음에는 털이 있으나 차츰 없어진다. 잎은 어긋나지만 가지 끝에서는 3~4개씩 모여난다. 꽃은 담자색, 7~9월에 짧은 가지 끝에서 밑을 향해 달리며, 꽃받침은 5개로 갈라지고 끝이 뾰족하다. 화관의 끝부분과 안쪽은 자주색이다. 열매는 삭과이다.

분포 · 생육지 우리나라 전역. 중국, 일본, 아무르, 사할린, 동시베리아. 산속 습지에서 자란다.

약용 부위 · 수치 뿌리를 가을에 채취하여 물에 씻은 후 말린다.

약물명 작반당삼(雀斑黨蔘)

약효 보중익기(補中益氣), 건비윤폐(健脾潤肺)의 효능이 있으므로 폐음허해수(肺陰虛咳嗽), 비위허약(脾胃虛弱)을 치료한다.

사용법 작반당삼 30g에 물 6컵(1.2L)을 넣고 달여서 복용한다.

⚫ 소경불알

[초롱꽃과]

수염가래꽃

 황달, 하리   수종

독사교상, 종독, 습진, 개선

- 학명 : *Lobelia chinensis* Lour.   - 별명 : 수염가래

| 1 | 2 | 3 | 4 | 5 | 6 | 7 | 8 | 9 | 10 | 11 | 12 |

여러해살이풀. 높이 5~15cm. 잎은 어긋나고, 꽃은 연한 자줏빛이 돌며 5~8월에 한 가지에서 1~2개씩 잎겨드랑이에 달린다. 꽃받침은 끝이 5개로 갈라지며, 화관은 길이 1cm 정도로 중앙까지 5개로 갈라지고, 갈라진 조각은 한쪽으로 치우친다. 수술은 합쳐져서 암술을 둘러싼다. 삭과는 길이

5~7mm이다.

분포 · 생육지 우리나라 중부 이남. 중국, 일본, 타이완, 인도차이나. 논둑이나 습지에서 자란다.

약용 부위 · 수치 전초를 가을에 채취하여 흙을 털어서 말린다.

약물명 반변련(半邊蓮). 급해색(急解索), 사리초(蛇利草), 세미초(細米草). 대한민국약전 외한약(생약)규격집(KHP)에 수재되어 있다.

성상 전초로 줄기는 가늘고 길며 분지하고, 마디는 선명하고 잔뿌리가 달려 있기도 하다. 잎은 어긋나고 가장자리에 톱니가 드문드문 있고 잎자루가 없다. 냄새가 특이하고 맛은 약간 달며 맵다.

기미 · 귀경 평(平), 감(甘) · 심(心), 폐(肺), 소장(小腸)

약효 청열해독(淸熱解毒), 이수소종(利水消腫)의 효능이 있으므로 황달, 수종(水腫), 하리(下痢), 독사교상(毒蛇咬傷), 종독(腫毒), 습진, 개선(疥癬)을 치료한다.

성분 lobeline, sessilifolan, melissic acid, nonacosane, ursolic acid 등이 함유되어 있다.

약리 lobeline은 호흡 중추 흥분 작용이 있으므로 임상적으로 호흡 쇠약을 치료하며, 작용이 단시간이고 축적 작용이 없으므로 반복 주사가 가능하다.

사용법 반변련 5g에 물 2컵(400mL)을 넣고 달여서 복용하고, 외용에는 짓찧어 낸 즙을 바른다.

⚫ 수염가래꽃

⚫ 반변련(半邊蓮)

[초롱꽃과]

로벨리아

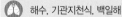 해수, 기관지천식, 백일해

● 학명 : *Lobelia inflata* L. ● 영명 : Indian tobacco, Asthma weed

1	2	3	4	5	6	7	8	9	10	11	12

여러해살이풀. 높이 50cm 정도. 잎은 어긋나고 잎자루가 없으며 가장자리에 톱니가 있다. 꽃은 분홍색, 7~8월에 잎겨드랑이에 1개씩 달린다. 꽃받침은 끝이 5개로 갈라지며, 화관은 길이 1cm 정도로 중앙까지 5개로 갈라지고, 수술은 합쳐져 암술을 둘러싼다. 열매는 삭과, 달걀 모양, 종자는 둥글다.

분포·생육지 북아메리카 원산. 세계 각처에서 약용으로 재배한다.

약용 부위·수치 지상부를 여름과 가을에 채취하여 물에 씻은 후 썰어서 말린다.

약물명 Lobeliae Herba. Indian tobacco, Asthma weed라고도 한다.

약효 호흡 중추를 자극하는 효능이 있으므로 해수, 기관지천식, 백일해를 치료한다.

성분 lobeline, sessilifolan, melissic acid, nonacosane, ursolic acid, β-amyrin palmitate 등이 함유되어 있다.

약리 lobeline은 호흡 중추 흥분 작용이 있으므로 임상적으로 호흡 쇠약을 치료하며, 작용이 단시간이고 축적 작용이 없어서 반복 주사가 가능하다. β-amyrin palmitate는 항우울제인 mianserin과 유사한 작용을 나타내며 진정 작용이 있다.

사용법 Lobeliae Herba 0.5g을 뜨거운 물에 우려내어 복용한다. 팅크제(1:1, 50%에탄올)는 0.3~0.5mL를 1일 3회 복용한다.

＊ 에탄올추출액은 어린아이의 질식(asphyxia)

이나 호흡 곤란(apnea)의 치료제로 사용했으나 부작용 때문에 최근에는 사용하지 않는다. 염산로벨린은 상업적으로 금연 보조제로 많이 사용한다. 세계 각처에서 관상 및 약용으로 재배하는 '미국로벨리아 *L. siphilitica*', '칠레로벨리아 *L. tupa*'도 같은 효과가 있다.

❂ 로벨리아

❶ Lobeliae Herba

❶ 미국로벨리아

❶ 칠레로벨리아

❂ 로벨리아로 만든 해수, 기관지천식 치료제

[초롱꽃과]

숫잔대

감모발열 해수담천 간경화복수
수종 옹저정독

● 학명 : *Lobelia sessilifolia* Lamb. ● 별명 : 진들도라지, 잔대아재비, 습잔대

1	2	3	4	5	6	7	8	9	10	11	12

여러해살이풀. 높이 50~100cm. 줄기는 곧게 서며 속이 비었고 가지와 더불어 털이 없다. 뿌리줄기는 굵고 짧으며, 잎은 어긋난다. 꽃은 연한 벽자색, 7~8월에 피고 화관은 중앙까지 갈라지며, 하순꽃잎은 3개로 중앙까지 갈라진다. 꽃받침은 씨방에 붙어 있으며 끝이 5개로 갈라진다. 삭과는 길이 1cm 정도, 종자는 편평한 달걀 모양이다.

분포·생육지 우리나라 전역. 중국, 일본, 타이완, 사할린, 동시베리아. 산과 들의 습지에서 자란다.

약용 부위·수치 전초를 여름과 가을에 채취하여 흙을 털어서 말린다.

약물명 산경채(山梗菜). 수현채(水莧菜), 절절화(節節花)라고도 한다.

기미·귀경 평(平), 신(辛), 소독(小毒)·폐(肺), 신(腎)

약효 거담지해(祛痰止咳), 이뇨소종(利尿消腫), 청열해독(淸熱解毒)의 효능이 있으므로 감모발열(感冒發熱), 해수담천(咳嗽痰

喘), 간경화복수(肝硬化腹水), 수종(水腫), 옹저정독(癰疽疔毒)을 치료한다.

성분 lobeline, sessilifolan, melissic acid, nonacosane, ursolic acid 등이 함유되어 있다.

약리 lobeline은 호흡 중추 흥분 작용이 있으므로 임상적으로 호흡 쇠약을 치료하며, 작용이 단시간이고 축적 작용이 없으므로 반복 주사가 가능하다.

사용법 산경채 10g에 물 3컵(600mL)을 넣고 달여서 복용하고, 외용에는 짓찧어 낸 즙을 바른다.

＊ 로벨린(lobeline)의 자원 식물이다.

❂ 숫잔대

❶ 산경채(山梗菜)

❶ 숫잔대(뿌리)

❶ 숫잔대(산골짜기나 연못가에서 잘 자란다.)

도라지

해수담다	인후실음
흉만협통	이질복통

●학명 : *Platycodon grandiflorum* (Jacq.) A. DC.　●별명 : 길경, 약도라지

| 1 | 2 | 3 | 4 | 5 | 6 | 7 | 8 | 9 | 10 | 11 | 12 |

여러해살이풀. 높이 40~100cm. 줄기는 곧게 서며 위에서 가지를 내고, 자르면 유액이 나오고 뿌리가 굵다. 꽃은 하늘색 또는 백색, 7~8월에 원줄기 끝에 1개 또는 여러 개가 위를 향해 달린다. 꽃받침은 5개, 화관은 종 모양으로 끝이 5개로 갈라지며 5개의 수술과 1개의 암술이 있다. 씨방은 5실, 암술대는 끝이 5개로 갈라진다.

분포·생육지 우리나라 전역. 중국, 일본, 아무르, 우수리. 산과 들에서 자란다.

약용 부위·수치 뿌리를 가을에 채취하여 물에 담갔다가 주피(珠皮, 코르크층)를 제거하고 건조한 것을 쇄길경(晒桔梗)이라고 한다. 길경의 조말(粗末)을 25%에탄올로 유동추출물의 제법에 따라 만든다.

약물명 뿌리를 길경(桔梗)이라 하며, 백약(白藥), 경초(梗草)라고도 한다. 유동추출물을 길경 유동추출물(Platycodon Fluid Extract)이라 한다. 길경과 길경 유동추출물은 대한민국약전(KP)에 수재되어 있다.

본초서 길경(桔梗)은 「신농본초경(神農本草經)」의 하품(下品)에 수재되어 있으며, 「명의별록(名醫別錄)」에는 길경(桔梗)과 제니(薺苨)를 따로 구분하여 기록되어 있다. 명대(明代) 이시진의 「본초강목(本草綱目)」에 "이 약초는 결실(結實)할 때는 뿌리가 경직(硬直)되므로 결경(結硬)이라 한다."고 하여 결경(結硬)이라고 하던 것이 길경(桔梗)으로 바꾸어 부르게 되었다. 「동의보감(東醫寶鑑)」에는 "폐기를 보하여 숨이 찬 것과 기침을 낮게 하고 모든 기운을 내린다. 목구멍이 아픈 것과 가슴이 답답한 것을 낮게 하며, 독충의 독을 풀어 준다."고 하였다.

神農本草經: 主胸脇痛如刀刺 服滿 腸鳴幽幽 驚恐悸氣.

名醫別錄: 利五臟腸胃 補血氣 除寒熱 風痺 溫中消穀 療咽喉痛.

本草綱目: 主口舌生瘡 赤目腫痛.

東醫寶鑑: 治肺氣喘促 下一切氣 療咽喉痛 及胸膈諸痛 下蟲毒.

성상 원주형~방추형으로 하부는 점점 가늘어지고 때때로 분지되어 있다. 표면은 회갈색~엷은 갈색이고 가로 주름 혹은 세로 주름이 있다. 원뿌리는 길이 10~15cm, 지름 1~3cm이고 위 끝에는 줄기가 있었던 자리가 오목하게 남아 있다. 질은 단단하나 꺾기 쉽고 꺾은 면은 백색이며 큰 틈이 있다. 거피한 것은 표면이 백색이다. 냄새는 거의 없고 맛은 달지만 후에는 아리고 쓰다.

품질 비대하고 충실하며 색이 하얗고 아린 맛이 강한 것이 좋다.

기미·귀경 평(平), 고(苦), 신(辛)·폐(肺), 위(胃).

약효 선폐거담(宣肺祛痰), 배농이기(排膿理氣)의 효능이 있으므로 해수담다(咳嗽痰多), 인후실음(咽喉失音), 흉만협통(胸滿脇痛), 이질복통(痢疾腹痛)을 치료한다.

성분 saponin: platycodin A, C, D, D₂, poly-galacin D, D₂, α-spinasterol, α-spinasterol glucoside, stigmasta-7-enol, ketulin 등이 함유되어 있다.

약리 물에 달인 액을 개에게 투여하면 가래 제거 작용이 나타난다. platycodin을 쥐에게 주사하면 중추 신경이 억제된다. 물로 달인 액을 동물에게 투여하면 혈관이 확장되면서 혈압이 내려간다. saponin 성분들은 용혈 작용, 국소 자극 작용, 거담 작용, 항염증 작용, 항알레르기 작용, 위액 분비 억제 작용, 항궤양 작용, 말초혈관 확장 작용, corticosteroid 분비 촉진 작용이 있다. 70%메탄올추출물은 혈압에 관여하는 angiotensin converting enzyme의 활성을 저해한다.

확인 시험 에탄올추출물을 클로로포름 3방울에 녹이고 무수초산 1방울과 진한 황산 1방울을 가하면 접계 면은 붉은색~적갈색을 띠고, 상층은 청록색~녹색을 띤다 (Liebermann-Buchard 반응).

사용법 길경 10g에 물 3컵(600mL)을 넣고 달여서 복용한다.

처방 길경탕(桔梗湯): 길경(桔梗) 6g, 감초(甘草) 14g 「동의보감(東醫寶鑑)」. 혀와 입안이 마르며 목안이 붓고 아픈 증상, 폐옹(肺癰)으로 기침을 하고 목이 따가운 증상에 사용한다.

△ 도라지(열매)　△ 도라지(흰 꽃)

△ 길경(桔梗, 횡단 절편)

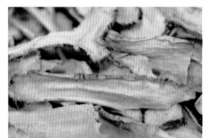
△ 길경(桔梗, 종단 절편)

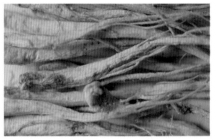
△ 길경(桔梗)

△ 길경(桔梗)추출물

△ 길경(桔梗)으로 만든 건강식품

△ 길경(桔梗)이 배합된 기침 가래약

△ 길경(桔梗)으로 만든 기침 감기약(중국산)

• 길경반하탕(桔梗半夏湯): 길경(桔梗)·진피(陳皮)·반하(半夏) 각 40g, 지실(枳實) 20g『향약집성방(鄕藥集成方)』. 감기로 배가 불러오고 아픈 증상에 사용한다.
• 은교산(銀翹散): 금은화(金銀花)·연교(連翹) 각 16g, 길경(桔梗)·두시(豆豉)·죽엽(竹葉) 각 12g, 우방자(牛蒡子) 8g, 형개(荊芥)·박하(薄荷)·감초(甘草) 각 4g『온병조변(溫病條辨)』. 열이 나고 땀이 나지 않는 감기 초기, 약간 춥고 두통이 나

며 갈증이 나는 증상에 사용한다.
• 형방패독산(荊防敗毒散): 형개(荊芥)·방풍(防風)·강활(羌活)·독활(獨活)·전호(前胡)·복령(茯苓)·인삼(人蔘)·지실(枳實)·길경(桔梗)·천궁(川芎)·감초(甘草)『동의보감(東醫寶鑑)』. 창양(瘡瘍) 초기에 표증 증상이 있거나 온역(溫疫) 초기에 사용한다.
※ 도라지에는 사포닌이 많이 함유되어 있으므로 물에 푹 담갔다가 사용하고, 오랫동안 복용하는 것은 바람직하지 않다. 뿌리가 땅속에 깊이 박혀 있어서 뽑아내기 어렵다고 하여 길경(桔梗)이라고 한다.

❍ 도라지

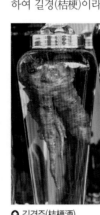
❍ 길경주(桔梗酒)

❍ 도라지(6년근)

[초롱꽃과]

영아자

| 체허자한 | 유즙부족 |
| 음식소진 | 해수, 객혈 |

● 학명 : *Phyteuma japonicum* Miquel [*Asyneuma japonicum*]
● 별명 : 염아자, 여마자, 염마자

| 1 | 2 | 3 | 4 | 5 | 6 | 7 | 8 | 9 | 10 | 11 | 12 |

여러해살이풀. 높이 50~100cm. 잎은 어긋나고 길이 5~12cm, 너비 2.5~4cm이다. 꽃은 자주색, 7~9월에 줄기 끝에 총상화서로 달린다. 포는 바늘 모양으로 밋밋하고, 화관은 5개로 깊게 갈라지며 갈라진 조각은 뒤로 말린다. 수술은 밑부분에 털이 있으며, 암술대는 끝이 3개로 갈라진다. 열매는 삭과로 편구형이다.

분포·생육지 우리나라 전역. 중국, 일본. 산골짜기에서 자란다.

약용 부위·수치 뿌리를 여름에 채취하여 물에 씻은 후 말린다.

약물명 토사삼(土沙蔘). 지해초(止咳草), 포삼(泡蔘)이라고도 한다.

약효 건비익기(健脾益氣), 윤폐지해(潤肺止咳)의 효능이 있으므로 체허자한(體虛自汗), 유즙부족(乳汁不足), 음식소진(飮食少進), 해수(咳嗽), 객혈을 치료한다.

사용법 토사삼 10g에 물 3컵(600mL)을 넣고 달여서 복용한다.

※ '초롱꽃속 *Campanula*'에 비하여 화관이 가늘고 밑부분까지 깊게 갈라진다.

❍ 영아자(꽃)

❍ 영아자(열매)

❍ 토사삼(土沙蔘)

애기도라지

허손노상, 자한	백대	육혈
감기, 해수	나력	

●학명 : *Wahlenbergia marginata* (Thunb.) A. DC. ●별명 : 진들도라지, 잔대아재비, 습잔대

| 1 | 2 | 3 | 4 | 5 | 6 | 7 | 8 | 9 | 10 | 11 | 12 |

○ 애기도라지

○ 난화삼(蘭花蔘)

○ 애기도라지(뿌리)

여러해살이풀. 높이 20~40cm. 뿌리는 길고, 잎은 어긋난다. 꽃은 하늘색, 6~8월에 가지 끝에 1개씩 하늘을 향해 달린다. 화관은 깔때기 모양, 5개로 깊게 갈라지고, 수술은 5개, 암술은 1개, 씨방하위이다. 열매는 삭과로 원추형이다.

분포 · 생육지 우리나라 제주도, 전남(완도, 진도, 무안). 중국, 일본. 산과 들에서 자란다.

약용 부위 · 수치 전초를 여름과 가을에 채취하여 흙을 털어서 말린다.

약물명 난화삼(蘭花蔘). 토삼(土蔘), 세엽사삼(細葉沙蔘)이라고도 한다.

기미 · 귀경 평(平), 감(甘), 고(苦) · 비(脾), 폐(肺).

약효 익기건비(益氣健脾), 지해거담(止咳祛痰), 지혈(止血)의 효능이 있으므로 허손노상(虛損勞傷), 자한(自汗), 백대(白帶), 감기, 해수(咳嗽), 육혈(衄血), 나력(瘰癧)을 치료한다.

성분 lupenone, daucosterol, methyl-9,12-octadecadienoate 등이 함유되어 있다.

사용법 난화삼 15g에 물 3컵(600mL)을 넣고 달여서 복용하고, 외용에는 짓찧어 낸 즙을 바른다.

톱풀

기허체약	시물혼화

●학명 : *Achillea alpina* L. [*A. mongolica*, *A. sibirica*] ●별명 : 가새풀, 배암세

| 1 | 2 | 3 | 4 | 5 | 6 | 7 | 8 | 9 | 10 | 11 | 12 |

여러해살이풀. 높이 50~110cm. 줄기는 곧게 서며, 뿌리줄기는 옆으로 길게 벋는다. 잎은 어긋나고 바늘 모양, 빗살처럼 갈라지며 다시 바늘 모양으로 갈라진다. 꽃은 백색 또는 연한 붉은색, 7~10월에 원줄기 끝에 산방화서를 이루고 두화의 지름이 7~9mm이다. 수과는 길이 3mm 정도, 양끝이 편평하고 털이 없다.

분포 · 생육지 우리나라 전역. 중국, 일본, 아무르, 시베리아, 유럽. 산속의 풀밭에서 자란다.

약용 부위 · 수치 전초를 가을에 채취하여 적당한 크기로 썰어서 말린다.

약물명 시초(蓍草). 일지호(一枝蒿)라고도 한다.

약효 익기(益氣), 명목(明目)의 효능이 있으므로 기허체약(氣虛體弱), 시물혼화(視物昏花)를 치료한다.

성분 achillin, chamazulene, *d*-camphor, deacetylmatricarin, aconitic acid 등이 함유되어 있다.

약리 열수추출물을 부종을 일으킨 쥐에게 투여하면 소염 작용이 나타난다. 에탄올추출물은 황색 포도상구균, 녹농균, 대장균에 항균 작용이 있다.

사용법 시초 10g에 물 3컵(600mL)을 넣고 달여서 복용하고, 외용에는 짓찧어 바르거나 술에 담가 문질러 바른다.

＊두화의 지름이 11mm 정도인 '큰톱풀 *A. acuminata*'도 약효가 같다.

○ 톱풀

○ 큰톱풀

○ 톱풀(뿌리)

○ 톱풀(잎)

[국화과]

서양톱풀

풍습비통 타박상
혈어통경 치창출혈

● 학명 : *Achillea millefolium* L. ● 별명 : 양가새풀

1 2 3 4 5 6 7 8 9 10 11 12

여러해살이풀. 높이 50~100cm. 잎은 어긋
나고 3회 깃꼴겹잎이다. 꽃은 백색 또는 연
한 붉은색, 7~10월에 원줄기 끝에 달린다.
암꽃은 5~7개, 화관은 길이 3.5~4.5mm,
너비 2.5~3mm, 통부는 길이 1.5mm, 양
성화의 화관은 짧다. 수과는 달걀 모양이다.
분포 · 생육지 유럽, 서아시아 원산. 세계 각
처에서 약용 또는 관상용으로 재배한다.
약용 부위 · 수치 전초를 가을에 채취하여 적
당한 크기로 썰어서 말린다.
약물명 양시초(洋蓍草). 일지호(一枝蒿), 오
공호(蜈蚣蒿)라고도 한다.
약효 거풍활혈(祛風活血), 지통해독(止痛
解毒)의 효능이 있으므로 풍습비통(風濕痺
痛), 타박상, 혈어통경(血瘀痛經), 치창출현
(痔瘡出血)을 치료한다.
성분 α-peroxyachifolid, β-peroxyiso-
achifolid, 10-angeloyldesacetylisoapres-
sin, isoapressin, achillin, chamazulene,
d-camphor, deacetylmatricarin, aconitic

acid 등이 함유되어 있다.
약리 열수추출물을 치질, 외상 출혈 환자에
게 투여하면 혈소판 수를 증가시켜 지혈 시
간이 단축된다. 부종을 일으킨 쥐에게 투여
하면 소염 작용이 나타난다. 에탄올추출물
은 황색 포도상구균, 녹농균, 대장균에 항
균 작용이 있다.
사용법 양시초 10g에 물 3컵(600mL)을 넣
고 달여서 복용하고, 외용에는 짓찧어 바르
거나 술에 담가 문질러 바른다.

❂ 서양톱풀(붉은 꽃)

❂ 서양톱풀

❂ 서양톱풀(열매)

❂ 서양톱풀(잎)

[국화과]

멸가치

해수기천 수종 소변불리
산후복통 타박상

● 학명 : *Adenocaulon himalaicum* Edgew. ● 별명 : 홍취, 개머위, 명가지, 옹취

1 2 3 4 5 6 7 8 9 10 11 12

❂ 멸가치

여러해살이풀. 높이 50~100cm. 뿌리잎은
꽃이 필 때까지 남아 있으며, 줄기잎은 어긋
난다. 꽃은 지름 5mm 정도, 8~9월에 가지
끝과 원줄기 끝에 달린다. 총포는 반구형,
포린은 넓은 달걀 모양, 꽃이 핀 다음 뒤로
젖혀진다. 암꽃은 7~11개, 길이 1.5mm 정
도, 4~5개로 갈라지고, 수과는 방사상으로
배열된다.
분포 · 생육지 우리나라 전역, 중국, 일본, 타
이완, 히말라야. 산속에서 자란다.
약용 부위 · 수치 뿌리를 가을에 채취하여 흙
을 털고 물에 씻은 후 말린다.
약물명 수호로근(水葫蘆根). 토동화(土冬
花), 선경채(腺梗菜)라고도 한다.
약효 지해평천(止咳平喘), 이뇨산어(利尿散
瘀)의 효능이 있으므로 해수기천(咳嗽氣喘),
수종(水腫), 소변불리(小便不利), 산후복통,
타박상을 치료한다.
사용법 수호로근 10g에 물 3컵(600mL)을
넣고 달여서 복용하고, 외용에는 짓찧어 바
르거나 술에 담가 문질러 바른다.

❂ 멸가치(꽃이 피기 전)

❂ 멸가치(열매)

❂ 멸가치(뿌리)

❂ 수호로근(水葫蘆根)

[국화과]

하전국

 감모발열 　 간염
폐열해수 　인후통

●학명 : *Adenostemma lavenia* (L.) O. Kuntze　●한자명 : 下田菊

| 1 | 2 | 3 | 4 | 5 | 6 | 7 | 8 | 9 | 10 | 11 | 12 |

여러해살이풀. 높이 1m 정도. 줄기는 바로
서고, 잎은 마주나며 가장자리에 톱니가 있
다. 꽃은 백색, 가을에 두상화서로 조밀하게
핀다. 수과는 긴 타원형, 관모는 4개이다.
분포 · 생육지 유럽 원산. 세계 각처의 산과
들에서 자란다.
약용 부위 · 수치 전초를 여름과 가을에 채취
하여 물에 씻은 후 썰어서 말린다.
약물명 풍기초(風氣草). 인조자(仁皂刺)라
고도 한다.
약효 청열해독(淸熱解毒), 거풍제습(祛風除
濕)의 효능이 있으므로 감모발열, 간염, 폐
열해수(肺熱咳嗽), 인후통을 치료한다.
사용법 풍기초 10g에 물 3컵(600mL)을 넣
고 달여서 복용한다.

❍ 하전국

[국화과]

단풍취

 폐로객혈 　 타박상

●학명 : *Ainsliaea acerifolia* S. et Z.　●별명 : 괴발딱취, 장이나물, 괴발딱지

| 1 | 2 | 3 | 4 | 5 | 6 | 7 | 8 | 9 | 10 | 11 | 12 |

여러해살이풀. 높이 30~80cm. 가지가 없
고 갈색 털이 드문드문 있다. 잎은 원줄기
중앙에 4~7개가 돌려난 것처럼 보이며 원
형, 끝이 7~11개로 얕게 갈라진다. 꽃은

7~9월에 수상화서로 달린다. 총포는 통형,
포는 많고 그 속에 3개의 통상화가 들어 있
으며, 화관은 백색, 열편이 불규칙하다. 수
과는 달걀 모양이다.

분포 · 생육지 우리나라 전역. 중국, 일본. 산
지에서 흔하게 자란다.
약용 부위 · 수치 전초를 여름과 가을에 채취
하여 물에 씻은 후 썰어서 말린다.
약물명 토이풍(兎耳風)
약효 양음청폐(養陰淸肺), 거어지혈(祛瘀止
血)의 효능이 있으므로 폐로객혈(肺癆喀血),
타박상을 치료한다.
사용법 토이풍 10g에 물 3컵(600mL)을 넣
고 달여서 복용한다.
＊중국에서는 '토이풍(兎耳風) *A. glabra*'의
전초를 사용한다.

❍ 토이풍(兎耳風)

❍ 꽃　　❍ 단풍취

❍ 단풍취(꽃이 피기 전)

[국화과]

산떡쑥

| | 토혈, 습열사리, 회충병 | | 위화치통 |
| | 유옹 | | 나력, 염창 |

● 학명 : *Anaphalis margaritacea* (L.) Benth. et Hook. f. ● 별명 : 개괴쑥

| 1 | 2 | 3 | 4 | 5 | 6 | 7 | 8 | 9 | 10 | 11 | 12 |

여러해살이풀. 높이 30~70cm. 땅속줄기는 옆으로 길게 벋는다. 잎은 어긋나고 바늘 모양, 길이 6~9cm, 너비 1~1.5cm이며 밑이 좁아져 줄기를 반쯤 싸고 솜털이 빽빽이 난다. 꽃은 연한 황색, 7~8월에 줄기 끝에 두화가 산방상으로 달린다. 총포는 둥글고 포편은 6열로 배열하며, 열매는 수과이다.

분포 · 생육지 우리나라 강원, 경기, 함남북. 중국, 일본. 산지의 풀밭에서 자란다.

약용 부위 · 수치 전초를 여름과 가을에 채취하여 물에 씻은 후 말린다.

약물명 대엽백두옹(大葉白頭翁). 일면청(一面靑), 대화초(大火草)라고도 한다.

약효 청열사화(淸熱瀉火), 조습(燥濕), 구충의 효능이 있으므로 토혈(吐血), 위화치통(胃火齒痛), 습열사리(濕熱瀉痢), 회충병, 유옹(乳癰), 나력(瘰癧), 염창(膁瘡)을 치료한다.

사용법 대엽백두옹 15g에 물 3컵(600mL)을 넣고 달여서 복용하고, 외용에는 짓찧어 바르거나 술에 담가 문질러 바른다.

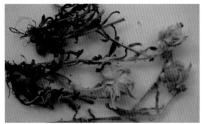
◐ 대엽백두옹(大葉白頭翁)

◐ 산떡쑥(꽃)

◐ 산떡쑥

[국화과]

다북떡쑥

| | 감기, 기관지염 | | 장염, 이질 |

● 학명 : *Anaphalis sinica* Hance ● 별명 : 다북산괴쑥

| 1 | 2 | 3 | 4 | 5 | 6 | 7 | 8 | 9 | 10 | 11 | 12 |

여러해살이풀. 높이 50~100cm. 뿌리줄기에서 여러 개의 줄기가 나오고 전체에 솜털이 있다. 뿌리잎은 꽃이 필 때 시들며, 줄기잎은 어긋나고 긴 타원형, 길이 4~6cm, 너비 1~1.5cm로 밑이 좁아져 줄기에 날개모양으로 흐른다. 꽃은 황백색, 이가화로 7~8월에 두상화가 산방상으로 달린다. 수과는 긴 타원상 구형이다.

분포 · 생육지 우리나라 경기, 강원 이북. 중국, 일본. 산지의 풀밭에서 자란다.

약용 부위 · 수치 전초를 가을에 채취하여 물에 씻은 후 말린다.

약물명 통장향(通腸香). 추(萩), 백사릉풍(白四棱風)이라고도 한다.

약효 거풍해표(祛風解表), 선폐지해(宣肺止咳)의 효능이 있으므로 감기, 기관지염, 장염, 이질을 치료한다.

사용법 통장향 15g에 물 3컵(600mL)을 넣고 달여서 복용하고, 외용에는 짓찧어 바르거나 술에 담가 문질러 바른다.

＊ 본 종에 비하여 높이가 10~15cm로 작고 잎이 약간 두꺼운 '구름떡쑥 var. *morii*'도 약효가 같다.

◐ 통장향(通腸香)

◐ 구름떡쑥

◐ 다북떡쑥

[국화과]

색소카모밀라

 ♀ 생리통   👃 향신료, 방향제

●학명 : *Anthemis tinctoria* L.   ●영명 : Dye's chamomile

| 1 | 2 | 3 | 4 | 5 | 6 | 7 | 8 | 9 | 10 | 11 | 12 |

✿ 색소카모밀라(꽃)

여러해살이풀. 줄기는 곧게 서며 녹색, 높이 50~90cm이다. 잎은 돌려나며 긴 타원형, 길이 4~7cm, 끝이 날카롭고 뒷면에는 회색 솜털이 있다. 꽃은 '데이지'와 비슷한 황색, 지름 4cm 정도, 6~8월에 가지 끝에 핀다.

분포 · 생육지 유럽, 서아시아. 세계 각처에서 재배한다.

약용 부위 · 수치 꽃 또는 잎을 봄과 여름에 채취하여 적당한 크기로 썰어서 말린다.

약물명 꽃을 Anthemis Tinctoriae Flos, 잎을 Anthemis Tinctoriae Folium이라 한다.

약효 꽃은 진경, 통경의 효능이 있으므로 생리통에 사용하고, 잎은 향신료 및 방향의 목적으로 사용한다.

사용법 Anthemis Tinctoriae Flos나 Anthemis Tinctoriae Folium 5g을 뜨거운 물로 우려내어 복용한다.

✿ 색소카모밀라

[국화과]

아르니카

 류머티즘, 통풍   열감기

●학명 : *Arnica montana* L.   ●영명 : Arnica, Leopard's bone

| 1 | 2 | 3 | 4 | 5 | 6 | 7 | 8 | 9 | 10 | 11 | 12 |

여러해살이풀. 높이 30~40cm. 곧게 자란다. 잎은 마주나고 주걱형이다. 꽃은 줄기와 가지 끝에서 1개가 나오며 황적색이다.

분포 · 생육지 유럽 원산. 야산이나 들에 자라고 세계 각처에서 재배한다.

약용 부위 · 수치 꽃을 여름에 채취하여 말린다.

약물명 Arnicae Flos

약효 청열조습(清熱燥濕)의 효능이 있으므로 류머티즘, 통풍, 열감기를 치료한다.

사용법 Arnicae Flos 5g을 뜨거운 물에 우려내어 복용한다.

주의 독성이 있으므로 오랫동안 복용하거나 과량 복용은 금한다.

✿ 아르니카

✿ Arnicae Flos

✿ 아르니카(꽃)

✿ 아르니카가 배합된 근육통 치료제

✿ 아르니카로 만든 류머티즘 치료제

[국화과]

우엉

풍열해수 / 인후종통, 안면부종, 치통 / 반진불투, 소양풍진, 옹종창독 / 현훈

● 학명 : *Arctium lappa* L.　● 별명 : 우웡

| 1 | 2 | 3 | 4 | 5 | 6 | 7 | 8 | 9 | 10 | 11 | 12 |

두해살이풀. 높이 1.5m 정도. 줄기는 위에서 가지가 갈라지고, 뿌리가 굵고 길며 땅속으로 깊게 들어간다. 뿌리잎은 모여나고, 줄기잎은 어긋난다. 꽃은 통상화뿐이며 검은 자줏빛이 돌고, 7월에 두상화가 원줄기와 가지 끝에 산방상으로 달린다. 총포는 구형이며, 포는 바늘 모양, 끝이 갈고리 모양이다. 관모(冠毛)는 갈색이다.

분포 · 생육지 유럽 원산. 우리나라 전역에서 재배하는 귀화 식물이다.

약용 부위 · 수치 열매는 8~9월에, 뿌리는 9~10월에 채취하여 물에 씻은 후 말린다.

약재명 열매를 우방자(牛蒡子)라 하며, 악실(惡實), 서점자(鼠粘子)라고도 한다. 뿌리를 우방근(牛蒡根)이라 한다. 우방자는 대한민국약전(KP)에, 우방근은 대한민국약전외한약(생약)규격집(KHP)에 수재되어 있다.

본초서 우방자(牛蒡子)는 「명의별록(名醫別錄)」의 중품(中品)에 악실(惡實)이라는 이름으로 수재되어 있으며, 「본초강목(本草綱目)」에는 "열매의 형태가 험악하고 가시가 많으므로 악실(惡實)이라고 한다."고 하였다. 「동의보감(東醫寶鑑)」에 우방자는 악실(惡實)이라는 이름으로 수재되어 "눈을 밝게 하고 바람의 기운으로 인해 상한 것을 낫게 한다."고 하였다.

名醫別錄: 明目補中, 除風傷.

藥性論: 除諸風, 去丹石毒, 主明目, 利腰脚. 又散諸結節, 筋骨煩熱毒.

珍珠囊: 潤肺散氣, 主風毒腫, 利咽膈.

東醫寶鑑: 主明目 除風傷.

성상 우방자(牛蒡子)는 조금 구부러진 방추형~달걀 모양의 수과로 길이 5~7mm, 너비 2~3.2mm, 두께 0.8~1.5mm이며, 100개의 무게는 1.2~1.5g이다. 위쪽 끝은 지름 1mm 정도로 오목하게 들어가 있고, 아래쪽은 조금 둥글다. 표면은 회갈색~갈색으로 흑색의 반점이 있고 뚜렷하지 않은 세로 능선이 있다. 냄새는 거의 없고, 맛은 조금 쓰고 기름기가 있다. 우방근(牛蒡根)은 원기둥 모양이고 길이 40~60cm, 지름 3~4cm이며 표면은 흑갈색으로 주름 무늬가 있고 속은 황백색이다. 냄새가 향기롭고, 맛은 쓰며 점성이 있다.

기미 · 귀경 우방자(牛蒡子): 한(寒), 신(辛), 고(苦) · 폐(肺), 위(胃). 우방근(牛蒡根): 양(凉), 고(苦), 미감(微甘) · 폐(肺), 심(心).

약효 우방자(牛蒡子)는 거풍열(祛風熱), 소종(消腫), 해독의 효능이 있으므로 풍열해수(風熱咳嗽), 인후종통(咽喉腫痛), 반진불투(斑疹不透), 소양풍진(瘙痒風疹), 옹종창독(癰腫瘡毒)을 치료한다. 우방근(牛蒡根)은 거풍열(祛風熱), 소종독(消腫毒)의 효능이 있으므로 안면부종(顔面浮腫), 현훈(眩暈), 인후열종(咽喉熱腫), 치통, 해수(咳嗽), 당뇨병, 창독(瘡毒)을 치료한다. 유럽에서는 부종에 사용하며 인후통 및 독충에 쏘였을 때 해독제로도 사용한다.

성분 우방자(牛蒡子)의 주성분은 arctiin이고 가수 분해에 의하여 arctigenin과 glucose로 되며, benzyl β-D-glucopyranoside 등이 함유되어 있다. 우방근(牛蒡根)에는 arctinone a, b, arctinol a, b, arctinal, arctic acid b, c, methylarctate b, arctinone a acetate, chlorogenic acid 등이 함유되어 있다.

약리 주성분인 arctiin을 쥐에 주사하면 소변 양이 증가한다. 물로 달인 액은 *Trichophyton menthagrophytes* 등에 진균 작용이 있다. 쥐에게 암세포를 이식하여 암 조직을 만든 뒤 arctigenin을 주사하면 수명이 연장된다. arctiin은 무산소성 장내 세균에 의하여 (−)-arctigenin과 (−)-enterolactone 등으로 전환되며, 이 물질들은 에스트로겐 유사 작용을 나타낸다. 다당류인 P-1은 C3H/HeN, C3H/HeJ와 같은 비장 세포의 분열을 촉진한다. benzyl β-D-glucopyranoside는 ether로 야기된 스트레스로 감소한 catecholamine 수치를 회복시키며, chlorogenic acid는 감소한 adrenocorticotropic acid(ACTH)의 수치를 증가시킴으로써 폐경기의 정신적인 긴장을 해소시킨다.

사용법 우방자나 우방근 10g에 물 3컵(600 mL)을 넣고 달여서 복용하고, 외용에는 달인 액으로 씻거나 바른다.

처방 은교산(銀翹散): 금은화(金銀花) · 연교(連翹) 각 16g, 길경(桔梗) · 두시(豆豉) · 죽엽(竹葉) 각 12g, 우방자(牛蒡子) 8g, 형개(荊芥) · 박하(薄荷) · 감초(甘草) 각 4g(「온병조변(溫病條辨)」). 열이 나고 땀이 나지 않는 감기 초기, 약간 춥고 두통이 나며 갈증이 나는 증상에 사용한다.

• 우방해기탕(牛蒡解肌湯): 우방자(牛蒡子), 마인(麻仁), 행인(杏仁), 숙지황(熟地黃), 육종용(肉蓗蓉). 노인 또는 출산 후의 변비에 사용한다.

❍ 우방근(牛蒡根)

❍ 우방자(牛蒡子)

❍ 우방근(牛蒡根, 신선품)

❍ 우엉(열매)

❍ 우방근차(牛蒡根茶)

❍ 우방자(牛蒡子), 방풍(防風) 등이 배합된 염증 치료제

❍ 우엉(꽃)

❍ 우엉

[국화과]

쓴쑥

식욕부진, 황달, 담석증　　관절염
습진소양, 창종

●학명 : *Artemisia absinthium* L.　●영명 : Vormwood, Absinthe　●별명 : 향쑥

| 1 | 2 | 3 | 4 | 5 | 6 | 7 | 8 | 9 | 10 | 11 | 12 |

여러해살이풀. 높이 70~150cm. 줄기는 뿌리에서 1개가 나오며 드물게 2~3개가 나온다. 줄기 밑부분의 잎은 2~3회 깃꼴 겹잎, 길이 8~12cm, 너비 6~12cm, 중간 정도의 잎은 2회 깃꼴겹잎이다. 두상화서는 구형 또는 구형에 가깝고 밑으로 처진다. 총 포편은 3~4층, 백색 털이 있다. 수과는 타원상 구형, 개화 및 결실기는 8~11월이다.

분포·생육지 중국 신장(新疆), 유럽과 서부 아시아 및 시베리아 남부 원산. 세계 각처에서 약용으로 재배한다.

약용 부위·수치 지상부를 여름과 가을에 채취하여 썰어서 말린다.

약물명 고애(苦艾). 고호(苦蒿), 비주호(啤酒蒿)라고도 한다.

약효 청열조습(淸熱燥濕), 건위(健胃), 이담(利膽)의 효능이 있으므로 식욕부진, 관절염, 습진소양, 창종(瘡腫), 황달, 담석증을 치료한다.

성분 artenolide, parshin B, C, jasminin, scopoletin, umbelliferone, caffeoylquinic acid, abshintholide, β-thujone 등이 함유되어 있다.

약리 β-thujone을 동물에 주사하면 흥분 작용이 나타난다.

사용법 고애 5g에 물 2컵(400mL)을 넣고 달여서 복용하고, 외용에는 짓찧어 낸 즙을 바른다.

＊유럽에서는 황달, 담석증 치료에 사용하고 있고, 이것이 전 세계로 퍼져 나가 재배되고 있다. 인진호(茵蔯蒿) 대용으로도 사용한다.

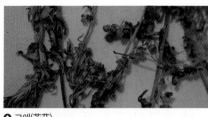
❶ 고애(苦艾)

❶ 쓴쑥

[국화과]

유기노

경폐, 통경, 산후어체복통　　징가, 식적복통
타박상　　요도염, 방광염　　풍습비통

●학명 : *Artemisia anomala* S. Moore　●한자명 : 劉寄奴

| 1 | 2 | 3 | 4 | 5 | 6 | 7 | 8 | 9 | 10 | 11 | 12 |

여러해살이풀. 높이 70~150cm. 줄기는 바로 서고 중부 이상에서 가지를 치고 윗부분의 가지에서 꽃차례가 나온다. 잎은 어긋나고 줄기 밑의 잎은 크고 위로 올라갈수록 작아지며 가장자리에 톱니가 있다. 꽃은 두상화서로 많이 달리며 길이 3mm 정도, 총 포편은 3~4층, 수술 5개, 암술 1개이다. 수과는 작고 타원상 구형이며 털이 없다.

분포·생육지 중국 광둥성(廣東省), 광시성(廣西省), 쓰촨성(四川省), 윈난성(雲南省), 허베이성(河北省). 산과 들에서 자란다.

약용 부위·수치 여름이나 가을에 꽃이 필 때 지상부를 채취하여 썰어서 말린다.

약물명 유기노(劉寄奴). 송나라 때 유기노(劉寄奴)라는 사람이 금창출혈(金瘡出血)로 고생할 때 이 약을 먹고 나은 것에서 유래한다. 유기노초(劉寄奴草), 금기노(金寄奴)라고도 한다. 대한민국약전외한약(생약)규격집(KHP)에 수재되어 있다.

본초서 유기노(劉寄奴)는 「뇌공포자론(雷公炮炙論)」에 처음 수재되었으며, 당나라의 「신수본초(新修本草)」에는 유기노초(劉寄奴草)라는 이름으로 수재되어 "어혈(瘀血)을 풀어 주며 뱃속이 더부룩한 증상을 치료한다."고 하였다. 이시진(李時珍)의 「본초강목(本草綱目)」에는 "어린아이의 소변에 피가 섞여 나오는 증상에는 신선한 것을 가루 내어 복용하라."고 기록되어 있다. 「동의보감(東醫寶鑑)」에는 유기노초(劉寄奴草)라는 이름으로 수재되어 "피가 뭉친 것을 풀어 주고 배가 몹시 부풀어 오르면서 속이 그득한 감이 드는 것을 낫게 한다. 생리를 순조롭게 하고 몸속에 나쁜 기운이 몰려 있는 것을 풀어 준다."고 하였다.

東醫寶鑑: 主破血 下脹 通婦人經脈 癥結.

성상 전초로 줄기는 원기둥 모양, 표면은 황갈색~녹갈색, 세로 줄무늬가 있다. 잎은 긴 타원형, 표면은 녹색, 뒷면은 회녹색이다. 질은 바삭바삭하여 부스러지기 쉽다. 냄새가 약간 있고 맛은 쓰다.

기미·귀경 온(溫), 신(辛), 미고(微苦)·심(心), 간(肝), 비(脾)

약효 파어통경(破瘀通經), 지혈소종(止血消腫), 소식화적(消食化積)의 효능이 있으므로 경폐(經閉), 통경(痛經), 산후어체복통(産後瘀滯腹痛), 악로부진(惡露不盡), 징가(癥瘕), 타박상, 금창출혈(金瘡出血), 요도염, 방광염, 풍습비통(風濕痺痛), 변혈(便血), 요혈(尿血), 옹창종독(癰瘡腫毒), 식적복통(食積腹痛), 설사이질을 치료한다.

성분 arteanoflavone, eupatilin, tricin, herniarin, scopoletin, umbelliferone, salvigenin, reynosin, armexifolin, dehydromatricarin, deacetyldehydromatricarin, secotanapartholide A, artenomalactone, simiarenol, aurantiamide acetate, anabellamide, anomalamide 등이 함유되어 있다.

약리 열수추출물을 쥐에게 투여하면 관상 동맥의 혈류량이 증가한다.

사용법 유기노 10g에 물 3컵(600mL)을 넣고 달여서 복용한다.

처방 유기노탕(劉寄奴湯): 유기노(劉寄奴) 12g, 골쇄보(骨碎補)·연호색(延胡索) 각 8g. 어혈(瘀血)에 의한 복통에 사용한다.

＊우리나라에서는 본 종이 없어 '물쑥 *A. selengensis*,' '외잎쑥 *A. viridissima*'을 유기노(劉寄奴)의 대용품으로 사용한다.

❶ 유기노(劉寄奴)

❶ 유기노

[국화과]

개똥쑥

 말라리아, 조열 풍양창개

서체

● 학명 : *Artemisia annua* L. ● 영명 : Chinese wormwood ● 별명 : 개땅쑥, 잔잎쑥

| 1 | 2 | 3 | 4 | 5 | 6 | 7 | 8 | 9 | 10 | 11 | 12 |

한해살이풀. 높이 1~1.5m. 줄기는 곧게 서고 가지가 많이 갈라지며 털이 없다. 잎은 어긋나고 3회 깃꼴겹잎이다. 꽃은 녹황색, 6~8월에 작은 두상화서가 이삭으로 달려서 전체가 원추화서로 된다. 두상화는 지름 1.5mm 정도, 총포편은 털이 없고 2~3줄로 배열되며, 외포편은 타원형이다. 수과는 길이 0.7mm 정도이다.

분포 · 생육지 우리나라 전역, 중국, 일본, 아무르, 몽골, 시베리아, 인도, 유럽, 북아메리카. 길가나 들, 산기슭에서 흔하게 자란다.

약용 부위 · 수치 전초를 꽃이 필 즈음에 채취하여 적당한 크기로 썰어서 말린다.

약물명 청호(靑蒿). 호(蒿), 초호(草蒿), 향호(香蒿), 고호(苦蒿)라고도 한다. 대한민국약전외한약(생약)규격집(KHP)에 수재되어 있다.

본초서 청호(靑蒿)는 「신농본초경(神農本草經)」의 하품(下品)에 수재되어 별명을 초호(草蒿)라고 하였다. 한보승(韓保昇)은 "청호는 강동(江東) 지방에서는 신호(汎蒿)라고 한다. 취기(臭氣)가 신(汎, 너구리의 한 종류)과 비슷하기 때문이다. 북방에서는 청호(靑蒿)라고 하며, 인진호(茵蔯蒿)와 잎 모양이 비슷하다."고 하였다. 「동의보감(東醫寶鑑)」에 "몸과 마음이 허약하고 피로한 것

을 낫게 하고 식은땀을 그치게 하며 뼈마디 사이에 머물러 있는 열을 없애고 눈을 밝게 한다. 중초(中焦)의 기운을 조화시키고 기운을 도우며 얼굴빛을 윤택하게 하고 젊어서 머리카락이 희어진 것을 검게 한다. 열황(熱黃)을 낫게 하고 병을 유발하는 나쁜 기운과 귀독(鬼毒)을 없앤다."고 하였다.

神農本草經: 主疥瘙痂痒, 惡瘡, 殺蝨, 留熱在骨節間, 明目.

新修本草: 生搗傅金瘡, 大止血, 生肉, 止疼痛良.

本草綱目: 治瘧疾寒熱, 黃花蒿, 治小兒風寒驚熱.

東醫寶鑑: 治勞 止盜汗 除留熱在骨節間 明目 補中益氣 駐顏色 去蒜髮 療熱黃及邪氣鬼毒.

성상 길이 60~100cm, 줄기는 지름 5~10mm의 원주형이고, 표면은 담갈색~회갈색이며 세로로 모가 지고 질은 단단하다. 횡단면은 거칠고 가운데에 백색의 수(髓)가 있다. 어린 가지에는 많은 잎이 있고, 질은 무르며 부서지기 쉽다. 과수나 화서를 가졌던 가지는 잎이 거의 떨어져 있다. 질은 가볍고 부서지기 쉽다. 특이한 향기가 있고 맛은 쓰며 청량감이 있다.

기미 · 귀경 한(寒), 고(苦), 미신(微辛) · 간(肝), 담(膽)

약효 청열(淸熱), 거풍(祛風), 지양(止痒)의 효능이 있으므로 서체(暑滯), 말라리아, 조열(潮熱), 풍양창개(風痒瘡疥)를 치료한다.

성분 artemisinin, artemisinin A, artemisinin B, artemisinic acid, hydroartemisinin, qinghaosu IV~VI, artemisinin C, arteannuin G, scopoletin, artemitin, eupatin, arteannuin B 등이 함유되어 있다.

약리 arteannuin, arteannuin B는 항말라리아 원충 작용이 있다. 열수추출물은 피부 진균에 항진균 작용이 있으며, 그 효과는 연교(連翹)나 황백(黃柏)과 비슷하다. 부탄올 분획물은 사염화탄소로 유발시킨 간 독성에 보간(補肝) 작용과 항산화 작용이 있다. artemisinic acid는 각질 형성 세포인 HaCaT 세포에서 IFN-γ와 TNF-α로 유도되는 아토피 피부염 관련 인자인 MDC 발현을 억제한다.

사용법 청호 10g에 물 3컵(600mL)을 넣고 달여서 복용하거나 알약이나 가루약으로 만들어 복용하고, 때로는 술에 담가서 복용한다. 잎을 따 두었다가 약차로 이용하기도 한다.

처방 청호별갑탕(靑蒿鱉甲湯): 청호(靑蒿) · 지모(知母) · 목단피(牡丹皮) 각 12g, 별갑(鱉甲) 16g, 생지황(生地黃) 20g (「온병조변(溫病條辨)」). 온병(溫病) 후기에 지속되는 미열, 밤에는 열 높고 아침에는 내리며 갈증, 현기증, 얼굴에 홍조를 띠는 증상에 사용한다.

• 호금청담탕(蒿芩淸膽湯): 청호(靑蒿) · 황금(黃芩) · 죽여(竹茹) · 복령(茯苓) · 진피(陳皮) · 벽옥산(碧玉散, 활석, 감초, 청대) 각 10g, 지각(枳殼) · 반하(半夏) 각 6g. 한열이 있고 혀가 쓰고 가슴이 조이며 구역질이 나는 증상에 사용한다.

* 중국의 전통의학연구원은 본 종에서 말라리아 치료제를 개발해 2015년 노벨 의학상을 수상했다. 「중약대사전(中藥大辭典)」에는 본 종과 함께 '개사철쑥 *A. apiacea*'의 지상부를 청호(靑蒿)의 기원 식물로 하고 있으며, 우리나라와 일본에서는 후자를 사용한다.

❍ 개똥쑥

❍ 청호(靑蒿)

❍ 개똥쑥(열매)

❍ 개똥쑥(잎)

❍ 개똥쑥(꽃)

❍ 청호(靑蒿)로 만든 건강 식품

❍ 청호(靑蒿)가 함유된 말라리아 치료제

[국화과]

개사철쑥

 피부진균증, 습진, 탈모   황달

●학명 : *Artemisia apiacea* Hance   ●별명 : 모기쑥, 흰황새쑥

1	2	3	4	5	6	7	8	9	10	11	12

한두해살이풀. 높이 70~150cm. 전체에 털이 없고 줄기에 가지가 많다. 뿌리잎은 꽃이 필 때 없어지고, 줄기잎은 2회 깃꼴겹잎이다. 꽃은 녹황색, 반구형, 지름 5~6mm, 7~9월에 줄기나 가지에 두상화서가 한쪽으로 치우쳐 달린다.

분포·생육지 우리나라 전역. 중국, 아무르, 우수리, 일본. 들, 인가 부근, 냇가의 모래땅에서 자란다.

약용 부위·수치 전초를 여름과 가을에 채취하여 썰어서 말린다.

약물명 청호(青蒿)

약효 피부진균증, 황달, 습진, 탈모증을 치료한다.

성분 campesterol, stigmasterol, β-sitosterol, daucosterol, 7-methoxycoumarin, 7,8-dimethoxycoumarin, daphentin 등이 함유되어 있다.

약리 campesterol, stigmasterol, daucosterol은 glutamate로 유도되는 세포의 사멸을 억제한다.

사용법 청호 10g에 물 3컵(600mL)을 넣고 달여서 복용하고, 진균증과 습진에는 가루로 빻아서 연고를 만들어 바른다.

❍ 개사철쑥

❍ 청호(青蒿)

[국화과]

사철쑥

황달   소변불리

풍양창개

●학명 : *Artemisia capillaris* Thunb.   ●별명 : 애땅쑥, 애탕쑥

1	2	3	4	5	6	7	8	9	10	11	12

여러해살이풀. 높이 30~100cm. 줄기는 곧게 서고 기부는 나무처럼 단단하다. 잎은 어긋나며 2회 깃꼴겹잎이다. 꽃은 8~9월에 피며 길이와 지름이 각각 1.5~2mm, 구형, 총포는 둥글고 털이 없으며, 포는 3~4줄로 배열된다. 수과는 길이 0.8mm 정도이다.

분포·생육지 우리나라 전역. 중국, 일본, 우수리, 필리핀. 냇가나 바닷가 모래땅에서 자란다.

약용 부위·수치 봄에 높이가 10cm 정도로 자랐을 때 전초를 채취하여 말린다.

약물명 인진호(茵蔯蒿). 인진(茵蔯), 인첨(茵尖), 마선(馬先), 융호(絨蒿)라고도 한다. 이 식물은 여러해살이풀로 지상부는 늦가을에 죽고 이듬해 다시 뿌리에서 새싹이 나온다. 즉, 묵은(陳) 인연(因緣)으로 다시 새싹이 나오는 쑥이라 하여 인진호(茵蔯蒿)라고 한다. 대한민국약전외한약(생약)규격집(KHP)에 수재되어 있다.

본초서 인진호(茵蔯蒿)는 「신농본초경(神農本草經)」의 상품(上品)에 인진(茵蔯)으로 수재되어 있으며 "풍습(風濕), 한열(寒熱), 사기(邪氣), 열결(熱結), 황달을 치료한다."고 기록되어 있다. 「명의별록(名醫別錄)」에도 "전신발황(全身發黃), 소변불리(小便不利)를 치료한다."고 기록된 것으로 보아 예로부터 간염에 사용되어 온 것을 알 수 있다. 「동의보감(東醫寶鑑)」에 "열로 인해 황달이 생겨 온몸이 노랗게 되는 것을 낫게 하고 소변을 잘 나오게 한다. 돌림병으로 열이 몹시 나면서 머리가 아픈 것과 장학(瘴瘧, 학질의 하나)을 낫게 한다."고 하였다.

神農本草經: 主風濕寒熱邪氣, 熱結黃疸, 久服輕身益氣耐老.

名醫別錄: 通身發黃, 小便不利, 除頭熱, 去伏瘕. 面白悅, 長年.

本草拾遺: 通關節, 去滯熱, 傷寒用之.

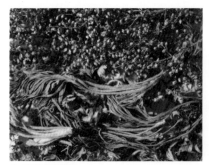

❍ 인진호(茵蔯蒿)

❍ 사철쑥(열매)

東醫寶鑑: 主熱結黃疸 通身發黃 小便不利 治天行時疾 熱狂頭痛及瘴瘧.

성상 지상부로 줄기는 원기둥 모양, 가지가 많으며 표면은 녹갈색이고 세로무늬가 있으며 부드러운 털로 덮여 있다. 잎은 줄기 상부의 것은 거의 탈락되고 줄기 하부의 잎은 깃꼴겹잎이다. 냄새가 강하고 맛은 쓰다.

기미·귀경 미한(微寒), 미고(微苦), 미신(微辛)·비(脾), 위(胃), 방광(膀胱).

약효 청열이습(淸熱利濕), 퇴황(退黃)의 효능이 있으므로 황달, 소변불리(小便不利), 풍양창개(風痒瘡疥)를 치료한다.

성분 polyacetylene: capillin, capillene, capillone, coumarin: scopoletin, capillarin, esculetin-6,7-dimethylether, scoparone, caffeoylquinic acid, 3,5-di-O-caffeoylquinic acid, 4,5-di-O-caffeoylquinic acid, 6,8-diprenylumbelliferone, cedrelopsin, osthol, flavonoid: capillarisin, hyperoside, isorhamnetin 3-O-robinoside, quercetin 등, 정유 성분에는 menthol, menthone 등이 함유되어 있다.

약리 열수추출물은 NF-kB의 활성화를 억제함으로써 LPS로 유도된 염증 반응을 억제한다. 물로 달인 액은 nuclear receptor인 constitutive androstane receptor를 활성화시킴으로써 bilirubin 배설을 촉진시킨다. capillarisin은 GSH를 안전화하고 free radical을 소거함으로써 산화적 손상으로부터 간세포를 보호한다. esculetin-6,7-dimethylether를 동물에게 주사하면 담즙 분비를 촉진시킨다. 급성담낭염에 물로 달인 액을 투여하면 치료 효과가 나타난다. 인진호탕(茵蔯蒿湯)을 전염성 간염 환자나 황달

환자에게 투여하면 상태가 좋아진다. 방향성 정유는 위 운동을 항진시키고 위내 가스를 배출시켜 식욕을 증진시킨다. menthol에는 이담 작용, 국소 자극 작용, 국소 마취 작용, 진경 작용, 구풍 작용, 구충 작용이 있다. menthol의 이성질체 가운데서 (−)-menthol의 약효가 좋다. scoparone은 협심증에 사용되는 nitroglycerine처럼 norepinephrine을 경쟁적으로 저해함으로써 관상 동맥 확장 작용을 나타낸다. 50%메탄올추출물은 초산액으로 유도한 실험 동물의 통증(writhing)을 억제한다. 물로 달인 액을 투여하면 혈관벽에 지방질이 축적되는 것을 방지한다. 정유를 실험 동물에게 주사하면 중추 신경 특히 미주 신경을 억제한다. menthol과 menthone은 토끼의 장관에 투여하면 연동 운동이 느려진다. 정유 성분들은 생체 실험과 시험관 실험에서 피부 진균의 성장을 억제한다. 물로 달인 액을 피부에 바르면 엑스레이에 의한 피부 손상이 억제된다. 메탄올추출물은 α-glucosidase와 α-amylase의 활성을 억제하고, 항산화 및 항암 활성이 있으며, 황색 포도상구균, 대장균에 항균 작용이 있다. esculetin은 간 보호 작용과 delayed-type hypersensitivity에 억제 작용이 있다.

사용법 인진호 10g에 물 3컵(600mL)을 넣고 달여서 복용하고, 가루나 알약으로 만들어 복용하기도 한다.

처방 인진호탕(茵蔯蒿湯): 인진호(茵蔯蒿) 40g, 대황(大黃) 20g, 치자(梔子) 8g (『동의보감(東醫寶鑑)』). 태음병(太陰病)으로 온몸이 누렇게 되고 오줌이 잘 나오지 않으며 배가 그득하고 가슴이 답답하며 대변이 시원

하지 않은 증상, 간염 및 황달에 사용한다.

• 인진오령산(茵蔯五苓散): 인진호(茵蔯蒿) 40g, 택사(澤瀉) 10g, 복령(茯苓)·백출(白朮)·저령(豬苓) 각 6g, 육계(肉桂) 2g (『동의보감(東醫寶鑑)』). 습열로 황달이 생겨 온몸이 누렇게 되고 부석하며 오줌이 잘 나오지 않는 증상에 사용한다.

• 인진오수유탕(茵蔯吳茱萸湯): 인진호(茵蔯蒿) 6g, 오수유(吳茱萸)·포부자(炮附子)·건강(乾薑)·목통(木通)·당귀(當歸) 각 4g (『동의보감(東醫寶鑑)』). 손발과 몸이 차며 온몸이 누렇고 오줌이 잘 나오지 않는 증상에 사용한다.

❂ 인진호(茵蔯蒿)로 만든 건강식품

❂ 인진호(茵蔯蒿)가 배합된 인진오령산

❂ 인진호(茵蔯蒿)로 만든 건강 음료

❂ 사철쑥

황해쑥

| 토혈, 변혈, 설사구리 | 육혈 | 객혈 |
| 붕루, 임신하혈, 통경, 대하 | | 습진, 개선 |

● 학명 : *Artemisia argyi* Levl. et Vant. ● 별명 : 모기쑥, 흰황새쑥

| 1 | 2 | 3 | 4 | 5 | 6 | 7 | 8 | 9 | 10 | 11 | 12 |

여러해살이풀. 높이 70~120cm. 전체에 백색 솜털이 빽빽하여 회백색을 띤다. 잎은 어긋나며 두껍고 1회 깃꼴겹잎이다. 꽃은 담갈색, 7~8월에 줄기와 가지 끝에 총상으로 달려 원추화서를 이룬다. 두상화는 지름 2~2.5mm, 포편은 4~5줄이다. 수과는 타원상 구형이고 털이 없다.

분포 · 생육지 우리나라 경기, 황해, 평남, 함남북. 중국, 아무르, 우수리. 산과 들에서 자란다.

약용 부위 · 수치 잎을 여름에 채취하여 썰어서 말린다.

약물명 애엽(艾葉). 의초((醫草), 구초(灸草), 애구초(艾灸草)라고도 한다. 대한민국약전외한약(생약)규격집(KHP)에 수재되어 있다.

본초서 애엽(艾葉)은 「명의별록(名醫別錄)」의 중품(中品)에 수재되어 있다. 「본초강목(本草綱目)」에는 "이 약물은 뜸에 많이 사용하므로 구초(灸草)라 한다."고 하였다. 애엽(艾葉)이라는 이름은 질병을 칼로 자르듯이 물리치는 풀이라는 의미에서 유래한다. 쑥은 예로부터 뜸뿐만 아니라 잎을 지혈, 진정약(鎭靜藥)으로 토혈(吐血), 하리(下痢), 여성의 누혈(漏血) 등에 사용하고, 열매를 온보약(溫補藥)으로 사용하고 있다. 「동의보감(東醫寶鑑)」에 "오래 된 여러 질병과 자궁에서 분비물이 나오는 것을 낫게 하며 태아가 움직여서 임신부의 배와 허리가 아프고 낙태의 염려가 있는 것을 다스려 편안하게 하고 복통을 멎게 한다. 피고름이 섞인 대변을 보는 것을 그치게 한다. 오장과 치루로 피가 나오는 것, 하부에 생긴 종기로 벌겋게 부어올라 아프고 가려우며 곪는 것을 낫게 한다. 또 새살을 돋아나게 하고 바람과 찬 기운을 없애며 임신이 잘 되게 한다."고 하였다.

名醫別錄: 主灸百病, 可作煎, 止下痢, 吐血, 婦人漏血, 利陰氣, 生肌肉, 辟風寒, 使人有子.

新修本草: 主下血, 衄血, 膿血痢, 水煮及丸散任用.

本草綱目: 溫中, 逐冷, 除濕.

東醫寶鑑: 主久百病 主婦人崩漏安胎 止腹痛 止赤白痢五臟痔瀉血 療下部䘌 生肌肉 辟風寒 令人有子.

성상 가지와 잎으로 되며, 잎은 쭈그러진 형태이다. 잎은 타원형으로 가장자리에 톱니가 있다. 표면은 황록색이고 뒷면은 회백색 솜털이 빽빽이 난다. 냄새는 방향성이고 맛은 쓰다.

기미 · 귀경 온(溫), 신(辛), 고(苦) · 간(肝) 비(脾), 신(腎)

약효 온경지혈(溫經止血), 산한지통(散寒止痛), 거습지양(祛濕止癢)의 효능이 있으므로 토혈(吐血), 육혈(衄血), 객혈(喀血), 변혈(便血), 붕루(崩漏), 임신하혈, 월경부조(月經不調), 통경(痛經), 태동불안, 심복냉통(心腹冷痛), 설사구리(泄瀉久痢), 곽란전근(癨亂轉筋), 대하(帶下), 습진, 개선(疥癬), 치창(痔瘡), 옹양(癰瘍)을 치료한다.

성분 arteanoflavone, eupatilin, tricin, herniarin, scopoletin, umbelliferone, salvigenin, reynosin, armexifolin, dehydromatricarin, deacetyldehydromatricarin, artenomalactone, secotanapartholide A, simiarenol, aurantiamide acetate, anabellamide, anomalamide 등이 함유되어 있다.

약리 열수추출물은 혈액 응고 촉진 작용이 있고 위궤양 발생에 관여하는 xanthine oxidase의 활성을 저해함으로써 에탄올로 유도한 위궤양의 발생을 억제한다. 에탄올추출물은 과산화 지질을 억제하고 간 조직에서 glutathione의 농도를 유지함으로써 사염화탄소나 아세트아미노펜에 의한 간 손상으로부터 간세포를 보호한다. 에탄올추출물은 TPA로 유도한 쥐의 부종을 억제한다. 알레르기를 일으킨 쥐에게 열수추출물을 투여하면 항알레르기 작용이 있다.

사용법 애엽 10g에 물 3컵(600mL)을 넣고 달여서 복용한다. 뜸에는 잎을 곱게 빻아서 사용한다.

처방 애교탕(艾膠湯): 애엽(艾葉) · 아교(阿膠) · 총백(蔥白) 각 12g (「향약집성방(鄕藥集成方)」). 태동불안으로 배가 아픈 데 사용한다.

• 궁귀교애탕(芎歸膠艾湯): 건지황(乾地黃) · 작약(芍藥) 각 16g, 애엽(艾葉) · 당귀(當歸) 12g, 천궁(川芎) · 아교(阿膠) · 감초(甘草) 각 6g (「금궤요략(金匱要略)」). 임신부가 출혈이 있으면서 복통이 나는 증상에 사용한다.

＊중국 및 우리나라 일부 지방에서는 '오월애(五月艾) *A. indica*, '참쑥(野艾蒿) *A. lavandulaefolia*', '몽고쑥(蒙古蒿) *A. mongolica*', '쑥(魁蒿) *A. princeps*', '덤불쑥(紅足蒿) *A. rubripes*', '넓은외잎쑥(寬葉山蒿) *A. stolonifera*'의 잎과 어린가지를 애엽(艾葉)으로 사용하고 있다.

❶ 황해쑥

❶ 애엽(艾葉)

❶ 황해쑥(줄기와 잎)

❶ 애엽(艾葉)으로 만든 건강식품

[국화과]

회호

회충병, 요충병

● 학명 : *Artemisia cina* Berg [*Seriphidium cinum*] ● 영명 : Wormseed
● 한자명 : 蛔蒿 ● 별명 : 시나화

| 1 | 2 | 3 | 4 | 5 | 6 | 7 | 8 | 9 | 10 | 11 | 12 |

여러해살이풀. 높이 20~40cm. 줄기는 바로 서고 처음에는 거미줄 같은 털로 덮여 있으나 점차 없어진다. 잎은 어긋나고 깃 모양이고, 꽃은 달걀 모양, 화관은 황색, 길이 2~4mm, 지름 1~1.5mm, 12~20개의 총포가 비늘 모양으로 포개진다.

분포 · 생육지 러시아 투르키스탄 지방의 키르기스 평원. 산과 들에서 자라며, 타슈켄트에 집산된다.

약용 부위 · 수치 꽃봉오리를 8~9월에 채취하여 말린다.

약물명 산도년호(山道年蒿), 구회호(驅蛔蒿)라고도 한다.

약효 구충(驅蟲) 효능이 있으므로 회충병, 요충병을 치료한다.

성분 α-santonin, β-santonin, artemisin, hispidulin, quercetin, rutin, caffeic acid, 1,8-cineole(정유의 80%) 등이 함유되어 있다.

약리 santonin은 회충과 요충의 신경 중추에 작용하여 마비를 일으켜 몸 밖으로 배설시킨다.

사용법 산도년호 7g에 물 3컵(600mL)을 넣고 달여서 복용하거나 알약으로 만들어 복용한다.

❍ 회호

❍ 산도년호(山道年蒿)

❍ 산도년호(山道年蒿)가 함유된 구충제

[국화과]

러시아개사철쑥

풍한감모, 해수기천

● 학명 : *Artemisia dracunculus* L. ● 영명 : Estragon ● 한자명 : 龍蒿

| 1 | 2 | 3 | 4 | 5 | 6 | 7 | 8 | 9 | 10 | 11 | 12 |

여러해살이풀. 높이 50~150cm. 줄기는 바로 서고 가지를 많이 친다. 잎은 어긋나고 선형으로 길이 3~6cm, 감초 같은 향이 있고 작은 녹색 꽃이 핀다. 수과는 달걀 모양이다.

분포 · 생육지 러시아 투르키스탄 지방의 키르기스 평원. 산과 들에서 자라며, 타슈켄트에 집산된다.

약용 부위 · 수치 지상부를 여름에 채취하여 썰어서 말린다.

약물명 초호(椒蒿), 회호(灰蒿), 사호(蛇蒿)라고도 한다.

약효 거풍산한(祛風散寒), 선폐지해(宣肺止咳)의 효능이 있으므로 풍한감모(風寒感冒), 해수기천(咳嗽氣喘)을 치료한다.

사용법 초호 10g에 물 3컵(600mL)을 넣고 달여서 복용한다.

❍ 러시아개사철쑥(잎)

❍ 러시아개사철쑥

[국화과]

더위지기

 황달　　 소변불리
풍양창개

● 학명 : *Artemisia iwayomogi* Kitamura [*A. gmelini*]　● 별명 : 부덕쑥, 흰더위지기, 생당쑥

| 1 | 2 | 3 | 4 | 5 | 6 | 7 | 8 | 9 | 10 | 11 | 12 |

낙엽 활엽 관목. 높이 0.7~1m. 줄기는 모여나며, 밑부분과 뿌리줄기는 나무처럼 단단하다. 줄기잎은 어긋난다. 꽃은 8월에 피고 두상화는 잎겨드랑이에서 총상으로 달리며 반구형이고, 총포편은 2~3줄로 배열된다. 수과는 11월에 익는다.

분포 · 생육지 우리나라 제주도를 제외한 전역. 중국, 일본, 사할린, 몽골, 시베리아. 산기슭 양지바른 곳이나 들에서 자란다.

약용 부위 · 수치 전초를 가을에 채취하여 물에 씻은 후 말린다.

약물명 한인진(韓茵蔯). 대한민국약전외한약(생약)규격집(KHP)에 수재되어 있다.

성상 줄기의 기부가 목질화되어 있고, 위에는 갈라진 줄기와 경엽이 있다. 경엽은 깃모양으로 깊게 갈라지고, 열편은 피침형이며 끝이 날카롭고 대개 톱니가 있으며, 잎자루는 길이 2~3cm이다. 잎의 표면은 녹색으로 잔털과 오목한 점이 있으며 뒷면은 황록색을 띠고 잔털과 선점이 있다. 특이한 냄새가 있고 맛은 조금 쓰다.

약효 청열(淸熱), 이습(利濕)의 효능이 있으므로 황달, 소변불리, 풍양창개(風痒瘡疥)를 치료한다.

성분 benzoic acid, *trans*-caffeic acid methylester, coniferin; citrusin C, isotachioside, myrciaphenone A, 2,4-dihydroxy-6-methoxyacetophenone, erythroxyloside B, scopoletin, scopolin, iwayoside C, esculetin-6-methylether, esculetin-6,7-methylether, β-sitosterol, stigmasterol, 기타 camphor 등이 함유되어 있다.

약리 esculetin-6,7-dimethylether를 동물에 주사하면 담즙 분비를 촉진시킨다. 급성담낭에 물로 달인 액을 투여하면 치료 효과가 나타난다. 인진호탕을 전염성간염 환자나 황달 환자에게 투여하면 상태가 좋아진다. 열수추출물은 histamine의 유리를 억제하여 항알레르기 작용을 나타낸다. *trans*-caffeic acid methylester, coniferin, citrusin C, isotachioside, myrciaphenone A, 2,4-dihydroxy-6-methoxyacetophenone, erythroxyloside B, scopoletin, scopolin, iwayoside C는 항산화 작용이 있다.

사용법 한인진 10g에 물 3컵(600mL)을 넣고 달여서 복용하고, 외용에는 달인 액으로 씻는다.

* 우리나라에서는 본 종의 전초를 인진호(茵蔯蒿)라 하며 사용하고 있으나 이는 잘못이며 '사철쑥 *A. capillaris*'을 사용하여야 한다.

❍ 더위지기

❍ 한인진(韓茵蔯)

❍ 더위지기(꽃)

[국화과]

제비쑥

 하계감모, 객혈　　폐결핵조열　　육혈
변혈, 황달형간염　　붕루, 대하　　단독

● 학명 : *Artemisia japonica* Thunb.　● 별명 : 자불쑥, 가는제비쑥, 큰제비쑥

| 1 | 2 | 3 | 4 | 5 | 6 | 7 | 8 | 9 | 10 | 11 | 12 |

여러해살이풀. 높이 30~90cm. 줄기는 곧게 서고, 줄기잎은 어긋난다. 꽃은 담황색, 구형, 7~9월에 원줄기 끝에 원추화서로 달린다. 총포는 털이 없고 포편은 4줄로 배열되며, 암꽃은 8~11개, 양성화는 5~6개이다. 수과는 길이 0.8mm 정도로 털이 없다.

분포 · 생육지 우리나라 전역. 중국, 일본, 타이완, 필리핀. 산에서 자란다.

약용 부위 · 수치 전초를 여름에 채취하여 썰어서 말린다.

약물명 모호(牡蒿). 제두호(齊頭蒿), 수랄채(水辣菜)라고도 한다.

약효 청열양혈(淸熱凉血), 해독의 효능이 있으므로 하계감모(夏季感冒), 폐결핵조열(肺結核潮熱), 객혈(喀血), 육혈(衄血), 변혈(便血), 붕루(崩漏), 대하(帶下), 황달형간염, 단독(丹毒)을 치료한다.

성분 정유 성분인 myrcene, *p*-cymene, limonene, perillene, α-pinene, bornyl acetate, camphene, methyleugenol, 이 외에 7,8-dimethoxycoumarin, scoparone, 3,5-dihydroxy-3,7,2′-trimethoxyflavone, cinnamic acid, *p*-methoxybenzene carboxylic acid, herniarin, scopoletin, isofraxidin, capillin, capillarisin, capillarin 등이 함유되어 있다.

약리 에탄올추출물은 붉은색 모선균에 항진균 작용이 있다.

사용법 모호 10~15g에 물 3컵(600mL)을 넣고 달여서 복용하고, 외용에는 달인 액으로 씻는다.

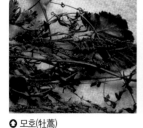
❍ 모호(牡蒿)

❍ 제비쑥(꽃과 잎)

❍ 제비쑥(꽃이 피기 전)

❍ 제비쑥

[국화과]

맑은대쑥

 부녀혈어경폐　타박상　풍습비통

●학명 : *Artemisia keiskeana* Miq.　●별명 : 개제비쑥, 국화잎쑥, 개쑥

| 1 | 2 | 3 | 4 | 5 | 6 | 7 | 8 | 9 | 10 | 11 | 12 |

여러해살이풀. 높이 30~80cm. 가지 끝에 로제트형의 잎이 달린다. 잎은 어긋나며 넓은 주걱형이다. 꽃은 연한 황색, 7~9월에 두상화로 피고 길이와 지름이 각각 3~3.5mm로 둥글며 꽃자루는 가늘고 짧다.

총포는 털이 없고 포편은 3~4줄로 배열된다. 수과는 길이 2mm 정도로 털이 없다.

분포·생육지 우리나라 전역. 중국, 일본, 사할린, 몽골, 시베리아. 산지에서 흔하게 자란다.

❂ 맑은대쑥

약용 부위·수치 전초를 여름부터 가을에 채취하여 물에 씻은 후 썰어서 말린다.

약물명 암려(菴藺). 암려초(菴藺草), 암려호(菴藺蒿), 암호(菴蒿)라고도 한다.

본초서「신농본초경(神農本草經)」에 수재되어 있고, 「본초강목(本草綱目)」에는 "길가나 마을 주변에 무성하게 자라서 초가집처럼 보이므로 암려(菴藺)라고 한다."고 하였다. 「동의보감(東醫寶鑑)」에는 "오장에 피가 뭉친 것을 풀어 주고 뱃속이 붓는 증상과 온몸의 여러 가지 통증에 쓴다. 명치 밑이 부풀어 오르면서 그득한 감이 드는 것을 낮게 하고 피가 뭉친 것을 풀며 생리를 순조롭게 한다."고 하였다.

東醫寶鑑: 主五臟瘀血腹中水氣 身體諸痛 療心腹脹滿 能消瘀血 治婦人月水不通.

약효 행어통경(行瘀通經), 거습(祛濕)의 효능이 있으므로 부녀혈어경폐(婦女血瘀經廢), 타박상, 풍습비통(風濕痺痛)을 치료한다.

사용법 암려 15g에 물 3컵(600mL)을 넣고 달여서 복용하고, 외용에는 달인 액으로 씻는다.

❂ 암려(菴藺)

[국화과]

참쑥

급성열병　폐열해수　인후종통, 비뉵　혈풍창

●학명 : *Artemisia lavandulaefolia* DC. [*A. dubia, A. araneosa, A. mongolica*]
●별명 : 부엉다리쑥, 몽고쑥, 분쑥, 인도쑥, 산분쑥, 광대쑥

| 1 | 2 | 3 | 4 | 5 | 6 | 7 | 8 | 9 | 10 | 11 | 12 |

여러해살이풀. 높이 1.5~2m. 줄기는 바로 서고 거미줄 같은 털로 덮여 희다. 잎은 어긋나고 2회 깃꼴겹잎이다. 꽃은 연한 갈색, 8~9월에 두상화로 피며 길이 3mm 정도다. 총포편은 거미줄 같은 털이 빽빽이 나고 포편은 3~4층, 수술은 5개, 암술은 1개이다. 수과는 길이 1mm 정도, 털이 없다.

분포·생육지 우리나라 전역. 중국, 다후리아, 히말라야. 산과 들에서 흔하게 자란다.

약용 부위·수치 여름이나 가을에 꽃이 필 때 지상부를 채취하여 썰어서 말린다.

약물명 우미호(牛尾蒿). 야호(野蒿), 차용(茶絨), 자간호(紫杆蒿)라고도 한다.

약효 청열양혈(淸熱凉血), 해독살충(解毒殺蟲)의 효능이 있으므로 급성열병, 폐열해수(肺熱咳嗽), 인후종통(咽喉腫痛), 비뉵(鼻衄), 혈풍창(血風瘡)을 치료한다.

성분 5,8,3′,5′-tetrahydroxyflavanone, 5,8,2′-trihydroxy-5′-methoxyflavanone,

5,7,4′-trihydroxy-3′,5′-dimethoxyflavanone, quercetin-3-rhamnoside 등이 함유되어 있다.

약리 플라보노이드 성분들은 기침을 억제하고 가래를 제거하는 작용이 있다.

사용법 우미호 10g에 물 3컵(600mL)을 넣고 달여서 복용하고, 혈풍창(血風瘡)에는 짓찧어 바른다.

❂ 우미호(牛尾蒿)

❂ 참쑥

[국화과]

쑥

토혈, 변혈, 설사구리 | 육혈 | 객혈
붕루, 임신하혈, 월경부조, 대하 | 습진, 개선

● 학명 : *Artemisia princeps* Pamp.　　● 별명 : 약쑥, 사제발쑥, 사재밭쑥

| 1 | 2 | 3 | 4 | 5 | 6 | 7 | 8 | 9 | 10 | 11 | 12 |

여러해살이풀. 높이 60~120cm. 원줄기에 가로줄이 있으며 전체가 털로 덮여 있다. 뿌리잎과 밑부분의 잎은 뒤에 없어지며, 줄기잎은 타원형이다. 꽃은 길이 2.5~3.5mm, 지름 1.5mm 정도로 7~9월에 원줄기 끝에 달린다. 총포는 종 모양, 거미줄 같은 털로 덮여 있고, 포편은 4줄로 배열된다. 수과는 길이 1.5mm 정도, 지름 0.5mm 정도로 털이 없다.

분포 · 생육지 우리나라 전역. 일본, 중국 둥베이(東北) 지방, 타이완, 필리핀. 산과 들에서 자란다.

약용 부위 · 수치 잎과 어린가지를 여름에 채취하여 물에 씻은 후 썰어서 말린다.

약물명 애엽(艾葉). 의초((醫草), 애구초(艾灸草)라고도 한다. 대한민국약전외한약(생약)규격집(KHP)에 수재되어 있다.

성상 줄기의 하부에 달린 잎은 크고 상부의 것은 올라갈수록 작다. 잎 뒷면에 백색 털이 빽빽이 나고 가장자리가 밋밋하거나 결각상이다. 냄새는 향기롭고 맛은 쓰다.

약효 온경지혈(溫經止血), 산한지통(散寒止痛), 거습지양(祛濕止痒)의 효능이 있으므로 토혈(吐血), 육혈(衄血), 객혈, 변혈, 붕루(崩漏), 임신하혈, 월경부조(月經不調), 통경(痛經), 태동불안, 심복냉통(心腹冷痛), 설사구리(泄瀉久痢), 곽란전근(癨亂轉筋), 대하(帶下), 습진, 개선(疥癬), 치창(痔瘡), 옹양(癰瘍)을 치료한다.

성분 eupatilin, jaceosidin, apigenin, eupafolin, β-sitosterol, daucosterol, ergosterol peroxide, stigmasterol, 3-(S)-2-methylbutyryloxy-costu-1(10),4(5)-dien-2,6α-olide, carlaolide A, carlaolide B, novanin 등이 함유되어 있다.

약리 열수추출물은 LPS에 의해 유도되는 TNF-α, NO, iNOS, COX-2와 PGE_2의 생성을 억제한다. 메탄올추출물은 ACAT-1의 활성을 억제한다. carlaolide A, carlaolide B 및 3-(S)-2-methylbutyryloxy-costu-1(10),4(5)-dien-2,6α-olide는 암세포인 HeLa, U937, A549의 증식을 억제한다.

사용법 애엽(艾葉) 10g에 물 3컵(600mL)을 넣고 달여서 복용한다.

＊ 우리나라에서는 본 종의 잎과 어린가지를 애엽(艾葉)으로 사용하고 있다. 중국 일부 지방에서도 이것을 사용하나, 중국의 애엽(艾葉)은 '황해쑥 A. argyi'의 잎이다.

❶ 애엽(艾葉)

❶ 애엽(艾葉)

❶ 쑥(잎의 기부에 헛턱잎이 2~4개 있다.)

❶ 쑥(줄기와 잎에 거미줄 같은 털이 조밀하다.)

❶ 쑥

❶ 쑥뜸 치료에 많이 사용된다.

❶ 애엽(艾葉)으로 만든 건강식품

[국화과]

덤불쑥

	토혈, 변혈, 설사구리		육혈		객혈
	붕루, 임신하혈, 월경부조, 대하				습진, 개선

● 학명 : *Artemisia rubripes* Nakai ● 별명 : 털쑥, 큰몽고쑥, 왕참쑥

1	2	3	4	5	6	7	8	9	10	11	12

여러해살이풀. 높이 1~2m. 잎은 어긋나고 2회 깃꼴로 갈라지며, 열편에 톱니가 있고 헛턱잎이 있다. 꽃은 황색, 두상화로 8~10월에 잎겨드랑이에 총상화서로 10~30개가 핀다. 총포는 거미줄 같은 털로 덮여 있다.

분포 · 생육지 우리나라 중부 이북. 중국, 일본, 몽골, 아무르, 우수리. 산지 풀밭이나 냇가의 건조한 곳에서 자란다.

약용 부위 · 수치 잎을 개화 전에 채취하여 물에 씻은 후 썰어서 말린다.

약물명 애엽(艾葉). 의초((醫草), 애구초(艾灸草)라고도 한다.

성상 줄기의 하부에 달린 잎은 크고 상부의 것은 올라갈수록 작다. 잎 뒷면에 백색 털이 빽빽이 나고 가장자리가 밋밋하거나 결각상이다. 냄새는 향기롭고 맛은 쓰다.

약효 온경지혈(溫經止血), 산한지통(散寒止痛), 거습지양(祛濕止痒)의 효능이 있으므로 토혈(吐血), 육혈(衄血), 객혈, 변혈(便血), 붕루(崩漏), 임신하혈, 월경부조(月經不調), 통경(痛經), 태동불안, 심복냉통(心腹冷痛), 설사구리(泄瀉久痢), 곽란전근(癨亂轉筋), 대하(帶下), 습진, 개선(疥癬), 치창(痔瘡), 옹양(癰瘍)을 치료한다.

성분 eupatilin, jaceosidin, apigenin, eupafolin, β-sitosterol, daucosterol, ergosterol peroxide, stigmasterol, 3-(*S*)-2-methylbutyryloxy-costu-1(10),4(5)-dien-2,6α-olide, carlaolide A, carlaolide B, novanin 등이 함유되어 있다.

약리 열수추출물은 LPS에 의해 유도되는 TNF-α, NO, iNOS, COX-2와 PGE$_2$의 생성을 억제한다. 메탄올추출물은 ACAT-1의 활성을 억제한다. carlaolide A, carlaolide B 및 3-(*S*)-2-methylbutyryloxy-costu-1(10),4(5)-dien-2,6α-olide는 암세포인 HeLa, U937, A549의 증식을 억제한다.

사용법 애엽(艾葉) 10g에 물 3컵(600mL)을 넣고 달여서 복용한다.

○ 덤불쑥

○ 애엽(艾葉)

[국화과]

비쑥

	황달		소변불리
	풍양창개		

● 학명 : *Artemisia scoparia* Waldst. et Kitamura ● 별명 : 빗자루쑥

1	2	3	4	5	6	7	8	9	10	11	12

여러해살이풀. 높이 60~90cm. 뿌리는 굵으며 방추형, 줄기는 자줏빛이 돈다. 뿌리잎은 로제트형, 줄기잎은 1~2회 깃꼴겹잎이다. 꽃은 8~9월에 피며 달걀 모양, 두상화의 지름은 1mm 정도이다. '사철쑥'에 비하여 줄기의 기부가 목질화하지 않았다.

분포 · 생육지 우리나라 전역. 중국, 일본, 타이완, 필리핀. 해안가에서 자란다.

약용 부위 · 수치 전초를 가을에 채취하여 말린다.

약물명 인진호(茵蔯蒿)

약효 청열이습(淸熱利濕), 퇴황(退黃)의 효능이 있으므로 황달, 소변불리(小便不利), 풍양창개(風痒瘡疥)를 치료한다.

사용법 인진호 10g에 물 3컵(600mL)을 넣고 달여서 복용한다.

＊'사철쑥 *A. capillaris*'과 함께 인진호(茵蔯蒿)로 사용하고 있다.

○ 인진호(茵蔯蒿)

○ 비쑥

[국화과]

물쑥

  월경폐지에 의한 복중의 경결, 산후혈어

흉복창통 타박상

●학명 : *Artemisia selengensis* Turcz. ●별명 : 뿔쑥

| 1 | 2 | 3 | 4 | 5 | 6 | 7 | 8 | 9 | 10 | 11 | 12 |

여러해살이풀. 높이 100~120cm. 뿌리잎은 꽃이 필 때 없어지고, 줄기잎은 어긋난다. 꽃은 연한 황갈색, 8~9월에 피며 길이 3mm 정도, 너비 2~3mm로 종 모양이다. 총포에 거미줄 같은 털이 있으며 포편은 4줄로 배열된다. 수과는 길이 1.8mm 정도,

❍ 물쑥

지름 0.6mm 정도로 털이 없고 긴 타원형이다.

분포·생육지 우리나라 전역. 일본, 중국 등 베이(東北) 지방, 타이완, 필리핀. 산에서 자란다.

약용 부위·수치 전초를 가을에 채취하여 말린다.

약물명 위호(萎蒿). 여호(蘆蒿), 기호(奇蒿)라고도 한다.

약효 파혈(破血), 통경(通經), 소종(消腫)의 효능이 있으므로 월경폐지에 의한 복중(腹中)의 경결(硬結), 흉복창통(胸腹脹痛), 산후혈어(産後血瘀), 타박상을 치료한다.

성분 α−linoleic acid ethylester, herniarin, C19−spiroketalenol etherpolyene 등이 함유되어 있다.

사용법 위호 10g에 물 3컵(600mL)을 넣고 달여서 복용하고, 외용에는 짓찧어 바른다.

❍ 위호(萎蒿)

[국화과]

산흰쑥

 폐열해천, 객혈   인후통

황달 풍습비통

●학명 : *Artemisia sieversiana* Ehrhart ex Willd. [*A. koreana* Nakai]
●별명 : 흰쑥, 힌쑥, 흰개쑥

| 1 | 2 | 3 | 4 | 5 | 6 | 7 | 8 | 9 | 10 | 11 | 12 |

한두해살이풀. 높이 50~150cm. 줄기는 곧게 서고 능선이 있으며 상부에서 가지가 갈라지고 회백색 털이 있다. 뿌리잎은 꽃이 필 때 없어지고, 줄기잎은 어긋난다. 꽃은 황갈색, 지름 4~5mm, 반구형이다. 수과는 달걀 모양이다.

분포·생육지 우리나라 중부 이북. 중국, 일본, 티베트. 해발 500~4,200m의 산지에서 자란다.

약용 부위·수치 전초를 여름과 가을에 채취하여 썰어서 말린다.

약물명 백호(白蒿). 번(蘩), 파호(播蒿), 백애호(白艾蒿), 봉호(蓬蒿)라고도 한다.

본초서 백호(白蒿)는 「신농본초경(神農本草經)」에 수재되어 "오장에 있는 나쁜 기운을 몰아내고 차고 습한 기운으로 인해 뼈마디가 아프고 저린 증상을 낮게 한다. 몸속을 따뜻하게 하여 기운을 내게 하고 머리카락을 자라게 하며 흑색으로 바꾼다. 잘 먹지 못해 허기진 것을 낮게 하고, 오래 복용하면 몸이 튼튼해져 오래 산다."고 하였다. 「동의보감(東醫寶鑑)」에도 "오장에 있는 나쁜 기운을 몰아내고 차고 습한 기운으로 인

해 뼈마디가 아프고 저린 증상을 낮게 한다. 명치 밑이 아프면서 잘 먹지 못해 허기진 것을 낮게 한다."고 하였다.

神農本草經: 主五臟邪氣 風寒濕痹 補中益氣 長毛髮令黑 療心懸少食常肌 久服輕身耳目聰明 不老.

東醫寶鑑: 主五臟邪氣 風寒濕痹 療心懸少食常肌.

약효 청열이습(清熱利濕), 양혈지혈(涼血止血)의 효능이 있으므로 폐열해천(肺熱咳喘), 인후통, 황달, 풍습비통(風濕痹痛), 객혈을 치료한다.

성분 sieversin, artabsin, absinthin, sieversinin, 11−epiabsinthin, artesieversin, artemisetin, chrysoplenetin, rutin, yangabin, epiyangabin, isoquercetin, esculetin 등이 함유되어 있다.

약리 열수추출물을 염증이 있는 쥐의 복강에 주사하면 부종이 줄어든다. 쥐에게 열수추출물을 주사하면 혈압이 내려간다.

사용법 백호 10g에 물 3컵(600mL)을 넣고 달여서 복용한다.

❍ 산흰쑥

❍ 백호(白蒿)

❍ 산흰쑥(잎 뒷면)

[국화과]

넓은외잎쑥

토혈, 변혈, 설사구리 / 육혈 / 객혈
붕루, 임신하혈, 월경부조, 대하 / 습진, 개선

● 학명 : *Artemisia stolonifera* (Maxim.) Kom.
● 별명 : 넓은잎외잎쑥, 너른외잎쑥, 넓은잎외대쑥

| 1 | 2 | 3 | 4 | 5 | 6 | 7 | 8 | 9 | 10 | 11 | 12 |

여러해살이풀. 높이 50~100cm. 잎은 어긋나며 타원형이고 깃 모양으로 갈라진다. 헛턱잎이 있으며 잎자루에 날개가 있다. 꽃은 황적색, 두상화로 8~10월에 잎겨드랑이에서 총상화서로 10~30개가 피고, 총포는 거미줄 같은 털로 덮여 있다.
분포·생육지 우리나라 전역. 중국, 일본, 아무르, 우수리. 산지의 풀밭에서 자란다.
약용 부위·수치 잎을 개화 전에 채취하여 물에 씻은 후 썰어서 말린다.
약물명 애엽(艾葉). 의초((醫草), 애구초(艾灸草)라고도 한다.
* 기타 사항은 '쑥 *A. princeps*'과 같다.

○ 애엽(艾葉)

○ 넓은외잎쑥

[국화과]

까실쑥부쟁이

풍열감모, 기관지염 / 편도선염, 혈열토뉵
간염, 장염 / 옹종정독, 독사교상

● 학명 : *Aster ageratoides* Turcz. ● 별명 : 까실쑥부장이, 곰의수해, 산쑥부쟁이, 껄끔취

| 1 | 2 | 3 | 4 | 5 | 6 | 7 | 8 | 9 | 10 | 11 | 12 |

여러해살이풀. 높이 1~1.5m. 줄기는 곧게 서며 전체에 딱딱한 털이 많다. 뿌리잎은 차츰 없어지며, 줄기잎은 어긋나고 가장자리에 톱니가 있다. 꽃은 7~10월에 가지 끝과 원줄기 끝에 산방상으로 달린다. 총포는 반구형이며 포는 3줄, 설상화는 길이 16mm 정도, 하늘색이다. 수과는 길이 3mm 정도, 털이 있고 관모는 길이 6mm 정도이다.
분포·생육지 우리나라 전역. 중국 동베이(東北) 지방, 아무르, 우수리. 산과 들에서 자란다.
약용 부위·수치 전초를 여름과 가을에 채취하여 물에 씻은 후 썰어서 말린다.
약물명 산백국(山白菊). 야백국(野白菊), 소설화(小雪花)라고도 한다.
약효 청열해독(淸熱解毒), 소담지해(消痰止咳), 양혈지혈(凉血止血)의 효능이 있으므로 풍열감모(風熱感冒), 편도선염, 기관지염, 간염, 장염, 혈열토뉵(血熱吐衄), 옹종정독(癰腫疔毒), 독사교상(毒蛇咬傷)을 치료한다.
성분 kaempferol, quercetin, quercetin rhamnoside 등이 함유되어 있다.
약리 시험관 내 실험에서 물로 달인 액은 황색 포도상구균, 카타르구균에 항균 작용이 있다. 물로 달인 액을 쥐에게 투여하면 진해 작용과 거담 작용이 있다.
사용법 산백국 15~20g에 물 3컵(600mL)을 넣고 달여서 복용하고, 외용에는 짓찧어 바른다.
* '개미취 *A. tataricus*'와 '좀개미취 *A. maackii*'에 비하여 두상화가 작고 잎에 거센 털이 있으므로 만지면 까실까실하다.

○ 까실쑥부쟁이

○ 산백국(山白菊)

[국화과]

단양쑥부쟁이

 풍열감모, 폐농양   간담화왕

❶ 단양쑥부쟁이(꽃이 피기 전)

●학명 : *Aster altaicus* Willdenow var. *uchiyamae* Kitamura   ●별명 : 단양쑥부장이

1 2 3 4 5 6 7 8 9 10 11 12

두해살이풀. 높이 15~50cm. 줄기는 곧게
서고 전체에 털이 많으며 자줏빛이 돌고 윗
부분에서 가지가 갈라진다. 줄기잎은 어긋
나고 끝이 뾰족하고 가장자리가 밋밋하다.
꽃은 자주색, 8~9월에 피며 지름 3cm 정
도이다. 수과는 납작한 도란형이다.

분포 · 생육지 우리나라 단양, 수안보. 냇가
모래땅에서 자란다.

약용 부위 · 수치 전초를 여름과 가을에 채취
하여 물에 씻은 후 썰어서 말린다.

약물명 아이태자완(阿爾泰紫菀), 조원호(燥
原蒿), 철간호(鐵杆蒿)라고도 한다.

약효 청열강화(淸熱降火), 배농지해(排膿
止咳)의 효능이 있으므로 풍열감모(風熱感
冒), 간담화왕(肝膽火旺), 폐농양(肺膿瘍)을
치료한다.

사용법 아이태자완 10g에 물 3컵(600mL)
을 넣고 달여서 복용한다.

❶ 단양쑥부쟁이

[국화과]

옹굿나물

 해수기천   설사

소변단삽

●학명 : *Aster fastigiatus* Fischer [*Turczaninowa fastigiatus*]   ●별명 : 옹굿나물

1 2 3 4 5 6 7 8 9 10 11 12

여러해살이풀. 높이 30~90cm. 땅속줄기
는 짧고, 줄기는 밑에 털이 없으며 윗부분
은 산방상으로 퍼진다. 줄기잎은 위로 갈수
록 작아지고 선상 피침형, 가장자리는 밋밋
하며 뒤로 말린다. 꽃은 두상화, 지름 8mm
정도, 6~10월에 핀다. 수과는 긴 타원형,
길이 3mm 정도이다.

분포 · 생육지 우리나라 전역. 중국, 일본,
다후리아. 냇가나 황무지에서 자란다.

약용 부위 · 수치 전초를 여름과 가을에 채취
하여 물에 씻은 후 썰어서 말린다.

약물명 여완(女菀), 백완(白菀), 여장(女腸)
이라고도 한다.

약효 온폐화담(溫肺化痰), 건비이습(健脾
利濕)의 효능이 있으므로 해수기천(咳嗽氣
喘), 설사, 소변단삽(小便短澁)을 치료한다.

사용법 여완 10g에 물 3컵(600mL)을 넣고
달여서 복용한다.

❶ 옹굿나물

마란

토혈, 혈리　　육혈

● 학명 : *Aster indicus* L. [*Kalimeris indica*]　● 한자명 : 馬蘭

| 1 | 2 | 3 | 4 | 5 | 6 | 7 | 8 | 9 | 10 | 11 | 12 |

○ 마란(꽃)

여러해살이풀. 높이 70cm 정도. 줄기는 바로 서며 윗부분에서 가지가 갈라진다. 줄기잎은 어긋나고 타원형이며, 가장자리에 톱니가 드문드문 있다. 꽃은 담자색, 5~9월에 피며 수과는 달걀 모양, 길이 1.5~2mm이다.

분포·생육지 인도, 중국. 산비탈에서 자란다.

약용 부위·수치 전초를 여름에 채취하여 물에 씻은 후 말린다.

약물명 마란(馬蘭). 자국(紫菊), 마란국(馬蘭菊)이라고도 한다.

약효 양혈지혈(凉血止血), 청열이습(清熱利濕), 해독소종(解毒消腫)의 효능이 있으므로 토혈(吐血), 육혈(衄血), 혈리(血痢)를 치료한다.

사용법 마란 10g에 물 3컵(600mL)을 넣고 달여서 복용한다.

○ 마란

벌개미취

풍한해수, 폐위폐옹, 해토농혈

소변불리

● 학명 : *Aster koraiensis* Nakai [*Gymnaster koraiensis*]　● 별명 : 별개미취

| 1 | 2 | 3 | 4 | 5 | 6 | 7 | 8 | 9 | 10 | 11 | 12 |

여러해살이풀. 높이 70cm 정도. 줄기에 팬 홈과 줄이 있다. 뿌리잎은 꽃이 필 때 없어지고, 줄기잎은 어긋나며 가장자리에 톱니가 있다. 꽃은 담자색, 6~10월에 산방화서를 이루며 줄기와 가지 끝에 1개씩 달린다.

분포·생육지 우리나라 황해도 이남. 산지의 길가나 산비탈의 물기가 있는 곳에서 자란다.

약용 부위·수치 뿌리 및 뿌리줄기를 가을에 채취하여 말려 그대로 사용하거나 밀초(蜜炒)하여 사용한다.

약물명 자완(紫菀)

성분 지상부는 2(*E*),9(*Z*),16-heptadecatrien-4,6-diyn-3,8-diol (1), 2,3-epoxy-9(*Z*),16-heptadecatrien-4,6-diyn-8-ol (2), 1,9(*Z*),16-heptadecatrien-4,6-diyn-3,8-diol-3-acetate (3), 2(*E*),9(*Z*),16-heptadecadien-4,6-diyn-2,3,8-triol (4), friedelin, α-spinasterol 등이 함유되어 있다.

약리 물질 (1), (2), (3), (4)는 SK-MEL-2, L1210, HCT15, A549 등의 암세포 증식을 억제하고, ACAT의 활성을 억제한다. 80% 에탄올추출물은 최종 당산화물 생성을 억제하고, 최종 당산화물 교차 결합을 억제한다.

＊약효와 사용법은 '개미취 *A. tataricus*'와 같다. 본 종은 우리나라 특산 식물로, 필자의 연구실에서 성분 및 약효를 일부 규명하였고, 앞으로도 많은 연구가 진행되리라 생각한다.

＊자완(紫菀)의 기원 식물은 '개미취 *A. tataricus*'이다. 우리나라에서는 본 종의 뿌리도 사용되고 있으나 이는 잘못이다.

○ 벌개미취

[국화과]

좀개미취

 인후염 　　폐열해수

● 학명 : *Aster maackii* Regel　● 별명 : 굴개미취

| 1 | 2 | 3 | 4 | 5 | 6 | 7 | 8 | 9 | 10 | 11 | 12 |

❍ 좀개미취

여러해살이풀. 높이 45~85cm. 줄기에 자주색 줄이 있으며 윗부분에서 가지가 갈라진다. 줄기잎은 어긋나고 잎자루가 없으며 피침형, 가장자리에 톱니와 잔털이 있다. 꽃은 자주색, 8~9월에 피며 총포편은 3줄로 배열한다.

분포·생육지 우리나라 강원도(오대산) 이북. 중국, 일본, 아무르, 우수리. 산골짜기에서 자란다.

약용 부위·수치 꽃을 여름과 가을에 채취하여 물에 씻은 후 말린다.

약물명 원포자완(圓苞紫菀)

약효 청열해독(淸熱解毒), 지해거담(止咳祛痰)의 효능이 있으므로 인후염, 폐열해수(肺熱咳嗽)를 치료한다.

성분 chlorogenic acid, 3,5-di-*O*-caffeoyl-*muco*-quinic acid, isoquercitrin, astragalin, quercetin 등이 함유되어 있다.

약리 30%에탄올추출물은 체내 peroxynitrite의 생성을 억제하며, 그 주성분은 chlorogenic acid와 3,5-di-*O*-caffeoyl-*muco*-quinic acid이다.

사용법 원포자완 10g에 물 3컵(600mL)을 넣고 달여서 복용한다.

[국화과]

참취

 풍열감모, 폐병토혈　　옹종정창, 타박상
급성신염　 두통목현, 목적종통, 인후홍종

● 학명 : *Aster scaber* Thunb. [*Doellingeria scaber* (Thunb.) Nees]
● 별명 : 나물취, 암취, 취

| 1 | 2 | 3 | 4 | 5 | 6 | 7 | 8 | 9 | 10 | 11 | 12 |

여러해살이풀. 높이 1~1.5m. 줄기는 곧게 서고 뿌리줄기는 굵고 짧다. 뿌리잎은 꽃이 필 때 없어지고, 줄기잎은 어긋난다. 꽃은 백색, 지름 18~24mm, 8~10월에 산방화서로 달린다. 총포는 반구형, 포는 3줄, 설상화는 길이 11~15mm이다. 수과는 길이 3~3.5mm, 지름 1mm 정도, 바늘 모양,

관모는 흑백색으로 길이 3.5~4mm이다.

분포·생육지 우리나라 전역. 중국, 일본, 아무르, 우수리. 산과 들에서 자란다.

약용 부위·수치 전초를 가을에 채취하여 물에 씻은 후 썰어서 말린다.

약물명 동풍채(東風菜). 선백초(仙白草)라고도 한다.

약효 청열해독(淸熱解毒), 명목이인(明目利咽)의 효능이 있으므로 풍열감모(風熱感冒), 두통목현(頭痛目眩), 목적종통(目赤腫痛), 인후홍종(咽喉紅腫), 급성신염, 폐병토혈, 옹종정창(癰腫疔瘡), 타박상을 치료한다.

성분 squalene, friedelin, friedelin-3β-ol, α-spinasterol이 함유되어 있으며 지상부에는 다량의 coumarin 등이 함유되어 있다.

약리 70%메탄올추출물은 혈압에 관여하는 angiotensin converting enzyme의 활성을 저해한다.

사용법 동풍채 20g에 물 4컵(800mL)을 넣고 달여서 복용하고, 외용에는 생것을 짓찧어 붙이거나 즙액으로 바른다.

＊취나물 가운데서 가장 맛이 좋다고 하여 '참취'라 한다.

❍ 참취

❍ 꽃

❍ 동풍채(東風菜)

❍ 참취(뿌리)

[국화과]

개미취

🫁 풍한해수, 폐위폐옹, 해토농혈

🫘 소변불리

● 학명 : *Aster tataricus* L. fil.　● 별명 : 들개미취, 애기개미취

| 1 | 2 | 3 | 4 | 5 | 6 | 7 | 8 | 9 | 10 | 11 | 12 |

여러해살이풀. 높이 1~1.5m. 줄기는 곧게 서고, 뿌리줄기는 짧다. 줄기잎은 어긋나고, 꽃은 지름 2.5~3.3cm로 7~10월에 산방화서로 달린다. 수과는 길이 3mm 정도, 털이 있다.

분포·생육지 우리나라 전역. 중국, 일본, 우수리, 몽골, 다후리아. 산의 습지에서 자란다.

약용 부위·수치 뿌리 및 뿌리줄기를 가을에 채취하여 말려 그대로 사용하거나 밀초(蜜炒)하여 사용한다.

약물명 자완(紫菀). 청완(靑菀), 자완용(紫菀茸)이라고도 한다. 대한민국약전(KP)에 수재되어 있다.

본초서 자완(紫菀)은 「신농본초경(神農本草經)」의 중품(中品)에 수재되어 "궐역상기(厥逆上氣), 흉중한열(胸中寒熱), 결기(結氣)를 치료하며, 독충을 없애고 오장(五臟)을 편하게 하는 약이다."라고 하였다. 「본초강목(本草綱目)」에는 "뿌리가 자주색(紫色)이고 부드럽기 때문에 자완(紫菀)이라 한다."고 하였다. 「동의보감(東醫寶鑑)」에 "폐열로 진

액이 소모되어 피부가 거칠고 위축되며 피를 토하는 것을 낫게 하고 담을 삭이며 갈증을 풀어 준다. 기침을 하면서 기운이 치미는 것과 기침을 할 때 피고름이 나오는 것, 추웠다 더웠다 하는 증상을 낫게 하고 기운이 몰리는 것을 풀어 준다. 피부를 윤택하게 하고 골수를 채워 주며 몸의 힘줄과 핏줄이 이완되고 팔다리의 피부와 근육이 위축되면서 약해져 마음대로 움직이지 못하는 것을 치료한다."고 하였다.

神農本草經 : 主咳逆上氣, 胸中寒熱結氣, 去蠱毒, 痿厥, 安五臟.

名醫別錄 : 療咳唾膿血, 止喘悸, 五勞體虛, 補不足, 小兒驚癇.

東醫寶鑑 : 治肺痿吐血 消痰止渴 咳逆上氣 咳嗽膿血 寒熱結氣 潤肌膚 添骨髓 療胃躄.

성상 짧은 뿌리줄기에 가늘고 긴 여러 개의 뿌리가 붙어 있다. 뿌리줄기는 길이 2~3cm, 상부에 잔경(殘莖)이 붙어 있으며, 뿌리는 길이 10~15cm, 지름 1~2mm로 표면은 자갈색~회갈색이며 가는 세로 주름이 있고 질은 부드럽다. 특이한 냄새가

있으며, 맛은 조금 쓰고 아리다.

기미·귀경 온(溫), 신(辛), 고(苦)·폐(肺)

약효 윤폐하기(潤肺下氣), 화담지해(化痰止咳)의 효능이 있으므로 풍한해수(風寒咳嗽), 폐위폐옹(肺痿肺癰), 해토농혈(咳吐膿血), 소변불리(小便不利)를 치료한다.

성분 epifriedelanol, friedelin, shionone, astersaponin, quercetin, lachnophyllol, lachnophyllol acetate, anethole, chlorogenic acid, rutin, 3,5–di–*O*–caffeoyl–*muco*–quinic acid, isoquercitrin, astragalin, kaempferol 등이 함유되어 있다.

약리 시험관 내 실험에서 대장균, Proteus, Salmonella, Paratyphus, Cholera균에 항균 작용이 있다. 30%에탄올추출물은 체내 peroxynitrite의 생성을 억제한다.

사용법 자완 10g에 물 3컵(600mL)을 넣고 달여서 복용하거나 외용에는 가루 내어 바른다.

주의 음허화동(陰虛火動)으로 인한 조해(燥咳), 실열(實熱)이 있는 해수(咳嗽)나 객혈에는 피한다.

처방 자완산(紫菀散): 자완(紫菀)·지모(知母)·패모(貝母) 각 6g, 인삼(人蔘)·길경(桔梗)·복령(茯苓) 각 4g, 아교(阿膠)·감초(甘草) 각 2g, 오미자(五味子) 30알, 생강(生薑) 3쪽(「동의보감(東醫寶鑑)」). 폐위(肺痿)로 기침이 나고 피고름이 섞인 가래가 나오는 증상에 사용한다.

• 자완탕(紫菀湯): 자완(紫菀)·천문동(天門冬) 각 8g, 길경(桔梗)·행인(杏仁)·상백피(桑白皮)·감초(甘草) 각 4g, 죽여(竹茹) 한 줌(「동의보감(東醫寶鑑)」). 임신부가 폐음(肺飮)이 부족하거나 풍한(風寒)으로 기침을 많이 하는 증상에 사용한다.

❶ 개미취

❶ 개미취(뿌리)

❶ 개미취(열매)

❶ 자완(紫菀)

❶ 개미취 최대 생산지(중국 안국)

[국화과]
빗자루국화

🗓 옹종, 습진

●학명 : *Aster subulatus* Michaux

1	2	3	4	5	6	7	8	9	10	11	12

❂ 빗자루국화

한해살이풀. 높이 0.5~2m. 전체에 털이 없고 원추형으로 가지를 벋는다. 잎은 어긋나고 선상 피침형이며 가장자리는 물결 모양이다. 꽃은 자주색, 8~9월에 피며 총포편은 3줄로 배열한다.

분포·생육지 북아메리카 원산. 바닷가에서 자란다.

약용 부위·수치 전초를 여름과 가을에 채취하여 물에 씻은 후 바로 사용한다.

약물명 서련초(瑞連草), 백국화(白菊花), 구룡전(九龍箭)이라고도 한다.

약효 청열해독(淸熱解毒)의 효능이 있으므로 옹종(癰腫)과 습진을 치료한다.

성분 apigenin-7-*O*-β-D-glucoside, apigenin-7-*O*-β-D-galactoside, luteolin-7-*O*-β-D-glucoside, kaempferol-3-*O*-β-D-glucoside 등이 함유되어 있다.

사용법 서련초 적당량을 짓찧어 환부에 붙이고 붕대로 싸맨다.

[국화과]
중국삽주

👁 습성인비, 야맹증 🌙 권태 수종
담음 🫁 감기 두통 습비

●학명 : *Atractylodes chinensis* Koid.

1	2	3	4	5	6	7	8	9	10	11	12

여러해살이풀. 높이 50~60cm. 줄기는 바로 서고, 뿌리줄기가 굵으며 마디가 있다. 줄기 윗부분의 잎은 3개로 갈라져 있으며, 밑부분의 잎은 5개로 갈라지고 털이 많다.

분포·생육지 중국 원산. 국내 및 일본의 농가나 약초원에서 재배한다.

약용 부위·수치 뿌리줄기를 가을에 채취하여 물에 씻은 후 말린다.

약물명 북창출(北蒼朮). 대한민국약전(KP)에 수재되어 있다.

성상 북창출(北蒼朮)은 뿌리줄기로 불규칙한 염주 모양 또는 결절상의 덩어리 모양으로 주름과 가로로 구부러진 무늬가 있고 잔뿌리의 흔적이 있다. 표면은 흑갈색이며 피층을 제거한 것은 황갈색이다. 질은 약하며 횡단면은 황갈색의 유점이 널려 있다. 냄새는

약간 향기롭고, 맛은 조금 달며 맵고 쓰다.
＊약효와 사용법은 '삽주 *A. japonica*'와 같다.

❂ 북창출(北蒼朮)

❶ 북창출(北蒼朮, 절편)

❂ 중국삽주

[국화과]

삽주

야맹증	권태	수종	감기
습성인비, 담음		두통	습비

● 학명 : *Atractylodes japonica* (Koidz.) Kitagawa

| 1 | 2 | 3 | 4 | 5 | 6 | 7 | 8 | 9 | 10 | 11 | 12 |

여러해살이풀. 높이 30~100cm. 뿌리줄기가 굵으며 마디가 있고, 줄기잎은 긴 타원형이다. 꽃은 암수딴그루, 7~10월에 원줄기 끝에 달린다. 총포는 종 모양, 포편은 7~8줄이다. 화관은 길이 10~12mm, 암꽃의 화관은 길이 9~11mm로 모두 백색이다. 수과는 길며 털이 있고, 관모는 길이 8~9mm, 갈색이 돈다.

분포·생육지 우리나라 전역. 중국, 일본, 아무르, 우수리. 산의 건조한 양지에서 자란다.

약용 부위·수치 뿌리줄기를 가을에 채취하여 물에 씻은 후 말린다. 잔뿌리를 제거하고 뜨거운 물에 12시간 담갔다가 거유(去油)하고 썰어서 건조시킨다.

약물명 창출(蒼朮), 산정(山精), 적출(赤朮), 마계(馬薊), 청출(靑朮), 선출(仙朮)이라고도 한다. 창출(蒼朮)은 식물체가 푸르고(蒼), 꽃의 가시가 조(秌)의 열매에 달린 가시와 비슷한 것에서 유래한다. 대한민국약전(KP)에 수재되어 있다.

본초서 「신농본초경(神農本草經)」의 상품(上品)에 출(朮)이라는 이름으로 수재되어 있다. 「동의보감(東醫寶鑑)」에는 "삼초의 습한 기운을 없애고 속을 시원하게 하며 땀이 나게 한다. 몸 안에 진액이 제대로 순환되지 못하고 일정한 부위에 몰려 있는 것과 배꼽 부위와 늑골 아래에 덩어리가 생긴 것, 기괴, 산람장기 등을 없앤다. 풍기와 습기로 인해 뼈마디가 아프고 저린 증상을 낫게 한다. 구토와 설사가 그치지 않고, 몸이 붓는 것, 배가 불러오면서 속이 그득한 증상을 낫게 한다."고 하였다.

神農本草經集注: 除惡氣, 弭災疹.
珍珠囊: 除腫濕非此不能除, 能健胃安脾.
本草綱目: 治痰飮留飮, 或 挾瘀血成窠囊, 及脾濕下流, 濁瀝帶下, 滑瀉腸風.
東醫寶鑑: 治上中下濕疾 寬中發汗 破窠囊痰飮 疺癖氣塊 山嵐瘴氣 治風寒濕痹 療霍亂吐瀉不止 諸水種脹滿.

성상 불규칙하게 구부러진 원주형으로 길이 3~10cm, 지름 10~25mm이다. 표면은 어두운 회갈색~어두운 황갈색이다. 횡단면은 거의 원형이고 엷은 분비물에 의한 담갈색~적갈색의 가는 점을 볼 수 있다. 오래 저장된 것은 때때로 백색 결정이 석출된다. 갈색~황갈색의 내용물을 가진 기름세포(油室; 유세포가 큰 것 또는 유세포가 여러 개 모인 것)가 있다. 목부는 형성층에 접하여 도관을 싸고 있는 섬유속이 방사상으로 배열되어 있다. 수 및 방사 조직 속에는 피부와 같은 기름세포가 있고 유세포 속에는 이눌린의 구정 및 수산칼슘의 침정이 있다. 특이한 냄새가 있고 맛은 약간 쓰다.

품질 특유의 방향이 강하고 백색 결정이 석출된 것이 좋다.

기미·귀경 온(溫), 감(甘), 신(辛)·비(脾), 위(胃), 간(肝)

약효 조습건비(燥濕健脾), 거풍습(祛風濕), 명목(明目)의 효능이 있으므로 습성인비(濕盛因脾), 권태, 수종(水腫), 담음(痰飮), 감기, 두통, 습비(濕痹), 족위(足痿), 야맹증을 치료한다.

성분 정유가 약 1.5% 함유되어 있으며, 주성분은 atractylone(20%), 그 외 furfural, 3β-acetoxyatractylone, 3β-hydroxyatractylone, atractylenolide I, II, III, 2-furaldehyde 등이다.

약리 열수추출물은 토끼와 자라에게 투여하면 혈당 저하 작용이 있고, 소량에서는 혈압이 올라가나 대량에서는 내려간다. 자라의 심박 수를 감소시키고 혈관 확장 작용이 있다. 정유는 방부 작용이 있다.

사용법 창출 10g에 물 3컵(600mL)을 넣고 달여서 복용하거나 외용에는 가루로 하여

❀ 삽주

❀ 삽주 재배(일본 토야마현)

산포한다.

처방 위령탕(胃苓湯): 창출(蒼朮)·후박(厚朴)·진피(陳皮)·저령(豬苓)·택사(澤瀉)·백출(白朮)·적복령(赤茯苓)·작약(芍藥) 각 4g, 육계(肉桂)·감초(甘草) 각 2g, 생강(生薑) 3쪽, 대추(大棗) 2개 『동의보감(東醫寶鑑)』). 비위에 습(濕)이 성하여 오줌량이 줄고 설사가 나면서 배가 아프며 입맛이 없고 소화가 잘 안되는 증상에 사용한다.

• 불환금정기산(不換金正氣散): 창출(蒼朮)·후박(厚朴)·진피(陳皮)·곽향(藿香)·반하(半夏)·감초(甘草) 각 4g, 생강(生薑) 3쪽, 대추(大棗) 2개 『동의보감(東醫寶鑑)』). 오슬오슬 춥고 열이 나며, 소화가 안되고 감기 기운이 있는 증상에 사용한다.

• 청서익기탕(淸暑益氣湯): 창출(蒼朮) 6g, 황기(黃耆)·승마(升麻) 각 4g, 인삼(人蔘)·백출(白朮)·진피(陳皮)·신국(神麴)·택사(澤瀉) 각 2g, 당귀(當歸)·청피(靑皮)·맥문동(麥門冬)·갈근(葛根)·감초(甘草) 각 1.2g, 구기자(枸杞子) 9알 『동의보감(東醫寶鑑)』). 여름철에 습열을 받아 온몸이 나른하고 정신이 몽롱하며 가슴이 답답한 증상에 사용한다.

• 평위산(平胃散): 창출(蒼朮)·진피(陳皮)·후박(厚朴) 4g, 감초(甘草) 2.4g, 생강(生薑) 3쪽, 대추(大棗) 2개 『동의보감(東醫寶鑑)』). 비위(脾胃)에 습(濕)이 울체되어 식욕이 없고 온몸이 무거우며 헛배가 부르고 구역질, 트림, 신물이 나오는 증상에 사용한다.

• 향사평위산(香砂平胃散): 창출(蒼朮)·진피(陳皮)·향부자(香附子) 각 4g, 지실(枳實)·곽향(藿香) 각 3.2g, 후박(厚朴)·사인(砂仁) 각 2.8g, 목향(木香)·감초(甘草) 각 2g, 생강(生薑) 3쪽 『동의보감(東醫寶鑑)』). 소화가 잘 안되고 윗배가 묵직하고 배가 아픈 증상에 사용한다.

＊우리나라와 일본의 창출(蒼朮)은 본 종의 뿌리줄기이고, 중국의 창출은 '좁은잎삽주 A. lancea', 'A. lancea var. chinensis' 및 본 종의 뿌리줄기이다. 우리나라에서는 본 종의 뿌리줄기 그대로를 창출(蒼朮), 코르크층을 벗겨서 백출(白朮)로 사용하고 있으나 이는 잘못이다. 창출과 백출은 수독(水毒)을 없애고 비위(脾胃)를 돕는 작용은 같지만, 창출은 발한(發汗) 작용이 있고 백출은 지한(止汗) 작용이 있다.

☘ 창출(蒼朮)

☘ 창출(蒼朮, 절편)

☘ 삽주(뿌리와 뿌리줄기)

☘ 창출(蒼朮)이 배합된 소화제

[국화과]

좁은잎삽주

야맹증　권태　수종　감기　습성인비, 담음　두통　습비

●학명 : *Atractylodes lancea* DC. [*A. ovata*]　●한자명 : 茅蒼朮

| 1 | 2 | 3 | 4 | 5 | 6 | 7 | 8 | 9 | 10 | 11 | 12 |

여러해살이풀. 높이 50~100cm. 줄기는 바로 서고 뿌리줄기가 굵으며 마디가 있다. 잎은 어긋나고 좁으므로 다른 종과 구분할 수 있다.

분포·생육지 중국 원산. 국내 및 일본의 농가나 약초원에서 재배한다.

약물명 창출(蒼朮). 모창출(茅蒼朮)이라고도 한다. 대한민국약전(KP)에 수재되어 있다.

성상 뿌리줄기로 덩어리 모양이거나 결절상의 원기둥 모양으로 길이 5~9cm, 지름 2~4cm, 표면은 흑갈색이며 피층을 제거한 것은 황갈색이다. 질은 약하며 횡단면은 황갈색의 유점이 널려 있다. 냄새는 약간 향기롭고, 맛은 맵고 쓰다.

＊기타 사항은 '삽주 *A. japonica*'와 같다. 중국의 창출(蒼朮)은 대부분 본 종의 뿌리줄기이다.

☘ 좁은잎삽주

☘ 창출(蒼朮)

☘ 좁은잎삽주(뿌리와 뿌리줄기, 중국)

큰삽주

 비기허약, 신피핍력, 기허자한 | 소변불리
식소복창, 대변당박, 담음현훈 | 수종 | 태동불안

● 학명 : *Atractylodes macrocephala* Koidz.

| 1 | 2 | 3 | 4 | 5 | 6 | 7 | 8 | 9 | 10 | 11 | 12 |

여러해살이풀. 높이 50~60cm. 줄기는 바로 서고, 뿌리줄기가 굵으며 마디가 있다. 잎은 어긋나고, 잎자루는 길다. 꽃은 암수딴그루, 7~10월에 두상화서로 피며, 크고, 포편은 잎 같다. 총포는 종 모양, 총포편은 5~7층이다. 화관은 자주색, 끝이 5개로 갈라지며, 수술은 5개이다. 수과에는 부드러운 털이 있다.

분포 · 생육지 중국 원산. 농가나 약초원에서 재배하는 귀화 식물이다.

약용 부위 · 수치 뿌리줄기를 가을에 채취하여 물에 씻은 후 썰어서 말린다. 풍비습담(風痺濕痰)과 이수파혈(利水破血)에는 그대로 사용하고 윤조(潤燥), 화비(和脾)를 목적으로 할 때는 미감즙(米泔汁)에 담갔다가 말리고, 건비(健脾)에는 황토초(黃土炒)하고, 소창(消脹)에는 부초(麩炒)하여 사용한다.

약물명 백출(白朮). 산계(山薊), 출(朮), 산개(山芥), 천계(天薊), 다골(多骨)이라고도 한다. 대한민국약전(KP)에 수재되어 있다.

본초서 백출(白朮)은 「신농본초경(神農本草經)」의 중품(中品)에 수재되어 있으며 별명을 방향(芳香)이라고 하였고, 「명의별록(名醫別錄)」에는 백거(白苣)라고 하였다. 「동의보감(東醫寶鑑)」에는 "비장과 위장을 튼튼하게 하고 설사를 그치게 하며, 습한 기운을 없앤다. 또 소화를 잘 시키고 땀이 나는 것을 그치게 하며 명치 밑이 답답하고 구토와 설사가 계속되는 것을 낫게 한다. 허리와 배꼽 상의 피를 잘 돌게 하며 위가 허하고 차서 생긴 이질을 낫게 한다."고 하였다.
神農本草經: 主風寒濕痺死肌 痙疸 止汗 除

熱 消食.
藥性本草: 治胃氣虛冷下痢.
珍珠囊: 除濕益氣 補中補陽 消痰逐水 佐黃芩安胎淸熱.
東醫寶鑑: 健脾强胃 止瀉除濕 消食止汗 除心下急滿及霍亂吐瀉不止 利腰臍間血 療胃虛冷痢.

성상 불규칙하게 비대한 덩이 모양을 이루고 길이 3~13cm, 지름 1.5~7cm이다. 표면은 회황색 또는 회갈색이고 곳곳에 혹 모양의 작은 돌기가 있으며 연속되지 않은 세로 주름과 홈이 있고 잔뿌리가 붙었던 자국이 있으며 정단에는 줄기의 잔기와 싹의 자국이 있다. 질은 굳고 단단하여 꺾기 어려우며, 꺾은 면은 평탄하지 않고 황백색~엷은 갈색을 띠며 황갈색의 유실이 점상으로 흩어져 있다. 특이한 냄새가 있으며, 맛은 달면서 약간 맵고 씹으면 점성을 띤다.

품질 굵고 향기가 강한 것이 좋다.

약미 · 귀경 온(溫), 고(苦), 감(甘) · 비(脾), 위(胃)

약효 건비익기(健脾益氣), 조습이수(燥濕利水), 지한(止寒), 안태(安胎)의 효능이 있으므로 비기허약(脾氣虛弱), 신피핍력(神疲乏力), 식소복창(食少腹脹), 대변당박(大便溏薄), 수음내정(水飮內停), 소변불리(小便不利), 수종(水腫), 담음현훈(痰飮眩暈), 습비산통(濕痺酸痛), 기허자한(氣虛自汗), 태동불안(胎動不安)을 치료한다.

성분 coumarin: byakangelicin, byakangelicol, oxypeucedanin, imperatorin, phellopterin, xanthotoxin, marmesin, sco-
poletin, anhydrobyakangelicin, neobyakangelicol, isoimperatorin, bergapten이 함유되어 있고, 정유의 주성분은 atractylone이고, 그 외 furfural, 3β-acetoxyatractylone, 3β-hydroxyatractylone, atractylenolide I, II, III, 2-furaldehyde 등이다. 지상부는 3-feruoylquinic acid, apigenin-8-*C*-β-D-glucopyranoside, 4′-caffeoyl-luteolin-6-*C*-β-D-glucopyranoside, 3,5-di-*O*-caffeoylquinic acid, 4,5-di-*O*-caffeoylquinic acid, ferulic acid, luteolin-6-*C*-β-D-glucopyranoside, 7-methoxy-pinocembrin-7-*O*-β-D-glucopyranoside, apigenin-6-*C*-β-D-glucopyranoside, luteolin 등이 함유되어 있다.

약리 열수추출물을 토끼와 자라에게 투여하면 혈당 저하 작용이 있고, 소량에서는 혈압이 올라가나 대량에서는 내려간다. 또 자라의 심박 수를 감소시키고 혈관 확장 작용이 있다. 열수추출액은 시험관 내에서 대장균, 티푸스균, 결핵균 등에 항균 작용이 있다. 지상부의 메탄올추출물은 항산화 작용이 있다.

사용법 백출 10g에 물 3컵(600mL)을 넣고 달여서 복용하거나 외용에는 가루로 만들어 바른다.

처방 백출탕(白朮湯): 백출(白朮) 12g, 반하(半夏) · 진피(陳皮) · 복령(茯苓) · 오미자(五味子) 각 6g, 감초(甘草) 2g, 생강(生薑) 5쪽 (「동의보감(東醫寶鑑)」). 습담(濕痰)으로 몸이 무겁고 가래가 많은 기침을 하며 소화불량인 증상에 사용한다.

• 반하백출천마탕(半夏白朮天麻湯): 반하(半夏) · 진피(陳皮) · 맥아(麥芽) 각 6g, 백출(白朮) · 신국(神麴) 각 4g, 창출(蒼朮) · 인삼(人蔘) · 황기(黃耆) · 천마(天麻) · 복령(茯苓) · 택사(澤瀉) 각 2g, 건강(乾薑) 1.2g, 황백(黃柏) 0.8g (「동의보감(東醫寶鑑)」). 비위(脾胃)가 허약하여 생긴 담궐두통(痰厥頭痛)으로 머리가 아프고 게우며 어지러워 눈을 뜰 수 없고 때로는 구역질이 나며 온몸이 무겁고 팔다리가 싸늘한 증상에 사용한다.

❍ 큰삽주

❍ 큰삽주 재배(중국 기주)

- 소요산(逍遙散): 백출(白朮) · 작약(芍藥) · 복령(茯苓) · 시호(柴胡) · 당귀(當歸) · 맥문동(麥門冬) 각 4g, 감초(甘草) · 박하(薄荷) 각 2g, 생강(生薑) 3쪽(『동의보감(東醫寶鑑)』). 옆구리가 아프고 어지러우며 오슬오슬 추웠다 열이 났다 하며 입맛이 없고 명치 밑이 그득한 증상에 사용한다.
- 영계출감탕(苓桂朮甘湯): 복령(茯苓) 16g, 백출(白朮) · 계지(桂枝) 각 12g, 감초(甘草) 8g(『상한론(傷寒論)』). 담음(痰飮)으로 머리가 무겁고 어지러우며 가슴이 두근거리고 숨이 차며 오줌량이 줄고 배에서 물소리가 나는 증상에 사용한다.
- 월비가출탕(越妃加朮湯): 석고(石膏) · 마황(麻黃) · 생강(生薑) · 대추(大棗) · 백출(白朮) 각 8g, 감초(甘草) 4g(『금궤요략(金匱要略)』). 온몸이 붓고 땀이 저절로 나며 소변이 잘 나오지 않는 증상에 사용한다.

- 오령산(五苓散): 저령(豬苓) · 택사(澤瀉) · 복령(茯苓) 각 12g, 백출(白朮) 8g, 계지(桂枝) 4g(『상한론(傷寒論)』). 수습담(水濕痰)으로 요량 감소, 구갈에 대한 방제로 급성위장염, 구토, 담마진, 부종 등에 사용한다.
- 익위승양탕(益胃升陽湯): 백출(白朮) 6g, 황기(黃耆) 4g, 인삼(人蔘) · 신국(神麴) 각 3g, 당귀(當歸) · 진피(陳皮) · 구감초(炙甘草) 각 2g, 승마(升麻) · 시호(柴胡) 각 1.2g, 황금(黃芩) 0.8g(『동의보감(東醫寶鑑)』). 출혈을 많이 한 뒤에 입맛이 없고 온몸이 나른하며 게우고 설사하면서 혈변이 있는 증상에 사용한다.

* 우리나라에서는 '삽주 A. japonica'의 뿌리줄기를 채취한 후 코르크층을 벗겨서 말린 것을 백출(白朮)로 사용하고 있으나 이는 잘못이다.

❍ 백출(白朮)

❍ 백출(白朮, 절편)

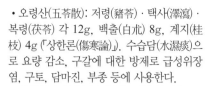
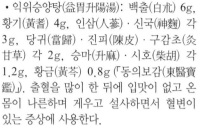

❍ 백출(白朮, 왼쪽)과 창출(蒼朮, 오른쪽)의 비교

❍ 백출(白朮)로 만든 정장제
❍ 백출(白朮)이 배합된 익위승양탕
❍ 백출(白朮)이 주약으로 배합된 백출탕

[국화과]

목향

🔖 흉협창만, 완복창통, 구토설사, 이질후중

●학명 : *Aucklandia lappa* Decne. [*Saussurea lappa*]　●별명 : 운목향, 당목향

| 1 | 2 | 3 | 4 | 5 | 6 | 7 | 8 | 9 | 10 | 11 | 12 |

❍ 목향

여러해살이풀. 높이 1.5~2m. 원뿌리는 크고 원주형이며 지름 5cm 정도, 표면은 황갈색으로 드물게 곁뿌리가 있다. 줄기는 바로 서고, 꽃은 황색, 5~8월에 줄기 끝과 잎 겨드랑이에 두상화서로 달리며 관상화이다. 수과는 9~10월에 성숙하며 바늘 모양으로 황색의 바로 서는 깃꼴 관모가 있으나 열매가 성숙할 때는 탈락한다.

분포 · 생육지 중국 윈난성(雲南省), 쓰촨성(四川省), 후베이성(湖北省), 베이징(北京), 인도. 숲속에서 자라며, 약재로 사용되는 것은 대부분 산지에서 재배한다.

약용 부위 · 수치 뿌리를 가을에 채취하여 물에 씻은 후 건조한다. 그대로 사용하거나, 지사(止瀉)를 목적으로 할 때는 부피(麩皮, 밀기울 껍질)와 같이 외(煨)하되 진한 황색이 되면 부피는 제거한다.

약물명 목향(木香). 밀향(蜜香), 오향(五香), 오목향(五木香), 광목향(廣木香)이라고도 한다. 대한민국약전외한약(생약)규격집(KHP)에 수재되어 있다.

본초서 목향(木香)은 「신농본초경(神農本草經)」의 상품(上品)에 밀향(蜜香)이라는 이름으로 수재되어 있다. 「명의별록(名醫別錄)」에는 "목향(木香)은 윈난성(雲南省)의 영창(永昌)에서 생산된다."고 하였으며, 도홍경(陶弘景)은 "이것은 청목향(靑木香)을 말하는 것이다."라고 하였다. 이시진(李時珍)은 "목향(木香)은 초류(草類)로 꿀(蜜)과 같은 향기가 있으므로 밀향(蜜香)이라고 하였으나, 침향(沈香) 가운데도 밀향이라는 이름이 있고 또 뿌리가 나무 같으므로 목향(木香)이라고 하게 되었다."라고 하였다. 「동의보감(東醫寶鑑)」에 "나쁜 기운으로 인해 가슴과 배가 아픈 것을 낫게 하고 아홉 가지 심통을 다스린다. 오래된 냉기로 인해 배가 아프고 배꼽 부위와 늑골 아래에 덩어리가 생긴 것과 아랫배 속에 덩어리가 생긴 것을 낫게 한다. 또 설사와 구토가 계속되는 것, 피고름이 섞인 대변을 치료하고 독을 풀어주며 헛것에 들린 것을 낫게 한다. 봄철에 유행하는 급성전염병을 방지하고 약의 기운이 목적한 곳으로 잘 갈 수 있도록 도와준다."고 하였다.

神農本草經: 主邪氣, 辟毒疫溫鬼, 强志, 主淋露, 久服不夢寤魇寢寐.
名醫別錄: 療氣劣, 肌中偏寒, 主氣不足, 消毒, 殺鬼精物, 溫瘧, 蠱毒, 行藥之精, 輕身.
本草經集注: 療毒腫, 消惡氣.
東醫寶鑑: 治心腹一切氣急九種心痛 積年冷氣 脹痛 痃癖 癥塊 止泄瀉霍亂痢疾 消毒 殺鬼辟溫疫 行藥之精.

성상 대체로 원주형이며 지름 2~5cm, 길이 5~20cm로 약간 구부러진 것도 있고, 때로 세로로 갈라져 있기도 하다. 근두부가 있는 것에서는 위쪽에 줄기의 자국이 오목하게 들어간 것도 있다. 표면은 황갈색~회갈색이고 거친 세로 주름과 가는 그물눈 모양의 주름 및 곁뿌리의 잔기가 있다. 또 주피를 제거한 것도 있으며, 질은 굳고 충실하며 꺾기 힘들다. 특이한 냄새가 있고 맛은 쓰다.

품질 향기가 강하고 굵은 것이 좋다.

기미·귀경 온(溫), 신(辛), 고(苦)·비(脾), 위(胃), 간(肝), 폐(肺)

약효 행기지통(行氣止痛), 조중도체(調中導體)의 효능이 있으므로 흉협창만(胸脇脹滿), 완복창통(脘腹脹痛), 구토설사, 이질후중(痢疾後重)을 치료한다.

성분 guaianolide, germacrane, costunolide, dehydrocostulactone, alantolactone, isoalantolactone, isodehydrocostulactone, α-costol, cotiic acid, cynaropicrin, saussureamine A, B, α-ionone, β-ionone, phellandrene, camphene 등이 함유되어 있다.

약리 costunolide는 담즙 분비를 촉진하고 스트레스로 인한 위궤양을 예방한다. 메탄올이나 에탄올추출물에는 구충 작용, 항염 작용, 항관절염 작용이 있다. costunolide는 MAPKs 활성화와 AP-1의 DNA 결합을 막음으로써 LPS로 유도된 IL-1β의 유전자 발현을 억제한다. costunolide를 비롯한 sesquiterpene 화합물들은 암세포의 성장을 억제한다. alantolactone 및 유사체는 장내 기생충에 구충 작용이 있고, 황색 포도상구균, 적리균, 녹농균에 항균 작용이 있다. guaianolide와 germacrane은 암세포인 MCF-7과 MDA-MB-453의 증식을 억제한다. 70%에탄올추출물은 ICR 수컷 흰쥐의 위장관 운동을 촉진한다.

사용법 목향 10g에 물 3컵(600mL)을 넣고 달여서 복용하거나 술에 담가 복용하고, 알약으로 만들어 복용하면 편리하다. 가루로 만들어 복용할 때는 1회 0.5g이다.

처방 목향순기산(木香順氣散): 목향(木香)·향부자(香附子)·빈랑자(檳榔子)·청피(靑皮)·진피(陳皮)·후박(厚朴)·창출(蒼朮)·지각(枳殼)·사인(砂仁) 각 4g, 구감초(炙甘草) 2g, 생강(生薑) 1.2g(「증치준승(證治準繩)」). 이기소적(理氣消積)으로 오는 복통, 소화불량, 구토, 설사에 사용한다.

• 목향조기산(木香調氣散): 목향(木香)·백두구(白荳蔲) 각 6g, 곽향(藿香) 12g, 사인(砂仁)·감초(甘草) 각 4g, 정향(丁香)·단향(檀香) 각 2g(「화제국방(和劑局方)」). 기체(氣滯)로 오는 흉복창통(胸腹脹痛), 구역(嘔逆)에 사용한다.

• 목향빈랑환(木香檳榔丸): 목향(木香)·빈랑자(檳榔子)·청피(靑皮)·진피(陳皮)·황련(黃連)·지각(枳殼)·아출(莪朮)·삼릉(三稜) 각 4g, 황백(黃柏)·대황(大黃)·향부자(香附子) 각 12g, 견우자(牽牛子) 16g, 현명분(玄明粉) 8g(「단계심법(丹溪心法)」). 급성 소화불량으로 배가 그득하고 복통이 일어나는 증상에 사용한다.

＊목향(木香)의 대부분은 본 종의 뿌리를 사용하지만, 'Vladimiria souliei'의 뿌리를 천목향(川木香), 'Inula helenium'의 뿌리를 토목향(土木香)이라 하여 사용하기도 한다.

❶ 목향(木香)

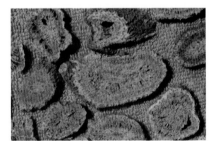
❶ 목향(木香, 절편)

❶ 목향(뿌리)

❶ 목향 재배. 중국 보흥(寶興)

❶ 목향(꽃)

❶ 목향(木香)이 주약으로 배합된 목향순기환

[국화과]

데이지

 생리지연   통풍, 사지마비

● 학명 : *Bellis perennis* L.   ● 영명 : Common daisy   ● 별명 : 애기국화, 벨리스

| 1 | 2 | 3 | 4 | 5 | 6 | 7 | 8 | 9 | 10 | 11 | 12 |

○ Bellis Folium

○ 데이지(흰 꽃)

여러해살이풀. 높이 30~60cm. 줄기는 곧게 서며 전초에 털이 있다. 잎은 뿌리잎으로 도란상 원형, 가장자리에 둔한 톱니가 있으며, 잎자루가 길고 날개가 있다. 꽃은 8~9월에 길이 3~6cm의 꽃대에 황색, 분홍색, 붉은색 등으로 핀다.

분포 · 생육지 유럽, 지중해 원산. 세계 각처에서 재배한다.

약용 부위 · 수치 잎을 여름에 채취하여 썰어서 말린다.

약물명 Bellis Folium

약효 진정 및 활혈소종(活血消腫)의 효능이 있으므로 생리지연, 통풍, 사지마비를 치료한다.

사용법 Bellis Folium 5g을 뜨거운 물로 우려내어 복용한다.

○ 데이지

[국화과]

도깨비바늘

 인후종통   이질, 황달, 장옹

정창종독   풍습비통

● 학명 : *Bidens bipinnata* L.   ● 별명 : 도깨비바눌, 좀독개비바늘, 좀도개비바늘

| 1 | 2 | 3 | 4 | 5 | 6 | 7 | 8 | 9 | 10 | 11 | 12 |

한해살이풀. 높이 30~80cm. 줄기는 곧게 서며 네모지고 털이 약간 있다. 잎은 마주나고 1~2회 깃꼴겹잎이다. 꽃은 황색, 8~9월에 가지와 줄기 끝에 달리며, 총포는 통형이고 포편은 4~5개로 선상 긴 타원형이다. 수과는 선형, 3~4개의 능선이 있으며, 관모는 3~4개로 밑을 향한 가시 같은 털이 있다.

분포 · 생육지 우리나라 전역. 중국, 일본, 타이완, 인도, 오스트레일리아, 유럽, 북아메리카. 산과 들에서 자란다.

약용 부위 · 수치 지상부를 여름과 가을에 채취하여 썰어서 말린다.

약물명 귀침초(鬼針草), 귀황화(鬼黃花), 맹장초(盲腸草), 청위초(清胃草)라고도 한다.

본초서 귀침초(鬼針草)는 당나라 진장기(陳臟器)의 「본초습유(本草拾遺)」에 처음 수재되어 "독사에 물렸을 때 이 식물을 바르고 달여 먹는다."고 하였으며, 이시진(李時珍)의 「본초강목(本草綱目)」에는 "전갈에 물린 독을 치료한다."고 기록되어 있다.

약효 청열해독(清熱解毒), 거풍제습(祛風除濕), 활혈소종(活血消腫)의 효능이 있으므로 인후종통(咽喉腫痛), 이질, 황달, 장옹(腸癰), 정창종독(疔瘡腫毒), 풍습비통(風濕痺痛)을 치료한다.

성분 hyperoside, isookanin-7-*O*-β-D-glucopyranoside, okanin, maritimetin, salycilic acid, gallic acid 등이 함유되어 있다.

약리 귀침초(鬼針草)와 상산(常山)을 동량으로 한 열수추출물은 쥐 실험에서 소염 작용이 강하게 나타난다. 에탄올추출물은 황색포도상구균 등에 항균 작용이 있다.

사용법 귀침초 5g에 물 2컵(400mL)을 넣고 달여서 복용하고, 외용에는 짓찧어 바른다.

* 꽃차례와 잎에 털이 많은 '털도깨비바늘 *B. biternata*', 잎이 2~3회 깃꼴로 깊게 갈라지는 '까치발 *B. parviflora*'도 약효가 같다.

○ 도깨비바늘

○ 귀침초(鬼針草)

○ 도깨비바늘(열매)

[국화과]

털도깨비바늘

| 감모발열 | 황달, 설사 |
| 혈붕 |

● 학명 : *Bidens biternata* Willd. ● 별명 : 넓은잎가막사리

| 1 | 2 | 3 | 4 | 5 | 6 | 7 | 8 | 9 | 10 | 11 | 12 |

○ 금잔은함(金盞銀盤)

한해살이풀. 높이 70~150cm. 줄기는 곧게 서며 털이 있다. 잎은 마주나고 1~2회 깃꼴로 갈라진다. 꽃은 8~9월에 피고 가지 끝과 원줄기 끝에 달린다. 총포는 통형이고 포편은 8~10개로 선상 긴 타원형이며, 설상화는 황색으로 열매를 맺지 못한다. 열매는 수과로 까락은 3~4개이다.

분포·생육지 우리나라 전역. 중국, 일본, 아무르, 다후리아. 산과 들의 습지에서 자란다.

약용 부위·수치 지상부를 여름에 채취하여 썰어서 말린다.

약물명 금잔은함(金盞銀盤). 천조침(千條針)이라고도 한다.

약효 청열해독(淸熱解毒), 양혈지혈(涼血止血)의 효능이 있으므로 감모발열(感冒發熱), 황달, 설사, 혈붕(血崩)을 치료한다.

사용법 금잔은함 15g에 물 3컵(600mL)을 넣고 달여서 복용한다.

○ 털도깨비바늘

[국화과]

미국가막사리

| 체허핍력, 도한 | 객혈 |

● 학명 : *Bidens frondosa* L. ● 별명 : 미국가막살이

| 1 | 2 | 3 | 4 | 5 | 6 | 7 | 8 | 9 | 10 | 11 | 12 |

한해살이풀. 높이 120cm 정도. 원줄기는 네모지고, 잎은 마주나며 3~5개의 작은잎으로 된 깃꼴겹잎으로 잎자루에 날개가 없다. 꽃은 8월에 원줄기와 가지 끝에 1개씩 달리며 설상화는 짧아서 없는 것처럼 보인다. 수과는 편평하며 길이 5mm 정도이다.

분포·생육지 미국 원산. 세계 각처 낮은 지대의 습지에서 자란다.

약용 부위·수치 전초를 여름에 채취하여 썰어서 말린다.

약물명 대낭파초(大狼把草). 접력초(接力草)라고도 한다.

약효 보허청열(補虛淸熱)의 효능이 있으므로 체허핍력(體虛乏力), 도한(盜汗), 객혈을 치료한다.

성분 okanin-4′-*O*-β-D-glucopyranoside, quercetin-3-*O*-β-D-glucoside, luteolin-7-*O*-β-D-glucoside, 7,8,3′,4′-tetrahydroxyflavanone, isookanin-7-*O*-β-D-glucoside, quercitrin, sulfurein, maritimetin, okanin 등이 함유되어 있다.

약리 okanin-4′-*O*-β-D-glucopyranoside, 7,8,3′,4′-tetrahydroxyflavanone, okanin은 항산화 작용이 있다.

사용법 대낭파초 15g에 물 3컵(600mL)을 넣고 달여서 복용한다.

○ 대낭파초(大狼把草)

○ 미국가막사리

[국화과]
까치발

 감모발열 인후종통　장염복사
소변삽통　풍습비통　옹저창절

●학명 : *Bidens parviflora* Willd. ●별명 : 가는도깨비바늘, 가는독개비바늘, 두가래도깨비바늘

| 1 | 2 | 3 | 4 | 5 | 6 | 7 | 8 | 9 | 10 | 11 | 12 |

한해살이풀. 높이 30~70cm. 줄기는 곧게 서며 털이 약간 있다. 잎은 마주나고 2~3회 깃꼴로 갈라진다. 꽃은 8~9월에 가지 끝과 원줄기 끝에 달리며 총포는 통형이다. 포편은 4~5개로 선상 긴 타원형이며 황색, 설상화는 없다. 열매는 수과로 길이 15mm 정도이고 까락은 2개, 아래로 향한 자모(刺毛)가 있다.

분포·생육지 우리나라 전역. 일본, 중국 둥베이(東北) 지방, 아무르, 다후리아. 산과 들에서 자란다.

약용 부위·수치 지상부를 여름에 채취하여 썰어서 말린다.

약물명 소귀채(小鬼釵), 녹각초(鹿角草), 자침초(刺針草)라고도 한다.

약효 청열이뇨(淸熱利尿), 활혈해독(活血解毒)의 효능이 있으므로 감모발열(感冒發熱), 인후종통(咽喉腫痛), 장염복사(腸炎腹瀉), 소변삽통(小便澁痛), 풍습비통(風濕痺痛), 옹저창절(癰疽瘡癤)을 치료한다.

성분 6-hydroxycoumarin, 7-hydroxy-6-methoxycoumarin, oleanolic acid, ursolic acid, nariatin, rutin, 5,7,2′,5′-tetramethoxyflavone, astragalin, isoquercitrin, sulfurein, maritimetin 등이 함유되어 있다.

약리 열수추출물을 위궤양을 유도한 쥐에 주사하면 궤양 치료 작용이 나타난다.

사용법 소귀채 15g에 물 4컵(800mL)을 넣고 달여서 복용하고, 외용에는 짓찧어 바른다.

❶ 소귀채(小鬼釵)

❶ 까치발

[국화과]
가막사리

폐열해수, 객혈, 나력결핵　적백이질, 황달
인후종통　월경부조, 폐경　습진선창

●학명 : *Bidens tripartita* L. ●별명 : 가막살

| 1 | 2 | 3 | 4 | 5 | 6 | 7 | 8 | 9 | 10 | 11 | 12 |

한해살이풀. 높이 50~150cm. 털이 없다. 잎은 마주나고 바늘 모양, 3~5개로 갈라진다. 꽃은 양성, 황색, 8~10월에 피며, 총포편은 5~10개로 길이 1.5~4.5cm이다. 설상화는 없고 통꽃은 끝이 4개로 갈라지며 통부는 길이 2mm 정도이다. 수과는 길이 7~11mm, 너비 2~2.5mm이며, 관모는 완전한 것 2개와 불완전한 것 1~2개가 있다.

분포·생육지 우리나라 전역. 중국, 일본, 타이완, 아시아, 유럽, 오스트레일리아. 논둑이나 습지에서 자란다.

약용 부위·수치 전초를 여름과 가을에 채취하여 말린다.

약물명 낭파초(狼把草). 오계(烏階), 낭야초(郎耶草)라고도 한다.

본초서 낭파초(狼把草)는 당나라 진장기(陳藏器)가 편집한 「본초습유(本草拾遺)」에 처음 수재되어 "오래된 설사, 단독으로 열이 나고 몸이 오싹오싹 아플 때는 뿌리를 사용한다."고 하였으며, 이시진(李時珍)의 「본초강목(本草綱目)」에는 "오래된 무좀이나 백선에는 가루 내어 뿌린다."라고 기록되어

있는 점으로 보아 주로 피부병 치료에 사용한 것으로 생각된다.

약효 청열해독(淸熱解毒), 이습통경(利濕通經)의 효능이 있으므로 폐열해수(肺熱咳嗽), 객혈, 인후종통(咽喉腫痛), 적백이질(赤白痢疾), 황달, 월경부조(月經不調), 폐경(閉經), 나력결핵(瘰癧結核), 습진선창(濕疹癬瘡)을 치료한다.

성분 luteolin, luteolin-7-*O*-β-D-glucopyranoside, 2,3′,4,4′-tetrahydroxychalcone, 3′,4′,6-trihydroxyaurone, 6,7-dihydroxyxoumarin, umbelliferone, scopoletin, eugenol, ocimene 등이 함유되어 있다.

약리 지상부의 열수추출물을 쥐, 토끼에게 주사하면 진정, 혈압 하강, 심박 진폭을 증대시키는 작용이 있다.

사용법 낭파초 10g에 물 3컵(600mL)을 넣고 달여서 복용한다. 오래된 피부병에는 약을 복용하면서 달인 액을 상처에 바른다.

❶ 낭파초(狼把草)

❶ 낭파초(狼把草)로 만든 인후염, 해수 치료제

❶ 가막사리

[국화과]

애납향

풍한감모　두풍두통
풍한습비　한습사리

● 학명 : *Blumea balsamifera* (L.) DC.　● 한자명 : 艾納香　● 별명 : 삼봉

| 1 | 2 | 3 | 4 | 5 | 6 | 7 | 8 | 9 | 10 | 11 | 12 |

여러해살이풀. 높이 2~3m. 줄기는 곧게 서고 몇 개의 능선이 있으며 솜털로 덮여 있다. 줄기 하부에 달리는 잎은 길이 22~25cm, 너비 8~10cm, 상부에 달리는 잎은 작다. 꽃은 두상화서로 많이 달리며 전체적으로 원추형을 이룬다. 수과는 원주형, 부드러운 털로 덮여 있으며, 관모는 적갈색이다.

분포 · 생육지 중국, 인도네시아. 밭가나 빈터에서 자란다.

약용 부위 · 수치 전초 또는 잎을 여름에 채취하여 썰어서 말린다.

약물명 애납향(艾納香). 대풍애(大風艾), 우이애(牛耳艾), 재풍애(再風艾)라고도 한다.

약효 거풍제습(祛風除濕), 온중지사(溫中止瀉), 활혈해독(活血解毒)의 효능이 있으므로 풍한감모(風寒感冒), 두풍두통(頭風頭痛), 풍한습비(風寒濕痺), 한습사리(寒濕瀉痢)를 치료한다.

성분 (2*R*,3*R*)-dihydroquercetin 4′-methyl ether, (2*R*,3*R*)-dihydroquercetin 4′,7-dimethyl ether, blumelatone A, B, C, [1*S*-endo]-(−)-borneol 등이 함유되어 있다.

약리 물로 달인 액을 쥐의 복강에 주사하면 간 보호 작용이 나타난다.

사용법 애납향 10g에 물 3컵(600mL)을 넣고 달여서 복용한다.

＊ 지상부를 수증기로 증류하여 얻은 증류액을 냉각시켜 얻은 결정체를 용뇌(龍腦)라 하여 눈의 충혈, 예막(瞖膜)을 치료하는 데 사용한다.

○ 애납향

○ 애납향(艾納香, 신선품)

○ 애납향(艾納香)에서 분리한 [1*S*-endo]-(−)-borneol 은 향료나 향수 원료로 사용된다.

[국화과]

조뱅이

토혈, 혈변, 간염　비출혈
혈뇨　창상출혈

● 학명 : *Breea segeta* (Bunge) Kitamura [*Cephalonoplos segetum*]
● 별명 : 자라귀, 조바리, 조병이, 자리귀

| 1 | 2 | 3 | 4 | 5 | 6 | 7 | 8 | 9 | 10 | 11 | 12 |

두해살이풀. 높이 25~50cm. 뿌리잎은 꽃이 필 때 스러지며 줄기잎은 바늘 모양이다. 꽃은 자주색, 분홍색, 지름 30mm 정도, 5~8월에 가지 끝과 원줄기 끝에 달린다. 총포는 종 모양으로 수꽃은 길이 18mm 정도, 암꽃은 길이 23mm 정도, 백색 털로 덮여 있다. 화관은 자주색, 수꽃은 길이 17~20mm, 암꽃은 길이 26mm이고, 관모는 길이 28mm 정도이다.

분포 · 생육지 우리나라 전역. 중국, 일본. 밭가나 빈터에서 자란다.

약용 부위 · 수치 전초를 여름과 가을에 채취하여 물에 씻은 후 썰어서 말린다.

약물명 소계(小薊). 묘계(猫薊), 청자계(靑刺薊), 천침초(千針草)라고도 한다. 대한민국약전외한약(생약)규격집(KHP)에 수재되어 있다.

본초서 소계(小薊)는 「명의별록(名醫別錄)」에 처음 수재되었으며 "뿌리는 주로 정기를 돋우고 혈액을 보충한다."고 하였다. 「본초습유(本草拾遺)」에는 "어혈(瘀血)을 풀어 주고, 피가 함께 나오는 설사에 이것을 달여서 복용하고, 독사에게 물렸을 때 즙액을 바르면 치료된다."고 기록되어 있다. 「동의보감(東醫寶鑑)」에 "열독풍을 낫게 하고 어혈을 풀어 주며 출혈을 멎게 한다. 갑자기 피를 쏟거나 생리 기간이 아닌데도 출혈이 있는 증상과 쇠붙이에 다쳐서 피가 흐르는 것을 그치게 한다. 또 거미, 뱀, 전갈의 독을 풀어 준다."고 하였다.

東醫寶鑑: 治熱毒風 破宿血 止新血暴下血血崩金瘡出血 療蜘蛛蛇蝎毒.

성상 가는 줄기는 원기둥 모양이고 상부는 가지가 갈라져 있다. 잎은 어긋나고 타원형으로 가장자리에 굵은 톱니가 있으며 줄기 끝에는 꽃이 붙어 있는 것도 있다. 냄새가 조금 나고 맛은 쓰다.

기미 · 귀경 양(凉), 감(甘), 미고(微苦) · 간

○ 조뱅이

(肝), 비(脾)

약효 양혈지혈(涼血止血), 청열소종(淸熱消腫)의 효능이 있으므로 토혈(吐血), 비출혈(鼻出血), 혈뇨(血尿), 혈변(血便), 간염, 창상출혈을 치료한다.

성분 rutin, linarin, acaciin, acacetin, acacetin-7-*O*-rhamnoglucoside, taraxasterol 등이 함유되어 있다.

약리 물로 달인 액은 용혈성 연쇄구균, 폐렴구균, 디프테리아균에 항균 작용이 있고, 또한 혈압 상승 작용이 있다.

사용법 소계 10g에 물 3컵(600mL)을 넣고 달여서 복용하고, 외용에는 짓찧어 바른다.
＊소계(小薊)는 대계(大薊, 엉겅퀴 뿌리)와 약효는 비슷하지만 소염 작용이 약하다. '조뱅이'에 비하여 키가 크고 잎 가장자리에

결각상 톱니가 있으며 열매가 익을 때 관모가 길어지는 '큰조뱅이(엉겅퀴아재비)' *B. setosa*'도 약효가 같다.

❶ 조뱅이(뿌리)

❶ 큰조뱅이

❶ 소계(小薊)

❶ 조뱅이(자주색 꽃)

❶ 조뱅이(분홍색 꽃)

[국화과]

박쥐나물

소변불리　　상구화농

●학명 : *Cacalia hastata* L. var. *orientalis* (Kitamura) Ohwi　　●별명 : 민박쥐나물

| 1 | 2 | 3 | 4 | 5 | 6 | 7 | 8 | 9 | 10 | 11 | 12 |

여러해살이풀. 높이 70~180cm. 윗부분에서 가지가 퍼지며 가지에 짧은 털이 있다. 뿌리잎과 밑부분의 잎은 꽃이 필 때 없어지고 중앙부의 잎은 어긋난다. 꽃은 7~9월에 피고, 총포는 길이 10~12mm, 포편은 5~8개, 작은꽃은 6~9개이다. 수과는 선형이며 길이 5~8mm, 세로줄이 있고 털이 없으며, 관모는 길이 7mm 정도, 백색이다.

분포·생육지 우리나라 전역. 중국, 일본, 러시아, 캄차카. 깊은 산의 초원에서 자란다.

약용 부위·수치 전초를 가을에 채취하여 썰어서 말린다.

약물명 산첨채(山尖菜). 산첨자(山尖子)라고도 한다.

약효 청열이뇨(淸熱利尿)의 효능이 있으므로 소변불리(小便不利), 상구화농(傷口化膿)을 치료한다.

성분 3-caffeoylquinic acid, 5-caffeoylquinic acid, 3,5-dicaffeoylquinic acid, 3,4-dicaffeoylquinic acid, caffeic acid, caffeic acid methyl ester 등이 함유되어 있다.

약리 caffeoylquinic acid는 acetylcholinesterase의 활성을 억제시킨다.

사용법 산첨채 10g에 물 3컵(600mL)을 넣고 달여서 복용하고, 외용에는 짓찧어 바른다.
＊총포편이 3개이고 잎이 신장형인 '게박쥐나물 *C. adenostyloides*', 잎자루 날개에 복잡한 톱니가 있는 '참나래박쥐 *C. koraiensis*', 잎자루 밑부분이 귀처럼 넓은 '나래박쥐나물 *C. auriculata* var. *kamtscaticum*'도 약효가 같다.

❶ 박쥐나물

❶ 산첨채(山尖菜)

❶ 박쥐나물(뿌리)

❶ 게박쥐나물

❶ 참나래박쥐

❶ 나래박쥐나물

[국화과]

약용금잔화

 장풍변혈   목적종통

● 학명 : *Calendula officinalis* L. [*C. arvensis*]   ● 별명 : 금잔국화

| 1 | 2 | 3 | 4 | 5 | 6 | 7 | 8 | 9 | 10 | 11 | 12 |

두해살이풀. 높이 30~60cm. 전체에 짧은 털이 흩어져 난다. 잎은 어긋나고 주걱형, 길이 5~9cm, 너비 1~2cm, 끝은 둥글고 가장자리에 희미한 톱니가 있다. 꽃은 황적색, 4~8월에 원줄기 끝에 1개가 달리며 지름 3~5cm이다. 가장자리는 설상화, 안쪽은 통상화이며, 화관 외측의 하부와 수과

상부에 털이 있다.

분포 · 생육지 지중해 연안 및 유럽 남부 원산. 우리나라 전역에서 재배한다.

약용 부위 · 수치 꽃을 여름에 채취하여 말린다.

약물명 금잔화(金盞花). 금잔국화(金盞菊花)라고도 한다.

약효 양혈지혈(凉血止血), 청열사화(淸熱瀉火)의 효능이 있으므로 장풍변혈(腸風便血), 목적종통(目赤腫痛)을 치료한다.

성분 kaempferol, isorhamnetin, stigmasterol, campesterol, isofucosterol, methyl sterol, taraxasterol, avenasterol, brein, calenduladiol, ursadiol, amidiol, faradiol, ursatriol, vanillic acid, *p*-coumaric acid, gentisic acid, syringic acid 등이 함유되어 있다.

약리 에탄올추출물은 항염증 작용이 있으며, 성욕 촉진(estrogenic activity) 작용이 있고, 육아 형성 조직의 성장을 돕는다.

사용법 금잔화 5g을 뜨거운 물에 우려내어 복용하고, 외용에는 짓찧어 붙이거나 즙액을 바른다.

○ 금잔화(金盞花, 신선품)

○ 금잔화(金盞花)

○ 금잔화(金盞花)로 만든 변혈, 안염 치료제

○ 약용금잔화

[국화과]

과꽃

목적종통

● 학명 : *Callistephus chinensis* (L.) Nees   ● 별명 : 벽남국

| 1 | 2 | 3 | 4 | 5 | 6 | 7 | 8 | 9 | 10 | 11 | 12 |

한해살이풀. 높이 70~100cm. 줄기에 능선이 있고 백색 털이 있다. 잎은 어긋나고, 꽃은 남자색, 두상화로 지름 7cm 정도, 긴 화축 끝에 1개씩 달린다. 열매는 수과, 납작한 타원상 구형, 줄이 있고, 관모에 거센 털이 있다.

분포 · 생육지 우리나라 함남(백두산). 중국 둥베이(東北) 지방, 허베이성(河北省), 내몽골. 산과 들에서 자란다.

약용 부위 · 수치 꽃을 여름과 가을에 채취하여 말린다.

약물명 취국(翠菊)

약효 청간명목(淸肝明目)의 효능이 있으므로 목적종통(目赤腫痛)을 치료한다.

사용법 취국 10g에 물 3컵(600mL)을 넣고 달여서 복용한다.

○ 과꽃

[국화과]

지느러미엉겅퀴

🫁 감모해수　🦵 풍열비통　♀ 대하

📋 피부소양, 화상　🫘 요로감염, 혈뇨

● 학명 : *Carduus crispus* L.　● 별명 : 지느레미엉경퀴, 엉거시

| 1 | 2 | 3 | 4 | 5 | 6 | 7 | 8 | 9 | 10 | 11 | 12 |

두해살이풀. 높이 70~100cm. 줄기는 가지가 있고 세로로 2줄의 녹색 날개가 달리며 날개의 가장자리에 가시로 끝나는 톱니가 있다. 꽃은 6~8월에 피며, 화관은 자주색 또는 백색으로 길이 15~16mm이다. 수과는 길이 3mm, 지름 1.5mm 정도이다.

분포·생육지 우리나라 전역. 동아시아, 시베리아, 코카서스, 유럽. 산과 들에서 자란다.

약용 부위·수치 전초를 여름과 가을에 채취하여 썰어서 말린다.

약물명 비렴(飛廉). 비경(飛輕), 천제(天薺)라고도 한다.

약효 거풍(祛風), 청열(淸熱), 이습(利濕), 양혈지혈(凉血止血), 활혈소종(活血消腫)의 효능이 있으므로 감모해수(感冒咳嗽), 풍열비통(風熱痺痛), 피부소양(皮膚瘙痒), 요로감염(尿路感染), 혈뇨(血尿), 대하(帶下), 화상을 치료한다.

성분 알칼로이드인 acanthoidine(ruscopine), acanthoine(ruscopeine) 등이 함유되어 있다.

약리 acanthoidine(ruscopine), acanthoine (ruscopeine)은 혈압을 강하시킨다. 메탄올 추출물은 항비만 효과가 있다.

● 비렴(飛廉)

사용법 비렴 10g에 물 3컵(600mL)을 넣고 달여서 복용하고, 외용에는 짓찧어 바른다.

● 지느러미엉경퀴

[국화과]

담배풀

👁 급성편도선염　🐛 급성간염, 구충

🦵 경련　📋 피부소양증

● 학명 : *Carpesium abrotanoides* L.　● 별명 : 담배나물

| 1 | 2 | 3 | 4 | 5 | 6 | 7 | 8 | 9 | 10 | 11 | 12 |

두해살이풀. 높이 70~100cm. 뿌리는 방추형, 목질이다. 잎은 어긋난다. 꽃은 지름 6~8cm, 8~9월에 잎겨드랑이에 수상으로 달린다. 총포는 종 모양, 포린은 3줄로 배열되며, 작은꽃은 130~300개이다. 수과는 길이 3.5mm 정도이고 선점과 길이 0.7mm 정도의 부리가 있다.

분포·생육지 우리나라 황해도, 경기도, 경북(울릉도), 지리산, 계룡산. 중국, 일본, 타이완. 산기슭 숲 언저리에서 자란다.

약용 부위·수치 전초를 여름과 가을에, 열매를 가을에 채취하여 말린다.

약물명 전초를 천명정(天名精), 열매를 학슬(鶴虱)이라 한다. 학슬은 대한민국약전외한약(생약)규격집(KHP)에 수재되어 있다.

본초서 학슬(鶴虱)은 당나라 「신수본초(新修本草)」에 처음 수재되었으며, "회충이나 요충 등 기생충 구제에 가루로 만들어 복용한다."고 기록되어 있다. 소경(蘇敬)은 "학슬(鶴虱)은 서융(西戎)에서 생산되며, 종자는 봉호자(蓬蒿子)와 비슷하고, 줄기와 잎 모두 약으로 사용한다. 그리고 오랑캐 말로 이 종자를 곡슬(鵠虱)이라 한다."고 하였다. 이 내용으로 보아 당나라의 학슬(鶴虱)은 서융에서 왔으며 이름도 곡슬(鵠虱)에서 따온 것으로 생각된다. 「동의보감(東醫寶鑑)」

에 "촌백충과 회충을 구제하며 학질을 낫게 한다. 종기가 벌겋게 부어오르고 곪는 부위에 붙이면 효과가 있다."고 하였다.

東醫寶鑑: 殺五臟蟲及蚘蟲 止瘧并付惡瘡.

성상 학슬(鶴虱)은 가는 원기둥 모양이며 길이 0.3~0.4cm, 지름 0.1cm 정도, 표면은 황갈색으로 세로 주름이 있다. 냄새는 향기롭고 맛은 약간 쓰다.

기미·귀경 천명정(天名精): 한(寒), 고(苦), 신(辛)·간(肝), 폐(肺). 학슬(鶴虱): 평(平), 고(苦), 신(辛), 소독(小毒)·비(脾), 위(胃), 대장(大腸)

약효 천명정(天名精)은 거담(祛痰), 청열(淸熱), 파혈(破血), 해독, 살충의 효능이 있으므로 급성편도선염, 급성간염, 경련, 구충, 피부소양증을 치료한다. 학슬(鶴虱)은 살충소적(殺蟲消積)의 효능이 있으므로 회충병 등 체내 기생충을 치료한다.

성분 뿌리에는 10-isobutyloxy-8,9-ep-oxythymolisobutyrate, 4α,5α-epoxy-10α, 14*H*-inuviscolide, 2,3-dihydroaromaticin, carabrone, telekin, carpesiolin, carabrol, 11(13)-dehydroivaxillin, ivalin, 열매에는 carpesialactone, carabrone 등이 함유되어 있다.

약리 위의 성분들은 L1210, A549, SK-

OV-3, SK-MEL-2, XF498, HCT15 등 암세포의 성장을 억제하고, telekin은 sarcoma 180 세포를 쥐에 이식한 실험에서 생명 연장 효과가 있다.

사용법 천명정 또는 학슬 10g에 물 3컵(600mL)을 넣고 달여서 복용하고 외용에는 짓찧어 붙이거나 생즙을 바른다.

※ 현재 중국 생약 시장에서는 학슬(鶴虱)로 본 종의 열매 이외에 '당근 *Daucus carota*', '사상자 *Torilis japonica*' 및 '동북학슬 *Lappula echinata* var. *heteracantha*'의 열매도 출하되고 있다.

● 담배풀

● 천명정(天名精)

● 학슬(鶴虱)

좀담배풀

👁 인후통, 치통	📖 옹종창독	
♀ 자궁탈수	👥 탈항	

● 학명 : *Carpesium cernuum* L.

1	2	3	4	5	6	7	8	9	10	11	12

여러해살이풀. 높이 50~100cm. 줄기는 비스듬히 서고 상부에서 가지가 약간 갈라지며 백색 털이 있다. 잎은 어긋나고 타원형이다. 꽃은 녹황색, 8~9월에 줄기와 가지 끝에 피고, 두상화의 지름은 1.5~1.8cm이며 아래로 향한다.

분포·생육지 우리나라 전역. 중국, 일본, 타이완. 산기슭 숲 언저리에서 자란다.

약용 부위·수치 전초를 여름과 가을에 채취하여 말린다.

약물명 도제호(倒提壺)

약효 청열해독(清熱解毒), 소염지통(消炎止痛)의 효능이 있으므로 인후통, 치통, 옹종창독(癰腫瘡毒), 자궁탈수, 탈항을 치료한다.

사용법 도제호 10g에 물 3컵(600mL)을 넣고 달여서 복용하고 외용에는 짓찧어 붙이거나 생즙을 바른다.

❶ 도제호(倒提壺)

❶ 좀담배풀

긴담배풀

💉 감모발열, 두풍, 자시	👁 풍화적안, 인후종통, 치통	
🫘 요로감염	♀ 유옹	📖 창절종독	📞 복통설사

● 학명 : *Carpesium divaricatum* S. et Z.　● 별명 : 긴담배나물, 천일초

1	2	3	4	5	6	7	8	9	10	11	12

두해살이풀. 높이 70~150cm. 뿌리줄기는 짧고 옆으로 벋으며, 줄기는 바로 서고 상부에서 가지가 약간 갈라진다. 잎은 어긋나고 타원형, 길이 10~25cm, 가장자리에 희미한 톱니가 있고 잎자루는 길다. 꽃은 황색, 8~9월에 줄기와 가지 끝에 피고, 두상화의 지름은 1~1.5cm이다. 수과는 길이 3.5mm 정도이다.

분포·생육지 우리나라 전역. 중국, 일본, 타이완. 산기슭 숲 언저리에서 자란다.

약용 부위·수치 전초를 여름에 채취하여 물에 씻은 후 썰어서 말린다.

약물명 금알이(金挖耳). 알이초(挖耳草)라고도 한다.

약효 청열해독(清熱解毒), 소종지통(消腫止痛)의 효능이 있으므로 감모발열(感冒發熱), 두풍(頭風), 풍화적안(風花赤眼), 인후종통(咽喉腫痛), 치통, 자시(痄腮), 요로감염, 유옹(乳癰), 창절종독(瘡癤腫毒), 치질출혈, 복통설사, 급경풍(急驚風)을 치료한다.

성분 divaricin A~C, 2α,10-dihydroxy-5-oxo-6α-angeloyloxy-9β-isobutyryloxy-germacran-8α,12-olide 등이 함유되어 있다.

약리 2α,10-dihydroxy-5-oxo-6α-angeloyloxy-9β-isobutyryloxy-germacran-8α,12-olide는 A-549, SK-OV-3, SK-MEL-2, XF-498, HCT15 등의 암세포에 성장 억제 효과가 있다.

사용법 금알이 10g에 물 3컵(600mL)을 넣고 달여서 복용하고 외용에는 짓찧어 붙이거나 생즙을 바른다.

❶ 긴담배풀

❶ 금알이(金挖耳)

[국화과]

여우오줌

외상출혈, 타박상

●학명 : *Carpesium macrocephalum* Franch. et Sav.　●별명 : 왕담배풀

| 1 | 2 | 3 | 4 | 5 | 6 | 7 | 8 | 9 | 10 | 11 | 12 |

○ 여우오줌(꽃)

두해살이풀. 높이 70~150cm. 뿌리줄기는 짧고 옆으로 벋으며, 줄기는 바로 서고 상부에서 가지가 약간 갈라진다. 잎은 어긋나고 타원형, 길이 10~25cm, 가장자리에 희미한 톱니가 있고 잎자루는 길다. 꽃은 황색, 8~9월에 줄기와 가지 끝에 피고, 두상화의 지름은 1~1.5cm이다. 수과는 길이 3.5mm 정도이다.

분포 · 생육지 우리나라 전역. 중국, 일본, 타이완. 산기슭 숲 언저리에서 자란다.

약용 부위 · 수치 전초를 여름과 가을에 채취하여 말려서 사용하거나 생것을 그대로 사용한다.

약물명 향유관(香油罐). 대연관초(大煙罐草)라고도 한다.

약효 양혈지혈(涼血止血), 거어(祛瘀)의 효능이 있으므로 외상출혈, 타박상을 치료한다.

사용법 외용으로만 사용하며, 신선한 것을 짓찧어 붙이거나 생즙을 바르며, 말린 것은 가루 내어 상처에 뿌린다.

○ 여우오줌

[국화과]

잇꽃

경폐, 통경, 산후어조복통, 생리통, 생리불순

징가적취　타박상, 반진　관절동통

●학명 : *Carthamus tinctorius* L.　●한자명 : 紅花　●별명 : 이꽃

| 1 | 2 | 3 | 4 | 5 | 6 | 7 | 8 | 9 | 10 | 11 | 12 |

두해살이풀. 높이 1m 정도. 잎은 어긋난다. 꽃은 황색, 7~9월에 피며 모양이 엉겅퀴와 같으나 시간이 지나면 붉은색으로 변한다. 두상화는 원줄기 끝과 가지 끝에 1개씩 달리며 길이 2.5cm 정도, 지름 2.5~4cm이다. 수과는 백색, 윤채가 돈다.

분포 · 생육지 이집트 원산. 우리나라 전역에서 재배하는 귀화 식물이다.

약용 부위 · 수치 꽃은 7~8월에 황색에서 붉은색으로 변할 때, 종자는 가을에 채취하여 말린다.

약물명 꽃을 홍화(紅花)라 하며, 홍남화(紅藍花), 자홍화(刺紅花), 초홍화(草紅花)라고도 한다. 종자를 홍화자(紅花子)라 한다. 홍화(紅花)는 대한민국약전(KP)에, 홍화자(紅花子)는 대한민국약전외한약(생약)규격집(KHP)에 수재되어 있다.

본초서 홍화(紅花)는 송대(宋代)의 「개보본초(開寶本草)」에 홍남화(紅藍花)라는 이름으로 처음 수재되었다. 「본초강목(本草綱目)」에서 이시진(李時珍)은 번홍화(番紅花)에 관하여 "서번(西番), 산시성(陝西省), 간쑤성(甘肅省), 신장성(新疆省)의 이민족 지역, 회회(回回), 간쑤성(甘肅省), 신장성(新疆省)의 위구르족 지역 및 천방국(天方國, 아라비아 지역)에서 생산된다. 원조(元朝)의 시대에는 한방 요리에 사용하였다."고 기록하고 있으며, 홍화(紅花)의 그림을 함께 실었다. 고구려의 담징(曇徵) 스님이 일본에 전하였다는 기록이 있다. 「동의보감(東醫寶鑑)」에 "산후 출혈이 심하여 정신이 혼미해지는 증상, 뱃속에 굳은 피가 남아 있어 아픈 증상과 태아가 뱃속에서 죽은 경우에 쓴다."고 하였다.

新修本草: 治口噤不語, 血結, 産後諸疾.

珍珠囊: 入心養血.

本草綱目: 活血, 潤燥, 止痛, 散腫, 痛經.

東醫寶鑑: 主産後血暈 腹內惡血不盡交痛 胎死腹中.

성상 홍화(紅花)는 붉은색~적갈색의 화관, 암술대 및 수술이 황색이고 드물게 덜 익은 씨방이 섞일 때가 있다. 길이는 10mm 내외이고, 화관은 통상 5열로 되며, 수술은 5개로 긴 암술을 둘러싸고 있다. 특이한 냄새가 있고 맛은 조금 쓰다. 홍화자(紅花子)는 수과이고 달걀 모양, 길이 0.7~0.8cm, 지름 0.4~0.5cm, 표면은 딱딱하다. 냄새가 나고 맛은 약간 쓰다.

○ 잇꽃

기미·귀경 홍화(紅花): 온(溫), 신(辛), 고(苦)·비(脾), 위(胃), 간(肝), 폐(肺)

약효 홍화(紅花)는 활혈통경(活血通經), 거어지통(祛瘀止痛)의 효능이 있으므로 경폐(經閉), 통경(痛經), 산후어조복통(産後瘀阻腹痛), 흉비심통(胸痺心痛), 징가적취(癥瘕積聚), 타박상, 관절동통, 반진(斑疹)을 치료한다. 홍화자(紅花子)는 활혈해독의 효능이 있으므로 생리통, 생리불순을 치료한다.

성분 홍화(紅花)는 carthamin, precarthamin, safflow yellow A, B, hydroxysafflor yellow A, safflomin A, safflomin B, chlorogenic acid, ferulic acid, isoferulic acid, syringaresinol, caffeic acid, 3-O-α-L-rhamnopyranosyl (1-6)-β-D-glucopyranoside, quercetin 7-O-β-D-glucopyranoside, rutin, 6-hydroxykaempferol 3-O-β-D-glucopyranoside, kaempferol 3-O-β-D-glucopyranosyl (1-2)-β-D-glucopyranoside, kaempferol 3-O-β-D-glucopyranoside, luteolin, quercetin, quercetin 3-O-β-D-glucopyranoside, apigenin, apigenin 7-O-β-D-glucopyranoside, β-amyrine acetate, trilinolein, D-glucopyranoside 등이 함유되어 있다.

약리 열수추출물은 쥐, 토끼 등의 자궁, 장관, 기관지의 평활근을 흥분시켜 수축 작용이 있고, 또 심근에 대한 수축 작용이 있으며, 혈액 응고에 저지 작용이 있다. hydroxysafflor yellow A는 소염 작용이 있다. 메탄올추출물은 항산화 작용이 있으며, 그 주성분은 quercetin 3-O-β-D-glucopyranoside이다.

사용법 홍화 5g에 물 2컵(400mL)을 넣고 달여서 복용하거나 술에 담가서 복용하고, 기름으로 만들어 1mL씩 복용한다. 홍화자는 뼈를 다쳤을 때 가루로 만들어 1g씩 식후에 복용한다.

주의 월경과다이거나 임신부는 피한다.

처방 홍화산(紅花散): 홍화(紅花)·연교(連翹)·자근(紫根) 각 6g, 당귀(當歸)·작약(芍藥) 각 9g, 대황(大黃) 5g, 감초(甘草) 3g (「경험방(經驗方)」). 목적종통수명(目赤腫痛羞明), 급성결막염에 사용한다.

• 홍화도인탕(紅花桃仁湯): 홍화(紅花)·황백(黃柏) 각 6g, 생지황(生地黃) 4g, 택사(澤瀉) 3g, 창출(蒼朮) 2.4g, 당귀(當歸)·방기(防己)·방풍(防風)·저령(猪苓) 각 2g, 마인(麻仁) 1g, 도인(桃仁) 10알 (「의림(醫林)」).

＊홍화(紅花)는 생리불순 치료약으로 제품화되어 널리 이용되고 있으며, 홍화자(紅花子)는 어린아이의 성장 촉진제로 개발되어 있다.

◐ 홍화자유(紅花子油). 건강식품으로 이용된다.

◐ 홍화유(紅花油). 타박상에 사용한다.

◐ 홍화자(紅花子)가 함유된 성장 촉진제

◐ 홍화자환(紅花子丸)

◑ 홍화(紅花)

◑ 홍화자(紅花子)

[국화과]

수레국화

| 폐렴 | 소변불리 |
| 수종 | 목적예막 |

●학명 : *Centaurea cyanus* L.

| 1 | 2 | 3 | 4 | 5 | 6 | 7 | 8 | 9 | 10 | 11 | 12 |

한해살이풀. 높이 30~90cm. 줄기에 백색 털이 조밀하게 달린다. 잎은 어긋나고 바늘 모양, 깃 모양으로 깊게 갈라지며, 톱니는 있거나 없다. 꽃은 자주색, 6~7월에 모두 관상화로 된 두상화서가 줄기나 가지 끝에 1개씩 달리며 가장자리의 관상화는 설상화처럼 보인다. 총포는 4줄로 배열한다.

분포·생육지 유럽 동남부. 길가에서 자라며, 세계 각처에서 관상용으로 재배한다.

약용 부위·수치 꽃과 잎을 여름에 채취하여 말린다.

약물명 시차국(矢車菊)

약효 청열해독(淸熱解毒), 이뇨소종(利尿消腫), 살충의 효능이 있으므로 폐렴, 소변불리(小便不利), 수종(水腫), 목적예막(目赤翳膜)을 치료한다.

성분 pelargonidin, anthocyanins, sesquiterpene lactones, cinicin, polyacetylenes, flavonoids 등이 함유되어 있다.

약리 anthocyanins은 주로 착색료로 사용하고, 항균, 항산화 작용이 있다.

사용법 시차국 1g을 뜨거운 물에 우려내어 복용한다.

◐ 수레국화

◐ 시차국(矢車菊)

◐ 수레국화(꽃)

[국화과]

중대가리풀

감모발열, 두통　비연, 이롱, 목적예막

해수, 효천　이질　풍습비통

●학명 : *Centipeda minima* (L.) A. Br. et Ascher. ●별명 : 토방풀

| 1 | 2 | 3 | 4 | 5 | 6 | 7 | 8 | 9 | 10 | 11 | 12 |

한해살이풀. 줄기는 땅 위를 기면서 갈라지고 여기저기서 뿌리를 내리며, 비스듬히 서고 길이 10~20cm로 많은 잎이 달린다. 잎은 어긋나고 주걱 모양이며, 가장자리의 윗부분에 톱니가 있다. 꽃은 녹색으로 갈자색을 띠며 7~8월에 잎겨드랑이에 지름 3~4mm의 두상화가 1개씩 달린다. 수과는 가늘고 거친 털이 있다.

분포·생육지 우리나라 전역. 중국, 일본, 타이완, 인도, 오스트레일리아, 북아메리카. 길이나 논둑 근처에서 흔하게 자란다.

약용 부위·수치 전초를 여름에 채취하여 물에 씻은 후 썰어서 말린다.

약물명 아불식초(鵝不食草), 야원채(野園菜), 계장초(鷄腸草)라고도 한다.

기미·귀경 온(溫), 신(辛)·폐(肺), 간(肝)

약효 거풍통규(祛風通竅), 해독소종(解毒消腫)의 효능이 있으므로 감모발열(感冒發熱), 두통, 비연(鼻淵), 해수(咳嗽), 효천(哮喘), 후비(喉痺), 이롱(耳聾), 목적예막(目赤翳膜), 이질, 풍습비통, 종독(腫毒), 개선(疥癬)을 치료한다.

성분 taraxasteryl palmitate, taraxasteryl acetate, taraxasterol, stigmasterol, arnodiol, tetratriacontanyl nonadecanoate 등이 함유되어 있다.

약리 열수추출물은 동물 피부의 과민 반응을 억제한다. 에탄올추출물은 돌연변이 억제 작용과 암세포 증식을 억제하는 작용이 있다.

사용법 아불식초 10g에 물 3컵(600mL)을 넣고 달여서 복용하고, 외용에는 짓찧어 붙이거나 생즙을 바른다.

❍ 중대가리풀

❍ 아불식초(鵝不食草)

[국화과]

로만카모밀레

소화불량, 구토　치주염

●학명 : *Chamaemelum nobile* (L.) All. ●영명 : Roman chamomile ●별명 : 로만캐모마일

| 1 | 2 | 3 | 4 | 5 | 6 | 7 | 8 | 9 | 10 | 11 | 12 |

한두해살이풀. 높이 20~30cm. 줄기는 바로 서며, 잎은 어긋나고 깃 모양으로 갈라진다. 꽃은 6~7월에 줄기 끝에 1개씩 피며, 설상화는 백색, 통상화는 황색이다.

분포·생육지 서유럽과 지중해 연안 원산. 세계 각처에서 재배한다.

약용 부위·수치 꽃을 여름에 채취하여 물에 씻은 후 말린다.

약물명 Chamaemeli Flos

약효 진정(鎭靜), 소염(消炎)의 효능이 있으므로 소화불량, 구토, 치주염을 치료한다.

약리 열수추출물은 동물을 대상으로 한 연구에서 항염증, 항알레르기, 진정의 효능이 나타났다.

사용법 Chamaemeli Flos 1~2g을 뜨거운 물로 우려내어 복용한다.

❍ 로만카모밀레

❍ 로만카모밀레(꽃)

❍ 로만카모밀레로 만든 차

[국화과]

제충국

개선 | 기생충 구제
농업용 살충제

●학명 : *Chrysanthemum cinerariaefolium* (Trev.) Vis. [*Pyrethrum cinerariaefolium, Tanacetum cinerariaefolium*] ●한자명 : 除蟲菊 ●별명 : 벌레잡이국화

| 1 | 2 | 3 | 4 | 5 | 6 | 7 | 8 | 9 | 10 | 11 | 12 |

여러해살이풀. 높이 30~60cm. 줄기는 바로 서고, 잎은 어긋나고 깃 모양으로 갈라지며, 갈래는 불규칙한 결각과 톱니가 있다. 꽃은 가을에 원줄기 윗부분의 가지 끝에 두상화가 달리고 두상화 주변에 자주색의 설상화가 달리며, 중앙부에 양성의 통꽃이 있어 열매를 맺는다.

분포·생육지 유럽 발칸 반도 원산. 우리나라 전역에서 재배하는 귀화 식물이다.

약용 부위·수치 꽃을 가을에 채취하여 말린다.

약물명 제충국(除蟲菊). 누지잠(樓之岑)이라고도 한다.

약효 살충의 효능이 있으므로 개선(疥癬)을 치료한다. 그 밖에 장내 기생충 구제 및 농업용 살충제로 널리 이용한다.

성분 pyrethrin I, II, cinerin I, II, jasmolin I, II 등이 함유되어 있다.

약리 pyrethrin I, II, cinerin I, II, jasmolin I, II 등은 온혈 동물에게는 해가 없지만 곤충류는 살충시킨다.

사용법 제충국을 구충의 목적으로 사용할 때는 가루로 만들어 5g씩 복용한다. 외용에는 짓찧어 붙이거나 즙액을 바른다.

* pyrethrin I, II, cinerin I, II, jasmolin I, II 등은 농업용 살충제, 방역용, 모기향 등으로 널리 이용되고 있다.

❍ 제충국(除蟲菊)

❍ 제충국(除蟲菊)이 배합된 모기 살충제

❍ 제충국

[국화과]

홍화제충국

개선 | 기생충 구제
농업용 살충제

●학명 : *Chrysanthemum coccineum* (Willd.) Worosch. ●한자명 : 紅花除蟲菊

| 1 | 2 | 3 | 4 | 5 | 6 | 7 | 8 | 9 | 10 | 11 | 12 |

여러해살이풀. 높이 30~60cm. 줄기는 바로 서고, 잎은 어긋나고 깃 모양으로 갈라지며, 갈래는 불규칙한 결각과 톱니가 있다. 여름에 원줄기 윗부분의 가지 끝에 두상화가 달리고, 두상화 주변에 붉은색 또는 분홍색의 설상화가 달린다.

분포·생육지 코카서스 원산. 세계 각처에서 재배한다.

약용 부위·수치 꽃을 가을에 채취하여 말린다.

약물명 제충국(除蟲菊)

약효 살충의 효능이 있으므로 개선(疥癬)을 치료한다. 그 밖에 장내 기생충 구제 및 농업용 살충제로 널리 이용한다.

사용법 제충국을 구충의 목적으로 사용할 때는 가루로 만들어 5g씩 복용한다. 외용에는 짓찧어 붙이거나 즙액을 바른다.

❍ 홍화제충국(붉은 꽃)

❍ 홍화제충국

[국화과]

감국

옹종, 정창, 농가진, 습진 | 풍열감모
인후종통 | 고혈압

● 학명 : *Chrysanthemum indicum* (L.) Des Moul. ● 별명 : 섬감국, 들국화, 황국

여러해살이풀. 높이 50~80cm. 줄기는 곧게 서며 모여나고 가지가 많이 갈라지고 전체에 잔털이 있다. 뿌리잎은 꽃이 필 때 스러지며, 줄기잎은 어긋난다. 꽃은 황색, 9~10월에 가지와 줄기 끝에 우산 모양으로 달리며, 두상화의 지름은 2.5cm 정도, 꽃이 진 뒤에 수그러진다. 통꽃은 끝이 5개로 갈라지고, 수과는 길이 1.6mm 정도이다.

분포 · 생육지 우리나라 전역. 중국, 일본.

산과 들에서 자란다.

약용 부위 · 수치 꽃을 가을에 채취하여 말린다.

약물명 야국화(野菊花), 산국화(山菊花), 천충국(千層菊), 황국화(黃菊花)라고도 하며, 우리나라에서는 감국(甘菊)이라 한다. 대한민국약전외한약(생약)규격집(KHP)에 수재되어 있다.

본초서 감국(甘菊)은 「동의보감(東醫寶鑑)」에 "위와 대소장을 편하게 하고, 맥박의 흐

○ 야국화(野菊花)

○ 감국(꽃과 잎)

○ 감국(왼쪽)과 산국(오른쪽)

○ 산국

○ 감국

름과 팔다리의 움직임을 부드럽게 한다. 바람으로 인한 어지럼증, 두통을 낫게 한다. 눈에 맑은 피를 공급하여 생기가 돌게 하며 눈물이 계속 나는 것을 멈추게 하고 머리와 눈을 맑게 한다. 팔다리를 잘 쓰지 못하며 저리고 아픈 증상을 낫게 한다."고 하였다.

東醫寶鑑: 安腸胃 利五臟 調四肢 主風眩頭痛 養目血 止淚出 淸利頭目 療風濕痺

성상 두상화로 지름 0.5~1cm, 총포는 4~5층, 바깥쪽의 총포는 가늘고 안쪽의 것은 타원형이다. 설상화는 1줄이고 황색이며 떨어져 나가거나 말려 있다. 냄새는 향기롭고 맛은 쓰다.

기미 · 귀경 양(涼), 고(苦), 신(辛) · 폐(肺), 간(肝)

약효 청열해독(淸熱解毒), 소풍평간(疏風平肝)의 효능이 있으므로 옹종(癰腫), 정창(疔瘡), 농가진(膿痂疹), 습진, 풍열감모(風熱感冒), 인후종통, 고혈압을 치료한다.

성분 handelin chrysanthelide, chrysanthemol, chrysanthetriol, indicumenone, chrysanthenone, acacetin-7-rhamnoglucoside, chrysanthemin, chrysanthemaxanthin, daucosterol, cumambrin A, acacetin, apigenin, linarin 등이 함유되어 있다. '산국'에는 costunolide, cumambrin A, acacetin-7-O-rhamnoglucoside, β-sitosterol, phytol, zingerone-4-O-β-D-glucopyranoside, apigenin 등이 함유되어 있다.

약리 물로 달인 액은 용혈성 황색 포도상구균, 폐렴구균, 디프테리아균에 항균 작용이 있고, 또한 쥐에게 복강 주사하면 혈압 하강 작용이 있다. cumambrin A를 토끼에게 주사하면 혈압이 내려간다. apigenin, acacetin-7-O-rhamnoglucoside, linarin은 항산화 작용이 있다.

사용법 야국화 10g에 물 3컵(600mL)을 넣고 달여서 복용하고 외용에는 생즙을 바른다.

처방 국화산(菊花散): 감국(甘菊) · 만형자(蔓荊子) · 측백엽(側柏葉) · 천궁(川芎) · 백지(白芷) · 세신(細辛) · 상백피(桑白皮) · 묵한련(墨旱蓮) 각 40g(「동의보감(東醫寶鑑)」). 머리카락이 노랗게 되면서 윤기가 없는 증상에 사용한다.

＊줄기가 바로 서고 두상화 지름이 1.5cm 정도, 총포의 길이가 짧은 '산국 *C. boreale*'도 약효가 같다.

○ 감국차(甘菊茶)

[국화과]

쑥갓

 비위불화　 이변불통
해수담다　번열불안

● 학명 : *Chrysanthemum coronarium* L. var. *spatiosum* Bailey

| 1 | 2 | 3 | 4 | 5 | 6 | 7 | 8 | 9 | 10 | 11 | 12 |

한두해살이풀. 높이 30~60cm. 전체에 털이 없고 독특한 향기가 난다. 잎은 어긋나고 2회 깃 모양으로 갈라지고 밑이 줄기를 감싼다. 꽃은 황색, 6~8월에 가지와 줄기 끝에 1개씩 달린다. 두상화의 지름은 3cm 정도, 가장자리의 설상화는 암꽃, 가운데의 관상화는 양성화, 총포편은 넓다. 수과는 삼각 또는 사각 기둥 모양이다.

분포 · 생육지 지중해 연안 원산. 우리나라 전역에서 널리 재배한다.

약용 부위 · 수치 봄과 여름에 전초를 채취하여 말리거나 그대로 사용한다.

약물명 동호(茼蒿). 봉호(蓬蒿), 동호채(茼蒿菜)라고도 한다.

기미 · 귀경 양(凉), 신(辛), 감(甘) · 심(心), 비(脾), 위(胃)

약효 화비위(和脾胃), 소담음(消痰飮), 안심신(安心神)의 효능이 있으므로 비위불화(脾胃不和), 이변불통(二便不通), 해수담다(咳嗽痰多), 번열불안(煩熱不安)을 치료한다.

성분 5,5′-dibuthoxy-2,2′-bifuran, methyl *trans*-ferulate, prunasin, sambunigrin, pterolactam, adenosine, umbelliferone, scopoletin, herniarin 등이 함유되어 있다.

약리 5,5′-dibuthoxy-2,2′-bifuran은 인체에서 분리한 Acyl CoA: cholesterol acyl-transferase(hACAT)-1과 -2의 활성을 억제하는 효능이 있다. methyl *trans*-ferulate는 low-density lipoprotein(LDL)의 산화를 억제하는 효능이 있다.

사용법 동호는 생것은 60g, 말린 것은 20g에 물 4컵(800mL)을 넣고 달여서 복용한다.

❶ 동호(茼蒿)

❶ 쑥갓(종자)

❶ 쑥갓

[국화과]

국화

 외감풍열. 발열두통　 목적종통
 현훈　 정창종독

● 학명 : *Chrysanthemum morifolium* Ramat.

| 1 | 2 | 3 | 4 | 5 | 6 | 7 | 8 | 9 | 10 | 11 | 12 |

❶ 국화

여러해살이풀. 높이 1m 정도. 잎은 어긋나고 깃 모양으로 갈라지며, 갈라진 조각은 불규칙한 결각과 톱니가 있다. 꽃은 가을에 원줄기 윗부분의 가지 끝에 두상화로 달리고, 두상화 주변에 설상화가 달리며 중앙부에 양성의 통꽃이 있어 열매를 맺는다.

분포 · 생육지 중국 원산. 우리나라 전역에서 관상용으로 널리 재배한다.

약용 부위 · 수치 꽃을 가을에 채취하여 말린 것을 사용하거나 약한 불에 볶아서 사용한다.

약물명 국화(菊花). 절화(節華), 일정(日精), 황국(黃菊)이라고도 한다. 대한민국약전외한약(생약)규격집(KHP)에 수재되어 있다.

본초서 국화(菊花)는 「신농본초경(神農本草經)」의 중품(中品)에 절화(節花)라는 이름으로 수재되어 "두현(頭眩), 종통(腫痛) 등을 치료한다."고 하였다.

성상 중국에서 출하되는 국화는 향황국(香黃菊)과 향백국(香白菊)이 대부분이고, 박국(亳菊), 저국(滁菊), 공국(貢菊) 등은 소량이다. 향황국은 납작한 구형으로 지름 3~4cm, 보통 여러 개가 짓눌려 덩어리를 이룬다. 설상화는 황색이다. 냄새는 향기롭고 맛은 달며 쓴다. 향백국은 향황국과 비슷하나 설상화가 백색이다. 박국, 저국, 공국은 지름 2~3cm로 작고 설상화가 가늘다.

기미 · 귀경 양(凉), 감(甘), 고(苦) · 간(肝), 폐(肺)

약효 소풍(疏風), 청열(淸熱), 명목(明目), 해독의 효능이 있으므로 외감풍열(外感風熱), 발열두통, 목적종통(目赤腫痛), 현훈(眩暈), 정창종독(疔瘡腫毒)을 치료한다.

성분 정유의 주성분인 borneol, camphor, chrysanthenone과 그 밖에 luteolin-7-*O*-glucoside, acacetin-7-*O*-glucoside, apigenin, apigenin-7-*O*-glucoside, quercitrin 등이 함유되어 있다.

약리 열수추출물은 토끼 심장의 관상 동맥을 확장시키는 작용과 간 기능 강화 작용이 있다. 정유 성분은 항생제에 내성을 가지는 폐렴구균에 항균 작용을 나타낸다.

사용법 국화 10g에 물 3컵(600mL)을 넣고 달여서 복용한다.

처방 상국음(桑菊飮): 상엽(桑葉) 16g, 국화(菊花) · 연교(連翹) · 행인(杏仁) · 길경(桔梗) 각 12g, 박하(薄荷) 6g, 노근(蘆根) 20g, 감초(甘草) 4g(「온병조변(溫病條辨)」). 감기, 인플루엔자, 기관지염, 폐렴, 백일해 등으로 표열(表熱)하는 증상에 사용한다.

❶ 국화(菊花)

❶ 국화(菊花)

❶ 국화(흰 꽃)

[국화과]

구절초

♀ 월경불순, 자궁냉증, 불임증
📞 위랭, 소화불량

● 학명 : *Chrysanthemum zawadskii* Herbich var. *latilobum* (Maxim.) Kitamura
● 별명 : 큰구절초

| 1 | 2 | 3 | 4 | 5 | 6 | 7 | 8 | 9 | 10 | 11 | 12 |

여러해살이풀. 높이 0.5~1m. 줄기는 곧게 서고 땅속 뿌리줄기가 옆으로 길게 벋으며 번식한다. 잎은 깃 모양으로 갈라지고, 꽃은 백색, 연한 붉은색, 9~11월에 피며 두상화의 지름이 8cm에 달한다. 총포는 반구형이고, 포편은 3열로 배열하며, 설상화는 1열이고 관상화는 황색이다. 열매는 수과이다.

분포 · 생육지 우리나라 전역. 중국, 일본, 우수리. 산에서 자란다.

약용 부위 · 수치 전초를 가을에 채취하여 말린다.

약물명 구절초(九折草). 대한민국약전외한약(생약)규격집(KHP)에 수재되어 있다.

성상 전초로 줄기는 둥글고 잎은 어긋나게 달리며 타원형, 잎자루는 길이 1~2cm이다. 꽃은 두상화이고, 설상화는 백색, 관상화는 황색이다. 냄새는 방향성이며 맛은 쓴다.

약효 온중(溫中), 조경(調經), 소화(消化)의 효능이 있으므로 월경불순, 자궁냉증, 불임증, 위랭(胃冷), 소화불량을 치료한다.

성분 linarin(acacetin-7-*O*-rutinoside), 3,5-*O*-dicaffeoylquinic acid, caffeic acid, chlorogenic acid, 4,5-*O*-dicaffeoylquinic acid, camphor 등이 함유되어 있다.

약리 linarin에는 진정 작용과 수면 연장 작용이 있으며, indomethacin보다 강한 항염증 작용이 있다. 정유 성분은 항생제에 내성이 있는 폐렴구균에 항균 작용을 나타낸다.

사용법 구절초 10g에 물 3컵(600mL)을 넣고 달여서 복용한다.

* 본 종에 비하여 잎이 가는 '가는잎구절초 *C. zawadskii* ssp. *acutilobum*', 두상화의 지름이 2~4cm인 '바위구절초 *C. zawadskii* var. *alpinum*'도 약효가 같다.

❶ 구절초(九折草)

❶ 구절초환(九折草丸)

❶ 구절초

꽃상추

 습열황달, 위완창통, 식욕부진, 위열식소, 흉복창민

신염수종

●학명 : *Cichorium intybus* L. ●별명 : 꽃상치, 치커리

`1` `2` `3` `4` `5` `6` `7` `8` `9` `10` `11` `12`

여러해살이풀. 높이 0.5~1m. 곧게 자라며 가지가 많이 갈라진다. 꽃은 7~9월에 줄기 윗부분의 잎겨드랑이에 푸른색의 두상화가 달린다. 열매는 능각이 있다.

분포·생육지 유럽, 북아프리카 원산. 인도, 북유럽. 산에서 자라며, 우리나라에서는 전역에서 약용으로 재배한다.

약용 부위·수치 지상부는 여름에, 뿌리는 가을에 채취하여 씻어서 말린다.

약물명 지상부를 국거(菊苣)라 하며, 남국(藍菊)이라고도 한다. 뿌리를 국거근(菊苣根)이라 한다.

약효 국거(菊苣)는 청열해독(淸熱解毒), 이뇨소종(利尿消腫)의 효능이 있으므로 습열황달(濕熱黃疸), 신염수종(腎炎水腫), 위완창통(胃脘脹痛), 식욕부진을 치료한다. 국거근(菊苣根)은 청열(淸熱), 건위(健胃)의 효능이 있으므로 위열식소(胃熱食少), 흉복창민(胸腹脹悶)을 치료한다.

성분 국거(菊苣)에는 esculetin, esculin, cichoriin, lectucin, lacturopicin, mono-caffeoyltartaric acid, dicaffeoyltartaric acid, cichoric acid, 국거근(菊苣根)에는 lac-tucin, cichoriin, α-lactucerol, taraxasterol, cichoriolide A, cichorioside B, C, 8-deoxylactucin, sonchuside A, C, crepidi-aside B 등이 함유되어 있다.

약리 초음파추출물은 면역 세포의 생육을 증진시키고 cytokine의 분비를 촉진하며, 대식 세포에서의 NO 생성을 유도함으로써 면역 활성을 높인다. galactosamine으로 독성을 유발시킨 흰쥐에게 열수추출물을 투여하면 LDH의 활성을 감소시켜 간세포 보호 작용을 나타낸다.

사용법 국거는 10g에 물 3컵(600mL)을 넣고 달여서 복용하고, 국거근은 가루 내어 1회 5g씩 복용한다.

❍ 국거(菊苣, 신선품)

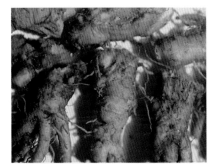
❍ 국거근(菊苣根)

❍ 국거근(菊苣根, 절편)

❍ 꽃상추(뿌리)

❍ 꽃상추

❍ 꽃상추로 만든 건강식품

[국화과]

엉겅퀴

토혈	객혈	육혈
혈뇨	대하	창양종통

● 학명 : *Cirsium maackii* Maxim. [*C. japonicum* var. *ussuriense*]
● 별명 : 가시나물, 항가새

| 1 | 2 | 3 | 4 | 5 | 6 | 7 | 8 | 9 | 10 | 11 | 12 |

여러해살이풀. 높이 0.5~1m. 줄기는 곧게 서고, 뿌리잎은 꽃이 필 때까지 남아 있고 줄기잎보다 크다. 꽃은 자주색, 6~8월에 피며 지름 3~5cm로 총포는 둥글며, 포편은 7~8줄이고 끝이 뾰족한 바늘 모양이다. 수과는 길이 3.5~4mm이다.

분포 · 생육지 우리나라 전역. 중국, 일본, 타이완, 우수리. 산과 들에서 자란다.

약용 부위 · 수치 뿌리를 가을에 채취하여 물에 씻은 후 잘라서 말린다. 치료 목적에 따라 초에 담갔다가 불에 볶아 사용하거나 주초(酒炒)하여 사용한다.

약물명 대계(大薊). 호계(虎薊)라고도 한다. 대한민국약전외한약(생약)규격집(KHP)에 수재되어 있다.

본초서 대계(大薊)는 「명의별록(名醫別錄)」의 중품(中品)에 소계(小薊)와 함께 수재되어 "정(精)을 양성하며 혈(血)을 보하는 약이다. 대계(大薊)는 부인의 적백대하(赤白帶下)를 치료하며 태아를 안정시키고 토혈(吐血)과 육혈(衄血)을 멈추게 한다."고 하였다. 도홍경(陶弘景)은 "대계(大薊)는 호계(虎薊), 소계(小薊)는 묘계(猫薊)이며, 대계(大薊)는 혈병(血病)을 치료한다."고 하였다. 「동의보감(東醫寶鑑)」에 "피가 뭉친 것을 풀어 주고 코피가 나며 피를 토하는 것을 그치게 하고 종기, 옴, 버짐을 낫게 한다. 자궁에서 분비물이 나오는 것을 낫게 하고 정기와 혈액을 돕는다."고 하였다.

名醫別錄: 根養精補血 主女子赤白沃 安胎 止吐血衄鼻, 令人肥健.

藥性論: 根止崩中下血.

東醫寶鑑: 治瘀血 止吐衄血 療癰瘍腫疥癬 主女子赤白帶 養精補血.

성상 말린 뿌리는 약간 구부러졌고 표면은 암흑색, 세밀한 세로무늬가 있고 때로는 구부러진 세로홈이 있다. 길이 7~12cm, 지름 0.5~1.5cm로 질은 조금 굳고 바삭바삭하다. 단면은 조금 가지런하고 황백색이며 과립 모양을 나타낸다. 선명한 회녹색이고 잔뿌리가 적으며 노두(蘆頭)가 있는 것이 좋다.

기미 · 귀경 양(凉), 감(甘), 미고(微苦) · 심(心), 간(肝)

약효 양혈지혈(凉血止血), 행어소종(行瘀消腫)의 효능이 있으므로 토혈(吐血), 객혈, 육혈(衄血), 혈뇨(血尿), 대하(帶下), 창양종통(瘡瘍腫痛)을 치료한다.

성분 flavonoid: linarin, pectolinarigenin-7-*O*-β-D-glucopyranoside, hispidulin 7-*O*-neohesperidoside, cirsimaritin-4'-*O*-glucoside, acacetin-7-*O*-rutinoside, sterol: β-sitosterol, daucosterol, phenylpropanoid: *p*-coumaric acid, syringin, 기타 polyacetylene: ciryneone F, ciryneone G, ciryneol A, ciryneol C, ciryneol H, *cis*-8,9-epoxy-heptadec-1-en-11,13-diyn-10-ol 등이 함유되어 있다.

약리 물로 달인 액은 결핵균의 성장을 억제한다. 토끼나 고양이에게 에탄올추출물 또는 열수추출물을 정맥주사하면 혈압이 강하한다. 메탄올추출물은 에탄올의 산화를 촉진하고 지방의 과산화를 억제함으로써 간세포를 보호하는데, 약효의 주성분은 hispidulin 7-*O*-neohesperidoside이다. polyacetylene계 성분들은 신경 돌기의 생성을 촉진한다. 열수추출물은 progeterone 수용체와 PS2 gene의 발현을 촉진함으로써 강장 작용을 나타낸다. 메탄올추출물은 항산화 작용이 있고, 암세포인 A549, Hep3B, MCF-7에 대해 세포 독성이 있다. 에탄올추출물은 HCl-에탄올에 의한 위 손상을 보호한다.

사용법 대계 10g에 물 3컵(600mL)을 넣고 달여서 복용하고, 외용에는 짓찧어 환부에 붙인다.

처방 십회산(十灰散): 대계(大薊), 소계(小薊), 측백엽(側柏葉), 박하(薄荷), 천초근(茜草根), 모근(茅根), 산치자(山梔子), 대황(大黃), 목단피(牡丹皮), 종려피(棕櫚皮) 각 동량(「십약신서(十藥神書)」). 붕루하혈(崩漏下血), 혈뇨(血尿) 등에 사용한다.

○ 꽃　　○ 엉겅퀴

○ 엉겅퀴(뿌리)

○ 대계(大薊)

○ 대계(大薊, 절편)

○ 대계(大薊, 신선품)

○ 엉겅퀴로 만든 건강 음료

[국화과]

버들엉겅퀴

♀ 월경부조, 폐경, 유선염

● 학명 : *Cirsium lineare* (Thunb.) Schultz-Bipontinus ● 별명 : 솔엉겅퀴

| 1 | 2 | 3 | 4 | 5 | 6 | 7 | 8 | 9 | 10 | 11 | 12 |

여러해살이풀. 높이 1m 정도. 줄기는 곧게 서고 거미줄 같은 털이 있다. 뿌리줄기는 짧고 수염뿌리가 많이 갈라진다. 줄기잎은 어긋나고 피침형이며 끝이 뾰족하고 뒷면에 털이 있으며, 가장자리는 밋밋하다. 꽃은 자주색이고, 8~10월에 줄기나 가지 끝에 핀다.

분포·생육지 우리나라 수원, 가평, 안동. 중국, 일본. 산지의 건조한 곳에서 자란다.

약용 부위·수치 전초를 여름에 채취하여 물에 씻은 후 잘라서 말린다.

약물명 선엽계(線葉薊)

약효 활혈산어(活血散瘀), 해독소종(解毒消腫)의 효능이 있으므로 월경부조(月經不調), 폐경(閉經), 유선염(乳腺炎)을 치료한다.

성분 cirsiliol, cirsilineol-4'-monogluco-side, cirsiol-4'-monoglucoside 등이 함유되어 있다.

사용법 선엽계 15g에 물 3컵(600mL)을 넣고 달여서 복용한다.

❂ 버들엉겅퀴(꽃)

❂ 버들엉겅퀴

[국화과]

큰엉겅퀴

창종, 외상출혈 / 말라리아

● 학명 : *Cirsium pendulum* Fisch. ex DC. [*C. falcatum* Turcz. ex DC.]
● 별명 : 큰가시나물, 큰항가새

| 1 | 2 | 3 | 4 | 5 | 6 | 7 | 8 | 9 | 10 | 11 | 12 |

두해살이풀. 높이 1~2m. 줄기는 곧게 서고 거미줄 같은 털이 있다. 뿌리줄기는 짧고 수염뿌리가 많이 갈라진다. 줄기잎은 어긋나고 긴 타원형이며 원줄기를 감싸고 깃 모양으로 갈라진다. 꽃은 자주색, 6~8월에 가지 끝과 줄기 끝에 피며, 지름 2.5~3.5cm, 아래로 처진다. 화관은 길이 2cm 정도이며, 수과에는 4개의 능선이 있다.

분포·생육지 우리나라 전역. 중국, 일본, 사할린, 동시베리아. 산과 들에서 자란다.

약용 부위·수치 뿌리 또는 전초를 여름에 채취하여 물에 씻은 후 잘라서 말린다.

약물명 연관계(煙管薊). 대계(大薊)라고도 한다.

약효 해독지혈(解毒止血), 보허(補虛)의 효능이 있으므로 창종(瘡腫), 말라리아, 외상출혈을 치료한다.

성분 chlorogenic acid, *p*-coumaric acid가 함유되어 있다.

약리 메탄올추출물은 DPPH 라디칼 소거능이 있으므로 항산화 효과가 있다.

사용법 연관계 10g에 물 3컵(600mL)을 넣고 달여서 복용하고, 외용에는 짓찧어 환부에 붙인다.

❂ 연관계(煙管薊, 절편)

❂ 큰엉겅퀴

[국화과]

가시털엉겅퀴

소화불량 　초기 감기

경련

●학명 : *Cnicus benedictus* L.　●영명 : Blessed thistle

| 1 | 2 | 3 | 4 | 5 | 6 | 7 | 8 | 9 | 10 | 11 | 12 |

❂ 가시털엉겅퀴(꽃)

여러해살이풀. 높이 30~65cm. 줄기는 가시털로 덮여 있고 가지를 친다. 잎은 어긋나고 깃 모양으로 갈라지며 끝은 뾰족하고 가장자리에 큰 톱니가 있다. 꽃은 황적색, 6~8월에 줄기 및 가지 끝에 1개가 달린다.

분포·생육지 유럽 및 지중해 연안 원산. 들이나 산지에서 자란다.

약용 부위·수치 꽃이 필 때 전초를 채취하여 썰어서 말린다.

약물명 Cnici Herba. 일반적으로 Blessed thistle이라고 한다.

약효 강장의 효능이 있으므로 소화불량, 초기 감기, 경련을 치료한다.

성분 isoquercitroside, rutoside, marcis-soside 등이 함유되어 있다.

사용법 Cnici Herba 5g을 뜨거운 물로 우려내어 복용한다.

❂ 가시털엉겅퀴

[국화과]

큰금계국

창양종독

●학명 : *Coreopsis lanceolata* L.

| 1 | 2 | 3 | 4 | 5 | 6 | 7 | 8 | 9 | 10 | 11 | 12 |

❂ 큰금계국

❂ 선엽금계국(線葉金鷄菊)

❂ 큰금계국 재배(중국 안국)

한두해살이풀. 높이 50~100cm. 잎은 마주나고 1회 깃꼴겹잎, 갈래는 타원형, 끝의 갈래가 가장 크고 가장자리는 밋밋하다. 꽃은 오렌지색, 6~8월에 가지 끝에 1개씩 달리며 지름 3~5cm, 아래로 향한다. 총포편은 2줄로 배열, 바깥 조각은 선형이고 갈색, 설상화는 8개로 끝이 불규칙하게 갈라지고, 관상화는 황갈색~암자색이다. 수과는 달걀 모양이다.

분포·생육지 북아메리카 원산. 우리나라 전역에서 재배한다.

약용 부위·수치 전초를 가을에 채취하여 물에 씻은 후 잘라서 말린다.

약물명 선엽금계국(線葉金鷄菊). 검엽파사국(劍葉波斯菊)이라고도 한다.

약효 해열독(解熱毒), 소옹종(消癰腫)의 효능이 있으므로 창양종독(瘡瘍腫毒)을 치료한다.

성분 lanceolin, leptosin, 1-phenylhepta-1,3,5-triyne, 2-phenyl-5-(1′-propynyl) thiophene 등이 함유되어 있다.

약리 1-phenylhepta-1,3,5-triyne은 선충(線蟲)의 발육을 억제한다.

사용법 선엽금계국은 외용으로만 사용하며 짓찧어 환부에 붙이거나 즙액을 바른다.

※ 본 종에 비하여 키가 작고 꽃이 크며 꽃잎 밑이 자주색이고 끝이 5갈래인 '금계국 *C. drummondii*'도 약효가 같다.

[국화과]

기생초

 습열이질　 목적종통

● 학명 : *Coreopsis tinctoria* Nutt.

| 1 | 2 | 3 | 4 | 5 | 6 | 7 | 8 | 9 | 10 | 11 | 12 |

한두해살이풀. 높이 1m 정도. 줄기에 털이 없다. 잎은 마주나고 2회 깃꼴겹잎, 갈래는 바늘 모양, 윗부분의 잎은 잎자루가 없고 아랫부분의 잎은 잎자루가 있다. 꽃은 바깥쪽은 황색이고 안쪽은 붉은색. 7~10월에 가지 끝에 1개씩 달린다. 관상화는 갈자색, 지름 3~5cm이다. 수과는 타원상 구형으로 날개가 없으며 밑부분에 돌기가 있다.

❶ 기생초

분포 · 생육지 북아메리카 원산. 우리나라 전역에서 재배한다.

약용 부위 · 수치 전초를 가을에 채취하여 물에 씻은 후 잘라서 말린다.

약물명 사목국(蛇目菊). 공작초(孔雀草), 이질초(痢疾草)라고도 한다.

약효 청습열(淸濕熱), 해열소옹(解熱消癰)의 효능이 있으므로 습열이질(濕熱痢疾), 목적종통(目赤腫痛)을 치료한다.

성분 tridec-11-en-3,5,7,9-tetrayne, *cis*-7-phenylhept-2-en-4,6-diyn-1-ol acetate, 1´-hydroxy-eugenol-4-isobutyrate, 1´,2´-epoxy-(*Z*)-coniferyl alcohol-4-isobutyrate, flavanomarein 등이 함유되어 있다.

사용법 사목국 20g에 물 4컵(800mL)을 넣고 달여서 복용하고 외용에는 짓찧어 환부에 붙이거나 즙액을 바른다.

❶ 사목국(蛇目菊)

[국화과]

코스모스

 목적종통　 옹창종독

● 학명 : *Cosmos bipinnatus* Cavanilles　● 별명 : 길국화

| 1 | 2 | 3 | 4 | 5 | 6 | 7 | 8 | 9 | 10 | 11 | 12 |

한해살이풀. 높이 1~2m. 줄기에 털이 없다. 잎은 마주나고 2회 깃꼴겹잎, 갈래는 바늘 모양이다. 꽃은 붉은색, 백색, 황색 등 다양하고, 6~10월에 가지 끝에 1개씩 달린다. 수과는 끝이 부리 모양이다.

분포 · 생육지 멕시코 원산. 우리나라 전역에서 자란다.

약용 부위 · 수치 전초를 여름과 가을에 채취하여 물에 씻은 후 잘라서 말린다.

약물명 추영(秋英)

약효 청열해독(淸熱解毒), 명목소종(明目消腫)의 효능이 있으므로 목적종통(目赤腫痛), 옹창종독(癰瘡腫毒)을 치료한다.

사용법 추영 10g에 물 3컵(600mL)을 넣고 달여서 복용하고 옹창종독에는 짓찧어 환부에 붙이거나 즙액을 바른다.

❶ 추영(秋英)

❶ 코스모스(꽃)

❶ 코스모스

[국화과]

솜엉경퀴

황달, 흉협창통, 습열사리, 간염

● 학명 : *Cynara scolymus* L. ● 영명 : Globe artichoke, Garden artichoke
● 별명 : 나물엉경퀴, 아티초크

| 1 | 2 | 3 | 4 | 5 | 6 | 7 | 8 | 9 | 10 | 11 | 12 |

여러해살이풀. 높이 2m 정도. 곧게 자라며 나무처럼 튼튼하다. 줄기에는 능선이 있고 윗부분에서 가지를 친다. 잎은 줄기 밑은 크며 타원형, 길이 1m, 너비 50cm에 이르고 위로 갈수록 작아진다. 잎자루는 거의 없고, 가장자리는 깃꼴로 갈라진다. 꽃은 6~7월에 가지 끝에 두상으로 피고. 작은꽃은 적자색을 띤다. 수과는 타원상 구형이다.
분포 · 생육지 지중해 원산. 우리나라 전역에서 재배한다.
약용 부위 · 수치 잎과 꽃을 여름에 채취하여 씻어서 말린다.

○ 열매　　　○ 솜엉경퀴

약물명 잎을 채계(菜薊)라 하며 양계(洋薊), 조계(朝薊)라고도 한다. 꽃을 백합화차(百合花茶)라 한다.
약효 채계(菜薊)는 서간이담(舒肝利膽), 청설습열(淸泄濕熱)의 효능이 있으므로 황달, 흉협창통(胸脇脹痛), 습열사리(濕熱瀉痢)를 치료한다. 백합화차(百合花茶)는 청간(淸肝), 이담(利膽)의 효능이 있으므로 황달 및 간염을 치료한다.
성분 채계(菜薊)는 cynarin, cyanopicrin, cynarotrioside, luteolin, luteolin-7-*O*-glucoside, isochlorogenic acid, chlorogenic acid, caffeic acid, quinic acid가 함유되어 있다.
약리 열수추출물은 사염화탄소를 쥐에 투여하여 야기된 간 독성을 저지하는 효능이 있다. 쥐에 열수추출물을 정맥주사하면 담즙배출이 증가한다. cyanopicrin은 고미 물질로 식욕을 증진시키고 소화를 돕는다.
사용법 채계 10g에 물 3컵(600mL)을 넣고 달여서 복용하고, 백합화차는 3~5g을 뜨거운 물에 우려내어 복용한다.

○ 채계(菜薊, 신선품)　○ 채계(菜薊)로 만든 간염 치료제

[국화과]

달리아

시선염, 우치동통　종독, 타박상

● 학명 : *Dahlia pinnata* Cav.

| 1 | 2 | 3 | 4 | 5 | 6 | 7 | 8 | 9 | 10 | 11 | 12 |

여러해살이풀. 높이 1.5~2m. 덩이뿌리는 고구마 모양이고, 줄기는 둥글다. 잎은 마주나고 1~2회 깃꼴겹잎이다. 꽃은 여러 가지 색이며 6~9월에 지름 5~7cm, 두상화로 옆을 향하여 핀다. 총포편은 6~7개로 잎처럼 생겼다.

○ 달리아

분포 · 생육지 멕시코 원산. 우리나라 전역에서 재배하는 귀화 식물이다.
약용 부위 · 수치 덩이뿌리를 여름에 채취하여 물에 씻은 후 썰어서 말린다.
약물명 대리국(大理菊), 천축목단(天竺牡丹), 양작약(洋芍藥)이라고도 한다.
약효 청열해독(淸熱解毒), 산어지통(散瘀止痛)의 효능이 있으므로 시선염(腮腺炎), 우치동통(齲齒疼痛), 종독(腫毒), 타박상을 치료한다.
성분 apigenin, apigenin-7-*O*-glucoside, apigenin-7-*O*-rhamnoglucoside, acacetin-7-*O*-glucoside, acacetin-7-*O*-rhamnoglucoside, luteolin, luteolin-7-*O*-glucoside, quercetin-3-*O*-galactoside, quercetin, isorhamnetin-3-*O*-galactoside 등이 함유되어 있다.
사용법 대리국 10g에 물 3컵(600mL)을 넣고 달여서 복용하고 짓찧어 환부에 붙이거나 즙액을 바른다.

○ 대리국(大理菊)

[국화과]
송과국

● 학명 : *Echinacea purpurea* Moench　● 영명 : Echinacea, Purple coneflower
● 한자명 : 松果菊　● 별명 : 에키네이샤, 자주루드베키아

1	2	3	4	5	6	7	8	9	10	11	12

○ 송과국(松果菊, 신선품)

○ 송과국(松果菊)

○ 송과국

여러해살이풀. 높이 70~100cm. 줄기는 바로 서고 가지가 약간 갈라지고 백색 털로 덮여 있다. 잎은 어긋나고 타원형, 털이 많으며, 가장자리는 톱니가 드문드문 있고 잎자루가 있다. 꽃은 7~9월에 피고 설상화는 홍자색, 밑으로 처지며, 관상화는 흑자색이다.

분포 · 생육지 북아메리카 원산. 우리나라 전역에서 재배한다.

약용 부위 · 수치 전초를 여름에 채취하여 말린다.

약물명 송과국(松果菊). 일반적으로 Echinacea 또는 Purple coneflower라고 한다.

약효 면역 자극의 효능이 있으므로 요로감염, 감기, 타박상, 궤양, 피부염을 치료한다.

성분 4-O-methylglucurono-arabinoxylan (PS I), rhamnoarabinogalactan(PS II), caffeic acid, isobutylamides, polyacetylenes, echinacein, echinacin B 등이 함유되어 있다.

약리 PS I과 PS II는 면역 자극 작용이 있고, echinacin B는 임상적으로 감기에 유효한 것으로 보고되어 있다.

사용법 주스로 만들어 1일 6~9mL를 복용하고, 각종 피부병이나 타박상에는 연고로 만들어 바른다.

※ 잎이 좁은 '좁은잎에치나시아 *E. angustifolia*'도 약효가 같다.

○ 송과국(松果菊)으로 만든 감기 치료제

[국화과]
큰절굿대

● 학명 : *Echinops latifolius* Tausch　● 별명 : 큰분취아재비, 절구대

1	2	3	4	5	6	7	8	9	10	11	12

여러해살이풀. 높이 1m 정도. 줄기는 곧게 서고, 잎은 어긋난다. 뿌리잎은 잎자루가 길고, 줄기잎은 긴 타원형, 잎몸은 5~6쌍으로 갈라진다. 꽃은 남청색, 지름 5cm, 7~8월에 피고 화관은 5개로 깊게 갈라지며 뒤로 젖혀진다. 수과는 원통형, 털이 많다.

분포 · 생육지 우리나라 강원도, 경기도 이남. 중국, 일본. 산지의 건조한 풀밭에서 자란다.

약용 부위 · 수치 꽃을 여름에, 뿌리를 가을에 채취하여 물에 씻은 후 말린다. 대한민국약전외한약(생약)규격집(KHP)에 수재되어 있다.

약물명 꽃을 추골풍(追骨風)이라 하며, 팔리화(八里花)라고도 한다. 뿌리를 누로(漏蘆)라 한다.

약효 추골풍(追骨風)은 청열해독(清熱解毒), 활혈지통(活血止痛)의 효능이 있으므로 골절, 창상출혈(創傷出血), 흉통(胸痛)을 치료한다. 누로(漏蘆)는 청열해독(清熱解毒), 소종배농(消腫排膿), 하유(下乳), 근맥소통(筋脈疏通)의 효능이 있으므로 종양,

유방종통(乳房腫痛), 유즙불통(乳汁不通), 골절동통(骨節疼痛), 치창출혈(痔瘡出血)을 치료한다.

성분 echinorine, echinospine, echinine 등이 함유되어 있다.

약리 열수추출물은 각종 피부 진균의 증식을 억제한다.

사용법 추골풍 및 누로 각각 7g에 물 2컵(400mL)을 넣고 달여서 복용하고, 각종 피부병이나 타박상에는 달인 액을 바른다.

※ 누로(漏蘆)는 '뻐꾹채 *Rhaponticum uniflorum*'의 뿌리가 정품이지만 본 종 또는 '절굿대 *E. setifer*'의 뿌리도 통용되고 있다.

○ 큰절굿대

○ 누로(漏蘆)

○ 누로(漏蘆, 절편)

○ 큰절굿대(뿌리)

[국화과]

절굿대

● 종양　● 창상출혈　● 치창출혈
● 골절, 골절동통　● 유방종통, 유즙불통

● 학명 : *Echinops setifer* Iljin　● 별명 : 큰분취아재비, 절구대

| 1 | 2 | 3 | 4 | 5 | 6 | 7 | 8 | 9 | 10 | 11 | 12 |

여러해살이풀. 높이 1m 정도. 전체에 흰 털이 빽빽하고, 줄기는 곧게 선다. 잎은 어긋나고, 뿌리잎은 잎자루가 길다. 줄기잎은 긴 타원형, 잎몸은 5~6쌍으로 갈라진다. 꽃은 남청색, 7~8월에 피고, 수과는 원통형으로 털이 많다. '큰절굿대'에 비하여 잎의 우편이 다시 갈라지지 않고, 0.2~0.3cm 길이의 잔가시가 있다.

분포·생육지 우리나라 전역. 중국, 일본. 산지의 건조한 풀밭에서 자란다.

약용 부위·수치 꽃을 여름에, 뿌리를 가을에 채취하여 물에 씻은 후 말린다. 대한민국약전외한약(생약)규격집(KHP)에 수재되어 있다.

약물명 꽃을 추골풍(追骨風)이라 하며, 팔리화(八里花)라고도 한다. 뿌리를 누로(漏蘆)라 한다.

약효 추골풍(追骨風)은 청열해독(淸熱解毒), 활혈지통(活血止痛)의 효능이 있으므로 골절, 창상출혈(創傷出血), 흉통(胸痛)을 치료한다. 누로(漏蘆)는 청열해독(淸熱解毒), 소종배농(消腫排膿), 하유(下乳), 근맥소통(筋脈疎通)의 효능이 있으므로 종양, 유방종통(乳房腫痛), 유즙불통(乳汁不通), 골절동통(骨節疼痛), 치창출혈(痔瘡出血)을 치료한다.

성분 echinorine, echinospine, echinine 등이 함유되어 있다.

약리 열수추출물은 각종 피부 진균의 증식을 억제한다.

사용법 추골풍 및 누로 각각 7g에 물 2컵(400mL)을 넣고 달여서 복용하고, 각종 피부병이나 타박상에는 달인 액을 바른다.

❍ 절굿대

❍ 절굿대(뿌리)

[국화과]

넓은잎한련초

● 감모발열　● 폐허로해, 객혈

● 학명 : *Eclipta latifolia* L. [*Blainvillea acmella*, *Verbesina acmella*, *Blainvillea latifolia*]

| 1 | 2 | 3 | 4 | 5 | 6 | 7 | 8 | 9 | 10 | 11 | 12 |

한해살이풀. 높이 40~60cm. 줄기는 가지를 많이 내고, 윗부분에서는 어긋나며 아랫부분에서는 마주난다. 잎은 마주나고 달걀 모양이다. 꽃은 백색, 두상화로 8~9월에 잎겨드랑이 또는 가지 끝에 1개씩 달리며 지름 1cm 정도이다.

분포·생육지 중국, 인도, 스리랑카. 밭이나 길가에서 자란다.

약용 부위·수치 전초를 여름과 가을에 채취하여 물에 씻은 후 썰어서 말린다.

약물명 어린채(魚鱗菜)

본초서 「광서약용식물명록(廣西藥用植物名錄)」에 수재되어 있다.

약효 소풍청열(疎風淸熱), 지해(止咳)의 효능이 있으므로 감모발열, 폐허로해(肺虛癆咳), 객혈을 치료한다.

성분 desacetylovatifolin, rudbeainin 등이 함유되어 있다.

사용법 어린채 10g에 물 3컵(600mL)을 넣고 달여서 복용한다.

❍ 어린채(魚鱗菜)

❍ 넓은잎한련초

[국화과]

한련초

 창독, 악독대창　　👁 목적종통

● 학명 : *Eclipta prostrata* L.　● 한자명 : 旱蓮草　● 별명 : 하년초, 하련초, 할년초, 한련풀

| 1 | 2 | 3 | 4 | 5 | 6 | 7 | 8 | 9 | 10 | 11 | 12 |

한해살이풀. 높이 10~60cm. 곧게 자라거나 비스듬히 선다. 가지는 마주나고, 전체에 거센 털이 있어서 까칠까칠하다. 잎은 마주나고, 꽃은 백색, 두상화로 지름 1cm 정도, 8~9월에 가지 끝과 원줄기 끝에 1개씩 달린다. 설상화는 백색, 끝이 밋밋하거나 2개로 갈라진다. 수과는 흑색으로 익고 길이 2.8mm 정도이다.

분포 · 생육지 우리나라 경기도 이남. 중국, 일본 등 세계. 논이나 밭, 길가 또는 습지에서 자란다.

약용 부위 · 수치 전초를 여름에 채취하여 물에 씻은 후 썰어서 말린다. 대한민국약전외한약(생약)규격집(KHP)에 수재되어 있다.

약물명 묵한련(墨旱蓮), 금릉초(金陵草), 연자초(蓮子草), 조연초(鳥蓮草)라고도 한다.

본초서 당나라의 「신수본초(新修本草)」에 예장(鱧腸)이라는 이름으로 수재되어 있으며, 「도경본초(圖經本草)」에는 한련자(旱蓮子)라는 이름으로 수재되어 있다. 이시진(李時珍)의 「본초강목(本草綱目)」에는 "예(鱧)는 조어(鳥魚)이며 이것의 내장도 검다. 이 풀은 줄기가 부드러우며 꺾으면 먹물과 같은 검은 즙액이 흘러나오므로 붙여진 것이다."라고 하였다. 그러므로 중국에서는 묵한련(墨旱蓮), 묵초(墨草), 묵즙한련초(墨汁旱蓮草)라고 한다. 「일화자본초(日華子本草)」에는 "한련초는 출혈을 멈추게 하며 소장을 잘 통하게 한다."고 하였으며, 피가 섞여 나오는 설사나 대변에 요긴하게 쓰이고 있다. 「동의보감(東醫寶鑑)」에는 예장(鱧腸)이라는 이름으로 수재되어 "피가 섞인 대변을 보거나 침이나 뜸을 놓은 자리가 헐어 피가 나는 것을 낫게 한다. 수염과 머리카락을 자라게 하고 모든 피부병에 붙이면 효과가 있다."고 하였다.

東醫寶鑑: 主血痢 鍼灸瘡發洪血不可止者 長鬚髮 付一切瘡.

성상 전초로 줄기는 원기둥 모양이고 세로로 모서리가 있으며 표면은 녹갈색이다. 잎은 구겨져 있으나 물에 불려 보면 마주나 있으며, 잎자루는 거의 없다. 냄새는 없고 맛은 달고 시다.

기미 · 귀경 양(涼), 감(甘), 산(酸) · 간(肝), 신(腎)

약효 청열(淸熱), 해독의 효능이 있으므로 창독(瘡毒), 목적종통(目赤腫痛), 악독대창(惡毒大瘡)을 치료한다.

성분 saponin 1.3%, nicotine 0.08%, tannin, vitamin A, ecliptine, wedelolactone, demethylwedelolactone-7-glucoside 등이 함유되어 있다.

약리 사염화탄소로 간염을 일으킨 쥐에게 에탄올추출물을 투여하면 간 보호 작용이 나타난다. 에탄올추출물을 쥐에게 투여하면 면역력이 증대된다. 황색 포도상구균, 상한간균, 녹농간균에 항균 작용이 있다.

사용법 묵한련 10g에 물 3컵(600mL)을 넣

고 달여서 복용하며, 외용에는 짓찧어 환부에 바른다.

처방 국화산(菊花散): 감국(甘菊) · 만형자(蔓荊子) · 측백엽(側柏葉) · 천궁(川芎) · 백지(白芷) · 세신(細辛) · 상백피(桑白皮) · 묵한련(墨旱蓮) 각 40g 「동의보감(東醫寶鑑)」. 머리카락이 노랗게 되면서 윤기가 없는 증상에 사용한다.

• 이지환(二至丸): 여정자(女貞子) · 묵한련(墨旱蓮) 동량, 알약을 만들어 12g씩 복용 「증치준승(證治準繩)」. 간신음허(肝腎陰虛)로 인해 입이 쓰고 건조하며 불면증이 있고 꿈을 자주 꾸며 머리카락이 빨리 희어지는 데 사용한다.

◑ 묵한련(墨旱蓮)　◑ 묵한련(墨旱蓮)으로 만든 건강식품

◑ 한련초

[국화과]

백화지담초

창독, 악독대창　　👁 목적종통

● 학명 : *Elephantopus tomentosus* L. [*E. latus*]　● 한자명 : 白花地膽草

| 1 | 2 | 3 | 4 | 5 | 6 | 7 | 8 | 9 | 10 | 11 | 12 |

여러해살이풀. 높이 1m 정도. 뿌리줄기는 굵고 수염뿌리를 낸다. 잎은 어긋나고 타원형, 가장자리에 톱니가 있다. 꽃은 백색, 두상화로 8월부터 다음 해 5월까지 핀다. 수과는 타원형이다.

분포 · 생육지 인도, 중국 광둥성(廣東省), 광시성(廣西省), 푸젠성(福建省). 산이나 들에서 자란다.

약용 부위 · 수치 전초를 여름에 채취하여 물에 씻은 후 썰어서 말린다.

약물명 고지담(苦地膽), 고용담초(苦龍膽草)라고도 한다.

약효 청열(淸熱), 해독의 효능이 있으므로

창독(瘡毒), 목적종통(目赤腫痛), 악독대창(惡毒大瘡)을 치료한다.

성분 epifriedelinol, lupeol, lupeol acetate, elephantopin, deoxyelephantopin, isodeoxyelephantopin, creposide E 등이 함유되어 있다.

약리 에탄올추출물은 황색 포도상구균, 대장간균에 항균 작용이 있고, 소염 작용과 항암 작용이 있다.

사용법 고지담 10g에 물 3컵(600mL)을 넣고 달여서 복용한다.

◑ 백화지담초

[국화과]
불꽃씀바귀

사교상

● 학명 : *Emilia flammea* Cass. [*E. javanica*]

| 1 | 2 | 3 | 4 | 5 | 6 | 7 | 8 | 9 | 10 | 11 | 12 |

❂ 불꽃씀바귀

한해살이풀. 높이 30~60cm. 전체에 털이 있다. 뿌리잎은 모여나며, 줄기잎은 어긋난다. 꽃은 황적색, 두상화, 7~11월에 산방화서로 핀다. 총포는 통형이며 1줄로 배열된다. 수과는 5각상 기둥 모양이다.

분포 · 생육지 인도. 들에서 자라며, 세계 전역에서 재배한다.

약용 부위 · 수치 전초를 여름과 가을에 채취하여 생것 또는 말려서 사용한다.

약물명 지혈단(止血丹)

약효 해독, 행혈(行血)의 효능이 있으므로 사교상(蛇咬傷)을 치료한다.

사용법 지혈단을 짓찧어 뱀에 물린 곳에 붙인다.

❂ 지혈단(止血丹)

[국화과]
개망초

소화불량, 위장염 　 치은염

말라리아 　 독사교상

● 학명 : *Erigeron annuus* (L.) Pers. ● 별명 : 왜풀

| 1 | 2 | 3 | 4 | 5 | 6 | 7 | 8 | 9 | 10 | 11 | 12 |

두해살이풀. 높이 50~100cm. 곧게 자라고, 상부에서 가지가 많이 갈라진다. 꽃은 백색, 두상화, 지름 2cm 정도, 6~7월에 줄기 끝에 산방상으로 달리며 총포에는 털이 있다. 수과에는 관모가 있다.

분포 · 생육지 북아메리카 원산. 우리나라 전역의 산과 들에서 흔하게 자란다.

약용 부위 · 수치 전초를 여름과 가을에 채취하여 말린다.

약물명 일년봉(一年蓬). 여완(女菀), 장모초(長毛草), 아종소(牙腫消), 천장초(千張草)라고도 한다.

기미 · 귀경 양(涼), 감(甘), 고(苦) · 위(胃), 대장(大腸)

약효 소식지사(消食止瀉), 청열해독(淸熱解毒), 절학(截瘧)의 효능이 있으므로 소화불량, 위장염, 치은염(齒齦炎), 말라리아, 독사교상(毒蛇咬傷)을 치료한다.

성분 pyromeconic acid, quercetin, apigenin-7-*O*-glucuronide, apigenin, caffeic acid, 4-hydroxybenzoic acid, protocatechuic acid, eugenol-*O*-β-D-glucoside, 3,6-di-*O*-feruloylsucrose, 3,5-di-*O*-caffeoylquinic acid methyl ester 등이 함유되어 있다.

약리 에탄올추출물을 적출한 쥐의 심장에 투여하면 관상 동맥 수축력이 증대된다. 에탄올추출물을 동물에게 투여하면 혈당이 저하된다. caffeic acid, 3,6-di-*O*-feruloylsucrose, 3,5-di-*O*-caffeoylquinic acid methyl ester는 advanced glycation end products의 형성과 aldose reductase의 활성을 억제한다.

사용법 일년봉 30g에 물 4컵(800mL)을 넣고 달여서 복용하며, 외용에는 짓찧어 환부에 붙이거나 즙액을 바른다.

❂ 개망초

❂ 일년봉(一年蓬)

[국화과]

실망초

감기	말라리아
풍습성관절염	창양농종

●학명 : *Erigeron bonariensis* L.   ●별명 : 털망초, 실잔꽃풀, 실망풀

| 1 | 2 | 3 | 4 | 5 | 6 | 7 | 8 | 9 | 10 | 11 | 12 |

○ 야당호(野塘蒿)

○ 실망초(꽃)

한두해살이풀. 높이 30~50cm. 줄기는 곧게 자라고 상부에서 가지가 많이 갈라지며, 전체에 회백색 털이 빽빽이 난다. 설상화 꽃잎은 마르면 안으로 말리지 않고, 잎은 선형이다.

분포·생육지 북아메리카 원산. 우리나라 전역의 산과 들에서 흔하게 자란다.

약용 부위·수치 전초를 여름과 가을에 채취하여 말린다.

약물명 야당호(野塘蒿), 소산애(小山艾), 화초묘(火草苗)라고도 한다.

약효 청열해독(淸熱解毒), 행기지통(行氣止痛)의 효능이 있으므로 감기, 말라리아, 풍습성관절염, 창양농종(瘡瘍膿腫)을 치료한다.

성분 caffeic acid, apigenin, chrysoeriol, luteolin, acacetin, cynarin 등이 함유되어 있다.

사용법 야당호 10g에 물 3컵(600mL)을 넣고 달여서 복용한다.

○ 실망초

[국화과]

등잔화

감기	풍습비통, 골수염
위통	

●학명 : *Erigeron breviscapus* (Vant.) Hand.   ●별명 : 등잔국, 세신초, 지정초

| 1 | 2 | 3 | 4 | 5 | 6 | 7 | 8 | 9 | 10 | 11 | 12 |

○ 등잔세신(燈盞細辛)으로 만든 감기, 풍습비통, 위통 치료제

여러해살이풀. 높이 10~50cm. 뿌리줄기는 굵고 목질이며, 다수의 가는 뿌리가 붙어 있다. 줄기는 곧게 자라고 상부에서 가지가 많이 갈라지며, 전체에 거센 털이 있다. 잎은 어긋나고, 꽃은 담남색, 두상화로 3~10월에 줄기 끝에 1개가 달린다. 수과는 길이 1.5mm 정도, 관모는 담갈색이다.

분포·생육지 중국, 티베트. 양지바른 산비탈에서 자란다.

약용 부위·수치 전초를 여름과 가을에 채취하여 말린다.

약물명 등잔세신(燈盞細辛), 등잔화(燈盞花), 세신초(細辛草)라고도 한다.

기미·귀경 온(溫), 신(辛), 미고(微苦)·폐(肺), 위(胃), 간(肝).

약효 산한해표(散寒解表), 거풍제습(祛風除濕), 활락지통(活絡止痛), 소적(消積)의 효능이 있으므로 감기, 풍습비통(風濕痺痛), 위통, 골수염을 치료한다.

사용법 등잔세신 10g에 물 3컵(600mL)을 넣고 달여서 복용한다.

○ 등잔화

[국화과]

망초

 이질, 장염, 간염, 담낭염   풍습동통

●학명 : *Erigeron canadensis* L. ●별명 : 잔꽃풀, 망풀

| 1 | 2 | 3 | 4 | 5 | 6 | 7 | 8 | 9 | 10 | 11 | 12 |

한두해살이풀. 높이 50~100cm. 곧게 자라고 전체에 굵은 털이 빽빽이 난다. 뿌리잎은 주걱상 피침형으로 가장자리에 톱니가 있고, 줄기잎은 조밀하게 달리며 선형으로 톱니가 있거나 없다. 꽃은 백색, 다수의 두상화서가 줄기 끝에 원추형으로 달린다.

❍ 망초

분포 · 생육지 북아메리카 원산. 우리나라 전역의 산과 들에서 흔하게 자란다.
약용 부위 · 수치 전초를 여름과 가을에 채취하여 말린다.
약물명 소비봉(小飛蓬). 죽엽애(竹葉艾)라고도 한다.
약효 청열이습(淸熱利濕), 산어소종(散瘀消腫)의 효능이 있으므로 이질, 장염, 간염, 담낭염, 풍습동통(風濕疼痛)을 치료한다.
성분 limonene, linalool, linoleyl acetate, matricaria ester, β-santalene, scutellarin, o-benzylbenzoic acid, choline 등이 함유되어 있다.
약리 아세틸아세테이트 분획물은 쥐에게 투여하면 발의 부종을 감소시키고, 수용성 분획물은 심혈관계의 동맥을 이완시킨다.
사용법 소비봉 15g에 물 3컵(600mL)을 넣고 달여서 복용한다.

❍ 소비봉(小飛蓬)

[국화과]

등골나물

 인후염   토혈, 설사, 이질

●학명 : *Eupatorium chinensis* L.

| 1 | 2 | 3 | 4 | 5 | 6 | 7 | 8 | 9 | 10 | 11 | 12 |

여러해살이풀. 높이 1.5~2m. 줄기는 곧게 서고 전체에 가는 털이 있다. 뿌리줄기가 옆으로 짧게 자란다. 잎은 마주나고 톱니는 얕으며 잎자루가 짧다. 꽃은 백색, 7~10월에 원줄기 끝에서 산방화서로 달린다.
분포 · 생육지 우리나라 전역. 중국, 일본. 산과 들에서 자란다.
약용 부위 · 수치 뿌리를 가을에 채취하여 물에 씻은 후 말린다.
약물명 광동토우슬(廣東土牛膝). 유월상(六月霜), 다수공(多鬚公)이라고도 한다.
약효 청열이인(淸熱利咽), 양혈산어(凉血散瘀), 해독소종(解毒消腫)의 효능이 있으므로 인후염, 토혈, 설사, 이질을 치료한다.
사용법 광동토우슬 10g에 물 3컵(600mL)을 넣고 달여서 복용한다.
주의 유독하므로 임산부는 복용을 금한다.

❍ 광동토우슬(廣東土牛膝)   ❍ 등골나물(뿌리)

❍ 등골나물

[국화과]

벌등골나물

 한열두통   완비불음, 오심구토
 구중첨니   당뇨병 월경불순

●학명 : *Eupatorium fortunei* Turcz. ●별명 : 새등골나물

| 1 | 2 | 3 | 4 | 5 | 6 | 7 | 8 | 9 | 10 | 11 | 12 |

여러해살이풀. 높이 1.5m 정도. 줄기는 곧게 서고, 뿌리줄기가 옆으로 길게 자란다. 잎은 마주나고 톱니가 크다. 꽃은 연한 붉은색, 8~9월에 원줄기 끝에 산방화서로 달린다. 총포는 원통형, 길이 7~8mm로 5개의 작은꽃이 들어 있고 총포편은 10개 정도이다. 수과는 길이 3mm 정도로 백색이다.

분포·생육지 우리나라 중부 이남. 중국, 일본. 산과 들에서 자란다.

약용 부위·수치 전초를 가을에 채취하여 물에 씻은 후 썰어서 말린다.

약물명 패란(佩蘭), 수향(水香), 목택란(木澤蘭)이라고도 한다. 대한민국약전외한약(생약)규격집(KHP)에 수재되어 있다.

본초서 패란(佩蘭)은 병사(病邪)를 물리치고 난(蘭)과 같은 향기가 나는 것에서 유래한다. 「동의보감(東醫寶鑑)」에 "독충의 독을 없애고 나쁜 기운을 막으며 소변을 잘 나오게 한다. 담이 옆구리로 가서 아픈 것을 낫게 한다."고 하였다.
東醫寶鑑: 殺蠱毒 辟不祥 利水道 除胸中痰癖.

성상 지상부로 줄기는 원기둥 모양이고 표면은 황갈색~황록색, 세로 능선이 있다. 횡단면은 수부가 백색이거나 비어 있다. 잎은 마주나고 대부분 부서져 있다. 냄새가 향기롭고 맛은 쓰다.

기미·귀경 평(平), 신(辛)·비(脾), 위(胃)

약효 해서화습(解暑化濕), 조경(調經)의 효능이 있으므로 한열두통(寒熱頭痛), 서습(暑濕), 완비불음(脘痞不飲), 오심구토(惡心嘔吐), 구중첨니(口中甛膩), 당뇨병, 월경불순을 치료한다.

성분 taraxasterol, taraxasteryl acetate, taraxasteryl palmitate, β-amyrin acetate, *p*-cymene, nerylacetate, 5-methylthymolether, *o*-coumaric acid, thymolhydroquinone 등이 함유되어 있다.

약리 *p*-cymene, nerylacetate는 influenza virus에 항바이러스 작용이 있다.

사용법 패란 10g에 물 3컵(600mL)을 넣고 달여서 복용하거나 술에 담가서 조금씩 복용한다.

처방 패란곽향탕(佩蘭藿香湯): 패란(佩蘭), 곽향(藿香), 창출(蒼朮), 복령(茯苓), 황금(黃芩), 백두구(白豆蔲), 후박(厚朴) (「경험방(經驗方)」). 여름철 감기로 인한 발열두통, 흉복만민(胸腹滿悶)에 사용한다.

• 패란활석탕(佩蘭滑石湯): 패란(佩蘭), 활석(滑石), 감초(甘草), 하엽(荷葉), 곽향(藿香), 후박(厚朴) (「경험방(經驗方)」). 발열성 질환 또는 과식으로 인한 흉복만민(胸腹滿悶), 오심구토에 사용한다.

＊뿌리줄기가 짧고 잎 가장자리에 톱니가 작고 뒷면에 선점(腺點)이 있는 '등골나물 *E. chinensis* L.', 잎자루가 없고 맥이 3개 있으며 끝이 둔하거나 3개로 깊게 갈라지는 '골등골나물 *E. lindleyanum*'도 약효가 같다.

✪ 벌등골나물

✪ 패란(佩蘭)

[국화과]

골등골나물

 기관지염, 해천담다   고혈압

●학명 : *Eupatorium lindleyanum* DC.

| 1 | 2 | 3 | 4 | 5 | 6 | 7 | 8 | 9 | 10 | 11 | 12 |

여러해살이풀. 높이 70cm 정도. 줄기는 곧게 서고 전체에 거친 털이 있다. 잎은 마주나고 톱니가 있으며 잎자루가 거의 없다. 꽃은 백색 또는 연한 붉은색, 7~10월에 원줄기 끝에 산방화서로 달린다.

분포·생육지 우리나라 전역. 중국, 일본, 필리핀, 아무르. 산과 들에서 자란다.

약용 부위·수치 전초를 가을에 채취하여 물에 씻은 후 썰어서 말린다.

약물명 야마추(野馬追), 백고정(白鼓釘), 화식초(化食草), 모택란(毛澤蘭)이라고도 한다.

약효 청폐지해(淸肺止咳), 화담평천(化痰平喘), 강혈압(降血壓)의 효능이 있으므로 기관지염, 고혈압, 해천담다(咳喘痰多)를 치료한다.

사용법 야마추 30g에 물 4컵(800mL)을 넣고 달여서 복용한다.

✪ 야마추(野馬追)

✪ 골등골나물

[국화과]

털머위

풍열감기, 해수객혈 / 인후종통 / 유선염 / 정창습진, 옹종, 나력, 타박상

●학명 : *Farfugium japonicum* Kitamura ●별명 : 말곰취, 갯머위, 넓은잎말곰취

1	2	3	4	5	6	7	8	9	10	11	12

상록 여러해살이풀. 뿌리줄기는 굵다. 잎은 뿌리에서 모여나고 심장형이다. 꽃은 황색, 9~10월에 피고, 꽃대는 길이 30~75cm로 곧게 자라며 포가 있다. 두상화는 가지 끝에 1개씩 달려서 전체가 산방상으로 되며 지름 4~6cm이다. 총포는 넓은 통 모양이고, 설상화는 길이 3~4cm이다. 수과는 길이 5~6mm로 털이 많다.

분포 · 생육지 우리나라 제주도, 전남, 경남, 울릉도. 중국, 일본, 타이완. 바닷가에서 자란다.

약용 부위 · 수치 전초를 여름과 가을에 채취하여 말린다.

약물명 연봉초(蓮蓬草). 독각련(獨脚蓮), 하엽출(荷葉朮), 암홍(岩紅)이라고도 한다.

약효 청열해독(淸熱解毒), 양혈지혈(凉血止血), 소종산결(消腫散結)의 효능이 있으므로 풍열감기(風熱感氣), 인후종통(咽喉腫痛), 해수객혈(咳嗽喀血), 유선염(乳腺炎), 정창습진(疔瘡濕疹), 옹종(癰腫), 나력(瘰癧), 타박상을 치료한다.

성분 senkirkine, furanoeremophilane-6β, 10β-diol, 10β-hydroxy-6β-methoxyfuranoeremophilane, farfugin A, B 등이 함유되어 있다.

약리 senkirkine의 작용은 기타 pyrrolidine 유도체와 유사하며 폐와 간에 독성이 있고, 간암을 일으킨다.

사용법 연봉초 10g에 물 3컵(600mL)을 넣고 달여서 복용하고, 외용에는 짓찧어 바른다.

♦ 털머위

♦ 연봉초(蓮蓬草)

♦ 털머위(뿌리)

♦ 털머위(열매)

[국화과]

실쑥

고열 / 심계, 실면 / 월경부조 / 옹종창양

●학명 : *Filifolium sibiricum* (L.) Kitamura ●별명 : 솔잎쑥

1	2	3	4	5	6	7	8	9	10	11	12

한해살이풀. 높이 35~45cm. 전체에 털이 없다. 뿌리잎은 모여나며 깃 모양으로 갈라지고 줄기잎은 어긋나며 뿌리잎과 모양이 같으나 작다. 꽃은 황색, 두상화로 줄기 끝이나 가지 끝에 핀다. 수과는 원기둥 모양으로 털이 없고 밑에 점액이 있다.

분포 · 생육지 우리나라 황해도, 함북. 중국, 일본. 산지에서 자란다.

약용 부위 · 수치 전초를 여름과 가을에 채취하여 물에 씻은 후 말린다.

약물명 토모호(兎毛蒿). 정독초(疔毒草), 형초(荊草)라고도 한다.

약효 청열해독(淸熱解毒), 안신(安神), 조경(調經)의 효능이 있으므로 고열, 심계(心悸), 실면(失眠), 월경부조(月經不調), 옹종창양(癰腫瘡瘍)을 치료한다.

사용법 토모호 10g에 물 3컵(600mL)을 넣고 달여서 복용하고, 외용에는 짓찧어서 바른다.

♦ 실쑥

[국화과]

별꽃아재비

 인후염, 편도선염 　 급성황달간염

외상출혈

● 학명 : *Galinsoga parviflora* Cav.　● 별명 : 쓰레기꽃, 두메고추나물

| 1 | 2 | 3 | 4 | 5 | 6 | 7 | 8 | 9 | 10 | 11 | 12 |

○ 동종초(銅鍾草)

한해살이풀. 높이 45cm 정도. 전체에 털이 많다. 줄기의 마디는 팽대하다. 잎은 마주나며 원형에 가까우나 끝이 뾰족하다. 두상화의 설상화는 백색이며 끝이 3개로 갈라지고, 관상화는 황색이다.

분포·생육지 열대 아메리카 원산. 세계 각처에 분포하며, 산과 들에서 자란다.

약용 부위·수치 전초를 여름과 가을에 채취하여 물에 씻은 후 말린다.

약물명 동종초(銅鍾草)

약효 소염지혈(消炎止血)의 효능이 있으므로 인후염, 급성황달간염, 편도선염, 외상출혈을 치료한다.

사용법 동종초 20g에 물 4컵(800mL)을 넣고 달여서 복용하고, 외용에는 짓찧어 바른다.

○ 별꽃아재비

[국화과]

떡쑥

해천담다 　 풍습비통 　 설사 　 고혈압

적백대하 　 옹종정창 　 음낭습양

● 학명 : *Gnaphalium affine* D. Don　● 별명 : 괴쑥, 솜떡쑥, 흰떡쑥

| 1 | 2 | 3 | 4 | 5 | 6 | 7 | 8 | 9 | 10 | 11 | 12 |

두해살이풀. 높이 15~40cm. 줄기는 기부에서 갈라져 바로 서고 전체가 백색 털로 덮여 있다. 줄기잎은 어긋나고 주걱형이며, 길이 2~5cm, 너비 0.5~1cm, 밑은 좁아져 줄기로 흐르며, 가장자리는 밋밋하다.

꽃은 황색, 5~7월에 줄기 끝에 산방상으로 두상화가 모여 달리며 암꽃은 실 모양, 양성화는 통 모양으로 모두 결실한다.

분포·생육지 우리나라 전역. 중국, 일본, 타이완, 인도, 인도네시아. 들에서 자란다.

약용 부위·수치 전초를 여름과 가을에 채취하여 말린다.

약물명 서곡초(鼠曲草). 서이(鼠耳), 서이초(鼠耳草), 향모(香茅)라고도 한다.

본초서 「동의보감(東醫寶鑑)」에는 불이초(佛耳草)라는 이름으로 수재되어 "바람과 찬 기운으로 기침하고 가래가 나오는 것을 낫게 한다. 폐 속의 찬 기운을 없애며 폐의 기운을 크게 끌어 올린다."고 하였다.
東醫寶鑑: 治風寒嗽及痰 除肺中寒 大升肺氣.

약효 화담지해(化痰止咳), 거풍제습(祛風除濕), 해독의 효능이 있으므로 해천담다(咳喘痰多), 풍습비통(風濕痺痛), 설사, 수종(水腫), 적백대하(赤白帶下), 옹종정창(癰腫疔瘡), 음낭습양(陰囊濕痒), 담마진(蕁麻疹), 고혈압을 치료한다.

성분 luteolin-β-O-D-pyranoglucoside 가 함유되어 있다.

약리 열수추출물을 쥐에게 투여하면 기침과 가래가 줄어든다.

사용법 서곡초 10g에 물 3컵(600mL)을 넣고 달여서 복용하거나 술에 담가서 복용하고, 외용에는 짓찧어 붙이거나 즙액을 바른다.

○ 떡쑥

○ 서곡초(鼠曲草)

[국화과]

금떡쑥

 감기, 해수담다, 기천   습진

● 학명 : *Gnaphalium hypoleucum* DC. ex Wight
● 별명 : 가을푸솜나물, 푸른떡쑥, 가지떡쑥, 불떡쑥

| 1 | 2 | 3 | 4 | 5 | 6 | 7 | 8 | 9 | 10 | 11 | 12 |

◐ 추서국초(秋鼠麴草)

한해살이풀. 높이 30~60cm. 윗부분에서 가지가 벌어진다. 뿌리잎은 꽃이 필 때 없어지며, 중앙부의 잎은 조밀하게 어긋난다. 꽃은 황색, 8~10월에 산방화서로 피고 줄기 끝과 가지 끝에 두상화가 모여 달린다.

분포 · 생육지 우리나라 전역. 중국, 일본, 타이완. 들이나 길가에서 자란다.

약용 부위 · 수치 전초를 여름과 가을에 채취하여 말린다.

약물명 추서국초(秋鼠麴草), 천수의초(天水蟻草)라고도 한다.

약효 거풍(祛風), 선폐화담(宣肺化痰), 해습독(解濕毒)의 효능이 있으므로 감기, 해수담다(咳嗽痰多), 기천(氣喘), 습진을 치료한다.

사용법 추서국초 15g에 물 3컵(600mL)을 넣고 달여서 복용하고, 외용에는 짓찧어 붙이거나 즙액을 바른다.

◐ 금떡쑥

[국화과]

풀솜나물

 감모해수   인후통, 목적종통
창양정독, 타박상

● 학명 : *Gnaphalium japonicum* Thunb.   ● 별명 : 푸솜나물, 창떡쑥

| 1 | 2 | 3 | 4 | 5 | 6 | 7 | 8 | 9 | 10 | 11 | 12 |

여러해살이풀. 높이 10~25cm. 줄기는 여러 개가 모여나며, 전체가 백색 털로 덮여 있어 흰빛이 돈다. 뿌리잎은 모여나고 길이 5~10cm, 너비 4~7mm이다. 줄기잎은 어긋나고 수가 적으며 바늘형, 길이 2~2.5cm, 너비 2~4mm로 꽃차례 밑에 3~5개가 달린다. 꽃은 갈색, 5~7월에 줄기 끝에 두상화가 모여 달린다.

분포 · 생육지 우리나라 충남북 이남. 중국, 일본, 타이완. 들이나 길가에서 자란다.

약용 부위 · 수치 전초를 여름과 가을에 채취하여 말린다.

약물명 천청지백(天靑地白), 하백서곡초(下白鼠曲草), 석곡여(石曲茹)라고도 한다.

약효 소풍청열(疏風淸熱), 이습해독(利濕解毒)의 효능이 있으므로 감모해수(感冒咳嗽), 인후통, 목적종통(目赤腫痛), 창양정독(瘡瘍疔毒), 타박상을 치료한다.

사용법 천청지백 15g에 물 4컵(800mL)을 넣고 달여서 복용하거나 술에 담가서 복용하고, 외용에는 짓찧어 붙이거나 즙액을 바른다.

◐ 천청지백(天靑地白)

◐ 풀솜나물

해바라기

 진발불투, 정창　 만성골수염
 혈리　　　　　고혈압　　말라리아

●학명 : *Helianthus annuus* L.　●별명 : 해바래기

| 1 | 2 | 3 | 4 | 5 | 6 | 7 | 8 | 9 | 10 | 11 | 12 |

한해살이풀. 높이 1~3m. 줄기는 바로 서고 전체가 거센 털로 덮여 있다. 잎은 어긋나고 타원형이며, 길이 12~30cm, 가장자리에 큰 톱니가 있고 잎자루가 길다. 꽃은 황색, 8~9월에 가지와 줄기 끝에 옆을 향하여 달리며, 두상화는 지름 10~60cm이다. 수과는 납작한 달걀 모양으로 회색 바탕에 흑색 줄이 있다.

분포 · 생육지 북아메리카 원산. 우리나라 전역에서 재배한다.

약용 부위 · 수치 열매는 가을에, 잎은 여름에 채취하여 말린다.

약물명 열매를 향일규자(向日葵子)라 하며, 천규자(天葵子), 규자(葵子)라고도 한다. 잎을 향일규엽(向日葵葉)이라 한다.

약효 향일규자(向日葵子)는 투진(透疹), 지리(止痢), 투옹농(透癰膿)의 효능이 있으므로 진발불투(疹發不透), 혈리(血痢), 만성골수염(慢性骨髓炎)을 치료한다. 향일규엽(向日葵葉)은 강압(降壓), 절학(截瘧), 해독의 효능이 있으므로 고혈압, 말라리아, 정창(疔瘡)을 치료한다.

성분 향일규자(向日葵子)에는 β-sitosterol, citric acid, tartaric acid, chlorogenic acid, quinic acid, caffeic acid, *cis*-5,*cis*-9-*cis*-12-octadecatrienoic acid, *cis*-5,*cis*-9-octadecadienoic acid, allatoxin, cholesterol, treflan, polypeptide, polyphenoxydase 등이 함유되어 있다. 향일규엽(向日葵葉)에는 chlorogenic acid, neochlorogenic acid, 3-*O*-feruloyl quinic acid, 4-*O*-caffeoyl quinic acid, caffeic acid, scopoline, heliangine, lutein, 4,5-dihydroniverusin A, luteolin, nepetin, hispidulin, isoliquiritigenin, grandifloric acid, ciliaric acid, annuithrin, glandulone A~C 등이 함유되어 있다.

약리 향일규자(向日葵子) 가루를 사료에 섞어서 쥐에게 먹이면 간경변을 막아 주는 효능이 나타나며, 항암 작용과 항산화 작용이 있다. 향일규엽(向日葵葉) 열수추출액은 황색 포도상구균에 항균 작용이 있다.

사용법 향일규자는 20g에 물 4컵(800mL)을, 향일규엽은 30g에 물 5컵(1000mL)을 넣고 달여서 복용하고, 외용에는 짓찧어 붙이거나 즙액을 바른다.

○ 해바라기(꽃)

○ 해바라기 종자유(유럽에서도 건강식품으로 사용한다.)

○ 해바라기 종자유

○ 해바라기

○ 향일규자(向日葵子)

○ 향일규자(向日葵子, 거피한 것)

○ 해바라기(열매)

뚱딴지

| 열병 | 장열출혈통 |
| 타박상 | 골절종통 |

● 학명 : *Helianthus tuberosus* L.　● 별명 : 돼지감자

| 1 | 2 | 3 | 4 | 5 | 6 | 7 | 8 | 9 | 10 | 11 | 12 |

여러해살이풀. 높이 1.5~3m. 줄기는 바로 서고 상부에서 가지가 갈라지며 땅속줄기 끝에 덩이줄기가 발달한다. 잎은 어긋나고, 꽃은 황색, 8~10월에 가지와 줄기 끝에 달리며 두상화의 지름은 8cm 정도, 가장자리에 10개 이상의 설상화가 있다.

분포 · 생육지 북아메리카 원산. 우리나라 전역에서 재배하던 것이 산야로 퍼져 있다.

약용 부위 · 수치 덩이줄기를 여름에 채취하여 물에 씻은 후 잘라서 말린다.

약물명 국우(菊芋). 번강(番羌)이라고 한다.

약효 청열양혈(清熱凉血), 소종(消腫)의 효능이 있으므로 열병(熱病), 장열출혈통(腸熱出血痛), 타박상, 골절종통(骨折腫痛)을 치료한다.

성분 국우(菊芋)에는 inulin, sucrose 1-β- *O*-D-fructosyltransferase, ribulose-1,5-bisphosphatecarboxylase, polyphenoloxylase, inulase, fructoligosaccharase, kaempferol 3-*O*-glucoside, quercetin, quercetin 7-*O*-glucoside, 잎에는 heliangine, tagitinin E, erioflorin, leptocarpin, 14-hydroxyleptocarpin, budlein, budlein A tiglate 등이 함유되어 있다.

약리 메탄올추출물은 항산화 작용이 있고, α-glucosidase 활성을 저해하며, 혈중 지질 함량을 감소시키고, 고혈압에 효과가 있다. 또 '예쁜꼬마선충 *Caenorhabditis elegans*'의 배양액에 투여하면 수명 연장 효과가 나타난다.

사용법 국우 10g에 물 3컵(600mL)을 넣고 달여서 복용하거나 술에 담가서 복용하고, 외용에는 짓찧어 붙이거나 즙액을 바른다.

❂ 뚱딴지

❂ 국우(菊芋, 절편)

❂ 국우(菊芋)

❂ 국우환(菊芋丸)

❂ 뚱딴지(덩이줄기)

커리플랜트

| 소화불량, 간염, 설사 | 흉부통증 |

● 학명 : *Helichrysum arenarium* (Roth) G. Don fil. [*H. angustifolium*]
● 영명 : Curry plant　● 한자명 : 沙生腊菊　● 별명 : 에버라스팅

| 1 | 2 | 3 | 4 | 5 | 6 | 7 | 8 | 9 | 10 | 11 | 12 |

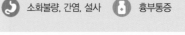

여러해살이풀. 높이 50cm 정도. 줄기는 바로 서지만 꽃이 필 때는 비스듬히 기울며 전체적으로 회녹색을 띤다. 잎은 어긋나고 선형으로 가장자리가 밋밋하다. 줄기 상부에서 가지가 갈라지고 산방화서로 황색 꽃이 달린다.

분포 · 생육지 유럽 중부, 동부, 남부. 들에서 자란다.

약용 부위 · 수치 꽃을 여름에 채취하여 말린다.

약물명 Helichrysi Flos. 일반적으로 Curry plant라 한다.

약효 소화촉진, 소염의 효능이 있으므로 소화불량, 간염, 설사, 흉부통증을 치료한다.

사용법 Helichrysi Flos 1~2g을 뜨거운 물로 우려내어 복용한다.

❂ Helichrysi Flos

❂ 커리플랜트에서 추출한 정유

❂ 커리플랜트

[국화과]

지칭개

| 치루 | 옹종정창, 풍진소양, 외상출혈 |
| 유옹 | 임파결염 | 골절 |

●학명 : *Hemistepta lyrata* Bunge ●별명 : 지칭개나물

| 1 | 2 | 3 | 4 | 5 | 6 | 7 | 8 | 9 | 10 | 11 | 12 |

두해살이풀. 높이 60~80cm. 줄기는 바로 서고 많은 세로 홈이 있다. 잎은 위로 갈수록 작아지며, 하부의 잎은 긴 타원형, 길이 20cm에 이르고 가장자리가 깊게 여러 개로 갈라진다. 꽃은 적자색, 5~7월에 가지와 줄기 끝에 달리며 두상화의 지름은 2.5cm 정도, 총포는 둥글며 포편은 8줄로 배열한다. 수과는 길이 2.5mm 정도로 암 갈색이다.

분포 · 생육지 우리나라 전역. 중국, 일본, 인도, 오스트레일리아. 산야에서 흔하게 자

란다.

약용 부위 · 수치 전초를 여름과 가을에 채취하여 물에 씻은 후 썰어서 말린다.

약물명 니호채(泥胡菜). 고마채(苦馬菜), 석회채(石灰菜)라고도 한다.

약효 청열해독(淸熱解毒), 산결소종(散結消腫)의 효능이 있으므로 치루(痔漏), 옹종정창(癰腫疔瘡), 유옹-(乳癰), 임파결염(淋巴結炎), 풍진소양(風疹瘙痒), 외상출혈, 골절을 치료한다.

성분 hemistepcin A[3′-hydroxy-10(2-hy-

droxymethyl propenoyl)-2,6,11-guaiatrien-12,8-olide], hemistepcin B 등이 함유되어 있다.

약리 hemistepcin A와 B는 NO 생산을 억제하는 효능이 있다.

사용법 니호채 10g에 물 3컵(600mL)을 넣고 달여서 복용하고, 외용에는 짓찧어 붙이거나 즙액을 바른다.

❂ 니호채(泥胡菜)

❂ 지칭개(열매)

❂ 지칭개

❂ 갯쑥부쟁이(꽃)

[국화과]

갯쑥부쟁이

| 창종, 사교상 |

●학명 : *Heteropappus hispidus* (Thunb.) Less.
●별명 : 구계쑥부장이, 큰털쑥부장이, 개쑥부쟁이

| 1 | 2 | 3 | 4 | 5 | 6 | 7 | 8 | 9 | 10 | 11 | 12 |

두해살이풀. 높이 30~90cm. 줄기는 바로 서고, 줄기잎은 어긋나며 조밀하게 나고 바늘 모양, 길이 5~7cm, 너비 1~1.5cm, 끝은 둔하고 밑은 좁아지며 가장자리에 안으로 굽은 톱니가 있다. 꽃은 연한 자주색, 8~11월에 가지와 줄기 끝에 달리며 두상화의 지름은 3~5cm, 총포는 반구형이며 포편은 2줄로 배열한다. 수과는 달걀 모양이다.

분포 · 생육지 우리나라 전역. 중국, 일본, 인도, 오스트레일리아. 산야나 바닷가에서 자란다.

약용 부위 · 수치 전초를 여름과 가을에 채취하여 물에 씻은 후 썰어서 말린다.

약물명 구와화(狗娃花). 참룡극(斬龍戟)이라고도 한다.

약효 청열해독(淸熱解毒), 소종(消腫)의 효능이 있으므로 창종(瘡腫), 사교상(蛇咬傷)을 치료한다.

사용법 구와화를 외용으로만 사용하며 짓찧어 붙이거나 즙액을 바른다.

❂ 갯쑥부쟁이

[국화과]

조밥나물

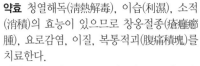
창옹절종 　요로감염
이질, 복통적괴

● 학명 : *Hieracium umbellatum* L. 　● 별명 : 조팝나물, 버들나물

1	2	3	4	5	6	7	8	9	10	11	12

여러해살이풀. 높이 70~120cm. 줄기는 바로 서고 상부에서 가지가 갈라진다. 뿌리잎은 꽃이 필 때 시들고, 줄기잎은 어긋나며 긴 타원형, 가장자리에는 뾰족한 톱니가 있다. 꽃은 황색, 7~10월에 가지와 줄기 끝에 달린다. 수과는 흑갈색이며 10개의 능선이 있다.

분포 · 생육지 우리나라 전역. 일본, 중국, 유럽, 북아메리카. 산과 들에서 자란다.

약용 부위 · 수치 전초를 여름과 가을에 채취하여 물에 씻은 후 썰어서 말린다.

약명 산류국(山柳菊), 구리명(九里明), 황화모(黃花母)라고도 한다.

약효 청열해독(淸熱解毒), 이습(利濕), 소적(消積)의 효능이 있으므로 창옹절종(瘡癰癤腫), 요로감염, 이질, 복통적괴(腹痛積塊)를 치료한다.

성분 apigenin, quercetin, kaempferol, luteolin, luteolin-7-*O*-β-D-glucopyranoside, hyperoside, linarin 등이 함유되어 있다.

사용법 산류국 15g에 물 3컵(600mL)을 넣고 달여서 복용하며, 외용에는 짓찧어 붙이거나 즙액을 바른다.

＊ 본 종에 비하여 잎이 넓고 톱니가 많은 '껄껄이풀 *H. coreanum*'도 약효가 같다.

● 산류국(山柳菊)

● 조밥나물

● 조밥나물(꽃)

● 껄껄이풀

[국화과]

께묵

황달

● 학명 : *Hololeion maximowiczii* Kitamura 　● 별명 : 갯묵, 깨묵

1	2	3	4	5	6	7	8	9	10	11	12

여러해살이풀. 높이 30~120cm. 줄기는 바로 서고 상부에서 가지가 갈라진다. 뿌리잎은 꽃이 필 때 시들고, 줄기잎은 어긋나며 긴 타원형이다. 꽃은 황색, 7~10월에 가지와 줄기 끝에 달리며 두상화의 지름은 2.5~3cm이다. 수과는 흑갈색이며 10개의 능선이 있다.

분포 · 생육지 우리나라 전역, 중국, 일본, 유럽, 북아메리카. 산과 들에서 자란다.

약용 부위 · 수치 전초를 여름과 가을에 채취하여 물에 씻은 후 썰어서 말린다.

약명 전광국(全光菊)

약효 이습퇴황(利濕退黃)의 효능이 있으므로 황달을 치료한다.

사용법 전광국 15g에 물 3컵(600mL)을 넣고 달여서 복용한다.

● 전광국(全光菊)

● 께묵

[국화과]

금혼초

🫀 수종   🫃 복수

● 학명 : *Hypochaeris ciliata* Kitamura [*Achyrophorus ciliatus*]
● 별명 : 금은초, 황금국

| 1 | 2 | 3 | 4 | 5 | 6 | 7 | 8 | 9 | 10 | 11 | 12 |

○ 묘아황금국(猫兒黃金菊)

여러해살이풀. 높이 40~70cm. 줄기에 긴 갈색 털이 빽빽이 난다. 뿌리잎은 꽃이 필 때 시들고, 줄기잎은 어긋나며 긴 타원형으로 톱니가 고르게 있고 털이 많다. 꽃은 황색, 7~10월에 가지와 줄기 끝에 달리며, 두상화의 지름은 2.5~3cm, 포엽이 4줄로 배열한다. 수과는 원기둥 모양이고 연갈색이다.

분포 · 생육지 우리나라 강원도 이북. 중국, 일본. 냇가나 산지의 풀밭에서 자란다.

약용 부위 · 수치 뿌리를 채취하여 물에 씻은 후 썰어서 말린다.

약물명 묘아황금국(猫兒黃金菊). 황금국(黃金菊), 고량국(高粱菊)이라고도 한다.

약효 이수소종(利水消腫)의 효능이 있으므로 수종(水腫), 복수(腹水)를 치료한다.

사용법 묘아황금국 15g에 물 3컵(600mL)을 넣고 달여서 복용한다.

○ 금혼초

[국화과]

토목향

🫃 위완, 흉복창통, 구토복사, 이질, 식적

● 학명 : *Inula helenium* L.

| 1 | 2 | 3 | 4 | 5 | 6 | 7 | 8 | 9 | 10 | 11 | 12 |

○ 목향(木香)

○ 목향(木香, 절편)

여러해살이풀. 높이 1.5~2m. 원뿌리는 크고 원주형이며 지름 5cm 정도, 표면은 황갈색, 드물게 곁뿌리가 있다. 줄기는 바로 서고 줄기 밑부분의 잎은 크고 잎자루가 길다. 꽃은 황색, 5~8월에 줄기 끝과 잎겨드랑이에 두상화서로 달리며 관상화이다. 수과는 9~10월에 성숙하며 바늘 모양, 깃꼴 관모가 있으나 열매가 성숙할 때는 탈락한다.

기원 · 산지 중국 원산. 우리나라 전역에서 재배한다.

분포 · 생육지 뿌리를 채취하여 물에 씻은 후 썰어서 건조한다.

약물명 목향(木香). 일반적으로 토목향(土木香)이라 한다. 대한민국약전외한약(생약)규격집(KHP)에 수재되어 있다.

성상 원주형~원추형이며 곁뿌리가 붙어 있는 것도 있다. 굵은 것은 세로로 쪼개져 있고 표면은 회갈색~갈색이며 주름이 많다. 길이 10~30cm, 지름 1~3cm이며 눅진눅진하다. 확대경으로 횡단면을 보면 피부는 회갈색이고 목부는 회백색으로 뚜렷이 구분된다. 전분립은 없으며 에탄올에 담갔다가 보면 이눌린의 구정을 볼 수 있다. 특유

한 향기가 있고 맛은 조금 쓰다.

기미 · 귀경 온(溫), 신(辛), 고(苦) · 비(脾), 위(胃), 간(肝)

약효 건비화위(健脾和胃), 행기지통(行氣止痛)의 효능이 있으므로 위완(胃脘), 흉복창통, 구토복사, 이질, 식적(食積)을 치료한다.

성분 alantolactone(helenin), isoalantolactone, dihydroalantolactone, alantic acid, alantopicrin 등이 함유되어 있다.

약리 70%메탄올추출물은 혈압에 관여하는 angiotensin converting enzyme의 활성을 저해한다. 에탄올추출물은 장내 기생충의 구충 작용이 있다. alantolactone은 결핵간균, 황색 포도상구균, 이질간균 등에 항균 작용이 있다.

사용법 목향 10g에 물 3컵(600mL)을 넣고 달여서 복용하거나 술에 담가 복용하고, 알약으로 만들어 복용하면 편리하다. 가루로 만들어 복용할 때는 1회 0.5g을 복용한다.

토목향으로 만든 건강식품 ○

○ 열매   ○ 토목향

금불초

	흉중담결, 심하부비경		협하창만
	해천		수종

● 학명 : *Inula britannica* L. var. *japonica* (Thunb.) Fr. et Sav.
● 별명 : 들국화, 옷풀, 하국

1	2	3	4	5	6	7	8	9	10	11	12

여러해살이풀. 높이 20~60cm. 줄기는 곧게 서며, 줄기잎은 어긋난다. 꽃은 황색, 지름 3~4cm로 7~9월에 가지 끝과 원줄기 끝에 전체가 산방상으로 달리고, 두상화는 지름 3~4cm, 설상화는 길이 16~19mm, 너비 1.5~2mm이다. 수과는 길이 1mm 정도로 10개의 능선과 더불어 털이 있으며, 관모는 길이 5mm 정도이다.

분포·생육지 우리나라 전역. 중국, 일본, 타이완, 아무르, 우수리. 습지나 물가에서 자란다.

약용 부위·수치 꽃을 여름에 채취하여 말린다. 꽃을 꿀과 물을 가하여 약한 불에 볶아서 황색이 되게 하여 사용하기도 한다.

약물명 선복화(旋覆花), 복화(覆花), 금불초화(金佛草花), 금전초(金錢草), 적적금(滴滴金)이라고도 한다. 대한민국약전외한약(생약)규격집(KHP)에 수재되어 있다.

본초서 선복화(旋覆花)는 「신농본초경(神農本草經)」의 하품(下品)에 수재되어 있으며, 송대(宋代) 구종석(寇宗奭)의 「본초연의(本草衍義)」에는 "꽃의 가장자리가 둥글게 피어 밑부분을 덮어 버리므로 선복화(旋覆花)라고 한다."고 하였다. 송대(宋代)의 「대관본초(大觀本草)」나 「정화본초(政和本草)」, 「소흥본초(紹興本草)」의 그림과 「본초연의(本草衍義)」의 기록으로 보아 선복화(旋覆花)는 오늘날의 금불초와 일치한다. 「동의보감(東醫寶鑑)」에 "가슴에 잘 떨어지지 않는 담연(痰涎)이 있고 가슴과 옆구리에 담과 물이 있어 양 옆구리가 부풀어 오르고 그득한 감이 있는 증상을 낫게 한다. 입맛을 돋우고 토하는 것을 멎게 하며 방광에 쌓인 물을 내보내고 눈을 밝게 한다."고 하였다.

神農本草經: 主結氣脇下滿, 驚悸, 除水, 去五臟間寒熱, 補中, 下氣.
藥性論: 主肋脇氣, 下寒熱水腫, 主治膀胱宿水, 去逐大腹, 開胃, 止嘔逆不下食.
日華子: 明目, 治頭風, 通血脈.
東醫寶鑑: 主胸上痰唾如膠漆 心脇痰水 兩脇脹滿 開胃 止嘔逆 去膀胱宿水 明目.

성상 편구형~구형이며 지름이 10~15mm, 여러 개의 총포로 이루어져 기와 모양으로 배열되어 있다. 포편은 작은 비늘 모양이고 회황색이며 길이 4~11mm이다. 냄새는 특이하고 맛은 달콤하나 뒤에는 조금 쓰다.

기미·귀경 양(凉), 감(甘), 고(苦)·간(肝)·폐(肺)

약효 선복화(旋覆花)는 소담하기(消痰下氣), 연견행수(軟堅行水)의 효능이 있으므로 흉중담결(胸中痰結), 협하창만(脇下脹滿), 해천(咳喘), 심하부비경(心下部痞硬), 수종(水腫)을 치료한다.

성분 sesquiterpene lactone: inuchinenolide A~C, xanthonolide(tomentosin), 4-*epi*-isoinviscolide, eudesmanolide, ivalin, britannilactone, 1-*O*-acetylbritannilactone, deacetylinulicin, inulicin 등, flavonoid: kaempferol 3-glucoside, isorhamnetin 3-*O*-β-pyranoside, patulitin, nepitrin, kaempferol, axillarin, patuletin, nepetin, luteolin, triterpenoid: taraxsterol, taraxsterol acetate 등이 함유되어 있다.

약리 열수추출물은 interferon-g의 생산을 억제함으로써 면역학적으로 유도한 간염의 발생을 예방한다. taraxsterol acetate는 LPS로 유도한 급성간염과 사염화탄소나 galactosamine과 같은 독성 물질로 유도한 간염에 의한 치사율을 낮춘다. 1-*O*-acetylbritannilactone은 iNOS의 활성을 억제함으로써(IC$_{50}$, 22μM) 소염 작용을 나타낸다. patuletin, nepetin, axillarin 등의 flavonoid 성분들은 glutamate로 유도한 세포 괴사로부터 세포를 보호한다. 열수추출물은 interferon-g와 같은 cytokine의 생산을 억제함으로써 소량의 streptozotocin을 반복 투여하여 일으킨 자가 면역성 당뇨의 발생을 줄인다. 열수 및 에탄올추출물은 대장암 유래 세포주인 HT-29의 세포 증식 억제 작용이 있다.

사용법 선복화 10g에 물 3컵(600mL)을 넣고 달여서 복용하거나 환약으로 복용한다. 술에 담가서 복용하면 편리하며, 외용에는 짓찧어 바른다.

처방 선복화탕(旋覆花湯): 선복화(旋覆花)·작약(芍藥)·형개(荊芥)·반하(半夏)·오미자(五味子)·마황(麻黃)·복령(茯苓)·행인(杏仁)·전호(前胡)·감초(甘草) 각 4g, 생강(生薑) 3쪽, 대추(大棗) 2개(「동의보감(東醫寶鑑)」). 출산한 뒤에 풍한(風寒)으로 기침을 하면서 가래가 끓고 숨이 차서 편히 눕지 못하는 증상에 사용한다.

• 선복화대자석탕(旋覆花代赭石湯): 선복화(旋覆花)·인삼(人蔘)·반하(半夏)·생강(生薑) 각 9g, 대자석(代赭石) 12g, 자감초(炙甘草) 4g, 대추(大棗) 3개(「상한론(傷寒論)」). 비위가 허약하여 명치 밑이 그득하고서 딸꾹질, 트림이 자주 나는 증상에 사용한다.

* 두상화가 작으며 총포편이 4열로 배열하는 '가는금불초 *I. britannica* var. *linariaefolia*', 잎의 뒷면에 융기하는 맥이 있고 수과에 털이 없는 '버들금불초 *I. saliciana* var. *asiatica*'도 약효가 같다.

❍ 선복화(旋覆花)

❍ 선복화(旋覆花, 신선품)

❍ 금불초

❍ 가는금불초

[국화과]

선씀바귀

장옹, 장염, 이질, 담낭염, 토혈
폐농양, 폐열해수   창절종독, 음낭습진

●학명 : *Ixeris chinensis* Nakai   ●별명 : 자주씀바귀, 쓴씀바귀

| 1 | 2 | 3 | 4 | 5 | 6 | 7 | 8 | 9 | 10 | 11 | 12 |

여러해살이풀. 높이 25~50cm. 줄기는 밑에서 여러 개가 나오고 전체적으로 백색을 띤다. 뿌리잎은 꽃이 필 때까지 남아 있고 로제트형이며, 길이 10~25cm, 너비 1~1.5cm, 톱니처럼 갈라진다. 줄기잎은 1~2개로 밑부분이 줄기를 감싼다. 꽃은 5~6월에 연한 자주색으로 피며 지름 2~2.5cm 정도의 두상화가 가지와 줄기끝에 산방상으로 달린다.

분포 · 생육지 우리나라 전역. 중국, 일본. 산과 들에서 자란다.

약용 부위 · 수치 전초를 여름과 가을에 채취하여 말린다.

약물명 산고와(山苦蕒). 고채(苦菜), 칠탁련(七托蓮)이라고도 한다.

약효 청열해독(淸熱解毒), 소종배농(消腫排膿), 양혈지혈(涼血止血)의 효능이 있으므로 장옹(腸癰), 폐농양(肺膿瘍), 폐열해수(肺熱咳嗽), 장염, 이질, 담낭염, 창절종독(瘡癤腫毒), 음낭습진(陰囊濕疹), 토혈(吐血)을 치료한다.

성분 α-amyrin, β-amyrin, taraxasterol, bauerenol, ursolic acid, oeanolic acid 등이 함유되어 있다.

약리 물로 달인 액은 토끼 심장에 억제 작용이 있으며, 심장의 수축력을 약화시키고 심박 수를 감소시킨다. 또 토끼와 개에게 주사하면 혈압이 강하한다.

사용법 산고와 10g에 물 3컵(600mL)을 넣고 달여서 복용하고, 외용에는 짓찧어 바른다.

❶ 산고와(山苦蕒)

❶ 선씀바귀(종자)

❶ 선씀바귀

[국화과]

벋음씀바귀

폐농양   인통, 목적   소변불리
유선염   옹저창양   수종

●학명 : *Ixeris debilis* (Thunb.) A. gray [*I. japonica* (Burman) Nakai]
●별명 : 벋은씀바귀, 큰덩굴씀바귀, 덩굴씀바귀, 벋줄씀바귀

| 1 | 2 | 3 | 4 | 5 | 6 | 7 | 8 | 9 | 10 | 11 | 12 |

여러해살이풀. 기는줄기가 사방으로 벋고 마디에서 뿌리와 잎을 내어 번식하며, 뿌리잎은 로제트형이다. 꽃은 5~7월에 황색으로 피며 지름 2.5~3cm 정도의 두상화가 1~6개 달리고, 꽃줄기는 높이 20~30cm, 잎이 없거나 1개 달린다. 수과는 좁은 방추형으로 홈이 있고 긴 부리가 있으며 날개는 예리하다.

분포 · 생육지 우리나라 전역. 중국, 일본. 산과 들에서 자란다.

약용 부위 · 수치 전초를 여름과 가을에 채취하여 말린다.

약물명 전도고(剪刀股). 가포공영(假蒲公英)이라고도 한다.

기미 · 귀경 한(寒), 고(苦) · 위(胃), 간(肝), 신(腎).

약효 청열해독(淸熱解毒), 이뇨소종(利尿消腫)의 효능이 있으므로 폐농양(肺膿瘍), 인통(咽痛), 목적(目赤), 유선염(乳腺炎), 옹저창양(癰疽瘡瘍), 수종(水腫), 소변불리(小便不利)를 치료한다.

사용법 전도고 10g에 물 3컵(600mL)을 넣고 달여서 복용하고, 외용에는 짓찧어 바른다.

❶ 전도고(剪刀股)

❶ 벋음씀바귀

벌씀바귀

 인통, 목적종통 정창종독

● 학명 : *Ixeris polycephala* Cass. ● 별명 : 들씀바귀

| 1 | 2 | 3 | 4 | 5 | 6 | 7 | 8 | 9 | 10 | 11 | 12 |

○ 벌씀바귀

한두해살이풀. 높이 15~40cm. 줄기잎은 어긋나고 밑이 줄기를 감싼다. 꽃은 5~7월에 황색으로 피며, 총포는 통형으로 길이 0.8cm 정도이다. 수과는 방추형으로 홈과 예리한 날개가 있으며, 관모는 백색이다.

분포 · 생육지 우리나라 전역. 중국, 일본, 타이완, 인도. 산과 들에서 자란다.

약용 부위 · 수치 전초를 여름과 가을에 채취하여 말린다.

약물명 다두고매(多頭苦賣). 황화지정(黃花地丁), 전도초(剪刀草)라고도 한다.

약효 청열해독(淸熱解毒), 이습(利濕)의 효능이 있으므로 인통(咽痛), 목적종통(目赤腫痛), 정창종독(疔瘡腫毒)을 치료한다.

사용법 다두고매 10g에 물 3컵(600mL)을 넣고 달여서 복용하고, 외용에는 짓찧어 바른다.

○ 다두고매(多頭苦賣)

왕고들빼기

인후종통 장옹 치창출혈
창절종독 자궁경염, 붕루

● 학명 : *Lactuca indica* L. var. *laciniata* (O. Kuntze) Hara ● 별명 : 약사초

| 1 | 2 | 3 | 4 | 5 | 6 | 7 | 8 | 9 | 10 | 11 | 12 |

한두해살이풀. 높이 1~2m. 줄기는 곧게 서고 상부에서 가지가 갈라지며 털이 없다. 뿌리는 방추형, 뿌리잎은 꽃이 필 때 시들며, 줄기잎은 어긋나고 끝은 뾰족하고 밑은 직접 줄기에 붙으며 가장자리는 결각 또는 깃꼴이다. 꽃은 연한 황색으로 7~9월에 원추화서로 피며, 두상화는 지름 2cm 정도, 위를 향한다. 수과는 짧은 부리가 있고, 관모는 백색이다.

분포 · 생육지 우리나라 전역. 인도, 중국, 일본, 타이완. 산과 들에서 자란다.

약용 부위 · 수치 전초를 여름과 가을에 채취하여 썰어서 말린다.

약물명 산와거(山萵苣). 야생채(野生菜), 토와거(土萵苣)라고도 한다.

약효 청열해독(淸熱解毒), 활혈(活血), 지혈(止血)의 효능이 있으므로 인후종통(咽喉腫痛), 장옹(腸癰), 창절종독(瘡癤腫毒), 자궁경염(子宮頸炎), 붕루(崩漏), 치창출혈(痔瘡出血)을 치료한다.

성분 α-amyrin, β-amyrin, *trans*-phytol, 3β-hydroxyglutin-5-ene, 5,6-epoxy-3-hydroxy-7-megastigmen-9-one, 11β,13-dihydrolactucin, 2-phenylethyl β-D-glucopyranoside, cichorioside B, (6S,9S)-roseoside, benzyl-β-D-luco-pyranoside, (+)-taraxafolin-B, lupeol, taraxasterol, pseudotaraxasterol, germanicol, β-sitosterol, campesterol, stigmasterol 등이 함유되어 있다.

약리 stigmasterol을 닭에게 투여하면 혈당이 저하되지만, 심장이나 간장에는 영향을 미치지 않는다. *trans*-phytol은 A-549, SK-OV-3, SK-MEL-2, HCT15 등의 암세포에 세포 독성이 있으며, ED50 값은 각각 12.0, 13.8, 14.3, 12.2μM이다. 지상부의 메탄올추출물은 황색 포도상구균, 대장균에 항균 작용이 있다.

사용법 산와거 15g에 물 4컵(800mL)을 넣고 달여서 복용하거나 환약으로 복용한다. 외용에는 생것을 짓찧어 바른다.

○ 꽃

○ 왕고들빼기

○ 왕고들빼기(뿌리)

○ 산와거(山萵苣)가 배합된 피부병 치료제

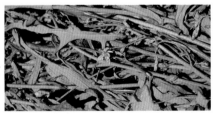
○ 산와거(山萵苣)

[국화과]

산씀바귀

 풍습비통 　 발사복통
창양절종, 사교상

● 학명 : *Lactuca raddeana* Maxim. ● 별명 : 산꼬들백이, 산고들빼기, 산왕고들빼기

| 1 | 2 | 3 | 4 | 5 | 6 | 7 | 8 | 9 | 10 | 11 | 12 |

한두해살이풀. 높이 1~1.5m. 줄기는 곧게 서고, 뿌리는 방추형. 줄기잎은 어긋나고 긴 타원형, 밑은 직접 줄기에 붙으며 가장 자리는 결각 또는 깃꼴이다. 꽃은 담황색으로 7~9월에 위를 향하여 핀다. 수과는 짧은 부리가 있고, 관모는 백색이다.

분포·생육지 우리나라 전역. 중국, 일본, 타이완. 산과 들에서 자란다.

약용 부위·수치 전초를 여름과 가을에 채취하여 썰어서 말린다.

약물명 산고채(山苦菜), 노사약(老蛇藥), 야양연(野洋煙)이라고도 한다.

약효 청열해독(清熱解毒), 거풍제습(祛風除濕)의 효능이 있으므로 풍습비통(風濕痺痛), 발사복통(發痧腹痛), 창양절종(瘡瘍癤腫), 사교상(蛇咬傷)을 치료한다.

성분 chlorogenic acid, chicoric acid, luteolin 7-glucoside, luteolin 7-glucuronide, luteolin 등이 함유되어 있다.

약리 메탄올추출물과 chicoric acid, luteolin 7-glucoside는 3T3-L1 adipocyte에서 지방 축적을 억제한다.

사용법 산고채 20g에 물 4컵(800mL)을 넣고 달여서 복용하고, 외용에는 생것을 짓찧어 붙이거나 즙액을 바른다.

◐ 산씀바귀

◐ 산고채(山苦菜)

[국화과]

두메고들빼기

 옹종창독　 자궁경염

● 학명 : *Lactuca triangulata* Maxim. ● 별명 : 두메왕고들빼기

| 1 | 2 | 3 | 4 | 5 | 6 | 7 | 8 | 9 | 10 | 11 | 12 |

여러해살이풀. 높이 1m 정도. 줄기는 곧게 서고, 줄기잎은 어긋나고 긴 타원형, 잎자루에 날개가 있으며 밑은 줄기를 감싼다. 꽃은 황색으로 7~8월에 두상화가 원추화서로 피며 위를 향한다. 수과의 관모는 백색이다.

분포·생육지 우리나라 전역. 중국, 일본, 타이완. 산과 들에서 자란다.

약용 부위·수치 전초를 여름과 가을에 채취하여 썰어서 말린다.

약물명 익병산와거(翼柄山萵苣)

약효 청열해독(清熱解毒), 소염지혈(消炎止血)의 효능이 있으므로 옹종창독(擁腫瘡毒), 자궁경염(子宮頸炎)을 치료한다.

성분 chlorogenic acid, 3,5-di-*O*-caffeoyl-*muco*-quinic acid, isoquercitrin, astragalin, quercitrin, kaempferol 등이 함유되어 있다.

약리 30%에탄올추출물은 체내 peroxynitrite의 생성을 억제하며, 그 주성분은 3,5-di-*O*-caffeoyl-*muco*-quinic acid이다.

사용법 익병산와거 15g에 물 3컵(600mL)을 넣고 달여서 복용한다.

◐ 익병산와거(翼柄山萵苣)

◐ 두메고들빼기(뿌리)

◐ 두메고들빼기

[국화과]

상추

● 학명 : *Lactuca sativa* L.   ● 영명 : Lettuce

| 1 | 2 | 3 | 4 | 5 | 6 | 7 | 8 | 9 | 10 | 11 | 12 |

한해살이풀. 높이 1m 정도. 줄기는 곧게 서고 상부에서 가지가 많이 갈라지며 털이 없다. 뿌리잎은 타원형으로 크고, 줄기잎은 위로 갈수록 작아지고 줄기를 감싸며, 가장 자리는 톱니가 있고, 양면에 주름이 많다. 꽃은 황색으로 6~7월에 가지에 총상으로 달려 전체가 산방상으로 된다. 수과는 끝에 긴 부리가 있고, 관모는 백색이다.

분포 · 생육지 유럽 원산. 우리나라 전역에서 재배한다.

약용 부위 · 수치 잎과 줄기를 여름에, 열매를 가을에 채취하여 말린다.

약물명 잎과 줄기를 와거(萵苣)라 하며, 거채(苣菜), 생채(生菜), 천금채(千金菜)라고도 한다. 열매를 와거자(萵苣子)라 하며, 백거자(白苣子), 거승자(苣勝子)라고도 한다.

본초서 「동의보감(東醫寶鑑)」에 "근골을 튼튼하게 하며 오장을 편안하게 하고, 가슴에 막혀 있는 기를 통하게 하며 기혈을 잘 돌게 한다. 치아를 희게 하고 머리를 총명하게 하며 졸리지 않게 한다. 또 뱀에게 물린 상처를 아물게 한다."고 하였다.
東醫寶鑑: 主補筋骨 利五臟 開胸膈壅氣 通經脈 令人齒白 聰明小睡 療蛇咬.

기미 · 귀경 와거(萵苣): 양(凉), 고(苦), 감(甘) · 위(胃), 소장(小腸). 와거자(萵苣子): 미온(微溫), 신(辛), 고(苦) · 위(胃), 간(肝)

약효 와거(萵苣)는 이뇨, 통유(通乳), 청열해독(淸熱解毒)의 효능이 있으므로 소변불리(小便不利), 요혈(尿血), 유즙불통, 충사교상(蟲蛇咬傷)을 치료한다. 와거자(萵苣子)는 통유즙(通乳汁), 이소변(利小便), 활혈행어(活血行瘀)의 효능이 있으므로 유즙불통, 소변불리(小便不利), 타박상, 어종동통(瘀腫疼痛), 음낭종통(陰囊腫痛)을 치료한다.

사용법 와거는 40g에 물 5컵(1L)을 넣고 달이고, 와거자는 10g에 물 3컵(600mL)을 넣고 달여서 복용한다. 외용에는 생것을 짓찧어 붙이거나 즙액을 바른다.

○ 와거자(萵苣子)

○ 와거(萵苣, 신선품)

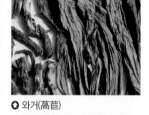
○ 와거(萵苣)

○ 와거자(萵苣子, 적상추)

○ 적상추

○ 상추(꽃)

○ 상추

[국화과]

개보리뺑이

● 학명 : *Lapsana apogonoides* (Max.) Hooker f. et Jackson
● 영명 : Japanese nipplewort   ● 별명 : 개보리뱅이, 보리뺑풀

| 1 | 2 | 3 | 4 | 5 | 6 | 7 | 8 | 9 | 10 | 11 | 12 |

두해살이풀. 높이 10~20m. 전체에 털이 있다. 뿌리잎은 빽빽이 나며 땅에 퍼지고 잎자루가 길다. 꽃은 황색, 두상화로 여러 개가 달리며 모두 설상화이다. 수과는 황갈색, 끝에 돌기가 있으며 관모는 없다.

분포 · 생육지 우리나라 남부(전라도, 제주도), 중국, 일본, 타이완. 산과 들에서 자란다.

약용 부위 · 수치 전초를 여름과 가을에 채취하여 물에 씻은 후 말린다.

약물명 도사채(稻槎菜). 아리엄(鵝里腌), 회제(回薺)라고도 한다.

약효 청열해독(淸熱解毒), 투진(透疹)의 효능이 있으므로 인후종통(咽喉腫痛), 창양종독(瘡瘍腫毒), 마진투발불창(麻疹透發不暢)을 치료한다.

사용법 도사채 15g에 물 3컵(600mL)을 넣고 달여서 복용하고, 창양종독에는 생것을 짓찧어 붙인다.

○ 도사채(稻槎菜)

○ 개보리뺑이

[국화과]

솜나물

폐열해수 　 습열사리 　 열림

풍습관절통 　 옹절종독, 충사교상, 소탕상, 외상출혈

● 학명 : *Leibnitzia anandria* (L.) Nakai　● 별명 : 까치취, 부싯깃나물

1	2	3	4	5	6	7	8	9	10	11	12

여러해살이풀. 꽃대 높이 15~20cm. 뿌리
잎은 봄에는 작은 달걀 모양이며, 여름에는
길이 10~17cm, 너비 3~5cm로 되며 깃
꼴로 깊게 갈라진다. 꽃은 5~9월에 담자
색으로 피고 꽃대 끝에 1개가 달린다. 두상
화는 2가지 형태로서 봄에는 설상화이고,
가을에 피는 꽃은 폐쇄화로 꽃대의 높이도
30~60cm이다. 수과는 길이 6mm 정도,
관모는 갈색이다.

분포 · 생육지 우리나라 전역. 중국, 일본,
아무르, 우수리, 몽골. 건조한 숲속에서 자
란다.

약용 부위 · 수치 전초를 여름에 채취하여 물
에 씻은 후 말린다.

약물명 대정초(大丁草). 소금초(燒金草), 고
마채(苦馬菜)라고도 한다.

약효 청열이습(清熱利濕), 해독소종(解毒消
腫)의 효능이 있으므로 폐열해수(肺熱咳嗽),
습열사리(濕熱瀉痢), 열림(熱淋), 풍습관절
통(風濕關節痛), 옹절종독(癰癤腫毒), 충사
교상(蟲蛇咬傷), 소탕상(燒燙傷), 외상출혈
을 치료한다.

성분 prunasin, 5-methylcoumarin-4-
O-β-D-glucopyranoside, gerberinside,
4-hydroxy-5-methylcoumarin, luteolin
-7-O-β-D-glucopyranoside, 5-meth-
ylcoumarin-4-cellobioside, 5-methyl-
coumarin-4-gentiobioside 등이 함유되어
있다.

약리 열수추출물은 황색 포도상구균, 녹농
간균 등에 항균 작용이 있다.

사용법 대정초 20g에 물 4컵(800mL)을 넣
고 달여서 복용하고, 외용에는 생것을 짓찧
어 붙이거나 즙액을 바른다.

✛ 솜나물(봄형)

✛ 솜나물(가을형)

✛ 대정초(大丁草)

[국화과]

왜솜다리

 폐조해수

● 학명 : *Leontopodium japonicum* Miq.　● 별명 : 북솜다리

1	2	3	4	5	6	7	8	9	10	11	12

여러해살이풀. 높이 25~50cm. 줄기는 모
여나고 위쪽까지 잎이 달리며 백색 솜털로
덮여 있다. 뿌리잎은 꽃이 필 때 시들고, 줄
기잎은 어긋나며 바늘 모양, 길이 4~6cm,
너비 1~1.5cm로 끝은 뾰족하다. 꽃은
8~9월에 회백색으로 피고 줄기 끝에 1개
또는 여러 개가 달리며 두상화는 잡성이다.
수과는 길이 1mm 정도이고 돌기가 있으
며, 관모는 백색이다.

분포 · 생육지 우리나라 중부 이북. 중국, 일
본. 높은 산의 건조한 돌밭이나 바위틈에서
자란다.

약용 부위 · 수치 꽃을 가을에 채취하여 물에
씻은 후 말린다.

약물명 박설초(薄雪草). 소모향(小毛香), 소
백두옹(小白頭翁)이라고도 한다.

약효 윤폐지해(潤肺止咳)의 효능이 있으므
로 폐조해수(肺燥咳嗽)를 치료한다.

사용법 박설초 10g에 물 3컵(600mL)을 넣
고 달여서 복용한다.

* 전체에 털이 조밀하고 포엽의 크기가 비
슷한 '솜다리 *L. coreanum*'도 약효가 같다.

✛ 박설초(薄雪草)

✛ 왜솜다리

[국화과]

기린국화

 신장염, 소변불리

● 학명 : *Liatris spicata* Willd. ● 별명 : 기린국

| 1 | 2 | 3 | 4 | 5 | 6 | 7 | 8 | 9 | 10 | 11 | 12 |

여러해살이풀. 높이 45~150cm. 줄기는 모여나고 곧게 자란다. 잎은 바늘 모양, 줄기의 위쪽까지 달리며 광택이 나고 가장자리는 밋밋하다. 꽃은 두상화로 여름과 가을에 분홍색으로 핀다.

분포 · 생육지 북아메리카. 세계 각처에서 재배한다.

약용 부위 · 수치 잎을 여름에 채취하여 물에 씻은 후 말린다.

약물명 Liatris Folium

약효 수렴(收斂)의 효능이 있으므로 신장염, 소변불리를 치료한다.

사용법 Liatris Folium 10g에 물 3컵(600 mL)을 넣고 달여서 복용한다.

✚ 기린국화(꽃)

✚ 기린국화

[국화과]

곰취

 타박상 요통

해수, 객혈

● 학명 : *Ligularia fischeri* (Ledeb.) Turcz. ● 별명 : 큰곰취, 왕곰취

| 1 | 2 | 3 | 4 | 5 | 6 | 7 | 8 | 9 | 10 | 11 | 12 |

여러해살이풀. 높이 1~2m. 줄기는 곧게 서고 뿌리줄기가 굵다. 뿌리잎은 심장형, 줄기잎은 3개가 달리고 잎자루 밑부분이 원줄기를 감싼다. 꽃은 7~9월에 황색으로 피며, 꽃대에는 1개의 포가 있다. 수과는 길이 6~10mm로 원통형이다.

분포 · 생육지 우리나라 전역. 중국, 일본, 타이완, 사할린, 동시베리아. 깊은 산에서 자란다.

약용 부위 · 수치 뿌리 및 뿌리줄기를 가을에 채취하여 말린다.

약물명 산자완(山紫菀). 호로칠(胡蘆七), 하엽칠(荷葉七)이라고도 한다.

약효 이기(理氣), 활혈(活血), 지통(止痛),

지해(止咳), 거담(祛痰)의 효능이 있으므로 타박상, 요통, 해수(咳嗽), 객혈(喀血)을 치료한다.

성분 isopentenic acid, 10α−H−furanoligularenone, ligularone, liguloxide, liguloxidol, liguloxidol acetate 등이 함유되어 있다.

약리 70%메탄올추출물은 혈압에 관여하는 angiotensin converting enzyme의 활성을 저해한다.

사용법 산자완 10g에 물 3컵(600mL)을 넣고 달여서 복용하고, 외용에는 생것을 짓찧어 바른다.

＊ 잎이 삼각형이고 잎자루의 날개가 긴 '긴 잎곰취 *L. jaulensis*', 꽃대에 1개의 꽃이 피는 '화살곰취 *L. jamesii*'도 약효가 같다.

✚ 산자완(山紫菀)

✚ 곰취(잎)

✚ 곰취

[국화과]

무산곰취

타박상, 종독, 옹절, 습진

●학명 : *Ligularia japonica* (Thunb.) Less.   ●별명 : 가새곰취

1	2	3	4	5	6	7	8	9	10	11	12

여러해살이풀. 높이 1m 정도. 줄기는 곧게 서고 털이 없으며 뿌리줄기가 굵다. 뿌리잎은 손바닥 모양으로 다시 갈라지며, 줄기잎은 3개가 달리고 잎자루가 줄기를 감싼다. 7~9월에 황색의 두상화가 2~8개 핀다.
분포·생육지 우리나라 함북 무산. 중국, 일본. 깊은 산에서 자란다.
약용 부위·수치 전초를 여름과 가을에 채취하여 말린다.
약물명 토타산(兎打傘). 후파장(猴巴掌)이라고도 한다.

약효 서근활혈(舒筋活血), 해독소종(解毒消腫)의 효능이 있으므로 타박상, 종독(腫毒), 옹절(癰癤), 습진을 치료한다.
성분 senecionine, platyphilline, neopetasitenine, furanoeremophilane-6β,10β-diol, 10β-hydroxy-6β-methoxyfuranoeremophilane 등이 함유되어 있다.
사용법 토타산 15g에 물 3컵(600mL)을 넣고 달여서 복용하고, 외용에는 생것을 짓찧어 바른다.

❶ 무산곰취

[국화과]

곤달비

♀ 유옹   ♥ 수종
나력   ⬢ 어중독

●학명 : *Ligularia stenocephala* (Maxim.) Matsum. et Koidz.   ●별명 : 곰달유

1	2	3	4	5	6	7	8	9	10	11	12

여러해살이풀. 높이 0.7~1m. 줄기는 털이 없으며 뿌리줄기는 굵고, 뿌리잎은 심장형, 끝은 갑자기 뾰족해진다. 꽃은 황색, 8~9월에 줄기 끝에 총상화서로 달리고, 두상화는 지름 2~3cm, 설상화는 1~3개이다. 수과는 길이 6~7mm, 관모는 황갈색이다.
분포·생육지 우리나라 전남(매가도, 흑산도), 함남북, 평남북, 중국, 일본. 깊은 산 습지에서 자란다.
약용 부위·수치 뿌리 및 뿌리줄기를 가을에 채취하여 말린다.
약물명 협두탁오(狹頭囊吾)
약효 청열해독(淸熱解毒), 산결(散結), 이뇨(利尿)의 효능이 있으므로 유옹(乳癰), 수종(水腫), 나력(瘰癧), 어중독(魚中毒)을 치료

한다.
성분 3,5-di-caffeoylquinic acid, 3,4-dicaffeoylquinic acid, 10α-H-furanoligularenone, 10β-H-furanoligularenone, 5,6-dimethoxy-2-isopropenylbenzofuran 등이 함유되어 있다.
약리 3,5-di-caffeoylquinic acid, 3,4-dicaffeoylquinic acid는 항혈전 작용을 나타낸다. 메탄올추출물은 중추성 및 말초성 통증을 억제한다.
사용법 협두탁오 30g에 물 5컵(1L)을 넣고 달여서 복용하고, 외용에는 짓찧어 바른다.
＊ 본 종에 비하여 잎 끝이 뾰족하지 않고 잎자루의 날개는 밑에만 있는 '어리곤달비 *L. intermedia*'도 약효가 같다.

❶ 협두탁오(狹頭囊吾)

❶ 곤달비(잎)

❶ 곤달비(꽃)

❶ 곤달비

[국화과]

중대가리국화

감모발열　인후종통　창종
폐열해천　열비종통

* 발한, 구풍, 소염제로 제품화되어 약국에서 판매하고 있다.

● 학명 : *Matricaria chamomilla* L.　● 별명 : 카밀레

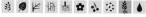

한해~여러해살이풀. 높이 30~60cm. 잎은 어긋나고 2~3회 깃꼴겹잎이다. 꽃은 6~9월에 산방상으로 엉성하게 핀다. 설상화는 백색, 암꽃으로 한 줄로 달리며 꽃이 핀 다음 밑으로 젖혀지고, 통꽃은 양성으로 황색이다. 수과는 달걀 모양, 관모는 없다.

분포 · 생육지 유럽 원산. 우리나라 전역에서 재배하는 귀화 식물이다.

약용 부위 · 수치 전초를 가을에 채취하여 말린다.

약물명 모국(母菊). 양감국(洋甘菊)이라고도 한다.

약효 청열해독(淸熱解毒), 지해평천(止咳平喘), 거풍습(祛風濕)의 효능이 있으므로 감모발열(感冒發熱), 인후종통(咽喉腫痛), 폐열해천(肺熱咳喘), 열비종통(熱痹腫痛), 창종(瘡腫)을 치료한다.

성분 chamazulene, proazulene, farnesene, α-bisabolol, matricin, matricarin, rutin, hyperoside, 2-bisabolonoxide, herniarin, umbelliferone 등이 함유되어 있다.

약리 chamazulene은 쥐의 dextran 부종에 억제 작용이 있고, 에탄올추출물은 기관지 천식을 치료하는 작용이 있다.

사용법 모국 10~15g에 물 3컵(600mL)을 넣고 달여서 복용하거나 환약으로 복용한다.

❍ 중대가리국화

✚ 모국(母菊)으로 만든 욕탕제

✚ 모국(母菊)에서 추출한 정유

✚ 모국(母菊)이 배합된 치약

✚ 모국차(母菊茶)

✚ 모국(母菊)으로 만든 감기약

✚ 모국(母菊)

[국화과]

머위

인후종통　창독, 독사교상, 타박상

● 학명 : *Petasites japonicus* (S. et Z.) Max.　● 별명 : 머구, 머우

 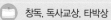

여러해살이풀. 뿌리잎은 잎자루가 길며 신장형, 가장자리에 불규칙한 톱니가 있다. 꽃은 암수딴그루, 황백색, 지름 7~10mm, 4~5월에 산방화서로 다닥다닥 달린다. 포가 밑부분을 감싸며 꽃대는 길이 1~2.5cm이다. 수과는 원통형, 길이 3.5mm 정도, 지름 0.5mm 정도, 관모는 길이 12mm 정도이고 백색이다.

분포 · 생육지 우리나라 전역. 중국, 일본. 산이나 들의 습지에서 자란다.

약용 부위 · 수치 전초를 여름과 가을에 뿌리째 뽑아서 물에 씻은 후 말린다.

약물명 봉두채(蜂斗菜). 사두초(蛇頭草)라고도 한다.

약효 청열해독(淸熱解毒), 거어혈(祛瘀血)의 효능이 있으므로 인후종통(咽喉腫痛), 창독(瘡毒), 독사교상(毒蛇咬傷), 타박상을 치료한다.

성분 뿌리의 정유는 petasin 50~55%, 그밖에 carene, eremophilene, thymolmethylether, furanoeremophilane, ligularone, petasalbin, albopetasin 등이 함유되어 있다.

약리 70%메탄올추출물은 혈압에 관여하는 angiotensin converting enzyme의 활성을 저해한다. 메탄올추출물은 ROS 생성을 억제하여 항산화 작용을 나타내며 항암, 항알레르기, 항염증 작용을 나타낸다.

사용법 봉두채 10g에 물 3컵(600mL)을 넣고 달여서 복용하거나 환약으로 복용한다. 술에 담가서 복용하면 편리하고, 외용에는 짓찧어 바른다.

* 본 종에 비하여 꽃대가 길고 잎의 톱니가 규칙적인 '개머위 *P. saxatilis*'도 약효가 같다.

❍ 봉두채(蜂斗菜, 신선품)

❍ 머위(꽃)

❍ 머위

[국화과]

쇠서나물

 해수담다, 해천　애기, 흉복민창

●학명 : *Picris hieracioides* L. ssp. *japonica* (Thunb.) Krylov　●별명 : 쇠세나물

| 1 | 2 | 3 | 4 | 5 | 6 | 7 | 8 | 9 | 10 | 11 | 12 |

두해살이풀. 높이 60~90cm. 줄기는 바로 서고 전체에 적갈색 털이 있어 까칠까칠하다. 뿌리잎은 꽃이 필 때 시들고, 줄기잎은 어긋나며 끝은 뾰족하고 밑은 좁아져서 잎자루의 날개로 되며 가장자리에 날카로운 톱니가 있다. 꽃은 황백색, 6~9월에 가지와 줄기 끝에 달린다. 수과는 6개의 능선이 있고, 관모는 길이 6~7mm이다.

분포·생육지 우리나라 전역. 중국, 일본, 몽골. 산이나 들에서 자란다.

약용 부위·수치 전초를 여름과 가을에 채취하여 물에 씻은 후 썰어서 말린다.

약물명 모련채(毛連菜)

약효 이폐지해(理肺止咳), 화담평천(化痰平喘), 관흉(寬胸)의 효능이 있으므로 해수담다(咳嗽痰多), 해천(咳喘), 애기(曖氣), 흉복민창(胸腹悶脹)을 치료한다.

성분 hieracin I, II, jacquilenin, 8-deoxylactucin, pichierenyl acetate, gammercer-16-en-3β-yl acetate, gammercer-16-en-3α-ol, picriside A, B, C, crepiaside A, ixerin 등이 함유되어 있다.

약리 30%에탄올추출물은 체내 peroxynitrite의 생성을 억제한다.

사용법 모련채 7g에 물 2컵(400mL)을 넣고 달여서 복용하고, 외용에는 생것을 짓찧어 바른다.

❍ 모련채(毛連菜)

❍ 쇠서나물(꽃)

❍ 쇠서나물

[국화과]

야콘

 당뇨병　 비만, 변비

●학명 : *Polymnia sonchifolia* (Poepp.) H. Rob. [*Smallanthus sonchifolia*]
●영명 : Yacon

| 1 | 2 | 3 | 4 | 5 | 6 | 7 | 8 | 9 | 10 | 11 | 12 |

여러해살이풀. 높이 60~90cm. 줄기는 바로 서고 줄기잎은 어긋나며 끝은 뾰족하고 밑은 좁아져서 잎자루의 날개로 된다. 꽃은 황색, 6~9월에 가지와 줄기 끝에 달리며 지름 2~2.5cm이다. 수과는 6개의 능선이 있고, 관모는 길이 6~7mm이다.

분포·생육지 남아메리카 안데스 산맥 부근. 세계 각처에서 재배한다.

약용 부위·수치 뿌리줄기를 가을에 채취하여 씻어서 말린다.

약물명 Polymniae Rhizoma

약효 혈당 강하 작용, 지방 대사 촉진 작용을 한다.

성분 chlorogenic acid, caffeic acid, ferulic acid, asarone, torilin, β-(2→1)frutooligosaccharide, 3′,4′,5-trihydroxy-7-methoxyflavanone, 3′,5,7-trihydroxy-3,4′-dimethoxyflavone, enhydrin, uvedalin 등이 함유되어 있다.

약리 에탄올추출물을 *Aspergillus flavus* 와 배양하면 aflatoxin 생산량이 감소한다. chlorogenic acid, caffeic acid, ferulic acid는 혈당 강하 작용, 지방 대사 촉진 작용, 항산화 작용이 있다. 야콘, 사상자, 석창포로 배합(2:1:1)된 야콘 환을 인위적으로 전립선비대를 유발한 흰쥐에게 투여하면 혈중 DHT와 전립선 무게가 감소한다.

사용법 삶아서 적당량을 복용하거나 생것을 갈아서 복용한다.

* '야콘'은 건강 기능 식품으로 전 세계에서 널리 사용되고 있다.

❍ 야콘(꽃이 피기 전)

❍ 야콘(삶은 뿌리줄기)

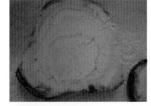
❍ 야콘(뿌리줄기 횡단면)

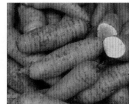
❍ 야콘(뿌리줄기)

❍ 야콘

뻐꾹채

	종양		유방종통, 유즙불통
	골절동통		치창출혈

● 학명 : *Rhaponticum uniflorum* DC. [*Stemmacantha uniflora* (L.) Dittrich]
● 별명 : 뻑국채

1	2	3	4	5	6	7	8	9	10	11	12

여러해살이풀. 높이 30~70cm. 줄기는 곧게 서고 백색 털로 덮여 있다. 밑부분의 잎은 타원형, 깃 조각으로 갈라진다. 줄기잎은 어긋나고 위로 올라갈수록 작아진다. 꽃은 지름 6~9cm로 6~8월에 원줄기 끝에 1개씩 달린다. 총포는 반구형, 포편은 6줄로 배열되며, 화관은 길이 3cm 정도이다. 수과는 긴 타원형으로 길이 5mm 정도, 지름 2mm 정도이다.

분포·생육지 우리나라 전역. 중국, 일본, 타이완, 필리핀. 산에서 자란다.

약용 부위·수치 뿌리를 가을에 채취하여 물에 씻은 후 썰어서 말린다.

약물명 누로(漏蘆). 야란(野蘭)이라고도 한다. 대한민국약전외한약(생약)규격집(KHP)에 수재되어 있다.

본초서 누로(漏蘆)는 「신농본초경(神農本草經)」의 상품(上品)에 수재되어 있으며, "피부의 화끈거림, 악창(惡瘡), 습비(濕痺)를 치료하며, 젖을 잘 나오게 한다."고 하였다. 「당본초(唐本草)」에는 "이 약은 민간에서 협호(莢蒿)라고 하며, 줄기나 잎이 백호(白蒿)와 비슷하고 꽃은 호마(胡麻)와 비슷하다."고 하였다. 이러한 설명과 그림을 살펴보면 뻐꾹채임을 알 수 있다. 「동의보감(東醫寶鑑)」에는 "열독풍으로 인해 몸에 헌데가 생겨 붓고 아프며 곪게 되는 것, 피부가 가려운 것, 두드러기, 등에 상처가 생긴 것과 유방염으로 인해 젖이 곪는 종기, 나력을 낮게 한다. 고름을 잘 삭이고 피를 보하며 쇠붙이에 의한 상처에 붙이면 피가 멎는 효과가 있다. 또 피부의 헌데와 옴을 낫게 한다."고 하였다.

神農本草經: 主皮膚熱, 惡瘡, 疽痔, 濕痺, 下乳汁. 久服輕身益氣, 耳目聰明, 不老延年.
名醫別錄: 止遺溺, 熱氣瘡瘍如麻頭, 可作浴湯.
藥性論: 治身上熱毒風生惡瘡, 皮肌瘙痒癮疹.
東醫寶鑑: 治身上熱毒風生惡瘡 皮肌瘙痒癮疹 療發背 乳癰瘰癧 排膿 補血 付金瘡止血 治瘡疥.

성상 원기둥 모양이며 윗부분은 굵고 아랫부분은 가늘다. 약간 구부러져 있고 길이 10~30cm, 지름 1~2cm이다. 표면은 회갈색이고 거칠며 세로무늬가 있다. 그 끝은 갈색이며 뾰족하고 단단한 털이 뭉쳐나고 잎자루의 유관속이 남아 있다. 하단에 분기가 된 것도 있다. 질은 단단하며 쉽게 끊어지지 않는다. 냄새는 없고 맛은 약간 떫다.

기미·귀경 한(寒), 고(苦)·위(胃), 대장(大腸), 간(肝)

약효 청열해독(淸熱解毒), 소종배농(消腫排膿), 하유(下乳), 근맥소통(筋脈疎通)의 효능이 있으므로 종양, 유방종통(乳房腫痛), 유즙불통(乳汁不通), 골절동통(骨節疼痛), 치창출혈(痔瘡出血)을 치료한다.

성분 ziyuglucoside I, taraxerol acetate, ursonic acid, triacontanoic acid, daucosterol 등이 함유되어 있다.

약리 열수추출물을 고지혈성 토끼에게 투여하면 콜레스테롤을 저하시킨다. 열수추출물은 in vitro 시험에서 항산화 작용을 나타내며, 면역 증강 작용이 있다.

사용법 누로 10g에 물 3컵(600mL)을 넣고 달여서 복용하거나 환약으로 복용한다. 술에 담가서 복용하면 편리하고, 외용에는 짓찧어 바른다.

처방 누로탕(漏蘆湯): 대황(大黃) 8g, 누로(漏蘆)·연교(連翹)·마황(麻黃)·승마(升麻)·작약(芍藥)·황금(黃芩)·지실(枳實)·백렴(白蘞)·백급(白芨)·감초(甘草) 각 3.2g(「동의보감(東醫寶鑑)」). 옹저(癰疽), 등창, 열독, 악창(惡瘡)에 사용한다.

❶ 뻐꾹채

❶ 누로(漏蘆)

❶ 누로(漏蘆, 절편)

❶ 뻐꾹채(꽃)

[국화과]

추분취

 습열대하   간염, 간경화복수

● 학명 : *Rhynchospermum verticillatum* Reinwardt [*R. formosana*]
● 별명 : 추분초, 추분씀바귀, 나도담배풀, 참추분씀바귀

| 1 | 2 | 3 | 4 | 5 | 6 | 7 | 8 | 9 | 10 | 11 | 12 |

여러해살이풀. 높이 50~100cm. 줄기는 곧게 서고 위에서 가지가 갈라진다. 잎은 어긋나고 긴 타원형, 윗부분에 톱니가 있다. 꽃은 녹색, 8~10월에 잎겨드랑이에 피며, 총포편은 3줄로 배열하고, 열매는 수과이다.

분포 · 생육지 우리나라 제주도. 중국, 일본, 타이완, 말레이시아. 산이나 들의 그늘진 곳에서 자란다.

약용 부위 · 수치 전초를 가을에 채취하여 물에 씻은 후 썰어서 말린다.

약물명 대어추관(大魚鰍串). 백어추관(白魚鰍串)이라고도 한다.

약효 청습열(淸濕熱), 이수소종(利水消腫)의 효능이 있으므로 습열대하(濕熱帶下), 간염(肝炎), 간경화복수(肝硬化復水)를 치료한다.

사용법 대어추관 15g에 물 3컵(600mL)을 넣고 달여서 복용한다.

❂ 추분취

[국화과]

삼잎국화

 습열토사, 복통   옹종창독

● 학명 : *Rudbeckia laciniata* L.   ● 별명 : 양노랭이

| 1 | 2 | 3 | 4 | 5 | 6 | 7 | 8 | 9 | 10 | 11 | 12 |

❂ 삼잎국화(꽃)

두해살이풀. 높이 2~3m. 줄기는 바로 서고, 가지가 많이 갈라지고 분백색이 돌며 전체에 털이 없다. 잎은 어긋나며 5~7개로 깃 모양으로 갈라지고 갈래는 다시 약간 갈라진다. 꽃은 7~9월에 가지와 줄기 끝에서 위를 향해 피며 두상화는 지름 6~7cm, 꽃대가 길다. 수과는 편평한 사각기둥 모양이고 위로 짧은 관모가 있다.

분포 · 생육지 북아메리카 원산. 우리나라 전역에서 재배한다.

약용 부위 · 수치 전초를 여름과 가을에 채취하여 물에 씻은 후 썰어서 말린다.

약물명 금광국(金光菊)

약효 청습열(淸濕熱), 해독소옹(解毒消癰)의 효능이 있으므로 습열토사(濕熱吐瀉), 복통, 옹종창독(癰腫瘡毒)을 치료한다.

성분 methyl-4-(6-methylhept-5-en-2-yl)-benzene, 1-deoxy-8-epiivangustin, rudbeckianone, olean-12-en-3-ol, rudbeckiolide, prelacinan-7-ol 등이 함유되어 있다.

사용법 금광국 10g에 물 3컵(600mL)을 넣고 달여서 복용하고, 외용에는 생것을 짓찧어 바른다.

❂ 삼잎국화

[국화과]

황삼국

🟣 자궁염, 생리불순　📄 피부염
🌀 소화불량

○ 황삼국(꽃)

●학명 : *Santolina chamaecyparissus* L.　●한자명 : 黃衫菊

| 1 | 2 | 3 | 4 | 5 | 6 | 7 | 8 | 9 | 10 | 11 | 12 |

상록 관목. 높이 90cm 정도. 잎은 가늘고 길이 4cm 정도로 가장자리에 톱니가 있으며 회백색이다. 꽃은 황색, 원줄기 끝에 구형의 두상화서로 조밀하게 달린다. 수과는 가늘고 향기가 좋다.

분포 · 생육지 유럽, 지중해 원산. 세계 각처에서 재배한다.

약용 부위 · 수치 전초를 여름과 가을에 채취하여 썰어서 말린다.

약물명 황삼국(黃衫菊)

약효 소염, 소화의 효능이 있으므로 자궁염, 생리불순, 피부염, 소화불량을 치료한다.

사용법 황삼국 10g에 물 3컵(600mL)을 넣고 달여서 복용한다.

○ 황삼국

[국화과]

큰각시취

🦵 풍습비통　📄 타박상

●학명 : *Saussurea japonica* DC.　●한자명 : 風毛菊　●별명 : 큰나래취

| 1 | 2 | 3 | 4 | 5 | 6 | 7 | 8 | 9 | 10 | 11 | 12 |

두해살이풀. 높이 1~1.5m. 줄기는 바로 서며 능선이 있다. 뿌리잎은 꽃이 필 때까지 남아 있고 잎자루가 길다. 줄기잎은 긴 타원형, 깃 모양으로 갈라지며 갈래는 7~8쌍으로 다시 얕게 갈라진다. 꽃은 자주색, 지름 10~15mm로 8~9월에 원줄기 끝과 가지 끝에 산방상으로 달린다. 수과는 길이 3.5~4mm이며, 관모는 길이 6~8mm이다.

분포 · 생육지 우리나라 전역, 중국, 일본, 타이완. 산지의 초원에서 자란다.

약용 부위 · 수치 전초를 여름과 가을에 채취하여 썰어서 말린다.

약물명 팔릉목(八楞木). 팔릉마(八楞麻)라고도 한다.

약효 거풍제습(祛風除濕), 산어지통(散瘀止痛)의 효능이 있으므로 풍습비통(風濕痺痛), 타박상을 치료한다.

성분 β-santalol, dihydrocostulactone, linalool, japonicolactone, japonicolactone-10-*O*-β-D-glucopyranoside, kaempferol-3-*O*-β-D-glucopyranoside, quercetin-3-*O*-β-D-glucopyranoside, syringin, syringin methylether, amyrin palmitate 등이 함유되어 있다.

사용법 팔릉목 10g에 물 3컵(600mL)을 넣고 달여서 복용하거나 환약으로 복용한다. 술에 담가서 복용하면 편리하고, 외용에는 짓찧어 바른다.

○ 팔릉목(八楞木)

○ 큰각시취

[국화과]

면두설련화

| 양위 | 요슬산연, 풍습비통 |
| 대하, 월경부조 | 외상출혈 |

● 학명 : *Saussurea laniceps* Hand.–Mazz.   ● 한자명 : 綿頭雪蓮花

| 1 | 2 | 3 | 4 | 5 | 6 | 7 | 8 | 9 | 10 | 11 | 12 |

여러해살이풀. 높이 20~30cm. 뿌리줄기는 굵고 줄기는 바로 서며 상부에는 백색 솜털이 빽빽이 난다. 잎은 다닥다닥 붙어 있으며, 꽃은 6~7월에 두상화서로 많이 핀다. 화관은 관과 꽃잎의 길이가 같고 열편은 피침형이다. 수과는 길이 3mm 정도이고, 관모는 흑갈색이다.

분포 · 생육지 중국 쓰촨성(四川省), 윈난성(雲南省), 시장성(西藏省). 고산 지대의 바위틈에서 자란다.

약용 부위 · 수치 전초를 여름과 가을에 채취하여 썰어서 말린다.

약물명 설련화(雪蓮花), 설련(雪蓮), 설하화(雪荷花)라고도 한다.

기미 · 귀경 온(溫), 감(甘), 미고(微苦) · 간(肝), 신(腎)

약효 온신장양(溫腎壯陽), 조경지혈(調經止血)의 효능이 있으므로 양위(陽痿), 요슬산연(腰膝酸軟), 대하(帶下), 월경부조(月經不調), 풍습비통(風濕痺痛), 외상출혈을 치료한다.

성분 scopoletin, umbelliferone, *p*-hydroxyacetophenone, chrysoeriol–7–*O*–β–D–glucopyranoside, rutin, arctiin, apigenin–7–*O*–α–D–glucopyranoside, luteolin–7–*O*–β–D–glucopyranoside 등이 함유되어 있다.

사용법 설련화 10g에 물 3컵(600mL)을 넣고 달여서 복용하거나 환약으로 복용한다. 외용에는 생것을 짓찧어 바른다.

＊ '서곡설련화(鼠曲雪蓮花) *S. gnaphaloides*', '수모설련화(水母雪蓮花) *S. medusa*', '삼지설련화(三指雪蓮花) *S. tridactyla*', '곡엽설련화(斛葉雪蓮花) *S. quercifolia*'도 약효가 같다.

○ 설련화(雪蓮花)

[국화과]

각시취

| 감모발열 | 풍습관절염 |
| 복사 | |

● 학명 : *Saussurea pulchella* Fisch.   ● 별명 : 나래취, 참솜나물, 고려솜나물, 홑각시취

| 1 | 2 | 3 | 4 | 5 | 6 | 7 | 8 | 9 | 10 | 11 | 12 |

두해살이풀. 높이 30~150cm. 줄기잎은 긴 타원형이다. 꽃은 8~10월에 원줄기 끝과 가지 끝에 산방상으로 달린다. 총포는 종 모양이며, 포편은 6~7줄로 배열된다. 화관은 자주색이며 길이 11~13mm이다. 수과는 길이 3.4~4.5mm로 자줏빛이 돌며, 관모는 2줄이다.

분포 · 생육지 우리나라 전역. 중국, 일본, 타이완, 필리핀. 산에서 자란다.

약용 부위 · 수치 전초를 여름과 가을에 채취하여 썰어서 말린다.

약물명 미화풍모국(美花風毛菊)

약효 거풍(祛風), 해열(解熱), 지통(止痛), 지사(止瀉)의 효능이 있으므로 감모발열(感冒發熱), 풍습관절염(風濕關節痛), 복사(腹瀉)를 치료한다.

성분 saurin, cyanidin–3–*O*–β–D–glucopyranoside, rutin, quercetrin, apigenin–7–*O*–β–D–glucopyranoside, luteolin–7–*O*–β–D–glucopyranoside 등이 함유되어 있다.

사용법 미화풍모국 10g에 물 3컵(600mL)을 넣고 달여서 복용하거나 환약으로 복용한다. 술에 담가서 복용하면 편리하고, 외용에는 짓찧어 바른다.

＊ 꽃이 흰 '흰각시취 for. *albiflora*'도 약효가 같다.

○ 각시취

○ 미화풍모국(美花風毛菊)

○ 각시취(꽃)

구와취

풍열감모　　대상포진
월경부조, 유소불창

●학명 : *Saussurea ussuriensis* Maxim.　●별명 : 참수리취, 쇠수리취, 북서덜취, 각시서덜취

1　2　3　4　5　6　7　8　9　10　11　12

여러해살이풀. 높이 60~90cm. 뿌리잎은 잎자루가 길고 심장형, 톱니가 있고, 줄기 잎은 긴 타원형, 톱니가 있다. 꽃은 적자색, 8~10월에 원줄기 끝과 가지 끝에 산방상으로 달린다. 총포편은 5줄이다. 수과는 검붉은색의 점이 있고 관모는 2줄이다.

분포·생육지 우리나라 전역. 중국, 일본, 우수리. 산지의 양지에서 자란다.

약용 부위·수치 뿌리를 여름과 가을에 채취하여 물에 씻은 후 말린다.

약물명 산우방(山牛蒡)

약효 청열해독(淸熱解毒), 양혈산어(凉血散瘀)의 효능이 있으므로 풍열감모(風熱感冒), 대상포진, 월경부조, 유소불창(乳少不暢)을 치료한다.

사용법 산우방 10g에 물 3컵(600mL)을 넣고 달여서 복용한다.

○ 구와취

황금엉겅퀴

풍열감모　　피부발진

●학명 : *Scolymus hispanicus* L.　●영명 : Golden thistle

1　2　3　4　5　6　7　8　9　10　11　12

○ 황금엉겅퀴(꽃)

여러해살이풀. 높이 80cm 정도. 뿌리는 비대하고 회색이다. 줄기에도 가시가 조밀하게 달린다. 잎은 타원형으로 가장자리에 결각상 톱니가 있으며 끝이 날카롭다. 꽃은 짧은 꽃대에 황색으로 피며 설상화이다. 열매는 수과이다.

분포·생육지 유럽, 아라비아, 남아메리카. 산과 들에서 자란다.

약용 부위·수치 꽃을 여름에 채취하여 물에 씻은 후 썰어서 말린다.

약물명 Scolymi Flos

약효 청열해독(淸熱解毒)의 효능이 있으므로 풍열감모(風熱感冒), 피부발진을 치료한다.

사용법 Scolymi Flos 10g에 물 3컵(600mL)을 넣고 달여서 복용하고, 피부발진에는 생것을 짓찧어 바른다.

○ 황금엉겅퀴

[국화과]

쇠채

🫁 풍열감모　📋 옹종정독, 대상포진, 타박상
♀ 월경부조, 유소불창

●학명 : *Scorzonera albicaulis* Bunge　●별명 : 미역꽃, 쇄채

| 1 | 2 | 3 | 4 | 5 | 6 | 7 | 8 | 9 | 10 | 11 | 12 |

두해살이풀. 높이 50~70cm. 뿌리줄기는 비대하고, 줄기는 바로 서며 전체가 백색 털로 덮여 있다. 줄기잎은 어긋나고, 꽃은 담황색, 7~8월에 가지와 줄기 끝에 두상화 5~7개가 달린다. 수과는 10개의 능선이 있고 관모는 붉은색이 돈다.

분포·생육지 우리나라 전역. 중국, 일본, 타이완, 필리핀. 산에서 자란다.

약용 부위·수치 뿌리를 여름과 가을에 채취하여 썰어서 말린다.

약물명 사모칠(絲茅七). 아총(鴉葱)이라고도 한다.

약효 청열해독(淸熱解毒), 양혈산어(凉血散瘀)의 효능이 있으므로 풍열감모(風熱感冒), 옹종정독(癰腫疔毒), 대상포진(帶狀疱疹), 월경부조(月經不調), 유소불창(乳少不暢), 타박상을 치료한다.

사용법 사모칠 10g에 물 3컵(600mL)을 넣고 달여서 복용하고, 외용에는 생것을 짓찧어 바른다.

❶ 쇠채

❶ 쇠채(열매)

❶ 아총(鴉葱)

❶ 아총(鴉葱, 절편)

[국화과]

먹쇠채

♀ 유옹

●학명 : *Scorzonera ruprechtiana* Lipschitz et Krasch.　●별명 : 애기쇠채, 미역쇠채

| 1 | 2 | 3 | 4 | 5 | 6 | 7 | 8 | 9 | 10 | 11 | 12 |

두해살이풀. 높이 25cm 정도. 뿌리줄기는 비대하고, 줄기는 바로 서며 가지가 갈라지고 전체가 백색 털로 덮여 있다. 줄기잎은 어긋나고 '쇠채'보다 넓다. 꽃은 담황색, 7~8월에 가지와 줄기 끝에 두상화 1개가 달린다.

분포·생육지 우리나라 제주도 및 남부 지방의 섬, 경기도 이북. 중국, 일본, 타이완, 필리핀. 산이나 들의 양지에서 자란다.

약용 부위·수치 뿌리 또는 전초를 여름과 가을에 채취하여 썰어서 말린다.

약물명 아총(鴉葱). 인두발(人頭髮)이라고도 한다.

약효 청열해독(淸熱解毒), 소종산결(消腫散結)의 효능이 있으므로 유옹(乳癰)을 치료한다.

사용법 아총 10g에 물 3컵(600mL)을 넣고 달여서 복용한다.

❶ 먹쇠채

[국화과]

쑥방망이

🌀 이질   👁 인후종통, 목적
📗 옹종창절, 나력, 습진, 개선, 독사교상

● 학명 : *Senecio argunensis* Turcz.   ● 별명 : 가는잎쑥방맹이

| 1 | 2 | 3 | 4 | 5 | 6 | 7 | 8 | 9 | 10 | 11 | 12 |

여러해살이풀. 높이 70~150cm. 줄기는 바로 서며, 줄기잎은 어긋나고 깃 모양으로 갈라지며 갈래는 대개 6쌍, 가장자리에 결각이 있다. 꽃은 황색, 8~9월에 산방상으로 달리며 두상화는 지름 2~2.5cm이다. 수과는 원추형, 관모는 길이 2~3mm이다.

분포·생육지 우리나라 전역. 중국, 일본, 우수리. 높은 산에서 자란다.

약용 부위·수치 뿌리 및 전초를 여름이나 가을에 채취하여 물에 씻은 후 썰어서 말린다.

약물명 참룡초(斬龍草). 천리광(千里光), 대연호(大蓮蒿)라고도 한다.

약효 청열해독(淸熱解毒), 청간명목(淸肝明目)의 효능이 있으므로 이질, 인후종통(咽喉腫痛), 목적(目赤), 옹종창절(癰腫瘡癤), 나력(瘰癧), 습진, 개선(疥癬), 독사교상(毒蛇咬傷), 갈봉석상(蝎蜂螫傷)을 치료한다.

성분 senecionine, integerrimine, seneciphylline, otosenine, erucifoline, 21-hydroxyintegerrimine, senecionine *N*-oxide 등이 함유되어 있다.

사용법 참룡초 20g에 물 4컵(800mL)을 넣고 달여서 복용하고, 외용에는 생것을 짓찧어 바른다.

❍ 참룡초(斬龍草, 신선품)

❍ 쑥방망이(산지의 풀밭에서 흔히 자란다.)

❍ 쑥방망이

[국화과]

삼잎방망이

📗 타박상, 어혈종통, 외상출혈

● 학명 : *Senecio cannabifolius* Less.   ● 별명 : 삼잎나물

| 1 | 2 | 3 | 4 | 5 | 6 | 7 | 8 | 9 | 10 | 11 | 12 |

여러해살이풀. 높이 1~2m. 뿌리줄기는 옆으로 눕고 줄기는 바로 서며 털이 없다. 잎은 어긋나고 타원형, 길이 10~20cm, 너비 10~15cm, 깃 모양으로 깊이 갈라지고 가장자리에 안으로 굽는 톱니가 있다. 꽃은 황색, 7~8월에 산방상으로 달리며 두상화는 지름 약 2cm이다. 수과는 길이 3mm 정도, 긴 갈래의 관모가 있다.

분포·생육지 우리나라 평북, 함남북. 중국, 일본, 우수리, 사할린. 높은 산에서 자란다.

약용 부위·수치 전초를 여름에 채취하여 생것을 사용한다.

약물명 관엽반혼초(寬葉返魂草)

약효 산어(散瘀), 지혈(止血), 지통(止痛)의 효능이 있으므로 타박상, 어혈종통(瘀血腫痛), 외상출혈을 치료한다.

성분 hydroquinone, *p*-hydroxyphenylacetic acid, arbutin 등이 함유되어 있다.

사용법 관엽반혼초 생것을 짓찧어 붙이거나 즙액을 바른다.

❍ 관엽반혼초(寬葉返魂草)

❍ 삼잎방망이(높은 산에서 자란다.)

❍ 삼잎방망이

산솜방망이

옹종정독, 사교상, 갈봉석상, 습진, 피부염

인후종통, 목적종통

● 학명 : *Senecio flammeus* Turcz. et DC.　● 별명 : 두메쑥방망이, 산솜방맹이, 두메솜방망이

| 1 | 2 | 3 | 4 | 5 | 6 | 7 | 8 | 9 | 10 | 11 | 12 |

여러해살이풀. 높이 15~35cm. 뿌리줄기는 가늘고, 줄기는 바로 서며 가지가 갈라지고 전체에 잔털과 거미줄 같은 털이 있다. 뿌리잎은 일찍 시들고, 줄기잎은 어긋나며 긴 타원형, 길이 8~9cm, 너비 2.5~3cm, 가장자리에 톱니가 있다. 꽃은 적황색, 8월에 줄기 끝에 2~7개의 두상화가 달린다. 수과는 길이 2.5~3mm, 관모는 길이 5~6mm이다.

분포·생육지 우리나라 제주도, 강원. 중국, 일본, 아무르, 우수리, 몽골, 동시베리아. 산지에서 자란다.

약용 부위·수치 전초를 여름과 가을에 채취하여 물에 씻은 후 썰어서 말린다.

약물명 홍륜천리광(紅輪千里光)

약효 청열해독(淸熱解毒), 청간명목(淸肝明目)의 효능이 있으므로 옹종정독(癰腫疔毒), 인후종통(咽喉腫痛), 사교상(蛇咬傷), 갈봉석상(蝎蜂螫傷), 목적종통(目赤腫痛), 습진, 피부염을 치료한다.

사용법 홍륜천리광 15g에 물 4컵(800mL)을 넣고 달여서 복용하고, 외용에는 생것을 짓찧어 바른다.

* 본 종에 비하여 키가 크고 털이 적은 '민산솜방망이 var. *glabrifolius*'도 약효가 같다.

● 홍륜천리광(紅輪千里光)

● 산솜방망이(꽃)

● 산솜방망이

솜방망이

폐농양　신염수종

옹종, 개창

● 학명 : *Senecio integrifolius* (L.) Cla. var. *spathulatus* (Miq.) Hara [*S. fauriei*]
● 별명 : 산쑥방맹이, 대륙금망이

| 1 | 2 | 3 | 4 | 5 | 6 | 7 | 8 | 9 | 10 | 11 | 12 |

여러해살이풀. 높이 30~50cm. 뿌리줄기는 짧고, 줄기는 바로 선다. 뿌리잎은 로제트형, 줄기잎은 어긋나고 듬성듬성 붙는다. 꽃은 황색, 5~6월에 3~9개의 두상화가 산방상으로 달린다. 수과는 원통형으로 털이 있고, 관모는 길이 10mm 정도로 백색이다.

분포·생육지 우리나라 전역. 중국, 일본, 타이완. 양지바른 풀밭에서 자란다.

약용 부위·수치 전초를 여름과 가을에 채취하여 물에 씻은 후 썰어서 말린다.

약물명 구설초(狗舌草). 구설두초(狗舌頭草)라고도 한다.

약효 청열(淸熱), 이수(利水), 살충(殺蟲)의 효능이 있으므로 폐농양(肺膿瘍), 신염수종(腎炎水腫), 옹종(癰腫), 개창(疥瘡)을 치료한다.

사용법 구설초 15g에 물 3컵(600mL)을 넣고 달여서 복용하고, 외용에는 생것을 짓찧어 바른다.

* 본 종에 비하여 잎이 좁으며 거미줄 같은 털이 약간 있거나 없고 열매에 털이 없는 '민솜방이(물방망이) *S. pierotii*'도 약효가 같다.

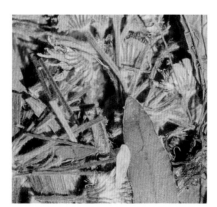

● 구설초(狗舌草)

● 솜방망이

[국화과]

국화방망이

😊 이질　　👁 인후종통, 목적

🗂 옹종창절, 나력, 습진, 개선, 독사교상

●학명 : *Senecio koreanus* Komar.　●별명 : 파방망이, 고려쑥방맹이

| 1 | 2 | 3 | 4 | 5 | 6 | 7 | 8 | 9 | 10 | 11 | 12 |

여러해살이풀. 높이 1~2m. 뿌리줄기는 옆으로 눕고 줄기는 바로 서며 털이 없다. 잎은 어긋나고 타원형, 길이 10~20cm, 너비 10~15cm, 깃 모양으로 깊이 갈라지고 가장자리에 안으로 굽은 톱니가 있다. 꽃은 황색, 7~8월에 산방상으로 달리며, 두상화는 지름 2cm 정도이다. 수과는 길이 3mm 정도, 긴 갈래의 관모가 있다.

분포 · 생육지 우리나라 강원, 평북, 함남북. 높은 산에서 자란다.

약용 부위 · 수치 전초를 여름과 가을에 채취하여 물에 씻은 후 썰어서 말린다.

약물명 대홍청채(大紅靑菜). 국삼칠(菊三七), 토삼칠(土三七)이라고도 한다.

약효 청열해독(淸熱解毒), 청간명목(淸肝明目)의 효능이 있으므로 이질(痢疾), 인후종통(咽喉腫痛), 목적(目赤), 옹종창절(癰腫瘡癤), 나력(瘰癧), 습진(濕疹), 개선(疥癬), 독사교상(毒蛇咬傷), 갈봉석상(蝎蜂螫傷)을 치료한다.

성분 senecionine, integerrimine, sene-ciphylline, otosenine, erucifoline, 21-hydroxyintegerrimine, senecionine N-oxide 등이 함유되어 있다.

사용법 대홍청채 20g에 물 4컵(800mL)을 넣고 달여서 복용하고, 외용에는 생것을 짓찧어 바른다.

◐ 대홍청채(大紅靑菜, 신선품)

◐ 국화방망이

[국화과]

금방망이

😊 이질, 장염, 간염　　👁 결막염, 중이염

🗂 옹절정독

●학명 : *Senecio nemorensis* L.　●별명 : 산쑥방맹이, 대륙금망이

| 1 | 2 | 3 | 4 | 5 | 6 | 7 | 8 | 9 | 10 | 11 | 12 |

여러해살이풀. 높이 50~90cm. 뿌리줄기는 짧고, 줄기는 바로 서며 상부에서 가지가 갈라진다. 잎은 어긋나고 긴 타원형, 밑은 좁아져 줄기를 약간 감싸고, 가장자리에 불규칙한 작은 톱니가 조밀하게 있다. 꽃은 황색, 7~8월에 가지와 줄기 끝에 달린다. 수과는 길이 3.5~4mm, 관모는 6~7mm이다.

분포 · 생육지 우리나라 전역. 중국, 일본, 타이완, 필리핀. 산에서 자란다.

약용 부위 · 수치 전초를 여름과 가을에 채취하여 물에 씻은 후 썰어서 말린다.

약물명 황원(黃菀)

약효 청열해독(淸熱解毒)의 효능이 있으므로 이질(痢疾), 장염(腸炎), 간염(肝炎), 결막염(結膜炎), 중이염(中耳炎), 옹절정독(癰癤疔毒)을 치료한다.

성분 macrophylline, sarracine, cynarin, chlorogenic acid, nemorensine, farnesene, furanogularenone, 3-oxo-8α-eremophylla-1,7-dien-8,12-olide, 3-oxo-8α-hydroxyeremophylla-1,7-dien-8,12-olide, rutin, quercetin, fumaric acid, pyrogallol, pyrocatechol, dulcitol, esculetin 등이 함유되어 있다.

사용법 황원 10g에 물 3컵(600mL)을 넣고 달여서 복용하고, 외용에는 생것을 짓찧어 바른다.

◐ 금방망이(꽃)

◐ 금방망이

[국화과]

천리광

 목적종통　　 습열설사

● 학명 : *Senecio scandens* Buch.–Ham.　● 한자명 : 千里光

`1 2 3 4 5 6 7 8 9 10 11 12`

❍ 천리광(잎)

여러해살이풀. 줄기는 비스듬히 자라며 가지가 많이 갈라지고, 잎은 어긋난다. 꽃은 황색, 10월에 잎겨드랑이에 피고 6~9개의 두상화가 산방상으로 달린다. 수과는 원주형이다.

분포 · 생육지 중국 남부 지방. 양지바른 풀밭에서 자란다.

약용 부위 · 수치 전초를 여름과 가을에 채취하여 물에 씻은 후 썰어서 말린다.

약물명 천리광(千里光). 구리명(九里明)이라고도 한다.

약효 청열해독(淸熱解毒), 청간명목(淸肝明目)의 효능이 있으므로 목적종통(目赤腫痛), 습열설사(濕熱泄瀉)를 치료한다.

사용법 천리광 15g에 물 3컵(600mL)을 넣고 달여서 복용한다.

❍ 천리광

[국화과]

개쑥갓

편도선염, 인후염　　 위통

번조불안

● 학명 : *Senecio vulgaris* L.　● 별명 : 들쑥갓

`1 2 3 4 5 6 7 8 9 10 11 12`

❍ 개쑥갓(꽃)

한두해살이풀. 높이 20~40cm. 줄기는 적자색이 돌고 육질이다. 잎은 어긋나고 긴 타원형, 깃 모양으로 갈라지고 잎자루는 없다. 꽃은 황색, 6~10월에 가지와 줄기 끝에 산방상으로 달린다. 수과에 붙은 관모는 백색이지만 쉽게 탈락한다.

분포 · 생육지 유럽 원산. 들이나 밭에서 흔하게 자란다.

약용 부위 · 수치 전초를 여름과 가을에 채취하여 물에 씻은 후 썰어서 말린다.

약물명 구주천리광(歐洲千里光)

약효 진통진정(鎭痛鎭靜)의 효능이 있으므로 편도선염, 인후염, 위통, 번조불안(煩燥不安)을 치료한다.

사용법 구주천리광 10g에 물 3컵(600mL)을 넣고 달여서 복용한다.

❍ 구주천리광(歐洲千里光)

❍ 개쑥갓

[국화과]

산비장이

 풍열두통   마진투발불창, 반진
 폐열해천   인후종통   자궁탈수

● 학명 : *Serratula coronata* L. ssp. *insularis* Kitamura   ● 별명 : 산비쟁이

| 1 | 2 | 3 | 4 | 5 | 6 | 7 | 8 | 9 | 10 | 11 | 12 |

여러해살이풀. 높이 90~150cm. 뿌리줄기는 목질이고, 줄기는 바로 서며 상부에서 가지가 갈라진다. 뿌리잎은 깃 모양으로 갈라지고, 갈래는 6~7쌍으로 가장자리에 톱니가 있으며 밑은 중축의 날개로 된다. 꽃은 자주색을 띤 황록색, 7~10월에 가지와 줄기 끝에 달린다. 수과는 길이 6mm 정도, 관모는 10~14mm이다.

분포 · 생육지 우리나라 전역. 일본. 산지에서 자란다.

약용 부위 · 수치 뿌리를 여름과 가을에 채취하여 물에 씻은 후 썰어서 말린다.

약물명 광동승마(廣東升麻). 마화두(麻花頭)라고도 한다.

약효 산풍투진(散風透疹), 청열해독(清熱解毒), 승양거함(升陽舉陷)의 효능이 있으므로 풍열두통(風熱頭痛), 마진투발불창(麻疹透發不暢), 반진(斑疹), 폐열해천(肺熱咳喘), 인후종통(咽喉腫痛), 위화치통(胃火齒痛), 구사탈항(久瀉脫肛), 자궁탈수(子宮脫垂)를 치료한다.

사용법 광동승마 10g에 물 3컵(600mL)을 넣고 달여서 복용하고, 외용에는 생것을 짓찧어 바른다.

* 중국에 분포하는 'S. chinensis'도 약효가 같다.

❍ 산비장이(꽃)

❍ 광동승마(廣東升麻)

❍ 산비장이(뿌리)

❍ 산비장이

[국화과]

진득찰

 사지마비, 근골동통, 요슬무력   급성간염
 고혈압

● 학명 : *Siegesbeckia glabrescens* Makino   ● 별명 : 진둥찰, 찐득찰

| 1 | 2 | 3 | 4 | 5 | 6 | 7 | 8 | 9 | 10 | 11 | 12 |

한해살이풀. 높이 60cm 정도. 줄기는 곧게 서고, 잎은 마주나며 위로 올라갈수록 작아진다. 꽃은 8~9월에 가지 끝과 원줄기 끝에 달리고, 설상화는 황색, 관상화는 끝이 5개로 갈라진다. 수과는 달걀 모양, 4개의 능각이 있다.

분포 · 생육지 우리나라 전역. 중국, 일본, 타이완. 들이나 밭 근처에서 자란다.

약용 부위 · 수치 전초를 가을에 채취하여 말린다.

약물명 희첨(豨簽). 희렴(豨蘞), 호렴(虎蘞)이라고도 한다. 이 식물은 돼지(豨)의 몸에서 나오는 냄새(簽)와 비슷하므로 희첨(豨簽)이라고 한다. 대한민국약전외한약(생약)규격집(KHP)에 수재되어 있다.

본초서 희첨(豨簽)은 「당본초(唐本草)」에 처음 수재되었고, "잎이 산장(酸漿)과 비슷하여 가늘고 길며, 꽃은 황백색이며 시골에서는 모두 안다."고 하였다. 「도경본초(圖經本草)」에는 "희첨(豨簽)은 높이가 2척이고, 열매는 청황색이며 여름에 잎을 채집하여 사용한다."고 하였으며, 형태 그림을 덧붙여 설명하였다. 「동의보감(東醫寶鑑)」에 "열로 인한 익창(䘌瘡, 벌레가 파먹은 것처럼 허는 병증)으로 속이 답답하고 그득한 감이 드는 것을 풀어 주고 몸과 팔다리가 마비되고 감각이 둔해지는 것을 낫게 한다."고 하였다.

東醫寶鑑: 主熱䘌 煩滿 治風痺.

성상 줄기와 잎으로 이루어졌으며, 줄기는 네모지고 가지가 갈라져 있고 길이 30~60cm, 지름 3~10mm이다. 표면은 회녹색~황갈색이며 백색 털이 많이 나 있다. 횡단면은 백색 또는 녹색을 띠고 속은 넓고 백색이며 비어 있다. 잎은 쭈그러져 있으나 펴면 난형 또는 삼각상 난형이다. 특이한 냄새가 있고 맛은 조금 쓰다.

기미 · 귀경 한(寒), 고(苦), 신(辛) · 간(肝), 신(腎)

약효 제풍습(除風濕), 이근골(利筋骨), 강혈압(降血壓)의 효능이 있으므로 사지마비, 근골동통(筋骨疼痛), 요슬무력(腰膝無力), 급성간염, 고혈압을 치료한다.

성분 siegesbekioside, siegesbekiol, *ent*–16β,17–dihydroxy–kauran–19–oic acid, *ent*–16α,17–dihydroxy–kauran–19–oic acid, *ent*–kauran–17,18–triol, orientalide, pubetalin, darutin, dartpsode, daucosterol, kirenol, siegeskaurolic acid 등이 함유되어 있다.

약리 희첨과 상산(常山)을 1:2로 섞고 열수로 추출한 것을 쥐에게 투여하면 부종 억제 작용이 있고, 혈압을 하강시킨다. 또 pubetalin은 L1210 세포에 세포 독성 작용이 있다. 열수 추출물을 쥐의 복강에 주사하면 면역 증강 작용이 나타난다. 열수추출물을 쥐에게 투여하면 항염 작용이 있다. 에탄올추출물을 쥐에게 투여하면 혈압이 내려간다. siegeskaurolic acid는 소염 작용이 있다.

사용법 희첨 10g에 물 3컵(600mL)을 넣고 달여서 복용하고, 외용에는 짓찧어 낸 즙을 바른다.

처방 희첨지골피탕(豨簽地骨皮湯): 희첨(豨簽) 12g, 지골피(地骨皮) 4g(「동약건강(東藥健康)」). 고혈압으로 머리가 아프며 어지러운 증상에 사용한다.

• 희동환(豨棟丸): 희첨(豨簽)·취오동(臭梧桐) 동량을 가루로 만들어 1회 10g 복용(「발췌양방(拔萃良方)」). 풍습성관절동통(風濕性關節疼痛), 요슬무력(腰膝無力), 근골위연(筋骨萎軟)에 사용한다.

* 우리나라 제주도에 분포하며 줄기가 마주 갈라지고 가지가 되풀이하여 마주 갈라지는 '제주진득찰 *S. orientalis*', 줄기와 잎 뒷면에 긴 털이 많고 잎이 크며 꽃줄기에 솜털이 있는 '털진득찰 *S. pubescens*'도 약효가 같다.

❂ 희첨(豨簽)

❂ 진득찰(꽃이 피기 전)

❂ 진득찰(뿌리)

❂ 진득찰(꽃)

❂ 제주진득찰

❂ 털진득찰

❂ 진득찰과 가시오가피로 만든 근육통 치료제

❂ 진득찰

[국화과]

마리아엉겅퀴

 급만성간염, 간경화, 지방간, 담석증, 담관염

●학명 : *Silybum marianum* Gaertner [*Carduus mariana*]

| 1 | 2 | 3 | 4 | 5 | 6 | 7 | 8 | 9 | 10 | 11 | 12 |

한두해살이풀. 높이 1~1.2m. 밑의 잎은 크고 잎자루가 있으며 깃 모양으로 깊이 갈라지고 가장자리에는 날카로운 가시가 있다. 꽃은 5~10월에 가지 끝 또는 잎겨드랑이에 지름 4~6cm의 두상화서로 달리고 구형에 가까우며 꽃잎은 자주색이다. 수과는 달걀 모양이다.

분포·생육지 유럽 원산. 우리나라 전역의 약초원에서 재배한다.

약용 부위·수치 열매를 가을에 채취하여 말린다.

약물명 수비계(水飛薊). 수비치(水飛雉), 내계(奶薊)라고도 한다.

약효 청열이습(淸熱利濕), 소간이담(疏肝利膽)의 효능이 있으므로 급만성간염, 간경화, 지방간, 담석증(膽石症), 담관염(膽管炎)을 치료한다.

성분 silymarin(silybin), silychristin, silydianin 등이 함유되어 있다.

약리 동물의 간에서 분리한 미토콘드리아 및 마이크로솜에서 silymarin은 과산화 지질의 생성을 억제하고, 간 조직을 분쇄한 것에 silymarin을 첨가하면 콜레스테롤의 생성을 억제한다. 또 사염화탄소에 의한 간장(肝臟)의 독성에 방어하는 작용이 있다.

임상 보고 수비계(水飛薊)와 오미자(五味子)를 1:1로 섞은 것을 만성간염에 적용하여 좋은 효과를 보았다는 보고가 있다.

사용법 수비계 10g에 물 3컵(600mL)을 넣고 달여서 복용하거나 가루로 만들거나 알약으로 만들어 복용한다. 약국에서 정제, 캡슐제, 액제 등의 제제로 시판하고 있다.

＊이 식물은 그리스 로마 시대부터 간장약으로 사용되었을 뿐만 아니라 담즙약으로도 사용되었다. Dioskurides의 Materia Medica에도 수재되어 있고, 1584년 Lonicerius는 이 약초가 가슴이 아프거나 간염에 사용한다고 하였으며, 1755년에 Haller는 간 질환 치료에 유용하다고 보고하였다. 1919년 Schultz는 담석증에 효과가 있다고 보고하였고, 1968년 H. Wagner가 약효 성분인 silymarin을 분리하여 화학 구조를 규명하였다.

❶ 마리아엉겅퀴

❶ 수비계(水飛薊)

❶ 마리아엉겅퀴(종자)

❶ 마리아엉겅퀴(꽃)

❶ 마리아엉겅퀴(열매)

❶ 마리아엉겅퀴(잎)

❶ 마리아엉겅퀴로 만든 차(베트남산)

❶ 수비계(水飛薊)로 만든 신장염 치료제

❶ 수비계(水飛薊)로 만든 간염 치료제

[국화과]

미역취

풍열감모, 폐열해수 | 인후종통
황달 | 옹종창절

●학명 : *Solidago virgaurea* L. var. *asiatica* Nakai　●별명 : 돼지나물

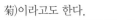

| 1 | 2 | 3 | 4 | 5 | 6 | 7 | 8 | 9 | 10 | 11 | 12 |

여러해살이풀. 높이 40~80cm. 윗부분에서 가지가 갈라지며 잔털이 있다. 잎은 어긋나고, 잎자루 끝에만 날개가 있다. 꽃은 7~10월에 피며, 총포는 종 모양, 포편은 4줄로 배열된다. 설상화는 황색이며 양성화는 보다 짧다. 수과는 원통형이고 털이 약간 있거나 없으며, 관모는 길이 3.5mm 정도이다.

분포 · 생육지 우리나라 전역. 중국, 일본, 타이완, 필리핀. 양지바른 산에서 자란다.

약용 부위 · 수치 전초를 가을에 채취하여 물에 씻어서 말린다.

약물명 일지황화(一枝黃花). 야황국(野黃菊)이라고도 한다.

약효 소풍설열(疏風泄熱), 해독소종(解毒消腫)의 효능이 있으므로 풍열감모(風熱感冒), 인후종통(咽喉腫痛), 황달, 폐열해수(肺熱咳嗽), 옹종창절(癰腫瘡癤)을 치료한다.

성분 leiocarposide, benzyl-2,6-dimethoxybenzoate, 2-methoxybenzyl-2,3,6-trimethoxybenzoate, solidagosaponin I, II, III, IV, V, VI, VII, VIII, IX, limonen, bornylacetate, borneol, chlorogenic acid, 3,5-di-*O*-caffeoyl-*muco*-quinic acid, isoquercitrin, astragalin, quercitrin, quercetin, kaempferol, rutin 등이 함유되어 있다.

약리 30%에탄올추출물은 체내 peroxynitrite의 생성을 억제하며, 그 주성분은 3,5-di-*O*-caffeoyl-*muco*-quinic acid이다. 열수추출물은 포도상구균, 간균에 항균 작용이 있다. 기관지염을 일으킨 토끼에게 열수추출물을 경구로 투여하면 기침과 가래를 삭이는 작용이 나타난다. 30%에탄올추출물은 체내 peroxynitrite의 생성을 억제한다.

사용법 일지황화 10g에 물 3컵(600mL)을 넣고 달여서 복용한다.

✪ 일지황화(一枝黃花)

✪ 미역취(꽃)

✪ 미역취

[국화과]

울릉미역취

감모발열 | 인후종통
기관지염, 폐렴 | 유선염

●학명 : *Solidago virgaurea* L. subsp. *gigantea* Nakai [var. *coreana*, *S. pacifica*]
●별명 : 나래미역취

| 1 | 2 | 3 | 4 | 5 | 6 | 7 | 8 | 9 | 10 | 11 | 12 |

여러해살이풀. 높이 60~80cm. 윗부분에서 가지가 갈라지며 잔털이 있다. 잎은 어긋나고 타원형, 잎자루에 날개가 있다. 꽃은 7~10월에 피며, 두상화서의 자루가 '미역취'에 비하여 짧다.

분포 · 생육지 우리나라 울릉도. 전역에서 재배한다.

약용 부위 · 수치 전초를 가을에 채취하여 물에 씻어서 말린다.

약물명 조선일지황화(朝鮮一枝黃花). 조선일지화(朝鮮一枝花)라고도 한다.

약효 청열해독(淸熱解毒), 지혈(止血)의 효능이 있으므로 감모발열(感冒發熱), 인후종통(咽喉腫痛), 기관지염, 폐렴, 유선염(乳腺炎)을 치료한다.

사용법 조선일지황화 10g에 물 3컵(600mL)을 넣고 달여서 복용한다.

✪ 울릉미역취(꽃)

✪ 울릉미역취 재배(울릉도 나리 분지)

✪ 울릉미역취

[국화과]

큰방가지똥

🔲 창양종독　　🫁 폐로해혈

● 학명 : *Sonchus asper* (L.) Hill　　● 별명 : 큰방가지풀

| 1 | 2 | 3 | 4 | 5 | 6 | 7 | 8 | 9 | 10 | 11 | 12 |

두해살이풀. 높이 70~120cm. 줄기는 곧게 서며 속이 비어 있다. 뿌리잎은 로제트형이고, 줄기잎은 어긋나고 긴 타원형, 밑이 귀 모양으로 줄기를 감싸며 결각처럼 갈라지고 가장자리의 톱니 끝은 굵은 가시 같다. 꽃은 6~7월에 황색으로 핀다.

분포 · 생육지 유럽 원산. 길가나 빈터에서 흔하게 자란다.

약용 부위 · 수치 전초를 여름에 채취하여 물에 씻은 후 썰어서 말린다.

약물명 대엽거매채(大葉苣蕒菜). 백화대계(白花大薊)라고도 한다.

본초서 「동의보감(東醫寶鑑)」에 "오장의 나쁜 기운과 몸속의 열기를 없애고 마음과 정신을 안정시킨다. 또 잠을 덜 자게 하고 종기가 벌겋게 부어 아프고 가려우며 곪는 것을 치료한다."고 하였다.

東醫寶鑑: 主五臟邪氣 去中熱 安心身 小睡臥 療惡瘡.

약효 청열해독(淸熱解毒), 지혈(止血)의 효능이 있으므로 창양종독(瘡瘍腫毒), 폐로해혈(肺癆咳血)을 치료한다.

성분 luteolin, apigenin, quercetin, iso-chlorogenic acid, aesculetin, cichoriin, α–amyrin, β–amyrin, α–amyrin acetate, β–amyrin acetate, germanicol, ψ–taraxasterol, lupeol, lupeol acetate, ψ–taraxasterol acetate, sonchuside A, B, C, D, I, sonchuionoside A, B, C, icariside B 등이 함유되어 있다.

약리 에틸 아세테이트 분획물은 항산화 효과, 항당뇨 및 항고혈압 효과가 있다.

사용법 대엽거매채 10g에 물 3컵(600mL)을 넣고 달여서 복용하고, 외용에는 생것을 짓찧어 붙이거나 즙액을 바른다.

❂ 큰방가지똥

❂ 대엽거매채(大葉苣蕒菜)

[국화과]

사데풀

👁 인후종통, 육혈　　🔲 창절종독　　🫘 치창
☎ 장염, 토혈, 변혈　　🫁 폐농양　　♀ 붕루

● 학명 : *Sonchus brachyotus* DC.　　● 별명 : 사데나물, 삼비물, 석쿠리, 시투리, 서덜채

| 1 | 2 | 3 | 4 | 5 | 6 | 7 | 8 | 9 | 10 | 11 | 12 |

여러해살이풀. 높이 70~100cm. 뿌리줄기는 옆으로 길게 벋으며 속이 비어 있다. 뿌리잎은 일찍 시들고, 줄기잎은 긴 타원형으로 밑이 좁아져 줄기를 감싸며 약간 귀 모양으로 나오고 가장자리는 톱니가 있다. 꽃은 황색, 8~10월에 지름 3~3.5cm의 두상화가 달린다. 수과는 주름이 없다.

분포 · 생육지 우리나라 전역. 중국, 일본, 아무르, 사할린, 몽골, 동시베리아. 산지나 해변가에 흔하게 자란다.

약용 부위 · 수치 전초를 여름에 채취하여 물에 씻은 후 썰어서 말린다.

약물명 거매채(苣蕒菜). 매채(蕒菜)라고도 한다.

약효 청열해독(淸熱解毒), 이습배농(利濕排膿), 양혈지혈(凉血止血)의 효능이 있으므로 인후종통(咽喉腫痛), 창절종독(瘡癤腫毒), 치창(痔瘡), 급성균리(急性菌痢), 장염(腸炎), 폐농양(肺膿瘍), 토혈(吐血), 육혈(衄血), 변혈(便血), 붕루(崩漏)를 치료한다.

사용법 거매채 15g에 물 3컵(600mL)을 넣고 달여서 복용하고, 외용에는 생것을 짓찧어 붙이거나 즙액을 바른다.

❂ 거매채(苣蕒菜)

❂ 사데풀

[국화과]

방가지똥

이질, 황달 / 혈림, 치루 / 독사교상

● 학명 : *Sonchus oleraceus* L. ● 별명 : 방가지풀

1	2	3	4	5	6	7	8	9	10	11	12

한해~두해살이풀. 높이 30~100cm. 줄기는 곧게 서며 속이 비어 있고 능선이 있다. 밑부분의 잎은 긴 타원형, 밑은 잎자루의 날개로 된다. 꽃은 5~9월에 황백색으로 피고, 총포는 길이 11mm, 포편은 2~4줄, 화관은 길이 11~12mm, 통부는 길이 6mm로 백색 털이 있다. 수과는 갈색, 길이 3mm, 관모는 길이 6mm이며 백색이다.

분포 · 생육지 우리나라 전역. 중국, 일본, 타이완, 아무르, 우수리, 시베리아, 유럽. 들이나 밭에서 자란다.

약용 부위 · 수치 전초를 여름에 채취하여 물에 씻은 후 썰어서 말린다.

약물명 고채(苦菜). 고마채(苦馬菜)라고도 한다.

기미 · 귀경 한(寒), 고(苦) · 심(心), 비(脾), 위(胃), 대장(大腸).

약효 청열(淸熱), 양혈(凉血), 해독의 효능이 있으므로 이질, 황달, 혈림(血淋), 치루(痔漏), 독사교상(毒蛇咬傷)을 치료한다.

성분 sonchuside A, B, C, D, glucozaluzanin C, macrocliniside A, crepidiaside A, picriside B, C 등이 함유되어 있다.

약리 쥐의 대퇴근육에 Sarcoma-37을 접종하고 일주일 후에 산성추출물을 피하주사하면 고형암의 성장을 억제한다.

사용법 고채 20g에 물 3컵(600mL)을 넣고 달여서 복용하고, 외용에는 생것을 짓찧어 붙이거나 즙액을 바른다.

✿ 고채(苦菜)

✿ 방가지똥

[국화과]

매운잎풀

괴혈병 / 소화불량 / 타액감소증, 구강염, 인후염

● 학명 : *Spilanthes acmella* (L.) Murrl. [*S. oleracea, Acmella oleracea*]
● 영명 : Spilanthes, Toothache plant, Paracress

1	2	3	4	5	6	7	8	9	10	11	12

한해살이풀. 높이 40~70cm. 잎은 마주나고 타원형, 가장자리에 톱니가 있으며 잎자루가 있다. 꽃은 잎겨드랑이에서 나오는 꽃대에 1개씩 달리고, 가장자리는 황색, 가운데는 적갈색으로 피며, 설상화는 없다. 열매는 수과이다.

분포 · 생육지 인도, 남아메리카 원산. 세계 각처에서 재배한다.

약용 부위 · 수치 전초를 여름에 채취하여 물에 씻은 후 말린다.

약물명 Spilanthis Herba. 일반적으로 Spilanthes, Toothache plant, Paracress라고 한다.

약효 소염의 효능이 있으므로 괴혈병, 타액감소증, 소화불량, 구강염, 인후염을 치료한다.

성분 spilanthol, 즉 isobutylamid가 주성분이다.

약리 spilanthol은 강한 살충력과 항균 작용이 있다.

사용법 Spilanthis Herba 10g에 물 2컵

(400mL)을 넣고 달여서 복용하거나 뜨거운 물에 우려내어 마신다.

✿ 꽃   ✿ 매운잎풀

[국화과]

금뉴구

감기, 해수, 폐결핵

● 학명 : *Spilanthes paniculata* Wall. ex DC. ● 한자명 : 金鈕扣

1	2	3	4	5	6	7	8	9	10	11	12

한해살이풀. 높이 40~90cm. 줄기는 비스듬히 자라다가 바로 선다. 잎은 마주나고 달걀 모양, 가장자리에 작은 톱니가 있으며, 잎자루는 짧다. 꽃은 잎겨드랑이에서 나오는 꽃대에 1개씩 달리며, 설상화는 황색이고 통상화는 적황색이다.

분포 · 생육지 인도, 인도네시아, 중국. 해발 800~1,900m에서 자란다.

약용 부위 · 수치 전초를 여름과 가을에 채취하여 물에 씻은 후 말린다.

약물명 천문초(天文草)

약효 지해평천(止咳平喘), 해독이습(解毒利濕)의 효능이 있으므로 감기, 해수(咳嗽), 폐결핵을 치료한다.

사용법 천문초 10g에 물 2컵(400mL)을 넣고 달여서 복용한다.

✿ 금뉴구

첨엽국

 당뇨병, 고혈압

●학명 : *Stevia rebaudiana* (Bertoni) Hemsl. ●한자명 : 甛葉菊 ●별명 : 스테비아

| 1 | 2 | 3 | 4 | 5 | 6 | 7 | 8 | 9 | 10 | 11 | 12 |

여러해살이풀. 높이 1~1.5m. 줄기는 바로 서고 기부는 목질화하며, 가지가 많이 갈라진다. 줄기잎은 마주나고 타원형, 가장자리에 톱니가 있으며 잎자루가 없다. 꽃은 황백색, 8~10월에 가지 끝에 산방상으로 달리고 두상화는 지름 3~5mm이다. 포는 길이 1.5~3mm이고, 화관은 5갈래이다. 수과는 원통형으로 흑갈색이고 지름 2.5~3mm, 관모는 매끄럽지 않다.

분포 · 생육지 남아메리카(파라과이) 원산. 우리나라 전역에서 재배한다.

약용 부위 · 수치 잎을 채취하여 물에 씻은 후 말린다.

약물명 첨엽국(甛葉菊). 첨차(甛茶)라고도 한다.

약효 생진지갈(生津止渴), 강혈압(降血壓)의 효능이 있으므로 당뇨병, 고혈압을 치료한다.

성분 stevioside, rebaudioside A~E, sterobin A~H, dulcoside A, B, steviol, daucosterol, apigenin−7−*O*−β−D−gucopyranoside, apigenin−4′−*O*−β−D−gucopyranoside, luteolin−7−*O*−β−D−gucopyranoside, kaempferol−3−*O*−rhamnoside, quercetin−3−*O*−glucoside, quercetin, quercetin−3−*O*−arabinoside, 5,7,3′−trihydroxy−3,6,4′−trimethoxy flavone 등이

함유되어 있다.

약리 16인의 당뇨병 환자에게 열수추출물을 복용시켰더니 3일 후 혈당이 감소했다. stevioside를 고혈압을 유도한 쥐에게 투여하면 혈압이 하강한다. 열수추출물을 쥐에게 투여하면 항산화 작용이 나타난다.

사용법 첨엽국 7g에 물 2컵(400mL)을 넣고 달여서 복용하거나 뜨거운 물에 우려내어 차처럼 마신다.

○ 첨엽국(甛葉菊)

○ 잎으로 만든 감미제

○ 첨엽국

애기우산나물

 풍습마비, 관절동통   옹종, 타박상

●학명 : *Syneilesis aconitifolia* (Bunge) Max. ●별명 : 애기삿갓나물

| 1 | 2 | 3 | 4 | 5 | 6 | 7 | 8 | 9 | 10 | 11 | 12 |

여러해살이풀. 뿌리줄기는 옆으로 벋으며, 줄기는 바로 서고 높이 70~120cm, 잎의 열편은 너비 4~8mm이다. 꽃은 백색, 5~9월에 두상화서가 산방상으로 달리고, 포는 길이 1.5~3mm, 바늘 모양, 화관은 5갈래이다. 수과는 원통형으로 능선이 있고, 관모는 길이 9~10mm이다.

분포 · 생육지 우리나라 전역. 중국, 일본, 우수리. 산의 숲속에서 자란다.

약용 부위 · 수치 전초를 여름에 채취하여 물에 씻은 후 썰어서 말린다.

약물명 토아산(兎兒傘). 칠리마(七里麻), 일파산(一把傘)이라고도 한다.

약효 거풍제습(祛風除濕), 서근활혈(舒筋活血), 해독소종(解毒消腫)의 효능이 있으므로 풍습마비(風濕麻痺), 관절동통(關節疼痛), 옹종(癰腫), 타박상을 치료한다.

성분 secopyrrolizidine alkaloid인 syneilesine, acetylsyneilesine, senecionine 등이 함유되어 있다.

약리 syneilesine, acetylsyneilesine, senecionine은 수종의 암세포에 성장 억제 작용이 있다.

사용법 토아산 15g에 물 3컵(600mL)을 넣고 달여서 복용하고, 타박상에는 짓찧어 환부에 붙이고 붕대로 싸맨다.

○ 토아산(兎兒傘)

○ 애기우산나물(새싹 때는 줄무늬가 많으나 성장하면서 없어진다.)

○ 애기우산나물

[국화과]

우산나물

 풍습마비, 관절동통   옹종, 타박상

● 학명 : *Syneilesis palmata* (Thunb.) Max.

| 1 | 2 | 3 | 4 | 5 | 6 | 7 | 8 | 9 | 10 | 11 | 12 |

여러해살이풀. 잎의 열편이 너비 2~4cm로 '애기우산나물'에 비하여 넓고, 꽃은 두상화 서로 원추상으로 달린다.
분포 · 생육지 우리나라 전역. 중국, 일본, 우수리. 산의 숲속에서 자란다.
약용 부위 · 수치 전초를 여름에 채취하여 물에 씻은 후 썰어서 말린다.
＊ 기타 사항은 '애기우산나물'과 같다.

❶ 우산나물(잎)

❶ 우산나물

[국화과]

수리취

 감기, 해수   나력
부녀염증복통, 대하

● 학명 : *Synurus deltoides* (Ait.) Nakai   ● 별명 : 개취, 조선수리취, 다후리아수리취

| 1 | 2 | 3 | 4 | 5 | 6 | 7 | 8 | 9 | 10 | 11 | 12 |

여러해살이풀. 높이 70~100cm. 줄기는 바로 서고 상부에서 가지가 약간 갈라진다. 뿌리잎은 꽃이 필 때 시들고, 줄기잎은 어긋나고 삼각형, 가장자리에 톱니가 있다. 꽃은 자주색, 9~10월에 지름 4~5cm의 두상화가 줄기와 가지 끝에 달린다. 열매는 수과이고, 관모는 갈색이다.
분포 · 생육지 우리나라 전역. 중국, 일본, 우수리. 산지의 양지바른 초원에서 흔하게 자란다.
약용 부위 · 수치 전초를 여름에 채취하여 물에 씻은 후 썰어서 말린다.
약물명 취산우방(臭山牛蒡)
약효 청열해독(淸熱解毒), 소종산결(消腫散結)의 효능이 있으므로 감기, 해수(咳嗽), 나력(瘰癧), 부녀염증복통(婦女炎症腹痛), 대하(帶下)를 치료한다.
성분 synurus cerebrosides, lupeol, β-amyrin, α-amyrin, ursolic acid 등이 함유되어 있다.
약리 에탄올추출물은 염증을 유발하는 cyclo-oxygenase Ⅱ의 활성을 억제하는 작용이 있다.
사용법 취산우방 60g에 물 6컵(1.2L)을 넣고 달여서 복용한다.
＊ 높이 1~2m이며 화관이 흑자색이고 길이 2cm 정도인 '큰수리취 *S. excelsus*', 밑의 잎이 깊게 갈라진 '국화수리취 *S. palmatopinnatifudus*'도 약효가 같다. 본 종의

에탄올추출물과 글루코사민의 복합 제제가 골다공증 환자를 위한 건강식품으로 판매되고 있다.

❶ 수리취(꽃)

❶ 수리취(뿌리)

❶ 취산우방(臭山牛蒡)

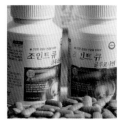
❶ 취산우방(臭山牛蒡)으로 만든 골다공증 치료제

❶ 수리취

❶ 큰수리취

❶ 국화수리취

[국화과]

천수국

 두훈목현, 급성결막염, 이하선염

 감기해수   유옹

● 학명 : *Tagetes erecta* L.   ● 별명 : 아프리카금잔화, 아프리칸메리골드

| 1 | 2 | 3 | 4 | 5 | 6 | 7 | 8 | 9 | 10 | 11 | 12 |

여러해살이풀. 높이 50~60cm. 전체에 털이 없으며 줄기에 가지가 많이 갈라지고 독특한 냄새가 나며 측맥 끝에 유점(油點)이 있다. 잎은 1회 깃꼴겹잎으로 작은잎은 가늘고 잔톱니가 있으나 밋밋해 보인다. 꽃은 적황색, 지름 5~10cm, 5월에 가지 끝에 1개씩 달린다. 수과는 다소 모가 지고 굽었으며, 관모는 가시 모양이다.

분포 · 생육지 멕시코 원산. 우리나라 전역에서 관상용으로 재배하는 귀화 식물이다.

✿ 천수국

약용 부위 · 수치 꽃을 여름과 가을에 채취하여 말린다.

약물명 만수국화(萬壽菊花). 취부용(臭芙蓉), 금국(金菊), 황국(黃菊)이라고도 한다.

약효 청열해독(淸熱解毒), 화담지해(化痰止咳)의 효능이 있으므로 두훈목현(頭暈目眩), 급성결막염, 감기해수(感氣咳嗽), 유옹(乳癰), 이하선염(耳下腺炎)을 치료한다.

성분 tagetiin, α-terthienyl, tagetone, piperitone, piperitenone, heleniene, E-ocimenone, rubichrome, violoxanthine, allopatuletin, kaempferitrin 등이 함유되어 있다.

약리 heleniene은 망막 기능을 항진시키고, 기니피그에게 kaempferitrin 50mg/kg을 경구 투여하면 피부와 내장 기관에 있는 모세혈관의 저항력을 높일 수 있는데, rutin이나 hesperidin(비타민 P)보다 작용이 강하다.

사용법 만수국화 7g에 물 2컵(400mL)을 넣고 달여서 복용한다.

✿ 만수국화(萬壽菊花)

[국화과]

멕시코금잔화

 고혈압   설사

멀미, 딸꾹질

● 학명 : *Tagetes lucida* Cav.   ● 영명 : Sweet marigold

| 1 | 2 | 3 | 4 | 5 | 6 | 7 | 8 | 9 | 10 | 11 | 12 |

여러해살이풀. 높이 30~80cm. 줄기는 곧게 서고 튼튼하다. 잎은 어긋나거나 마주나고 타원형, 가장자리에 뾰족한 톱니가 있다. 꽃은 6~8월에 줄기 끝에 3~4개가 피고 황색이다.

분포 · 생육지 멕시코, 과테말라 원산. 열대, 아열대 지역. 10℃의 산지 또는 들판에서 자란다.

약용 부위 · 수치 전초를 여름과 가을에 채취하여 말린다.

약물명 Tagetes Lucidae Herba

약효 청열해독(淸熱解毒)의 효능이 있으므로 고혈압, 설사, 멀미, 딸꾹질을 치료한다.

사용법 Tagetes Lucidae Herba 10g에 물 3컵(600mL)을 넣고 달여서 복용한다.

✿ 멕시코금잔화

✿ 멕시코금잔화(꽃)

[국화과]

쓰레기풀

 류머티즘, 통풍, 요통, 근육통

● 학명 : *Tagetes minuta* L. ● 별명 : 만수국아재비

| 1 | 2 | 3 | 4 | 5 | 6 | 7 | 8 | 9 | 10 | 11 | 12 |

여러해살이풀. 높이 30~80cm. 줄기는 곧게 서고 털이 없다. 잎은 깃꼴겹잎으로 작은잎은 5~15개, 가장자리에 규칙적인 톱니가 있다. 꽃은 7~10월에 가지 끝에 모여 피고 두상화는 황록색, 설상화는 2~3개, 관상화는 3~5개이다. 관모는 바늘 모양으로 여러 조각이 있다.

분포 · 생육지 남아메리카 원산. 세계 각처에서 자란다.

약용 부위 · 수치 전초를 여름과 가을에 채취하여 말린다.

약물명 Tagetes Herba

약효 청열해독(淸熱解毒)의 효능이 있으므로 류머티즘, 통풍, 요통, 근육통을 치료한다.

사용법 Tagetes Herba 10g에 물 3컵(600 mL)을 넣고 달여서 복용한다.

❍ Tagetes Herba

❍ 쓰레기풀

[국화과]

만수국

풍열감모, 해수 　이질　유옹

시선염, 치통, 풍화안통　절종

● 학명 : *Tagetes patula* L. ● 별명 : 홍황초

| 1 | 2 | 3 | 4 | 5 | 6 | 7 | 8 | 9 | 10 | 11 | 12 |

여러해살이풀. 높이 30~60cm. 줄기는 곧게 서고 튼튼하다. 잎은 어긋나거나 마주나고 깃 모양으로 깊게 갈라지며 뾰족한 톱니가 있다. 꽃은 6~8월에 피며 갈적색이다. 설상화는 많으며, 관상화는 끝부분이 5개로 갈라진다. 수과는 가늘고 길다.

분포 · 생육지 멕시코 원산. 우리나라 전역에서 관상용으로 재배하는 귀화 식물이다.

약용 부위 · 수치 전초를 여름과 가을에 채취하여 말린다.

약물명 공작초(孔雀草). 황국화(黃菊花), 노래홍(老來紅)이라고도 한다.

약효 청열해독(淸熱解毒), 지해(止咳)의 효능이 있으므로 풍열감모(風熱感冒), 해수(咳嗽), 이질, 시선염(腮腺炎), 유옹(乳癰), 절종(癤腫), 치통, 풍화안통(風火眼痛)을 치료한다.

성분 patulein, quercetagetin, quercetagitrin, patulitrin, α-terthienyl, helenien, kaempferitrin 등이 함유되어 있다.

약리 helenien은 망막 기능을 항진시키고, 기니피그에게 kaempferitrin 50mg/kg을 경구 투여하면 피부와 내장 기관에 있는 모세혈관의 지항력을 높일 수 있는데, rutin이나 hesperidin(비타민 P)보다 작용이 강하다.

사용법 공작초 10g에 물 3컵(600mL)을 넣고 달여서 복용하고, 외용에는 생것을 짓찧어 붙이거나 즙액을 바른다.

❍ 만수국

❍ 만수국(꽃)

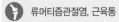

[국화과]

화란국화

🏃 류머티즘관절염, 근육통

● 학명 : *Tanacetum parthenium* (L.) Schultz Bip. [*Chrysanthemum parthenium*]
● 영명 : Feverfew ● 별명 : 하백황국

| 1 | 2 | 3 | 4 | 5 | 6 | 7 | 8 | 9 | 10 | 11 | 12 |

❂ 화란국화(꽃)

여러해살이풀. 높이 50~60cm. 잎은 어긋나고 깃꼴겹잎, 작은잎은 긴 타원형으로 가장자리에 거친 톱니가 있다. 꽃은 6~8월에 줄기 끝에 두상화로 피며, 관상화는 황색, 설상화는 백색이다.

분포·생육지 유럽, 코카서스, 발칸 반도, 서부 아시아 원산. 세계 각처에서 재배한다.

약용 부위·수치 전초를 여름과 가을에 채취하여 말린다.

약물명 Tanaceti Herba

약효 류머티즘관절염, 근육통을 치료한다.

성분 camphor, parthenolides 등이 함유되어 있다.

사용법 Tanaceti Herba 5g을 뜨거운 물로 우려내어 복용한다.

❂ 화란국화

[국화과]

쑥국화

🏃 심장쇠약증, 정맥염   📞 황달, 구토

● 학명 : *Tanacetum vulgare* L. [*Chrysanthemum vulgare*]
● 영명 : Tansy ● 별명 : 유럽쑥국화, 탠지

| 1 | 2 | 3 | 4 | 5 | 6 | 7 | 8 | 9 | 10 | 11 | 12 |

여러해살이풀. 높이 1~1.5m. 잎은 어긋나거나 깃꼴겹잎, 작은잎은 긴 타원형으로 결각상 톱니가 있다. 꽃은 6~8월에 줄기 끝에 두상화로 피며 황색이다. 수과는 장뇌향과 레몬향을 합친 냄새가 있다.

분포·생육지 유럽 동남부 원산. 세계 각처에서 재배한다.

약용 부위·수치 꽃을 채취하여 말린다.

약물명 Tanaceti Flos. 일반적으로 Tansy라고 한다.

약효 심장쇠약증, 황달, 구토, 정맥염을 치료한다.

성분 정유의 주성분은 β-thujone이며 그 외 α-thujone, camphor 등이 함유되어 있다. 일반 성분으로는 β-sitosterol, α-amyrin, β-amyrin, crispolide, tatridine, armefolin, tanacetin, germacrene D, tanacetol A, chrysanthemin 등이 함유되어 있다.

사용법 Tanaceti Flos 1~2g을 뜨거운 물로 우려내어 복용한다.

❂ 쑥국화(꽃)

❂ 쑥국화(열매)

❂ 쑥국화

[국화과]

흰민들레

 급성유선염   림프샘염   나력   급성결막염
 감기발열   위염   요로감염

● 학명 : *Taraxacum coreanum* Nakai   ● 별명 : 흰민들레

| 1 | 2 | 3 | 4 | 5 | 6 | 7 | 8 | 9 | 10 | 11 | 12 |

여러해살이풀. 잎은 모여나고 옆으로 퍼지며 긴 타원형이다. 꽃은 4~5월에 잎보다 다소 짧은 꽃자루가 나와서 1개의 백색 꽃이 달린다. 총포편은 곧게 퍼지며 끝이 뒤로 젖혀진다. 수과는 갈색이 돌고 긴 타원형이다.

분포 · 생육지 우리나라 전역. 중국, 일본. 낮은 지대의 양지에서 자란다.

약용 부위 · 수치 뿌리가 달린 전초를 봄과 여름에 채취하여 말린다.

약물명 포공영(蒲公英). 포공초(蒲公草), 황화묘(黃花苗)라고도 한다.

약효 청열해독(淸熱解毒), 소옹산결(消癰散結)의 효능이 있으므로 급성유선염(急性乳腺炎), 림프샘염, 나력(瘰癧), 급성결막염, 감기발열, 위염, 요로감염을 치료한다.

성분 luteolin 7−*O*−glucopyranoside, luteolin, taraxasterol, taraxarol, taraxerol 등이 함유되어 있다.

약리 열수추출물은 DPPH radical을 소거하여 항산화 작용이 있고, luteolin, luteolin 7−*O*−glucopyranoside는 쥐의 lense aldose reductase의 활성을 저해한다. 에틸 아세테이트 분획물은 H_2O_2로 유발한 산화적 스트레스에 대해 세포 생존율을 증가시킨다.

사용법 포공영 10g에 물 3컵(600mL)을 넣고 달여서 복용한다.

❂ 흰민들레

❂ 포공영(蒲公英)

❂ Taraxaci Herba

[국화과]

서양민들레

수종   소변불리, 치질
담즙분비장애, 간염

● 학명 : *Taraxacum officinalle* Weber   ● 영명 : Dandelion   ● 별명 : 양민들레

| 1 | 2 | 3 | 4 | 5 | 6 | 7 | 8 | 9 | 10 | 11 | 12 |

여러해살이풀. 잎이 모여 나며 옆으로 퍼진다. 잎은 깃 모양으로 깊게 갈라지며, 가장자리는 아래로 향한다. 꽃은 3~5월에 황색 꽃이 달린다. 외총포편은 곧게 퍼지며 끝이 뒤로 젖혀진다. 열매는 수과, 관모는 백색이다.

분포 · 생육지 유럽 원산. 세계 각처에서 강한 번식력으로 잘 자란다.

약용 부위 · 수치 뿌리가 달린 전초를 봄과 여름에 채취하여 말린다.

약물명 Taraxaci Herba. 일반적으로 Dandelion이라고 한다.

약효 이뇨, 소염의 효능이 있으므로 수종, 소변불리, 담즙분비장애, 간염, 치질을 치료한다.

사용법 Taraxaci Herba 10g에 물 3컵(600mL)을 넣고 달여서 복용한다.

❂ 서양민들레

민들레

급성유선염　림프샘염　나력　급성결막염
감기발열　위염　요로감염

●학명 : *Taraxacum mongolicum* H. Mazz. [*T. platycarpum*]　　●별명 : 안질방이, 안질뱅이

| 1 | 2 | 3 | 4 | 5 | 6 | 7 | 8 | 9 | 10 | 11 | 12 |

여러해살이풀. 원줄기가 없고 잎이 모여나며 옆으로 퍼진다. 잎은 긴 타원형, 꽃은 4~5월에 잎보다 다소 짧은 꽃자루가 나와서 1개의 꽃이 달린다. 총포의 외포편은 긴 타원형으로 곧게 서며 뿔 같은 작은 돌기가 있다. 화관은 황색, 통부는 길이 5mm 내외이며 털이 없다. 수과는 갈색이 돌고 긴 타원형이며, 관모는 백색이다.

분포·생육지 우리나라 전역. 중국, 일본. 들에서 자란다.

약용 부위·수치 뿌리가 달린 전초를 봄과 여름에 채취하여 말린다.

약물명 포공영(蒲公英). 포공초(蒲公草), 황화묘(黃花苗)라고도 한다. 대한민국약전외한약(생약)규격집(KHP)에 수재되어 있다.

본초서 당나라 때의 「신수본초(新修本草)」에 포공초(蒲公草)로 수재되어 있으며, "맛은 달고, 성질은 평(平)하며, 부인의 유옹(乳癰), 수종(水腫)을 치료한다."고 하였다. 「당본주(唐本柱)」에는 "잎은 고거(苦苣)와 비슷하며 꽃은 황색이며 절단하면 유액(乳液)이 나온다."고 하였다. 포공영(蒲公英)은 포공(蒲公)이라는 사람이 이 약초를 먹고 옹종(癰腫)을 치료한 것에서 유래한다. 「동의보감(東醫寶鑑)」에 "몸에 열이 나고 독이 있는 것과 종기나 멍울을 없애며 음식의 독이나 체한 것을 낫게 하는 데 효능이 뛰어나다."고 하였다.

新修本草: 主婦人乳癰腫.
本草圖經: 搗以敷瘡, 又治惡刺及狐尿刺, 摘取根, 莖白汁途之.
本草綱目: 療一切毒蟲蛇傷.
東醫寶鑑: 化熱毒 消惡腫 散結核 解食毒 散滯氣有奇功.

성상 긴 방추형의 뿌리와 근두부에 긴 타원형이며 날개 모양으로 갈라진 잎이 여러 개 붙어 있다. 잎은 길이 5~30cm, 뿌리는 지름 5~20mm이다. 잎의 표면은 황록색~회녹색이고, 뿌리는 엷은 갈색~흑갈색이며 꽃과 열매가 달려 있는 것도 있다. 냄새가 거의 없고 맛은 쓰다.

기미·귀경 한(寒), 감(甘), 고(苦)·간(肝), 위(胃).

약효 청열해독(淸熱解毒), 소옹산결(消癰散結)의 효능이 있으므로 급성유선염(急性乳腺炎), 림프샘염, 나력(瘰癧), 급성결막염, 감기발열, 위염, 요로감염을 치료한다.

성분 luteolin, diosmetin, luteolin 7-glucoside, taraxasterol, taraxarol, taraxerol 등이 함유되어 있고, 잎에는 lutein, violaxanthin, plastoquinone, 꽃에는 arnidiol, lutein, flavoxanthin, 3,4-di-*O*-caffeoylquinic acid, 5-*O*-caffeoylquinic acid, 3-*O*-*p*-coumaroyl-caffeoylquinic acid 등이 함유되어 있다.

약리 열수로 달인 액은 폐렴쌍구균, 뇌막염구균, 녹농균, 티푸스균 등에 항균 작용이 있고, 토끼 등의 동물 실험에서 이담 작용이 나타난다. 50%메탄올추출물은 항산화 효과와 결장암 세포에 세포 독성이 있다. 3,4-di-*O*-caffeoylquinic acid, 5-*O*-caffeoylquinic acid, 3-*O*-*p*-coumaroyl-caffeoylquinic acid는 체내 peroxynitrite의 소거 작용이 있다. 열수추출물은 쥐의 실험에서 기억력 개선 효과가 있다. luteolin, diosmetin, luteolin 7-glucoside는 MAO-A의 활성을 억제한다.

사용법 포공영 10g에 물 3컵(600mL)을 넣고 달여서 또는 술에 담가서 복용하고, 외용에는 짓찧어 바른다. 꽃을 오차로 이용하기도 한다. 눈병에는 국화(菊花), 하고초(夏枯草)와 같은 양으로 배합하여 물에 달여서 복용한다.

처방 포공영탕(蒲公英湯): 포공영(蒲公英) 8g, 당귀(當歸) 6g, 산약(山藥) 4g, 향부자(香附子)·목단피(牡丹皮) 각 3g 「처방집(處方集)」. 산후에 젖멍울이 지고 열이 나면서 젖이 잘 나오지 않는 증상에 사용한다.

• 은화진피탕(銀花陳皮湯): 금은화(金銀花) 15g, 포공영(蒲公英) 10g, 연교(連翹)·진피(陳皮)·감초(甘草) 각 4g 「처방집(處方集)」. 급성유선염이나 여러 가지 화농성 염증에 사용한다.

• 유옹탕(乳癰湯): 포공영(蒲公英) 20g, 금은화(金銀花) 12g, 백지(白芷)·당귀(當歸)·천궁(川芎)·괄루근(括蔞根)·조각자(皂角刺) 각 4g 「동약급건강(東藥及健康)」. 급성유선염에 사용한다.

＊ 외총포편에 털이 없고 외포편의 길이가 내포편의 반 정도인 '좀민들레 *T. hallaisanensis*', 외총포편에 털이 있고 외포편의 길이가 내포편의 반 이상인 '산민들레 *T. ohwianum*'도 약효가 같다.

● 포공영(蒲公英)

● 민들레(뿌리)

● 민들레

● 포공영(蒲公英)으로 만든 건강식품

● 포공영(蒲公英)으로 만든 환약

[국화과]

관동화

 해수, 기천, 노수해혈

●학명 : *Tussilago farfara* L. ●한자명 : 款冬花

| 1 | 2 | 3 | 4 | 5 | 6 | 7 | 8 | 9 | 10 | 11 | 12 |

여러해살이풀. 높이 20cm 정도. 뿌리줄기는 갈색으로 옆으로 벋으며, 잎은 꽃이 핀 후 뿌리 근처에서 나온다. 꽃은 두상화서로 줄기 끝에 황색으로 달리고 3월 초에 피기 시작하여 4월 중순경에 진다. 열매는 수과, 긴 타원상 원통형으로 5~10개의 능선이 있다.

분포 · 생육지 중국 하이난성(河南省), 산시성(山西省)에서 생산되고, 우리나라와 일본의 약초원에서 재배한다.

약용 부위 · 수치 이른 봄 꽃이 피기 전의 꽃봉오리를 채취하여 흙과 먼지를 털고 햇볕에 말려 그대로 사용한다.

약물명 관동화(款冬花). 과동(顆冬), 호수(虎鬚), 저동(氐冬)이라고도 한다. 대한민국약전(KP)에 수재되어 있다.

본초서 관동화(款冬花)는 「신농본초경(神農本草經)」의 중품(中品)에 수재되어 별명을 과동(顆冬), 호수(虎鬚), 「명의별록(名醫別錄)」에는 별명을 저동(氐冬)으로 적고 있다. 송대(宋代) 당신미(唐愼微)의 「증류본초(證類本草)」에는 진주관동화(秦州款冬花), 옹주관동화(雍州款冬花) 및 노주관동화(潞州款冬花)는 '관동화 *T. farfara*'의 형태와 같다고 하고, 송대(宋代) 구종석(寇宗奭)의 「본초연의(本草衍義)」에는 "백초(百草) 가운데 이 풀만이 빙설(氷雪)이 있는 이른 봄에 꽃이 피므로 찬동(讚冬)이라 한다."고 하였다. 「동의보감(東醫寶鑑)」에 "폐를 부드럽게 하고 담을 삭이며 기침을 그치게 한다. 폐열로 진액이 소모되어 피모가 거칠고 위축되며 폐 안에 고름이 차서 피고름을 뱉

는 것을 낮게 한다. 가슴이 답답하고 열이 나는 것을 풀어 주며 몸과 마음이 허약하고 피로한 것을 풀어 준다."고 하였다.

神農本草經 : 主咳逆上氣, 宣喘, 喉痺, 諸驚癇, 寒熱邪氣.

名醫別錄 : 消渴, 咳喘呼吸.

日華子 : 潤心肺, 益五臟, 除煩, 補勞熱, 消痰止咳, 肺痿吐血, 心虛驚悸, 洗肝明目.

東醫寶鑑 : 潤肺消痰 止咳嗽 治肺痿 肺癰吐膿血 除煩補勞.

성상 꽃봉오리가 짧은 꽃대에 달린 막대 모양으로 길이 10~25mm, 지름 5~10mm이다. 꽃대 표면에는 자홍색~담적색의 비늘잎이 붙어 있고 그 안쪽은 백색의 솜털로 덮여 있다. 냄새는 향기롭고 맛은 조금 쓰다.

기미 · 귀경 온(溫), 신(辛), 감(甘) · 폐(肺)

약효 윤폐하기(潤肺下氣), 화담지해(化痰止咳)의 효능이 있으므로 해수(咳嗽), 기천(氣喘), 노수해혈(勞嗽咳血)을 치료한다.

성분 tussilagine, senkirkine, tussilagone, hyperin 등이 함유되어 있다.

약리 열수추출물을 개에게 투여하면 가래와 기침을 억제하는 효능이 나타난다. 에탄올추출물을 토끼에게 투여하면 호흡 흥분 작용이 있고, 고양이에게 정맥주사하면 처음에는 혈압이 떨어지지만 나중에는 올라간다. 물에 달인 액은 녹농간균, 소아포선균(小芽胞癬菌) 등 진균의 성장을 억제한다. tussilagone은 nitric oxide와 prostaglandin E_2(PGE$_2$)의 생성을 억제하여 알츠하이머병이나 파킨슨병의 치료에 응용할 수 있을 것으로 예상된다.

사용법 관동화 10g에 물 3컵(600mL)을 넣고 달여서 복용하고, 외용에는 달인 액으로 씻거나 짓찧어 붙인다. 비위(脾胃)가 허약한 사람이나 풍열(風熱)이 없는 사람은 복용을 금한다.

주의 해역상기(咳逆上氣), 폐열번열(肺熱煩熱)에는 사용하지 않는다.

처방 관동화산(款冬花散): 마황(麻黃) · 패모(貝母) · 아교(阿膠) 각 8g, 행인(杏仁) · 구감초(炙甘草) 각 4g, 지모(知母) · 상백피(桑白皮) · 반하(半夏) · 관동화(款冬花) 각 2g, 생강(生薑) 3쪽 (「동의보감(東醫寶鑑)」). 풍한(風寒)으로 폐가 상하여 가슴이 답답하고 가래가 많이 나오면서 숨이 찬 증상에 사용한다.

• 관동화탕(款冬花湯): 관동화(款冬花) · 행인(杏仁) · 상백피(桑白皮) 각 6g (「동의보감(東醫寶鑑)」). 기관지염, 기관지확장증, 폐결핵, 감기에 걸려 심한 기침을 할 때 사용한다.

• 사간마황탕(射干麻黃湯): 사간(射干) · 마황(麻黃) · 오미자(五味子) 각 8g, 반하(半夏) · 자완(紫菀) · 관동화(款冬花) 각 12g, 세신(細辛) 4g, 생강(生薑) 3쪽, 대추(大棗) 2알 (「금궤요략(金匱要略)」). 한담(寒痰)에 의한 해수(咳嗽), 호흡곤란, 다담(多痰)에 사용한다.

＊ 유럽에서는 본 종의 잎을 Farfare Leaf라 하여 기관지천식에 사용하고 있으며, 그리스의 약학자 Dioscorides도 잎을 문질러서 피부의 발적, 단독(丹毒)에 사용하였다는 기록이 있다.

○ 관동화(款冬花)

○ 관동화(꽃)

○ 관동화

○ 관동화(뿌리)

○ 관동화(열매)

○ 관동화 재배

천목향

흉협창만, 완복창통, 구토설사, 이질후중

● 학명 : *Vladimiria souliei* Ling. [*Dolomiaea souliei, Jurinea souliei*]

| 1 | 2 | 3 | 4 | 5 | 6 | 7 | 8 | 9 | 10 | 11 | 12 |

여러해살이풀. 원뿌리는 원주형, 지름 1~2cm, 외피는 갈색으로 약간 분지한다. 줄기는 없고 잎은 뿌리잎으로 옆으로 퍼진다. 꽃은 7~10월에 두상화서로 피며 자주색이고, 수과는 원주상으로 관모가 많다.

분포 · 생육지 중국 쓰촨성(四川省), 티베트. 해발 3,700~3,800m의 고산 지대 풀밭에서 자란다.

약용 부위 · 수치 뿌리를 가을에 채취하여 물에 씻은 후 건조한다.

약물명 천목향(川木香)

약효 행기지통(行氣止痛), 조중도체(調中導體)의 효능이 있으므로 흉협창만(胸脇脹滿), 완복창통(脘腹脹痛), 구토설사(嘔吐泄瀉), 이질후중(痢疾後重)을 치료한다.

성분 vladinol A~F, guaia-4(15),10(14), 11(13)-trien-12,6α-olide, 3β-acetoxy-guaia-4(15),10(14),11(13)-trien-12,6α-olide 등이 함유되어 있다.

사용법 천목향 5g에 물 2컵(400mL)을 넣고 달여서 복용한다.

○ 천목향(川木香)

긴갯금불초

감모발열 / 인후통, 편도선염 / 기관지염, 폐렴, 폐결핵객혈 / 임탁, 혈뇨, 치창

● 학명 : *Wedelia chinensis* (Osbeck) Merr. ● 별명 : 곰의국화, 개금불초

| 1 | 2 | 3 | 4 | 5 | 6 | 7 | 8 | 9 | 10 | 11 | 12 |

여러해살이풀. 줄기는 옆으로 누우며 마디에서 뿌리가 내리고, 끝은 비스듬히 서며 누운 털이 있다. 잎은 마주나고 긴 타원형, 가장자리에 톱니가 있고 잎자루는 짧거나 없다. 꽃은 5~9월에 황색으로 피며 두상화는 길이 6~10cm의 꽃줄기 끝에 1개씩 달리고 지름 2~2.5cm이다. 수과는 달걀 모양, 상부에 거친 털이 있으며, 관모는 술잔 모양이다.

분포 · 생육지 우리나라 제주도. 중국, 일본, 타이완, 인도, 오스트레일리아. 바닷가 습지에서 자란다.

약용 부위 · 수치 전초를 여름에 채취하여 말린다.

약물명 팽기국(蟛蜞菊), 노변국(路邊菊), 마란초(馬蘭草)라고도 한다.

약효 청열해독(清熱解毒), 양혈산어(涼血散瘀)의 효능이 있으므로 감모발열(感冒發熱), 인후통, 편도선염, 기관지염, 폐렴, 폐결핵객혈, 임탁(淋濁), 혈뇨, 치창(痔瘡)을 치료한다.

성분 melissic acid, lignoceric acid, stigmasterol, stigmasterol glucoside, kaur-16-en-19-oic acid 등이 함유되어 있다.

사용법 팽기국 20g에 물 4컵(800mL)을 넣고 달여서 복용하고, 외용에는 생것을 짓찧어 붙이거나 즙액을 바른다.

○ 긴갯금불초

○ 긴갯금불초(꽃)

[국화과]

갯금불초

감기, 폐열해수, 폐결핵객혈 / 고혈압
인후통, 편도선염 / 옹절정창

● 학명 : *Wedelia prostrata* (Hook. et Arn.) Hemsl. ● 별명 : 모래덮쟁이, 털개금불초

1	2	3	4	5	6	7	8	9	10	11	12

○ 갯금불초

한두해살이풀. 줄기는 길게 땅 위로 기면서 마디에서 뿌리를 내리고, 잎은 마주난다. 꽃은 8~10월에 황색으로 피며 지름 1.5~2cm의 두상화가 길이 1~4cm의 꽃줄기 끝에 1개씩 달린다. 수과는 쐐기 모양이며 길이 3.5~4mm이고 끝에 강모가 빽빽이 난다.

분포 · 생육지 우리나라 제주도, 중국, 일본, 타이완, 인도, 오스트레일리아. 바닷가 모래 땅에서 자란다.

약용 부위 · 수치 전초를 여름에 채취하여 말린다.

약물명 노지국(鹵地菊). 용설초(龍舌草), 삼첨도(三尖刀)라고도 한다.

약효 청열양혈(淸熱凉血), 거담지해(祛痰止咳)의 효능이 있으므로 감기, 인후통(咽喉痛), 폐열해수(肺熱咳嗽), 폐결핵객혈, 편도선염, 고혈압, 옹절정창(癰癤疔瘡)을 치료한다.

성분 3α-tigloyloxy-entkaur-16-enic acid, 3α-cinnamoyloxy-entkaur-16-enic acid 등이 함유되어 있다.

사용법 노지국 15g에 물 3컵(600mL)을 넣고 달여서 복용하고, 외용에는 생것을 짓찧어 붙이거나 즙액을 바른다.

[국화과]

황앵국

토혈, 소화성궤양출혈 / 자궁출혈

● 학명 : *Xanthopappus subacaulis* C. Winkl. ● 한자명 : 黃櫻菊

1	2	3	4	5	6	7	8	9	10	11	12

한해살이풀. 줄기는 없다. 뿌리 같은 뿌리줄기는 굵고, 잎은 뿌리줄기에서 모여나며 결각이 심하고 가장자리에 가시 같은 털이 있다. 꽃은 7~9월에 두상화서로 빽빽하게 달리며 황색이다. 수과는 달걀 모양이다.

분포 · 생육지 중국 간쑤성(甘肅省), 칭하이성(青海省), 윈난성(雲南省). 해발 3,000~4,000m의 산지에서 자란다.

약용 부위 · 수치 전초를 여름에 채취하여 말린다.

약물명 구두요(九頭妖). 황관국(黃冠菊)이라고도 한다.

약효 지혈의 효능이 있으므로 토혈, 소화성궤양출혈, 자궁출혈을 치료한다.

사용법 구두요 10g에 물 3컵(600mL)을 넣고 달여서 복용한다.

○ 황앵국

도꼬마리

 풍한, 두통, 발한, 두혼　 사지경련
비연, 치통, 목적　　　　피부소양

● 학명 : *Xanthium strumarium* L.

1	2	3	4	5	6	7	8	9	10	11	12

여러해살이풀. 높이 1m 정도. 털이 있다. 잎은 어긋나고, 꽃은 황색, 8~9월에 가지 끝과 원줄기 끝에 달리며 암꽃과 수꽃이 있다. 수꽃의 두상화는 둥글며 끝에 달리고, 암꽃의 두상화는 밑부분에 달리며 2개의 돌기가 있다. 총포는 갈고리 같은 돌기가 있고 그 속에 2개의 수과가 들어 있다.

분포·생육지 유럽 원산. 세계 각처에서 흔하게 자란다.

약용 부위·수치 열매를 가을에, 전초를 여름에 채취하여 말린다. 열매의 껍질과 과육을 벗기고 종자를 채취, 물에 깨끗이 씻어서 말린다. 물에 달일 때에는 이것을 불에 볶아서 사용한다.

약물명 열매를 창이자(蒼耳子), 전초를 창이(蒼耳)라 한다. 창이자(蒼耳子)는 대한민국약전(KP)에 수재되어 있다.

본초서 창이자(蒼耳子)는 「신농본초경(神農本草經)」의 중품(中品)에 수재되어 있고, 소경(蘇敬)의 「신수본초(新修本草)」에 창이(蒼耳)가 나타난다. 송나라 소송(蘇頌)의 「도경본초(圖經本草)」에는 "창이(蒼耳)는 후베이성(湖北省) 및 안후이성(安徽省)의 밭에서 자란다. 이것을 권이(卷耳)라고 하고, 어떤 지방에서는 시이(菜耳)라고도 한다. 열매가 푸르고(蒼) 귀(耳)처럼 생긴 것에서 유래한다."고 하였다. 「동의보감(東醫寶鑑)」에는 "바람의 기운으로 머리가 차고 아픈 것, 습한 기운으로 인해 몸이 아프고 무거우며 감각이 둔해지는 것을 낫게 한다. 목과 등이 당기는 것, 다리가 오그라들면서 아픈 것을 낫게 하고, 살이 썩거나 굳은살이 생길 때

주로 쓰며 몸속에 있는 풍기를 몰아낸다. 나력, 옴, 버짐, 가려움증을 낫게 한다."고 하였다.

神農本草經: 主風頭寒痛 風濕周痺 四肢拘攣 惡肉死肌 久服益氣, 耳目聰明, 强志輕身.

本草拾遺: 侵酒, 去風補益.

日華子: 治一切風氣, 填髓暖腰脚, 治瘰癧 疥癬及瘙痒.

東醫寶鑑: 主風頭寒痛 風濕周痺 四肢拘攣 惡肉死肌 治一切風 填骨髓 煖腰膝 治瘰癧 疥癬瘙痒.

성상 창이자(蒼耳子)는 타원상 구형으로 길이 1~1.5cm, 지름 0.5~0.7cm, 전체에 가시가 있으며 위쪽에는 비교적 두꺼운 가시가 2~3개 있다. 냄새가 특이하고 맛은 쓰다.

기미·귀경 창이자(蒼耳子): 온(溫), 고(苦), 감(甘), 신(辛)·폐(肺), 간(肝). 창이(蒼耳): 미한(微寒), 고(苦), 신(辛)·폐(肺), 비(脾), 간(肝)

약효 창이자(蒼耳子)는 거풍(祛風), 해열, 살충의 효능이 있으므로 풍한(風寒), 두통, 비연(鼻淵), 치통, 사지경련, 피부소양(皮膚瘙痒)을 치료한다. 창이(蒼耳)는 거풍(祛風), 해열, 해독, 살충의 효능이 있으므로 두통, 두풍(頭風), 두혼(頭昏), 목적(目赤), 피부소양(皮膚瘙痒), 발한(發汗)을 치료한다.

성분 창이자(蒼耳子)에는 sesquiterpene: xanthol, isoxanthol, tomentosin, 8-*epi*-xanthatin, 2-hydroxytomentosin, 2-hydroxytomentosin-1β,2β-epoxide, xanthin, xanthumanol, alkaloid: thizi-

nedione, phenolic compound: 1,3,5-tri-*O*-caffeoylquinic acid, 3,5-di-*O*-caffeoylquinic acid, caffeic acid, triterpenoid: β-sitosterol, daucosterol, campesterol, stigmasterol 등이 함유되어 있고, 창이(蒼耳)는 strumaroside, daucosterol, xanthinin, 1,4-dicaffeoylquinic acid 등이 함유되어 있다.

약리 xanthinin에는 중추 신경을 억제하는 효능이 있다. 창이자를 원료로 한 고약(膏藥)은 만성관절염이나 신경통에 효과가 있다는 임상 보고가 있다. caffeic acid는 포도당의 소비를 증가시킴으로써 인슐린과는 무관하게 혈당을 저하시킨다. xanthatin을 암세포를 이식시킨 쥐에게 투여하면 암조직의 성장을 억제한다. 열수추출물은 TGEV의 숙주 세포인 ST 세포에 대하여 농도에 따라 20~50%의 세포 독성을 나타내었다.

사용법 창이자 또는 창이 10g에 물 3컵(600mL)을 넣고 달여서 복용하고, 외용에는 달인 액으로 씻거나 짓찧어 붙인다.

주의 창이자는 약간의 독성이 있어 오심구토, 복통이 올 수 있으므로 임신부와 장기간 사용은 피한다.

처방 창이산(蒼耳散): 창이자(蒼耳子) 8g, 신이(辛夷)·백지(白芷)·박하(薄荷) 각 4g「삼인방(三因方)」. 풍열(風熱)로 콧물이 나고 두통이 있으며 맥이 빠른 증상에 사용한다.

* 열매가 큰 '큰도꼬마리 *X. canadense*', 열매의 가시가 길이 4~7mm이고 조밀한 '가시도꼬마리 *X. italicum*'도 약효가 같다.

❶ 창이(蒼耳)

❶ 창이자(蒼耳子)

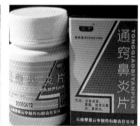
❶ 창이자(蒼耳子)가 배합된 비염 치료제

❶ 가시도꼬마리

❶ 도꼬마리(꽃)

❶ 도꼬마리

[국화과]

뿌리뱅이

| 감기 | 인후통, 결막염 | 유옹 | 창절종독 |
| 간경화복수 | 급성신염, 임탁, 혈뇨 | 풍습관절염 |

●학명 : *Youngia japonica* (L.) DC.　●별명 : 보리뱅이

| 1 | 2 | 3 | 4 | 5 | 6 | 7 | 8 | 9 | 10 | 11 | 12 |

한두해살이풀. 높이 50~100cm. 줄기는 바로 서고 전체에 잔털이 있다. 뿌리잎은 로제트형이며 깃 모양이다. 줄기잎은 1~4개이고 위로 갈수록 작아진다. 꽃은 황색, 5~6월에 지름 7~8mm의 두상화가 산방상 원추화서로 달린다. 수과는 11~13개의 능선이 있으며 바람에 잘 날리고, 관모는 백색이다.

분포·생육지 우리나라 중부 이남. 중국, 일본, 타이완, 인도, 오스트레일리아. 산과 들에서 흔하게 자란다.

약용 부위·수치 전초를 여름과 가을에 채취하여 말린다.

약물명 황암채(黃鵪菜). 황과채(黃瓜菜), 황화채(黃花菜), 산개채(山芥菜)라고도 한다.

약효 청열해독(淸熱解毒), 이뇨소종(利尿消腫)의 효능이 있으므로 감기, 인후통, 결막염, 유옹(乳癰), 창절종독(瘡癤腫毒), 간경화복수(肝硬化復水), 급성신염, 임탁(淋濁), 혈뇨, 풍습관절염을 치료한다.

사용법 황암채 10g에 물 3컵(600mL)을 넣고 달여서 복용하고, 외용에는 생것을 짓찧어 붙이거나 즙액을 바른다.

❍ 황암채(黃鵪菜)

❍ 뿌리뱅이

[국화과]

백일홍

| 이질 | 임질 |
| 유두통 | 종독 |

●학명 : *Zinnia elegans* Jacq.　●별명 : 백일초

| 1 | 2 | 3 | 4 | 5 | 6 | 7 | 8 | 9 | 10 | 11 | 12 |

한해살이풀. 높이 60~90cm. 잎은 마주나고 긴 달걀 모양이며 잎자루가 없고 전체에 털이 있어 다소 거칠며 가장자리가 밋밋하다. 꽃은 자주색 또는 가지각색이고, 6~10월에 긴 꽃자루 끝에 두상화가 1개씩 달리며 지름 5~15cm, 오랫동안 핀다. 총포편은 둥글며 끝이 둔하고 윗가장자리가 흑색이며 종자로 번식한다.

분포·생육지 멕시코 원산. 우리나라 전역에서 관상용으로 널리 재배하는 귀화 식물이다.

약용 부위·수치 전초를 여름에 채취하여 흙을 털고 잘라서 말린다.

약물명 백일초(百日草). 십자매(十姉妹)라고도 한다.

약효 소종(消腫), 지통(止痛) 및 양혈해독(凉血解毒)의 효능이 있으므로 이질, 임질, 유두통, 종독을 치료한다.

성분 kaempferol-3-O-β-D-glucoside, quercetin-3-O-β-D-glucoside, apigenin-7-O-β-D-glucoside, luteolin-7-O-β-D-glucoside 등이 함유되어 있다.

사용법 백일초 10g에 물 3컵(600mL)을 넣고 달여서 복용하고, 외용에는 적당량을 짓찧어 바른다.

❍ 백일홍

❍ 백일초(百日草)

❍ 백일홍(꽃이 여러 색이다.)

피자식물(被子植物, Angiospermae)

단자엽식물강(Monocotyledoneae)
꽃의 부분은 3개 또는 이것의 배수이고, 꽃덮이는 꽃받침과 꽃잎이 대개 비슷한 모양이다. 떡잎은 1개, 배(胚)는 작고 배유(胚乳)가 많으며, 잎은 홑잎으로 어긋나고 가장자리가 밋밋하며 평행맥이 있다. 잎자루는 잎집으로 되어 있고, 유관속이 불규칙하게 흩어지고 나이테가 없으며, 주근(主根)이 일찍 사라짐으로써 없는 것같이 보인다. 세계에는 5아강 18목 61과 55,000종, 우리 나라에서는 12목으로 분류되어 있다.

[택사과]

택사

소변불통　　수종

피부포진, 습진, 사교상

● 학명 : *Alisma canaliculatum* A. Br. et Bouche
● 별명 : 쇠태나물, 물택사, 쇠대나물, 쇠택나물

| 1 | 2 | 3 | 4 | 5 | 6 | 7 | 8 | 9 | 10 | 11 | 12 |

여러해살이풀. 뿌리줄기는 둥글고 수염뿌리가 있다. 꽃대는 잎 사이에서 나오며 높이 50~120cm이고 작은 꽃대가 3개씩 돌려나며 밑에 작은 포엽이 있고, 가지는 3개씩 다시 돌려난다. 잎은 뿌리에서 모여나고 7~8월에 백색 꽃이 피며, 꽃받침과 꽃잎은 각각 3개이다. 수과는 환상으로 배열하며 달걀 모양, 뒷면에 2개의 홈이 파여 있다.

분포 · 생육지 우리나라 전역. 중국, 타이완, 필리핀. 연못이나 늪지에서 자란다.

약용 부위 · 수치 전초를 여름에 채취하여 적당한 크기로 썰어서 말린다.

약물명 대전(大箭). 수택사(水澤瀉)라고도 한다.

기미 · 귀경 미한(微寒), 담(淡) · 신(腎), 방광(膀胱)

약효 청열이습(淸熱利濕), 해독소종(解毒消腫)의 효능이 있으므로 소변불통(小便不通), 수종(水腫), 피부포진, 습진, 사교상(蛇咬傷)을 치료한다.

사용법 대전 20g에 물 4컵(800mL)을 넣고 달여서 복용하거나 술에 담가서 복용하고, 외용에는 생것을 짓찧어 상처에 붙이거나 즙액을 바른다.

✪ 택사

✪ 대전(大箭)

✪ 택사(뿌리줄기)

[택사과]

질경이택사

빈뇨, 신염, 혈뇨　　구갈　　현훈, 수종　　각기

구토, 위내정수　　허로　　해천, 만성기관지염　　당뇨병

● 학명 : *Alisma plantogo-aquatica* L. var. *orientale* G. Samuelsson [*A. orientale*]
● 별명 : 길장구택사

| 1 | 2 | 3 | 4 | 5 | 6 | 7 | 8 | 9 | 10 | 11 | 12 |

여러해살이풀. 뿌리줄기는 짧고 둥글며 수염뿌리가 있다. 잎은 달걀 모양의 타원형, 길이 60~90cm이다. 꽃은 백색으로 7~8월에 피며, 꽃받침과 꽃잎은 각각 3개이다. 수과는 환상으로 배열하며 달걀 모양, 길이 2mm 정도, 뒷면에 2개의 홈이 파진다. '택사'와 달리 잎의 양 끝이 넓어 잎자루가 분명하며 수과의 뒷면에 2개의 홈이 있다.

분포 · 생육지 우리나라 전남 이북. 중국, 일본, 중국 둥베이(東北) 지방, 시베리아. 연못이나 늪지에서 자란다.

약용 부위 · 수치 뿌리줄기를 채취하여 겉껍질을 깎아 내고 말린다. 이것을 주침(酒浸)한 후 배(焙)하여 사용하거나, 염수초(鹽水炒)하여 사용한다. 잎과 열매는 여름에 채취하여 말린다.

약물명 뿌리줄기를 택사(澤瀉)라 하며 건택(建澤), 천택(川澤), 수사(水瀉)라고도 한다. 잎을 택사엽(澤瀉葉), 열매를 택사실(澤瀉實)이라 한다. 택사(澤瀉)는 대한민국약전(KP)에 수재되어 있다.

본초서 택사(澤瀉)는 「신농본초경(神農本草經)」의 상품(上品)에 수재되어 있고, 「본초강목(本草綱目)」에는 "이 식물이 연못(澤)에서 자라고 사수(瀉水)하는 효능이 있으므로 택사(澤瀉)라고 한다."고 하였으며, 예로부터 제습 및 이뇨의 묘약으로 사용되고 있다. 「동의보감(東醫寶鑑)」에는 "소변이 몰린 것을 잘 나가게 하고 오림을 낫게 하며 방광의 열을 풀어 준다. 요도와 소장의 흐름을 순조롭게 하고 오줌이 방울방울 떨어지는 것을 멎게 한다."고 하였다.

神農本草經: 主風寒濕痺 乳難 消水 養五臟 益氣力 肥健 久服耳目聰明.

藥性論: 主腎虛精自出 治五淋 利膀胱熱 宣通水道.

本草綱目: 滲濕熱 行痰飮 止嘔吐 瀉痢 疝痛 脚氣.

東醫寶鑑: 逐膀胱停水 治五淋 利膀胱熱 宣通水道 通小腸 止遺瀝.

성상 택사(澤瀉)는 고르지 않은 구형~원추형으로 길이 5~8cm, 지름 3~5cm이다. 표면은 엷은 황갈색이며 위쪽에는 드물게 줄기의 잔기가 남아 있고, 아랫면에는 많은 뿌리 자국이 작은 돌기를 이룬다. 자른 면은 치밀하며 바깥쪽은 회갈색이고 안쪽은 엷은 황갈색이다. 질은 가볍고 깨뜨리기 어렵다. 약간의 냄새와 맛이 있다. 회백색을 띠며, 지름이 큰 것이 좋다.

기미·귀경 택사(澤瀉): 한(寒), 감(甘), 담(淡)·신(腎), 방광(膀胱)

약효 택사(澤瀉)는 거습열(祛濕熱), 이뇨(利尿), 지갈(止渴)의 효능이 있으므로 빈뇨,

위내정수(胃內停水), 구갈(口渴), 현훈(眩暈), 수종(水腫), 각기(脚氣), 신염(腎炎), 구토, 혈뇨(血尿)를 치료한다. 택사엽(澤瀉葉)은 익신지해(益腎止咳), 통맥하유(通脈下乳)의 효능이 있으므로 허로(虛勞), 해천(咳喘), 만성기관지염, 유즙불출(乳汁不出)을 치료한다. 택사실(澤瀉實)은 풍비익신(風痺益腎), 강음보허(强淫補虛), 제습(除濕)의 효능이 있으므로 풍비(風痺), 신휴체허(身虧體虛), 당뇨병을 치료한다.

성분 택사는 triterpenoid인 alisol A, B, C, alisol A 24-acetate, alisol B 23-acetate, alisol C 23-acetate, epialisol A, alismol, alismoxide, 16β-methoxyalisol B monoacetate, 16β-hydroxyalisol B monoacetate, daucosterol, choline 등이 함유되어 있다.

약리 택사의 열수추출물은 동물 실험에서 이뇨 작용이 있고, 혈중 콜레스테롤 함량 저하 작용, 혈압 및 혈당 강하 작용이 있다. 에탄올추출물을 토끼에게 정맥주사하면 혈압이 내려간다. 에탄올추출물은 아토피 동물 모델에서 항아토피 효과가 있으며, IgE 및 히스타민 유리 억제 효과가 있다. 80%에탄올추출물은 간 보호 작용과 항산화 작용이 있다. alisol A monoacetate는 혈장 및 간장의 콜레스테롤 수치를 낮추는 작용이 있다. 메탄올추출물과 테르페노이드 성분들은 알레르기 반응을 억제하며 항보체 활성을 나타낸다. alisol A 24-acetate, alisol B 23-acetate, alisol C 23-acetate, alisol B는 암세포인 L1210의 증식을 억제한다. alisol C 23-acetate는 FPTase의 활성을 억제한다.

사용법 택사, 택사엽 또는 택사실 10g에 물 3컵(600mL)을 넣고 달여서 복용한다.

주의 신양허(腎陽虛)로 인한 활정(滑精), 한습(寒濕)에는 피한다.

처방 오령산(五苓散): 저령(豬苓)·택사(澤瀉)·복령(茯苓) 각 12g, 백출(白朮) 8g, 계지(桂枝) 4g 『상한론(傷寒論)』). 수습담(水濕痰)으로 인한 요량 감소, 구갈에 대한 방제로서 급성위장염, 구토, 담마진, 부종 등에 사용한다.

• 당귀작약산(當歸芍藥散): 작약(芍藥) 10g, 택사(澤瀉)·천궁(川芎) 각 6g, 당귀(當歸)·복령(茯苓)·백출(白朮) 각 3g (『동의보감(東醫寶鑑)』). 생리불순, 생리통, 어지럼증, 두통, 어깨가 결리고 아픈 증상, 부종, 요통, 기미가 끼고 피부가 거친 증상에 사용한다.

• 택사탕(澤瀉湯): 택사(澤瀉)·상백피(桑白皮)·복령(茯苓)·지실(枳實)·빈랑자(檳榔子)·목통(木通) 각 6g, 생강(生薑) 5쪽 (『동의보감(東醫寶鑑)』). 자림(子淋)으로 온몸이 붓고 오줌이 잘 나오지 않으면서 아랫배가 아픈 증상에 사용한다.

❶ 질경이택사

❶ 택사(澤瀉, 수치한 것)

❶ 택사(澤瀉, 절편)

❶ 택사엽(澤瀉葉)

• Lower triglyceridaemia
• Lower cholesterolaemia
• Obese reduction

❶ 택사(澤瀉)로 만든 혈중 지질 저하제

❶ 질경이택사(뿌리와 뿌리줄기)

❶ 택사(澤瀉)

❶ 택사실(澤瀉實)

❶ 택사(澤瀉), 복령(茯苓) 등이 배합된 위령탕

올미

	폐열해수		인후종통
	소변열통		옹절종독, 습창

◑ 압설두(鴨舌頭)

● 학명 : *Sagittaria pygmaea* Miq.

| 1 | 2 | 3 | 4 | 5 | 6 | 7 | 8 | 9 | 10 | 11 | 12 |

여러해살이풀. 수염뿌리를 많이 내고, 땅속 줄기가 옆으로 벋어 새싹을 만들며, 꽃대는 높이 10~25cm이다. 잎은 뿌리에서 모여 난다. 꽃은 백색이고 6~9월에 꽃대 윗부분에 1~2층으로 3개씩 돌려난다. 암꽃은 꽃 차례 기부에 1~2개 나고 꽃대가 없으며, 수꽃은 길이 1.5~3cm의 꽃대가 있다. 수 과는 등 쪽에 닭벼슬 같은 날개가 있다.

분포 · 생육지 우리나라 전역. 중국, 일본, 타이완, 시베리아, 인도, 이란. 논이나 연못 에서 자란다.

약용 부위 · 수치 전초를 여름에 채취하여 물 에 씻은 그대로 사용한다.

약물명 압설두(鴨舌頭), 압설초(鴨舌草), 수 충초(水充草)라고도 한다.

약효 청폐이인(淸肺利咽), 이습해독(利濕 解毒)의 효능이 있으므로 폐열해수(肺熱咳 嗽), 인후종통(咽喉腫痛), 소변열통(小便熱 痛), 옹절종독(癰癤腫毒), 습창(濕瘡)을 치 료한다.

사용법 압설두 20~30g에 물 3컵(600mL)

을 넣고 달여서 복용하고, 외용에는 짓찧어 붙이거나 즙액을 바른다.

◑ 올미

벗풀

	산후혈민, 태의불하		임병		수종
	인후통		해수담혈		악창, 습진

● 학명 : *Sagittaria trifolia* L. ● 별명 : 가는택사

| 1 | 2 | 3 | 4 | 5 | 6 | 7 | 8 | 9 | 10 | 11 | 12 |

여러해살이풀. 가을에 땅속줄기를 내어 그 끝에 작은 알줄기가 생기며, 꽃대는 높이 30~80cm이다. 잎은 뿌리에서 모여나고 화살 모양이다. 꽃은 백색, 7~9월에 꽃 대 윗부분에 층층으로 3개씩 돌려난다. 암꽃 은 꽃차례의 밑부분에, 수꽃은 윗부분에 피 며, 꽃받침과 꽃잎은 각각 3개, 암술과 수 술이 많다. 수과는 편평한 달걀 모양이다.

분포 · 생육지 우리나라 전역. 중국, 일본, 타이완, 시베리아, 인도, 이란. 논이나 연못 에서 자란다.

약용 부위 · 수치 땅속 덩이줄기를 여름과 가

을에 채취하여 물에 씻은 후 썰어서 말리 고, 잎은 여름에 채취하여 말린다.

약물명 땅속 덩이줄기를 자고(慈姑), 잎을 자고엽(慈姑葉)이라 한다.

기미 · 귀경 미한(微寒), 감(甘), 미고(微苦) · 간(肝), 폐(肺), 비(脾), 방광(膀胱)

약효 자고(慈姑)는 양혈활혈(凉血活血), 지 해통림(止咳通淋), 산결해독(散結解毒)의 효능이 있으므로 산후혈민(産後血悶), 태의 불하(胎衣不下), 임병(淋病), 해수담혈(咳嗽 痰血)을 치료한다. 자고엽(慈姑葉)은 청열 해독(淸熱解毒), 양혈화어(凉血化瘀), 이수

소종(利水消腫)의 효능이 있으므로 인후통, 수종(水腫), 악창(惡瘡), 습진을 치료한다.

성분 sagittriol, β-sitosterol, stigmasterol, ergosterol peroxide, icariside D2, thalic- toside, 4-nitropheyl-β-D-glucopyrano- side 등이 함유되어 있다.

사용법 자고 또는 자고엽 10g에 물 3컵 (600mL)을 넣고 달여서 복용하고, 외용에 는 짓찧어 붙이거나 즙액을 바른다.

＊ 잎이 좁은 '보풀 *S. aginashi*'도 약효가 비 슷하다.

◑ 벗풀

◑ 자고엽(慈姑葉)

◑ 자고엽(慈姑葉)

◑ 보풀

[택사과]

쇠귀나물

산후혈민, 태의불하　　임병

해수담혈

●학명 : *Sagittaria trifolia* L. var. *edulis* (Sieb. et Miq.) Ohwi　●별명 : 소귀나물

| 1 | 2 | 3 | 4 | 5 | 6 | 7 | 8 | 9 | 10 | 11 | 12 |

여러해살이풀. 뿌리줄기는 짧고, 기는줄기는 옆으로 뻗으면서 끝에 크고 둥근 덩이줄기를 만든다. 잎몸은 화살 모양, 윗부분 잎맥은 7개로 너비가 넓다.

분포 · 생육지 중국 원산. 우리나라 전역의 늪이나 연못에서 자란다.

약용 부위 · 수치 땅속 덩이줄기를 여름과 가을에 채취하여 물에 씻은 후 썰어서 말린다.

약물명 야자고(野慈姑)

본초서 「동의보감(東醫寶鑑)」에 "소변에 모래 같은 것이 섞여 나오는 것을 낫게 하고 종기를 삭이며 갈증을 풀어 준다. 산후에 정신이 혼미하고 가슴이 답답한 증상과 태반이 나오지 않을 때 사용한다."고 하였다.
東醫寶鑑: 下石淋 除擁腫 止消渴 療産後血悶及胎衣不下.

약효 양혈활혈(涼血活血), 지해통림(止咳通淋), 산결해독(散結解毒)의 효능이 있으므로 산후혈민(産後血悶), 태의불하(胎衣不下), 임병(淋病), 해수담혈(咳嗽痰血)을 치료한다.

사용법 야자고 10g에 물 3컵(600mL)을 넣고 달여서 복용한다.

● 야자고(野慈姑)

● 쇠귀나물(꽃)

● 쇠귀나물

[자라풀과]

자라풀

적백대하

●학명 : *Hydrocharis dubia* (Bl.) Backer [*H. asiatica* Miq.]　●별명 : 수련아재비

| 1 | 2 | 3 | 4 | 5 | 6 | 7 | 8 | 9 | 10 | 11 | 12 |

여러해살이풀. 줄기는 옆으로 벋으면서 마디에서 뿌리를 내려 모여서 자란다. 마디에는 길이 2.5~3.5cm의 막질의 턱잎이 2개만 있다가 턱잎 겨드랑이에서 물에 뜨는 잎이 나온다. 꽃은 8~10월에 피며 백색이다. 열매는 육질이고 많은 종자가 들어 있다.

분포 · 생육지 우리나라 제주도, 전남, 경남(창녕, 소못), 인천(덕적도, 강화도), 중국, 일본, 타이완. 연못이나 도랑에서 자란다.

약용 부위 · 수치 전초를 여름에 채취하여 물에 씻어서 말린다.

약물명 수별(水鱉). 수백(水白), 수소(水蘇), 마뇨화(馬尿花)라고도 한다.

약효 청열이습(淸熱利濕)의 효능이 있으므로 습열(濕熱)에서 비롯된 여성의 적백대하를 치료한다.

사용법 수별 10g에 물 3컵(600mL)을 넣고 달여서 복용하거나, 가루 내어 1회 3g씩 복용한다.

● 수별(水鱉)

● 자라풀

[자라풀과]

물질경이

천식, 해수　　수종
화상, 옹종

●학명 : *Ottelia alismoides* (L.) Persoon　●별명 : 물배추

| 1 | 2 | 3 | 4 | 5 | 6 | 7 | 8 | 9 | 10 | 11 | 12 |

❶ 용설초(龍舌草)

한해살이풀. 줄기가 없고, 잎은 뿌리에서 모여난다. 꽃대는 길이 30~50cm이며 꽃대 끝에서 포에 싸인 1개의 백색~적자색 꽃이 9월에 피며, 꽃받침과 꽃잎은 각각 3개, 수술은 6개이다. 꽃잎은 넓은 달걀 모양이고, 타원형의 많은 종자가 들어 있다.

분포·생육지 우리나라 전역. 중국, 일본, 타이완, 필리핀, 인도, 오스트레일리아. 연못, 도랑, 늪에서 자란다.

약용 부위·수치 전초를 여름과 가을에 채취하여 씻은 후 말려서 사용한다.

약물명 용설초(龍舌草), 용설(龍舌), 수백초(水白草)라고도 한다.

약효 지해화담(止咳化痰), 청열이뇨(淸熱利尿)의 효능이 있으므로 천식(喘息), 해수(咳嗽), 수종(水腫), 화상(火傷), 옹종(癰腫)을 치료한다.

사용법 용설초 10g에 물 3컵(600mL)을 넣고 달여서 복용하고, 외용에는 짓찧어 바른다.

❶ 물질경이

[자라풀과]

나사말

대하, 산후오로

●학명 : *Vallisneria natans* (Lour.) Hara [*V. spiralis, Phykium natans*]

| 1 | 2 | 3 | 4 | 5 | 6 | 7 | 8 | 9 | 10 | 11 | 12 |

❶ 고초(苦草)

여러해살이풀. 옆으로 땅속줄기가 벋으며 마디에서 뿌리가 나오고 잎이 나온다. 잎은 뿌리에서 모여나고 선형이며 끝이 둔하고 위 가장자리에 희미한 톱니가 있다. 꽃은 2가화로 8~9월에 피며, 암꽃이 달리는 꽃줄기는 길게 자라서 꽃이 수면에서 자라도록 하고, 수꽃이 피는 꽃줄기는 길이 2~3cm이다. 열매는 선형이다.

분포·생육지 우리나라 전역. 중국, 일본, 타이완, 필리핀, 인도, 오스트레일리아. 연못이나 흐름이 빠르지 않은 강가에서 자란다.

약용 부위·수치 전초를 여름과 가을에 채취하여 씻은 후 말려서 사용한다.

약물명 고초(苦草), 대각소초(帶脚小草), 소절초(小節草)라고도 한다.

약효 조습지대(燥濕止帶), 행기활혈(行氣活血)의 효능이 있으므로 대하(帶下), 산후오로(産後惡露)를 치료한다.

성분 chlorophyllide, chondrilasterol, β-sitosterol, eicosanol, phosphatidylcholine 등이 함유되어 있다.

사용법 고초 10g에 물 3컵(600mL)을 넣고 달여서 복용한다.

❶ 나사말

[지채과]

지채

 위열번갈　 소변임통
열성상진

● 학명 : *Triglochin maritimum* L.　● 별명 : 갯장포

| 1 | 2 | 3 | 4 | 5 | 6 | 7 | 8 | 9 | 10 | 11 | 12 |

물속에서 자라는 여러해살이풀. 뿌리줄기가 굵고, 꽃대는 곧게 서며 높이 50cm 정도이다. 잎은 바늘 모양, 꽃은 8~9월에 자녹색으로 피고 수상화서를 이룬다. 꽃덮개는 6개, 6개의 수술이 있고, 암술머리도 6개이며 6실로 된 씨방이 있다. 열매는 긴 달걀 모양이다.

분포 · 생육지 우리나라 제주도, 전남(완도), 전북(위도), 인천(영종도, 강화도), 강원(강릉, 송지호), 황해(옹진), 함북(회령). 중국, 일본, 타이완, 우수리, 인도 등 북반구. 바닷가에서 자란다.

약용 부위 · 수치 전초를 여름이나 가을에 채취하여 흙을 털고 썰어서 말린다.

약물명 해구채(海韭菜)

약효 청열생진(淸熱生津), 해독이습(解毒利濕)의 효능이 있으므로 열성상진(熱盛傷津), 위열번갈(胃熱煩渴), 소변임통(小便淋痛)을 치료한다.

성분 4-hydroxymandelonitrile, triglo-chinin, 4-hydroxyphenylacetonitrile, pipecolinic acid, triglochinic acid 등이 함유되어 있다.

사용법 해구채 10g에 물 3컵(600mL)을 넣고 달여서 복용한다.

＊ 땅에 기는줄기가 있고 심피는 3개이며 열매는 바늘 모양이고 열매자루가 곧게 서는 '물지채 *T. palustre*'도 약효가 같다.

❶ 해구채(海韭菜)

❶ 지채

[가래과]

가는가래

 습열이질, 황달　 임질, 치질
대하, 자궁출혈

● 학명 : *Potamogeton cristatus* Regel et Maack　● 별명 : 좀가래

| 1 | 2 | 3 | 4 | 5 | 6 | 7 | 8 | 9 | 10 | 11 | 12 |

물속에서 자라는 여러해살이풀. 잎자루가 잎몸보다 짧고 잎 끝은 약간 둔하다. 꽃은 7~8월에 피고, 꽃이삭은 길이 6~9mm로 짧다.

분포 · 생육지 우리나라 전역. 중국, 일본, 타이완, 우수리, 인도, 오스트레일리아. 논이나 못에서 자란다.

약용 부위 · 수치 전초를 봄부터 가을까지 채취하여 말린다.

약물명 안자채(眼子菜). 아치초(牙齒草), 아습초(牙拾草)라고도 한다.

약효 청열해독(淸熱解毒), 이습통림(利濕通淋), 소종지혈(消腫止血)의 효능이 있으므로 습열이질(濕熱痢疾), 황달, 임질, 대하, 자궁출혈, 치질을 치료한다.

사용법 안자채 10g에 물 3컵(600mL)을 넣고 달여서 복용한다.

❶ 가는가래

❶ 가는가래(꽃)

[가래과]

가래

습열이질, 황달　임질, 치질
대하, 자궁출혈

● 학명 : *Potamogeton distinctus* A. Benn.　● 별명 : 긴잎가래

| 1 | 2 | 3 | 4 | 5 | 6 | 7 | 8 | 9 | 10 | 11 | 12 |

물속에서 자라는 여러해살이풀. 뿌리줄기가 진흙 속에서 옆으로 벋으며 끝에 겨울눈을 만들고 마디에서 뿌리를 낸다. 물에 뜨는 잎은 긴 타원형, 표면은 녹색이고 뒷면은 황록색으로 잎맥이 두드러진다. 꽃은 7~8월에 잎겨드랑이의 수상화서에 달리며 황록색이다. 꽃덮개 4개, 수술 4개, 씨방 4개이다. 핵과는 길이 3~3.5mm로 뒷면에 능선이 있다.

분포·생육지 우리나라 전역. 중국, 일본, 타이완, 우수리, 인도, 오스트레일리아. 논이나 못에서 자란다.

약용 부위·수치 전초를 봄부터 가을까지 채취하여 말린다.

약물명 안자채(眼子菜), 아치초(牙齒草), 아습초(牙拾草)라고도 한다.

약효 청열해독(清熱解毒), 이습통림(利濕通淋), 소종지혈(消腫止血)의 효능이 있으므로 습열이질(濕熱痢疾), 황달, 임질, 대하, 자궁출혈, 치질을 치료한다.

사용법 안자채 10g에 물 3컵(600mL)을 넣고 달여서 복용한다.

＊ 잎이 가는 '가는가래 *P. cristatus*', 물속잎은 잎자루가 없고 물 위에 뜨는 잎의 잎자루는 밑부분이 넓어져 물결 모양인 '선가래 *P. fryeri*'도 약효가 같다.

◐ 가래

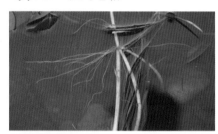
◐ 가래(뿌리줄기)

◐ 안자채(眼子菜)

[가래과]

큰가래

목적종통　창옹종독
황달　수종

● 학명 : *Potamogeton natans* L.　● 별명 : 대동가래

| 1 | 2 | 3 | 4 | 5 | 6 | 7 | 8 | 9 | 10 | 11 | 12 |

물속에서 자라는 여러해살이풀. 땅속줄기의 마디에서 뿌리가 내린다. 잎은 어긋나며 길이 5~10cm, 너비 3~5cm이고, 물속에 있는 잎은 매우 가늘다. 꽃은 담황색, 열매는 달걀 모양, 길이 4mm 정도이다.

분포·생육지 우리나라 평양(대동강), 경기도, 경남. 중국, 일본, 타이완, 우수리. 연못이나 개울에서 자란다.

약용 부위·수치 전초를 여름과 가을에 채취하여 말린다.

약물명 수안판(水案板)

약효 청열해독(清熱解毒), 제습이수(除濕利水)의 효능이 있으므로 목적종통(目赤腫痛), 창옹종독(瘡癰腫毒), 황달, 수종을 치료한다.

사용법 수안판 10g에 물 3컵(600mL)을 넣고 달여서 복용한다.

◐ 큰가래(꽃과 잎)

◐ 큰가래

[거머리말과]

거머리말

영류결핵   수종   각기

●학명 : *Zostera marina* L.   ●별명 : 애기부들말, 단말

| 1 | 2 | 3 | 4 | 5 | 6 | 7 | 8 | 9 | 10 | 11 | 12 |

바닷속에서 자라는 여러해살이풀. 뿌리줄기가 굵고 옆으로 벋으며, 가지는 잎만 달리는 것과 잎과 꽃이 달리는 것이 있다. 꽃은 암수한그루, 녹색이다. 열매는 수과이다.

분포·생육지 우리나라 전역. 중국, 일본, 타이완, 우수리, 사할린. 얕은 바다에서 자란다.

약용 부위·수치 전초를 봄부터 가을까지 채취하여 물에 씻은 후 말린다.

약물명 대엽조(大葉藻), 해대(海帶), 해마린(海馬藺), 해대초(海帶草)라고도 한다. 대한민국약전외한약(생약)규격집(KHP)에 수재되어 있다.

약효 청열화담(淸熱化痰), 연결산견(軟結散堅), 이수(利水)의 효능이 있으므로 영류결핵(瘻瘤結核), 수종(水腫), 각기를 치료한다. 「동의보감(東醫寶鑑)」에는 고환이나 음낭이 커지면서 아프거나 아랫배가 단단한 증상을 치료한다고 하였다.

성분 *p*-sulphooxy cinnamic acid, luteolin-7-sulphate, chrysoeriol-7-sulphate, diosmetin-7-sulphate, apigenin-7-sulphate 등이 함유되어 있다.

사용법 대엽조 10g에 물 3컵(600mL)을 넣고 달여서 복용하거나 가루로 만들어 1~2g을 복용한다.

❍ 거머리말

❍ 대엽조(大葉藻)

[백합과]

쥐꼬리풀

해수, 객혈, 천식, 폐옹   유옹, 경폐

●학명 : *Aletris spicata* (Thunb.) Francher   ●별명 : 쥐꼬리새

| 1 | 2 | 3 | 4 | 5 | 6 | 7 | 8 | 9 | 10 | 11 | 12 |

여러해살이풀. 뿌리줄기는 짧고 굵으며, 꽃대는 바로 서고 높이 30~70cm, 뿌리잎은 모여나고 바늘 모양, 잎맥은 3개이고 가장자리는 밋밋하다. 꽃은 6~7월에 피는데, 윗부분은 백색으로 연한 붉은색을 띠고 아랫부분은 연한 녹색이며 수상화서에 작은 꽃이 조밀하게 달린다. 열매는 삭과이다.

분포·생육지 우리나라 전남. 중국, 일본, 타이완. 양지바른 산기슭 풀밭에서 자란다.

약용 부위·수치 뿌리가 달린 전초를 여름에 채취하여 물에 씻은 후 말린다.

약물명 소폐근초(小肺筋草), 폐근초(肺筋草), 소폐금초(小肺金草)라고도 한다.

기미·귀경 평(平), 감(甘), 고(苦)·폐(肺), 간(肝)

약효 청열(淸熱), 윤폐지해(潤肺止咳), 활혈조경(活血調經)의 효능이 있으므로 해수(咳嗽), 객혈(喀血), 천식, 폐옹(肺癰), 유옹(乳癰), 경폐(經閉)를 치료한다.

사용법 소폐근초 20g에 물 4컵(800mL)을 넣고 달여서 복용한다.

＊ 본 종에 비하여 꽃차례가 짧고 잎이 넓은 '여우꼬리풀 *A. sikkimensis*'도 약효가 같다.

❍ 여우꼬리풀

❍ 쥐꼬리풀

[백합과]

양파

식소복창, 궤양 창상 고지혈증 트리코모나스질염

●학명 : *Allium cepa* L.   ●별명 : 주먹파, 옥파, 둥굴파, 둥글파

| 1 | 2 | 3 | 4 | 5 | 6 | 7 | 8 | 9 | 10 | 11 | 12 |

두해살이풀. 높이 50~100cm. 비늘줄기는 지름 10cm 정도이며 편구형이다. 겉에 있는 비늘조각은 건막질로 자줏빛이 도는 갈색이지만 안쪽의 것은 두껍고 층층이 겹쳐진다. 9월에 꽃줄기 끝에서 큰 화서가 자라고 꽃덮개 조각은 6개이며, 6개의 수술 중 3개는 수술대 밑 양쪽에 잔돌기가 있다.

분포 · 생육지 페르시아 원산. 우리나라 전역에서 재배하는 귀화 식물이다.

약용 부위 · 수치 여름과 가을에 땅속 비늘줄기를 채취하여 말린다.

약물명 양총(洋葱)

약효 건위이기(健胃理氣), 해독살충(解毒殺蟲), 강혈지(降血脂)의 효능이 있으므로 식소복창(食少腹脹), 창상(創傷), 궤양(潰瘍), 고지혈증, 부인의 트리코모나스질염을 치료한다.

성분 allylpropyldisulphide, thiosulfide, diphenylthiosulfinate, benzylisothiocynate, allicin, alliin, 1,3-dimethylacrylicalde-hyde, spiraeoside, quercetin, quercetin-4-β-D-O-glucoside, quercetin-3,4'-di-glucoside, p-coumaric acid, pyrocatechol, phloroglucinol 등이 함유되어 있다.

약리 양파 50g을 쥐에게 한달간 먹이면 혈중 콜레스테롤 함량이 저하한다. 양파 추출물은 혈소판 응집을 억제시킨다. 양파 추출물은 기침과 가래를 억제하고 항염증 작용을 한다. fibrin 용해 활성을 억제하므로 동맥경화증에 사용할 수 있다. 열수추출물을 쥐의 피부에 바르고 UVB 조사하면 대조군에 비하여 피부 손상이 적다.

사용법 양총 30g을 생으로 먹거나 익혀서 먹고, 외용에는 짓찧어 붙이거나 바른다.

❍ 양파

❍ 양파(꽃)

❍ 양총(洋葱)   ❍ 양파 수확(전남 임자도)

[백합과]

파

상한두통, 풍한두통 음한복통, 이질, 완복냉통, 창만 감모풍한 이변불통, 유정 옹종, 창옹 목현, 시물혼암, 후창

●학명 : *Allium fistulosum* L.   ●별명 : 굵은파

| 1 | 2 | 3 | 4 | 5 | 6 | 7 | 8 | 9 | 10 | 11 | 12 |

두해살이풀. 높이 60cm 정도. 자르면 끈끈한 액이 나오며 매운 냄새가 나고, 수염뿌리가 밑에서 사방으로 퍼진다. 잎은 두 줄로 자라며 5~7개, 꽃은 6~7월에 백색으로 핀다. 삭과는 3개의 3각형으로 능선이 있으며 흑색 종자가 들어 있다.

분포 · 생육지 시베리아 원산. 우리나라 전역에서 재배하는 귀화 식물이다.

약용 부위 · 수치 비늘줄기를 채취하여 수염뿌리 및 잎을 제거하여 사용한다. 종자는 가을에 채취하며, 잎과 뿌리는 여름에 채취하여 물에 씻은 후 썰어서 말린다.

약물명 비늘줄기를 총백(葱白)이라 하고 총경백(葱莖白), 총백두(葱白頭)라고도 한다. 종자는 총실(葱實)이라 하며, 총자(葱子)라고도 한다. 뿌리를 총수(葱鬚), 잎을 총엽(葱葉), 꽃차례를 총화(葱花)라 한다. 총백(葱白)은 대한민국약전외한약(생약)규격집(KHP)에 수재되어 있다.

본초서 「동의보감(東醫寶鑑)」에 총백(葱白)은 "추위로 인하여 추웠다 열이 났다 하는 것, 중풍으로 눈과 얼굴이 붓는 것, 목 안이 벌겋게 붓고 아픈 것을 낫게 한다. 태아를 편안하게 하고, 눈을 밝게 하며, 간에 있는 나쁜 기운을 몰아내고 오장을 튼튼하게 하며 모든 약독을 풀어 준다. 대소변을 잘 나오게 하고 장의 경련으로 배가 아픈 것과 다리가 붓는 증상을 낫게 한다."고 하였다. 東醫寶鑑: 主傷寒寒熱 中風面目腫 療喉痺 安胎明目 除肝邪 利五臟 殺百藥毒 通大小便 治奔豚脚氣.

성상 총백(葱白)은 비늘줄기로 밑부분에는 뿌리가 붙어 있던 흔적 또는 뿌리의 일부가 남아 있으며 백색이다. 냄새가 강하고 맛은 맵다.

기미 · 귀경 총백(葱白): 온(溫), 신(辛) · 폐(肺), 위(胃). 총실(葱實): 온(溫), 신(辛)

약효 총백(葱白)은 산한(散寒), 해독, 소종(消腫)의 효능이 있으므로 상한두통(傷寒頭痛), 음한복통(陰寒腹痛), 이변불통(二便

❍ 파

不通), 이질, 옹종(癰腫)을 치료한다. 총실(葱實)은 온신명목(溫腎明目), 해독의 효능이 있으므로 신허양독(腎虛陽毒), 유정(遺精), 목현(目眩), 시물혼암(視物昏暗), 창옹(瘡癰)을 치료한다. 총수(葱鬚)는 거풍산한(祛風散寒), 해독산어(解毒散瘀)의 효능이 있으므로 풍한두통(風寒頭痛), 후창(喉瘡), 치창(痔瘡)을 치료한다. 총엽(葱葉)은 발한해표(發汗解表), 해독산종(解毒散腫)의 효능이 있으므로 감모풍한(感冒風寒), 풍수부종(風水浮腫), 창옹종통(瘡癰腫痛)을 치료한다. 총화(葱花)는 산한통양(散寒通陽)의 효능이 있으므로 완복냉통(脘腹冷痛), 창만(脹滿)을 치료한다.

성분 비늘줄기에는 정유가 함유되어 있으며 주성분은 allicin, 그 외 allylsulfide, diallylmonosulfide 및 vitamin B₁, B₂, A, carotenoid 등이 함유되어 있다.

약리 총백(葱白)의 열수추출물을 쥐, 토끼

등의 동물에게 투여하면 발한 해열 작용, 거담 작용, 건위 작용, 이뇨 작용이 나타난다. 정유 성분은 디프테리아균, 결핵균, 적리균, 연쇄구균에 항균 작용이 있고, 피부진균에 항진균 작용이 있다.

사용법 총백 15g에 물 3컵(600mL)을 넣고 달여서 복용하고, 외용에는 짓찧어서 바른다. 총실, 총수, 총엽, 총화는 10g에 물 3컵(600mL)을 넣고 달여서 복용한다.

처방 총백탕(葱白湯): 총백(葱白) 10개, 생강(生薑) 80g (『동의보감(東醫寶鑑)』). 임신부가 풍한(風寒)으로 감기에 걸려 오싹오싹 춥고 열이 나며 머리가 아픈 증상에 사용한다.

• 총시탕(葱豉湯): 총백(葱白) 3개, 마황(麻黃) 40g, 두시(豆豉) 180g, 생강(生薑) 20g (『동의보감(東醫寶鑑)』). 외감풍한(外感風寒)에 사용한다.

＊파 또는 양파는 혈중 콜레스테롤의 상승

을 억제하며, fibrin 용해 활성을 억제하므로 동맥경화증에 사용할 수 있다.

○ 파(비늘줄기)

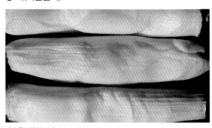
○ 총백(葱白)

○ 총실(葱實)

○ 총수(葱鬚)

○ 총엽(葱葉)

[백합과]

삼채

 식소복창, 소화불량, 변비　　 당뇨병

● 학명 : *Allium hookeri* Thwaites　● 한자명 : 三菜, 寬葉韭

| 1 | 2 | 3 | 4 | 5 | 6 | 7 | 8 | 9 | 10 | 11 | 12 |

여러해살이풀. 비늘줄기는 편구형이고, 겉에 있는 비늘 조각은 자줏빛이 도는 갈색이지만 안쪽의 것은 두껍고 층층이 겹쳐진다. 9월에 꽃줄기 끝에서 큰 화서가 자라고 꽃덮개 조각은 6개이다.

분포 · 생육지 미얀마, 부탄, 네팔 등 히말라야 산맥. 고랭지에서 자란다.

약용 부위 · 수치 전초를 여름과 가을에 채취하여 물에 씻은 후 말린다.

약용명 삼채(三菜). 관엽구(寬葉韭)라고도 한다.

약효 건위이기(健胃理氣), 소염의 효능이

있으므로 식소복창(食少腹脹), 소화불량, 변비, 당뇨병을 치료한다.

성분 사포닌, 유황 화합물, 아미노산을 다량 함유하며, 유황은 100g당 3.28mg이 함유되어 있다.

약리 제2형 당뇨 모델인 쥐에게 잎과 뿌리를 먹이에 첨가하여 먹이면 항당뇨 활성이 나타난다. 50%에탄올추출물은 항산화 효능이 있다.

사용법 삼채 적당량을 그대로 복용하거나 30g에 물을 넣고 달여서 복용한다.

○ 삼채(뿌리)

○ 삼채(三菜)로 만든 건강식품

○ 삼채

○ 삼채주(三菜酒)

○ 삼채(三菜, 신선품)

[백합과]

산달래

 건구역질, 설사　 풍한수종

● 학명 : *Allium macrostemon* Bunge [*A. grayi*]　● 별명 : 돌달래, 큰달래

| 1 | 2 | 3 | 4 | 5 | 6 | 7 | 8 | 9 | 10 | 11 | 12 |

여러해살이풀. 비늘줄기는 지름 1.2~1.5cm의 구형으로 포자 끝에 새로운 비늘줄기가 생긴다. 꽃대는 바로 서며 높이 45~80cm이고, 잎은 2~9개로 바늘 모양이며, 길이 20~30cm, 너비 2~3mm, 단면은 반원형이고 속은 비어 있다. 꽃은 5~6월에 피고 백색 또는 연한 붉은색, 수술과 암술대는 꽃차례보다 훨씬 길다.

분포 · 생육지 우리나라 전역, 중국, 일본, 우수리. 산과 들에서 자라며, 식용 또는 약용으로 재배한다.

약용 부위 · 수치 비늘줄기를 가을에 채취하여 흙을 털고 물에 씻어서 말린다.

약물명 해백(薤白). 소근산(小根蒜), 해백두(薤白頭)라고도 한다. 대한민국약전외한약(생약)규격집(KHP)에 수재되어 있다.

본초서 해백(薤白)은 「명의별록(名醫別錄)」 중품(中品)에 해(薤)라는 이름으로 수재되어 있다. 소경(蘇敬)은 "해(薤)는 구(韭)의 한 종류로서 적(赤), 백(白)의 두 가지가 있으며, 흰 것은 맛이 좋으며 붉은 것은 맛이 쓰다."고 하였다. 「동의보감(東醫寶鑑)」에는 "중초의 기운을 다스리고, 오래된 이질과 찬 기운으로 인한 설사를 그치게 한다. 열이 나는 것과 몸이 붓는 것을 낫게 하고, 살이 찌게 하며 건강하게 한다."고 하였다.

東醫寶鑑: 調中 止久痢冷瀉 除寒熱 去水氣 肥健人.

성상 해백(薤白)은 크기가 고르지 않은 난원형이고 표면은 황갈색으로 약간 투명하며 울퉁불퉁하다. 표면은 백색의 비늘막으로 싸이고 위쪽에는 잎과 줄기의 흔적이 있고 아래쪽에는 뿌리 자국이 있으며, 질은 단단하다. 냄새는 마늘과 비슷하고 맛을 보면 아리다.

기미 · 귀경 온(溫), 신(辛), 고(苦) · 폐(肺), 심(心), 위(胃), 대장(大腸)

약효 이기관흉(理氣寬胸), 통양산결(通陽散結)의 효능이 있으므로 건구역질, 설사, 풍한수종(風寒水腫)을 치료한다.

성분 alliin, methylalliin, dimethyl trisulfide, methylpropyl trisulfide, macrostemonoside A, D, E, F, daucosterol, prostaglandin A$_1$, B$_1$ 등이 함유되어 있다.

약리 물로 달인 액은 혈압을 내리는 작용과 혈소판 응집을 억제하는 작용이 있다. 즙액은 항산화 작용이 있다. 열수추출물은 적리균, 용혈성포도구균에 항균 작용이 있다.

사용법 해백 10g에 물 3컵(600mL)을 넣고 달여서 복용하거나 짓찧어 환부에 바른다.

처방 해백탕(薤白湯): 해백(薤白) 7개, 갱미(粳米) 반 홉, 대추(大棗) 4개, 진피(陳皮) 1.2g, 지실(枳實) 4알, 생강(生薑) 10쪽, 두시(豆豉) 50알을 물에 달여서 반으로 나누어 아침과 저녁에 복용(「향약집성방(鄉藥集成方)」). 위기(胃氣)가 허약하여 음식을 먹지 못하고 먹으면 게우는 증상에 사용한다.

• 괄루해백반하탕(括蔞薤白半夏湯): 해백(薤白) 16g, 반하(半夏) 8g, 백주(白酒) 15g (「금궤요략(金匱要略)」). 관심통(冠心痛)과 심교통(心交痛)에 사용한다.

＊ 잎이 꽃줄기보다 긴 '달래 *A. monathum*' 도 약효가 같다.

○ 산달래

○ 해백(薤白)

[백합과]

마늘

음식적체, 완복냉통, 이질　수종창만　말라리아
백일해, 폐결핵　독사교상, 옴, 무좀, 발진

● 학명 : *Allium sativum* L. [*A. scorodoprasm*]　● 별명 : 마눌, 호마늘, 육지마늘, 대마늘, 왕마늘, 쪽마늘

| 1 | 2 | 3 | 4 | 5 | 6 | 7 | 8 | 9 | 10 | 11 | 12 |

여러해살이풀. 비늘줄기는 둥글고 연한 갈색의 껍질 같은 잎으로 싸여 있으며 안쪽에 5~6개의 작은 비늘줄기가 들어 있다. 꽃대는 곧게 서고 높이 60cm 정도이며 3~4개의 잎이 어긋난다. 7월에 잎 속에서 꽃대가 나오고 총포는 길며, 꽃덮개는 6개, 수술은 6개로 꽃덮개보다 짧다. 씨방은 상위로 달

걀 모양이고 끝은 오목하고 3실이다.

분포 · 생육지 서부 아시아 원산. 우리나라 전역에서 재배하는 귀화 식물이다.

약용 부위 · 수치 비늘줄기를 가을에 채취하여 흙을 털어서 말린다. 이것을 4mm 이하의 두께로 썰어 겉은 밤색, 속은 황색이 될 때까지 볶는다.

약물명 대산(大蒜). 호산(胡蒜), 호(葫), 독두산(獨頭蒜), 독산(獨蒜)이라고도 한다. 대한민국약전외한약(생약)규격집(KHP)에 수재되어 있다.

본초서 「명의별록(名醫別錄)」에 호(葫)라는 이름으로 수재되어 있고, 「본초경집주(本草經集注)」에 처음 대산(大蒜)으로 수재되어

있다. 「동의보감(東醫寶鑑)」에는 "종기를 낫게 하고 풍습으로 뼈마디가 쑤시고 당기며 굽혔다 폈다 하기 어려운 것과 축축하고 더운 땅에서 생기는 독기를 풀어 주며, 배꼽 부위와 늑골 아래에 덩어리가 생긴 것을 낫게 한다. 또 몸의 찬 기운을 몰아내고 비장을 튼튼하게 하며 위장을 따뜻하게 한다. 구토와 설사를 멎게 하고, 봄철에 유행하는 급성전염병을 낫게 하며, 뱀이나 벌에 물린 상처를 낫게 한다."고 하였다.

東醫寶鑑: 主散癰腫 除風濕 去瘴氣 爛痃癖 破冷除風 健脾溫胃 止霍亂轉筋 辟溫疫 療勞瘧 去蟲毒 療蛇蟲傷.

품질 알갱이가 굵고 향기가 강하며 매운맛을 내는 것이 좋다.

기미·귀경 한(寒), 고(苦)·간(肝), 비(脾)

약효 행기체(行氣滯), 난비위(暖脾胃), 해독, 살충의 효능이 있으므로 음식적체(飮食積滯), 완복냉통(脘腹冷痛), 수종창만(水腫脹滿), 이질, 말라리아, 백일해, 독사교상(毒蛇咬傷), 종기나 상처가 부은 것이나 부스럼, 옴, 무좀, 백선 또는 피부가 헐어 생긴 발진 및 가려움증, 폐결핵으로 기침과 가래가 많은 증상을 치료한다. 중국에서는

이질의 보조 치료제로 사용되고 있다.

성분 alliin, allicin, cycloalliin, diallyldisulfide, 다당류인 scordose, protoeruboside B, protodesgalactotignonin, sativoside R₁, R₂, scordine A, B, 단백질인 allivin 등이 함유되어 있다.

약리 항미생물 작용: 마늘의 0.5% 수용액이나 정유 성분, 마늘즙은 이질균, 장티푸스균, *Trichomonas*균, 표피진균, 백선진균 등에 살균 작용이나 강한 억제 작용이 있다. 마늘을 찧을 때 생성되는 allicin은 다제내성(multidrug resistant)을 나타내는 내독소를 가진 대장균을 비롯한 광범위한 그람 양성균과 그람 음성균에 대하여 항균 작용을 나타낸다. 또한 *Candida albicans*에 항진균 작용을 나타내며 회충, 요충 등에 대한 구충 작용이 있다. 단백질인 allivin은 *Botrytis cinerea*, *Mycosphaerella arachidicola*, *Physalospora piricola*와 같은 진균의 성장을 억제한다.

• 항암 작용: *S*-allylcysteine을 포함한 마늘의 유기황 화합물들은 동물의 생체 실험에서 여러 종양의 성장을 억제시킨다. 마늘 추출물은 암을 일으킬 수 있는 유리기(radical)를 소거하는 작용이 있으며 활성 성분은 *S*-allylcysteine과 *S*-allylmercapto-L-cysteine이다. 마늘의 향기 성분인 diallylsulfide는 동물 실험에서 간 대사 과정에 의하여 diallylsulfide나 diallylsulfone으로 전환되어 종양의 발생을 억제한다. 셀레늄을 배합한 마늘은 암 예방 효능이 높게 나타난다.

• 항산화 작용: 동물 실험에서 allicin은 항산화 작용이 나타난다.

• 비타민 B₁(thiamine) 활성화 작용: allicin과 thiamine이 결합한 allithiamine은 비타민 B₁ aneurinase 등의 분해 인자에 의하여 분해되지 않고 소화관으로부터 흡수가 잘 되며 작용이 신속하다.

사용법 대산 10g에 물 3컵(600mL)을 넣고 달여서 또는 술에 담가서 복용한다. 가루는 1~1.5g을 복용한다.

처방 대산고(大蒜膏): 대산(大蒜)·마치현(馬齒莧) 각 50g, 선인장(仙人掌) 100g (「동약건강(東藥健康)」). 폐렴으로 오한이 나거나 기침이 나며 가슴이 답답하고 입맛이 없으며 온몸이 나른한 증상에 사용한다. 위의 약을 즙으로 내어 1일 3회 한 숟가락씩 복용한다.

* allicin과 thiamine(vitamin B₁)을 결합시킨 allithiamine은 thiamine에 비하여 aneurinase 등의 분해 인자에 의하여 분해되지 않는 극히 안정한 화합물이 생성되고, 소화관으로부터 흡수가 잘 되며 작용이 신속하여 활성 비타민이라 불린다.

❶ 마늘로 만든 건강식품

❶ 수확한 마늘(전남 증도)

❶ 마늘

❶ 대산(大蒜)

❶ 마늘(비늘줄기)

❶ 대산환(大蒜丸)

❶ 숙성 발효시킨 흑마늘

[백합과]

한라부추

 풍한외감   음한복통

지냉   맥미

● 학명 : *Allium taquetii* Lév. et Vaniot [*A. cyaneum*]

| 1 | 2 | 3 | 4 | 5 | 6 | 7 | 8 | 9 | 10 | 11 | 12 |

여러해살이풀. 꽃대 높이 25cm 정도. 비늘줄기는 긴 달걀 모양으로 여러 개가 같이 나고 겉이 섬유망으로 덮인다. 잎은 선형으로 3~4개, 꽃줄기보다 짧고 횡단면은 반원형이다. 꽃은 적자색, 꽃줄기 끝에 10~30개의 꽃이 산형으로 달린다. 총포는 2개, 삭과는 구형이고, 종자는 흑색이다.

분포 · 생육지 우리나라 한라산, 가야산, 지리산. 중국. 산지의 바위틈에서 자란다.

약용 부위 · 수치 전초를 여름에 채취하여 물에 씻은 후 말린다.

약물명 남화총(藍花蔥)

약효 산풍한(散風寒), 통양기(通陽氣)의 효능이 있으므로 풍한외감(風寒外感), 음한복통(陰寒腹痛), 지냉(肢冷), 맥미(脈微)를 치료한다.

사용법 남화총 15g에 물 3컵(600mL)을 넣고 달여서 복용한다.

● 한라부추(꽃)

● 한라부추

[백합과]

산부추

비위기허, 식욕감소

신허불고, 소변빈삭

● 학명 : *Allium thunbergii* G. Don. [*A. japonicum* Regel]
● 별명 : 왕정구지, 맹산부추, 큰산부추

| 1 | 2 | 3 | 4 | 5 | 6 | 7 | 8 | 9 | 10 | 11 | 12 |

● 산구(山韮)

● 산부추(열매)

여러해살이풀. 꽃대 높이 40~60cm. 비늘줄기는 달걀 모양으로 길이 2cm 정도이다. 잎은 2~3개가 비스듬히 위로 향하고 지름 3~5mm로 횡단면은 삼각형이며 속이 비고 잎 끝이 꼬인다. 꽃은 8~9월에 피고 적자색, 꽃밥은 자주색이다. 열매는 삭과이다.

분포 · 생육지 우리나라 전역. 중국, 일본, 우수리. 산지에서 자라며, 식용 또는 약용으로 재배한다.

약용 부위 · 수치 전초를 여름에 채취하여 흙을 털고 물에 씻어서 말린다.

약물명 산구(山韮), 육(䪺), 육채(䪺菜)라고도 한다.

기미 · 귀경 평(平), 함(鹹) · 비(脾), 신(腎)

약효 건비개위(健脾開胃), 보신축뇨(補身縮尿)의 효능이 있으므로 비위기허(脾胃氣虛), 식욕감소, 신허불고(腎虛不固), 소변빈삭(小便頻數)을 치료한다.

약리 70%메탄올추출물은 혈압에 관여하는 angiotensin converting enzyme의 활성을 저해한다.

사용법 산구 15g에 물 3컵(600mL)을 넣고 달여서 복용한다.

＊ 잎은 편평하고 잎 끝이 꼬이지 않은 '참산부추 *A. sacculiferum*'도 약효가 같다.

● 산부추

● 참산부추

부추

반위, 토혈, 이한복통 | 혈뇨, 신허양위, 유정, 빈뇨 | 당뇨병
적백대하 | 육혈 | 칠창, 창선 | 요슬산연

● 학명 : *Allium tuberosum* Rottle ● 별명 : 정구지, 솔

1 2 3 4 5 6 7 8 9 10 11 12

여러해살이풀. 비늘줄기는 좁은 달걀 모양이고 짧은 뿌리줄기에 의하여 이어져 옆으로 줄지어 난다. 잎은 바늘 모양이다. 꽃은 백색, 지름 6~7mm이며, 작은 꽃대는 길고, 총포는 막질이다. 꽃덮개는 6개, 수평으로 퍼지고 긴 타원형, 끝이 뾰족하다. 수술은 6개로 꽃덮개보다 약간 짧고, 꽃밥은 황색이다. 삭과는 심장형이다.

분포 · 생육지 우리나라 전역. 중국, 일본, 아무르, 우수리, 몽골, 티베트, 시베리아. 산지의 바위틈에서 자란다.

약용 부위 · 수치 잎을 여름에 채취하고, 뿌리를 여름 또는 가을에 채취하여 물에 씻어서 말리고, 종자는 가을에 채취하여 말린다.

약물명 잎을 구채(韭菜), 뿌리를 구근(韭根), 종자를 구자(韭子)라 한다. 구자는 대한민국약전외한약(생약)규격집(KHP)에 수재되어 있다.

본초서 「동의보감(東醫寶鑑)」에는 "이 약의 기운은 심장으로 들어간다. 오장을 편안하게 하고 위장 속의 열을 없애며, 허약한 것을 돕고 허리와 무릎에 힘이 생기게 한다. 또 가슴이 답답한 것을 풀어 준다."고 하였다.

東醫寶鑑: 歸心 安五臟 除胃中熱 補虛乏 煖腰膝 除胸中痺

기미 · 귀경 구채(韭菜): 온(溫), 신(辛) · 신(腎), 위(胃), 폐(肺), 간(肝). 구근(韭根): 온(溫), 신(辛). 구자(韭子): 온(溫), 신(辛), 감(甘) · 간(肝), 신(腎).

성상 구자(韭子)는 반편구형(半偏球形)이며 길이 0.3~0.4cm, 너비 0.2~0.3cm, 표면은 흑갈색이고 광택이 나고 주름무늬가 있으며 질은 단단하다. 냄새가 특이하고 맛은 맵다.

약효 구채(韭菜)는 온중하기(溫中下氣), 행기산혈(行氣散血), 해독의 효능이 있으므로 흉비(胸痺), 반위(反胃), 토혈(吐血), 혈뇨(血尿), 당뇨병을 치료한다. 구근(韭根)은 온중행기(溫中行氣), 산어해독(散瘀解毒)의 효능이 있으므로 이한복통(裏寒腹痛), 흉비동통(胸痺疼痛), 적백대하(赤白帶下), 육혈(衄血), 토혈(吐血), 칠창(漆瘡), 창선(瘡癬)을 치료한다. 구자(韭子)는 보익간신(補益肝腎), 장양고정(壯陽固精)의 효능이 있으므로 신허양위(腎虛陽痿), 요슬산연(腰膝酸軟), 유정(遺精), 빈뇨(頻尿), 요탁(尿濁), 대하(帶下)를 치료한다.

성분 dimethyldisulfide, diallyldisulfide, methylallyldisulfide, methylallyltrisulfide가 함유되어 있다.

약리 열수추출물은 돌연변이 억제 작용과 살충 작용이 있다.

사용법 구채는 60~120g을 믹서기 등으로 갈아 복용하고, 구근은 말린 것 15g에 물 3컵(600mL)을 넣고 달여서 복용하거나 생것 50g을 갈아서 복용한다. 구자는 10g에 물 3컵(600mL)을 넣고 달여서 복용하거나 알약으로 만들어서 복용한다.

처방 찬육단(贊肉丹): 숙지황(熟地黃) · 백출(白朮) 각 300g, 당귀(當歸) · 구기자(枸杞子) 각 220g, 두충(杜仲) · 선모(仙茅) · 파극(巴戟) · 산수유(山茱萸) · 음양곽(淫羊藿) · 육종용(肉蓯蓉) · 구자(韭子) 각 175g, 사상자(蛇床子) · 부자(附子) · 육계(肉桂) 각 75g 「동의노년보양처방집(東醫老年補陽處方集)」. 신허양위(腎虛陽痿), 요슬산연(腰膝酸軟), 빈뇨(頻尿)에 사용한다.

❶ 구근(韭根)

❶ 구자(韭子)

❶ 구채(韭菜)

❶ 부추

❶ 부추(꽃)

[백합과]

산마늘

타박상, 혈어종통, 창옹종통 　육혈

● 학명 : *Allium victorialis* L. [*A. victorialis* L. var. *platyphyllum* (Hulten) Makino]
● 별명 : 맹이풀, 산마눌, 망부추, 멍이, 멩, 서수레

| 1 | 2 | 3 | 4 | 5 | 6 | 7 | 8 | 9 | 10 | 11 | 12 |

여러해살이풀. 강한 냄새가 나고, 비늘줄기
는 타원상 구형으로 길이 4~7cm이고, 꽃
대는 바로 서며 높이 40~70cm이다. 잎은
2~3개이고 긴 타원형, 길이 20~30cm, 너
비 5~10cm이며 밑은 점차 좁아져서 잎자
루로 된다. 꽃은 백색 또는 담자색, 5~7월
에 산형화서를 이루어 핀다. 삭과는 심장
형, 종자는 달걀 모양으로 흑색이다.

분포 · 생육지 우리나라 경남, 경북, 강원,
평북, 중국, 일본, 우수리. 산과 들에서 자
라며, 식용 또는 약용으로 재배한다.

약용 부위 · 수치 비늘줄기를 여름과 가을에
채취하여 흙을 털고 물에 씻어서 말린다.
약물명 각총(茖葱). 격총(格葱), 산총(山葱)
이라고도 한다.
약효 산어지혈(散瘀止血), 해독의 효능이
있으므로 타박상, 혈어종통(血瘀腫痛), 육
혈(衄血), 창옹종통(瘡癰腫痛)을 치료한다.
성분 methylallyldisulfide, diallyldisul-
fide, methylallyltrisulfide, 3,4−dihydro−
3−vinyl−1,2−dithiin, 2−vinyl−4*H*−1,3−
dithiin 등이 함유되어 있다.

사용법 각총 10g에 물 3컵(600mL)을 넣고
달여서 복용하고, 외용에는 짓찧어 환부에
바른다.

❍ 산마늘

❍ 각총(茖葱)

❍ 산마늘(뿌리와 비늘줄기)

❍ 산마늘(열매)

[백합과]

큰알로에

열결변비　소아전간　치루, 임병, 헐뇨
위축성비염　나력, 화상　무월경

● 학명 : *Aloe arborescens* Mill.　● 한자명 : 大蘆薈

| 1 | 2 | 3 | 4 | 5 | 6 | 7 | 8 | 9 | 10 | 11 | 12 |

여러해살이풀. 높이 1~2m. 줄기는 바로
서고 줄기에서 잎이 나오며 긴 편원형, 육
질이다. 꽃은 붉은색, 7~9월에 원추화서로
피며 길이 3.5cm 정도이다.
분포 · 생육지 남아프리카 원산. 세계 각처
에서 재배한다.
약용 부위 · 수치 비늘줄기를 여름과 가을에
채취하여 흙을 털고 물에 씻어서 말린다.
약물명 녹각노회(鹿角蘆薈)
＊약효와 사용법은 '알로에 *Aloe vera*'와
같다.

❍ 큰알로에

❍ 큰알로에(꽃)

❍ 큰알로에(꽃이 피기 전)

[백합과]

알로에

🤱 열결변비　❤️ 소아전간　🫘 치루, 임병, 혈뇨
👁️ 위축성비염　📋 선창, 나력, 화상　♀️ 무월경

●학명 : *Aloe vera* L. [*A. barbadensis*]　●별명 : 약알로에

| 1 | 2 | 3 | 4 | 5 | 6 | 7 | 8 | 9 | 10 | 11 | 12 |

여러해살이풀. 줄기는 매우 짧다. 잎은 줄기 끝에 모여나고 곧게 서며 육질이고 즙이 많으며, 잎몸은 바늘 모양이다. 꽃은 2~3월에 피고 밑으로 늘어지며 길이 2.5cm 정도, 황색 또는 붉은 반점이 있다. 꽃대는 하나 또는 약간 갈라지고, 꽃덮개는 관(管) 모양이다. 수술은 6개, 암술은 1개이며 1~3실이 있고 각 실에는 배주가 몇 개 있다. 삭과는 삼각형이다.

분포·생육지 아프리카 북부 원산. 우리나라 전역에서 재배하는 귀화 식물이다.

약용 부위·수치 액즙을 채취하여 농축하여 건조시키고, 잎은 채취하여 그대로 사용한다.

약물명 농축 건조시킨 추출물을 노회(蘆薈)라 하며, 잎을 노회엽(蘆薈葉)이라 한다. 노회는 대한민국약전외한약(생약)규격집(KHP)에 수재되어 있다.

본초서 노회(蘆薈)는 송나라 「개보본초(開寶本草)」에 처음 수재되었고, 이시진(李時珍)의 「본초강목(本草綱目)」에는 "줄기, 잎, 꽃 모두 약으로 사용한다."고 기록되어 있다. 「동의보감(東醫寶鑑)」에 "어린아이의 오감(五疳, 오장과 결부시켜 다섯 가지로 나눈 질병)을 낫게 하고, 촌충과 회충을 죽이며 항문 주위에 구멍이 생긴 증상과 옴, 버짐을 낫게 한다. 또 어린아이가 열이 나면서 놀라는 데 쓴다."고 하였다.
開寶本草: 主熱風煩悶, 胸膈間熱氣, 明目鎮心, 療五疳, 殺三蟲及治病瘡瘻, 解巴豆毒.
藥性論: 殺小兒疳蚘 主吹鼻殺腦疳 除鼻痒.
本草圖經: 治濕痒 搔之有黃汁者 又治蟲齒.

東醫寶鑑: 療小兒五疳 殺三蟲及痔瘻疥癬 亦主小兒熱驚.

성상 흑갈색의 고르지 않은 덩어리로 표면에 황색 가루가 붙는 경우도 있다. 파절면(破節面)은 평활하고 광택이 있으며, 특이한 냄새가 있고 맛은 매우 쓰다.

기미·귀경 노회(蘆薈): 한(寒), 고(苦)·간(肝), 대장(大腸). 노회엽(蘆薈葉): 한(寒), 고(苦), 삽(澁)·간(肝), 대장(大腸)

약효 노회(蘆薈)는 청열(淸熱), 통변(通便)의 효능이 있으므로 열결변비(熱結便秘), 소아전간(小兒癲癇), 선창(癬瘡), 치루(痔漏), 위축성비염(萎縮性鼻炎), 나력(瘰癧)을 치료한다. 노회엽(蘆薈葉)은 사하(瀉下), 통경(通經), 해독의 효능이 있으므로 임병(淋病), 혈뇨(血尿), 무월경(無月經), 화상, 치창(痔瘡)을 치료한다.

성분 anthrone C-glycoside: barbaloin (aloin A), isobarbaloin(aloin B), aloinoside A-B, 5-hydroxyaloin A, anthraquinone: aloe-emodin, nataloe-emodin, chrysophanol 등, chromone: aloesone, aloeresin A-D 등이 함유되어 있다.

약리 barbaloin은 소량에서 고미건위 작용을 나타내며, 대량에서는 대장을 자극하여 연동 운동을 촉진한다. polyuronide와 같은 다당류는 육아(肉芽) 형성을 촉진하는 효능이 있다.

사용법 노회 2g을 알약이나 가루약으로 만들어 복용하고 외용에는 가루 내어 바른다. 노회엽은 1회 30g을 갈아서 먹거나 물에 달여서 한 잔씩 복용하고, 외용에는 짓찧어

바른다.

주의 aloe-emodin은 자궁수축을 촉진하므로 월경과다나 조산, 유산을 일으킬 수 있다. 대량 복용 시 복부의 통증과 골반 내의 충혈을 일으키므로 임신 중이거나 생리 중인 사람, 치질과 같은 출혈성 질병에는 복용하지 않는 것이 좋다. 드물게 알레르기 반응이 나타나기도 한다.

처방 노회환(蘆薈丸): 용담(龍膽)·황련(黃連)·유과(楡果) 각 40g, 노회(蘆薈) 10g (「동의보감(東醫寶鑑)」). 감질(疳疾)로 몸이 여위면서 등뼈가 두드러지고 번열(煩熱)이 나며 설사를 하는 증상에 사용한다.

＊ 우리나라에서 건강 보조 식품의 원료로 사용되고 있는 알로에는 본 종과 *A. saponaria*, *A. ferox*의 3종류가 있다. 모두 항염 작용, 항궤양 및 세포 재생 작용, 항진균 작용, 건위 작용, 사하 작용, 혈액 순환 개선 작용, 미백 작용 등이 있다.

❶ 알로에

❶ 알로에(열매)

❶ 알로에(잎)

❶ 노회(蘆薈)

❶ 노회(蘆薈)

❶ 노회(蘆薈, 분말)

❶ 노회(蘆薈)가 배합된 변비 치료제

❶ 알로에 즙액

[백합과]

가시알로에

열결변비 · 소아전간 · 치루, 임병, 혈뇨
위축성비염 · 나력, 화상 · 무월경

●학명 : *Aloe ferox* Mill.　●한자명 : 好望角蘆薈

1	2	3	4	5	6	7	8	9	10	11	12

여러해살이풀. 높이 3~6m. 줄기는 바로
서고, 줄기 끝에서 30~50개의 잎이 모여
나며 길이 60~80cm, 너비 12cm 정도, 가
장자리에는 예리한 가시가 있다. 꽃은 연한
붉은색~황록색으로 원추화서를 이룬다.
분포 · 생육지 아프리카 희망봉 주변 원산.
세계 각처에서 재배한다.
약용 부위 · 수치 비늘줄기를 여름과 가을에
채취하여 흙을 털고 물에 씻어서 말린다.
약물명 호망각노회(好望角蘆薈)
＊약효와 사용법은 '알로에 *A. vera*'와 같다.

◑ 가시알로에(줄기 가시)

◑ 가시알로에(줄기)

◑ 가시알로에

[백합과]

지모

제번소갈 · 골증노열 · 폐열해수
대변조결 · 소변불리

●학명 : *Anemarrhena asphodeloides* Bunge　●별명 : 평양지모

1	2	3	4	5	6	7	8	9	10	11	12

여러해살이풀. 뿌리줄기는 굵고 옆으로 벋
으며 끝에서 잎이 모여나고, 꽃대는 높이
60~90cm이다. 잎은 바늘 모양, 꽃은 6~7
월에 피고 2~3개씩 모여 달리며 통 같다.
꽃줄기는 잎 속에서 나와 길게 자라며, 수
술은 3개이며 안쪽 꽃덮개의 중앙에 붙어
있다. 삭과는 긴 타원형이며 길이 12mm
정도, 3실, 흑색 종자가 1개씩 들어 있다.
분포 · 생육지 우리나라 황해(서흥), 평남(평
양), 중국, 일본, 몽골. 산에서 자라고, 우
리나라 전역에서 약용으로 재배한다.
약용 부위 · 수치 뿌리줄기를 여름과 가을에
채취하여 잔뿌리를 제거하고 적당한 크기
로 잘라서 말린다.
약물명 지모(知母), 연모(連母), 지삼(地參),
야료(野蓼)라고도 한다. 대한민국약전(KP)
에 수재되어 있다.
본초서 지모(知母)는 「신농본초경(神農本草
經)」의 중품(中品)에 수재되어 있다. 굵고
오래된 뿌리인 모근(母根) 주변에 잔뿌리
가 모여나기 때문에 마치 자식이 어미를 알

고 모여드는 형태라고 하여 붙인 이름이다.
「동의보감(東醫寶鑑)」에 "열이 나고 식은땀
이 흐르며 뼛속이 후끈 달아오르는 증상과
신장의 기운이 부족할 때 주로 쓴다. 갈증
을 풀어 주고 오랜 학질과 황달을 낫게 한
다. 소장의 기운을 잘 통하게 하고 담을 삭
이며 기침을 멎게 한다. 심장과 폐를 윤택하
게 하며 산후 몸조리를 잘못하여 몸이 피곤
하고 허약해진 것을 낫게 한다."고 하였다.
神農本草經: 主消渴熱中 除邪氣 肢體浮腫
下水 補不足 益氣.
名醫別錄: 療傷寒 久瘧 煩熱 脇下邪氣 膈中
惡 及風寒內疸.
日華子: 治熱勞傳尸疰病 通小腸 消痰止咳
潤心肺 補虛乏 安心 止驚悸.
東醫寶鑑: 主骨蒸熱勞 腎氣虛損 止消渴 療
久瘧黃疸 通小腸 消痰止嗽 潤心肺 治産後
蓐勞.
성상 다소 편평하고 굵은 노끈 모양을 이루
며 길이 10~15cm, 지름 1~1.5cm로 약간
구부러지고 때로는 갈라져 있다. 표면은 황

갈색~갈색이고 윗면에는 한 줄의 세로줄과
털 모양으로 된 엽초의 잔기 또는 그 자국이
가는 윤절(輪節)로 되어 있고, 아랫면에는
오목하고 둥근 점상의 뿌리 자국이 많다. 질
은 가볍고 꺾어지기 쉽다. 맛은 달고 점액성
이며 나중에는 쓰다.
기미 · 귀경 한(寒), 고(苦) · 폐(肺), 위(胃),
신(腎)
약효 자음강화(滋陰降火), 윤조활장(潤燥滑
腸)의 효능이 있으므로 제번소갈(除煩消渴),
골증노열(骨蒸勞熱), 폐열(肺熱)에 의한 해
수(咳嗽), 대변조결(大便燥結), 소변불리(小
便不利)를 치료한다.
성분 *trans-N-p*-coumaroyl tyramine, 3-
pyridylcarbinol, 4-hydroxyacetophenone,
3″-methoxynyasol, 3′-hydroxy-4′-me-
thoxy-4′-dihydronyasol, nyasol, 사포닌 성
분인 timosaponin A-I~A-IV, B-I, B-II,
pseudoprototimosaponin AIII, anermarsapo-
nin A₁, A₂, B, desgalactotigonin, gitonin-F,
lignan 성분인 *cis*-tetrahydrohinokiresinol,
cis-oxyhinokiresinol, *cis*-monomethyl-
honokiresinol, *cis*-diacetylhinokiresinol,
cis-hinokiresinol, *p*-hydroxyphenyl cro-
tonic acid, anemaran A~D, xanthone 배당
체인 mangiferin, isomangiferin 등이 함유되
어 있다.
약리 열수추출물은 지속적이고 강한 해열
작용이 있으며, 만성기관지염을 개선한다.

mangiferin은 인슐린 비의존성 당뇨에서 인슐린에 대한 저항을 감소시켜 혈당 강하 작용을 나타낸다. *cis*-hinokiresinol은 혈관 신생을 억제한다. 사포닌 성분들은 혈소판 응집을 억제한다. 물에 달인 액은 황색 포도상구균, 티푸스균, 적리균에 항균 작용이 있고, 토끼에게 투여하면 해열 작용이 있다. mangiferin은 NO와 PGE_2의 생성을 억제함으로써 NF-kB의 활성을 저해하여 항염 작용을 나타낸다.

사용법 지모 10g에 물 3컵(600mL)을 넣고 달여서 복용한다.

처방 백호탕(白虎湯): 석고(石膏) 20g, 지모(知母) 8g, 감초(甘草) 2.8g, 갱미(粳米) 반 홉(『동의보감(東醫寶鑑)』). 몸에 열이 나고 땀을 흘리며 가슴이 답답하고 입안이 마르며 혀가 벌겋고 황태(黃苔)가 끼는 증상에 사용한다. 당뇨병, 여름철 기관지천식에도 사용한다.

• 산조인탕(酸棗仁湯): 석고(石膏) 10g, 산

조인(酸棗仁)·인삼(人蔘) 각 6g, 지모(知母)·복령(茯苓)·감초(甘草) 각 4g, 계심(桂心) 2g, 생강(生薑) 3쪽(『동의보감(東醫寶鑑)』). 허번(虛煩)으로 잠을 못 자면서 가슴이 답답하고 두근거리며 식은땀이 나고 어지러운 증상에 사용한다.

• 자음강화탕(滋陰降火湯): 작약(芍藥) 6g, 당귀(當歸) 5g, 숙지황(熟地黃)·천문동(天門冬)·맥문동(麥門冬)·백출(白朮) 각 4g, 생지황(生地黃) 3g, 지모(知母)·황백(黃柏)·감초(甘草) 각 2g, 생강(生薑) 3쪽, 대추(大棗) 2개(『동의보감(東醫寶鑑)』). 신음(腎陰) 부족으로 화가 성하여 오후에 열이 나고 잘 때 식은땀이 나고 기침과 가래가 나면서 식욕이 없는 증상에 사용한다.

• 백합지모탕(百合知母湯): 백합(百合) 7개, 지모(知母) 40g(『동의보감(東醫寶鑑)』). 열성 질병을 앓고 난 뒤 심폐(心肺)의 음(飮)이 허하여 정신이 흐리고 말을 잘 안하며 자꾸 먹으려는 증상에 사용한다.

❶ 지모(知母)가 배합된 지백지황환. 자음강화(滋陰降火)에 사용한다.

❶ 지모(知母)

❶ 지모(知母, 절편)

❶ 지모(뿌리줄기와 뿌리)

❶ 열매

❶ 지모

[백합과]

단경천문동

해수기천, 객담불상

●학명 : *Asparagus lycopodineus* Wall. ex Bak. ●한자명 : 短梗天門冬

1 2 3 4 5 6 7 8 9 10 11 12

여러해살이풀. 높이 50~100m. 뿌리줄기는 옆으로 자라며 방추형으로 굵다. 줄기는 곧게 서고 가지는 마주나며, 잎은 퇴화하여 비늘 같다. 꽃은 암수딴그루로 1~2개씩 달리며, 꽃덮개는 종 모양, 꽃자루가 매우 짧다. 장과는 둥글며 지름 6mm 정도이고 2개의 종자가 들어 있다.

분포·생육지 중국 간쑤성(甘肅省), 윈난성(雲南省). 산지에서 자란다.

약용 부위·수치 덩이줄기를 가을에 채취하여 수염뿌리와 흙을 제거하고 물에 쪄서 말린다.

약물명 일와계(一窩鷄), 산백부(山百部)라고도 한다.

약효 화담(化痰), 평천지해(平喘止咳)의 효능이 있으므로 해수기천(咳嗽氣喘), 객담불상(喀痰不爽)을 치료한다.

사용법 일와계 10g에 물 3컵(600mL)을 넣고 달여서 복용한다.

❶ 단경천문동

[백합과]

천문동

음허발열　해수토혈, 폐옹

인후종통　당뇨병　변비

● 학명 : *Asparagus cochinchinensis* Merr.　● 별명 : 홀아지좆, 부지깽나물

| 1 | 2 | 3 | 4 | 5 | 6 | 7 | 8 | 9 | 10 | 11 | 12 |

덩굴성 여러해살이풀. 뿌리줄기는 짧고 많은 방추형의 뿌리가 사방으로 퍼지며 줄기는 길이 1~2m이다. 잎은 가시 모양으로 길이 4~5mm이고 잎겨드랑이에 1~3개씩 모여난다. 꽃은 연한 황색, 5~6월에 잎겨드랑이에 1~3개씩 달리며 길이 3mm 정도, 꽃잎은 6개, 암술대는 3개로 갈라진다. 열매는 백색, 지름 6mm 정도로 흑색 종자가 1개 들어 있다.

분포 · 생육지 우리나라 전남, 경남, 울릉도, 충남, 경기도. 중국, 일본, 타이완. 바닷가 산기슭에서 자란다.

약용 부위 · 수치 덩이뿌리를 채취하여 수염뿌리와 흙을 제거한 뒤 심(목부)을 제거하고 물에 찌거나 불에 볶아서 말린다.

약물명 천문동(天門冬). 천동(天冬)이라고도 한다. 대한민국약전(KP)에 수재되어 있다.

본초서 천문동(天門冬)은 「신농본초경(神農本草經)」의 중품(中品)에 수재되어 있다. 「본초강목(本草綱目)」에는 "이 풀은 덩굴이 하늘(天) 쪽으로 오르며, 효력이 맥문동(麥門冬)과 같으므로 천문동(天門冬)이라고 하고, 천자(天刺)라고도 한다."고 하였다. 동군(棟君)의 약록(藥錄)에 "덩굴성으로 잎에 가시가 있으며, 오월에 백색 꽃이 피고 시월에 열매를 맺으며 수십 개의 뿌리가 생긴다."고 하였다. 「동의보감(東醫寶鑑)」에 "폐에 기가 몰려 숨이 차고 기침하는 것을 낫게 하며, 담을 풀어 주고 피를 토하는 것을 멎게 하고, 폐열로 진액이 소모되어 폐가 거칠고 위축되는 것을 낫게 한다. 신장의 기운이 잘 통하게 하고, 마음을 가라앉히며 소변이 잘 나오게 한다. 차가운 성질

이나 기운을 돕고 기생충을 구제하며 얼굴 빛을 윤택하게 한다. 갈증을 풀어 주고 오장을 튼튼하게 한다."고 하였다.

神農本草經: 主諸暴風濕偏痺 強骨髓 殺三蟲 去伏尸 久服輕身 益氣延年.

名醫別錄: 保定肺氣 去寒熱 養肌膚 益氣力 利小便 冷而能補.

本草綱目: 潤燥滋陰 淸金降火.

東醫寶鑑: 治肺氣喘嗽 消痰 止吐血 療肺痿 通腎氣 鎭心利小便 冷而能補 殺三蟲 悅顔色 潤五臟.

성상 긴 방추형을 이루고 대개는 구부러져 있다. 길이 5~15cm, 지름 2~3cm이다. 표면은 황백색~갈색으로 반투명이고 때로 세로 주름이 있다. 질은 부드러우나 단단한 것도 있어서 꺾이기 쉽고 꺾인 면은 회색이며 윤기가 있고 각질이다. 특이한 냄새가 조금 있고, 맛은 처음에는 달고 뒤에는 조금 쓰다.

기미 · 귀경 한(寒), 감(甘), 고(苦) · 폐(肺), 신(腎)

약효 자음(滋陰), 윤조(潤燥), 청폐(淸肺), 강화(降火)의 효능이 있으므로 음허발열(陰虛發熱), 해수토혈(咳嗽吐血), 폐옹(肺癰), 인후종통, 당뇨병, 변비를 치료한다.

성분 asparacoside, asparacosin A~B, asparagine IV, V, VI, VII, asparenydiol, 5–methoxymethylfurfural, 3″–methoxy–asparenydiol, nyasol, aspacochioside C, (25S)–5β–spirostan–3β–yl–*O*–[α–L–rhamnopyranosyl–(1→4)]–β–D–glucopyranoside 등이 함유되어 있다.

약리 열수추출물은 에탄올에 의한 괴저 유

발인자(TNFα)로 유도되는 apoptosis를 억제함으로써 간세포를 보호하고, 배양한 뇌신경교 성상세포에서 괴저유발인자(TNFα)의 분비를 억제한다. 물로 달인 액은 탄저균, 용혈성 연쇄구균, 디프테리아균, 폐렴구균, 황색 포도상구균에 항균 작용이 있고, 모기, 파리 유충에 대한 살충 작용이 있으며, 백혈병 환자의 탈수소 효소(dehydrogenase)에 억제 작용이 있다. aspacochioside C는 암세포인 A549에 세포 독성이 있다.

사용법 천문동 10g에 물 3컵(600mL)을 넣고 달여서 복용한다.

처방 천문동음자(天門冬飮子): 천문동(天門冬) · 충위자(茺蔚子) · 지모(知母) 각 4g, 인삼(人蔘) · 복령(茯苓) · 강활(羌活) 각 2.8g, 오미자(五味子) · 방풍(防風) 각 2g 「동의보감(東醫寶鑑)」. 간풍(肝風)으로 눈알이 한쪽으로 치우치는 증상에 사용한다.

• 천문동탕(天門冬湯): 천문동(天門冬) · 원지(遠志) · 작약(芍藥) · 연근(蓮根) · 맥문동(麥門冬) · 황기(黃耆) · 아교(阿膠) · 몰약(沒藥) · 당귀(當歸) · 생지황(生地黃) 각 2.8g, 인삼(人蔘) · 감초(甘草) 각 1.2g, 생강(生薑) 3쪽 「동의보감(東醫寶鑑)」. 칠정(七情)으로 마음이 상하여 토혈하거나 코피를 흘리는 증상을 치료한다.

• 자음강화탕(滋陰降火湯): 작약(芍藥) 6g, 당귀(當歸) 5g, 숙지황(熟地黃) · 천문동(天門冬) · 맥문동(麥門冬) · 백출(白朮) 각 4g, 생지황(生地黃) 3g, 지모(知母) · 황백(黃柏) · 감초(甘草) 각 2g, 생강(生薑) 3쪽, 대추(大棗) 2개 「동의보감(東醫寶鑑)」. 신음(腎陰) 부족으로 화가 성하여 오후에 열이 나고 잘 때 식은땀이 나고 기침과 가래가 나면서 식욕이 없는 증상에 사용한다.

❶ 천문동(꽃)

❶ 천문동(덩이뿌리)

❶ 천문동(새싹)

❶ 천문동(天門冬)

❶ 천문동(天門冬, 절편)

❶ 천문동(天門冬) 집하장(중국 서안)

❶ 천문동

374　약용 식물Ⅱ

[백합과]

멸대

간염　고지혈증
유선염　풍한해수, 폐결핵, 해천

● 학명 : *Asparagus officinalis* L.　● 별명 : 아스파라거스

여러해살이풀. 높이 1~2m. 새 줄기에는 비늘 같은 잎이 붙어 있고, 뿌리줄기는 짧으며 옆으로 길고 굵은 뿌리가 사방으로 퍼진다. 꽃은 암수딴그루로 1~2개씩 달리며 꽃덮개는 종 모양, 황록색이다. 장과는 둥글며 지름 7~8mm, 붉은색으로 익는다.

분포 · 생육지 유럽 원산. 세계 각처에서 재배한다.

약용 부위 · 수치 이른 봄에 어린줄기를 채취하여 물에 씻어서 말리고, 덩이줄기를 수염뿌리와 흙을 제거하고 물에 쪄서 말린다.

약물명 어린줄기를 석조백(石刁柏)이라 하며, 호순(芦筍), 호순(芦芽)이라고도 한다. 덩이줄기를 소백부(小百部)라 하며, 문동서(門冬薯)라고도 한다.

약효 석조백(石刁柏)은 청열이습(清熱利濕), 활혈산결(活血散結)의 효능이 있으므로 간염, 고지혈증, 유선염을 치료한다. 소백부(小百部)는 온폐(溫肺), 지해(止咳)의 효능이 있으므로 풍한해수(風寒咳嗽), 폐결핵, 해천(咳喘)을 치료한다.

성분 석조백(石刁柏)은 asparagine, steroid saponin, coumarin, rutin, coniferin 등이 함유되어 있다.

약리 물로 달인 액 또는 asparagine을 토끼에게 정맥주사하면 혈압이 낮아지고 말초혈관을 확장하며 심장을 수축하고 심박 수를 고르게 하며 소변 양을 증가시킨다.

사용법 석조백 또는 소백부 10g에 물 3컵(600mL)을 넣고 달여서 복용한다.

❍ 멸대

❍ 소백부(小百部)

❍ 석조백(石刁柏, 일본산)

❍ 석조백(石刁柏, 중국산)

[백합과]

방울비짜루

담천해수

● 학명 : *Asparagus oligoclonos* Maxim.　● 별명 : 방울비자루

여러해살이풀. 높이 70~100cm. 뿌리줄기는 짧고 뿌리는 길게 벋는다. 꽃은 암수딴그루로 1~2개씩 달리며 소화경은 길이 7~8mm, 꽃덮개는 길이 6~7mm로 암녹색, 긴 모양이다. 장과는 둥글며 붉은색으로 익는다.

분포 · 생육지 우리나라 내장산, 충남, 충북, 강원. 중국, 일본. 산지에서 자란다.

약용 부위 · 수치 전초를 여름에 채취하여 물에 씻은 후 썰어서 말린다.

약물명 남옥대(南玉帶)

약효 윤폐지해(潤肺止咳)의 효능이 있으므로 담천해수(痰喘咳嗽)를 치료한다.

사용법 남옥대 10g에 물 3컵(600mL)을 넣고 달여서 복용한다.

❍ 방울비짜루

❍ 남옥대(南玉帶)

❍ 방울비짜루(열매)

비짜루

기관지염 소변불리

◑ 비짜루(꽃) ◑ 비짜루(성숙한 열매)

● 학명 : *Asparagus schoberioides* Kunth ● 별명 : 비자루

1 2 3 4 5 6 7 8 9 10 11 12

여러해살이풀. 높이 50~70cm. 뿌리줄기는 짧다. 꽃은 담녹색, 길이 2~3mm, 넓은 종 모양이고 소화경은 길이 1~2mm이다. 장과는 둥글며 붉은색으로 익는다.

분포 · 생육지 우리나라 전역. 중국, 일본, 아무르, 우수리, 사할린, 다후리아. 산지에서 자란다.

약용 부위 · 수치 전초를 여름에 채취하여 물에 씻은 후 썰어서 말린다.

약물명 용수채(龍鬚菜)

약효 윤폐지해(潤肺止咳), 이뇨의 효능이 있으므로 기관지염, 소변불리를 치료한다.

성분 asparagine이 함유되어 있다.

사용법 용수채 10g에 물 3컵(600mL)을 넣고 달여서 복용한다.

◑ 비짜루

황화아스포델

소변불리 피부염, 타박상

◑ 황화아스포델(꽃) ◑ 황화아스포델(열매)

● 학명 : *Asphodeline lutea* L. [*Asphodelus lutea*] ● 영명 : Yellow aspodel, Gamo'n

1 2 3 4 5 6 7 8 9 10 11 12

여러해살이풀. 높이 50~100cm. 잎은 뿌리와 꽃대에서 나오고 선형이며, 뿌리잎은 길이 20~30cm이다. 꽃은 황색, 잎겨드랑이에서 나오는 총상화서에 핀다. 장과는 둥글며 황갈색으로 익는다.

분포 · 생육지 지중해 연안, 히말라야. 산지나 들에서 자란다.

약용 부위 · 수치 뿌리를 채취하여 물에 씻은 후 썰어서 말린 뒤 가루로 만든다.

약물명 Asphodeline Radix. 일반적으로는 Yellow aspodel 또는 Gamo'n이라 한다.

약효 이뇨, 소염의 효능이 있으므로 소변불리, 피부염, 타박상을 치료한다.

사용법 Asphodeline Radix 가루 3g을 복용하며, 피부염이나 타박상에는 연고로 만들어 바른다.

◑ 황화아스포델

엽란

 풍습비통, 요통   사림

● 학명 : *Aspidistra elatior* Blume ● 별명 : 엽란풀, 잎란, 옆란

1	2	3	4	5	6	7	8	9	10	11	12

상록 여러해살이풀. 높이 45cm 정도. 뿌리줄기는 옆으로 벋는다. 잎은 뿌리줄기에서 나오고 타원형이다. 꽃은 짧은 꽃줄기 끝에 1개씩 피며, 화관은 짧은 종 모양이고, 8갈래로 갈라진다. 열매는 장과로 둥글고 녹색에서 황색으로 익는다.

분포 · 생육지 우리나라 제주도, 거문도. 중국, 일본. 산지에서 자란다.

약용 부위 · 수치 비늘줄기를 채취하여 수염뿌리를 제거하고 물에 씻은 후 썰어서 말린다.

약물명 지주포단(蜘蛛抱蛋). 일범청(一帆青), 죽엽신근(竹葉伸筋)이라고도 한다.

약효 활혈지통(活血止痛), 청폐지해(清肺止咳), 이뇨통림(利尿通淋)의 효능이 있으므로 풍습비통(風濕痺痛), 요통, 사림(砂淋)을 치료한다.

성분 뿌리줄기에는 aspidistrin, 지상부에는 protoaspidistrin, methylprotoaspidistrin, spirostanol, quercetin−3−*O*−glucoside 등이 함유되어 있다.

사용법 지주포단 10g에 물 3컵(600mL)을 넣고 달여서 복용한다.

❶ 엽란(꽃)

❶ 엽란(잎)

❶ 엽란

왕백합

 감기, 폐열해수, 객혈

● 학명 : *Cardiocrinum giganteum* (Wall.) Makino [*Lilium giganteum*]
● 한자명 : 大百合 ● 별명 : 대백합

1	2	3	4	5	6	7	8	9	10	11	12

여러해살이풀. 높이 1~2m. 뿌리줄기는 달걀 모양이고, 꽃대는 바로 서고, 잎은 뿌리잎이며 심장형이다. 총상화서에 10~16개의 꽃이 달리며, 수술대의 길이는 꽃덮개의 반 정도이다.

분포 · 생육지 중국, 일본. 산지에서 자란다.

약용 부위 · 수치 덩이줄기를 가을에 채취하여 수염뿌리를 제거하고 물에 씻은 후 썰어서 말린다.

약물명 수백합(水百合). 산단(山丹), 산단초(山丹草)라고도 한다.

약효 청폐지해(清肺止咳), 해독소종(解毒消腫)의 효능이 있으므로 감기, 폐열해수(肺熱咳嗽), 객혈을 치료한다.

사용법 수백합 10g에 물 3컵(600mL)을 넣고 달여서 복용한다.

❶ 왕백합

❶ 왕백합(열매)

❶ 왕백합(꽃봉오리)

[백합과]

나도옥잠화

 타박상

● 학명 : *Clintonia udensis* Trautv. et Meyer
● 별명 : 제비옥잠, 당나귀나물, 제비옥잠화, 두메옥잠화

| 1 | 2 | 3 | 4 | 5 | 6 | 7 | 8 | 9 | 10 | 11 | 12 |

여러해살이풀. 뿌리줄기는 짧고 많은 뿌리를 내린다. 꽃대는 바로 서고, 높이 20~30cm, 열매가 성숙할 때는 높이 40~70cm로 된다. 뿌리잎은 타원형, 길이 15~30cm, 가장자리는 밋밋하며 밑은 좁아져 엽초로 된다. 꽃은 6~7월에 백색으로 핀다. 열매는 구형, 남색이며 종자는 달걀 모양이다.
분포 · 생육지 우리나라 전역. 중국, 일본, 아무르, 우수리, 사할린. 깊은 산 숲속에서 자란다.

약용 부위 · 수치 전초를 여름에 채취하여 물에 씻은 후 말린다.
약물명 뇌공칠(腦公七). 죽엽칠(竹葉七)이라고도 한다.
약효 산어지통(散瘀止痛)의 효능이 있으므로 타박상을 치료한다.
사용법 뇌공칠 5g에 물 2컵(400mL)을 넣고 달여서 복용하거나 뿌리 1g을 술에 우려내어 복용한다.

○ 나도옥잠화(열매)

○ 뇌공칠(腦公七)

○ 나도옥잠화(뿌리)

○ 나도옥잠화

[백합과]

가을사프란

○ 통풍

● 학명 : *Colchicum autumnale* L. ● 영명 : Autumn crocus ● 별명 : 콜히쿰

| 1 | 2 | 3 | 4 | 5 | 6 | 7 | 8 | 9 | 10 | 11 | 12 |

여러해살이풀. 비늘줄기는 편구형이며 겉은 갈색이고 비늘잎에 덮여 있다. 꽃줄기는 곧게 서며 밑부분이 잎과 더불어 엽초에 싸여 있으며, 잎은 비늘줄기 끝에 모여난다. 가을에 잎이 시든 뒤에 분홍색 꽃이 피며, 통부의 윗부분이 6개로 갈라져서 비스듬히 퍼지며, 수술은 6개, 암술대는 3개로 갈라진다. 열매는 원통형이다.
분포 · 생육지 유럽, 북아프리카 원산. 전 세계에서 관상용 또는 약용으로 재배한다.
약용 부위 · 수치 종자를 10~11월에 채취하여 물에 씻은 뒤 말린다.
약물명 서양에서는 Colchicum 또는 Autumn crocus라 하며, 우리나라에서는 콜히쿰자라고 한다.

약효 소염의 효능이 있으므로 통풍(通風)을 치료한다.
성분 colchicine, colchicoside, demecolcine, 3-demethylcolchicine, colchiceine 등이 함유되어 있다.
약리 colchicine은 백혈구의 요산 탐색 작용 및 탐식호중구의 탈과립화를 억제하는 효능이 있으므로 통풍을 치료한다. 또한 tubuline과 결합하여 미세소관(microtubuline)의 형성을 억제함으로써 세포의 유사 분열을 억제하는 작용을 하나 세포 독성이 매우 강하므로 항암제로 사용할 수 없다.
확인 시험 Colchicum의 에탄올추출액에 황산을 떨어뜨리면 청색, 자주색을 띠다가 점차 적갈색으로 변한다(crocin, crocetin).

사용법 통풍 환자에게 첫날에 총량 3mg을, 둘째 및 셋째 날에 2mg씩, 그 다음날부터는 1mg을 경구 투여한다. 주사제도 있다.
주의 독성이 강하므로 의사 및 약사의 지시에 따라야 한다. 중독 증상으로는 설사, 근육경련, 저혈압, 호흡곤란으로 독버섯의 경우처럼 질식으로 사망할 수도 있다. colchicine의 중독량은 약 10mg으로 40mg 이상 복용하면 3일 이내에 사망한다.

○ 가을사프란(종자)

○ 가을사프란(비늘줄기)

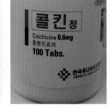
○ colchicine이 함유된 통풍 치료제

○ 꽃

○ 가을사프란

은방울꽃

충혈성심력쇠갈　풍습성심장병
부종

● 학명 : *Convallaria keiskei* Miq.　● 별명 : 영란

| 1 | 2 | 3 | 4 | 5 | 6 | 7 | 8 | 9 | 10 | 11 | 12 |

❶ 은방울꽃

❶ 영란(苓蘭)

❶ 은방울꽃(뿌리)

❶ 은방울꽃(열매)

여러해살이풀. 털이 없으며 땅속줄기가 옆으로 길게 벋고 군데군데에서 새순이 나오며 수염뿌리가 나온다. 잎은 2~3개이고, 꽃은 백색, 4~5월에 5~10개가 총상으로 달리며 종 모양, 끝이 6개로 갈라져서 뒤로 젖혀진다. 장과는 둥글며 지름 6mm 정도로 붉은색으로 익는다.

분포 · 생육지 우리나라 경남(지리산) 이북. 중국, 일본, 아무르, 사할린, 동시베리아. 산골짜기나 그늘진 곳에서 자란다.

약용 부위 · 수치 전초를 8월경에 채취하여 물에 씻은 후 말린다.

약물명 영란(苓蘭). 향수화(香水花), 녹령초(鹿鈴草)라고도 한다.

약효 온양이수(溫陽利水), 활혈거풍(活血祛風)의 효능이 있으므로 충혈성심력쇠갈(充血性心力衰竭), 풍습성심장병, 부종을 치료한다.

성분 convallatoxin, convallatoxol, convalloside, deglucocheirotoxin 등이 함유되어 있다.

약리 에탄올추출물은 토끼의 심근수축력을 강하게 하고, digitalis와 비슷한 작용을 한다. 물로 달인 액을 사람에게 투여하면 안정 작용이 있고, 수면 시간을 연장시킨다. convallatoxin은 쥐와 고양이의 심근의 glycogen 함량을 증가시키지만 strophanthin보다는 약하다.

사용법 영란 5g에 물 2컵(400mL)을 넣고 달여서 복용하거나 가루 내어 0.3g을 복용하고, 외용에는 달인 액을 환부에 바른다.

주의 유독하므로 사용량에 주의하여야 하고 급성심근염, 심장내막염이 있는 사람은 복용을 금한다.

서양은방울꽃

편두통　심계항진
구토, 변비

● 학명 : *Convallaria majalis* L.　● 영명 : Lily of valley

| 1 | 2 | 3 | 4 | 5 | 6 | 7 | 8 | 9 | 10 | 11 | 12 |

여러해살이풀. 높이 15~30cm. 잎은 1~2개로 길이 10~25cm이다. 꽃은 늦은 봄 줄기 끝에 5~15개가 총상화서에 피며 종 모양, 지름 5~15mm이다. 장과는 적황색으로 익으며 지름 5~7mm이다.

분포 · 생육지 유럽 원산. 북아메리카, 남아메리카. 산골짜기나 그늘진 곳에서 자란다.

약용 부위 · 수치 전초를 8월경에 채취하여 물에 씻은 후 말린다.

약물명 Convallariae Herba

약효 편두통, 심계항진(心悸亢進), 구토, 변비를 치료한다.

사용법 Convallariae Herba 2g을 뜨거운 물로 우려내어 복용한다.

주의 유독하므로 사용량에 주의하여야 한다.

❶ 서양은방울꽃(뿌리)

❶ Convallariae Herba

❶ 서양은방울꽃

장엽죽근칠

병후허약　음허폐조, 해수담점

●학명 : *Disporopsis longifolia* Craib　●한자명 : 長葉竹根七

1 2 3 4 5 6 7 8 9 10 11 12

여러해살이풀. 높이 60~100cm. 뿌리줄기는 염주 같고 굵기 1~2cm이다. 잎은 어긋나고 잎자루가 짧다. 꽃은 백색, 5~6월에 잎겨드랑이에 여러 개가 핀다. 열매는 삼각상 구형으로 백색으로 익는다.

분포·생육지 중국 광시성(廣西省), 윈난성(雲南省). 산골짜기나 산의 그늘진 곳에서 자란다.

약용 부위·수치 뿌리줄기를 가을에 채취하여 물에 씻은 후 말린다.

약물명 장엽죽근칠(長葉竹根七). 삼자과(三子果)라고도 한다.

약효 익기양음윤폐(益氣養陰潤肺), 활혈(活血)의 효능이 있으므로 병후허약, 음허폐조(陰虛肺燥), 해수담점(咳嗽痰粘)을 치료한다.

사용법 장엽죽근칠 10g에 물 3컵(600mL)을 넣고 달여서 복용한다.

❂ 장엽죽근칠

만수죽

폐열해수　풍습비통, 요퇴통

●학명 : *Disporum cantoniense* (Lour.) Merr.　●한자명 : 萬壽竹

1 2 3 4 5 6 7 8 9 10 11 12

여러해살이풀. 높이 1m 정도. 뿌리줄기는 짧지만 수염뿌리가 모여나고, 잎은 어긋나고 피침형으로 가장자리는 밋밋하다. 꽃은 백색 또는 담자색, 5~7월에 줄기 끝이나 잎과 마주하여 산형화서로 핀다. 장과는 둥글며 흑색으로 익는다.

분포·생육지 중국 남부, 타이완. 산골짜기나 그늘진 곳에서 자란다.

약용 부위·수치 뿌리 및 뿌리줄기를 여름에 채취하여 물에 씻은 후 말린다.

약물명 죽엽삼(竹葉參). 백룡수(白龍須)라고도 한다.

약효 거풍습(祛風濕), 서근활락(舒筋活絡), 거담지해(祛痰止咳)의 효능이 있으므로 폐열해수(肺熱咳嗽), 풍습비통(風濕痺痛), 요퇴통(腰腿痛)을 치료한다.

사용법 죽엽삼 15g에 물 3컵(600mL)을 넣고 달여서 복용한다.

❂ 만수죽

[백합과]

윤판나물아재비

폐열해수, 폐로객혈   식적복창
풍습비통, 요퇴통

● 학명 : *Disporum sessile* D. Don [*D. uniflorum*]   ● 한자명 : 寶鐸草
● 별명 : 큰가지애기나리

| 1 | 2 | 3 | 4 | 5 | 6 | 7 | 8 | 9 | 10 | 11 | 12 |

◐ 윤판나물아재비(꽃)

여러해살이풀. 높이 30~60cm. 뿌리줄기는 짧고 기는줄기를 낸다. 잎은 어긋나고 긴 타원형, 길이 5~15cm, 너비 1.5~3cm, 잎자루는 거의 없다. 꽃은 5~6월에 담녹색으로 피고 줄기 끝에 1~3개가 밑을 향해 달리며 길이 2~3cm이다. 장과는 둥글며 흑색으로 익는다.

분포 · 생육지 우리나라 제주도, 울릉도, 보현산. 중국, 타이완. 산골짜기나 그늘진 곳에서 자란다.

약용 부위 · 수치 뿌리 및 뿌리줄기를 여름에 채취하여 물에 씻은 후 말린다.

약물명 죽림소(竹林霄), 석죽근(石竹根), 죽림소(竹林消)라고도 한다.

약효 윤폐지해(潤肺止咳), 건비소식(健脾消食), 서근활락(舒筋活絡), 청열해독(淸熱解毒)의 효능이 있으므로 폐열해수(肺熱咳嗽), 폐로객혈(肺癆喀血), 식적복창(食積腹脹), 풍습비통(風濕痺痛), 요퇴통(腰腿痛)을 치료한다.

사용법 죽림소 15g에 물 3컵(600mL)을 넣고 달여서 복용한다.

◐ 윤판나물아재비

[백합과]

윤판나물

폐열해수, 폐로객혈   식적복창
풍습비통, 요퇴통

● 학명 : *Disporum sessile* D. Don ssp. *flavens* Kitagawa
● 별명 : 대애기나리, 큰가지애기나리

| 1 | 2 | 3 | 4 | 5 | 6 | 7 | 8 | 9 | 10 | 11 | 12 |

여러해살이풀. '윤판나물아재비'에 비하여 잎 길이 5~18cm, 너비 3~6cm로 너비가 넓고, 꽃이 황록색이며 길이가 2~2.5cm로 약간 짧다.

분포 · 생육지 우리나라 중부 이남. 중국, 일본, 아무르, 사할린, 동시베리아. 산골짜기나 그늘진 곳에서 흔하게 자란다.

약물명 죽림소(竹林霄), 석죽근(石竹根), 죽림소(竹林消)라고도 한다.

약효 윤폐지해(潤肺止咳), 건비소식(健脾消食), 서근활락(舒筋活絡), 청열해독(淸熱解毒)의 효능이 있으므로 폐열해수(肺熱咳嗽), 폐로객혈(肺癆喀血), 식적복창(食積腹脹), 풍습비통(風濕痺痛), 요퇴통(腰腿痛)을 치료한다.

약리 열수추출물을 마취시킨 토끼에게 정맥주사하면 심근수축력을 증대시킨다.

＊기타 사항은 '윤판나물아재비'와 같다.

◐ 윤판나물(열매)

◐ 죽림소(竹林霄)

◐ 윤판나물

[백합과]

큰애기나리

 풍습성관절염

●학명 : *Disporum viridescens* (Maxim.) Nakai ●별명 : 중애기나리

1	2	3	4	5	6	7	8	9	10	11	12

여러해살이풀. 높이 30~70cm. 뿌리줄기는 옆으로 벋고 줄기는 곧게 선다. 잎은 어긋나고 타원형이며 길이 7~12cm, 너비 2~5cm, 끝은 뾰족하며 가장자리는 잔돌기가 있고 잎자루는 없다. 꽃은 연한 녹백색, 5~6월에 줄기와 가지 끝에 1~3개가 밑을 향해 달린다. 열매는 장과로 둥글며 흑색으로 익는다.

분포·생육지 우리나라 중부 이남. 중국, 일본, 아무르, 사할린, 동시베리아. 산골짜기나 그늘진 곳에서 자란다.

약용 부위·수치 뿌리 및 뿌리줄기를 여름에 채취하여 물에 씻은 후 말린다.

약물명 보주초(寶珠草)

약효 거풍습의 효능이 있으므로 풍습성관절염을 치료한다.

사용법 보주초 15g에 물 3컵(600mL)을 넣고 달여서 복용한다.

＊ 가지가 잘 갈라지지 않고 잎의 길이가 4~7cm인 '애기나리 *D. smilacinum*', 잎의

밑부분이 줄기를 감싸고 암술대의 끝이 3 갈래이며 열매가 붉은색인 '금강애기나리 *Streptopus ovalis*'도 약효가 같다.

❶ 보주초(寶珠草)

❶ 큰애기나리(열매)

❶ 큰애기나리

❶ 애기나리

❶ 금강애기나리

[백합과]

얼레지

 위장염, 구토, 하리   화상

●학명 : *Erythronium japonicum* Decne. ●별명 : 중애기나리

1	2	3	4	5	6	7	8	9	10	11	12

여러해살이풀. 비늘줄기는 한쪽으로 구부러지고 길이 5~6cm, 지름 1cm 정도이다. 잎은 보통 2개, 녹색 바탕에 자줏빛 무늬가 있다. 꽃은 4~6월에 1개가 하향하여 핀다. 삭과는 타원상 구형으로 2개의 능선이 있다.

분포·생육지 우리나라 중부 이남. 중국, 일본. 아무르, 사할린, 동시베리아. 산골짜기나 그늘진 곳에서 자란다.

약용 부위·수치 비늘줄기를 봄과 여름에 채취하여 물에 씻은 후 말린다.

약물명 차전엽산자고(車前葉山慈姑)

약효 건위, 진토(鎭吐), 지사(止瀉)의 효능이 있으므로 위장염, 구토, 하리, 화상을 치료한다.

성분 지상부에는 erythrojaponiside (1), euodionoside A (2), icariside B₂ (3), 3β-hydroxy-5α,6α-epoxy-β-ionone-2α-*O*-D-glucopyranoside (4), (2*R*,3*R*,5*R*,6*S*, 9*R*)-3-hydroxy-5,6-epoxy-β-ionol-2-*O*-D-glucopyranoside (5), (6*R*,9*R*)-3-oxo-5,6-epoxy-α-ionol-9-*O*-β-D-glucopyranoside (6), (6*R*,9*S*)-megastigman-4-en-3-one-9,13-diol-9-*O*-glucopy-

ranoside (7), 꽃에는 cyanidin-3,5-diglucoside 등이 함유되어 있다.

약리 compound (1)~(7)은 암세포인 A549, SK-OV-3, SK-MEL-2 및 HCT15에 세포 독성이 있다.

사용법 차전엽산자고 10g에 물 3컵(600mL)을 넣고 달여서 복용한다.

＊ '미국얼레지 *E. americanum*' 잎은 피부염, 이하선염(耳下腺炎), 피부암 등에 사용한다.

❶ 얼레지(열매)

❶ 얼레지(흰 꽃)

❶ 얼레지

[백합과]

권엽패모

 폐열해수, 노수객혈, 담점흉민   나력, 옹종

● 학명 : *Fritillaria cirrhosa* D. Don   ● 한자명 : 卷葉貝母, 川貝母   ● 별명 : 천패모

| 1 | 2 | 3 | 4 | 5 | 6 | 7 | 8 | 9 | 10 | 11 | 12 |

여러해살이풀. 비늘줄기는 달걀 모양, 2 개의 조각으로 되어 있고, 지름 1~1.5cm 이다. 잎은 보통 마주나고 피침형이며 끝이 구부러진다. 꽃은 잎 같은 포가 3개이며 5~7월에 담자색 또는 황록색으로 핀다. 삭과는 구형이며 능각이 있다.

분포 · 생육지 중국 쓰촨성(四川省), 윈난성(雲南省), 티베트. 산골짜기나 숲속에서 자란다.

약용 부위 · 수치 비늘줄기를 여름과 가을에 채취하여 물에 씻어서 말린다.

약물명 천패모(川貝母). 홍(虹), 황홍(黃虹) 이라고도 한다.

성상 편구형, 높이 0.5~1.5cm이다. 표면은 백색에 가깝고 빛이 나며 매끄럽다. 외층의 비늘잎 2개는 크기가 비슷하며 서로 껴안고 있으나 끝부분은 벌어지고 그 안에 심아(芯芽), 2~3개의 작은 비늘줄기와 원기둥 모양의 잔경이 있다. 냄새는 약하고 맛은 약간 쓰다.

기미 · 귀경 미한(微寒), 고(苦), 감(甘) · 폐(肺)

약효 청열화담(淸熱化痰), 산결(散結)의 효능이 있으므로 폐열해수(肺熱咳嗽), 담점흉민(痰粘胸悶), 노수객혈(勞嗽喀血), 나력(瘰癧), 옹종(癰腫)을 치료한다.

사용법 천패모 7g에 물 2컵(400mL)을 넣고 달여서 복용하거나 술에 담가 복용한다.
* 천패모(川貝母)의 기원 식물은 본 종을 비롯하여 '암자패모 *F. unibracteata*', '감숙패모 *F. przewalskii*', '사사패모 *F. delavayi*' 이다.

◐ 천패모(川貝母)

◐ 권엽패모(꽃)

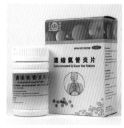

◐ 천패모(川貝母)로 만든 기관지염 치료제

◐ 권엽패모

[백합과]

이패모

폐열해수, 노수객혈, 담점흉민   나력, 옹종

● 학명 : *Fritillaria pallidiflora* Schrenk   ● 한자명 : 伊貝母

| 1 | 2 | 3 | 4 | 5 | 6 | 7 | 8 | 9 | 10 | 11 | 12 |

여러해살이풀. 높이 30~60cm. 비늘줄기는 둥글고 백색, 2개의 조각으로 되어 있고 지름 2~3.5cm이다. 잎은 어긋나며 길이 7~12cm, 너비 2~3.5cm, 끝은 약간 안으로 굽는다. 꽃은 4월에 윗부분의 잎겨드랑이에서 1~4개가 나오며 담황색, 안쪽은 암적색 반점이 있다. 삭과는 넓은 날개가 있다.

분포 · 생육지 중국 신장성(新疆省). 산골짜기나 숲속에서 자란다.

약용 부위 · 수치 비늘줄기를 여름과 가을에 채취하여 물에 씻어서 말린다.

약물명 이패모(伊貝母). 이패(伊貝), 생패(生貝), 신강패모(新疆貝母)라고도 한다.

성상 편구형이며, 높이 0.5~1.5cm이다. 표면은 백색에 가깝고 빛이 나며 매끄럽다. 외층의 비늘잎 두 개는 초승달 모양이고 비후하며 대소가 서로 긴밀하게 접해 있다. 정단은 평평하고 벌어져 있으며, 기부는 둥글고 둔하며 속에 매우 큰 비늘조각과 잔경이 있고, 심아(芯芽)가 1개 있다. 질은 딱딱하고 부서지기 쉬우며 단면은 백색이고 분

성이 풍부하다. 냄새는 약하고 맛은 약간 쓰다.

기미 · 귀경 미한(微寒), 고(苦), 감(甘) · 폐(肺)

약효 청열화담(淸熱化痰), 산결(散結)의 효능이 있으므로 폐열해수(肺熱咳嗽), 담점흉민(痰粘胸悶), 노수객혈(勞嗽喀血), 나력(瘰癧), 옹종(癰腫)을 치료한다.

성분 imperialine, imperialine-3-*O*-β-D-glucopyranoside, peimisine, imperialine *N*-oxide, cyclopamine, cycloposine, sipeimine, yibeissine 등이 함유되어 있다.

약리 imperialine-3-*O*-β-D-glucopyranoside를 마취시킨 개에게 주사하면 혈압이 강하한다. 적출한 쥐의 회장, 십이지장, 자궁에 투여하면 경련을 억제시키는 작용이 나타난다.

사용법 이패모 7g에 물 2컵(400mL)을 넣고 달여서 복용하거나 술에 담가 복용한다.

◐ 이패모

◐ 이패모(伊貝母)

◐ 이패모 재배(중국 이닝)

[백합과]

감숙패모

 폐열해수, 노수객혈, 담점흉민　｜　나력, 옹종

● 학명 : *Fritillaria prezewalskii* Maxim.　● 한자명 : 甘肅貝母

| 1 | 2 | 3 | 4 | 5 | 6 | 7 | 8 | 9 | 10 | 11 | 12 |

여러해살이풀. 높이 30~60cm. 비늘줄기는 둥글고 백색, 2개의 조각으로 되어 있고 지름 2~3.5cm이다. 잎은 어긋나며 길이 7~12cm, 너비 2~3.5cm, 끝은 약간 안으로 굽는다. 꽃은 4월에 윗부분의 잎겨드랑이에서 1~4개가 나오며 담황색, 안쪽은 암적색 반점이 있다. 삭과는 넓은 날개가 있다.

○ 감숙패모

분포 · 생육지 중국 신장성(新彊省). 산골짜기나 숲속에서 자란다.

약용 부위 · 수치 비늘줄기를 여름과 가을에 채취하여 물에 씻어서 말린다.

약물명 천패모(川貝母), 감숙패모(甘肅貝母)라고도 한다.

성상 편구형. 높이 0.5~1.5cm. 표면은 백색에 가깝고 빛이 나며 매끄럽다. 외층의 비늘잎 2개는 초승달 모양이고 비후하며 대소가 서로 긴밀하게 접해 있다. 정단은 약간 뾰족하고, 기부는 둥글고 둔하며 속에 매우 큰 비늘조각과 잔경, 심아 1개가 있다. 표면에 갈색 반점이 없다. 질은 딱딱하고 부서지기 쉬우며 단면은 백색이고 분성이 풍부하다. 냄새는 약하고 맛은 약간 쓰다.

기미 · 귀경 미한(微寒), 고(苦), 감(甘) · 폐(肺)

약효 청열화담(淸熱化痰), 산결(散結)의 효능이 있으므로 폐열해수(肺熱咳嗽), 담점흉민(痰粘胸悶), 노수객혈(勞嗽咯血), 나력(瘰癧), 옹종(癰腫)을 치료한다.

성분 minpeimine, minpeiminine 등이 함유되어 있다.

사용법 천패모 7g에 물 2컵(400mL)을 넣고 달여서 복용하거나 술에 담가 복용한다.

[백합과]

평패모

 풍열해수, 폐옹후비　｜　나력, 창양종독

● 학명 : *Fritillaria ussuriensis* Max.　● 한자명 : 平貝母　● 별명 : 검정나리, 검나리, 조선패모

| 1 | 2 | 3 | 4 | 5 | 6 | 7 | 8 | 9 | 10 | 11 | 12 |

여러해살이풀. 비늘줄기는 둥글고 백색이며 5~6개의 육질 비늘조각으로 되어 있고 수염뿌리가 달린다. 원줄기는 곧게 자라며, 잎은 마주나거나 3개씩 돌려난다. 꽃은 자주색, 5월에 잎겨드랑이에 1개씩 밑을 향해 달리며, 길이 2~3cm이고, 꽃덮개 조각은 6개, 주걱 모양으로 끝이 둔하며 선체(腺體)가 있다. 열매는 삭과로 6개의 날개가 있다.

분포 · 생육지 우리나라 함남(갑산), 백두산 주변, 중국 둥베이(東北) 지방, 우수리. 산에서 자란다.

약용 부위 · 수치 비늘줄기를 여름과 가을에 채취하여 말린다.

약물명 평패모(平貝母). 조선패모(朝鮮貝母)라고도 한다.

성상 편구형을 나타내며 높이 0.5~1cm, 지름 0.6~2cm이다. 표면은 유백색 또는 옅은 황백색이며 외층의 비늘잎 2판은 비후하고 크기가 서로 비슷하거나 한쪽이 약간 큰데, 큰 것이 껴안고 있는 모양이다. 정단은 약간 평평하거나 조금 벌어져 있고 중앙의 비늘조각은 작다. 질은 견실하고 부서지기 쉬우며 단면은 분성이다. 냄새는 약하고 맛은 쓰다.

기미 · 귀경 한(寒), 고(苦) · 폐(肺), 심(心)

약효 청열화담(淸熱化痰), 진해산결(鎭咳散結), 해독의 효능이 있으므로 풍열해수(風熱咳嗽), 폐옹후비(肺癰喉痺), 나력(瘰癧), 창양종독(脹瘍腫毒)을 치료한다.

성분 sipeimine, veranthridine, chinpeimine, verticine(peimine), peiminine, propeimine, peimidine, peimiphine 등이 함유되어 있다.

약리 peimidine, peimiphine 등의 알칼로이드는 기관지평활근을 확장시켜 진해 거담 작용이 있고, atropine과 같은 작용이 있으므로 동공을 확대시키고 혈압 강하의 효능이 있다.

사용법 평패모 5g에 물 2컵(400mL)을 넣고 달여서 복용하거나 술에 담가 복용한다. 갑상선종양에는 하고초(夏枯草), 해조(海藻)와 배합하여 물에 달여서 복용한다.

○ 평패모

○ 평패모(비늘줄기)

○ 평패모(열매)

○ 평패모(平貝母)

○ 평패모 수확(중국 창춘)

[백합과]

절패모

풍열해수, 담열해수, 폐옹토농
나력영류, 창옹종독

● 학명 : *Fritillaria thunbergii* Miq. [*F. verticillata* Willd. var. *thunbergii* Bak.]
● 별명 : 중국패모

1	2	3	4	5	6	7	8	9	10	11	12

여러해살이풀. 높이 50~80cm. 비늘줄기는 둥글고 백색이며 지름 2~3cm, 비늘조각은 2개로 다육질이다. 잎은 2~3개씩 돌려나며 바늘 모양이다. 꽃은 담황색으로 그물 무늬가 있으며 5월에 꽃대 끝에 1~4개가 밑을 향해 달리고, 꽃덮개의 길이는 2.5~3cm, 수술 6개, 암술머리는 3갈래이다. 열매는 육각상 원주형, 6개의 날개가 있다.

분포·생육지 중국 저장성(浙江省), 후난성(湖南省), 장쑤성(江蘇省), 안후이성(安徽省). 산기슭이나 숲속에서 자란다. 우리나라에서도 널리 재배한다.

약용 부위·수치 비늘줄기를 여름과 가을에 채취하여 물에 씻어서 말린다. 이것에 생강즙을 넣고 초(炒)하여 사용한다.

약물명 패모(貝母). 절패모(浙貝母), 토패모(土貝母), 절패(浙貝), 상패(象貝), 상패모(象貝母), 대패모(大貝母)라고도 한다. 대한민국약전(KP)에 수재되어 있다.

본초서 「신농본초경(神農本草經)」의 중품(中品)에 수재되어 있다. 「본초강목(本草綱目)」에는 "땅속 비늘줄기의 모양이 조개(貝)가 어미(母)조개에게 다닥다닥 붙어 있는 모양 같다고 하여 패모(貝母)라 한다."고 하였다. 「동의보감(東醫寶鑑)」에 "담을 삭이고 심장과 폐를 부드럽게 한다. 폐열로 진액이 소모되어 피부가 거칠고 위축되며 기침하고 숨차거나 피고름을 뱉는 것 등을 낫게 한다. 속이 답답한 것을 없애고 갈증을 풀어 주며 쇠붙이에 의한 상처와 종기가 벌겋게 부어올라 아프고 가려우며 곪는 부위를 낫게 한다. 연교(連翹)와 함께 쓰면 목에 생긴 영류를 없앤다."고 하였다.

神農本草經: 主傷寒煩渴 淋歷邪氣 疝瘕 喉痺 乳難 金瘡 風痙.
本經逢原: 治疝瘕 喉痺 乳難 金瘡 風痙 一切癰瘍.
本草縱新: 去時感風熱.
東醫寶鑑: 消痰 潤心肺 治肺痿咳嗽肺癰唾膿血 除煩止渴 療金瘡惡瘡 與連翹 同主項下瘻瘤疾.

성상 패모(貝母) 가운데 크고 심아(芯芽)를 제거한 것을 대패(大貝)라고 하고, 작고 심

아를 제거하지 않은 것을 주패(珠貝)라 하며, 심아를 제거한 뒤 쪼갠 것을 절패편(浙貝片)이라 한다. 요즘은 석회를 가하여 잘 섞은 후 하루가 지나면 햇볕에 말려서 사용한다. 거담진해용으로는 생강즙을 넣고 볶아서 사용하고, 허해(虛咳)에는 찹쌀과 같이 살짝 볶은 뒤 사용한다.

• 대패(大貝): 비늘줄기 바깥층의 한 개로 된 비늘잎은 거의 초승달 모양을 이루고 높이 1~2cm, 너비 2~3.5cm이다. 표면은 유백색~담황색이며 안쪽 면은 백색 또는 엷은 갈색이고 하얀 가루가 덮여 있다. 질은 단단하나 부서지기 쉽고 꺾은 면은 백색~황백색이고 가루가 많은 편이다. 이 약은 약간 냄새가 있고 맛은 약간 쓰다.

• 주패(珠貝): 잘 갖추어진 비늘줄기로 넓적한 원형, 높이 10~15mm, 지름 10~25mm이다. 바깥쪽은 유백색이고 바깥층의 비늘잎은 2개이며 비후하고 대개 신장형이고 서로 포개져 있으며 안에는 작은 비늘잎 2~3개가 말라붙어 있는 잔줄기가 있다.

• 절패편(浙貝片): 비늘줄기 바깥층의 한 개로 된 비늘잎을 쪼갠 것으로 타원형 또는 원형, 지름 1~2cm, 가장자리의 표면은 엷은 황색이며 자른 면은 평탄하고 분백색이다. 질은 단단하나 부서지기 쉬워서 잘 꺾어지고, 꺾인 면은 분백색이고 가루가 많은 편이다.

품질 비늘잎이 살찌고 질이 견실하며 분성(粉性)이 충분하고 단면이 흰 것이 좋다.

기미·귀경 한(寒), 고(苦)·폐(肺), 심(心)

약효 청열화담(淸熱化痰), 강기지해(降氣止咳), 산결소종(散結消腫)의 효능이 있으므로 풍열해수(風熱咳嗽), 담열해수(痰熱咳嗽), 폐옹토농(肺癰吐膿), 나력영류(瘰癧瘿瘤), 창옹종독(瘡癰腫毒)을 치료한다.

성분 verticine, peimine, verticinone, sipeimine, veranthridine, chinpeimine, peiminine, propeimine, peimidine, peimiphine 등이 함유되어 있다.

약리 peimidine, peimiphine 등의 알칼로이드는 기관지 평활근을 확장시켜 진해거담 작용이 있고, atropine과 같이 동공 확

대, 혈압 강하 작용이 있다.

사용법 패모 7g에 물 2컵(400mL)을 넣고 달여서 복용하거나 술에 담가 복용한다. 갑상선종양에는 하고초(夏枯草), 해조(海藻)와 배합하여 물에 달여서 복용한다.

처방 패모탕(貝母湯): 패모(貝母)·건강(乾薑)·오미자(五味子)·진피(陳皮)·반하(半夏)·시호(柴胡)·계심(桂心) 각 20g, 황금(黃芩)·상백피(桑白皮) 각 10g, 목향(木香)·감초(甘草) 각 5g「동의보감(東醫寶鑑)」. 기침이 오랫동안 낫지 않는 증상에 사용한다.

• 패모괄루산(貝母括蔞散): 패모(貝母)·괄루인(括蔞仁) 각 8g, 황금(黃芩)·진피(陳皮)·황련(黃連) 각 4g, 우담남성(牛膽南星)·견우자(牽牛子)·치자(梔子)·감초(甘草) 각 2g「처방집(處方集)」. 폐열(肺熱)로 숨이 차고, 기침을 하며 입안이 마르고 대소변이 불편한 증상에 사용한다.

• 패모산(貝母散): 행인(杏仁) 12g, 관동화(款冬花) 8g, 지모(知母) 6g, 패모(貝母)·상백피(桑白皮)·오미자(五味子)·감초(甘草) 각 4g, 생강(生薑) 3쪽「동의보감(東醫寶鑑)」. 폐열(肺熱)로 기침을 하고 가래가 나오며 입안이 마르고 목이 쉬며 열이 나는 증상 또는 기침이 오랫동안 지속되는 증상에 사용한다.

• 소옹산독탕(消癰散毒湯): 패모(貝母)·청피(靑皮)·괄루근(括蔞根) 각 8g, 포공영(蒲公英) 10g, 연교(連翹)·녹각(鹿角)·당귀(當歸) 각 6g「단대옥안(丹臺玉安)」. 유선염(乳腺炎), 옹절(癰癤), 림프샘염에 사용한다.

● 절패모

● 패모(貝母)

● 패모(貝母, 절편)

● 패모(貝母). 대패(大貝)라 할 정도로 크다.

● 절패모(꽃)

● 패모(貝母)로 만든 폐열해수 치료제

[백합과]

암자패모

● 학명 : *Fritillaria unibracteata* Hsiao et K. C. Hsia　● 한자명 : 暗紫貝母

| 1 | 2 | 3 | 4 | 5 | 6 | 7 | 8 | 9 | 10 | 11 | 12 |

여러해살이풀. 비늘줄기는 둥글고 백색, 2개의 조각으로 되어 있으며 지름 6mm 정도이다. 잎은 마주나고 긴 타원형이다. 꽃은 6월에 피고 암자색 바탕에 황색 반점이 있으며, 수술은 꽃덮개보다 짧다. 삭과는 8~10월에 익고 능각이 있으며 날개는 작다.

분포 · 생육지 중국 쓰촨성(四川省), 윈난성(雲南省), 티베트. 산골짜기나 숲속에서 자란다.

약용 부위 · 수치 비늘줄기를 여름과 가을에 채취하여 물에 씻어서 말린다.

약물명 천패모(川貝母), 홍(虹), 황홍(黃虹)이라고도 한다. 대한민국약전(KP)에 수재되어 있다.

성상 천패모(川貝母)는 약재의 형태에 따라 아래와 같이 구분된다.

• 송패(松貝): 원주형 또는 구형에 가까우며 높이 3~8mm, 지름 3~9mm이다. 표면은 유백색이다. 외층에는 비늘잎 2판이 있고 크기가 매우 달라 대판은 소판을 긴밀하게 껴안고 있는 모습이다. 대판이 껴안고 있지 못한 부분이 초승달 모양이어서 사람들은 흔히 이를 '회중포월(懷中抱月)'이라 한다. 정단부는 폐합되어 있고 그 속에 원주형의 약간 튀어나온 심아와 작은 비늘 조각 1~2개가 있다. 선단은 약간 뾰족하고 아랫부분은 평평하며 약간 아래로 들어가 있다.

• 청패(青貝): 편구형이며 높이 0.4~1.4cm, 지름 0.4~1.6cm이다. 외층 비늘잎 2판은 대소가 서로 근접해 있고 서로 마주보며 껴안고 있고, 정단부는 벌어져 있으며 속에는 심아와 작은 비늘잎 2~3개와 가는 원주형의 잔경이 있다.

• 노패(爐貝): 긴 원추형을 나타내며 높이 0.7~2.5cm, 지름 0.5~2.5cm이다. 표면은 백색에 가깝거나 옅은 회황색이고 어떤 것은 회색 반점이 있다. 외층의 비늘잎 2판은 대소가 서로 근접해 있고 정단부는 벌어져 있으며 약간 뾰족하고, 기부는 약간 뾰족하거나 매우 둔하다.

기미 · 귀경 미한(微寒), 고(苦), 감(甘) · 폐(肺), 심(心)

약효 청열윤폐(清熱潤肺), 화담지해(化痰止咳), 산결소종(散結消腫)의 효능이 있으므로 폐허구해(肺虛久咳), 허로해수(虛勞咳嗽), 폐옹(肺癰), 나력(瘰癧), 옹종(癰腫), 유옹(乳癰)을 치료한다.

성분 fritimine, sipeimine, songbeisine, songbeinine, β-sitosterol 등이 함유되어 있다.

약리 열수추출물을 쥐에게 투여하면 기침과 가래가 줄어든다. 개에게 열수추출물을 정맥주사하면 혈압이 강하한다. 적출한 쥐의 회장, 십이지장, 자궁에 투여하면 경련을 억제시키는 작용이 나타난다.

사용법 천패모 7g에 물 2컵(400mL)을 넣고 달여서 복용하거나 술에 담가 복용한다. 또는 가루로 만들어 1회 1g을 복용한다.

＊ 잎의 끝이 안으로 굽고 포편이 3개인 '권엽패모 *F. cirrhosa*', 삭과의 날개가 두드러진 '능사패모 *F. delavayi*', 잎이 짧고 포편이 1개인 '감숙패모 *F. przewalskii*'의 비늘줄기도 '천패모(川貝母)'라 하며 약효가 같다.

❍ 암자패모

❍ 암자패모(비늘줄기와 뿌리)

❍ 천패모(川貝母)

❍ 암자패모(열매)

❍ 암자패모(꽃의 내부)

[백합과]

중의무릇

🫀 심장병

●학명 : *Gagea lutea* (L.) Ker.–Gawl. ●별명 : 각씨냄나물, 가지원추리, 꽃대원추리

| 1 | 2 | 3 | 4 | 5 | 6 | 7 | 8 | 9 | 10 | 11 | 12 |

❶ 애기중의무릇

여러해살이풀. 높이 15~20cm. 잎은 바늘 모양으로 길이 15~30cm, 너비 5~7mm, 비늘줄기는 달걀 모양, 황백색으로 지름 1~1.5cm이다. 꽃은 황색으로 꽃줄기 끝에 5~10개가 핀다. 열매는 삭과로 구형이다.

분포·생육지 우리나라 전역. 중국, 일본, 사할린, 유럽, 동시베리아. 산기슭의 양지에서 자란다.

약용 부위·수치 비늘줄기를 가을에 채취하여 물에 씻은 후 말린다.

약물명 정빙화(頂冰花)

약효 강심(强心)의 효능이 있으므로 심장병을 치료한다.

사용법 정빙화 10g에 물 3컵(600mL)을 넣고 달여서 복용한다.

＊ 비늘줄기가 흑갈색, 잎 너비가 2mm 정도인 '애기중의무릇 *G. japonica*'도 약효가 같다.

❶ 중의무릇

[백합과]

각시원추리

🧍 소변불리　　🫄 황달, 변혈
🫀 수종

●학명 : *Hemerocallis dumortieri* Morren ●별명 : 각씨냄나물, 가지원추리, 꽃대원추리

| 1 | 2 | 3 | 4 | 5 | 6 | 7 | 8 | 9 | 10 | 11 | 12 |

❶ 각시원추리(뿌리에 덩이뿌리가 있다.)

여러해살이풀. 높이 60cm 정도. 뿌리에 방 추형의 덩이뿌리가 있고, 잎은 마주나며 길이 50cm 정도로 비스듬히 눕는다. 꽃줄기는 길이 40cm 정도, 끝에서 짧은 가지가 갈라지고 등황색 꽃이 2~3개 모여 달리며, 꽃밥은 흑색이다.

분포·생육지 우리나라 전역. 중국, 일본, 동시베리아. 산기슭의 양지에서 자란다.

약용 부위·수치 뿌리를 가을에 채취하여 물에 씻은 후 말린다.

약물명 소훤초(小萱草)

약효 이뇨양혈(利尿凉血)의 효능이 있으므로 소변불리, 황달, 수종(水腫), 변혈(便血)을 치료한다.

사용법 소훤초 10g에 물 3컵(600mL)을 넣고 달여서 복용한다.

❶ 각시원추리

[백합과]

원추리

황달, 혈변, 치창혈변, 흉격번열 / 배뇨곤란, 소변적삽 / 수종 / 비출혈 / 유옹 / 야소안침

● 학명 : *Hemerocallis fulva* L. [*H. aurantiaca*] ● 별명 : 넘나물, 들원추리, 겹첩넘나물

| 1 | 2 | 3 | 4 | 5 | 6 | 7 | 8 | 9 | 10 | 11 | 12 |

여러해살이풀. 뿌리에 방추형의 덩이뿌리가 있으며, 잎은 마주난다. 꽃줄기는 높이 1~1.3m에 달하고, 끝에서 짧은 가지가 갈라지고 6~8개의 꽃이 모여 달리며, 포는 바늘 모양이다. 꽃은 등황색, 여름에 피고 수술은 6개, 통부 위 끝에 달리며 꽃잎보다 짧고, 꽃밥은 선상으로서 황색이다.

분포 · 생육지 우리나라 전역. 중국, 동인도, 이란, 유럽. 산기슭의 양지에서 자란다.

약용 부위 · 수치 뿌리는 가을에 채취하여 물에 씻은 후 말리고, 꽃은 여름에 채취하여 말린다.

약물명 훤초근(萱草根). 누로근(漏蘆根), 황화채근(黃花菜根)이라고도 한다. 꽃 부분을 금침채(金針菜)라 한다. 훤초근(萱草根)은 대한민국약전외한약(생약)규격집(KHP)에 수재되어 있다.

본초서 훤초근(萱草根)은 「본초습유(本草拾遺)」에 처음 수재되어 "사림(沙淋)을 치료하며, 수기(水氣)를 내리고 술독으로 온몸이 황색으로 변한 사람이 즙을 내어 마시면 효능이 있다."고 하였다. 「동의보감(東醫寶鑑)」에 "오줌이 붉으면서 잘 나오지 않는 것, 가슴이 답답하고 열이 나는 것을 풀어 주며 모래알 같은 것이 오줌길을 막아 소변이 시

원하지 않은 것을 낫게 한다. 몸 안에 체액이 머물러 있어 온몸이 붓는 것을 내리며 술독에 의한 황달을 낫게 한다."고 하였다.
本草拾遺: 治砂淋 下水氣 酒疸黃色通身者 搗絞汁服.
東醫寶鑑: 主小便赤澁 身體煩熱 治砂淋 下水氣 療酒疸.

성상 뿌리줄기 및 뿌리로, 뿌리줄기는 원기둥 모양이고 위쪽에 줄기와 잎의 흔적이 있다. 뿌리는 긴 원주형으로 가로 주름이 많고, 길이 8~15cm, 지름 0.3~0.8cm이다. 표면은 갈색이고, 질은 가볍고 잘 부서지지 않는다. 냄새는 없고 맛은 약간 달다.

기미 · 귀경 훤초근(萱草根): 양(涼), 감(甘), 유독(有毒) · 비(脾), 간(肝), 방광(膀胱). 금침채(金針菜): 양(涼), 감(甘)

약효 훤초근(萱草根)은 청열이습(清熱利濕), 양혈지혈(涼血止血), 해독소종(解毒消腫)의 효능이 있으므로 황달, 수종(水腫), 배뇨곤란, 비출혈(鼻出血), 혈변(血便), 유옹(乳癰)을 치료한다. 금침채(金針菜)는 청열이습(清熱利濕), 관흉해울(寬胸解鬱), 양혈해독(涼血解毒)의 효능이 있으므로 소변적삽(小便赤澁), 흉격번열(胸膈煩熱), 야소안침(夜小安寢), 치창혈변을 치료한다.

성분 chrysophanol, hemerocal, obtusifolin, aloe-emodin, 2-methoxyobtusifolin, rhein, hemerocallin 등이 함유되어 있다.

약리 부종이 있는 환자에게 열수추출물을 투여하면 이뇨 작용이 증대되어 부종이 감소한다. 에탄올추출물은 결핵간균에 항균 작용이 있다.

사용법 훤초근 10g에 물 3컵(600mL), 금침채 15g에 물 3컵(600mL)을 넣고 달여서 복용한다. 훤초근은 과량을 사용하면 시력을 상하게 할 염려가 있으므로 말린 것으로 40g을 초과해서는 안 된다.

＊꽃이 붉은색인 '왕원추리 var. *kwanso*', 꽃차례가 짧으며 꽃밥이 황색인 '큰원추리 *H. middendorffii*', 꽃차례가 짧으며 꽃밥이 흑갈색인 '각시원추리 *H. dumortieri*', 잎이 뿌리줄기에서 2줄로 나오고 너비가 좁은 '홍도원추리 *H. littorea*'도 약효가 같다.

● 훤초근(萱草根)

● 금침채(金針菜)

● 원추리(뿌리에 덩이뿌리가 있다.)

● 원추리(열매)

● 원추리

[백합과]

골잎원추리

소변불리, 방광결석 / 황달 / 유즙부족

○ 골잎원추리(열매와 잎)

● 학명 : *Hemerocallis lilioasphodelus* L. [*H. coreana*]
● 별명 : 각씨넘나물, 가지원추리, 꽃대원추리

| 1 | 2 | 3 | 4 | 5 | 6 | 7 | 8 | 9 | 10 | 11 | 12 |

여러해살이풀. 높이 60cm 정도. 뿌리는 끈 모양으로 퍼져 나간다. 잎은 마주나며 길이 40cm 정도로 주맥이 오목하게 들어가 골을 이룬다. 꽃줄기는 길이 40cm 정도, 끝에서 짧은 가지가 갈라지고 2~3개의 등황색 꽃이 모여 달린다.

분포 · 생육지 우리나라 전역. 중국, 일본, 동시베리아. 산기슭의 양지에서 자란다.

약용 부위 · 수치 뿌리를 가을에 채취하여 물에 씻은 후 말린다.

약물명 북황화채(北黃花菜)

약효 청열이수(淸熱利水), 양혈지혈(凉血止血)의 효능이 있으므로 소변불리, 방광결석, 황달, 유즙부족을 치료한다.

사용법 북황화채 10g에 물 3컵(600mL)을 넣고 달여서 복용한다.

○ 골잎원추리

[백합과]

애기원추리

소변불리, 배뇨곤란 / 황달 / 수종

● 학명 : *Hemerocallis minor* Mill. ● 별명 : 애기넘나물, 참칼원추리

| 1 | 2 | 3 | 4 | 5 | 6 | 7 | 8 | 9 | 10 | 11 | 12 |

여러해살이풀. 높이 40~60cm. 뿌리에 방추형의 덩이뿌리가 있으며, 잎은 마주난다. 꽃줄기는 높이 1~1.3m에 달하고, 끝에서 짧은 가지가 갈라지고 6~8개의 꽃이 모여 달리며 황색이다.

분포 · 생육지 우리나라 전역. 중국, 일본. 산기슭의 양지에서 자란다.

약용 부위 · 수치 뿌리를 가을에 채취하여 물에 씻은 후 말린다.

약물명 소황화채(小黃花菜)

약효 이뇨소종(利尿消腫)의 효능이 있으므로 소변불리, 황달, 수종(水腫), 배뇨곤란을 치료한다.

사용법 소황화채 10g에 물 3컵(600mL)을 넣고 달여서 복용한다.

＊ 꽃이 황색이고 뿌리에 덩이뿌리가 없는 '노랑원추리 *H. thunbergii*'도 약효가 같다.

○ 애기원추리(열매)

○ 애기원추리(뿌리에 덩이뿌리가 있다.)

○ 애기원추리

[백합과]

주걱비비추

정창종독　인후종통
소변불리　통경

●학명 : *Hosta clausa* Nakai　●별명 : 꽃비비추

| 1 | 2 | 3 | 4 | 5 | 6 | 7 | 8 | 9 | 10 | 11 | 12 |

여러해살이풀. 높이 60cm 정도. 뿌리줄기
는 짧다. 뿌리잎은 모여나고 긴 타원형, 줄
기잎은 1~2개로 작다. 꽃은 연한 자주색,
7~8월에 한쪽으로 치우쳐서 달린다. 화관
은 끝이 6개로 갈라져서 갈래가 뒤로 젖혀
지지 않는다.

분포 · 생육지 우리나라 중부 이남. 일본. 산
지에서 자란다.

약용 부위 · 수치 전초를 여름에 채취하여 말
린다.

약물명 검엽옥잠(劍葉玉簪). 자악(紫萼)이
라고도 한다.

약효 청열해독(淸熱解毒), 이뇨의 효능이
있으므로 정창종독(疔瘡腫毒), 인후종통
(咽喉腫痛), 소변불리(小便不利), 통경(痛
經)을 치료한다.

사용법 검엽옥잠 5g에 물 2컵(400mL)을
넣고 달여서 복용한다.

● 검엽옥잠(劍葉玉簪)

● 주걱비비추

[백합과]

비비추

감기, 기관지염　부종

●학명 : *Hosta longipes* (Fr. et Sav.) Matsumura　●별명 : 바위비비추

| 1 | 2 | 3 | 4 | 5 | 6 | 7 | 8 | 9 | 10 | 11 | 12 |

여러해살이풀. 높이 40cm 정도. 뿌리줄기
는 짧다. 잎은 긴 타원형, 잎맥은 7~8쌍,
잎자루에 날개가 뚜렷하지 않다. 꽃은 연한
자주색, 7~8월에 피고 꽃덮개는 좁은 깔때
기 모양, 포는 개화 후 시든다.

분포 · 생육지 우리나라 전역. 중국, 일본.
산골짜기에서 자란다.

약용 부위 · 수치 전초를 여름에 채취하여 말
린다.

약물명 Hostae Herba

약효 청열해독(淸熱解毒)의 효능이 있으므
로 감기, 부종, 기관지염을 치료한다.

성분 methyl 10, 10−dimethoxyde−canoate,
methyl 10−hydroxy−8*E*, 12*Z*−octadecadie−
noate, methyl coriolate, *trans*−phytol, phy−
tene−1,2−diol, phyton, (3*S*,5*R*,6*S*,9*R*)−
3,6,9−trihydroxymegastigman−7−ene,
(3*S*,5*R*,6*S*,7*E*,9*R*)−7−megastigmene−

3,6,9−triol, shikimic acid, *p*−coumara−
mide, *trans*−*N*−*p*−coumaryltyramine,
cis−*N*−*p*−coumaryltyramine, tryptophan,
thymidine, adenosine, deoxyadenosine 등
이 함유되어 있다.

사용법 Hostae Herba 10g에 물 3컵(600mL)
을 넣고 달여서 복용한다.

● Hostae Herba

● 비비추

[백합과]

옥잠화

| 인후종통, 골경 | 소변불통 |
| 창독, 옹종창양, 나력 | 유옹 |

● 학명 : *Hosta plantaginea* Ascherson　● 별명 : 비녀옥잠화, 둥근옥잠화

| 1 | 2 | 3 | 4 | 5 | 6 | 7 | 8 | 9 | 10 | 11 | 12 |

여러해살이풀. 뿌리줄기는 굵으며, 꽃줄기는 높이 50~65cm, 잎은 뿌리에서 모여난다. 꽃은 백색, 8월에 잎 사이에서 나오는 꽃줄기 상부에 총상으로 달리고, 포는 2개이다. 화관의 통부는 깔때기 모양이며 수술은 꽃덮개와 길이가 비슷하다. 삭과는 삼각상 원주형이며 길이 6.5cm, 지름 7~8mm로 밑으로 처지고, 종자는 가장자리에 날개가 있다.

분포 · 생육지 중국 원산. 우리나라 전역에서 재배하는 귀화 식물이다.

약용 부위 · 수치 꽃은 여름에, 뿌리 및 잎은 수시로 채취하여 말린다.

약물명 꽃을 옥잠화(玉簪花), 뿌리를 옥잠근(玉簪根), 잎 또는 전초를 옥잠(玉簪)이라 한다.

기미 · 귀경 옥잠화(玉簪花): 양(涼), 고(苦), 감(甘), 소독(小毒). 옥잠근(玉簪根): 한(寒), 고(苦), 신(辛) · 위(胃), 폐(肺), 간(肝). 옥잠(玉簪): 한(寒), 고(苦), 신(辛), 유독(有毒).

약효 옥잠화(玉簪花)는 인후종통(咽喉腫痛), 소변불통(小便不通), 창독(瘡毒)을 치료한다. 옥잠근(玉簪根)은 청열해독(淸熱解毒), 하골경(下骨鯁)의 효능이 있으므로 옹종창양(癰腫瘡瘍), 유옹(乳癰), 인후종통(咽喉腫痛), 골경(骨鯁)을 치료한다. 옥잠(玉簪)은 청열해독(淸熱解毒), 산결소종(散結消腫)의 효능이 있으므로 유옹(乳癰), 인후종통(咽喉腫痛), 옹종창양(癰腫瘡瘍), 나력(瘰癧)을 치료한다.

성분 옥잠근에는 수종의 coumarin과 triterpenoid 성분들이 함유되어 있다.

사용법 옥잠화는 5g에 물 2컵(400mL)을, 옥잠근은 10g에 물 3컵(600mL)을, 옥잠은 20g에 물 4컵(800mL)을 넣고 달여서 복용한다. 외용에는 짓찧어 붙이거나 즙액을 바른다.

＊ 잎이 보다 길고 꽃이 좁으며 열매를 맺지 못하는 '긴잎옥잠화 var. *japonica*'도 약효가 같다.

❂ 옥잠화(뿌리와 뿌리줄기)　❂ 옥잠화(열매)

❂ 옥잠화(玉簪花)

❂ 옥잠근(玉簪根)

❂ 옥잠(玉簪)

❂ 옥잠화

[백합과]

복수선화

 탈모증

● 학명 : *Hyacinthus orientalis* L.　● 영명 : Hyacinth　● 별명 : 히아신스

| 1 | 2 | 3 | 4 | 5 | 6 | 7 | 8 | 9 | 10 | 11 | 12 |

여러해살이풀. 높이 20cm 정도. 뿌리줄기는 굵으며, 잎은 뿌리에서 모여난다. 꽃은 백색, 붉은색, 자주색 등으로 잎 사이에서 나오는 꽃줄기 상부에 총상으로 달린다.

분포 · 생육지 지중해 연안 원산. 세계 각처에서 재배한다.

약용 부위 · 수치 전초를 여름에 채취하여 물에 씻어서 사용한다.

약물명 Hyancinthi Herba

약효 양모(養毛)의 효능이 있으므로 탈모증을 치료한다.

사용법 Hyancinthi Herba와 '양파'를 같은 양으로 찧어서 포도주에 반죽하여 환부에 붙인다.

❂ 복수선화(꽃)

❂ 복수선화

[백합과]

마돈나나리

유방염　단독　소화불량

●학명 : *Lilium candidum* Nakai　●영명 : Madonna lily

1 2 3 4 5 6 7 8 9 10 11 12

여러해살이풀. 높이 1m 정도. 비늘줄기는 달걀 모양, 줄기는 바로 서고, 잎은 어긋나고 밑부분이 줄기를 감싼다. 꽃은 6~7월에 총상화서에 백색으로 피고, 꽃잎은 뒤로 말린다.

분포·생육지 유럽 남부, 그리스, 레바논. 세계 각처에서 재배한다.

약용 부위·수치 땅속 비늘줄기를 가을에 채취하여 물에 씻은 후 말린다.

약물명 Lilii Rhizoma

약효 수렴, 소적(消積)의 효능이 있으므로 유방염, 단독(丹毒), 소화불량을 치료한다.

사용법 Lilii Rhizoma 15g에 물 3컵(600mL)을 넣고 달여서 복용한다.

❂ 마돈나나리

[백합과]

하늘나리

폐로구해　심계실면　부종

●학명 : *Lilium concolor* Salisb.　●별명 : 하눌나리

1 2 3 4 5 6 7 8 9 10 11 12

여러해살이풀. 높이 40~80cm. 비늘줄기는 달걀 모양, 지름 1.5~3cm, 줄기는 바로 선다. 잎은 어긋나고 다닥다닥 나며 바늘 모양, 길이 5~10cm, 너비 3~8mm이다. 꽃은 붉은색, 6~7월에 상부에 1~5개가 달린다. 수술은 6개이고, 암술은 씨방과 길이가 비슷하며, 꽃밥은 꽃잎과 같은 색이다.

분포·생육지 우리나라 전역. 중국, 일본, 아무르, 우수리, 사할린, 캄차카. 산지에서 자란다.

약용 부위·수치 땅속 비늘줄기를 가을에 채취하여 물에 씻은 후 말린다.

약물명 악단(渥丹)

약효 윤폐지해(潤肺止咳), 청심안신(清心安神)의 효능이 있으므로 폐로구해(肺勞久咳), 심계실면(心悸失眠), 부종을 치료한다.

사용법 악단 15g에 물 3컵(600mL)을 넣고 달여서 복용한다.

❂ 하늘나리(꽃)

❂ 악단(渥丹)

❂ 하늘나리

[백합과]

날개하늘나리

폐로구해　심계실면　부종

● 학명 : *Lilium davuricum* Ker–Gawl.

| 1 | 2 | 3 | 4 | 5 | 6 | 7 | 8 | 9 | 10 | 11 | 12 |

여러해살이풀. 높이 70~100cm. 줄기에 세로로 능선 또는 날개가 있으며 백색 털이 많다. 비늘줄기는 지름 3~5cm, 중앙 윗부분에 관절이 있다. 잎은 어긋나고 다닥다닥 붙으며 바늘 모양, 잎자루가 없다. 꽃은 황적색, 7~8월에 줄기 끝에 2~6개가 위를 향하여 산형화서를 이룬다. 삭과는 좁은 달걀 모양으로 곧게 선다.

분포 · 생육지 우리나라 강원, 함남북. 중국, 일본, 아무르, 우수리, 사할린, 다후리아. 산지에서 자란다.

약용 부위 · 수치 땅속 비늘줄기를 가을에 채취하여 물에 씻은 후 말린다.

약물명 모백합(毛百合)

약효 윤폐지해(潤肺止咳), 청심안신(淸心安神)의 효능이 있으므로 폐로구해(肺勞久咳), 심계실면(心悸失眠), 부종을 치료한다.

사용법 모백합 20g에 물 4컵(800mL)을 넣고 달여서 복용한다.

● 모백합(毛百合)

● 날개하늘나리(비늘줄기)

● 날개하늘나리

[백합과]

말나리

폐로구해　심계실면　부종

● 학명 : *Lilium distichum* Nakai　● 별명 : 왜말나리

| 1 | 2 | 3 | 4 | 5 | 6 | 7 | 8 | 9 | 10 | 11 | 12 |

여러해살이풀. 높이 70~100cm. 비늘줄기는 둥글고, 줄기는 바로 선다. 줄기 하부의 잎은 산생하고 바늘 모양이며, 중부의 잎은 6~20개가 돌려나며 긴 타원형, 상부의 잎은 어긋난다. 꽃은 등적색, 7~8월에 피고 줄기 상부에 1~6개가 옆을 향한다. 꽃덮개는 길이 3~4.5cm로 뒤로 말리고 안쪽에 짙은 갈자색 반점이 있다. 삭과는 달걀 모양, 3개의 능선이 있다.

분포 · 생육지 우리나라 전역. 중국, 일본, 아무르, 우수리, 사할린, 캄차카. 산지에서 자란다.

약용 부위 · 수치 땅속 비늘줄기를 가을에 채취하여 물에 씻은 후 말린다.

약물명 동북백합(東北百合)

약효 윤폐지해(潤肺止咳), 청심안신(淸心安神)의 효능이 있으므로 폐로구해(肺勞久咳), 심계실면(心悸失眠), 부종(浮腫)을 치료한다.

사용법 동북백합 20g에 물 4컵(800mL)을 넣고 달여서 복용한다.

＊ 본 종과 달리 윤생엽이 2층 이상인 '섬말나리 *L. hansonii*'도 약효가 같다.

● 말나리

● 동북백합(東北百合)

● 말나리(뿌리와 비늘줄기)

● 섬말나리

[백합과]

참나리

 음허구해, 해수담혈　　 열병허번

각기부종

●학명 : *Lilium lancifolium* Thunb. [*L. tigrinum* Ker–Gawl.]　●별명 : 나리, 알나리

| 1 | 2 | 3 | 4 | 5 | 6 | 7 | 8 | 9 | 10 | 11 | 12 |

❶ 백합(百合)

❶ 참나리(뿌리와 비늘줄기)

여러해살이풀. 높이 1~2m. 비늘줄기는 달걀 모양, 다육질이며 지름 5~8cm, 약간 쓴 맛이 있다. 줄기는 곧게 서며 어릴 때는 솜털이 있다. 잎은 어긋나며 잎겨드랑이에 육아가 붙는다. 꽃은 7~8월에 원줄기 끝에 5~10개가 밑을 향하여 피며 황적색 바탕에 자주색 반점이 있고 6개의 수술과 1개의 암술이 길게 밖으로 나온다. 열매는 잘 맺지 못한다.

분포 · 생육지 우리나라 함남북을 제외한 전역. 중국, 일본. 산지에서 자란다.

약용 부위 · 수치 땅속 비늘줄기를 가을에 채취하여 물에 씻은 후 말린다.

약물명 백합(百合). 중매(重邁), 중정(中庭)이라고도 한다.

성상 비늘줄기로 타원형이고 길이 2~3.5cm, 너비 1.5~3cm, 두께 0.1~0.3cm이다. 질은 단단하나 쉽게 부러지며 횡단면은 평탄하고 각질 모양이다. 냄새가 없고 맛은 조금 쓰다.

＊약효 및 사용법은 '백합'과 같다. 본 종과 비슷하나 잎겨드랑이에 육아가 없는 '중나리 *L. leichtlinii*'도 약효가 같다.

❶ 참나리

[백합과]

큰솔나리

음허구해, 해수담혈　　열병허번

각기부종

●학명 : *Lilium pumilum* DC. [*L. tenuifolium*]　●별명 : 큰중나리, 큰솔잎나리, 사초나리

| 1 | 2 | 3 | 4 | 5 | 6 | 7 | 8 | 9 | 10 | 11 | 12 |

여러해살이풀. 높이 60cm 정도. 비늘줄기는 달걀 모양, 다육질이다. 줄기는 곧게 서며, 잎은 어긋나고 다닥다닥 붙는다. 꽃은 황적색, 6~7월에 원줄기 끝에 5~15개가 밑을 향하여 핀다. 열매는 잘 맺지 못한다.

분포 · 생육지 우리나라 중부 이북. 중국, 몽골. 산지에서 자란다.

약용 부위 · 수치 땅속 비늘줄기를 가을에 채취하여 물에 씻은 후 말린다.

약물명 백합(百合). 중매(重邁), 중정(中庭)이라고도 한다.

성상 비늘줄기로 타원형이고 길이 3~3.5cm, 너비 1.5~2.5cm, 두께 0.2~ 0.3cm이다. 표면은 갈황색이고 세로로 곧게 난 줄무늬는 희미하다. 질은 단단하나 쉽게 부러지며 횡단면은 평탄하다. 냄새가 없고 맛은 조금 쓰다.

＊약효 및 사용법은 '백합'과 같다.

❶ 백합(百合)

❶ 큰솔나리(뿌리와 비늘줄기)

❶ 큰솔나리

[백합과]

백합

 음허구해, 해수담혈　　열병허번

각기부종

● 학명 : *Lilium longiflorum* Thunb.　● 별명 : 나팔나리, 백향나리, 왕나리

| 1 | 2 | 3 | 4 | 5 | 6 | 7 | 8 | 9 | 10 | 11 | 12 |

여러해살이풀. 높이 30~100cm. 비늘줄기는 편구형이고 다육질이며 지름 5~6cm이다. 줄기는 원주형이고 곧게 서며 자갈색을 띠고, 줄기 끝에 흰색의 솜털이 있다. 잎은 어긋나며 바늘 모양이다. 꽃은 5~6월에 피며 원줄기 끝에 2~3개가 옆을 향해 벌어지고, 통부는 길며 나팔처럼 벌어진다. 꽃덮개는 반점이 없고 백색이다. 삭과는 길이 6~9cm로 긴 타원형이다.

분포 · 생육지 중국 원산. 우리나라 전역에서 재배한다.

약용 부위 · 수치 땅속 비늘줄기를 가을에 채취하여 물에 씻은 후 말린다.

약물명 백합(百合). 중매(重邁), 중정(中庭)이라고도 한다. 대한민국약전외한약(생약)규격집(KHP)에 수재되어 있다.

본초서 백합(百合)은 「신농본초경(神農本草經)」에 수재되어 "나쁜 기운으로 배가 부푸는 것, 가슴이 답답하며 숨이 차는 것을 개선하고 대소변을 잘 보게 하며 속을 보하고 기운이 나게 한다."고 하였다. 「동의보감(東醫寶鑑)」에 "추위로 인한 백합병(百合病, 심폐의 음이 허한 병증)을 낫게 하고 대소변을 잘 나오게 하며 나쁜 기운과 헛것이 보이고 울며 헛소리하는 것을 풀어 준다. 독충의 독을 해독하고 젖이 곪는 것, 등에 종기가 나고 피부가 헐어 부은 것을 낫게 한다."고 하였다.

神農本草經: 主邪氣腹脹 心癰 利大小便 補中益氣.

東醫寶鑑: 療傷寒百合病 利大小便 治百邪鬼魅 涕泣狂叫 殺蠱毒 治乳癰 發背及瘡腫.

성상 비늘줄기로 길이 2~3cm, 너비 0.5~1cm, 두께 0.3~0.4cm이다. 세로로 난 줄

❶ 백합(百合)

❶ 백합(百合) 전문점(중국 성도)

무늬는 3~5열이고 뚜렷하지 않다. 냄새가 거의 없고 맛은 조금 쓰다.

기미 · 귀경 미한(微寒), 감(甘), 미고(微苦) · 심(心), 폐(肺)

약효 양음윤폐(陽陰潤肺), 청심안신(淸心安神)의 효능이 있으므로 음허구해(陰虛久咳), 해수담혈(咳唾痰血), 열병허번(熱病虛煩), 각기부종(脚氣浮腫)을 치료한다.

성분 regaloside A, D, 3,6′-diferuloylsucrose, 1-O-feruloylglycerol, 1-O-p-coumaroylglycerol 등이 함유되어 있다.

약리 쥐에게 열수추출물을 투여하면 기침과 가래가 감소한다. 열수추출물을 사료와 함께 쥐에게 먹이면 수명이 길어진다.

사용법 백합 30g에 물 900mL를 넣고 달여서 달인 액을 반씩 나누어 아침저녁으로 복용거나 죽을 쑤어 먹는다. 지혈의 목적으로 외용하는데, 백합가루 15g에 증류수를 가하여 15% 액으로 만들고 이것을 60℃로 가온하여 죽처럼 만들어 바른다.

처방 백합고금탕(百合固金湯): 숙지황(熟地黃) 12g, 생지황(生地黃) 8g, 맥문동(麥門冬) 6g, 백합(百合) · 작약(芍藥) · 당귀(當歸) · 패모(貝母) · 감초(甘草) 각 4g, 현삼(玄蔘) · 길경(桔梗) 각 3g 「처방집(處方集)」. 폐음(肺飮) 및 신음(腎飮)이 부족하여 목 안이 마르고 아프며 기침이 나고 숨이 차며, 혀가 벌겋게 되고 맥이 빠른 증상에 사용한다.

• 백합지모탕(百合知母湯): 백합(百合) 7개, 지모(知母) 40g 「동의보감(東醫寶鑑)」. 열성 질병을 앓고 난 뒤 심폐(心肺)의 음(飮)이 허하여 정신이 흐릿하고 말을 잘 안하며 자꾸 음식을 먹으려는 증상에 사용한다.

❶ 백합

맥문동

 폐조건해, 폐옹　 진상구갈, 인후동통, 혈열토뉵
 당뇨병　 심번실면　장조변비

● 학명 : *Liriope platyphylla* Wang et Tang　● 별명 : 알꽃맥문동, 넓은잎맥문동

| 1 | 2 | 3 | 4 | 5 | 6 | 7 | 8 | 9 | 10 | 11 | 12 |

여러해살이풀. 뿌리줄기는 굵고 딱딱하며 옆으로 번지 않고, 뿌리는 가늘지만 강하고 수염뿌리 끝이 땅콩처럼 굵어지는 것이 있다. 꽃대는 곧게 자라며, 잎은 뿌리줄기에서 모여난다. 꽃은 5~6월에 3~5개씩 마디마다 모여 달린다. 꽃덮개는 6개, 연한 자주색, 수술은 6개, 암술대는 1개이다. 열매는 장과, 얇은 껍질이 벗겨지면서 흑색 종자가 노출된다.

분포 · 생육지 우리나라 경북(울릉도), 강원(금강산), 전북(정읍) 이남. 중국, 일본, 타이완. 숲속에서 자란다.

약용 부위 · 수치 봄에 덩이뿌리를 채취하여 물에 씻은 후 심(木部)을 제거하여 말린다. 자양보혈(滋養補血)의 목적에는 주침(酒浸)한 후 초(炒)하여 사용한다.

약용명 맥문동(麥門冬), 맥문(麥門), 맥동(麥冬), 촌맥동(寸麥冬), 촌동(寸冬)이라고도 한다. 대한민국약전(KP)에 수재되어 있다.

본초서 맥문동(麥門冬)은 「신농본초경(神農本草經)」의 상품(上品)에 수재되어 있다. 양대(梁代) 도홍경(陶弘景)의 「신농본초경집

주(神農本草經集注)」에는 "이 식물의 뿌리가 망맥(芒麥, 귀리)과 비슷하고 겨울에도 얼어죽지 않으므로 맥문동(麥門冬)이라고 한다."고 하였다. 「동의보감(東醫寶鑑)」에는 "몸과 마음이 허약하고 피로하여 열이 나고 입이 마르며 갈증이 나는 것을 낫게 한다. 폐열로 진액이 소모되어 폐가 거칠고 위축되어 피고름을 뱉는 것, 열독으로 몸이 검어지고 눈이 누렇게 되는 것을 낫게 한다. 심장의 기운을 돕고 폐를 시원하게 하며 정신을 맑게 하고 맥박을 안정시킨다."고 하였다.

神農本草經 : 主心腹結氣 傷中傷絕 胃絡脈絕.
本草拾遺 : 治寒熱體勞 下痰飲.
本草衍義 : 治心肺虛熱.
東醫寶鑑 : 主虛勞客熱 口乾燥渴 治肺痿吐膿 療熱毒 身黑目黃 補心淸肺 補身定脈氣.

성상 방추형, 길이 10~25mm, 지름 3~5mm이다. 한쪽 끝은 뾰족하고 다른 쪽은 약간 둥글다. 표면은 엷은 황색~엷은 황갈색이며 크고 작은 세로 주름이 있다. 피층은 부드러우며 무르고 중심주는 질겨서 꺾기 어렵

다. 피층의 꺾은 면은 엷은 황갈색을 나타내고 약간 반투명하며 점착성이 있다. 약간의 냄새가 있고, 맛은 약간 달며 점착성이 있다.

품질 살이 많고 담황색으로 윤기가 나는 것이 좋다.

기미 · 귀경 온(溫), 감(甘), 고(苦) · 폐(肺), 심(心), 위(胃)

약효 자음윤폐(滋陰潤肺), 익위생진(益胃生津), 청심제번(淸心除煩)의 효능이 있으므로 폐조건해(肺燥乾咳), 폐옹(肺癰), 음허로수(陰虛勞嗽), 진상구갈(津傷口渴), 당뇨병, 심번실면(心煩失眠), 인후동통(咽喉疼痛), 장조변비(腸燥便秘), 혈열토뉵(血熱吐衄)을 치료한다.

성분 약 10%의 당류(glucose, fructose, sucrose 등), 점액질, steroidal saponin: ophiopogonin A, B, C, D, B′, C′, D′, homoisoflavonoid: ophiopogonanone A, B, methylophiopogonanone A, B 등이 함유되어 있다.

약리 토끼에게 물로 달인 액을 경구 투여하면 혈당이 하강하고, 에탄올추출물은 항염증 작용이 있고, ophiopogonin D에는 IgM 항체 생산 억제 작용이 있다.

사용법 맥문동 10g에 물 3컵(600mL)을 넣고 달여서 복용한다.

처방 맥문동탕(麥門冬湯): 맥문동(麥門冬) · 백지(白芷) · 반하(半夏) · 죽엽(竹葉) · 종유석(鐘乳石) · 상백피(桑白皮) · 자완(紫菀) · 인삼(人蔘) 각 4g, 감초(甘草) 2g, 생강(生薑) 3쪽, 대추(大棗) 2개 (「동의보감(東醫寶鑑)」). 폐음(肺陰)의 부족으로 몸에 열이 나고 관절이 아프며 기침을 하고 숨이 차며 가래에 피가 섞여 나오는 증상에 사용한다.

• 생맥산(生脈散): 맥문동(麥門冬) 8g, 인삼(人蔘) · 오미자(五味子) 각 4g (「상한론(傷寒論)」). 심기(心氣)의 부족으로 온몸이 나른하고 기운이 없으며 입이 마르고 가슴이 아프며 숨이 차고 맥이 약한 증상, 열이나 더위로 인하여 땀을 많이 흘리고 입이 마르며 온몸이 피곤한 증상에 사용한다.

• 죽엽석고탕(竹葉石膏湯): 석고(石膏) 16g, 인삼(人蔘) 8g, 맥문동(麥門冬) 6g, 반하(半夏) 4g, 감초(甘草) 3g, 죽엽(竹葉) · 갱미(粳米) 각 2g, 생강(生薑) 3쪽 (「상한론(傷寒論)」). 열병을 앓고 난 뒤 기혈(氣血) 부족으로 열이 나면서 목이 마르고 갈증이 나며 가슴이 답답한 증상에 사용한다.

• 자감초탕(炙甘草湯): 감초(甘草) 8g, 지황(地黃) · 계지(桂枝) · 마자인(麻子仁) · 맥문동(麥門冬) 각 6g, 인삼(人蔘) · 아교(阿膠) 각 4g, 생강(生薑) 5쪽, 대추(大棗) 3개 (「상한론(傷寒論)」). 기혈(氣血) 부족으로 가슴이 두근거리고 부정맥이 나타나며 몸이 여위고 숨이 가쁜 증상에 사용한다.

❶ 맥문동

◐ 맥문동(麥門冬)

◐ 맥문동(麥門冬, 중국산)

◐ 맥문동(덩이뿌리)

◑ 맥문동(열매)

◐ 맥문동(열매)

◑ 맥문동이 배합된 기침가래약인 맥문동탕

◐ 맥문동이 배합된 기침가래약

◐ 맥문동이 배합된 생맥산

◐ 맥문동(麥門冬) 전문점(중국 성도)

[백합과]

개맥문동

🫁 해수담점　👁 구조인간

🦶 장조변비

● 학명 : *Liriope spicata* Lour.　● 별명 : 좀맥문동

| 1 | 2 | 3 | 4 | 5 | 6 | 7 | 8 | 9 | 10 | 11 | 12 |

여러해살이풀. 뿌리줄기는 가늘고 긴 기는 줄기를 내며 뿌리가 많고 때로는 덩이뿌리가 생기며, 잎은 뿌리줄기에서 모여난다. 꽃은 연한 자주색, 7~9월에 꽃대 상부에 모여 달리며, 화서는 길이 8~12cm이다. 꽃덮개는 6개, 연한 자주색이고 수술은 6개, 암술대는 1개이다. 열매는 얇은 껍질이 벗겨지면서 흑색 종자가 노출된다.

분포·생육지 우리나라 전역. 중국, 일본, 타이완. 숲속에서 자란다.

약용 부위·수치 봄에 덩이뿌리를 채취하여 흙을 털고 심(木部)을 제거하여 말린다.

약물명 토맥동(土麥冬). 산맥동(山麥冬)이라고도 한다.

성상 방추형으로 길이 1.5~3.5cm, 지름 3~5mm이다. 한쪽 끝은 뾰족하고 다른 쪽은 약간 둥글다. 표면은 엷은 황색~엷은 황갈색이며 크고 작은 세로 주름이 있다. 피층은 부드러우며 무르고 중심주는 질겨서 꺾기 어렵다. 피층의 꺾은 면은 엷은 황갈색을 나타내고 약간 반투명하며 점착성이 있다. 약간의 냄새가 있고 맛은 약간 달며 점착성이다.

기미·귀경 온(溫), 감(甘), 고(苦)·폐(肺), 심(心), 위(胃)

약효 양음생진(養陰生津)의 효능이 있으므로 음허폐조(陰虛肺燥)로 인한 해수담점(咳嗽痰粘), 위음부족(胃陰不足)으로 인한 구조인간(口燥咽干), 장조변비(腸燥便秘)를 치료한다.

성분 spicatoside A, B, ophiopogonin B, daucosterol 등이 함유되어 있다.

약리 열수추출물을 쥐에게 주사하면 강심 작용이 나타난다. 열수추출물을 고양이에게 정맥주사하면 좌심실이 수축한다.

사용법 토맥동 10g에 물 3컵(600mL)을 넣고 달여서 복용한다.

◐ 개맥문동(덩이뿌리)

◐ 개맥문동(열매)

◐ 토맥동(土麥冬)

◐ 개맥문동

[백합과]

개감채

폐열해수 담황질조 창옹종통

● 학명 : *Lloydia serotina* (L.) Reichenb. ● 별명 : 산무릇, 두메무릇

| 1 | 2 | 3 | 4 | 5 | 6 | 7 | 8 | 9 | 10 | 11 | 12 |

❍ 개감채

여러해살이풀. 땅속 비늘줄기는 원주형으로 길이 4~7cm이고, 꽃대는 높이 10~15cm이다. 뿌리잎은 보통 2개, 줄기잎은 2~4개가 어긋난다. 꽃은 백색, 7월에 꽃대 상부에 1개씩 달리며 넓은 종 모양이다. 삭과는 달걀 모양, 갈색으로 익는다.

분포 · 생육지 우리나라 함남북, 중국, 일본. 높은 산 초원에서 자란다.

약용 부위 · 수치 봄에 덩이줄기를 채취하여 흙을 털고 심(木部)을 제거하여 말린다.

약물명 호련(胡蓮), 구아패(狗牙貝)라고도 한다.

약효 청열화담(清熱化痰), 해독소종(解毒消腫), 지혈의 효능이 있으므로 폐열해수(肺熱咳嗽), 담황질조(痰黃質稠), 창옹종통(瘡癰腫痛)을 치료한다.

사용법 호련 10g에 물 3컵(600mL)을 넣고 달여서 복용한다.

[백합과]

두루미꽃

토혈 요혈 월경과다 창옹종통

● 학명 : *Maianthemum bifolium* (L.) F. W. Schmidt ● 별명 : 무학초

| 1 | 2 | 3 | 4 | 5 | 6 | 7 | 8 | 9 | 10 | 11 | 12 |

여러해살이풀. 뿌리줄기는 옆으로 길게 벋으며 마디에서 뿌리를 내리고, 줄기는 바로 서며 높이 10~20cm이다. 잎은 보통 2개이고 심장형이다. 꽃은 백색, 5~6월에 줄기 끝에 총상화서를 이루어 작은 꽃이 많이 달린다. 수술은 4개, 암술머리는 2개로 갈라진다. 장과는 둥글고 붉은색으로 익는다.

분포 · 생육지 우리나라 전역, 중국, 일본, 아무르, 우수리, 유럽. 산지의 초원에서 자란다.

약용 부위 · 수치 전초를 여름에 채취하여 물에 씻은 후 말린다.

약물명 이엽무학초(二葉舞鶴草)

약효 양혈지혈(涼血止血), 청열해독(清熱解毒)의 효능이 있으므로 토혈, 요혈(尿血), 월경과다, 창옹종통(瘡癰腫痛)을 치료한다.

사용법 이엽무학초 20g에 물 4컵(800mL)을 넣고 달여서 복용한다.

＊ 본 종에 비하여 전체적으로 크고 털이 없으며 잎은 3개이고 톱니가 없는 '큰두루미꽃 *M. dilatatum*'도 약효가 같다.

❍ 큰두루미꽃

❍ 이엽무학초(二葉舞鶴草)

❍ 두루미꽃(열매)

❍ 두루미꽃 군락(소백산)

❍ 큰두루미꽃(열매)

❍ 두루미꽃

[백합과]

소엽맥문동

 당뇨병

 진상구갈, 인후동통, 혈열토뉵

폐조건해, 폐옹   심번실면   장조변비

● 학명 : *Ophiopogon japonicus* Ker-Gawler
● 별명 : 겨우사리맥문동, 좁은잎맥문동, 긴잎맥문동

| 1 | 2 | 3 | 4 | 5 | 6 | 7 | 8 | 9 | 10 | 11 | 12 |

여러해살이풀. 뿌리줄기는 가늘고 긴 기는 줄기를 내며, 뿌리는 때로 방추형으로 비후하다. 꽃대는 모여나고 높이 10~15cm이며, 잎은 뿌리줄기에서 나온다. 꽃은 5~7월에 백색 또는 자주색으로 피며, 꽃덮개는 6개, 수술은 6개, 꽃밥은 바늘 모양, 수술대는 매우 짧으며, 암술대는 원주형이다. 열매는 남색이다.

분포 · 생육지 우리나라 제주도, 전남, 울릉도, 지리산. 중국, 일본, 타이완. 숲속에서 자란다.

약용 부위 · 수치 봄에 덩이뿌리를 채취하여 흙을 털고 심(木部)을 제거하여 말린다.

약물명 맥문동(麥門冬). 맥동(麥冬), 불사약(不死藥), 우여량(禹余粮)이라고도 한다.

성상 방추형으로 길이 1.5~3.5cm, 지름 3~7mm이다. 바깥 면은 황토색~황백색으로, 크고 작은 세로 주름이 있고, 양쪽 끝은 뾰족하다. 피층은 부드러우며 무르고 중심주는 질겨서 꺾기 어렵다. 피층의 꺾은 면은 엷은 황갈색을 나타내고 약간 반투명하며 점착성이 있다. 약간의 냄새가 있고 맛은 약간 달며 점착성이다.

기미 · 귀경 온(溫), 감(甘), 고(苦) · 폐(肺), 심(心), 위(胃)

약효 자음윤폐(滋陰潤肺), 익위생진(益胃生津), 청심제번(淸心除煩)의 효능이 있으므로 폐조건해(肺燥乾咳), 폐옹(肺癰), 음허로수(陰虛勞嗽), 진상구갈(津傷口渴), 당뇨병, 심번실면(心煩失眠), 인후동통(咽喉疼痛), 장조변비(腸燥便秘), 혈열토뉵(血熱吐衄)을 치료한다.

성분 10% 정도의 당류(glucose, fructose, sucrose 등), 점액질, steroidal saponin: ophiopogonin A, B, C, D, B′, C′, D′, homo-isoflavonoid: ophiopogonanone A, B, methylophiopogonanone A, B 등이 함유되어 있다.

약리 열수추출물을 쥐에게 주사하면 강심작용이 나타난다. 열수추출물을 고양이에게 정맥주사하면 좌심실이 수축한다.

사용법 맥문동 10g에 물 3컵(600mL)을 넣고 달여서 복용한다.

처방 맥문동탕(麥門冬湯): 맥문동(麥門冬) · 백지(白芷) · 반하(半夏) · 죽엽(竹葉) · 종유석(鐘乳石) · 상백피(桑白皮) · 자완(紫莞) · 인삼(人蔘) 각 4g, 감초(甘草) 2g, 생강(生薑) 3쪽, 대추(大棗) 2개 『동의보감(東醫寶鑑)』. 폐음(肺陰) 부족으로 몸에 열이 나고 관절이 아프며 기침을 하고 숨이 차며 가래에 피가 섞여 나오는 증상에 사용한다.

• 생맥산(生脈散): 맥문동(麥門冬) 8g, 인삼(人蔘) · 오미자(五味子) 각 4g 『상한론(傷寒論)』. 심기(心氣) 부족으로 온몸이 나른하고 기운이 없으며 입이 마르고 가슴이 아프며 숨이 차고 맥이 약한 증상, 열이나 더위로 인하여 땀을 많이 흘리고 입이 마르며 온몸이 피곤한 증상에 사용한다.

• 죽엽석고탕(竹葉石膏湯): 석고(石膏) 16g, 인삼(人蔘) 8g, 맥문동(麥門冬) 6g, 반하(半夏) 4g, 감초(甘草) 3g, 죽엽(竹葉) · 갱미(粳米) 각 2g, 생강(生薑) 3쪽 『상한론(傷寒論)』. 열병을 앓고 난 뒤 기혈(氣血) 부족으로 열이 나면서 갈증이 나고 가슴이 답답한 증상에 사용한다.

• 자감초탕(炙甘草湯): 감초(甘草) 8g, 지황(地黃) · 계지(桂枝) · 마자인(麻子仁) · 맥문동(麥門冬) 각 6g, 인삼(人蔘) · 아교(阿膠) 각 4g, 생강(生薑) 5쪽, 대추(大棗) 3개 『상한론(傷寒論)』. 기혈(氣血) 부족으로 가슴이 두근거리고 부정맥이 나타나며 몸이 여위고 숨이 가쁜 증상에 사용한다.

＊ 중국맥문동(中國麥門冬)은 주로 본 종의 뿌리줄기로서 저장성(浙江省) 및 쓰촨성(四川省)에서 주로 생산된다. 또 이것 외에 'O. longifolius', 'O. japonicus var. umbrosa' 등의 뿌리줄기도 사용한다. 일본에서 생산되는 '화맥문동(和麥門冬)'도 본 종의 뿌리줄기이다.

❍ 맥문동(麥門冬)   ❍ 맥문동(왼쪽)과 소엽맥문동(오른쪽)의 약물

❍ 소엽맥문동

❍ 소엽맥문동(꽃)

❍ 소엽맥문동(덩이뿌리)

[백합과]

칠엽일지화

옹종창독 · 인종후비 · 유옹

● 학명 : *Paris polyphylla* Smith ● 한자명 : 七葉一枝花

| 1 | 2 | 3 | 4 | 5 | 6 | 7 | 8 | 9 | 10 | 11 | 12 |

여러해살이풀. 높이 20~40cm. 뿌리줄기는 지름 1~2.5cm, 옆으로 길게 벋고, 잎은 보통 7개가 돌려난다. 꽃은 6~7월에 피며 외화피편은 4~6개, 길이 4.5~7cm로 좁고, 내화피편은 바늘 모양이다. 삭과는 둥글고 흑색으로 익는다.

분포 · 생육지 중국 쓰촨성(四川省), 윈난성(雲南省). 산지에서 자란다.

약용 부위 · 수치 뿌리줄기를 수시로 채취하여 수염뿌리를 제거하여 말린다.

약물명 조휴(蚤休). 중태근(重台根)이라고도 한다.

* 약효 및 사용법은 '운남중루'와 같다.

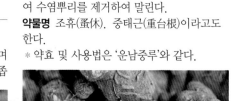

❍ 조휴(蚤休, 운남중루의 뿌리줄기에 비하여 작다.)

❍ 칠엽일지화(꽃)

❍ 칠엽일지화

[백합과]

운남중루

옹종창독 · 인종후비 · 유옹

● 학명 : *Paris polyphylla* Smith var. *yunnanensis* (Franch.) Hand.–Mazz.
● 한자명 : 雲南重樓

| 1 | 2 | 3 | 4 | 5 | 6 | 7 | 8 | 9 | 10 | 11 | 12 |

여러해살이풀. 뿌리줄기는 지름 2~3.5cm, 옆으로 길게 벋고 마디가 두드러진다. 잎은 6~10개가 돌려난다. 꽃은 6~7월에 피며 외화피는 녹색이고 내화피편은 황색이다. 장과는 둥글고 자흑색이며, 익으면 과피가 열려 종자가 보인다.

분포 · 생육지 중국 쓰촨성(四川省), 구이저우성(貴州省), 윈난성(雲南省). 산지에서 자란다.

약용 부위 · 수치 뿌리줄기를 수시로 채취하여 수염뿌리를 제거하여 말린다.

약물명 조휴(蚤休). 중태근(重台根)이라고도 한다.

기미 · 귀경 미한(微寒), 고(苦), 소독(小毒) · 간(肝)

약효 청열해독(淸熱解毒), 소종지통(消腫止痛), 양간정경(涼肝定驚)의 효능이 있으므로 옹종창독(癰腫瘡毒), 인종후비(咽腫喉痺), 유옹(乳癰)을 치료한다.

성분 α-ecdysone, β-ecdysone, ajugasterone, pennogenin tetraglycoside 등이 함유되어 있다.

약리 influenza virus에 강한 성장 억제 작용이 있고 적리균, 황색 포도상구균에 항균 작용이 있다.

사용법 조휴 5g에 물 2컵(400mL)을 넣고 달여서 복용하거나 알약이나 가루약으로 만들어 복용하고, 외용에는 짓찧어 바르거나 달인 물로 씻는다.

❍ 조휴(蚤休, 쿤밍산)

❍ 조휴(蚤休, 티베트산)

❍ 조휴(蚤休, 절편)

❍ 운남중루 ❍ 열매

[백합과]

삿갓풀

풍습비통 / 옹종, 나력 / 인후종통, 후비 / 전질

● 학명 : *Paris verticillata* Bieb. ● 별명 : 삿갓나물

| 1 | 2 | 3 | 4 | 5 | 6 | 7 | 8 | 9 | 10 | 11 | 12 |

여러해살이풀. 뿌리줄기는 지름 3~4mm, 옆으로 길게 벋고 끝에서 줄기가 나온다. 줄기는 높이 20~40cm이고 끝부분에 6~8개의 잎이 돌려난다. 꽃은 6~7월에 돌려나기잎 중앙에서 1개의 꽃줄기가 나와 1개의 꽃이 위를 향해 핀다. 장과는 둥글고 자흑색이다.

분포·생육지 우리나라 지리산 이북. 중국, 일본, 아무르, 우수리, 사할린, 시베리아. 산 숲속에서 자란다.

약용 부위·수치 뿌리줄기를 수시로 채취하여 수염뿌리를 제거하여 말린다.

약물명 상천제(上天梯). 정풍근(定風根)이라고도 한다.

약효 거풍이습(祛風利濕), 청열정경(清熱定驚), 해독소종(解毒消腫)의 효능이 있으므로 풍습비통(風濕痺痛), 인후종통(咽喉腫痛), 옹종(癰腫), 나력(瘰癧), 후비(喉痺), 전질(癲疾)을 치료한다.

성분 phytosteryl-(6'-palmitoyl)-β-D-glucopyranoside, phytosteryl-β-D-glucopyranoside, α-ecdysone, β-ecdysone, ajugasterone, pennogenin tetraglycoside 등이 함유되어 있다.

약리 influenza virus에 강한 성장 억제 작용이 있고, 적리균, 황색 포도상구균에 항균 작용이 있다.

사용법 상천제 5g에 물 2컵(400mL)을 넣고 달여서 복용하거나 가루로 만들어 복용하고, 외용에는 짓찧어 붙이거나 바른다.
※ 잎이 4개인 '네잎삿갓풀 *P. tetraphylla*'도 약효가 같다.

❍ 삿갓풀

❍ 삿갓풀(뿌리줄기)

❍ 상천제(上天梯, 신선품)

[백합과]

대잎둥굴레

열병상음 / 당뇨병 / 구갈심번, 구건설조 / 심장병 / 결핵건해 / 유정

● 학명 : *Polygonatum falcatum* Fisch. ex Maxim. ● 별명 : 진황정

| 1 | 2 | 3 | 4 | 5 | 6 | 7 | 8 | 9 | 10 | 11 | 12 |

❍ 대잎둥굴레

여러해살이풀. 뿌리줄기는 길이 3~4mm, 가늘고 옆으로 길게 벋으며, 마디와 마디 사이가 길고, 수염뿌리가 많이 난다. 줄기는 바로 서며 높이 50~70cm, 잎은 어긋나고 2열로 배열하며 긴 타원형, 잎자루는 거의 없다. 꽃은 연한 황록색, 5~6월에 1~2개씩 잎겨드랑이에 달린다. 장과는 구형, 지름 8~9mm, 흑색으로 익는다.

분포·생육지 우리나라 전역. 중국, 일본, 아무르, 몽골. 산과 들에서 자란다.

약용 부위·수치 뿌리줄기를 봄과 가을에 채취하여 잔뿌리를 제거하고 물에 씻은 후 말린다.

약물명 우리나라와 일본에서는 황정(黃精)이라 하며, 중국에서는 소옥죽(小玉竹)이라 한다.

약효 자음윤조(滋陰潤燥), 지갈제번(止渴除煩)의 효능이 있으므로 열병상음(熱病傷陰), 구갈심번(口渴心煩), 구건설조(口乾舌燥), 결핵건해(結核乾咳), 당뇨병, 심장병, 유정(遺精)을 치료한다.

사용법 황정 15g에 물 3컵(600mL)을 넣고 달여서 복용하거나 술에 담가서 복용한다.

❍ 황정(黃精, 절편)

❍ 황정(黃精, 일본산)

❍ 황정(黃精, 제주산)

❍ 대잎둥굴레(잎)

❍ 대잎둥굴레(뿌리줄기)

[백합과]

각시둥굴레

 열병상음   구갈심번, 구건설조   결핵건해
당뇨병   심장병   유정

● 학명 : *Polygonatum humile* Fisch. ex Maxim.   ● 별명 : 좀각씨둥굴레, 애기둥굴레

| 1 | 2 | 3 | 4 | 5 | 6 | 7 | 8 | 9 | 10 | 11 | 12 |

여러해살이풀. 뿌리줄기는 길이 3~4mm,
가늘고 옆으로 길게 벋으며, 마디와 마디
사이가 길고, 수염뿌리가 많이 난다. 줄기
는 바로 서며 높이 20~30cm, 잎은 어긋
나고 2열로 배열하며, 긴 타원형, 잎자루
는 거의 없다. 꽃은 연한 황록색, 5~6월에
1~2개씩 잎겨드랑이에 달린다. 장과는 구
형, 지름 8~9mm, 흑색으로 익는다.
분포 · 생육지 우리나라 전역. 중국, 일본,
아무르, 몽골. 산과 들에서 자란다.
약용 부위 · 수치 뿌리줄기를 봄과 가을에 채
취하여 잔뿌리를 제거하고 물에 씻은 후 말
린다.
약물명 소옥죽(小玉竹)
약효 자음윤조(滋陰潤燥), 지갈제번(止渴
除煩)의 효능이 있으므로 열병상음(熱病傷
陰), 구갈심번(口渴心煩), 구건설조(口乾舌
燥), 결핵건해(結核乾咳), 당뇨병, 심장병,
유정(遺精)을 치료한다.
사용법 소옥죽 15g에 물 3컵(600mL)을 넣

고 달여서 복용하거나 술에 담가서 복용
한다.

◑ 소옥죽(小玉竹)

◑ 각시둥굴레(뿌리와 뿌리줄기)

◑ 각시둥굴레

[백합과]

퉁둥굴레

조해, 노수   인간구갈
내열소갈   음허외감   빈뇨

● 학명 : *Polygonatum inflatum* Kom.
● 한자명 : 毛筒玉竹   ● 별명 : 통둥굴레, 퉁퉁굴레

| 1 | 2 | 3 | 4 | 5 | 6 | 7 | 8 | 9 | 10 | 11 | 12 |

여러해살이풀. 높이 30~70cm. 뿌리줄기
는 마디 사이가 길고 가늘며, 줄기에 능
각이 있다. 잎은 어긋나고 타원형, 길이
10~15cm, 너비 4~7cm, 잎자루가 거의
없다. 꽃은 녹백색, 잎겨드랑이에 3~7개가
달린다. 장과는 구형, 지름 1cm 정도이다.
분포 · 생육지 우리나라 전역. 중국, 일본,
아무르, 몽골. 산지에서 자란다.
약용 부위 · 수치 뿌리줄기를 봄과 가을에 채
취하여 잔뿌리를 제거하고 물에 씻은 후 말
린다.
약물명 옥죽(玉竹). 대한민국약전외한약(생
약)규격집(KHP)에 수재되어 있다.
약효 자음윤폐(滋陰潤肺), 양위생진(養胃生
津)의 효능이 있으므로 조해(燥咳), 노수(勞
嗽), 인간구갈(咽干口渴), 내열소갈(內熱消
渴), 음허외감(陰虛外感), 빈뇨를 치료한다.
장기간 복용하면 안색과 혈색을 좋게 한다.
사용법 옥죽 10g에 물 3컵(600mL)을 넣고
달여서 복용하거나 술에 담가서 복용한다.

◑ 퉁둥굴레(뿌리와 뿌리줄기)

◑ 옥죽(玉竹)

◑ 퉁둥굴레

[백합과]

용둥굴레

| 병후체허 | 요슬산련 |
| 결핵건해 | 고혈압 |

●학명 : *Polygonatum involucratum* Maxim.　●한자명 : 二苞黃精

| 1 | 2 | 3 | 4 | 5 | 6 | 7 | 8 | 9 | 10 | 11 | 12 |

여러해살이풀. 높이 30~50cm. 뿌리줄기
는 가늘고 옆으로 길게 벋는다. 줄기는 바로
서며, 윗부분은 비스듬히 자란다. 잎은 어긋
나고 2열로 배열하며, 긴 타원형, 잎자루는 거
의 없다. 꽃은 5~6월에 연한 녹백색으로
피며 잎처럼 큰 포(苞)가 2개씩 꽃을 둘러
싼다. 장과는 구형, 흑청색으로 익는다.

분포 · 생육지 우리나라 전역, 중국, 일본,
아무르, 몽골. 산지에서 자란다.

약용 부위 · 수치 뿌리줄기를 봄과 가을에 채
취하여 잔뿌리를 제거하고 물에 씻은 후 말
린다.

약물명 옥죽(玉竹). 이포황정(二苞黃精)이
라고도 한다.

약효 익기양음(益氣養陰), 보혈윤폐(補血
潤肺)의 효능이 있으므로 병후체허(病後體
虛), 요슬산련(腰膝酸軟), 결핵건해(結核乾
咳), 고혈압을 치료한다.

사용법 옥죽 15g에 물 3컵(600mL)을 넣고
달여서 복용하거나 술에 담가서 복용한다.

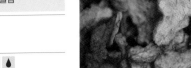
↺ 옥죽(玉竹)

↺ 용둥굴레

[백합과]

다화황정

| 허손한열 | 폐로해혈 |
| 풍습동통 | |

●학명 : *Polygonatum cyrtonema* Hua [*P. multiflorum*]
●한자명 : 多花黃精

| 1 | 2 | 3 | 4 | 5 | 6 | 7 | 8 | 9 | 10 | 11 | 12 |

여러해살이풀. 뿌리줄기는 굵고 결절상으
로 연주형(連珠形)이다. 잎은 어긋나고 2
열로 배열하며 긴 타원형, 잎자루는 매
우 짧다. 꽃은 담녹색, 5~6월에 잎겨드랑
이에 3~7개가 모여 핀다. 꽃자루는 길이
1~4cm이다.

분포 · 생육지 중국 장쑤성(江蘇省), 저장성
(浙江省), 안후이성(安徽省), 쓰촨성(四川
省), 구이저우성(貴州省). 산지에서 자란다.

약용 부위 · 수치 뿌리줄기를 봄과 가을에 채
취하여 잔뿌리를 제거하고 물에 씻은 후 말
린다.

약물명 황정(黃精). 대한민국약전(KP)에 수
재되어 있다.

약효 보중익기(補中益氣), 윤심폐(潤心肺),
강근골(强筋骨)의 효능이 있으므로 허손한
열(虛損寒熱), 폐로해혈(肺癆咳血), 풍습동
통(風濕疼痛)을 치료한다.

사용법 황정 15g에 물 3컵(600mL)을 넣고
달여서 복용하거나 술에 담가서 복용한다.

↺ 다화황정(열매)

↺ 황정(黃精)

↺ 황정(黃精, 절편)

↺ 다화황정

약둥굴레

 조해, 노수   인간구갈 빈뇨

내열소갈 음허외감

● 학명 : *Polygonatum odoratum* (Mill.) Druce ● 한자명 : 玉竹

| 1 | 2 | 3 | 4 | 5 | 6 | 7 | 8 | 9 | 10 | 11 | 12 |

여러해살이풀. 높이 20~60cm. 육질의 뿌리줄기는 옆으로 벋고, 줄기는 1개, 7~12개의 잎은 어긋난다. 꽃은 4~6월에 1~3개씩 잎겨드랑이에 달리고, 백색, 끝이 6개로 갈라진다. 장과는 둥글고 흑남색으로 익는다.

분포·생육지 중국 간쑤성(甘肅省), 허베이성(河北省), 산시성(陝西省), 타이완. 산지의 음습지에서 자란다.

약용 부위·수치 뿌리줄기를 봄과 가을에 채취하여 잔뿌리를 제거하고, 점액이 바깥으로 삼출될 때까지 햇볕에 바랜 다음 털을 제거하고 황색이 될 때까지 말린다.

약물명 옥죽(玉竹). 위유(委萎), 위위(萎萎), 여위(女萎)라고도 한다. 대한민국약전외한약(생약)규격집(KHP)에 수재되어 있다.

본초서 현재 시장에서 거래되는 옥죽(玉竹)은 「신농본초경(神農本草經)」의 상품(上品)에 여위(女萎)라는 이름으로 수재되어 있고, 별명으로 위유(委萎), 위위(萎萎)를 들고 있다. 「본초강목(本草綱目)」에는 "뿌리줄기가 옥색이며 형태가 대나무 뿌리줄기와 닮아서 옥죽(玉竹)이라 하였고, 얼굴의 간반(奸斑)을 없애는 약효가 있으므로 위유(委萎)라고 한다."고 하였다.

성상 약간 납작한 원기둥 모양이고 더러 분지하며 길이 5~15cm, 지름 0.5~1.5cm이다. 표면은 황백색~황갈색, 뿌리의 흔적이 있고 질은 건조가 잘 된 것은 단단하나 일반적으로 무르다. 냄새가 약간 있고, 맛은 달며 씹으면 끈적거린다.

기미·귀경 평(平), 감(甘)·폐(肺), 위(胃)

약효 자음윤폐(滋陰潤肺), 양위생진(養胃生津)의 효능이 있으므로 조해(燥咳), 노수(勞嗽), 인간구갈(咽干口渴), 내열소갈(內熱消渴), 음허외감(陰虛外感), 빈뇨를 치료한다. 장기간 복용하면 안색과 혈색을 좋게 한다.

성분 odoratan, polygonatan-furactan A~D, azetidine-2-carboxylic acid, polyspirastanol POa, polyspiranoside POb, POc, polyfuroside, convallamarin, convallarin, chelidonic acid 등이 함유되어 있다.

약리 뿌리줄기, 잎, 줄기를 물로 달인 액을 토끼나 개에 투여하면 혈압이 하강하고, 개구리의 적출 심장에 투여하면 심장의 박동을 억제하고, 토끼에게 투여한 경우 혈당이 줄어든다.

사용법 옥죽 10g에 물 3컵(600mL)을 넣고 달여서 복용하거나 술에 담가서 복용한다.

처방 옥배전(玉杯煎): 옥죽(玉竹)·사삼(沙蔘)·합분(蛤紛) 각 12g, 영양각(羚羊角) 4.5g, 맥문동(麥門冬)·패모(貝母) 각 6g, 석곡(石斛)·괄루피(括蔞皮) 각 9g「온병조변(溫病條辨)」). 폐열해수(肺熱咳嗽), 구건(口乾)에 사용한다.

• 옥죽석고탕(玉竹石膏湯): 옥죽(玉竹), 사삼(沙蔘), 맥문동(麥門冬), 감초(甘草) 각 동량「온병조변(溫病條辨)」). 당뇨병에 의한 구건(口乾)에 사용한다.

❶ 약둥굴레(열매)

❶ 약둥굴레

❶ 옥죽(玉竹)

❶ 옥죽(玉竹, 신선품)

❶ 옥죽(玉竹, 절편)

[백합과]

둥굴레

 조해, 노수　 인간구갈　빈뇨
내열소갈　음허외감

● 학명 : *Polygonatum odoratum* (Mill.) Druce var. *pluriflorum* (Miq.) Ohwi
● 별명 : 둥굴네, 괴불꽃

1	2	3	4	5	6	7	8	9	10	11	12

여러해살이풀. 높이 30~60cm. 육질의 뿌리줄기는 옆으로 벋고, 잎은 어긋난다. 꽃은 6~7월에 1~2개씩 잎겨드랑이에 달리고, 화관 길이 1.5~2cm, 밑부분은 백색, 윗부분은 녹색, 6개의 수술이 통부 윗부분에 붙고 수술대에 잔돌기가 있으며, 꽃밥은 길이 4mm 정도로 수술대와 길이가 거의 같다. 장과는 둥글고 흑색으로 익는다.
분포 · 생육지 우리나라 전역. 중국, 일본, 아무르, 몽골. 산과 들에서 자란다.
약용 부위 · 수치 뿌리줄기를 봄과 가을에 채취하여 잔뿌리를 제거하고, 점액이 바깥으로 삼출될 때까지 햇볕에 바랜 다음 털을 제거하고 황색이 될 때까지 말린다.
약물명 옥죽(玉竹). 위유(萎蕤), 위위(委萎), 여위(女萎)라고도 한다. 대한민국약전외한약(생약)규격집(KHP)에 수재되어 있다.
약효 자음윤폐(滋陰潤肺), 양위생진(養胃生津)의 효능이 있으므로 조해(燥咳), 노수(勞嗽), 인간구갈(咽干口渴), 내열소갈(內熱消渴), 음허외감(陰虛外感), 빈뇨를 치료한다. 장기간 복용하면 안색과 혈색을 좋게 한다.
사용법 옥죽 10g에 물 3컵(600mL)을 넣고 달여서 복용하거나 술에 담가서 복용한다.

❶ 둥굴레(열매)

❶ 둥굴레

❶ 둥굴레(뿌리와 뿌리줄기)

❶ 옥죽(玉竹)

[백합과]

층층둥굴레

 허손한열　폐로해혈
풍습동통

● 학명 : *Polygonatum stenophyllum* Maxim.　● 별명 : 수레둥굴레

1	2	3	4	5	6	7	8	9	10	11	12

여러해살이풀. 높이 30~60cm. 굵은 뿌리줄기가 길고 다소 굵으며 옆으로 벋으면서 번식한다. 잎은 5~6개가 돌려난다. 꽃은 5~6월에 잎겨드랑이에 달리며 담황색, 돌려난다. 꽃대 위의 꽃자루가 짧고, 잎 끝이 갈고리가 아닌 점이 '갈고리층층둥굴레'와 다르다.
분포 · 생육지 우리나라 중부 이북. 중국 둥베이(東北) 지방, 아무르, 우수리. 산기슭의 밭에서 자란다.
약용 부위 · 수치 뿌리줄기를 봄과 가을에 채취하여 잔뿌리를 제거하고, 점액이 바깥으로 삼출될 때까지 햇볕에 바랜 다음 털을 제거하고 황색이 될 때까지 말린다.
약물명 황정(黃精). 대한민국약전(KP)에 수재되어 있다.
약효 보중익기(補中益氣), 윤심폐(潤心肺), 강근골(强筋骨)의 효능이 있으므로 허손한열(虛損寒熱), 폐로해혈(肺癆咳血), 풍습동통(風濕疼痛)을 치료한다.
사용법 황정 10g에 물 3컵(600mL)을 넣고 달여서 복용하거나 술에 담가서 복용한다.
※ 우리나라에서는 황정(黃精)으로 사용한 적이 있으나, '갈고리층층둥굴레'가 귀화한 이후로는 사용 빈도가 줄었다.

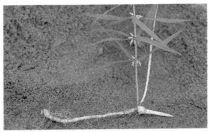

❶ 층층둥굴레(땅속줄기)

❶ 층층둥굴레

❶ 황정(黃精)

❶ 황정(黃精, 신선품)

[백합과]

갈고리층층둥굴레

허손한열
폐로해혈
풍습동통

●학명 : *Polygonatum sibiricum* Delar　●별명 : 낚시둥굴레

| 1 | 2 | 3 | 4 | 5 | 6 | 7 | 8 | 9 | 10 | 11 | 12 |

여러해살이풀. 높이 60~90cm. 굵은 뿌리줄기가 옆으로 벋으면서 번식하고, 잎은 4~5개가 돌려난다. 꽃은 5~6월에 잎겨드랑이에 달리며 연한 황색, 돌려나며, 짧은 꽃줄기 2개의 꽃이 밑을 향해 달리고, 소포는 2개씩이다. 열매는 장과로 둥글며 흑색으로 익는다.

분포 · 생육지 우리나라 함경남북도, 평남(을밀대). 중국 둥베이(東北) 지방(용정, 연변, 용화). 산과 들에서 자란다.

약용 부위 · 수치 뿌리줄기를 봄과 가을에 채취하여 잔뿌리를 제거하고, 점액이 바깥으로 삼출될 때까지 햇볕에 바랜 다음 털을 제거하고 황색이 될 때까지 말린다.

약물명 황정(黃精). 황지(黃芝), 녹죽(鹿竹), 토죽(菟竹)이라고도 한다. 대한민국약전(KP)에 수재되어 있다.

본초서 황정(黃精)은 「명의별록(名醫別錄)」의 중품(中品)에 수재되어, "비(脾)를 도우며 폐(肺)를 윤택하게 하는 약물이다."라고 기록되어 있으며, 「본초강목(本草綱目)」에는 "황정(黃精)은 식도락가의 요약(要藥)이

다. 그러므로 별록(別錄)에서는 초부(草部)의 앞부분에 수록되었으며, 신선가(神仙家)들은 이것은 황색 꽃이 피고 지초(芝草)처럼 곤토(坤土)의 정수(精粹)를 얻는다는 의미에서 황정(黃精)이라 한다."고 하였다. 「동의보감(東醫寶鑑)」에는 "중초의 기운을 다스리고, 오장을 편안하게 하며 피로를 풀어 준다. 힘줄과 뼈를 튼튼하게 하며 비장과 위장의 기운을 돕고 심장과 폐의 운동을 돕는다."고 하였다.

名醫別錄: 主補中益氣, 除風濕, 安五臟, 久服輕身延年不飢.

日華子: 補五勞七傷, 助筋骨, 止飢, 耐寒暑, 益脾胃, 潤心肺, 耳鳴目暗, 鬚髮早白.

本草綱目: 補諸虛, 止寒熱, 塡精髓.

東醫寶鑑: 主補中益氣 安五臟 補五勞七傷 調筋骨 益脾胃 潤心肺.

성상 약간 납작한 원기둥 모양이고 더러 분지하며 길이 5~15cm, 지름 1.5~3cm이다. 표면은 황백색~황갈색, 뿌리의 흔적이 있고 질은 건조가 잘된 것은 단단하나 일반적으로 무르다. 냄새가 약간 있고, 맛은 달

며 씹으면 끈적거린다.

기미 · 귀경 평(平), 감(甘) · 비(脾), 폐(肺), 신(腎)

약효 보중익기(補中益氣), 윤심폐(潤心肺), 강근골(强筋骨)의 효능이 있으므로 허손한열(虛損寒熱), 폐로해혈(肺癆咳血), 풍습동통(風濕疼痛)을 치료한다.

성분 sibiricoside A, B, 14α-hydroxysibiricoside A, neoprazerigenin A 3-*O*-β-lycotetraoside, 뿌리줄기의 점액인 falcatan, polygonaquinone 등이 함유되어 있다.

약리 뿌리줄기, 잎, 줄기를 물로 달인 액을 토끼나 개에 투여하면 혈압이 하강하고, 개구리의 적출 심장에 투여하면 심장의 박동을 억제하며, 토끼에게 투여한 경우 혈당이 줄어든다.

사용법 황정 10g에 물 3컵(600mL)을 넣고 달여서 복용하거나 술에 담가서 복용한다.

처방 황정당귀탕(黃精當歸湯): 황정(黃精), 당귀(當歸), 맥문동(麥門冬), 맥아(麥芽)(「경험방(經驗方)」). 기혈양허(氣血陽虛)로 불사음식(不思飮食), 정신부진(精神不振), 면색위황(面色萎黃)에 사용한다.

• 황정상행탕(黃精桑杏湯): 황정(黃精), 상엽(桑葉), 행인(杏仁), 사삼(沙蔘), 맥문동(麥門冬), 옥죽(玉竹), 백합(百合), 비파엽(枇杷葉), 흑지마(黑芝麻), 감초(甘草)(「경험방(經驗方)」). 폐허해수(肺虛咳嗽)에 사용한다.

❂ 갈고리층층둥굴레(잎 끝이 갈고리형이다.)

❂ 갈고리층층둥굴레(꽃)

❂ 갈고리층층둥굴레(뿌리줄기)

❂ 갈고리층층둥굴레

❂ 황정(黃精)

❂ 황정(黃精, 절편)

[백합과]

만년청

 감기, 폐열해수   옹양종독

● 학명 : *Rohdea japonica* Roth   ● 한자명 : 萬年靑

| 1 | 2 | 3 | 4 | 5 | 6 | 7 | 8 | 9 | 10 | 11 | 12 |

여러해살이풀. 높이 30~50cm. 뿌리줄기
는 굵고 비스듬히 서며 끝에서 잎이 모여
난다. 잎몸은 길고 길이 30~50cm, 너비
3~5cm, 두꺼우며 끝이 뾰족하다. 꽃은

5~7월에 긴 꽃대의 총상화서에서 피며 담
황색이다. 열매는 장과로 둥글고 붉은색으
로 익지만 간혹 황색도 있다.
분포 · 생육지 중국, 일본. 우리나라에서 재

❶ 만년청

배한다.
약용 부위 · 수치 뿌리줄기와 뿌리를 여름에
채취하여 물에 씻은 후 썰어서 말린다.
약물명 만년청(萬年靑). 천년윤(千年潤), 옥
주(屋周)라고도 한다.
약효 청열해독(淸熱解毒), 활혈소종(活血消
腫)의 효능이 있으므로 감기, 폐열해수(肺熱
咳嗽), 옹양종독(癰瘍腫毒)을 치료한다.
성분 (25*S*)-ruscogenin, propyl-4-hy-
droxybutyl phthalate 등이 함유되어 있다.
사용법 만년청 15g에 물 3컵(600mL)을 넣
고 달여서 복용하고, 옹양종독(癰瘍腫毒)에
는 짓찧어 환부에 붙인다.

❶ 만년청(꽃이 피기 전)

❶ 만년청(萬年靑)

❶ 만년청(뿌리와 뿌리줄기)

[백합과]

일엽주꽃

 종기, 가려움증   정맥혈부전증

치질, 소변불통   구강염

● 학명 : *Ruscus aculeatus* L.   ● 영명 : Knee holly, Butcher's broom

| 1 | 2 | 3 | 4 | 5 | 6 | 7 | 8 | 9 | 10 | 11 | 12 |

❶ 일엽주꽃

상록 관목. 높이 1.5m 정도. 뿌리줄기는 담
황색으로 둥글며 잔뿌리가 많이 달린다. 잎
은 어긋나고 타원형으로 가장자리에 톱니가
없으며 끝이 뾰족하고 잎자루가 짧다. 꽃은
잎겨드랑이에 녹백색의 작은 꽃이 달린다.
열매는 장과로 둥글고 붉은색으로 익는다.
분포 · 생육지 서유럽과 지중해 연안, 남아메
리카(브라질). 들에서 자란다.
약용 부위 · 수치 뿌리줄기와 뿌리를 여름에
채취하여 물에 씻은 후 썰어서 말린다.
약물명 Rusci Rhizoma et Radix. 일반적으
로는 Knee holly 또는 Butcher's broom이
라고 한다.
약효 소염, 이뇨의 효능이 있으므로 종기,
가려움증, 정맥혈부전증, 치질, 구강염, 소
변불통을 치료한다.
성분 ruscin(monodesmosidic spirostane
골격), ruscoside(bidesmosidic spirostane
골격) 등이 함유되어 있다. 이들의 aglycone
은 ruscogenin과 neoruscogenin이다.
약리 에탄올추출물 또는 ruscin은 정맥혈관
을 확장하고 통증과 불쾌감을 감소시키므로
치질에 응용될 수 있다.
사용법 Rusci Rhizoma et Radix 7g에 물 2
컵(400mL)을 넣고 달여서 복용하거나 술
에 담가서 복용하고, 추출물은 10mg을 복
용한다.

[백합과]

페루무릇

소변불리

● 학명 : *Scilla peruviana* L.　● 영명 : Peruvian scilla, Caribbean lily

1	2	3	4	5	6	7	8	9	10	11	12

❶ 페루무릇(꽃)

여러해살이풀. 높이 50cm 정도. 잎은 뿌리에서 15개 정도가 나오고, 선형, 길이 20~60cm, 너비 2~4cm, 가장자리는 밋밋하다. 꽃줄기는 높이 15~40cm, 꽃덮개는 보라색이다.

분포·생육지 페루, 브라질, 아르헨티나, 열대 아프리카, 유럽. 산과 들에서 자란다.

약용 부위·수치 지상부를 여름에 채취하여 물에 씻은 후 썰어서 말린다.

약물명 Scillae Herba

약효 이뇨의 효능이 있으므로 소변불리를 치료한다.

사용법 Scillae Herba 3g을 뜨거운 물로 우려내어 복용한다.

＊유럽에서는 이뇨제로 발매하고 있다. 뿌리줄기는 독성이 있으므로 사용하지 않아야 한다.

❶ 페루무릇

[백합과]

무릇

타박상, 창옹종통　　근골동통

유옹　　심장병수종

● 학명 : *Scilla scilloides* (Lindl.) Druce　● 별명 : 물구, 물구지, 물굿

1	2	3	4	5	6	7	8	9	10	11	12

여러해살이풀. 비늘줄기는 달걀 모양으로 길이 3cm 정도. 외피는 흑갈색이다. 꽃대는 바로 서며 높이 30~50cm, 뿌리잎은 2개가 마주나며 바늘 모양이다. 꽃은 연한 적자색, 7~9월에 꽃대 상부에 총상화서로 달린다. 수술은 6개, 암술은 1개이다. 삭과

는 달걀 모양으로 길이 4mm 정도이다. 종자는 타원상 구형이다.

분포·생육지 우리나라 전역. 중국, 일본, 아무르, 몽골. 산과 들에서 흔하게 자란다.

약용 부위·수치 전초를 여름에 채취하여 물에 씻은 후 썰어서 말린다.

약물명 면조아(綿棗兒). 석조아(石棗兒), 천산(天蒜)이라고도 한다.

기미 한(寒), 고(苦), 감(甘), 소독(小毒)

약효 활혈지통(活血止痛), 해독소종(解毒消腫), 강심이뇨(强心利尿)의 효능이 있으므로 타박상, 근골동통(筋骨疼痛), 창옹종통(瘡癰腫痛), 유옹(乳癰), 심장병수종(心臟病水腫)을 치료한다.

성분 scillascilloside D-1, E-1, E-2, E-3, E-4, E-5, G-1, G-15, 15-deoxo-22-hydroxyeucosterol, 15-deoxoeucosterone, 2-hydroxy-7-*O*-methylscillascillin, scillascillin, proscillaridin A 등이 함유되어 있다.

약리 에탄올추출물을 두꺼비의 적출 심장에 투여하면 강심 작용이 나타난다.

사용법 면조아 7g에 물 2컵(400mL)을 넣고 달여서 복용하거나 술에 담가 복용한다.

❶ 무릇(뿌리와 비늘줄기)

❶ 무릇(열매)

❶ 면조아(綿棗兒)

❶ 무릇 재배(경북 의성)

❶ 무릇

[백합과]

자주솜대

 풍습골통   ♀ 월경불순

● 학명 : *Smilacina bicolor* Nakai   ● 별명 : 자주지장보살

| 1 | 2 | 3 | 4 | 5 | 6 | 7 | 8 | 9 | 10 | 11 | 12 |

◐ 자주솜대(뿌리와 뿌리줄기)

여러해살이풀. 높이 30~45cm. 뿌리줄기는 옆으로 벋고 굵다. 줄기의 밑부분은 2~3개의 엽초 모양 잎이 줄기를 감싼다. 잎은 5~7개가 2줄로 배열하며 넓은 타원형이다. 꽃은 양성, 백색, 5~7월에 원줄기 끝이 총상화서를 이루며, 꽃덮개는 자주색이다. 장과는 둥글고 다갈색으로 익는다.

분포 · 생육지 우리나라 전역, 중국, 일본. 산 숲속에서 자란다.

약용 부위 · 수치 전초를 가을과 겨울에 채취하여 말린다.

약물명 흥안녹약(興安鹿藥)

약효 거풍지통(祛風止痛), 활혈조경(活血調經)의 효능이 있으므로 풍습골통(風濕骨痛), 월경불순을 치료한다.

사용법 흥안녹약 10g에 물 3컵(600mL)을 넣고 달여서 복용하거나 술에 담가서 복용한다.

◐ 자주솜대

[백합과]

솜대

 노상   양위   두통
풍습동통   타박상   ♀ 유옹, 월경불순

● 학명 : *Smilacina japonica* A. Gray   ● 별명 : 풀솜대, 왕솜때

| 1 | 2 | 3 | 4 | 5 | 6 | 7 | 8 | 9 | 10 | 11 | 12 |

여러해살이풀. 뿌리줄기는 옆으로 벋고, 마디에서 많은 수염뿌리를 내린다. 줄기는 비스듬히 자라고, 높이 30~60cm, 위로 올라갈수록 털이 많고 밑부분은 백색 막질의 엽초로 싸여 있으며, 잎은 어긋난다. 꽃은 양성, 백색, 5~7월에 원줄기 끝에 겹총상화서를 이루며, 꽃덮개는 긴 타원형이다. 장과는 둥글고 붉은색으로 익는다.

분포 · 생육지 우리나라 전역. 일본, 중국 둥베이(東北) 지방, 아무르, 우수리. 산 숲속에서 자란다.

약용 부위 · 수치 전초를 가을과 겨울에 채취하여 말린다.

약물명 녹약(鹿藥). 구층루(九層樓), 편두칠(偏頭七)이라고도 한다.

약효 보기익신(補氣益身), 거풍제습(祛風除濕), 활혈조경(活血調經)의 효능이 있으므로 노상(勞傷), 양위(陽萎), 두통, 풍습(風濕)에 의한 동통(疼痛), 타박상, 유옹(乳癰), 월경불순을 치료한다.

성분 isorhamnetin-3-O-galactoside가 함유되어 있다.

사용법 녹약 10g에 물 3컵(600mL)을 넣고 달여서 복용하거나 술에 담가서 복용하고, 외용에는 짓찧어 붙인다.

◐ 녹약(鹿藥)

◐ 솜대

◐ 솜대(열매)

◐ 솜대(산지의 그늘진 곳에서 잘 자란다.)

[백합과]

청미래덩굴

 관절동통, 근육마비   설사, 이질   수종

임병, 치창   나력, 종독, 염창, 창절, 풍종

● 학명 : *Smilax china* L.   ● 별명 : 명감, 망개나무, 명감나무

| 1 | 2 | 3 | 4 | 5 | 6 | 7 | 8 | 9 | 10 | 11 | 12 |

덩굴성 나무. 뿌리줄기는 굵고 꾸불꾸불하며 옆으로 벋고, 줄기는 마디에서 이리저리 굽으며 자라고 갈고리 같은 가시가 있으며 길이 3m에 달한다. 잎은 어긋나고, 꽃은 암수딴그루, 황록색, 5월에 잎겨드랑이에 산형화서로 달리며, 꽃덮개는 6개, 6개의 수술과 1개의 암술이 있고 씨방은 3실이다. 열매는 둥글고 9~10월에 붉은색으로 익는다.

분포 · 생육지 우리나라 황해, 평남 이남. 중국, 일본, 타이완, 필리핀. 산에서 자란다.

약용 부위 · 수치 뿌리줄기를 가을부터 겨울까지 채취하여 흙을 털고 썰어서 말린다.

약물명 뿌리줄기를 중국에서는 발계(菝葜)라 하며, 우리나라에서는 토복령(土茯苓)이라 한다. 잎을 발계엽(菝葜葉)이라 한다. 토복령은 대한민국약전외한약(생약)규격집(KHP)에 수재되어 있다.

본초서 「본초강목(本草綱目)」의 초부(草部) 만초류(蔓草類)에 수재되어 있으며 별명을 초우여량(草禹余糧), 토비해(土萆薢) 등으로 기재하고 있다. 도홍경(陶弘景)이 "남방(南方)의 평택(平澤)에 일종의 여우량(余禹糧)이라는 것이 있다. 줄기는 덩굴성이고 뿌리는 괴상(塊狀)으로 절(節)이 있으며, 열매는 붉은색이고 맛이 서여(薯蕷)와 같다."고 하는 것으로 보아 오늘날의 '청미래덩굴'을 가리킨다.

성상 불규칙한 덩어리로, 때로는 세로로 잘라져 있으며 길이 5~10cm, 지름 3~5cm이다. 표면은 회갈색~어두운 갈색이고 겹친 결절이 있으며, 그 표면에는 혹 같은 융기가 있다. 또한 종단면의 가장자리는 고르지 않게 갈라지고 안쪽 면은 회백색~회갈색으로 반투명이며 때로는 비어 있기도 하다. 질은 조밀하고 단단하다. 특이한 냄새가 있으며 맛은 약간 쓰다.

품질 크고 질이 견실하고 단면이 황백색이고 기름기가 많으며 방향이 강한 것이 좋다.

기미 · 귀경 평(平), 감(甘), 산(酸) · 간(肝), 신(腎)

약효 발계(菝葜)는 거풍습(祛風濕), 이소변(利小便), 소종독(消腫毒)의 효능이 있으므로 관절동통(關節疼痛), 근육마비, 설사, 이질, 수종(水腫), 임병(淋病), 나력(瘰癧), 종독(腫毒), 치창(痔瘡)을 치료한다. 발계엽(菝葜葉)은 거풍이습(祛風利濕), 해독의 효능이 있으므로 풍종(風腫), 창절(瘡癤), 종독(腫毒), 염창(臁瘡)을 치료한다.

성분 발계(菝葜)는 smilax-saponin A, B, C(diosgenin의 배당체) 및 flavonoid 성분인 astilbin, distylin, engelitin 및 4-hydroxybenzoic acid, 3,4-dihydroxy-benzaldehyde, 3,4-dihydroxybenzoic acid, 3,4-dihydroxyacetophenone, 3-hydroxy-4-methoxy benzoic acid, *trans-p*-hydroxycinnamic acid, *trans*-resveratrol, *cis*-resveratrol, dihydroresveratrol, moracin M, kaempferol 등이 함유되어 있다.

약리 열수추출물은 항산화 효소인 superoxide dismutase, catalase, glutatione peroxidase의 활성을 증가시킨다. 열수추출물은 benzo[α]pyrene에 의한 돌연변이를 억제한다. 3,4-dihydroxybenzaldehyde, 3,4-dihydroxyacetophenone, *trans*-resveratrol, *cis*-resveratrol, kaempferol은 tyrosinase의 활성을 저해한다.

사용법 발계는 10g에 물 3컵(600mL)을 넣고 달여서 복용하거나 술에 담가서 복용한다. 발계엽은 20g에 물 4컵(800mL)을 넣고 달여서 복용하고, 외용에는 생것을 짓찧어 붙이거나 즙액을 바른다.

＊ 중국에서 수입되는 토복령은 대부분 마속(*Dioscorea* sp.)의 뿌리줄기인 토비해(土萆薢)인 것으로 생각된다.

❶ 청미래덩굴

❶ 청미래덩굴(꽃)

❶ 청미래덩굴(열매)

❶ 발계(菝葜)

❶ 발계(菝葜, 절편)

❶ 청미래덩굴(뿌리줄기)

❶ 발계엽(菝葜葉)

[백합과]

토복령

 매독　 임탁　설사

근골련통, 각기　옹종, 나력

● 학명 : *Smilax glabra* Roxb.　● 별명 : 광엽발계

| 1 | 2 | 3 | 4 | 5 | 6 | 7 | 8 | 9 | 10 | 11 | 12 |

덩굴성 나무. 줄기는 평활하며 가시가 없고 길이 2~4m에 달하고, 뿌리줄기는 굵고, 잎은 어긋나며 타원형, 길이 8~12cm, 너비 2~4cm, 끝은 뾰족하고 밑은 약간 넓으며, 잎자루가 있다. 꽃은 백록색, 5~11월에 10여 개가 잎겨드랑이의 산형화서에 달리며, 꽃덮개는 6개, 6개의 수술과 1개의 암술이 있다. 열매는 다음 해 봄에 흑색으로 익는다.

분포 · 생육지 중국 간쑤성(甘肅省), 양쯔강 이남, 타이완. 산지에서 자란다.

약용 부위 · 수치 뿌리줄기를 봄부터 가을까지 채취하여 흙을 털고 물에 씻은 후 썰어서 말린다.

약물명 토복령(土茯苓), 광엽발계(光葉菝葜), 우여량(禹余粮), 백여량(白余粮)이라고도 한다. 대한민국약전외한약(생약)규격집(KHP)에 수재되어 있다.

성상 불규칙한 덩어리로, 때로는 세로로 잘라져 있으며 길이 10~20cm, 지름 3~5cm이다. 표면은 암갈색이고 겹친 결절이 있으며 그 표면에는 혹 같은 융기가 있다. 또

한 종단면의 가장자리는 고르지 않게 갈라지고 안쪽 면은 회백색이다. 질은 조밀하고 단단하다.

기미 · 귀경 평(平), 감(甘), 담(淡) · 간(肝), 신(腎), 비(脾), 위(胃)

약효 청열제습(淸熱除濕), 설탁해독(泄濁解毒), 통리관절(通利關節)의 효능이 있으므로 매독, 임탁(淋濁), 설사, 근골련통(筋骨攣痛), 각기, 옹종(癰腫), 나력(瘰癧)을 치료한다.

성분 3-*O*-caffeoylshikimic acid, shikimic acid, ferulic acid, astilbin, engeletin, quercetin, kaempferol 등이 함유되어 있다.

약리 열수추출물을 암 조직을 가진 쥐에게 투여하면 수명이 연장된다. 쥐로부터 적출한 심장을 넣어 둔 시험관에 에탄올추출물을 투여하면 심장근이 수축된다.

사용법 토복령 30g에 물 5컵(1L)을 넣고 달여서 복용하거나 술에 담가서 복용한다.

처방 선유량탕(仙遺粮湯): 토복령(土茯苓), 모과(木瓜), 의이인(薏苡仁), 금은화(金銀花), 방풍(防風), 목통(木通), 백선피(白

鮮皮), 조각자(皂角子)(「본초강목(本草綱目)」). 매독이나 수은중독에 사용한다.

● 토령황백탕(土苓黃柏湯): 토복령(土茯苓), 황백(黃柏), 지모(知母), 저령(豬苓), 택사(澤瀉), 석위(石葦), 편축(萹蓄), 용담(龍膽), 죽엽(竹葉), 감초(甘草)(「경험방(經驗方)」). 방광염, 요도염, 신우염에 의한 빈뇨, 요통, 혈뇨에 사용한다.

＊'암색발계(暗色菝葜) *S. lanceaefolia*'의 뿌리줄기도 약효가 같다.

● 토복령

● 토복령(土茯苓, 절편)

● 토복령(土茯苓)

[백합과]

선밀나물

요퇴동통, 굴신불리　월경부조

타박상

● 학명 : *Smilax nipponica* Miq.　● 별명 : 새밀

| 1 | 2 | 3 | 4 | 5 | 6 | 7 | 8 | 9 | 10 | 11 | 12 |

여러해살이풀. 뿌리줄기는 옆으로 벋고, 줄기는 바로 서며 높이 1m에 달한다. 잎은 어긋나고 타원형이다. 꽃은 2가화로 황록색, 5~6월에 잎겨드랑이에 산형화서로 달린다. 수꽃은 꽃덮개가 옆으로 퍼지며, 암꽃의 꽃덮개는 배 모양으로 씨방에 붙어 있다. 장과는 둥글고 흑색, 흰 가루로 덮여 있다.

분포 · 생육지 우리나라 전역. 중국, 일본, 아무르, 우수리. 산지에서 자란다.

약용 부위 · 수치 뿌리 및 뿌리줄기를 봄부터 가을까지 채취하여 흙을 털고 물에 씻은 후 썰어서 말린다.

약물명 마미신근(馬尾伸筋). 대신근(大伸筋)이라고도 한다.

약효 장근골(壯筋骨), 이관절(利關節), 활혈지통(活血止痛)의 효능이 있으므로 요퇴동통(腰腿疼痛), 굴신불리(屈伸不利), 월경부조(月經不調), 타박상을 치료한다.

사용법 마미신근 15g에 물 3컵(600mL)을 넣고 달여서 복용하거나 술에 담가서 복용한다.

● 선밀나물

● 선밀나물(열매)

● 마미신근(馬尾伸筋)

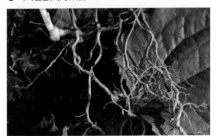
● 선밀나물(뿌리줄기)

밀나물

 풍습비통, 노상요통　 해수기천

● 학명 : *Smilax riparia* DC. var. *ussuriensis* Hara et Koyama

| 1 | 2 | 3 | 4 | 5 | 6 | 7 | 8 | 9 | 10 | 11 | 12 |

덩굴성 여러해살이풀. 가지가 많이 갈라지며 능선이 있고 길이 2~3m로 다른 물체를 감는다. 잎은 어긋나고 타원형, 턱잎이 변한 덩굴손이 있다. 꽃은 2가화로 황록색, 7~8월에 잎겨드랑이에 산형화서로 달린다. 수꽃과 암꽃의 꽃덮개는 뒤로 젖혀진다. 장과는 둥글고 흑색으로 익는다

분포·생육지 우리나라 전역. 중국, 일본, 아무르, 우수리. 산지에서 자란다.

약용 부위·수치 뿌리 및 뿌리줄기를 봄부터 가을까지 채취하여 흙을 털고 물에 씻은 후 썰어서 말린다.

약물명 우미채(牛尾菜). 과강궐(過江蕨)이라고도 한다.

기미·귀경 평(平), 감(甘), 고(苦)·간(肝), 폐(肺)

약효 거풍습(祛風濕), 통경락(通經絡), 거담지해(祛痰止咳)의 효능이 있으므로 풍습비통(風濕痺痛), 노상요통(勞傷腰痛), 해수기천(咳嗽氣喘)을 치료한다.

사용법 우미채 15g에 물 3컵(600mL)을 넣고 달여서 복용하거나 술에 담가서 복용한다.

◐ 밀나물(뿌리줄기)　　◐ 밀나물(열매)

◐ 밀나물

청가시나무

 풍습비통, 관절염　 창절종독

● 학명 : *Smilax sieboldii* Miq.
● 별명 : 청가시덩굴, 청열매덤불, 청밀개덤불, 까시나무, 청가시덤불

| 1 | 2 | 3 | 4 | 5 | 6 | 7 | 8 | 9 | 10 | 11 | 12 |

낙엽 덩굴성나무. 줄기는 길이 5m 정도 벋고 녹색이며 가시는 곧다. 잎은 어긋나고 턱잎이 변한 덩굴손이 있다. 꽃은 황백색, 6월에 피고 꽃밥은 길이 1~1.5mm이다.

장과는 둥글고 흑색으로 익는다

분포·생육지 우리나라 전역. 중국, 일본, 아무르, 우수리. 산지에서 자란다.

약용 부위·수치 뿌리 및 뿌리줄기를 봄부터 가을까지 채취하여 물에 씻은 후 썰어서 말린다.

약물명 철사령선(鐵絲靈仙). 철사근(鐵絲根)이라고도 한다.

약효 거풍습(祛風濕), 통경락(通經絡), 해독산결(解毒散結)의 효능이 있으므로 풍습비통(風濕痺痛), 관절염, 창절종독(瘡癤腫毒)을 치료한다.

성분 tigogenin, neotigogenin, smilaxin A, B, C, sieboldiin A, B 등이 함유되어 있다.

사용법 철사령선 10g에 물 3컵(600mL)을 넣고 달여서 복용하거나 술에 담가서 복용한다.

◐ 철사령선(鐵絲靈仙)

◐ 청가시나무

◐ 청가시나무(열매)

[백합과]

죽대아재비

폐열해수, 음허노수

● 학명 : *Streptopus amplexifolius* (L.) DC. var. *papillatus* Ohwi [*S. streptopoides* var. *koreanus*] ● 별명 : 큰잎죽대, 큰섬죽대

| 1 | 2 | 3 | 4 | 5 | 6 | 7 | 8 | 9 | 10 | 11 | 12 |

❍ 죽대아재비

여러해살이풀. 높이 30cm 정도. 줄기는 중앙에서 두 갈래로 비스듬히 퍼진다. 잎은 어긋나고 타원형 잎자루가 없고 가장자리는 약간 거칠고 털이 있다. 꽃은 적갈색, 황록색, 가지 끝이나 잎겨드랑이에 1개가 달린다. 장과는 구형이고 붉은색으로 익는다.

분포·생육지 우리나라 경북 이북. 중국 둥베이(東北) 지방, 동시베리아. 산 숲속에서 자란다.

약용 부위·수치 여름에 뿌리를 채취하여 물에 씻은 후 썰어서 말린다.

약물명 산반칠(算盤七). 죽림소(竹林消)라고도 한다.

약효 청폐지해(清肺止咳), 건비화위(健脾和胃)의 효능이 있으므로 폐열해수(肺熱咳嗽), 음허노수(陰虛勞嗽)를 치료한다.

사용법 산반칠 10g에 물 3컵(600mL)을 넣고 달여서 복용한다.

＊ 중국에서는 '액화뉴병화(腋花扭柄花) *S. simplex*'의 뿌리를 사용한다.

[백합과]

금강애기나리

허로, 기단핍력   비위불화
근골동통

● 학명 : *Streptopus ovalis* (Ohwi) Wang et Y. C. Tang
● 별명 : 진부애기나리

| 1 | 2 | 3 | 4 | 5 | 6 | 7 | 8 | 9 | 10 | 11 | 12 |

여러해살이풀. 높이 10~30cm. 땅속줄기는 옆으로 벋고 기는줄기를 내며 줄기는 하나가 곧게 선다. 잎은 어긋나고 잎자루가 없다. 꽃은 담황색, 줄기 끝에 1~2개가 달리고 꽃자루가 있다. 꽃덮개는 6개로 끝이 매우 뾰족하고 뒤로 젖혀지며 안쪽에 자주색 반점이 있다. 수술은 6개이며, 꽃밥은 황색이다. 장과는 둥글고 붉은색으로 익는다.

분포·생육지 우리나라 전역. 중국, 일본, 아무르, 우수리. 높은 산골짜기나 침엽수림 가에서 자란다.

약용 부위·수치 뿌리 및 뿌리줄기를 봄부터 가을까지 채취하여 흙을 털고 물에 씻은 후 썰어서 말린다.

약물명 계조삼(鷄爪參). 야삼수(野參須)라고도 한다.

약효 보비화위(補脾和胃), 진통(鎭痛)의 효능이 있으므로 허로(虛勞), 비위불화(脾胃不和), 기단핍력(氣短乏力), 근골동통(筋骨疼痛)을 치료한다.

사용법 계조삼 10g에 물 3컵(600mL)을 넣고 달여서 복용한다.

❍ 금강애기나리

❍ 계조삼(鷄爪參)

❍ 금강애기나리(뿌리와 뿌리줄기)

❍ 금강애기나리(열매)

❍ 금강애기나리(높은 산골짜기에서 자란다.)

[백합과]

뻐꾹나리

❍ 뻐꾹나리(꽃)

❍ 뻐꾹나리(열매)

🫁 폐허해수

● 학명 : *Tricyrtis macropoda* Miq. ● 별명 : 뻑국나리, 뻑꾹나리

| 1 | 2 | 3 | 4 | 5 | 6 | 7 | 8 | 9 | 10 | 11 | 12 |

여러해살이풀. 높이 50cm 정도. 잎은 어긋나고 타원형, 끝이 뾰족하고 밑부분이 줄기를 감싸며 길이 5~15cm, 너비 2~7cm이다. 꽃은 7~8월에 줄기나 잎겨드랑이, 가지 끝에 산방화서로 달린다. 꽃덮개는 6개로 백색이며 자주색 반점이 있고 겉에 털이 있다. 열매는 삭과로 피침형이며, 종자는 납작한 달걀형이다.

분포 · 생육지 우리나라 전역. 중국, 일본, 아무르, 우수리. 산 숲속에서 자란다.

약용 부위 · 수치 여름에 전초를 채취하여 물에 씻은 후 썰어서 말린다.

약물명 홍산칠(紅酸七). 백칠(白七), 우미삼(牛尾參)이라고도 한다.

약효 보폐지해(補肺止咳)의 효능이 있으므로 폐허해수(肺虛咳嗽)를 치료한다.

사용법 홍산칠 10g에 물 3컵(600mL)을 넣고 달여서 복용한다.

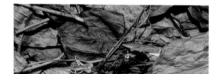
❍ 홍산칠(紅酸七)

❍ 뻐꾹나리(뿌리와 뿌리줄기)

❍ 뻐꾹나리

[백합과]

연령초

👤 고혈압   🧠 신경쇠약   🫀 현기증
♀ 월경불순   🩹 외상출혈, 타박상

● 학명 : *Trillium kamtschaticum* Maxim. ● 별명 : 왕삿갓나물, 큰꽃삿갓나물

| 1 | 2 | 3 | 4 | 5 | 6 | 7 | 8 | 9 | 10 | 11 | 12 |

여러해살이풀. 높이 20~50cm. 뿌리줄기는 짧다. 잎은 3개, 잎자루가 없고 잎몸은 마름모꼴이다. 꽃은 꽃줄기에 1개가 달리고, 꽃줄기의 길이는 2~4cm이다. 꽃덮개는 6개로 2줄로 달리고, 외화피 3개는 녹색, 내화피 3개는 백색이다. 씨방은 3실이며, 장과는 원구형으로 7~8월에 익는다.

꽃밥이 수술대보다 2~3배 길다.

분포 · 생육지 우리나라 전역. 중국, 일본, 아무르, 우수리. 산 숲속에서 자란다.

약용 부위 · 수치 뿌리와 뿌리줄기를 여름과 가을에 채취하여 흙을 털어서 말린다.

약물명 두정일과주(頭頂一顆珠). 옥아칠(玉兒七), 불수칠(佛手七)이라고도 한다.

약효 진정지통(鎭靜止痛), 활혈지혈(活血止血)의 효능이 있으므로 고혈압, 신경쇠약, 현기증, 월경불순, 외상출혈, 타박상을 치료한다.

성분 dioscin, methylprotodioscin, diosgenin, pennogenin, kryptogenin, trillenoside, epitrillenoside C-PA, deoxytrillenoside A 등이 함유되어 있다.

사용법 두정일과주 7g에 물 3컵(600mL)을 넣고 달여서 복용하고, 외용에는 신선한 것을 짓찧어 붙이거나 즙액을 바른다.

＊ 꽃밥이 수술대의 길이와 비슷한 '큰연령초 *T. tschonoskii*'도 약효가 같다.

❍ 큰연령초

❍ 연령초

❍ 연령초(뿌리)

[백합과]

산자고

나력결핵   후비종통
옹절종독, 사충교상

●학명 : *Tulipa edulis* Bak.   ●별명 : 까치무릇

| 1 | 2 | 3 | 4 | 5 | 6 | 7 | 8 | 9 | 10 | 11 | 12 |

여러해살이풀. 뿌리잎은 2개이다. 꽃은 4~5월에 꽃줄기 끝에 1~3개가 달리고, 길이 2~2.5cm이다. 꽃덮개는 6개, 백색 바탕에 자주색 맥이 있고, 포는 2~3개, 수술은 6개, 열매는 녹색이며 거의 둥글고 세모진 것도 있다.

분포·생육지 우리나라 제주, 전남(백양산), 경남(산청), 계룡산, 광릉, 황해. 중국, 일본. 산이나 들의 풀밭에서 자란다.

약용 부위·수치 비늘줄기를 봄에 채취하여 말린다.

약물명 광자고(光慈姑), 산자고(山慈姑), 노아두(老鴉頭)라고도 한다.

본초서 광자고(光慈姑)는 송나라의 「가우본초(嘉祐本草)」에 처음 산자고(山慈菰)라는 이름으로 수재되었으며, 명나라의 이시진(李時珍)은 "이른 봄에 수선화의 잎과 같은 것이 나오며 화살대와 같은 꽃대가 나와서 그 끝에 백색의 꽃을 피운다."고 하였다. 중국의 생약 시장에는 난과의 *Pleione* 속의 뿌리줄기를 모자고(毛慈姑, 茅慈姑)라고 하며, 우리나라에 자생하는 산자고의 뿌리줄기를 광자고(光慈姑)라고 하여 구분하고 있다. 이 약물은 중국약전(中國藥典) 및 우리

나라 생약규격집에 수재되어 있다.

성상 원구형~편압된 원형으로 지름 1~2cm이다. 표면은 회갈색~갈색, 위 끝부분에는 둥근 꼭지가 있고 허리에는 돌출된 주름이 띠 모양으로 둘러져 있으며 밑부분은 오목하게 들어가고 여기에 수염뿌리가 붙어 있다. 질은 단단하고 절단면은 백색~황백색 분질이다. 냄새가 거의 없고 맛은 덤덤하며 점액성이다.

약효 청열해독(清熱解毒), 산결소종(散結消腫)의 효능이 있으므로 나력결핵(瘰癧結核), 후비종통(喉痺腫痛), 어체동통(瘀滯疼痛), 옹절종독(癰癤腫毒), 사충교상(蛇蟲咬傷)을 치료한다.

성분 colchicine 등 알칼로이드가 함유되어 있다.

약리 colchicine을 쥐에게 2mg/kg 피하주사하면 세포의 유사분열이 억제되고 중기에는 정지되며, 이 작용은 종양 세포에 민감하게 반응하였다. colchicine은 급성통풍성관절염의 치료에 특별한 효과가 있다.

사용법 광자고 5g에 물 2컵(400mL)을 넣고 달여서 복용하고, 외용에는 짓찧어 즙을 내어 바르거나 가루로 만들어 상처에 뿌린다.

※colchicine의 독성은 매우 크지만 독성의 발현은 느리다. 이 약을 투여하고 3~6시간 뒤에 오심, 구토, 설사 등의 증상이 나타나기도 한다.

❶ 광자고(光慈姑)

❶ 산자고

❶ 산자고(꽃)   ❶ 산자고(뿌리와 비늘줄기)

[백합과]

튤립

비위습탁, 흉완만민, 구역복통
구취태이

●학명 : *Tulipa gesneriana* L.   ●별명 : 투울립

| 1 | 2 | 3 | 4 | 5 | 6 | 7 | 8 | 9 | 10 | 11 | 12 |

여러해살이풀. 비늘줄기는 달걀 모양, 줄기는 원기둥 모양이며 바로 선다. 잎은 어긋나고 밑부분이 줄기를 감싸며 길이 20~30cm, 가장자리는 물결 모양이고 안으로 약간 말리며 백색이 도는 청록색이다. 꽃은 붉은색을 비롯하여 다양한 색깔이고 꽃대 끝에 1개씩 달리며 위를 향한다. 수술은 6개, 암술은 길이 2cm 정도로 원기둥 같다.

열매는 삭과이다.

분포·생육지 소아시아 원산. 세계 각처에서 재배한다.

약용 부위·수치 꽃을 봄에 채취하여 말린다.

약물명 욱금향(郁金香), 욱향(郁香), 홍남화(紅藍花)라고도 한다.

약효 화습벽예(化濕辟穢)의 효능이 있으므로 비위습탁(脾胃濕濁), 흉완만민(胸脘滿悶), 구역복통(嘔逆腹痛), 구취태이(口臭台膩)를 치료한다.

성분 isovitexin, quercetin-3-*O*-β-D-glucopyranoside, quercetin-3-*O*-β-D-gentiobioside-7-*O*-β-D-glucuronide, cyanin, salicylic acid 등이 함유되어 있다.

사용법 욱금향 3~5g에 물 2컵(400mL)을 넣고 달여서 복용하고, 외용에는 짓찧어 즙을 내어 바른다.

❶ 튤립(뿌리와 비늘줄기)

❶ 튤립(황색 꽃)

❶ 튤립

[백합과]

해총

심장쇠약　부종　해수

●학명 : *Urginea scilla* Steinhe [*U. maritima* (L.) Baker]　●영명 : White squill

| 1 | 2 | 3 | 4 | 5 | 6 | 7 | 8 | 9 | 10 | 11 | 12 |

여러해살이풀. 비늘줄기는 달걀 모양으로 굵다. 잎은 모두 뿌리에서 나오고, 줄기는 1개, 원기둥 모양으로 바로 선다. 꽃은 백색, 줄기 끝의 총상화서에 피고 비스듬히 위를 향하거나 옆을 향한다. 수술은 6개, 암술은 길이 2cm 정도로 원기둥 같다. 열매는 삭과이다.

분포·생육지 지중해 연안. 바닷가 산지의 바위틈에서 자란다.

약용 부위·수치 구근을 봄부터 가을까지 채취하여 썰어서 말린다.

약물명 해총(海蔥)이라 하며, 서양에서는 squill이라고 한다.

약효 강심이뇨(强心利尿), 거담(祛痰)의 효능이 있으므로 심장쇠약, 부종, 해수(咳嗽)를 치료한다.

성분 scillarin A, glucoscillarin A, proscillaridin A, scilliglucoside, scillicyanoside, scilliloside, scilliruboside 등이 함유되어 있다.

사용법 해총을 1일 3회, 1회에 분말 0.1g을 복용한다. proscillaridin A는 처음에는 경구로 1일 1.5~2.5mg이고, 이후에는 1일 1~2mg을 복용한다.

＊ 해총에는 백색 해총(white squill)과 붉은색 해총(red squill)이 있다. 약용으로는 백색 해총을 사용하고, 붉은색 해총은 독성이 있으므로 살충제나 쥐약으로 사용한다.

❶ 해총

❶ 해총(새순)

[백합과]

푸른박새

중풍담옹　후비

●학명 : *Veratrum dolichopetalum* Loesener f.

| 1 | 2 | 3 | 4 | 5 | 6 | 7 | 8 | 9 | 10 | 11 | 12 |

여러해살이풀. 높이 1~1.7m. 뿌리줄기는 짧고 비스듬히 땅속으로 들어가며 굵은 수염뿌리가 나온다. 꽃은 7~8월에 녹색 또는 황록색으로 핀다. 삭과는 달걀 모양, 종자는 담갈색으로 날개가 있고 반달 모양이다.

분포·생육지 우리나라 전역. 중국, 일본. 산골짜기에서 자란다.

약용 부위·수치 뿌리 및 뿌리줄기를 가을에 채취하여 말린다.

약물명 첨피여로(尖被藜蘆)

약효 최토(催吐), 살충, 거담(去痰)의 효능이 있으므로 중풍담옹(中風痰壅), 후비(喉痹)를 치료한다.

사용법 첨피여로 0.3~0.6g을 가루 내어 복용하거나 알약으로 만들어 복용하고, 비듬을 제거하기 위해서는 적당량을 짓찧어 바르거나 즙액을 바른다.

❶ 푸른박새(열매)

❶ 푸른박새

여로

| 중풍담옹 | 후비 | 황달, 설리 |
| 개선, 악창 | 두통 | |

● 학명 : *Veratrum maackii* Regel var. *japonicum* (Baker) T. Shimizu
● 별명 : 긴잎여로

| 1 | 2 | 3 | 4 | 5 | 6 | 7 | 8 | 9 | 10 | 11 | 12 |

여러해살이풀. 높이 40~60cm. 뿌리줄기는 짧고 비스듬히 땅속으로 들어가며 굵은 수염뿌리가 나온다. 잎은 밑부분에서 어긋난다. 꽃은 7~8월에 갈자주색으로 피고 밑부분에 수꽃, 윗부분에 양성화가 달리며 지름 1cm 정도로 반쯤 퍼진다. 삭과는 길이 12~15mm로 세 개의 줄이 있고 끝에 암술대가 수평으로 달린다.

분포 · 생육지 우리나라 전역. 중국, 일본. 산에서 자란다.

약용 부위 · 수치 뿌리 및 뿌리줄기를 가을에 채취하여 말린다. 이것을 미감수(米泔水)에 담갔다가 건져 내어 초(炒)하여 사용한다.

약물명 여로(藜蘆), 총염(葱苒), 산총(山葱)이라고도 한다. 대한민국약전외한약(생약)규격집(KHP)에 수재되어 있다.

본초서 여로(藜蘆)는 「신농본초경(神農本草經)」의 하품(下品)에 수재되어 있다. 「본초강목(本草綱目)」에는 "흑색을 여(黎)라 하며, 그 노두(蘆頭)가 흑피(黑皮) 속에 있으므로 여로(藜蘆)라 한다."고 하였다. 「동의보감(東醫寶鑑)」에 "머리에 난 부스럼, 옴으로 가려운 것, 종기가 벌겋게 부어올라 아프고 가려우며 곪는 것과 버짐을 낫게 한다. 굳은살을 없애고 여러 가지 벌레를 죽이며 횡격막 위에 바람의 기운으로 인해 생긴 담을 없앤다."고 하였다.

東醫寶鑑: 主頭瘍 疥瘙 惡瘡癬 去死肌 殺諸蟲 吐膈上風痰.

성상 뿌리줄기는 짧고 굵으며 표면은 갈색이다. 위 끝에는 잎의 기부와 갈색을 띤 털 모양의 관다발이 붙어 있다. 수염뿌리는 많고 뿌리줄기 주위에 뭉쳐나며 길이 15~20cm이고 굵기는 약 3mm이다. 표면은 황백색이거나 회갈색이고 가느다란 가로주름을 가지며 아래 끝에는 세로주름이

많다. 맛은 쓰고 맵다.

기미 · 귀경 한(寒), 신(辛), 고(苦), 유독(有毒) · 간(肝), 폐(肺), 위(胃)

약효 토풍담(吐風痰), 제충독(除蟲毒)의 효능이 있으므로 중풍담옹(中風痰壅), 후비(喉痺), 황달, 설리(泄痢), 개선(疥癬), 악창(惡瘡), 두통을 치료한다.

성분 protoveratrine A, B, veratramine, veratrine, jervine, pseudojervine, rubijervine, colchicine, germerine, veratroyl-zygadenine 등의 알칼로이드가 함유되어 있다.

약리 protoveratrine A, B는 혈관 운동 중추를 억제함으로써 혈압 강하 작용이 있지만, 치료량과 중독량의 차이가 적어서 주의하여야 한다. 이들 성분 중에서 veratrine은 혈압 강하 작용이 있다. veratrine은 혈압 강하제로 쓰이지만 독성이 강하므로 약용량에 주의하여야 한다. 오래전부터 유럽에서 고혈압에 사용하여 왔지만 지금은 사용이 금지되었다. 중독 증상은 빈번하지는 않지만 aconitine에 의한 중독처럼 오한, 감각마비, 오심, 구토, 복통, 서맥, 심장 기능 이상, 저혈압이 나타날 수 있다. 알칼로이드 성분들이 냉혈동물에게 치명 독으로 작용하므로 과거에 살충제로 사용한 적도 있었다.

사용법 여로를 가루로 만들어 0.3~0.6g을 복용하고 외용에는 적당량을 짓찧어 바른다.

주의 임신부나 신체가 허약한 사람은 피한다. 과량을 복용하면 구토가 심하게 나는데, 총백탕(葱白湯)으로 해독시킨다.

○ 여로

○ 여로(藜蘆)

○ 여로(꽃과 열매)

[백합과]

파란여로

🫀 중풍담옹　　👁 후비

● 학명 : *Veratrum maackii* Regel var. *parviflorum* Hara et Mizushima
● 별명 : 푸른여로

| 1 | 2 | 3 | 4 | 5 | 6 | 7 | 8 | 9 | 10 | 11 | 12 |

여러해살이풀. 높이 0.5~1m. 뿌리줄기는 짧고 비스듬히 땅속으로 들어가며 굵은 수염뿌리가 나온다. 꽃은 7~8월에 녹백색으로 피었다가 녹색으로 변한다. 삭과는 달걀 모양, 3줄이 있으며 3갈래로 개열한다.

분포 · 생육지 우리나라 전역. 중국, 일본.

❍ 파란여로

[백합과]

박새

🫀 중풍담옹　　👁 후비

● 학명 : *Veratrum oxysepalum* Turcz.　● 별명 : 묏박새, 넓은잎박새, 꽃박새

| 1 | 2 | 3 | 4 | 5 | 6 | 7 | 8 | 9 | 10 | 11 | 12 |

여러해살이풀. 뿌리줄기는 굵고 짧으며 수염뿌리가 사방으로 퍼지고, 줄기는 길이 1~1.5m, 크고 튼튼하며, 밑부분에는 갈색 섬유가 많이 붙어 있다. 잎은 어긋나고, 꽃은 연한 황백색, 7~8월에 피고 지름 25mm 정도, 수꽃과 암꽃이 있으며 6개씩의 꽃덮개와 수술이 있다. 씨방에 털이 있고, 암술머리는 3개이다. 삭과는 고깔형이다.

분포 · 생육지 우리나라 전역. 중국, 일본, 우수리, 사할린, 캄차카. 산에서 자란다.

약용 부위 · 수치 뿌리와 뿌리줄기를 여름과 가을에 채취하여 말린다. 이것을 미감수(米泔水)에 담갔다가 건져 내어 초(炒)하여 사용한다.

약물명 첨피여로(尖被藜蘆)

기미 · 귀경 한(寒), 신(辛), 고(苦), 유독(有毒) · 간(肝), 폐(肺), 위(胃)

약효 최토(催吐), 살충, 거담(去痰)의 효능이 있으므로 중풍담옹(中風痰壅), 후비(喉痺)를 치료한다.

성분 protoveratrine A, B, veratramine, veratrine, jervine, pseudojervine, rubijervine, colchicine, germerine, veratroyl-zygadenine 등의 알칼로이드가 함유되어 있다.

약리 protoveratrine A, B는 혈관 운동 중추를 억제함으로써 혈압 강하 작용이 있지만, 치료량과 중독량의 차이가 적다는 단점

❍ 첨피여로(尖被藜蘆)

❍ 박새(뿌리와 뿌리줄기)

산골짜기에서 자란다.

약용 부위 · 수치 뿌리와 뿌리줄기를 여름과 가을에 채취하여 말린다. 이것을 미감수(米泔水)에 담갔다가 건져 내어 초(炒)하여 사용한다.

약물명 첨피여로(尖被藜蘆)

약효 최토(催吐), 살충, 거담(去痰)의 효능이 있으므로 중풍담옹(中風痰壅), 후비(喉痺)를 치료한다.

사용법 첨피여로 0.3~0.6g을 가루 내어 복용하거나 알약으로 만들어 복용하고, 비듬을 제거하기 위해서는 적당량을 짓찧어 바르거나 즙액을 바른다.

❍ 파란여로(열매)

이 있다.

사용법 첨피여로 0.3~0.6g을 가루 내어 복용하거나 알약으로 만들어 복용하고, 비듬을 제거하기 위해서는 적당량을 짓찧어 바르거나 즙액을 바른다.

주의 임신부나 신체가 허약한 사람은 피한다. 과량을 복용하면 구토가 심하게 나는데, 총백탕(蔥白湯)으로 해독시킨다.

❍ 박새

[백합과]

흰여로

 중풍담옹　👁 후비　🔵 두통
🦶 황달, 설리　📄 개선, 악창

● 학명 : *Veratrum versicolor* Nakai

| 1 | 2 | 3 | 4 | 5 | 6 | 7 | 8 | 9 | 10 | 11 | 12 |

여러해살이풀. 높이 1m 정도. 뿌리줄기는 짧고 비스듬히 땅속으로 들어가며 굵은 수염뿌리가 나온다. 잎은 밑부분에서 어긋난다. 꽃은 7~8월에 황백색으로 피었다가 녹황색으로 변한다. 삭과는 달걀 모양이다.

분포 · 생육지 우리나라 전역. 중국, 일본. 산에서 자란다.

약용 부위 · 수치 뿌리 및 뿌리줄기를 가을에 채취하여 말린다.

약물명 여로(藜蘆). 총염(葱苒), 산총(山葱) 이라고도 한다. 대한민국약전외한약(생약) 규격집(KHP)에 수재되어 있다.

약효 토풍담(吐風痰), 제충독(除蟲毒)의 효능이 있으므로 중풍담옹(中風痰壅), 후비(喉痺), 황달, 설리(泄痢), 개선(疥癬), 악창(惡瘡), 두통을 치료한다.

사용법 여로 0.3~0.6g을 가루 내어 복용하고, 외용에는 적당량을 짓찧어서 바른다.

❶ 흰여로(꽃)

❶ 흰여로

[백부과]

덩굴백부

🫁 풍한해수, 백일해, 폐결핵, 노인성천식
📄 습진

● 학명 : *Stemona japonica* (Bl.) Miq.　● 별명 : 만생백부

| 1 | 2 | 3 | 4 | 5 | 6 | 7 | 8 | 9 | 10 | 11 | 12 |

여러해살이풀. 높이 60~90cm. 뿌리는 굵고 방추형으로 여러 개가 모여난다. 줄기의 윗부분은 덩굴성이고, 잎은 보통 4개가 돌려나고 가장자리는 밋밋하다. 꽃은 7월에 피며 꽃덮개는 4개, 담녹색이며 수술은 4개, 씨방은 달걀 모양, 암술대는 없다. 삭과는 9월에 익고, 넓은 달걀 모양으로 타원형의 종자가 여러 개 들어 있다.

분포 · 생육지 중국, 일본. 농가나 약초원에서 재배한다.

약용 부위 · 수치 뿌리를 가을부터 겨울까지 채취하여 물에 씻은 후 말린다.

약물명 백부(百部). 백부근(百部根)이라고도 한다. 대한민국약전외한약(생약)규격집(KHP)에 수재되어 있다.

약효 윤폐지해(潤肺止咳), 소담(消痰)의 효능이 있으므로 풍한해수(風寒咳嗽), 백일해, 폐결핵, 노인성천식, 습진을 치료한다.

사용법 백부 10g에 물 3컵(600mL)을 넣고 달여서 복용하고, 외용에는 짓찧어 즙을 내어 바르거나 가루로 만들어 상처에 뿌린다.

❶ 백부(百部)

❶ 덩굴백부(뿌리)

❶ 덩굴백부

직립백부

🔵 풍한해수, 백일해, 폐결핵, 노인성천식

🟫 습진

● 학명 : *Stemona sessilifolia* (Miq.) Franch. et Sav.

| 1 | 2 | 3 | 4 | 5 | 6 | 7 | 8 | 9 | 10 | 11 | 12 |

덩굴성 여러해살이풀. 줄기 높이 30~60cm. 덩이뿌리는 굵고 방추형으로 여러 개가 모여난다. 줄기는 바로 서고, 잎은 보통 3~4개가 돌려나며, 가장자리는 밋밋하고 끝은 뾰족하다. 꽃은 7월에 잎겨드랑이에 피며, 꽃덮개는 4개, 자주색이며 수술은 4개, 씨방은 달걀 모양이고 암술대는 없다. 삭과는 9월에 익고, 넓은 달걀 모양으로 타원형의 종자가 여러 개 들어 있다.

분포 · 생육지 중국 허난성(河南省), 후베이성(湖北省). 산에서 자라며, 농가에서 재배한다.

약용 부위 · 수치 뿌리를 가을부터 겨울까지 채취하여 물에 씻은 후 말린다.

약물명 백부(百部). 백부근(百部根)이라고도 한다. 대한민국약전외한약(생약)규격집(KHP)에 수재되어 있다.

본초서 백부(百部)는 「명의별록(名醫別錄)」의 중품(中品)에 수재되어 있으며, 「본초강목(本草綱目)」에는 "하나의 줄기에 백수십 개(百數十個)의 뿌리가 달리므로 백부(百部)라고 한다."고 하였다. 「동의보감(東醫寶鑑)」에 "폐열로 기침이 나고 치미는 것을 낫게 한다. 폐를 부드럽게 하고 보하며 결핵균이 폐에 침입하여 생긴 전염성 질병과 몸이 허약하여 뼛속이 후끈후끈 달아오르는 증상을 낫게 한다. 회충, 촌충, 백충 및 요충 구제에 쓰이며 파리와 하루살이도 죽인다."고 하였다.

名醫別錄: 主咳嗽上氣.

藥性論: 治肺家熱 上氣咳逆 主潤益肺.

本草綱目: 氣溫而不寒 寒嗽宣之.

東醫寶鑑: 治肺熱 咳嗽上氣 主潤益肺 療傳尸 骨蒸勞 殺蚘蟲寸白蟲蟯蟲 亦可殺蠅蠓.

성상 덩이뿌리로 방추형이고 구부러져 있으며 상단은 가늘고 길며, 길이 5~12cm, 지름 0.5~1cm, 표면은 황백색~담갈색, 세로로 불규칙하고 깊은 구릉이 있다. 질은 무르고 쉽게 부러지며 횡단면은 평탄하고 피층은 비교적 넓다. 특유한 냄새가 있고 맛은 달고 쓰다.

기미 · 귀경 미온(微溫), 고(苦), 미감(微甘) · 폐(肺)

약효 윤폐지해(潤肺止咳), 소담(消痰)의 효능이 있으므로 풍한해수(風寒咳嗽), 백일해, 폐결핵, 노인성천식, 습진을 치료한다.

성분 stemonine, stemonidine, isostemonidine 등 알칼로이드가 다량 함유되어 있다.

약리 열수추출물, 에탄올추출물은 폐렴구균, 백색 포도상구균, 페스트균, 탄저균 등에 항균 작용이 있고, 모기나 파리 등의 해충에 살충 작용이 있다.

사용법 백부 10g에 물 3컵(600mL)을 넣고 달여서 복용하고, 외용에는 짓찧어 즙을 내어 바르거나 가루로 만들어 상처에 뿌린다.

처방 월화환(月華丸): 백부(百部) · 천문동(天門冬) · 맥문동(麥門冬) · 생지황(生地黃) · 숙지황(熟地黃) · 산약(山藥) · 사삼(沙蔘) · 패모(貝母) · 아교(阿膠) 각 30g, 복령(茯苓) · 삼칠(三七) 각 15g (「경험방(經驗方)」). 위의 약을 가루로 하여 국화(菊花) · 상엽(桑葉) 각 60g을 열고(熱膏)하여 아교를 녹여 넣은 후 알약으로 만든다. 폐병음허(肺病陰虛), 해수담다(咳嗽痰多)로 혈(血)을 수반하는 객혈증에 사용한다.

❂ 직립백부

❂ 백부(百部)로 만든 기관지염 치료제   ❂ 백부(百部)

❂ 직립백부(뿌리)

대엽백부

 풍한해수, 백일해, 폐결핵, 노인성천식

습진

● 학명 : *Stemona tuberosa* Loureiro

| 1 | 2 | 3 | 4 | 5 | 6 | 7 | 8 | 9 | 10 | 11 | 12 |

덩굴성 여러해살이풀. 길이 5m 정도. 뿌리는 굵고 방추형으로 여러 개가 모여난다. 잎은 보통 2개가 마주나고 가장자리는 밋밋하다. 꽃은 7월에 황록색으로 피며, 수술은 4개이다.

분포·생육지 중국 저장성(浙江省), 푸젠성(福建省), 타이완. 산지 숲속에서 자란다.

약용 부위·수치 뿌리를 가을부터 겨울까지 채취하여 물에 씻은 후 말린다.

약물명 백부(百部). 백부근(百部根)이라고도 한다.

약효 윤폐지해(潤肺止咳), 소담(消痰)의 효능이 있으므로 풍한해수(風寒咳嗽), 백일해, 폐결핵, 노인성천식, 습진을 치료한다.

사용법 백부 10g에 물 3컵(600mL)을 넣고 달여서 복용하고, 외용에는 짓찧어 즙을 내어 바르거나 가루로 만들어 상처에 뿌린다.

❶ 대엽백부(뿌리)

❶ 백부(百部)

❶ 대엽백부

검은박쥐꽃

위장염, 십이지장궤양, 소화불량, 이질, 간염

인후통

● 학명 : *Tacca chantrieri* Andre [*T. minor, T. esquirolii*]　● 한자명 : 箭根薯　● 별명 : 전근서

| 1 | 2 | 3 | 4 | 5 | 6 | 7 | 8 | 9 | 10 | 11 | 12 |

여러해살이풀. 뿌리줄기는 고구마 같고 환절이 뚜렷하며, 뿌리는 수염 같다. 잎은 줄기의 기부에서 나오고, 잎자루가 길며 줄기를 감싼다. 꽃은 짙은 자주색, 산형화서에 피며 밑으로 처진다.

분포·생육지 중국 후난성(湖南省), 광둥성(廣東省), 윈난성(雲南省). 숲속의 습지에서 자란다.

약용 부위·수치 뿌리줄기를 봄부터 가을까지 채취하여 물에 씻은 후 말린다.

약물명 구약서(蒟蒻薯). 수구자(水狗仔), 노호수(老虎鬚)라고도 한다.

약효 청열해독(淸熱解毒), 이기지통(理氣止痛)의 효능이 있으므로 위장염, 십이지장궤양, 소화불량, 이질, 간염, 인후통을 치료한다.

성분 daucosterine, stigmasterol 등이 함유되어 있다.

사용법 구약서 10g에 물 3컵(600mL)을 넣고 달여서 복용한다.

❶ 검은박쥐꽃

[수선화과]

군자란

 암

● 학명 : *Clivia miniata* Regel. ● 별명 : 큰군자란

| 1 | 2 | 3 | 4 | 5 | 6 | 7 | 8 | 9 | 10 | 11 | 12 |

◐ 군자란(君子蘭)

◐ 군자란(열매와 종자)

여러해살이풀. 잎은 길이 40~50cm, 너비 5cm 정도이며, 밑부분이 서로 감싸며 비늘줄기 모양, 짙은 광택이 나고 16~20개, 가장자리는 밋밋하다. 꽃줄기는 곧게 서고 단단하며 끝에 12~20개가 모여 달리고 적황색, 꽃덮개는 6개, 뒷면 중축은 녹색이다. 장과는 둥글고 붉은색으로 익는다. 종자는 반구형으로 연한 황갈색이다.

분포·생육지 남아프리카 원산. 세계 각처에서 재배한다.

약용 부위·수치 전초를 수시로 채취하여 생것을 사용한다.

약물명 군자란(君子蘭)

약효 항종류(抗腫瘤)의 효능이 있으므로 암 치료에 응용한다.

성분 clividine, miniatine 등이 함유되어 있다.

사용법 군자란 20g에 물 3컵(600mL)을 넣고 달여서 복용한다.

◐ 군자란

[수선화과]

문주란

옹종창독, 타박골절, 개선 / 두통 / 관절염
유옹 / 해수 / 후통, 아통

● 학명 : *Crinum asiaticum* L. var. *japonicum* Baker ● 별명 : 문주화, 나군대

| 1 | 2 | 3 | 4 | 5 | 6 | 7 | 8 | 9 | 10 | 11 | 12 |

◐ 나군대근(羅裙帶根)

◐ 문주란(꽃이 피기 전)

여러해살이풀. 비늘줄기는 원주형으로 길이 30~50cm, 지름 3~7cm이다. 꽃줄기는 곧게 서고 높이 50~80cm, 잎은 비늘줄기 끝에서 사방으로 퍼지고 녹색, 다육질, 밑부분이 서로 감싸고 윤채가 난다. 꽃은 7~9월에 피고, 백색, 수술은 6개, 수술대는 화관 입구에 붙어 있고 위쪽은 자주색, 꽃밥은 선형이다. 열매는 둥글며, 종자는 둔한 능선이 있고 회백색이다.

분포·생육지 우리나라 제주도. 일본. 바닷가 모래밭에서 자란다.

약용 부위·수치 잎, 뿌리줄기 및 뿌리를 수시로 채취하여 말리고, 열매는 생것을 사용한다.

약물명 잎을 나군대(羅裙帶), 열매를 문주란과(文珠蘭果), 뿌리줄기 및 뿌리를 나군대근(羅裙帶根)이라 한다.

약효 나군대(羅裙帶)는 청화해독(淸火解毒), 산어소종(散瘀消腫)의 효능이 있으므로 옹종창독(癰腫瘡毒), 타박골절, 두통, 관절염을 치료한다. 나군대근(羅裙帶根)은 청열해독(淸熱解毒), 산어지통(散瘀止痛)의

효능이 있으므로 옹종창독(癰腫瘡毒), 개선(疥癬), 유옹(乳癰), 해수(咳嗽), 후통(喉痛), 아통(牙痛)을 치료한다. 문주란과(文珠蘭果)는 활혈소종(活血消腫)의 효능이 있으므로 타박상, 종통(腫痛)을 치료한다.

성분 나군대근(羅裙帶根)은 lycorine, tazettine 등이 함유되어 있다.

약리 tazettine은 개구리의 심장, 고양이의 혈압에 choline 효능이 있고, 신경 근육의 표본에서는 근육 수축 작용이 증가된다. 클로로포름 분획물과 부탄올 분획물은 암세포인 HL60의 Bcl-2 level을 down-regulation하여 apoptosis를 유도한다. 80%메탄올추출물 및 norgalanthamine은 육모(育毛) 효능 작용이 있다.

사용법 나군대 또는 나군대근 10g에 물 3컵(600mL)을 넣고 달여서 복용하고, 외용에는 짓찧어 환부에 붙이거나 즙을 내어 바른다. 문주란과는 짓찧어 환부에 바른다.

◐ 문주란과(文珠蘭果)

◐ 문주란(열매)

◐ 문주란

큰잎선모

 신허해천   양위유정
   요슬산통

●학명 : *Curculigo capitulata* (Lour.) O. Kuntze   ●한자명 : 大葉仙茅

1	2	3	4	5	6	7	8	9	10	11	12

여러해살이풀. 높이 1m 정도. 뿌리줄기는 원주상이며 육질이고, 잎은 긴 타원형이며 4~7개가 뿌리줄기에서 나온다. 꽃은 잎겨드랑이에 달리고 황색이다. 삭과는 달걀 모양으로 구형이며 백색이다.

분포·생육지 중국 저장성(浙江省), 푸젠성(福建省), 장시성(江西省), 후난성(湖南省), 타이완. 산지에서 자란다.

약용 부위·수치 가을에 뿌리줄기를 채취하여 물에 씻은 후 잘라서 말린다.

약물명 대지종근(大地棕根)

약효 보신장양(補腎壯陽), 거풍제습(祛風除濕), 활혈조경(活血調經)의 효능이 있으므

로 신허해천(腎虛咳喘), 양위유정(陽痿遺精), 요슬산통(腰膝酸痛)을 치료한다.

사용법 대지종근 7g에 물 2컵(400mL)을 넣고 달여서 복용하고, 알약이나 가루약으로 만들어 복용한다.

⬆ 대지종근(大地棕根)

⬆ 큰잎선모(꽃)

⬆ 큰잎선모

선모

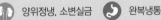 양위정냉, 소변실금   완복냉통
요슬산통, 근골연약, 하지구련   갱년기장애

●학명 : *Curculigo orchioides* Gaertner   ●한자명 : 仙茅

1	2	3	4	5	6	7	8	9	10	11	12

여러해살이풀. 뿌리줄기는 원주상이며 육질이고, 잎은 바늘 모양, 가죽질이고 길이 10~25cm이다. 꽃은 잎겨드랑이에 달리고 황색, 수술은 6개이며 씨방은 하위로 가늘고 길며 긴 털이 있다. 암술대도 가늘고 길며 암술머리는 방망이 모양이다. 삭과는 달걀 모양, 종자는 구형으로 흑색이다.

분포·생육지 중국 저장성(浙江省), 푸젠성(福建省), 장시성(江西省), 후난성(湖南省). 산지에서 자란다.

약용 부위·수치 가을에 뿌리줄기를 채취하여 물에 씻은 후 잘라서 말린다.

약물명 선모(仙茅). 독모근(獨茅根)이라고도 한다. 대한민국약전외한약(생약)규격집(KHP)에 수재되어 있다.

본초서 선모(仙茅)는 「개보본초(開寶本草)」에 처음으로 수재되었으며, 「해약본초(海藥本草)」에 "그 잎은 띠(茅)와 닮았고 오래 복용하면 신선(神仙)처럼 몸이 가벼워지므로 선모(仙茅)라고 한다."고 하였다. 중국약전 품이기도 하다.

海藥本草 : 主風, 補暖腰脚, 淸安五臟, 强筋骨, 消食, 久服輕身, 益顏色.

日華子 : 治一切風氣, 延年益壽, 補五勞七傷, 開胃下氣, 益房事.

開寶本草 : 主心腹冷氣不能食, 腰脚風冷攣痺不能行, 丈夫虛勞, 老人失溺, 無子, 益陽道.

성상 원주형으로 약간 구부러져 있으며 길이 3~10cm, 지름 0.4~0.8cm이다. 표면

은 흑갈색~적갈색으로 거칠거칠하며 수염뿌리가 붙어 있던 자국과 가로 세로의 주름이 있다. 꺾은 면은 평탄하지 않고 엷은 갈색~적갈색이고 중심부는 색이 짙다. 질은 단단하나 쉽게 부러진다. 방향이 조금 있고 맛은 쓰고 약간 맵다.

기미·귀경 온(溫), 신(辛)·신(腎), 간(肝)

약효 온신장양(溫腎壯陽), 거제한습(祛除寒濕)의 효능이 있으므로 양위정냉(陽痿精冷), 소변실금(小便失禁), 완복냉통(脘腹冷痛), 요슬산통(腰膝酸痛), 근골연약, 하지구련(下肢拘攣), 갱년기장애증을 치료한다.

성분 curculigoside A, orcinol glucoside, corchioside A, curculigosaponin A, B, C, D, E, F, K, L, M, curculigine A, B, C, curculigol, yuccagenin, eugenol, cinnamic alcohol, benzaldehyde, rutin, pseudolycorine, lycorine, tazettine, pre-tazettine, galathamine 등이 함유되어 있다.

약리 에탄올추출물을 쥐의 복강에 투여하면 진정 작용과 소염 작용이 나타난다. 에탄올추출물을 쥐에게 투여하면 면역 증강 작용이 나타난다.

사용법 선모 7g에 물 2컵(400mL)을 넣고 달여서 복용하고, 알약이나 가루약으로 만들어서 복용한다.

처방 찬육단(贊肉丹): 숙지황(熟地黃)·백출(白朮) 각 300g, 당귀(當歸)·구기자(枸杞子) 각 220g, 두충(杜仲)·선모(仙茅)·

파극(巴戟)·산수유(山茱萸)·음양곽(淫羊藿)·육종용(肉蓯蓉)·구자(韭子) 각 175g, 사상자(蛇床子)·부자(附子)·육계(肉桂) 각 75g (「동의노년보양처방집(東醫老年補陽處方集)」). 신허양위(腎虛陽萎), 요슬산연(腰膝酸軟), 빈뇨에 사용한다.

⬆ 선모

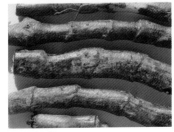
⬆ 선모(仙茅)

⬆ 선모(仙茅)로 만든 갱년기 장애 치료제

[수선화과]

설강화

 신경통　　신경염, 알츠하이머

●학명 : *Galanthus nivalis* L.　●영명 : Snowdrop

1	2	3	4	5	6	7	8	9	10	11	12

여러해살이풀. 비늘줄기는 구형, 잎은 모여 나고 바늘 모양이다. 꽃대는 잎보다 약간 길고 끝에 1개의 백색 꽃이 피며 밑으로 드리운다. 꽃덮개는 6개로 안으로 약간 말리며 가장자리는 밋밋하다. 수술은 6개, 열매를 맺지 못한다.

분포 · 생육지 우리나라 전역. 중국, 일본, 타이완, 필리핀. 산에서 자란다.

약용 부위 · 수치 비늘줄기를 꽃이 진 뒤 늦가을에 채취하여 그늘에서 말린다.

약물명 Galanthi Bulbus. 일반적으로 Snowdrop 이라 한다.

약효 신경통, 신경염, 알츠하이머병을 치료한다.

성분 galanthamine 등이 함유되어 있다.

약리 galanthamine은 neuromascular 질병의 증상을 완화시킨다.

사용법 체중(kg)당 0.15~0.35mg의 galanthamine을 정맥주사한다.

❍ 설강화 군락

❍ 설강화

[수선화과]

지주란

 풍습관절통　　 타박상, 옹저창종

치창

●학명 : *Hymenocallis littoralis* (Jacq.) Salisb.　●한자명 : 蜘蛛蘭

1	2	3	4	5	6	7	8	9	10	11	12

여러해살이풀. 비늘줄기는 구형이다. 잎은 10~12개, 바늘 모양으로 길이 30~80cm, 너비 5~8cm, 잎자루는 없다. 꽃은 꽃대의 끝에 3~8개가 7~8월에 피고 종 모양으로 백색이다. 씨방하위이고 3실이다. 삭과는 육질이며 가을에 익는다.

분포 · 생육지 열대 아메리카 원산. 세계 각처에서 재배한다.

약용 부위 · 수치 잎을 여름부터 가을까지 채취하여 그늘에서 말린다.

약물명 수귀초(水鬼蕉). 인수초(引水蕉), 욱초(郁蕉)라고도 한다.

약효 서근활혈(舒筋活血), 소종지통(消腫止痛)의 효능이 있으므로 풍습관절통(風濕關節痛), 타박상, 옹저창종(癰疽瘡腫), 치창(痔瘡)을 치료한다.

성분 pancratistatine, narciclasine, 7-deoxynarciclasine, 7-deoxy-*trans*-narciclasine, littoraline, tazettine, pretazettine, lycorine, dihydrolycorine, homolycorine, lycorenine, *O*-methyllycorenine, hippeastrine, lycoramine, demethylmaritidine, haemanthamine 등이 함유되어 있다.

약리 lycorine은 체온 강하 작용이 있고, dihydrolycorine은 아메바원충을 죽인다.

사용법 수귀초는 외용으로만 사용하며, 짓찧어 붙이거나 그 즙액을 바른다.

❍ 지주란

❍ 수귀초(水鬼蕉)

❍ 지주란(뿌리와 비늘줄기)

[수선화과]

꽃무릇

 인후통　 수종
종독, 나력

● 학명 : *Lycoris radiata* Herb.　● 별명 : 가을가재무릇, 석산

| 1 | 2 | 3 | 4 | 5 | 6 | 7 | 8 | 9 | 10 | 11 | 12 |

여러해살이풀. 높이 30~50cm. 비늘줄기는 넓은 타원형, 외피가 흑갈색이다. 잎은 모여나고, 9~10월에 비늘줄기에서 꽃대가 나와 큰 꽃이 산형화서로 달린다. 꽃은 붉은색, 열매를 맺지 못한다.

분포·생육지 우리나라 전역. 중국, 일본, 타이완, 필리핀. 산에서 자란다.

약용 부위·수치 비늘줄기를 꽃이 진 뒤 늦가을에 채취하여 그늘에서 말린다.

약물명 석산(石蒜). 노아산(老鴉蒜), 조산(鳥蒜)이라고도 한다.

기미·귀경 온(溫), 신(辛), 감(甘)·폐(肺), 위(胃), 간(肝)

약효 거담(祛痰), 이뇨, 해독의 효능이 있으므로 인후통, 수종(水腫), 종독(腫毒) 및 나력(瘰癧)을 치료한다.

성분 lycorine, dihydrolycorine, lycoramine, tazettine, homolycorine 등이 함유되어 있다.

약리 lycorine은 체온 강하 작용이 있으며, dihydrolycorine은 아메바원충을 죽인다.

사용법 석산 3g에 물 2컵(400mL)을 넣고 달여서 복용하고 외용에는 짓찧어 낸 즙액을 바른다.

주의 허약한 사람, 구토하는 사람은 복용을 금한다.

❂ 석산(石蒜)

❂ 꽃무릇(뿌리와 비늘줄기)

❂ 꽃무릇

❂ 꽃무릇(열매)

❂ 꽃무릇(잎)

[수선화과]

상사화

 인후통　옹저창종, 나력
해수담천　 수종　식물중독

● 학명 : *Lycoris squamigera* Maxim.

| 1 | 2 | 3 | 4 | 5 | 6 | 7 | 8 | 9 | 10 | 11 | 12 |

여러해살이풀. 높이 50~70cm. 비늘줄기는 넓은 달걀 모양, 지름 4~5cm, 외피가 흑색이다. 잎은 비늘줄기 끝에서 4~5월에 나오고 바늘 모양, 뒷면은 백색을 띠며, 가장자리는 밋밋하다. 8~9월에 잎이 없어진 비늘줄기에서 꽃대가 나와 연한 홍자주색 꽃이 산형화서로 달린다. 꽃밥은 담붉은색, 열매를 맺지 않는다.

분포·생육지 중국 원산. 인가 근처에서 자란다.

약용 부위·수치 비늘줄기를 꽃이 진 뒤 늦가을에 채취하여 그늘에서 말린다.

약물명 녹총(鹿葱)

약효 해독이뇨(解毒利尿), 거담최토(祛痰催吐)의 효능이 있으므로 인후통, 옹저창종(癰疽瘡腫), 나력(瘰癧), 해수담천(咳嗽痰喘), 수종(水腫), 식물중독을 치료한다.

성분 pseudolycorine, lycorenine, homolycorine, norpulviine, galanthamine, epigalanthamine, vittatine, dihydrolycorine, lycoramine, tazettine, lycorine 등이 함유되어 있다.

약리 lycorine은 체온 강하 작용이 있으며, dihydrolycorine은 아메바원충을 죽인다. lycorenine은 대장균에 항균 작용이 있다.

사용법 녹총 2~3g에 물 2컵(400mL)을 넣고 달여서 복용하고 외용에는 짓찧어 낸 즙액을 바른다.

주의 허약한 사람, 구토하는 사람은 복용을 금한다.

＊꽃이 백색이고 잎이 넓은 '흰상사화 *L. albiflora*', 잎이 황록색이고 꽃은 밝은 황색이며 열매를 맺는 '개상사화(노랑상사화) *L. chinensis*', 꽃이 적황색인 '붉노랑상사화 *L. flavescens*'도 약효가 같다.

❂ 상사화

[수선화과]

수선화

 자궁병, 월경불순, 유옹

 옹종, 창독, 독사교상

● 학명 : *Narcissus tazetta* L. var. *chinensis* Roemer ● 별명 : 수선, 겹첩수선화

| 1 | 2 | 3 | 4 | 5 | 6 | 7 | 8 | 9 | 10 | 11 | 12 |

여러해살이풀. 높이 30~40cm. 잎은 비늘줄기 끝에서 모여난다. 꽃은 백색, 황색 등 여러 색으로 꽃줄기 끝에 5~6개가 옆을 향해 달리며, 포는 막질로 꽃봉오리를 감싼다. 꽃덮개는 6개, 수술은 6개, 수술대는 짧고, 종자를 맺지 못한다.

분포 · 생육지 지중해 연안 원산. 우리나라 전역에서 재배한다.

약용 부위 · 수치 꽃은 꽃이 피는 12~3월에, 뿌리는 수시로 채취하여 물에 씻어서 말린다.

약물명 꽃을 수선화(水仙花), 비늘줄기를 수선근(水仙根)이라 한다.

약효 수선화(水仙花)는 거풍(祛風), 제열(除熱), 활혈(活血), 조경(調經)의 효능이 있으므로 자궁병, 월경불순을 치료한다. 수선근(水仙根)은 소종(消腫), 배농(排膿)의 효능이 있으므로 유옹(乳癰), 옹종(癰腫), 창독(瘡毒), 독사교상(毒蛇咬傷)을 치료한다.

성분 수선화(水仙花)는 eugenol, cinnamic alcohol, benzaldehyde, rutin, 수선근(水仙根)은 pseudolycorine, lycorine, tazettine, pretazettine, galathamine 등이 함유되어 있다.

약리 자궁에 강한 흥분 작용이 있고, 육종(肉腫) 및 복수암에 항종양 작용이 있고, 항바이러스 작용이 있다.

사용법 수선화 5g에 물 2컵(400mL)을 넣고 달여서 복용하고, 수선근은 외용으로만 사용하며 짓찧어 환부에 바른다.

❶ 수선화

❶ 수선화(황색 꽃)

❶ 수선화(水仙花)

❶ 수선화(뿌리와 비늘줄기)

❶ 수선근(水仙根)

[수선화과]

흰꽃나도사프란

 소아경풍

● 학명 : *Zephyranthes candida* (Lindl.) Herb. ● 별명 : 구슬수선

| 1 | 2 | 3 | 4 | 5 | 6 | 7 | 8 | 9 | 10 | 11 | 12 |

여러해살이풀. 꽃줄기는 곧게 서며 높이 30cm 정도. 비늘줄기는 파와 비슷하며, 잎은 조밀하게 나오며 가늘고 두껍다. 꽃은 백색으로 꽃줄기 끝에 1개씩 위를 향해 달리며, 꽃덮개는 6개, 밤에는 오그라들었다가 낮에 다시 핀다.

분포 · 생육지 남아메리카 원산. 세계 각처에서 재배한다.

약용 부위 · 수치 전초를 여름과 가을에 채취하여 물에 씻은 후 사용한다.

약물명 간풍초(肝風草). 석총(石蔥), 총련(蔥蓮)이라고도 한다.

약효 평간식풍(平肝熄風)의 효능이 있으므로 소아경풍을 치료한다.

사용법 간풍초 3~4개를 물에 달여서 몇 차례로 나누어 복용한다.

❶ 간풍초(肝風草)

❶ 흰꽃나도사프란

[수선화과]

나도사프란

🐌 토혈, 변혈

●학명 : *Zephyranthes carinata* Herb.　●별명 : 사프란아재비

| 1 | 2 | 3 | 4 | 5 | 6 | 7 | 8 | 9 | 10 | 11 | 12 |

여러해살이풀. 꽃줄기는 곧게 서며 높이 30cm 정도. 비늘줄기는 파와 비슷하며, 잎은 5~7개가 나오며 납작하고 가늘다. 꽃은 분홍색, 꽃줄기 끝에 1개씩 위를 향해 달리며, 꽃덮개는 6개이다.
분포 · 생육지 멕시코 원산. 세계 각처에서 재배한다.
약용 부위 · 수치 전초를 여름과 가을에 채취하여 물에 씻은 후 말린다.
약물명 새번홍화(賽番紅花), 창포련(菖蒲蓮), 홍옥렴(紅玉帘), 풍우화(風雨花)라고도 한다.
약효 양혈지혈(涼血止血), 해독소종(解毒消腫)의 효능이 있으므로 토혈(吐血), 변혈(便血)을 치료한다.
사용법 새번홍화 15g에 물 3컵(600mL)을 넣고 달여서 복용한다.

❶ 나도사프란

[마과]

자주마

🐌 비허설사　　🫘 신허유정, 소변빈삭
♀ 대하　　🫁 허로해수

❶ 모서(毛薯)

●학명 : *Dioscorea alata* L.　●한자명 : 參薯　●별명 : 자주색참마

| 1 | 2 | 3 | 4 | 5 | 6 | 7 | 8 | 9 | 10 | 11 | 12 |

덩굴성 여러해살이풀. 뿌리줄기는 옆으로 벋고 원주형, 구형으로 비교적 크고 굵다. 잎은 기부에서는 어긋나고 중간 부분 이상에서는 마주나며, 잎자루는 녹색이거나 자주색을 띤다. 삭과는 삼릉상 편원형이다.
약용 부위 · 수치 뿌리줄기를 여름이나 가을에 채취하여 흙을 털고 물에 씻은 후 썰어서 말린다.
약물명 모서(毛薯), 대서(大薯)라고도 한다.
기미 · 귀경 감(甘), 삽(澁), 평(平) · 비(脾), 폐(肺), 신(腎)
약효 건비지사(健脾止瀉), 익폐자신(益肺滋腎), 해독염창(解毒斂瘡)의 효능이 있으므로 비허설사(脾虛泄瀉), 신허유정(腎虛遺精), 대하(帶下), 소변빈삭(小便頻數), 허로해수(虛勞咳嗽)를 치료한다.
성분 cyannidin-3-*O*-glucoside, cyannidin-3,5-*O*-diglucoside, cyannidin-3-*O*-gentiobioside 등이 함유되어 있다.
사용법 모서 10g에 물 3컵(600mL)을 넣고 달여서 복용하고, 가루약이나 알약으로 또는 술에 담가서 복용한다.

❶ 자주마

마

설사, 구리, 식욕부진 해수
당뇨병 유정, 빈뇨 대하

● 학명 : *Dioscorea batatas* Decaisne [*D. opposita* Thunb.] ● 별명 : 산약

1 2 3 4 5 6 7 8 **9 10** 11 12

덩굴성 여러해살이풀. 높이 1m 정도. 뿌리는 육질. 잎은 마주나지만 드물게 3개의 잎이 돌려나고, 잎겨드랑이에 육아(肉芽)가 생긴다. 꽃은 암수딴그루, 6~7월에 핀다. 수꽃차례는 곧게 서고, 꽃은 백색, 암꽃이삭은 밑으로 처지고 몇 개의 암꽃이 달린다. 삭과는 3개의 날개가 있다.

분포 · 생육지 중국 원산. 우리나라 전역. 산에서 자란다.

약용 부위 · 수치 땅속 뿌리줄기를 가을에 채취하여 칼로 외피를 벗긴 후 그늘에서 말린다. 초산약(炒山藥)은 먼저 밀기울을 뜨거운 냄비에 고루 뿌려 넣고, 연기가 날 때 산약편(山藥片)을 넣고 담황색이 될 때까지 볶아 사용한다.

약물명 산약(山藥). 서여(薯蕷), 산우(山芋)라고도 한다. 대한민국약전(KP)에 수재되어 있다.

본초서 산약(山藥)은 「신농본초경(神農本草經)」의 상품(上品)에 서여(薯蕷)라는 이름으로 수재되어 있으며, 별명은 산우(山芋)라고 하였다. 서여(薯蕷)라는 이름은 감자의 색과 같이 밝고 토란의 형태와 비슷하다는 뜻이다. 하지만 당나라 대종(代宗)의 이름이 여(蕷)였기 때문에 서여(薯蕷), 서약(薯藥)이라고 하다가 산약(山藥)으로 바뀐 것

이다. 「동의보감(東醫寶鑑)」에 "몸과 마음이 허약하고 피로하여 여윈 것을 보하고 오장을 튼튼하게 한다. 기력을 돕고 살이 찌게 하며 근골을 튼튼하게 한다. 심규를 잘 통하게 하며 정신을 안정시키고 의지를 강하게 한다."고 하였다.

神農本草經: 主傷寒, 補虛羸, 除寒熱邪氣, 補中益氣力, 長肌肉, 久服耳目聰明, 輕身不飢延年.
食療本草: 治頭疼, 利丈夫, 助陰力.
本草綱目: 益腎氣, 健脾胃, 止泄痢, 化痰涎, 潤皮毛.
東醫寶鑑: 補虛勞羸瘦 充五臟 益氣力 長肌肉 强筋骨 開達心孔 安神長志.

성상 원주형 또는 고르지 않은 원주형을 이루고 길이 10~15cm, 지름 2~5cm이며 때로는 세로로 또는 가로로 자른 것도 있다. 표면은 유백색~황백색을 띤 백색이고 꺾은 면은 평탄하고 가루질이다. 질은 단단하며 꺾어지기 쉽다. 냄새 및 맛이 거의 없다.

기미 · 귀경 평(平), 감(甘) · 비(脾), 폐(肺), 신(腎)

약효 자양(滋養), 강장(强壯), 강정(强精), 지사(止瀉), 건비(健脾), 보폐(補肺), 보신(補腎), 익정(益精)의 효능이 있으므로 비허(脾虛)로 인한 설사, 구리(久痢), 식욕부진,

해수(咳嗽), 당뇨병, 유정(遺精), 대하(帶下), 빈뇨를 치료한다.

성분 batasin I, II, III, 3,5-dimethoxyphenanthrene-2,7-diol, dioscin, diosgenin, allantoin, cholesterol, 24-methylenecholesterol, isofucosterol, lathosterol, β-sitosterol, stigmasterol 등이 함유되어 있다.

약리 dioscin을 토끼에게 주사하면 혈당량이 감소한다. 열수추출물을 쥐에게 투여하면 면역 증강 작용이 나타난다. 산약(山藥) 분말을 *Lactobacillus fermentum*으로 발효시킨 후 메탄올로 추출한 물질군은 소염 작용, 항비만 작용, 항산화 작용이 증강되었다.

사용법 산약 10g에 물 3컵(600mL)을 넣고 달여서 복용한다.

처방 팔미지황환(八味地黃丸): 숙지황(熟地黃) 320g, 산약(山藥) · 산수유(山茱萸) 각 160g, 택사(澤瀉) · 목단피(牡丹皮) · 복령(茯苓) 각 120g, 육계(肉桂) · 포부자(炮附子) 각 40g 「동의보감(東醫寶鑑)」. 신양(腎陽) 부족으로 몸이 여위고 허리와 무릎에 힘이 없고 시큰시큰 아프며 어지럽고 귀에서 소리가 나는 증상, 오랜 설사 증상, 당뇨병 등에 사용한다.

• 서여환(薯蕷丸): 산약(山藥) · 산조인(酸棗仁) 각 40g, 백자인(柏子仁) · 복신(茯神) · 산수유(山茱萸) 각 12g 「향약집성방(鄕藥集成方)」. 담(痰)이 허랭(虛冷)하여 불안하고 어지러우며 몹시 무서움을 많이 타는 증상에 사용한다.

* 줄기, 잎자루, 잎맥에 자주색을 띠지 않는 '참마 *D. japonica*'도 약효가 같다.

○ 마(열매)

○ 마 재배(경북 봉화)

○ 마

○ 산약(山藥, 절편)

○ 산약(山藥)

○ 마 수확(경북 영주)

[마과]

둥근마

| 설사, 구리, 식욕부진 | 해수 | 당뇨병 | 유정, 빈뇨 |
| 대하 | 인후통 | 나력, 창양종독, 사견교상 |

● 학명 : *Dioscorea bulbifera* L.   ● 별명 : 쓴감자마

| 1 | 2 | 3 | 4 | 5 | 6 | 7 | 8 | 9 | 10 | 11 | 12 |

덩굴성 여러해살이풀. 뿌리줄기는 육질로 땅속으로 깊이 들어가며 둥글다. 잎은 어긋나며 원심형, 가장자리는 밋밋하고 잎겨드랑이에 육아(肉芽)가 달린다. 꽃은 8~10월에 피고 암수꽃차례가 모두 밑으로 처지며, 꽃덮개는 황록색이며 자주색을 약간 띤다. 삭과는 3개의 날개가 있고, 둥근 날개가 달린 종자가 들어 있다.

분포·생육지 중국 원산. 농가에서 재배한다.

약용 부위·수치 땅속 뿌리줄기를 가을에 채취하여 칼로 외피를 벗긴 후 그늘에서 말린다. 초산약(炒山藥)은 먼저 밀기울을 뜨거운 냄비에 고루 뿌려 넣고, 연기가 날 때 산약편(山藥片)을 넣고 담황색이 될 때까지 볶아 사용한다. 육아(肉芽)는 여름에 채취하여 썰어서 말린다.

약물명 황약자(黃藥子). 황약(黃藥), 황약근(黃藥根)이라고도 한다. 육아(肉芽)를 황독영여자(黃獨零余子)라 하며, 구수자(狗嗽子), 영여자(零余子)라고도 한다.

본초서 송대(宋代)의 「개보본초(開寶本草)」에 황약근(黃藥根)이라는 이름으로 수재되어 있다. 「도경본초(圖經本草)」에는 손사막(孫思邈)의 천금월령방(千金月令方)을 인용하여 쓰촨성(四川省)에서 생산되는 황약자(黃藥子)의 약효를 기재하고 있다. 그 식물 형태에 관하여 덩굴성이고 잎은 메밀과 닮았다고 하였으며, 「본초강목(本草綱目)」에는 뿌리의 표면은 갈색이지만 안쪽은 황색으로 양제근(羊蹄根, 소리쟁이 뿌리)과 닮았다고 하였다.

성상 횡절한 절편은 원형을 이루고 지름 2~5cm, 두께 1~1.5cm이다. 표면은 흑갈색이며 주름이 잡히고 백색 때로는 뿌리가 붙었던 점 같은 돌기가 있고 코르크층이 붙어 있으며 잘 부서진다. 냄새는 적지만 맛은 쓰다.

기미·귀경 한(寒), 고(苦)·폐(肺), 간(肝)

약효 황약자(黃藥子)는 산결소영(散結消癭), 청열해독(淸熱解毒), 양혈지혈(凉血止血)의 효능이 있으므로 비허(脾虛)로 인한 설사, 구리(久痢), 식욕부진, 해수(咳嗽), 당뇨병, 유정(遺精), 대하(帶下), 빈뇨를 치료한다. 황독영여자(黃獨零余子)는 청열화담(淸熱化痰), 지해평천(止咳平喘), 산결해독(散結解毒)의 효능이 있으므로 담열해천(痰熱咳喘), 인후통, 나력(瘰癧), 창양종독(瘡瘍腫毒), 사견교상(蛇犬咬傷)을 치료한다.

성분 황약자(黃藥子)는 diosbulbin A~H, 8-epidiosbulbin E acetate, diosgenin, 2,4,6,7-tetrahydroxy-9,10-dihydrophenanthrene, 2,4,5,6-tetrahydroxyphenanthrene, dihydrodioscorine 등이 함유되어 있다.

약리 쥐의 사료에 황약자 2~5%를 섞어 먹이면 갑상선종(甲狀腺腫)에 치료 효과가 나타난다. 열수추출물을 개구리의 적출 심장에 가하면 심장근 수축을 억제한다. 열수추출물을 토끼의 적출 장관에 가하면 평활근 수축 작용이 나타난다.

사용법 황약자 또는 황독영여자 10g에 물 3컵(600mL)을 넣고 달여서 복용한다. 외용에는 짓찧어 붙이거나 즙액을 바른다.

◐ 황약자(黃藥子)

◐ 황약자(黃藥子, 절편)

◐ 둥근마

◐ 황독영여자(黃獨零余子)

◐ 황독영여자(黃獨零余子, 절편)

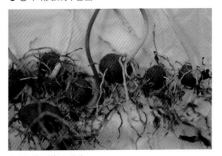

◐ 육아(肉芽)의 새싹

피자식물   429

[마과]

분배서여

관절염, 요각동통　습열창독
소변불리, 임탁, 유정, 음경통, 치창

● 학명 : *Dioscorea hypoglauca* Palibin [*D. colletti* var. *hypoglauca*]　● 한자명 : 紛背薯蕷

1	2	3	4	5	6	7	8	9	10	11	12

덩굴성 여러해살이풀. 뿌리줄기는 옆으로 기며 강황과 비슷하고, 횡단면도 황색을 띤다. 잎은 어긋나며 삼각상 심장형, 암수딴그루, 꽃덮개는 황색, 수꽃은 단생 또는 2~3개가 모여나며, 암꽃은 수상화서이다. 삭과는 3개의 날개가 있고, 종자가 2개 들어 있다.

분포 · 생육지 중국 하이난성(河南省), 저장성(浙江省), 안후이성(安徽省), 장시성(江西省), 타이완. 해발 200~1,300m의 산지에서 자란다.

약용 부위 · 수치 땅속 뿌리줄기를 가을에 채취하여 칼로 외피를 벗긴 후 그늘에서 말린다.

약물명 비해(萆薢). 분비해(紛萆薢)라고도 한다. 대한민국약전외한약(생약)규격집(KHP)에 수재되어 있다.

본초서 비해(萆薢)는 「신농본초경(神農本草經)」의 중품(中品)에 수재되어 있으며, 「명의별록(名醫別錄)」에는 산골짜기에서 자란다고 하였으며, 「본초도경(本草圖經)」에 도꼬로마와 비슷한 그림이 실려 있다. 「본초원시(本草原始)」에는 "비병(痹病)을 해독시켜 주는 풀이므로 비해(萆薢)라고 한다."고 기록되어 있다.

성상 원주상이며 불규칙한 분지가 있다. 표면은 회갈색~갈색이며 면이 고르지 않고 구부러졌고 가는 뿌리가 붙어 있던 흔적이 있다. 길이 10~20cm, 지름 15~20mm이며 자른 면은 황백색으로 평탄하며 분질이

고 불규칙한 황색 꽃무늬가 보인다. 질은 단단한 편이며 탄성이 있고 꺾어지기 쉽다. 냄새가 없고 맛은 조금 달다. 황백색으로 탄성이 있는 것이 좋다.

기미 · 귀경 평(平), 고(苦) · 간(肝), 비(脾), 방광(膀胱)

약효 거풍이습(祛風利濕)이 효능이 있으므로 관절염, 요각동통(腰脚疼痛), 소변불리(小便不利), 임탁(淋濁), 유정, 습열창독(濕熱瘡毒), 음경통, 치창(痔瘡)을 치료한다.

성분 dioscin, diosgenin, yamogenin, diosgenin acetate, yamogenin acetate, diosgenin palmitate, yamogenin palmitate, $\Delta^{3,5}$−deoxytigogenin, $\Delta^{3,5}$−deoxyneotigogenin, hypoglaucine A, protohypoglaucine A, prosapogenin A 등이 함유되어 있다.

약리 비해(萆薢)를 쥐의 사료에 섞어 먹이면 혈액 응고를 저지하는 효능이 있다. 열 수추출물은 해충을 죽이는 효능이 있고, prosapogenin A는 수종의 진균에 항진균 작용이 있다. dioscin은 백혈병 암세포인 L1210의 증식을 억제한다.

사용법 비해 10g에 물 3컵(600mL)을 넣고 달여서 복용하고, 가루약이나 알약으로 또는 술에 담가서 복용한다.

처방 비해분청음(萆薢分淸飮): 비해(萆薢) 16g, 익지인(益智仁) · 오약(烏藥) 각 12g, 석창포(石菖蒲) 5g(「단계심법(丹溪心法)」). 혼탁한 소변, 빈뇨, 궤뇨(潰尿)에 사용한다.

• 서근보안산(舒筋保安散): 모과(木瓜) 200g, 비해(萆薢) · 오령지(五靈脂) · 우슬(牛膝) · 속단(續斷) · 백강잠(白殭蠶) · 오약(烏藥) · 송절(松節) · 작약(芍藥) · 천마(天麻) · 위령선(威靈仙) · 황기(黃耆) · 당귀(當歸) · 방풍(防風) · 호골(虎骨) 각 40g(「동의보감(東醫寶鑑)」). 중풍으로 반신을 잘 쓰지 못하고, 힘줄이 당기면서 아프고 힘이 없는 증상에 사용한다.

❶ 비해(萆薢, 절편)　　❶ 비해(萆薢)

❶ 분배서여

[마과]

멕시코참마

관절염, 요각동통　습열창독
소변불리, 임탁, 유정, 음경통, 치창

● 학명 : *Dioscorea mexicana* Scheidw.　● 영명 : Mexican yam

1	2	3	4	5	6	7	8	9	10	11	12

덩굴성 여러해살이풀. 길이 2.5m 정도. 뿌리줄기는 지름 90cm 정도, 길이 20~25cm로 굵다. 외피는 두껍고 부분적으로 돔 모양으로 오래되면 균열되어 다각형을 이룬다. 잎은 어긋나며 심장형, 꽃은 자주색이다.

분포 · 생육지 멕시코, 파나마. 산과 들에서 자라며 널리 재배한다.

약용 부위 · 수치 뿌리줄기를 가을부터 겨울까지 채취하여 물에 씻은 후 썰어서 말린다.

약물명 Dioscoreae Mexicanae Rhizoma

약효 거풍이습(祛風利濕)의 효능이 있으므로 관절염, 요각동통(腰脚疼痛), 소변불리(小便不利), 임탁(淋濁), 유정(遺精), 습열

창독(濕熱瘡毒), 음경통(陰莖痛), 치창(痔瘡)을 치료한다.

성분 dioscin, diosgenin, yamogenin, diosgenin acetate, hypoglaucine A, protohypoglaucine A, prosapogenin A 등이 함유되어 있다.

사용법 Dioscoreae Mexicanae Rhizoma 10g에 물 3컵(600mL)을 넣고 달여서 복용한다.

＊ progesteron과 같은 호르몬의 합성 전구체인 diosgenin의 생산에 널리 이용된다.

❶ 멕시코참마로 만든 자양 강장제

❶ 멕시코참마

[마과]

참마

설사, 구리, 식욕부진 | 해수
당뇨병 | 유정, 빈뇨 | 대하

● 학명 : *Dioscorea japonica* Thunb. ● 영명 : Chinese yam

| 1 | 2 | 3 | 4 | 5 | 6 | 7 | 8 | 9 | 10 | 11 | 12 |

덩굴성 여러해살이풀. 뿌리줄기는 굵고 옆으로 벋으며, 잎은 어긋난다. 줄기와 잎자루가 녹색이다. 꽃은 황색, 암수딴그루, 6~7월에 피고 수꽃차례는 곧게 서며 암꽃차례는 밑으로 처진다. 삭과는 3개의 날개가 있다.

분포·생육지 우리나라 전역. 중국, 일본, 타이완, 필리핀. 산에서 자란다.

약용 부위·수치 뿌리줄기를 가을부터 겨울까지 채취하여 물에 씻은 후 썰어서 말린다.
* 약효 및 사용법은 '마 *D. batatas*'와 같다.

❶ 참마 재배(중국 서안)

❶ 참마(뿌리줄기)

❶ 산약(山藥)

❶ 참마

[마과]

부채마

풍한습비 | 만성기관지염
소화불량 | 옹종악창

● 학명 : *Dioscorea nipponica* Makino ● 별명 : 털부채마, 박추마

| 1 | 2 | 3 | 4 | 5 | 6 | 7 | 8 | 9 | 10 | 11 | 12 |

덩굴성 여러해살이풀. 덩굴 길이 1~3m. 뿌리줄기는 옆으로 벋고 딱딱하며 원주형, 잎은 어긋난다. 꽃은 암수딴그루, 6~7월에 피고 작으며 녹황색, 수꽃은 수상화서로 갈라지고 곧게 서거나 옆으로 비스듬히 서며, 암꽃이삭은 갈라지지 않고 밑으로 처진 축에 위를 향해 달린다. 종자는 위쪽에 넓은 날개가 있다.

분포·생육지 우리나라 전역. 중국, 일본, 아무르, 우수리. 산에서 자란다.

약용 부위·수치 뿌리줄기를 여름이나 가을에 채취하여 흙을 털고 물에 씻은 후 썰어서 말린다.

약물명 천산룡(穿山龍). 천룡골(穿龍骨), 천지룡(穿地龍)이라고도 한다.

기미·귀경 평(平), 고(苦)·간(肝), 폐(肺)

약효 활혈(活血), 서근(舒筋), 소식체(消食滯), 진해(鎭咳), 거담(祛痰)의 효능이 있으므로 풍한습비(風寒濕痺), 만성기관지염, 소화불량, 옹종악창(癰腫惡瘡)을 치료한다.

성분 dioscin 등 steroid saponin을 다량 함유하고 가수분해하면 비당부인 diosgenin

이 생성된다.

약리 쥐에게 물에 달인 액을 복강으로 주사하면 거담 작용이 나타나고, saponin 10mg/kg을 투여하면 혈중 콜레스테롤 양과 혈압을 저하시키고 심장의 박동을 느리게 하는 동시에 수축의 진폭을 증강하고 요량을 증가시킨다.

사용법 천산룡 10g에 물 3컵(600mL)을 넣고 달여서 복용하고, 가루약이나 알약으로 또는 술에 담가서 복용한다.

❶ 천산룡(穿山龍, 절편)

❶ 천산룡(穿山龍)

❶ 부채마(뿌리와 뿌리줄기)

❶ 부채마

[마과]

단풍마

| 👤 풍한습비 | 🫘 백탁 |
| 🚺 백대 | 📦 습창 |

●학명 : *Dioscorea septemloba* Thunb. ●한자명 : 綿草蘚

| 1 | 2 | 3 | 4 | 5 | 6 | 7 | 8 | 9 | 10 | 11 | 12 |

● 면비해(綿草蘚)

덩굴성 여러해살이풀. 전체에 털이 없다. 뿌리줄기는 옆으로 벋고 분지하며, 지름 2~5cm, 채취한 뒤 말리면 해면(海綿)처럼 된다. 잎은 어긋나고 5~7갈래, 꽃은 암수딴그루, 등황색, 삭과는 밑으로 처지며 3개의 날개가 있다. 종자는 편평한 달걀 모양, 지름 4~5mm로 얇은 날개가 있다.

분포·생육지 중국 저장성(浙江省), 장시성(江西省), 푸젠성(福建省), 후난성(湖南省). 해발 450~700m의 산지에서 자란다.

약용 부위·수치 뿌리줄기를 여름이나 가을에 채취하여 흙을 털고 물에 씻은 후 썰어서 말린다.

약물명 면비해(綿草蘚). 산서(山薯)라고도 한다.

약효 거풍습(祛風濕), 이습탁(利濕濁), 소종독(消腫毒)의 효능이 있으므로 풍한습비(風寒濕痺), 백탁(白濁), 백대(白帶), 습창(濕瘡)을 치료한다.

성분 trillin, gracillin, dioscin, diosgenin, diosgenin palmitate 등이 함유되어 있다.

사용법 면비해 10g에 물 3컵(600mL)을 넣고 달여서 복용하거나, 술에 담가서 복용한다.

＊'복주서여(福州薯蕷) *D. futschuensis*'의 뿌리줄기도 면비해(綿草蘚)라 하며 약효가 같다.

● 단풍마

[마과]

도꼬로마

| 👤 관절염, 요각동통 | 📦 습열창독 |
| 🚺 소변불리, 임탁, 유정, 음경통, 치창 | |

●학명 : *Dioscorea tokoro* Makino ●한자명 : 山草蘚 ●별명 : 왕마, 큰마, 쓴마

| 1 | 2 | 3 | 4 | 5 | 6 | 7 | 8 | 9 | 10 | 11 | 12 |

덩굴성 여러해살이풀. 뿌리줄기는 굵고 옆으로 벋으며, 잎은 어긋난다. 꽃은 황색 또는 흰색, 암수딴그루, 6~7월에 피고 수꽃차례는 곧게 서며 암꽃차례는 밑으로 처진다. 수꽃에 수술 6개, 암꽃에 암술 1개, 삭과는 3개의 날개가 있으며 밑으로 처진 열매 가지에서 곧게 선다.

분포·생육지 우리나라 전역, 중국, 일본, 타이완, 필리핀. 산에서 자란다.

약용 부위·수치 뿌리줄기를 가을부터 겨울까지 채취하여 물에 씻은 후 썰어서 말린다.

약물명 비해(草蘚), 분비해(紛草蘚)라고도 한다. 대한민국약전외한약(생약)규격집(KHP)에 수재되어 있다.

약효 거풍이습(祛風利濕)의 효능이 있으므로 관절염, 요각동통(腰脚疼痛), 소변불리(小便不利), 임탁(淋濁), 유정, 습열창독(濕

熱瘡毒), 음경통, 치창(痔瘡)을 치료한다.

사용법 비해 10g에 물 3컵(600mL)을 넣고 달여서 복용하고, 가루약이나 알약으로 또는 술에 담가서 복용한다.

＊우리나라에서는 본 종의 뿌리줄기를 비해(草蘚)라 하며, 중국의 일부 지방에서도 비해(草蘚)로 사용하고 있다.

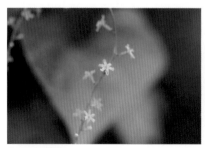

● 도꼬로마(꽃)

● 도꼬로마

[마과]

야생마

| 담낭염 | 관절염 |
| 기관지염, 기침 | 어혈증 |

● 학명 : *Dioscorea villosa* L.　● 영명 : Wild yam　● 별명 : 연모마, 털마

| 1 | 2 | 3 | 4 | 5 | 6 | 7 | 8 | 9 | 10 | 11 | 12 |

● 야생마

덩굴성 여러해살이풀. 길이 5m 정도. 뿌리줄기는 옆으로 벋으며 고구마 같다. 꽃은 암수딴그루, 6~7월에 피고 작으며 녹황색, 종 모양이며 완전히 벌어지지 않는다.

분포 · 생육지 북아메리카 원산. 세계 각처에서 재배한다.

약용 부위 · 수치 뿌리줄기를 여름이나 가을에 채취하여 흙을 털고 물에 씻은 후 썰어서 말린다.

약물명 Dioscoreae Villosae Rhizoma. 일반적으로 Wild yam이라 한다.

약효 소염의 효능이 있으므로 담낭염, 어혈증(瘀血症), 관절염, 기관지염, 기침을 치료한다.

성분 dioscin 등 steroid saponin을 다량 함유하고 가수분해하면 비당부인 diosgenin이 생성된다.

사용법 Dioscoreae Villosae Rhizoma 10g에 물 3컵(600mL)을 넣고 달여서 복용하고, 가루약이나 알약으로 또는 술에 담가서 복용한다.

[용설란과]

용설란

| 옹저창양, 개선 | 자궁출혈 |

● 학명 : *Agave americana* L.　● 별명 : 세기식물, 청용설란, 룡설란

| 1 | 2 | 3 | 4 | 5 | 6 | 7 | 8 | 9 | 10 | 11 | 12 |

상록 여러해살이풀. 잎은 다육질, 가장자리에 날카로운 가시가 있다. 꽃대는 높이 10m 이상 자라고 가지가 갈라져서 큰 원추화서를 형성하며, 꽃덮이개는 6개로 갈라지지만 완전히 벌어지지 않는다. 수술은 6개, 꽃 밖으로 나오고, 열매는 원주상 긴 타원형이다. 온대 지방에서는 꽃이 잘 피지 않는다.

분포 · 생육지 멕시코 원산. 우리나라 전역에서 재배하는 귀화 식물이다.

약용 부위 · 수치 잎을 수시로 채취하여 그대로 사용하거나 말린다.

약물명 용설란(龍舌蘭), 검란(劍蘭), 검마

(劍麻)라고도 한다.

약효 해독발농(解毒拔膿), 살충, 지혈의 효능이 있으므로 옹저창양(癰疽瘡瘍), 개선(疥癬), 자궁출혈을 치료한다.

성분 agavoside A, B, C, C′, D, E, F, G, H, hegogenin, 9-dehydrohecogenin, tigogenin, rockogenin, 12-epirockogenin, manogenin, piscidic acid 등이 함유되어 있다.

사용법 용설란 10g에 물 3컵(600mL)을 넣고 달여서 복용하고(신선한 것은 30~50g), 외용에는 짓찧어 바른다.

● 용설란(꽃)

● 용설란(열매)

● 용설란

[용설란과]

주초

🫁 해혈　　🫘 요혈
🩸 변혈　　🦵 근골통

●학명 : *Cordyline fruticosa* (L.) A. Cheval.　●한자명 : 朱蕉

| 1 | 2 | 3 | 4 | 5 | 6 | 7 | 8 | 9 | 10 | 11 | 12 |

🌾 🍃 ⚘ 🌿 🪴 ✿ 🌰 ❄ 🌾 💧

관목. 높이 3m 정도. 가지는 적게 갈라진다. 잎은 줄기 끝에서 나선상으로 붙으며 적자색을 띤다. 꽃은 잎겨드랑이에서 나오는 원추화서로 피고 적자색~자주색, 씨방하위, 3실이다. 삭과는 둥글고 각 실에 다수의 종자가 있다.
분포·생육지 중국 남부, 열대, 아열대. 세계 각처에서 재배한다.
약용 부위·수치 잎을 봄부터 가을까지 채취

하여 그대로 사용하거나 말린다.
약물명 주초(朱蕉). 철수(鐵樹), 주죽(朱竹)이라고도 한다.
약효 양혈지혈(凉血止血), 산어정통(散瘀定痛)의 효능이 있으므로 해혈(咳血), 요혈(尿血), 변혈(便血), 근골통(筋骨痛)을 치료한다.
사용법 주초 15g에 물 3컵(600mL)을 넣고 달여서 복용한다.

❶ 주초

[용설란과]

호미란

🫁 감기, 폐열해수　　📖 창양종독

●학명 : *Sansevieria trifasciata* Prain　●한자명 : 虎尾蘭

| 1 | 2 | 3 | 4 | 5 | 6 | 7 | 8 | 9 | 10 | 11 | 12 |

🌾 🍃 ⚘ 🌿 🪴 ✿ 🌰 ❄ 🌾 💧

❶ 호미란(虎尾蘭)

여러해살이풀. 뿌리줄기는 옆으로 뻗고, 잎은 모여나며 바늘형, 두껍고 견실하며, 가로무늬가 흩어져 있다. 꽃대는 높이 30~80cm, 담녹색의 꽃이 달리며, 꽃덮개는 6개, 열매는 잘 맺지 못한다.
분포·생육지 서아프리카 원산. 세계 각처에서 재배한다.
약용 부위·수치 잎을 봄부터 가을까지 채취하여 썰어서 말린다.
약물명 호미란(虎尾蘭)
약효 청열해독(淸熱解毒), 활혈소종(活血消腫)의 효능이 있으므로 감기, 폐열해수(肺熱咳嗽), 창양종독(瘡瘍腫毒)을 치료한다.
성분 ruscogenin, 25(*S*)−ruscogenin, neoruscogenin, abamagenin 등이 함유되어 있다.
사용법 호미란 15g에 물 4컵(800mL)을 넣고 달여서 복용하고, 외용에는 짓찧어 바른다.
＊ 잎 가장자리가 금색인 '금변호미란(金邊虎尾蘭) *S. trifasciata* var. *laurentii*'도 약효가 같다.

❶ 금변호미란

[용설란과]

실유카

🫁 기관지천식, 해수

● 학명 : *Yucca gloriosa* L. ● 한자명 : 鳳尾蘭 ● 별명 : 육카

| 1 | 2 | 3 | 4 | 5 | 6 | 7 | 8 | 9 | 10 | 11 | 12 |

상록 여러해살이풀. 잎은 뿌리에서 빽빽
이 나고 다육질이며 길이 1~1.5m, 너비
10~15cm, 가장자리가 실처럼 된다. 꽃대
는 높이 1m 이상 자라고 가지가 갈라져서
원추화서를 이루며, 꽃덮개는 6개로 갈라
지지만 완전히 벌어지지 않는다. 수술은 6
개, 꽃 밖으로 나오고, 열매는 삭과이다.
분포·생육지 북아메리카 원산. 세계 각처
에서 재배한다.
약용 부위·수치 꽃을 여름에 채취하여 그대
로 사용하거나 말린다.
약물명 봉미란(鳳尾蘭), 백종(白棕), 검마
(劍麻)라고도 한다.
약효 지해평천(止咳平喘)의 효능이 있으므
로 기관지천식, 해수(咳嗽)를 치료한다.
성분 smilagenin, tigogenin, gitogenin,
tigogenin-3-*O*-β-D-xylopyranosyl-
β-lycotetraoside, gitogenin-3-*O*-β-
D-xylopyranosyl-β-lycotetraoside 등이
함유되어 있다.

사용법 봉미란 10g에 물 3컵(600mL)을 넣
고 달여서 복용하고(신선한 것은 30g), 외
용에는 짓찧어 바른다.

● 봉미란(鳳尾蘭)

● 실유카(뿌리줄기)

● 실유카

[물옥잠과]

부레옥잠

🫁 풍열감모   ❤️ 수종
🫘 요료결석   ▢ 풍진, 절종

● 학명 : *Eichhornia crassipes* (Mart.) Solms ● 별명 : 배옥잠, 부대물옥잠, 풍옥란

| 1 | 2 | 3 | 4 | 5 | 6 | 7 | 8 | 9 | 10 | 11 | 12 |

여러해살이풀. 밑에서 잔뿌리가 많이 돋고,
잎은 뿌리에서 모여난다. 꽃은 8~9월에 피
고 연한 자주색, 꽃덮개는 밑이 짧은 통으
로 되고 깔때기처럼 퍼지며 6개로 갈라지
고 위쪽 1개가 특히 크며 중앙에 황색 반점
이 있다. 수술은 6개로 그중 3개는 길고 수
술대에 털이 있으며, 암술은 1개로 씨방상
위이고 암술대는 실처럼 길다.
분포·생육지 열대 아메리카 원산. 우리나
라 전역의 못이나 습지에서 자라는 귀화 식
물이다.
약용 부위·수치 봄과 여름에 전초를 채취하
여 말린다.
약물명 수호로(水葫蘆), 대수평(大水萍), 부
수련(浮水蓮), 수부련(水浮蓮)이라고도 한다.
약효 청량(清涼), 해독, 제습(除濕), 거풍열
(祛風熱)의 효능이 있으므로 풍열감모(風
熱感冒), 수종(水腫), 요료결석, 풍진, 절종
(癤腫)을 치료한다.
성분 *N*-phenyl-2-naphthylamine, gib-
berellin, delphinidin-3-diglucoside, glyc-
erol, 1,9,12(*Z*,*Z*)-octadecadienoic acid 등

이 함유되어 있다.
사용법 수호로 15g에 물 4컵(800mL)을 넣
고 달여서 복용하고, 외용에는 짓찧어 바른다.

● 수호로(水葫蘆)

● 부레옥잠(꽃)

● 부레옥잠

[물옥잠과]

물옥잠

🔲 단독　　🫘 치질

● 학명 : *Monochoria korsakowii* Regel et Maack

| 1 | 2 | 3 | 4 | 5 | 6 | 7 | 8 | 9 | 10 | 11 | 12 |

🌱 🍃 ⿰ 🌿 ⚘ ❀ ❀ ❄ ⚘ 💧

한해살이풀. 높이 30cm 정도. 줄기나 잎자루는 다공질로 연약하다. 꽃은 9월에 원줄기 끝에 달리며 청자주색, 꽃덮개 조각은 6개로 수평으로 퍼지며 타원형, 끝이 둔하고, 수술은 6개이며 그중 1개가 길고 암술대는 굽었다. 삭과는 달걀 모양, 길이 1cm 정도, 끝에 암술대가 남아 있다.

분포·생육지 우리나라 전역. 중국, 일본, 아무르, 우수리. 논과 늪에서 자란다.

약용 부위·수치 전초를 가을에 채취하여 말린다.

약물명 우구(雨韭). 부장(浮薔)이라고도 한다.

약효 청열(清熱), 거습(祛濕), 정천(定喘), 해독의 효능이 있으므로 단독(丹毒)과 치질을 치료한다.

사용법 우구 7g에 물 3컵(600mL)을 넣고 달여서 복용하고, 외용에는 짓찧어 바른다. 어린아이의 고열, 해수에는 꽃 8g을 달여서 1일 2회 나누어 복용한다.

❍ 물옥잠

❍ 우구(雨韭)

❍ 물옥잠(연못, 늪, 논 등에서 자란다.)

[물옥잠과]

물닭개비

📞 이질, 장염　　🫁 급성편도선염
👁 치주염　　🔲 단독

● 학명 : *Monochoria vaginalis* (Burm. fil.) var. *plantaginea* (Roxb.) Solms–Laub.
● 별명 : 물달개비

| 1 | 2 | 3 | 4 | 5 | 6 | 7 | 8 | 9 | 10 | 11 | 12 |

🌱 🍃 ⿰ 🌿 ⚘ ❀ ❀ ❄ ⚘ 💧

한해살이풀. 높이 10~30cm. 줄기 5~6개가 한 군데에서 나오고 원줄기에 각각 1개의 잎이 달린다. 잎은 심장형이고 가장자리는 밋밋하다. 꽃은 9월에 3~7개가 피고, 청자색, 열매가 성숙할 때는 밑으로 굽는다. 꽃덮개는 6개, 수술은 6개이며 그중에서 1개는 길고, 수술대 한쪽에 톱니 같은 돌기가 있다. 삭과는 타원상 구형이다.

분포·생육지 우리나라 전역. 중국, 일본, 우수리, 말레이시아, 인도. 논이나 늪, 못에서 자란다.

약용 부위·수치 전초를 가을에 채취하여 물에 씻어서 말린다.

약물명 압설초(鴨舌草). 접수총(接水蔥)이라고도 한다.

약효 청열(清熱), 이뇨(利尿), 소종(消腫), 해독의 효능이 있으므로 이질, 급성편도선염, 치주염, 단독, 장염을 치료한다.

사용법 압설초 10g에 물 3컵(600mL)을 넣고 달여서 복용하고, 외용에는 짓찧어 바른다.

❍ 압설초(鴨舌草)

❍ 물닭개비

[물옥잠과]

미국흑옥잠

두통　이질, 설사

● 학명 : *Pontederia cordata* L.

| 1 | 2 | 3 | 4 | 5 | 6 | 7 | 8 | 9 | 10 | 11 | 12 |

여러해살이풀. 높이 30~40cm. 꽃은 6~7월에 원줄기 끝에 달리며 청자주색, 꽃덮개 조각은 6개이다. 열매는 삭과이다.
분포·생육지 북아메리카 원산. 유럽 및 남아메리카. 논과 늪, 연못에서 자란다.
약용 부위·수치 전초를 여름에 채취하여 물

에 씻은 후 말린다.
약물명 Pontederiae Herba
약효 두통, 이질, 설사를 치료한다.
사용법 Pontederiae Herba 7g에 물 3컵 (600mL)을 넣고 달여서 복용한다.

● 미국흑옥잠

[붓꽃과]

범부채

인후통　담웅해천, 나력결핵
징가　옹종창독

● 학명 : *Belamcanda chinensis* (L.) DC.

| 1 | 2 | 3 | 4 | 5 | 6 | 7 | 8 | 9 | 10 | 11 | 12 |

여러해살이풀. 높이 50~100cm. 뿌리줄기가 짧게 옆으로 벋고, 잎은 2열로 어긋나서 부챗살처럼 배열된다. 꽃은 7~8월에 피며 황적색 바탕에 짙은 반점이 있으며, 원줄기 끝과 가지 끝이 1~2회 갈라져서 한군데에 몇 개의 꽃이 달리고 밑부분에 4~5개의 포가 있다. 꽃덮개는 타원형, 삭과는 달걀 모양이다. 종자는 흑색으로 윤채가 있다.
분포·생육지 우리나라 전역. 중국, 일본. 산속 초원에서 자라지만 흔히 재배한다.
약용 부위·수치 뿌리줄기를 가을에 채취하여 작은 뿌리를 제거하고 쌀뜨물에 하루 담가 두었다가 꺼내어 말린다.
약물명 사간(射干). 편죽(扁竹), 오선(烏扇), 초강(草薑)이라고도 한다. 대한민국약전외한약(생약)규격집(KHP)에 수재되어 있다.
본초서 사간(射干)은 「신농본초경(神農本草經)」의 하품(下品)에 수재되어 있으며, 별명을 오선(烏扇)이라 하였고, 「명의별록(名醫別錄)」에는 초강(草薑)이라는 별명이 기록되어 있다. 「본초강목(本草綱目)」의 편축(萹蓄)의 항에 일명 편죽(扁竹)이 있으며, 사간(射干)의 항에도 편죽(扁竹)이 있는 것으로 보아 양자가 서로 혼돈되어 사용한 것 같다. 형태가 새를 쏘아 잡는 사수(死守)의 죽간(竹竿)과 비슷하므로 사간(射干)이라 한다고 하였다. 「동의보감(東醫寶鑑)」에 "목 안이 벌겋게 붓고 아프며 막힌 감이 있는 증상과 목 안이 아파서 물이나 미음을 넘기지 못하는 것을 낫게 한다. 피가 뭉쳐 오래된 것이 심장과 비장에 있어 기침이 나고 침을 뱉거나 말을 할 때 냄새가 나는 것을 낫게 하고 담이 뭉친 것을 없애며 멍울이 진 것을 치료한다."고 하였다.
神農本草經: 主咳逆上氣 喉痺咽痛 不得消食 散結氣 腹中邪逆 食飲大熱.

名醫別錄: 療老血在心脾間 咳唾 言語氣臭 散胸中熱氣.
東醫寶鑑: 主喉痺咽痛 水漿不入 療老血在心脾間 咳唾 言語氣臭 除積痰 消結核.
성상 고르지 않은 덩어리로 갈라져 있으며 길이 5~10cm, 지름 1~2cm이다. 표면은 황갈색이며 쭈글쭈글하고 치밀한 무늬가 있다. 위쪽에는 줄기의 흔적이 있으며, 줄기가 조금 붙어 있는 것도 있다. 질은 단단하며 꺾은 면은 황색을 나타낸다. 냄새는 없으며, 맛은 조금 쓰고 맵다.
기미·귀경 한(寒), 고(苦), 신(辛)·폐(肺), 간(肝)
약효 강화해독(降火解毒), 거담이인(祛痰利咽), 소어산결(消瘀散結)의 효능이 있으므로 인후통, 담웅해천(痰壅咳喘), 나력결핵(瘰癧結核), 징가(癥瘕), 옹종창독(癰腫瘡毒)을 치료한다.
성분 irigenin, tectorigenin, tectoridin, belamcandin, iridin, methylirisolidone, iristectorigenin, irisflorentin, belamcandal, acetovanillone, sheganone, decursin, β-sitosterol, apocynin, iristectorigenin A 등이 함유되어 있다.
약리 에탄올추출물을 쥐에게 투여하면 소염 작용과 해열 작용이 나타난다. 물로 달인 액은 피부사상균에 항진균 작용이 있고, tectoridin은 hyluronidase 작용을 억제하며, 토끼의 타액 분비가 촉진된다. tectorigenin은 HT22 세포에서 glutamate로 유도된 산화적 손상에 세포 보호 작용이 있고, RAW 267.4 세포에서 발현되는 염증 반응을 억제한다.
사용법 사간 10g에 물 3컵(600mL)을 넣고 달여서 복용하거나 가루로 하여 목 안을 행군다.
처방 사간탕(射干湯): 반하(半夏)·행인(杏仁)·

진피(陳皮)·계심(桂心)·지실(枳實) 각 4g, 사간(射干)·당귀(當歸)·독활(獨活)·마황(麻黃)·자완(紫宛)·감초(甘草) 각 2g, 생강(生薑) 5쪽 (「동의보감(東醫寶鑑)」). 찬바람을 맞아 기침을 하고 숨이 차며 목이 쉬어 말을 못하는 증상에 사용한다.
• 사간마황탕(射干麻黃湯): 사간(射干)·마황(麻黃)·오미자(五味子) 각 8g, 반하(半夏)·자완(紫宛)·관동화(款冬花) 각 12g, 세신(細辛) 4g, 생강(生薑) 3쪽, 대추(大棗) 2알 (「금궤요략(金匱要略)」). 한담(寒痰)에 의한 해수(咳嗽), 호흡곤란, 다담(多痰)에 사용한다.

● 범부채

● 사간(射干)

● 사간(射干, 절편)

● 범부채(뿌리와 뿌리줄기)

● 범부채(열매)

[붓꽃과]

번홍화

우울증
토혈
무월경, 산후어혈에 의한 복통

● 학명 : *Crocus sativus* L.　● 별명 : 사프란

| 1 | 2 | 3 | 4 | 5 | 6 | 7 | 8 | 9 | 10 | 11 | 12 |

여러해살이풀. 높이 15cm 정도. 비늘줄기는 지름 3cm 정도, 편구형, 겉은 갈색이고 비늘잎에 덮여 있다. 잎은 비늘줄기 끝에 모여나며 꽃이 핀 다음 제대로 자란다. 꽃은 10~11월에 새잎 사이에서 연한 자주색으로 피고, 통부의 윗부분이 6개로 갈라져서 비스듬히 퍼지며, 수술은 6개, 암술대는 3개로 갈라지며 황적색이다.

분포 · 생육지 유럽 및 소아시아 원산. 전 세계에서 관상용 또는 약용으로 재배한다.

약용 부위 · 수치 암술대와 암술머리를 10~1월에 꽃이 피었을 때 채취하여 말린다.

약물명 번홍화(番紅花). 장홍화(藏紅花), 서홍화(西紅花)라고도 한다. 대한민국약전외한약(생약)규격집(KHP)에 수재되어 있다.

성상 가는 실 모양이고, 황적색~적갈색을 띠고 길이 2~3.5cm로 3갈래로 갈라지거나 분리되며, 갈라진 쪽은 넓어지고 다른 쪽은 점점 가늘어진다. 물에 담가 부드럽게 한 다음 현미경으로 보면 암술머리의 끝에는 많은 돌기가 있고 약간의 꽃가루를 볼 수 있다. 냄새가 특이하고 맛은 쓰며 침을 노랗게 물들인다.

기미 · 귀경 평(平), 감(甘) · 심(心), 간(肝)

약효 활혈거어(活血祛瘀), 산울개결(散鬱開結)의 효능이 있으므로 우울증, 토혈(吐血), 무월경, 산후어혈에 의한 복통을 치료한다.

성분 crocin(crocetin digentiobioside ester), crocetin, crocetin diglucose ester, dimethylester, crocetin gentiobiosc ester, picrocrocin, safranal 등이 함유되어 있다.

약리 물로 달인 액은 쥐, 토끼, 개, 고양이의 적출 자궁에 흥분 작용이 있고, 혈압을 하강시킨다. 열수추출물은 치통, 생리통에 진통 작용이 있다. crocin은 에탄올에 의하여 손상된 기억력 손상을 막아 준다. crocetin은 몇 가지 고형암 세포주에서의 핵산 합성을 저해한다. 열수추출물은 항산화 작용과 해독 과정을 통하여 암 예방 효능이 있다.

확인 시험 번홍화(番紅花)의 에탄올추출액에 황산 한 방울을 떨어뜨리면 청색을 나타내고 자주색을 띠다가 점차 적갈색으로 변한다(crocin, crocetin).

사용법 번홍화 2~3g에 물 2컵(400mL)을 넣고 달여서 복용하거나 술에 담가 복용한다.

주의 통경 작용이 매우 강하므로 임산부는 복용을 금한다.

◐ 번홍화(番紅花)

◐ 번홍화로 만든 생리통 치

◐ 번홍화

[붓꽃과]

당창포

옹종창독, 타박상
인후통

● 학명 : *Gladiolus gandavensis* Van Houtte　● 한자명 : 唐菖蒲

| 1 | 2 | 3 | 4 | 5 | 6 | 7 | 8 | 9 | 10 | 11 | 12 |

여러해살이풀. 높이 80~100cm. 뿌리줄기는 편평하며 둥글고 위쪽은 시든 비늘잎으로 덮여 있다. 줄기는 녹색이며 바로 서고, 잎은 녹색, 2줄로 바로 선다. 꽃은 원줄기 끝에서 꽃차례가 나와 여러 개가 피며 적자색, 분홍색 등이다. 암술머리는 3개로 수술보다 길다.

분포 · 생육지 남아프리카 원산. 세계 각처에서 재배한다.

약용 부위 · 수치 뿌리줄기를 여름에 채취하여 물에 씻은 후 썰어서 말린다.

약물명 수산황(搜山黃). 수산호(搜山虎)라고도 한다.

약효 청열해독(淸熱解毒), 산어소종(散瘀消腫)의 효능이 있으므로 옹종창독(癰腫瘡毒), 인후통, 타박상을 치료한다.

사용법 수산황 7g에 물 2컵(400mL)을 넣고 달여서 복용하고, 타박상에는 짓찧어 붙이거나 즙액을 바른다.

◐ 당창포(꽃)

◐ 당창포

[붓꽃과]

대청붓꽃

 인후염, 편도선염, 치주염   간염

● 학명 : *Iris dichotoma* Pallas   ● 별명 : 참부채붓꽃

| 1 | 2 | 3 | 4 | 5 | 6 | 7 | 8 | 9 | 10 | 11 | 12 |

여러해살이풀. 높이 70cm 정도. 뿌리줄기는 굵고, 줄기는 차상(叉狀)으로 갈라진다. 잎은 칼 모양, 꽃은 8~9월에 3~5개씩 모여 피며, 남색, 외화피는 타원형으로 밑부분에 황갈색 무늬가 있고, 내화피는 끝이 오목하게 들어간다. 암술대는 3개로 갈라진다. 삭과는 원통형, 종자는 달걀 모양으로 흑색이다.

❂ 대청붓꽃

분포 · 생육지 우리나라 대청도. 중국, 일본. 산지에서 자라며 원예용으로 재배하기도 한다.

약용 부위 · 수치 뿌리줄기 또는 전초를 가을에 채취하여 물에 씻은 후 말린다.

약물명 백화사간(白花射干)

약효 해열해독(解熱解毒), 활혈소종(活血消腫)의 효능이 있으므로 인후염, 편도선염, 치주염, 간염을 치료한다.

성분 dichotomitin A, irisflorentin, wogonin, rhamnazin, irigenin, tectorigenin, tectoridin 등이 함유되어 있다.

약리 부종이 있는 쥐에게 에탄올추출물을 경구 투여 또는 피하로 주사하면 소염 효과가 나타나며, 발열이 있는 큰 쥐에게 투여하면 해열 작용이 나타난다.

사용법 백화사간 7g에 물 2컵(400mL)을 넣고 달여서 복용하거나 알약, 가루약으로 만들어 복용한다.

❂ 대청붓꽃(꽃)

[붓꽃과]

꽃창포

 인후통   복통, 소화불량, 습열이질

 치질   개선

● 학명 : *Iris ensata* Thunb. var. *spontanea* (Mak.) Nakai
● 별명 : 꽃장포, 들꽃장포, 들꽃창포

| 1 | 2 | 3 | 4 | 5 | 6 | 7 | 8 | 9 | 10 | 11 | 12 |

❂ 꽃창포

❂ 두고초(豆鼓草)

❂ 꽃창포(열매)

여러해살이풀. 높이 60~120cm. 뿌리줄기는 갈색 섬유로 덮여 있다. 잎은 길이 20~60cm, 너비 5~12mm이다. 꽃은 6~7월에 원줄기 또는 가지 끝에 달리며 적자색, 밑부분은 녹색이며, 겉꽃덮개는 3개, 속꽃덮개는 3개이다. 암술대는 곧게 서며 3개로 갈라진다. 삭과는 갈색, 종자는 편평하다.

분포 · 생육지 우리나라 전역. 중국, 일본, 타이완, 필리핀. 습지에서 흔하게 자란다.

약용 부위 · 수치 뿌리줄기를 여름에 채취하여 물에 씻은 후 썰어서 말린다.

약물명 두고초(豆鼓草). 옥선화(玉蟬花)라고도 한다.

기미 · 귀경 한(寒), 신(辛), 고(苦), 소독(小毒) · 폐(肺), 비(脾), 간(肝)

약효 소적이기(消積理氣), 활혈이수(活血利水), 청열해독(淸熱解毒)의 효능이 있으므로 인후통, 복통, 소화불량, 습열이질(濕熱痢疾), 치질, 개선(疥癬)을 치료한다.

성분 embinin, ferulic acid, *p*-coumaric acid, vanillic acid, *p*-hydroxybenzoic acid, orientin, homoorientin 등이 함유되어 있다.

사용법 두고초 7g에 물 2컵(400mL)을 넣고 달여서 복용하거나 술에 담가서 복용하고, 외용에는 짓찧어 붙이거나 즙액을 바른다.

타래붓꽃

	황달, 설사, 토혈, 변혈		백대		옹종, 피부한열
	후비, 육혈		관절통, 풍습비통		임탁

●학명 : *Iris lactea* Pallas var. *chinensis* (Fischer) Koidz.

| 1 | 2 | 3 | 4 | 5 | 6 | 7 | 8 | 9 | 10 | 11 | 12 |

여러해살이풀. 높이 30~50cm. 모여 자라고 뿌리줄기는 짧다. 잎은 비틀려서 꼬여 있다. 꽃은 벽자색, 5~6월에 줄기 끝의 잎 같은 포 사이에 2~4개가 달리며 지름 4~5cm이다. 포는 길이 7~10cm, 열매가 익을 때는 갈라져 실 모양이 된다. 삭과는 길이 6cm 정도, 중앙부가 지름 1cm 정도이고 끝이 부리처럼 뾰족하다.

분포 · 생육지 우리나라 전역. 중국, 일본. 산에서 자란다.

약용 부위 · 수치 종자는 가을에 채취하여 말리고, 지상부는 여름에 채취하여 물에 씻은 후 썰어서 말린다. 꽃은 5~7월에 채취하고, 뿌리는 여름과 가을에 채취하여 물에 씻어서 말린다.

약물명 종자를 마린자(馬藺子), 지상부를 마린(馬藺), 꽃을 마린화(馬藺花), 뿌리를 마린근(馬藺根)이라고 한다.

본초서 마린자(馬藺子)는 「신농본초경(神農本草經)」에 수재되어 "피부가 추웠다 열이 났다 하며 뱃속에 열기가 있고 풍한으로 저리고 아픈 것을 낫게 한다. 근골을 튼튼하게 하며 식욕을 돋우므로 오랫동안 복용하면 몸이 튼튼해진다."고 하였다. 「동의보감(東醫寶鑑)」에 마린자는 여실(蠡實)이라는 이름으로 수재되어 "위장 속의 열을 내리고 가슴이 답답한 것을 풀어 주며 대소변을 잘 나오게 한다. 자궁출혈이 심하여 정신이 혼미해지는 것, 자궁에서 분비물이 나오는 것을 낫게 하고 피부의 부스럼과 독성이 있는 종기를 삭인다. 술독을 풀고 황달을 낫게 한다."고 하였다.

神農本草經: 主皮膚寒熱 胃中熱氣 風寒濕痺 堅筋骨 令人嗜食 久服輕身

東醫寶鑑: 主胃熱 止心煩 利大小便 治婦人血暈幷崩中帶下 消瘡癰腫毒 消酒毒 治黃病.

기미 · 귀경 마린자(馬藺子): 평(平), 감(甘) · 간(肝), 비(脾), 위(胃), 폐(肺). 마린근(馬藺根): 평(平), 감(甘) · 폐(肺), 대장(大腸), 간(肝)

약효 마린자(馬藺子)는 해열, 이습(利濕), 지혈, 해독의 효능이 있으므로 황달, 설사, 토혈, 백대(白帶), 옹종(癰腫), 피부한열(皮膚寒熱), 주독(酒毒)을 치료한다. 마린(馬藺)은 청열해독(淸熱解毒), 이뇨통림(利尿通淋), 활혈소종(活血消腫)의 효능이 있으므로 후비(喉痺), 임탁(淋濁), 관절통을 치료한다. 마린화(馬藺花)는 청열해독(淸熱解毒), 양혈지혈(凉血止血), 이뇨통림(利尿通淋)의 효능이 있으므로 후비(喉痺), 토혈, 육혈(衄血), 변혈을 치료한다. 마린근(馬藺根)은 청열해독(淸熱解毒), 활혈이뇨(活血利尿)의 효능이 있으므로 후비(喉痺), 옹저(癰疽), 전염성간염, 풍습비통(風濕痺痛), 임탁(淋濁)을 치료한다.

성분 마린자(馬藺子)는 pallosone A, B, C, lupene-3-one, betulin 등이 함유되어 있다.

약리 pallosone A, B, C는 여러 암세포의 성장을 억제하고, 쥐에게 마린자(馬藺子)의 에탄올추출물을 경구 투여하면 임신 억제 효과가 있고, 또 쥐에게 에탄올추출물을 50g/kg을 투여하면 10마리 가운데 1마리가 죽었다.

사용법 마린자, 마린, 마린화 또는 마린근 6g에 물 2컵(400mL)을 넣고 달여서 복용하거나 알약, 가루약으로 만들어 복용하고 외용에는 짓찧어 바른다.

❶ 마린자(馬藺子)

❶ 타래붓꽃

❶ 타래붓꽃(열매)

❶ 타래붓꽃(뿌리)

[붓꽃과]

붓꽃

⬜ 정창, 종독

●학명 : *Iris sanguinea* Hernemann [*I. nertschinskia* Lodd.] ●별명 : 란초

| 1 | 2 | 3 | 4 | 5 | 6 | 7 | 8 | 9 | 10 | 11 | 12 |

여러해살이풀. 높이 60cm 정도. 뿌리줄기는 옆으로 벋고, 잎은 곧게 선다. 꽃은 자주색, 5~6월에 꽃줄기 끝에 2~3개씩 달리고 잎 같은 포가 있다. 겉꽃덮개는 달걀 모양, 속꽃덮개는 곧게 서며 작다. 삭과는 대가 있으며 길이 3~4.5cm, 3개의 능선이 있고 방추형이다. 종자는 갈색, 삭과 끝이 터지면서 나온다.

분포 · 생육지 우리나라 전역. 중국, 일본, 아무르, 우수리, 몽골. 산과 들에서 자란다.

약용 부위 · 수치 뿌리줄기 및 뿌리를 가을에 채취하여 말린다.

약물명 계손(溪蓀)

약효 청열해독(淸熱解毒)의 효능이 있으므로 정창(疔瘡), 종독(腫毒)을 치료한다.

성분 3-(3-hydroxymethylphenyl)-L-alanine, 3'-carboxyphenylglycine, 3-(3-carboxyphenyl)-L-alanine이 함유되어 있다.

사용법 계손은 외용으로만 사용하며, 신선한 뿌리를 채취하여 짓찧어 낸 것을 붙이거나 즙액을 바른다.

◐ 붓꽃

◐ 계손(溪蓀)

◐ 산연미(山鳶尾)

[붓꽃과]

부채붓꽃

👁 치주염　⬜ 개창

●학명 : *Iris setosa* Pall. ex Link

| 1 | 2 | 3 | 4 | 5 | 6 | 7 | 8 | 9 | 10 | 11 | 12 |

여러해살이풀. 높이 60~90cm. 뿌리줄기는 옆으로 벋고 갈색의 섬유로 덮여 있고 굵다. 꽃대는 1~3개로 갈라지고, 잎은 곧게 서며 바늘 모양이다. 꽃은 자주색, 6~7월에 줄기와 가지 끝에 달리고, 포엽은 2~3개이다. 암술대는 3개로 갈라지고 갈래 끝은 2열하고 톱니가 있으며, 꽃밥은 자주색이다.

분포 · 생육지 우리나라 강원, 함남북. 중국, 일본, 아무르, 우수리, 몽골. 산과 들에서 자란다.

약용 부위 · 수치 뿌리줄기 및 뿌리를 가을에 채취하여 말린다.

약물명 산연미(山鳶尾)

약효 청열해독(淸熱解毒), 살충의 효능이 있으므로 치주염(齒周炎), 개창(疥瘡)을 치료한다.

성분 mangiferin이 함유되어 있다.

사용법 산연미는 외용으로만 사용하며, 말린 것은 가루로 만들어 상처에 뿌리고, 신선한 것은 짓찧어 낸 것을 붙이거나 즙액을 바른다.

◐ 부채붓꽃

[붓꽃과]

중국붓꽃

 인후통　　 간염　　관절염
방광염, 치질　　타박상

●학명 : *Iris tectorum* Maxim. [*I. chinensis* Bunge]　●별명 : 연미붓꽃

| 1 | 2 | 3 | 4 | 5 | 6 | 7 | 8 | 9 | 10 | 11 | 12 |

여러해살이풀. 높이 60~80cm. 꽃대는 곧게 선다. 잎은 곧게 서며 바늘 모양, 길이 30~50cm, 너비 2.5~3.5cm, 끝은 뾰족하고 주맥은 뚜렷하지 않다. 꽃은 남자색, 4~5월에 꽃줄기 끝에 2~3개씩 달리고 잎 같은 포가 있다. 삭과는 대가 있으며 방추형이고, 종자는 흑갈색이다.

분포·생육지 중국 원산. 우리나라에서 재배한다.

약용 부위·수치 지상부는 여름에, 뿌리 및 뿌리줄기는 봄부터 가을까지 채취하여 물에 씻은 후 적당한 크기로 썰어서 말린다.

약물명 지상부를 연미(鳶尾)라 하며, 조원(鳥圓), 조연(鳥鳶)이라고도 한다. 뿌리 및 뿌리줄기를 연근(鳶根)이라 하며, 편죽근(扁竹根), 천사간(川射干)이라고도 한다.

성상 연근(鳶根)은 납작한 원기둥 모양으로 마디가 있다. 표면은 회갈색이고 속은 황백색이며, 마디 위는 분지하고 팽대하며 마디 사이는 좁다. 냄새는 없으며 맛은 쓰고 맵다.

기미·귀경 연미(鳶尾): 양(凉), 신(辛), 고(苦), 유독(有毒). 연근(鳶根): 한(寒), 고(苦), 신(辛), 유독(有毒)·비(脾), 위(胃), 대장(大腸)

약효 연미(鳶尾)는 청열해독(淸熱解毒), 거풍이습(祛風利濕)의 효능이 있으므로 인후통, 간염, 방광염, 관절염을 치료한다. 연근(鳶根)은 소적살충(消積殺蟲), 파어행수(破瘀行水), 해독의 효능이 있으므로 소화가 잘 안되어 더부룩한 증상, 인후통, 치질, 타박상을 치료한다.

성분 연미(鳶尾)는 irisquinone, iristectorene A~H, iristectorone A~H 등, 연근(鳶根)은 androsin, iristectorin A, B, demethyliristectorigenin A, B, tectoruside, tectoridin, tectorigenin, irigenin 등이 함유되어 있다.

사용법 연미 또는 연근 10g에 물 3컵(600mL)을 넣고 달여서 복용하고, 가루로 만들어 1회 1~3g을 복용한다.

❶ 중국붓꽃

❶ 연근(鳶根)

[붓꽃과]

등심붓꽃

결장염, 소화불량　　급·만성류머티즘

●학명 : *Sisyrinchium angustifolium* Mill.

| 1 | 2 | 3 | 4 | 5 | 6 | 7 | 8 | 9 | 10 | 11 | 12 |

여러해살이풀. 높이 20~30cm. 뿌리줄기에는 잔뿌리가 많다. 줄기는 둥글고 곧게서고, 잎은 선형으로 줄기보다 길다. 꽃은 보라색이며, 열매는 삭과이다.

분포·생육지 북아메리카 원산. 세계 각처로 퍼져서 잔디밭이나 초원에서 자란다.

약용 부위·수치 전초를 여름에 채취하여 물에 씻은 후 썰어서 말린다.

약물명 Sisyrinchii Herba

약효 정혈(淨血)의 효능이 있으므로 결장염, 급·만성류머티즘, 소화불량을 치료한다.

사용법 Sisyrinchii Herba 10g에 물 3컵(600mL)을 넣고 달여서 복용한다.

❶ 등심붓꽃(꽃)

❶ Sisyrinchii Herba

❶ 등심붓꽃

[붓꽃과]

애기범부채

 복통   근육통

창양

● 학명 : *Tritonia crocosmaeflora* Nicholas.

1 2 3 4 5 6 7 8 9 10 11 12

● 애기범부채

여러해살이풀. 높이 70~120cm. 잎은 비스듬히 서며 바늘 모양이다. 꽃은 주황색, 여름철에 꽃줄기 끝에 수상화서로 피고 아래로 처지며, 수술 3개, 암술 1개이다. 삭과는 삼각상 구형, 종자는 타원형이다.

분포 · 생육지 남아프리카 원산. 세계 각처의 바닷가에서 자라거나 재배한다.

약용 부위 · 수치 뿌리줄기를 봄부터 가을까지 채취하여 물에 씻은 후 적당한 크기로 썰어서 말린다.

약물명 웅황란(雄黃蘭). 수산호(搜山虎)라고도 한다.

약효 해독, 소종(消腫), 지통(止痛)의 효능이 있으므로 복통, 근육통, 창양(瘡瘍)을 치료한다.

성분 crocosmioside A~I, montbretin A, B, myricetin, medicagenic acid, polygalacic acid 등이 함유되어 있다.

약리 열수추출물 또는 에탄올추출물을 쥐에 투여하면 항암 작용이 나타난다. crocosmioside A~D를 유리한 쥐의 심장에 투여하면 강심 작용이 나타난다.

사용법 웅황란 5g에 물 2컵(400mL)을 넣고 달여서 복용한다.

[골풀과]

별날개골풀

 소변적삽열통   숙식불화

● 학명 : *Juncus diastrophanthus* Buchen.   ● 별명 : 넓은비녀골, 넓은잎비녀골, 넓은잎비녀골풀

1 2 3 4 5 6 7 8 9 10 11 12

여러해살이풀. 높이 20~30cm. 줄기는 납작하고 좁은 날개가 있다. 잎은 꽃차례보다 짧고 납작하다. 꽃은 3~10개씩 모여서 두상화서를 이루며, 수술은 3개이다. 열매는 삼각상 달걀 모양으로 길이 5mm 정도이다.

분포 · 생육지 우리나라 전역. 중국, 일본. 습지에서 자란다.

약용 부위 · 수치 전초를 가을에 채취하여 말린다.

약물명 방해각(螃蟹脚)

약효 청열이습(淸熱利濕), 소식(消食)의 효능이 있으므로 소변적삽열통(小便赤澁熱痛), 숙식불화(宿食不化)를 치료한다.

성분 methyl 3,5–di–*O*–caffeoylquinate, luteolin–7–*O*–β–D–glucopyranoside, methyl 4,5–di–*O*–caffeoylquinate, quercetin–3–*O*–β–D–glucopyranoside, methyl 3,4–di–*O*–caffeoylquinate 등이 함유되어 있다.

사용법 방해각 15g에 물 3컵(600mL)을 넣고 달여서 복용하거나 알약, 가루약으로 만들어 복용한다.

● 방해각(螃蟹脚)

● 별날개골풀

골풀

| 임병, 소변불리, 비뇨기염증 | 수종 | 습열황달 |
| 심번불면 | 편도선염 | 창상 | 소아경련 |

● 학명 : *Juncus effusus* L. var. *decipiens* Buchen. ● 별명 : 골짜기풀

1 2 3 4 5 6 7 8 9 10 11 12

여러해살이풀. 높이 25~100cm. 뿌리줄기는 옆으로 벋고, 줄기는 곧게 서며 잎은 줄기 밑부분에 달린다. 꽃차례는 원줄기 끝부분 옆에 달리고, 꽃은 1개씩 달리며 녹갈색이다. 삭과는 달걀 모양이다.

분포 · 생육지 우리나라 전역. 중국, 일본, 우수리, 북아메리카. 늪이나 습지에서 자란다. 중국 장쑤성(江蘇省)의 소주(蘇州)에서 생산된 것이 품질이 좋다.

약용 부위 · 수치 줄기를 가을에 채취하여 세로로 쪼개서 속(髓)을 말리거나, 전초를 말린다.

약물명 등심초(燈心草). 등심(燈心), 호수초(虎須草)라고도 한다. 대한민국약전(KP)에 수재되어 있다.

본초서 등심초(燈心草)는 송대(宋代)의 「개보본초(開寶本草)」에 처음 수재되어 오림(五淋)을 치료한다고 하였다. 그리고 줄기의 심부(心部)인 수(髓)를 호롱불의 심지로 사용하기 때문에 등심초(燈心草)라고 한다고 기록하였다. 「동의보감(東醫寶鑑)」에 "오림(石淋, 勞淋, 血淋, 氣淋, 熱淋)과 목 안이 벌겋게 붓고 아프며 막힌 감이 있는 것을 낫게 한다."고 하였다.

開寶本草: 主五淋 生煮服之.
東醫寶鑑: 主五淋 療喉痺.

성상 줄기의 수(髓)로 국수 모양, 길이 30~50cm, 지름 0.2~0.25cm, 황백색, 세로 주름이 있다. 횡단면은 구멍이 많고 질은 무르고 가볍다. 냄새는 없고 맛은 담백하다.

기미 · 귀경 미한(微寒), 감(甘), 담(淡) · 심(心), 폐(肺), 소장(小腸), 방광(膀胱)

약효 청심강화(淸心降火), 이뇨통림(利尿通淋)의 효능이 있으므로 임병(淋病), 수종(水腫), 소변불리(小便不利), 습열황달(濕熱黃疸), 심번불면(心煩不眠), 편도선염, 소아경련, 비뇨기염증, 창상(創傷)을 치료한다.

성분 effusol, juncusol, luteolin, β-sitosterol, daucosterol 등이 함유되어 있다.

약리 에탄올추출물을 개에게 투여하였을 때 혈압이 내려가며, 이뇨 작용이 나타난다. 열수추출물은 항산화 작용이 있다.

사용법 등심초 3g에 물 3컵(600mL)을 넣고 달여서 복용하거나 알약, 가루약으로 복용한다.

처방 등심탕(燈心湯): 등심초(燈心草) 4g, 차전자(車前子) 10g (「동약급건강(東藥及健康)」). 비뇨기 결석으로 오줌이 잘 나오지 않는 증상에 사용한다.

• 청폐산(淸肺散): 저령(豬苓) · 관목통(關木通) 각 8g, 등심초(燈心草) · 적복령(赤茯苓) · 택사(澤瀉) · 차전자(車前子) 각 4g, 편축(萹蓄) · 목통(木通) · 구맥(瞿麥) 각 2.8g, 남과자(南瓜子) 2g (「동의보감(東醫寶鑑)」). 상초(上焦)에 열이 성하여 목이 마르고 갈증이 나며 오줌이 시원하게 나오지 않는 증상에 사용한다.

● 등심초(燈心草)

● 등심초(燈心草)

● 골풀

○ 지양매(地楊梅)

[골풀과]

꿩의밥

적리, 백리

● 학명 : *Luzula capitata* (Miq.) Miq.   ● 별명 : 꿩밥, 꿩의밥풀

| 1 | 2 | 3 | 4 | 5 | 6 | 7 | 8 | 9 | 10 | 11 | 12 |

여러해살이풀. 높이 10~30cm. 뿌리줄기는 구형이고 뿌리는 갈색이며, 줄기는 모여난다. 뿌리잎은 바늘 모양으로 구부러지며 길이 10~15cm, 너비 4~6mm, 줄기잎은 2~3개이고 작다. 꽃은 적갈색, 4~5월에 줄기 끝에 1개의 두상화가 달리고, 수술은 6개, 꽃밥은 수술대보다 길다. 삭과는 삼릉형이며 갈색 또는 흑갈색이다.

분포·생육지 우리나라 전역. 중국, 일본, 우수리, 사할린. 산지나 들에서 흔하게 자란다.

약용 부위·수치 전초를 여름에 채취하여 물에 씻은 후 말린다.

약물명 지양매(地楊梅)

약효 청열지리(淸熱止痢)의 효능이 있으므로 적리(赤痢), 백리(白痢)를 치료한다.

사용법 지양매 15g에 물 3컵(600mL)을 넣고 달여서 복용한다.

○ 꿩의밥

[파인애플과]

파인애플

해수   이질

● 학명 : *Ananas comosus* (L.) Merr.   ● 영명 : Pineapple

| 1 | 2 | 3 | 4 | 5 | 6 | 7 | 8 | 9 | 10 | 11 | 12 |

한해살이풀. 줄기는 짧고, 잎은 바늘 모양, 길이 40~90cm, 너비 4~7cm, 끝은 뾰족하고 가장자리는 밋밋하거나 예리한 톱니가 있고, 표면은 녹색, 뒷면은 녹백색이다. 꽃차례는 잎속에서 나오고, 작은 꽃이 조밀하게 붙으며 적자색, 씨방하위, 수술 6개이다. 열매는 타원상 구형이다.

분포·생육지 열대 아메리카 원산. 세계 각처에서 재배한다.

약용 부위·수치 여름에 열매껍질을 벗겨서 말린다.

약물명 파라피(菠蘿皮). 파라(菠蘿)라고도

한다.

약효 해독, 지해(止咳), 지리(止痢)의 효능이 있으므로 해수(咳嗽), 이질을 치료한다.

성분 단백질 분해 효소인 bromelin을 비롯하여 *p*−coumaric acid, glycerol, 각종 유기산, 당류 등이 대량 함유되어 있다.

약리 bromelin은 항염증, 항부종, 항혈소판 응집 작용을 나타낸다.

사용법 파라피 15g에 물 3컵(600mL)을 넣고 달여서 복용한다.

＊ bromelin은 염증 치료는 물론 수술 후의 부종 치료에도 사용한다.

○ 파인애플

○ 파라피(菠蘿皮)

○ 파인애플(열매)

○ 파라피(菠蘿皮)가 배합된 건강음료

[닭의장풀과]

사마귀풀

폐열해천	적백하리	골절
두훈이명, 인후종통	토혈	

● 학명 : *Aneilema keisak* Hassk. [*Murdannia keisak*] ● 별명 : 애기닭의밑씻개, 애기달개비

| 1 | 2 | 3 | 4 | 5 | 6 | 7 | 8 | 9 | 10 | 11 | 12 |

한해살이풀. 높이 10~30cm. 다육질이고 연약하며, 줄기의 밑부분이 갈라져 기면서 마디에서 뿌리를 내리고 녹색이나 홍자색이 돌고 엽초에는 한쪽으로 털이 있다. 잎은 바늘 모양, 길이 2~6cm, 너비 4~8mm이다. 꽃은 8~9월에 잎겨드랑이에서 1개씩 피고, 연한 홍자색이다. 삭과는 타원상 구형, 길이 8~10mm이다.

분포·생육지 우리나라 전역. 중국, 일본, 타이완, 아무르. 습지와 연못가에서 자란다.

약용 부위·수치 전초를 가을에 채취하여 물에 씻은 후 말린다.

약물명 죽엽란(竹葉蘭). 죽엽삼(竹葉參), 수죽삼(水竹參)이라고도 한다.

약효 청열이뇨(淸熱利尿), 소종해독(消腫解毒)의 효능이 있으므로 폐열해천(肺熱咳喘), 적백하리(赤白下痢), 두훈이명(頭暈耳鳴), 인후종통(咽喉腫痛), 골절, 토혈(吐血)을 치료한다.

성분 β-ecdysone, α-deoxy-β-ecdysone,

polypodine B 등이 함유되어 있다.

사용법 죽엽란 10g에 물 3컵(600mL)을 넣고 달여서 복용하고, 외용에는 짓찧어 바른다.

* '닭의장풀속(*Commelina*)'에 비하여 잎겨드랑이와 가지 끝에 꽃이 1개씩 피고 총포가 없으며 꽃잎이 같은 모양이며 수술대 밑부분에 털이 있다.

❍ 죽엽란(竹葉蘭)

❍ 사마귀풀(논 두렁 주변에서 흔하게 자란다.)

❍ 사마귀풀

[닭의장풀과]

닭의장풀

폐열조해	토혈, 혈변, 이질
혈뇨	타박상

● 학명 : *Commelina communis* L. ● 별명 : 달개비

| 1 | 2 | 3 | 4 | 5 | 6 | 7 | 8 | 9 | 10 | 11 | 12 |

한해살이풀. 높이 15~50cm. 줄기의 밑부분이 옆으로 벋고, 잎은 어긋난다. 꽃은 7~8월에 하늘색으로 피고 잎겨드랑이에서 나온 꽃줄기 끝의 포에 싸인다. 포는 넓은 심장형, 겉꽃덮개 3개는 막질이며, 속꽃덮개 3개 중 위쪽의 2개는 둥글고 하늘색이며 다른 1개는 작고 무색이다. 열매는 삭과로 타원상 구형이다.

분포·생육지 우리나라 전역. 중국, 일본, 타이완, 시베리아, 북아메리카. 들이나 마을 근처에서 흔하게 자란다.

약용 부위·수치 전초를 여름철에 꽃이 필 때 채취하여 말린다.

약물명 압척초(鴨跖草). 계설초(鷄舌草), 죽엽초(竹葉草)라고도 한다.

기미·귀경 한(寒), 감(甘), 담(淡)·폐(肺), 위(胃), 방광(膀胱)

약효 청열(淸熱), 지혈(止血), 거어(祛瘀)의 효능이 있으므로 폐열조해(肺熱燥咳), 토혈(吐血), 혈변(血便), 혈뇨(血尿), 이질, 타박상을 치료한다.

성분 commelinin, 1-carbomethoxy-β-

carboline, norharman, harman, (−)-loliolide 등이 함유되어 있다.

약리 물로 달인 액은 이담 작용이 있고, 혈당을 강하시키는 작용이 있다.

사용법 압척초 10g에 물 3컵(600mL)을 넣고 달여서 복용하고, 외용에는 짓찧어 바른다.

* 잎이 좁고 길며 밑의 꽃잎이 푸른색을 띠는 '좀닭의장풀 var. *angustifolia*'도 약효가 같다.

❍ 압척초(鴨跖草)

❍ 좀닭의장풀

❍ 닭의장풀

[닭의장풀과]

나도생강

 소변황적, 열림　　절종, 독충교상

●학명 : *Pollia japonica* Thunb.　●별명 : 개양하, 나도새양

| 1 | 2 | 3 | 4 | 5 | 6 | 7 | 8 | 9 | 10 | 11 | 12 |

여러해살이풀. 높이 40~80cm. 가는 뿌리줄기가 옆으로 벋고, 줄기는 곧게 선다. 잎은 어긋나고 바늘 모양, 꽃차례가 원줄기 끝에서 5~6층으로 돌려나며 각 층에는 5~6개의 포엽이 있다. 꽃은 8~9월에 피며 백색, 꽃잎과 꽃받침은 각각 3개이고 수술은 6개이다. 열매는 둥글고 남자색으로 익으며 지름 5mm 정도, 익어도 3개로 갈라지지 않는다.

분포 · 생육지 우리나라 제주도 및 남쪽 섬. 중국, 일본, 타이완. 숲속이나 골짜기에서 자란다.

약용 부위 · 수치 뿌리줄기 또는 전초를 여름에 채취하여 말린다.

약물명 죽엽련(竹葉蓮). 수파초(水芭蕉)라고도 한다.

약효 청열이뇨(淸熱利尿), 해독소종(解毒消腫)의 효능이 있으므로 소변황적(小便黃赤), 열림(熱淋), 절종(癤腫), 독충에 물린 상처를 치료한다.

사용법 죽엽련 10g에 물 3컵(600mL)을 넣고 달여 복용하고, 요통에는 뿌리줄기 10g을 돼지고기와 쪄서 먹고 뱀에 물렸을 때에는 전초를 짓찧어 환부에 바른다.

＊ 다른 종에 비하여 곧게 자라며 크고, 화서는 고깔형이며 열매는 갈라지지 않는다.

❍ 나도생강

❍ 나도생강(꽃)

❍ 나도생강(열매)

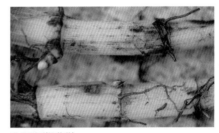
❍ 죽엽련(竹葉蓮)

[닭의장풀과]

자만년청

폐열해천, 객혈　　변혈, 혈리

●학명 : *Rhoeo discolor* (L'Herit.) Hance　●한자명 : 紫萬年靑

| 1 | 2 | 3 | 4 | 5 | 6 | 7 | 8 | 9 | 10 | 11 | 12 |

여러해살이풀. 높이 50cm 정도. 전체가 자주색을 띤다. 뿌리줄기는 굵으며, 잎은 뿌리줄기에서 나오고 긴 타원형, 잎자루가 없다. 꽃은 담자색이다.

분포 · 생육지 열대~아열대 지방. 세계 각처에서 재배한다.

약용 부위 · 수치 전초를 여름에 채취하여 물에 씻은 후 그대로 말리거나 쪄서 말린다.

약물명 방란화(蚌蘭花). 방화(蚌花), 하포란(荷包蘭)이라고도 한다.

약효 청폐화담(淸肺化痰), 양혈지혈(涼血止血), 해독지리(解毒止痢)의 효능이 있으므로 폐열해천(肺熱咳喘), 객혈, 변혈, 혈리(血痢)를 치료한다.

사용법 방란화 15g에 물 3컵(600mL)을 넣고 달여서 복용한다.

❍ 자만년청(꽃)

❍ 자만년청

덩굴닭의장풀

| 감모발열 | 폐로해수 |
| 구갈심번, 인후종통 |

●학명 : *Streptolirion volubile* Edgew. [*S. cordifolium*]　●별명 : 덩굴달개비

| 1 | 2 | 3 | 4 | 5 | 6 | 7 | 8 | 9 | 10 | 11 | 12 |

덩굴성 한해살이풀. 길이 80~100cm. 잎은 어긋나고 심장형, 가장자리는 밋밋하다. 꽃은 백색, 지름 5~6mm로 줄기 끝에 2~3개가 달리고, 꽃잎은 바늘 모양으로 뒤로 구부러진다. 수술은 6개, 수술대에는 꼬불꼬불한 털이 있다.

분포 · 생육지 우리나라 전역. 중국, 일본, 타이완, 아무르, 미얀마. 산속 습지와 연못가에서 자란다.

약용 부위 · 수치 전초를 여름과 가을에 채취하여 물에 씻은 후 말린다.

약물명 죽엽자(竹葉子). 대엽죽채(大葉竹菜)라고도 한다.

약효 청열이수(淸熱利水), 해독화어(解毒化瘀)의 효능이 있으므로 감모발열, 폐로해수(肺癆咳嗽), 구갈심번(口渴心煩), 인후종통(咽喉腫痛)을 치료한다.

사용법 죽엽자 15g에 물 3컵(600mL)을 넣고 달여서 복용한다.

❖ 덩굴닭의장풀

자주닭의장풀

| 종독 | 나력결핵 |
| 임병 |

●학명 : *Tradescantia reflexa* Rafin.　●별명 : 자주닭개비, 양달개비

| 1 | 2 | 3 | 4 | 5 | 6 | 7 | 8 | 9 | 10 | 11 | 12 |

한해살이풀. 높이 40~50cm. 총생한다. 원줄기는 둥글며 푸른빛이 도는 녹색이다. 잎은 어긋나고 봄부터 가지 끝에서 꽃이 핀다. 겉꽃덮개는 3개이며 두껍고 자주색을 띤 녹색이며 속꽃덮개는 3개로 보다 넓고 자주색이다. 수술은 6개로 수술대에 털이 많다.

분포 · 생육지 북아메리카 원산. 우리나라 전역에서 재배한다.

약용 부위 · 수치 전초를 가을에 채취하여 말린다.

약물명 자압척초(紫鴨跖草). 혈견수(血見愁), 압설황(鴨舌黃)이라고도 한다.

기미 · 귀경 양(涼), 담(淡), 감(甘), 유독(有毒) · 심(心), 간(肝), 방광(膀胱)

약효 활혈(活血), 이수(利水), 소종(消腫), 산결(散結), 해독의 효능이 있으므로 종독(腫毒), 나력결핵, 임병(淋病)을 치료한다.

사용법 자압척초 10g에 물 3컵(600mL)을 넣고 달여서 복용하고, 외용에는 짓찧어 바른다.

❖ 자주닭의장풀

[닭의장풀과]

줄무늬자주닭의장풀

수종
이질
소변불리
해수객혈

●학명 : *Zebrina pendula* Schinizl. [*Cyanotis zebrina*] ●별명 : 얼룩자주닭개비

| 1 | 2 | 3 | 4 | 5 | 6 | 7 | 8 | 9 | 10 | 11 | 12 |

여러해살이풀. 높이 1m 정도. 잎은 어긋나고 표면은 녹자색, 가장자리는 은백색으로

잎자루가 없다. 꽃은 여름철에 피고, 겉꽃덮개는 3개이며 백색, 씨방 3실, 수술은 6개

❖ 줄무늬자주닭의장풀

이다. 열매는 삭과이다.

분포·생육지 아메리카, 아시아(중국, 인도 등). 산지, 개울가, 인가 등에서 자란다.

약용 부위·수치 전초를 여름과 가을에 채취하여 물에 씻은 후 썰어서 말린다.

약물명 조죽매(弔竹梅). 수죽초(水竹草), 자배금우(紫背金牛)라고도 한다.

기미·귀경 감(甘), 담(淡), 한(寒)·폐(肺), 대장(大腸), 방광(膀胱)

약효 청열이습(淸熱利濕), 양혈해독(凉血解毒)의 효능이 있으므로 수종(水腫), 이질, 소변불리, 해수객혈(咳嗽咯血)을 치료한다.

성분 zebrinin, monocaffeylzebrinin, β−sitosterol, succinic acid 등이 함유되어 있다.

약리 에탄올추출물을 암을 유발시킨 쥐에게 복강주사하면 항암 작용이 나타난다.

사용법 조죽매 15g에 물 3컵(600mL)을 넣고 달여서 복용한다.

[석송과]

곡정초

목예, 작맹, 치통, 후비, 비출혈
두통

●학명 : *Eriocaulon cinereum* R. Br. ●별명 : 고위깃몸, 별수염풀, 고위까람

| 1 | 2 | 3 | 4 | 5 | 6 | 7 | 8 | 9 | 10 | 11 | 12 |

한해살이풀. 높이 5~15cm. 밑부분의 엽초는 길이 1~3cm, 뿌리잎은 비스듬히 올라가고 좁은 바늘 모양으로 길이 2~8cm, 너비 1~2mm이다. 꽃은 8~9월에 피며 연한 회갈색, 꽃줄기 끝에 지름 4mm 정도의 두상화 1개가 달린다.

분포·생육지 우리나라 전역. 중국, 일본, 타이완, 필리핀. 산에서 자란다.

약용 부위·수치 전초를 가을부터 겨울까지 채취하여 물에 씻어서 말려 사용한다.

약물명 곡정초(穀精草). 대성초(戴星草), 곡정초(穀精草), 곡정(穀精), 진주초(珍珠草)라고도 한다. 대한민국약전외한약(생약)규격집(KHP)에 수재되어 있다.

본초서 곡정초(穀精草)는 송(宋)나라의 「개보본초(開寶本草)」에 곡정초(穀精草)로 수재되었으며 "별명을 대성초(戴星草)라고 하는데 흰꽃이 별과 유사하므로 대성(戴星)이라 한다."고 하였다. 명(明)나라 이시진(李時珍)의 「본초강목(本草綱目)」에는 "논에 자라는 곡물의 정기(精氣)로부터 성장하므로 곡정(穀精)이라 한다."고 하였다. 요즈음은 곡정초(穀精草)라고 하며, 꽃 부분을 곡정주(穀精珠) 또는 곡정자(穀精子)라고 한다. 송(宋)나라 소송(蘇頌)의 「도경본초(圖經本草)」에는

"곡정초(谷精草)는 춘곡물(春穀物)을 경작하는 논에서 자라며 잎, 줄기는 푸르며 뿌리와 꽃은 희다. 2~3월에 채집하여 약용한다."고 하였다. 「동의보감(東醫寶鑑)」에는 "눈병과 목 안이 벌겋게 붓고 아프며 막힌 감이 있는 증상과 치아가 아픈 것을 낫게 하고 여러 가지 피부 질환과 옴을 낫게 한다."고 하였다.

東醫寶鑑: 主眼病 喉痺 治風痛及諸瘡疥

성상 꽃은 지름 4~5mm, 밑부분에는 비늘 같은 황록색 꽃받침들이 치밀하게 배열되어 있으며 광택이 있고, 위쪽의 가장자리에는 백색의 짧은 털이 빽빽이 난다. 꽃대는 황록색으로 긴 것과 짧은 것 등 일정하지 않다. 잎은 황록색이며 끝이 뾰족하다. 냄새가 거의 없으며 맛은 덤덤하다.

기미·귀경 평(平), 신(辛), 감(甘)·간(肝), 위(胃)

❖ 곡정초(穀精草)

약효 거풍산열(祛風散熱), 명목퇴예(明目退翳)의 효능이 있으므로 목예(目翳), 작맹(雀盲), 두통, 치통, 후비(喉痺), 비출혈을 치료한다.

약리 물에 달인 액은 녹농간균, 소아포선균(小芽胞癬菌) 등의 진균의 성장을 억제한다.

사용법 곡정초 10g에 물 3컵(600mL)을 넣고 달여서 복용하고, 외용에는 달인 액으로 씻거나 짓찧어 붙인다.

❖ 곡정초

[벼과]

뚝새풀

🫀 수종   📖 수두

🤱 설사, 황달형간염

● 학명 : *Alopecurus aequalis* Sobolewski   ● 별명 : 둑새풀, 독개풀, 독새풀

| 1 | 2 | 3 | 4 | 5 | 6 | 7 | 8 | 9 | 10 | 11 | 12 |

두해살이풀. 높이 20~40cm. 털이 없다. 잎은 편평하고 길이 4~10cm, 너비 1.5~5mm, 분녹색, 얇은 막질이다. 꽃은 원추화서로 원기둥 모양이며, 소수(小穗)는 길이 2.5mm 정도이다.

분포 · 생육지 우리나라 전역. 중국, 일본, 아무르, 몽골, 시베리아, 인도. 들에서 흔하게 자란다.

약용 부위 · 수치 봄 또는 여름에 전초를 채취하여 썰어서 말린다.

약물명 간맥랑(看麥娘)

약효 청열이습(淸熱利濕), 지사해독(止瀉解毒)의 효능이 있으므로 수종(水腫), 수두(水痘), 설사, 황달형간염을 치료한다.

성분 luteolin, luteolin-7-*O*-β-D-glu-copyranoside, aconitic acid, arthraxin 등이 함유되어 있다.

사용법 간맥랑 20g에 물 3컵(600mL)을 넣고 달여서 복용한다.

❶ 간맥랑(看麥娘)

❶ 뚝새풀

[벼과]

조개풀

🫁 구해기천   🦠 임파결핵   🤱 간염

👁 인후염, 비염   ♀ 유선염   📖 창양개선

● 학명 : *Arthraxon hispidus* (Thunb.) Makino   ● 별명 : 울리, 율미

| 1 | 2 | 3 | 4 | 5 | 6 | 7 | 8 | 9 | 10 | 11 | 12 |

한해살이풀. 줄기는 땅 위를 기면서 마디에서 뿌리를 내고 이것에서 많은 가지가 나와 바로 서며, 높이 20~50cm이다. 잎은 타원형, 가장자리는 털이 있으며 물결 모양을 이룬다. 꽃은 8~9월에 피고, 수상화서는 길이 3~5cm이며 손바닥처럼 갈라져 녹색~흑갈색의 소수(小穗)가 2열로 배열한다.

분포 · 생육지 우리나라 전역. 중국, 일본, 아무르, 몽골, 시베리아, 인도. 산과 들에서 흔하게 자란다.

약용 부위 · 수치 여름에 전초를 채취하여 썰어서 말린다.

약물명 진초(藎草). 황초(黃草)라고도 한다.

약효 지해정천(止咳定喘), 해독살충(解毒殺蟲)의 효능이 있으므로 구해기천(久咳氣喘), 간염, 인후염, 비염, 임파결핵(淋巴結核), 유선염, 창양개선(瘡瘍疥癬)을 치료한다.

성분 luteolin, luteolin-7-*O*-β-D-gluco-pyranoside, aconitic acid, arthraxin 등이 함유되어 있다.

사용법 진초 15g에 물 3컵(600mL)을 넣고 달여서 복용하고, 외용에는 물에 달인 액을 바른다.

❶ 조개풀

❶ 진초(藎草)

[벼과]

해장죽

열병번갈　실면　소변단적
구창, 목통　탕화상

● 학명 : *Arundinaria simonii* (Carr.) A. C. Riviere [*Pleioblastus simonii* (Carr.) Nakai]
● 한자명 : 海藏竹　● 별명 : 여죽, 고죽

1 2 3 4 5 6 7 8 9 10 11 12

여러해살이 식물. 줄기는 옆으로 벋는 땅속줄기에서 나와 바로 서며 높이 3~5m, 지름 1~3cm이며, 줄기를 감싸는 엽초는 숙존성이며 마디에서 3~10개의 가지가 나온다. 잎은 작은가지 끝에 3~6개씩 나오고 긴 타원형, 길이 10~30cm, 너비 2~3.5cm, 가장자리에 톱니가 있다. 꽃은 5월에 잎겨드랑이에 많이 속생하며, 화서는 길이 3~10cm이고 4~10개의 꽃이 달린다.

❖ 해장죽

분포 · 생육지 중국 원산. 우리나라 남부 지방에서 재식한다.
약용 부위 · 수치 잎을 여름에 채취하여 말린다.
약물명 고죽엽(苦竹葉)
본초서 「개보본초(開寶本草)」나 「본초강목(本草綱目)」에 의하면 "이 대나무의 죽순은 맛이 쓰고 작아서 사람이 먹을 수 없으므로 고죽(苦竹)이라 한다."고 하였다.
기미 · 귀경 한(寒), 고(苦) · 심(心), 간(肝)
약효 청심(淸心), 이뇨명목(利尿明目), 해독의 효능이 있으므로 열병번갈(熱病煩渴), 실면(失眠), 소변단적(小便短赤), 구창(口瘡), 목통(目痛), 실음(失音), 탕화상(燙火傷)을 치료한다.
사용법 고죽엽 10g에 물 3컵(600mL)을 넣고 달여서 복용하거나 술에 담가서 복용한다. 외용에는 가루로 만들어 상처에 뿌린다.
* 중국에서는 'P. amarus [A. amarus]'의 잎을 고죽엽(苦竹葉)이라 하며, 약효는 같다.

❖ 고죽엽(苦竹葉)

[벼과]

물대

열병번갈　허로골증
소변단적

● 학명 : *Arundo donax* L.　● 별명 : 왕갈대, 옹진갈

1 2 3 4 5 6 7 8 9 10 11 12

여러해살이풀. 줄기는 옆으로 벋는 땅속줄기에서 나와 바로 서며, 높이 3~6m, 뿌리줄기는 굵고 짧다. 잎은 마주나고 길이 50~70cm, 지름 1~3cm, 엽설은 길이 1~2mm이다. 원추화서는 길이 30~50cm이다.
분포 · 생육지 지중해, 인도, 중국(남부) 원산. 우리나라 남부 지방에서 재배한다.
약용 부위 · 수치 뿌리줄기를 채취하여 잔뿌리는 제거하고 물에 씻은 후 썰어서 말린다.
약물명 노죽근(蘆竹根). 노적두(蘆荻頭), 누제간(樓梯杆)이라고도 한다.
약효 청열사화(淸熱瀉火), 생진제번(生津除煩)의 효능이 있으므로 열병번갈(熱病煩渴), 허로골증(虛勞骨蒸), 소변단적(小便短赤)을 치료한다.
성분 5-methoxy-*N*-methyltrytamine, *N*,*N*-dimethyltrytamine, bufotenine, dehydrobufotenine, bufotenidine 등이 함유되어 있다.
약리 에탄올추출물은 동물 실험에서 혈압을 내린다.

사용법 노죽근 15g에 물 3컵(600mL)을 넣고 달여서 복용하거나, 술에 담가서 복용한다.

❖ 노죽근(蘆竹根)이 배합된 혈중 콜레스테롤 저하제

❖ 물대

[벼과]

메귀리

 토혈, 변혈　　혈붕, 백대
도한

● 학명 : *Avena fatua* L.　● 영명 : Wild Oat　● 별명 : 귀보리

| 1 | 2 | 3 | 4 | 5 | 6 | 7 | 8 | 9 | 10 | 11 | 12 |

한해살이풀. 높이 60~120cm. 마디가 2~4개. 잎몸은 납작하고 까칠까칠하다. 원추화서는 드문드문 달리고 소수(小穗)는 낱꽃이 3개, 제1호영은 9맥, 제2호영은 11맥이다.
분포 · 생육지 우리나라 경기도 이남. 유럽, 서아시아, 북아프리카. 경작지나 들에서 자란다.
약용 부위 · 수치 전초를 여름에 채취하여 썰어서 말린다.
약물명 연맥초(燕麥草), 오맥(烏麥), 야맥초(野麥草)라고도 한다.
약효 수렴지혈(收斂止血), 고표지한(固表止汗)의 효능이 있으므로 토혈(吐血), 변혈(便血), 혈붕(血崩), 도한(盜汗), 백대(白帶)를 치료한다.
사용법 연맥초 15g에 물 3컵(600mL)을 넣고 달여서 복용하거나 가루 내어 5g씩 복용한다.

◐ 메귀리(열매)

◐ 메귀리

[벼과]

귀리

당뇨병　　관절염, 류머티즘
소변불리

● 학명 : *Avena sativa* L.　● 영명 : Oat　● 별명 : 귀밀

| 1 | 2 | 3 | 4 | 5 | 6 | 7 | 8 | 9 | 10 | 11 | 12 |

두해살이풀. 높이 1m 정도. 잎은 길이 15~30cm, 엽초가 길다. 엽설은 짧고 잘게 갈라지고 가지는 돌려난다. 꽃은 5~6월에 원추화서로 핀다.
분포 · 생육지 유럽, 서아시아 원산. 세계 각처에서 재배한다.
약용 부위 · 수치 열매를 가을에 채취하여 껍질을 벗기고 알곡을 사용한다.
약물명 Avenae Sativae Fructus
약효 당뇨병, 관절염, 류머티즘, 소변불리를 치료한다.
사용법 Avenae Sativae Fructus 15g에 물 3컵(600mL)을 넣고 달여서 복용하거나 가루 내어 5g씩 복용한다.

◐ Avenae Sativae Fructus

◐ 귀리(열매)

◐ 귀리

[벼과]

청피죽

 열병번갈　 실면　소변단적
구창, 목통　　탕화상

● 학명 : *Bambusa textilis* McClure　● 한자명 : 靑皮竹

| 1 | 2 | 3 | 4 | 5 | 6 | 7 | 8 | 9 | 10 | 11 | 12 |

여러해살이 식물. 줄기는 옆으로 벋는 땅속줄기에서 조밀하게 나와 바로 서며, 높이 8~10m. 마디와 마디 사이는 길이 40~70cm, 녹색. 처음에는 백색 가루와 털이 있으나 점차 사라지고, 줄기의 마디에 있는 엽초도 서서히 탈락한다. 잎은 긴 타원형이고 길이 10~17cm, 너비 1~2cm로 가장자리에 날카로운 털이 있다.
분포 · 생육지 중국 윈난성(雲南省), 쓰촨성(四川省). 산지나 마을 근처에서 자란다.
약용 부위 · 수치 줄기의 마디 사이에서 병적으로 생긴 액이 점차 굳어져 만들어진 괴상 물질을 채취한다. 요즘은 대나무를 불에 태워 흘러나오는 액즙을 죽력(竹瀝)이라 하며,

응고시켜 만든다.

약물명 굳어져 만들어진 괴상 물질을 천죽황(天竹黃)이라 하며, 죽황(竹黃), 천축황(天竺黃), 죽고(竹膏), 죽당(竹糖)이라고도 한다. 대한민국약전외한약(생약)규격집(KHP)에 수재되어 있다.

❍ 청피죽

❍ 천죽황(天竹黃, 가공품)

❍ 천죽황(天竹黃, 천연산)

본초서 「개보본초(開寶本草)」에 죽황(竹黃)이라는 이름으로 처음 수재되어 "천죽황(天竹黃)은 천축국(天竺國)에서 많이 생산된다. 지금은 대나무에서 이것을 얻지만, 일반적으로 동물의 뼈를 태우든지 갈분(葛粉) 등을 혼합한다."고 기록되어 있다. 구종석(寇宗奭)은 "천죽황(天竹黃)은 심경(心經)을 식히며 풍열(風熱)을 제거한다. 그 약성이 부드러우므로 어린아이의 약으로 사용하는 것이 좋다."고 하였다.

성상 천죽황(天竹黃)은 불규칙한 덩어리이거나 작은 알갱이로 지름 0.5~1cm이며, 표면은 담황색~회황색이고 광택이 난다. 부스러지기 쉬우며 부서진 면은 평탄하고 광택이 나며 혀에 갖다 대면 달라붙고 맛은 약간 달다.

기미·귀경 감(甘), 한(寒)·심(心), 간(肝), 담(膽).

약효 청열화담(淸熱化痰), 양심정경(凉心定驚)의 효능이 있으므로 열병번갈(熱病煩渴), 실면(失眠), 소변단적(小便短赤), 구창(口瘡), 목통(目痛), 실음(失音), 탕화상(漫火傷)을 치료한다.

성분 KOH 1.1%, Si 90.5%, alumina 0.9%, 산화제이철 0.1% 등이 함유되어 있다.

사용법 천죽황 7g에 물 3컵(600mL)을 넣고 달여서 복용하거나 가루로 만들어서 0.6~1g을 복용한다. 외용에는 가루로 만들어 상처에 뿌린다.

처방 포룡환(抱龍丸): 우담남성(牛膽南星) 40g, 천죽황(天竹黃) 20g, 석웅황(石雄黃)·주사(朱砂) 각 10g, 사향(麝香) 4g 「동의보감(東醫寶鑑)」. 담열(膽熱)로 생긴 경풍 때, 열이 나고 자주 경련이 나며 숨소리가 고르지 못하고 정신이 흐린 증상에 사용한다.

[벼과]

청간죽

⟨아이콘⟩ 번열구토, 토혈　⟨아이콘⟩ 담열해천

● 학명 : *Bambusa tuldoides* Munro　● 한자명 : 靑竿竹

| 1 | 2 | 3 | 4 | 5 | 6 | 7 | 8 | 9 | 10 | 11 | 12 |

여러해살이 식물. 줄기는 옆으로 벋는 땅속줄기에서 조밀하게 나와 바로 서며, 높이 10~15m, 지름 6cm에 이른다. 마디와 마디 사이는 녹색이고 원형이고 털이 없다.

분포·생육지 중국 광둥성(廣東省), 광시성(廣西省). 산지나 마을 근처에서 자란다.

약용 부위·수치 봄과 여름에 줄기의 겉껍질을 갉아 없애고 그 안의 흰 부분을 채취하여 말린다. 대나무를 불에 태워 흘러나오는 액즙을 죽력(竹瀝)이라 하며, 응고시켜 만든다.

약물명 죽여(竹茹)

기미·귀경 양(涼), 감(甘)·위(胃), 담(膽).

약효 죽여(竹茹)는 청열(淸熱), 양혈(涼血), 화담(化痰), 지구(止嘔)의 효능이 있으므로 번열구토(煩熱嘔吐), 담열해천(痰熱咳喘), 토혈(吐血)을 치료한다.

성분 죽여(竹茹)는 2,5-dimethoxy-*p*-benzoquinone, *p*-hydroxybenzaldehyde, syringaldehyde, coniferylaldehyde, 1,4-benzenedicarboxylic acid 2′-hydroxyethyl methyl ester 등이 함유되어 있다. 죽력(竹瀝)은 aspartic acid, methionine, serine, proline, cystine, phenylalanine, histidine, arginine, sucrose 등이 함유되어 있다.

약리 죽여(竹茹)의 열수추출물은 포도상구균, 고초간균, 대장간균 등에 항균 작용이 있다. 줄기의 메탄올추출물은 amyloid β protein(25~35)으로 손상되는 뇌신경 세포에 보호 작용이 있다. 줄기의 열수추출물은 DPPH radical 소거 작용과 xanthine oxidase에 의한 superoxide 소거 작용뿐만 아니라 Raw 264.7 세포에서 silica에 의해 생성된 세포 내 ROS 생성을 유의하게 억제함으로써 항산화 작용이 있다. 열수추출액은 tyrosinase의 활성을 직접적으로 억제하는 것으로 보아 미백 효과가 있다.

사용법 죽여는 10g에 물 3컵(600mL)을 넣고 달여서 복용하고, 죽력은 1회 40~50mL를 복용한다.

* 죽여(竹茹)의 기원 식물은 본 종과 '솜대나무'이다.

❍ 죽여(竹茹)

❍ 청간죽

[벼과]

참새귀리

 한출부지　　♀ 난산

●학명 : *Bromus japonicus* Thunb.

| 1 | 2 | 3 | 4 | 5 | 6 | 7 | 8 | 9 | 10 | 11 | 12 |

한해살이풀. 높이 40~70cm. 털이 많다. 잎은 편평하고 길이 15~30cm, 엽설은 반원형이다. 꽃은 6~7월에 원추화서로 달리고 화서의 길이 10~25cm, 소수(小穗)는 6~10개의 꽃이 들어 있고 담녹색이다.

분포·생육지 우리나라 전역. 중국, 일본, 중앙아시아, 북아프리카, 유럽. 들, 경작지, 양지쪽 빈터에서 자란다.

약용 부위·수치 지상부를 여름과 가을에 채취하여 적당한 크기로 썰어서 말린다.

약물명 작맥(雀麥). 작맥(爵麥), 연맥(燕麥)이라고도 한다.

본초서 「동의보감(東醫寶鑑)」에 "아이 낳는 것이 순조롭지 못할 때 물에 달여서 그 물을 마시면 효과를 본다."고 하였다.

東醫寶鑑: 主難産 煮汁服.

약효 지한(止汗), 최산(催産)의 효능이 있으므로 한출부지(汗出不止), 난산(難産)을 치료한다.

성분 luteolin, caffeic acid, luteolin-7-*O*-β-D-glucopyranoside, quercetin-3-*O*-β-D-galactopyranoside, luteolin-4′-*O*-β-D-glucopyranoside 등이 함유되어 있다.

사용법 작맥 15~30g에 물 3컵(600mL)을 넣고 달여서 복용한다.

○ 작맥(雀麥)

○ 참새귀리

[벼과]

염주

 설사, 장옹, 황달, 회충병　　습비, 관절염, 각기
열림, 석림　　수종　♀ 백대과다

●학명 : *Coix lacryma-jobi* L.　　●한자명 : 念珠

| 1 | 2 | 3 | 4 | 5 | 6 | 7 | 8 | 9 | 10 | 11 | 12 |

여러해살이풀. 높이 1m 정도. 줄기는 곧게 서고, 잎은 어긋나고 길이 30~60cm, 너비 2~4cm이다. 꽃은 7월에 피고 잎겨드랑이에서 길고 짧은 몇 개의 꽃이삭이 나온다. 열매는 구형으로 지름 9mm 정도, 녹색에서 흑색으로 되었다가 회백색으로 변한다. '율무'에 비하여 열매가 크고 둥글며 껍질이 부드럽다.

분포·생육지 열대 아시아 원산. 우리나라 전역에서 재배한다.

약용 부위·수치 가을에 열매가 익었을 때 채취하여 말린 뒤 껍질과 겉껍데기를 제거한 속씨를 약용으로 한다. 초의이인(炒薏苡仁)은 냄비에 넣고 살짝 볶은 것을 말한다. 뿌리는 가을에 채취하여 물에 씻은 후 썰어서 말린다.

＊약효와 사용법은 '율무'와 같다.

○ 염주(열매)

○ 염주

[벼과]

율무

설사, 장옹, 황달, 회충병	습비, 관절염, 각기
열림, 석림	수종	백대과다

●학명 : *Coix lacryma-jobi* L. var. *mayuen* (Roman.) Stapf ●영명 : Job's tear
●별명 : 울리, 율미

1	2	3	4	5	6	7	8	9	10	11	12

한해살이풀. 높이 1~1.5m. 잎은 어긋난다. 꽃이 7월에 잎겨드랑이에서 길고 짧은 몇 개의 꽃이삭이 나오며, 밑부분의 암꽃이삭은 딱딱한 엽초로 싸이고 3개의 암꽃이 들어 있으나 1개만 익는다. 2개의 암술대는 길게 포 밖으로 나온다. 수꽃차례는 암꽃이삭을 뚫고 위로 나와 길이 3cm 정도 자라며, 열매는 달걀 모양이다.

분포 · 생육지 중국 원산. 우리나라 전역에서 재배한다.

약용 부위 · 수치 가을에 열매가 익었을 때 채취하여 말린 뒤 껍질과 겉껍데기를 제거한 속씨를 약용으로 한다. 초의이인(炒薏苡仁)은 냄비에 넣고 살짝 볶은 것을 말한다. 뿌리는 가을에 채취하여 물에 씻은 후 썰어서 말린다.

약물명 껍질과 겉껍데기를 제거한 속씨를 의이인(薏苡仁)이라 하며, 의이(薏苡), 의미(薏米)라고도 하는데 연자(蓮子)와 닮은 쌀이라는 뜻에서 유래한다. 뿌리를 의이근(薏苡根)이라 하며, 오곡근(五谷根)이라고도 한다. 의이인(薏苡仁)은 대한민국약전외한약(생약)규격집(KHP)에 수재되어 있다.

본초서 의이인(薏苡仁)은 「신농본초경(神農本草經)」의 상품(上品)에 수재되어 있으며, 근육의 경련으로 몸을 잘 움직이지 못하는 습비(濕痺)를 치료하며, 기(氣)를 내리게 한다고 하였다. 쓰촨성(四川省)에서 생산되는 의이인을 천곡(川穀)이라 하며, 「구황본초(救荒本草)」에 수재되어 있다. 「동의보감(東醫寶鑑)」에는 의이인(薏苡仁)은 "폐열로 진액이 소모되어 피모가 거칠고 위축되며 기침하고 숨이 차는 증상과 폐의 기능을 도와 피고름을 토하고 기침을 멎게 한다. 팔다리를 잘 쓰지 못하며 저리고 아픈 것, 다리에 힘이 없고 점차 다리의 피부가 마르고 살이 여위며 마비감이 있고 저린 증상, 다리의 힘줄과 핏줄이 이완되고 붓는 증상을 낫게 한다."고 하였다.
神農本草經: 主筋急拘攣, 不可屈伸, 風濕痺, 下氣, 久服輕身益氣.
名醫別錄: 除筋骨邪氣不仁, 利腸胃, 消水腫, 令人能食.
本草綱目: 健脾益胃, 補肺淸熱, 去風勝濕, 飮飯食, 治冷氣, 煎飮, 利小便熱淋.
東醫寶鑑: 主肺痿肺氣吐膿血 咳逆 又主風濕痺 筋脈攣急 乾濕脚氣.

기미 · 귀경 의이인(薏苡仁): 미한(微寒), 감(甘), 담(淡) · 비(脾), 위(胃), 폐(肺). 의이근(薏苡根): 미한(微寒), 고(苦), 감(甘).

약효 의이인(薏苡仁)은 건비보폐(健脾補肺), 이습(利濕), 청열(淸熱), 배농(排膿)의 효능이 있으므로 설사, 장옹(腸癰), 습비(濕脾), 관절염, 각기를 치료한다. 의이근(薏苡根)은 청열통림(淸熱通淋), 이습살충(利濕殺蟲)의 효능이 있으므로 열림(熱淋), 석림(石淋), 황달, 수종(水腫), 백대과다(白帶過多), 각기, 풍습비통(風濕痺痛), 회충병을 치료한다.

성분 의이인(薏苡仁)은 coixol, coixenolide, *cis*-feruroylstigmasterol, *trans*-feruroylstigmasterol, *cis*-feruroylcampesterol, *trans*-feruroylcampesterol, vanillin, coixan A, B, C 등이 함유되어 있다. 의이근(薏苡根)은 4-ketopinoresinol, syringylglycerol, coixan A, B, C 등이 함유되어 있다.

약리 coixol, coixenolide는 쥐의 Ehrlich 복수암에 대하여 생명 연장 효과가 있고, 또 토끼에게 정맥주사하면 호흡 흥분, 혈압 하강, 장관의 운동이 억제된다.

사용법 의이인은 15~30g에 물 4컵(800mL)을 넣고 달여서 복용하거나, 술에 담가서 또는 죽으로 만들거나 가루로 만들어 복용한다. 의이근은 15~30g에 물 4컵(800mL)을 넣고 달여서 복용하고, 외용에는 달인 액으로 바른다.

처방 의이인탕(薏苡仁湯): 의이인(薏苡仁) · 방기(防己) · 적소두(赤小豆) · 구감초(炙甘草) 각 6g 「동의보감(東醫寶鑑)」. 풍사(風邪)로 비(脾)가 상하여 입술이 붓고 아프면서 허는 증상에 사용한다.

• 위경탕(葦莖湯): 위경(葦莖) · 의이인(薏苡仁) · 방기(防己) · 적소두(赤小豆) · 구감초(炙甘草) 각 6g 「천금방(千金方)」. 풍사(風邪)로 비(脾)가 상하여 입술이 붓고 아프면서 허는 증상에 사용한다.

❍ 율무

❍ 의이인(薏苡仁)

❍ 의이근(薏苡根)

❍ 의이인(薏苡仁)과 원형(原形)

[벼과]

향모초

감모두신동통   풍한습비
완복동통, 설사

●학명 : *Cymbopogon citratus* (DC) Stapf   ●영명 : Lemongrass
●한자명 : 香茅草

| 1 | 2 | 3 | 4 | 5 | 6 | 7 | 8 | 9 | 10 | 11 | 12 |

여러해살이풀. 높이 2m 정도. 전체에서 레몬 향기가 난다. 뿌리줄기에 가는 뿌리가 많이 붙어 있다. 잎은 긴 것은 길이 1m, 너비 1.5cm 정도, 열매는 까락이 없고 암자색으로 성숙한다.

분포 · 생육지 인도, 인도네시아, 중국, 필리핀. 산이나 들의 풀밭에서 자란다.
약용 부위 · 수치 전초를 여름에 채취하여 물에 씻은 후 그대로 또는 썰어서 말린다.
약물명 향모초(香茅草)

약효 거풍통락(祛風通絡), 온중지통(溫中止痛), 지사(止瀉)의 효능이 있으므로 감모두신동통(感冒頭身疼痛), 풍한습비(風寒濕痹), 완복동통(脘腹疼痛), 설사를 치료한다.
성분 cymbopogne, cymbopogonol, luteolin-C-glucoside, luteolin-O-β-glucoside 등이 함유되어 있다.
약리 동물 실험에서 항염 작용과 혈압 강하 작용이 나타난다.
사용법 향모초 15g에 물 3컵(600mL)을 넣고 달여서 복용한다.

♦ 향모초

♦ 향모초(香茅草)

♦ 향모초(꽃)

♦ 향모초(香茅草)에서 분리한 정유

[벼과]

개솔새

풍열감모   흉복창만, 완복동통

●학명 : *Cymbopogon tortilis* (Presel) Hitchcock var. *goeringii* (Steud.) Handel-Mazzetti
●별명 : 향솔새

| 1 | 2 | 3 | 4 | 5 | 6 | 7 | 8 | 9 | 10 | 11 | 12 |

여러해살이풀. 높이 50~100cm. 땅속줄기는 짧고, 줄기는 빽빽이 난다. 꽃차례는 2개의 수상화서 모양의 총상화서가 배 모양의 엽초에 싸이고 소수(小穗)는 3~5쌍, 자루가 없는 소수(小穗)는 길이 5~6mm로 완전화이다.

분포 · 생육지 우리나라를 비롯하여 중국, 타이완, 일본, 인도차이나, 필리핀. 산이나 들의 풀밭에서 자란다.
약용 부위 · 수치 전초를 여름과 가을에 채취하여 물에 씻은 후 썰어서 말린다.
약물명 뉴초향모(扭鞘香茅)
약효 소산풍열(疏散風熱), 행기화위(行氣和胃)의 효능이 있으므로 풍열감모(風熱感冒), 흉복창만(胸腹脹滿), 완복동통(脘腹疼痛)을 치료한다.
사용법 뉴초향모 10g에 물 3컵(600mL)을 넣고 달여서 복용한다.

♦ 뉴초향모(扭鞘香茅)

♦ 개솔새

[벼과]

우산잔디

 풍습비통, 반신불수　 노상토혈, 변혈

● 구아근(狗牙根)

● 우산잔디(꽃)

● 학명 : *Cynodon dactylon* (L.) Persoon　● 영명 : Bermuda

| 1 | 2 | 3 | 4 | 5 | 6 | 7 | 8 | 9 | 10 | 11 | 12 |

여러해살이풀. 높이 20cm 정도. 뿌리줄기는 비늘조각으로 덮여 있고 납작한 기는줄기로 퍼져 나간다. 꽃은 수상화서로 3∼6개의 가지가 손바닥 모양으로 배열한다.

분포 · 생육지 우리나라를 비롯하여 중국, 타이완, 일본, 사할린, 동시베리아. 바닷가에서 자란다.

약용 부위 · 수치 뿌리줄기를 여름과 가을에 채취하여 물에 씻어서 절단하여 말린다.

약물명 구아근(狗牙根). 철선초(鐵線草), 반근초(絆根草)라고도 한다.

약효 거풍활락(祛風活絡), 양혈지혈(涼血止血), 해독의 효능이 있으므로 풍습비통(風濕痺痛), 반신불수, 노상토혈(勞傷吐血), 변혈(便血)을 치료한다.

사용법 구아근 30g에 물 4컵(800mL)을 넣고 달여서 복용하거나 술에 담가서 복용한다.

● 우산잔디

[벼과]

마죽

 번조불면

● 마죽(줄기의 횡단면)

● 학명 : *Dendrocalamus latiflorus* Munro　● 한자명 : 馬竹　● 별명 : 마추대나무

| 1 | 2 | 3 | 4 | 5 | 6 | 7 | 8 | 9 | 10 | 11 | 12 |

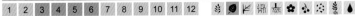

여러해살이 식물. 줄기는 조밀하게 모여나고 바로 서며 높이 25m 정도. 잎은 긴 타원형으로 표면은 털이 없으나 뒷면은 부드러운 털이 있다. 이엽(耳葉)은 없고, 엽설은 재형(裁形)이다. 꽃은 원추화서로 작은 꽃이 달리며, 영편(穎片)은 달걀 모양이다.

분포 · 생육지 인도, 중국, 타이완. 산지나 들에서 자란다.

약용 부위 · 수치 잎을 봄과 초여름에 채취하여 물에 씻어서 말린다.

약물명 첨죽(甛竹)

약효 청열(清熱), 제번(除煩), 지구(止嘔)의 효능이 있으므로 번조불면(煩燥不眠)을 치료한다.

사용법 첨죽 10g에 물 3컵(600mL)을 넣고 달여서 복용한다.

● 마죽

껍질용수염

🌡 비한증

●학명 : *Diarrhena mandshurica* Maxim. ●별명 : 만주용수염풀, 껍질용수염풀

| 1 | 2 | 3 | 4 | 5 | 6 | 7 | 8 | 9 | 10 | 11 | 12 |

여러해살이풀. 높이 50~90cm. 줄기는 곧게 서고, 잎은 선형, 길이 25cm, 너비 1.7cm 정도, 엽초는 길이 0.8mm로 톱니 모양이다. 소수(小穗)는 길이 7~9mm, 제1호영은 길이 2mm 정도, 1맥, 맥과 가장자리가 꺼칠꺼칠하고, 제2호영은 길이 2~2.5mm, 1맥이다.

분포·생육지 우리나라. 중국, 다이완, 일본, 사할린, 동시베리아. 숲속에서 자란다.

약용 부위·수치 전초를 봄부터 가을까지 채취하여 물에 씻어서 썰어 말린다.

약물명 용상초(龍常草), 종심초(棕心草)라고도 한다.

약효 경신(輕身), 익음기(益陰氣)의 효능이 있으므로 비한증(痺寒症)을 치료한다.

사용법 용상초 10g에 물 3컵(600mL)을 넣고 달여서 복용한다.

＊'용수염풀 *D. japonica*'에 비하여 영과(穎果)가 밖으로 나오지 않는다.

❍ 껍질용수염

바랭이

🤰 소화불량   👁 안질

●학명 : *Digitaria sanguinalis* (L.) Scop. [*D. ciliaris*] ●별명 : 바랑이, 털바랭이

| 1 | 2 | 3 | 4 | 5 | 6 | 7 | 8 | 9 | 10 | 11 | 12 |

❍ 마당(馬唐)

한해살이풀. 높이 30~90cm. 줄기 밑부분이 옆으로 기며 가지가 줄기 밑에서 퍼진다. 잎몸은 얇고 엽초에 긴 털이 난다. 꽃은 총상화서로 길이 10~20cm, 줄기 끝에 손바닥 모양으로 달린다.

분포·생육지 우리나라. 중국, 타이완, 일본, 사할린, 동시베리아. 저지대, 경작지, 황무지에서 흔하게 자란다.

약용 부위·수치 전초를 봄부터 가을까지 채취하여 물에 씻어서 썰어서 말린다.

약물명 마당(馬唐). 양마(羊麻), 양율(羊栗)이라고도 한다.

약효 조중(調中), 명이목(明耳目)의 효능이 있으므로 소화불량, 안질을 치료한다.

사용법 마당 10g에 물 3컵(600mL)을 넣고 달여서 복용한다.

❍ 바랭이

[벼과]

돌피

 금창, 외상출혈　　허약 체질

● 학명 : *Echinochloa crusgalli* (L.) Beauvois　● 별명 : 참피, 남돌피

| 1 | 2 | 3 | 4 | 5 | 6 | 7 | 8 | 9 | 10 | 11 | 12 |

한해살이풀. 높이 1m 정도. 줄기는 모여나며, 잎은 편평하고 길이 30~50cm, 엽초는 밑부분의 것은 적자색이 돌고 엽설은 없다. 꽃차례는 많은 가지에 작은 이삭이 원추화서로 달리고 길이 10~25cm, 가지는 위로 갈수록 짧아진다.

분포 · 생육지 우리나라. 중국, 타이완, 일본 등 아시아, 아프리카. 논이나 습지에서 자란다.

약용 부위 · 수치 뿌리 또는 어린 싹을 채취하여 물에 씻은 후 짓찧어 사용한다. 가을에 열매를 채취하여 껍질을 벗긴 종자를 말린다.

약물명 뿌리를 패근묘(稗根苗), 종자를 패미(稗米)라 하며, 패자미(稗子米)라고도 한다.

본초서 「동의보감(東醫寶鑑)」에 패미(稗米)는 "열을 다스리고 기운을 보하여 몸이 허약한 것을 낫게 한다."고 하였다.
東醫寶鑑: 稗子米 治熱 益氣 補不足.

약효 패근묘(稗根苗)는 지혈생기(止血生肌)의 효능이 있으므로 금창(金瘡), 외상출혈을 치료한다. 패미(稗米)는 치열익기(治熱益氣)의 효능이 있으므로 허약 체질을 치료한다.

성분 패근묘(稗根苗)는 *p*-coumaric acid, 4-hydroxybenzoic acid, 4-hydroxybenzaldehyde, vanillic acid, luteolin, acacetin, tricin 등이 함유되어 있다.

약리 *p*-coumaric acid, 4-hydroxybenzoic acid, 4-hydroxybenzaldehyde, vanillic acid는 NO 생성을 억제한다.

사용법 패근묘는 외용으로 사용하며 적당량을 짓찧어서 또는 가루로 만들어 환부에 붙인다. 패미는 밥을 지어 먹는다.
＊ 화축에 털이 있는 '피 var. *frumentacea*'도 약효가 같다.

❶ 돌피

❶ 피

❶ 패근묘(稗根苗)

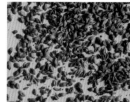
❶ 패미(稗米)

[벼과]

왕바랭이

상서발열　　황달, 변혈

● 학명 : *Eleusine indica* (L.) Gaertner　● 별명 : 왕바랑이

| 1 | 2 | 3 | 4 | 5 | 6 | 7 | 8 | 9 | 10 | 11 | 12 |

한해살이풀. 높이 30~50cm. 줄기는 빽빽이 나며 밑부분에서 가지가 나오고 납작하다. 잎몸은 납작하거나 접히고, 엽설은 길이 0.5mm 정도로 흑갈색이다. 꽃차례는 줄기 끝에서 2~7개의 가지가 손바닥 모양으로 배열하고, 소수(小穗)는 낱꽃이 4~6개이다.

분포 · 생육지 우리나라. 중국, 타이완, 일본, 우수리, 몽골. 길가나 들에서 자란다.

약용 부위 · 수치 전초를 봄부터 가을까지 채취하여 물에 씻어서 썰어서 말린다.

약물명 우근초(牛筋草). 천금초(千金草), 천천답(千千踏)이라고도 한다.

약효 청열이습(淸熱利濕), 양혈해독(凉血解毒)의 효능이 있으므로 상서발열(傷暑發熱), 황달, 변혈(便血)을 치료한다.

성분 isoorientin, lutolin-7-rutinoside, lutolin-7-glucoside, tricin 등이 함유되어 있다.

사용법 우근초 10g에 물 3컵(600mL)을 넣고 달여서 복용한다.

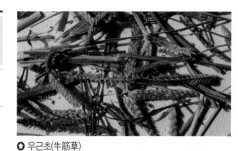
❶ 우근초(牛筋草)

❶ 왕바랭이

[벼과]

그령

 타박상   근골동통

● 학명 : *Eragrostis ferruginea* (Thunb.) Beauvois ● 별명 : 암크령, 암그령

| 1 | 2 | 3 | 4 | 5 | 6 | 7 | 8 | 9 | 10 | 11 | 12 |

여러해살이풀. 높이 30~80cm. 줄기는 조밀하게 난다. 꽃은 수상화서로 성글게 퍼지고, 소수(小穗)는 낱꽃이 5~9개, 호영은 서로 비슷하고 1맥, 제1호영은 길이 1.5~2mm, 제2호영은 길이 2~2.5mm이다.

분포 · 생육지 우리나라를 비롯하여 중국, 타이완, 일본, 히말라야. 산기슭의 길가나 풀밭에서 자란다.

약용 부위 · 수치 뿌리를 수시로 채취하여 물에 씻은 후 썰어서 말린다.

약물명 지풍초(地風草). 정교금(程咬金)이라고도 한다.

약효 서근산어(舒筋散瘀)의 효능이 있으므로 타박상, 근골동통(筋骨疼痛)을 치료한다.

사용법 지풍초 10g에 물 3컵(600mL)을 넣고 달여서 복용한다.

✿ 그령

[벼과]

향모

 토혈   혈뇨, 신염부종, 열림

● 학명 : *Hierochloe odorata* (L.) Beauvois ● 별명 : 참기름새, 향기름새, 털향모

| 1 | 2 | 3 | 4 | 5 | 6 | 7 | 8 | 9 | 10 | 11 | 12 |

여러해살이풀. 높이 20~40cm. 향기가 좋고 땅속줄기는 길다. 뿌리잎은 길이 7~15cm, 줄기잎은 짧고 길이 5cm 정도, 너비 3~5mm이다. 소수(小穗)는 길이 5~6mm로 수꽃의 외영에는 까락이 없고, 결실성 외영은 부드러운 털이 있다.

분포 · 생육지 우리나라를 비롯하여 중국, 타이완, 일본, 사할린, 동시베리아. 언덕이나 산 중턱 습지에서 자란다.

약용 부위 · 수치 뿌리를 봄과 가을에 채취하여 물에 씻은 후 썰어서 말리고, 꽃차례는 6~7월에 꽃이 필 때 채취하여 말린다.

약물명 뿌리를 모향근(茅香根), 꽃차례를 모향화(茅香花)라 한다.

본초서 「동의보감(東醫寶鑑)」에 모향화(茅香花)가 수재되어 "코피가 나고 피를 토하는 것을 멎게 하고 뜸 뜬 자리가 헌 것과 쇠붙이에 의한 상처에 붙이면 피가 멎고 통증이 완화된다."고 하였다.

약효 모향근(茅香根)은 양혈지혈(凉血止血), 청열이뇨(淸熱利尿)의 효능이 있으므로 토혈(吐血), 혈뇨(血尿), 신염부종(腎炎浮腫), 열림(熱淋)을 치료한다. 모향화(茅香花)는 지혈의 효능이 있으므로 토혈을 치료한다.

성분 coumarin 성분들이 함유되어 있다.

사용법 모향근 또는 모향화 30g에 물 4컵(800mL)을 넣고 달여서 복용하고, 외용에는 짓찧어 붙인다.

✿ 향모

✿ 향모(꽃)

✿ 모향화(茅香花)

[벼과]

보리

소화불량, 복만설사, 오심구토, 식욕부진

유즙울적, 유방창통

● 학명 : *Hordeum vulgare* L. var. *hexastichon* Aschers. ● 별명 : 겉보리, 것보리, 대맥

| 1 | 2 | 3 | 4 | 5 | 6 | 7 | 8 | 9 | 10 | 11 | 12 |

두해살이풀. 높이 1m 정도. 줄기는 모여나고 속이 비어 있으며 원주형, 매끄럽고 마디 사이가 길다. 뿌리잎의 엽초에는 털이 드문드문 있고, 엽설은 작고 막질이다. 잎은 어긋나고 긴 바늘 모양, 길이 8~18cm, 너비 1~1.5cm, 앞면은 까끌까끌하고 뒷면은 미끄럽다. 꽃은 수상화서로 피며 화서의 길이는 5~10cm이다.

분포 · 생육지 우리나라를 비롯하여 거의 전 세계에서 재배하는 식량 자원 식물이다.

약용 부위 · 수치 가을에 수확한 겉보리의 종자를 물에 담갔다가 꺼내어 대바구니에 담고 물을 뿌려서 싹이 길이 3~4mm 정도 자란 것을 볶아서 사용한다.

약물명 맥아(麥芽). 곡맥(穀麥)이라고도 한다. 대한민국약전외한약(생약)규격집(KHP)에 수재되어 있다.

본초서 「명의별록(名醫別錄)」의 중품(中品)에 대맥(大麥)은 수재되어 있지만, 맥아(麥芽)라는 이름은 없다. 「약성론(藥性論)」에는 "대맥벽(大麥蘗)은 맛이 달며 독이 없고, 능히 소화를 잘 시키며 냉기(冷氣)를 제거하고 심복창만(心腹脹滿)을 치료한다."고 하였다. 「동의보감(東醫寶鑑)」에는 대맥(大麥)은 "기운을 돕고 중초의 기운을 다스리며 설사를 그치게 하고 몸이 허약한 것을 도와준다. 오장을 튼튼하게 하며 오래 복용하면 살이 찌고 건강해지며 몸이 윤택해진다."고 하였다. 맥아(麥芽)는 대맥얼(大麥蘗)이라는 이름으로 수재되어 "소화가 잘 되게 하며 오랜 체기를 내리고 명치 아랫부분이 부풀어 오르면서 그득한 감이 드는 것을 낫게 한다. 속을 따뜻하게 하고 기운을 내린다. 입맛을 돋우고 구토와 설사가 계속되는 것을 그치게 하며 뱃속에 덩어리가 있는 것을 풀어 준다. 해산(解産)을 촉진시키거나 유산될 수도 있다. 오래 복용하면 신장의 기운이 소모되므로 많이 먹는 것은 좋지 않다."고 하였다.

東醫寶鑑: 大麥 益氣調中 止泄補虛 實五臟 久食令人肥健滑澤.

大麥蘗 能消化宿食 去心腹脹滿 溫中下氣 開胃 止霍亂 破癥結 能催生落胎 久食消腎 不可多食.

성상 긴 방추형이며 길이 1~1.5cm, 너비 3~4mm이다. 한쪽 끝에는 어린싹이 있으며, 다른 쪽에는 어린뿌리가 있다. 표면은 엷은 황색이고, 배젖은 유백색이다. 질은 단단하며 부서지기 쉽다. 달콤한 냄새가 있으며, 맛은 약간 달다. 질이 단단하고 싹이 길이 2cm 이내, 황색인 것이 품질이 좋다.

기미 · 귀경 미한(微寒), 감(甘), 담(淡) · 비(脾), 위(胃)

약효 소식화적(消食化積), 회유(回乳)의 효능이 있으므로 소화불량, 복만설사(服滿泄瀉), 오심구토, 식욕부진, 유즙울적(乳汁鬱積), 유방창통(乳房脹痛)을 치료한다.

성분 α-amylase, β-amylase, catalyticase, peroxyisomerase, hordenine, hordatine A, B, hordenine, choline, cytochrome C, vitamin B_1, tocopherol E, alantoin 등이 함유되어 있다.

약리 전분, 단백질 분해 효소가 다량 함유되어 있어서 소화력을 증강시킨다. 비타민 B군과 tocopherol이 다량 함유되어 있어서 건강 보조 식품으로 다양한 효과를 나타낸다. hordenine은 설사를 멈추게 하는 효능이 있다. alantoin은 0.5% 용액으로 만들어 환부에 바르면 조직의 재생이 촉진된다.

사용법 맥아 10~20g에 물 3컵(600mL)을 넣고 달여서 복용하거나 볶아서 분말로 만들어 복용한다.

처방 보비탕(補脾湯): 맥아(麥芽) · 구감초(灸甘草) 각 60g, 인삼(人蔘) · 복령(茯苓) · 초과(草果) · 포건강(炮乾薑) 각 40g, 후박(厚朴) · 진피(陳皮) · 백출(白朮) 각 30g (「동의보감(東醫寶鑑)」). 비위(脾胃)가 허약하여 명치 밑이 그득하고 소화가 잘 안되면서 자주 토하고 설사하는 데 사용한다.

• 반하백출천마탕(半夏白朮天麻湯): 반하(半夏) · 진피(陳皮) · 맥아(麥芽) 각 6g, 백출(白朮) · 신국(神麴) 각 4g, 창출(蒼朮) · 인삼(人蔘) · 황기(黃耆) · 천마(天麻) · 복령(茯苓) · 택사(澤瀉) 각 2g, 건강(乾薑) 1.2g, 황백(黃柏) 0.8g (「동의보감(東醫寶鑑)」). 비위(脾胃)가 허약하여 생긴 담궐두통(痰厥頭痛)으로 머리가 아프고 게우며 어지러워 눈을 뜰 수 없고 때로는 구역질이 나며 온몸이 무겁고 팔다리가 싸늘한 증상에 사용한다.

• 보화환(保和丸): 산사자(山査子) · 반하(半夏) · 나복자(蘿蔔子) · 황련(黃連) · 진피(陳皮) 각 20g, 신국(神麴) 12g, 맥아(麥芽)(「동의보감(東醫寶鑑)」). 소화불량으로 명치 밑이 그득하고 신물이 올라오는 증상에 사용한다.

＊쌀, 보리, 옥수수, 조 등을 밥을 지어 맥아를 물을 부어 삭힌 다음 가마솥에 넣고 서서히 끓인 뒤 농축시킨 것을 교이(餃飴) 또는 이당(飴糖)이라 하며 오장을 튼튼하게 하는 작용이 있으므로 가래와 기침을 치료한다.

◐ 맥아(麥芽)

◐ 맥아(麥芽. 분말)

◐ 보리

[벼과]

띠

열병번갈	구갈, 비출혈	토혈, 위열구토, 황달
폐열천식	임탁, 소변불통	수종

● 학명 : *Imperata cylindrica* (L.) Beauv. var. *koenigii* (Retz.) Durand et Schinz
● 별명 : 띠, 삘기, 삐비

여러해살이풀. 높이 30~80cm. 단단한 비늘조각으로 덮인 뿌리줄기는 땅속 깊이 벋으며, 줄기는 가늘지만 강하고 마디에 백색의 긴 털이 있다. 잎은 어긋나고, 꽃은 원추화서로 길이 10~20cm, 원줄기에서 1~2회 갈라지고 작은가지에 2개의 소수(小穗)가 달린다.

분포 · 생육지 우리나라 전역. 중국, 일본, 타이완 등 아시아, 아프리카, 북아메리카. 산이나 들에서 자란다.

약용 부위 · 수치 뿌리줄기를 봄과 여름에 채취하여 수염뿌리를 제거하고 물에 씻은 후 썰어서 말린다. 지혈에는 냄비에 넣고 살짝 볶아서 사용한다.

약물명 백모근(白茅根). 모근(茅根), 난근(蘭根)이라고도 한다. 대한민국약전외한약(생약)규격집(KHP)에 수재되어 있다.

본초서 백모근(白茅根)은 「신농본초경(神農本草經)」의 중품(中品)에 수재되어 있으며, "노상(勞上)에 의하여 허손된 기(氣)를 도우며, 어혈(瘀血), 혈폐(血閉)의 한열(寒熱)을 제거하고 소변을 잘 나오게 하는 효능이 있다."고 하였다. 백모근(白茅根)은 뿌리가 백색이고 잔뿌리가 많은 것에서 유래한다. 「동의보감(東醫寶鑑)」에 "피가 뭉쳐 생리가 순조롭지 못하고 추웠다 열이 났다 하는 것을 낫게 한다. 소변을 잘 나오게 하며 다섯 가지 임병을 낫게 한다. 감기로 인한 열을 없애고 갈증을 풀어 주며 피를 토하는 것과 코피가 나는 것을 멎게 한다."고 하였다.

神農本草經: 主勞傷虛羸 補中益氣 除瘀血 血閉寒熱 利小便.

東醫寶鑑: 除瘀血 血閉寒熱 利小便 下五淋 除客熱 止消渴及吐衄血.

성상 가늘고 긴 원주형으로 지름 3~5mm이다. 표면은 황백색이며 약간의 세로 주름이 있고 2~3cm마다 마디가 있으며 때때로 갈라져 있다. 꺾인 면은 섬유성이며, 횡단면은 불규칙한 원형이며 피층의 두께는 중심주의 지름보다 약간 작다. 냄새는 없고 맛은 약간 달다.

기미 · 귀경 한(寒), 감(甘) · 심(心), 폐(肺), 위(胃), 방광(膀胱)

약효 양혈지혈(涼血止血), 청열이뇨(淸熱利尿)의 효능이 있으므로 열병번갈(熱病煩渴), 구갈(口渴), 토혈(吐血), 비출혈(鼻出血), 폐열천식(肺熱喘息), 위열구토(胃熱嘔吐), 임탁(淋濁), 소변불통, 수종(水腫), 황달을 치료한다.

성분 coixol, arundoin, cylindrin, cylendrene, cylindol A, cylindol B, imperanene, graminone A, graminone B 등이 함유되어 있다.

약리 물로 달인 액을 토끼에게 투여하면 이뇨 작용이 있고, 적리균, 황색 포도상구균 등에 항균 작용이 있다. graminone B는 대동맥의 수축을 억제하며, cylendrene은 혈관 평활근의 수축을 억제한다. imperanene은 혈소판의 응집을 억제한다.

사용법 백모근 15g에 물 3컵(600mL)을 넣고 달여서 복용한다.

처방 백모근탕(白茅根湯): 백모근(白茅根) 32g, 맥아(麥芽) 16g, 소계(小薊) · 현초(玄草) 각 10g, 대추(大棗) 5개 (「동약건강(東藥健康)」). 만성간염으로 소화가 잘 안되고 헛배가 부르며 잇몸에서 피가 나는 증상에 사용한다.

• 백모탕(白茅湯): 백모근(白茅根) 20g, 구맥(瞿麥) · 복령(茯苓) · 동규자(冬葵子) · 인삼(人蔘) 각 4.8g, 포황(蒲黃) · 도피(桃皮) · 활석(滑石) 각 2.8g, 감초(甘草) 2g, 자패(紫貝) 2개 (「동의보감(東醫寶鑑)」). 출산 후의 오림(五淋)이나 방광염에 사용한다.

● 띠

● 백모근(白茅根)

● 백모근(白茅根, 절편)

[벼과]

약죽

토혈, 변혈 　　육혈

● 학명 : *Indocalamus tessellatus* (Munro) Keng f.　● 한자명 : 箬竹

1 2 3 4 5 6 7 8 9 10 11 12

여러해살이 식물. 높이 1.5~2m. 줄기는 원통형으로 지름 4~7.5mm, 마디 사이는 길이 25~32cm이며 상부에서 가지가 많이 나온다. 잎은 긴 타원형으로 길이 20~40cm, 너비 5~10cm이다.

분포·생육지 중국 저장성(浙江省), 후난성(湖南省). 해발 300~1,400m의 산비탈에서 자란다.

약용 부위·수치 잎을 여름에 채취하여 말린다.

약물명 약엽(箬葉), 요엽(遼葉)이라고도 한다.

약효 청열지혈(淸熱止血), 해독소종(解毒消腫)의 효능이 있으므로 토혈(吐血), 육혈(衄血), 변혈(便血)을 치료한다.

사용법 약엽 10g에 물 3컵(600mL)을 넣고 달여서 복용한다.

○ 약죽

○ 약엽(箬葉)

[벼과]

나도겨풀

감기 　　두통신동

백대 　　하지수종

● 학명 : *Leersia japonica* Makino ex Honda　● 별명 : 겨풀, 거신털피, 물겨풀

1 2 3 4 5 6 7 8 9 10 11 12

여러해살이풀. 높이 30~50cm. 짧은 뿌리줄기에서 몇 개의 줄기가 옆으로 벋다가 윗부분이 물 위로 나오고 마디에 털이 빽빽이 난다. 잎은 편평하고 길이 5~15cm, 녹백색, 총상화서는 몇 개의 가지가 갈라지며 가지는 1개씩 달리고 비스듬히 퍼진다. 소수는 피침형이고 가장자리에 거센 털이 있다.

분포·생육지 우리나라를 비롯하여 중국, 타이완, 일본, 말레이시아, 인도, 오스트레일리아. 논둑에서 자란다.

약용 부위·수치 전초를 여름과 가을에 채취하여 물에 씻은 후 썰어서 말린다.

약물명 유초(遊草)

약효 소풍해표(疎風解表), 이습(利濕), 통락지통(通絡止痛)의 효능이 있으므로 감기, 두통신동(頭痛身疼), 백대(白帶), 하지수종(下肢水腫)을 치료한다.

사용법 유초 15g에 물 3컵(600mL)을 넣고 달여서 복용한다.

○ 나도겨풀

[벼과]

드렁새

 징가적취　　 구열불퇴

●학명 : *Leptochloa chinensis* (L.) Nees　　●별명 : 두렁새

| 1 | 2 | 3 | 4 | 5 | 6 | 7 | 8 | 9 | 10 | 11 | 12 |

한해살이풀. 높이 30~70cm. 밑부분에서 가지를 치며 줄기는 편평하다. 잎은 녹백색, 가장자리에 잔돌기가 있다. 꽃은 원추화서로 화서의 길이 15~40cm, 거의 밑부분에서부터 소수(小穗)가 달린다. 소수는 자루가 짧고 길이 2.5~3mm, 5~7개의 꽃으로 된다.

분포·생육지 우리나라를 비롯하여 중국, 타이완, 일본, 말레이시아, 인도, 오스트레일리아. 논둑에서 자란다.

약용 부위·수치 전초를 여름과 가을에 채취하여 물에 씻은 후 썰어서 말린다.

약물명 유초(油草). 유마(油麻)라고도 한다.

약효 행수파혈(行水破血), 화담산결(化痰散結)의 효능이 있으므로 징가적취(癥瘕積聚), 구열불퇴(久熱不退)를 치료한다.

사용법 유초 10g에 물 3컵(600mL)을 넣고 달여서 복용한다.

❶ 드렁새

[벼과]

자죽

 소변단적　　 구설생창

●학명 : *Neosinocalamus affinis* (Rendle) Keng f. Andersson　　●한자명 : 慈竹

| 1 | 2 | 3 | 4 | 5 | 6 | 7 | 8 | 9 | 10 | 11 | 12 |

여러해살이 식물. 줄기는 모여나고 높이 5~10m, 지름 3~6cm. 줄기의 마디는 30개 정도, 마디에서 가지가 7~10개가 나온다. 잎은 길이 10~30cm, 너비 1~3cm, 엽초는 길이 4~8cm, 열매는 방추형이다.

분포·생육지 중국 서남부 지방. 산과 들에서 자란다.

약용 부위·수치 잎을 여름에 채취하여 썰어서 말린다.

약물명 자죽엽(慈竹葉). 죽엽심(竹葉心)이라고도 한다.

약효 청심이뇨(清心利尿), 제번지갈(除煩止渴)의 효능이 있으므로 소변단적(小便短赤), 구설생창(口舌生瘡)을 치료한다.

사용법 자죽엽 7g에 물 2컵(400mL)을 넣고 달여서 복용한다.

❶ 자죽

[벼과]

조릿대풀

열병구갈　소변적삽, 임탁
설창, 치은종통　심번

● 학명 : *Lophatherum gracile* Brongn.　● 별명 : 조리대풀, 그늘새, 애기그늘새

| 1 | 2 | 3 | 4 | 5 | 6 | 7 | 8 | 9 | 10 | 11 | 12 |

여러해살이풀. 높이 0.7~1m. 원줄기는 원주형이며 마디 사이가 길다. 뿌리줄기는 목질이며 사방으로 퍼진 수염뿌리에 덩이뿌리가 달린다. 잎은 꽃줄기의 중부 이하에 5~6개가 2줄로 달리고, 꽃은 8~10월에 원추화서로 피며, 화서의 길이 20~30cm, 소수(小穗)는 길이 7~8mm로 밑부분에 속모(束毛)가 있다. 내·외영(內外穎)은 선형이고 수술은 2개이다.

분포·생육지 우리나라 제주도, 전남(완도). 일본, 중국 둥베이(東北) 지방, 타이완, 말레이시아. 산 숲속에서 자란다.

약용 부위·수치 전초를 봄(5~6월)에 채취하여 잔뿌리를 제거하여 말린다.

약물명 담죽엽(淡竹葉). 대한민국약전외한약(생약)규격집(KHP)에 수재되어 있다.

본초서 담죽엽(淡竹葉)은 「신농본초경(神農本草經)」의 중품(中品)에 죽엽(竹葉)의 이름으로 수재되었고, 「명의별록(名醫別錄)」에 고죽엽(苦竹葉), 근죽엽(箽竹葉) 및 담죽엽(淡竹葉)의 3종이 수재되어 있다. 송대(宋代) 구종석(寇宗奭)의 「본초연의(本草衍義)」, 「상한론(傷寒論)」의 죽엽탕(竹葉湯)에는 담죽(淡竹)을 사용한다고 하였으므로 3종의 죽엽(竹葉) 가운데 담죽엽(淡竹葉)이 많이 사용된 것으로 생각된다. 명대(明代)의 「본초강목(本草綱目)」에는 죽엽(竹葉)의 항목과 별도로 담죽엽(淡竹葉)의 항을 따로 두고 오늘날에 사용되고 있는 조릿대풀의 형태를 그림과 함께 기술하고 있다. 그러므로 담죽엽(淡竹葉, 조릿대풀)은 명대(明代)로부터 약용으로 이용되어 왔음을 알 수 있다. 「동의보감(東醫寶鑑)」에 "담을 삭이고 열을 내리며 중풍으로 목이 쉬어 말을 못하는 것을 낫게 하고 열이 몹시 나고 머리 아픈 것을 낫게 한다. 놀라서 가슴이 두근거리거나 불안해하는 것, 급성전염병으로 발광하며 안타까워하는 것, 기침하면서 기운이 치미는 것 등을 낫게 한다. 임신부가 어지럼증이 나서 쓰러지는 것과 어린아이

가 깜짝 놀라는 것, 천조풍(天弔風, 담열이 간경에 몰리거나 풍사를 받아서 생기는 열병)을 낫게 한다."고 하였다.

東醫寶鑑: 消痰淸熱 主中風失音不語 壯熱頭痛 止驚悸 溫疫狂悶 治咳逆上氣 孕婦眩暈倒地 小兒驚癎 天弔.

성상 길이 25~75cm로, 줄기는 원주형으로 마디가 있으며 표면은 엷은 황록색, 잎은 피침형으로 쭈그러져 말려 있고, 엷은 녹색~황록색이고 잎맥은 평행이며 가는 맥은 가로로 되어 장방형을 이루고 뒤쪽의 표면은 더욱 뚜렷하며 질은 가볍고 부드럽다. 냄새가 거의 없고 맛은 담담하다.

기미·귀경 한(寒), 감(甘), 담(淡)·심(心), 위(胃), 소장(小腸)

약효 청심화(淸心火), 제번열(除煩熱), 이뇨(利尿)의 효능이 있으므로 열병에 의한 구갈(口渴), 심번(心煩), 소변적삽(小便赤澀), 임탁(淋濁), 설창(舌瘡), 치은종통(齒齦腫痛)을 치료한다.

성분 arundoin, cylindrin, taraxerol, fridelin 등이 함유되어 있다.

약리 쥐에게 물로 달인 액을 투여하면 해열작용이 있고 이뇨 작용이 나타난다.

사용법 담죽엽 10g에 물 3컵(600mL)을 넣고 달여서 복용하거나 술에 담가 복용한다.

○ 담죽엽(淡竹葉)

○ 담죽엽(淡竹葉, 절편)

○ 담죽엽(淡竹葉, 중국산)

○ 담죽엽(淡竹葉)으로 만든 당뇨병, 임탁 치료제

○ 조릿대풀

[벼과]

물억새

혈로　조열
산후실혈구갈　치통

● 학명 : *Miscanthus sacchariflorus* Benth.　● 별명 : 큰억새

| 1 | 2 | 3 | 4 | 5 | 6 | 7 | 8 | 9 | 10 | 11 | 12 |

여러해살이풀. 높이 2~3m. 뿌리줄기는 굵고 짧으며, 줄기는 빽빽이 난다. 잎은 길이 1m 정도이고 잎몸과 엽초 사이에 긴 털이 있다. 꽃차례는 길이 25cm 정도, 까락은 없고 호영은 3맥, 부채 모양이다.

분포 · 생육지 우리나라를 비롯하여 중국, 타이완, 일본, 말레이시아, 우수리. 습지나 물가에서 흔하게 자란다.

약용 부위 · 수치 뿌리줄기를 여름과 가을에 채취하여 물에 씻은 후 썰어서 말린다.

약물명 뿌리줄기를 파모근(巴茅根)이라고 한다.

약효 파모근(巴茅根)은 청열활혈(淸熱活血)의 효능이 있으므로 혈로(血勞), 조열(潮熱), 산후실혈구갈(産後失血口渴), 치통을 치료한다.

사용법 파모근 60g에 물 4컵(800mL)을 넣고 달여서 복용한다.

● 물억새(물가에서 자란다.)

● 파모근(巴茅根)

● 물억새

[벼과]

억새

소변불리　충수교상
월경부조, 경폐, 산후오로

● 학명 : *Miscanthus sinensis* Andersson　● 별명 : 두렁새

| 1 | 2 | 3 | 4 | 5 | 6 | 7 | 8 | 9 | 10 | 11 | 12 |

여러해살이풀. 높이 1~2m. 뿌리줄기는 굵고 짧으며, 줄기는 빽빽이 난다. 잎은 길이 1m 정도이고 잎몸과 엽초 사이에 긴 털이 있다. 꽃차례는 길이 17cm 정도, 까락은 작고 호영은 5~7맥, 부채 모양이다.

분포 · 생육지 우리나라를 비롯하여 중국, 타이완, 일본, 말레이시아, 우수리. 산지나 논둑에서 흔하게 자란다.

약용 부위 · 수치 줄기를 여름과 가을에, 꽃은 가을에 채취하여 썰어서 말린다.

약물명 줄기를 망경(芒莖)이라 하며, 두영(杜榮), 파망(笆芒)이라고도 한다. 꽃을 망화(芒花)라 한다.

약효 망경(芒莖)은 청열이뇨(淸熱利尿), 해독, 산혈(散血)의 효능이 있으므로 소변불리, 충수교상(蟲獸咬傷)을 치료한다. 망화(芒花)는 활혈통경(活血通經)의 효능이 있으므로 월경부조(月經不調), 경폐(經閉), 산후오로(産後惡露)를 치료한다.

사용법 망경(芒莖)은 10g에 물 3컵(600mL)을, 망화(芒花)는 30g에 물 4컵(800mL)을 넣고 달여서 복용한다.

● 억새

● 억새(열매)

● 망경(芒莖)

[벼과]

벼

🫃 비위기허, 식소납매, 창만설사, 복통　🫁 해수

👁 심번구갈, 인후통, 구갈　🔄 권태핍력, 자한도한

● 학명 : *Oryza sativa* L.　● 별명 : 나락

| 1 | 2 | 3 | 4 | 5 | 6 | 7 | 8 | 9 | 10 | 11 | 12 |

한해살이풀. 높이 1~2m. 줄기는 바로 서고 속이 비어 있다. 잎몸은 길이 30cm 정도, 너비 4~5mm, 표면과 가장자리는 까칠까칠하다. 꽃은 8월에 원추화서로 조밀하게 달리며, 열매가 성숙하면서 밑으로 처진다. 호영은 거의 퇴화하고, 외영과 내영은 단단하고 짧은 털이 있다.

분포 · 생육지 인도와 말레이시아 원산. 세계 각처에서 재배한다.

약용 부위 · 수치 가을에 열매를 수확하여 껍질을 제거한 속씨를 사용한다. 열매를 1~2일간 물에 담근 후 건져 내어 바구니에 옮겨 물이 빠지게 한 다음 헝겊으로 덮는다. 여기에 매일 물을 한차례 뿌리면 발아가 되며, 새싹이 길이 4~7mm 정도 되면 건조해서 사용한다. 수확한 후의 남은 뿌리를 물에 씻은 후 말린다. 벼 또는 '찰벼 var. *glutinosa*'의 종자를 맥아가루로 당화시켜 농축한다.

약물명 속씨(種仁)를 갱미(粳米)라 하고 백미(白米), 갱속미(粳粟米), 도미(稻米), 대미(大米), 경미(硬米)라고도 하며, 라틴 생약명은 Oryzae Semen이다. 발아된 열매를 곡아(穀芽)라 하며 벽미(蘖米), 곡벽(穀蘖), 도아(稻芽)라고도 한다. 뿌리를 도근(稻根)이라 하며, 도근수(稻根鬚)라고도 한다. 종자를 맥아가루로 당화시켜 농축한 것을 교이(飴飴, Oryzae Gluten)라 한다. 갱미(粳米), 곡아(穀芽), 교이(飴飴)는 대한민국약전외한약(생약)규격집(KHP)에 수재되어 있다.

본초서 「동의보감(東醫寶鑑)」에는 갱미(粳米)는 "위장의 기운을 고르게 하고 속을 따뜻하게 한다. 또 이질을 그치게 하고 기운을 보하며 답답한 것을 풀어 준다."고 하였다. 3~5년 묵은 쌀을 진름미(陳廩米)라 하며, "답답한 것을 풀고 위장의 기운을 다스리며 설사를 그치게 한다. 오장을 돕고 장과 위장을 수렴하는 데 끓여서 복용하는 것이 좋다."고 하였다.

東醫寶鑑: 粳米 平胃氣 長肌肉 溫中止利 益氣除煩.

陳廩米 除煩調胃 止泄補五臟 澁腸胃 宜作湯食.

기미 · 귀경 갱미(粳米): 평(平), 감(甘) · 비(脾), 위(胃), 폐(肺). 곡아(穀芽): 평(平), 감(甘) · 비(脾), 위(胃). 도근(稻根): 감(甘), 평(平) · 폐(肺), 신(腎)

약효 갱미(粳米)는 보기건비(補氣健脾), 제번갈(除煩喝), 지사리(止瀉痢)의 효능이 있으므로 비위기허(脾胃氣虛), 식소납매(食少納呆), 권태핍력(倦怠乏力), 심번구갈(心煩口渴), 사하이질(瀉下痢疾)을 치료한다. 곡아(穀芽)는 소식화적(消食化積), 건비개위(健脾開胃)의 효능이 있으므로 식적정체(食積停滯), 창만설사(脹滿泄瀉), 비허소식(脾虛少食), 각기부종(脚氣浮腫)을 치료한다. 도근(稻根)은 양음제열(養陰除熱), 지한(止汗)의 효능이 있으므로 음허발열(陰虛發熱), 자한도한(自汗盜汗), 구갈인건(口渴咽乾), 간염을 치료한다. 교이(飴飴)는 보폐, 소염의 효능이 있으므로 해수(咳嗽), 복통, 인후통, 구갈(口渴), 변비를 치료한다.

성분 갱미(粳米)는 전분 75%, 단백질 8%, 지방 0.5~1%, vitamin B₁, B₂, B₆, campesterol, stigmasterol, β-sitosterol, monoglyceride, diglyceride, triglyceride, phospholipids, N-lignoceryl shphingosyl glucoside, free fatty acid, citric acid, malic acid, glucose, fructose, maltose 등이 함유되어 있다. 곡아(穀芽)는 maltose, adenine, choline, aspartic acid, γ-aminobutyric acid 등이 함유되어 있다.

약리 쥐에게 물로 달인 액을 투여하면 해열 작용이 있고, 또 이뇨 작용이 나타난다. 색미(色米)의 열수추출물은 피부 가려움증을 경감시키거나 치료하는 효능이 있다. 미강 에탄올추출물은 LPS에 의해 유도되는 NO의 생성 억제, iNOS의 발현 억제, TNF-α, IL-1β, IL-6의 분비량을 억제시킨다.

사용법 갱미는 30g에 물 4컵(800mL)을 넣고 달여서 복용하고, 곡아는 15g에 물 3컵(600mL)을 넣고 달여서 복용하거나 가루로 만들어 복용한다. 도근은 30g에 물 4컵(800mL)을 넣고 달여서 복용한다.

❶ 벼

❶ 갱미(粳米)

❶ 곡아(穀芽)

❶ 도근(稻根)

❶ 현미(玄米)

❶ 벼(꽃)

❶ 흑색벼

[벼과]

찰벼

 반위, 식체, 황달, 설사   당뇨병
음허발열 자한도한

●학명 : *Oryza sativa* L. var. *glutinosa* Matsum. ●별명 : 차나락

| 1 | 2 | 3 | 4 | 5 | 6 | 7 | 8 | 9 | 10 | 11 | 12 |

한해살이풀. 높이 1~2m. 줄기는 바로 서고 속이 비어 있다. 벼에 비하여 포영이 작으며 흑자색이고 전체가 갈자색이다. 찹쌀은 유백색이며, 밥을 하면 찰기가 있다.

분포·생육지 인도와 말레이시아 원산. 세계 각처에서 재배한다.

약용 부위·수치 가을에 잎과 줄기를 채취하여 썰어서 말리고, 수확한 열매의 껍질을 제거한 속씨, 뿌리와 뿌리줄기를 채취하여 물에 씻은 후 썰어서 말린다.

약물명 잎과 줄기를 도초(稻草), 열매껍질을 벗긴 알갱이를 나미(糯米), 뿌리와 뿌리줄기를 나도근(糯稻根)이라 하며, 도근수(稻根鬚)라고도 한다. 나도근(糯稻根)은 대한민국약전외한약(생약)규격집(KHP)에 수재되어 있다.

본초서 「동의보감(東醫寶鑑)」에 나미(糯米)는 "중초의 기운을 다스리고 기력을 보하며 구토와 설사를 그치게 한다. 그러나 열을 많이 생기게 하여 대변을 굳어지게 한다."

고 하였다. 찰볏집인 나도간(糯稻稈)은 "온 몸이 노랗게 되는 황병(黃病)을 낫게 하고 갈증을 풀어 주며 몸에 해로운 독을 풀어 준다."고 하였다.

東醫寶鑑: 糯米 補中益氣 止霍亂零人 多熱大便堅.

糯稻稈 治通身黃病 及消渴 蟲毒 並煮汁飲之.

약효 도초(稻草)는 관중하기(寬中下氣), 소식해독(消食解毒)의 효능이 있으므로 열격(噎膈), 반위(反胃), 식체(食滯), 당뇨병, 황달을 치료한다. 나미(糯米)는 보중익기(補中益氣), 건비지사(健脾止瀉), 축뇨(縮尿), 염한해독(斂汗解毒)의 효능이 있으므로 비위허약설사, 곽란토역(霍亂吐逆), 소갈뇨다(消渴尿多)를 치료한다. 나도근(糯稻根)은 양음제열(養陰除熱), 지한(止汗)의 효능이 있으므로 음허발열(陰虛發熱), 자한도한(自汗盜汗), 구갈인건(口渴咽乾), 간염(肝炎)을 치료한다.

사용법 도초는 50g에 물 5컵(1L)을 넣고 달여서 복용하고, 나미는 30g에 물 4컵(800mL)을 넣고 달여서 복용하거나 가루로 만들어 복용한다. 나도근은 30g에 물 4컵(800mL)을 넣고 달여서 복용한다.

❶ 찰벼

❶ 나도근(糯稻根)

❶ 나미(糯米)

[벼과]

기장

 번갈   사리, 토역
 해수

●학명 : *Panicum miliaceum* L. ●별명 : 서, 서미, 나서

| 1 | 2 | 3 | 4 | 5 | 6 | 7 | 8 | 9 | 10 | 11 | 12 |

한해살이풀. 높이 50~120cm. 줄기는 곧게 선다. 엽초에는 볼록한 털이 있고 줄무늬가 있으며, 엽설은 털 모양이다. 꽃은 원추화서로 조밀하게 피고 화서의 길이 15~20cm, 소수(小穗)는 길이 4~5mm이다.

분포·생육지 인도 원산. 세계 각처에서 재배한다.

약용 부위·수치 열매를 가을에 채취하여 도정한 후 종자를 말린다.

약물명 서미(黍米). 직미(稷米), 자미(粢米)라고도 한다.

본초서 「동의보감(東醫寶鑑)」에는 "기운을 돕고 중초의 기운을 다스린다. 오래 복용하면 열이 많이 나고 속이 답답해진다."고 하였다.

東醫寶鑑: 益氣補中 不可久食令人多熱煩.

약효 익기보중(益氣補中), 제번지갈(除煩止渴), 해독의 효능이 있으므로 번갈(煩渴), 사리(瀉痢), 해수(咳嗽), 토역(吐逆)을 치료한다.

사용법 서미 30g에 물 4컵(800mL)을 넣고 달여서 복용한다.

❶ 서미(黍米)

❶ 기장쌀

❶ 기장

[벼과]

수크령

 폐열해수   목적종통

● 낭미초(狼尾草)

●학명 : *Pennisetum alopecuroides* (L.) Sprengel   ●별명 : 길갱이

| 1 | 2 | 3 | 4 | 5 | 6 | 7 | 8 | 9 | 10 | 11 | 12 |

여러해살이풀. 높이 30~80cm. 줄기는 곧게 서고 윗부분에 백색 털이 있다. 엽설은 짧고, 엽초는 밋밋하다. 꽃차례는 길이 15cm 정도로 원통형, 자주색이다.

분포 · 생육지 우리나라 전역. 중국, 일본 등 아시아, 미얀마, 오스트레일리아. 들이나 둑의 양지바른 곳에서 자란다.

약용 부위 · 수치 전초를 여름과 가을에 채취하여 물에 깨끗이 씻은 후 썰어서 말린다.

약물명 낭미초(狼尾草). 랑(稂), 중양(重粱)이라고도 한다.

약효 청폐지해(淸肺止咳), 양혈명목(凉血明目)의 효능이 있으므로 폐열해수(肺熱咳嗽), 목적종통(目赤腫痛)을 치료한다.

사용법 낭미초 10g에 물 3컵(600mL)을 넣고 달여서 복용한다.

● 수크령

[벼과]

갈풀

 월경부조, 적백대하

●학명 : *Phalaris arundinacea* L.   ●별명 : 달

| 1 | 2 | 3 | 4 | 5 | 6 | 7 | 8 | 9 | 10 | 11 | 12 |

여러해살이풀. 높이 70~180cm. 잎몸은 선형, 까칠까칠하고, 엽설은 막질, 등에 털이 있다. 꽃차례는 길이 15cm 정도, 짧은 가지에 조밀하게 배열되며 납작하고 중앙에 완전화가 1개 있으며 좌우로 불완전화가 있다.

분포 · 생육지 우리나라 전역. 중국, 일본, 등 아시아, 유럽, 아프리카, 아메리카. 습지나 냇가에서 자란다.

약용 부위 · 수치 전초를 여름과 가을에 물에 깨끗이 씻어서 썰어 말린다.

약물명 초로(草蘆). 마양초(馬羊草)라고도 한다.

약효 조경(調經), 지대(止帶)의 효능이 있으므로 월경부조(月經不調), 적백대하(赤白帶下)를 치료한다.

성분 hordenine, gramine 등이 함유되어 있다.

사용법 초로 10g에 물 3컵(600mL)을 넣고 달여서 복용한다.

● 갈풀

갈대

 열병구갈　 심번　 폐위, 폐옹

 위열구토, 반위, 토사곽란, 토혈　육혈

● 학명 : *Phragmites communis* Trin.　● 별명 : 갈때, 달, 북달, 갈

1	2	3	4	5	6	7	8	9	10	11	12

여러해살이풀. 높이 1~3m. 뿌리줄기는 길게 벋으면서 마디에서 수염뿌리가 내린다. 줄기는 속이 비었고 마디에 누운 털이 있다. 잎은 2줄로 어긋나고, 꽃은 9월에 원추화서로 피며 밑으로 처지고 자주색에서 자갈색으로 변한다.

분포·생육지 우리나라 전역. 중국, 일본 등 아시아, 유럽, 아프리카, 아메리카. 습지나 냇가에서 자란다.

약용 부위·수치 뿌리줄기를 여름과 가을에 채취하여 물에 깨끗이 씻은 후 햇볕에 말려서 사용한다.

약물명 뿌리줄기를 노근(蘆根), 위근(葦根), 위경(葦莖), 포로근(蒲蘆根), 활로근(活蘆根) 또는 가(葭)라고 부르며, 잎을 노엽(蘆葉)이라 한다. 노근(蘆根)은 대한민국약전외한약(생약)규격집(KHP)에 수재되어 있다.

본초서 노근(蘆根)은 「명의별록(名醫別錄)」의 하품(下品)에 수재되어 있으며 장중경(張仲景)의 「금궤요략(金匱要略)」에 위경탕(葦莖湯)이라는 처방에 배합되는 약물이다. 현재 중국 시장에서 유통되는 것은 노근(蘆根)뿐이고 위경(葦莖)은 없다. 「동의보감(東醫寶鑑)」에 노근(蘆根)은 "갈증을 풀어 주고 감기로 인한 열을 내려 주며 입맛이 나게 한다. 목이 막히는 것과 딸꾹질을 그치게 한다. 임신부의 심장에 열이 있는 것을 내려 주고 이질을 그치게 하며 갈증을 풀어

준다."고 하였다.

名醫別錄: 主消渴客熱 止小便利.

藥性論: 能解大熱悅 開胃 治噎噦不止.

新修本草: 療嘔逆, 不下食, 胃中熱, 傷寒患者, 弥良.

東醫寶鑑: 主消渴客熱 開胃 治噎噦 療孕婦心熱及痢渴.

성상 편압된 원주형으로 길이는 일정하지 않고 가끔 분지되고, 표면은 진한 황색~연한 황색을 띠며 현저한 세로 주름이 있으며 꺾은 면은 섬유성이며 속이 없다. 냄새가 없고 맛은 약간 달다. 뿌리줄기가 충실하며 표면이 황백색을 나타내고 냄새가 없는 것이 좋다.

기미·귀경 노근(蘆根): 한(寒), 감(甘)·심(心), 폐(肺), 위(胃). 노엽(蘆葉): 한(寒), 감(甘)·폐(肺), 위(胃)

약효 노근(蘆根)은 청열약(清熱藥)으로 제번(除煩), 생진(生津), 지구(止嘔)의 효능이 있으므로 열병구갈(熱病口渴), 심번(心煩), 위열구토(胃熱嘔吐), 반위(反胃), 폐위(肺痿), 폐옹(肺癰)을 치료한다. 노엽(蘆葉)은 청열벽예(清熱辟穢), 지혈(止血), 해독의 효능이 있으므로 토사곽란(吐瀉癨亂), 토혈(吐血), 육혈(衄血), 폐옹(肺癰)을 치료한다.

성분 노근(蘆根)은 protein 6%, sugar 5%, asparagine, 회분 1.4%로 구성되며, asparamide, tocopherol, caffeic acid, gentisic acid, 2,5-dimethoxy-*p*-benzoquinone, syringaldehyde, coixol, taraxerone, *p*-coumaric acid, *p*-hydroxycinnamic acid, (+)-lyoniresinol, (+)-lyoniresinol 9'-O-β-D-glucopyranoside, methyl gallate 등이 함유되어 있다. 노엽(蘆葉)은 tricin이 함유되어 있다.

약리 다당류는 면역력 강화 작용이 나타난다. *p*-hydroxycinnamic acid, (+)-lyoniresinol, (+)-lyoniresinol 9'-O-β-D-glucopyranoside, methyl gallate는 B16F10 melanoma 세포에서 tyrosinase의 활성을 억제한다.

사용법 노근 20g에 물 4컵(800mL)을 넣고 달여서 복용하거나 가루 내어 복용한다.

처방 노근산(蘆根散): 노근(蘆根) 8g, 괄루근(栝蔞根)·지모(知母) 각 6g「동약건강(東藥健康)」. 당뇨병의 초기에 사용한다. 1회 4g씩 하루 3회 복용한다.

• 노근음자(蘆根飲子): 노근(蘆根)·죽여(竹茹)·진피(陳皮) 각 6g「향약집성방(鄕藥集成方)」. 상한병(傷寒病)으로 헛구역을 하고 소화가 잘 안 되는 증상에 사용한다.

• 상국음(桑菊飲): 상엽(桑葉) 16g, 국화(菊花)·연교(連翹)·행인(杏仁)·길경(桔梗) 각 12g, 박하(薄荷) 6g, 노근(蘆根) 20g, 감초(甘草) 4g「온병조변(溫病條辨)」. 감기, 인플루엔자, 기관지염, 폐렴, 백일해 등으로 표열(表熱)하는 증상에 사용한다.

• 위경탕(葦莖湯): 위경(葦莖)·의이인(薏苡仁)·방기(防己)·적소두(赤小豆)·구감초(灸甘草) 각 6g「천금방(千金方)」. 풍사(風邪)로 비(脾)가 상하여 입술이 붓고 아프면서 허는 증상에 사용한다.

* 땅 위에 기는 가지와 마디에 퍼진 털이 있고 엽초가 자주색을 띠는 '달뿌리풀 *P. japonica*'도 약효가 같다.

❍ 노근(蘆根, 절편)

❍ 노근(蘆根)

❍ 갈대(꽃)

❍ 갈대(뿌리와 뿌리줄기)

❍ 갈대

왕대

  열병번갈 · 소아경기 · 토혈 · 소변단적 · 풍습비통, 근골동통 · 해수기천 · 열병반진

● 학명 : *Phyllostachys bambusoides* S. et Z. ● 별명 : 참대

| 1 | 2 | 3 | 4 | 5 | 6 | 7 | 8 | 9 | 10 | 11 | 12 |

여러해살이 식물. 높이 15~20m. 줄기는 처음에는 녹색이지만 황록색으로 변한다. 땅속줄기에서 나온 죽순의 포엽은 흑갈색 바탕에 자흑색 반점이 있고, 줄기는 녹색으로 자라면 황록색이 된다. 가지는 2개씩 나오며 하나의 가지에 5~6개의 잎이 달린다. 꽃은 원추화서로 피며 화서의 길이 5~10cm, 각 포에 1~5개의 양성화와 단성화가 달린다.

분포 · 생육지 중국 원산. 우리나라 중부 이남에서 재식한다.

약용 부위 · 수치 잎은 여름에 채취하고, 뿌리줄기 및 뿌리를 수시로 채취하여 물에 씻은 후 썰어서 말린다. 줄기를 길이 30~50cm의 크기로 잘라서 불에 태우면 양쪽 끝에서 황갈색의 즙액이 흘러나온다. 이것을 모은 것을 죽력(竹瀝)이라 한다. 죽순 껍질을 봄에 벗겨 썰어서 말린다.

약물명 잎을 죽엽(竹葉), 뿌리줄기 및 뿌리를 반죽근(斑竹根)이라 하며, 죽순껍질을 반죽각(斑竹殼)이라 한다. 황갈색의 즙액을 죽력(竹瀝)이라 하며, 마디 사이에 생긴 덩어리나 알갱이를 천축황(天竺黃)이라 하며, 죽황(竹黃), 죽고(竹膏)라고도 한다. 죽력(竹瀝)은 대한민국약전외한약(생약)규격집(KHP)에 수재되어 있다.

본초서 죽엽(竹葉)은 「신농본초경(神農本草經)」의 중품(中品)에 수재되었고, 「명의별록(名醫別錄)」에 고죽엽(苦竹葉), 근죽엽(篁竹葉) 및 담죽엽(淡竹葉)의 3종이 수재되어 있다. 이들 가운데 담죽엽(淡竹葉)이 가장 많이 사용되었으나 명대(明代)부터 대나무의 잎에서 조릿대풀로 바뀌었다. 「동의보감(東醫寶鑑)」에 죽엽(竹葉)은 근죽엽(篁竹葉)이라는 이름으로 수재되어 "기침하면서 기운이 치미는 것을 낫게 하고 가슴이 답답하고 열이 나는 것을 없애며 갈증을 풀고 단석독(丹石毒)을 풀어 준다. 풍경(風痙), 목 안이 벌겋게 붓고 아프며 막힌 감이 있는 것, 구토와 토혈, 열독풍, 종기가 벌겋게 부어오르고 곪는 것을 낫게 하며 잔벌레를 죽

인다."고 하였다. 죽력(竹瀝)은 "갑자기 중풍에 걸린 것과 가슴 속에 열이 심하게 몰린 것, 속이 답답한 것과 중풍으로 말을 못하거나 담으로 열이 나서 정신을 잃은 것을 낫게 하고 갈증을 풀어 주며 파상풍과 산후에 열이 나는 것, 어린아이가 갑자기 놀라는 것 등 위급한 병을 낫게 한다."고 하였다. 천축황(天竺黃)은 "마디 속에 있는 황백색 물질로 맛은 달다. 광물성 약재의 독으로 인해 열이 나는 것을 가라앉힌다."고 하였다.

東醫寶鑑: 竹葉 止咳逆上氣 除煩渴 止消渴 墮丹石毒 療風痙喉痺嘔吐 主吐血熱毒惡瘡 殺小蟲.

竹瀝 主暴中風 胸中大熱 止煩躁 治卒中風 失音不語 痰熱昏迷 止消渴 治破傷風 及産後發熱 小兒驚癇一切危急疾.

竹黃 卽竹節間黃白者 味甘 尤制丹石藥毒發熱.

성상 잎의 전형 또는 절편이다. 전형은 긴 타원형으로 한쪽의 가장자리에 날카로운 가시가 있고 다른 쪽 가장자리에는 거의 없으며, 끝은 뾰족하고 아래는 둥글며 잎자루가 있다. 절편은 대부분 직사각형이다. 냄새는 약간 나고 맛은 덤덤하다.

기미 · 귀경 한(寒), 감(甘), 담(淡) · 심(心), 폐(肺), 담(膽), 위(胃)

약효 죽엽(竹葉)은 청열제번(淸熱除煩), 생진(生津), 이뇨의 효능이 있으므로 열병으로 인한 번갈(煩渴), 소아경기(小兒驚氣), 토혈(吐血), 소변단적(小便短赤)을 치료한다. 반죽근(斑竹根)은 거풍제습(祛風除濕), 지해평천(止咳平喘), 지혈(止血)의 효능이 있으므로 풍습비통(風濕痺痛), 근골동통(筋骨疼痛), 해수기천(咳嗽氣喘)을 치료한다. 반죽각(斑竹殼)은 양혈투진(凉血透疹)의 효능이 있으므로 열병반진(熱病斑疹)을 치료한다. 천축황(天竺黃)은 중풍, 실어증, 헛소리, 구안와사를 치료한다.

성분 죽엽(竹葉)에는 (+)-5,5'-dimethoxy-lariciresinol, frideline, 3-hydroxyglutinol, *p*-hydroxybenzaldehyde, (−)-syngares-

inol, tricin, tricin 7−*O*−β−D−glucoside, isoorientin, isoorientin 2−*O*−α−L−rhamnoside, (3S,5R,6S,7E)−5,6−epoxy−3−hydroxy−7−megastigmen−9−one, apigenin 등이 함유되어 있다. 줄기에는 ferulic acid, vanillin, coniferaldehyde, coniferyl alcohol, 2,6−dimethoxy−*p*−benzoquinone, *p*−methoxycinnamic acid, balanophonin, 6−methoxychromanone 등이 함유되어 있다.

약리 tricin 7−*O*−β−D−glucoside와 isoorientin은 항산화 작용이 있다. (−)−syringaresinol과 tricin은 항암 보조 활성이 있다. ferulic acid, vanillin, coniferaldehyde, coniferyl alcohol은 항산화 작용이 있고, coniferaldehyde, 2,6−dimethoxy−*p*−benzoquinone, *p*−methoxycinnamic acid, balanophonin, 6−methoxychromanone은 충치균인 *Streptococcus mutans*와 *S. sorbrinus*에 항균 작용이 있다.

사용법 반죽근은 20g에 물 4컵(800mL)을 넣고 달여서 복용하고, 반죽각은 7g에 물 3컵(600mL)을 넣고 달여서 복용한다.

＊ 대나무 가지에 생긴 '죽황균(竹黃菌) *Shiraia bambusicola*'의 자실체 및 포자를 죽황(竹黃)이라 한다. 죽황은 화담지해(化痰止咳)의 효능이 있다. 우리나라에서는 죽엽(竹葉)의 기원 식물로 본 종과 '솜대나무' 및 '조릿대'의 잎이 가장 많이 사용되고 있다.

○ 왕대

○ 반죽근(斑竹根)

○ 죽엽(竹葉)

○ 죽력(竹瀝)이 함유된 의약품

[벼과]

솜대나무

번열구토, 토혈 | 담열해천, 폐열담옹
중풍담미, 경풍 | 열병담다 | 파상풍

●학명 : *Phyllostachys nigra* Munro var. *henonis* Stapf ●별명 : 솜대

| 1 | 2 | 3 | 4 | 5 | 6 | 7 | 8 | 9 | 10 | 11 | 12 |

여러해살이 식물. 높이 10m 정도. 처음에는 흰 가루로 덮여 있지만 점차 황록색으로 된다. 마디는 2개의 고리 모양이고 마디 사이에 홈이 없고 2개의 가지가 나온다. 꽃은 8~9월에 피고 꽃차례를 둘러싼 포는 넓은 바늘 모양으로 2~5개의 양성화와 단성화가 달려 있다. 죽순은 4~5월에 나오고 연한 적갈색이다.

분포 · 생육지 중국 원산. 우리나라 남부 지방에서 재식한다.

약용 부위 · 수치 줄기의 겉껍질을 봄과 여름에 갉아 없애고 그 안의 흰 부분을 깎아서 말린다.

약물명 줄기의 속 부분을 죽여(竹茹)라 하며, 담죽여(淡竹茹), 죽피(竹皮)라고도 한다. 불에 태울 때 흘러나오는 액을 죽력(竹瀝)이라 하며, 죽즙(竹汁), 담죽력(淡竹瀝), 죽유(竹油)라고도 한다. 잎을 죽엽(竹葉)이라 한다. 죽여(竹茹)는 대한민국약전외한약(생약)규격집(KHP)에 수재되어 있다.

성상 죽여(竹茹)는 황백색의 얇고 긴 판상으로 너비 0.5~0.7cm, 두께 0.3~0.5cm이며, 길이는 일정하지 않다. 때로는 말려 있거나 흩어진 상태이다. 질은 가볍고 향기가 있으며, 맛은 약간 달다. 죽력(竹瀝)은 청황색 또는 황갈색의 즙액으로서 투명하고 타는 듯한 냄새가 난다. 색상이 맑고 즙액이 투명하며 신선한 것이 좋다.

기미 · 귀경 죽여(竹茹): 양(凉), 감(甘) · 위(胃), 담(膽). 죽력(竹瀝): 한(寒), 감(甘), 고(苦) · 심(心), 간(肝), 폐(肺)

약효 죽여(竹茹)는 청열(淸熱), 양혈(凉血), 화담(化痰), 지구(止嘔)의 효능이 있으므로 번열구토(煩熱嘔吐), 담열해천(痰熱咳喘), 토혈(吐血)을 치료한다. 죽력(竹瀝)은 청열강화(淸熱降火), 활담이규(滑痰利竅)의 효능이 있으므로 중풍담미(中風痰迷), 폐열담옹(肺熱痰壅), 경풍(驚風), 전간(癲癎), 열병담다(熱病痰多), 장열번갈(壯熱煩渴), 파상풍을 치료한다.

성분 죽여(竹茹)는 2,5-dimethoxy-*p*-benzoquinone, *p*-hydroxybenzaldehyde, syringaldehyde, coniferylaldehyde, 1,4-benzenedicarboxylic acid 2′-hydroxyethyl methyl ester 등이 함유되어 있다. 죽력(竹瀝)은 aspartic acid, methionine, serine, proline, cystine, phenylalanine, histidine, arginine, sucrose 등이 함유되어 있다.

약리 죽여(竹茹)의 열수추출물은 포도상구균, 고초간균, 대장간균 등에 항균 작용이 있다. 줄기의 메탄올추출물은 amyloid β protein(25~35)으로 손상되는 뇌신경 세포에 보호 작용이 있다. 줄기의 열수추출물은 DPPH radical 소거 작용과 xanthine oxidase에 의한 superoxide 소거 작용뿐만 아니라 Raw 264.7 세포에서 silica에 의해 생성된 세포 내 ROS 생성을 유의하게 억제함으로써 항산화 작용이 있다. 열수추출액은 tyrosinase의 활성을 직접적으로 억제하는 것으로 보아 미백 효과가 있다.

사용법 죽여는 10g에 물 3컵(600mL)을 넣고 달여서 복용하고, 죽력은 1회 40~50mL를 복용한다.

처방 죽여탕(竹茹湯): 죽여(竹茹) · 맥문동(麥門冬) 각 12g, 전호(前胡) 8g, 진피(陳皮) · 노근(蘆根) 각 4g (『동의보감(東醫寶鑑)』). 담(痰)이 성하여 가슴이 그득하고 두근거리며 걸쭉한 침을 게우면서 음식을 먹지 못하는 증상에 사용한다.

• 반하생강탕(半夏生薑湯): 생강(生薑) 40g, 반하(半夏) 20g, 죽여(竹茹) 15g (『동의보감(東醫寶鑑)』). 위기(胃氣)가 치밀어 딸꾹질하는 증상에 사용한다.

● 죽여(竹茹)

● 솜대나무

[벼과]

검은대나무

풍습열비, 근골산통　　경폐

징가

● 학명 : *Phyllostachys nigra* Munro　● 한자명 : 烏竹　● 별명 : 오죽

1	2	3	4	5	6	7	8	9	10	11	12

● 자죽근(紫竹根)

여러해살이 식물. 높이 3~8m. 줄기는 마디가 막히지만 마디 사이는 비어 있으며, 처음에는 녹색이나 해가 갈수록 흑색으로 된다. 죽순은 4~5월에 나오며 껍질은 흑자색을 띠나 반점이 없고 가장자리의 등 쪽에 털이 있다. 꽃은 8~9월에 피고 꽃차례를 둘러싼 포는 넓은 바늘 모양으로 2~5개의 양성화와 단성화가 달려 있다.

분포 · 생육지 중국 원산. 우리나라 남부 지방에서 재식한다.

약용 부위 · 수치 땅속 뿌리줄기를 봄부터 가을에 채취하여 물에 씻은 후 썰어서 말린다.

약물명 자죽근(紫竹根)

약효 거풍제습(祛風除濕), 활혈해독(活血解毒)의 효능이 있으므로 풍습열비(風濕熱痺), 근골산통(筋骨酸痛), 경폐(經閉), 징가(癥瘕)를 치료한다.

사용법 자죽근 20g에 물 4컵(800mL)을 넣고 달여서 복용한다.

● 검은대나무

[벼과]

죽순대나무

식적복창　　두진불출

● 학명 : *Phyllostachys pubescens* Mazel　● 별명 : 죽순대, 죽신대, 맹종죽

1	2	3	4	5	6	7	8	9	10	11	12

여러해살이 식물. 높이 15~20m, 지름 15~20cm. 우리나라 대나무류 중에서 가장 크게 자란다. 어릴 때는 녹색을 띠고 털이 있지만 자라면서 황록색으로 된다. 포는 적갈색에 흑갈색 반점이 있고, 가지에 5~6개의 바늘 모양의 잎이 달리며 길이 7~10cm, 너비 1~1.5cm이다. 꽃은 원추화서를 이루지만 잘 피지 않는다.

분포 · 생육지 중국 원산. 우리나라 남부 지방에서 재식한다.

약용 부위 · 수치 4월에 나오는 죽순을 채취하여 껍질을 떼어 버리고 신선한 것을 약용한다.

약물명 모순(毛笋). 모죽순(茅竹笋)이라고

도 한다.

본초서 「동의보감(東醫寶鑑)」에 죽순(竹筍)이라는 이름으로 수재되어 "갈증을 풀어 주고 소변을 잘 나오게 하며, 가슴이 답답하고 열이 나는 것을 없애고 기운을 돕는다."고 하였다.

東醫寶鑑: 止消渴 利水道 除煩熱 益氣.

약효 화담(化痰), 소창(消脹), 투진(透疹)의 효능이 있으므로 식적복창(食積腹脹), 두진불출(痘疹不出)을 치료한다.

성분 다당류를 많이 함유하며, 이것을 물로 분해하면 xylose, arabinose, galactose가 생성된다.

사용법 모순 30g에 물 4컵(800mL)을 넣고 달여서 복용하거나 삶아서 먹는다.

● 모순(毛笋, 껍질을 벗긴 것)

● 모순(毛笋)

● 죽순대나무로 만든 요리

● 죽순대나무(죽순)

● 죽순대나무

[벼과]

고죽

 열병번갈　 실면
소변단적　　구창, 목통

●학명 : *Pleioblastus amarus* Mazel　●한자명 : 苦竹

1	2	3	4	5	6	7	8	9	10	11	12

❍ 고죽

여러해살이 식물. 높이 3~5m, 지름 1.5~2cm. 어릴 때는 담녹색이나 오래되면 녹황색이 된다. 마디에서 3~7개의 가지가 나오고, 잎은 길이 10~20cm, 너비 1~2.5cm이다. 꽃은 원추화서이나 잘 피지 않는다.

분포·생육지 중국, 타이완, 인도. 산과 들에서 자란다.

약용 부위·수치 봄에 나오는 어린잎을 채취하여 그대로 또는 썰어서 말린다.

약물명 고죽엽(苦竹葉)

본초서 「동의보감(東醫寶鑑)」에 고죽엽(苦竹葉)은 "불면증을 낫게 하고 갈증을 풀어 준다. 술독을 풀며 가슴이 답답하고 열이 나는 것을 없애고 땀이 나게 한다. 중풍으로 말을 못하는 것을 낫게 한다."고 하였다.

東醫寶鑑: 治不睡 止消渴 解酒毒 除煩熱發汗 治中風失音.

약효 청심(淸心), 이뇨명목(利尿明目), 해독의 효능이 있으므로 열병번갈(熱病煩渴), 실면(失眠), 소변단적(小便丹赤), 구창(口瘡), 목통(目痛), 실음(失音)을 치료한다.

사용법 고죽엽 10g에 물 3컵(600mL)을 넣고 달여서 복용한다.

* 우리나라에는 본 종이 분포하지 않으므로 '검은대나무(烏竹)'의 잎을 사용한다.

[벼과]

왕포아풀

 당뇨병

●학명 : *Poa pratensis* L.　●별명 : 왕꿰미풀

1	2	3	4	5	6	7	8	9	10	11	12

여러해살이풀. 높이 30~60cm. 줄기는 빽빽하게 나고 곧게 서며 가냘프고, 뿌리줄기는 옆으로 긴다. 꽃은 원추화서로 조밀하게 퍼지고, 각 마디에 가지가 3~5개씩 돌려난다. 호영은 피침형, 길이 2~3mm로 3맥, 외영은 끝이 뾰족하다.

분포·생육지 우리나라 전역. 중국, 타이완, 일본. 산지에서 자란다.

약용 부위·수치 지상부를 여름과 가을에 채취하여 물에 씻은 후 썰어서 말린다.

약물명 경질조숙화(硬質早熟花)

약효 강혈당(降血糖)의 효능이 있으므로 당뇨병을 치료한다.

사용법 경질조숙화 10g에 물 3컵(600mL)을 넣고 달여서 복용한다.

❍ 왕포아풀

[벼과]

포아풀

 소변임삽　　 황수창

●학명 : *Poa sphondylodes* Trinius.　●별명 : 꿰미풀

| 1 | 2 | 3 | 4 | 5 | 6 | 7 | 8 | 9 | 10 | 11 | 12 |

여러해살이풀. 높이 20~50cm. 줄기는 빽빽하게 나고 곧게 서며, 뿌리줄기는 옆으로 긴다. 꽃은 원추화서로 피고, 각 마디에 가지가 3~5개, 가지와 소수(小穗) 자루는 각이 진다. 소수는 길이 4~6mm로 낱꽃은 3~5개, 호영은 날카롭다.
분포·생육지 우리나라 전역. 중국, 일본. 들에서 자란다.

약용 부위·수치 뿌리줄기를 봄부터 가을까지 채취하여 물에 씻은 후 썰어서 말린다.
약물명 습지조숙화(濕地早熟花)
약효 청열해독(清熱解毒), 이뇨통림(利尿通淋)의 효능이 있으므로 소변임삽(小便淋澁), 황수창(黃水瘡)을 치료한다.
사용법 습지조숙화 10g에 물 3컵(600mL)을 넣고 달여서 복용한다.

◐ 포아풀

[벼과]

호밀

 소변불리, 방광출혈　　 자궁출혈

●학명 : *Secale cereale* L.　●영명 : Giant horsetail　●한자명 : 胡麥　●별명 : 흑맥, 라맥

| 1 | 2 | 3 | 4 | 5 | 6 | 7 | 8 | 9 | 10 | 11 | 12 |

◐ 호맥(胡麥)

◐ 호밀밭(강원도 양구)

두해살이풀. 높이 2m 정도. 줄기는 흰빛이 도는 녹색, 빽빽이 나며 밑부분이 굽는다. 잎은 길이 10~15cm, 너비 1.5cm 정도, 표면은 까칠까칠하다. 꽃은 5월에 피며 소수(小穗)가 2줄로 배열하고 2개의 소화(小花)로 된다.
분포·생육지 유럽 남부, 아시아 서남부 원산. 세계 각처에서 재배한다.
약용 부위·수치 종자를 가을에 채취하여 말린다.
약물명 호맥(胡麥)
약효 이뇨, 지혈의 효능이 있으므로 소변불리, 방광출혈, 자궁출혈을 치료한다.
성분 tricin, 2″-*O*-rhamnosylvitexin, 2″-*O*-rhamnosylscoparin 등이 함유되어 있다.
사용법 호맥 30g에 물 4컵(800mL)을 넣고 달여서 복용한다.

◐ 호밀

사탕수수

 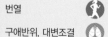

번열 / 당뇨병 / 구애반위, 대변조결 / 허열해수, 폐조해수

● 학명 : *Saccharum officinarum* L. ● 영명 : Sugar cane

| 1 | 2 | 3 | 4 | 5 | 6 | 7 | 8 | 9 | 10 | 11 | 12 |

여러해살이풀. 줄기는 바로 서며 높이 3m 정도, 지름 3~5cm이며 녹색 바탕에 적자색을 띤다. 마디에는 줄기를 감싸는 엽초가 있으며, 잎은 어긋나고 긴 타원형, 길이 40~80cm이다. 꽃차례는 길이 60cm에 이르고, 가을에 꽃이 피고 열매를 맺으며, 소수(小穗)는 길이 3~4mm로 털이 없고 끝이 팽대한다.

분포·생육지 뉴기니아 원산. 남아메리카, 카리브 해역, 인도, 인도네시아, 중국(남부), 동남아시아 등에서 널리 재배된다.

약용 부위·수치 줄기를 가을에 채취하여 물에 씻은 후 잘라서 말린다. 설탕을 만들고 찌꺼기를 다시 물에 끓인 뒤 식히면 굵고 얼음 같은 결정이 나온다.

약물명 감자(甘蔗), 저자(藷蔗), 간자(干蔗), 흑사당(黑砂糖)이라고도 한다. 굵고 얼음 같은 결정을 빙당(氷糖)이라 한다. 줄기의 즙액을 건조시켜 얻은 조결정체를 흑사당이라 하며 대한민국약전외한약(생약)규격집(KHP)에 수재되어 있다.

본초서「동의보감(東醫寶鑑)」에 유당(乳糖)으로 수재되어 "오장을 편하게 하고 기운을 돕는다. 명치 밑이 뜨거워지면서 부풀어 오르고 입이 마르며 갈증이 나는 것을 낫게 한다. 단 성질이 차서 설사를 하게 한다."고 하였다.

東醫寶鑑: 安五臟 益氣 主心腹熱脹 口乾渴 性冷痢.

기미·귀경 감자(甘蔗): 한(寒), 감(甘)·폐(肺), 비(脾), 위(胃), 빙당(氷糖): 평(平), 감(甘)·비(脾), 폐(肺)

약효 감자(甘蔗)는 청열생진(清熱生津), 윤조화중(潤燥和中), 해독의 효능이 있으므로 번열(煩熱), 당뇨병, 구애반위(嘔噦反胃), 허열해수(虛熱咳嗽), 대변조결(大便燥結), 옹저창종(癰疽瘡腫)을 치료한다. 빙당(氷糖)은 건비화위(健脾和胃), 윤폐지해(潤肺止咳)의 효능이 있으므로 비위기허(脾胃氣虛), 폐조해수(肺燥咳嗽), 담중대혈(痰中帶血)을 치료한다.

사용법 감자는 50g에 물 4컵(800mL)을 넣고 달여서 복용하거나 즙을 내어 복용한다. 외용에는 짓찧어서 붙이거나 즙액을 바른다. 빙당은 10~15g을 따뜻한 물에 녹여서 복용한다.

❍ 사탕수수

❍ 감자(甘蔗)

❍ 흑설탕과 백설탕

❍ 사탕수수(줄기)

❍ 감자(甘蔗)가 배합된 혈중 콜레스테롤 개선제

[벼과]

조릿대

열병번갈　소아경기
토혈　소변단적

● 학명 : *Sasa borealis* (Hack.) Makino　● 별명 : 산죽, 갓대, 산대, 신우대

| 1 | 2 | 3 | 4 | 5 | 6 | 7 | 8 | 9 | 10 | 11 | 12 |

여러해살이 식물. 높이 1~2m, 지름 3~6mm. 마디는 튀어 나오지 않는다. 잎은 가지 끝에 2~3개씩 나고 긴 타원상 바늘 모양, 길이 10~25cm, 너비 3~6cm로 끝이 꼬리처럼 길고 뒷면은 흰 가루색을 띤다. 꽃은 4월에 원추화서로 피며, 꽃차례는 털과 흰 가루로 덮여 있고 밑이 자주색 포로 싸여 있다.

분포 · 생육지 우리나라 전역. 중국, 일본, 타이완, 필리핀. 산에서 자란다.

약용 부위 · 수치 잎을 수시로 채취하여 말린다.

약물명 죽엽(竹葉)

본초서 죽엽(竹葉)은 「신농본초경(神農本草經)」의 중품(中品)에 수재되었고, 「명의별록(名醫別錄)」에 고죽엽(苦竹葉), 근죽엽(箪竹葉) 및 담죽엽(淡竹葉)의 3종이 수재되어 있다. 이들 가운데 담죽엽이 가장 많이 사용되었으나 명대(明代)부터 대나무의 잎에서 조릿대풀로 바뀌었다.

성상 잎의 전형 또는 절편이다. 전형은 긴 타원형으로 한쪽 가장자리에 날카로운 가시가 있고 다른 쪽 가장자리에는 거의 없으며, 끝은 뾰족하고 아래는 둥글며 잎자루가 있다. 절편은 대부분 직사각형이다. 냄새가 약간 나고 맛은 덤덤하다. '왕대나무'나 '솜대나무' 잎에 비하여 길이와 너비가 크다.

약효 청열제번(淸熱除煩), 생진(生津), 이뇨(利尿)의 효능이 있으므로 열병으로 인한 번갈(煩渴), 소아경기(小兒驚氣), 토혈(吐血), 소변단적(小便短赤)을 치료한다.

기미 · 귀경 한(寒), 감(甘), 담(淡) · 심(心), 폐(肺), 담(膽), 위(胃)

사용법 죽엽 10g에 물 3컵(600mL)을 넣고 달여서 복용한다.

처방 죽엽탕(竹葉湯): 복령(茯苓) 8g, 맥문동(麥門冬) · 황금(黃芩) 각 6g, 방풍(防風) 4g, 죽엽(竹葉) 7개 (「동의보감(東醫寶鑑)」). 임신부가 실열(實熱)로 갈증이 나고 태동이 불안한 증상에 사용한다.

• 죽엽석고탕(竹葉石膏湯): 석고(石膏) 16g, 인삼(人蔘) 8g, 맥문동(麥門冬) 6g, 반하(半夏) 4g, 감초(甘草) 2.8g, 죽엽(竹葉) · 갱미(粳米) 2g, 생강즙(生薑汁) 2순가락 (「상한론(傷寒論)」). 열병을 앓고 난 뒤 기혈 부족으로 열이 나면서 갈증이 나며 가슴이 답답하고 입 안이 허는 증상에 사용한다.

• 도적산(導赤散): 지황(地黃) · 목통(木通) · 감초(甘草) 각 4g, 죽엽(竹葉) 7개 (「동의보감(東醫寶鑑)」). 심장, 소장에 열이 많아 얼굴이 벌겋고 가슴이 답답하며 갈증으로 물을 켜는 증상, 급성신우신염, 구내염에 사용한다.

＊ 우리나라에서는 죽엽(竹葉)의 기원 식물로 본 종의 잎이 가장 많이 사용되고 있고, '왕대' 및 '솜대나무' 잎 등이 출하되고 있다.

❶ 조릿대(꽃)

❶ 죽엽(竹葉)

❶ 죽엽(竹葉, 신선품)

❶ 죽엽(竹葉, 절편)

❶ 조릿대

[벼과]

가을강아지풀

소아감적　풍진　아통

● 학명 : *Setaria faberii* Herrm.　● 별명 : 가을강아지

1　2　3　4　5　6　7　8　9　10　11　12

❶ 대구미초(大狗尾草)

한해살이풀. 높이 50~140cm. 줄기 밑부분이 좁아진다. 잎은 편평하고 길이 30cm, 너비 1.5cm 정도, 엽설에 긴 털이 있다. 꽃차례는 원기둥 모양으로 소수(小穗)는 길이 3mm 정도이다.

분포 · 생육지 우리나라 중부 이남. 경작지나 황무지에서 자란다.

약용 부위 · 수치 전초를 여름과 가을에 채취하여 물에 씻은 후 썰어서 말린다.

약물명 대구미초(大狗尾草)

약효 청열소감(淸熱消疳), 거풍지통(祛風止痛)의 효능이 있으므로 소아감적(小兒疳積), 풍진(風疹), 아통(芽痛)을 치료한다.

성분 tricin, 2″-*O*-rhamnosylvitexin, 2″-*O*-rhamnosylscoparin 등이 함유되어 있다.

약리 tricin은 항염증 작용, 항바이러스 및 항히스타민 작용이 있다.

사용법 대구미초 10g에 물 3컵(600mL)을 넣고 달여서 복용한다.

❶ 가을강아지풀

[벼과]

금강아지풀

목적종통, 안염　적백이질

● 학명 : *Setaria glauca* (L.) Beauvois　● 별명 : 금가라지풀

1　2　3　4　5　6　7　8　9　10　11　12

❶ 금색구미초(金色狗尾草)

한해살이풀. 높이 50~100cm. 줄기의 밑부분이 납작하다. 잎은 편평하고 길이 10~25cm, 너비 1cm 정도, 엽설에 긴 털이 있다. 꽃차례는 원기둥 모양으로 작은 이삭 밑에 보통 5개의 황금색 강모가 빽빽이 난다.

분포 · 생육지 우리나라 전역. 전 세계에 널리 분포하며 들에서 흔하게 자란다.

약용 부위 · 수치 전초를 여름과 가을에 채취하여 물에 씻은 후 썰어서 말린다.

약물명 금색구미초(金色狗尾草)

약효 청열(淸熱), 명목(明目), 지리(止痢)의 효능이 있으므로 목적종통(目赤腫痛), 안염(眼炎), 적백이질(赤白痢疾)을 치료한다.

성분 종자유는 palmitic acid, oleic acid, linoleic acid, linolenic acid 등이 함유되어 있다.

사용법 금색구미초 10g에 물 3컵(600mL)을 넣고 달여서 복용한다.

❶ 금강아지풀

[벼과]

조

비위허열, 반위구토, 복만식소, 사리
당뇨병

●학명 : *Setaria italica* (L.) Beauvois ●별명 : 큰조

| 1 | 2 | 3 | 4 | 5 | 6 | 7 | 8 | 9 | 10 | 11 | 12 |

한해살이풀. 높이 1~1.5m. 가지는 없으며 잎몸은 바늘 모양, 가장자리에 잔톱니가 있다. 꽃차례는 원기둥 모양, 길이 20cm, 지름 2.5cm 정도이다. 소수(小穗)는 길이 3mm이고, 제1호영은 길이 1mm, 3맥, 제2호영은 길이 2mm이고 5맥이 있다. 완전한 소수는 겨드랑이에 1개의 강모가 있고, 결실되지 않는 소수에는 겨드랑이에 3개의 강모가 있다.

분포 · 생육지 중국 원산. 우리나라 전역에서 재배한다.

약용 부위 · 수치 열매를 가을에 채취하여 껍질을 벗겨 속씨를 말린다.

약물명 속씨를 속미(粟米)라 하며, 청량미(青粱米), 백량속(白粱粟)이라고도 한다.

본초서 「동의보감(東醫寶鑑)」에 속미(粟米)는 "신장의 기운을 돕고 비장과 위장 속의 열을 없애며 기운을 돕는다. 소변을 잘 나오게 하고 비장과 위장의 기운을 돕는다."고 하였다.

東醫寶鑑: 養腎氣 去脾胃中熱 益氣 利小便 益脾胃.

기미 · 귀경 양(凉), 감(甘), 함(鹹) · 신(腎), 비(脾), 위(胃)

약효 화중익신(和中益腎), 제열해독(除熱解毒)의 효능이 있으므로 비위허열(脾胃虛熱), 반위구토(反胃嘔吐), 복만식소(腹滿食少), 당뇨병, 사리(瀉痢)를 치료한다.

성분 지방 1.4%, 단백질 2.4%, 회분 3.2%, 전분 63.0%, glutamic acid, proline, alanine, methionine, lysine, setarin, mono-glucosylglyceride, sucrose, raffinose, glucose, fructose, galactose 등이 함유되어 있다.

사용법 속미 15~30g에 물 4컵(800mL)을 넣고 달여서 복용하거나 죽을 쑤어 먹는다.

◐ 속미(粟米)

◐ 속미(粟米)

◐ 조

[벼과]

강아지풀

풍열감모   황달, 이질
목적종통

●학명 : *Setaria viridis* (L.) Beauvois ●별명 : 개꼬리풀, 자주강아지풀, 제주개피

| 1 | 2 | 3 | 4 | 5 | 6 | 7 | 8 | 9 | 10 | 11 | 12 |

한해살이풀. 높이 20~70cm. 가지가 갈라지며 털이 없다. 잎의 밑부분이 엽초로 되며 엽초의 가장자리에 엽설과 더불어 줄로 돋은 털이 있다. 꽃은 7월에 피고 원주형의 꽃차례는 길이 3~5cm로 끝이 약간 처진다.

분포 · 생육지 우리나라 전역. 중국, 일본. 들에서 흔하게 자란다.

약용 부위 · 수치 전초를 여름과 가을에 채취하여 물에 씻은 후 썰어서 말린다.

약물명 구미초(狗尾草)

약효 청열이습(清熱利濕), 거풍명목(祛風明目), 해독의 효능이 있으므로 풍열감모(風熱感冒), 황달, 이질, 목적종통(目赤腫痛)을 치료한다.

사용법 구미초 10g에 물 3컵(600mL)을 넣고 달여서 복용한다.

◐ 구미초(狗尾草)

◐ 강아지풀

[벼과]

수수

비허설사, 곽란, 소화불량, 위통 　실면다몽

담습해수, 해수천만 　자궁출혈, 산후출혈

● 학명 : *Sorghum bicolor* Moench　● 별명 : 쑤시

| 1 | 2 | 3 | 4 | 5 | 6 | 7 | 8 | 9 | 10 | 11 | 12 |

한해살이풀. 높이 1.5~2.5m. 원줄기는 속이 차 있고 마디 사이가 길다. 뿌리줄기는 목질이며 사방으로 퍼진 수염뿌리가 있다. 잎은 어긋나고 끝이 처진다. 꽃은 원추화서로 빽빽이 나고, 암꽃은 꽃자루가 없고 길이 5mm 정도로 넓은 도란상 타원형이며 밑부분에 털이 있다. 첫째 포영은 가죽질이고 둘째 포영은 막질이다.

분포 · 생육지 중국 원산. 우리나라 전역에서 재배한다.

약용 부위 · 수치 열매를 가을에 채취하여 껍질을 벗겨 속씨를 말린다.

약물명 속씨를 고량미(高粱米), 뿌리를 고량근(高粱根)이라 한다.

기미 · 귀경 온(溫), 감(甘), 삽(澁) · 비(脾), 위(胃), 폐(肺)

약효 고량미(高粱米)는 건비지사(健脾止瀉), 화담안신(化痰安神)의 효능이 있으므로 비허설사(脾虛泄瀉), 곽란(霍亂), 소화불량, 담습해수(痰濕咳嗽), 실면다몽(失眠多夢)을 치료한다. 고량근(高粱根)은 평천(平喘), 이뇨(利尿), 지혈(止血)의 효능이 있으므로 해수천만(咳嗽喘滿), 위통(胃痛), 자궁출혈, 산후출혈을 치료한다.

사용법 고량미는 40~50g에 물을 넣고 달여서 복용하거나 죽을 쑤어 먹는다. 고량근은 20g에 물 4컵(800mL)을 넣고 달여서 복용한다.

❀ 수수

❀ 고량미(高粱米)

❀ 수수(열매)

❀ 수수쌀

[벼과]

기름새

풍열감모 이질
통경, 폐경

● 학명 : *Spodiopogon cotulifer* (Thunb.) Hackel [*Ecoliopus cotulifer*]

| 1 | 2 | 3 | 4 | 5 | 6 | 7 | 8 | 9 | 10 | 11 | 12 |

여러해살이풀. 높이 90~150cm. 잎은 선형이고 길이 40~60cm, 너비 1~1.5cm, 표면에 거친 털이 있고 뒷면에 부드러운 털이 있다. 엽설은 길이 2~4mm, 작은 꽃차례의 자루가 작은 꽃자루보다 길어서 꽃차례가 밑으로 처진다.

분포·생육지 우리나라 전역. 중국, 일본, 인도, 타이완. 산이나 들에서 자란다.

약용 부위·수치 전초를 여름과 가을에 채취하여 썰어서 말린다.

약물명 산고량(山高粱). 홍람초(紅藍草)라고도 한다.

약효 해표청열(解表淸熱), 활혈통경(活血通經)의 효능이 있으므로 풍열감모(風熱感冒), 이질, 통경(痛經), 폐경(閉經)을 치료한다.

사용법 산고량 15g에 물 3컵(600mL)을 넣고 달여서 복용한다.

○ 기름새

[벼과]

쥐꼬리새풀

고열신혼 간염, 황달

● 학명 : *Sporobolus fertilis* (Steud.) W. D. Clayt. [*S. elongatus*]
● 별명 : 회초리풀

| 1 | 2 | 3 | 4 | 5 | 6 | 7 | 8 | 9 | 10 | 11 | 12 |

한해살이풀. 높이 30~80cm. 줄기는 빽빽하게 나고 털이 없다. 잎은 선형이고 길이 25~50cm, 너비 3~4mm, 엽설은 짧다. 꽃은 수상화서를 이루며, 열매는 납작하고 타원형으로 길이 1mm, 너비 0.5mm 정도이다.

분포·생육지 우리나라 남부 지방. 중국, 일본, 인도. 산이나 들에서 자란다.

약용 부위·수치 전초를 여름과 가을에 채취하여 물에 씻은 후 썰어서 말린다.

약물명 서미속(鼠尾粟). 서미초(鼠尾草)라고도 한다.

약효 청열양혈(淸熱凉血), 해독이뇨(解毒利尿)의 효능이 있으므로 고열신혼(高熱身昏), 간염, 황달을 치료한다.

사용법 서미속 30g에 물 4컵(800mL)을 넣고 달여서 복용한다.

○ 쥐꼬리새풀

[벼과]

솔새

 경폐   풍습비통

● 학명 : *Themeda triandra* Forskal var. *japonica* (Willd.) Makino   ● 별명 : 솔줄, 솔풀

| 1 | 2 | 3 | 4 | 5 | 6 | 7 | 8 | 9 | 10 | 11 | 12 |

○ 솔새

여러해살이풀. 높이 70~100cm. 줄기는 곧게 서고, 잎은 선형이고 밑부분에 마디가 있는 뻣뻣한 털이 있으며, 엽설은 길이 2mm 정도, 섬모가 있다. 꽃차례는 여러 개의 부채 모양의 짧은 총상화서를 이룬다.

분포 · 생육지 우리나라 전역. 중국, 일본, 인도. 산이나 들에서 흔하게 자란다.

약용 부위 · 수치 전초를 여름과 가을에 채취하여 물에 씻은 후 썰어서 말린다.

약물명 황배초(黃背草). 황배모(黃背茅), 진기초(進肌草)라고도 한다.

약효 활혈통경(活血通經), 거풍제습(祛風除濕)의 효능이 있으므로 경폐(經閉), 풍습비통(風濕痺痛)을 치료한다.

사용법 황배초 30g에 물 4컵(800mL)을 넣고 달여서 복용한다.

○ 황배초(黃背草)

[벼과]

밀

 골증노열   자한, 도한

소화불량, 하리, 식욕부진

● 학명 : *Triticum aestivum* L.   ● 별명 : 소맥

| 1 | 2 | 3 | 4 | 5 | 6 | 7 | 8 | 9 | 10 | 11 | 12 |

한해살이풀. 높이 70~100cm. 줄기는 곧게 서고 6~9개의 마디로 된다. 잎은 편평하고 바늘 모양, 꽃은 5월에 수상화서로 피며 길이 6~10cm이다. 포영(苞穎)은 호영보다 작고 9맥이 있으며 끝에 까락이 있다.

분포 · 생육지 중국 원산. 우리나라 전역에서 재배한다.

약용 부위 · 수치 밀을 여름에 수확하여 말린 뒤 종자를 물에 띄워 뜨는 것을 말린다.

약물명 부소맥(浮小麥). 부수맥(浮水麥), 부맥(浮麥)이라고도 한다. 대한민국약전외한약(생약)규격집(KHP)에 수재되어 있다.

본초서 「동의보감(東醫寶鑑)」에 소맥(小麥)과 부소맥(浮小麥)을 수재하고 있다. 소맥은 "가슴이 답답하고 열이 나는 것을 없애고 잠을 줄이며 입안이 몹시 타는 듯한 갈증을 풀어 준다. 소변을 잘 나오게 하고 간의 기운을 도와준다."고 하였다. 부소맥은 "심장을 편안하게 한다. 대추와 함께 달여 마시면 식은땀을 그치게 한다."고 하였다.
東醫寶鑑: 小麥 主除煩熱少睡 止燥渴 利小便 養肝氣.
浮小麥 養心 同大棗煎 止盜汗.

성상 미성숙한 열매이며 타원상 구형이고 길이 0.5cm, 너비 0.2cm 정도이다. 표면은 황갈색이고 쭈그러져 있으며 세로 홈이 있다. 냄새는 없고 맛은 담담하다.

약효 익기(益氣), 제열(除熱)의 효능이 있으므로 골증노열(骨蒸勞熱), 자한(自汗), 도한(盜汗)을 치료한다.

성분 밀겨(밀기울)는 tachioside, pinellic acid, tryptophan 등이 함유되어 있다.

약리 tachioside는 항산화 작용이 있고, pinellic acid는 비강 독감 백신의 adjuvant 효과, 항알레르기 효과가 있다.

사용법 부소맥 20~30g에 물 4컵(800mL)을 넣고 달이거나 가루로 만들어 복용한다.

[신국(神麯) Massa]

• 한국산: 밀가루 또는 밀기울, 적소두(赤小豆) 가루, 행인(杏仁) 가루, 개똥쑥즙(菁蒿汁), 창이즙(蒼耳汁), 야료즙(野蓼汁) 등의 재료를 반죽하여 누룩같이 만들어 짚이나 마대로 싸서 온실에서 발효시킨다.

• 중국산: 밀가루 60g, 밀기울 100g, 청호(菁蒿) · 창이(蒼耳) · 야료(野蓼) 각 12g을 빻아서 적소두(赤小豆) 가루, 행인(杏仁) 가

루 각 6g을 가하여 물을 적당히 넣어서 짚이나 마대에서 일정 시간 발효시킨다. 보통 여름은 2~3일, 겨울은 4~5일이 소요된다.

• 일본산: 쌀을 쪄서 약재와 섞어 발효시킨다. 행인, 삶은 팥, 신선한 제비쑥, 신선한 여뀌잎 등을 짓찧어 짠 즙을 고루 섞어 반죽한 다음 떡처럼 빚고 약쑥을 덮어서 1주일 동안 띄운다. 이것을 햇볕에 말린다.

약물명 신국(神麯). 신곡(神麴), 육국(六麴), 육신곡(六神麴), 육신국(六神麯)이라고도 한다. 대한민국약전외한약(생약)규격집(KHP)에 수재되어 있다.

본초서 신국(神麯)은 「약성론(藥性論)」에 "수곡(水穀)의 소화, 기결(氣結), 적체(積滯)를 풀어 주며, 비(脾)를 튼튼히 하고 위를 따뜻하게 한다."고 기록되어 있다. 송대(宋代)의 「가우본초(嘉祐本草)」에 처음 수재되었으며, 「본초습유(本草拾遺)」, 「식료본초(食療本草)」, 「일화자본초(日華子本草)」에서도 발견된다. 「동의보감(東醫寶鑑)」에는 "입맛을 돋우고 비장을 튼튼하게 하며 음식을 잘 소화시킨다. 구토와 설사가 계속되는 것과 대변에 피가 섞여 나오는 것을 그치게 한다. 뱃속에 덩어리가 생긴 것을 없애고 담이 치밀어 올라 가슴이 답답한 것을 풀어 주며, 위와 대소장 속에 음식이 막혀 있는 것을 내려가게 한다. 유산될 수 있으며, 귀태를 나오게도 한다."고 하였다.
藥性論: 化水穀宿食 癥結積滯 健脾暖胃.
本草綱目: 消食下氣 除痰逆霍亂 泄痢脹滿諸疾.
東醫寶鑑: 開胃健脾 消化水穀 止霍亂泄痢下

赤白 破癥結 下痰逆胸滿 腸胃中寒飮食不下 落胎 下鬼胎.

성상 모양이 일정하지 않은 황갈색~갈색의 덩어리이다. 질은 가볍고 엉성하여 부스러지기 쉬우며 덩어리 속에 섬유상의 물질이 섞여 있다. 쉰 냄새가 나며, 맛은 조금 쓰다.

품질 불쾌한 냄새가 없고 벌레가 먹지 않았으며 곰팡이가 피지 않고 황색인 것이 좋다.

기미·귀경 감(甘), 신(辛)·비(脾), 위(胃)

약효 자양(滋養), 소화, 지사(止瀉)의 효능이 있으므로 소화불량, 하리(下痢), 식욕부진을 치료한다.

성분 정유, 배당체, 효모, 당류, 단백질, 지질, 비타민 등이 함유되어 있다.

약리 일종의 효모 제제이며 소화 작용이 있다. 신국을 단순성 소화불량 어린이 129명에게 투여한 결과 103명이 치료되었다.

사용법 신국 5g에 물 2컵(400mL)을 넣고 달여서 복용한다.

주의 위염으로 위열이 있어 혀가 매우 붉고 진액이 모자랄 때 죽여(竹茹)나 산약(山藥)과 함께 사용한다. 특히 위산과다일 때는 사용하지 않으며, 발효 과정에서 곰팡이가 많이 발생하므로 간염 등에는 피한다.

처방 국출환(麴朮丸): 신국(神麴) 120g, 창출(蒼朮) 60g, 진피(陳皮)·축사(縮砂) 각 40g(『동의보감(東醫寶鑑)』). 식체(食滯)가 오래되어 속이 쓰리고 아프며 때로 멀건 신물을 게우고 역한 트림이 나오는 증상에 사용한다. 1회 70알을 복용한다.

• 반하백출천마탕(半夏白朮天麻湯): 반하(半夏)·진피(陳皮)·맥아(麥芽) 각 6g, 백출(白朮)·신국(神麴) 각 4g, 창출(蒼朮)·인삼(人蔘)·황기(黃耆)·천마(天麻)·복령(茯苓)·택사(澤瀉) 각 2g, 건강(乾薑) 1.2g, 황백(黃柏) 0.8g(『동의보감(東醫寶鑑)』). 비위(脾胃)가 허약하여 생긴 담궐두통(痰厥頭痛)으로 머리가 아프고 게우며 어지러워 눈을 뜰 수 없고 때로는 구역질이 나며 온몸이 무겁고 팔다리가 싸늘한 증상에 사용한다.

• 보화환(保和丸): 산사자(山査子)·반하(半夏)·나복자(蘿蔔子)·황련(黃連)·진피(陳皮) 각 20g, 신국(神麴) 12g, 맥아(麥芽) 8g(『동의보감(東醫寶鑑)』). 소화불량으로 명치 밑이 그득하고 신물이 올라오는 증상에 사용한다.

* Medicata Fermentata는 신국(神麴)의 라틴 생약명으로 주원료가 밀이며 몇 가지 약재를 섞어서 만든다.

❍ 밀(꽃)

❍ 부소맥(浮小麥)

❍ 신국(神麴, 덩어리)

❍ 신국(神麴, 잘게 부순 것)

❍ 밀

[벼과]

옥수수

	수종		소변임력, 소변불리, 사림		유즙불통
	황달, 담낭염, 토혈		고혈압, 당뇨병		

● 학명 : *Zea mays* L.　● 별명 : 강냉이, 강낭이

| 1 | 2 | 3 | 4 | 5 | 6 | 7 | 8 | 9 | 10 | 11 | 12 |

한해살이풀. 높이 1~3m. 줄기는 굵고, 뿌리줄기는 딱딱하며 수염뿌리가 달린다. 잎은 어긋나고, 수꽃차례는 위에 달리고 꽃차례의 가지에는 2개의 꽃이 달린 소수(小穗)가 이삭 모양으로 달리며 수술이 각각 3개씩 있다. 암꽃은 윗부분의 잎겨드랑이에 달리고 많은 꽃이 꽃대에 정렬한다. 꽃차례축은 길이 20~30cm로 많은 둥근 영과(穎果)가 달린다.

분포·생육지 열대 아메리카 원산. 우리나라 전역에서 재배한다.

약용 부위·수치 흔히 옥수수수염이라 하는 암술대와 암술머리를 여름과 가을에 채취하여 말린다. 뿌리는 가을에 채취하여 흙을 털어서 말린다.

약물명 암술대를 옥미수(玉米鬚)라 하며 옥맥수(玉麥鬚), 옥촉서예(玉蜀黍蘂), 봉자모(棒子毛)라고도 한다. 뿌리를 옥촉서근(玉蜀黍根)이라 하며, 옥미근(玉米根)이라고도 한다.

본초서 옥촉서예(玉蜀黍蘂)는 「신농본초경(神農本草經)」 상품(上品)에 수재되어 있으

며, 중국의 의서(醫書)에는 "꽃이 둥글게 피어 밑부분을 덮어 버리므로 선복화(旋覆花)라고 한다."고 되어 있다. 「본초강목(本草綱目)」에는 "수수와 모양이 비슷하고 열매가 옥(玉)처럼 반짝거리므로 옥수수라고 한다."고 기록되어 있다.

성상 가는 실 또는 머리카락 모양으로 서로 엉키어 엉성한 덩어리로 되어 있고 황록색~황갈색을 띤다. 암술대 길이는 20~30cm에 이르고 암술머리는 2개로 갈라지고 길이 1~3mm이다. 질은 부드럽고 매우 가볍다. 특이한 냄새가 조금 나고 맛은 조금 달다.

기미·귀경 옥미수(玉米鬚): 평(平), 감(甘), 담(淡)·신(腎), 위(胃), 간(肝), 담(膽). 옥촉서근(玉蜀黍根): 평(平), 감(甘)

약효 옥미수(玉米鬚)는 이뇨소종(利尿消腫), 청간이담(淸肝利膽)의 효능이 있으므로 수종(水腫), 소변임력(小便淋瀝), 황달, 담낭염, 고혈압, 당뇨병, 유즙불통(乳汁不通)을 치료한다. 대한민국약전외한약(생약)규격집(KHP)에 수재되어 있다. 옥촉서근

(玉蜀黍根)은 이뇨통림(利尿通淋), 거어지혈(祛瘀止血)의 효능이 있으므로 소변불리(小便不利), 수종(水腫), 사림(砂淋), 토혈(吐血)을 치료한다.

성분 옥미수(玉米鬚)는 β-sitosterol, stigmasterol, vitamin K, isoquercitrin, α-tocopherylquinone 등, 줄기는 4-hydroxybenzaldehyde, *N-trans-p*-coumaryl tyramine, *N-trans*-ferulyl tyramine, *N*-(*p*-coumaryl serotonine, *N*-(*p*-coumaryl tyramine이 함유되어 있다.

약리 열수추출물 또는 에탄올추출물을 쥐나 토끼에게 투여하면 혈압이 강하한다. 열수추출물을 환자에게 투여하면 담낭을 수축시켜 담즙의 분비와 배설을 촉진하고, 쥐에서 지방의 생성을 억제하고 혈당을 저하시킨다. *N-trans-p*-coumaryl tyramine, *N-trans*-ferulyl tyramine, *N*-(*p*-coumaryl serotonine, *N*-(*p*-coumaryl tyramine은 acetylcholinesterase의 활성을 억제한다.

사용법 옥미수는 15~30g에 물 4컵(800mL)을 넣고 달여서 복용하고, 황달, 담낭염에는 인진호(茵蔯蒿)와 같은 양으로 배합하여 물을 넣고 달여서 복용한다. 옥촉서근은 30~60g에 물을 넣고 달여서 복용한다.

＊옥수수, 쌀 등을 발효시켜 만든 엿을 교이(餃飴)라 하며 기관지염이나 기관지천식에 사용하고 있다. 옥미수(玉米鬚)를 원료로 하여 많은 건강식품이 시판되고 있다.

◐ 옥수수(뿌리)

◐ 옥수수(수꽃)

◐ 옥수수(열매)

◐ 옥미수(玉米鬚)

◐ 옥수수와 후박을 배합한 치주질환 치료제

◐ 옥수수

[벼과]

줄

 당뇨병 심번 소변불리
황달 비뉵

● 학명 : *Zizania caduciflora* (Turcz.) Hand. [*Z. latifolia*] ● 별명 : 줄풀

| 1 | 2 | 3 | 4 | 5 | 6 | 7 | 8 | 9 | 10 | 11 | 12 |

여러해살이풀. 뿌리줄기는 굵고 옆으로 번으며, 줄기는 모여나고 높이 2~2.5m이다. 잎은 대부분 뿌리에서 나고 길이 50~100cm로 기부는 좁아져 엽초로 된다. 꽃은 길이 40~60cm, 8~10월에 원추화서를 이루며 마디에서 2~5개씩 가지를 내고 상부에 암꽃, 하부에 수꽃이 달린다.

분포 · 생육지 우리나라 전역. 중국, 일본, 타이완, 인도네시아, 아무르. 연못이나 냇가에 흔하게 자란다.

약용 부위 · 수치 뿌리줄기를 여름에 채취하여 물에 씻은 후 말리거나 생것을 사용한다.

약물명 고근(菰根). 고장근(菰蔣根)이라고도 한다.

본초서 「동의보감(東醫寶鑑)」에 "위와 대소장의 오래된 열을 내리고 갈증을 풀어 준다. 눈이 노랗게 된 것을 낫게 하고 대소변을 잘 나오게 하며 더위로 설사가 나는 것을 그치게 한다. 코끝이 벌겋게 되는 증상과 얼굴빛이 붉은 것을 낫게 한다. 그러나

속을 훑어내리므로 많이 복용하지 않는 것이 좋다."고 하였다.

東醫寶鑑: 主腸胃痼熱 止消渴 除目黃 利大小便 止熱痢 療酒瘡面赤 然滑中 不可多食

약효 제번지갈(除煩止渴), 청열해독(淸熱解毒)의 효능이 있으므로 당뇨병, 심번(心煩), 소변불리(小便不利), 황달, 비뉵(鼻衄)을 치료한다.

사용법 고근 말린 것은 20g에 물을 넣고 달여서 복용하고, 생것은 60~90g에 물 4컵(800mL)을 넣고 달여서 복용한다.

❶ 줄

❶ 고근(菰根)

❶ 줄(꽃)　　　　❶ 줄(뿌리와 뿌리줄기)

[천남성과]

창포

 전간 경계건망 설사
류머티즘성동통 옹종, 개창

● 학명 : *Acorus calamus* L. var. *angustatus* Besser [*A. asiaticus* Nakai]
● 별명 : 장포, 향포, 왕창포

| 1 | 2 | 3 | 4 | 5 | 6 | 7 | 8 | 9 | 10 | 11 | 12 |

여러해살이풀. 뿌리줄기는 굵고 지름 1~1.5cm, 옆으로 번으며 마디가 많고 수염뿌리가 돋는다. 꽃줄기는 삼각기둥 모양, 높이 30cm 정도이다. 꽃은 6~7월에 육수화서가 비스듬히 옆으로 달리며 길이 5~10cm, 황록색의 꽃이 빽빽하게 달린다.

분포 · 생육지 우리나라 전역. 중국, 일본, 타이완, 인도, 베트남, 시베리아. 못, 도랑, 강가에서 자란다.

약용 부위 · 수치 뿌리줄기를 가을에 채취하여 말린다.

약물명 수창포(水菖蒲). 창포(菖蒲), 백창(白菖)이라고도 한다.

성상 뿌리줄기는 비교적 굵고 분지하기도 한다. 길이 10~15cm, 지름 1~1.5cm, 마

디가 두드러지고 질은 단단하다. 횡단면은 1개의 뚜렷한 고리를 볼 수 있고 여러 개의 작은 구멍과 유관속을 볼 수 있다. 냄새는 강하고 맛은 약간 쓰다.

기미 · 귀경 온(溫), 신(辛), 고(苦) · 심(心), 간(肝), 위(胃)

약효 화담(化痰), 개규(開竅), 건비(健脾), 이습(利濕)의 효능이 있으므로 전간(癲癇), 경계건망(驚悸健忘), 신지불청(神志不淸), 설사, 류머티즘성동통, 옹종, 개창(疥瘡) 등을 치료한다.

성분 정유에는 eugenol, asarylaldehyde, asarone, shyobunone, epishyobunone 등이 함유되어 있다.

약리 열수추출물은 쥐의 자발 운동을 억제

하므로 진정 작용이 있는 것으로 생각되며, 수면 연장 작용이 있고, asarone은 혈압을 강하시킨다. 70%메탄올추출물은 혈압에 관여하는 angiotensin converting enzyme의 활성을 저해한다.

사용법 수창포 10g에 물 3컵(600mL)을 넣고 달여서 복용하고, 외용에는 달인 액으로 씻는다.

＊ '석창포'에 비하여 잎에 주맥이 있고, 포는 꽃차례보다 훨씬 길다.

❶ 열매　　　　❶ 창포

❶ 수창포(水菖蒲, 절편)

❶ 수창포(水菖蒲)

❶ 수창포(水菖蒲)를 주약으로 배합한 근육 이완제

석창포

전간, 담궐　열병혼수　건망증
복통　화농성종양, 타박상

● 학명 : *Acorus gramineus* Solander　● 한자명 : 金錢蒲　● 별명 : 석장포, 석향포, 바위석창포

| 1 | 2 | 3 | 4 | 5 | 6 | 7 | 8 | 9 | 10 | 11 | 12 |

여러해살이풀. 뿌리줄기는 옆으로 벋으며 마디가 두드러지고 수염뿌리가 많다. 잎은 뿌리줄기 끝에서 모여나며, 꽃은 담황색, 6~7월에 육수화서로 피고 길이 5~10cm, 불염포는 잎 같다. 삭과는 달걀 모양이다.

분포 · 생육지 우리나라 중부 이남. 중국, 일본, 타이완, 인도. 물가에서 자란다.

약용 부위 · 수치 뿌리줄기를 봄부터 가을까지 채취하여 썰어서 말린다.

약물명 석창포(石菖蒲). 수창포(水菖蒲), 니창(泥菖), 수창(水菖)이라고도 한다. 대한민국약전외한약(생약)규격집(KHP)에 수재되어 있다.

본초서 석창포(石菖蒲)는 「신농본초경(神農本草經)」의 상품(上品)에 수재되어 있고, 「본초강목(本草綱目)」에는 "포(蒲)와 같은 식물이고 창성(昌盛, 잘 번진다는 뜻)하므로 창포(菖蒲)라고 하며, 식물 형태가 창포와 비슷하나 창포는 연못에서 자라고, 이 식물은 산골짜기 바위(石) 주변에서 자라므로 석창포(石菖蒲)라 한다."고 기록되어 있다. 「동의보감(東醫寶鑑)」에 "마음을 편하게 하며 오장의 기운을 돋우고 몸에 있는 구규를 잘 통하게 한다. 귀와 눈을 밝게 하고 목청을 좋게 한다. 풍습으로 몸의 감각이 둔해진 것을 낫게 하고 뱃속의 벌레를 구제하며 벼룩과 이를 없앤다. 건망증을 낫게 하고, 지혜롭게 하며, 명치 밑이 아픈 것을 낫게 한다."고 하였다.

神農本草經: 主風寒濕痺, 咳逆上氣, 開心孔, 補五臟, 通九竅, 明耳目, 出音聲. 久服輕身, 不忘不迷惑, 延年.

藥性論: 治風濕頑痺, 耳鳴, 頭風, 淚下, 殺諸蟲, 治惡瘡疥瘙.

本草綱目: 治中惡卒死, 客忤癲癎, 下血崩中, 安胎漏, 散癰腫, 搗汁服, 解巴豆, 大戟毒.

東醫寶鑑: 主開心孔 補五臟 通九竅 明耳目 出音聲 治風濕麻痺 殺腹藏蟲 辟蚤蝨 療多忘長智 止心腹痛.

성상 조금 납작한 원주형으로 때로는 분기되고 길이 10~20cm, 지름 3~10mm이다. 표면은 적갈색~황갈색이고 많은 마디가 있다. 질은 단단하며 꺾은 면은 엷은 황색~백색이다. 횡단면은 내피가 명확하게 피부와 중심부를 구분하고 있으며 유관속이 산재하고 있다. 냄새는 특이한 방향성이고 맛은 조금 쓰고 맵다.

품질 마디가 많은 것으로 표면이 적갈색이고 꺾은 면은 백색이며 방향이 강한 것이 좋다.

기미 · 귀경 미온(微溫), 신(辛), 고(苦) · 심(心), 간(肝), 비(脾)

약효 개규(開竅), 이기(理氣), 활혈(活血), 거풍(祛風), 거습(祛濕)의 효능이 있으므로 전간(癲癎), 담궐(痰厥), 열병혼수(熱病昏腫), 건망증, 심흉번민(心胸煩悶), 복통, 화농성종양, 타박상 등을 치료한다.

성분 acoraminol A, acoraminol B, methyleugenol, eugenol, sekishon, asarlaldehyde, isoacoramone, propioveratrone, (1'R,2'S)-1',2'-dihydroxyasarone, (1'S,2'S)-1',2'-dihydroxyasarone, 3',4'-dimethoycinnamyl alcohol, 3',4',5'-trimethoycinnamyl alcohol, kaempferol 3-methyl ether, 2-[4-(3-hydroxypropyl)-2-methoxyphenoxyl]-1,3-propandiol, hydroxytyrosol, tyrosol, (2S,5S)-diveratryl-(3R,4S)-dimethyltetrahydrofuran, (7S,8R)-dihydrodehydrodiconiferyl alcohol, 7S,8S-threo-4,7,9,9'-tetrahydroxy-3,3'-dimethoxy-8-O-4'-neolignan, 7S,8R-erythro-4,7,9,9'-tetrahydroxy-3,3'-dime-thoxy-8-O-4'-neolignan, dihydroyashsbu-shiketol, acoradin, α-asarone, β-asarone, parasarone, calamenone, calamene, calamone, acorone, acoraxide 등이 함유되어 있다.

약리 물로 달인 액은 소화액의 분비를 촉진하고 위장의 이상 발효를 억제하며 동시에 장관 평활근의 경련과 통증을 멎게 한다. 열수추출물은 쥐의 자발 운동을 억제시키므로 진정 작용이 있는 것으로 생각되며, 수면 연장 작용이 있고, asarone은 혈압을 강하시킨다. 핵산추출물은 클로람페니콜에 내성인 세균들(*Staphylococcus aureus* SA10, *Edwardsiella tarda* JH10 등)의 증식을 억제한다. kaempferol 3-methyl ether는 암세포인 A549, SK-OV-3, SK-MEL-2, HCT 15 cell에 세포 독성이 있다.

사용법 석창포 5g에 물 2컵(400mL)을 넣고 달여서 복용하고, 피부병에는 짓찧어 바른다. 요통이나 피부병이 있을 때에는 욕탕에 넣어 이용하면 혈액 순환이 좋아져 치료에 도움이 된다.

처방 석창포원지산(石菖蒲遠志散): 석창포(石菖蒲) · 원지(遠志) 각 40g, 조각실(皂角實) 12g「동의수세보원(東醫壽世保元)」. 태음인이 잘 들리지 않고 잘 보이지도 않는 증상에 사용한다. 위의 약을 가루로 만들어 1회 4g씩 하루 3번 복용한다.

• 창포환(菖蒲丸): 석창포(石菖蒲) · 인삼(人蔘) · 맥문동(麥門冬) · 원지(遠志) · 천궁(川芎) · 당귀(當歸) 각 8g, 유향(乳香) · 주사(朱砂) 각 4g「동의보감(東醫寶鑑)」. 심기 부족으로 5~6세가 되어도 말을 하지 못하는 증상에 사용한다. 위의 약을 1알이 0.03g 되도록 만들어 1회 1~2알씩 복용한다.

• 청신산(淸神散): 백강잠(白殭蠶) · 국화(菊花) 각 40g, 강활(羌活) · 형개(荊芥) · 목통(木通) · 천궁(川芎) · 향부자(香附子) · 방풍(防風) 각 20g, 석창포(石菖蒲) · 감초(甘草) 각 10g「동의보감(東醫寶鑑)」. 풍으로 귀가 잘 들리지 않고 머리가 어지러우며 귀에서 소리가 나고 잘 들리지 않는 증상에 사용한다.

❶ 석창포

❶ 석창포(뿌리줄기)

❶ 석창포(石菖蒲, 절편)

❶ 석창포(石菖蒲)

❶ 석창포(石菖蒲)와 캄파로 만든 타박상 치료제

[천남성과]

중국창포

전간, 담궐 열병혼수 건망증
복통 화농성종양, 타박상

● 학명 : *Acorus tatarinowii* Schott ● 한자명 : 中國菖蒲

| 1 | 2 | 3 | 4 | 5 | 6 | 7 | 8 | 9 | 10 | 11 | 12 |

여러해살이풀. 뿌리줄기는 지름 5~8mm, 옆으로 벋으며 마디가 많고 마디 사이는 길이 3~5mm, 뿌리는 육질이고 수염뿌리가 많이 달린다. 잎은 뿌리줄기 끝에서 모여나며, 꽃은 6~7월에 담황색으로 피고, 꽃차례는 길이 5~15cm이다. '석창포'에 비하여 뿌리줄기에 잔뿌리가 많고 마디 길이가 3~5mm로 짧으며 불염포가 길다.

분포 · 생육지 중국 저장성(浙江省), 쓰촨성(四川省), 장쑤성(江蘇省). 물가에서 자란다.

약용 부위 · 수치 뿌리줄기를 봄부터 가을까지 채취하여 썰어서 말린다.

※ 약물명, 약효, 사용법은 '석창포'와 같다.
※ 중국에서는 본 종의 뿌리줄기를 석창포(石菖蒲)라 하여 많이 사용하며, 우리나라와 일본은 '석창포 *A. gramineus*'의 뿌리줄기를 주로 사용한다.

● 중국창포(뿌리줄기)

● 석창포(石菖蒲, 절편)

● 석창포(石菖蒲, 채집품)

● 석창포(石菖蒲)

● 중국창포

[천남성과]

첨미우

유행성감기 창양옹종, 나력, 독사교상
만성골수염

● 학명 : *Alocasia cucullata* (Lour.) Schott ● 한자명 : 尖尾芋

| 1 | 2 | 3 | 4 | 5 | 6 | 7 | 8 | 9 | 10 | 11 | 12 |

여러해살이풀. 뿌리줄기는 옆으로 벋고 굵으며 곳곳에서 뿌리가 나온다. 잎은 모두 뿌리에서 나오고 심장형이며 가장자리는 밋밋하거나 물결 모양이다. 잎자루는 굵고 길다. 꽃은 5~6월에 피고 불염포는 육질이며 담녹색, 육수화서는 불염포보다 짧다. 장과는 7~8월에 구형으로 익고 담적색이다.

분포 · 생육지 중국 저장성(浙江省), 광둥성(廣東省), 푸젠성(福建省), 쓰촨성(四川省), 윈난성(雲南省), 타이, 말레이시아 등 열대아시아. 숲속에서 자란다.

약용 부위 · 수치 둥근 뿌리줄기를 가을에 채취하여 흙을 털고 5~7일간 물에 담가 두었다가 건져 내서 썰어 말린다. 물에 씻은 것을 가마솥에 넣고 약한 불로 볶은 후 말려 사용한다.

약물명 복개(卜芥), 관음련(觀音蓮), 노호우(老虎芋), 산우(山芋)라고도 한다.

약효 청열해독(淸熱解毒), 산결지통(散結止痛)의 효능이 있으므로 유행성감기, 창양옹종(瘡瘍癰腫), 나력(瘰癧), 만성골수염, 독사교상(毒蛇咬傷)을 치료한다.

성분 pyromucic acid, malic acid, β-sitosterol, proline, sapotoxin 등이 함유되어 있다.

사용법 복개 5g에 물 2컵(400mL)을 넣고 달여서 복용하고, 외용에는 짓찧어서 붙이거나 즙액을 바른다.

주의 독성이 강하므로 사용량에 주의하여야 한다.

● 첨미우

● 꽃

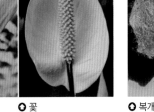
● 복개(卜芥)

[천남성과]

해우

유행성감기, 폐결핵 | 복통
풍습골통 | 창양옹종, 나력, 개선

●학명 : *Alocasia macrorrhiza* (L.) Schott [*A. odora, Arum macrorrhizum*]
●한자명 : 海芋

| 1 | 2 | 3 | 4 | 5 | 6 | 7 | 8 | 9 | 10 | 11 | 12 |

여러해살이풀. 높이 1~5m. 줄기는 굵고, 뿌리줄기는 옆으로 벋고 굵으며 곳곳에서 뿌리가 나온다. 잎은 모두 뿌리에서 나오고 심장형이며 길이 60~90cm, 가장자리는 밋밋하고, 잎자루는 굵고 길다. 꽃은 5~6월에 피고 불염포는 육질이며 담황색, 육수화서는 불염포보다 짧다. 장과는 7~8월에 붉은색 구형으로 익는다.

분포·생육지 중국 저장성(浙江省), 광둥성(廣東省), 푸젠성(福建省), 쓰촨성(四川省), 윈난성(雲南省), 타이, 말레이시아 등 열대 아시아. 숲속에서 자란다.

약용 부위·수치 둥근 뿌리줄기를 가을에 채취하여 흙을 털고 5~7일간 물에 담가 두었다가 건져내서 썰어 말린다. 물에 씻은 것을 가마솥에 넣고 약한 불로 볶은 후 꺼내서 말려 사용한다.

약물명 해우(海芋). 천하(天荷), 수천초(羞天草)라고도 한다.

약효 청열해독(淸熱解毒), 행기지통(行氣止痛), 산결소종(散結消腫)의 효능이 있으므로 유행성감기, 복통, 폐결핵, 풍습골통(風濕骨痛), 창양옹종(瘡瘍癰腫), 나력(瘰癧), 반독(斑禿), 개선(疥癬)을 치료한다.

성분 thiamine, nicotinic acid, ascorbic acid, dehydroascorbic acid, β-sitosterol, cholesterol, campesterol, stigmasterol, fucosterol 등이 함유되어 있다.

사용법 해우 5g에 물 2컵(400mL)을 넣고 달여서 복용하고, 외용에는 짓찧어 붙이거나 즙액을 바른다.

❍ 해우(열매)

❍ 해우(뿌리줄기)

❍ 해우

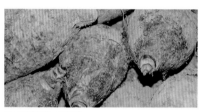
❍ 해우(海芋, 신선품)

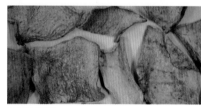
❍ 해우(海芋)

[천남성과]

곤약

담수 | 적체
무월경 | 타박상, 옹종, 단독, 화상

●학명 : *Amorphophallus konjac* K. Koch [*A. rivieri*]　●별명 : 구약, 구약풀, 구약나물

| 1 | 2 | 3 | 4 | 5 | 6 | 7 | 8 | 9 | 10 | 11 | 12 |

여러해살이풀. 높이 1~1.5m. 뿌리줄기는 편평한 구형이고, 잎은 3개로 갈라지고 다시 2~3개로 갈라진다. 봄에 꽃줄기가 나와 윗부분에 수꽃이, 아랫부분에 암꽃이 피고, 꽃줄기의 밑부분에 2~3개의 비늘 같은 잎이 달리며, 포는 깔때기 같다. 장과는 옥수수처럼 밀착하며 황적색으로 익는다.

분포·생육지 열대 아시아 원산. 우리나라 남부 지방에서 재배한다.

약용 부위·수치 둥근 뿌리줄기를 가을에 채취하여 씻은 후 물에 넣고 2시간 정도 끓인 다음 말려 사용한다.

약물명 마우(魔芋). 구약(蒟蒻)이라고도 한다.

약효 화담소적(化痰消積), 해독산결(解毒散結), 행어지통(行瘀止痛)의 효능이 있으므로 담수(痰嗽), 적체(積滯), 무월경, 타박상, 옹종(癰腫), 단독(丹毒), 화상을 치료한다.

성분 glucomannan, mannan, glycerol, citric acid, ferulic acid, cinnamic acid, methylpalmitic acid, 3,4-dihydroxy-benzaldehyde 등이 함유되어 있다.

약리 물로 달인 액은 말초 혈관 확장 작용, 혈압 강하 작용, 적출 장관에 흥분 작용이 있고 atropine과 길항한다.

사용법 마우 15g에 물 3컵(600mL)을 넣고 달여서 복용하고, 외용에는 식초와 함께 갈아서 바른다. 나력담핵(瘰癧痰核)에는 마우(魔芋) 15g, 하고초(夏枯草)·율초(葎草) 각 30g에 물을 넣고 달여서 복용한다.

주의 생용(生用)하면 혀, 인후에 작열감이 있거나 복통 또는 두드러기가 나므로 물에 끓여서 사용한다.

＊뿌리줄기를 가루로 만들어 물에 끓인 뒤 석회유를 가하여 응고시킨 것이 곤약(崑蒻)이며, 이것은 건강식품 이외에 방적, 제지, 접착제 등으로 이용된다.

❍ 마우(魔芋)

❍ 마우(魔芋, 횡단면)

❍ 곤약(새순)

❍ 곤약쌀

❍ 곤약

❍ 곤약(열매)

❍ 곤약(종자)

천남성

| 중풍담옹, 전간 | 파상풍, 옹종, 나력, 타박상 |
| 반신불수, 수족마비 | 구안와사 |

● 학명 : *Arisaema amurense* Max. var. *serratum* Nakai　　● 별명 : 청사두초, 가새천남성

| 1 | 2 | 3 | 4 | 5 | 6 | 7 | 8 | 9 | 10 | 11 | 12 |

여러해살이풀. 높이 15~30cm. 덩이줄기는 구형, 지름 3~4cm, 주위에 작은 덩이줄기가 2~3개 달리며, 윗부분에 수염뿌리가 달려 사방으로 퍼진다. 잎은 1개, 작은잎은 5~11개이다. 꽃은 암수딴그루로 5~7월에 육수화서에 달리며, 불염포의 통부는 녹색이고 끝이 뾰족하다. 열매는 장과로 붉은색으로 익고 옥수수알처럼 달린다.

분포 · 생육지 우리나라 전역. 중국, 우수리. 산속 그늘진 곳에서 자란다.

약용 부위 · 수치 둥근 뿌리줄기를 여름에 채취하여 물에 씻은 후 말린다. '제남성(製南星)'은 물에 담가 하루 2~3회 반복하고, 흰 거품이 나오면 천남성 50g에 명반 100g을 가하여 1개월 정도 두어서 아린 맛이 없어질 때까지 물을 갈아 준다. 아린 맛이 없어지면 생강 조각과 명반가루를 층층이 넣고 물이 잠길 때까지 부어 3~4주 후 내부에 흰 것이 없어질 때까지 쪄서 말린다. 천남성 가루를 우담즙(牛膽汁)과 섞어서 뭉친 다음에 바람이 통하는 곳에서 말린 것을 '우담남성(牛膽南星)'이라고 한다.

약물명 천남성(天南星). 반하정(半夏精), 귀구약(鬼蒟蒻), 남성(南星), 호고(虎膏), 사우(蛇芋), 사목우(蛇木芋)라고도 한다. 대한민국약전(KP)에 수재되어 있다.

본초서 천남성(天南星)은 「신농본초경(神農本草經)」의 하품(下品)에 호장(虎掌)이라는 이름으로 수재되었으며, 송대(宋代) 「개보본초(開寶本草)」에서 처음 천남성(天南星)이라는 이름을 발견할 수 있다. 소경(蘇敬)은 "뿌리의 사면에 둥근 싹이 있어서 호랑이의 손바닥처럼 생겼다 하여 그 이름이 붙

여진 것이다."라고 하였다. 「동의보감(東醫寶鑑)」에 "중풍을 낫게 하고 담을 삭이며 가슴을 편안하게 한다. 종기를 없애고 파상풍을 낫게 하며, 유산될 수 있다."고 하였다.

神農本草經: 主心痛 寒熱結氣 積聚伏梁 傷筋 痿 狗緩.

藥性論: 能治風眩目轉 主疝瘕腸痛 主傷寒時疾 強陰.

日華子: 署補損瘀血 主蛇蟲咬 疥癬 惡瘡.

東醫寶鑑: 主中風 除痰 利胸膈 消癰腫 墜胎 又療破傷風.

기미 · 귀경 온(溫), 고(苦), 신(辛), 유독(有毒) · 폐(肺), 간(肝), 비(脾)

약효 거풍지경(祛風止驚), 화담산결(化痰散結)의 효능이 있으므로 중풍담옹(中風痰壅), 구안와사(口眼喎斜), 반신불수, 수족마비, 풍담현운(風痰眩暈), 전간(癲癇), 경풍(驚風), 파상풍, 해수다담(咳嗽多痰), 옹종(癰腫), 나력(瘰癧), 타박상, 독사교상(毒蛇咬傷)을 치료한다.

성분 diacylglycerylgalactoside, cerebroside, benzoic acid, mannito 등이 함유되어 있다.

약리 토끼에게 물로 달인 액을 복강 주사하면 전기 쇼크에 의한 경련을 어느 정도 억제할 수 있고, 수면 시간을 연장하며, 거담 작용이 나타나고, HeLa 세포 등 암세포의 성장을 억제한다.

사용법 천남성 3~4g에 물 2컵(400mL)을 넣고 달여서 복용하고, 외용에는 가루로 하여 바른다. 독성이 있으므로 복용에 주의하여야 한다.

처방 삼생음(三生飮): 천남성(天南星, 생것)

8g, 오두(烏頭, 생것) · 백부자(白附子, 생것) 각 4g, 목향(木香) 2g, 생강(生薑) 15쪽(「동의보감(東醫寶鑑)」). 중풍으로 갑자기 정신을 잃고 넘어져 깨어나지 못하고 가래 끓는 소리가 나고 입과 눈이 비뚤어지고 몸 절반을 쓰지 못하는 증상에 사용하며, 순기산(順氣散)이라고도 한다. 위의 약을 1첩으로 하여 물에 달여서 복용한다.

• 삼생환(三生丸): 천남성(天南星) · 반하(半夏) · 백부자(白附子) 각 동량(「동의보감(東醫寶鑑)」). 담궐로 두통이 나고 어지러워서 눈을 뜨지 못하며 몸이 무겁고 메스꺼워 게우는 증상에 사용한다. 위의 약을 가루 내어 생강즙을 넣고 쑨 쌀풀로 0.4g 되게 알약을 만들어 1회 5알씩 식후 생강 달인 물로 복용한다.

• 삼성단(三聖丹): 천남성(天南星) 40g, 반하(半夏) 80g, 감초(甘草) 20g(「동의보감(東醫寶鑑)」). 담수(痰嗽)로 기침을 하면서 가래 끓는 소리가 나고 가슴이 그득한 증상에 사용한다. 위의 약을 가루 내어 생강즙에 버무린 다음 누룩을 만들어 띄운다. 1회 5g씩 복용한다.

❍ 천남성(天南星)

❍ 천남성(天南星, 절편)

❍ 천남성(열매)

❍ 천남성(뿌리와 뿌리줄기)

❍ 천남성

[천남성과]

둥근잎천남성

중풍담옹, 전간 | 구안와사
반신불수, 수족마비 | 파상풍, 옹종, 나력

● 학명 : *Arisaema amurense* Max. ● 한자명 : 東北天南星 ● 별명 : 넓은잎천남성

| 1 | 2 | 3 | 4 | 5 | 6 | 7 | 8 | 9 | 10 | 11 | 12 |

여러해살이풀. 높이 20cm 정도. 뿌리줄기는 둥글며, 비늘조각은 얇은 막질, 위경(僞莖)과 거의 같은 길이이다. 위경은 바로 서고, 수염뿌리에 작은 뿌리줄기가 달린다. 잎은 위경 끝에 1개 달리고 잎자루의 길이는 30cm 정도. 잎몸은 넓고, 작은잎은 보통 5개로 가장자리에 톱니가 있거나 없고 물결 모양을 이루기도 한다.

분포 · 생육지 우리나라 전역. 중국, 타이완. 산지 숲속에서 자란다.

약용 부위 · 수치 둥근 뿌리줄기를 여름에 채취하여 물에 씻은 후 말린다.

약물명 천남성(天南星)

※ 약효 및 사용법은 '천남성'과 같다. 중국에서는 '동북천남성(東北天南星)'이라 하며, 천남성(天南星)의 기원 식물로 규정하고 있다.

◆ 둥근잎천남성

◆ 둥근잎천남성(열매)

[천남성과]

점박이천남성

중풍담옹, 전간 | 구안와사
반신불수, 수족마비 | 파상풍, 옹종, 나력

● 학명 : *Arisaema angustrum* Franchet et Savatier var. *peninsulae* (Nakai) Nakai
● 별명 : 점백이천남성

| 1 | 2 | 3 | 4 | 5 | 6 | 7 | 8 | 9 | 10 | 11 | 12 |

여러해살이풀. 뿌리줄기는 편평하고 둥글며, 지름 2~5cm이다. 위경(僞莖)의 밑부분에 나는 비늘잎은 3개로 위경을 감싸며 위경에는 자갈색 무늬가 있다. 잎은 2개가 위경 끝에 마주나며 잎자루가 길고 잎몸은 5~10개로 갈라진다.

분포 · 생육지 우리나라 중부 이남. 중국, 일본, 타이완. 산지 숲속에서 자란다.

약물명 천남성(天南星)

※ 약효 및 사용법은 '천남성'과 같다.

◆ 점박이천남성(뿌리와 뿌리줄기)

◆ 점박이천남성

[천남성과]

일파산남성

중풍담옹, 전간 / 구안와사 / 반신불수, 수족마비 / 파상풍, 옹종, 나력

● 학명 : *Arisaema erubescens* (Wall.) Schott　● 한자명 : 一把傘南星

| 1 | 2 | 3 | 4 | 5 | 6 | 7 | 8 | 9 | 10 | 11 | 12 |

여러해살이풀. 높이 50~60cm. 덩이줄기는 편구형, 지름이 6cm에 이른다. 위경(僞莖)은 적자색 또는 녹백색이며 갈색 반점이 있다. 잎은 1개, 작은잎은 10~20개이다. 육수화서의 중심 대는 길고 가늘며 통 밖으로 나온다.

분포 · 생육지 중국 윈난성(雲南省), 광시성(廣西省), 간쑤성(甘肅省), 후난성(湖南省), 쓰촨성(四川省). 산지의 풀밭에서 자란다.

약용 부위 · 수치 둥근 뿌리줄기를 여름에 채취하여 물에 씻은 후 말린다.

약물명 천남성(天南星). 반하정(半夏精), 귀구약(鬼蒟蒻), 남성(南星), 호고(虎膏), 사우(蛇芋), 사목우(蛇木芋)라고도 한다.

성상 덩이뿌리로 약간 납작한 구형이고 지름 4~6cm이다. 중심에는 줄기의 흔적이 있고 오목하며 주변에는 고리 모양으로 배열한 뿌리의 흔적이 남아 있다. 표면은 황백색을 띠고, 횡단면은 백색을 띤다. 냄새는 없고 혀를 대면 아린 맛이 강하다.

※ 약효 및 사용법은 '천남성'과 같다. 중국에서는 이것을 천남성(天南星)의 기원 식물로 규정하고 있다.

❶ 천남성(天南星)

❶ 일파산남성(뿌리와 뿌리줄기)

❶ 일파산남성(열매)

❶ 일파산남성

[천남성과]

두루미천남성

중풍담옹, 전간 / 구안와사 / 반신불수, 수족마비 / 파상풍, 옹종, 나력

● 학명 : *Arisaema heterophyllum* Bl.　● 별명 : 개천남성, 새깃사사두초

| 1 | 2 | 3 | 4 | 5 | 6 | 7 | 8 | 9 | 10 | 11 | 12 |

여러해살이풀. 높이 50cm 정도. 덩이줄기는 편구형, 주위에 여러 개의 작은 덩이줄기가 붙고 사방으로 수염뿌리가 붙는다. 덩이줄기는 지름 3cm 정도, 위경(僞莖)은 서며 기둥 모양, 꼭대기에 1개의 잎이 나오고, 잎몸은 개 발 모양으로 갈라진다. 육수화서의 중심대는 길고 가늘며 통 밖으로 나온다.

분포 · 생육지 우리나라 제주도, 추자도, 거문도 등 남부 해안가. 중국, 일본. 산지의 풀밭에서 자란다.

약용 부위 · 수치 둥근 뿌리줄기를 여름에 채취하여 물에 씻은 후 말린다.

약물명 천남성(天南星). 반하정(半夏精), 귀구약(鬼蒟蒻), 남성(南星), 호고(虎膏), 사우(蛇芋), 사목우(蛇木芋)라고도 한다.

성상 덩이뿌리로 약간 납작한 구형이고 지름 3~4cm이다. 중심에는 줄기의 흔적이 있고 오목하며 주변에는 고리 모양으로 배열한 뿌리의 흔적이 남아 있다. 표면은 황백색을 띠고, 횡단면은 백색을 띤다. 냄새는 없고 혀를 대면 아린 맛이 강하다.

※ 약효 및 사용법은 '천남성'과 같다.

※ 중국의 천남성(天南星) 기원 식물은 본 종과 '장엽반하(掌葉半夏) *Pinellia pedatisecta*', '일파산남성(一把傘南星) *A. erubescens*', '동북천남성(東北天南星) *A. amurense*' 등 4종이다.

❶ 두루미천남성(열매)

❶ 두루미천남성(뿌리줄기)

❶ 두루미천남성

[천남성과]

큰천남성

 중풍담옹, 전간　　 파상풍, 옹종, 나력

반신불수, 수족마비　　구안와사

●학명 : *Arisaema ringens* (Thunb.) Schott　●별명 : 푸른천남성, 왕사두초

| 1 | 2 | 3 | 4 | 5 | 6 | 7 | 8 | 9 | 10 | 11 | 12 |

❂ 큰천남성(뿌리와 뿌리줄기)　　❂ 큰천남성(새싹)

여러해살이풀. 뿌리줄기는 편평하고 둥글며, 1~2개의 알줄기가 있다. 위경(僞莖)은 짧고 크며 담녹색, 잎은 2개가 마주나고 3개의 작은잎으로 구성되며, 광택이 나고 가장자리는 밋밋하며 잎자루가 없다.

분포·생육지 우리나라 황해도 이남. 중국, 일본, 타이완. 산지 숲속에서 자란다.

약용 부위·수치 둥근 뿌리줄기를 여름에 채취하여 물에 씻은 후 말린다.

약물명 천남성(天南星)

※ 약효 및 사용법은 '천남성'과 같다.

❂ 큰천남성(열매)

❂ 큰천남성

[천남성과]

섬남성

 중풍담옹, 전간　　파상풍, 옹종, 나력

반신불수, 수족마비　　구안와사

●학명 : *Arisaema takesimense* Makino　●별명 : 푸른천남성, 왕사두초

| 1 | 2 | 3 | 4 | 5 | 6 | 7 | 8 | 9 | 10 | 11 | 12 |

여러해살이풀. 높이 60cm 정도. 뿌리줄기는 편평하고 둥글며, 윗부분에서 수염뿌리가 사방으로 퍼진다. 잎은 2개이며 백색 무늬가 있고 잎자루가 길다. 작은잎은 7~9개이다.

분포·생육지 우리나라 울릉도. 산지 숲속에서 자란다.

약용 부위·수치 둥근 뿌리줄기를 여름에 채취하여 물에 씻은 후 말린다.

약물명 천남성(天南星)

※ 약효 및 사용법은 '천남성'과 같다.

❂ 섬남성

무늬천남성

중풍담옹, 전간 　파상풍, 옹종, 나력
반신불수, 수족마비 　구안와사

● 학명 : *Arisaema thunbergii* Blume　● 별명 : 대둔천남성, 두메천남성

1	2	3	4	5	6	7	8	9	10	11	12

여러해살이풀. 높이 60cm 정도. 뿌리줄기는 편평하고 둥글며, 작은 알줄기가 달리기도 하며 윗부분에서 수염뿌리가 사방으로 퍼진다. 잎은 1개이며, 작은잎은 9~17개이다. 불염포는 윗부분이 흑자색이고 아랫부분은 황록색이다.

분포 · 생육지 우리나라 제주도, 거제도, 진도 등 남쪽 섬. 일본. 산지의 숲속에서 자란다.
약용 부위 · 수치 둥근 뿌리줄기를 여름에 채취하여 물에 씻은 후 말린다.
약물명 천남성(天南星)
＊약효 및 사용법은 '천남성'과 같다.

✿ 무늬천남성(암꽃)　　✿ 무늬천남성(수꽃)　　✿ 무늬천남성

이태리천남성

타박상, 피부궤양 　생리불순

● 학명 : *Arum italicum* L.　● 영명 : Cresping

1	2	3	4	5	6	7	8	9	10	11	12

여러해살이풀. 뿌리줄기는 둥글고 크며, 잎은 창끝처럼 생겼으며 심장형이고 끝은 날카롭다. 꽃은 5~6월에 육수화서로 작은 꽃이 조밀하게 달리며, 불염포의 통부는 황록색이다. 열매는 장과로 붉은색으로 익는다.
분포 · 생육지 유럽 남부. 산골짜기에서 자란다.
약용 부위 · 수치 뿌리줄기를 여름에 채취하여 물에 씻어서 말린다.
약물명 천남성(天南星)
약효 해독소종(解毒消腫)의 효능이 있으므로 타박상, 피부궤양, 생리불순을 치료한다.
사용법 천남성 5g에 물 2컵(400mL)을 넣고 달여서 복용하고, 외용에는 짓찧어 붙이거나 즙액을 바른다.

✿ 천남성(天南星)

✿ 이태리천남성

[천남성과]

산부채

풍습통, 골수염　　수종

독사교상

●학명 : *Calla palustris* L.　●별명 : 진펄앉은부채

1	2	3	4	5	6	7	8	9	10	11	12

여러해살이풀. 뿌리줄기는 옆으로 길게 벋으며 지름 1~2cm, 꽃대는 높이 15~30cm이다. 잎은 모여나며 심장형, 가장자리는 밋밋하다. 꽃은 6~7월에 육수화서로 작은 꽃이 조밀하게 달리며, 불염포의 통부는 백색이고 끝은 꼬리 모양으로 가늘다. 꽃덮개는 없으며 수술은 6개로 황색이고, 암술은 녹색이다. 열매는 장과로 붉은색으로 익는다.

분포·생육지 함남북, 중국, 우수리. 연못이나 습지에서 자란다.

약용 부위·수치 뿌리줄기를 여름에 채취하여 물에 씻어서 말린다.

약물명 수우(水芋), 수호로(水葫蘆), 수부련(水浮蓮)이라고도 한다.

약효 거풍이습(祛風利濕), 해독소종(解毒消腫)의 효능이 있으므로 풍습통(風濕痛), 수종(水腫), 골수염(骨髓炎), 독사교상(毒蛇咬傷)을 치료한다.

사용법 수우 6~9g에 물 2컵(400mL)을 넣고 달여서 복용하고, 외용에는 짓찧어 붙이거나 즙액을 바른다.

❶ 산부채(백두산 주변의 연못이나 늪에서 흔하게 볼 수 있다.)

❶ 산부채(열매)

❶ 산부채(꽃)

[천남성과]

자우

♀ 유옹　　종독, 담마진

●학명 : *Colocasia esculenta* (L.) Schott [*Arum esculentum* L.]　●한자명 : 紫芋

1	2	3	4	5	6	7	8	9	10	11	12

여러해살이풀. 뿌리줄기는 굵고 옆으로 둥근 작은 뿌리줄기가 생긴다. 잎은 1~5개, 자갈색을 띤다. 불염포의 관부는 길이 4.5~7.5cm, 자주색을 띤다.

분포·생육지 열대 아시아 원산. 세계 각처에서 재배한다.

약용 부위·수치 뿌리줄기와 잎을 봄부터 가을에 채취하여 물에 씻은 후 썰어서 말린다.

약물명 자우(紫芋). 수우(水芋)라고도 한다.

약효 산결소종(散結消腫), 거풍해독(祛風解毒)의 효능이 있으므로 유옹(乳癰), 종독, 담마진을 치료한다.

사용법 자우 20g에 물 4컵(800mL)을 넣고 달여서 복용한다.

❶ 야생 자우(중국 장사)

❶ 자우

[천남성과]

토란

비위허약, 복중벽괴   당뇨병
나력, 종독, 개선, 탕화상

● 학명 : *Colocasia antiquorum* Schott var. *esculenta* Engler   ● 별명 : 토련

| 1 | 2 | 3 | 4 | 5 | 6 | 7 | 8 | 9 | 10 | 11 | 12 |

여러해살이풀. 뿌리줄기는 둥글며 겉에 섬유로 덮이고 옆에 작은 뿌리줄기가 달리며, 뿌리줄기로 번식한다. 잎은 뿌리에서 돋아 높이 1m 정도, 엽초 밑에서 1~4개의 꽃차례가 나와 8~9월에 꽃이 피지만 열매는 맺지 못한다. 불염포는 곧게 서고 길이 30cm 정도, 육수화서는 밑에 암꽃, 위에 수꽃이 핀다.

분포 · 생육지 열대 아시아 원산. 우리나라 전역에서 재배한다.

약용 부위 · 수치 둥근 뿌리줄기를 가을에 채취하여 물에 씻은 후 썰어서 말린다.

약물명 야우(野芋). 우두(芋頭)라고도 한다.

본초서 야우(野芋)는 양(梁)나라의 「본초경집주(本草經集注)」에 처음 수재되었으며, 당나라의 「본초습유(本草拾遺)」에는 "뿌리를 식초와 섞어서 간 즙액은 옴이나 무좀을 치료한다."고 하였다. 「동의보감(東醫寶鑑)」에는 우자(芋子)라는 이름으로 수재되어 "위와 대소장을 편안하게 하고 살과 피부를 탄력 있게 하며 중초의 기운을 다스린다. 피를 맑게 하며 굳은살을 없앤다."고 하였다.
東醫寶鑑: 寬腸胃 充肌膚 滑中 破蓄血 去死肌.

성상 약간 납작하고 고르지 않은 구형으로 지름 3~7cm, 높이 2~5cm이다. 표면은 황갈색~회황색이고 위쪽에는 줄기의 자국이 오목하게 남아 있으며 그 주변에는 뿌리의 자국이 작은 점으로 남아 있다. 질은 충실하며 횡단면은 백색이고 분성(粉性)이다. 횡단면을 현미경으로 보면 유조직에는 전

분립이 충만해 있고 속침정을 함유한 점액 세포가 있다. 맛은 처음에는 없지만 시간이 지나면 혀가 몹시 아리다. 비대하고 충실하며 백색이고 아린 맛이 강한 것이 좋다.

기미 · 귀경 평(平), 감(甘), 신(辛) · 위(胃)

약효 건비보허(健脾補虛), 산결해독(散結解毒)의 효능이 있으므로 비위허약(脾胃虛弱), 납소핍력(納少乏力), 당뇨병, 나력(瘰癧), 복중벽괴(腹中癖塊), 종독(腫毒), 개선(疥癬), 탕화상(燙火傷)을 치료한다.

성분 점성 물질은 수분 16%, 회분 4%, 알부민 51%, 당이 약 16%이다. 점성 물질을 구성하는 당으로는 galacturonic acid, galactosamine, glucosamine, glucose, galactose, arabinose, fructose이고, 점성 물질에 들어 있는 아미노산으로는 leucine, isoleucine, phenylalanine, tyrosine, threonine, alanine, arginine, histidine, ricin, glutamic acid, asparagic acid, glycine, serine, proline, tryptophan 등이 있다.

약리 쥐에게 산성 분획물 0.1mg을 주사하면 사망하는데, 이 쥐를 해부하여 보면 용혈 현상이 나타나 있고 신장 조직이 파괴되어 있다.

사용법 야우 60g에 물을 넣고 달여서 복용하거나 죽을 쑤어서 먹고, 외용에는 짓찧어 환부에 바른다. 생것을 그대로 먹으면 위궤양을 일으키고 혀가 아프며 붓는 증상이 나타나므로 주의하여야 한다.

❶ 토란(꽃)

❶ 야우(野芋)

❶ 야우(野芋, 절편)

❶ 토란

기린엽

 감모발열
 목적종통
풍습비통

● 학명 : *Epipremnum pinnatum* (L.) Engl. [*Photos pinnata, Rhaphidophora pinnata*]
● 한자명 : 麒麟葉

| 1 | 2 | 3 | 4 | 5 | 6 | 7 | 8 | 9 | 10 | 11 | 12 |

❶ 기린엽

상록 덩굴성나무. 줄기는 원주형으로 마디에서 흡착근이 나와 나무 또는 바위에 착생한다. 잎은 타원형으로 깃 모양으로 갈라진다. 꽃은 육수화서로 원주형, 길이 10cm 정도이다.
분포 · 생육지 열대 아시아 원산. 세계 각처에서 재배한다.
약용 부위 · 수치 뿌리 또는 줄기잎을 봄부터 가을에 채취하여 물에 씻은 후 썰어서 말린다.
약물명 기린미(麒麟尾). 사미초(獅尾草)라고도 한다.
약효 청열양혈(淸熱凉血), 활혈산어(活血散瘀), 해독소종(解毒消腫)의 효능이 있으므로 감모발열, 목적종통(目赤腫痛), 풍습비통(風濕痺痛)을 치료한다.
사용법 기린미 15g에 물 3컵(600mL)을 넣고 달여서 복용한다.

천년건

 풍습비통, 근골위연
 타박상, 옹저창종
 위통

● 학명 : *Homalomena occulta* (Lour.) Schott [*Calla occulta* Lour.]
● 한자명 : 千年健

| 1 | 2 | 3 | 4 | 5 | 6 | 7 | 8 | 9 | 10 | 11 | 12 |

여러해살이풀. 높이 30~50cm. 뿌리는 옆으로 기며 가늘다. 뿌리는 육질이고 담갈색의 부드러운 털로 덮여 있다. 잎은 긴 심장형으로 길이 15~30cm, 너비 10~25cm, 가장자리는 밋밋하고 잎자루는 길다. 꽃은 육수화서로 길이 3~5cm이고 암꽃은 길이 1~1.5cm, 수꽃은 길이 2~3cm, 불염포는 녹백색이다. 열매는 장과이고, 종자는 갈색이다.

분포 · 생육지 인도, 중국, 타이, 베트남 등 열대 아시아. 숲속에서 자란다.
약용 부위 · 수치 뿌리줄기를 가을에 채취하여 물에 씻은 후 썰어서 말린다.
약물명 천년건(千年健). 일포침(一包針), 천년견(千年見)이라고도 한다. 대한민국약전외한약(생약)규격집(KHP)에 수재되어 있다.

기미 · 귀경 온(溫), 고(苦), 신(辛), 소독(小毒) · 간(肝), 신(腎), 위(胃)
약효 거풍습(祛風濕), 서근활락(舒筋活絡), 지통소종(止痛消腫)의 효능이 있으므로 풍습비통(風濕痺痛), 지절산통(肢節酸痛), 근골위연(筋骨痿軟), 타박상, 위통(胃痛), 옹저창종(癰疽瘡腫)을 치료한다.
성분 α-pinene, β-pinene, limonene, linalool, α-terpineol, nerol, geraniol, eugenol, geranial, β-terpineol, isoborneol, terpinen-4-ol, patcholi alcohol 등이 함유되어 있다.
사용법 천년건 10g에 물 3컵(600mL)을 넣고 달여서 복용하거나 술에 담가서 복용한다. 외용에는 짓찧어 붙이거나 즙액을 바른다.

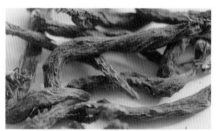
❶ 천년건(千年健)

❶ 천년건

❶ 천년건(千年健)으로 만든 풍습비통 치료제

❶ 천년건(千年健, 절편)

[천남성과]

적수주

● 학명 : *Pinellia cordata* N. E. Br.　● 한자명 : 滴水珠

| 1 | 2 | 3 | 4 | 5 | 6 | 7 | 8 | 9 | 10 | 11 | 12 |

여러해살이풀. 둥근 뿌리줄기는 지름 1cm, 1~2개의 잎이 나오고, 작은잎은 3개, 잎자루는 길이 10~20cm로 가운데 부분에 육아(肉芽)가 달린다. 꽃은 6~7월에 육수화서에 달리며, 불염포는 녹색, 통부는 길이 1.5~2cm이며, 부리는 바늘 모양으로 끝이 둥글다. 꽃차례는 밑부분이 포와 합쳐지고 한쪽에 암꽃이 달리며 약간 떨어진 윗부분에 수꽃이 1cm 정도의 길이로 밀착한다.

분포 · 생육지 인도, 중국, 타이완. 연못이나 습지에서 자란다.

약용 부위 · 수치 둥근 뿌리줄기를 가을에 채취하여 말렸다가 사용할 때 쪼개서 사용한다.

약물명 적수주(滴水珠). 수반하(水半夏), 석반하(石半夏)라고도 한다.

약효 해독소종(解毒消腫), 산어지통(散瘀止痛)의 효능이 있으므로 사독충교상(蛇毒蟲咬傷), 유옹(乳癰), 종독(腫毒), 심부농종(深部膿腫), 나력(瘰癧), 두통, 위통, 요통, 타박상을 치료한다.

약리 동물 실험을 통하여 진통 작용, 소염 작용, 항과민성 작용이 알려져 있다.

사용법 적수주 가루 0.5g을 복용한다.

＊시중에는 반하(半夏)의 대용품으로도 사용되고 있다.

❍ 적수주(滴水珠)

❍ 적수주(뿌리와 뿌리줄기)

❍ 적수주

[천남성과]

대반하

● 학명 : *Pinellia tripartita* (Blume) Schott　● 한자명 : 大半夏

| 1 | 2 | 3 | 4 | 5 | 6 | 7 | 8 | 9 | 10 | 11 | 12 |

여러해살이풀. 뿌리줄기는 편구형이며 지름 3~5cm, 잎은 1~4개로 잎자루가 길고 잎몸은 3개로 깊게 갈라진다. 꽃줄기는 꽃차례와 더불어 길이 50cm 내외이고, 불염포는 녹색이며 길이 6~9cm로 끝이 바로 서며 안쪽에 털이 빽빽이 난다.

분포 · 생육지 우리나라 거제도, 부산. 일본. 상록수림 밑에서 자란다.

약용 부위 · 수치 둥근 뿌리줄기를 가을에 채취하여 말렸다가 사용할 때 쪼개서 사용한다.

약물명 반하(半夏). 대반하(大半夏)라고도 한다.

＊약효 및 사용법은 '끼무릇 *P. ternata*'과 같다. 반하(半夏)의 대용품으로도 사용되고 있다.

❍ 반하(半夏)

❍ 대반하(뿌리와 뿌리줄기)

❍ 대반하

장엽반하

중풍담옹, 전간, 경풍　　구안와사　　반신불수, 수족마비

파상풍, 옹종, 나력, 타박상, 독사교상　　해수다담

● 학명 : *Pinellia pedatisecta* Schott　● 별명 : 호장남성　● 한자명 : 掌葉半夏

| 1 | 2 | 3 | 4 | 5 | 6 | 7 | 8 | 9 | 10 | 11 | 12 |

여러해살이풀. 1~2년생 뿌리줄기는 둥글고 3년생 이상이 되면 2~5개의 작은 뿌리줄기가 생기며, 큰 것은 지름 5~6cm에 이른다. 잎은 뿌리에서 2~6개가 모여나오고, 꽃줄기는 길이 30~50cm, 불염포는 녹색~녹자색이다. 꽃은 5~7월에 피고, 6~10월에 열매가 익는다.

분포·생육지 중국 화베이(華北) 지방, 화동(華東) 지방, 중남(中南) 지방, 산시(陝西) 지방. 산골짜기에서 자란다.

약용 부위·수치 둥근 뿌리줄기를 가을에 채취하여 말린다(수치는 '천남성' 항 참고).

약물명 천남성(天南星), 반하정(半夏精), 귀구약(鬼蒟蒻), 남성(南星), 호고(虎膏), 사우(蛇芋), 사목우(蛇木芋)라고도 한다.

성상 약간 납작하고 고르지 않은 구형으로 지름 3~5cm, 높이 2~4cm이다. 표면은 황갈색~회황색이고 위쪽에는 줄기 자국이 오목하게 남아 있으며 그 주변에는 뿌리 자국이 작은 점으로 남아 있다. 질은 충실하며 횡단면은 백색이고 분성(粉性)이다. 횡단면을 현미경으로 보면 유조직에는 전분립이 충만해 있고 속침정을 함유한 점액 세포가 있다. 맛은 처음에는 없지만 시간이 지나면 혀가 몹시 아리다. 비대하고 충실하며 백색이고 아린 맛이 강한 것이 좋다.

기미·귀경 온(溫), 고(苦), 신(辛), 유독(有毒)·폐(肺), 간(肝), 비(脾)

약효 거풍지경(祛風止驚), 화담산결(化痰散結)의 효능이 있으므로 중풍담옹(中風痰壅), 구안와사(口眼喎斜), 반신불수(半身不隨), 수족마비, 풍담현훈(風痰眩暈), 전간(癲癇), 경풍(驚風), 파상풍, 해수다담(咳嗽多痰), 옹종(癰腫), 나력(瘰癧), 타박상, 독사교상(毒蛇咬傷)을 치료한다.

성분 3-isopropyl-pyrrolo(1,2a) piperazine-2,5-dione, L-propyl-L-valine anhydride, 3,6-diisopropyl-2,5-piperazinedione, L-valyly-L-valine anhydride, 3-isopropyl-6-tert-bytyl-2,5-piperazinedione, L-valyly-L-alanine anhydride, β-carboline, 1-acetyl-β-carboline, 2-methyl-3-hydroxypyridine, uracil, 5-methyluracil, thymine, nicotineamide 등이 함유되어 있다.

약리 물에 달인 액을 토끼의 복강에 주사하면 전기 자극에 의한 경련의 역치가 높아져서 진정 작용이 있다.

사용법 천남성 5g에 물 2컵(400mL)을 넣고 달여서 복용하거나 환약이나 가루약으로 만들어 복용할 수 있다. 외용에는 가루로 하여 바른다.

처방 삼생음(三生飮): 천남성(天南星, 생것) 8g, 오두(烏頭, 생것)·백부자(白附子, 생것) 각 4g, 목향(木香) 2g, 생강(生薑) 15쪽(「동의보감(東醫寶鑑)」). 중풍으로 갑자기 정신을 잃고 넘어져 깨어나지 못하고 가래 끓는 소리가 나고 입과 눈이 비뚤어지고 몸 절반을 쓰지 못하는 증상에 사용하며, 순기산(順氣散)이라고도 한다. 위의 약을 1첩으로 하여 물에 달여서 복용한다.

• 삼생환(三生丸): 천남성(天南星)·반하(半夏)·백부자(白附子) 각 동량(「동의보감(東醫寶鑑)」). 담궐로 두통이 나고 어지러워서 눈을 뜨지 못하며 몸이 무겁고 메스꺼워 게우는 증상에 사용한다. 위의 약을 가루 내어 생강즙을 넣고 쑨 쌀풀로 0.4g 되게 알약을 만들고, 1회 5알씩 식후 생강 달인 물로 복용한다.

• 삼성단(三聖丹): 천남성(天南星) 40g, 반하(半夏) 80g, 감초(甘草) 20g(「동의보감(東醫寶鑑)」). 담수(痰嗽)로 기침을 하면서 가래 끓는 소리가 나고 가슴이 그득한 증상에 사용한다. 위의 약을 가루 내어 생강즙에 버무린 다음 누룩을 만들어 띄운다. 1회 5g씩 복용한다.

* 중국산 천남성(天南星)의 기원 식물은 본종 이외에 '두루미천남성 *Arisaema heterophyllum*', '동북천남성 *A. amurense*,' '일파산남성(一把傘南星) *A. erubescens*'이 있다. 본 종은 반하(半夏)로 유통되기도 한다. 중국에서는 '*Arisaema*'인 경우 덩이뿌리가 작은 것은 반하(半夏)로, 큰 것은 천남성(天南星)으로 유통되기도 한다.

● 천남성(天南星, 수치한 것)

● 천남성(天南星, 수치하지 않은 것)

● 장엽반하

● 장엽반하(뿌리와 뿌리줄기)

끼무릇

🫁 해천담다　　🌀 구토반위
❤️ 두통현훈　　🔲 영류담핵, 옹저종독

● 학명 : *Pinellia ternata* (Thunb.) Breit.　　● 별명 : 반하

1	2	3	4	5	6	7	8	9	10	11	12

여러해살이풀. 둥근 뿌리줄기는 지름 1cm 정도, 1~2개의 잎이 나오고, 작은잎은 3개이다. 꽃은 6~7월에 육수화서에 달리며 불염포는 녹색이다. 꽃차례는 밑부분이 포와 합쳐져 있고 한쪽에 암꽃이 달리며 윗부분에 수꽃이 1cm 정도의 길이로 밀착하고 그 윗부분은 길어져 비스듬히 선다. 수꽃은 대가 없는 꽃밥만으로 이루어진다. 장과는 녹색이며 작다.

분포 · 생육지 우리나라 전역. 중국, 일본, 타이완. 들이나 밭 근처에서 자란다.

약용 부위 · 수치 둥근 뿌리줄기를 가을에 채취하여 말린다. 말린 것 그대로를 생반하(生半夏), 백반으로 조제한 것을 청반하(淸半夏), 물에 불린 반하 106g에 생강 절편 25g과 백반 10g을 넣고 자(炙)하여 조제한 것을 강반하(薑半夏), 백반(白礬), 석회(石灰), 감초(甘草), 생강(生薑)을 넣고 포제한 것을 법반하(法半夏)라 한다. 강반하를 가루로 하여 밀가루, 적소두, 행인 등을 넣어 발효시켜 누룩으로 만든 것을 반하국(半夏麴)이라 한다.

약물명 반하(半夏). 지문(地文), 수옥(水玉), 수전(守田), 시고(示姑), 지뢰공(地雷公)이라고도 한다. 대한민국약전(KP)에 수재되어 있다.

본초서 반하(半夏)는 「신농본초경(神農本草經)」의 하품(下品)에 수재되어 「본초강목(本草綱目)」에 "예기(禮記)의 월령(月令)에 적혀 있는 오월반하생(五月半夏生)은 여름 중반에 꽃을 피운다는 뜻이다."라고 하였다. 도홍경(陶弘景)은 "이 약초를 사용하려면 열 번 정도 더운 물로 씻어서 사용해야 한다. 그렇게 하지 않으면 목구멍을 자극한다. 처방 가운데 반하(半夏)가 있으면 반드시 생강을 사용하여 독성을 줄여야 한다."고 하였다. 반하는 예로부터 독성을 줄이기 위하여 수치하여 사용하고 있다. 「동의보감(東醫寶鑑)」에 "추위로 인하여 추웠다 열이 났다 하는 것을 낫게 하고 명치 아래에 담으로 열이 몰린 것과 기침하고 숨이 찬 것을 낫게 하며 가래침을 삭이고 음식을 잘 먹게 한다. 비장을 튼튼하게 하고 토하는 것을 멎게 하며 가슴 속에 가래나 침을 없애고 학질을 낫게 한다. 유산될 수 있다."고 하였다.

神農本草經: 主傷寒寒熱 心下堅 胸脹咳逆 頭眩 咽喉腫痛 腸鳴下氣 止汗.

本草圖經: 治胃冷 嘔噦.

本草綱目: 治腹脹 目不得瞑 白濁 夢遺 帶下.

東醫寶鑑: 主傷寒寒熱 消心腹痰熱滿結 咳嗽上氣 消痰涎 開胃健脾 止嘔吐 去胸中痰涎 療瘧墜胎.

성상 약간 편압된 구형이거나 불규칙한 모양으로 지름 5~7mm, 길이 7~15mm이다. 표면은 백색~회황백색이고 위쪽에는 줄기 자국이 오목하게 남아 있으며 그 주변에는 뿌리 자국이 작은 점으로 남아 있다. 질은 충실하며 횡단면은 백색이고 분성(粉性)이다. 냄새가 거의 없고 맛은 처음에는 없고 약간 점액성이나 후에는 몹시 아리다. 비대하고 충실하며 백색이고 아린 맛이 강한 것이 좋다.

기미 · 귀경 한(寒), 감(甘), 담(淡) · 심(心), 위(胃), 소장(小腸)

약효 조습화담(燥濕化痰), 강역지구(降逆止

○ 끼무릇

嘔), 소비산결(消痞散結)의 효능이 있으므로 해천담다(咳喘痰多), 구토반위(嘔吐反胃), 흉완비만(胸脘痞滿), 두통현훈(頭痛眩暈), 야와불안(夜臥不安), 영류담핵(癭瘤痰核), 옹저종독(癰疽腫毒)을 치료한다.

성분 다당질의 전분 및 정유(0.003~0.013%), 점액 물질, 지방유와 3-acetoamino-5-methylisooxazole, butylethylene ether, methyl-2-chloropropentoate, 3-methyleicosane, anethole, benzaldehyde, 1,5-pentadiol, 2-methylpyrazine, β-sitosterol, daucosterol, uridine, adenine, adenosine, ephedrine(미량), 아린 맛을 나타내는 homogentisic acid, 3,4-diglycosyl benzaldehyde 등이 함유되어 있다.

약리 물에 달인 액은 황산동이나 apomorphine에 의하여 일어나는 구토를 억제한다. 생강이나 백반으로 수치한 반하는 자극성이 없고 진토 작용이 있으며, 수치하지 않은 반하는 구토를 일으킨다. glycopro-tein인 6KDP는 진토 작용과 적혈구 응집 작용이 있다. 반하는 위에 분포하는 미주 신경의 원심성을 억제하고, 생강은 촉진하며 반하와 생강의 혼합물은 억제하지 않는다. 알칼로이드 물질들은 타액 분비를 촉진하는 작용이 있고, 중추 신경 또는 운동 신경의 말초를 억제하는 작용이 있다.

사용법 반하 5g에 물 2컵(400mL)을 넣고 달여서 복용한다.

주의 임신부, 음허내열(陰虛內熱), 폐조담해수(肺燥痰咳嗽), 진상구갈(津傷口渴), 자한(自汗)의 경우는 복용을 피한다.

처방 반하탕(半夏湯): 지황(地黃)·산조인(酸棗仁) 각 20g, 반하(半夏)·생강(生薑) 각 12g, 원지(遠志)·적복령(赤茯苓) 각 8g, 황금(黃芩) 4g, 서미(黍米) 150g(『동의보감(東醫寶鑑)』). 담실열증(膽實熱症)으로 가슴이 답답하며 눈에 핏발이 서고 어지러우며 성질이 조급해지고 거칠어지며 난폭해지고 잠을 잘 자지 못하는 증상에 사용한다.

• 반하사심탕(半夏瀉心湯): 반하(半夏) 8g, 황금(黃芩)·인삼(人蔘)·감초(甘草) 각 6g, 건강(乾薑) 4g, 황련(黃連) 2g, 생강(生薑) 3쪽, 대추(大棗) 2개(『동의보감(東醫寶鑑)』). 명치 밑이 막힌 것 같고 입맛이 떨어지고 메슥메슥하거나 게우며 때로 배가 끓고 물소리가 나며 설사하는 증상에 사용한다.

• 반하생강탕(半夏生薑湯): 생강(生薑) 40g, 반하(半夏) 20g, 죽여(竹茹) 15g(『동의보감(東醫寶鑑)』). 위기(胃氣)가 치밀어 딸꾹질하는 증상에 사용한다.

• 반하백출천마탕(半夏白朮天麻湯): 반하(半夏)·진피(陳皮)·맥아(麥芽) 각 6g, 백출(白朮)·신국(神麴) 각 4g, 창출(蒼朮)·인삼(人蔘)·황기(黃耆)·천마(天麻)·복령(茯苓)·택사(澤瀉) 각 2g, 건강(乾薑) 1.2g, 황백(黃柏) 0.8g(『동의보감(東醫寶鑑)』). 비위(脾胃)가 허약하여 생긴 담궐두통(痰厥頭痛)으로 머리가 아프고 게우며 어지러워 눈을 뜰 수 없고 때로는 구역질이 나며 온몸이 무겁고 팔다리가 싸늘한 증상에 사용한다.

• 반하후박탕(半夏厚朴湯): 반하(半夏) 4g, 후박(厚朴) 3.2g, 신국(神麴) 3.2g, 소목(蘇木)·홍화(紅花) 2g, 삼릉(三稜)·당귀(當歸)·저령(豬苓)·승마(升麻) 각 1.6g, 육계(肉桂)·창출(蒼朮)·복령(茯苓)·택사(澤瀉)·시호(柴胡)·진피(陳皮)·황금(黃芩)·초두구(草豆蔻)·감초(甘草) 각 1.2g, 목향(木香)·청피(青皮) 각 0.8g, 오수유(吳茱萸)·황련(黃連)·건강(乾薑) 각 0.4g, 도인(桃仁) 7개(『동의보감(東醫寶鑑)』). 위장 안의 발효로 인한 통증, 수창, 기창, 혈창 등 창만증, 간경변성 복수에 사용한다.

• 소함흉탕(小陷胸湯): 반하(半夏)·황련(黃連) 12g, 괄루인(括蔞仁) 40g(『상한론(傷寒論)』). 소결흉으로 명치 밑이 그득하고 누르면 아프고 설태가 있는 증상, 상한(傷寒)에 땀을 잘못 내서 결흉증이 되어 가슴과 명치 밑이 그득하고 아픈 증상에 사용한다.

❶ 반하(半夏)

❶ 반하(半夏, 수치한 것)

❶ 반하(半夏, 수치하지 않은 것)

❶ 반하(半夏, 수치하지 않은 절편)

❶ 끼무릇(열매)

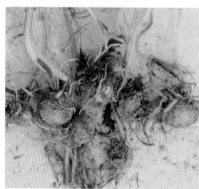
❶ 끼무릇(뿌리와 뿌리줄기)

❶ 반하(半夏)가 주약으로 배합된 소청룡탕

❶ 반하(半夏)가 배합된 사칠탕

❶ 반하(半夏)가 주약으로 배합된 반하사심탕

[천남성과]

물상추

🫁 풍열감모 ▢ 마진불투, 담마진, 습진
🧍 수종

●학명 : *Pistia stratiotes* L. [*P. occidentalis*] ●별명 : 모란부초

| 1 | 2 | 3 | 4 | 5 | 6 | 7 | 8 | 9 | 10 | 11 | 12 |

여러해살이풀. 물에 뜨며 가느다란 뿌리에 수염처럼 생긴 작은 뿌리가 깃 모양으로 총총히 달린다. 잎은 밀집하여 둥글게 달리고 둥근 삼각형, 길이 2~10cm, 너비 1.5~6cm이며 양면에 털이 있다. 꽃은 5~11월에 피며, 하부에는 암술이, 상부에 수술이 있다. 장과는 달걀 모양, 종자는 원주형이다.

분포·생육지 열대 원산. 세계 각처에서 관상용으로 재배. 연못이나 습지에서 자란다.
약용 부위·수치 전초를 여름에 채취하여 뿌리를 제거하고 생것 또는 말려서 사용한다.
약물명 대부평(大浮萍). 수부련(水浮蓮), 천부평(天浮萍)이라고도 한다.
기미·귀경 한(寒), 신(辛)·폐(肺), 비(脾), 간(肝)

약효 소풍투진(疎風透疹), 이뇨제습(利尿除濕), 양혈활혈(凉血活血)의 효능이 있으므로 풍열감모(風熱感冒), 마진불투(麻疹不透), 담마진(蕁麻疹), 혈열소양(血熱瘙痒), 습진(濕疹), 수종(水腫)을 치료한다.
성분 cyanidin-3-glucoside, luteolin-7-glucoside, orientin, vitexin, daucosterol 등이 함유되어 있다.
사용법 대부평 10g에 물 2컵(400mL)을 넣고 달여서 복용하고, 외용에는 생것을 짓찧어서 붙인다.

❍ 물상추(전초)

❍ 물상추(무리)

❍ 물상추

[천남성과]

파수룡

▢ 타박상 🧍 풍습비통
🫁 해수

●학명 : *Rhaphidophora decursiva* (Roxb.) Schott ●한자명 : 爬樹龍

| 1 | 2 | 3 | 4 | 5 | 6 | 7 | 8 | 9 | 10 | 11 | 12 |

여러해살이풀. 짧은 뿌리줄기에서 긴 뿌리가 사방으로 벋고 나무를 기어오른다. 잎은 줄기 마디에서 나오고 기근(氣根)이 나와 나무줄기에 박는다. 꽃은 잎겨드랑이의 육수화서에 달린다.
분포·생육지 중국 및 열대. 산골짜기의 응달에서 자란다.
약용 부위·수치 뿌리줄기를 봄부터 가을에 채취하여 물에 씻은 후 썰어서 말린다.
약물명 대과산룡(大過山龍). 파수룡(爬樹龍)이라고도 한다.
약효 활혈서근(活血舒筋), 해표지해(解表止咳)의 효능이 있으므로 타박상, 풍습비통(風濕痺痛), 해수(咳嗽)를 치료한다.
사용법 대과산룡 10g에 물 3컵(600mL)을 넣고 달여서 복용한다.

❍ 파수룡

[천남성과]

앉은부채

발열두통　　기관지천식

● 학명 : *Symplocarpus renifolius* Schott　　● 별명 : 안진부채, 삿부채풀, 우엉취, 산부채풀, 삿부채

| 1 | 2 | 3 | 4 | 5 | 6 | 7 | 8 | 9 | 10 | 11 | 12 |

여러해살이풀. 짧은 뿌리줄기에서 긴 뿌리가 사방으로 벋고, 냄새가 강하며, 잎은 뿌리줄기에서 모여나온다. 꽃은 잎보다

먼저 1포기에 1개씩 나오며, 꽃줄기는 길이 10~20cm, 포는 길이 8~20cm, 지름 5~12cm, 검은 자갈색이며 같은 색의 반점

이 있고 육수화서가 있다. 꽃은 양성이며 수술은 4개, 암술은 1개이다. 열매는 여름철에 익고 둥글게 모여 달린다.

분포·생육지 우리나라 전남, 강원, 경기, 함남, 중국, 일본, 아무르, 우수리, 사할린. 산골짜기의 응달에서 자란다.

약용 부위·수치 전초를 여름에 채취하여 물에 씻은 후 썰어서 말린다.

약물명 취송(臭菘)

약효 해표지해(解表止咳), 화담평천(化痰平喘)의 효능이 있으므로 발열두통, 기관지천식을 치료한다.

성분 butyl gallate, vitamin A, β−sitosterol, α−amyrin, β−amyrin, 5−hydroxytrypt-amine, cyanin−3−*O*−glucoside, cyanin−3−rutinoside 등이 함유되어 있다.

사용법 취송 10g에 물 3컵(600mL)을 넣고 달여서 복용한다.

＊ 본 종에 비하여 전체적으로 작으며 잎이 먼저 피고 뒤에 꽃이 피는 '애기앉은부채 *S. nipponicus*'도 약효가 비슷하다.

✪ 앉은부채

✪ 애기앉은부채

[천남성과]

이두첨

옹저창양, 종독, 나력, 개선, 독사교상, 봉석상
외상출혈, 타박상　　혈관류

● 학명 : *Typhonium divaricatum* (L.) Decne. [*Arum divaricatum* L.]
● 한자명 : 犁頭尖

| 1 | 2 | 3 | 4 | 5 | 6 | 7 | 8 | 9 | 10 | 11 | 12 |

여러해살이풀. 뿌리줄기는 둥글거나 타원상 구형이고 가는 뿌리가 조밀하다. 잎은 뿌리에서 나오고 논밭을 가는 쟁기와 비슷하고, 끝은 뾰족하며 가장자리가 밋밋하고 잎자루는 길다. 꽃대의 길이는 3cm 정도, 불염포는 길이 10~12cm이며, 자주색이고 하부는 녹색이다. 꽃차례는 밑부분에 암꽃이 피고, 수꽃은 암꽃의 윗부분에 피며 곤봉같이 생겼다.

분포·생육지 인도, 중국 저장성(浙江省), 광둥성(廣東省), 광시성(廣西省), 윈난성(雲南省). 논이나 습지에서 자란다.

약용 부위·수치 둥근 뿌리줄기를 가을에 채취하여 말렸다가 사용할 때 쪼개서 사용한다.

약물명 이두첨(犁頭尖), 우두초(芋頭草), 소야우(小野芋)라고도 한다.

약효 해독소종(解毒消腫), 산어지혈(散瘀止血)의 효능이 있으므로 옹저창양(癰疽瘡瘍), 종독(腫毒), 나력(瘰癧), 개선(疥癬),

혈관류(血管瘤), 독사교상(毒蛇咬傷), 봉석상(蜂螫傷), 외상출혈, 타박상을 치료한다.

사용법 유독하므로 외용으로만 사용한다. 가루로 만들어서 상처에 뿌리거나 생것을 짓찧어서 붙이거나 즙액을 바른다.

✪ 이두첨(뿌리와 뿌리줄기)

✪ 이두첨

[천남성과]

수반하

- 해수담다
- 옹창절종, 종독, 외상출혈, 타박상

● 학명 : *Typhonium flagelliforme* (Lodd.) Bl. [*Arum flagelliforme* Lodd.]
● 별명 : 물반하

| 1 | 2 | 3 | 4 | 5 | 6 | 7 | 8 | 9 | 10 | 11 | 12 |

여러해살이풀. 둥근 뿌리줄기는 지름 1~2cm, 상부에 길이 2~4cm의 가는 뿌리가 밀집한다. 잎은 3~4개로 잎몸은 긴 타원형이다. 꽃차례의 길이는 5~15cm이고, 불염포는 녹색이고 통부는 길이 1.5~2.5cm이며, 부리는 바늘 모양으로 끝이 가늘고 길다. 꽃차례는 밑부분이 포와 합쳐진다. 4~5월에 꽃이 피고 6~8월에 열매가 익는다.

분포·생육지 인도, 중국 광둥성(廣東省), 광시성(廣西省), 윈난성(雲南省). 논이나 습지에서 자란다.

약용 부위·수치 둥근 뿌리줄기를 가을에 채취하여 말렸다가 사용할 때 쪼개서 사용한다.

약물명 수반하(水半夏). 토전칠(土田七)이라고도 한다.

약효 조습화담(燥濕化痰), 해독소종(解毒消腫)의 효능이 있으므로 해수담다(咳嗽痰多), 옹창절종(癰瘡癤腫), 종독(腫毒), 외상출혈, 타박상을 치료한다.

약리 물에 달인 액을 쥐에게 투여하면 진토 작용, 지해 작용, 거담 작용이 나타난다.

사용법 수반하 5g에 물 2컵(400mL)을 넣고 달여서 복용하고, 외용에는 짓찧어 붙이거나 즙액을 바른다.

＊ 시중에서 반하(半夏)의 대용품으로도 사용되고 있으며, 유독하므로 '반하'처럼 수치하여야 한다.

○ 수반하(水半夏)로 만든 기침 가래 치료제

○ 수반하(水半夏, 신선품)

○ 수반하(水半夏). 수치한 것(왼쪽)과 수치하지 않은 것(오른쪽)

○ 수반하

[천남성과]

독각련

- 중풍담옹
- 구안와사
- 편두통
- 파상풍, 독사교상, 옹종
- 나력결핵

● 학명 : *Typhonium giganteum* Engl.　● 한자명 : 獨角蓮

| 1 | 2 | 3 | 4 | 5 | 6 | 7 | 8 | 9 | 10 | 11 | 12 |

여러해살이풀. 뿌리줄기는 달걀 모양으로 길이 6cm 정도이다. 잎은 뿌리에서 나오고 긴 심장형, 끝은 뾰족하고 밑은 안으로 들어가며, 잎자루는 길다. 꽃은 6~8월에 피며 불염포는 자주색, 길이 15~20cm, 상부는 벌어지며 끝이 뾰족하다. 꽃차례의 밑에는 암꽃이, 위에는 수꽃이 핀다. 열매는 장과, 7~10월에 붉은색으로 익는다.

분포·생육지 인도, 중국 광둥성(廣東省), 광시성(廣西省), 윈난성(雲南省). 논이나 습지에서 자란다.

약용 부위·수치 둥근 뿌리줄기를 가을에 채취하여 말렸다가 사용할 때 쪼개서 사용한다.

약물명 백부자(白附子). 우백부(禹白附)라고도 한다.

성상 백부자(白附子)는 달걀 모양으로 길이 3~5cm, 표면은 백색~황백색이며 환문과 뿌리의 흔적이 보이고 끝에는 줄기 또는 싹의 흔적이 있다. 질은 단단하고, 단면은 유백색이며 가루질이 풍부하다. 냄새가 없고 맛은 담담하나 시간이 지나면 매우 아리다. 크고 단단하며 가루질이 풍부한 것이 좋다.

기미·귀경 온(溫), 신(辛), 감(甘), 유독(有毒)·위(胃), 간(肝)

약효 거풍담(祛風痰), 통경락(通經絡), 해독진통(解毒鎭痛)의 효능이 있으므로 중풍담옹(中風痰壅), 구안와사(口眼歪斜), 편두통, 파상풍, 독사교상(毒蛇咬傷), 나력결핵(瘰癧結核), 옹종(癰腫)을 치료한다.

성분 β-sitosterol, daucosterol, meso-inositol, choline, uracil, succinic acid, tyrosine, valine, palmitic acid, linoleic acid, linolein, dipalmitin 등이 함유되어 있다.

약리 물에 달인 액을 쥐의 복강에 주사하면 수면 시간이 연장되고 진통 작용이 나타난다. 염증을 일으킨 동물에게 열수추출물을 투여하면 약물을 투여하지 않은 대조군에 비하여 염증을 감소시킨다. 열수추출물을 토끼에게 투여하면 최토 작용이 있다.

사용법 백부자 5g에 물 2컵(400mL)을 넣고 달여 복용하거나 가루로 만들어 0.5~1g을 복용하되 유독하므로 약 용량에 주의한다. 외용에는 짓찧어 뿌리거나 즙액을 바른다.

처방 견정산(牽正散): 백부자(白附子)·백강잠(白殭蠶)·전갈(全蝎) 각 동량, 1회 3~5g「동의보감(東醫寶鑑)」. 중풍으로 입과 눈이 비뚤어지는 증상에 사용한다.

• 삼생환(三生丸): 백부자(白附子)·천남성(天南星)·반하(半夏) 각 동량, 1회 1.5~2g「동의보감(東醫寶鑑)」. 담궐(痰厥)로 두통이 나고 어지러워서 눈을 뜨지 못하며 몸이 무겁고 게우는 증상에 사용한다.

• 옥진산(玉眞散): 백부자(白附子)·천남성(天南星)·방풍(防風)·백지(白芷)·천마(天麻)·강활(羌活) 각 동량, 1회 8g. 미친개한테 물렸을 때나 파상풍에 사용한다.

○ 백부자(白附子) 분말. 중풍, 편두통 치료제

○ 뿌리와 뿌리줄기　○ 독각련

○ 백부자(白附子, 수치하지 않은 것)

○ 백부자(白附子, 수치한 것)

[개구리밥과]

좀개구리밥

감기 / 유행성열병 / 부종 / 피부가려움증, 단독, 화상 / 수종

●학명 : *Lemna perpusilla* Torrey [*L. paucicostata*]　●별명 : 푸른개구리밥, 청개구리밥

| 1 | 2 | 3 | 4 | 5 | 6 | 7 | 8 | 9 | 10 | 11 | 12 |

물에 사는 한해살이풀. 엽상체는 잎처럼 생긴 달걀 모양, '개구리밥'에 비하여 뿌리가 1개이고, 엽상체의 맥이 3개이며 뒷면이 녹색인 것이 다르다.
분포 · 생육지 우리나라 전역. 중국, 일본, 타이완, 베트남, 필리핀. 연못, 늪, 개울가에서 자란다.
약용 부위 · 수치 전초를 수시로 채취하여 물에 씻은 후 말린다.
약물명 부평(浮萍). 수평(水萍), 평자초(萍子草)라고도 한다.
성상 전초로 잎은 넓은 타원형, 양면 모두

회녹색, 뿌리는 1개가 달려 있다. 질은 가볍고 쉽게 부서진다. 냄새는 비린내가 나고 맛은 맵다.
기미 · 귀경 한(寒), 신(辛) · 폐(肺), 방광(膀胱)
약효 발한해표(發汗解表), 청열해독(淸熱解毒)의 효능이 있으므로 감기, 유행성열병, 피부가려움증, 부종, 수종(水腫), 단독(丹毒), 화상을 치료한다.
사용법 부평 7g에 물 2컵(400mL)을 넣고 달여서 복용하고, 외용에는 생것을 짓찧어 붙이거나 즙액을 바른다.

❶ 부평(浮萍)　　❶ 좀개구리밥

[개구리밥과]

개구리밥

풍열표증 / 수종 / 마진불투, 은진소양, 개선, 단독, 화상

●학명 : *Spirodela polyrhiza* (L.) Schleiden　●별명 : 부평초, 머구리밥

| 1 | 2 | 3 | 4 | 5 | 6 | 7 | 8 | 9 | 10 | 11 | 12 |

물에 사는 한해살이풀. 식물체는 잎처럼 생긴 달걀 모양, 앞면은 녹색, 뒷면은 자주색, 뿌리는 5~11개가 나온다. 꽃은 7~8월에 피며 백색, 꽃덮개가 없다.
분포 · 생육지 우리나라 전역. 중국, 일본, 타이완, 필리핀. 연못, 늪, 개울가에서 자란다.
약용 부위 · 수치 전초를 수시로 채취하여 물에 씻은 후 말린다.
약물명 부평(浮萍). 수평(水萍), 평자초(萍子草)라고도 한다. 대한민국약전외한약(생약)규격집(KHP)에 수재되어 있다.
본초서 부평(浮萍)은 「신농본초경(神農本草經)」에 수재되어 "갑자기 열이 나는 것과 몸

이 가려운 것을 낫게 한다. 소변을 잘 나오게 하고 술에 취하지 않게 하며 수염과 머리카락을 자라게 한다. 또 갈증을 풀어 주며 오랫동안 복용하면 몸이 튼튼해진다."고 하였다. 「동의보감(東醫寶鑑)」에 "열독, 풍열로 인해 생기는 병, 열이 많아 헛소리하는 것을 다스린다. 끓는 물이나 불에 덴 상처, 풍진, 갑자기 열이 나는 것과 몸이 가려운 것을 낫게 한다. 소변을 잘 나오게 하고 술에 취하지 않게 하며 수염과 머리카락을 자라게 한다. 또 갈증을 풀어 준다."고 하였다.
神農本草經: 主暴熱身痒 下水氣 勝酒 長鬚髮 止消渴 久服輕身.

東醫寶鑑: 治熱毒 風熱疾 熱狂 燉腫毒 湯火瘡 風疹 暴熱身痒 下水氣 勝酒 長鬚髮 止消渴.
성상 전초로 잎은 넓은 달걀 모양, 앞면은 녹색, 가장자리와 뒷면은 자주색, 뿌리가 5~11개 달려 있다. 질은 가볍고 쉽게 부서진다. 냄새는 비린내가 나고 맛은 맵다.
기미 · 귀경 한(寒), 신(辛) · 폐(肺), 방광(膀胱)
약효 발한해표(發汗解表), 투진지양(透疹止痒), 이수소종(利水消腫), 청열해독(淸熱解毒)의 효능이 있으므로 풍열표증(風熱表證), 마진불투(麻疹不透), 은진소양(隱疹瘙痒), 수종(水腫), 개선(疥癬), 단독(丹毒), 화상을 치료한다.
성분 orientin, vitexin, luteolin-7-*O*-glucoside, apigenin-3-*O*-glucoside, malonylcyanidin-3-*O*-glucoside, lutein, epoxyluteine, violaxanthin, neoxanthin 등이 함유되어 있다.
약리 물로 달인 액은 quinine에 의하여 쇠약해진 개구리 심장에 강심 작용이 있고, 대량을 투여하면 혈관이 수축되고 혈압이 상승하며, typhus vaccine에 의하여 발열시킨 토끼에 경구 투여하면 해열 작용이 있고, 해충에 약한 살충 작용이 있다. 에틸 아세테이트 분획물은 통증을 억제한다.
사용법 부평 7g에 물 2컵(400mL)을 넣고 달여서 복용하고, 외용에는 생것을 짓찧어 붙이거나 즙액을 바른다.

❶ 개구리밥

❶ 부평(浮萍)

❶ 부평(浮萍, 신선품)

[흑삼릉과]

흑삼릉

기혈응체, 협하창통
심복동통
월경폐지, 산후어혈복통
타박상

● 학명 : *Sparganium stoloniferum* Hamilton　● 별명 : 흑삼능

1	2	3	4	5	6	7	8	9	10	11	12

여러해살이풀. 높이 70~100cm. 땅속줄기가 옆으로 벋어 군락을 이루고, 줄기는 곧게 서고 굵으며 위에서 가지가 갈라진다. 잎은 바늘 모양, 꽃은 6~7월에 피고, 꽃차례 밑에는 암꽃, 위에는 수꽃이 달린다. 암꽃의 꽃덮개는 3개이며, 수꽃은 꽃덮개와 수술이 각각 3개이다. 열매는 달걀 모양이며 길이 6~10mm, 지름 4~8mm로 능각이 있다.

분포 · 생육지 우리나라 전역. 중국, 일본, 타이완, 아무르, 우수리, 몽골. 연못이나 도랑에서 자란다.

약용 부위 · 수치 뿌리줄기를 가을부터 겨울까지 채취하여 껍질을 깎아서 버리고 말린다. 초삼릉(醋三稜)은 정선한 삼릉을 끓는 물에 담가 반쯤 삶은 뒤 초를 가하여 다시 삶아서 말린다. 약성을 완화시키기 위하여 밀기울과 같이 볶아서 사용한다.

약물명 삼릉(三稜). 형삼릉(荊三稜), 경삼릉(京三稜), 백삼릉(白三稜)이라고도 한다. 대한민국약전(KP)에 수재되어 있다.

본초서 삼릉(三稜)은 송대(宋代)에 간행된 「개보본초(開寶本草)」에 경삼릉(京三稜)이라는 이름으로 수재되어 있으며 "조매(鳥梅)와 모양이 닮았으며 조금 더 큰 것으로는 흑삼릉(黑三稜)이 있다."고 하였다. 「도경본초(圖經本草)」에는 "경삼릉(京三稜)은 구본(舊本)에는 그 산지(産地)를 나타내지 않았지만 지금은 하섬(河陜), 강회(江淮), 형낭(荊囊) 사이에 있다. 춘묘(春苗)를 생성하고 높이 3~4척(尺) 되고 창포(菖蒲)와 닮았다. 5~6월에 사초(沙草) 비슷한 황자색 꽃이 피고 서리가 내린 후에 뿌리를 채취한다. 흑삼릉(黑三稜), 계조삼릉(鷄爪三稜), 초삼릉(草三稜), 석삼릉(石三稜) 등 형태가 여러 가지이다."라고 기록되어 있다. 「본초강목(本草綱目)」에는 "삼릉(三稜)은 능히 파기(破氣)하고 산결(散結)하므로 약효는 향부자(香附子)에 가깝지만 그 힘이 강하여 오래 복용할 수 없다."고 하였다. 형삼릉(荊三稜)은 형초(荊楚)라는 지방에서 많이 생산되므로 붙여진 이름이다. 「동의보감(東醫寶鑑)」에 "뱃속에 생긴 덩어리를 풀어 주고 부인의 아랫배에 피가 엉기어 맺힌 덩어리를 삭이며 월경을 순조롭게 하고 굳은 피를 없앤다. 유산될 수 있다. 산후 출혈이 심하여 정신이 혼미해지는 증상과 복통, 굳은 피가 내려가지 않는 데 쓰며 다쳐서 피가 뭉친 것을 풀어 준다."고 하였다.

日華子: 治婦人血脈不調, 心腹痛, 落胎, 消惡血, 補勞, 通月經, 治氣脹, 消補損瘀血, 産後腹痛, 血運, 并宿血不下.

開寶本草: 主老癖瘕痃結塊.

本草綱目: 通肝經積血, 治瘡腫堅硬.

東醫寶鑑: 主癥瘕結塊 治婦人血積 落胎 通月經 消惡血 産後血暈腹痛 宿血不下 消撲損瘀血.

성상 위는 둥글고 아래는 뾰족한 원추형으로 길이는 2~6cm, 지름은 2~4cm이다. 표면은 황백색~회황색이고 표피를 칼로 깎은 자국과 잔뿌리의 흔적이 옆으로 거의 환상(環狀)으로 배열되어 있다. 질은 견실하며 무겁다. 냄새는 없고 맛은 덤덤하나 씹으면 약간 아린 맛이 있다.

기미 · 귀경 평(平), 신(辛), 고(苦) · 간(肝), 비(脾).

약효 파혈행기(破血行氣), 소적지통(消積止痛)의 효능이 있으므로 기혈응체(氣血凝滯), 심복동통(心腹疼痛), 협하창통(脇下脹痛), 월경폐지(月經閉止), 산후어혈복통(産後瘀血腹痛), 타박상을 치료한다.

성분 benzeneethanol, 1,4-benzenediol, dehydrocostuslactone, 2-furanmethanol, 2-acetylpyrrole, stigmasterol, β-sitosterol, daucosterol 등이 함유되어 있다.

약리 열수추출물을 토끼나 쥐에게 투여하면 혈전 형성 시간을 연장시킨다. 열수추출물 200μg/mL를 쥐의 심장에 투여하면 산소 소비량을 15.6% 줄인다.

사용법 삼릉 5g에 물 2컵(400mL)을 넣고 달여서 복용한다.

처방 삼릉전(三稜煎): 삼릉(三稜) · 봉출(蓬朮) 각 160g, 원화(芫花) 40g (「동의보감(東醫寶鑑)」). 음식이나 술에 몸을 상하여 소화가 안 되고 뱃속에 멍울이 생긴 증상, 여성들의 생리가 없고 아랫배가 몹시 아픈 증상을 치료한다.

• 삼릉소적환(三稜消積丸): 삼릉(三稜) · 봉출(蓬朮) · 신국(神麴) 각 28g, 파두(巴豆) · 지실(地實) · 진피(陳皮) · 회향(茴香) 각 20g, 정향(丁香) · 익지인(益智仁) 각 12g (「동의보감(東醫寶鑑)」). 날것이나 찬 음식을 먹고 체해서 소화가 안 되고 명치 밑이 그득하고 답답한 증상을 치료한다.

○ 흑삼릉

○ 삼릉(三稜)

○ 삼릉(三稜, 절편)

○ 흑삼릉(열매)

○ 삼릉(三稜)으로 만든 심복동통 치료제

[부들과]

부들

경폐복통, 산후동통 | 토혈, 혈변 | 객혈 | 혈뇨

● 학명 : *Typha orientalis* Presl

1 2 3 4 5 6 7 8 9 10 11 12

여러해살이풀. 땅속줄기가 옆으로 벋으며 수염뿌리를 내고, 줄기는 곧게 서며 높이 1.5m 정도, 잎은 바늘 모양이다. 꽃은 6~7월에 피며 수꽃차례는 위에 있고 길이 5~10cm, 암꽃차례는 아래에 있고 길이 7~12cm이다. 꽃덮개는 퇴화하여 가늘고 부드러운 털로 되고, 수꽃은 황색으로 꽃가루가 서로 붙지 않는다. 과수는 적갈색, 원주형으로 길이 7~10cm이다.

분포 · 생육지 우리나라 전역. 중국, 일본, 타이완, 필리핀. 연못이나 늪지대에서 자란다.

약용 부위 · 수치 꽃이 필 때 수꽃의 꽃이삭을 채취하여 꽃가루를 털어 내어 말린다. 지혈(止血)의 목적으로 포황 가루를 흑갈색이 될 때까지 볶은 것을 포황탄(蒲黃炭)이라 한다.

약물명 꽃가루를 포황(蒲黃)이라 하며, 포리화분(蒲厘花粉), 포화(蒲花), 향포(香蒲)라고도 한다. 대한민국약전외한약(생약)규격집(KHP)에 수재되어 있다.

본초서 포황(蒲黃)은 「신농본초경(神農本草經)」의 상품(上品)에 포황(蒲黃) 및 향포(香蒲) 2가지로 수재되어 있다. 소송(蘇頌)은 "향포(香蒲)는 부들의 싹이라고 하였으며, 포황(蒲黃)은 화황(花黃)이라고도 하며 부들의 꽃가루이다."라고 하였다. 도홍경(陶弘景)은 "향포(香蒲)는 처방에는 사용하지 않는다."라고 하였다. 이와 같은 기록으로 보아 포황(蒲黃)은 사용하였으나 향포(香蒲)는 약으로 잘 사용하지 않은 것으로 생각된다. 「동의보감(東醫寶鑑)」에 "몸에 있는 9개의 구멍에서 피가 나는 것을 멎게 하고 뭉친 피를 풀어 준다. 피가 섞인 대변을 보는 것, 자궁에서 분비물이 나오는 것, 출산 후 아랫배가 아픈 것, 하혈, 유산 등을 낫게 한다."고 하였다.

神農本草經: 主心腹膀胱寒熱, 利小便, 止血, 消瘀血.

藥性論: 通經脈, 止女子崩中不住, 主痢血, 止鼻衄, 治尿血, 利水道.

本草綱目: 凉血, 活血, 止心腹諸痛.

東醫寶鑑: 止九竅出血 消瘀血 主血痢及婦人崩漏 帶下及兒枕急痛 下血 墜胎.

성상 꽃가루로 황색~황갈색이며 알갱이가 작은 가루이다. 손으로 비비면 매끈한 느낌이 들고 손에 잘 붙는다. 냄새는 약하고 맛은 담담하다.

기미 · 귀경 평(平), 감(甘), 신(辛) · 간(肝), 심(心), 비(脾).

약효 지혈(止血), 거담(祛痰), 소어(消瘀)의 효능이 있으므로 경폐복통(經閉腹痛), 산후동통(産後疼痛), 토혈(吐血), 객혈(喀血), 혈변(血便), 혈뇨(血尿), 대하(帶下)를 치료한다.

성분 quercetin, kaempferol, isorhamnetin, β-sitosterol, daucosterol, α-typhasterol 등이 함유되어 있다.

약리 물로 달인 액은 쥐의 자궁에 흥분 작용이 있고, 고양이와 개에게 투여하면 혈압이 하강하고, 토끼의 적출 장관에 항경련 작용이 있고 응혈 작용이 나타나며, 결핵균에 항균 작용이 있다.

사용법 포황 10g에 물 3컵(600mL)을 넣고 달여서 복용한다. 허약 체질, 임산부는 복용을 금한다.

처방 포황산(蒲黃散): 포황(蒲黃) · 동규자(冬葵子) · 생지황(生地黃) 각 20g을 가루로 만들어 1회 4g 복용(「증치준승(證治準繩)」). 요혈(尿血), 배뇨통(排尿痛)에 사용한다.

• 포황환(蒲黃丸): 포황(蒲黃) 120g, 용골(龍骨) 100g, 애엽(艾葉) 40g을 오동자(梧桐子) 크기의 알약으로 만들어 1회 20알 복용(「성제총록(聖濟總錄)」). 붕루(崩漏), 대하(帶下), 생리과다에 사용한다.

• 실소산(失笑散): 포황(蒲黃) · 오령지(五靈脂) 동량을 가루로 만들어 1회 8g을 식초에 넣고 불로 졸인 뒤 물에 타서 복용(「화제국방(和劑局方)」). 산후(産後)에 오로불통(惡露不通)하고 복통이 있을 때 사용한다.

※ 잎이 넓고 꽃이삭이 길며 꽃가루는 4개씩 붙는 '큰부들 *T. latifolia*'도 약효가 같다.

포황(蒲黃)

부들

부들(뿌리와 뿌리줄기)

포황(蒲黃)이 배합된 자양강장 및 전립선염 치료제

[부들과]

애기부들

 경폐복통, 산후통 　　혈변

혈뇨

● 학명 : *Typha angustifolia* Bory et Chaub.

1	2	3	4	5	6	7	8	9	10	11	12

여러해살이풀. 땅속줄기가 옆으로 벋으며 수염뿌리를 내고, 줄기는 곧게 서며 높이 1.5m 정도, '부들'에 비하여 수꽃차례와 암꽃차례가 떨어져 있고 잎이 더 좁다.

분포·생육지 우리나라 전역, 중국, 일본, 타이완, 필리핀. 연못이나 늪지대에 자란다.

약용 부위·수치 꽃가루 또는 전초를 봄부터 가을에 채취하여 말린다.

약물명 꽃가루를 포황(蒲黃)이라 한다.

약효 정혈(淨血)의 효능이 있으므로 경폐복통(經閉腹痛), 산후통(産後痛), 혈변(血便), 혈뇨(血尿)를 치료한다.

성분 quercetin, kaempferol, isorhamnetin, β-sitosterol, daucosterol, α-typhasterol 등이 함유되어 있다.

약리 물로 달인 액은 쥐의 자궁에 흥분 작용이 있고, 고양이와 개에게 투여하면 혈압이 하강하며, 토끼의 적출 장관에 항경련 작용이 있고 응혈 작용이 나타나며, 결핵균에 항균 작용이 있다.

사용법 포황 10g에 물 3컵(600mL)을 넣고 달여서 복용한다.

❍ 애기부들

[사초과]

모기골

 토혈, 변혈 　　 육혈

요혈

● 학명 : *Bulbostylis barbata* (Rottb.) Kunth　● 별명 : 모기풀

1	2	3	4	5	6	7	8	9	10	11	12

여러해살이풀. 높이 10~40cm. 줄기는 곧게 서며 빽빽이 나고, 잎은 선형, 털이 없고 줄기 밑에만 달리며 여러 개의 맥이 있고 너비 0.3mm 정도이다. 꽃차례는 산형으로 줄기 끝에 달리고 지름 5~10mm, 소수(小穗)는 2~15개가 모여 달린다. 포는 1~3개로 꽃차례보다 긴 것도 있고, 수과는 긴 달걀 모양으로 길이 1mm 정도이다.

분포·생육지 우리나라 전역. 인도, 중국, 일본, 필리핀. 바닷가 근처의 햇볕이 잘 쬐는 곳에서 자란다.

약용 부위·수치 전초를 여름 또는 가을에 채취하여 물에 씻은 후 말린다.

약물명 우모초(牛毛草)

약효 양혈지혈(凉血止血)의 효능이 있으므로 토혈(吐血), 육혈(衄血), 요혈(尿血), 변혈(便血)을 치료한다.

사용법 우모초 7g에 물 2컵(400mL)을 넣고 달여서 복용한다.

❍ 모기골

[사초과]

흰꼬리사초

 풍습비통

● 학명 : *Carex brownii* Tuckerman　● 별명 : 힌꼬리사초

1	2	3	4	5	6	7	8	9	10	11	12

여러해살이풀. 높이 30~80cm. 줄기는 빽빽이 나고 거칠거칠하다. 잎은 선형, 너비 3~5mm, 짙은 녹색, 엽초는 흑갈색이 도는 적자색, 3맥이 뚜렷하다. 소수(小穗)는 3~4개, 수꽃이삭은 줄기 끝에 달리고 선형, 암꽃이삭은 줄기 옆에 달리고 짧은 원통형으로 긴 까락은 길이 3~4mm, 포는 잎처럼 생겼다.

분포·생육지 우리나라 전역. 인도, 중국, 일본, 오스트레일리아. 습한 풀밭에서 자란다.

약용 부위·수치 뿌리를 여름 또는 가을에 채취하여 물에 씻은 후 말린다.

약물명 삼방초(三方草)

약효 거풍제습(祛風除濕)의 효능이 있으므로 풍습비통(風濕痺痛)을 치료한다.

사용법 삼방초 15g에 물 3컵(600mL)을 넣고 달여서 복용한다.

❍ 흰꼬리사초

[사초과]

보리사초

비위허약, 구토애역

●학명 : *Carex kobomugi* Ohwi　●별명 : 큰보리대가리, 통보리사초

| 1 | 2 | 3 | 4 | 5 | 6 | 7 | 8 | 9 | 10 | 11 | 12 |

◑ 보리사초(수꽃)

여러해살이풀. 식물체가 모여나며, 목질의 뿌리줄기는 길게 옆으로 벋고 갈색 섬유로 덮이며, 줄기는 둔한 능각이 있고 높이 10~30cm이다. 잎은 뿌리에서 사방으로 퍼지며 윤채가 도는 가죽질이고 가장자리에 잔톱니가 있다. 꽃은 암수딴그루, 4~6월에 줄기 끝에 수상화서로 달리며, 암술머리는 3개이다. 열매는 수과이다.

분포 · 생육지 우리나라 전역. 중국, 일본, 타이완, 우수리. 바닷가 모래밭에서 흔하게 자란다.

약용 부위 · 수치 열매를 여름에 채취하여 말린다.

약물명 사실(蒒實). 자연곡(自然穀), 우여량(禹余粮), 사초실(師草實)이라고도 한다.

기미 · 귀경 평(平), 감(甘) · 비(脾), 위(胃)

약효 건비익기(健脾益氣), 강역지구(降逆止嘔)의 효능이 있으므로 비위허약(脾胃虛弱), 구토애역(嘔吐呃逆)을 치료한다.

사용법 사실 7g에 물 2컵(400mL)을 넣고 달여서 복용한다.

◑ 보리사초

[사초과]

그늘사초

습진, 황수창

●학명 : *Carex lanceolata* Boott　●별명 : 실사초

| 1 | 2 | 3 | 4 | 5 | 6 | 7 | 8 | 9 | 10 | 11 | 12 |

여러해살이풀. 높이 15~30cm. 줄기는 빽빽이 나고 밑부분에 갈색 섬유가 있다. 잎은 납작하고, 엽초는 적갈색으로 그물 모양으로 갈라진다. 소수(小穗)는 3~6개, 수꽃 이삭은 줄기 끝에 달리고 방망이 모양이며, 암꽃이삭은 줄기 옆에 2~4개가 달린다.

분포 · 생육지 우리나라 전역. 중국, 일본, 중국 둥베이(東北) 지방, 타이완, 우수리, 사할린, 몽골. 솔밭이나 건조한 풀밭에서 자란다.

약용 부위 · 수치 전초를 여름에 채취하여 물에 씻은 후 썰어서 말린다.

약물명 양호자초(羊胡髭草). 양호수초(羊胡須草)라고도 한다.

약효 청열조습(淸熱燥濕), 해독의 효능이 있으므로 습진, 황수창(黃水瘡)을 치료한다.

사용법 양호자초를 불에 태운 뒤 재(灰)를 참기름에 개서 환부에 바르거나 붙이고 붕대로 감싼다.

◑ 그늘사초

[사초과]

화정태초

 어혈작통

●학명 : *Carex scaposa* C. B. Clarke ●한자명 : 花葶苔草

| 1 | 2 | 3 | 4 | 5 | 6 | 7 | 8 | 9 | 10 | 11 | 12 |

여러해살이풀. 높이 50~60cm. 뿌리줄기는 굵고 길며, 줄기는 3개의 능각이 있다. 뿌리잎은 긴 타원형, 길이 20~35cm, 너비 3~4cm이다. 소수(小穗)는 달걀 모양, 암꽃의 비늘조각은 담갈색이다. 소견과는 달걀 모양으로 길이 1.5mm 정도이며 3개의 능각이 있다.

분포 · 생육지 우리나라 전역. 일본, 중국 둥베이(東北) 지방, 타이완, 우수리, 사할린, 몽골. 솔밭이나 건조한 풀밭에서 자란다.

약용 부위 · 수치 전초를 여름에 채취하여 물에 씻은 후 썰어서 말린다.

약물명 번천홍(翻天紅). 낙지오공(落地蜈蚣)이라고도 한다.

약효 청열해독(淸熱解毒), 활혈산어(活血散瘀)의 효능이 있으므로 어혈작통(瘀血作痛)을 치료한다.

사용법 번천홍 7g에 물 2컵(400mL)을 넣고 달여서 복용한다.

○ 화정태초

[사초과]

대사초

 기혈허약, 권태무력   심계실면
월경부조, 경폐

●학명 : *Carex siderosticta* Hance

○ 애종근(崖棕根)

○ 대사초(꽃)

| 1 | 2 | 3 | 4 | 5 | 6 | 7 | 8 | 9 | 10 | 11 | 12 |

여러해살이풀. 뿌리줄기에서 긴 벋는 줄기를 내며, 줄기는 지난해의 마른 잎들 속에서 나고 높이 10~40cm이다. 잎은 넓은 바늘 모양으로 너비 1~3cm, 3맥이 뚜렷하며 줄기보다 짧지만 나중에 길어진다. 꽃은 4~5월에 피고 바로 서며 위에는 수꽃, 밑에는 암꽃이 핀다. 암술대 끝은 3개로 갈라진다. 과포는 세모진 타원형이며, 수과는 타원상 구형이다.

분포 · 생육지 우리나라 전역. 중국, 일본, 타이완, 우수리. 산지에서 흔하게 자란다.

약용 부위 · 수치 뿌리를 여름에 채취하여 물에 씻어서 말린다.

약물명 애종근(崖棕根). 간경초(干經草)라고도 한다.

약효 익기양혈(益氣凉血), 활혈조경(活血調經)의 효능이 있으므로 기혈허약(氣血虛弱), 권태무력(倦怠無力), 심계실면(心悸失眠), 월경부조(月經不調), 경폐(經閉)를 치료한다.

사용법 애종근 10g에 물 3컵(600mL)을 넣고 달여서 복용한다.

○ 대사초

[사초과]

풍차초

어혈작통

● 학명 : *Cyperus flabelliformis* Rottb. [*C. alternifolius* subsp. *flabelliformis*]
● 한자명 : 風車草

| 1 | 2 | 3 | 4 | 5 | 6 | 7 | 8 | 9 | 10 | 11 | 12 |

○ 풍차초(꽃이 피기 전)

한해살이풀. 줄기는 모여나고 높이 30~150cm, 뿌리줄기는 짧고, 수염뿌리는 질기다. 포편은 20개 정도로 선형이며 길이는 꽃차례의 2배이다. 잎은 없다. 꽃은 수상화서로 밀집하여 핀다. 소견과는 타원형으로 갈색이며 삼릉형(三棱形)이다.

분포 · 생육지 열대 원산. 우리나라 전역의 얕은 못, 습지에서 자란다.

약용 부위 · 수치 지상부를 여름에 채취하여 물에 씻은 후 썰어서 말린다.

약물명 산사초(傘莎草). 구룡토주(九龍吐酒)라고도 한다.

약효 행기활혈(行氣活血), 해독의 효능이 있으므로 어혈작통(瘀血作痛)을 치료한다.

사용법 산사초 15g에 물 3컵(600mL)을 넣고 달여서 복용한다.

○ 풍차초

[사초과]

알방동사니

열림, 소변불리   타박상

● 학명 : *Cyperus difformis* L.   ● 별명 : 알방동산이

| 1 | 2 | 3 | 4 | 5 | 6 | 7 | 8 | 9 | 10 | 11 | 12 |

○ 왕모채(王母釵)

한해살이풀. 줄기는 모여나고 높이 20~60cm, 연약하며 수염뿌리가 많다. 잎은 수가 적으며 너비 2~5mm, 엽초는 황갈색이다. 꽃은 8~10월에 피고 전체가 구상으로 되며 짧은 소수(小穗)가 밀집하여 지름 1~1.5cm의 꽃차례를 만든다. 수과는 세모진 달걀 모양으로 비늘조각과 길이가 거의 같고 뾰족한 삼릉형이며 흑갈색이다.

분포 · 생육지 우리나라 전역. 중국, 일본, 타이완, 우수리. 논이나 얕은 못, 습지에서 흔하게 자란다.

약용 부위 · 수치 전초를 여름에 채취하여 물에 씻은 후 썰어서 말린다.

약물명 왕모채(王母釵). 함초(鹹草), 오립관(五粒關)이라고도 한다.

약효 이뇨통림(利尿通淋), 행기활혈(行氣活血)의 효능이 있으므로 열림(熱淋), 소변불리(小便不利), 타박상을 치료한다.

사용법 왕모채 15g에 물 3컵(600mL)을 넣고 달여서 복용하거나 술에 담가서 복용한다.

○ 알방동사니

[사초과]

물방동사니

🫁 만성기관지염

●학명 : *Cyperus glomeratus* L.　●별명 : 물방동산이, 진들방동산이, 흐리방동사니

| 1 | 2 | 3 | 4 | 5 | 6 | 7 | 8 | 9 | 10 | 11 | 12 |

한해살이풀. 높이 30~90cm. 연약하며 줄기는 약간 조밀하고, 엽초는 흑갈색이다. 꽃차례는 겹산형이고 가지는 3~5개, 소수(小穗)는 납작한 선형, 흑갈색이다. 꽃은 5~20개씩 달리고, 포는 3~4개이다.

분포 · 생육지 우리나라 전역. 중국, 일본, 중앙아시아, 유럽. 논이나 얕은 못, 습지에서 자란다.

약용 부위 · 수치 전초를 여름에 채취하여 물에 씻은 후 썰어서 말린다.

약물명 수사초(水莎草)

약효 지해화담(止咳化痰)의 효능이 있으므로 만성기관지염을 치료한다.

사용법 수사초 15g에 물 3컵(600mL)을 넣고 달여서 복용하거나 술에 담가서 복용한다.

✪ 수사초(水莎草)

✪ 물방동사니

[사초과]

참방동사니

🦴 풍습근골동통　　♀ 월경부조, 폐경

🩹 타박상

●학명 : *Cyperus iria* L.　●별명 : 참방동산이

| 1 | 2 | 3 | 4 | 5 | 6 | 7 | 8 | 9 | 10 | 11 | 12 |

한해살이풀. 줄기는 모여나고 높이 20~60cm, 기부에 2~3개의 잎이 달린다. 잎은 너비 3~6mm의 바늘 모양으로 줄기보다 짧으며, 엽초는 줄기를 감싼다. 꽃은 6~8월에 피고, 꽃차례의 많은 것은 복생한다. 총포는 4~5개, 소수(小穗)는 선상 긴 타원형으로 길이 5~10mm이다. 수과는 세모진 달걀 모양으로 비늘조각보다 짧고 갈색이다.

분포 · 생육지 우리나라 전역. 중국, 일본, 타이완, 우수리. 밭이나 공터에서 자란다.

약용 부위 · 수치 전초를 여름에 채취하여 물에 씻은 후 썰어서 말린다.

약물명 삼릉초(三楞草). 삼륜초(三輪草), 사방초(四方草)라고도 한다.

기미 · 귀경 미온(微溫), 신(辛) · 간(肝)

약효 거풍제습(祛風除濕), 활혈조경(活血調經)의 효능이 있으므로 풍습근골동통(風濕筋骨疼痛), 월경부조(月經不調), 폐경(閉經), 타박상을 치료한다.

사용법 삼릉초 15g에 물 3컵(600mL)을 넣고 달여서 복용하거나, 술에 담가서 복용한다.

＊ '방동사니 *C. amuricus*'도 약효가 같다.

✪ 삼릉초(三楞草)

✪ 참방동사니

[사초과]

향부자

늑협창통
산기동통
유방창통
풍양, 옹종

● 학명 : *Cyperus rotundus* L. ● 별명 : 갯뿌리방동사니, 약방동사니

| 1 | 2 | 3 | 4 | 5 | 6 | 7 | 8 | 9 | 10 | 11 | 12 |

여러해살이풀. 높이 15~40cm. 땅속의 뿌리줄기가 옆으로 길게 벋으며 끝부분에 덩이줄기가 생기고 여기에서 새로운 개체가 생긴다. 잎은 모여나고, 꽃은 7~8월에 피고 꽃대는 길이 20~30cm, 포(苞)는 2~3개, 소수(小穗)는 바늘 모양, 20~40개의 꽃이 2줄로 달리며 붉은색이다. 수과는 긴 타원상 구형이고 흑갈색이다.

분포 · 생육지 우리나라 제주도, 전남. 중국, 일본, 타이완, 열대와 아열대 지역. 바닷가에서 자란다.

약용 부위 · 수치 뿌리줄기를 가을에 채취하여 말린다. 돌절구에 짓찧어 낸 향부(香附)에 막걸리와 미초(米醋)를 넣어 혼합하고 설탕물을 가하면서 볶은 것을 제향부(製香附)라 하고, 향부(香附)에 식초를 가하여 하룻밤 담갔다가 황색이 될 정도로 볶은 것을 초향부(醋香附), 향부(香附)를 겉이 흑색이 되도록 볶은 것을 향부탄(香附炭)이라 한다.

약물명 향부(香附). 향부자(香附子), 향부미(香附米)라고도 한다. 대한민국약전(KP)에 수재되어 있다.

본초서 향부자(香附子)는 「명의별록(名醫別錄)」의 중품(中品)에 사초(莎草)라는 이름으로 수재되어 있고, 「당본초(唐本草)」에 처음 사초근(莎草根)이 향부자(香附子)라고 기록되어 있다. 「도경본초(圖經本草)」에는 향부자(香附子), 수향릉(水香稜), 수파극(水巴戟), 수사(水莎), 사결(莎結), 속근초(續根

草) 등의 별명이 기록되어 있다. 그리고 "뿌리줄기에서 향긋한 냄새가 나고 부자(附子)처럼 생겼다 하여 향부자(香附子)라 한다."고 하였다. 「동의보감(東醫寶鑑)」에 향부자(香附子)는 사초근(莎草根)이라는 이름으로 수재되어 "기운을 내리고 가슴속의 열을 없앤다. 오래 복용하면 기운을 돕고 기분을 좋게 하며 속이 답답한 것을 풀어 준다. 생리를 순조롭게 하고 생리통을 없앤다. 체기가 오래된 것을 내려 준다."고 하였다.

名醫別錄: 主除胸中熱 充皮毛 久服利人 益氣 長鬚眉.

東醫寶鑑: 大下氣, 除胸腹中熱 久服令人益氣 能快氣開鬱 止痛調經 更消宿食.

성상 향부자(香附子)는 가는 뿌리를 제거한 뿌리줄기이다. 마디에 있는 털 모양인 섬유를 제거하지 않은 것을 모향부(毛香附), 제거한 것을 향부미(香附米)라고 한다. 방추형이고 길이 2~3.5cm, 지름 0.5~1cm, 표면은 암갈색이고 세로 주름무늬가 있으며 고리 같은 마디가 있다. 위쪽에는 줄기의 흔적이 있고 질은 단단하다. 향부미(香附米)는 백색을 띠며 코르크층 부분은 암갈색이다. 냄새는 향기롭고 맛은 쓰다.

기미 · 귀경 평(平), 신(辛), 감(甘), 미고(微苦) · 간(肝), 삼초(三焦)

약효 행기개울(行氣開鬱), 조경지통(調經止痛), 안태(安胎)의 효능이 있으므로 늑협창통(肋脇脹痛), 유방창통(乳房脹痛), 산기

동통, 기울(氣鬱), 풍양(風痒), 옹종(癰腫)을 치료한다.

성분 정유 약 1%가 함유되어 있으며, 주성분은 α-cyperone이고, 그 밖에 nootkatone, β-selinene, valencene, caryophyllene α-oxide, β-pinene, 1,8-cineole, cyperene, cyperol, isocyperol, cyperotunidine, kobusone, limonene, 4-cymene 등이 함유되어 있다.

약리 에탄올추출물은 모르모트의 적출 장관에서 항히스타민 작용이 있고, 자궁 수축 억제 작용, 근육 이완 작용, 항염증 작용이 있는데, 이는 hydrocortisone의 8배 정도의 효능이 있다. 쥐에게 에탄올추출물을 피하 주사하면 진통 작용이 관찰된다. α-cyperone, nootkatone, β-selinene, valecene은 NF-kB로 유도한 염증을 억제하는 작용이 있다. caryophyllene α-oxide는 항알레르기 작용이 있다.

사용법 향부 10g에 물 3컵(600mL)을 넣고 달여서 복용하거나 술에 담가 복용한다.

주의 음허혈열(陰虛血熱)한 사람은 사용을 금하고, 단독으로 사용하거나 다용하면 기혈(氣血)을 소모한다.

처방 향소산(香蘇散): 향부(香附) · 소엽(蘇葉) 각 8g, 창출(蒼朮) 6g, 진피(陳皮) 4g, 감초(甘草) 2g, 생강(生薑) 3쪽, 총백(蔥白) 2개 「동의보감(東醫寶鑑)」). 풍한(風寒)으로 오슬오슬 춥고 열이 나며 머리와 온몸이 아프고 땀이 나지 않는 증상에 사용한다.

• 향사평위산(香砂平胃散): 창출(蒼朮) · 진피(陳皮) · 향부(香附) 각 4g, 지실(枳實) · 곽향(藿香) 각 3.2g, 후박(厚朴) · 사인(砂仁) 각 2.8g, 목향(木香) · 감초(甘草) 각 2g, 생강(生薑) 3쪽 「동의보감(東醫寶鑑)」). 소화가 잘 안되고 윗배가 묵직하며 배가 아픈 증상에 사용한다.

❍ 향부자(뿌리와 뿌리줄기)

❍ 향부(香附, 절편)

❍ 향부(香附, 베트남산은 굵고 크다.)

❍ 향부(香附, 수치한 것)

❍ 향부(香附, 수치하지 않은 것)

❍ 향부(香附)가 배합된 소화불량 치료제(인도네시아산)

❍ 향부(香附)가 배합된 향사평위산

❍ 향부자

[사초과]

올방개

●학명 : *Eleocharis kuroguwai* Ohwi   ●별명 : 올메, 올미장대

| 1 | 2 | 3 | 4 | 5 | 6 | 7 | 8 | 9 | 10 | 11 | 12 |

여러해살이풀. 높이 50~100cm. 뿌리줄기는 길게 옆으로 벋고 끝에 덩이줄기가 달린다. 줄기는 원통형, 지름 3~5mm, 골속이 비었으며, 엽초는 자갈색이다. 소수(小穗)는 원통형, 길이 3cm, 지름 3~5mm, 비늘조각은 긴 타원형, 꽃덮개는 5~7개, 암술머리는 2갈래이다. 수과는 광택이 나고 황갈색이며 길이 1.5~2mm이다.

분포·생육지 우리나라 중부 이남. 중국, 일본. 연못과 도랑에서 군생한다.

약용 부위·수치 여름에 덩이줄기 또는 지상부를 채취하여 물에 씻은 후 썰어 말린다.

약물명 덩이줄기를 발제(荸薺)라고 하며, 오우(烏芋), 수우(水芋)라고도 한다. 지상부를 통천초(通天草)라 하며, 발제경(荸薺梗), 지율경(地栗梗)이라고도 한다.

본초서 「동의보감(東醫寶鑑)」에는 오우(烏芋)라는 이름으로 수재되어 "가슴과 위장의 열을 내리고 황달을 낫게 하며 갈증을 풀어준다. 눈과 귀를 밝게 하고 입맛을 돋우며

음식이 잘 소화되도록 한다."고 하였다.
東醫寶鑑: 除胸胃熱 治黃疸 止消渴 明耳目 開胃下食.

기미·귀경 발제(荸薺): 한(寒), 감(甘)·폐(肺), 위(胃). 통천초(通天草): 고(苦), 양(凉).

약효 발제(荸薺)는 청열생진(淸熱生津), 화담(化痰), 소적(消積)의 효능이 있으므로 온병구갈(溫病口渴), 인후종통(咽喉腫痛), 담열해수(痰熱咳嗽), 목적(目赤), 당뇨병, 이질, 황달을 치료한다. 통천초(通天草)는 청열해독, 이뇨, 강역(降逆)의 효능이 있으므로 열림(熱淋), 소변불리, 수종(水腫), 정창(疔瘡), 애역(呃逆)을 치료한다.

성분 발제(荸薺)는 puchiin, cytokinin 등이 함유되어 있다.

사용법 발제는 60g에 물 5컵(1L)을 넣고 달여서 복용하거나 술에 담가 복용한다. 통천초는 15g에 물 3컵(600mL)을 넣고 달여서 복용한다.

주의 허한(虛寒) 및 혈허(血虛)에는 피한다.

※ 암술대 기부가 조금 비대한 '남방개 *E. dulcis*'도 약효가 같다.

❶ 올방개

[사초과]

황새풀

풍습비통, 골절동통   타박상

●학명 : *Eriophorum vaginatum* L.   ●별명 : 타레예자풀

| 1 | 2 | 3 | 4 | 5 | 6 | 7 | 8 | 9 | 10 | 11 | 12 |

여러해살이풀. 뿌리줄기는 짧고 줄기는 조밀하게 모여나며, 높이 30~60cm, 바로 선다. 뿌리잎은 가늘고 단단하며, 너비 1~1.5mm로 가장자리는 껄끄럽다. 줄기잎은 1~2개, 꽃은 6~8월에 피고 줄기 끝에 1개의 소수가 달린다. 꽃덮개는 실 같고 꽃이 진 뒤에 자라서 길이 2~2.5cm로 되어 구형의 백색 덩어리로 된다. 수과는 달걀 모양으로 길이 2~2.5mm이다.

분포·생육지 우리나라 강원 이북. 중국, 일본, 타이완, 필리핀, 북아메리카, 오스트레일리아. 높은 산의 습지에서 자란다.

약용 부위·수치 전초를 여름에 채취하여 물에 씻은 후 썰어서 말린다.

약물명 암사(岩棱)

기미·귀경 평(平), 신(辛), 미고(微苦), 감(甘)·폐(肺)

약효 거풍제습(祛風除濕), 통경활락(通經活絡)의 효능이 있으므로 풍습비통(風濕痺痛), 골절동통(骨節疼痛), 타박상을 치료한다.

사용법 암사 10g에 물 3컵(600mL)을 넣고 달여서 복용하거나 술에 담가 복용한다.

※ 꽃차례는 꽃대에 2개 이상이고 소수는 3~7개인 '큰황새풀 *E. latifolium*'도 약효가 같다.

❶ 황새풀(꽃)

❶ 황새풀

○ 하늘지기(소수)

[사초과]

하늘지기

소변불리, 습열부종, 임병

●학명 : *Fimbristylis dichotoma* Vahl. ●별명 : 하눌직이, 하늘직이, 고려하늘직이, 털하늘직이

| 1 | 2 | 3 | 4 | 5 | 6 | 7 | 8 | 9 | 10 | 11 | 12 |

한해살이풀. 줄기는 조밀하게 모여나며 높이 20~60cm. 잎과 꽃대 밑부분에 털이 있다. 잎은 가늘고, 엽초는 녹갈색이다. 꽃은 7~10월에 산형화서로 피고 2~3회 갈라지며, 소수(小穗)는 긴 달걀 모양이다.

분포 · 생육지 우리나라 전역. 중국, 일본, 타이완, 말레이시아, 필리핀, 유럽, 오스트레일리아. 논둑이나 저지대 습지에서 자란다.

약용 부위 · 수치 전초를 여름과 가을에 채취하여 물에 씻은 후 썰어서 말린다.

약물명 표불초(飄拂草), 흑절관(黑節關), 토감송(土甘松)이라고도 한다.

약효 청열이뇨(淸熱利尿), 해독의 효능이 있으므로 소변불리, 습열부종(濕熱浮腫), 임병(淋病)을 치료한다.

성분 cyperaquinone, dimethylcyperaquinone, dihydrocyperaquinone, tetrahydrocyperaquinone 등이 함유되어 있다.

사용법 표불초 7g에 물 2컵(400mL)을 넣고 달여서 복용한다.

○ 하늘지기

[사초과]

파대가리

감모풍열두통　기관지염　황달, 이질
창양종독, 피부소양, 타박상　풍습성관절염

●학명 : *Kyllinga brevifolia* Rott. ssp. *leiolepis* Koyama ●별명 : 큰송이방동산이, 파송이골

| 1 | 2 | 3 | 4 | 5 | 6 | 7 | 8 | 9 | 10 | 11 | 12 |

여러해살이풀. 높이 10~30cm. 뿌리줄기는 길게 옆으로 벋는다. 꽃차례는 둥근 공 모양이고 연한 녹색으로 보통 1개, 드물게 2~3개가 달린다. 소수(小穗)는 다수이고 길이 3~3.5mm, 납작하다. 포는 3개, 잎처럼 생겼고 꽃차례보다 길다. 암술머리는 2갈래이다. 열매는 수과로 비늘조각보다 짧고 납작하고 길이 2mm 정도이다.

분포 · 생육지 우리나라 전역. 중국, 일본, 타이완, 인도, 말레이시아, 오스트레일리아. 논이나 습지에서 자란다.

약용 부위 · 수치 전초를 여름에 채취하여 물에 씻은 후 썰어서 말린다.

약물명 수오공(水蜈蚣). 구자초(球子草), 삼채초(三菜草)라고도 한다.

기미 · 귀경 평(平), 신(辛), 미고(微苦), 감(甘) · 폐(肺), 간(肝)

약효 소풍해표(疏風解表), 청열이습(淸熱利濕), 활혈해독(活血解毒)의 효능이 있으므로 감모풍열두통(感冒風熱頭痛), 기관지염, 황달, 이질, 창양종독(瘡瘍腫毒), 피부소양(皮膚瘙痒), 풍습성관절염(風濕性關節炎), 타박상을 치료한다.

사용법 수오공 20g에 물 4컵(800mL)을 넣고 달여서 복용하거나 술에 담가 복용한다.

○ 파대가리

○ 수오공(水蜈蚣)

[사초과]

세대가리

어혈통경　기체위통
풍습비통

● 학명 : *Lipocarpha microcephala* (R. Br.) Kunth　● 별명 : 세송이골

| 1 | 2 | 3 | 4 | 5 | 6 | 7 | 8 | 9 | 10 | 11 | 12 |

한해살이풀. 높이 5~20cm. 전체가 백록색이다. 줄기는 빽빽하게 나며 가늘고 세모지며 곧게 선다. 잎은 줄기보다 짧으며, 꽃차례는 둥근 공 모양이고, 줄기 끝에 3개가 모여난다.

분포 · 생육지 우리나라 중부 이남. 중국, 일본, 타이완, 인도, 오스트레일리아. 저지대의 습지에서 자란다.

약용 부위 · 수치 전초를 여름에 채취하여 물에 씻은 후 썰어서 말린다.

약물명 금뉴자(金扭子). 노심초(擸心草)라고도 한다.

약효 활혈통경(活血通經), 행기지통(行氣止痛), 지혈(止血)의 효능이 있으므로 어혈통경(瘀血痛經), 기체위통(氣滯胃痛), 풍습비통(風濕痺痛)을 치료한다.

사용법 금뉴자 20g에 물 4컵(800mL)을 넣고 달여서 복용하거나 술에 담가 복용한다.

❶ 세대가리

[사초과]

매자기

어혈동통　월경불순, 산후복통
혈훈　기창만, 심복통, 적취

● 학명 : *Scirpus fluviatilis* (Torr.) A. Gray　● 별명 : 매재기

| 1 | 2 | 3 | 4 | 5 | 6 | 7 | 8 | 9 | 10 | 11 | 12 |

여러해살이풀. 뿌리줄기는 굵고 옆으로 길게 벋으며 지름 3~4cm의 덩이줄기가 달려 있다. 줄기는 세모지고 높이 90~150cm, 2~4개의 마디가 있다. 꽃은 8~10월에 줄기 끝에 산방상으로 달린다. 꽃차례는 길이 7cm 내외의 가지 3~8개를 내고, 가지에는 1~4개의 소수(小穗)가 달린다. 수과는 흑갈색으로 윤채가 돌며, 자침(刺針)은 6개이다.

분포 · 생육지 우리나라 전역. 중국, 일본, 타이완, 필리핀, 북아메리카, 오스트레일리아. 연못이나 습지에서 자란다.

약용 부위 · 수치 뿌리줄기를 가을에 채취하여 말린다. 껍질을 제거한 뒤, 초(醋)를 가하여 볶아 사용하기도 한다.

약물명 형삼릉(荊三稜). 포삼릉(泡三稜)이라고도 한다.

성상 형삼릉(荊三稜)은 구형이고 표면은 흑색이며 지름 2~3cm로 몸체는 가볍고 질기고 단단하여 잘 부서지지 않는다. 물에 넣으면 대부분 뜨고 드물게 가라앉는 것도 있다. 횡단면은 황갈색~황백색이다. 형삼릉은 구형이고, 삼릉은 원뿔 모양이므로 쉽게 구분된다.

기미 · 귀경 평(平), 신(辛), 고(苦) · 간(肝), 비(脾)

약효 파혈지통(破血止痛), 행기소적(行氣消積)의 효능이 있으므로 어혈동통(瘀血疼痛), 월경불순(月經不順), 혈훈(血暈), 기혈체(氣血滯), 기창만(氣脹滿), 심복통(心腹痛), 산후복통(産後腹痛), 적취(積聚)를 치료한다.

성분 scirpusin A, B, resveratrol, 3,3′,4,5′-

tetrahydroxystilbene, betulin, betulinaldehyde, betulinic acid 등이 함유되어 있다.

사용법 형삼릉 7g에 물 3컵(600mL)을 넣고 달여서 복용하거나 술에 담가 복용한다.

＊ '흑삼릉'의 뿌리줄기를 삼릉(三稜)이라 하고, 본 종의 뿌리줄기를 형삼릉(荊三稜)이라 한다.

❶ 매자기

❶ 형삼릉(荊三稜)

❶ 형삼릉(荊三稜, 절편)

[사초과]

올챙이고랭이

 마진열독   폐로해혈

● 학명 : *Scirpus juncoides* Roxb.   ● 별명 : 올챙고랭이, 올챙이골

| 1 | 2 | 3 | 4 | 5 | 6 | 7 | 8 | 9 | 10 | 11 | 12 |

한해살이풀. 높이 20~70cm. 줄기는 빽빽이 나고 가늘며 매끈하고 원통형이고 흑갈색이다. 엽초는 길이 6cm 정도, 잎이 없다. 꽃차례는 두상이고 줄기 옆에 달리며, 소수(小穗)는 3~9개이다.

분포 · 생육지 우리나라 전역. 중국, 일본, 인도, 인도네시아. 연못이나 습지에서 자란다.

약용 부위 · 수치 전초를 여름과 가을에 채취하여 물에 씻은 후 말린다.

약물명 야마제초(野馬蹄草), 관초(關草), 토등초(土燈草)라고도 한다.

약효 청열양혈(淸熱凉血), 해독이습(解毒利濕), 소적개위(消積開胃)의 효능이 있으므로 마진열독(麻疹熱毒), 폐로해혈(肺勞咳血)을 치료한다.

사용법 야마제초 50g에 물 5컵(1L)을 넣고 달여서 복용하거나 술에 담가 복용한다.

○ 올챙이고랭이

[사초과]

큰고랭이

수종창만, 소변불리

● 학명 : *Scirpus tabernaemontani* Roxb.   ● 별명 : 고랭이, 큰골, 돗자리골

| 1 | 2 | 3 | 4 | 5 | 6 | 7 | 8 | 9 | 10 | 11 | 12 |

○ 큰고랭이(뿌리와 뿌리줄기)

여러해살이풀. 높이 1~2m. 줄기는 빽빽이 나고, 땅속줄기 마디에서 대가 1개씩 돋으며 지름 1~2cm, 원주형이다. 꽃은 7~10월에 산방화서로 피며 4~7개의 가지가 생긴다. 수과는 넓은 타원형 또는 도란형이며, 화피 열편은 수과보다 짧다.

분포 · 생육지 우리나라 전역. 중국, 일본, 인도, 말레이시아. 저지대의 습지에서 자란다.

약용 부위 · 수치 지상부를 여름과 가을에 채취하여 물에 씻은 후 썰어서 말린다.

약물명 수총(水蔥), 완(莞)이라고도 한다.

약효 이수소종(利水消腫)의 효능이 있으므로 수종창만(水腫脹滿), 소변불리(小便不利)를 치료한다.

사용법 수총 10g에 물 3컵(600mL)을 넣고 달여서 복용한다.

○ 큰고랭이

송이고랭이

열림, 소변불리 　대하
치주염

● 학명 : *Scirpus triangulatus* Roxb.　● 별명 : 참송이골

| 1 | 2 | 3 | 4 | 5 | 6 | 7 | 8 | 9 | 10 | 11 | 12 |

여러해살이풀. 높이 50~120cm. 줄기는 빽빽이 나고 단단하며 세모지고 흑녹색이다. 밑부분의 엽초에는 잎몸이 없고 길이 20cm 정도, 갈색이다. 꽃은 두상화서로 줄기 옆에 달리고, 소수(小穗)는 5~20개, 긴 타원형이다.

분포 · 생육지 우리나라 전역. 중국, 일본, 인도, 말레이시아. 저지대의 습지에서 자란다.

약용 부위 · 수치 뿌리 및 뿌리줄기를 가을에 채취하여 물에 씻은 후 썰어서 말린다.

약물명 포초근(浦草根). 석초근(席草根)이라고도 한다.

약효 청열이습(淸熱利濕), 해독의 효능이 있으므로 열림(熱淋), 소변불리(小便不利), 대하(帶下), 치주염(齒周炎)을 치료한다.

사용법 포초근 10g에 물 3컵(600mL)을 넣고 달여서 복용한다.

❶ 송이고랭이(꽃)

❶ 포초근(浦草根)

❶ 송이고랭이

세모고랭이

음식적체, 소화불량 　소변불리

● 학명 : *Scirpus triqueter* L.　● 별명 : 세모골

| 1 | 2 | 3 | 4 | 5 | 6 | 7 | 8 | 9 | 10 | 11 | 12 |

여러해살이풀. 높이 50~120cm. 줄기는 세모지고 밑부분의 엽초는 잎몸이 없거나 극히 짧고 길이 5~10cm이다. 꽃은 산형화서로 줄기 옆에 달리고, 소수(小穗)는 5~10개, 암갈색이다.

분포 · 생육지 우리나라 전역. 중국, 일본, 인도, 말레이시아, 우수리. 들과 바다 근처 저지대의 습지에서 자란다.

약용 부위 · 수치 지상부를 가을에 채취하여 물에 씻은 후 썰어서 말린다.

약물명 표초(藨草)

약효 개위소식(開胃消食), 청열이습(淸熱利濕)의 효능이 있으므로 음식적체(飮食積滯), 소화불량, 소변불리(小便不利)를 치료한다.

사용법 표초 15g에 물 3컵(600mL)을 넣고 달여서 복용한다.

❶ 세모고랭이(꽃)

❶ 세모고랭이

[생강과]

화산강

 위한냉통, 소화불량, 복통설사   타박상

●학명 : *Alpinia chinensis* (Retz.) Rosc. [*Heritieria chinensis*]   ●한자명 : 華山姜

| 1 | 2 | 3 | 4 | 5 | 6 | 7 | 8 | 9 | 10 | 11 | 12 |

○ 화산강

여러해살이풀. 높이 1m 정도. 뿌리줄기는 옆으로 벋으며 굵고 육질이다. 잎은 어긋나며 잎자루는 줄기를 감싼다. 잎은 타원형으로 길이 10~30cm, 너비 3~10cm이다. 꽃은 5~7월에 피며, 백색, 꽃받침은 관(管) 같고, 꽃덮개는 타원형, 수술은 2개이다. 열매는 구형으로 지름 5~8mm이다.

분포·생육지 중국 안후이성(安徽省), 장시성(江西省), 푸젠성(福建省), 광둥성(廣東省), 윈난성(雲南省). 초지에서 자란다.

약용 부위·수치 뿌리줄기를 수시로 채취하여 물에 씻은 후 썰어서 말린다.

약물명 염강(廉姜). 산강(山薑), 소양강(小良薑)이라고도 한다.

약효 온중소식(溫中消食), 산한지통(散寒止痛), 활혈(活血)의 효능이 있으므로 위한냉통(胃寒冷痛), 소화불량, 복통설사, 타박상을 치료한다.

성분 종자에는 정유 0.6%가 함유되어 있으며, 그 주성분은 cineole, α-caryophyllene, izalpinin, alpinetin 등이다.

사용법 염강 10g에 물 3컵(600mL)을 넣고 달여서 복용하거나 가루 내어 복용하며, 외용에는 생것을 짓찧어 환부에 붙이거나 즙액을 바른다.

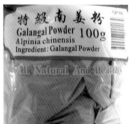

○ 염강(廉姜) 분말. 위한냉통 치료제

[생강과]

소초구

 위완기체, 복창

●학명 : *Alpinia henryi* K. Schum. [*Languas henryi*]   ●한자명 : 小草蔻

| 1 | 2 | 3 | 4 | 5 | 6 | 7 | 8 | 9 | 10 | 11 | 12 |

여러해살이풀. 높이 2m 정도. 잎은 어긋나며 잎자루는 매우 짧다. 꽃은 4~6월에 총상화서로 피며, 꽃봉오리는 분홍색, 활짝 피면 표면은 유백색, 안쪽에 분홍색 무늬가 있다. 삭과는 둥글고 지름 2~2.5cm이다.

분포·생육지 중국, 베트남, 캄보디아, 인도. 초지에서 자란다.

약용 부위·수치 열매를 5~7월에 채취하여 물에 씻은 후 말린다.

약물명 소초구(小草蔻)

약효 온중산한(溫中散寒), 행기지통(行氣止痛)의 효능이 있으므로 위완기체(胃脘氣滯), 복창(腹脹)을 치료한다.

사용법 소초구 5g에 물 2컵(400mL)을 넣고 달여서 복용한다.

○ 소초구

홍두구

 완복냉통, 식적복창, 구토설사, 상식토사

● 학명 : *Alpinia galanga* (L.) Willd. ● 한자명 : 紅頭蔲

| 1 | 2 | 3 | 4 | 5 | 6 | 7 | 8 | 9 | 10 | 11 | 12 |

여러해살이풀. 높이 1.5~2.5m. 뿌리줄기는 굵고 붉은색을 띠며 매운맛이 있다. 잎은 뿌리 부근에서 모여나며, 꽃대는 비스듬히 나오고 꽃은 6~7월에 총상화서를 이룬다. 꽃받침은 5개로 깊게 갈라지고, 꽃덮개는 자주색, 수술은 4개인데 2개가 크며 화관 밑에서 나온다. 열매는 타원상 구형, 등적색으로 익으며, 종자는 흑색이다.

분포 · 생육지 중국 쓰촨성(四川省), 윈난성(雲南省), 시장성(西藏省). 초지에서 자란다.

약용 부위 · 수치 재배 3년이 되면 꽃이 피고, 11~12월에 열매가 붉은색으로 익으면 채취하여 시원한 곳에서 말려 사용한다. 뿌리줄기는 여름에 채취하여 물에 씻은 후 썰어서 말린다.

약물명 열매를 홍두구(紅頭蔲)라 하며, 홍구(紅蔲), 양강자(良薑子)라고도 한다. 뿌리줄기를 대고량강(大高良薑)이라 하며, 대양강(大良薑)이라고도 한다.

본초서 홍두구(紅頭蔲)는 「약성론(藥性論)」에 처음 수재되었으며, "홍구(紅蔲), 양강자(良薑子)라고도 한다."고 하였다. 송나라의 「개보본초(開寶本草)」에는 "위장이 허약하여 설사를 자주 하고 배가 뒤틀리고 아프며 토사곽란을 하는 증상, 술독 등을 치료한다."고 하였다. 이시진(李時珍)의 「본초강목(本草綱目)」에는 "속에서 치밀어 오르는 증상, 아랫배가 아프고 찬 증상을 치료한다."고 적혀 있다. 「동의보감(東醫寶鑑)」에 "물 같은 설사를 하고 배가 아프며 구토와 설사가 계속되어 신물을 토하는 것을 낫게 하고 술독을 풀어 주며, 풍토병의 독을 없앤다."고 하였다.

東醫寶鑑: 主水瀉腹痛 霍亂嘔吐酸水 解酒毒 消瘴霧.

성상 열매는 약간 긴 구형으로 가운데가 들어가고 길이 1~1.5cm, 지름 0.5~1cm로 표면은 갈색~적갈색이며 광택이 있고, 과피는 얇으며 쉽게 부서진다. 종자는 불규칙한 사면체이며 지름 3~6mm, 뒷면은 약간 들어간다. 방향이 있으며 맛은 맵다.

기미 · 귀경 홍두구(紅頭蔲): 온(溫), 신(辛) · 비(脾), 폐(肺). 대고량강(大高良薑): 신(辛), 온(溫).

약효 홍두구(紅頭蔲)는 온중조습(溫中燥濕), 성비소식(醒脾消食)의 효능이 있으므로 완복냉통(脘腹冷痛), 식적복창(食積腹脹), 구토설사(嘔吐泄瀉), 열격반위(噎膈反胃)를 치료한다. 대고량강(大高良薑)은 온위산한(溫胃散寒), 행기지통(行氣止痛)의 효능이 있으므로 위완냉통(胃脘冷痛), 상식토사(傷食吐瀉)를 치료한다.

성분 홍두구(紅頭蔲)에는 acetoxychavicol acetate, *trans*-4-methoxycinnamyl alcohol, *trans*-3,4-dimethoxycinnamyl alcohol, *p*-hydroxycinnamaldehyde, 1′-acetoxyeugenol acetate, 1,8-cineole 등이 함유되어 있다. 대고량강(大高良薑)은 meth-yl cinnamate, camphor, eugenol, limonene, bornyl acetate, chavicol acetate, citronellyl acetate, geranyl acetate, *trans*-4-methoxycinnamyl alcohol, *trans*-3,4-dimethoxycinnamyl alcohol, *p*-hydroxycinnamaldehyde, (1′*S*)-1′-acetoxychavicol acetate, 1′-acetoxyeugenol acetate, 4-hydroxybenzaldehyde 등이 함유되어 있다.

약리 홍두구(紅頭蔲)의 메탄올추출물은 항궤양 효능이 있으며, 활성의 주성분은 1′-acetoxyeugenol acetate로 2~10mg/kg을 복강으로 주사하면 항궤양 작용이 나타난다. 정유 성분들은 무좀균, 효모균, 피부진균에 항균 작용이 있다. 메탄올추출물과 이들의 주성분들은 암세포를 이식한 쥐의 암조직의 성장을 억제하므로 항암 작용이 있다. 대고량강(大高良薑)의 석유 에테르 분획물을 토끼에게 투여하면 거담 작용, 기관지 분비물 증가를 보인다. (1′*S*)-1′-acetoxychavicol acetate는 쥐의 위궤양 형성을 억제한다.

사용법 홍두구 또는 대고량강 5g에 물 2컵(400mL)을 넣고 달여서 복용하거나 가루 내어 복용한다. 외용에는 생것을 짓찧어 환부에 붙이거나 즙액을 바른다.

❍ 홍두구(꽃)

❍ 홍두구(紅頭蔲)

❍ 홍두구(紅頭蔲)와 종자(오른쪽)

❍ 홍두구

초두구

 완복냉통, 비만작창, 구토, 설사, 담음

 각기 　　　말라리아 　　　구취

●학명 : *Alpinia katsumadai* Hayata　●한자명 : 草豆蔻

| 1 | 2 | 3 | 4 | 5 | 6 | 7 | 8 | 9 | 10 | 11 | 12 |

여러해살이풀. 높이 2~3m. 잎은 긴 타원형이다. 꽃은 4~6월에 피며, 총상화서는 정생하고 바로 서며 길이 20~30cm이다. 꽃차례는 털로 덮이고, 꽃받침은 종 모양으로 백색, 길이 1.5~2.5cm, 화관은 백색, 3조각이며, 수술은 1개로 길이 2.5cm 정도, 씨방 하위이다. 삭과는 구형, 지름 3cm 정도로 6~8월에 익는다.

분포 · 생육지 중국 광시성(廣西省), 윈난성(雲南省), 하이난성(海南省), 베트남, 타이, 타이완, 말레이시아. 산지의 숲속에서 자란다.

약용 부위 · 수치 과육과 과피를 제거하여 얻은 종자를 건조시킨 다음 약한 불로 질그릇에 볶아서 사용한다.

약물명 초두구(草豆蔻). 두구(豆蔻), 초과(草果)라고도 한다. 대한민국약전(KP)에 수재되어 있다.

본초서 초두구(草豆蔻)는 「명의별록(名醫別錄)」의 상품(上品)에 두구(豆蔻)라는 이름으로 수재되어 있으며, 「도경본초(圖經本草)」 및 「본초연의(本草衍義)」에는 "두구(豆蔻)는 초두구(草豆蔻)를 말한다."고 기록하고 있다. 송대(宋代) 이전에는 두구(豆蔻)에 대한 본초학적인 기록은 현재의 초두구(草豆蔻)와 일치하지 않는다. 소경(蘇敬)은 "두구(豆蔻)의 싹은 산강(山薑)과 비슷하며, 꽃은 황백색이고 묘(苗), 근(根) 및 종자는 고량강(高良薑)과 비슷하다."고 하였다. 이런 내용으로 보아 *Alpinia*속 식물과 비슷하며 「대관본초(大觀本草)」에 수재된 산강화(山薑花)의 그림과 일치한다. 현재 유통되고 있는 초과(草果)는 타원상 구형이고, 초두구(草豆蔻)는 구형이다. 「동의보감(東醫寶鑑)」에 "모든 찬 기운을 내리고 속을 따뜻하게 하며 기운을 내려 준다. 심장의 통증을 낮게 하고 구토와 설사가 계속되는 것을 그치게 하며 입 냄새를 없애 준다."고 하였다.

名醫別錄: 主溫中 心腹痛 嘔吐 去口臭氣.

珍珠囊: 益脾胃, 祛寒, 又治客寒心胃痛.

東醫寶鑑: 主一切冷氣 溫中下氣 止心腹痛 及霍亂嘔吐 去口臭氣.

성상 종자가 모여서 된 구형으로 지름 1.5~2.5cm이다. 표면은 회갈색으로 가운데 회백색의 격막으로 3쪽으로 갈라져 종자가 나뉘어 들어 있다. 종자는 반들반들하며 쉽게 떨어지지 않고 난원형의 다면체로 길이 3~5mm, 지름 약 3mm로 겉은 엷은 갈색 막질의 가종피로 싸여 있고 질은 단단하다. 특이한 냄새가 나고, 맛은 맵고 조금 쓰다.

품질 모양이 고르고, 질이 견실하며 부스러진 것이 없고 방향이 강한 것이 좋다.

기미 · 귀경 온(溫), 신(辛) · 비(脾), 위(胃)

약효 온중조습(溫中燥濕), 행기건비(行氣健脾)의 효능이 있으므로 완복냉통(脘腹冷痛), 비만작창(痞滿作脹), 구토, 설사, 식곡불화(食穀不化), 담음(痰飲), 각기(脚氣), 말라리아, 구취(口臭)를 치료한다.

성분 alpinetin, pinocembrin, (+)-catechin, katsumadain A, B, 5-hydroxy-1-(4'-hydroxyphenyl)-7-phenylhepta-6-en-3-one, pinosylvin, 3,5-dimethoxystilbene, 3-methoxy-5-hydroxystilbene, 3,5-dihydroxystilbene, 7,8-dihydroxyflavanone, cardamonin, helichrysetin, alpinetin, *trans*-3,5-dihydroxy-1,7-diphenylhepta-1-en 등이 함유되어 있다.

약리 정유 성분과 열수추출물은 위액 분비를 증가시키고 위장으로 가는 혈류량을 증가시킨다. 병아리에게 katsumadain A와 katsumadain B를 투여하면 황산동으로 유도한 구토를 억제한다. 열수추출물은 농도가 증가할수록 항산화 효소의 활성을 증가시킨다. 7,8-dihydroxyflavanone은 폐암세포인 A549와 백혈병 암세포(K562)에 세포 독성을 나타낸다. alpinetin, pinocembrin, (+)-catechin은 glutamate로 손상되는 HT22 세포에 보호 작용을 나타낸다.

사용법 초두구 5g에 물 2컵(400mL)을 넣고 달여서 복용하거나, 알약이나 가루약으로 만들어 복용한다.

처방 초두구산(草豆蔻散): 초두구(草豆蔻), 자소(紫蘇), 복령(茯苓), 전호(前胡), 목통(木通), 빈랑자(檳榔子), 오수유(吳茱萸), 반하(半夏), 지실(枳實) (「증치준승(證治準繩)」). 복부 팽만감, 구토, 하리에 사용한다.

• 두구탕(豆蔻湯): 초두구(草豆蔻) · 반하(半夏) 각 20g, 진피(陳皮) 1.2g (「성제총록(聖濟總錄)」). 비위가 허약하여 식욕이 감퇴하는 증상에 사용한다.

❶ 초두구(꽃)

❶ 초두구

❶ 초두구(열매)

❶ 초두구(草豆蔻)

❶ 초두구(草豆蔻, 오래되면 몇 개로 갈라진다.)

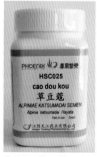

❶ 초두구(草豆蔻)로 만든 완복냉통 치료제

고량강

 완복냉통, 구토, 애기

● 학명 : *Alpinia officinarum* Hance　　● 영명 : Galangal　　● 한자명 : 高良薑

1	2	3	4	5	6	7	8	9	10	11	12

여러해살이풀. 뿌리줄기가 옆으로 뻗고 자홍색을 띠며 마디가 많다. 잎은 2줄로 배열되며, 꽃은 연한 홍색, 봄에서 여름에 걸쳐 줄기 끝에 원추화서로 피며 밀집되어 있다. 삭과는 육질로 둥글고 익으면 귤색이다.

분포 · 생육지 중국 윈난성(雲南省), 광시성(廣西省), 캄보디아, 타이, 베트남. 숲속에서 자란다.

약용 부위 · 수치 뿌리줄기를 가을에 채취하여 물에 씻은 뒤 썰어서 말린다.

약물명 고량강(高良薑). 양강(良薑), 신강(身薑), 소신강(小身薑), 고신강(膏身薑)이라고도 한다. 대한민국약전(KP)에 수재되어 있다.

본초서 「명의별록(名醫別錄)」의 중품(中品)에 수재되어 있으며, 이 약재는 생강(生薑)

과 비슷하고 고량군(高良郡)에서 많이 산출되므로 고량강(高良薑)이라고 한다고 전해지고 있으며, 세월이 흐르면서 간단히 양강(良薑)이라고 부르고 있다. 「동의보감(東醫寶鑑)」에 "위장 속에서 찬 기운이 치미는 것을 다스리고 구토와 설사가 계속되는 것을 낫게 한다. 복통을 멎게 하고 설사와 이질을 그치게 하며 소화가 잘 되지 않고 체한 기운이 드는 것을 내리고 술독을 풀어 준다."고 하였다.

名醫別錄: 主暴冷 胃中冷逆 癨亂腹痛.
本草拾遺: 下氣 益聲 好顔色 煮作飮服之 止痢及癨亂.
本草綱目: 健脾胃 寬噎膈 破冷癖 除瘴瘧.
東醫寶鑑: 治胃中冷逆 癨亂吐瀉 止腹痛 療瀉痢 消宿食 解酒毒.

◐ 고량강

성상 구부러진 원주형~원추형으로 길이 2~7cm, 지름 1~2cm이며 때로는 분지(겯뿌리)된 것도 있다. 표면은 적갈색~어두운 갈색이고 회백색의 돌림마디가 5~10mm마다 있으며 마디 사이에 세로 주름이 있다. 아래 부위에는 잔뿌리가 붙어 있던 둥근 자리가 남아 있다. 질은 단단하고 쉽게 꺾이지 않고, 꺾인 면은 황적색~적갈색이고 피부와 목부가 뚜렷하며 섬유성이다. 특이한 방향이 있고 맛은 맵다.

기미 · 귀경 열(熱), 신(辛) · 비(脾), 위(胃)

약효 온중산한(溫中散寒), 이기지통(理氣止痛)의 효능이 있으므로 완복냉통(脘腹冷痛), 구토, 애기(噫氣)를 치료한다.

성분 curcumin, dihydrocurcumin, hexahydrocurcumin, octahydrocurcumin, galangin, quercetin, kaempferol, kaempferide, isorhamnetin, quercetin-5-methyl ether, galangin-5-methyl ether, rhamnocitrin, 7-hydroxy-3,5-dimethoxyflavone, 1,8-cineole, eugenol, daucosterol, stigmasterol-O-β-D-glucoside, campesterol-O-β-D-glucoside 등이 함유되어 있다.

약리 열수추출물 10g/kg을 실험 동물에 투여하면 혈전 형성 시간을 연장시킨다. 열수추출물 0.8mL/kg을 쥐에게 투여하면 진통 작용이 나타나고, 소화액 분비를 촉진하여 소화 작용을 돕는다. galangin과 kaempferide는 MES-SA, DX5, HCT15 등의 암세포 증식을 억제한다. 메탄올과 에틸아세테이트 분획물은 대장균, 고초균 등의 세균 증식을 억제한다.

사용법 고량강 5g에 물 2컵(400mL)을 넣고 달여서 복용하거나 술에 담가서 복용하고, 알약이나 가루약으로 만들어 복용하여도 좋다.

◐ 고량강(高良薑)

◐ 고량강(高良薑, 신선품)

◐ 고량강(高良薑, 절편)

◐ 고량강(高良薑)으로 만든 완복냉통 치료제

[생강과]

익지

 비위허한, 구토설사, 복중냉통 　 유정, 빈뇨

●학명 : *Alpinia oxyphylla* Miq.　●한자명 : 益智

`1` `2` `3` `4` `5` `6` `7` `8` `9` `10` `11` `12`　❀ 🍃 🌿 🌾 🌱 ❀ 🌰 ❄ 🌿 ◉

여러해살이풀. 높이 2~3m. 잎자루는 짧고, 잎은 긴 타원형이다. 꽃은 3~5월에 피며 총상화서는 정생(頂生)하고 바로 서며 길이 8~15cm이다. 꽃받침 화관은 종 모양이고 끝이 3개로 갈라지며 길이 1.2cm 정도, 입술꽃잎은 분홍색이며 붉은색 띠가 있다. 수술은 1개로 길이 1.2cm 정도, 씨방하위이다. 삭과는 방추형으로 황록색으로 익고 열매껍질에는 울퉁불퉁한 무늬가 있다.

분포·생육지 중국 광시성(廣西省), 윈난성(雲南省), 하이난성(海南省), 푸젠성(福建省), 베트남, 타이, 타이완, 말레이시아, 인도. 숲속에서 자란다.

약용 부위·수치 여름철에 열매가 갈색을 띠고 털이 마르면 채취하여 열매자루를 제거한 다음 말린다.

약물명 익지인(益智仁). 익지(益智), 익지자(益智子)라고도 한다. 대한민국약전(KP)에 수재되어 있다.

본초서 익지인(益智仁)은 송대(宋代)의 「개보본초(開寶本草)」에 처음 수재되었으며 「본초강목(本草綱目)」에는 "비(脾)는 지(智)를 관리한다. 이 약물은 비위(脾胃)를 도우므로 익지(益智)라고 한다."고 하였다. 「동의보감(東醫寶鑑)」에 "정액이 저절로 흘러나오는 것을 막고 소변 횟수를 줄인다. 침을 흘리지 않게 하고 기운을 도우며 정신을 안정시킨다. 또 모든 기운을 고르게 한다."고 하였다.

開寶本草: 治遺精虛漏 益氣安神 補不足 安三焦 調諸氣.

本草綱目: 治冷氣腹痛 及心氣不足 夢泄 吐血 血崩.

東醫寶鑑: 主遺精 縮小便 攝痰涎 益氣安神 調諸氣.

성상 양 끝이 약간 굽고 뾰족한 타원상 구형으로 길이 1~2cm, 지름 0.7cm 정도로 표면은 갈색~암갈색이며 여러 개의 세로로 작은 혹 모양의 융기선이 있다. 열매껍질은 두께 0.3~0.5mm로 종자 덩어리와 밀착하여 벗기기 힘들다. 내부는 엷은 막으로 된 3개의 방으로 나뉘어 있고 각 방에는 5~8개의 종자가 들어 있다. 종자는 갈색으로 편평하며 지름 3~4mm로 딱딱하다. 냄새가 있으며, 맛은 약간 쓰다. 모양이 고르고 질이 견실하며 부스러진 것이 없고 방향이 강한 것이 좋다.

기미·귀경 온(溫), 신(辛)·비(脾), 신(腎).

약효 온비지사섭연(溫脾止瀉攝涎), 난신축뇨고정(暖腎縮尿固精)의 효능이 있으므로 비위허한(脾胃虛寒), 구토설사(嘔吐泄瀉), 복중냉통(腹中冷痛), 구다타연(口多唾涎), 유정(遺精), 빈뇨(頻尿)를 치료한다.

성분 열매에는 정유가 약 0.9% 함유되어 있으며, 그 주성분은 α-cyperone, 1,8-cineole, 4-terpineol, α-terpineol, β-elemene, guaiol, gingerol, nootakanone 등이다. 매운맛으로는 yakuchinone A, B, flavonoid로는 tectochrysin, chrysin, izalpinin, 3,5-dimethoxy-7,4′-dimethoxy-flavone 등이 함유되어 있다.

약리 열수추출물은 히스타민의 유리를 억제하고 혈장 중의 히스타민 농도를 낮춤으로써 전신성 과민증을 억제한다. 메탄올추출물은 tyrosinase의 활성을 억제하여 미백작용을 나타낸다. 50%에탄올추출물에는 항이뇨 작용, 항궤양 작용, 항치매 작용, 학습 능력 개선 작용이 있다. nootakanone은 위궤양을 방지하는 효능이 있다. yakuchinone A, B는 항염증 작용이 있으며, 피부암의 생성을 억제하고, 종양 촉진 물질인 phorbol ester(TPA)로 유도한 COX-2와 iNOS의 발현과 NFkB의 활성을 낮춘다.

사용법 익지인 5g에 물 2컵(400mL)을 넣고 달여서 복용하거나, 알약이나 가루약으로 만들어 복용한다.

처방 축천환(縮泉丸): 익지인(益智仁)과 오약(烏藥)을 같은 양으로 배합하여 한 개가 0.3g이 되게 만들어 1회 70개를 복용(어른)(「동의보감(東醫寶鑑)」). 하초(下焦)가 허랭하여 오줌이 잦은 증상이나 어린아이의 야뇨증에 사용한다.

• 익지화중탕(益智和中湯): 작약(芍藥) 6g, 당귀(當歸)·황기(黃耆)·승마(升麻)·구감초(炙甘草) 각 4g, 목단피(牡丹皮)·시호(柴胡)·갈근(葛根)·익지인(益智仁)·반하(半夏) 각 2g, 계지(桂枝) 1.6g, 육계(肉桂)·건강(乾薑) 각 0.8g(「동의보감(東醫寶鑑)」). 장벽(腸澼)으로 배가 아프고 검붉은 혈변을 누며 오싹오싹 추운 증상에 사용한다.

❂ 익지(열매)

❂ 익지인(益智仁)

❂ 익지

❂ 익지인(益智仁, 절편)

[생강과]

염산강

위완냉통, 소화불량, 구토설사

● 학명 : *Alpinia zerumbet* (Pers.) Burtt. et Smith [*A. speciosa, Costus zerumbet*]
● 한자명 : 艶山姜

| 1 | 2 | 3 | 4 | 5 | 6 | 7 | 8 | 9 | 10 | 11 | 12 |

여러해살이풀. 높이 1.5~3m. 뿌리줄기는 옆으로 벋으며 굵고 육질이다. 잎은 어긋나며 잎자루는 줄기를 감싼다. 꽃은 4~6월에 피며 유백색, 안쪽과 끝은 분홍색이다. 삭과는 달걀 모양으로 지름 2cm 정도, 붉은색으로 익고, 종자는 둥글며 각이 진다.

분포 · 생육지 중국, 베트남, 캄보디아, 인도. 초지에서 자란다.

약용 부위 · 수치 뿌리줄기 또는 열매를 여름에 채취하여 물에 씻은 후 말린다.

약물명 염강(廉姜), 산강(山薑), 소양강(小良薑)이라고도 한다.

약효 온중조습(溫中燥濕), 행기지통(行氣止痛)의 효능이 있으므로 위완냉통(胃脘冷痛), 소화불량, 구토설사를 치료한다.

성분 종자에는 cardamonin, 2′,4′-dihydroxy-6′-methoxychalcone, alpinetin, 7-hydroxy-5-methoxyflavanone 등이 함유되어 있다.

사용법 염강 7g에 물 3컵(600mL)을 넣고 달여서 복용한다.

❶ 염산강(열매)

❶ 염산강

[생강과]

구시두구

완복냉통, 복창, 애부탄산

● 학명 : *Amomum maximum* Roxb. ● 한자명 : 九翅荳蔻

| 1 | 2 | 3 | 4 | 5 | 6 | 7 | 8 | 9 | 10 | 11 | 12 |

여러해살이풀. 높이 2~3m. 뿌리에 가까운 잎은 잎자루가 없고 중부의 잎은 잎자루가 길이 1~8cm, 엽설(葉舌)은 2개로 갈라진다. 꽃은 수상화서로 구형이고 화관은 백색이다. 삭과는 달걀 모양으로 과피에는 9개의 날개가 있다.

분포 · 생육지 중국 윈난성(雲南省) 남부. 해발 600~800m의 숲속에서 자란다.

약용 부위 · 수치 여름에 열매 또는 뿌리를 채취하여 물에 씻은 후 말린다.

약물명 구시두구(九翅荳蔻), 홍구(紅蔻), 가사인(假砂仁)이라고도 한다.

약효 온중지통(溫中止痛), 개위소식(開胃消食)의 효능이 있으므로 완복냉통(脘腹冷痛), 복창(腹脹), 애부탄산(噯腐吞酸)을 치료한다.

사용법 열매는 5g에 물 2컵(400mL)을, 뿌리는 10g에 물 3컵(600mL)을 넣고 달여서 복용한다.

❶ 구시두구(꽃)

❶ 구시두구

백두구

비위불화, 완복창만, 불사음식, 위한구토, 식적불소

습온초기

● 학명 : *Amomum kravanh* Pierre ex Gagnep ● 한자명 : 白豆蔲

| 1 | 2 | 3 | 4 | 5 | 6 | 7 | 8 | 9 | 10 | 11 | 12 |

여러해살이풀. 높이 2~3m. 잎은 타원형으로 길이 60cm 정도, 너비 7~12cm이며 잎자루는 거의 없다. 꽃은 수상화서로 줄기 밑부분에서 돋아나며 길이 7~14cm로 포편이 기왓장 같고 백색 바탕에 중앙에 황색을 띠는 꽃이 핀다. 삭과는 구형으로 담황색이며 지름 1.5~1.8cm, 쉽게 부서지고, 종자 덩어리는 3개로 7~10개의 종자가 들어 있다.

분포·생육지 중국 윈난성(雲南省), 광시성(廣西省), 캄보디아, 타이. 숲속에서 자란다.

약용 부위·수치 10~12월에 열매가 황록색으로 성숙하여 열매껍질이 갈라지기 전에 채취하여 말려서 사용하거나 약한 불에 볶아서 사용한다.

약물명 백두구(白豆蔲), 다골(多骨), 각구(殼蔲), 백구(白蔲), 원두구(圓豆蔲)라고도 한다. 대한민국약전(KP)에 수재되어 있다.

본초서 두구(豆蔲)는 「명의별록(名醫別錄)」에 수재되어 오다 송대(宋代)의 「개보본초(開寶本草)」에 처음 백두구(白豆蔲)라는 이름으로 수재되었다. 당대(唐代) 진장기(陳藏器)의 「본초습유(本草拾遺)」에는 "냉기(冷氣)의 축적, 토역(吐逆), 반위(反胃)를 멈추게 하며 소화를 잘 시키고 하기(下氣)의 효능이 있다."고 하였다. 명대(明代) 이시진(李時珍)의 「본초강목(本草綱目)」에는 "백두구(白荳蔲)는 종자가 둥글며 크고 백견우자(白牽

牛子)처럼 껍질이 희고 두꺼우며 속씨는 축사인(縮砂仁)과 같다."고 하였으며, "약으로 사용할 때는 껍질을 벗겨 구워서 사용한다."고 하였다. 이것은 현재 중국생약시장에서 출하되는 백두구(白蔲)의 형태와 일치한다. 「동의보감(東醫寶鑑)」에 "뱃속에 찬 기운이 뭉쳐서 아픈 것을 낫게 하고 음식을 먹은 후 토하는 것을 멎게 하며 음식을 소화시키고 기운을 내려 준다."고 하였다.

開寶本草: 主積冷氣, 止吐逆, 反胃, 消穀下氣.

珍珠囊: 散肺中滯氣, 消穀進食.

東醫寶鑑: 主積冷 止吐逆反胃 消穀下氣.

성상 구형을 이루며 길이 1~2cm, 표면은 황백색~황갈색이고 3줄의 둔한 능과 여러 개의 세로줄이 있으며 위쪽은 움푹 들어갔고 아래쪽은 과병의 흔적이 있다. 과피는 얇고, 아래쪽은 얇은 막에 의해 세로로 3실로 나누어졌고 각 실에 7~10개의 종자가 들어 있다. 종자는 불규칙한 다면체를 이루고 있으며 지름 3~4mm, 흑갈색이다. 종자는 강한 향기가 있고 맛은 매워 장뇌와 비슷하다.

품질 열매가 굵고 충실하며 과피가 완전하고 방향이 강한 것이 좋다.

기미·귀경 온(溫), 신(辛)·폐(肺), 비(脾), 위(胃)

약효 화습행기(化濕行氣), 온중지구(溫中止

嘔), 개위소식(開胃消食)의 효능이 있으므로 습조기체(濕阻氣滯), 비위불화(脾胃不和), 완복창만(脘腹脹滿), 불사음식(不思飮食), 습온초기(濕溫初起), 흉민불기(胸悶不飢), 위한구토(胃寒嘔吐), 식적불소(食積不消)를 치료한다.

성분 정유 2.4%가 함유되어 있으며, 그 주성분은 1,8-cineole이고, β-pinene, α-pinene, caryophyllene, bornyl acetate, linalool, *d*-borneol, *d*-camphor, acamphene, carvone 등이다.

약리 열수추출물은 위액 분비를 촉진하며 장의 유동 촉진, 장내 이상 발효 저지 효능이 있다. 열수추출액은 쥐에게 황산동을 투여하여 야기되는 구토를 억제하는 효능이 있다.

사용법 백두구 5g에 물 2컵(400mL)을 넣고 달여서 복용하며, 가루약이나 알약으로 만들어 복용하면 편리하다.

처방 백두구탕(白豆蔲湯): 백두구(白豆蔲)·진피(陳皮) 각 8g, 곽향(藿香)·생강(生薑) 각 12g(「심씨존생서(心氏尊生書)」). 위가 차서 구토가 나고 트림이 나며 소화가 잘되지 않는 증상에 사용한다.

• 향사양위탕(香砂養胃湯): 백출(白朮) 4g, 축사(縮砂)·창출(蒼朮)·후박(厚朴)·모려(牡蠣)·백복령(白茯苓) 각 3.2g, 백두구(白豆蔲) 2.8g, 인삼(人蔘)·목향(木香)·감초(甘草) 각 2g, 생강(生薑) 3쪽, 대추(大棗) 2개(「동의보감(東醫寶鑑)」). 위가 차서 입맛이 없으면서 속이 편안하지 못하고 답답하며 소화가 잘되지 않는 증상에 사용한다.

※ 인도네시아, 중국, 말레이시아 등에 분포하는 '조왜백두구(爪哇白豆蔲) *A. compactum*'의 열매도 약효가 같다.

❶ 백두구(白豆蔲)

❶ 백두구(종자)

❶ 백두구(꽃)

❶ 백두구(잎)

❶ 백두구

❶ 백두구(白豆蔲)로 만든 소화제

초과

 위한동통, 소화불량, 오심, 설사

말라리아

● 학명 : *Amomum tsaoko* Crevost et Lemaries   ● 한자명 : 草果

| 1 | 2 | 3 | 4 | 5 | 6 | 7 | 8 | 9 | 10 | 11 | 12 |

여러해살이풀. 높이 2~2.5m. 전체에서 매운 냄새가 난다. 뿌리줄기는 팽대하고 지름 6cm에 이른다. 잎은 2줄로 배열되고 11~14개, 꽃은 4~5월에 이삭화서로 피고 길이 10~20cm, 꽃잎은 약간 젖혀지며 담황백색이다. 삭과는 10~11월에 익고 편구형, 지름 2.5cm 정도, 3개의 능선이 있고, 종자는 붉은색이며 지름 4mm 정도이다.

분포 · 생육지 중국 광시성(廣西省)과 윈난성(雲南省). 숲속에서 자란다.

약용 부위 · 수치 가을에 열매가 익으면 채취하여 말려서 사용하거나 뜨거운 물에 2~3분 넣었다가 꺼내서 말려 사용한다.

약물명 초과(草果). 초과자(草果子), 초과인(草果仁), 노구(老蔻)라고도 한다. 대한민국약전외한약(생약)규격집(KHP)에 수재되어 있다.

본초서 초과(草果)는 「본초강목(本草綱目)」에 두구(豆蔲)의 별명으로 적혀 있고, 「정초통지(鄭樵通志)」에 처음 나타난다. 두구(豆蔲)는 「명의별록(名醫別錄)」의 상품(上品)에 처음 수재되었고, 초두구(草豆蔲)는 「개보본초(開寶本草)」에 처음 수재된 것이다. 초과(草果)는 초두구(草豆蔲)보다 크며 기원이 다르다. 「동의보감(東醫寶鑑)」에 "모든 찬 기운을 없애고 비장과 위장을 따뜻하게 하며 구토를 멎게 한다. 배가 팽팽하게 부푼 것을 가라앉히고 학모(瘧母), 학질을 오랫동안 앓아 옆구리 아래에 어혈이 생겨 뜬뜬한 증상를 낫게 하며 체기를 내려 준다. 술독을 풀어 주고 과일을 먹고 뱃속에 덩어

리가 생긴 것을 없애며 풍토병을 물리치고 봄철에 유행하는 급성전염병을 낫게 한다."고 하였다.

飮膳精要: 消宿食, 導滯逐邪, 除脹滿, 去心腹冷痛.

本草元命苞: 健脾消飮.

東醫寶鑑: 主一切氣 溫脾胃 止嘔吐 治膨脹 化瘧母 消宿食 解酒毒 果積兼辟瘴 解瘟.

성상 타원상 구형으로 3개의 두드러진 능선이 있으며 길이 3~4cm, 지름 1~2.5cm이다. 표면은 적갈색~회갈색을 띠고, 세로 홈과 능선이 있으며, 위쪽에는 꽃받침이 떨어진 둥근 돌기가 남아 있고 밑부분에는 열매자루가 있거나 떨어진 흔적이 있다. 질은 단단하고 질기며, 세로로 쉽게 갈라진다. 특이한 향기가 있고, 맛은 맵고 약간 쓰다.

기미 · 귀경 온(溫), 신(辛) · 비(脾), 위(胃)

약효 조습온중(燥濕溫中), 거담절학(祛痰截瘧)의 효능이 있으므로 위한동통(胃寒疼痛), 소화불량, 오심(惡心), 설사, 말라리아를 치료한다.

성분 정유 성분으로는 α-pinene, β-pinene, 1,8-cineole, 2-decenal, geranial, neral, *p*-cymene, linalool, capric aldehyde 등이 함유되어 있다.

약리 물에 달인 액은 토끼의 십이지장에 대하여 수축 작용이 있다. 달인 액을 쥐에게 주사하면 초산에 의한 통증을 감소시킨다. 정유 성분은 거담 작용을 나타낸다.

사용법 초과 5g에 물 2컵(400mL)을 넣고 달여서 복용하거나 가루로 만들어서 복용

한다.

처방 초과평위산(草果平胃散): 창출(蒼朮) 8g, 초과(草果) · 후박(厚朴) · 진피(陳皮) · 청피(靑皮) · 대복피(大腹皮) · 빈랑자(檳榔子) 각 4g, 감초(甘草) 2g, 생강(生薑) 3쪽, 대추(大棗) 2개(「득효방(得效方)」). 말라리아나 한열(寒熱)에 사용한다.

• 청비음(淸脾飮): 시호(柴胡) · 반하(半夏) · 황금(黃芩) · 초과(草果) · 백출(白朮) · 적복령(赤茯苓) · 후박(厚朴) · 청피(靑皮) 각 4g, 감초(甘草) 2g, 생강(生薑) 3쪽, 대추(大棗) 2개(「동의보감(東醫寶鑑)」). 추웠다 열이 났다 하며 명치가 그득하고 입맛이 없는 증상에 사용한다.

• 과부탕(果附湯): 초과(草果) · 포부자(炮附子) · 생강(生薑) · 대추(大棗)(「제생방(濟生方)」). 소화불량으로 입맛이 없는 증상에 사용한다.

◐ 초과(草果, 절편)

◐ 초과(草果, 작은 것은 익지인(益智仁)임.)

◐ 초과(꽃)

◐ 초과(열매)

◐ 초과

[생강과]

양춘사인

🧍 완복창통, 소화불량, 오심구토, 복통설사

♀ 임신구토, 태동불안

● 학명 : *Amomum villosum* Lour. ● 한자명 : 陽春砂仁, 砂仁, 陽春砂

| 1 | 2 | 3 | 4 | 5 | 6 | 7 | 8 | 9 | 10 | 11 | 12 |

여러해살이풀. 높이 1.2~2m. 뿌리줄기는 원주형이며 땅위를 긴다. 줄기는 바로 서며, 잎은 긴 타원형, 엽설(葉舌)은 녹갈색이다. 꽃은 수상화서로 피며, 입술꽃잎은 백색, 중앙 부분은 담황색을 띠며 간혹 붉은색 반점이 있다. 수술은 1개, 열매는 달걀 모양이다.

분포·생육지 중국 윈난성(雲南省), 광동성(廣東省), 푸젠성(福建省), 광시성(廣西省). 숲속에서 자란다.

약용 부위·수치 여름철에 열매가 홍자색을 띠고 종자가 흑갈색이 되면 채취하여 말려서 사용하거나 약한 불에 볶아서 사용한다.

약물명 사인(砂仁), 축사밀(縮砂蜜), 축사인(縮砂仁), 축사밀(縮砂蔤)이라고도 한다. 대한민국약전(KP)에 수재되어 있다.

본초서 사인(砂仁)은 송대(唐代)의 「개보본초(開寶本草)」에 축사밀(縮砂蔤)이라는 이름으로 처음 수재되었다. 소송(蘇頌)은 "지금은 영남(嶺南)의 산택(山澤)에 자란다. 싹과 줄기는 고량강(高良薑)과 비슷하며 높이 3~4척(尺), 잎은 길이 8~9촌(寸)이다. 봄에 꽃이 피며, 여름에 열매를 맺는다. 그 열매는 5~7개가 한 다발이 되고 익지(益智)와 모양이 비슷하여 둥글며 껍질은 두껍고 단단하다."고 적고 있다. 「동의보감(東醫寶鑑)」에 "모든 기병(氣病)을 다스리고 명치 아래와 배가 아프고 체하여 음식이 잘 소화되지 않는 것과 설사하고 고름이나 혈액이 대변에 섞여 나오는 것을 낫게 한다. 비장과 위장을 튼튼하게 하고 태아의 움직임으로 인한 통증을 멈추게 하며 구토와 설사가 계속되는 것을 그치게 한다."고 하였다.

藥性論 : 主冷氣腹痛, 止休息氣痢, 勞損, 消化水穀, 溫暖脾胃.

本草拾遺 : 主上氣咳嗽, 奔豚, 鬼疰.

東醫寶鑑 : 主勞傷 骨髓傷敗 腎冷精流 腰疼 膝冷 囊濕 止小便利 治腹中冷 能興陽事.

성상 모서리가 있는 난원형, 길이 1.5~2cm, 지름 1~1.5cm, 표면은 담갈색으로 가시 같은 굵은 돌기가 빽빽이 나고 기부에는 과경이 붙어 있다. 과피는 얇고 그 속에 종자의 덩어리가 백색 격막으로 된 3실에 나뉘어 있다. 각 실에는 다면체의 종자가 10~20 개씩 들어 있으며 지름 3mm 정도, 암갈색을 띤다. 특이한 냄새가 있고 맛은 매우며 청량감이 있고 좀 쓰다.

기미·귀경 온(溫), 신(辛) · 비(脾), 위(胃), 신(腎)

약효 화습개위(化濕開胃), 행기관중(行氣寬中), 온비지사(溫脾止瀉), 안태(安胎)의 효능이 있으므로 완복창통(脘腹脹痛), 소화불량, 오심구토, 복통설사, 임신구토, 태동불안을 치료한다.

성분 정유 성분은 (+)−borneol, bornyl acetate, linalool, (+)−camphor, nerolidol 등이며, liquiritin, stigmast−4−en−1,3−dione, lyoniside, emodin, ethyl octacosate, docosyl hexylate 등이 함유되어 있다.

약리 임상적으로는 위궤양 치료 작용이 보고되었다. 열수 또는 에탄올추출물은 쥐의 적출 회장(回腸)에서 이완 작용과 함께 항히스타민 작용을 나타내고 피부과민성 항체의 생성을 억제한다.

사용법 사인 5g에 물 2컵(400mL)을 넣고 달여서 복용하거나 알약으로 만들어 복용한다.

처방 안중산(安中散) : 계지(桂枝) · 모려(牡蠣) 각 9g, 현호색(玄胡索) 6g, 회향(茴香) · 사인(砂仁) · 감초(甘草) 각 3g, 양강(良薑) 2g. 비위가 허약하여 배가 아프고 배꼽 주변이 쿵쿵거리는 증상에 사용한다.

• 향사평위산(香砂平胃散) : 창출(蒼朮) · 진피(陳皮) · 향부자(香附子) 각 4g, 지실(枳實) · 곽향(藿香) 각 3.2g, 후박(厚朴) · 사인(砂仁) 각 2.8g, 목향(木香) · 감초(甘草) 각 2g, 생강(生薑) 3쪽 「동의보감(東醫寶鑑)」. 소화가 잘 안되고 윗배가 묵직하며 배가 아픈 증상에 사용한다.

＊사인(砂仁)의 기원 식물은 3종이다. 본 종의 열매와, 뿌리줄기의 끝에 나오는 새싹과 성숙한 열매가 녹색을 띠는 '녹각사인(綠殼砂仁)' var. *xanthioides*'의 열매, 열매에 3개의 능각이 있고 껍질이 두꺼우며 부드러운 가시가 있는 '해남사인(海南砂仁) *A. longiligulae*'의 열매이다. 축사(縮砂)라 불리는 것은 대부분 본 종의 외피가 벗겨진 것으로 생각된다.

❶ 양춘사인(꽃)

❶ 사인(砂仁)이 배합된 소화제

❶ 사인(砂仁)

❶ 사인(砂仁)

❶ 양춘사인(잎)

❶ 양춘사인(열매)

❶ 양춘사인

[생강과]

녹각사인

😊 완복창통, 소화불량, 오심구토, 복통설사

♀ 임신구토, 태동불안

● 학명 : *Amomum villosum* Lour. var. *xanthioides* T. L. Wu et Senjen
● 한자명 : 綠殼砂仁

| 1 | 2 | 3 | 4 | 5 | 6 | 7 | 8 | 9 | 10 | 11 | 12 |

여러해살이풀. 높이 1.2~2m. '양춘사인'과 비슷하다. 뿌리줄기의 선단과 엽설(葉舌)이 녹색을 띠고, 열매가 녹색을 띠며 긴 달걀 모양인 점이 다르다.

분포·생육지 중국 윈난성(雲南省) 남부. 해발 600~800m의 숲속에서 자란다.

약용 부위·수치 여름에 열매가 성숙하면 채취하여 말려서 사용하거나 약한 불에 볶아서 사용한다.

약물명 축사인(縮砂仁), 축사(縮砂), 축사밀(縮砂蜜), 축사밀(縮砂蔧)이라고도 한다.

성상 긴 달걀 모양으로 길이 2~2.5cm, 너비 1.5cm 정도, 표면은 갈색이고 돌기가 있다. 외피가 없어진 종자 덩어리는 암갈색이고 겉에 1줄의 백색 가루가 덮여 있는데, 이 가루는 쉽게 탈락하지 않는다. 냄새는 방향성이 강하고 맛은 맵고 시원하나 '양춘사인'보다 약하다.

성분 (3*S*,*E*)-neriolidol, (2*S*′,2′*R*,5′*S*)-2-

(5′-ethenyltetrahydro-5′-methylfuran-2′-yl)-6-methylhept-5-en-2-ol 등이 함유되어 있다.

약리 (2*S*′,2′*R*,5′*S*)-2-(5′-ethenyltetrahydro-5-methylfuran-2′-yl)-6-methylhept-5-en-2-ol은 암세포인 SK-OV-3, SK-MEL-2의 증식을 억제한다.

＊약효 및 사용법은 '양춘사인'과 같다.

❍ 축사인(縮砂仁)

❍ 녹각사인

[생강과]

폐초강

😊 수종고창, 임증   📄 백탁, 옹종악창

● 학명 : *Costus speciosus* (Koening) Smith [*Banksea speciosa*]   ● 한자명 : 閉鞘姜

| 1 | 2 | 3 | 4 | 5 | 6 | 7 | 8 | 9 | 10 | 11 | 12 |

여러해살이풀. 높이 1~3m. 줄기의 밑부분은 목질화되어 있고, 상부에서 분지한다. 수상화서는 줄기 끝에서 나오고 백색의 꽃들이 조밀하게 달린다. 삭과는 붉은색이며, 종자는 흑색으로 광택이 난다.

분포·생육지 중국 윈난성(雲南省), 인도네시아. 해발 300~1,500m의 숲속에서 자란다.

약용 부위·수치 뿌리줄기를 여름철에 채취하여 물에 씻은 후 썰어서 말린다.

약물명 장류두(樟柳頭), 백석순(白石笋), 수초화(水蕉花), 관음강(觀音姜)이라고도 한다.

약효 이수소종(利水消腫), 청열해독(淸熱解毒)의 효능이 있으므로 수종고창(水腫臌脹), 임증(淋症), 백탁(白濁), 옹종악창(癰腫惡瘡)을 치료한다.

성분 methyl-3-(4-hydroxyphenyl)-2(*E*)-propenoate, curcumin 등이 함유되어 있다.

약리 열수추출물은 쥐의 자궁을 수축시키고, 에탄올추출물은 토끼의 평활근을 수축시킨다.

사용법 장류두 5g에 물 3컵(400mL)을 넣고 달여서 복용한다.

❍ 장류두(樟柳頭)

❍ 폐초강

❍ 폐초강(꽃)

[생강과]

아출

- 징가적취, 승거양기
- 경폐복통
- 치통구창, 인후종통
- 구사탈항

●학명 : *Curcuma aeruginosa* Roxb. [*C. zedoaria* Roscoe]　　●한자명 : 莪朮

1 2 3 4 5 6 7 8 9 10 11 12

여러해살이풀. 높이 1~1.1m. 원뿌리줄기는 달걀 모양이고, 옆의 뿌리줄기는 가늘다. 잎은 기부에서 나오며 2줄로 배열한다. 꽃은 수상화서로 피며, 화서는 원주상으로 뿌리줄기에서 나오고 길이 15~20cm이다. 포편은 20개 정도로 상부 포편은 분홍색~적자색, 하부 포편은 담녹색~백색을 띤다.

분포·생육지 중국 원난성(雲南省)·광시성(廣西省), 캄보디아, 타이, 베트남. 숲속에서 자란다.

약용 부위·수치 12월 중순~하순 지상부가 말라 죽으면 땅속의 뿌리줄기를 채취하여 물에 씻어서 말린다. 뿌리 끝에 있는 덩이 뿌리를 채취하여 물에 씻은 후 그대로 또는 썰어서 말린다.

약물명 뿌리줄기를 아출(莪朮)이라 하며 봉아출(蓬莪朮), 봉출(蓬朮), 청강(青姜), 광아출(廣莪朮)이라고도 한다. 덩이뿌리(塊根)를 울금(鬱金)이라 하며, 중국에서는 욱금(郁金)이라 한다. 아출(莪朮)과 울금(鬱金)은 대한민국약전(KP)에 수재되어 있다.

본초서 아출(莪朮)은 송대(宋代)에 발간된 「개보본초(開寶本草)」에 봉아술(蓬莪茂)이라는 이름으로 수재되어 있으며, "심복통(心腹痛), 중악(中惡), 귀기(鬼氣), 소화불량에 사용한다. 부인(婦人)의 결적(結積), 남자의 분돈(奔豚)을 치료한다."고 하였다. 「일화제가본초(日華諸家本草)」에는 "이것은 남부 지방에서 자라는 강황(薑黃)의 뿌리로 해남(海南)에서 생산하는 것을 봉아술(蓬莪朮)이라 한다. 일체의 기병(氣病)을 치료하고, 음식을 잘 소화시키고 생리를 잘 통하게 하며 어혈(瘀血)을 제거하고 타박상을 치료한다."고 하였다. 송대(宋代) 소송(蘇頌)의 「도경본초(圖經本草)」에는 "봉아출(蓬莪朮)은 고방(古方)에는 사용하지 않지만 요즘은 적취(積聚)와 제기(諸氣)를 치료하는 요약(要藥)으로 경삼릉(京三稜)보다 좋다."고 하였다. 「동의보감(東醫寶鑑)」에 "모든 기운을 잘 돌게 하고 생리를 순조롭게 하며, 피가 뭉친 것을 풀어 주고 명치 아래와 배가 아픈 것을 낫게 한다. 배꼽 부위와 늑골 아래에 덩어리가 생긴 것을 없애고 장의 경련으로 배가 아픈 것을 낫게 한다."고 하였다.

開寶本草: 主心腹痛, 中惡蠱亂, 飮食不消.

日華諸家本草: 治一切氣 開胃消食 通月經 消瘀血.

本草綱目: 治冷氣腹痛, 及心氣不足, 夢泄, 赤毒, 熱傷心系, 吐血, 血崩.

東醫寶鑑: 治一切氣 開胃消食 通月經 消瘀血 止心腹痛 破痃癖 療奔豚.

성상 아출(莪朮)은 거의 달걀 모양이며 길이 4~6cm, 지름 3~4cm이다. 표면은 황갈색~회갈색을 띠고, 마디는 환상으로 두드러지고 마디 사이는 5~8mm, 가느다란 세로 주름과 뿌리를 제거한 흔적 및 곁뿌리 줄기의 작은 돌출부가 있다.

기미·귀경 온(溫), 신(辛), 고(苦)·간(肝), 비(脾).

약효 활혈거어약(活血祛瘀藥)으로 약효는 다음과 같다.

・징가적취(癥瘕積聚)·경폐복통(經閉腹痛): 본 약물은 신산(辛散)하고 고설(苦泄)하며 온통(溫通)하여 간비(肝脾)에 들어간다. 작용이 삼릉(三稜)과 비슷하여 파혈행기(破血行氣)하고 소적지통(消積止痛)하는 효능이 있다. 임상에서는 자궁 외 임신 및 간비종대(肝脾腫大)를 치료한다.

・치통구창(齒痛口瘡)·인후종통(咽喉腫痛): 잇몸이 붓고 아프며, 입안과 혀가 헐고 아픈 증상을 치료한다.

・승거양기(升擧陽氣)·구사탈항(久瀉脫肛): 본 약물은 비위(脾胃)에 들어가 청양(淸陽)의 기(氣)를 끌어올리므로 권태롭고 열이 나며 식욕이 없고 설사하는 증상, 탈항증, 위하수 등에 사용한다.

성분 curcuminoid: curcumin, demethoxy-curcumin, bisdeoxycurcumin, sesquiterpenoid: xurzerenone, β-turmerone, ar-turmerone, zedoarol, zederone, curdione, curculone, curcolonol, curcumenol, isocurcumenol, furanogermenone, curcumol, furanodienone 등, monoterpenoid: 1,4-cineol, α-pinene, d-camphene, d-camphor 등, 그 외 p-methoxycinnamate 등이 함유되어 있다.

약리 물 현탁액은 위액, 췌장액 및 담즙 분비를 현저하게 촉진하여 건위 및 소화 촉진 작용을 나타내고, 음식물의 소장 내 수송을 억제하며 영양분의 흡수를 촉진한다. demethoxycurcumin을 비롯하여 curcumin, bisdeoxycurcumin은 사람의 난소암 세포주에 세포 독성을 나타낸다. β-turmerone, ar-turmerone은 LPS로 유도한 prostaglandin E2의 생산과 NO의 생산을 억제한다. p-methoxycinnamate는 항진균 작용이 있다. isocurcumenol은 MRSA, B28 등의 암세포에 세포 독성을 나타낸다.

사용법 아출, 울금 등 10g에 물 3컵(600mL)을 넣고 달여서 복용하고, 가루약이나 알약으로 만들어 복용한다. 타박상에는 물에 달인 액으로 씻거나 가루로 만들어 뿌린다.

처방 아출환(莪朮丸): 아출(莪朮)·삼릉(三稜)·향부자(香附子)·곡아(穀芽) 각 30g, 목향(木香)·빈랑자(檳榔子) 각 15g, 견우자(牽牛子) 9g, 필징가(蓽澄茄)·정향(丁香) 각 6g, 매회 6g, 1일 3회(「증치준승(證治準繩」). 소화가 잘 안되며 가슴과 배가 그득하고 아프며 구토를 하며 신물이 올라오는 증상에 사용한다.

※ 아출(莪朮)의 기원 식물은 본 종 외에 '광서아출(廣西莪朮) C. kwangsiensis', '온욱금(溫郁金) C. wenyujin [C. aromatica]'이 있다.

❍ 아출(莪朮)

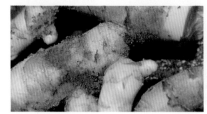

❍ 아출(뿌리줄기)

❍ 아출(莪朮, 절편)

❍ 아출(莪朮)이 배합된 건강식품. 활혈거어약(活血祛瘀藥)

❍ 아출

광서아출

징가적취, 승거양기 | 경폐복통
치통구창, 인후종통 | 구사탈항

● 학명 : *Curcuma kwangsiensis* S. G. Lee et C. F. Liang ● 한자명 : 廣西莪朮

| 1 | 2 | 3 | 4 | 5 | 6 | 7 | 8 | 9 | 10 | 11 | 12 |

❶ 광서아출(뿌리줄기)

❶ 광서아출(덩이뿌리와 뿌리줄기)

여러해살이풀. 높이 1~1.5m. 원뿌리줄기는 달걀 모양, 옆의 뿌리줄기는 가늘다. 잎은 기부에서 나오며 2줄로 배열하고 주맥 부근에 흑자색 무늬가 밑에서 끝까지 있다.

분포·생육지 중국 광시성(廣西省). 숲속에서 자라며, 동남아시아에서 약용으로 재배한다.

약용 부위·수치 12월 중순~하순 지상부가 말라 죽으면 땅속의 뿌리줄기를 채취하여 물에 씻어서 말린다. 뿌리 끝에 있는 덩이뿌리도 채취하여 물에 씻은 후 그대로 또는 썰어서 말린다.

약물명 뿌리줄기를 아출(莪朮)이라 하며, 봉아출(蓬莪朮), 봉출(蓬朮), 청강(青姜), 광아출(廣莪朮)이라고도 한다. 덩이뿌리를 울금(鬱金)이라 하며, 중국에서는 욱금(郁金)이라 한다. 아출(莪朮)과 울금(鬱金)은 대한민국약전(KP)에 수재되어 있다.

※ 약효 및 사용법은 '아출'과 같다.

❶ 광서아출(꽃)

❶ 광서아출(잎, 주맥 부근이 흑자색이다.)

❶ 광서아출

소두구

소화불량, 완복동통, 한산복통
기관지천식 | 소변불리

● 학명 : *Elletaria cardamomum* L. ● 한자명 : 小荳蔲

| 1 | 2 | 3 | 4 | 5 | 6 | 7 | 8 | 9 | 10 | 11 | 12 |

여러해살이풀. 높이 1m 정도. 뿌리줄기는 굵고 옆으로 자라며 육질이다. 잎은 2줄로 배열하고 긴 타원형, 털이 없고, 엽초는 관상이다. 꽃은 6~7월에 수상화서로 피고 화서의 길이 10~20cm, 꽃잎은 약간 젖혀지며 백색 바탕에 붉은색 줄무늬가 있다. 삭과는 10~11월에 익고 타원상 구형, 종자는

갈색이다.

분포·생육지 베트남, 스리랑카, 인도 등 열대아시아. 숲속에서 자란다.

약용 부위·수치 열매가 익으면 채취하여 말린다.

약물명 소두구(小荳蔲). 대한민국약전외한약(생약)규격집(KHP)에 수재되어 있다.

성상 타원상 구형, 길이 1.5~2cm, 지름 0.7~1cm, 표면은 황백색, 3줄의 둔한 모서리와 가는 세로줄이 있고 위쪽에는 작은 돌기가 있다. 안쪽은 막에 의해 3개의 방으로 나뉘고 각 방에 3~7개의 종자가 들어 있다. 냄새가 특이하고 맛은 맵고 쓰다.

기미 온(溫), 신(辛)

약효 이담(利膽), 항균의 효능이 있으므로 소화불량, 기관지천식, 소변불리, 완복동통(脘腹疼痛), 한산복통(寒疝腹痛)을 치료한다.

사용법 소두구 2~3g에 물 2컵(400mL)을 넣고 달여서 복용하거나 가루로 만들어 복용한다.

❶ 소두구(小荳蔲)

❶ 소두구

❶ 소두구(小荳蔲)는 유럽에서도 소화불량 치료제로 이용되고 있다.

❶ 소두구, 아선약, 육계가 배합된 소화제

강황

	흉복늑통		근육통
♀	생리불순, 폐경, 산후어혈복통		타박상

●학명 : *Curcuma longa* L. ●한자명 : 姜黃

| 1 | 2 | 3 | 4 | 5 | 6 | 7 | 8 | 9 | 10 | 11 | 12 |

여러해살이풀. 뿌리는 굵고 크며 끝에 비대한 방추형의 덩이뿌리가 달린다. 꽃은 수상화서로 피며, 화서는 원주상으로 엽초에서 나오며 길이 12~15cm이다. 포편은 길이 3~5cm, 백록색, 끝은 붉은색이고, 꽃받침의 길이는 8~9mm, 화관 위는 깔때기 모양으로 백색이며 중앙은 황색이다. 삭과는 구형이다.

분포·생육지 중국 동부·남부 및 쓰촨성(四川省), 타이완. 숲속이나 들에서 자란다.

약용 부위·수치 이른 봄에 파종하여 여름에 꽃이 핀 뒤 늦가을에 채취한다. 생강처럼 생긴 굵은 뿌리줄기를 채취하여 물에 씻은 다음 잘라서 말린 뒤 그대로 사용하거나 약한 불에 볶아서 사용한다(姜黃). 굵은 뿌리줄기에서 가느다란 뿌리가 나오고 그 끝에 달리는 방추형의 덩이뿌리를 채취하여 물에 씻어서 건조 또는 물에 쪄서 말린다(郁金, 鬱金).

약물명 생강처럼 생긴 굵은 뿌리줄기를 강황(姜黃)이라 하며, 강황(薑黃), 보정향(寶鼎香), 황강(黃姜)이라고도 한다. 방추형의 덩이뿌리를 울금(鬱金: 한국) 또는 욱금(郁金: 중국)이라 한다. 강황(姜黃)은 대한민국약전(KP)에, 울금(鬱金)은 대한민국약전외한약(생약)규격집(KHP)에 수재되어 있다.

본초서 강황(姜黃)은 당대(唐代)의「신수본초(新修本草)」에 처음 수재되어 "잎과 뿌리가 모두 욱금(郁金)과 닮았으며, 봄에 뿌리에서 꽃대가 나와 꽃이 피고 뿌리는 황(黃), 청(靑), 백(白)의 삼색이 있다."고 하였다.「동의보감(東醫寶鑑)」탕액편의 초부(草部), 방약합편의 방초부(芳草部), 대한민국약전(KP), 중국약전(CP)에 수재되어 있다.「동의보감(東醫寶鑑)」에 "뱃속에 생긴 덩어리와 피가 혈관 밖으로 나와서 응고된 덩어리와 종기를 없애 주고 생리를 순조롭게 한다. 또 다쳐서 피가 뭉친 것을 풀어 준다. 몸속의 찬 기운과 바람의 기운을 없애고 기가 몰

● 강황(꽃)

● 강황

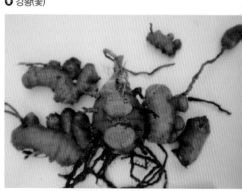

● 강황(姜黃). 뿌리 끝에 팽대된 덩이뿌리는 욱금(郁金)으로 출하된다(우리나라에서는 울금).

려서 배가 몹시 부풀어 오르면서 속이 그득한 감이 드는 증상을 낫게 한다."고 하였다.

울금(鬱金) 또는 욱금(郁金)은 「동의보감(東醫寶鑑)」에 "울금(鬱金)은 피가 엉기어 맺혀서 생긴 덩어리를 없애고 기운을 내리며 소변에 피가 섞여 나오는 것을 그치게 한다. 쇠붙이에 의한 상처와 혈기가 몰려서 가슴이 아픈 것을 낫게 한다."고 하였다.

姜黃

新修本草: 主心腹結積, 下氣破血, 除風熱, 消癰腫.

本草圖經: 治氣脹及産後敗血攻心, 祛邪辟惡.

本草綱目: 治風痺肩痛.

東醫寶鑑: 主癥瘕血塊癰腫 通月經 治撲損瘀血 破冷除風 消氣脹.

鬱金

東醫寶鑑: 主血積下氣 治血淋 金瘡 療血氣心痛.

성상 강황(姜黃)은 고르지 않은 난원형~원주형 또는 방추형을 이룬 것도 있으며 대개는 구부러지고 분지된 것도 있다. 길이 2~5cm, 지름 1~3cm로 표면은 짙은 황색으로 거칠고, 구름 무늬와 둥근 테가 있고 곁뿌리와 잔뿌리가 있었던 자국이 둥글게 남아 있다. 질은 단단하며 절단하기 어렵고 절단면은 갈황색~금황색으로 각질이며 광택이 있다. 내상피는 고리무늬가 뚜렷하고 유관속은 점으로 산재되어 있다. 특이한 방향이 있고 맛은 쓰며 맵다. 질이 견실하고 단면이 금황색이며 방향이 강한 것이 좋다. 울금(鬱金)은 덩이뿌리로 난원형(卵圓形)이며 길이 4~7cm, 지름 1.2~2.5cm이다. 약간 납작하고 굽은 것도 있으며 양 끝이 점차 뾰족해진다. 바깥 면은 회갈색이고 고르지 않은 세로 주름이 있고 세로 주름이 돌출된 곳은 색이 비교적 연하다. 질은 단

단하며 자른 면은 각질이고 회갈색이며 내피층의 고리무늬는 뚜렷하다. 특이한 냄새가 있고, 맛은 약간 쓰다.

기미 · 귀경 온(溫), 고(苦), 신(辛) · 비(脾), 간(肝),

약효 파혈행기(破血行氣), 통경지통(通經止痛)의 효능이 있으므로 흉복늑통(胸腹肋痛), 생리불순(生理不順), 폐경(閉經), 산후어혈복통(産後瘀血腹痛), 근육통, 타박상을 치료한다.

성분 curcuminoid: curcumin, dihydrocurcumin, bisdemeoxycurcumin, sesquiterpenoid: 4-hydroxybisabola-2,10-dien-9-one, germacrone-13-al, procurcumdinol, curcumenone, dehydrocurdione, α-tumerone, biscumol, biscurone, procurcumenol 등, monoterpenoid: 1,4-cineol, α-pinene, d-camphene, d-camphor 등, 그 외 p-hydroxycinnamoylmethane, p-hydroxycinnamoylferuloylmethane, gallic acid, 1,2,3,4,6-penta-O-galloyl-β-D-glucopyranoside, quercetin-3-O-β-D-glucopyranosyl-7-O-α-L-rhamnopyranoside 등이 함유되어 있다.

약리 에탄올추출물을 쥐의 복강에 주사하면 항염증 작용이 나타난다. 마취한 개에게 curcumin 24mg/kg을 주사하면 담즙 분비가 증가된다. 쥐에게 에탄올추출물을 투여하면 간 보호 작용과 소화 촉진 작용이 나타나고 혈중 콜레스테롤 함량이 감소된다. 이 외에 생육을 촉진시키는 작용, 항암 작용, 자궁 수축 작용, 항산화 작용, 항진균 작용이 있다. curcumin은 신경변증성 통증을 억제하는 효능이 있다. 초임계추출물은 DPPH 라디칼 소거능이 탁월하고 tyrosinase의

활성을 저해함으로써 미백 작용이 우수하다. gallic acid와 1,2,3,4,6-penta-O-galloyl-β-D-glucopyranoside는 항산화 작용이 있다. quercetin-3-O-β-D-glucopyranosyl-7-O-α-L-rhamnopyranoside는 '예쁜꼬마선충 Caenorhabditis elegans'의 수명을 연장시키는 효능이 있다.

사용법 강황, 울금 등 각각 10g에 물 3컵(600mL)을 넣고 달여서 복용하고, 외용에는 달인 액으로 씻는다. 뜨거운 물에 풀어서 욕탕제로 사용하면 신경통에 좋다.

처방 강황산(姜黃散): 강황(姜黃) 12g, 백출(白朮) · 강활(羌活) · 감초(甘草) 각 1g(「동의보감(東醫寶鑑)」). 풍냉(風冷)으로 기혈(氣血)이 몰려서 팔과 어깨가 아픈 증상에 사용한다.

• 견비탕(蠲痺湯): 강황(姜黃) · 당귀(當歸) · 작약(芍藥) · 황기(黃耆) · 방풍(防風) · 강활(羌活) 각 6g, 감초(甘草) 2g, 생강(生薑) 5쪽, 대추(大棗) 2개(「동의보감(東醫寶鑑)」). 한비(寒痺)로 허리와 다리가 몹시 아프고 저리면서 무겁고 뻣뻣한 증상, 손발이 뻣뻣하고 저린 증상에 사용한다.

※ 강황은 욱금(울금)과 혼동되기 쉬운데, 강황은 C. longa의 뿌리줄기이고, 욱금(郁金, 鬱金)은 C. wenyujin[C. aromatica], C. kwangsiensis 등의 수염뿌리 끝에 달린 덩이뿌리(塊根)이다.

◐ 강황(姜黃, 신선품)

◐ 강황(姜黃, 절편)

◐ 강황(姜黃, 절편)

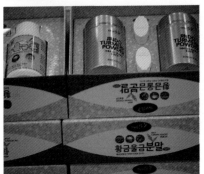
◐ 강황(姜黃)으로 만든 건강식품

◐ 강황과 생강 등이 배합된 소화불량 치료제

◐ 강황과 울금이 같은 이름으로 거래되고 있다.

온욱금

🧍 흉복협늑통, 의식혼탁		🫕 토혈, 황달
👁 비출혈		🫘 혈뇨, 혈림

● 학명 : *Curcuma wenyujin* Y. H. Chen et C. Ling [*C. aromatica*]
● 한자명 : 溫郁金 ● 별명 : 욱금, 울금

1	2	3	4	5	6	7	8	9	10	11	12

여러해살이풀. 높이 1~1.5m. 뿌리는 굵고 튼튼하며 끝이 부풀어서 달걀 모양의 덩이뿌리가 된다. 뿌리줄기는 원주상으로 굵다. 잎은 기부에서 나오며 2줄로 배열하고, 꽃은 수상화서로 길이 약 13~15cm, 엽초 같은 잎이 있고, 작은 꽃 몇 개가 포편 안에 붙는다. 꽃받침은 백색, 통 모양이고 3개로 갈라지며, 포는 비교적 좁다. 씨방은 털에 덮여 있다.

분포 · 생육지 중국 윈난성(雲南省) · 광시성(廣西省), 캄보디아, 타이, 베트남. 숲속에서 자란다.

약용 부위 · 수치 뿌리줄기와 수염뿌리 끝에 달리는 덩이뿌리를 12월 중순이나 하순에 채취하여 물에 씻은 후 말린다.

약물명 뿌리줄기를 아출(莪朮), 덩이뿌리를 울금(鬱金)이라 하며, 중국에서는 욱금(郁金)이라 한다.

본초서 욱금(郁金)은 당대(唐代)의 「신수본초(新修本草)」에 처음 수재되어 "혈적(血積)을 치료하고, 기(氣)를 내리며, 지혈시키고, 악혈(惡血)을 파괴하며, 혈뇨(血尿)와 혈림(血淋)을 치료한다."고 하였다. 「본초강목(本草綱目)」에는 "강황(姜黃), 울금(鬱金), 아출(莪朮)은 형상과 효능이 비슷하지만, 울금(鬱金)은 심(心)에 들어가서 혈(血)을 치료하고, 강황(姜黃)은 비(脾)에 들어가서 기(氣)를 치료하고, 아출(莪朮)은 간(肝)에 들어가서 기중(氣中)의 혈(血)을 치료한다."고 하였다.

新修本草 : 主血積, 下氣, 生肌, 止血, 破惡血, 血尿, 血淋, 金瘡.

藥性論 : 治女人宿血氣心痛, 冷氣結聚.

本草綱目 : 治血氣腹痛, 産後敗血冷症, 失心癲狂, 蠱毒.

성상 양끝이 뾰족한 작은 달걀 모양으로 길이 3~7cm, 지름 1.5~2.5cm, 약간 굽은 것도 있다. 표면은 회갈색~회황색이며 불규칙한 주름과 무늬가 있다. 질은 딱딱하며 단면은 회녹색~회갈색으로 광택이 난다. 향기가 약간 있고, 맛은 약간 쓰며 자극성이 있다.

기미 · 귀경 한(寒), 고(苦), 신(辛) · 심(心), 간(肝), 담(膽).

약효 활혈지통(活血止痛), 행기해울(行氣解鬱), 청심양혈(淸心凉血), 소간이담(疏肝利膽)의 효능이 있으므로 흉복협늑(胸腹脇肋)의 통증, 병적억울(病的抑鬱)이나 흥분, 열병(熱病)으로 인한 의식혼탁(意識混濁), 토혈(吐血), 비출혈(鼻出血), 혈뇨(血尿), 혈림(血淋), 황달을 치료한다.

성분 curcumin, demethoxycurcumin, bis-demethoxycurcumin, turmerone, *ar*-turmerone, curdine 등이 함유되어 있다.

약리 정유 5%가 함유된 주사액을 쥐의 복강에 투여하면 면역력 증강 작용이 나타난다. curdine을 쥐의 복강에 주사하면 중추 신경 억제 효능이 나타난다.

사용법 아출, 울금 등 10g에 물 3컵(600mL)을 넣고 달여서 복용하거나 가루로 만들어 복용하고, 외용에는 달인 액으로 씻는다.

＊ 욱금(郁金)은 본 종 이외에 '강황(姜黃) *C. longa*', '아출(莪朮) *C. aeruginosa*', '천욱금(川郁金) *C. chuanyujin*'의 덩이뿌리를 사용한다.

❍ 아출(莪朮)

❍ 울금(鬱金, 절편)

❍ 온욱금(뿌리줄기와 덩이뿌리)

❍ 온욱금

[생강과]

꽃생강

 두통, 몸살　근골동통
타박상

● 학명 : *Hedychium coronarium* Koen.　● 한자명 : 姜花

| 1 | 2 | 3 | 4 | 5 | 6 | 7 | 8 | 9 | 10 | 11 | 12 |

❂ 꽃생강(꽃)

여러해살이풀. 높이 1~2m. 잎은 긴 타원형. 꽃은 6~7월에 수상화서로 피고 길이 10~20cm. 꽃잎은 약간 젖혀지며 바늘 모양, 담황백색이다. 삭과는 10~11월에 익고 편구형, 지름 2.5cm 정도, 3개의 능선이 있다. 종자는 붉은색이며 길이 4mm 정도이다.

분포·생육지 중국 남부, 타이, 타이완 등 열대아시아. 숲속에서 자란다.

약용 부위·수치 뿌리줄기를 채취하여 적당한 크기로 잘라서 말린다.

약물명 노변강(路邊姜). 산강활(山薑活), 강화근(姜花根), 토강활(土羌活)이라고도 한다.

약효 제풍산한(除風散寒), 해표발한(解表發汗)의 효능이 있으므로 두통, 몸살, 풍습(風濕), 근골동통(筋骨疼痛) 및 타박상을 치료한다.

성분 정유에는 cineole, β−pinene, limonene, *p*−cymene, camphor 등이 함유되어 있다.

사용법 노변강 10g에 물 3컵(600mL)을 넣고 달여서 복용하거나 가루 내어 복용한다.

꽃생강

[생강과]

초과약

 완복동통, 소화불량, 한산복통

● 학명 : *Hedychium spicatum* Ham.　● 한자명 : 草果藥

| 1 | 2 | 3 | 4 | 5 | 6 | 7 | 8 | 9 | 10 | 11 | 12 |

여러해살이풀. 높이 1~1.5m. 뿌리줄기는 굵고 옆으로 자라며 육질이다. 잎은 2줄로 배열하고 긴 타원형, 길이 20~40cm, 너비 7~10cm, 잎자루는 없고 엽초는 관상이다. 꽃은 6~7월에 수상화서로 피며 길이 10~20cm. 꽃잎은 약간 젖혀지며 바늘 모양, 담황색이다. 삭과는 10~11월에 익고 편구형, 3개의 능선이 있고, 종자는 붉은색이다.

분포·생육지 중국 남부, 타이완, 말레이시아 등 열대아시아. 숲속에서 자란다.

약용 부위·수치 열매가 익으면 채취하여 말린다.

약물명 초과약(草果藥). 소초과(小草果), 초과자(草果子)라고도 한다.

약효 온중산한(溫中散寒), 이기소식(理氣消食)의 효능이 있으므로 위한(胃寒)으로 인한 완복동통(脘腹疼痛), 소화불량, 한산복통(寒疝腹痛)을 치료한다.

사용법 초과약 5g에 물 2컵(400mL)을 넣고 달여서 복용하거나 가루 내어 복용한다.

❂ 초과약(草果藥, 절편)

❂ 초과약

[생강과]

산내

완복냉통, 한습토사, 흉복창만, 소화불량
풍습비통

● 학명 : *Kaempferia galanga* L. ● 한자명 : 山柰

| 1 | 2 | 3 | 4 | 5 | 6 | 7 | 8 | 9 | 10 | 11 | 12 |

여러해살이풀. 꽃줄기 길이 15~25cm. 뿌리잎은 2개, 바늘 모양, 길이 8~15cm, 너비 1~2.5cm, 밑부분이 줄기를 감싸고, 밑의 엽초는 땅속에 묻힌다. 꽃은 4~5월에 피고 길이 2~2.5cm, 꽃덮개 조각은 6개, 긴 타원형이고 백색 바탕에 자주색 맥이 있으며, 꽃줄기 끝에 1개, 때로는 3개가 달린다. 수술은 6개, 열매는 녹색이며 거의 둥글고 세모진다.

분포 · 생육지 중국 광시성(廣西省) · 광둥성(廣東省) · 윈난성(雲南省), 타이완. 숲속에서 자란다.

약용 부위 · 수치 뿌리줄기를 12월부터 다음해 3월까지 채취하여 수염뿌리를 제거하고 물에 씻어서 그대로 사용하거나 초에 담갔다가 불에 볶아 사용한다.

약물명 산내(山柰), 삼내자(三柰子), 산랄(山辣)이라고도 한다. 대한민국약전외한약(생약)규격집(KHP)에 수재되어 있다.

본초서 산내(山柰)는 이시진(李時珍)의 「본초강목(本草綱目)」 초부(草部)에 처음 수재되었고, "광둥성(廣東省)과 광시성(廣西省)에서 자라고 민간에서 재배하며 뿌리와 잎은 생강 비슷하고 냄새는 녹나무(樟木)와 같으며, 소화를 촉진하고 아랫배가 냉랭하게 아픈 증상, 충치에 의한 잇몸 질환을 치료한다."고 하였다.

기미 · 귀경 온(溫), 신(辛) · 위(胃), 비(脾)

약효 온중제습(溫中除濕), 행기소식(行氣消食), 지통(止痛)의 효능이 있으므로 완복냉통(脘腹冷痛), 한습토사(寒濕吐瀉), 흉복창만(胸腹脹滿), 소화불량, 풍습비통(風濕痺痛)을 치료한다.

성분 정유의 주성분은 borneol, methyl-*p*-coumaric acid ethylester, ethylcinnamate, cinnamic aldehyde, pentadecane, eucalptol 이다.

약리 정유 성분들은 항산화 작용이 있다. 열 수추출물은 백선균에 항균 작용이 있고, 쥐나 토끼의 적출 장관에 수축 작용이 있다.

사용법 산내 7g에 물 3컵(600mL)을 넣고 달여서 복용한다.

❶ 산내(山柰)

❶ 산내

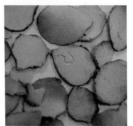

❶ 산내(山柰, 절편)

❶ 산내(山柰, 신선품)

❶ 산내(山柰)가 배합된 소화제

[생강과]

아프리카생강

구강염
두통
기침, 천식, 감기

● 학명 : *Siphonochilus aethiopicus* (Schwein.) B. L. Burtt [*S. natalensis*]
● 영명 : Wild ginger, African ginger

| 1 | 2 | 3 | 4 | 5 | 6 | 7 | 8 | 9 | 10 | 11 | 12 |

여러해살이풀. 높이 50~60cm. 뿌리줄기는 옆으로 벋고 원뿔 모양이다. 잎은 긴 타원형, 가장자리에 톱니가 없다. 꽃줄기는 뿌리줄기의 곁눈에서 나오고, 꽃은 8~10월에 피며, 꽃잎의 가장자리는 적자색, 안쪽은 백색 바탕에 황색이다. 화관은 길게 자라 3개로 갈라지고 위쪽의 것이 크며, 입술꽃잎도 3개로 갈라지고 중앙의 것이 가장 크다.

분포 · 생육지 남아프리카. 열대 지방에서 재배한다.

약용 부위 · 수치 뿌리줄기를 여름에 채취하여 물에 씻어서 말린다.

약물명 Siphonochili Rhizoma. 일반적으로 Wild ginger, African ginger라고 한다.

약효 소염의 효능이 있으므로 구강염, 기침, 천식, 두통, 감기를 치료한다.

성분 curcumin 등이 함유되어 있으며, 강황과 비슷한 물질들이 함유되어 있다.

사용법 Siphonochili Rhizoma를 가루로 만들어 1회 200mg을 복용한다.

❶ 아프리카생강

[생강과]

토전칠

질타어통, 외상출혈 | 풍습골통
토혈육혈 | 월경과다

● 학명 : *Stahlianthus involucratus* (King ex Bak.) Craib [*Kaempferia involucrata*]
● 한자명 : 土田七

| 1 | 2 | 3 | 4 | 5 | 6 | 7 | 8 | 9 | 10 | 11 | 12 |

여러해살이풀. 높이 20~30cm. 뿌리줄기는 굵고 지름 1cm 정도이다. 잎은 긴 타원형으로 기부에 붙고 2~4개이다. 꽃은 백색이며 중앙에 황색 반점이 있다. 열매는 달걀 모양, 길이 3.5mm 정도이다.

분포·생육지 남아프리카. 열대 지방에서 재배한다.

약용 부위·수치 뿌리줄기를 수시로 채취하여 물에 씻어 썰어서 말린다.

약물명 토전칠(土田七). 소전칠(小田七), 죽전칠(竹田七)이라고도 한다.

약효 산어지통(散瘀止痛), 지혈(止血)의 효능이 있으므로 질타어통(跌打瘀痛), 풍습골통(風濕骨痛), 토혈육혈(吐血衄血), 월경과다, 외상출혈을 치료한다.

성분 stahlianthusone 등이 함유되어 있다.

사용법 토전칠 10g에 물 3컵(600mL)을 넣고 달여서 복용하거나 가루로 만들어 복용한다. 외상출혈에는 가루로 만들어 환부에 뿌리거나 붙여서 붕대로 감싼다.

● 토전칠

● 토전칠(꽃)

[생강과]

양하

월경불순 | 기침, 가래
나력, 창종 | 후비

● 학명 : *Zingiber mioga* (Thunb.) Rosc. ● 별명 : 양애, 양해깐

| 1 | 2 | 3 | 4 | 5 | 6 | 7 | 8 | 9 | 10 | 11 | 12 |

여러해살이풀. 높이 40~100cm. 뿌리줄기는 옆으로 벋고, 잎은 바늘 모양, 꽃줄기는 뿌리줄기의 곁눈에서 나온다. 꽃은 8~10월에 피며 황색, 꽃받침은 통 같고, 화관은 길게 자라 3개로 갈라지며 위쪽의 것이 가장 크다. 입술꽃잎도 3개로 갈라지며 중앙의 것이 가장 크고, 수술은 1개이며, 약격(藥隔) 끝이 자라 안쪽으로 말려 암술대를 감싼다.

분포·생육지 말레이시아, 타이 등 열대아시아 원산. 중부 이남에서 재배한다.

약용 부위·수치 뿌리줄기를 여름에 채취하여 물에 씻어서 말린다.

약물명 양하(蘘荷), 가초(嘉草), 야생강(野生姜)이라고도 한다.

본초서 「동의보감(東醫寶鑑)」에 "고독(蠱毒)과 학질(瘧疾)을 낫게 한다."고 하였다.
東醫寶鑑: 主中蠱及瘧.

약효 활혈조경(活血調經), 진해거담(鎭咳祛痰), 소종해독(消腫解毒)의 효능이 있으므로 월경불순, 노인들의 기침과 가래, 나력, 창종(瘡腫), 후비(喉痺) 등을 치료한다.

성분 zingerene, zingerone, shogaol, α-pinene, β-pinene, β-phellandrene 등이 함유되어 있다.

약리 물에 달인 액은 개의 담즙 분비를 증가시켜 정상으로 회복시키고 담낭의 수축을 강화시킨다. 열수추출물은 자궁에 대한 흥분 작용이 나타나고, 혈중 콜레스테롤의 함량을 저하시킨다. 70%에탄올추출물은 항산화 작용이 있다.

사용법 양하 10g에 물 3컵(600mL)을 넣고 달여서 복용하거나 가루로 만들어 복용한다. 생것은 갈아서 즙을 내어 복용한다.

● 양하(꽃)

● 양하(뿌리줄기)

● 양하

● 양하(蘘荷, 신선품)

생강

 풍한감모, 천해
 풍한습비
구토, 담음, 설사, 복통, 복창비만
수종창만, 치질출혈

● 학명 : *Zingiber officinale* Rosc. ● 별명 : 새양

1 2 3 4 5 6 7 8 9 10 11 12

여러해살이풀. 뿌리줄기는 굵고 옆으로 자라며 육질로 연한 황색, 맵고 향기가 있다. 뿌리줄기의 각 마디에서 엽초로 된 가짜 줄기가 곧게 자라 높이 30~50cm가 되며 윗부분에 잎이 2줄로 배열된다. 꽃은 포엽 사이에서 나오고, 헛수술이 변한 순판은 달걀 모양, 자주색 바탕에 담황색 반점이 있다.

분포 · 생육지 열대 아시아 원산. 우리나라 남부 지방에서 재배한다.

약용 부위 · 수치 뿌리줄기를 가을에 채취하여 물에 씻어서 생것으로 또는 말려서 사용한다. 생강을 물기 있는 종이에 싸서 잿불에 넣어 종이가 누렇게 탈 정도로 구운 것을 외강(煨薑)이라 한다. 청열(淸熱)에는 거피(去皮)하고 보냉(補冷)에는 유피(留皮)하며, 온중(溫中)에는 외열(煨熱)하여 사용한다.

약물명 생강(生薑), 자강(子薑), 자강(紫薑), 모강(母薑)이라고도 하며, 라틴 생약명은 Zingiberis Rhizoma, 영명은 Ginger이다. 생강(生薑)을 말린 것을 건강(乾薑), 건강(乾薑)을 불에 볶은 것을 건강탄(乾薑炭)이라 하며, 생강(生薑)의 껍질을 생강피(生薑皮)라 한다. 건강(乾薑)은 대한민국약전(KP)에, 생강(生薑)은 대한민국약전외한약(생약)규격집(KHP)에 수재되어 있다.

본초서 생강(生薑)은 「신농본초경(神農本草經)」의 중품(中品)에 건강(乾薑)으로 수재되어 있다. 한대(漢代)의 「설문해자(說文解字)」에 "강(薑)은 강(疆)과 같은 글자로, 생강(生薑)은 모든 질병을 강어(疆御, 물리친다는 뜻)할 수 있으므로 붙인 이름이다."라고 하였다. 「동의보감(東醫寶鑑)」에 "생강의 기운은 오장으로 들어가고 담을 삭이며, 기운을 내리고 토하는 것을 그치게 한다. 바람의 기운이나 습한 기운을 없애고, 딸꾹질하며 기운이 치미는 것과 숨이 차고 기침이 나는 것을 낫게 한다."고 하였다.

神農本草經: 久腹去臭氣, 通神明.

名醫別錄: 主傷寒頭痛鼻塞, 咳逆上氣.

本草拾遺: 汁, 解毒藥, 破血調中, 去冷除痰, 開胃.

本草綱目: 生用發散, 熟用和中.

東醫寶鑑: 歸五臟 去痰下氣 止嘔吐 除風寒濕氣 療咳逆上氣 喘嗽.

성상 편압(偏壓)되고 불규칙한 덩어리 모양으로 대개는 갈라졌거나 또 그 갈라진 덩어리이다. 각 덩어리는 길이 2~5cm, 지름 15~25mm의 구부러진 난형~긴 난형을 이루고 표면은 엷은 회색~회색의 코르크층으로 싸여 있다. 덩어리는 매우 가늘고 짧게 연결되어 있으며 이 부위는 쉽게 꺾어진다. 꺾인 면은 엷은 황색을 띠고 피부와 중심주를 가르는 내피가 명료하게 보이고 피부와 중심주에는 섬유를 수반하는 유관속이 작은 점으로 산재한다. 특이한 냄새가 있고 맛은 매우 맵다.

기미 · 귀경 온(溫), 신(辛) · 폐(肺), 위(胃), 비(脾)

약효 생강(生薑)은 발한해표(發汗解表), 온중(溫中), 지토(止吐), 거담의 효능이 있으므로 풍한감모(風寒感冒), 구토(嘔吐), 담음(痰飮), 천해(喘咳), 설사, 복통을 치료한다. 건강(乾薑)은 온중거한(溫中祛寒), 회양통맥(回陽通脈)의 효능이 있으므로 심복냉통(心腹冷痛), 구토하리(嘔吐下痢), 사지냉미맥(四肢冷微脈), 풍한습비(風寒濕痺)를 치료한다. 건강탄(乾薑炭)은 지혈(止血)의 효능이 있으므로 대변출혈, 치질출혈을 치료한다. 생강피(生薑皮)는 행수소종(行水消腫)의 효능이 있으므로 수종창만(水腫脹滿), 복창비만(腹脹痞滿)을 치료한다.

성분 (*E*)-geranylferulic acid, zingierol, (*Z*)-geranylferulic acid, zingiberene, cam-

○ 생강

phene, α-pinene, cineol, borneol, cumene, myrcene, 6-paradol, 8-paradol, 6-gingerol, 6-gingeroldiacetate, 6-hydroxy-6-shogaol, galanolactone, *trans*-β-sesquiphellandrol, *trans*-sesquipiperitol, 4α,5β-dihydroxybisabola-2,10-diene, 8-gingerol, 10-gingerdione, 1-dehydro-6-gingerdione, 1-dehydro-8-gingerdione, dehydrogingerol, 6-shogaol, 10-dehydrogingerdione, zingerone, kuwanone D, E, F 등이 함유되어 있다.

약리 생강(生薑)의 즙액은 침액에 들어 있는 diastase의 작용을 촉진시킨다. 또한 티푸스균, 콜레라균 등에 살균 작용이 있으며 특히 zingerone과 shogaol은 이와 같은 병원균에 살균 작용이 강하다. 생강의 열수추출물은 개에게 황산동(CuSO₄)을 투여함으로써 발생하는 구토에 억제 작용이 있다. zingerone을 동물에 투여하면 혈압이 강하된다. 10-gingerdione, 6-paradol, 6-shogaol 및 galanolactone은 NO 생성을 억제한다.

사용법 생강 5g에 물 2컵(400mL)을 넣고 달여서 복용하거나 잘게 썰어서 뜨거운 물을 부어 오차로 이용한다. 생선이나 게를 먹고 배탈이 났을 때는 소엽(蘇葉)과 같은 양으로 배합하여 물에 달여 복용한다. 감기 초기에 생강과 파를 같은 양으로 배합하여 물에 달여 복용하면 효과가 있다.

처방 생강(生薑)이 배합되는 것
• 소반하탕(小半夏湯): 반하(半夏)·생강(生薑) 각 40g, 귤피(橘皮) 16g(『향약집성방(鄕藥集成方)』). 담음(痰飮)으로 가슴과 옆구리가 그득하고 소화가 잘 안되며 구역질이 나고 게우며 명치 밑이 불편한 증상에 사용한다.
• 소반하가복령탕(小半夏加茯苓湯): 반하(半夏)·생강(生薑) 각 40g, 귤피(橘皮) 16g, 복령(茯苓) 12g(『향약집성방(鄕藥集成方)』). 가슴이 답답하고 두근거리며 옆구리가 아픈 증상에 사용한다.
• 귤피탕(橘皮湯): 진피(陳皮) 12g, 죽여(竹茹)·감초(甘草) 각 4g, 인삼(人蔘) 2g, 생강(生薑) 3쪽, 대추(大棗) 2개(『동의보감(東醫寶鑑)』). 허번(虛煩)으로 가슴이 답답하고 배꼽 아래가 불편하며 몸살이 나고 소화불량의 증상에 사용한다.

건강(乾薑)이 배합되는 것
• 대건중탕(大健中湯): 황기(黃耆)·포부자(炮附子)·녹용(鹿茸)·지골피(地骨皮)·속단(續斷)·석곡(石斛)·작약(芍藥)·인삼(人蔘)·천궁(川芎)·당귀(當歸)·원지(遠志) 각 4g, 구감초(灸甘草) 2g, 건강(乾薑) 5쪽, 대추(大棗) 2개(『동의보감(東醫寶鑑)』). 허로(虛勞)로 온몸이 나른하고 쉽게 피곤해지며 아랫배가 당기며 아픈 증상이나, 매일 오후에 열이 나고 식은땀을 흘리며 기침을 하면서 가래가 나오는 증상에 사용한다.
• 영강출감탕(苓薑朮甘湯): 복령(茯苓) 6g, 건강(乾薑)·백출(白朮) 각 3g, 감초(甘草) 2g(『금궤요략(金櫃要略)』). 허리와 다리가 차고 무거우며 온몸이 노곤하면서 오줌이 잘 나오지 않는 증상이나 좌골신경통, 야뇨증에 사용한다.
• 통맥사역탕(通脈四逆湯): 부자(附子) 10g, 건강(乾薑) 6g, 감초(甘草) 4g(『동의보감(東醫寶鑑)』). 소음병(少陰病)으로 설사를 몹시 하여 손발이 싸늘해지면서 맥이 잘 짚이지 않는 증상에 사용한다.

생강피(生薑皮)가 배합되는 것
• 오피음(五皮飮): 복령피(茯苓皮) 16g, 상백피(桑白皮)·진피(陳皮)·생강피(生薑皮)·대복피(大腹皮) 각 8g(『중장경(中藏經)』). 부종, 소변불리, 호흡곤란, 흉복창만(胸腹脹滿), 한습각기(寒濕脚氣)에 사용한다.

❂ 생강(生薑)

❂ 생강피(生薑皮)

❂ 생강(뿌리줄기)

❂ 건강(乾薑)

❂ 건강(乾薑, 절편)

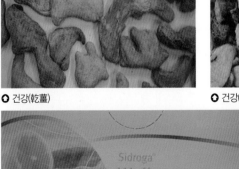
❂ 건강(乾薑)으로 만든 소화불량 치료제

❂ 생강(生薑), 진피(陳皮) 등으로 만든 소화제

❂ 생강차(生薑茶)

[홍초과]

식용홍초

 이질, 설사, 황달   창양종독

● 학명 : *Canna edulis* Kerr.   ● 별명 : 식용칸나

1	2	3	4	5	6	7	8	9	10	11	12

여러해살이풀. 굵은 뿌리줄기가 있고 바로 서며, 높이 3m 정도이다. 잎은 어긋나며 타원형이다. 꽃은 여름부터 가을까지 총상 화서로 피고 색깔이 다양하며, 꽃받침잎과 꽃잎은 각각 3개이다. 삭과는 달걀 모양이 며 녹색이다.

분포 · 생육지 인도, 말레이시아, 타이 등 열 대아시아 원산. 우리나라 남부 지방에서 재 배한다.

약용 부위 · 수치 뿌리줄기를 가을에 채취하 여 물에 씻어서 그대로 사용하거나 말려서 사용한다.

약물명 초우(蕉芋). 강우(薑芋), 파초우(芭 蕉芋)라고도 한다.

약효 청열이습(淸熱利濕), 해독의 효능이 있으므로 이질, 설사, 황달, 창양종독(瘡瘍 腫毒)을 치료한다.

성분 전분(starch), 환원당(reducing sugar), proteins, tryptophan, β−lectin이 함유되 어 있다.

사용법 초우 10~15g에 물 3컵(600mL)을 넣고 달여서 복용하고, 외용에는 짓찧어 바 르거나 붙인다.

 식용홍초(잎)

 식용홍초

[홍초과]

홍초

 급성황달형간염   백대

창양종독, 외상출혈

● 학명 : *Canna generalis* Bailey   ● 별명 : 칸나

1	2	3	4	5	6	7	8	9	10	11	12

여러해살이풀. 굵은 뿌리줄기가 있고 높이 1~2m. 잎은 어긋나며 넓은 타원형, 길이 40~50cm, 너비 약 20cm이다. 꽃은 여름 부터 가을까지 피고 색깔이 다양하다. 꽃 받침 잎과 꽃잎은 각각 3개로 꽃잎이 훨씬 크며 꽃잎 같은 3개의 수술은 달걀 모양이 다. 삭과는 둥글고, 종자는 흑색, 둥글며 딱딱하다.

분포 · 생육지 인도, 말레이시아, 타이 등 열 대아시아 원산. 우리나라 전역에서 자란다.

약용 부위 · 수치 뿌리줄기를 가을에 채취하 여 물에 씻어서 그대로 사용하거나 말려서 사용한다.

약물명 대화미인초(大花美人蕉). 미인초(美 人蕉)라고도 한다.

약효 청열이습(淸熱利濕), 해독, 지혈의 효 능이 있으므로 급성황달형간염, 백대(白 帶), 창양종독(瘡瘍腫毒), 외상출혈을 치료 한다.

성분 tryptophan, β−lectins이 함유되어 있다.

사용법 대화미인초 10g에 물 3컵(600mL) 을 넣고 달여서 복용하고, 외용에는 짓찧어 바르거나 붙인다. 급성황달형간염에는 대 화미인초(大花美人蕉) 90g, 황련등(黃連藤) 30g에 물 5컵(1L)을 넣고 달여서 복용한다. 자궁출혈이나 백대에는 대화미인초(大花美 人蕉) 250g, 쌀 60g, 계육(鷄肉) 10g에 물 을 넣고 달여서 복용한다.

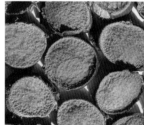 대화미인초(大花美人蕉)

 홍초(뿌리줄기)

홍초(열매)

홍초

[파초과]

파초

● 학명 : *Musa basjoo* Sieb.　● 한자명 : 芭蕉

관엽 식물. 뿌리줄기가 크고 옆에서 작은 덩이줄기가 생겨 번식하며, 잎은 처음에는 말려서 나와 사방으로 퍼진다. 꽃은 여름에 잎 속에서 나와 자라고 잎 같은 포(苞)에 15개 정도의 꽃이 2줄로 달리며 꽃이 피면 포가 떨어진다. 꽃덮개는 황백색, 상하 2쪽으로 되고, 수술은 5개이다. 암꽃에서 간혹 열매가 달리지만 '바나나'에 비하여 작다.

분포 · 생육지 중국 원산. 우리나라 전역에서 재배한다.

약용 부위 · 수치 뿌리줄기를 채취하여 씻어서 그대로 사용하거나 말려서 사용한다. 잎은 수시로 채취하여 그대로 사용하거나 말린다.

약물명 뿌리줄기를 파초근(芭蕉根), 파초두(芭蕉頭)라고 한다. 잎을 파초엽(芭蕉葉)이라 한다.

본초서 「동의보감(東醫寶鑑)」에 "유행성 질병으로 열이 많이 나고 답답해지는 것을 낫게 하고 갈증을 풀어 준다."고 하였다.

東醫寶鑑: 治天行熱狂 煩悶 消渴.

기미 · 귀경 파초근(芭蕉根): 한(寒), 감(甘) · 위(胃), 비(脾), 간(肝). 파초엽(芭蕉葉): 한(寒), 감(甘), 담(淡) · 심(心), 간(肝)

약효 파초근(芭蕉根)은 청열해독(淸熱解毒), 지갈(止渴), 이뇨(利尿)의 효능이 있으므로 열병(熱病), 번민(煩悶), 당뇨병, 단독(丹毒), 각기(脚氣)를 치료한다. 파초엽(芭蕉葉)은 청열(淸熱), 이뇨(利尿), 해독의 효능이 있으므로 열병(熱病), 각기(脚氣), 수종(水腫), 창종(瘡腫)을 치료한다.

사용법 파초근(芭蕉根)은 15g에 물 4컵(800mL)을, 파초엽(芭蕉葉)은 10g에 물 3컵(600mL)을 넣고 달여서 복용한다. 외용에는 짓찧어 바른다.

❍ 파초

❍ 파초엽(芭蕉葉)

❍ 파초(잎)

[파초과]

바나나

● 학명 : *Musa acuminata* Colla [*M. sapientum, M. paradisiaca* var. *sapientum*]

여러해살이풀. 높이 6m 정도. 잎은 직립하거나 비스듬히 서고, 꽃은 여름철에 잎 속에서 나와 자라고, 잎 같은 포(苞)에 15개 정도의 꽃이 2줄로 달리며 꽃이 피면 포가 떨어진다. 꽃덮개는 황백색, 상하 2쪽으로 되고, 수술은 5개이며 꽃밥이 길고 암꽃에서 열매가 주렁주렁 달린다. '파초'와 비슷하나 잎 뒷면이 백색이며 두껍고 열매가 훨씬 크다.

분포 · 생육지 인도 원산. 열대 지방에서 널리 재배한다.

약용 부위 · 수치 열매를 채취하여 그대로 사용하거나 말리고, 봄부터 가을까지 뿌리를 채취하여 물에 씻은 후 그대로 사용하거나 말린다.

약물명 열매를 향초(香蕉)라 하고, 초자(蕉子), 초과(草果)라고도 한다. 뿌리를 향초근(香蕉根)이라고 한다.

약효 향초(香蕉)는 청열(淸熱), 윤폐(潤肺), 활장(滑腸), 해독의 효능이 있으므로 열병번갈(熱病煩渴), 폐조해수(肺燥咳嗽), 변비, 치창(痔瘡)을 치료한다. 향초근(香蕉根)은 청열(淸熱), 양혈(凉血), 해독의 효능이 있으므로 열병번갈(熱病煩渴), 혈림(血淋), 옹종(癰腫)을 치료한다.

사용법 향초 1~4개를 껍질을 벗겨서 먹거나 물에 달여서 복용한다. 향초근은 30~60g에 물 5컵(1L)을 넣고 달여서 복용하고, 외용에는 짓찧어 붙인다.

❍ 바나나

❍ 향초(香蕉)

❍ 바나나(꽃)

[야자과]

코코야자

신경쇠약 | 기침, 천식
간장염, 담관염 | 요도염

● 학명 : *Acrocomia totai* Mart. ● 영명 : Coconut tree

| 1 | 2 | 3 | 4 | 5 | 6 | 7 | 8 | 9 | 10 | 11 | 12 |

상록 교목. 높이 20~30m. 줄기는 곧게 벋고 껍질은 회색이다. 잎은 줄기 끝에 무리지어 깃꼴겹잎으로 달리고 엽초와 더불어 가시가 있다. 꽃은 잎겨드랑이에 총상화서로 작은 꽃이 조밀하게 달리며 유백색이다. 열매는 견과로 포도송이처럼 열리고 껍질이 단단하다.

분포 · 생육지 열대, 아열대. 남아메리카(브라질, 파라과이, 볼리비아) 숲속에서 자란다.

약용 부위 · 수치 열매를 봄부터 가을까지 채취하여 말린다.

약물명 Acrocomiae Fructus

약효 강장, 소염의 효능이 있으므로 신경쇠약, 기침, 천식, 간장염, 요도염, 담관염을 치료한다.

사용법 Acrocomiae Fructus 20g에 우유 3컵(600mL)을 넣고 끓여서 복용한다.

❂ 코코야자(스리랑카)

❂ 코코야자

[야자과]

빈랑나무

충적, 식체, 완복창통, 사리후중 | 각기
수종 | 부종, 소변불리

● 학명 : *Areca catechu* L.

| 1 | 2 | 3 | 4 | 5 | 6 | 7 | 8 | 9 | 10 | 11 | 12 |

상록 교목. 높이 20m 정도. 줄기는 푸른 대처럼 곧게 벋는다. 잎은 깃꼴겹잎으로 길이 1.2m 정도. 꽃은 암수한그루, 육수화서로 가장 밑의 엽초에서 나오고 약간 처지며, 꽃차례의 밑부분에 암꽃, 끝부분에 수꽃이 핀다. 열매는 보통 달걀 모양으로 오렌지색으로 익고 길이 4~5cm, 구형의 종자가 하나 들어 있다.

분포 · 생육지 인도, 말레이시아 원산. 열대아시아에서 많이 재식한다.

약용 부위 · 수치 열매로부터 섬유상의 과육(果肉)과 종자를 3~6월과 11~12월에 채취하여 말린다. 이것을 황색 또는 흑색이 되도록 초(炒)하여 사용한다.

약물명 종자를 빈랑자(檳榔子)라 하며, 섬유상의 과육(果肉)을 대복피(大腹皮)라 한다. 인도네시아와 말레이시아에서 Pinang이라 하는데, 이것을 중국어로 빈랑(檳榔)이라 한다. 빈랑자(檳榔子)와 대복피(大腹皮)는 대한민국약전(KP)에 수재되어 있다.

본초서 빈랑자(檳榔子)는 「명의별록(名醫別錄)」에 처음 수재되었고, "소화를 돕고 수종을 없애며 촌백충을 구제한다."고 하였다. 「동의보감(東醫寶鑑)」에는 "몸속에 있는 바람의 기운을 없애고 모든 기를 내린다. 뼈마디와 몸에 있는 구규(九竅)를 잘 통하게 하고 먹은 음식이 잘 소화되게 한다. 담이 옆구리로 가서 옆구리가 아픈 것과 몸이 붓는 것, 몸속에 나쁜 기운이 몰려 있는 것을 낫게 하고 오장육부에 막혀 있는 기운을 잘 돌게 한다."고 하였다.

名醫別錄: 主消穀逐水 除痰癖 殺三蟲 伏尸療寸白.

東醫寶鑑: 除一切風 下一切氣 通關節 利九竅 消穀逐水 除痰癖 下水腫 破癥結宣利五臟六腑壅滯氣.

대복피(大腹皮)는 「동의보감(東醫寶鑑)」에 "모든 기운을 내리게 하고 구토와 설사가 계속되는 것을 낫게 하며, 대소장을 잘 통하게 한다. 담이 막혀 있는 것과 시큼한 물이 올라오는 것을 낫게 하고 비장을 튼튼하게 하며 입맛을 돋우고 몸이 붓는 것과 배가 몹시 부풀어 오르는 것을 낫게 한다."고 하였다.

東醫寶鑑: 下一切氣 止霍亂 通大小腸 治痰膈醋心 健脾開胃 泄浮腫脹滿.

성상 빈랑자(檳榔子)는 둔한 원추형 또는 편평한 구형을 이루고 그 밑바닥의 중앙에 배꼽(臍點)이 있어 오목하게 들어가고, 길이 2~3cm이다. 표면은 적갈색~흑갈색이며 엷은 그물 모양의 무늬가 있으며 질은 단단하다. 자른 면은 질이 치밀하고 회갈색의 종피가 배유 속에 들어가서 대리석 같은 무늬를 나타낸다. 특이한 냄새가 나며, 맛은 떫고 약간 쓰다. 대복피(大腹皮)는 속이 비어 있는 방추형으로 세로로 자른 형체를 나타내고 길이 4~6cm, 두께 5~8mm이다. 표면은 담갈색을 나타내고 광택이 나며 가는 세로 주름이 있다. 꺾은 면은 섬유질이며 횡단면은 담황색을 띠고 냄새가 약간 있으며 맛은 조금 떫다.

기미 · 귀경 빈랑자(檳榔子): 온(溫), 고(苦), 신(辛) · 위(胃), 대장(大腸). 대복피(大腹皮): 미온(微溫), 신(辛) · 비(脾), 위(胃), 대장(大腸), 소장(小腸)

약효 빈랑자(檳榔子)는 구충(驅蟲), 소적(消積), 하기(下氣), 행수(行水)의 효능이 있으므로 충적(蟲積), 식체(食滯), 완복창통(脘服脹痛), 사리후중(瀉痢後重), 각기(脚氣), 수종(水腫)을 치료한다. 대복피(大腹皮)는 하기관중(下氣貫中), 행수소종(行水消腫)의 효능이 있으므로 흉복창민(胸腹脹悶), 부종(浮腫), 각기(脚氣), 소변불리(小便不利)를 치료한다.

성분 빈랑자(檳榔子)는 알칼로이드 성분인 arecoline, arecaidine, guvacine, guvacoline, arecolidine, steroid 성분인 diosgenin, kryptogenin, β-sitosterol, tannin 성분인 (+)-catechin, (−)-epicatechin, procyanidin B-1, B-2, B-7, A-1, C-3 등이 함유되어 있다. 대복피(大腹皮)는 (+)-catechin, (−)-epicatechin, dimeric syringol, cathchol, 4-hydroxybezaldehyde, vanillic aldehyde, 4-hydroxyacetophenone, apocynin, protocatechuic acid, 4-hydroxybezoic acid 등이 함유되어 있다.

약리 빈랑자(檳榔子)를 물에 달인 액은 지렁이나 거머리에 살충 효과가 있고, 기생충에 구충 작용이 있다. arecolin은 muscarinic receptor에 작용하여 부교감신경을 흥분시킨다. 그러므로 낮은 농도에서는 혈관 확장, 저혈압, 심계항진, 연동 운동 증가, 침·땀 등의 분비 증가, 동공 축소, 방광 수축을 일으킨다. arecoline은 간에서

arecaidine으로 대사되며, arecaidine도 부교감신경을 약하게 흥분시킨다. arecaidine을 쥐에 투여하면 phenothiazine 유도체에 의한 활동성 저하 및 기억 장애를 개선한다. cathchol은 LPS로 유도되는 NO 생성을 억제하고, NF-kB의 활성을 저지한다.

확인 시험 빈랑자(檳榔子): 가루 0.5g에 에테르 5mL 및 가성소다 1mL를 넣고 때때로 흔들어 섞으면서 5분간 냉침하여 여과한다. 이 여액에 d~HCl 3방울을 넣고 수욕상에서 Et₂O를 날려 보낸 액을 여과지 위에 점적하고, 여과지를 말린 다음 Dragendorff 시액을 뿌리면 황적색을 나타낸다.

사용법 빈랑자 또는 대복피 10g에 물 3컵(600mL)을 넣고 달여서 복용한다.

처방 목향빈랑환(木香檳榔丸): 목향(木香)·빈랑자(檳榔子)·청피(靑皮)·진피(陳皮)·황련(黃連)·지각(枳殼)·아출(莪朮)·삼릉(三稜) 각 4g, 황백(黃柏)·대황

(大黃)·향부자(香附子) 12g, 견우자(牽牛子) 16g, 현명분(玄明粉) 8g(『단계심법(丹溪心法)』). 급성 소화불량으로 배가 그득하고 복통이 일어나는 증상에 사용한다.

• 목향순기산(木香順氣散): 목향(木香)·향부자(香附子)·빈랑자(檳榔子)·청피(靑皮)·진피(陳皮)·후박(厚朴)·창출(蒼朮)·지각(枳殼)·사인(砂仁) 각 4g, 구감초(炙甘草) 2g, 생강(生薑) 1.2g(『증치준승(證治準繩)』). 이기소적(理氣消積)으로 오는 복통, 소화불량, 구토, 설사에 사용한다.

• 곽향정기산(藿香正氣散): 곽향(藿香) 6g, 소엽(蘇葉) 4g, 백지(白芷)·대복피(大腹皮)·복령(茯苓)·백출(白朮)·후박(厚朴)·진피(陳皮)·반하(半夏)·길경(桔梗)·구감초(炙甘草) 각 2g, 생강(生薑) 3쪽, 대추(大棗) 2알(『동의보감(東醫寶鑑)』). 풍한에 상한 데다 음식을 잘못 먹고 체하여 오슬오슬 춥다가 열이 나면서 머리가 아프고 명치 밑이 불편한 증상에 사용한다.

• 오피음(五皮飮): 복령피(茯苓皮) 16g, 상백피(桑白皮)·진피(陳皮)·생강피(生薑皮)·대복피(大腹皮) 각 8g(『중장경(中藏經)』). 부종, 소변불리, 호흡곤란, 흉복창만(胸腹脹滿), 한습각기(寒濕脚氣)에 사용한다.

❍ 빈랑자(檳榔子)

❍ 빈랑자(檳榔子, 절편)

❍ 대복피(大腹皮)

❍ 대복피(大腹皮, 신선품)

❍ 빈랑나무

❍ 빈랑나무(열매)

[야자과]

쌍자종

 월경과다, 붕루, 자궁하수   객혈

● 학명 : *Arenga caudata* (Lour.) H. E. moore [*Borassus caudatus*]
● 한자명 : 双籽棕

| 1 | 2 | 3 | 4 | 5 | 6 | 7 | 8 | 9 | 10 | 11 | 12 |

○ 쌍자종(꽃)

상록 관목. 높이 2m 정도. 줄기는 오래된 엽초로 덮여 있다. 잎은 1회 깃꼴겹잎, 작은잎은 마름모형이다. 열매는 구형, 지름 1cm 정도로 적갈색으로 익으며, 종자가 3개 들어 있다.

분포·생육지 인도, 중국, 베트남, 인도네시아. 열대 아시아에서 많이 재식한다.

약용 부위·수치 뿌리를 수시로 채취하여 피층을 제거한 후 썰어서 말린다.

약물명 야종(野棕), 산종(山棕)이라고도 한다.

약효 양혈지혈(凉血止血), 수렴고탈(收斂固脫)의 효능이 있으므로 월경과다, 붕루(崩漏), 객혈, 자궁하수를 치료한다.

사용법 야종 30g에 물 4컵(800mL)을 넣고 달여서 복용한다.

○ 쌍자종

[야자과]

단수어미규

 소화불량, 복통복사, 이질

● 학명 : *Caryota mitis* Lour.   ● 한자명 : 短穗魚尾葵, 酒椰子, 小黃棕

| 1 | 2 | 3 | 4 | 5 | 6 | 7 | 8 | 9 | 10 | 11 | 12 |

상록 소교목. 높이 5~8m. 줄기에는 흡근(吸根)이 있다. 잎은 2회 깃꼴겹잎, 꽃차례는 잎겨드랑이에서 나오고 길이 25~40cm로 짧다. 열매는 구형으로 지름 1.5cm 정도, 흑자색으로 익는다.

분포·생육지 타이, 말레이시아, 인도, 필리핀, 중국 남부. 열대 아시아에서 많이 재식한다.

약용 부위·수치 줄기 속을 수시로 채취하여 가루로 만든 후 물을 부어 교반한다. 이것을 여과하여 침전물을 말린다.

약물명 동종분(董棕粉)

약효 건비(健脾), 지사(止瀉)의 효능이 있으므로 소화불량, 복통복사(腹痛腹瀉), 이질을 치료한다.

사용법 동종분 10g을 1일 2회 복용한다.

○ 단수어미규

[야자과]

어미규

 간신허약   근골위연

 토혈, 변혈   혈붕

● 학명 : *Caryota ochlandra* Hance   ● 한자명 : 魚尾葵, 棕木

| 1 | 2 | 3 | 4 | 5 | 6 | 7 | 8 | 9 | 10 | 11 | 12 |

상록 교목. 높이 20m 정도. 줄기에는 흡근(吸根)이 있다. 잎은 2회 깃꼴겹잎, 꽃차례는 잎겨드랑이에서 나오고 길이 3m 정도로 길다. 열매는 구형으로 지름 2cm 정도, 담적색으로 익는다.

분포·생육지 타이, 말레이시아, 인도, 필리핀, 중국 남부. 열대 아시아에서 많이 재식한다.

약용 부위·수치 뿌리와 잎을 수시로 채취하여 썰어서 말린다.

약물명 뿌리를 어미규근(魚尾葵根), 잎을 어미규(魚尾葵)라 한다.

약효 어미규근(魚尾葵根)은 강근장골(强筋壯骨)의 효능이 있으므로 간신허약(肝腎虛弱), 근골위연(筋骨痿軟)을 치료한다. 어미규(魚尾葵)는 수렴지혈(收斂止血)의 효능이 있으므로 토혈, 변혈, 혈붕(血崩)을 치료한다.

사용법 어미규근 또는 어미규 10g에 물 3컵(600mL)을 넣고 달여서 복용한다.

○ 어미규

[야자과]

사탕야자

 산후혈어복통 　 심복냉통

● 학명 : *Arenga pinnata* (Wurmb.) Merr. ● 한자명 : 砂糖椰子

1	2	3	4	5	6	7	8	9	10	11	12

상록 소교목. 높이 5~10m. 줄기는 비교적 굵으며 지름 15~30cm이다. 잎은 줄기 끝에서 모여난다. 열매는 달걀 모양, 길이 3.5~5cm로 3개의 능선이 있고, 종자가 3개 들어 있다.

분포 · 생육지 인도, 중국, 남아메리카(페루). 열대 아시아에서 재식한다.

약용 부위 · 수치 열매가 익으면 수시로 채취하여 물에 씻은 후 말린다.

약물명 빈랑자(檳榔子). 사당야자(砂糖椰子)라고도 한다.

약효 거어파적(祛瘀破積), 지통(止痛)의 효능이 있으므로 산후혈어복통(産後血瘀腹痛), 심복냉통(心腹冷痛)을 치료한다.

사용법 빈랑자를 가루로 만들어 2g을 복용한다.

❶ 빈랑자(檳榔子)

❶ 사탕야자(열매)

❶ 사탕야자

[야자과]

야자나무

 감적, 장내 기생충병

● 학명 : *Cocos nucifera* L.

1	2	3	4	5	6	7	8	9	10	11	12

상록 교목. 높이 20~30m. 줄기는 곧게 벋고 끝에 길이 5~7m의 길고 튼튼한 잎이 많이 나온다. 잎겨드랑이로부터 꽃차례를 내고 밑부분에 암꽃, 끝부분에 수꽃이 달린다. 수술은 6개, 씨방은 3실로 되고 그중에 한 개가 열매로 된다. 열매는 길이 25~30cm, 황등색이다. 중과피는 섬유상이고, 내과는 단단하다.

분포 · 생육지 타이, 말레이시아, 인도, 필리핀, 중국 남부. 열대 아시아에서 많이 재식한다.

약용 부위 · 수치 종자를 1~12월에 채취하여 종육(種肉)을 긁어내어 말린다.

약물명 야자양(椰子瓤)

본초서 「동의보감(東醫寶鑑)」에는 야자(椰子)라는 이름으로 수재되어 "야자 속 부분은 기운을 돕고 바람으로 유발된 병을 낫게 한다. 야자 속의 즙은 술과 비슷하나 마셔도 취하지 않는다. 껍질을 술잔으로 쓰면 술에 독이 있으면 속이 끓어 오른다."고 하였다.

東醫寶鑑: 肉益氣治風 其中有漿似酒 飮之

❶ 야자나무(열매)

不醉 殺爲酒器 酒有毒則沸起.

약효 익기건비(益氣健脾), 살충, 소감(消疳)의 효능이 있으므로 감적(疳積), 장내 기생충병을 치료한다.

사용법 야자양 생것을 그대로 먹거나 압축하여 나오는 즙액 75~100mL를 복용한다.

❶ 야자나무(열매 내부)

❶ 야자양(椰子瓤)

❶ 야자나무

[야자과]

기린갈

 타박상, 어혈통, 외상출혈 ♀ 산후복통

● 학명 : *Daemonorops draco* Bl. ● 한자명 : 麒麟竭

| 1 | 2 | 3 | 4 | 5 | 6 | 7 | 8 | 9 | 10 | 11 | 12 |

상록 소교목. 높이 10~15m. 줄기에 상처를 내면 붉은색의 즙액이 흘러나오며, 가지를 많이 치고, 회백색, 묵은 잎이 붙은 자국이 환상으로 남아 있다. 잎은 보통 가지 끝에 모여나고 긴 타원형, 길이 30~40cm, 담황색이다. 장과는 구형이며 지름 2~3cm, 적갈색이다.

분포·생육지 중국 남부, 타이완, 필리핀, 타이, 말레이시아, 베트남, 인도, 인도네시아. 열대 지방의 산과 들에서 흔하게 자란다.

약용 부위·수치 열매를 1~12월에 채취하여 가마솥에 넣고 쪄서 수지(樹脂)가 흘러나오게 하거나, 짓찧어 삼베에 싸서 압착하여 수지가 나오게 한 다음 농축하여 덩어리 모양으로 만든다. 줄기는 쪼개거나 작은 구멍을 뚫어서 수지가 흘러나오게 하여 건고하여 덩어리를 만들거나 가루로 만들어 사용한다.

약물명 혈갈(血竭), 기린갈(麒麟竭), 기린혈(麒麟血), 혈결(血結), 목혈갈(木血竭)이라고도 한다. 대한민국약전외한약(생약)규격집(KHP)에 수재되어 있다.

본초서 혈갈(血竭)은 「뇌공포자론(雷公炮炙論)」에 처음 수재되었으며, 당나라의 「신수본초(新修本草)」에 "심복졸통(心腹卒痛), 금창출혈(金瘡出血)을 치료하며, 통증을 멈추게 하고, 피부가 생기게 하며, 오장(五臟)의 사기(邪氣)를 없애는 약물이다."라고 기록되어 있다. 「본초강목(本草綱目)」에는 "이 약물은 건혈(乾血)과 같은 모양이므로 혈갈(血竭)이라고 하며, 때로는 말(馬)의 피와 비슷하고, 말의 또 다른 이름이 기린(麒麟)이므로 기린갈(麒麟竭)이라고도 한다."고 하였다. 「동의보감(東醫寶鑑)」에는 "종기가 벌겋게 부어오르고 곪는 것과 옴, 버짐, 그리고 쇠붙이에 다친 것을 낫게 한다. 피를 멈추게 하고 통증을 낫게 하며 새살이 돋아나게 한다. 성질이 급하므로 많이 쓸 수는 없다. 많이 사용하면 오히려 고름이 생긴다."고 하였다.

新修本草: 主五臟邪氣, 帶下, 止痛, 破積血, 金瘡生肉.

日華子: 治一切惡瘡疥癬久不合者, 引膿.

本草綱目: 散滯血諸痛, 婦人血氣.

東醫寶鑑: 治一切惡瘡疥癬 療金瘡 止血 定痛生肌 但性急 不可多用 反能引膿.

성상 고르지 않은 덩어리로, 표면은 적갈색~흑갈색이며 광택이 나고, 질은 단단하며 부서지기 쉽고, 냄새는 없다.

기미·귀경 평(平), 감(甘), 함(鹹)·심(心), 간(肝)

약효 산어정통(散瘀定痛), 지혈(止血), 생기렴창(生肌斂瘡)의 효능이 있으므로 타박상, 어혈통, 산후복통, 외상출혈 등을 치료한다.

성분 dracorubin, dracorhodin, nordracorubin, nordrachorhodin, dracooxepine, dracoflavan, pimaric acid, isopimaric acid, abietic acid, isoabietic acid 등이 함유되어 있다.

약리 쥐에게 혈갈 2g/kg을 투여하면 염증을 제거하는 작용이 있다. 토끼에게 혈갈 0.09g/kg을 정맥주사하면 혈전의 형성을 억제한다. 혈갈을 쥐에게 투여하면 혈중의 c-AMP는 증가시키고 c-GMP는 하강시킨다.

사용법 혈갈을 가루로 만들어 1g을 물로 복용하고, 외용에는 적당량을 바르거나 뿌린다.

처방 혈갈산(血竭散): 포황(蒲黃) 8g, 용골(龍骨)·고백반(枯白礬) 각 4g, 한수석(寒水石) 16g, 혈갈(血竭) 2g(「동의보감(東醫寶鑑)」). 치감(齒疳)으로 이빨이 검게 되고 잇몸이 벌겋게 짓물러 아프고 뺨이 붓고 혀가 아프며 입에서 냄새가 나는 증상에 사용한다.

• 팔리산(八釐散): 소목(蘇木) 20g, 홍화(紅花) 80g, 마전자(馬錢子) 4g, 자연동(自然銅)·유향(乳香)·몰약(沒藥)·혈갈(血竭) 각 12g, 사향(麝香) 0.4g, 정향(丁香) 2g, 가루로 만들어 3g씩 복용(「의종금감(醫宗金鑑)」). 타박상, 근골절상(筋骨折傷)에 사용한다.

• 진주산(珍珠散): 노감석(爐甘石) 320g, 진주(珍珠) 4g, 호박(琥珀) 2.8g, 종유석(鐘乳石) 2.4g, 주사(朱砂)·상피(象皮) 각 2g, 용골(龍骨)·적석지(赤石脂) 각 1.6g, 혈갈(血竭) 0.8g을 가루로 만들어 환부에 뿌리거나 참기름에 개어서 붙임(「장씨의통(張氏醫通)」). 화농성 감염이나 만성궤양이 오래되어도 낫지 않을 때 사용한다.

✪ 혈갈(血竭)

✪ 기린갈 줄기에서 혈갈(血竭)을 채취한다.

✪ 혈갈(血竭)연구소(중국 시솽반나열대식물원)

✪ 혈갈(血竭)로 만든 어혈 치료제

✪ 기린갈

약용 식물 Ⅱ

[야자과]

장화용혈수

	해혈		요혈
	변혈		근골통

●학명 : *Dracaena angustifolia* Roxb.　●한자명 : 長花龍血樹

| 1 | 2 | 3 | 4 | 5 | 6 | 7 | 8 | 9 | 10 | 11 | 12 |

관목. 높이 3m 정도. 줄기에 상처를 내면 붉은색의 수지가 흘러나온다. 잎은 줄기 끝에 조밀하게 붙는다. 꽃은 잎겨드랑이에서

나오는 원추화서로 피고 녹자색, 씨방하위, 3실이다. 삭과는 편원형으로 3개의 능이 있다.

분포·생육지 중국 남부, 베트남, 캄보디아 등 열대, 아열대. 세계 각처에서 재배한다.

약용 부위·수치 줄기에 상처를 내어 흘러나오는 수지를 보료(輔料)를 넣어 가공한다.

약물명 혈갈(血竭). 대한민국약전외한약(생약)규격집(KHP)에 수재되어 있다.

약효 양혈지혈(涼血止血), 산어정통(散瘀定痛)의 효능이 있으므로 해혈(咳血), 요혈(尿血), 변혈(便血), 근골통(筋骨痛)을 치료한다.
＊약효 및 사용법은 '기린갈 *Daemonorops draco*'과 같다.

❍ 장화용혈수

❍ 장화용혈수(줄기)

❍ 장화용혈수(꽃)

[야자과]

대추야자

	기허영약		식적불화
	해수유담		

●학명 : *Phoenix dactylifera* L.　●영명 : Cammon date tree　●별명 : 무루자나무

| 1 | 2 | 3 | 4 | 5 | 6 | 7 | 8 | 9 | 10 | 11 | 12 |

상록 교목. 높이 30m 정도. 줄기에는 잎이 붙었던 자리가 조밀하게 남아 있다. 잎은 깃꼴로 갈라지며 길이 6m 정도, 깃꼴 조각은 길이 20~40cm이다. 아래 잎은 밑으로 처지고, 중간 것은 비스듬히 위를 향하며 위의 것은 바로 선다. 꽃은 3~4월에 피고 담황색이며, 열매는 타원상 구형, 9~10월에 등황색으로 익는다.

분포·생육지 중국 남부, 타이완, 필리핀, 타이, 말레이시아, 베트남, 인도, 인도네시아. 열대 지방의 산과 들에서 흔하게 자란다.

약용 부위·수치 열매를 가을에 채취하여 말린다.

약물명 무루자(無漏子). 파사조(波斯棗), 번조(番棗)라고도 한다.

약효 익기보허(益氣補虛), 소식제담(消食除痰)의 효능이 있으므로 기허영약(氣虛羸弱), 식적불화(食積不化), 해수유담(咳嗽有痰)을 치료한다.

성분 luteolin sulfate, chrysoeriol−7−*O*−glucoside sulfate, quercetin−3−*O*−glucoside sulfate, luteolin−7−*O*−glucoside,

luteolin−7−*O*−rutinoside, isorhamnetin−3−*O*−glucoside, vanillic acid, protocatechic acid, *p*−coumaric acid 등이 함유되어 있다.

사용법 무루자를 가루로 만들어 5g을 물로 복용한다.

❍ 대추야자(열매)

❍ 무루자(無漏子)

❍ 대추야자(종자)

❍ 대추야자

[야자과]

톱야자

전립선염, 전립선비대증

● 학명 : *Serenoa repens* (Bartram) Small [*Sabal serrulata*]　● 영명 : Saw palmetto, Sabal

❍ Serenoae Fructus로 만든 방광염 치료제

❍ Serenoae Fructus로 만든 전립선염 치료

| 1 | 2 | 3 | 4 | 5 | 6 | 7 | 8 | 9 | 10 | 11 | 12 |

상록 관목. 높이 2~3m. 줄기는 퇴화하여 짧다. 잎은 깃꼴겹잎, 작은잎은 부채 모양으로 10~14 갈래로 갈라지며 끝이 날카롭다. 열매는 장과, 올리브 열매 정도로 크고 적황색으로 익는다.

분포 · 생육지 북아메리카(플로리다, 텍사스 등 남부), 멕시코. 양지에서 자란다.

약용 부위 · 수치 열매를 가을에 채취하여 말린다.

약물명 Serenoae Fructus. 일반적으로는 Saw palmetto 또는 Sabal이라고 한다.

약효 소염이뇨, 대사촉진의 효능이 있으므로 전립선염, 전립선비대증을 치료한다.

성분 β-sitosterol, campesterol, cycloartenol 등이 함유되어 있다.

약리 β-sitosterol, campesterol, cycloartenol은 소염 작용이 있으며, 전립선비대증을 감소시키는 작용이 있다.

사용법 Serenoae Fructus를 가루로 만들어 1~2g을 물로 복용하고, 추출물로 만든 정제 또는 캡슐 제제는 하루 320mg을 복용한다.

❍ 톱야자

[야자과]

대왕야자

소화불량, 구토증　　우울증

● 학명 : *Syagrus oleracea* (Mart) Bcc.　● 영명 : Catole

| 1 | 2 | 3 | 4 | 5 | 6 | 7 | 8 | 9 | 10 | 11 | 12 |

상록 관목. 높이 10~12m. 줄기는 단단하고 회색이다. 잎은 깃꼴겹잎, 작은잎은 길고 바늘 모양으로 끝이 날카롭다. 꽃은 암수한그루로 줄기 끝에서 핀다. 열매는 핵과, 단단하며 적황색으로 익는다.

분포 · 생육지 열대, 아열대. 양지에서 자라고, 브라질에서 대량으로 재식한다.

약용 부위 · 수치 뿌리를 수시로 채취하여 사용한다.

약물명 Syagri Radix. 일반적으로는 Catole이라고 한다.

약효 소염이뇨, 대사 촉진의 효능이 있으므로 소화불량, 우울증, 구토증을 치료한다.

사용법 Syagri Radix 10g에 물 3컵(600mL)을 넣고 달여서 복용한다.

❍ 대왕야자

[야자과]

종려나무

토혈, 변혈, 사리　육혈

요혈, 유정　혈붕, 붕루, 대하

●학명 : *Trachycarpus fortunei* (Hook.) H. Wendl.　●별명 : 당종려

1	2	3	4	5	6	7	8	9	10	11	12

상록 교목. 높이 15m 정도. 줄기는 곧게 서 며 가지는 뻗지 않는다. 줄기에는 잘 떨어 지지 않는 오래된 잎자루 밑부분이 섬유처 럼 된 것이 있다. 잎은 줄기 끝에서 모여나 며 손바닥 모양으로 깊게 갈라진다. 꽃은 암수딴그루, 육수화서로 원추형으로 배열 하며, 작고 황백색으로 다수이다. 수술은 6 개, 핵과는 구형 또는 신장형에 가깝다.

분포·생육지 중국 장쑤성(江蘇省)·광둥 성(廣東省)·광시성(廣西省)·윈난성(雲南 省), 베트남, 타이, 타이완, 필리핀, 인도. 밀림 지대에서 자란다.

약용 부위·수치 가을에 시든 엽초를 채취하 여 적당한 크기로 썰어서 사용하고, 열매는 서리가 내리기 전에 채취하여 말린다.

약물명 엽초를 종려피(棕櫚皮)라 하며, 종 모(棕毛)라고도 한다. 열매를 종려자(棕櫚 子)라 한다. 종려피(棕櫚皮)는 대한민국약 전외한약(생약)규격집(KHP)에 수재되어 있다.

본초서 종려피(棕櫚皮)는 「본초습유(本草拾 遺)」에 처음 수재되었고 "어혈을 풀어서 출 혈을 멎게 한다."고 하였다. 송나라의 「일화 자본초(日華子本草)」에는 "코피가 자주 터 지고 토혈이나 대변과 함께 피가 섞여 나오 는 증상을 치료한다."고 하였다. 종려자(棕 櫚子)도 「본초습유(本草拾遺)」에 처음 수재 되었으며 "장(腸)을 튼튼히 하여 설사를 멎 게 하고 성 기능을 강화시킨다."고 하였다. 「동의보감(東醫寶鑑)」에는 "코피가 쏟아지 는 것과 피를 토하는 것, 치질로 피가 나 오는 것, 대변에 피가 섞여 나오는 것, 자궁 에서 분비물이 나오는 것을 그치게 한다." 고 하였다.

東醫寶鑑: 止鼻洪 吐血 腸風 赤白痢 及婦人 崩中帶下.

성상 잎자루가 오래 묵어 만들어진 헛줄기 의 겉껍질이다. 보통은 판상으로 표면은 갈 색이며 거친 세로줄이 있으며 굵은 융모와 섬유들이 뒤엉켜 있다. 질은 단단하고 질기 다. 냄새는 없고 맛은 떫다.

기미·귀경 종려피(棕櫚皮): 평(平), 고(苦), 삽(澁)·간(肝), 비(脾), 대장(大腸). 종려자 (棕櫚子): 평(平), 고(苦), 감(甘), 삽(澁)

약효 종려피(棕櫚皮)는 수렴지혈(收斂止血) 의 효능이 있으므로 토혈(吐血), 육혈(衄 血), 변혈(便血), 요혈(尿血), 혈붕(血崩)을 치료한다. 종려자(棕櫚子)는 지혈삽장(止 血澁腸), 고정(固精)의 효능이 있으므로 장 풍(腸風), 붕루(崩漏), 대하(帶下), 사리(瀉 痢), 유정(遺精)을 치료한다.

성분 종려피(棕櫚皮)는 luteolin-7-O-β-

D-glucoside, luteolin-7-O-β-D-ruti-noside, methylprotodiosgenin tetraglyco-side 등이 함유되어 있다.

약리 모세혈관법에 의하여 종려피(棕櫚皮) 의 열수추출물 13g/kg을 쥐에게 투여하면 혈액 응고 시간이 대조군에 비하여 현저히 빠르다.

사용법 종려피 또는 종려자 10~15g에 물 3 컵(600mL)을 넣고 달여서 복용한다.

처방 흑산자(黑散子), 종려산(棕櫚散), 종회 산(棕灰散), 종려피산(棕櫚皮散), 종애산(棕 艾散), 여성산(櫚聖散) 등에 배합된다.

❶ 종려자(棕櫚子)

❶ 종려자(棕櫚子, 신선품)

❶ 종려피(棕櫚皮)

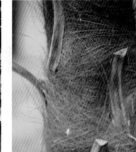
❶ 종려나무(엽초)

❶ 종려나무

[난초과]

병아리난초

종독　　토혈

●학명 : *Amitostigma gracilis* (Blume) Schlechter　●별명 : 병아리란, 바위난초

| 1 | 2 | 3 | 4 | 5 | 6 | 7 | 8 | 9 | 10 | 11 | 12 |

❂ 병아리난초(꽃)

여러해살이풀. 높이 15cm 정도. 뿌리는 방추형이고, 잎은 줄기 밑부분에 1개가 있으며 긴 타원형이다. 꽃은 적자색으로 꽃대의 한쪽으로 치우쳐 달린다. 입술꽃잎은 넓고 3개로 갈라지며 측열편은 가늘고 짧다.

분포 · 생육지 우리나라 전역. 중국, 일본. 바위나 나무 위에 착생한다.

약용 부위 · 수치 뿌리줄기 또는 전초를 여름과 가을에 채취하여 물에 씻어서 말린다.

약물명 독엽일지창(獨葉一枝槍). 쌍신초(双腎草)라고도 한다.

약효 해독소종(解毒消腫), 활혈지혈(活血止血)의 효능이 있으므로 종독(腫毒), 토혈을 치료한다.

사용법 독엽일지창 15g에 물 3컵(600mL)을 넣고 달여서 복용한다. 외용에는 짓찧어 바르거나 붙인다.

❂ 병아리난초

[난초과]

죽엽란

황달　　열림
수종

●학명 : *Arundina graminifolia* (D. Don) Hochr. [*A. chinensis*, *Bletia graminifolia*]
●한자명 : 竹葉蘭

| 1 | 2 | 3 | 4 | 5 | 6 | 7 | 8 | 9 | 10 | 11 | 12 |

❂ 죽엽란(꽃)

여러해살이풀. 높이 100~130cm. 뿌리는 방추형, 잎은 줄기 밑부분에 1개, 긴 타원형. 꽃은 총상화서로 피며, 적자색, 입술꽃잎은 넓고 아랫부분이 2개로 갈라진다.

분포 · 생육지 인도, 중국 저장성(浙江省), 장시성(江西省), 푸젠성(福建省). 산골짜기에서 자란다.

약용 부위 · 수치 뿌리줄기 또는 전초를 여름과 가을에 채취하여 물에 씻어서 말린다.

약물명 장간란(長杆蘭). 초강(草姜)이라고도 한다.

약효 청열해독(淸熱解毒), 거풍이습(祛風利濕), 산어지통(散瘀止痛)의 효능이 있으므로 황달, 열림(熱淋), 수종을 치료한다.

사용법 장간란 15g에 물 3컵(600mL)을 넣고 달여서 복용한다.

❂ 죽엽란

[난초과]

자란

 폐상해혈 비출혈 궤양동통

●학명 : *Bletilla striata* Reichb. fil. ●별명 : 대왕풀, 대암풀 ●한자명 : 紫蘭

1	2	3	4	5	6	7	8	9	10	11	12

여러해살이풀. 위구경(僞球莖)은 편구형, 육질, 백색으로 몇 개가 옆으로 이어진다. 잎은 줄기 밑부분에서 5~6개가 달리며 어긋나고, 꽃은 5~6월에 6~7개의 적자색 꽃이 총상으로 달린다. 삭과는 길이 3~3.5cm이다.

분포·생육지 우리나라 전남(유달산). 인도네시아, 인도, 중국, 일본. 산에서 자란다.

약용 부위·수치 뿌리줄기를 가을에 채취하여 수염뿌리를 제거하여 씻은 후 쪄서 껍질을 벗기고 말려서 사용한다.

약물명 백급(白芨), 백약(白藥)이라고도 한다. 대한민국약전외한약(생약)규격집(KHP)에 수재되어 있다.

본초서 백급(白芨)은 「신농본초경(神農本草經)」의 하품(下品)에 수재되어 있으며, 「본초강목(本草綱目)」에는 "그 뿌리가 백색(白色)이고 옆으로 길게 연결(及)되는 풀이므로 백급(白及)이라 한다."고 하였다. 「동의보감(東醫寶鑑)」에 "종기가 벌겋게 부어올라 아프고 가려우며 곪는 곳, 상처가 썩는 곳, 등에 난 종기, 나력, 치루를 낫게 한다. 칼이나 화살에 다쳐서 난 상처와 끓는 물이나 불에 덴 상처를 낫게 한다."고 하였다.

神農本草經: 主癰腫惡瘡敗疽 傷陰死肌 胃中邪氣 賊風鬼擊 痱緩不收.

藥性論: 治結熱不消 主陰下痿 治面上皯疱 令人肌滑.

東醫寶鑑: 主癰腫惡瘡敗疽 發背 瘰癧 腸風痔漏 刀箭撲損傷 湯火瘡.

성상 편평한 삼각상 달걀 모양이며 길이 2~3cm, 지름 1~2cm이다. 표면은 황백색~황갈색이며, 위쪽 끝에는 줄기 자국이나 잎 자국이 있다. 질은 각질이고 단단하다. 냄새가 없으며, 맛은 조금 쓰고 점액성이 있다. 겉껍질이 없으며 크고 충실하며 백색인 것이 좋다.

기미·귀경 고(苦), 감(甘), 삽(澁), 미한(微寒)·폐(肺), 위(胃)

약효 보폐(補肺), 지혈(止血), 소염(消炎), 배농(排膿)의 효능이 있으므로 폐상해혈(肺傷咳血), 비출혈(鼻出血), 궤양동통(潰瘍疼痛)을 치료한다.

성분 blestrin A, B, 3,7-dihydroxy-2,4,8-trihydroxyphenanthrene, 3,7-dihydroxy-2,4-dimethoxyphenanthrene, 9,10-dihydro-4,7-dimethoxyphenanthrene-2,8-diol, 9,10-dihydro-1-4-(4′-hydroxybenzyl)-4,7-dimethoxyphenanthrene-2,8-diol, gigantol, 3′,4″-dihydroxy-5′,3″,5″-trimetoxybibenzyl, batatasin III 등이 함유되어 있다.

약리 국소 지혈 작용이 있는데, 이는 혈구를 응집시켜 인공 혈전을 형성하는 것에 기인하며, 그 효과는 빠르고 확실하며 또 위천공(胃穿孔)에 사용하면 점액이 천공을 막는 효력이 있다. 항균 시험에서는 결핵균에 항균력이 있어서 폐결핵 및 규폐(硅肺)와 폐결핵의 합병증에 사용된다. gigantol, 3′,4″-dihydroxy-5′,3″,5″-trimetoxybibenzyl 및 batatasin III는 암세포인 A549, OV-3, SK-MEL-2, HCT-15에 세포 독성이 있다.

사용법 백급 7g에 물 3컵(600mL)을 넣고 달여서 복용하거나 환약이나 가루약으로 복용한다. 외용에는 분말로 하여 산포한다.

처방 백급비파환(白芨枇杷丸): 백급(白芨) 30g, 비파엽(枇杷葉)·우절(藕節)·합분(蛤粉)·아교(阿膠) 각 15g 「증치준승(證治準繩)」. 해수(咳嗽), 객혈(喀血), 해혈(咳血) 등 폐경(肺經)의 출혈성 질환에 사용한다.

○ 백급(白芨)

○ 백급(白芨, 절편)

○ 자란(뿌리줄기)

○ 자란

○ 백급(白芨)과 해표초(海螵蛸)로 만든 위장염 치료제

[난초과]

혹난초

폐열해수, 폐로객혈 　 인후동통 　 타박상
풍습비통 　 월경부조 　 열병번갈

●학명 : *Bulbophyllum inconspicuum* Maxim.　●별명 : 보리난초

| 1 | 2 | 3 | 4 | 5 | 6 | 7 | 8 | 9 | 10 | 11 | 12 |

상록 덩굴성 여러해살이풀. 줄기는 길게 옆으로 벋고, 길이 6~8mm의 위경이 드문드문 나며 그 끝에 잎이 1개씩 난다. 잎은 육질이고 긴 타원형, 길이 2~3.5cm, 너비 6~8mm, 주맥이 뚜렷하며 7~9맥이 있다. 꽃은 6~7월에 황백색으로 피고, 삭과는 달걀 모양으로 길이 7mm 정도이다.

분포 · 생육지 우리나라 제주도, 남부 지방의

섬. 중국, 일본. 바위나 나무 위에 착생한다.

약용 부위 · 수치 뿌리줄기를 가을에 채취하여 물에 씻어서 생것으로 또는 말려서 사용한다.

약물명 맥곡(麥斛). 석두(石豆), 석선도(石仙桃)라고도 한다.

약효 청열자음(淸熱慈陰), 윤폐지해(潤肺止咳)의 효능이 있으므로 폐열해수(肺熱咳嗽), 폐로객혈(肺勞喀血), 인후동통(咽喉疼痛), 열병번갈(熱病煩渴), 풍습비통(風濕痺痛), 월경부조(月經不調), 타박상을 치료한다.

사용법 맥곡 10g에 물 3컵(600mL)을 넣고 달여서 복용하고, 생것은 40g에 물을 넣고 달여서 복용한다. 외용에는 짓찧어서 바르거나 붙인다.

＊본 종에 비하여 위경이 없고 잎은 원형이며 주맥이 불분명한 '콩짜개란(덩굴난초) *B. drymoglossum*'도 약효가 같다.

❂ 혹난초

❂ 혹난초(꽃)

[난초과]

새우난초

나력, 옹종, 타박상 　 인후종통
치창 　 풍습비통

●학명 : *Calanthe discolor* Lindl.　●별명 : 새우란

| 1 | 2 | 3 | 4 | 5 | 6 | 7 | 8 | 9 | 10 | 11 | 12 |

여러해살이풀. 뿌리줄기는 길게 옆으로 벋고 염주형으로 마디가 많으며 잔뿌리를 낸다. 꽃대는 높이 30~50cm이고 1~2개의 비늘잎이 있다. 잎은 2~3개가 뿌리에서 나고 긴 타원형, 길이 15~25cm, 너비 4~8cm, 밑은 좁아져 자루가 되며 주름이 진다. 꽃은 4~5월에 암갈색으로 피고 8~15개가 총상으로 달린다.

분포 · 생육지 우리나라 제주도, 남부 지방의 섬. 중국, 일본. 바위나 나무 위에 착생한다.

약용 부위 · 수치 뿌리가 달린 전초를 가을에 채취하여 물에 씻은 후 말려서 사용한다.

약물명 구자연환초(九子連環草). 주관주(珠串珠), 야백계(夜白鷄)라고도 한다.

약효 청열해독(淸熱解毒), 활혈지통(活血止痛)의 효능이 있으므로 나력(瘰癧), 옹종(癰腫), 인후종통(咽喉腫痛), 치창(痔瘡), 풍습비통(風濕痺痛), 타박상을 치료한다.

사용법 구자연환초 10g에 물 3컵(600mL)을 넣고 달여서 복용하거나 가루로 만들어 복용하고, 외용에는 짓찧어 바르거나 붙인다.

＊본 종에 비하여 꽃이 황색인 '금새우난초 *C. sieboldii*'도 약효가 같다.

❂ 구자연환초(九子連環草)

❂ 새우난초

[난초과]

여름새우난초

 기관지염, 해수　　치창

●학명 : *Calanthe reflexa* Max.　●별명 : 여름새우란

| 1 | 2 | 3 | 4 | 5 | 6 | 7 | 8 | 9 | 10 | 11 | 12 |

여러해살이풀. 높이 20~40cm. 잎은 줄기 밑부분에서 5~6개가 난다. 꽃은 분홍색, 총상화서로 피고 거(距)는 없으며 입술꽃잎은 처지고 3갈래이다.

분포 · 생육지 우리나라 제주도, 남부 지방 섬. 중국, 일본. 산지의 숲에서 자란다.

약용 부위 · 수치 전초를 여름과 가을에 채취하여 물에 씻은 후 말린다.

약물명 염악하척란(鐮萼蝦脊蘭), 반식초(飯食草)라고도 한다.

약효 윤폐지해(潤肺止咳), 활혈산결(活血散結), 소종해독(消腫解毒)의 효능이 있으므로 기관지염, 해수(咳嗽), 치창(痔瘡)을 치료한다.

사용법 염악하척란 7g에 물 3컵(600mL)을 넣고 달여서 복용하고, 외용에는 짓찧어 바르거나 붙인다.

❶ 여름새우난초

[난초과]

은난초

 고열　　 구갈, 후통

소변불리

●학명 : *Cephalanthera erecta* (Thub.) Blume　●별명 : 은란

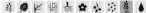

| 1 | 2 | 3 | 4 | 5 | 6 | 7 | 8 | 9 | 10 | 11 | 12 |

여러해살이풀. 높이 10~40cm. 줄기는 바로 서고 털이 없다. 잎은 3~6개가 어긋나고 긴 타원형, 길이 5~9cm, 너비 2~4cm, 밑은 좁아져 줄기를 감싸며 아래쪽의 것은 엽초로 된다. 꽃은 백색, 5~6월에 줄기 끝에 수상화서로 3~8개가 달린다. 삭과는 곧게 서며 길이 2cm 정도이다.

분포 · 생육지 우리나라 제주도, 전남, 경남, 충남. 중국, 일본. 산지의 숲속에서 자란다.

약용 부위 · 수치 뿌리가 달린 전초를 가을에 채취하여 물에 씻은 후 말려서 사용한다.

약물명 은란(銀蘭). 어두란화(魚頭蘭花)라고도 한다.

약효 청열이뇨(清熱利尿)의 효능이 있으므로 고열, 구갈(口渴), 후통(喉痛), 소변불리(小便不利)를 치료한다.

사용법 은란 10g에 물 3컵(600mL)을 넣고 달여서 복용하거나 가루로 만들어 복용한다.

＊ 본 종에 비하여 잎이 더 가늘고 포는 선형이며 꽃차례 밑의 포는 꽃차례보다 긴 '은대난초 *C. longibracteata*'도 약효가 같다.

❶ 은대난초(열매)

❶ 은대난초

❶ 은난초

[난초과]

금난초

 인후종통, 치통   독사교상

●학명 : *Cephalanthera falcata* (Thub.) Blume   ●별명 : 금란

| 1 | 2 | 3 | 4 | 5 | 6 | 7 | 8 | 9 | 10 | 11 | 12 |

◐ 금란(金蘭)

여러해살이풀. 높이 30~70cm. 줄기는 바로 서고 능선이 있으며, 기부는 막질인 엽초로 된 잎이 있다. 잎은 6~8개가 어긋나고 긴 타원형, 길이 8~15cm, 너비 2~4.5cm, 가장자리가 밋밋하다. 꽃은 4~6월에 황색으로 피고, 포는 삼각형, 꽃잎은 꽃받침 길이와 비슷하다.

분포·생육지 우리나라 제주도, 남부 지방. 중국, 일본. 산지의 음지에서 자란다.

약용 부위·수치 뿌리가 달린 전초를 가을에 채취하여 물에 씻은 후 말려서 사용한다.

약물명 금란(金蘭). 두예란(頭蕊蘭)이라고도 한다.

약효 청열사화(淸熱瀉火), 해독의 효능이 있으므로 인후종통(咽喉腫痛), 치통(齒痛), 독사교상(毒蛇咬傷)을 치료한다.

사용법 금란 10g에 물 3컵(600mL)을 넣고 달여서 복용하거나 가루로 만들어 복용하고, 외용에는 짓찧어 바르거나 붙인다.

◐ 금난초

[난초과]

개제비란

폐허해천   허로소수, 신경쇠약

●학명 : *Coeloglussum viride* (L.) var. *bracteatum* (Willd.) Richter   ●별명 : 큰몽울란

| 1 | 2 | 3 | 4 | 5 | 6 | 7 | 8 | 9 | 10 | 11 | 12 |

◐ 개제비란(꽃)

여러해살이풀. 높이 15~30cm. 줄기는 바로 서고, 잎은 어긋나고 긴 타원형, 길이 4~10cm, 너비 2~4cm, 밑은 좁아져 줄기를 감싼다. 꽃은 5~7월에 담자색으로 피고 줄기 끝에 수상화서로 10~14개가 달리며 거(距)가 길다.

분포·생육지 우리나라 제주도, 전남, 함남, 함북. 중국, 일본, 북아메리카, 유럽. 산지의 숲속에서 자란다.

약용 부위·수치 뿌리줄기를 가을에 채취하여 물에 씻은 후 말려서 사용한다.

약물명 수장삼(手掌參)

약효 지해평천(止咳平喘), 익신건비(益腎健脾), 이기화혈(理氣和血)의 효능이 있으므로 폐허해천(肺虛咳喘), 허로소수(虛勞消瘦), 신경쇠약을 치료한다.

사용법 수장삼 10g에 물 3컵(600mL)을 넣고 달여서 복용한다.

◐ 개제비란

약난초

옹저악창, 독사교상 | 나력결핵
인통후비

● 학명 : *Cremastra appendiculata* (D. Don) Makino　● 별명 : 정화난초, 약란

| 1 | 2 | 3 | 4 | 5 | 6 | 7 | 8 | 9 | 10 | 11 | 12 |

여러해살이풀. 위경(僞莖)은 달걀 모양, 지름 2~3cm, 옆으로 염주같이 이어지고 땅속으로 얕게 들어가며 그 끝에서 1개의 잎이 나고, 꽃대는 위경 옆에서 나며 바로 선다. 잎은 긴 타원형, 5~6월에 1개의 꽃대가 나와 높이 40cm 정도 자라며 15~20개의 연한 자줏빛이 도는 갈색 꽃이 한쪽으로 치우쳐서 밑을 향해 달린다.

분포·생육지 우리나라 내장산 이남. 중국, 일본, 타이완, 히말라야. 산지의 숲속에서 자란다.

약용 부위·수치 비늘줄기를 여름과 가을에 채취하여 물에 씻은 후 말린다.

약물명 산자고(山慈姑), 자고(慈姑), 모자고(毛慈姑)라고도 한다. 대한민국약전외한약(생약)규격집(KHP)에 수재되어 있다.

본초서 송대(宋代)의 「가우본초(嘉祐本草)」에 산자고(山慈菰)란 이름으로 수재되어 있으며 "뿌리에 약간의 독이 있고 옹종(擁腫), 나력, 결핵 등을 치료한다."고 하였다. 「본초강목(本草綱目)」에는 "동계(冬季)에 수선화의 잎과 같은 것이 나며, 그 잎이 2월에 시들고, 화살대 같은 줄기가 나온다."고 하였다. 「동의보감(東醫寶鑑)」에 "종기, 피부의 헌데에 구멍이 나 고름이 흐르고 냄새가 나면서 오랫동안 낫지 않는 것, 나력을 낫게 하고 얼굴에 난 주근깨와 기미를 없앤다."고 하였다.

本草拾遺: 主癰腫疽瘡瘻 瘰癧結核等 亦剝人面皮 除皯黑.

本草綱目: 主疔腫, 孔毒破皮, 解諸毒蟲毒, 蛇, 蟲, 狂犬傷.

東醫寶鑑: 主癰腫疽瘡瘻 療瘰癧結核 去面上皯黯.

성상 편구형 또는 원추형으로 길이 2~3cm, 팽대부는 지름 1~2cm로 정단부는 뾰족하다. 표면은 황백색~황갈색이며, 밑부분에는 뿌리가 붙어 있던 흔적이 있다. 맛은 별

로 없으며 점액성이 있다. 크고 속이 충실한 것이 좋다.

기미·귀경 한(寒), 감(甘), 미신(微辛), 소독(小毒)·간(肝), 위(胃), 폐(肺)

약효 청열해독(淸熱解毒), 소종산결(消腫散結), 화담(化痰)의 효능이 있으므로 옹저악창(癰疽惡瘡), 나력결핵(瘰癧結核), 인통후비(咽痛喉痹), 독사교상(毒蛇咬傷)을 치료한다.

성분 cremastosine I, II가 함유되어 있다.

약리 cremastosine I 또는 II를 개의 정맥에 주사하면 혈압이 내려간다.

사용법 산자고 5g에 물 2컵(400mL)을 넣고 달여서 복용하거나 알약이나 가루약으로 복용한다. 외용에는 가루로 만들어 뿌린다.

처방 자금정(紫金錠): 산자고(山慈姑) 80g, 오배자(五倍子) 120g, 대극(大戟) 60g, 속수자(續隨子) 40g, 사향(麝香) 12g, 석웅황(石雄黃) 40g, 주사(朱砂) 20g을 알약으로 만들어 1회 40g을 박하탕(薄荷湯)과 함께 복용(「편옥심서(片玉心書)」). 외사(外邪)나 식중독으로 오심구토, 복통, 설사 등에 사용한다. 최근에는 이하선염(耳下腺炎), 옹(癰), 정(疔), 절(癤) 등 주로 외용으로 사용한다.

＊ '독산란(獨蒜蘭) *Pleione bulbocodioides*', '운남독산란(雲南獨蒜蘭) *P. yunnanesis*'의 비늘줄기도 산자고(山慈姑)로 쓰인다.

🔼 약난초(열매)

🔼 약난초(비늘줄기)

🔼 약난초 재배(제주도)

🔼 약난초

🔼 산자고(山慈姑, 신선품)

🔼 산자고(山慈姑)

[난초과]

보춘화

		흉민
		구해
		복사
		청맹내장

●학명 : *Cymbidium goeringii* (Reichb. f.) Reich. f. ●별명 : 춘란

| 1 | 2 | 3 | 4 | 5 | 6 | 7 | 8 | 9 | 10 | 11 | 12 |

○ 보춘화(꽃)

여러해살이풀. 뿌리줄기는 짧고 잎은 모여 나고 선형이며 가장자리에 작은 톱니가 있고 잎 밑부분은 엽초로 된다. 꽃은 6~7월에 원줄기 끝에서 1개가 밑을 향해 달리며 녹색이다.

분포 · 생육지 우리나라 충청 이남. 중국, 일본, 타이완, 필리핀. 산에서 자란다.

약용 부위 · 수치 꽃을 여름에 채취하여 물에 씻은 후 말린다.

약물명 난화(蘭花), 유란(幽蘭), 혜(蕙), 난혜(蘭蕙)라고도 한다.

약효 조기화중(調氣和中), 지해명목(止咳明目)의 효능이 있으므로 흉민(胸悶), 복사(腹瀉), 구해(久咳), 청맹내장(靑盲內障)을 치료한다.

사용법 난화 3~5g을 뜨거운 물로 우려내어 복용한다.

○ 보춘화

[난초과]

털복주머니란

		신경쇠약
		두통
		전간
		위완통

●학명 : *Cypripedium guttatum* Swartz var. *koreanum* Nakai
●별명 : 조선요강꽃, 털주머니꽃

| 1 | 2 | 3 | 4 | 5 | 6 | 7 | 8 | 9 | 10 | 11 | 12 |

여러해살이풀. 원줄기는 높이 20~40cm, 곧게 자라고 털이 있으며, 밑부분이 2~3개의 잎에 둘러싸이고 윗부분은 2개의 잎이 줄기를 감싼다. 꽃은 6~7월에 원줄기 끝에서 1개가 밑을 향해 달리며 황백색 바탕에 자주색 반점이 있고, 꽃잎은 타원형, 입술꽃잎은 주머니 같고 안쪽에 털이 있다.

분포 · 생육지 우리나라 전역. 중국, 일본, 타이완, 필리핀. 산에서 자란다.

약용 부위 · 수치 전초를 여름과 가을에 채취하여 물에 씻은 후 말린다.

약물명 반화표란(斑花杓蘭)

약효 진정지통(鎭靜止痛), 발한해열(發汗解熱)의 효능이 있으므로 신경쇠약(神經衰弱), 전간(癲癇), 두통, 위완통(胃脘痛)을 치료한다.

사용법 반화표란 7g에 물 3컵(600mL)을 넣고 달여서 복용하거나 술에 담가서 복용한다.

※ 꽃이 크고 꽃잎에 털이 없는 '복주머니란 *C. macranthum*'도 약효가 같다.

○ 털복주머니란

[난초과]

치마난초

노상요통, 풍습비통　　월경부조
타박상, 피부소양, 종독, 독사교상

●학명 : *Cypripedium japonicum* Thunb.　●별명 : 광릉요강꽃

| 1 | 2 | 3 | 4 | 5 | 6 | 7 | 8 | 9 | 10 | 11 | 12 |

여러해살이풀. 높이 20~40cm. 밑부분은
3~4개의 작은잎으로 싸이고 윗부분은 2개
의 큰 잎이 마주나고 줄기를 둘러싼다. 꽃
은 4~5월에 1개가 밑을 향해 달리며, 연한
녹색이 도는 붉은색, 입술꽃잎은 주머니 같
고 백색 바탕에 홍자색의 맥이 있다.
분포·생육지 우리나라 경기도 광릉 부근.
중국, 일본. 산에서 자란다.
약용 부위·수치 전초를 여름과 가을에 채취
하여 흙을 털어서 말린다.
약물명 선자칠(扇子七). 신엽란(腎葉蘭)이
라고도 한다.
약효 거풍해독(祛風解毒), 이기진통(理氣鎭
痛), 조경활혈(調經活血)의 효능이 있으므
로 노상요통(勞傷腰痛), 타박상, 풍습비통
(風濕痺痛), 월경부조, 피부소양(皮膚瘙痒),
종독(腫毒), 독사교상을 치료한다.
사용법 선자칠 5g에 물 2컵(400mL)을 넣
고 달여서 복용한다. 외용에는 전초를 짓찧
어 초와 배합하여 환부에 바른다.

❶ 치마난초(꽃)

❶ 치마난초

[난초과]

복주머니란

하지수종　　임증　　백대
풍습비통　　타박상

●학명 : *Cypripedium macranthum* Swartz　●별명 : 복주머니, 자낭화

| 1 | 2 | 3 | 4 | 5 | 6 | 7 | 8 | 9 | 10 | 11 | 12 |

여러해살이풀. 뿌리줄기는 옆으로 벋고 마
디에서 뿌리를 내며, 줄기는 바로 서고 높
이 20~40cm, 털이 있다. 잎은 어긋나고 타
원형, 길이 10~20cm, 너비 5~8cm, 기부
는 짧은 엽초로 싸인다. 꽃은 5~7월에 줄기
끝에 1개가 밑을 향해 달리며 자주색, 적자
색 또는 분홍색, 입술꽃잎은 주머니 같다.
분포·생육지 우리나라 제주도를 제외한 전
역. 중국, 일본. 산지의 풀밭이나 숲속에서
자란다.
약용 부위·수치 뿌리를 여름에 채취하여 물
에 씻은 후 말린다.
약물명 돈성초(敦盛草)
약효 이뇨소종(利尿消腫), 활혈지통(活血
止痛)의 효능이 있으므로 하지수종(下肢水
腫), 임증(淋症), 백대(白帶), 풍습비통(風
濕痺痛), 타박상을 치료한다.
사용법 돈성초 7g에 물 2컵(400mL)을 넣
고 달여서 복용한다. 외용에는 전초를 짓찧
어 초와 배합하여 환부에 바른다.

❶ 복주머니란(연분홍색 꽃)

❶ 복주머니란

[난초과]

마편석곡

| 열병상진, 병후허열 | 구건 |
| 식욕부진 | 음위 |

● 학명 : *Dendrobium fimbriatum* Hook var. *oculatum* Hook. ● 한자명 : 馬鞭石斛

| 1 | 2 | 3 | 4 | 5 | 6 | 7 | 8 | 9 | 10 | 11 | 12 |

상록 여러해살이풀. 높이 150cm 정도. 줄기는 바로 서며 원주형, 세로 주름이 있다. 잎은 2열로 배열하고 가죽질이다. 꽃은 총상화서로 줄기 끝에서 나오고 밑으로 처지며, 꽃덮개는 황색, 소화경에 2~8개가 달린다.

분포 · 생육지 중국 광둥성(廣東省), 광시성(廣西省), 윈난성(雲南省), 구이저우성(貴州省), 타이완. 바위 겉이나 고목에 붙어서 자란다.

약용 부위 · 수치 줄기를 수시로 채취하여 말린다.

약물명 석곡(石斛). 마편석곡(馬鞭石斛), 유소석곡(流蘇石斛)이라고도 한다. 대한민국약전외한약(생약)규격집(KHP)에 수재되어 있다.

성상 줄기로 원기둥 모양, 길이 20~60cm, 지름 5~8mm이다. 마디 사이가 3~4.5cm, 표면은 황색을 띠며 세로 주름이 있다. 횡단면은 섬유질이다. 냄새가 거의 없고 맛은 조금 쓰다.

＊약효 및 사용법은 '금채석곡'과 같다.

❂ 석곡(石斛)

❂ 마편석곡

[난초과]

석곡

| 열병상진, 병후허열 | 구건 |
| 식욕부진 | 음위 |

● 학명 : *Dendrobium moniliforme* (L.) Sw. ● 별명 : 석곡란

| 1 | 2 | 3 | 4 | 5 | 6 | 7 | 8 | 9 | 10 | 11 | 12 |

상록 여러해살이풀. 오래된 나무껍질이나 바위에 붙어 옆으로 기면서 자라고, 뿌리줄기는 짧고 굵은 뿌리가 많이 돋는다. 줄기는 녹갈색, 잎은 2~3년생으로 어긋난다. 꽃은 지름 3cm 정도로 백색 또는 담적색이며 5~6월에 원줄기 끝에 1~2개가 달린다. 열매는 긴 달걀 모양, 길이 2cm 정도이고 자루가 있다.

분포 · 생육지 우리나라 제주도, 전남, 경북. 중국, 일본, 타이완. 바위 겉이나 고목에 붙어서 자란다.

약용 부위 · 수치 줄기를 수시로 채취하여 말린다.

약물명 석곡(石斛). 세경석곡(細莖石斛)이라고도 한다. 대한민국약전외한약(생약)규격집(KHP)에 수재되어 있다.

＊약효 및 사용법은 '금채석곡'과 같다.

❂ 석곡

❂ 석곡(石斛)

[난초과]

금채석곡

| 열병상진, 병후허열 | 구건 |
| 식욕부진 | 음위 |

● 학명 : *Dendrobium nobile* Lindley ● 한자명 : 金釵石斛

| 1 | 2 | 3 | 4 | 5 | 6 | 7 | 8 | 9 | 10 | 11 | 12 |

상록 여러해살이풀. 높이 30~50cm. 뿌리줄기는 짧고 굵은 뿌리가 많이 돋는다. 줄기는 모여나고 황금색을 띠며 간혹 녹색을 띤 부분도 있고 세로 주름이 있다. 잎은 줄기 끝에 3~5개가 달린다. 꽃은 줄기 마디에서 나오는 총상화서에서 피고, 꽃덮개의 끝부분은 붉은색, 안쪽은 백색으로 지름 6~8cm이다.

분포 · 생육지 중국 후베이성(湖北省), 광시성(廣西省), 윈난성(雲南省), 구이저우성(貴州省), 타이완. 바위 겉이나 고목에 붙어서 자란다.

약용 부위 · 수치 줄기를 수시로 채취하여 물에 씻은 후 썰어서 말린다.

약물명 석곡(石斛). 임란(林蘭), 목곡(木斛)이라고도 한다. 대한민국약전외한약(생약)규격집(KHP)에 수재되어 있다.

본초서 석곡(石斛)은 「신농본초경(神農本草經)」의 상품(上品)에 임란(林蘭)이라는 이름으로 수재되었으며 "중초(中焦)가 상한 것을 치료하며, 비(痺)를 제거하며, 기(氣)를 내리고 오장(五臟)의 허로(虛勞)를 도우며, 음(陰)을 강하게 하고 정(精)을 돕는다. 오래 복용하면 위장(胃腸)을 튼튼하게 하고 몸을 가볍게 하며 생명을 연장한다."고 하였다. 「동의보감(東醫寶鑑)」에 "허리와 다리에 힘이 없는 것을 낫게 하고, 몸과 마음이 허약하고 피로할 때 기운을 보충하며 근골을 튼튼하게 한다. 신장을 따뜻하게 하고 기운을 돕는다. 정기를 돕고 요통을 낫게 한다."고 하였다.

神農本草經: 主傷中, 除痺, 下氣, 補五臟虛勞羸瘦, 强陰, 久服厚腸胃, 輕身延年.

本草衍義: 治胃中虛熱.

本草綱目: 治發熱自汗, 癰疽排膿內寒.

東醫寶鑑: 治腰脚軟弱 補虛損 長筋骨 煖水藏 補腎塡精 養腎氣 止腰痛.

성상 줄기로 납작한 원주형, 길이 20~40cm, 지름 4~6mm이다. 마디 사이가 3cm 정도, 표면은 황금색을 띠며 간혹 녹색을 띤 부분도 있고 세로 주름이 있다. 질은 단단하나 쉽게 부스러진다. 냄새가 거의 없고 맛은 조금 쓰다.

기미 · 귀경 미한(微寒), 감(甘) · 위(胃), 폐(肺), 신(腎)

약효 생진양위(生津養胃), 자음청열(滋陰淸熱), 윤폐익신(潤肺益腎), 명목강요(明目强腰)의 효능이 있으므로 열병상진(熱病傷津), 구건(口乾), 병후허열(病後虛熱), 식욕부진, 음위(陰萎)를 치료한다.

성분 *N*−methyldendrobium chloride, dendrobine, dendramine, nobilonine 등이 함유되어 있다.

약리 열수추출물은 인공적으로 발열시킨 토끼에 해열 작용이 있고, 이는 dendrobine에 의한 것이라고 생각되며 phenacetine보다 약하다. 또한 혈압 하강 작용이 알려져 있다. dendrobine은 중추신경 흥분 작용이 있다. 70% 메탄올추출물은 혈압에 관여하는 angiotensin converting enzyme의 활성을 저해한다.

사용법 석곡 10g에 물 3컵(600mL)을 넣고 달여서 복용하거나 달인 액을 농축하여 환약으로 하여 복용한다. 파두(巴豆)와는 상오(相惡), 백강잠(白殭蠶), 뇌환(雷丸)과는 상외(相畏) 작용이 있다.

처방 석곡야광환(石斛夜光丸): 천문동(天門冬) · 인삼(人蔘) · 복령(茯苓) 각 80g, 맥문동(麥門冬) · 숙지황(熟地黃) · 생지황(生地黃) 각 40g, 토사자(菟絲子) · 감국(甘菊) · 결명자(決明子) · 행인(杏仁) · 산약(山藥) · 구기자(枸杞子) · 우슬(牛膝) 각 28g, 오미자(五味子) · 백질려(白蒺藜) · 석곡(石斛) · 육종용(肉蓯蓉) · 천궁(川芎) · 구감초(炙甘草) · 지각(枳殼) · 청상자(靑箱子) · 방풍(防風) · 황련(黃連) · 서각(犀角) · 영양각(羚羊角) 각 20g (『보양처방집(補陽處方集)』). 간신(肝腎)이 허하여 정기가 없고 물체가 뚜렷이 보이지 않으며 시력이 떨어지는 증상에 사용한다.

＊ 중국에서 생산되는 석곡(石斛)은 '마편석곡(馬鞭石斛) *D. fimbriatum*', '황초석곡(黃草石斛) *D. chrysanthum*', '철피석곡(鐵皮石斛) *D. candidum*', '환초석곡(環草石斛) *D. loddigesii*' 등의 지상부이다.

◑ 석곡(石斛, 다발로 묶어 둔 것)

◑ 석곡(石斛, 채취 후 그대로 말린 것)

◑ 석곡(石斛) 전문점(중국 쿤밍)

◑ 금채석곡

[난초과]

닭의난초

 폐열해수　 인후종통, 치통, 목적종통
복통　타박상

●학명 : *Epipactis thunbergii* A. Gray　●별명 : 닭의난

| 1 | 2 | 3 | 4 | 5 | 6 | 7 | 8 | 9 | 10 | 11 | 12 |

여러해살이풀. 뿌리줄기는 가늘고 길며 마디에서 뿌리를 낸다. 줄기는 바로 서고 높이 30~70cm, 기부는 자주색을 띠며 3~4개의 작은잎으로 싸인다. 잎은 어긋나고 긴 타원형, 길이 6~12cm, 너비 2~5cm이다. 꽃은 등황색, 6~7월에 줄기 끝에 10개 정도가 총상화서로 달린다. 열매는 삭과로 긴 타원상 구형이다.

분포·생육지 우리나라 중부 이남. 중국, 일본. 양지바른 습지에서 자란다.

약용 부위·수치 뿌리를 여름에 채취하여 물에 씻은 후 말린다.

약물명 야죽란(野竹蘭). 방광칠(膀胱七)이라고도 한다.

기미 한(寒), 고(苦)

약효 청폐지해(淸肺止咳), 활혈해독(活血解毒)의 효능이 있으므로 폐열해수(肺熱咳嗽), 인후종통(咽喉腫痛), 치통(齒痛), 목적종통(目赤腫痛), 흉협만민(胸脇滿悶), 복통(腹痛), 타박상을 치료한다.

사용법 야죽란 10g에 물 3컵(600mL)을 넣고 달여서 복용한다. 외용에는 전초를 짓찧어 초와 배합하여 환부에 바른다.

❍ 닭의난초

[난초과]

천마

급만경풍　두풍두통　 현훈안흑
사지마비, 반신불수, 류머티즘성관절염, 소아경기

●학명 : *Gastrodia elata* Blume　●별명 : 수자해좃

| 1 | 2 | 3 | 4 | 5 | 6 | 7 | 8 | 9 | 10 | 11 | 12 |

❍ 천마

여러해살이풀. 높이 60~100cm. 잎은 퇴화되고, 땅속에 있는 덩이줄기는 고구마 같고 길이 15~20cm, 지름 5~7cm이다. 줄기는 원주형으로 곧게 서고 황적색, 비늘잎은 막질이다. 꽃은 황갈색, 6~7월에 피고, 꽃차례는 길이 10~30cm로 많은 꽃이 달린다. 외화피 3개는 합쳐지고, 입술꽃잎은 약간 튀어 나오며, 열매는 길이 3cm 정도이다.

분포·생육지 우리나라 전역. 중국, 일본, 타이완, 아무르, 우수리. 산 숲속에서 자란다.

약용 부위·수치 뿌리줄기를 가을부터 이듬해 봄까지 채취하는데, 겨울에 채취한 것을 동마(冬麻)라 하며 품질이 우수하고, 뿌리줄기를 물에 쪄서 말린 뒤 황색이 될 때까지 볶은 것을 초천마(炒天麻)라 한다. 또 냄비에다 물에 적신 종이(韓紙)를 깔고 그 위에 천마를 얹고 약한 불로 종이가 탈 때까지 구워낸 것을 외천마(煨天麻)라고 한다. 뿌리줄기를 채취한 뒤 남는 지상부를 썰어서 말린다.

약물명 뿌리줄기를 천마(天麻)라 하며 적전근(赤箭根), 신초(神草), 정풍초(定風草)라고도 한다. 천마(天麻)는 하늘(天)에서 마진(麻疹)에 사용하라고 내려 준 약초라는 뜻이다. 지상부를 적전(赤箭)이라 한다. 천마(天麻)는 대한민국약전(KP)에, 적전(赤箭)은 대한민국약전외한약(생약)규격집(KHP)에 수재되어 있다.

본초서 천마(天麻)는 「신농본초경(神農本草經)」의 상품(上品)에 적전(赤箭)이라는 이름

으로 수재되어 있으며, 송대(宋代)의 「개보본초(開寶本草)」에 처음 천마(天麻)라는 이름이 나온다. 구종석(寇宗奭)은 "적전(赤箭)은 천마(天麻)의 지상부를 말한다. 천마(天麻)와 치료상의 효용이 동일하지 않으므로 별도로 정리한 것이다."라고 하였다. 「동의보감(東醫寶鑑)」에 "천마는 팔다리를 잘 쓰지 못하며 저리고 아픈 증상과 팔다리가 오그라드는 것을 낫게 한다. 어린아이가 풍기로 인해 발작하여 의식 장애를 일으키는 것과 경련을 치료한다. 또 어지럼증을 낫게 하고 풍기로 말을 잘하지 못하며 잘 놀라고 정신이 온전치 못한 것을 다스린다. 근골을 튼튼하게 하고 허리와 무릎에 힘을 길러 준다."고 하였다. 또 "적전(赤箭)은 헛것에 들린 것과 독충의 독과 나쁜 기운을 없앤다. 종기를 없애고, 고환이나 음낭이 커지면서 아프거나 아랫배가 당기면서 아픈 증상을 낫게 한다."고 하였다.

神農本草經: 主殺鬼精物, 蠱毒惡氣, 久服益氣力, 輕身延年.

藥性論: 治冷氣頑痺, 難緩不遂, 語多恍惚, 多驚失志.

開寶本草: 主諸風濕痺, 四肢拘攣, 小兒風癎, 驚氣, 利腰膝, 強筋力.

東醫寶鑑: 天麻 主諸風濕痺 四肢拘攣 小兒

風癎 驚氣 治眩暈 風癎 語言蹇澁 多驚失志 強筋骨 利腰膝.

赤箭 殺鬼精物 蠱毒惡氣 消癰腫 治疝.

성상 담황색~담갈색의 덩이뿌리로 길이 10~15cm, 지름 3~5cm, 방추형이고 주름이 있다. 횡단면은 약간 투명하며 때로는 속이 비기도 한다. 현미경으로 관찰하면 유세포(柔細胞)에 속정(束晶)이 존재하며 전분립은 없다. 맛은 약간 쓰다.

기미 · 귀경 평(平), 감(甘), 신(辛) · 간(肝)

약효 천마(天麻)는 식풍지경(息風止痙), 평간양(平肝陽), 거풍통락(祛風通絡)의 효능이 있으므로 급만경풍(急慢驚風), 현훈안흑(眩暈眼黑), 두풍두통(頭風頭痛), 사지마비(四肢麻痺), 반신불수(半身不隨), 언어장애, 류머티즘성관절염, 소아경기(小兒驚氣)를 치료한다. 적전(赤箭)은 소염(消炎)의 효능이 있으므로 옹종(癰腫)을 치료한다.

성분 주성분인 gastrodin 이외에 vanillyl alcohol, 4-ethoxymethyl phenol, *p*-hydroxybenzyl alcohol, 3,4-dihydroxybenzaldehyde, dotriacontanoic acid, β-sitosterol, 4-hydroxybezaldehyde, docosanoic acid oxiranylmethyl ester, hentriacontanoic acid, octadecanoic acid, benzoic acid 등이 함유되어 있다.

약리 열수추출물을 토끼에게 투여하면 전기 쇼크에 의한 경련 작용을 억제하고 호흡을 완만하게 하며, 쥐에게 투여하면 진통 작용이 있다.

사용법 천마 7g에 물 3컵(600mL)을 넣고 달여서 복용하거나 환약이나 가루약으로 만들어 복용한다. 외용에는 적전을 짓찧어 환부에 붙인다.

처방 반하백출천마탕(半夏白朮天麻湯): 반하(半夏) · 진피(陳皮) · 맥아(麥芽) 각 6g, 백출(白朮) · 신국(神麴) 각 4g, 창출(蒼朮) · 인삼(人蔘) · 황기(黃耆) · 천마(天麻) · 복령(茯苓) · 택사(澤瀉) 각 2g, 건강(乾薑) 1.2g, 황백(黃柏) 0.8g (「동의보감(東醫寶鑑)」). 비위(脾胃)가 허약하여 생긴 담궐두통(痰厥頭痛)으로 머리가 아프고 게우며 어지러워 눈을 뜰 수 없고 때로는 구역질이 나며 온몸이 무겁고 팔다리가 싸늘한 증상에 사용한다.

• 천마환(天麻丸): 건지황(乾地黃) 160g, 강활(羌活) 140g, 당귀(當歸) 100g, 천마(天麻) · 우슬(牛膝) · 비해(萆薢) · 현삼(玄蔘) · 두충(杜仲) · 독활(獨活) 각 60g, 포부자(炮附子) 20g (「동의보감(東醫寶鑑)」). 고혈압, 신경쇠약, 뇌출혈 후유증에 사용한다. 한 알이 0.3g이 되도록 만들어 1회 70개 정도를 1일 3회 복용한다.

※ 최근에는 인공 재배에 성공하여 시장에 출하하고 있으며, *Armillaria*와 공생한다.

○ 적전(赤箭)

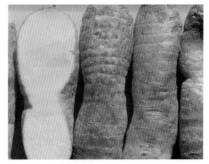
○ 천마(天麻, 신선품)

○ 천마(꽃)

○ 천마(天麻, 절편)

○ 천마(天麻)

○ 천마의 인공 재배

○ 천마(天麻) 전문점(중국 시안)

○ 천마주(天麻酒)

○ 천마(天麻)로 만든 건강식품

○ 천마차(天麻茶)

[난초과]

으름난초

경풍　개창　임병

●학명 : *Galeola septentrionalis* Reichenbach f.　●별명 : 으름란

| 1 | 2 | 3 | 4 | 5 | 6 | 7 | 8 | 9 | 10 | 11 | 12 |

여러해살이풀. 높이 40~60cm. 뿌리줄기는 굵고, 줄기는 바로 서며 전체적으로 갈색이다. 잎은 비늘잎이고 삼각형으로 마르면 막질이다. 꽃은 황갈색, 지름 2.5cm 정도로 반쯤 열리고, 열매는 붉은색으로 익는다.

분포 · 생육지 우리나라 제주도, 경북(황악산, 금오산), 중국, 일본. 산지에서 자란다.

약용 부위 · 수치 뿌리, 전초 또는 열매를 여름 또는 가을에 채취하여 물에 씻은 후 말린다.

약물명 산산호(山珊瑚), 홍산가(紅山茄)라고도 한다.

약효 뿌리는 경풍(驚風)을, 전초는 개창(疥瘡)을, 열매는 임병(淋病)을 치료한다.

사용법 산산호 30g에 물 4컵(800mL)을 넣고 달여서 복용하고, 개창(疥瘡)에는 전초를 짓찧어 초와 배합하여 환부에 바른다.

❶ 으름난초(열매)

❶ 으름난초

[난초과]

사철란

폐로해수, 기관지염　골절동통　나력, 창종

●학명 : *Goodyera schlechtendaliana* Reichb. fil.　●별명 : 알록난초

| 1 | 2 | 3 | 4 | 5 | 6 | 7 | 8 | 9 | 10 | 11 | 12 |

여러해살이풀. 줄기 밑부분은 옆으로 기며 높이 15~20cm, 잎은 줄기 밑에서 어긋난다. 꽃은 담적색, 8~9월에 줄기 끝에 7~15개가 한쪽으로 치우쳐서 달리며, 포는 바늘 모양이다. 꽃받침은 좁은 달걀 모양, 꽃잎은 중앙부의 꽃받침에 붙어 있다. 입술꽃잎은 꽃받침과 길이가 비슷하고 밑부분의 뒷면은 반구형으로 부풀며 안쪽에 털이 있다.

분포 · 생육지 우리나라 제주도, 울릉도, 계룡산. 중국, 일본, 타이완. 산속 숲에서 자란다.

약용 부위 · 수치 전초를 봄과 여름에 채취하여 물에 씻은 후 말린다.

약물명 반엽란(斑葉蘭). 은선분(銀線盆)이라고도 한다.

약효 윤폐지해(潤肺止咳), 보신익기(補腎益氣), 행기활혈(行氣活血), 소종해독(消腫解毒)의 효능이 있으므로 폐로해수(肺癆咳嗽), 기관지염, 골절동통(骨折疼痛), 나력(瘰癧), 창종(脹腫)을 치료한다.

사용법 반엽란 10g에 물 3컵(600mL)을 넣

고 달여서 복용하고 외용에는 즙을 내어 도포한다.

※ 꽃대가 짧고 꽃잎이 붉은색을 띠는 '붉은사철란 *G. macrantha*'도 약효가 같다.

❶ 반엽란(斑葉蘭)

❶ 붉은사철란

❶ 사철란

[난초과]

고반엽란

 풍한습비, 반신불수   천해

● 학명 : *Goodyera procera* (Ker–Gawl.) Hook. [*Neottia procera*]   ● 한자명 : 高斑葉蘭

| 1 | 2 | 3 | 4 | 5 | 6 | 7 | 8 | 9 | 10 | 11 | 12 |

여러해살이풀. 높이 80cm 정도. 잎은 줄기 밑에서 어긋나며 타원형, 꽃은 백색, 봄과 여름에 총상화서로 조밀하게 피며, 열매는 원추형이다.

분포 · 생육지 중국 광둥성(廣東省), 윈난성(雲南省), 타이완, 베트남. 산지의 계곡 습지에서 자란다.

약용 부위 · 수치 전초를 여름에 채취하여 물에 씻은 후 말린다.

약물명 석풍단(石風丹). 난화초(蘭花草)라고도 한다.

약효 거풍제습(祛風除濕), 행기활혈(行氣活血), 지해평천(止咳平喘)의 효능이 있으므로 풍한습비(風寒濕痺), 반신불수(半身不遂), 천해(喘咳)를 치료한다.

사용법 석풍단 10g에 물 3컵(600mL)을 넣고 달여서 복용한다.

✪ 고반엽란

[난초과]

손바닥난초

폐허해천, 기침   허로, 신경쇠약

만성간염, 설사   유즙불통   타박상

● 학명 : *Gymnadenia conopsea* (L.) R. Brown
● 별명 : 손뿌리난초, 뿌리난초, 손바닥난, 손바닥란

| 1 | 2 | 3 | 4 | 5 | 6 | 7 | 8 | 9 | 10 | 11 | 12 |

여러해살이풀. 높이 50~80cm. 백색의 납작한 뿌리의 아랫부분은 손가락처럼 여러 개로 갈라지고, 줄기는 곧게 서며 굵고 가지가 없다. 잎은 어긋나며 4~7개가 달린다. 꽃은 적자색, 6~7월에 수상화서로 달린다. 꽃잎은 꽃받침보다 짧고 끝이 둔하며 2~3개의 맥이 있고, 거(距)는 가늘며 뒤쪽으로 휘어지고, 꽃가루덩이는 연한 황색이다.

분포 · 생육지 우리나라 제주도, 지리산, 설악산, 평북, 함남북, 백두산. 중국, 일본, 몽골, 러시아. 높은 산의 습지에서 자란다.

약용 부위 · 수치 뿌리를 가을에 채취하여 물에 씻은 후 말린다.

약물명 수장삼(手掌蔘). 불수삼(佛手蔘), 장삼(掌蔘)이라고도 한다.

약효 보기혈(補氣血), 생진(生津), 지갈(止渴)의 효능이 있으므로 폐허해천(肺虛咳喘), 허로(虛勞), 신경쇠약, 기침, 만성간염, 유즙불통(乳汁不通), 설사, 타박상을 치료한다.

성분 methylvanillin, piperonal 등이 함유되어 있다.

약리 열수추출물은 토끼, 개에 이뇨 작용이 있고 혈압, 호흡에 대하여는 뚜렷한 작용이 없다. 개구리 하지(下肢) 혈관에 혈관 수축 작용이 나타나고, 쥐에 대하여는 중추 신경 억제 작용이 있다.

사용법 수장삼 10g에 물 3컵(600mL)을 넣고 달여서 복용하거나 술에 담가 복용한다.

* '개제비란(몽울난초, 큰몽울란) *Coeloglossum viride*'도 약효가 같다.

✪ 수장삼(手掌蔘)

✪ 손바닥난초(뿌리)

✪ 손바닥난초

[난초과]

나도씨눈난초

 두혼실면   번조구갈

월경부조

● 학명 : *Herminium monorchis* (L.) R. Brown   ● 별명 : 진들난초, 나도씨눈란

| 1 | 2 | 3 | 4 | 5 | 6 | 7 | 8 | 9 | 10 | 11 | 12 |

여러해살이풀. 높이 20~40cm. 잎은 줄기 밑부분에 2개가 달리고, 꽃은 녹황색, 7~8월에 수상화서로 달리며, 입술꽃잎이 밑으로 처진다.

분포 · 생육지 우리나라 전역. 중국, 일본, 타이완, 필리핀, 인도. 산에서 자란다.

약용 부위 · 수치 전초를 가을에 채취하여 물에 씻은 후 말린다.

약물명 인두칠(人頭七), 개구전(開口箭), 우당삼(牛堂蔘)이라고도 한다.

약효 보신건폐(補腎健肺), 조경활혈(調經活血), 해독의 효능이 있으므로 두혼실면(頭昏失眠), 번조구갈(煩燥口渴), 월경부조(月經不調)를 치료한다.

사용법 인두칠 10g에 물 3컵(600mL)을 넣고 달여서 복용한다.

○ 나도씨눈난초

[난초과]

키다리난초

붕루, 백대, 산후복통

● 학명 : *Liparis japonica* (Miquel) Maxim.   ● 별명 : 큰옥잠난초, 키다리란, 나리란

| 1 | 2 | 3 | 4 | 5 | 6 | 7 | 8 | 9 | 10 | 11 | 12 |

여러해살이풀. 잎은 2개, 꽃은 6~7월에 피며 녹자색. 꽃줄기는 능선과 좁은 날개가 있고, 꽃받침잎은 녹색이며 윗부분과 옆의 것은 젖혀진다. 꽃잎은 바늘처럼 가늘고, 입술꽃잎은 중앙부에서 밑으로 활처럼 굽으며 홈이 있다.

분포 · 생육지 우리나라 전역. 중국, 일본, 타이완, 필리핀. 산에서 자란다.

약용 부위 · 수치 전초를 여름과 가을에 채취하여 물에 씻은 후 말린다.

약물명 양이산(羊耳蒜), 진주칠(眞珠七), 계심칠(鷄心七)이라고도 한다.

약효 활혈조경(活血調經), 지혈(止血), 지통(止痛), 강심(强心), 진정(鎭靜)의 효능이 있으므로 붕루(崩漏), 백대(白帶), 산후복통(産後腹痛)을 치료한다.

사용법 양이산 7g에 물 3컵(600mL)을 넣고 달여서 복용하고, 외용에는 생것을 짓찧어 붙이거나 즙액을 바른다.

＊입술꽃잎이 넓은 '나리난초 *L. makinoana*', 잎의 가장자리가 주름이 지는 '옥잠난초 *L. kumokiri*'도 약효가 같다.

○ 옥잠난초

○ 나리난초

○ 키다리난초

[난초과]

흑난초

위열토혈　폐열객혈

● 학명 : *Liparis nervosa* (Thunb.) Lindley　● 별명 : 흑란

| 1 | 2 | 3 | 4 | 5 | 6 | 7 | 8 | 9 | 10 | 11 | 12 |

여러해살이풀. 위구경은 육질이며 지난해의 위구경과 함께 있다. 잎은 2~3개, 꽃은 암자색, 총상화서로 달리고, 꽃대는 길이 20~30cm, 입술꽃잎은 쐐기 모양이다.
분포 · 생육지 우리나라 제주도. 중국, 일본. 산에서 자란다.
약용 부위 · 수치 전초를 여름과 가을에 채취하여 물에 씻은 후 말린다.
약물명 견혈청(見血淸). 입지호(立地好), 모자고(毛慈姑), 흑란(黑蘭)이라고도 한다.

약효 양혈지혈(凉血止血), 청열해독(淸熱解毒)의 효능이 있으므로 위열토혈(胃熱吐血), 폐열객혈(肺熱咯血)을 치료한다.
성분 nervosine 등이 함유되어 있다.
약리 열수추출물은 동물 실험에서 지혈 작용을 나타낸다.
사용법 견혈청 10g에 물 3컵(600mL)을 넣고 달여서 복용한다.

❶ 흑난초

[난초과]

감자난초

옹저창종, 종독, 나력

● 학명 : *Oreorchis patens* (Lindl.) Lindley　● 별명 : 감자란

| 1 | 2 | 3 | 4 | 5 | 6 | 7 | 8 | 9 | 10 | 11 | 12 |

여러해살이풀. 높이 30~40cm. 위구경은 달걀 모양이다. 잎은 보통 1~2개가 달리고 바늘 모양, 길이 20~30cm, 너비 2~3cm, 줄기의 밑부분에 있다. 꽃은 황갈색, 5~6월에 총상화서로 조밀하게 달리며 옆을 향한다. 입술꽃잎은 꽃받침과 길이가 같고 백색 반점이 있으며 3갈래이다. 열매는 삭과로 타원상 구형이다.
분포 · 생육지 우리나라 전역. 중국, 일본, 사할린, 캄차카. 산지의 숲속에서 자란다.
약용 부위 · 수치 뿌리줄기를 가을에 채취하여 물에 씻은 후 썰어서 말린다.
약물명 빙구자(冰球子). 모자고(毛慈姑)라고도 한다.
약효 청열해독(淸熱解毒), 소종산결(消腫散結)의 효능이 있으므로 옹저창종(癰疽瘡腫), 종독(腫毒), 나력(瘰癧)을 치료한다.
사용법 빙구자를 가루로 만들어 매회 1g씩 1일 3회 복용하거나 알약으로 만들어서 복용한다.

❶ 빙구자(冰球子)

❶ 감자난초(뿌리와 뿌리줄기)

❶ 감자난초(꽃)

❶ 감자난초

[난초과]

석선도

 객혈, 폐열해수　　토혈

●학명 : *Pholidota chinensis* Lindley　●한자명 : 石仙桃

| 1 | 2 | 3 | 4 | 5 | 6 | 7 | 8 | 9 | 10 | 11 | 12 |

여러해살이풀. 뿌리줄기는 굵고, 가인경(假鱗莖)은 달걀 모양, 육질로 길이 2~6cm, 지름 1~2.5cm이다. 잎은 2개, 넓은 타원형이고, 꽃은 꽃대 끝에 조밀하게 피며 백색 또는 녹백색이다.

분포·생육지 중국 화남(華南), 화동(華東), 서남(西南) 지방. 풀밭에서 자란다.

약용 부위·수치 가인경(假鱗莖)을 여름과 가을에 채취하여 그대로 사용한다.

약물명 석선도(石仙桃), 석산련(石山蓮), 석감람(石橄欖)이라고도 한다.

약효 양음윤폐(養陰潤肺), 이습소어(利濕消瘀), 청열해독(清熱解毒)의 효능이 있으므로 객혈, 토혈, 폐열해수(肺熱咳嗽)를 치료한다.

사용법 석선도 15g에 물 3컵(600mL)을 넣고 달여서 복용한다.

✿ 석선도

[난초과]

갈매기난초

병후허약　　폐열해수

●학명 : *Platanthera japonica* (Thunb.) Lindley　●별명 : 갈매기란

| 1 | 2 | 3 | 4 | 5 | 6 | 7 | 8 | 9 | 10 | 11 | 12 |

여러해살이풀. 뿌리줄기는 옆으로 벋고 약간 단단하다. 줄기는 바로 서고 높이 40~60cm, 뿌리는 굵다. 잎은 5~8개, 긴 타원형이고, 꽃은 백색, 6~7월에 수상화서로 핀다.

분포·생육지 우리나라 제주도, 경남. 중국, 일본. 풀밭에서 자란다.

약용 부위·수치 전초를 여름과 가을에 채취하여 물에 씻은 후 말린다.

약물명 관음죽(觀音竹), 사아삼(蛇兒參), 주신초(走腎草)라고도 한다.

약효 보기윤폐(補氣潤肺), 화담지해(化痰止咳), 해독의 효능이 있으므로 병후허약(病後虛弱), 폐열해수(肺熱咳嗽)를 치료한다.

사용법 관음죽 10g에 물 3컵(600mL)을 넣고 달여서 복용한다.

✿ 갈매기난초(꽃)

✿ 갈매기난초

[난초과]

큰방울새란

간염, 담낭염 | 옹저창독, 독사교상

●학명 : *Pogonia japonica* Reichb. f. ●별명 : 큰방울새난초

1	2	3	4	5	6	7	8	9	10	11	12

여러해살이풀. 뿌리줄기는 옆으로 벋고 약간 단단하다. 줄기는 바로 서고 높이 10~40cm, 밑부분에 작은 비늘잎이 있다. 잎은 줄기 중앙에 1개가 있고 타원형이다. 꽃은 적자색, 6~7월에 줄기 끝에 1개가 달리며, 입술꽃잎은 꽃받침과 길이가 비슷하고 3갈래, 포는 잎처럼 생겼다. 열매는 삭과로 길이 3cm 정도이다.

분포·생육지 우리나라 전역. 중국, 일본, 아무르, 우수리. 양지바른 습지에서 자란다.

약용 부위·수치 전초를 여름과 가을에 채취하여 물에 씻은 후 말린다.

약물명 주란(朱蘭). 참룡검(斬龍劍), 쌍신초(双腎草)라고도 한다.

약효 청열해독(淸熱解毒)의 효능이 있으므로 간염, 담낭염, 옹저창독(癰疽瘡毒), 독사교상(毒蛇咬傷)을 치료한다.

사용법 주란 10g에 물 3컵(600mL)을 넣고 달여서 복용하고, 외용에는 생것을 짓찧어서 붙인다.

＊ 본 종에 비하여 꽃이 연한 적자색이고 활짝 피지 않으며 입술꽃잎이 튀어나오지 않는 '방울새란 *P. minor*'도 약효가 같다.

● 큰방울새란(꽃)

● 큰방울새란

[난초과]

지네발란

기관지염, 객혈, 해혈 | 구강염

●학명 : *Sarcanthus scolopendrifolius* Makino ●별명 : 지네난초

1	2	3	4	5	6	7	8	9	10	11	12

● 지네발란(꽃이 피기 전)

여러해살이풀. 가는 줄기를 내고, 잎은 어긋나며 가는 손가락 모양이다. 꽃은 6~7월에 피며 가운데는 분홍색이고 가장자리는 백색을 띤다.

분포·생육지 우리나라 전남. 중국, 일본. 바위 밑이나 나무줄기에 붙어서 자란다.

약용 부위·수치 전초를 여름과 가을에 채취하여 말린다.

약물명 오공란(蜈蚣蘭). 석오공(石蜈蚣)이라고도 한다.

약효 청열해독(淸熱解毒), 윤폐해독(潤肺解毒)의 효능이 있으므로 기관지염, 객혈, 해혈(咳血), 구강염을 치료한다.

사용법 오공란 15g에 물 3컵(600mL)을 넣고 달여서 복용한다.

● 지네발란

나도풍란

🐾 소아경풍

●학명 : *Sedirea japonica* (Lindenb. et Reichb. f.) Garay et Sweet ●별명 : 대엽풍란

| 1 | 2 | 3 | 4 | 5 | 6 | 7 | 8 | 9 | 10 | 11 | 12 |

○ 지갑란(指甲蘭)

여러해살이풀. 줄기는 짧고 잎은 두꺼우며 긴 타원형이다. 꽃은 6~8월에 피며 녹백색으로 붉은색 무늬가 있다.

분포·생육지 우리나라 남부 지방, 제주도. 일본. 고목이나 바위에 붙어서 자란다.

약용 부위·수치 전초를 가을에 채취하여 물에 씻은 후 말린다.

약물명 지갑란(指甲蘭). 풍란(風蘭)이라고도 한다.

약효 청열식풍(淸熱息風)의 효능이 있으므로 소아경풍(小兒驚風)을 치료한다.

사용법 지갑란 10g에 물 3컵(600mL)을 넣고 달여서 여러 차례 나누어 복용한다.

＊중국에서는 'S. subparishii'를 지갑란(指甲蘭)이라 하여 약용한다.

○ 나도풍란

타래난초

🐾 병후허약 　🫁 해수토혈 　❤️ 현훈 　🦵 요통산연
🐾 당뇨병 　👤 유정, 임탁대하 　👁️ 인후종통 　🩹 창양옹종

●학명 : *Spiranthes sinensis* (Pers.) Ames ●별명 : 타래란

| 1 | 2 | 3 | 4 | 5 | 6 | 7 | 8 | 9 | 10 | 11 | 12 |

여러해살이풀. 높이 20~40cm. 줄기는 곧게 서며 다육질의 큰 수염뿌리가 있고, 잎은 대부분 뿌리잎이다. 꽃은 분홍색, 5~8월에 꽃줄기가 나선상으로 꼬여 수상화서를 이룬다. 꽃잎은 꽃받침 조각보다 짧고 위 꽃받침 조각과 더불어 투구처럼 된다. 입술꽃잎은 타원형, 색이 연하며 끝이 다소 뒤집어지고, 열매는 달걀 모양이다.

분포·생육지 우리나라 전역. 중국, 일본, 타이완, 아무르, 우수리, 유럽, 인도. 산이나 들의 풀밭에서 자란다.

약용 부위·수치 전초를 여름과 가을에 채취하여 말린다.

약물명 반룡삼(盤龍蔘). 일선향(一線香)이라고도 한다.

기미·귀경 평(平), 감(甘), 고(苦)·폐(肺), 심(心).

약효 익기양음(益氣養陰), 청열해독(淸熱解毒)의 효능이 있으므로 병후허약(病後虛弱), 음허내열(陰虛內熱), 해수토혈(咳嗽吐血), 현훈(眩暈), 요통산연(腰痛酸軟), 당뇨병, 유정(遺精), 임탁대하(淋濁帶下), 인후종통(咽喉腫痛), 창양옹종(瘡瘍癰腫)을 치료한다.

성분 spiranthol A~C, spirasineol A~B, spiranthoquinone, spiranthesol, orchinol, *p*-hydroxybenzaldehyde 등이 함유되어 있다.

사용법 반룡삼 10g에 물 3컵(600mL)을 넣고 달여서 복용하고, 외용에는 짓찧어 환부에 바른다.

○ 타래난초

○ 반룡삼(盤龍蔘)

○ 타래난초(꽃)

[난초과]

나도잠자리난초

 치통, 구창　　풍습비통

● 학명 : *Tulotis ussuriensis* (Regel et Maack) Hara　　● 별명 : 잠자리란

1	2	3	4	5	6	7	8	9	10	11	12

여러해살이풀. 높이 20~35cm. 줄기는 곧게 서고 뿌리는 굵다. 잎은 2개이며 긴 타원형이다. 꽃은 담녹색으로 6~8월에 수상화서로 피며, 곁꽃잎은 등꽃받침과 함께 투구형이다.

분포 · 생육지 우리나라 전역. 중국, 일본, 우수리. 산지의 숲속에서 자란다.

약용 부위 · 수치 전초를 여름과 가을에 채취하여 물에 씻은 후 말린다.

약물명 반춘련(半春蓮), 반층련(半層蓮), 용주삼(龍珠蔘)이라고도 한다.

약효 청열(淸熱), 해독, 소종(消腫)의 효능이 있으므로 치통(齒痛), 구창(口瘡), 풍습비통(風濕痺痛)을 치료한다.

사용법 반춘련 10g에 물 3컵(600mL)을 넣고 달여서 복용한다.

● 나도잠자리난초(꽃)

● 나도잠자리난초

[난초과]

바닐라

 통경, 자궁경련　　우울증
신경쇠약　　류머티즘

● 학명 : *Vanilla planifolia* Andr.　　● 영명 : Vanilla

1	2	3	4	5	6	7	8	9	10	11	12

덩굴성 나무. 뿌리는 육질이고 기근이 있다. 잎은 어긋나고 타원형으로 가죽질이며 끝이 뾰족하다. 꽃은 황백색, 총상화서로 피며, 열매는 삭과로 긴 원주형이다.

분포 · 생육지 멕시코 원산. 마다가스카르를 중심으로 중앙아시아, 서인도 제도에서 많이 재배한다.

약용 부위 · 수치 열매를 여름과 가을에 채취하여 말린다.

약물명 Vanillae Fructus

약효 익기양음(益氣養陰), 소염(消炎)의 효능이 있으므로 통경(通經), 자궁경련, 우울증, 신경쇠약, 류머티즘을 치료한다.

성분 vanillin, vanilic acid 등이 함유되어 있다.

약리 vanillin은 glutamate로 유도한 뇌신경 세포의 세포 사멸을 억제한다.

사용법 Vanillae Fructus 10g에 물 3컵(600mL)을 넣고 달여서 복용한다.

● 바닐라(열매)

● 바닐라 정유

● 바닐라

약용 조류 · 지의류 · 선태식물

조류(藻類, Algae)

물속에서 살면서 광합성을 하며 독립적으로 영양생활을 하는 식물군이다. 식물체는 외형적·기능적으로 뿌리·줄기·잎 등이 구별되지 않으며, 포자에 의해 번식하고 꽃이나 열매를 맺지 않아 흔히 하등식물이라고 한다. 조류는 생육 장소에 따라서 담수조류(淡水藻類)·해조류(海藻類) 등으로 나눌 수 있다. 해조류는 시아노박테리아처럼 단세포인 경우도 있고, 미역이나 김과 같이 다세포 생물인 경우도 있지만 일반적으로 육안으로 식별이 가능한 정도의 다세포 식물만을 지칭하는 경우가 많다. 해조류는 바다의 깊이와 색깔에 따라 녹조류(green algae), 갈조류(brown algae), 홍조류(red algae)로 나뉜다.

[흔들말과]

스피룰리나

암, 당뇨병, 고지혈증 / 병후 허약체질 / 빈혈

● 학명 : *Spirulina platensis* Geitl. ● 별명 : 나선조

| 1 | 2 | 3 | 4 | 5 | 6 | 7 | 8 | 9 | 10 | 11 | 12 |

현재까지 발견된 것 가운데 가장 오래된 생명체인 시아노박테리아(남조류)의 일종이다. 다세포 생물로 원주형의 나선형 사상체(絲狀體)이다. 홀로 또는 무리 지어 나고, 길이 300~500μm, 지름 8μm 정도이며, 끝은 둔하고, 나선 수는 2~7개, 몸체는 움직일 수 있다.

분포·생육지 중국, 타이완, 인도, 인도네시아, 일본. 알카리성을 지닌 따뜻한 염수역이나 담수역에서 자란다.

약용 부위·수치 몸체를 채취하여 흙과 먼지를 털고 물에 씻어서 말린다.

약물명 나선조(螺旋藻). 필열(筆列)이라고도 한다.

약효 항암, 면역 증강, 강저혈지(降底血脂)의 효능이 있으므로 암 치료의 보조 약물, 고지혈증, 빈혈, 당뇨병, 병후 허약체질을 치료한다.

성분 단백질 60%, isoleucine, leucine, phenylalanine, lysine, threeonine, valine, tryptophane, micotinic acid, vitamine A, B_1, B_2, B_6, B_{12}, E, creatine, r-linoenic acid, folic acid 등이 함유되어 있다.

약리 쥐에게 나선조(螺旋藻)를 먹인 뒤 방사선을 쪼이면 먹이지 않은 쥐에 비하여 항복사 손상 작용이 나타난다. 에탄올추출물은 그람양성균에 대하여 항균 작용을 나타낸다. 쥐에게 복수형 간암을 일으킨 뒤 나선조의 다당체를 주사하면 암세포의 수가 현저하게 줄어든다. 쥐에게 고농도의 수은을 투여하면 혈액 요소질소가 증가하고 혈청 크레아틴이 증가하는데, 이것에 비하여 나선조(螺旋藻)를 넣어 먹이면 혈액 중의 요소질소와 혈청의 크레아틴이 감소한다.

사용법 나선조 10g에 물 3컵(600mL)을 넣고 달여서 복용하거나 가루 내어 7g을 복용한다.

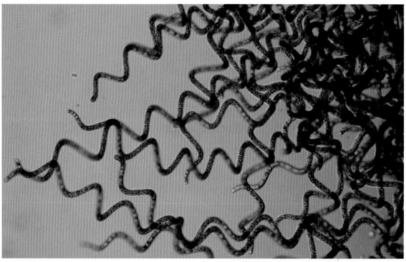

◑ 스피룰리나

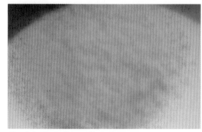

◑ 나선조(螺旋藻, 분말)

◑ 나선조(螺旋藻)로 만든 건강 음료

◑ 나선조(螺旋藻)로 만든 건강 기능 식품

[소구조과]

클로렐라

수종 / 설사, 간염

● 학명 : *Chlorella vulgaris* Beij. ● 한자명 : 小球藻

| 1 | 2 | 3 | 4 | 5 | 6 | 7 | 8 | 9 | 10 | 11 | 12 |

녹조류. 단세포 생물. 선명한 녹색이며 미소한 구형 또는 달걀 모양이다. 지름이 10μm 이하인 미소입체는 편모가 없어서 헤엄치지 못하며 각각 따로따로 떨어져 물속에 분산하여 떠돌며 살아간다. 번식법은 세포 분열에 의하지 않고 세포 내에 자생포자를 만드는 무성적 증식만을 되풀이하므로 급속히 불어난다. 클로렐라는 어패류의 먹이가 되며 광합성을 하여 산소를 발생하는 작용이 있으므로, 물속에서 클로렐라의 밀도가 적당하면 어패류 생활에 좋은 환경을 만든다. 클로렐라의 몸속에는 엽록소가 많이 함유되어 있어서 광합성을 할 수 있으므로 배양 조건에 따라서 단백질이나 지방의 자원으로 유용하다.

분포·생육지 우리나라에는 자생하지 않고 중국, 타이완. 호수, 못, 습지에서 자란다.

약용 부위·수치 몸체를 채취하여 수돗물에 씻어서 말린다.

약물명 소구조(小球藻). 일반적으로 클로렐라라고 한다.

약효 청열이수(淸熱利水), 보혈(補血)의 효능이 있으므로 수종(水腫), 설사, 간염을 치료한다.

성분 thiamine, vitamin B₂, B₆, B₁₂, nicotinamide, folic acid, inositol, pantothenic acid, chloline 등이 함유되어 있다.

약리 쥐를 두 군으로 나누어 대조군에게는 철이 적은 사료(철 함유량 32mg/kg)를 먹이고, 실험군에는 10% 클로렐라가 함유된 사료를 먹이면, 철이 적게 든 사료를 먹고 자라는 쥐는 빈혈이 일어나나, 10% 클로렐라가 함유된 사료를 먹고 자란 쥐는 빈혈이 거의 일어나지 않았다.

사용법 소구조 10g에 물 3컵(600mL)을 넣고 달여서 복용하거나 가루 내어 복용한다. 알약으로 만들어 복용하거나 술에 담가서 복용하면 편리하다.

* 소구조(小球藻)는 「중국중약자원지요(中國中藥資源志要)」에 처음 수재된 것으로 보아 약으로 이용된 것이 오래 되지 않았으며 민간약으로 이용되었다고 생각된다. 소낭(小囊)의 끝이 둥근 '단백핵소조구 C. pyrenoidosa'도 약효가 같다.

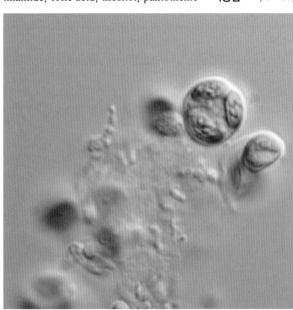
❍ 클로렐라(포자)

❍ 클로렐라(건강 기능 식품)

❍ 양식한 클로렐라

❍ 클로렐라(건강 기능 식품)

❍ 클로렐라(건강 기능 식품)

[홑파래과]

참홑파래

| 👁 인후염 | 🫁 해수담결 |
| 🫀 수종 | 🫘 소변불리 |

● 학명 : *Monostroma nitidum* Wittrock ● 한자명 : 礁膜

| 1 | 2 | 3 | 4 | 5 | 6 | 7 | 8 | 9 | 10 | 11 | 12 |

녹조류. 분지하지 않고 지름 10~25μm, 길이 2~3cm인 사상체이다. 세포가 한 줄로 서고, 선녹색 또는 암녹색을 띠고 질은 부드럽다. 세포는 짧고 넓고 단핵이며, 세포낭은 지름 약 50μm이다.

분포·생육지 우리나라, 중국, 일본, 타이완 등 세계 각처. 먼 바닷물의 영양이 풍부한 바위, 돌, 말뚝 등에 착생하거나 바다와 강이 겹치는 주변에서 자란다.

약용 부위·수치 몸체를 봄과 여름에 채취하여 물에 씻어서 말린다.

약물명 초막(礁膜). 녹자채(綠紫菜), 청채(靑菜), 태피(苔皮), 석채(石菜)라고도 한다.

기미·귀경 함(鹹), 한(寒)·폐(肺), 신(腎)

약효 청열이수(淸熱利水), 화담지해(化痰止咳)의 효능이 있으므로 인후염, 해수담결(咳嗽痰結), 수종(水腫), 소변불리(小便不利)를 치료한다.

성분 pentadecanal, 8,11,14-heptadecatrienal, 8-heptadecenal, 2,4,7-decatrienal, rhamnan sulfate 등이 함유되어 있다.

사용법 초막 15g에 물 3컵(600mL)을 넣고 달여서 복용한다.

* '삿갓홑파래 *M. angicava*'도 약효가 같다.

❍ 참홑파래

❍ 초막(礁膜)

잎파래

영류, 나력, 옹종, 창절 　 식적, 충적, 완복창민

비뉵

●학명 : *Entermorpha linza* (L.) J. Ag. 　●한자명 : 干苔

1	2	3	4	5	6	7	8	9	10	11	12

녹조류. 몸체 기부 부근은 매우 가늘고 관상으로 형성되지만, 상부는 주름이 있거나 편평하고 막상으로 자란다. 엽상체 크기는 10~50cm이며 너비는 1~5cm 또는 10cm에 이르는 것도 있다.

분포 · 생육지 우리나라, 중국, 타이완, 일본 등 세계 각처. 조간대의 바위 위나 죽은 나뭇가지 위 또는 전복 등에 붙어서 자란다.

약용 부위 · 수치 몸체를 겨울과 봄에 채취하여 물에 씻어서 말린다.

약물명 간태(干苔), 석발(石發), 해태(海苔), 해태채(海苔菜)라고도 한다.

약효 연견산결(軟堅散結), 화담소적(化痰消積), 해독소종(解毒消腫)의 효능이 있으므로 영류(瘦瘤), 나력(瘰癧), 옹종(癰腫), 창절(瘡癤), 식적(食積), 충적(蟲積), 완복창민(脘腹脹悶), 비뉵(鼻衄)을 치료한다.

성분 28-isofucosterol, 24-methylenecholesterol, cholesterol, phytol, *cis*-7-heptadiene, eicosane, 3,4-benzopyrene, 2,6,10-trimethyl-7(3-methylbutyl)-dodecane, sulfated polysaccharides, ommunesins A, B, penochalasins A~C, E~I, palutin, (+)-epipoxydon, chaetoglobosin O 등이 함유되어 있다.

약리 다당체는 항혈액 응고제로 사용하고, 열수추출물은 항염증 작용이 나타난다. 메탄올-아세톤(1:1)추출물은 항암 활성이 있다. communesins A, B, penochalasins A~C, E~I, palutin, (+)-epipoxydon은 P388, 림프구 백혈병 세포에 대하여 세포 독성이 있다. chaetoglobosin O는 포유류 세포에서 세포 독성과 HIV-1 protease 저해 활성과 면역 억제 작용을 나타낸다.

사용법 간태 15g에 물 3컵(600mL)을 넣고 달여서 복용하거나 가루로 만들어 복용한다. 알약으로 만들어 복용하거나 술에 담가서 복용하면 편리하다.

※ '납작파래 *E. compressa*', '창자파래 *E. intestinalis*,' '가시파래 *E. prolifera*'도 약효가 같다.

❍ 잎파래 채취(제주도)

❍ 잎파래

❍ 간태(干苔)

모란갈파래

갑상선종 　 중서

수종 　 소변불리

●학명 : *Ulva conglobata* Kjellman

1	2	3	4	5	6	7	8	9	10	11	12

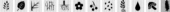

녹조류. 몸체는 작고 지름 2~4cm. 짙은 녹색이며 하부는 단단하고 상부는 막질이다. 줄기가 없이 뭉쳐서 나며 덩어리를 이룬다.

분포 · 생육지 우리나라 남해안, 제주도, 울진, 월성, 죽변, 후포, 감포, 고리, 중국, 타이완, 일본. 조간대 상부에서 중부에 걸쳐 바위 위에 생육하며, 수심이 낮은 조수 웅덩이에도 생육한다.

약용 부위 · 수치 몸체를 봄부터 겨울까지 채취하여 물에 씻어서 말린다.

약물명 여채(蠣菜), 해청채(海青菜), 암두청(岩頭青)이라고도 한다.

약효 청열해독(淸熱解毒), 이뇨의 효능이 있으므로 갑상선종(甲狀腺腫), 중서(中暑), 수종(水腫), 소변불리를 치료한다.

성분 sulfated polysaccharide, methyl di-α-L-rhamnoside 등이 함유되어 있다.

사용법 여채 15g에 물 3컵(600mL)을 넣고 달여서 복용한다.

❍ 여채(蠣菜)

❍ 모란갈파래

[갈파래과]
구멍갈파래

- 수종
- 임파선결핵종
- 고혈압
- 인후염
- 급·만성장염

● 학명 : *Ulva pertusa* Kjellm.

1	2	3	4	5	6	7	8	9	10	11	12

녹조류. 몸체는 밝은 녹색으로 길이 10~50cm, 너비 8~25cm. 기부는 단단하고 물결 모양이며 위로 갈수록 넓게 펼쳐져 부채형, 원형, 타원형으로 자라고, 구멍이 있으며 가장자리는 매끈하다.

분포·생육지 우리나라 남해, 서해, 동해. 중국, 일본, 타이완 등 세계 각처. 얕은 바닷물의 영양분이 있는 바위, 돌, 말뚝 등에 붙어 자란다.

약용 부위·수치 몸체를 겨울과 봄에 채취하여 물에 씻어서 말린다.

약명 석순(石蓴). 석피(石被), 지채(紙菜), 해백채(海白菜)라고도 한다.

본초서 「본초습유(本草拾遺)」에 소변이 잘 나오게 하며 수분 대사를 이롭게 한다고 하였으며, 「해약본초(海藥本草)」에는 주로 풍(風)을 몰아내고 소변을 잘 나오게 하며 배꼽 주변이 딱딱한 증상을 치료한다고 기록되어 있다.

약효 이수소종(利水消腫), 연견화담(軟堅化痰), 청열해독(淸熱解毒)의 효능이 있으므로 수종, 임파선결핵종, 고혈압, 인후염, 급·만성장염을 치료한다.

성분 heteropolysaccharide, glycoprotein, protein, fat, crude fiber, mannose, 28-isofucosterol, cycloartenol, 24-methylenecycloartanol, avenasterol, iamine, vitamin B_2, B_6, B_{12}, nicotinamide, pantothenic acid, chloline 등이 함유되어 있다.

약리 석순 열수추출물은 혈액 응고 작용이 나타난다.

사용법 석순 10g에 물 3컵(600mL)을 넣고 달여서 복용하거나 가루 내어 복용한다. 알약으로 만들어 복용하거나 술에 담가서 복용하면 편리하다.

❍ 구멍갈파래

❍ 석순(石蓴)

❍ 구멍갈파래(표본)

❍ 석순(石蓴)으로 만든 건강식품

[청각과]
기둥청각

- 서병
- 수종
- 소변불리
- 회충

● 학명 : *Codium cylindricum* Holm.

1	2	3	4	5	6	7	8	9	10	11	12

녹조류. 몸체는 굵고 길게 자라고, 큰 것은 높이 1m 정도. 규칙적으로 두 갈래로 분지하는 특징이 있다. 전체적으로 원주상이지만 분지한 부분은 편평하다. 몸 색깔은 황록색으로 다육질이며 육지에서 건조시키면 담녹색으로 보이는 특징이 있다.

분포·생육지 우리나라 남해안, 동해안. 중국, 일본, 말레이시아, 오스트레일리아, 북아메리카. 얕은 바다의 간조선 부근에 생육하며, 파도의 영향이 크지 않은 조용한 곳을 선호한다.

약용 부위·수치 몸체를 채취하여 물에 씻어서 말린다.

약물명 수송(水松)

※ 약효 및 사용법은 '청각'과 같다.

❍ 수송(水松)

❍ 수송(水松, 분말)

❍ 수송(水松, 신선품)

❍ 기둥청각

청각

서병
수종
소변불리
회충병

●학명 : *Codium fragile* (Sur.) Heriot.　●한자명 : 刺松藻

| 1 | 2 | 3 | 4 | 5 | 6 | 7 | 8 | 9 | 10 | 11 | 12 |

녹조류. 몸체 높이 10~30cm. 차상(叉狀)으로 가지가 갈라지고, 가지 굵기는 2~3mm, 몸을 구성하는 소낭(小囊)의 끝부분은 뾰족하다. 몸 내부는 무색투명한 실 모양의 세포가 서로 엉켜 있으며, 세포에는 격막이 없어 전체의 원형질이 연결된 비세포성 다핵체를 이루고 있다.

분포 · 생육지 우리나라 전역. 중국, 일본, 말레이시아, 오스트레일리아, 북아메리카. 얕은 바닷속 바위, 조개껍데기 등에 붙어 자란다.

약용 부위 · 수치 몸체를 채취하여 물에 씻어서 말린다.

약물명 수송(水松). 연연채(軟軟菜), 서미파(鼠尾巴), 청충자(青蟲子), 녹각채(鹿角菜)라고도 한다.

본초서 「본초경집주(本草經集注)」에 처음으로 수재되어 "수독(水毒)을 치료한다."고 하였으며, 「본초습유(本草拾遺)」에는 "부종을 치료한다."고 하였다.

약효 청서해독(清暑解毒), 이수소종(利水消腫), 구충(驅蟲)의 효능이 있으므로 서병(暑病), 수종(水腫), 소변불리(小便不利), 회충병(蛔蟲病)을 치료한다.

성분 sulfated polysaccharide, mannan, starchtype polysaccharide, sulfated arabogalactan, cholesterol, codisterol, clerosterol, dimethylarsinic acid, dimethylsulfide, furfural, α−methylfurfural, cineole, linalool, terpinolene, geraniol, eugenol, *p*−cresol, caprylic acid, pepsin, pancreatin, pronase, trypsin−like serine protease 등이 함유되어 있다.

약리 열수추출물은 구충 효과가 있으며 해인초(海人草)의 효과보다 3배 강하다. 열수추출물을 쥐에게 투여하면 진정 작용이 나타난다. linalool과 geraniol은 항균 작용과 항진균 작용이 있다.

사용법 수송 5g에 물 2컵(400mL)을 넣고 달여서 복용하거나 가루 내어 복용한다. 알약으로 만들어 복용하거나 술에 담가서 복용하면 편리하다. 부종에는 수송(水松) 5g, 차전자 5g, 옥미수(玉米鬚) 5g을 물 4컵(800mL)에 달여서 2회 나누어 복용한다.

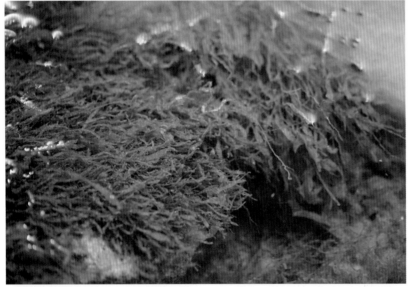

❍ 청각

❍ 청각(표본)

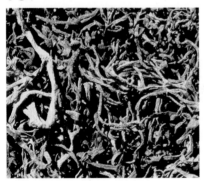

❍ 수송(水松)

❍ 수송(水松, 신선품)

❍ 수송(水松, 분말)

[윤조과]

취윤조

해천, 담다, 흉민

● 학명 : *Chara fragilis* Desv. ● 한자명 : 脆輪藻

| 1 | 2 | 3 | 4 | 5 | 6 | 7 | 8 | 9 | 10 | 11 | 12 |

수생 녹조류. 높이 10~50cm. 차상(叉狀)으로 갈라진 헛뿌리는 물 밑의 뻘에 착생한다. 주경(主莖)은 가늘고 길며 마디에 측지(側枝)가 둘러난다. 주경과 측지의 마디 사이는 1개의 큰 세포로 되고 마디는 작고 많은 세포로 이루어진다. 측지에는 단세포의 잎이 있다.

분포 · 생육지 우리나라 남해, 서해. 중국, 일본, 타이완 등 세계 각처. 얕은 바닷물의 영양분이 있는 바위, 돌, 말뚝 등에 붙어 자란다.

약용 부위 · 수치 몸체를 가을과 겨울에 채취하여 물에 씻어서 말린다.

약물명 어초(漁草)

약효 거담(祛痰), 지해(止咳), 평천(平喘)의 효능이 있으므로 해천(咳喘), 담다(痰多), 흉민(胸悶)을 치료한다.

성분 lysophosphatidylcholie, phospha-tidylserine, phosphatidylinositol, phos-phatidylcholine, phosphatidylglycerol, diphosphatidylglycerol, phosphatidic acid, digalactosylglyceride, sulfolipid 등이 함유되어 있다.

사용법 어초 10g에 물 3컵(600mL)을 넣고 달여서 복용하거나 가루로 만들어 1.5~2g을 복용한다.

○ 취윤조

[미끈가지과]

미끈가지

영류 갑상선종, 인후염

기관지염

● 학명 : *Nemacystus decipiens* (Sur.) Kuck ● 한자명 : 海蘊

| 1 | 2 | 3 | 4 | 5 | 6 | 7 | 8 | 9 | 10 | 11 | 12 |

○ 미끈가지

○ 해온(海薀, 신선품)

○ 미끈가지는 건강식품으로 이용된다.

갈조류. 몸체는 선형(線形)이며 길이 10~15cm, 긴 것은 30cm에 이른다. 갈색 또는 흑갈색을 띤다. 부드럽고 점질이며 속은 약간 비어 있고 가지는 어긋나며 불규칙적으로 차상(叉狀)으로 갈라지기도 한다.

분포 · 생육지 우리나라 남해, 서해. 중국, 일본, 타이완 등 세계 각처. 얕은 바닷물의 영양분이 있는 바위, 돌, 말뚝 등에 붙어서 자란다.

약용 부위 · 수치 몸체를 가을과 겨울에 채취하여 물에 씻어서 말린다.

약물명 해온(海薀). 활류채(滑溜菜)라고도 한다.

기미 · 귀경 함(鹹), 한(寒) · 폐(肺), 간(肝)

약효 연견산결(軟堅散結), 소담이수(消痰利水)의 효능이 있으므로 영류(瘿瘤), 갑상선종(甲狀腺腫), 인후염, 기관지염을 치료한다.

성분 α, β-carotene, edhinenone, β-zeaca-rotene, fucosanthin, parasiloxathin, 7,8-dihydroparasiloxathin, sulfated polysac-charide 등이 함유되어 있다.

약리 다당체 추출물은 인체에 존재하는 HIV에 50~100μg/mL를 0℃에서 2시간 처리한 후 MT-4 림프 세포와 3일간 배양하면 림프 세포는 항원 음성으로 나타난다.

사용법 해온 10~15g에 물 3컵(600mL)을 넣고 달여서 복용하거나 분말로 만들어 7g씩 복용한다.

[패과]

패

경임파결종 | 갑상선종, 인후염 | 회충병

● 학명 : *Ishige okamurae* Yendo ● 한자명 : 鐵釘菜

| 1 | 2 | 3 | 4 | 5 | 6 | 7 | 8 | 9 | 10 | 11 | 12 |

갈조류. 높이 5~20cm, 너비 0.5~2cm. 기부는 가늘고 짧은 원통 모양이며 상부는 넓은 실 또는 띠 모양이고 차상(叉狀)으로 갈라진다. 때로는 가지 끝부분의 조직 속에 공기를 포함하기 때문에 기포처럼 팽대하는 경우도 있다. 전체는 흑갈색이지만 평대한 부분은 황갈색이고 건조하면 검은색으로 변한다.

분포 · 생육지 우리나라 남해, 서해, 울진, 월성, 부산. 중국, 일본, 타이완, 태평양. 조간대 중부의 바위 위에서 군락을 이루며 자란다.

약용 부위 · 수치 몸체를 봄과 여름에 채취하여 물에 씻어서 말린다.

약물명 철정채(鐵釘菜). 철선초(鐵線草), 전도채(前刀菜)라고도 한다.

기미 · 귀경 함(鹹), 한(寒) · 간(肝)

약효 연견산결(軟堅散結), 해독, 구회(驅蛔)의 효능이 있으므로 경임파결종(頸淋巴結腫), 갑상선종(甲狀腺腫), 인후염, 회충병을 치료한다.

성분 diacylglycerylhydroxymethyltrimethyl-β-alanine, phosphatidylcholine, alginate, glucosan, alginic acid, mannitol 등이 함유되어 있다.

약리 다당체 추출물은 인체에 존재하는 HIV에 50~100μg/mL를 0℃에서 2시간 처리한 후 MT-4 림프 세포와 3일간 배양하면 림프 세포는 항원 음성으로 나타난다.

사용법 철정채 20g에 물 4컵(800mL)을 넣고 달여서 복용하거나 분말로 만들어 10g씩 복용한다.

＊ 본 종보다 가지가 넓은 '넓패 *I. foliacea*'도 약효가 같다.

❶ 패

❶ 넓패

❶ 패(엽상체)

❶ 패(표본)

[고리매과]

미역쇠

임파결종 | 폐결핵

● 학명 : *Endarachne binghamiae* J. Ag. [*Petalonia binghamiae*]
● 한자명 : 鵝腸菜

| 1 | 2 | 3 | 4 | 5 | 6 | 7 | 8 | 9 | 10 | 11 | 12 |

갈조류. 몸체는 옅은 황록색의 댓잎 모양으로 가운데가 넓고 양끝으로 갈수록 좁아진다. 엽상체는 전체적으로 구불거리는 외가닥이며 가장자리는 매끈하다. 작은 반상근(盤狀根)에 여러 가닥이 모여 나며 몸 길이 25cm까지, 너비는 2~3cm로 성장하며 겨울부터 늦봄까지 출현한다.

분포 · 생육지 우리나라 남해, 서해. 중국, 일본, 타이완 등 세계 각처. 얕은 바닷물의 영양분이 있는 바위, 돌, 말뚝 등에 붙어 자란다.

약용 부위 · 수치 몸체를 겨울과 봄에 채취하여 물에 씻어서 말린다.

약물명 아장채(鵝腸菜). 각피채(脚皮菜), 흑곤포(黑昆布)라고도 한다.

기미 · 귀경 함(鹹), 한(寒) · 간(肝), 폐(肺)

약효 청열화담(淸熱化痰), 연견산결(軟堅散結)의 효능이 있으므로 임파결종(淋巴結腫), 폐결핵을 치료한다.

성분 hexadecanoic acid, 24-methylenecholesterol, D-mannitol, phosphatidylcholine, saringosterol, 24-methylenecholesta-5,25-dien-3β-ol, alginic acid 등이 함유되어 있다.

약리 열수추출물은 쥐의 백혈병 세포인 S180을 이식한 암에 대하여 30% 이상의 억제 작용을 나타내고, 혈관 확장 작용이 있다.

사용법 아장채 20g에 물 4컵(800mL)을 넣고 달여서 복용하거나 분말로 만들어 10g씩 복용한다.

❶ 미역쇠

❶ 아장채(鵝腸菜)

[고리매과]

고리매

해수, 후비　　갑상선종

경임파결종

● 학명 : *Scytosiphon lomentarius* (Lyngb.) Link　● 한자명 : 萱藻　● 별명 : 잘록이고리매

| 1 | 2 | 3 | 4 | 5 | 6 | 7 | 8 | 9 | 10 | 11 | 12 |

● 고리매

● 훤조(萱藻, 신선품)

● 고리매(표본)

갈조류. 몸체는 담갈색, 얇고 매끄러운 원통형으로 늘어져 있으며, 헛뿌리로부터 여러 가닥이 모여 난다. 엽상체는 어린 시기에는 사상형이지만, 자라면서 곳곳에 관절처럼 잘록한 부분이 생긴다. 몸길이 15~30cm, 너비는 1~5mm이며, 겨울부터 초봄까지 출현한다.

분포 · 생육지 우리나라 남해, 서해, 울릉도, 속초, 주문진. 중국, 일본, 타이완 등 세계 각처. 얕은 바닷물의 영양분이 있는 바위, 돌, 말뚝 등에 붙어 자란다.

약용 부위 · 수치 몸체를 봄부터 가을에 채취하여 물에 씻어서 말린다.

약물명 훤조(萱藻). 해마선(海麻線), 황해채(黃海菜)라고도 한다.

기미 · 귀경 함(鹹), 한(寒) · 폐(肺), 간(肝)

약효 청열해독(清熱解毒), 화담산결(化痰散結)의 효능이 있으므로 해수(咳嗽), 후비(喉痺), 갑상선종(甲狀腺腫), 경임파결종(頸淋巴結腫)을 치료한다.

성분 phosphatidylcholine, phenol, hormo-sirene, (3Z,6Z,9Z)-dodecatrienoic acid, ectocarpene 등이 함유되어 있다.

약리 열수추출물은 쥐의 백혈병 세포인 S180을 이식한 암에 대하여 30% 이상의 억제 작용을 나타내고, 혈관 확장 작용이 있다.

사용법 훤조 15g에 물 3컵(600mL)을 넣고 달여서 복용하거나 분말로 만들어 10g씩 복용한다.

[끈말과]

끈말

나력, 영류　　고혈압

● 학명 : *Chorda filum* (L.) Lamx.　● 한자명 : 繩藻

| 1 | 2 | 3 | 4 | 5 | 6 | 7 | 8 | 9 | 10 | 11 | 12 |

갈조류. 줄기는 갈색이고 연골질이며 가느다란 외가닥의 긴 끈 모양으로 한 곳에 여러 개가 모여 나며 가지를 치지 않는다. 체내는 속이 빈 공간이 있어서 물속에서 직립하는 특징이 있고, 줄기 표면은 가느다랗고 미끄럽다. 길이는 수 m까지 자라는 경우도 있으며 상부로 갈수록 점점 가늘어진다.

분포 · 생육지 우리나라 동해안, 흑산도, 어청도. 중국, 일본, 타이완 등 세계 각처. 얕은 바닷물의 영양분이 있는 바위, 돌, 말뚝 등에 붙어 자란다.

약용 부위 · 수치 몸체를 겨울과 봄에 채취하여 물에 씻어서 말린다.

약물명 승조(繩藻). 해마선(海麻線), 마승채(麻繩菜)라고도 한다.

약효 연견(軟堅), 거담(祛痰), 이뇨(利尿), 강압의 효능이 있으므로 나력(瘰癧), 영류(瘦瘤), 고혈압을 치료한다.

성분 D-mannitol, laminarin, 1-O-β-D-glucopyranosyl-D-mannitol, 1-O-β-D-gentiobiosyl-D-mannitol, fucodin, phloro-gucinol triacetate, diphlorethol pentaacetate, bifuhalol hexaacetate, tetraisofuhalol penta-acetate, bifuhalol hexaacetate, lysine betaine dioxalate, laminine dioxalate, glycine dioxa-late, glycine betaine, alginic acid 등이 함유되어 있다.

약리 열수추출물은 항산화 작용이 있다.

사용법 승조 15g에 물 3컵(600mL)을 넣고 달여서 복용한다.

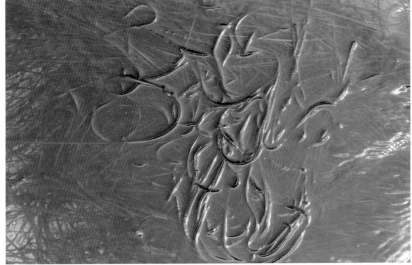

● 끈말

미역

 고혈압, 동맥경화
 간경변, 변비
부스럼, 습진, 옴
림프절염

● 학명 : *Undaria pinnatifida* Suringer

| 1 | 2 | 3 | 4 | 5 | 6 | 7 | 8 | 9 | 10 | 11 | 12 |

갈조류. 광합성을 하여 영양을 취하며 수면 아래 2~3m의 깊은 곳 바위에 뿌리를 박거나 수면 아래 1m에서 뿌리를 내려 자란다. 수온 0~13℃의 바다에서 자랄 수 있으나 2~7℃가 적당한 온도이다. 바닷물의 흐름이 빠른 곳이 느린 곳보다 생장이 잘 된다.

분포 · 생육지 우리나라. 중국, 일본. 바닷속 바위에 붙어서 자라는 두해살이 바다 식물이며, 요즘은 양식으로 대량 생산한다.

약용 부위 · 수치 엽상체를 겨울과 봄에 채취하여 말린다.

약물명 군대채(裙帶菜). 해채(海菜)라고도 한다.

기미 · 귀경 한(寒), 함(鹹) · 폐(肺), 간(肝)

약효 갑상선 기능 항진으로 갑상선이 비대해지고 가슴이 두근거리며 고혈압이 있는 증상에 효능이 있다. 림프절염을 치료하고 간장염이나 고환에 생긴 종기를 치료한다. 이뇨 작용이 있으므로 온몸이 붓는 증상, 변비에 탁월한 효과가 있다. 고혈압, 동맥경화, 간경변 등에 널리 사용하며, 부스럼, 습진, 옴 등 피부병 치료에 이용한다.

성분 *N*-methylnicotinamide, myristic acid, norphthalmic acid, fucosterol, saringosterol, cholesterol, digalactosyldiacylglycerol 등이 함유되어 있다.

약리 미역의 열수추출물은 개구리 심장에 대한 흥분 작용, 토끼의 혈압 강하 작용, 혈중 지질 저하 작용, 혈액 응고 저지 작용, 면역력 향상 작용, 혈당 저하 작용, 대소장 평활근 이완 작용 등이 나타난다.

사용법 소금에 절여 둔 것이 많으므로 물에 충분히 담가 몇 번 헹구어 사용하는 것이 좋다. 군대채 10g에 물 3컵(600mL)을 넣고 달여서 즙액을 복용하거나 건더기와 함께 먹는다. 변비에는 생것을 씹어 먹어도 좋다. 부스럼, 습진, 옴 등의 피부병 치료에 달인 액을 마시면서 생미역의 즙액을 상처에 바른다.

❶ 미역

❶ 건조 중인 미역

❶ 미역국

❶ 미역귀

❶ 미역 손질(부산시 기장)

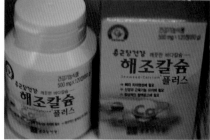
❶ 미역으로 만든 건강식품

다시마

영류, 나력	퇴산	열격, 담열해천
두훈, 두통	소침다몽	각기수종

● 학명 : *Laminaria japonica* Aresh. [*Saccharina japonica*]

| 1 | 2 | 3 | 4 | 5 | 6 | 7 | 8 | 9 | 10 | 11 | 12 |

갈조류. 생것은 남갈색이나 말리면 암갈색을 띤다. 잎몸은 가죽질, 띠 모양이며 길이 2~6m, 너비 20~50cm, 중앙에는 세로로 달리는 중대(中帶)가 있으며 두께는 2~5mm이나 가장자리로 갈수록 얇아지며 물결 모양이 된다. 잎몸 밑부분은 쐐기 모양이며 납작한 구형이고 길이 5~15cm이다.

분포 · 생육지 우리나라 동해, 서해, 남해. 중국, 일본. 바닷속 바위에 붙어 자라며, 요즘은 양식으로 대량 생산한다.

약용 부위 · 수치 엽상체와 고착기(固着器)를 6~9월에 채취하여 말린다.

약물명 엽상체를 곤포(昆布)라 하며, 해곤포(海昆布), 윤포(綸布)라고도 한다. 고착기(固着器)는 해대근(海帶根)이라 한다. 곤포(昆布)는 대한민국약전외한약(생약)규격집(KHP)에 수재되어 있다.

기미 · 귀경 곤포(昆布), 해대근(海帶根): 한(寒), 함(鹹) · 폐(肺), 간(肝)

약효 곤포(昆布)는 소담연견(消痰軟堅), 이수퇴종(利水退腫)의 효능이 있으므로 영류(瘿瘤), 나력(瘰癧), 퇴산(癩疝), 열격(噎膈), 각기수종(脚氣水腫)을 치료한다. 해대근(海帶根)은 청열화담(清熱化痰), 지해(止咳), 평간(平肝)의 효능이 있으므로 담열해천(痰熱咳喘), 두훈(頭暈), 두통, 소침다몽(少寢多夢)을 치료한다.

성분 alginate, alginic acid, D-mannuronic acid, L-glucuronic acid, fucoidan, laminarin, lipopolysaccharide, laminine, glutamic acid, proline, alanine, histidine, tryptophane, methionine, mannitol, taurine, eicosapentanoic acid, linoleic acid, γ-linolenic acid, octadecatetraenoic acid, arachidonic acid, fucosterol, cubenol, myristic acid, phytols, dibutylphthalide, vitamine B_1, B_2, C, P, 유황(S), 칼륨(K), 인(P), 칼슘(Ca), 망간(Mn), 철(Fe) 등이 함유되어 있다.

약리 열수추출물은 개구리 심장에 대한 흥분 작용, 토끼의 혈압 강하 작용, 혈중 지질 저하 작용, 혈액 응고 저지 작용, 면역력 향상 작용, 혈당 저하 작용, 대소장 평활근 이완 작용 등이 나타난다. eckol은 파킨슨병을 유발하는 데 중요한 역할을 하는 MAO-A and MAO-B의 활성을 저해한다.

사용법 소금에 절여진 것이 많으므로 물에 충분히 담가 몇 번 헹구어 사용하는 것이 좋다. 곤포나 해대근 20g에 물 3컵(600mL)을 넣고 달여서 즙액을 복용하거나 건더기와 함께 먹는다. 변비에는 생것을 씹어 먹어도 좋다. 부스럼, 습진, 옴 등 피부병 치료에 달인 액을 마시면서 생미역의 즙액을 상처에 바른다.

※ '검둥감태(黑昆布) *Ecklonia kurome*'도 약효가 같다.

❂ 다시마

❂ 곤포(昆布)로 만든 건강식품

❂ 다시마(분말 제품)

❂ 곤포(昆布)

❂ 곤포(昆布)

❂ 다시마 건조(부산시 기장)

❂ 해대근(海帶根)

❂ 다시마(분말)

❂ 다시마 양식장(부산시 기장)

뜸부기

노열골증 · 담열해수, 폐결핵 · 영류, 나력

● 학명 : *Pelvetia siliquosa* Tseng et C. F. Chang [*Silvetia siliquosa*]　● 한자명 : 鹿角菜

1	2	3	4	5	6	7	8	9	10	11	12

갈조류. 줄기 높이 5~15cm. 뿌리는 반상근(盤狀根)이며, 줄기는 원기둥형인데 차상(叉狀)으로 분지한다. 줄기의 상부는 편평한 원형이고 분화된 공기주머니를 따로 갖지는 않으나 윗부분의 가지가 팽대하여 공기주머니 작용을 한다. 전체는 암갈색이지만 가지 끝부분은 담갈색이고 건조하면 흑색으로 변한다.

분포 · 생육지 우리나라 남해안. 중국, 일본, 타이완 등 태평양. 조간대의 바위 위에서 군락을 이루며 자란다.

약용 부위 · 수치 몸체를 봄과 여름에 채취하여 물에 씻어서 말린다.

약물명 녹각채(鹿角菜). 녹각봉(鹿角棒), 녹

각두(鹿角豆)라고도 한다.

약효 청열화담(淸熱化痰), 연견산결(軟堅散結)의 효능이 있으므로 노열골증(勞熱骨蒸), 담열해수(痰熱咳嗽), 폐결핵, 영류(癭瘤), 나력(瘰癧)을 치료한다.

성분 alginic acid, mannitol, fucosterol, 다당류, 아이오딘(요오드) 등이 함유되어 있다.

약리 fucosterol은 항산화 및 항당뇨 작용이 있다. 다당체는 혈액의 항응고 및 지방분해 활성을 나타낸다.

사용법 녹각채 10~15g에 물 3컵(600mL)을 넣고 달여서 복용하거나 분말로 만들어 7g씩 복용한다.

❶ 녹각채(鹿角菜)

톳

영류, 나력 · 각기부종

● 학명 : *Sargassum fusiforme* (Harv.) Setch. [*Hizikia fusiforme* (Harv.) Okam.]

1	2	3	4	5	6	7	8	9	10	11	12

갈조류. 높이 50~100cm, 드물게 2m에 가까운 것도 있다. 몸체는 약간 단단한 나뭇가지 모양의 가지가 길게 벋으며 전면이 갸름한 통상엽(筒狀葉)으로 덮인다. 늦가을에 새순이 자라고 겨울에서 봄에 걸쳐 번성하며 늦봄 이후에는 쇠퇴한다. 그러나 바위에 달라붙어 있는 포복근 부위는 여름에도 살아남아 거기에서 새순이 나온다.

분포 · 생육지 우리나라 제주도와 남해안 일대. 중국, 일본, 타이완 등 세계 각처. 조간대(潮間帶) 하부의 바위에서 자란다.

약용 부위 · 수치 몸체를 여름과 가을에 채취하여 물에 씻은 후 말린다.

약물명 해조(海藻). 낙수(落首), 해라(海蘿), 해조채(海藻菜)라고도 한다. 대한민국약전외한약(생약)규격집(KHP)에 수재되어 있다.

본초서 해조(海藻)는 「신농본초경(神農本草經)」의 중품(中品)에 수재되어 있고, 「본초강목(本草綱目)」에는 "피부에 쌓인 것을 몰아내고, 열이 심한 것을 내리고, 소변을 잘

보게 한다."고 하였다.

기미 · 귀경 함(鹹), 한(寒) · 간(肝), 위(胃), 신(腎)

약효 소담연견(消痰軟堅), 이수퇴종(利水退腫)의 효능이 있으므로 영류(癭瘤), 나력(瘰癧), 각기부종을 치료한다.

성분 alginic acid 15.32~32.18%, mannitol 2.21~7.87%, potassium oxide 3.23~11.67%, 회분 19.72~37.53%, 소량의 laminarin 등이 함유되어 있다.

약리 마취시킨 토끼에게 물추출물을 주사하면 혈압이 하강하고, 쥐에게 해조를 투여하면 혈액 응고를 저지하는 효능이 있으며, 토끼에게 laminarin을 정맥 주사하면 혈중 콜레스테롤의 함량을 저하시킨다. 그 외 면역력 증강 작용이 나타나고, 톳의 다당류(SFPPRR)를 백혈병이나 자궁암에 걸린 쥐에게 투여하면 항암 작용이 있다. 물추출물은 고초간균에 대하여 항균 작용이 있다.

사용법 해조 3g에 물 1컵(200mL)을 넣고

달여서 복용하거나 알약이나 가루약으로 만들어 복용하고 술에 담가서 복용하기도 한다.

처방 해조산(海藻散): 해조(海藻) · 적복령(赤茯苓) · 오미자(五味子) 각 40g, 반하(半夏) · 세신(細辛) · 행인(杏仁) 각 12g (「향약집성방(鄕藥集成方)」). 기침이 나면서 가슴이 답답하고 두근거리며 명치 밑이 불편하고 손발바닥이 달아오르며 때로 오한이 나는 증상에 사용한다(1회 12g).

• 해조산견환(海藻散堅丸, 파결산(破結散)이라고도 함.): 신국(神麴) · 해조(海藻) · 곤포(昆布) · 용담(龍膽) · 해합각(海蛤殼) · 통초(通草) · 패모(貝母) · 고백반(枯白礬) · 송라(松蘿) 각 12g, 반하(半夏) 8g (「동의보감(東醫寶鑑)」). 나력이나 마도창이 생겨 뜬뜬하면서 조열이 나는 증상에 사용한다.

* '알쏭이모자반 *S. confusum*', '모자반 *S. fulvellum*', '검둥모자반 *S. nigrifolium*', '구슬모자반 *S. piluliferum*', '괭생이모자반 *S. horneri*'도 약효가 같다.

❶ 톳

❶ 해조(海藻)

❶ 해조(海藻, 신선품)

❶ 해조(海藻)로 만든 건강식품

[모자반과]

지충이

| 👁 인후통, 갑상샘종 | 📋 나력 |
| 🫁 해수담결 | 🧍 소변불리 |

● 학명 : *Sargassum thunbergii* (Mertens ex Roth) Kuntze ● 한자명 : 海茜

| 1 | 2 | 3 | 4 | 5 | 6 | 7 | 8 | 9 | 10 | 11 | 12 |

갈조류. 몸체는 흑갈색이며 반상근(盤狀根)에서 홀로 바로 서고 곧게 뻗어 길이 1m까지 자란다. 줄기는 짧고 원주상이며, 단독 또는 여러 개로 분지하고 여러 개의 중심 가지를 형성한다. 중심 가지는 지름 1.5~2.5mm이고 측지가 불규칙적으로 난다. 잎은 가장자리가 밋밋하며 하부에서는 비늘형, 상부로 가면서 주걱형이다. 공기주머니는 방추형이다.

분포·생육지 우리나라 각처 해안. 중국, 일본, 타이완 등 세계 각처. 조간대 하부의 바위에 붙어서 흔하게 자란다.

약용 부위·수치 몸체를 여름과 가을에 채집하여 물에 씻은 후 말린다.

약물명 해천(海茜), 해초(海草)라고도 한다.

약효 연견산결(軟堅散結), 청열화담(淸熱化痰), 이수(利水)의 효능이 있으므로 나력(瘰癧), 인후통, 해수담결(咳嗽痰結), 소변불리, 수종(水腫), 창절(瘡癤), 심교통(心交痛), 갑상샘종을 치료한다.

성분 alginic acid 15.32~32.18%, mannitol 2.21~7.87%, potassium oxide 3.23~11.67%, 회분 19.72~37.53%, 소량의 laminarin 등이 함유되어 있다.

약리 열수추출물은 S180 세포를 쥐에게 이식시킨 종양에 32%의 성장 저해율을 나타내며 열수추출물의 투석액은 쥐의 복수암에 항종양 활성을 나타낸다. laminarin sulfate (LS) 25mg/kg을 정맥 주사하면 토끼의 적혈구 집결이 감소하고 혈액 응고 시간이 연장된다. LS 10mg/kg을 정맥 주사하면 혈중 콜레스테롤 함량을 감소시킨다.

사용법 해천 10g에 물 3컵(600mL)을 넣고 달여서 복용하거나 술에 담가서 복용한다.

○ 지충이

○ 해천(海茜, 신선품)

○ 지충이

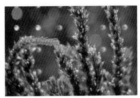
○ 수조에서 시험 양식 중인 지충이

[김파래과]

참김

| 📋 영류 | 👁 인후종통, 갑상샘암 |
| 🫁 해수 | 🐟 번조실면 |

● 학명 : *Porphyra tenera* Kjelim

| 1 | 2 | 3 | 4 | 5 | 6 | 7 | 8 | 9 | 10 | 11 | 12 |

홍조류. 몸체는 선상 긴 타원형이며 간혹 선상 달걀 모양도 있다. 길이 14~25cm, 너비 5~12cm로 끝이 둔하고 가장자리에 주름이 있고, 상부는 적갈색이며 하부는 청록색이다. 종류와 색이 다양하다.

분포·생육지 우리나라 전라남도(완도), 경상남도. 중국, 일본. 바닷속 바위에 엉켜 붙어 자란다.

양식 적합한 수온은 15~22℃이며 파도가 고요한 내만으로 조류의 소통이 잘되고, 심도(深度)는 만조 시 수면으로부터 약 1m 깊이의 수위를 유지해야 하며 추운 곳이나 바람이 강한 곳은 좋지 않다. 김 양식은 채묘(採苗), 건홍(建筬), 발육 관리, 수확의 4단계로 나눈다.

약용 부위·수치 몸체를 9~10월에 채취하여 잡물을 제거하고 말린다.

약물명 자채(紫菜). 색채(索菜), 자영(紫英)이라고도 한다.

기미·귀경 감(甘), 함(鹹), 한(寒)·폐(肺), 비(脾), 방광(膀胱).

약효 화담연견(化痰軟堅), 이인(利咽), 지해(止咳), 양심제번(養心除煩), 이수제습(利水除濕)의 효능이 있으므로 영류(瘿瘤), 인후종통, 해수(咳嗽), 번조실면(煩燥失眠), 각기영류(脚氣瘿瘤), 사리(瀉痢), 갑상샘암을 치료한다.

성분 탄수화물인 한천이 가장 많이 들어 있고 단백질은 30~40%가 함유되어 있으며 지방은 거의 없다. 나트륨, 칼륨, 칼슘, 인 등의 무기질과 lipopolysaccharide(LPS), vitamin B12, As, phycocyan, trpytophan, niacine, α-pinene, α-limonene, terpinolene, geraniol, carvone, furfural, valeric acid, eic acid, lutein 등이 함유되어 있다.

약리 다당류는 세포 면역과 체액 면역 기능을 증강하고 림프 세포의 전이를 촉진시킨다. 위 복강의 대식 세포에서 대식 능력과 면역 기관의 기능을 증진시킨다. 다당류를 쥐 십이지장에 50mg/kg 투여 시 심장 박동이 느려지고 심근 수축력은 증가한다. 다당류는 항혈액 응고 작용을 가지며 토끼의 경우 혈액 점도와 혈장 점도를 저하시킨다. 다당류를 쥐에게 150mg/kg 복강 주사하면 종양 크기를 47%까지 억제시키고 연속 8일간 75mg/kg을 복용시키면 혈중 콜레스테롤 함량이 감소한다.

사용법 자채 가루 낸 것 1g을 1일 3회 복용하거나 알약으로 만들어 복용한다.

＊자홍색 또는 청홍색을 띠고 광택이 나며 달걀 모양인 '무늬돌김(왜김) *P. yezoensis*', 자홍색 또는 황홍색을 띠며 주름이 많고 둥근 모양인 '둥근김(속대기) *P. suborbiculata*'도 약효가 같다.

○ 참김(표본)

○ 참김(건조 작업)

○ 자채(紫菜)

○ 조직 배양에 의한 참김 생산

바다고리풀

영류, 나력

● 학명 : *Asparagopsis taxiformis* (Delile) Coll. et Harv.　● 한자명 : 海門冬

| 1 | 2 | 3 | 4 | 5 | 6 | 7 | 8 | 9 | 10 | 11 | 12 |

❂ 바다고리풀

홍조류. 몸체 높이 10~20cm. 기는줄기에서 바로 서며, 줄기 굵기는 1.5~2μm이다. 가지는 줄기 각 방면에서 어긋나고 길이 3~5cm로 촘촘하게 다발을 이룬다. 작은가지는 빽빽이 나고 끝은 마치 붓 끝처럼 생겼으며 적갈색 또는 적자색이고 다육질, 연골질이다.

분포 · 생육지 우리나라 제주도, 남해안, 울릉도. 중국, 일본, 타이완. 간조선의 바위에 착생한다.

약용 부위 · 수치 몸체를 여름과 가을에 채취하여 물에 씻어서 말린다.

약물명 해문동(海門冬). 해채(海菜)라고도 한다.

약효 청열해독(淸熱解毒), 연견산결(軟堅散結)의 효능이 있으므로 영류(癭瘤), 나력(瘰癧)을 치료한다.

성분 monochloroacetic acid, monobromoacetic acid, dichloroacetic acid, monochloromonobromoacetic acid, diiodoacetic acid, 3-bromo-3-iodoacrylic acid, 3-iodo-2,3-dibromoacrylic acid 등이 함유되어 있다.

사용법 해문동 15g에 물 3컵(600mL)을 넣고 달여서 복용한다.

우뭇가사리

장염복사, 치창출혈, 만성변비, 회충증

신우신염　　영류, 종류

● 학명 : *Gelidium amansii* Lamx. [*G. elegans*]

| 1 | 2 | 3 | 4 | 5 | 6 | 7 | 8 | 9 | 10 | 11 | 12 |

홍조류. 몸체 높이 10~30cm. 차상(叉狀)으로 가지가 갈라지고 가지 굵기는 2~3mm, 몸을 구성하는 소낭(小囊)의 끝부분은 뾰족하다. 몸 내부는 무색투명한 실 모양의 세포가 서로 엉켜 있으며, 세포에는 격막이 없어 전체의 원형질이 연결된 비세포성 다핵체를 이루고 있다. 전체적으로 적자색을 띤다.

분포 · 생육지 우리나라 전 연안, 특히 울릉도, 독도, 속초, 주문진, 기장, 구룡포, 욕지도. 중국, 일본, 타이완. 얕은 바닷속 바위, 조개껍데기 등에 붙어서 자란다.

약용 부위 · 수치 몸체를 여름과 가을에 채취하여 물에 씻어서 말린다.

약물명 석화채(石花菜). 우모석화(牛毛石花), 석화초(石花草), 동채(凍菜), 홍사(紅絲), 설화채(雪花菜)라고도 한다.

약효 청열해독(淸熱解毒), 화어산결(化瘀散結), 완하(緩下), 구회(驅蛔)의 효능이 있으므로 장염복사(腸炎腹瀉), 신우신염, 영류(癭瘤), 종류(腫瘤), 치창출혈(痔瘡出血), 만성변비, 회충증을 치료한다.

성분 agarose, agaropectin, taurine, *N,N*-dimethyl taurine, 24-methylene cholesterol, charlinasterol, choline, vitamin B$_2$, antiviral polysaccharide 등이 함유되어 있다.

약리 다당체 성분은 B형 감기 바이러스에 대하여 억제 작용이 있다.

사용법 석화채 20g에 물 4컵(800mL)을 넣고 달여서 복용하거나 분말로 만들어 10g씩 복용한다.

＊ 본 종에 비하여 식물체가 큰 '왕우뭇가사리 *G. pacifucum*'도 약효가 같다.

❂ 석화채(石花菜)

❂ 우뭇가사리를 건조시켜 만든 한천(寒天)

❂ 석화채(石花菜, 분말)

❂ 우뭇가사리(표본)

❂ 우뭇가사리

[우뭇가사리과]
애기우뭇가사리

 장염, 이질, 만성변비　 피하출혈

● 학명 : *Gelidium divaricatum* Martens　● 한자명 : 小石花菜

| 1 | 2 | 3 | 4 | 5 | 6 | 7 | 8 | 9 | 10 | 11 | 12 |

홍조류. 몸체 높이 2~3cm. 모여나며 불규칙하게 깃 모양으로 갈라진다. 가지는 넓게 펼쳐지고, 짧은 작은가지는 촘촘하게 깃 모양으로 난다. 작은가지의 끝부분에는 4분포 자낭군과 낭과(囊果)가 있다.

분포 · 생육지 우리나라 전 연안. 중국, 일본, 타이완. 조간대 상부의 바위 위나 조개껍데기 등에 붙어서 자란다.

약용 부위 · 수치 몸체를 여름과 가을에 채취하여 물에 씻어서 말린다.

약물명 소석화채(小石花菜). 암의(岩衣), 해화채(海花菜), 생동초(生凍草), 구모채(狗毛菜)라고도 한다.

약효 청열화어(淸熱化瘀), 완하통변(緩下通便)의 효능이 있으므로 장염, 이질, 피하출혈, 만성변비를 치료한다.

사용법 소석화채 10~15g에 물 2컵(400mL)을 넣고 달여서 복용한다.

❍ 애기우뭇가사리

[풀가사리과]
불등풀가사리

 노열　 골증
 설사, 이질　 풍습비통

● 학명 : *Gloiopeltis furcata* (Post. et Rup.) J. Ag.　● 한자명 : 海蘿　● 별명 : 불등가사리

| 1 | 2 | 3 | 4 | 5 | 6 | 7 | 8 | 9 | 10 | 11 | 12 |

홍조류. 길이 5~10cm. 몸체는 곤봉 모양이며, 줄기는 매우 짧고 속은 비어 있다. 몸 여기저기가 잘록하며 관절처럼 된다. 적자색을 띠며 질은 얇은 가죽질이고 강하며 건조하면 바위에 잘 붙는다. 노출 및 건조에 잘 적응한다.

분포 · 생육지 우리나라 경북, 부산, 남해, 제주도. 중국, 일본, 인도, 북아메리카 등 태평양. 연안의 바위 위에서 자란다.

약용 부위 · 수치 몸체를 여름에 채취하여 수돗물에 씻어서 말린다.

약물명 해라(海蘿). 후규(猴葵)라고도 한다.

기미 · 귀경 함(鹹), 한(寒) · 폐(肺), 비(脾), 대장(大腸)

약효 청열소식(淸熱消食), 거풍제습(祛風除濕), 연견화담(軟堅化痰)의 효능이 있으므로 노열(勞熱), 골증(骨蒸), 설사, 이질, 풍습비통(風濕痺痛), 해수(咳嗽), 영류(癭瘤), 치질을 치료한다.

성분 agarobiose dimethylacetal, methyl−D−galactoside, methyl−D−xyloside, 3,6−anhydro−L−galactose, sulfate polysaccharide, taurine, D−aspartic acid 등이 함유되어 있다.

사용법 해라 7~9g에 물 3컵(600mL)을 넣고 달여서 복용하거나 술에 담가서 복용한다.

❍ 불등풀가사리

❍ 해라(海蘿)

[풀가사리과]

풀가사리

노열　골증
설사, 이질　풍습비통

● 학명 : *Gloiopeltis tenax* (Turner) Decaisne

| 1 | 2 | 3 | 4 | 5 | 6 | 7 | 8 | 9 | 10 | 11 | 12 |

홍조류. 몸체 길이 10~20cm. 작은 반상근(盤狀根)에서 뭉쳐난다. 주축은 원주상이고 위쪽은 편평해진다. 여러 번 차상(叉狀)으로 분지하고 가지 끝은 가늘게 되며 간혹 아래쪽으로 구부러진다. 횡단면에서는 주축 세포가 명료하게 보이며, 이 주위로 피층 세포들이 있다. 연골질이며 적자색이다. 낭과는 피층 속에 묻혀 있으며 표면이 볼록

하게 보인다.

분포 · 생육지 우리나라 남해안, 제주도, 중국, 일본, 타이완. 봄에서 여름에 걸쳐 조간대 중부 또는 간조선에 출현한다.

약용 부위 · 수치 몸체를 봄과 여름에 채취하여 물에 씻어서 말린다.

약물명 해몽(海夢), 녹각채(鹿角菜), 녹각(鹿角), 후규(猴葵)라고도 한다.

기미 · 귀경 한(寒), 함(鹹) · 폐(肺), 비(脾), 대장(大腸)

약효 청열소식(淸熱消食), 거풍제습(祛風除濕), 연견화담(軟堅化痰)의 효능이 있으므로 노열(勞熱), 골증(骨蒸), 설사, 이질, 풍습비통(風濕痹痛), 해수(咳嗽), 영류(癭瘤), 치질을 치료한다.

사용법 해몽 7~9g에 물 2컵(400mL)을 넣고 달여서 복용하거나 술에 담가서 복용한다.

❍ 풀가사리

❍ 해몽(海夢)

[지누아리과]

참지누아리

인후통　장염, 회충병

● 학명 : *Grateloupia filicina* (Eulf.) C. Ag.　● 한자명 : 蜈蚣藻

| 1 | 2 | 3 | 4 | 5 | 6 | 7 | 8 | 9 | 10 | 11 | 12 |

홍조류. 몸체 높이 20~30cm. 차상(叉狀)으로 가지가 갈라지고 가지 굵기는 2~3mm, 몸을 구성하는 소낭(小囊)의 끝부분은 뾰족하다. 몸 내부는 무색투명한 실 모양의 세포가 서로 엉켜 있으며, 세포에는 격막이 없어 전체의 원형질이 연결된 비세포성 다핵체를 이루고 있다.

분포 · 생육지 우리나라 전역. 중국, 일본, 말레이시아, 오스트레일리아, 북아메리카. 얕은 바닷속 바위, 조개껍데기 등에 붙어

자란다.

약용 부위 · 수치 몸체를 가을과 겨울에 채취하여 물에 씻어서 말린다.

약물명 오공조(蜈蚣藻), 해적채(海赤菜), 동가란(冬家爛), 고채(膏菜)라고도 한다.

약효 청열해독(淸熱解毒), 구충의 효능이 있으므로 인후통, 장염, 회충병을 치료한다.

성분 carrageenan, D-rhodic acid가 함유되어 있다.

약리 carrageenan은 체외 실험에서 10μg/mL를 바이러스가 감염된 Hela 세포에 주입하면 바이러스의 복제를 저해하는 효능이 있다. 그 기전은 바이러스의 감염과 부착 세포를 저해하는 것이 아니라, 바이러스가 세포에 들어간 후에 복제의 어느 한 단계를 저해하는 것으로 해석된다.

사용법 오공조 15~20g에 물 3컵(600mL)을 넣고 달여서 복용하고, 분말로 만들어 10g을 복용한다.

＊ 엽상체의 너비가 넓은 '넓은지누아리 *G. livida*'도 약효가 같다.

❍ 참지누아리

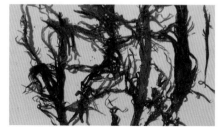

❍ 오공조(蜈蚣藻)

[지누아리과]

도박

영류, 나력		고환종통	
수종		대하	

● 학명 : *Pachymeniopsis elliptica* (Holm.) Yamada [*Grateloupia elliptica*]
● 한자명 : 厚膜藻   ● 별명 : 참도박

1	2	3	4	5	6	7	8	9	10	11	12

홍조류. 몸체 높이 20~30cm, 큰 것은 50~
60cm에 이른다. 적자색을 띠며 가죽질이
고, 너비 4~8cm로 편평한 잎처럼 생겼고,
손바닥처럼 불규칙하게 분지한다. 기부는
원형으로 자루가 없다. 4분 포자낭은 피층
에 산재하고, 낭과는 표면에 있으며 작은
알갱이처럼 생겼다.

분포 · 생육지 우리나라 전역, 중국, 일본.
얕은 바닷속 바위, 조개껍데기 등에 붙어서
자란다.

약용 부위 · 수치 몸체를 여름과 가을에 채취
하여 물에 씻어서 말린다.

약물명 후막조(厚膜藻)

약효 화담연견(化痰軟堅), 소종산결(消腫散
結), 지대(止帶)의 효능이 있으므로 영류(瘰
瘤), 나력(瘰癧), 고환종통(睾丸腫痛), 수종
(水腫), 대하(帶下)를 치료한다.

사용법 후막조 10g에 물 2컵(400mL)을 넣
고 달여서 복용한다.

○ 후막조(厚膜藻)

○ 도박

[지누아리과]

참까막살

영류, 나력		고환종통	
수종		대하	

● 학명 : *Polyopes affinis* (Harvey) Kawaguchi et Wang [*Carpopeltis affinis*]

1	2	3	4	5	6	7	8	9	10	11	12

홍조류. 몸체 길이 3~7cm. 전체적으로 반
구형이다. 몸체는 반상의 부착기에서 모여
나며 적갈색이다. 기부는 원주상이고 상부
는 편평해지며 차상으로 분지한다. 가죽질
이고, 낭과는 구형 또는 달걀형으로 끝이 들
어간다.

분포 · 생육지 우리나라 동해, 서해, 남해안.
중국, 일본. 조간대에 흔히 분포하며 6~9
월에 흔하게 자란다.

약용 부위 · 수치 몸체를 여름과 가을에 채취
하여 물에 씻어서 말린다.

약물명 해백(海柏)

약효 화담연견(化痰軟堅), 소종산결(消腫散
結), 지대(止帶)의 효능이 있으므로 영류(瘰
瘤), 나력(瘰癧), 고환종통(睾丸腫痛), 수종
(水腫), 대하(帶下)를 치료한다.

사용법 해백 10g에 물 3컵(600mL)을 넣고
달여서 복용한다.

＊ 중국에서는 'P. polyideoides'의 몸체를
해백(海柏)으로 사용한다.

○ 해백(海柏)

○ 참까막살

참산호말

 회충병

●학명 : *Corallina officinalis* L. ●한자명 : 珊瑚藻

1	2	3	4	5	6	7	8	9	10	11	12

✪ 참산호말

✪ 산호조(珊瑚藻)

✪ 참산호말(조간대 하부의 바위에서 군락을 이룬다.)

홍조류. 몸체 높이 3~6cm. 몸체는 석회질화되어 있으며 모여나고 적회색이며 적자색, 청록색 등 색채가 다양하고 체형의 변화가 심하다. 원줄기와 가지는 균일한 관절이 있고, 그 위에 작은가지가 마주나며 깃꼴이다. 마디 사이의 기부는 원주형으로 중부 및 상부는 약간 납작하다. 포자낭은 작은가지의 끝부분에 달리며 긴 자루가 있는데, 간혹 자루가 없는 혹 모양의 것도 있다.

분포 · 생육지 우리나라 전역. 중국, 일본, 대서양, 지중해. 조간대 하부에서 수심 5m 부근의 바위에 군락을 형성하며 자란다.

약용 부위 · 수치 몸체를 여름과 가을에 채취하여 물에 씻어서 말린다.

약물명 산호조(珊瑚藻)

약효 구충의 효능이 있으므로 회충병을 치료한다.

성분 cholesterol, corallinans, xylose, galactose, zeaxanthin, fucoxanthin, fucoxanthinol 등이 함유되어 있다.

사용법 산호조 10~15g에 물 3컵(600mL)을 넣고 달여서 복용하거나 분말로 만들어 7g을 복용한다.

혹돌잎

폐열해천, 담조　　토혈

나력영류　　임병, 소변불리

●학명 : *Lithophyllum okamurae* Fosl. ●한자명 : 海藻石

1	2	3	4	5	6	7	8	9	10	11	12

✪ 혹돌잎

홍조류. 몸체는 표면에 사마귀 같은 돌기가 많이 나며 다량의 석회가 덮이므로 돌같이 단단하다. 작은 바위에 덮여 생육하는 것은 전체가 둥글게 되며, 사마귀 모양의 돌기가 방사상으로 난다. 돌기는 원기둥 모양이며 지름 2~3mm이고 끝은 둔하고 표면은 매끈하다.

분포 · 생육지 우리나라 제주도, 서해, 남해, 울릉도, 독도, 속초, 강릉, 울진, 감포, 영일만. 중국, 일본, 말레이시아, 폴리네시아. 조간대의 하부에서 점심대의 바위 위에 착생하여 평평하게 뻗으면서 자란다.

약용 부위 · 수치 몸체를 여름과 가을에 채취하여 물에 씻어서 말린다.

약물명 해조석(海藻石). 소해부석(小海浮石), 석화(石花), 대화(大花)라고도 한다.

약효 청폐지해(淸肺止咳), 화담연견(化痰軟堅), 이수통림(利水通淋)의 효능이 있으므로 폐열해천(肺熱咳喘), 담조(痰稠), 토혈(吐血), 나력영류(瘰癧癭瘤), 임병(淋病), 소변불리를 치료한다.

사용법 해조석 10~15g에 물 3컵(600mL)을 넣고 달여서 복용한다.

[돌가사리과]

진두발

감모한열, 차시	인후통	
타박상	위완동통, 장조변비	

● 학명 : *Chondrus ocellatus* Holmes　● 한자명 : 角叉菜

1	2	3	4	5	6	7	8	9	10	11	12

❍ 진두발

❍ 각차채(角叉菜)

❍ 진두발(표본)

홍조류. 몸체 길이 4~15cm. 편평한 엽상체이고 각상근(殼狀根)에서 모여난다. 가느다란 쐐기꼴의 짧은 줄기와 차상으로 여러 번 갈라지는 가지가 있어서 전체적으로 부채 모양이다. 체형의 변화가 심하며 적자색, 녹자색, 적황색 등 색깔이 다양하다.

분포·생육지 우리나라 각처 연안. 중국, 일본, 유럽. 조간대의 중부 이하에서 흔하게 자란다.

약용 부위·수치 몸체를 여름과 가을에 채취하여 물에 씻어서 말린다.

약물명 각차채(角叉菜), 녹각채(鹿角菜)라고도 한다.

기미·귀경 감(甘), 함(鹹), 한(寒)·위(胃), 대장(大腸)

약효 청열해독(清熱解毒), 화위통변(和胃通便)의 효능이 있으므로 감모한열(感冒寒熱), 차시(痄腮), 인후통, 타박상, 위완동통(胃脘疼痛), 장조변비(腸燥便秘)를 치료한다.

성분 carrageenan, D-rhodic acid이 함유되어 있다.

약리 carrageenan은 체외 실험에서 $10\mu m$/mL를 바이러스가 감염된 Hela 세포에 주입하면 바이러스의 복제를 저해하는 효능이 있다. 그 기전은 바이러스의 감염과 부착 세포를 저해하는 것이 아니라, 바이러스가 세포에 들어간 후에 복제의 어느 한 단계를 저해하는 것으로 해석된다.

사용법 각차채 10g에 물 3컵(600mL)을 넣고 달여서 복용하고, 외용에는 짓찧어 붙이거나 즙액을 바른다.

＊'주름진두발 *C. crispus*'도 약효가 같다.

[돌가사리과]

기린채

담열해수	나력, 영류	
치창		

● 학명 : *Eucheuma muricatum* (Gmel.) Web. van Bos.　● 한자명 : 麒麟菜

1	2	3	4	5	6	7	8	9	10	11	12

❍ 기린채

홍조류. 몸체 높이 10~30cm. 차상(叉狀)으로 가지가 갈라지고 가지 굵기는 2~3mm, 몸을 구성하는 소낭(小囊)의 끝부분은 뾰족하다. 몸 내부는 무색투명한 실 모양의 세포가 서로 엉켜 있으며, 세포에는 격막이 없어 전체의 원형질이 연결된 비세포성 다핵체를 이루고 있다.

분포·생육지 우리나라 황해. 중국, 일본. 얕은 바닷속 바위, 조개껍데기 등에 붙어 자란다.

약용 부위·수치 몸체를 사시사철 채취하여 물에 씻어서 말린다.

약물명 기린채(麒麟菜), 계각채(鷄脚菜)라고도 한다.

약효 청열소담(清熱消痰)의 효능이 있으므로 담열해수(痰熱咳嗽), 나력(瘰癧), 영류(瘿瘤), 치창(痔瘡)을 치료한다.

성분 D-galactose, 3,6-anhydrogalactose, D-glucuronic acid, D-xylose 등이 함유되어 있다.

사용법 기린채 10g에 물 3컵(600mL)을 넣고 달여서 복용하거나 분말로 만들어 7g씩 복용한다.

[부챗살과]

부챗살

 만성변비

● 학명 : *Gymnogongrus flabelliformis* Harv. [*Ahnfeltiopsis falbelliformis*]
● 한자명 : 叉枝藻

| 1 | 2 | 3 | 4 | 5 | 6 | 7 | 8 | 9 | 10 | 11 | 12 |

◑ 부챗살

홍조류. 몸체 높이 4~7cm, 너비 1.5~2mm. 몸은 가늘고 약간 편평하며 규칙적으로 여러 번 갈라지거나 차상으로 갈라지고 부챗살처럼 퍼진 모양이 된다. 낭과는 끝부분에 3~4개가 한 줄로 이어서 생기고 가지의 양쪽 면에서 융기한다. 몸은 연골질이고 흑적색이지만 건조하면 검은색이 된다.

분포·생육지 우리나라 전역 연안. 중국, 일본, 인도, 북아메리카 등 태평양. 조간대의 바위나 조수 웅덩이에서 자란다.

약용 부위·수치 몸체를 봄과 가을에 채취하여 물에 씻어서 말린다.

약물명 차지조(叉枝藻), 사조(絲藻), 연골홍조(軟骨紅藻)라고도 한다.

약효 완사(緩瀉)의 효능이 있으므로 만성변비를 치료한다.

사용법 차지조 10g에 물 3컵(600mL)을 넣고 달여서 복용하거나 분말로 만들어 7g을 복용한다.

◑ 부챗살(바위나 조수 웅덩이에서 자란다.)

[비단풀과]

비단풀

 담핵나력   갑상샘종

만성변비

● 학명 : *Ceramium kondoi* Yendo ● 한자명 : 糕菜

| 1 | 2 | 3 | 4 | 5 | 6 | 7 | 8 | 9 | 10 | 11 | 12 |

홍조류. 몸체 높이 10~50cm. 여러해살이로 봄과 여름에 무성하며 가을과 겨울에 시든다. 몸체는 적자색을 띠며 원기둥 모양의 가느다란 사상체(絲狀體)를 이룬다. 차상 또는 3~4차상으로 분지하고 작은 돌기 모양의 가지를 내거나 내지 않는 것, 가지 끝이 똑바르거나 핀셋 모양 등 여러 가지가 있다.

분포·생육지 우리나라 전역 연안. 중국, 일본, 사할린. 조간대의 바위나 다른 해조류에 붙어서 자란다.

약용 부위·수치 몸체를 여름과 가을에 채취하여 물에 씻어서 말린다.

약물명 고채(糕菜), 홍호자(紅蒿子)라고도 한다.

약효 화담연견(化痰軟堅), 완사통변(緩瀉通便)의 효능이 있으므로 담핵나력(痰核瘰癧), 갑상샘종, 만성변비를 치료한다.

성분 phycobiliprotein, 6-*O*-methyl-D-galactose가 함유되어 있다.

약리 인공 배양한 회충에 대하여 살충 작용이 있다.

사용법 고채 10g에 물 3컵(600mL)을 넣고 달여서 복용하거나 분말로 만들어 7g을 복용한다.

◑ 비단풀(표본)

[보라잎과]

개우무

폐열담결, 간해   후염
만성변비

● 학명 : *Pterocladiella capillacea* (S. G. Gmelin) Bornet   ● 한자명 : 鷄毛菜

1	2	3	4	5	6	7	8	9	10	11	12

❍ 계모채(鷄毛菜)

홍조류. 몸체 높이 10~30cm. 차상(叉狀)으로 가지가 갈라지고 가지의 굵기는 2~3mm이다. 몸을 구성하는 소낭(小囊)의 끝부분은 뾰족하고, 몸 내부는 무색투명한 실 모양의 세포가 서로 엉켜 있으며, 세포에는 격막이 없어 전체의 원형질이 연결된 비세포성 다핵체를 이루고 있다.

분포·생육지 우리나라 전역. 중국, 일본, 타이완. 얕은 바닷속 바위, 조개껍데기 등에 붙어 자란다.

약용 부위·수치 몸체를 여름에 채취하여 물에 씻어서 말린다.

약물명 계모채(鷄毛菜). 천수조(淺水藻)라고도 한다.

기미·귀경 함(鹹), 한(寒)·폐(肺)

약효 청열사화(淸熱瀉火), 연견화담(軟堅化痰)의 효능이 있으므로 폐열담결(肺熱痰結), 간해(干咳), 후염(喉炎), 만성변비를 치료한다.

성분 pyruvic acid, 3,6-anhydrogalactose, agaropectin, cholesterol 등이 함유되어 있다.

사용법 계모채 10g에 물 3컵(600mL)을 넣고 달여서 복용하거나 분말로 만들어 7g씩 복용한다.
* 중국에서는 *P. tenuis*를 계모채(鷄毛菜)로 사용한다.

❍ 개우무로 만든 건강식품

[끈적살과]

갈래곰보

폐열해수   영류, 나력
치창종통, 치창출혈

● 학명 : *Meristotheca papulosa* Kylin   ● 한자명 : 鷄冠菜

1	2	3	4	5	6	7	8	9	10	11	12

홍조류. 몸체는 소반상근(小盤狀根)이 있는 편평한 막질의 엽상체이다. 높이 10~30cm, 너비 1~5cm로 불규칙하게 차상 분지를 하며 체형의 변화가 많다. 가장자리는 밋밋하나 뒤에 가지를 내고 표면에서 돌기가 나온다. 색은 선홍색이고 어린 것의 질은 엷고 모양과 크기가 매우 다양하다.

분포·생육지 우리나라 제주도. 중국, 일본, 타이완, 폴리네시아, 인도양. 간조선 아래 깊은 곳의 바위에 붙어서 자란다.

약용 부위·수치 몸체를 겨울과 봄에 채취하여 물에 씻어서 말린다.

약물명 계관채(鷄冠菜). 봉미채(鳳尾菜)라고도 한다.

기미·귀경 함(鹹), 평(平)·폐(肺)

약효 청열윤폐(淸熱潤肺), 화담연견(化痰軟堅)의 효능이 있으므로 폐열해수(肺熱咳嗽), 영류(癭瘤), 나력(瘰癧), 치창종통(痔瘡腫痛), 치창출혈을 치료한다.

사용법 계관채 15g에 물 3컵(600mL)을 넣고 달여서 복용하거나 가루로 만들어 복용한다. 알약으로 만들어 복용하거나 술에 담가서 복용하면 편리하다.

❍ 갈래곰보

❍ 계관채(鷄冠菜)

❍ 갈래곰보로 만든 건강식품

개서실

 기생충병

● 학명 : *Chondria crassicaulis* Harvey ● 한자명 : 軟骨藻

| 1 | 2 | 3 | 4 | 5 | 6 | 7 | 8 | 9 | 10 | 11 | 12 |

홍조류. 몸체 높이 10~20cm, 지름 2~5mm. 담적색이며 말리면 남갈색으로 변하고 원기둥 모양으로 몇 개의 굵은 줄기로 나오고 딱딱하며 둥글고 불규칙하게 분지하며 다시 가늘게 갈라진다. 포자낭은 4면 추형이며 작은가지 말단에 생긴다.

❂ 개서실

분포·생육지 우리나라 전역. 중국, 일본, 말레이시아, 오스트레일리아, 북아메리카. 조간대 하부의 바위에 생육한다.

약용 부위·수치 몸체를 봄부터 여름에 채취하여 물에 씻어서 말린다.

약물명 연골조(軟骨藻)

약효 구충(驅蟲)의 효능이 있으므로 회충이나 요충에 의한 기생충병을 치료한다.

성분 domoic acid, domilactone A, B, isodomoic acid A~H, nordomoic acid, palytoxin CA-I, armatol A~F, 1-deoxy-1-dimethylarsinoylribitol-5-sulfate 등이 함유되어 있다.

약리 domoic acid는 중추 신경을 흥분시키고 장내 기생충을 죽인다. 클로로포름추출물은 항바이러스, 항균, 항곰팡이 작용이 있다. 메탄올추출물은 Semiliki 바이러스에 대한 항바이러스 작용이 있다.

사용법 연골조 10g에 물 3컵(600mL)을 넣고 달여서 복용하거나 분말로 만들어 7g씩 복용한다.

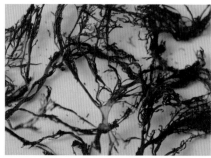

❂ 연골조(軟骨藻)

해인초

 기생충병

● 학명 : *Digenia simplex* (Wulf.) C. Ag. ● 한자명 : 海人草

| 1 | 2 | 3 | 4 | 5 | 6 | 7 | 8 | 9 | 10 | 11 | 12 |

❂ 해인초

홍조류. 몸체 높이 5~25cm. 몸체는 적회색, 원기둥 모양으로 주변에 센털과 작은 털이 빼빽이 난다. 가지는 차상(叉狀)으로 갈라지고 가지의 굵기는 2~3mm, 몸을 구성하는 소낭(小囊)의 끝부분은 뾰족하다. 몸 내부는 무색투명한 실 모양의 세포가 서로 엉켜 있으며, 세포에는 격막이 없어 전체의 원형질이 연결된 비세포성 다핵체를 이루고 있다.

분포·생육지 우리나라 전역. 중국, 일본, 말레이시아, 오스트레일리아, 북아메리카. 얕은 바닷속 바위, 조개껍데기 등에 붙어 자란다.

약용 부위·수치 몸체를 봄부터 여름에 채취하여 수돗물에 씻어서 말린다.

약물명 해인초(海人草), 곡채(鵠菜)라고도 한다. 대한민국약전외한약(생약)규격집(KHP)에 수재되어 있다.

약효 구충(驅蟲)의 효능이 있으므로 회충이

나 요충에 의한 기생충병을 치료한다.

성분 α-kainic acid(digenic acid), α-allokainic acid, domoic acid, digeniaside, sodium mannosidoglycyrate, betaine, 3,6-anhydrogalactose, 6-O-methyl galactose, agarose, fucoidin 등이 함유되어 있다.

약리 경구 투여하면 구충 작용을 나타내나 피하주사하면 구토 증상이 나타난다. 돼지 회충과 사람의 회충에 대하여도 구충 작용을 나타내며, α-kainic acid 단독보다 물추출물의 효능이 강하다. 열수추출물은 HIV-1 저해 활성이 있다. α-kainic acid 는 신경세포에 선택적인 독성을 나타내므로 여러 퇴행성 질환 모델의 실험 도구로 사용된다.

사용법 해인초 10g에 물 3컵(600mL)을 넣고 달여서 복용하거나 분말로 만들어 7g씩 복용한다. 센나, 대황 또는 산토닌과 함께 사용하는 경우가 많다.

[꼬시래기과]

꼬시래기

내열　　담결영류
소변불리

● 학명 : *Gracilaria asiatica* C. Chang et B. Xia　● 한자명 : 江籬

| 1 | 2 | 3 | 4 | 5 | 6 | 7 | 8 | 9 | 10 | 11 | 12 |

홍조류. 몸체 높이 10~30cm. 차상(叉狀)으로 가지가 갈라지고 가지의 굵기는 2~3mm, 몸을 구성하는 소낭(小囊)의 끝부분은 뾰족하다. 몸 내부는 무색투명한 실 모양의 세포가 서로 엉켜 있으며, 세포에는 격막이 없어 전체의 원형질이 연결된 비세포성 다핵체를 이루고 있다.

분포 · 생육지 우리나라 전역. 중국, 일본, 말레이시아, 오스트레일리아, 북아메리카. 얕은 바닷속 바위, 조개껍데기 등에 붙어 자란다.

약용 부위 · 수치 몸체를 여름과 가을에 채취하여 물에 씻어서 말린다.

약물명 강리(江籬). 용수채(龍鬚菜)라고도 한다.

약효 청열(淸熱), 화담연견(化痰軟堅), 이수(利水)의 효능이 있으므로 내열(內熱), 담결영류(痰結瘿瘤), 소변불리를 치료한다.

성분 galactose, 6-O-methylgalactose, 3,6-anhydrogalactose, *R*-phycoerythrin, boric acid, eicopentaenoic acid, archidonic acid, sulfated proteoglycan, prostaglandin 등이 함유되어 있다.

약리 sulfated proteoglycan의 분자량은 49,000Da이고 등전점은 3.8이며 적혈구 응집 효과를 나타낸다.

사용법 강리 10g에 물 3컵(600mL)을 넣고 달여서 복용하거나 분말로 만들어 7g씩 복용한다.

＊ '잎꼬시래기 *G. textorii*'도 약효가 같다.

❍ 꼬시래기

❍ 꼬시래기(얕은 바닷속 바위, 조개껍데기 등에 붙어 자란다.)

❍ 강리(江籬)

❍ 강리(江籬, 신선품)

❍ 꼬시래기(해변가 시장에서 자주 볼 수 있다.)

지의류(地衣類, Lichens)

지의류는 균류에 속하며 녹조류나 시아노박테리아(남조류)와 영속적으로 공생 관계를 유지하며 생활한다. 지의류는 공생의 결과로 지의체(地衣體)라고 부르는 식물체를 만들어 살아가고 있다. 균류는 지의체 안에서 안정된 생활 장소와 물, 무기물을 조류에게 공급하고, 조류가 광합성으로 만든 영양분을 얻는다. 지의류는 전 세계에 2만 종이 넘지만 대부분이 자낭균류를 구성 분자로 하는 자낭지의류이며 담자균류를 구성 분자로 하는 담자지의류는 20여 종이다.

[송라과]

실송라

 담열온학, 두통   해천, 폐로   목적운예

옹종창독 유옹 변혈

●학명 : *Usnea longissima* Ach. ●별명 : 장송라, 노인수염

1	2	3	4	5	6	7	8	9	10	11	12

대형으로 길이 20~40cm, 때로는 3m를 넘는 것도 있다. 주축은 1개로 굵고 짧으며 그다지 갈라지지 않고, 가시 모양의 작은가지가 직각으로 빽빽이 난다. 줄기는 가늘고 길어서 실 모양으로 늘어진다. 표면은 회녹색을 띤다.

분포 · 생육지 우리나라 북부. 세계 각처. '가문비나무', '분비나무' 등 침엽수의 줄기나 가지에 헛뿌리가 붙고 식물체는 밑으로 처져서 자란다.

약용 부위 · 수치 지의체를 여름과 가을에 채취하여 흙과 먼지를 털고 물에 씻어서 적당한 크기로 잘라서 말린다.

약물명 송라(松蘿). 여라(女蘿), 송상기생(松上寄生), 송락(松落), 설풍등(雪風藤)이라고도 한다.

본초서 송라(松蘿)는 「신농본초경(神農本草經)」에 수재되어 있으며 소나무(松)에 붙어서 밑으로 처져서 자라므로 송라(松蘿)라고 한다고 하였으며, 「본초강목(本草綱目)」에는 송상기생(松上寄生)이라는 이름으로 수재되어 있다.

약효 거담지해(祛痰止咳), 청열해독(清熱解毒), 제습통락(除濕通絡), 지혈조경(止血調經)의 효능이 있으므로 담열온학(痰熱溫瘧), 해천(咳喘), 폐로(肺癆), 두통, 목적운예(目赤雲翳), 옹종창독(癰腫瘡毒), 유옹(乳癰), 변혈(便血)을 치료한다.

성분 usnic acid, barbatic acid, diffractic acid, ramalic acid, lichenin, ethyl everninate 등이 함유되어 있다.

약리 usnic acid는 항균 및 항효모, 항곰팡이 작용이 있다. usnic acid 12mg/kg을 쥐에게 투여하면 면역 증강 작용이 나타나고, 평활근에 투여하면 평활근이 이완된다. 파상풍균을 투여한 쥐와 파상풍균과 0.2% usnic acid를 혼합하여 투여한 쥐를 비교하면 후자에서 중독 증상이 감소되므로 해독 작용이 있는 것으로 생각된다. 쥐 귀에 약물을 처리하여 염증을 일으킨 뒤 usnic acid 50mg/kg을 주사하면 염증이 소실된다.

사용법 송라 5g에 물 2컵(400mL)을 넣고 달여서 복용하고, 외용에는 물에 달인 액을 바른다. 만성기관지염에는 송라(松蘿) 30g, 패모(貝母) 3g을 술에 담가 두었다가 아침저녁으로 10mL씩 복용한다.

※ 산도(酸度, pH) 측정에 사용되는 리트머스 시험지의 원료이다. 본 종의 식물체가 노란색을 띠는 것은 usnic acid가 많이 함유되어 있기 때문이다.

❂ 송라(松蘿)

❂ 송라(松蘿, 신선품)

❂ 실송라

[매의과]

석매의

 시물모호 요슬동통

토혈, 황달 붕루

●학명 : *Parmelia saxatilis* (L.) Ach. ●한자명 : 石梅衣

1	2	3	4	5	6	7	8	9	10	11	12

기본 엽체는 비늘 같으나 발생 초기에 소멸하고, 후에 그 표면에서 수지상의 자기를 만들기 위한 자병이 만들어진다. 자병이나 지의체는 잎 모양으로 지름 5~8cm, 회녹색이고, 가자기병은 원통형이며, 자기는 둥글고 붉은색이다.

분포 · 생육지 우리나라 전역, 중국, 일본. 산속의 바위 곁이나 고목의 그루터기에서

❂ 석매의(나무에 착생한 것)

❂ 석매의

자란다.

약용 부위·수치 지의체를 여름과 가을에 채취하여 흙과 먼지를 털어 내고 물에 씻어서 말린다.

약물명 석화(石花), 유화(乳花), 지의(地衣)라고도 한다.

약효 보간익신(補肝益腎), 명목(明目), 지혈(止血), 이습해독(利濕解毒)의 효능이 있으므로 시물모호(視物模糊), 요슬동통(腰膝疼痛), 토혈, 붕루(崩漏), 황달을 치료한다.

성분 salazinic acid 등이 함유되어 있다.

사용법 석화 10g에 물 3컵(600mL)을 넣고 달여서 복용한다.

[사슴지의과]
붉은열매지의

번열불안　　인조담결　　황달

● 학명 : *Cladonia pleurota* (Flk.) Schaer.

| 1 | 2 | 3 | 4 | 5 | 6 | 7 | 8 | 9 | 10 | 11 | 12 |

기본 엽체는 비늘 같으나 발생 초기에 소멸하고, 후에 그 표면에서 수지상의 자기를 만들기 위한 자병이 만들어진다. 자병이나 지의체는 회녹색이고, 가자기병은 원통형이며, 자기는 둥글고 붉은색이다.

분포·생육지 우리나라 전역. 중국, 일본. 산속의 바위 겉이나 고목의 그루터기에서 자란다.

약용 부위·수치 지의체를 여름과 가을에 채취하여 흙과 먼지를 털고 물에 씻어서 말린다.

약물명 석예(石蕊), 석유(石濡), 석개(石芥), 운차(雲茶)라고도 한다.

약효 청열윤조(清熱潤燥), 양간(涼肝), 화어이습(化瘀利濕)의 효능이 있으므로 번열불안(煩熱不安), 인조담결(咽燥痰結), 황달을 치료한다.

사용법 석예 10g에 물 3컵(600mL)을 넣고 달여서 복용한다.

❍ 붉은열매지의

❍ 석예(石蕊)

[사슴지의과]
사슴지의

번열불안　　인조담결　　열림　　황달

● 학명 : *Cladonia rangiferina* (L.) Web. [*Lichen rangiferinus*]　　● 한자명 : 鹿蕊
● 별명 : 꽃이끼

| 1 | 2 | 3 | 4 | 5 | 6 | 7 | 8 | 9 | 10 | 11 | 12 |

초생 지의체는 일찍 소멸하고, 과병(果柄)의 주축(主軸)은 명료하다. 불규칙하게 길게 또는 차상으로 분지하고, 가지 사이에 원주형에 가까운 작은 천공(穿孔)이 있으며, 가지 끝은 다갈색을 띤다. 작은가지도 원주상이며 가운데는 비어 있고 높이 3~12cm이며, 표면은 회백색 또는 회녹색이다.

분포·생육지 우리나라 북부. 중국, 일본. 산야의 습지에서 자란다.

약용 부위·수치 지의체를 여름과 가을에 채취하여 흙과 먼지를 털고 물에 씻어서 적당한 크기로 잘라서 말린다.

약물명 석예(石蕊), 석개(石芥)라고도 한다.

약효 청열윤조(清熱潤燥), 양간(涼肝), 화담이습(化痰利濕)의 효능이 있으므로 번열불안(煩熱不安), 인조담결(咽燥痰結), 열림(熱淋), 황달을 치료한다.

성분 atranorin, fumarprotocetaric acid 등이 함유되어 있다.

사용법 석예 10g에 물 3컵(600mL)을 넣고 달여서 복용한다.

❍ 사슴지의

❍ 석예(石蕊)

[사슴지의과]

깊은산사슴지의

 두훈목현   편두통
월경부조

● 학명 : *Cladonia stellaria* (Opiz.) Pouzar et Vezda   ● 별명 : 두메사슴지의

1	2	3	4	5	6	7	8	9	10	11	12

전체적으로 회녹색 또는 회백색을 띠며 광택이 없다. 삭병(蒴柄)은 불분명하고, 처음에는 4~6개로 차상(叉狀) 분지하고, 작은가지는 2~3개로 분지하며, 분지점에는 기공이 있다.
분포·생육지 우리나라 북부. 중국, 일본. 산속의 바위 겉이나 고목의 그루터기에서 자란다.
약용 부위·수치 지의체를 여름과 가을에 채취하여 흙과 먼지를 털고 물에 씻어서 말린다.
약물명 태백화(太白花)
약효 평간명목(平肝明目), 지혈조경(止血調

經)의 효능이 있으므로 두훈목현(頭暈目眩), 편두통, 월경부조를 치료한다.
성분 atranolin, usnic acid, perlatolic acid, 2,4-dihydroxy-6-pentylbenzoic aicd, 2-hydroxy-4-methoxy-6-pentylbenzoic aicd 등이 함유되어 있다.
사용법 태백화 10g에 물 3컵(600mL)을 넣고 달여서 복용한다. 현기증이 심할 때는 태백화(太白花), 고본(藁本), 천마(天麻), 백출(白朮)을 같은 양으로 배합하여 물에 달여서 복용한다.

○ 깊은산사슴지의

[지차과]

서리지의

중서, 음허조열   심번구갈
폐열해수   실면

● 학명 : *Thamnolia vermicularis* (Sw.) Ach. [*Lichen vermicularis*]

1	2	3	4	5	6	7	8	9	10	11	12

높이 3~6cm, 지름 1~2mm. 몸체는 긴 원뿔형이고 여리며 끝은 뾰족하다. 회백색을 띠며, 오래된 것은 황백색으로 변한다.
분포·생육지 우리나라 북부. 중국, 일본. 높은 산 초지나 바위에 붙어서 자란다.
약용 부위·수치 지의체를 봄에 채취하여 흙과 먼지를 털고 물에 씻어서 말린다.
약물명 설차(雪茶). 회양지의(蛔樣地衣), 태백차(太白茶), 고산백차(高山白茶), 석백차(石白茶)라고도 한다.

약효 청열생진(清熱生津), 성뇌안신(腥腦安神)의 효능이 있으므로, 중서(中暑), 심번구갈(心煩口渴), 폐열해수(肺熱咳嗽), 음허조열(陰虛潮熱), 실면(失眠)을 치료한다.
성분 vermicularin, thamnolic acid, squamatic acid, baeomycesic acid 등이 함유되어 있다.
사용법 설차 10g에 물 3컵(600mL)을 넣고 달여서 복용한다.

○ 설차(雪茶)

[석이과]

석이

폐허로해   토혈, 장풍하혈
육혈   탈항

● 학명 : *Umbilicaria esculenta* (Misyoshi) Minks [*Gyrophora esculenta*]

1	2	3	4	5	6	7	8	9	10	11	12

단편형(單片型)이며, 어릴 때에는 원형이나 크면서 불규칙한 타원형이 된다. 지름 12cm, 큰 것은 18cm에 이르고 가죽질이다. 윗면은 갈색이며 광택이 나고, 아랫면은 흑색이다.
분포·생육지 우리나라 북부. 중국, 일본. 산속의 바위에 붙어서 자란다.
약용 부위·수치 지의체를 봄부터 겨울까지 채집하여 흙과 먼지를 털고 물에 씻어서 적당한 크기로 잘라서 말린다.
약물명 석이(石耳). 석목이(石木耳), 암고(岩菇), 제의(臍衣)라고도 한다.
약효 양음윤폐(養陰潤肺), 양혈지혈(凉血止血), 청열해독(清熱解毒)의 효능이 있으므로

폐허로해(肺虛勞咳), 토혈, 육혈(衄血), 장풍하혈(腸風下血), 탈항(脫肛)을 치료한다.
성분 gyrophoric acid, lecanoric acid, methyl orsellinate 등이 함유되어 있다.

○ 석이(石耳)

약리 동물 실험에서 위궤양을 억제하는 작용이 있고, 에탄올추출물을 실험 동물에게 정맥 주사하면 혈압이 내려간다.
사용법 석이 10g에 물 3컵(600mL)을 넣고 달여서 복용한다.

○ 석이

선태식물(蘚苔植物, Bryophyte)

물속에서 자라는 조류(藻類)와 땅 위에서 생활하는 고등식물의 중간에 위치하는 하등식물이다. 일반적으로 음습한 환경에서 살며, 생식기관이 다세포이고, 수정란이 모체 안에 머물고 있으며 그 후의 발생도 모체에서 양분을 흡수하는 점에서 조류와 다르다. 배우체(配偶體)가 생활사의 중심을 이루고, 포자체(胞子體)는 구조가 간단하고 배우체에 기생하며 관다발이 없는 점이 관다발 식물과 다르다. 선류(蘚類), 태류(苔類), 뿔이끼류로 나누기도 하며, 세계에 25,000여 종이 알려져 있다.

선류식물(蘚類植物, Mosses)
잎은 잎맥이 있고 세포 내에 기실(氣室) 및 유체(油体)가 발달하지 않는다. 삭(蒴)은 보통 삭개(蒴蓋)가 떨어지며 삭(蒴)과 삭병(蒴柄)이 오래 유지된다. 삭(蒴) 내에는 기공과 축주가 있고, 탄사(彈絲)는 없다.

태류식물(苔類植物, Liverworts)
잎은 잎맥이 없고 세포 내에 기실(氣室) 및 유체(油體)가 발달한다. 삭(蒴)에는 삭치(蒴齒)와 삭개(蒴蓋)가 없으며, 삭(蒴)과 삭병(蒴柄)은 2~3일 후에 녹아내린다. 삭(蒴) 내에는 기공과 축주가 없고 탄사(彈絲)가 있다.

[물이끼과]

물이끼

 목생운예　　피부병, 피부소양증

● 학명 : *Sphagnum palustre* L.

| 1 | 2 | 3 | 4 | 5 | 6 | 7 | 8 | 9 | 10 | 11 | 12 |

선류식물. 식물체는 연한 녹색이고, 줄기는 보통 길이 10~20cm, 가지는 줄기 끝에서 3~5개가 뭉쳐나며 2~3개는 크고 1~2개는 작다. 가지에 달린 잎은 비늘 모양으로 잎 가장자리는 안쪽으로 말린다. 암수딴그루이며 삭(蒴)은 드물게 생기고, 수그루는 가지가 황색~황적색이다.

분포 · 생육지 우리나라 전역. 중국, 일본 등 세계 각처. 산지의 습지 주변에 자란다.

약용 부위 · 수치 식물체를 봄부터 겨울까지 필요할 때 채취하여 흙과 잡물을 제거하고 물에 씻어서 사용한다.

약물명 니탄선(泥炭蘚). 대니탄선(大泥炭蘚), 수선(水蘚), 수태(水苔), 지모의(地毛衣)라고도 한다.

약효 청열명목(淸熱明目), 지양(止痒)의 효능이 있으므로 목생운예(目生雲翳), 피부병, 피부소양증을 치료한다.

성분 α-carotene, β-carotene, γ-carotene, lutein, lutein epoxide, β-cryptoxanthin, rhodoxanthin, zeaxanthin, rubixanthin, antheraxanthin, violaxanthin 등이 함유되어 있다.

사용법 니탄선 10g에 물 3컵(600mL)을 넣고 달여서 복용하고, 피부병과 피부소양증에는 짓찧어서 붙이거나 즙액을 바른다.

● 니탄선(泥炭蘚)

● 물이끼

[솔이끼과]

아기들솔이끼

심계정충

● 학명 : *Pogonatum inflexum* (Lindb.) Sande Lac. [*Polytrichum inflexum*]
● 영명 : Polytrichaceae　● 한자명 : 金發蘚科

| 1 | 2 | 3 | 4 | 5 | 6 | 7 | 8 | 9 | 10 | 11 | 12 |

❶ 아기들솔이끼

선류식물. 식물체는 백색을 띤 녹색이다. 줄기는 높이 1~5cm이며, 가지는 거의 갈라지지 않는다. 잎은 길이 3~6mm, 긴 타원형, 가장자리에 날카로운 톱니가 있다. 잎이 마르면 안으로 말려 서로 엉킨다. 암수딴그루이며, 수그루가 암그루보다 작다.

분포 · 생육지 우리나라 전역. 중국, 일본, 타이완, 몽골, 러시아. 다소 습한 밭둑, 민가 주변 또는 산지의 건조한 땅 위에 흔히 모여 자라며 양지를 좋아한다.

약용 부위 · 수치 식물체를 여름과 가을에 채취하여 흙과 잡물을 제거하고 씻어서 생것을 사용하거나 말려서 사용한다.

약물명 소금발선(小金發蘚). 홍해아(紅孩兒), 지혈약(止血藥)이라고도 한다.

약효 진정안신(鎭靜安神), 산어지혈(散瘀止血)의 효능이 있으므로 심계정충(心悸怔忡)을 치료한다.

성분 taurine이 함유되어 있다.

사용법 소금발선 10g에 물 3컵(600mL)을 넣고 달여서 복용한다.

[솔이끼과]

솔이끼

황달　　종기, 뱀이나 독충에 물린 상처

● 학명 : *Polytrichum commune* L.

| 1 | 2 | 3 | 4 | 5 | 6 | 7 | 8 | 9 | 10 | 11 | 12 |

선류식물. 식물체는 짙은 녹색이며 곧게 선다. 줄기는 높이 5~20cm이며 때로는 30cm 이상인 것도 있다. 가지가 거의 갈라지지 않고 밑부분의 마른잎은 갈색으로 변하지 않는다. 잎은 길이 6~12mm, 바늘 모양이며 엽초 부분을 제외하고는 어두운 색깔이고 가장자리는 편평하며 톱니가 있다. 암수딴그루, 삭병(蒴柄)은 적갈색이며 끝에 네모꼴의 삭포(蒴胞)가 있다.

분포 · 생육지 우리나라. 세계 각처. 산지의 습지나 늪 또는 양지의 점토질 토양에 무리 지어 자란다.

약용 부위 · 수치 식물체를 여름과 가을에 채취하여 흙과 잡물을 제거하고 씻어서 생것을 사용하거나 말려서 사용한다.

약물명 토마종(土馬鬃). 대금발선(大金發蘚), 독근초(獨根草), 안단약(眼丹藥), 소송백(小松柏), 일구혈(一口血)이라고도 한다.

약효 열을 내리고 염증을 제거하며 독을 푸는 효능이 있으므로 황달, 오래된 종기, 뱀이나 독충에 물린 상처를 치료한다.

성분 dioxane lignin, diglycosyldiglycerides, dimethyl isohemipate, dimethyl netahemipate, violaxanthin, neoxanthin, lutein, arachidonic acid 등이 함유되어 있다.

사용법 토마종 10g에 물 3컵(600mL)을 넣고 달여서 복용하고, 독충에 물린 상처에는 짓찧어 낸 즙액을 바른다.

＊ 토마종(土馬鬃)은 송대(宋代)의 「가우본초(嘉優本草)」에 수재되어 지금까지 사용되고 있는 약물이다.

❶ 솔이끼

❶ 토마종(土馬鬃)

[솔이끼과]

향나무솔이끼

⬚ 창절옹독

● 학명 : *Polytrichum juniperinum* Hedw.

1	2	3	4	5	6	7	8	9	10	11	12

선류식물. 식물체는 청록색~적갈색이며 곧게 선다. 줄기는 높이 5~7cm이며 가지는 거의 갈라지지 않는다. 잎은 마르면 줄기에 달라붙는다. 삭병(蒴柄)은 길이 3~5mm이며, 삭모(蒴帽)는 삭(蒴) 전체를 덮는다.

분포 · 생육지 우리나라 북부, 경기(연천, 포천), 강원(설악산, 평창, 홍천), 경북(청송). 중국을 비롯한 북반구. 해발이 높은 산지의 땅 위에 모여 자란다.

약용 부위 · 수치 식물체를 여름과 가을에 채취하여 흙과 잡물을 제거하고 씻어서 생것을 사용하거나 말려서 사용한다.

약물명 회엽금발선(檜葉金發蘚)

약효 청열해독(淸熱解毒)의 효능이 있으므로 창절옹독(瘡節癰毒)을 치료한다.

성분 taurine, nucleic acid, β-lectins 등이 함유되어 있다.

사용법 회엽금발선 10g에 물 3컵(600mL)을 넣고 달여서 복용한다.

❂ 향나무솔이끼

[꼬리이끼과]

비꼬리이끼

⬚ 기침, 가래

● 학명 : *Dicranum scoparium* Hedw.

1	2	3	4	5	6	7	8	9	10	11	12

선류식물. 식물체는 비교적 크고 황록색. 줄기는 높이 5~10cm, 가끔 가지를 치고 밑부분에는 헛뿌리가 있다. 잎은 조밀하게 달리고 끝은 가늘고 구부러지며 가장자리에는 작은 톱니가 있다. 암수딴그루이고, 삭병(蒴柄)은 길이 2~5cm이며, 삭(蒴)은 원통형이며 끝이 뾰족하다.

분포 · 생육지 우리 나라 전역. 유럽, 북아메리카, 오스트레일리아. 산지의 습지나 늪에 무리 지어 자란다.

약용 부위 · 수치 식물체를 여름과 가을에 채취하여 흙과 잡물을 제거하고 씻어서 생것을 사용하거나 말려서 사용한다.

약물명 다삭곡미선(多蒴曲尾蘚). 대곡미선(大曲尾蘚)이라고도 한다.

약효 폐장(肺臟)을 튼튼히 하여 기침을 멎게 하는 효능이 있으므로 오래된 기침과 가래를 치료한다.

성분 arginine, serine, alanine, glutamic acid, aspartic acid 등이 함유되어 있다.

사용법 다삭곡미선 10g에 물 3컵(600mL)을 넣고 달여서 복용한다.

❂ 비꼬리이끼

꼬마이끼

 급만성비염, 축농증

●학명 : *Weissia conroversa* Hedw.

| 1 | 2 | 3 | 4 | 5 | 6 | 7 | 8 | 9 | 10 | 11 | 12 |

선류식물. 식물체는 담녹색이며 곧게 선다. 줄기는 높이 5mm 정도이며, 잎은 길이 2.3~3mm, 바늘 모양으로 끝에 톱니가 있다. 잎맥은 가늘고 끝까지 이어지거나 짧게 돌출한다. 암수한그루로 삭(蒴)은 길이 1~1.4mm이며 원통형이고, 삭병(蒴柄)은 황갈색이다.

분포 · 생육지 우리나라 전역. 세계 각처. 햇볕이 잘 드는 땅 위나 산지의 바위 지대, 돌담에 모여 자란다.

약용 부위 · 수치 식물체는 사계절 채취 가능하며, 흙과 잡물을 제거하고 씻어서 생것을 사용하거나 말려서 사용한다.

약물명 소석선(小石蘚). 원의(垣衣)라고도 한다.

약효 청열해독(清熱解毒)의 효능이 있으므로 급만성비염, 축농증을 치료한다.

사용법 소석선은 외용으로 사용하며 적당량을 사포(紗布)에 싸서 콧구멍으로 집어넣는다.

❍ 꼬마이끼

표주박이끼

 관절염   비염
타박상   과로로 인한 출혈

●학명 : *Funaria hygrometrica* Hedw.

| 1 | 2 | 3 | 4 | 5 | 6 | 7 | 8 | 9 | 10 | 11 | 12 |

선류식물. 한해살이식물로 식물체는 비교적 작고 연한 녹색이다. 줄기는 높이 1~3cm, 가끔 밑에서 갈라지고, 잎은 줄기 끝에 모여나고 긴 혀 모양이고 가장자리가 밋밋하다. 암수딴그루이고, 삭병(蒴柄)은 길고, 삭모(蒴帽)는 둥근 모자형이며 끝에 긴 부리가 있다.

분포 · 생육지 우리나라 전역. 세계 각처. 길가, 빈터, 담장, 보도블록에 무리 지어 자란다.

약용 부위 · 수치 식물체를 여름과 가을에 채취하여 흙과 잡물을 제거하고 씻어서 생것을 사용하거나 말려서 사용한다.

약물명 호로선(葫蘆蘚). 석송모(石松毛), 홍해아(紅孩兒), 우모칠(牛毛七), 지칠(地七)이라고도 한다.

약효 거풍제습(祛風除濕), 지통(止痛), 지혈(止血)의 효능이 있으므로 관절염, 비염, 타박상, 과로로 인한 출혈을 치료한다.

성분 bryokinin, c-AMP, kinetin, auxin, indole-3-acetic acid 등이 함유되어 있다.

사용법 호로선 10g에 물 3컵(600mL)을 넣고 달여서 복용한다.

❍ 표주박이끼

[참이끼과]

은이끼

🦠 이질, 황달 　　👁 축농증
🫁 해혈

● 학명 : *Bryum argenteum* Hewd.

| 1 | 2 | 3 | 4 | 5 | 6 | 7 | 8 | 9 | 10 | 11 | 12 |

❍ 은이끼

선류식물. 식물체는 작으며 은녹색이고 광택이 난다. 줄기는 높이 5~10mm, 바로 서며 가지가 많이 갈라진다. 잎은 길이 0.5~1mm이며, 줄기에 복와상으로 붙는다. 삭(蒴)은 길이 1.3~1.8mm이고 밑으로 처진다. 삭병(蒴柄)은 길이 1~2cm이고 적갈색이다.

분포 · 생육지 우리나라. 세계 각처. 산지의 습지나 빈터, 돌담, 지붕 위에 무리 지어 자란다.

약용 부위 · 수치 식물체를 봄부터 가을까지 채취하여 흙과 잡물을 제거하고 씻어서 생것을 사용하거나 말려서 사용한다.

약물명 진선(眞蘚). 옥유(屋游), 고옥와태(古屋瓦苔), 은엽진선(銀葉眞蘚)이라고도 한다.

약효 청열해독(淸熱解毒), 지혈(止血)의 효능이 있으므로 이질, 황달, 축농증, 해혈(咳血)을 치료한다.

성분 apigenin, luteolin, apigenin 7-O-β-D-glucopyranoside, luteolin 7-O-β-D-glucopyranoside, 8-hypoletin 7-O-β-D-glucopyranoside, isoscutellarein 7-O-β-D-glucopyranoside 등이 함유되어 있다.

사용법 진선 10g에 물 3컵(600mL)을 넣고 달여서 복용한다.

[참이끼과]

큰꽃송이이끼

🐛 심계정충 　　🌙 신경쇠약 　　🏃 고혈압
👁 목적종통 　　💊 관심병

● 학명 : *Rhodobryum giganteum* (Schwaegr.) Paris

| 1 | 2 | 3 | 4 | 5 | 6 | 7 | 8 | 9 | 10 | 11 | 12 |

선류식물. 식물체는 암녹색, 땅속으로 길게 가는 기는줄기가 있다. 줄기는 높이 2~4cm, 상부에 잎이 로제트형으로 모여 달리며, 로제트는 지름 3cm 정도이다. 줄기 상부의 잎은 길이 1.5~2cm, 상부에 2개의 톱니가 있다. 삭(蒴)은 길이 4~6mm이고 삭병(蒴柄)은 길이 4~6cm, 적갈색이며 줄기 끝에 1~3개씩 달린다.

분포 · 생육지 우리나라 전역. 세계 각처. 산지의 습한 부식토나 썩은 나무 위에 무리 지어 자란다.

약용 부위 · 수치 식물체를 여름과 가을에 채취하여 흙과 잡물을 제거하고 씻어서 생것을 사용하거나 말려서 사용한다.

약물명 일파선(一把蘚). 암곡산(岩谷傘), 회심초(茴心草)라고도 한다.

약효 양심안신(養心安神), 청간명목(淸肝明目)의 효능이 있으므로 심계정충(心悸怔忡), 신경쇠약, 고혈압, 목적종통(目赤腫痛), 관심병(冠心病)을 치료한다.

사용법 일파선 7g에 물 2컵(400mL)을 넣고 달여서 복용한다.

❍ 큰꽃송이이끼

꽃송이이끼

 심계정충　 신경쇠약

● 학명 : *Rhodobryum roseum* (Hedw.) Limpr.

| 1 | 2 | 3 | 4 | 5 | 6 | 7 | 8 | 9 | 10 | 11 | 12 |

선류식물. 식물체는 암녹색이며, 땅속으로 길게 가는 기는줄기가 있다. 줄기는 높이 1～2cm, 상부에 잎이 로제트형으로 모여 달리며, 로제트는 지름 1.5cm 정도이다. 줄기 상부의 잎은 길이 1cm 정도로 상부에 1개의 톱니가 있다. 삭(蒴)은 길이 4～6mm 이고, 삭병(蒴柄)은 길이 3～3.5cm, 갈색이며 줄기 끝에 1～3개씩 달린다.

분포 · 생육지 우리나라 전역. 세계 각처. 산지의 습한 부식토, 썩은 나무 위에 무리 지어 자라며 우리나라에는 드물게 자란다.

약용 부위 · 수치 식물체를 봄부터 가을까지 채취하여 흙과 잡물을 제거하고 씻어서 생것을 사용하거나 말려서 사용한다.

약물명 회심초(回心草). 태양초(太陽草)라고도 한다.

약효 양심안신(養心安神)의 효능이 있으므로 심계정충(心悸怔忡), 신경쇠약을 치료한다.

사용법 회심초 7g에 물 2컵(400mL)을 넣고 달여서 복용한다.

✿ 꽃송이이끼

아기들덩굴초롱이끼

 변혈, 토혈

● 학명 : *Plagiomnium acutum* (Lindb.) T. J. Kop.

| 1 | 2 | 3 | 4 | 5 | 6 | 7 | 8 | 9 | 10 | 11 | 12 |

선류식물. 식물체는 녹색이며, 기는줄기는 길게 벋으면서 자라고 끝이 땅에 닿으면 헛뿌리가 나와서 새싹이 나온다. 잎은 길이 2～3.5mm, 끝이 뾰족하고, 잎맥은 잎 끝까지 있다. 포자체는 잘 형성되지 않는다.

분포 · 생육지 우리나라 전역. 아시아. 산지의 습한 땅 위에 무리 지어 자란다.

약용 부위 · 수치 식물체를 봄부터 가을까지 채취하여 흙과 잡물을 제거하고 씻어서 생것을 사용하거나 말려서 사용한다.

약물명 수목초(水木草). 첨엽제등선(尖葉提燈蘚)이라고도 한다.

약효 양혈지혈(養血止血)의 효능이 있으므로 변혈(便血), 토혈(吐血)을 치료한다.

사용법 수목초 10g에 물 3컵(600mL)을 넣고 달여서 복용한다.

✿ 아기들덩굴초롱이끼

[구슬이끼과]

구슬이끼

감기몸살	기침, 가래
편도선염	종기

●학명 : *Philonotis fontana* (Hewd.) Brid. [*Bartramia pomiformis* Hedw.]

1 2 3 4 5 6 7 8 9 10 11 12

선류식물. 식물체는 조밀하게 모여나고 황록색이며 광택이 난다. 줄기는 높이 5~8cm, 잎은 약간 경사져 달리고 달걀 모양, 끝은 뾰족하며 안으로 약간 말린다. 암수딴그루로 삭(蒴)은 둥글고, 삭병(蒴柄)은 붉은색이며, 포자는 황갈색이다.

❶ 구슬이끼

분포 · 생육지 우리나라 전역. 세계 각처. 산지의 습지나 늪 또는 양지의 점토질 토양에 무리 지어 자란다.
약용 부위 · 수치 식물체를 여름과 가을에 채취하여 흙과 잡물을 제거하고 씻어서 생것을 사용하거나 말려서 사용한다.
약물명 택선(澤蘚), 음양초(陰陽草), 한청태(旱靑苔)라고도 한다.
약효 열을 내리고 독을 푸는 효능이 있으므로 감기몸살, 기침과 가래, 편도선염, 오래된 종기를 치료한다.
성분 philonotisflavone, 2,3−dihydrod-philonotisflavone 등이 함유되어 있다.
사용법 택선 10g에 물 3컵(600mL)을 넣고 달여서 복용하고, 피부병에는 짓찧어 낸 즙액을 바른다. 편도선염에는 택선 15g과 사매 9g을 배합하여 물에 달여서 복용한다.

[구슬이끼과]

석회구슬이끼

심계, 실면	중풍실어

●학명 : *Plagiopus oederianus* (Sw.) H. A. Crum et L. E. Anderson

1 2 3 4 5 6 7 8 9 10 11 12

선류식물. 식물체는 녹색, 광택이 난다. 줄기는 가지가 갈라지지 않거나 2개로 갈라지며 헛뿌리가 조밀하게 나고, 횡단면은 3각형이다. 잎은 길이 3mm 정도, 끝부분은 길게 뾰족하다. 암수딴그루로 삭(蒴)은 둥글고, 삭병(蒴柄)은 붉은색이며 길이 1~1.5cm이다.
분포 · 생육지 우리나라 영월, 정선, 평창, 북한. 중국, 일본, 유럽, 북아메리카. 석회암 지대의 습한 바위틈이나 땅 위에 무리 지어 자란다.
약용 부위 · 수치 식물체를 여름과 가을에 채취하여 흙과 잡물을 제거하고 씻어서 생것을 사용하거나 말려서 사용한다.
약물명 태양침(太陽針)
약효 진경안신(鎭驚安神)의 효능이 있으므로 심계(心悸), 실면(失眠), 중풍실어(中風失語)를 치료한다.
사용법 태양침 7g에 물 2컵(400mL)을 넣고 달여서 복용한다.

❶ 석회구슬이끼

[나무이끼과]

곧은나무이끼

 풍습로상   근골동통

●학명 : *Climacium dendroides* (Hedw.) Web. et Mohr   ●별명 : 만년이끼

| 1 | 2 | 3 | 4 | 5 | 6 | 7 | 8 | 9 | 10 | 11 | 12 |

❖ 곧은나무이끼

선류식물. 식물체는 녹색~암녹색이며 광택이 약간 난다. 땅속줄기는 짧고 지상줄기는 바로 선다. 가지는 불규칙하게 갈라지며 짧다. 가지 잎은 길이 2.5~3mm, 잎 끝은 뾰족하고 상부에 날카로운 톱니가 있다. 잎맥은 잎 끝 부근에서 끝난다. 삭병(蒴柄)은 길이 3cm 정도, 외삭치는 기부 가까이에 조밀하게 난다.

분포·생육지 우리나라 전역. 북반구. 하천 가장자리나 습기가 많은 반음지 바위 위 또는 땅 위에 무리 지어 자란다.

약용 부위·수치 식물체를 여름과 가을에 채취하여 흙과 잡물을 제거하고 씻어서 생것을 사용하거나 말려서 사용한다.

약물명 만년선(萬年蘚). 천붕초(天朋草)라고도 한다.

약효 청열제습(淸熱除濕), 서근활락(舒筋滑絡)의 효능이 있으므로 풍습로상(風濕勞傷), 근골동통(筋骨疼痛)을 치료한다.

성분 stimasterol, ergosterol, cycloaudenol, campesterol, 31-norcycloaudenol 등이 함유되어 있다.

사용법 만년선 7g에 물 2컵(400mL)을 넣고 달여서 복용한다.

[버들이끼과]

버들이끼

 외상출혈

●학명 : *Amblystegium serpens* (Hedw.) Schimp.

| 1 | 2 | 3 | 4 | 5 | 6 | 7 | 8 | 9 | 10 | 11 | 12 |

선류식물. 식물체는 작고 연약하며 담녹색 또는 녹색이며 윤기가 돈다. 줄기 윗부분에서 가지가 많이 갈라진다. 줄기잎은 길이 1cm 정도로 끝이 길고 뾰족한 달걀형이며 가장자리 윗부분에 치아상 톱니가 있다. 삭병(蒴柄)은 길이 1~1.5cm이다.

분포·생육지 우리나라 관모봉, 백두산, 금강산, 강릉. 중국, 일본, 유럽, 아프리카. 습지의 나무 뿌리 부근 또는 부식토 위에 모여 자란다.

약용 부위·수치 식물체를 사시사철 채취하여 흙과 잡물을 제거하고 씻어서 생것을 사용하거나 말려서 사용한다.

약물명 유엽선(柳葉蘚)

약효 수렴지혈(收斂止血)의 효능이 있으므로 외상출혈을 치료한다.

사용법 신선한 유엽선을 짓찧어 상처에 붙이거나 가루로 만들어 상처에 뿌린다.

❖ 버들이끼

물가고사리이끼

 심신불안, 경계정충

● 학명 : *Cratoneuron filicinum* (Hedw.) Spruce

| 1 | 2 | 3 | 4 | 5 | 6 | 7 | 8 | 9 | 10 | 11 | 12 |

선류식물. 식물체는 크고 담녹색, 줄기는 높이 10cm 이상까지 자란다. 가지는 흔히 깃 모양으로 갈라지며 줄기에 바늘 모양의 잎이 조밀하게 난다. 줄기잎은 길이 1.5mm 정도, 가장자리에 잎맥이 황갈색이고 뚜렷하다. 암수딴그루이며, 삭(蒴)은 길이 1.5~2mm, 활 모양으로 약간 구부러지며 적갈색이고, 삭병(蒴柄)은 길이 2~3cm이다.

분포 · 생육지 우리나라 전역. 중국, 일본, 유럽, 북아메리카. 산골짜기의 물기가 있는 바위 또는 땅 위에서 무리 지어 자란다.

약용 부위 · 수치 식물체를 여름과 가을에 채취하여 흙과 잡물을 제거하고 씻어서 생것을 사용하거나 말려서 사용한다.

약물명 우각선(牛角蘚)

약효 영심안신(寧心安神)의 효능이 있으므로 심신불안, 경계정충(驚悸怔忡)을 치료한다.

사용법 우각선 10g에 물 3컵(600mL)을 넣고 달여서 복용한다.

❂ 물가고사리이끼

주목이끼

 외상출혈

● 학명 : *Taxiphyllum taxirameum* (Mitt.) M. Fleisch.

| 1 | 2 | 3 | 4 | 5 | 6 | 7 | 8 | 9 | 10 | 11 | 12 |

❂ 인엽선(鱗葉蘚)

선류식물. 식물체는 황록색 또는 녹색, 줄기는 기고 가지를 수평으로 불규칙하게 낸다. 잎은 길이 1~2.5mm, 잎맥은 끝이 2개로 갈라진다. 삭(蒴)은 달걀 모양이고 수평으로 붙으며, 삭병(蒴柄)은 길이 5mm 정도로 짧다.

분포 · 생육지 우리나라 전역. 중국, 일본, 타이완, 동남아시아, 북아메리카. 산골짜기의 습한 바위 또는 나무 뿌리 주변에 무리 지어 자란다.

약용 부위 · 수치 식물체를 여름과 가을에 채취하여 흙과 잡물을 제거하고 씻어서 생것을 사용하거나 말려서 사용한다.

약물명 인엽선(鱗葉蘚). 수간시(樹干柴)라고도 한다.

약효 염창지혈(斂瘡止血)의 효능이 있으므로 외상출혈을 치료한다.

사용법 인엽선 적당량을 짓찧어 환부에 붙이고 붕대로 싸매거나 즙액을 바른다.

❂ 주목이끼

[우산이끼과]

털우산이끼

🔘 열독창옹, 창상

● 학명 : *Dumortiera hirsuta* (Sw.) Lees

| 1 | 2 | 3 | 4 | 5 | 6 | 7 | 8 | 9 | 10 | 11 | 12 |

❂ 털우산이끼

태류식물. 엽상체는 암녹색이며 길이 3~15cm, 너비 1~2cm이고 2갈래로 갈라진다. 뒷면에는 거미줄 같은 그물이 있다. 암수한그루, 암생식기탁은 엽상체의 끝에 생기며 자루는 길다. 우산은 둥글지만 가장자리가 몇 개로 갈라지며, 포막은 각 열편 밑에 붙는다.

분포 · 생육지 우리나라 대둔산, 한라산, 덕유산 등. 세계 각처. 그늘지고 습한 바위 지대 및 땅 위에 무리 지어 자란다.

약용 부위 · 수치 식물체를 여름과 가을에 채취하여 흙과 잡물을 제거하고 씻어서 생것을 사용하거나 말려서 사용한다.

약물명 모지전(毛地錢). 모지편(毛地片)이라고도 한다.

약효 청열(清熱), 발독(撥毒), 생기(生肌)의 효능이 있으므로 열독창옹(熱毒瘡癰), 창상(瘡傷)을 치료한다.

성분 β-elemene, α-copaene, β-bourbonene, α-muurolene 등이 함유되어 있다.

사용법 모지전을 짓찧어 환부에 붙이고 붕대로 싸매거나 즙액을 바른다.

[우산이끼과]

우산이끼

🔘 근육통
🔘 변혈
🔘 기침, 가래
🔘 종기

● 학명 : *Marchantia polymorpha* L. ● 별명 : 땅발

| 1 | 2 | 3 | 4 | 5 | 6 | 7 | 8 | 9 | 10 | 11 | 12 |

태류식물. 식물체는 잎 모양이며 크고 넓게 우산 모양으로 뭉쳐난다. 엽상체는 길이 2~10cm, 너비 1~2cm이며, 가운데 부분이 조금 볼록하고 갈고리처럼 가지가 갈라진다. 연통 모양의 관공(管孔) 주변에 4개의 공변세포가 있으며, 그 주변에 단층의 세포가 있고, 비늘조각의 뒷면은 붉은색이다. 암수딴그루, 수그루는 자루가 짧고 길이 1~3cm이며, 암그루는 7~8개의 자루가 얕게 갈라져 있고 뒷면에는 포자낭이 있다.

분포 · 생육지 우리나라 전역. 세계 각처. 농경지, 공원, 길옆이나 건물의 벽 밑에서 흔하게 자란다.

약용 부위 · 수치 식물체를 여름과 가을에 채취하여 흙과 잡물을 제거하고 씻어서 생것을 사용하거나 말려서 사용한다.

약물명 지전(地錢). 지부평(地浮萍)이라고도 한다.

약효 열을 내리고 혈액을 맑게 하며 출혈을 멎게 하는 효능이 있으므로 허약한 사람들의 근육통, 기침과 가래, 변혈(便血), 종기 등 피부병을 치료한다.

성분 marchantin A~L, hydroxybenzaldehyde, lunularic acid, lunularin, luteolin, luteolin-7-*O*-glucuronide, lutein, zeaxanthin 등이 함유되어 있다.

사용법 지전 10g에 물 3컵(600mL)을 넣고 달여서 복용하고, 독충에 물린 상처에는 짓찧어 낸 즙액을 바른다.

❂ 우산이끼

❂ 지전(地錢)

[삿갓우산이끼과]

삿갓우산이끼

📋 창절종독, 타박상

● 학명 : *Reboulia hemisphaerica* (L.) Radii

| 1 | 2 | 3 | 4 | 5 | 6 | 7 | 8 | 9 | 10 | 11 | 12 |

❂ 삿갓우산이끼

태류식물. 엽상체는 약간 윤기가 있는 녹색이며 가장자리는 적자색이고 길이 1~4cm, 너비 5~7mm로 2갈래로 갈라진다. 잎맥에는 헛뿌리를 중심으로 양쪽에 1열씩 붙는다. 암수딴그루, 암생식기탁은 엽상체의 끝에 생기며 자루는 매우 길다. 건조하면 가장자리는 밖으로 말린다. 자루는 길이 2~5cm이고, 우산은 삿갓 모양이다. 암수한그루, 암생식기탁은 엽상체의 끝이나 복면에서 나온 가지에 붙는다.

분포 · 생육지 우리나라 전역. 세계 각처. 습한 바위 지대 및 민가 주변의 습한 땅에 무리 지어 자란다.

약용 부위 · 수치 식물체를 여름과 가을에 채취하여 흙과 잡물을 제거하고 씻어서 생것을 사용하거나 말려서 사용한다.

약물명 석지전(石地錢). 석합마(石蛤蟆)라고도 한다.

약효 청열해독(淸熱解毒), 소종지혈(消腫止血)의 효능이 있으므로 창절종독(瘡節腫毒), 타박상을 치료한다.

성분 $(R)-(-)-8,11-$dihydro$-\alpha-$cuparenone, gymnomitr$-8(12)-$en$-9\alpha-$ol, $6\alpha,22-$hopanediol, $8\beta-$hydroxygymnomitrian$-9-$one, stigmasterol, apigenin$-7,4'-$dimethylether 등이 함유되어 있다.

사용법 석지전 10g에 물 3컵(600mL)을 넣고 달여서 복용한다.

[패랭이우산이끼과]

패랭이우산이끼

📋 옹창종독, 독사교상

● 학명 : *Conocephalum conicum* (L.) Underw.

| 1 | 2 | 3 | 4 | 5 | 6 | 7 | 8 | 9 | 10 | 11 | 12 |

태류식물. 엽상체는 약간 윤기가 있는 녹색이며 길이 3~15cm, 너비 1~2cm이고 2차상으로 갈라지며 건조하면 가장자리는 밖으로 말린다. 자루는 길이 2~5cm이고 우산은 삿갓 모양이다. 암수한그루, 암생식기탁은 엽상체의 끝이나 복면에서 나온 가지에 붙는다.

분포 · 생육지 우리나라 전역. 세계 각처. 습한 바위 지대 및 민가 주변의 습한 땅에 무리 지어 자란다.

약용 부위 · 수치 식물체를 여름과 가을에 채취하여 흙과 잡물을 제거하고 씻어서 생것을 사용하거나 말려서 사용한다.

약물명 사지전(蛇地錢). 사피태(蛇皮苔)라고도 한다.

약효 청열해독(淸熱解毒), 소종지혈(消腫止血)의 효능이 있으므로 옹창종독(癰瘡腫毒), 독사교상(毒蛇咬傷)을 치료한다.

성분 bicyclogermacren$-13-$al, apigenin$-7-O-\beta-$D$-$glucuronide, apigenin$-4'-O-$glucuronide, luteolin$-3'-O-$glucuronide, luteolin$-7-O-$glucuronide 등이 함유되어 있다.

사용법 사지전을 짓찧어 환부에 붙이고 붕대로 싸매거나 즙액을 바른다.

❂ 패랭이우산이끼

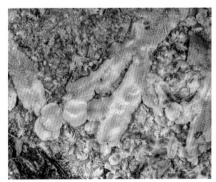

❂ 사지전(蛇地錢)

약용 버섯

담자균아문(擔子菌亞門, Basidiomycota)

담자균류는 균계에 속하는 분류군으로, 이른바 버섯이라고 알려져 있는 생물을 포함하고 있다. 균계에서는 자낭균류 다음으로 많은 30% 정도를 차지한다. 몸이 다수의 균사로 불리는 관 모양의 세포로부터 구성되어 대부분이 육안으로 보이는 자실체를 형성한다. 약용 버섯은 대부분 이에 속한다.

[느타리과]

노랑느타리

허약위증　폐기종　이질

● 학명 : *Pleurotus citrinopileatus* Singer [*P. cornucopiae* var. *citrinopileatus* Ohira]

갓은 지름 4~6cm로 신장형 또는 깔때기 모양이다. 갓 표면은 평활하고 황색~담황색이며, 중앙부나 갓 둘레에는 섬유상 또는 솜털 모양의 백색 비늘조각이 있다. 주름살은 내린형, 조밀하고 백색이지만 차차 황색이 된다. 자실체는 하나의 대에서 위쪽으로 5~15개의 가지로 갈라지며, 각 가지의 끝에는 갓이 하나씩 있다.

분포 · 생육지 우리나라. 중국, 일본, 북아메리카, 유럽. 여름부터 가을까지 활엽수 특히 느릅나무의 부패한 등걸, 고목, 토막 위에 군생한다.

약용 부위 · 수치 자실체를 여름에 채취하여 흙과 잡물을 제거하고 물에 씻어서 말린다.

기미 · 귀경 감(甘), 온(溫) · 비(脾), 폐(肺)

약물명 금정마(金頂蘑), 유마(榆蘑), 유황마(榆黃蘑)라고도 한다.

약효 자보강장(滋補强壯), 지사(止瀉)의 효능이 있으므로 허약위증(虛弱萎症), 폐기종(肺氣腫), 이질을 치료한다.

성분 ergosterol, 5-oxo-L-proline methyl ester, 6*H*-dipyrrolopyrazine, 1,2-cyclo pentandione, dibutyl phthalate 등이 함유되어 있다.

약리 쥐에게 열수추출물을 주사하면 면역 증강 작용이 나타난다. 다당체 성분을 쥐에게 복강으로 주사하면 종양이 67% 정도 억제된다.

사용법 금정마 15~30g에 물 3컵(600mL)을 넣고 달여서 복용하거나 술에 담가서 복용한다.

＊ 우리나라, 일본, 러시아에 분포하며 버드나무나 포플러 등 활엽수의 고사목에서 자라는 '분홍느타리 *P. salmoneostramineus*'도 약효가 같다.

✿ 노랑느타리

✿ 금정마(金頂蘑)

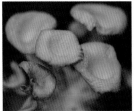
✿ 금정마(金頂蘑, 신선품)

✿ 노랑느타리(갓은 깔때기 모양이다.)

[느타리과]

느타리

요퇴동통, 수족마목, 근락불서, 요슬무력　양위유정

● 학명 : *Pleurotus ostreatus* (Jacq. ex Fr.) Jummer　● 별명 : 미루나무버섯

✿ 느타리

갓은 지름 5~15cm로 초기에는 반구형이나 나중에는 신장형, 조개형 또는 깔때기 모양이 된다. 갓 표면은 평활하고 처음에는 갈흑색~회청색이지만 차차 회갈색, 회색, 회백색으로 변한다. 조직은 두껍고 탄력성이 있으며 백색이고, 주름살은 내린형, 약간 조밀하고 백색~회색을 띤다. 대는 길이 2~4cm, 지름 1~1.8cm로 측심생(側心生) 또는 편심생(偏心生)이며, 표면은 백색이고 밑부분은 짧은 털 모양의 균사로 덮여 있다.

분포 · 생육지 우리나라. 중국, 일본, 유럽, 오스트레일리아. 가을까지 침엽수나 활엽수의 죽은 가지나 그루터기, 통나무 위에 군생 또는 다중(多重)으로 발생한다.

약용 부위 · 수치 자실체를 여름과 가을에 채취하여 흙과 잡물을 제거하고 물에 씻어서 말린다.

약물명 측이(側耳), 청마(靑蘑), 회마(灰磨), 북풍균(北風菌), 자균(蚝菌), 수풍균(水風菌)이라고도 한다.

기미 · 귀경 신(辛), 감(甘), 온(溫) · 간(肝), 신(腎)

약효 추풍산한(追風散寒), 서근활락(舒筋活

絡), 보신장양(補腎壯陽)의 효능이 있으므로 요퇴동통(腰腿疼痛), 수족마목(手足麻木), 근락불서(筋絡不舒), 양위유정(陽痿遺精), 요슬무력(腰膝無力)을 치료한다.

성분 유리 아미노산 30종, ergosterol, niacin, β-D-glucan, peptidoglucan, chitin, pectin, ostretin, agaritin, pleurotolysine, myricetin, catechin, homogentisic acid 등이 함유되어 있다.

약리 Sarcoma 180을 이식시킨 쥐에 대해 75%

의 항암 활성이 있고, 쥐의 Ehrlich 복수암에서 60%로 항암 활성이 나타났으며, ostretin은 살선충(殺線蟲) 활성이 있고, 단백질 pleurotolysine은 포유류 동물의 적혈구를 파괴한다. myricetin, catechin, homogentisic acid는 항산화 작용이 있다.

사용법 측이 10g에 물 3컵(600mL)을 넣고 달여서 복용하거나 술에 담가서 복용한다.

＊ 갓과 대가 백색인 '산느타리 *P. pulmonarius*'도 약효가 같다.

❶ 측이(側耳)

❶ 느타리(주름살)

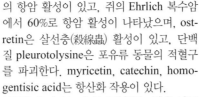
❶ 산느타리

❶ 산느타리(주름살)

[치마버섯과]

치마버섯

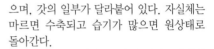
체허기약   대하

● 학명 : *Schizophylla commune* Fr. ex Fr. [*Agarieus alneus, Daedalea commanis*]

| 1 | 2 | 3 | 4 | 5 | 6 | 7 | 8 | 9 | 10 | 11 | 12 |

갓은 지름 1~3cm로 부채형 또는 조개형이다. 갓 표면에 백색, 회색 또는 회갈색의 털이 조밀하게 나 있으며, 갓 둘레는 불규칙하게 갈라진다. 조직은 황백색이고 가죽질이다. 주름살은 회색~담자갈색이며 주름살 날은 부드럽고 작은 털이 있다. 대는 없으며, 갓의 일부가 달라붙어 있다. 자실체는 마르면 수축되고 습기가 많으면 원상태로 돌아간다.

분포 · 생육지 우리나라. 세계 각처. 봄부터 가을까지 침엽수나 활엽수의 죽은 가지나 그루터기, 통나무 위에 무리 지어 발생한다.

약용 부위 · 수치 자실체를 봄부터 겨울까지 채취하여 흙과 잡물을 제거하고 물에 씻어서 말린다.

약물명 수화(樹花). 백삼(白參), 천화균(天花菌)이라고도 한다.

기미 · 귀경 감(甘), 평(平) · 비(脾)

약효 자보강신(滋補强身), 지대(止帶)의 효능이 있으므로 체허기약(體虛氣弱), 대하(帶下)를 치료한다.

성분 ergosterol, schizoflavin, cerebroside, indole 3-acetic acid, malic acid, 각종 효소(β-mannanase, carboxyproteinase, endoxylynase, cellobiase) 등이 함유되어 있다.

약리 Sarcoma 180을 이식시킨 쥐에 대해 100% 항암 활성이 있고, 쥐의 Yoshida 복수암에 70%의 항암 활성이 나타났다.

사용법 수화 10~15g에 물 3컵(600mL)을 넣고 달여서 복용하거나 술에 담가서 복용한다.

＊ 분자량이 45만인 β-D-glucan으로 만든 schizophyllan은 정맥 주사제로 개발되어 암 치료에 이용되고 있다.

❶ 치마버섯

❶ 치마버섯(갓 표면에 백색 털이 많다.)

❶ 치마버섯(주름살)

❶ 수화(樹花)

❶ 수화(樹花)로 만든 제품

[벚꽃버섯과]

붉은산꽃버섯

 체허기약   저혈압

● 학명 : *Hygrocybe conica* (Scp. ex Fr.) Kummer   ● 별명 : 붉은산무명버섯

| 1 | 2 | 3 | 4 | 5 | 6 | 7 | 8 | 9 | 10 | 11 | 12 |

갓은 지름 2~4.5cm로 처음에는 원추형이나 차츰 원추상반구형이 된다. 갓 표면은 습하면 점성이 있고 황적색이며 오래되거나 상처를 주면 흑색으로 변한다. 주름살은 끝붙은형, 조밀하고 담황색이지만 만지면 흑색으로 변한다. 대는 원통형이며 처음에는 등황색이나 차츰 어두운 색이 된다.

분포 · 생육지 우리나라. 세계 각처. 여름부터 가을까지 풀밭이나 대나무 밭의 땅 위에 흩어져서 발생한다.

약용 부위 · 수치 자실체를 여름과 가을에 채취하여 흙과 잡물을 제거하고 물에 씻어서 말린다.

약물명 변흑납산(變黑蠟傘)

약효 자보강신(滋補強身)의 효능이 있으므로 체허기약(體虛氣弱)을 치료한다.

성분 chitin, 3,4-dihydroxyphenylalanine(DOPA) 등이 함유되어 있다.

약리 DOPA는 강심 작용이 있으므로 저혈압을 치료한다.

사용법 변흑납산 5g에 물 2컵(400mL)을 넣고 달여서 복용하거나 술에 담가서 복용한다.

❂ 붉은산꽃버섯

❂ 붉은산꽃버섯(어린 버섯)

[벚꽃버섯과]

투구꽃버섯

 저혈압

● 학명 : *Hygrocybe ovina* (Bull. ex Fr.) Kuehn [*Hygrophorus ovinus*]

| 1 | 2 | 3 | 4 | 5 | 6 | 7 | 8 | 9 | 10 | 11 | 12 |

갓은 지름 2~5cm로 처음에는 반구형이나 차츰 편평형이 된다. 갓 표면은 암갈색으로 처음에는 매끄럽지만 나중에는 방사상 섬유로 덮이고 균열이 생겨 작은 비늘조각이 생기며 가장자리는 톱니처럼 된다. 조직은 백색이지만 상처를 주면 붉은색을 거쳐 흑색으로 변한다. 주름살은 완전붙은형, 성글고 회색이다. 대는 원통형으로 평활하다.

분포 · 생육지 우리나라. 일본, 북아메리카, 유럽. 여름부터 가을까지 풀밭이나 잔디밭 등에 무리 지어 혹은 흩어져서 발생한다.

약용 부위 · 수치 자실체를 여름부터 가을에 채취하여 흙과 잡물을 제거하고 물에 씻어서 말린다.

성분 3,4-dihydroxyphenylalanine(DOPA) 등이 함유되어 있다.

약리 DOPA는 강심 작용이 있으므로 저혈압을 치료한다.

❂ 투구꽃버섯

[벚꽃버섯과]
이끼꽃버섯

🔒 미상

● 학명 : *Hygrocybe psittacina* (Scp. ex Fr.) Wuensche [*Hygrophorus psittacinus*]

1	2	3	4	5	6	7	8	9	10	11	12

❂ 이끼꽃버섯(주름살은 완전붙은형, 성글고 황색이다.)

갓은 지름 1~3cm로 처음에는 원추형이나 차츰 볼록편평형이 된다. 갓 표면은 처음에는 진한 녹색의 점액으로 덮여 있으나 점점 가장자리가 마르면서 황색이 드러나며 습할 때는 선이 생긴다. 주름살은 완전붙은형, 성글고 황색이다. 대는 원통형, 윗부분은 녹색이고 기부는 황색이다.

분포 · 생육지 우리나라. 일본, 북아메리카, 유럽. 여름부터 가을까지 풀밭이나 잔디밭 등에 무리 지어 혹은 흩어져서 발생한다.

약용 부위 · 수치 자실체를 여름부터 가을에 채취하여 흙과 잡물을 제거하고 물에 씻어서 말린다.

성분 psilocin, psilocybin 등이 함유되어 있다.

약리 psilocin, psilocybin은 환각 작용이 있다.

❂ 이끼꽃버섯

[벚꽃버섯과]
벚꽃버섯

🌙 체허기약

● 학명 : *Hygrophorus russula* (Schaeff.) Kauffman　● 별명 : 밤버섯, 다색벚꽃버섯

1	2	3	4	5	6	7	8	9	10	11	12

갓은 지름 5~13cm로 처음에는 반구형이나 차츰 볼록편평형이 된다. 갓 표면은 습하면 점성이 있고 중앙부는 암적색이며 가장자리는 옅은 암적색이다. 주름살은 내린형, 조밀하고 처음에는 백색이나 차츰 갓과 같은 반점으로 얼룩진다. 대는 원통형이며 처음에는 백색이나 차츰 갓과 같은 색이 된다.

분포 · 생육지 우리나라. 세계 각처. 여름부터 가을까지 활엽수림의 땅 위에 무리 지어 발생한다.

약용 부위 · 수치 자실체를 여름과 가을에 채취하여 흙과 잡물을 제거하고 물에 씻어서 말린다.

약물명 홍고저산(紅菇蠟傘)

약효 자보강신(滋補强身)의 효능이 있으므로 체허기약(體虛氣弱)을 치료한다.

성분 ergosterol, ergosterol peroxide, ergosta-4,6,8(14),22-tetraen-3-one, ergosta-7,22-dien-3β,5α,6β,9α-tetraol, 5α,6α-epoxy-ergosta-8(14),22-dien-3β,7α-diol, glycerol, mannitol, glucose, trehalose, chitin, 5′-AMP, 5′-GMP, 5′-UMP 등이 함유되어 있다.

약리 암세포인 A549, XF498에 대한 세포 독성이 있다.

사용법 홍고저산 10~15g에 물 3컵(600mL)을 넣고 달여서 복용하거나 술에 담가서 복용한다.

❂ 벚꽃버섯

❂ 벚꽃버섯(어린 버섯)

[송이과]

비단빛깔때기버섯

🥚 미상

●학명 : *Clitocybe candicans* (Pers.) P. Kummer [*Agaricus gallinaceus, A. candicans*]

| 1 | 2 | 3 | 4 | 5 | 6 | 7 | 8 | 9 | 10 | 11 | 12 |

❶ 비단깔때기버섯

갓은 지름 2~4cm로 초기에는 평반구형이나 성장하면서 오목편평형이 된다. 갓 표면은 백색으로 평활하며 가장자리는 약간 말리거나 물결처럼 된다. 조직은 백색이고 향기가 있다. 주름살은 내린형, 조밀하다. 대는 길이 2~3cm, 위아래의 굵기가 같고 아랫부분은 균사로 덮여 있다.

분포·생육지 우리나라. 중국, 일본, 북아메리카, 유럽. 가을부터 초겨울에 활엽수림의 낙엽 위에 무리 지어 발생한다.

약용 부위·수치 자실체를 가을부터 초겨울에 채취하여 흙과 잡물을 제거하고 물에 씻어서 말린다.

약물명 소백배산(小白杯傘)

성분 muscarine, candicansol, 3-epiilludol, 1-*O*-acetyl-3-epiilludol이 함유되어 있다.

약리 muscarine은 부교감 신경을 흥분시켜 심장 박동 수 및 수축성의 감소, 기관지 수축, 소동맥의 확장, 위장의 운동성, 긴장도 및 분비의 증가, 타액선 및 누선의 자극 등을 일으킨다. candicansol, 3-epiilludol, 1-*O*-acetyl-3-epiilludol은 항균 작용이 있다. 곰팡이균인 *Microsporum gypseum*에 대한 증식을 억제한다.

사용법 소백배산을 가루로 만들어 상처 난 피부에 뿌리거나 연고로 만들어 바른다.

[송이과]

흰삿갓깔때기버섯

🍄 암

●학명 : *Clitocybe fragrans* (With.) P. Kummer

| 1 | 2 | 3 | 4 | 5 | 6 | 7 | 8 | 9 | 10 | 11 | 12 |

갓은 지름 2~4cm로 초기에는 오목한 평반구형이나 성장하면서 깔때기 모양으로 된다. 갓 표면은 평활하며 담황백색으로 중앙부는 더 짙다. 조직은 백색이고 향기가 강하다. 주름살은 내린형으로 약간 조밀하다. 대는 길이 3~5cm로 위아래의 굵기가 같고 아랫부분은 백색 털이 있다.

분포·생육지 우리나라. 중국, 일본, 북아메리카, 유럽. 가을부터 초겨울에 활엽수림의 낙엽 위에 무리 지어 발생한다.

약용 부위·수치 자실체를 가을부터 초겨울에 채취하여 흙과 잡물을 제거하고 물에 씻어서 말린다.

약물명 방향배산(芳香杯傘)

성분 muscarine이 함유되어 있다.

약리 Sarcoma 180을 생쥐에게 이식한 뒤, 열수추출물을 투여하면 암 크기를 70% 억제하고, Ehrlich 복수암에 80%의 억제율을 나타낸다. 그람양성세균인 *Bacillus licheniformis*에 항균 작용이 있다.

❶ 흰삿갓깔때기버섯(주름살은 내린형으로 약간 빽빽하다.)

❶ 흰삿갓깔때기버섯

[송이과]

깔때기버섯

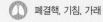

소화불량 　폐결핵, 기침, 가래

● 학명 : *Clitocybe gibba* (Pers. ex Fr.) Kummer

| 1 | 2 | 3 | 4 | 5 | 6 | 7 | 8 | 9 | 10 | 11 | 12 |

갓은 지름 3~8cm로 초기에는 오목한 평반 구형이나 성장하면서 깔때기 모양으로 된다. 갓 표면은 건성이고 평활하며 담적갈색으로 중앙부는 더 짙다. 조직은 단단하며 백색이고 주름살은 내린형, 조밀하다. 대는

위아래 굵기가 같고 아랫부분은 균사로 덮여 있다.

분포 · 생육지 우리나라, 일본, 중국 등 세계 각처. 여름부터 가을에 혼합림의 낙엽 위에 홀로 또는 무리 지어 발생한다.

약용 부위 · 수치 자실체를 여름부터 가을에 채취하여 흙과 잡물을 제거하고 물에 씻어서 말린다.

약물명 뇌마(雷蘑), 뇌균(雷菌)이라고도 한다.

본초서 「본초강목(本草綱目)」에 "천둥(雷)이 치고 비가 내린 뒤에 이 버섯이 나타나므로 뇌마(雷蘑) 또는 뇌균(雷菌)이라 한다."고 하였으며, 명대(明代)부터 약으로 이용된 것을 알 수 있다.

약효 청열소염(清熱消炎), 소화촉진, 항피로의 효능이 있으므로 소화불량, 폐결핵, 감기로 인한 기침과 가래를 치료한다.

성분 5α-cholest-7-en-3β-ol, ergosterol, ergosta-5,7-dien-3β-ol 등이 함유되어 있다.

약리 Sarcoma 180을 이식한 쥐의 암에 55% 억제율을 나타낸다.

사용법 뇌마 10g에 물 3컵(600mL)을 넣고 달여서 복용하거나 알약으로 만들어 복용한다.

❍ 깔때기버섯

❍ 깔때기버섯(주름살)

[송이과]

회색깔때기버섯

암

● 학명 : *Clitocybe nebularis* (Batsch) P. Kummer

| 1 | 2 | 3 | 4 | 5 | 6 | 7 | 8 | 9 | 10 | 11 | 12 |

갓은 지름 6~15cm로 초기에는 반구형이나 성장하면서 오목반구형이 된다. 갓 표면은 평활하며 담회색으로 중앙부는 더 짙다. 조직은 백색이고, 주름살은 내린형, 조밀하다. 대는 길이 6~8cm, 하부가 더 굵고, 표면은 담회색으로 세로줄과 홈선이 있다.

분포 · 생육지 우리나라, 중국, 일본, 북아메리카, 유럽. 여름부터 가을에 활엽수림이나 혼합림의 땅 위에 무리 지어 발생한다.

약용 부위 · 수치 자실체를 여름부터 가을에 채취하여 흙과 잡물을 제거하고 물에 씻어서 말린다.

약물명 수분배산(水紛杯傘)

성분 nebularine, lectin 등이 함유되어 있다.

약리 Sarcoma 180을 생쥐에게 이식한 뒤 열수추출물을 투여하면 항암 효과가 있으며, nebularine은 항암 작용이 있다.

❍ 회색깔때기버섯

[송이과]

하늘색깔때기버섯

 당뇨병

● 학명 : *Clitocybe odora* (Bull.) P. Kummer

| 1 | 2 | 3 | 4 | 5 | 6 | 7 | 8 | 9 | 10 | 11 | 12 |

갓은 지름 3~10cm로 초기에는 평반구형이나 성장하면서 오목편평형이 된다. 갓 표면은 청회색~청록색이고 평활하다. 조직은 백색이고 아니스 향기가 난다. 주름살은 내린형, 약간 조밀하다. 대는 위아래의 굵기가 같고 아랫부분은 균사로 덮여 있다.

분포 · 생육지 우리나라. 일본, 중국 등 세계 각처. 여름부터 가을에 혼합림의 낙엽 위에 홀로 또는 무리 지어 발생한다.

약용 부위 · 수치 자실체를 여름부터 가을에 채취하여 흙과 잡물을 제거하고 물에 씻어서 말린다.

약물명 향배산(香杯傘)

약리 혈당 저하 작용이 있다.

◐ 하늘색깔때기버섯

◐ 하늘색깔때기버섯(갓 표면과 주름살)

[송이과]

민자주방망이버섯

 각기병   암

● 학명 : *Lepista nuda* (Bull. ex Fr.) Cooke [*Tricholoma nudum*]   ● 별명 : 가지버섯

| 1 | 2 | 3 | 4 | 5 | 6 | 7 | 8 | 9 | 10 | 11 | 12 |

갓은 지름 5~15cm로 초기에는 편평한 반구형이나 점차 편평형이 된다. 갓 표면은 평활하고 처음에는 자주색이지만 점차 퇴색하여 갈자색이 되며 끝이 안쪽으로 굽어 있다. 조직은 담자색이고 주름살은 끝붙은형, 조밀하고 초기에는 자주색이지만 옅은 황자색으로 변한다. 대는 하부 쪽이 약간 굵고 굽어 있다.

분포 · 생육지 우리나라. 일본, 중국 등 세계 각처. 늦가을부터 다음 해 봄에 걸쳐 혼합림의 땅 위에 무리 지어 발생한다.

약용 부위 · 수치 자실체를 늦가을, 겨울, 초봄에 채취하여 흙과 잡물을 제거하고 물에 씻어서 말린다.

약물명 자정마(紫晶蘑). 자정향마(紫晶香磨)라고도 한다.

기미 · 귀경 감(甘), 평(平) · 비(脾)

약효 건비거습(健脾祛濕)의 효능이 있으므로 각기병을 예방하고 치료한다.

성분 ergosterol, vitamin B$_1$, 유리 아미노산 28종, 미량금속원소 7종, polysaccharide, 단당류(glucose, trehalose, fructose), pectin, chitin, lignin 등이 함유되어 있다.

약리 Sarcoma 180을 이식한 쥐의 암에 대하여 90% 억제율을 나타내고, Ehrlich 복수암에 100% 억제율을 나타낸다.

사용법 자정마 10~15g에 물 3컵(600mL)을 넣고 달여서 복용하거나 알약으로 만들어 복용한다.

※ 재배할 수 있고 향과 맛이 있으나 생식하면 구토를 일으키므로 익혀서 먹어야 한다.

◐ 민자주방망이버섯

◐ 자정마(紫晶蘑)

[송이과]

흰우단버섯

🫁 감모해수, 폐결핵　　🧫 마진투발불창

🕐 식적정체, 완복창만

● 학명 : *Leucopaxillus giganteus* (Sow. ex Fr.) Sing. [*Agaricus gignateus* Sow.,
　Clitocybe gignatea (Sow. ex Fr.) Quel.]

1	2	3	4	5	6	7	8	9	10	11	12

갓은 지름 7~30cm로 초기에는 평반구형
이고 끝이 안쪽으로 굽지만 성장하면서 끝

이 펴지며 편평형이 된다. 표면은 평활하고
황백색이다. 조직은 두껍고 치밀하며 백색

❶ 흰우단버섯

❶ 흰우단버섯(어린 버섯)

❶ 흰우단버섯(오래된 버섯)

이고 밀가루 냄새가 난다. 주름살은 내린형,
조밀하고 너비가 좁으며 담황색을 띤다. 대
는 하부 쪽이 약간 굵고 표면은 약한 털이 있
으며 평활하고 속이 차며 엷은 황색을 띤다.

분포·생육지 우리나라, 일본, 중국 등 세계
각처. 여름부터 가을까지 혼합림의 땅 위나
잔디밭에 홀로 또는 무리 지어 발생한다.

약용 부위·수치 여름과 가을에 자실체가 작
을 때 채취하여 흙과 잡물을 제거하고 물에
씻어서 말린다.

약물명 뇌마(雷蘑), 뇌균(雷菌), 구마(口蘑)
라고도 한다.

기미·귀경 감(甘), 평(平)·폐(肺)

약효 해표청열(解表淸熱), 투진(透疹), 소식
(消食), 항로(抗勞)의 효능이 있으므로 감모
해수(感冒咳嗽), 마진투발불창(麻疹透發不
暢), 식적정체(食積停滯), 완복창만(脘腹脹
滿), 폐결핵을 치료한다.

성분 clitocybin, polyacetylenes, ergos-
terol, 5α-cholest-7en-3β-ol, ergosta-
5,7-dien-3β-ol 등이 함유되어 있다.

약리 clitocybin은 폐결핵균에 항균 작용을
나타낸다.

사용법 뇌마 10g에 물 3컵(600mL)을 넣고
달여서 복용하거나 알약으로 만들어 복용한다.
＊ 자실체가 크고 백색이며 주름살이 내린형
인 것이 특징이다.

[송이과]

자주방망이버섯아재비

🕐 소화불량　　⚫ 열감기, 소아홍역

☯ 불안증

● 학명 : *Lepista sordida* (Fr.) Singer [*L. subnuda, Tricholoma sordidum*]

1	2	3	4	5	6	7	8	9	10	11	12

❶ 자주방망이버섯아재비(주름살과 대가 자주색이다.)

갓은 지름 3~8cm로 초기에는 편평한 반구
형이나 점차 편평형 또는 오목편평형이 된
다. 갓 표면은 평활하고 처음에는 자갈색이
지만 점차 퇴색하여 담자색이 된다. 조직은
담자색이다. 주름살은 끝붙은형, 약간 성글
며 담자색이다. 대는 원통형으로 표면은 갓
과 같은 색이고 섬유질이다.

분포·생육지 우리나라, 중국, 일본, 북반
구. 여름부터 가을에 걸쳐서 혼합림의 땅
위, 밭, 잔디밭 등에 무리 지어 발생한다.

약용 부위·수치 자실체를 여름부터 가을에
채취하여 흙과 잡물을 제거하고 물에 씻어
서 말린다.

약물명 화검향마(花瞼香蘑)

약효 선장익기(宣腸益氣), 산혈열(散血熱),
투발마진(透發麻疹)의 효능이 있으므로 소화
불량, 열감기, 불안증, 소아홍역을 치료한다.

성분 미량금속원소 8종이 함유되어 있다.

사용법 화검향마 10~15g에 물 3컵(600mL)
을 넣고 달여서 복용하거나 알약으로 만들
어 복용한다.

❶ 자주방망이버섯아재비

잔디배꼽버섯

 당뇨병

● 학명 : *Melanoleuca melaleuca* (Pers.) Murrill

1	2	3	4	5	6	7	8	9	10	11	12

갓은 지름 3~8cm로 초기에는 평반구형이
나 점차 중앙볼록편평형이 된다. 갓 표면은
평활하고 회갈색이지만 습할 때는 암갈색
으로 되고 가장자리는 안으로 굽는다. 조직
은 백색에서 담회갈색이 된다. 주름살은 끝
붙은형, 조밀하며 백색이다. 대는 기부 쪽
으로 갈수록 굵어지며 표면은 회백색이다.
분포·생육지 우리나라. 중국, 일본. 봄부터
가을에 걸쳐서 숲, 풀밭, 잔디밭에 흩어져
서 발생한다.
약용 부위·수치 자실체를 봄부터 가을에 채
취하여 흙과 잡물을 제거하고 물에 씻어서
말린다.

약효 혈당 저하 작용이 있으므로 당뇨병을
치료한다.

◑ 잔디배꼽버섯(주름살이 조밀하다.)

◑ 잔디배꼽버섯

송이

🏃 요퇴동통, 수족마목, 근락불서 🫁 담다기단

🧍 소변임탁 🌙 도한

● 학명 : *Tricholoma matsutake* (Ito et Imai) Sing.

1	2	3	4	5	6	7	8	9	10	11	12

갓은 지름 8~25cm로 초기에는 구형이나
성장하면서 볼록편평형이 된다. 표면은 황
갈색의 섬유상 비늘조각으로 덮여 있고, 조
직은 백색이며 치밀하다. 주름살은 홈형,
조밀하며 백색이다. 대는 위아래의 굵기가
같고, 솜털 같은 턱받이가 있으며 턱받이
윗부분은 백색이고 아랫부분은 갈색 비늘
조각으로 덮여 있다.
분포·생육지 우리나라. 일본, 중국 등 동남
아시아, 뉴질랜드. 봄부터 가을에 걸쳐 활

엽수의 나무토막, 그루터기 위에 홀로 또는
무리 지어 발생한다.
약용 부위·수치 자실체를 늦여름과 가을에
채취하여 흙과 잡물을 제거하고 물에 씻어
서 말린다.
약물명 송심(松蕈), 송균(松菌), 송마(松蘑),
송용(松茸), 계사균(鷄絲菌), 대화균(大花
菌), 대각고(大脚菇)라고도 한다.
약효 서근활락(舒筋活絡), 이기화담(理氣化
痰), 이습별탁(利濕別濁)의 효능이 있으므로
요퇴동통, 수족마목(手足麻木), 근락불서(筋
絡不舒), 담다기단(痰多氣短), 소변임탁(小便
淋濁), 도한(盜汗)을 치료한다.
성분 matsutakeol, isomatustakeol, vita-
min B$_2$, C, D$_2$, antoxopyrimidine, meth-
ylcinnamate, carboxyl proteinase, emita-
mine 등이 함유되어 있다.
약리 열수추출물을 쥐에게 주사하면 면역력
이 증가하고, 송이에서 분리한 다당체는 항
암 작용을 나타낸다. 다당체를 만성간염 환
자에게 투여하면 항간염 작용이 나타나며,
열수추출물은 혈소판 응집 억제 작용 및 항
산화 작용이 있다.
사용법 송심 10~15g에 물 3컵(600mL)을
넣고 달여서 복용하거나 알약으로 만들어
복용한다.
※ 감귤 재배용 비닐하우스에 출현하는 '왕
송이 *T. giganteum*'도 약효가 같다.

◑ 송이

◑ 송심(松蕈)

◑ 송이(어린 것)

◑ 송이(주름살)

◑ 갓 표면은 갈색의 섬유상 비늘조각으로 덮여 있다.

◑ 송심(松蕈, 티베트산)

[송이과]

할미송이

😀 고혈압　　🦔 심근경색, 뇌졸중

● 학명 : *Tricholoma saponaceum* (Fr.) P. Kummer

| 1 | 2 | 3 | 4 | 5 | 6 | 7 | 8 | 9 | 10 | 11 | 12 |

◐ 할미송이(갓은 초기에 반구형이다.)

갓은 지름 4~7cm로 초기에는 반구형이나 성장하면서 볼록편평형이 된다. 표면은 평활하거나 미세한 비늘조각이 있고 담황록색~담회갈색이며 중앙부는 암갈색이다. 조직은 백색이지만 상처가 나면 담적갈색으로 변한다. 주름살은 홈형, 성글고 담황색이다. 대는 기부가 약간 굵고 종종 등적색을 띤다.

분포 · 생육지 우리나라. 중국, 일본. 여름부터 가을에 걸쳐 활엽수림, 침엽수림 내 땅 위에 흩어지거나 무리 지어 발생한다.

약용 부위 · 수치 자실체를 여름부터 가을에 채취하여 흙과 잡물을 제거하고 물에 씻어서 말린다.

약물명 조미구마(皁味口蘑)

약효 혈전을 용해시키는 작용이 있으므로 고혈압, 뇌졸중, 심근경색을 치료한다.

사용법 조미구마 10g에 물 3컵(600mL)을 넣고 달여서 복용한다.

◐ 할미송이

[송이과]

쓴송이

😀 고혈압　　🦔 심근경색, 뇌졸중

● 학명 : *Tricholoma sejunctum* (Sowerby) Quel.

| 1 | 2 | 3 | 4 | 5 | 6 | 7 | 8 | 9 | 10 | 11 | 12 |

갓은 지름 4~8cm로 초기에는 원추형이나 성장하면서 볼록편평형이 된다. 갓 표면은 점성이 있고 황색 바탕에 녹색의 방사상 섬유로 조밀하게 덮여 있으며, 중앙부는 짙은 색이다. 조직은 백색이며 쓴맛이 난다. 주름살은 홈형, 조밀하며 담황색이다. 대는 원통형으로 담황색을 띠고, 표면은 평활하다.

분포 · 생육지 우리나라. 일본, 북아메리카, 유럽. 여름부터 가을에 걸쳐 활엽수림, 침엽수림 내 땅 위에 흩어지거나 무리 지어 발생한다.

약용 부위 · 수치 자실체를 여름부터 가을에 채취하여 흙과 잡물을 제거하고 물에 씻어서 말린다.

약물명 황록구마(黃綠口蘑)

약효 혈전을 용해시키는 작용이 있으므로 고혈압, 뇌졸중, 심근경색을 치료한다.

약리 열수추출물을 쥐에게 주사하면 항산화 작용이 있다.

사용법 황록구마 10g에 물 3컵(600mL)을 넣고 달여서 복용하거나 알약으로 만들어 복용한다.

◐ 쓴송이

솔버섯

 암

● 학명 : *Tricholomopsis rutilans* (Schaeff.) Singer

1	2	3	4	5	6	7	8	9	10	11	12

갓은 지름 8~20cm로 초기에는 종형 또는 평반구형이나 성장하면서 볼록편평형이 된다. 갓 표면은 황색 바탕에 작은 적자색 비늘조각으로 덮여 있고 부드러운 가죽 같은 감촉이 있다. 조직은 황백색, 새콤한 냄새가 난다. 주름살은 홈형 또는 완전붙은형, 조밀하며 담황색이다. 대는 원통형으로 굵고, 표면은 황색 바탕에 적자색 비늘조각으로 덮여 있다.

분포 · 생육지 우리나라, 중국, 일본 등 세계 각처. 여름부터 가을에 걸쳐 침엽수의 나무토막, 그루터기 위에 홀로 또는 무리 지어 발생한다.

약용 부위 · 수치 자실체를 여름부터 가을에 채취하여 흙과 잡물을 제거하고 물에 씻어서 말린다.

약물명 자홍구마(赭紅口蘑)

약효 항암 작용이 있다.

약리 Sarcoma 180을 이식한 생쥐에게 열수추출물을 투여하면 비투여군에 비하여 암조직의 성장을 90% 억제한다. Ehrlich 복수암을 가진 생쥐에게 투여하면 90%의 억제율을 보인다.

사용법 자홍구마 10g에 물 3컵(600mL)을 넣고 달여서 복용하거나 알약으로 만들어 복용한다.

● 솔버섯(어린 버섯)

● 솔버섯

털가죽버섯

 미상

● 학명 : *Crinipellis scabella* (Alb. ex Schwein.) Murrill. [*C. stipitaria*]

1	2	3	4	5	6	7	8	9	10	11	12

갓은 지름 1~1.5cm로 초기에는 반구형이나 성장하면서 오목편평형이 되며 종종 중앙에 작은 돌기가 있다. 갓 표면은 담황갈색 바탕에 방사상이나 동심원상으로 배열된 황갈색 비늘조각이 있으며 중앙부는 적갈색이다. 조직은 담황색이다. 주름살은 떨어진형, 조밀하고 황백색이다. 대는 길이 3~9cm, 너비 0.5cm 정도, 원통형, 담갈색이고 아랫부분에는 백색의 균사가 있다.

분포 · 생육지 우리나라, 일본, 중국 등 동남아시아. 봄부터 가을에 걸쳐 활엽수의 땅 위에 무리 지어 발생한다.

약용 부위 · 수치 자실체를 봄부터 가을에 채취하여 흙과 잡물을 제거하고 물에 씻어서 말린다.

성분 항생 물질이 함유되어 있다.

● 털가죽버섯

● 털가죽버섯(주름살)

[낙엽버섯과]

밀꽃애기버섯

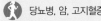 당뇨병, 암, 고지혈증

● 학명 : *Gymnopus confluens* (Pers.) Antonin, Halling ex Noordel. [*Collybia conifluens*]
● 별명 : 밀애기버섯

| 1 | 2 | 3 | 4 | 5 | 6 | 7 | 8 | 9 | 10 | 11 | 12 |

○ 융병나병산(絨柄裸柄傘)

갓은 지름 2~4cm로 초기에는 평반구형이나 성장하면서 편평형이 된다. 갓 표면은 미세한 방사상의 섬유 또는 주름이 있으며 적갈색으로 가장자리는 옅은 색이다. 조직은 담황색이다. 주름살은 끝붙은형, 조밀하고 갓보다 옅은 색이다. 대는 길이 3~9cm, 너비 0.5cm 정도, 원통형, 담갈색이고 아랫부분에는 백색의 균사가 있다.

분포 · 생육지 우리나라. 일본, 중국 등 동남 아시아. 봄부터 가을에 걸쳐 활엽수의 땅 위에 무리 지어 발생한다.

약용 부위 · 수치 자실체를 봄부터 가을에 채취하여 흙과 잡물을 제거하고 물에 씻어서 말린다.

약물명 융병나병산(絨柄裸柄傘)

성분 항생 물질이 함유되어 있다.

약리 항종양, 항당뇨, 콜레스테롤 저하, 혈전 용해 작용이 있다.

○ 밀꽃애기버섯

[낙엽버섯과]

굽은꽃애기버섯

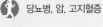 미상

● 학명 : *Gymnopus dryophilus* (Bull.) Murrill [*Collybia dryophila*]　● 별명 : 애기버섯

| 1 | 2 | 3 | 4 | 5 | 6 | 7 | 8 | 9 | 10 | 11 | 12 |

갓은 지름 2~5cm로 초기에는 평반구형이나 성장하면서 편평형이 되며, 종종 가장자리가 물결 모양이 된다. 갓 표면은 평활하며 담갈황색이고 습할 때는 황백색이 된다. 조직은 황백색이다. 주름살은 끝붙은형이거나 떨어진형이며 조밀하다. 대는 길이 3~7cm, 너비 0.2~0.4cm, 원통형, 윗부분은 담황색이고 아랫부분은 담갈색이며 균사가 있다.

분포 · 생육지 우리나라. 일본, 중국 등 동남 아시아. 봄부터 가을에 걸쳐 활엽수의 나무토막, 그루터기 위, 부식질의 땅 위에 무리 지어 발생한다.

약용 부위 · 수치 자실체를 봄부터 가을에 채취하여 흙과 잡물을 제거하고 물에 씻어서 말린다.

약물명 역나병산(櫟裸柄傘)

약리 열수추출물을 쥐에게 주사하면 소염 작용이 나타난다.

○ 굽은꽃애기버섯

표고

정기쇠약, 신권핍력, 도한 | 빈혈
납매, 소화불량, 만성간염 | 고혈압, 고지혈증

● 학명 : *Lentinus edodes* (Berk.) Sing.

| 1 | 2 | 3 | 4 | 5 | 6 | 7 | 8 | 9 | 10 | 11 | 12 |

갓은 지름 5~15cm로 처음에는 반구형이나 편평한 반구형이 되며, 갓 끝은 안으로 굽는다. 갓 표면은 갈색~흑갈색, 담황색 비늘 모양의 비늘조각으로 덮여 있고 표피는 갈라지기도 한다. 조직은 백색이며 주름살은 홈형 또는 끝붙은형, 조밀하고 백색이며 주름살날은 톱니와 같다. 대는 길이 5~8cm, 지름 0.5~1.2cm로 편심성이다.

분포 · 생육지 우리나라. 일본, 중국 등 동남 아시아, 뉴질랜드. 봄부터 가을에 걸쳐 활엽수의 나무토막, 그루터기 위에 홀로 또는 무리 지어 발생한다.

약용 부위 · 수치 자실체를 봄부터 가을에 채취하여 흙과 잡물을 제거하고 물에 씻어서 말린다.

약물명 향고(香菇), 추이(椎栮), 향심(香蕈), 합심(合蕈), 석심(石蕈), 향신(香信)이라고도 한다.

기미 · 귀경 감(甘), 평(平) · 간(肝), 위(胃)

약효 부정보허(扶正補虛), 건비개위(健脾開胃), 거풍투진(祛風透疹), 화담이기(化痰理氣), 해독, 항암의 효능이 있으므로 정기쇠약(精氣衰弱), 신권핍력(神倦乏力), 납매(納呆), 소화불량, 빈혈, 고혈압, 고지혈증, 만성간염, 도한(盜汗)을 치료한다.

성분 ergosterol, ergosta-5,7-dien-3β-ol, saccharopine, eritadenine, adenosine triphosphate, adenosine diphosphate, provitamin D_2, 지방산(linoleic acid, milistinic acid, stearic acid), 단당류(trehalose, arabinose, fucose, galactose, glucose, mannose, xylose 등), 당알코올류(arabitol, mannitol 등) 등이 함유되어 있다.

약리 열수추출물을 쥐에게 주사하면 면역력이 증가하고, 표고에서 분리한 다당체는 항암 작용을 나타낸다. 다당체를 만성간염 환자에게 투여하면 항간염 작용이 나타나며, 열수추출물은 혈소판 응집 억제 작용 및 항산화 작용이 있다.

사용법 향고 10g에 물 3컵(600mL)을 넣고 달여서 복용하거나 알약으로 만들어 복용한다.

* 분자량 50만의 β-D-glucan은 lentinan 이라는 상품명으로 개발되어 항종양, 암전이 억제, 면역 증강제, 발암 억제, 항바이러스제로 사용되고 있으며, 표고 균사체 배양 추출물인 LEM은 면역 증강제로 이용되고 있다.

○ 향고(香菇)

○ 표고

마른가지선녀버섯

미상

● 학명 : *Marasmiellus ramealis* (Bull.) Singer [*Marasmius rameallis*]
● 별명 : 마른가지낙엽버섯

| 1 | 2 | 3 | 4 | 5 | 6 | 7 | 8 | 9 | 10 | 11 | 12 |

갓은 지름 0.5~1cm로 초기에는 평반구형이나 성장하면서 편평형이 되며, 가장자리는 위로 굽는다. 갓 표면은 미세한 솜털 모양이며 습할 때는 방사상 선이 있고, 담적백색을 띠며 중앙부는 약간 짙은 색이다. 주름살은 끝붙은형, 성글며 갓과 같은 색이다. 대는 길이 1.2~1.5cm, 지름 0.2~0.3cm로 원통형이며 아래로 갈수록 짙은 색이다.

분포 · 생육지 우리나라. 일본, 중국 등 동남 아시아. 여름과 가을에 걸쳐 활엽수의 나무 토막이나 가지 위에 무리 지어 발생한다.

약용 부위 · 수치 자실체를 여름과 가을에 채취하여 흙과 잡물을 제거하고 물에 씻어서 말린다.

약물명 지생미피산(枝生微皮傘)

성분 3,7-bis(hydroxymethyl)-1-benzoxepin-5-(2*H*)-one, 3-methoxycarbonyl-7-formyl-1-benzoxepin-5-(2*H*)-one 등이 함유되어 있다.

약리 수종의 세균에 항균 작용이 있다.

○ 마른가지선녀버섯

연잎낙엽버섯

 타박상　　신경통, 관절염

● 학명 : *Marasmius androsaceus* (L.) Fr.

| 1 | 2 | 3 | 4 | 5 | 6 | 7 | 8 | 9 | 10 | 11 | 12 |

갓은 지름 0.5~1cm로 초기에는 반구형이나 성장하면서 편평형이 된다. 갓 표면은 미세한 비늘조각이 있고 방사상 홈선이 있으며 담적갈색, 중앙부는 약간 짙은 색이다. 조직은 얇은 막질이며 건조할 때는 수축되나 습하면 본래의 상태로 돌아간다. 주름살은 끝붙은형, 성글다. 대는 길이 0.5~1cm, 지름 0.3~0.5cm로 원통형이며 평활하고 흑갈색이다.

분포 · 생육지 우리나라. 일본, 중국 등 북반구. 여름과 가을에 걸쳐 활엽수의 나무토막이나 가지 위에 무리 지어 발생한다.

약용 부위 · 수치 자실체를 여름과 가을에 채취하여 흙과 잡물을 제거하고 물에 씻어서 말린다.

약물명 안락소피산(安絡小皮傘)

약효 화담이기(化痰理氣)의 효능이 있으므로 타박상, 신경통, 관절염을 치료한다.

사용법 안락소피산 10g에 물 3컵(600mL)을 넣고 달여서 복용하거나 알약으로 만들어 복용한다.

○ 연잎낙엽버섯

큰낙엽버섯

🔒 미상

● 학명 : *Marasmius maximus* Hongo

| 1 | 2 | 3 | 4 | 5 | 6 | 7 | 8 | 9 | 10 | 11 | 12 |

○ 큰낙엽버섯

갓은 지름 3~10cm, 처음에는 평반구형이나 점차 볼록편평형이 된다. 갓 표면은 담황색이나 중앙부는 갈색이다. 조직은 백색으로 얇고 질기다. 주름살은 끝붙은형, 성글고 갓보다 약간 옅은 색이다. 대는 길이 4~9cm, 지름 0.2~0.3cm로 원통형이고 질기다.

분포 · 생육지 우리나라. 중국, 일본 등 북반구. 여름부터 가을에 걸쳐 활엽수림, 대나무 숲, 정원의 땅 위에 무리 지어 발생한다.

약용 부위 · 수치 자실체를 여름과 가을에 채취하여 흙과 잡물을 제거하고 물에 씻어서 말린다.

약물명 거개소피산(巨蓋小皮傘)

성분 유리 아미노산 29종이 함유되어 있다.

약리 그람양성균인 *Staphylococcus aureus, S. epidermidis, S. pyrogenes, Mycobacterium fortium, Sarcina lutea*, 그람음성균이며 폐렴성균인 *Klebsiella pneumoniae*, 인삼뿌리 썩음병균인 *Cylindrocarpa destrutanus*에 대한 항균 작용이 있다. 곰팡이 *Microsporum gypseum, Trichophyton mentagrophytes*의 증식을 억제하고 효모 *Trichospora beigelii*에 대한 생육 저지 작용이 있다.

[낙엽버섯과]

선녀낙엽버섯

 골절동통, 신경통, 요퇴동통, 풍습비통

 타박상　　 편두통

● 학명 : *Marasmius oreades* (Bolton) Fr.

| 1 | 2 | 3 | 4 | 5 | 6 | 7 | 8 | 9 | 10 | 11 | 12 |

갓은 지름 3~5cm로 처음에는 반구형이나 점차 볼록편평형이 된다. 갓 표면은 평활하며 습할 때는 적갈색, 건조할 때는 담황색이고 중앙부는 갈색이다. 조직은 백색으로 얇고 질기다. 환경이 건조할 때는 담황백색이 되고 습기가 많으면 갓 둘레에 줄이 나타난다. 주름살은 완전붙은형, 조밀하지 않고 백색~담황색이다. 대는 길이 4~7cm,

○ 선녀낙엽버섯

지름 0.2~0.3cm로 위아래의 굵기가 같고 속은 비었으며 단단하다.

분포 · 생육지 우리나라, 중국, 일본 등 세계 각처. 여름부터 가을까지 혼합림의 땅 위나 잔디밭에 무리 지어 발생한다.

약용 부위 · 수치 자실체를 여름과 가을에 채취하여 흙과 잡물을 제거하고 물에 씻어서 말린다.

약물명 귀모침(鬼毛針). 다갈소피산(茶褐小皮傘)이라고도 한다.

기미 · 귀경 미고(微苦), 온(溫) · 간(肝)

약효 활혈지통(活血止痛)의 효능이 있으므로 타박상, 골절동통(骨折疼痛), 편두통, 각종 신경통, 요퇴동통(腰腿疼痛), 풍습비통(風濕痺痛)을 치료한다.

성분 mannitol, cholesteryl acetate, glycine, aspartic acid, threonine, valine, β−sitosterol, palmitic acid, octacosanoic acid, *p*−hydroxycinnamic acid, tricin, humic acid 등이 함유되어 있다.

약리 귀모침(鬼毛針)을 투여한 쥐를 열판법으로 진통 작용을 측정한 결과 귀모침(鬼毛針)을 투여하지 않은 쥐에 비하여 현저한 진통 효능이 나타났다.

사용법 귀모침 10~15g에 물 3컵(600mL)을 넣고 달여서 복용하거나 알약으로 만들어 복용한다.

※ 근육통에 사용하는 서근산(舒筋散) 원료의 하나이다.

[낙엽버섯과]

앵두낙엽버섯

 고지혈증, 동맥경화　　 뇌졸중

● 학명 : *Marasmius pulcherripes* Peck

| 1 | 2 | 3 | 4 | 5 | 6 | 7 | 8 | 9 | 10 | 11 | 12 |

○ 앵두낙엽버섯

갓은 지름 0.5~1.5cm로 종형이다. 갓 표면은 방사상의 뚜렷한 홈선이 있고 적자색, 간혹 등적색을 띠고 중앙부는 짙은 색이다. 주름살은 완전붙은형, 성글며, 백색이다. 대는 길이 3~6cm, 지름 0.2cm 정도로 가는 철사 같으며 암갈색이다.

분포 · 생육지 우리나라, 중국, 일본 등 동남아시아. 여름과 가을에 걸쳐 활엽수림의 땅 위에 흩어지거나 무리 지어 발생한다.

약용 부위 · 수치 자실체를 여름과 가을에 채취하여 흙과 잡물을 제거하고 물에 씻어서 말린다.

약리 혈전 용해 작용이 있다.

[낙엽버섯과]

애기낙엽버섯

타박상, 상처   골절동통

고지혈증

● 학명 : *Marasmius siccus* (Schwein.) Fr.

| 1 | 2 | 3 | 4 | 5 | 6 | 7 | 8 | 9 | 10 | 11 | 12 |

❍ 애기낙엽버섯(주름살은 성글고 끝붙은형이다.)

갓은 지름 1~2cm로 종형이다. 갓 표면은 등적색이며 성장 후에는 담갈색을 띠고 방사상의 뚜렷한 홈선이 있다. 조직은 종이처럼 얇고 질기다. 주름살은 완전붙은형, 성글며 백색이다. 대는 길이 4~7cm, 지름 0.1cm 정도로 가는 철사 같으며 암갈색이고 속은 비어 있다.

분포·생육지 우리나라, 중국, 일본 등 동남아시아. 여름과 가을에 걸쳐 활엽수림의 땅 위에 흩어지거나 무리 지어 발생한다.

약용 부위·수치 자실체를 여름과 가을에 채취하여 흙과 잡물을 제거하고 물에 씻어서 말린다.

약물명 호박피산(琥珀皮傘)

약효 활혈화어(活血化瘀)의 효능이 있으므로 타박상, 골절동통, 상처를 치료한다.

약리 혈전 용해 작용이 있다. 한방에서는 타박상, 골절, 상처 치료에 응용하고 있다.

사용법 호박피산 10~15g에 물 3컵(600mL)을 넣고 달여서 복용하거나 알약으로 만들어 복용한다. 외용에는 가루로 만들어 뿌리거나 연고로 만들어 바른다.

❍ 애기낙엽버섯

[낙엽버섯과]

큰애기버섯

당뇨병

● 학명 : *Megacollybia platyphylla* (Pers.) Kotl. ex Pouzar [*Oudemansiella platyphylla*]

| 1 | 2 | 3 | 4 | 5 | 6 | 7 | 8 | 9 | 10 | 11 | 12 |

❍ 큰애기버섯

갓은 지름 5~15cm로 초기에는 평반구형이나 점차 중앙볼록편평형이 된다. 갓 표면은 평활하고 황갈색이지만, 습할 때는 암갈색이 되며 가장자리는 안으로 굽는다. 조직은 담갈색이다. 주름살은 끝붙은형, 조밀하며 갓과 거의 같은 색이다. 대는 원통형으로 기부가 굵다.

분포·생육지 우리나라, 중국, 일본. 봄부터 가을에 걸쳐 혼합림의 땅 위, 풀밭, 잔디밭 등에 흩어지거나 무리 지어 발생한다.

약용 부위·수치 자실체를 봄부터 가을에 채취하여 흙과 잡물을 제거하고 물에 씻어서 말린다.

약물명 관습고(寬褶菇)

약효 혈당 저하 작용이 있다.

사용법 관습고 10~15g에 물 3컵(600mL)을 넣고 달여서 복용하거나 알약으로 만들어 복용한다.

붉은애기버섯

 고지혈증, 동맥경화 　 뇌졸중

- 학명 : *Rhodocollybia maculata* (Alb. ex Schwein) Singer [*Collybia maculata*]
- 별명 : 점박이애기버섯

| 1 | 2 | 3 | 4 | 5 | 6 | 7 | 8 | 9 | 10 | 11 | 12 |

갓은 지름 5~10cm로 초기에는 반구형이나 성장하면서 평반구형이 되고 가장자리는 안쪽으로 굽는다. 갓 표면은 평활하고 담황색 바탕에 적갈색 반점이 산재한다. 주름살은 홈형 또는 떨어진형, 조밀하고 적갈색 반점이 종종 생긴다. 대는 길이 6~11cm, 너비 1~1.5cm이고, 세로로 섬유질의 선 또는 홈선이 있고 아랫부분에는 적갈색 얼룩이 있다.

분포 · 생육지 우리나라. 중국, 일본 등 북반구. 여름부터 가을에 걸쳐 혼합림의 땅 위에 무리 지어 발생한다.

약용 부위 · 수치 자실체를 여름부터 가을에 채취하여 흙과 잡물을 제거하고 물에 씻어서 말린다.

약물명 관습고(寬褶菇)

약효 혈전 용해 작용이 있다.

성분 유리 아미노산 27종, chitin 등이 함유되어 있다.

사용법 관습고 10~15g에 물 3컵(600mL)을 넣고 달여서 복용하거나 알약으로 만들어 복용한다.

○ 붉은애기버섯

콩나물애주름버섯

 암

- 학명 : *Mycena galericulata* (Pers.) P. Kumm.

| 1 | 2 | 3 | 4 | 5 | 6 | 7 | 8 | 9 | 10 | 11 | 12 |

갓은 지름 2~4cm로 초기에는 원추형이나 성장하면서 중앙볼록편평형이 된다. 갓 표면은 평활하고 황갈색이며 중앙부는 짙고 가장자리는 옅은 색이다. 조직은 백색이다. 주름살은 완전붙은형으로 약간 성글고 회백색에서 담적색이 된다. 대는 길이 5~10cm, 지름 0.2~0.4cm이다. 습할 때는 투명하다.

분포 · 생육지 우리나라. 중국, 일본, 북아메리카, 유럽, 오스트레일리아, 아프리카. 봄부터 가을까지 활엽수의 그루터기, 고목, 그 부근의 땅 위에 조밀하게 또는 무리 지어 발생한다.

약용 부위 · 수치 자실체를 봄부터 가을에 채취하여 흙과 잡물을 제거하고 물에 씻어서 말린다.

약물명 잔개소고(盞蓋小菇)

약리 Sarcoma 180을 이식한 생쥐에게 투여하면 비투여군에 비하여 암 조직의 성장을 70% 억제한다. Ehrlich 복수암을 가진 쥐에게 투여하면 60%의 억제율을 보인다.

○ 콩나물애주름버섯

적갈색애주름버섯

 암

● 학명 : *Mycena haematopus* (Scop.) Gray

| 1 | 2 | 3 | 4 | 5 | 6 | 7 | 8 | 9 | 10 | 11 | 12 |

갓은 지름 2~4cm로 원추형이나 종형이다. 갓 표면은 평활하고 적갈색이며 갓 둘레에는 방사상 선이 있고, 갓 끝은 톱니형이다. 조직은 백색이고 맛과 냄새가 없다. 주름살은 완전붙은형, 약간 성글고 적갈색 얼룩이 있다. 대는 길이 5~10cm, 지름 0.2~0.3cm이고, 속은 비었으며, 기부는 백색 균사로 덮여 있다.

분포 · 생육지 우리나라, 중국, 일본, 북아메리카, 유럽, 오스트레일리아, 아프리카. 봄부터 가을까지 활엽수의 그루터기, 고목, 그 부근의 땅 위에 조밀하게 또는 무리 지어 발생한다.

약용 부위 · 수치 자실체를 봄부터 가을에 채취하여 흙과 잡물을 제거하고 물에 씻어서 말린다.

약물명 홍즙소고(紅汁小菇)

약리 Sarcoma 180을 이식한 생쥐에게 투여하면 비투여군에 비하여 암 조직의 성장을 100% 억제한다. Ehrlich 복수암을 가진 쥐에게 투여하면 100%의 억제율을 보인다.

❍ 적갈색애주름버섯

맑은애주름버섯

 암

● 학명 : *Mycena pura* (Pers.) P. Kumm.

| 1 | 2 | 3 | 4 | 5 | 6 | 7 | 8 | 9 | 10 | 11 | 12 |

갓은 지름 2~4cm로 초기에는 원추형이나 성장하면서 중앙볼록편평형이 된다. 갓 표면은 평활하고 적갈색, 적자색, 회자색 등이며, 중앙부는 짙고 가장자리는 엷은 색이다. 조직은 적자색이다. 주름살은 완전붙은형으로 약간 성글고 적자색이다. 대는 길이 4~8cm, 지름 0.3~0.7cm로 속은 비고 기부는 백색 균사로 덮여 있다. 습할 때는 투명하다.

분포 · 생육지 우리나라, 중국, 일본, 북아메리카, 유럽, 오스트레일리아, 아프리카. 봄부터 가을까지 활엽수의 그루터기, 고목, 그 부근의 땅 위에 흩어지거나 무리 지어 발생한다.

약용 부위 · 수치 자실체를 봄부터 가을에 채취하여 흙과 잡물을 제거하고 물에 씻어서 말린다.

약물명 길소고(洁小菇)

성분 haematopodine, haematopodine B, D~F 등이 함유되어 있다.

약리 Sarcoma 180을 이식한 생쥐에게 투여하면 비투여군에 비하여 암 조직의 성장을 60% 억제한다. Ehrlich 복수암을 가진 쥐에게 투여하면 70%의 억제율을 보인다.

❍ 맑은애주름버섯

❍ 맑은애주름버섯(주름살)

[애주름버섯과]

부채버섯

 외상출혈 　 내분비계 질환

●학명 : *Panellus stipticus* (Bull. ex Fr.) Karst.

| 1 | 2 | 3 | 4 | 5 | 6 | 7 | 8 | 9 | 10 | 11 | 12 |

갓은 지름 1~2cm로 초기에는 조개형, 부채형이고 끝 부위는 안쪽으로 말려 있으나 성장하면서 펴지며 신장형으로 되고 평활하거나 약간 주름진다. 표면은 평활하거나 연한 털이 있고, 표피 하층은 습할 때 약간 끈적거리고 황갈색~황적색을 띤다. 조직은 두껍고 백색이며 맛은 약간 쓰고 향기는 약하다. 주름살은 부채 모양, 대에 일정하게 부착되고 조밀하며 끝이 평활하다. 대는 갓의 한쪽으로 치우쳐 달리고 짧고 조직은 백색이며 질기다.

분포 · 생육지 우리나라. 중국, 일본 등 세계

○ 부채버섯

각처. 여름부터 가을까지 혼합림의 땅 위나 잔디밭에 홀로 또는 무리 지어 발생한다.

약용 부위 · 수치 자실체를 여름과 가을에 채취하여 흙과 잡물을 제거하고 물에 씻어서 말린다.

약물명 지혈선고(止血扇菇), 산규균(山葵菌)이라고도 한다.

기미 · 귀경 신(辛), 온(溫) · 간(肝)

약효 지혈소염(止血消炎)의 효능이 있으므로 외상출혈, 내분비계 질환을 치료한다.

성분 lectin, alkaloid, hydrocyanic acid 등이 함유되어 있다.

약리 Sarcoma 180을 이식한 생쥐에 투여하면 비투여군에 비하여 암 조직의 성장을 80% 억제한다. Ehrlich 복수암을 가진 생쥐에게 투여하면 70% 억제율을 보인다.

사용법 외용으로 사용하며, 가루로 만들어 상처에 뿌리거나 연고로 만들어 바른다.

＊ 본 종과 형태가 비슷하나 갓의 지름이 3~8cm이고 흑갈색인 '참부채버섯 *P. serotinus*'도 약효가 같다.

○ 참부채버섯

[애주름버섯과]

이끼살이버섯

 암

●학명 : *Xeromphalina campanella* (Batsch) Maire

| 1 | 2 | 3 | 4 | 5 | 6 | 7 | 8 | 9 | 10 | 11 | 12 |

갓은 지름 1~2cm로 초기에는 종 모양이나 성장하면서 오목편평형이 된다. 갓 표면은 황갈색이고 평활하며 습할 때는 방사상의 홈선이 생긴다. 조직은 황갈색이다. 주름살은 내린형으로 성글고 담황색이다. 대는 길이 1~2cm, 지름 0.1~0.2cm이고 종종 굽어 있으며 아래로 갈수록 색이 짙어진다.

분포 · 생육지 우리나라. 중국, 일본, 북아메리카 등 북반구. 여름부터 가을에 이끼가 끼거나 썩은 침엽수의 그루터기, 고목에 조밀하게 또는 무리 지어 발생한다.

약용 부위 · 수치 자실체를 여름과 가을에 채취하여 흙과 잡물을 제거하고 물에 씻어서 말린다

약물명 황간제고(黃干臍菇)

성분 mannitol, choline, phlobaphene 등이 함유되어 있다.

약리 Sarcoma 180을 이식한 생쥐에게 투여하면 비투여군에 비해 암 조직의 성장을 47% 억제한다.

○ 이끼살이버섯

[방울버섯과]

뽕나무버섯

 두훈, 두통　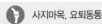 사지마목, 요퇴동통
 실면　 고혈압　 관심병

● 학명 : *Armillaria mellea* (Vahl.) P. Kumm.　● 별명 : 꿀밀버섯

| 1 | 2 | 3 | 4 | 5 | 6 | 7 | 8 | 9 | 10 | 11 | 12 |

갓은 지름 5~10cm로 초기에는 평반구형이나 차차 편평형이 된다. 갓 표면은 담갈색, 중앙부에는 흑갈색 털이 나고, 갓 둘레에는 방사상 홈선이 생긴다. 주름살은 내린형, 약간 성글고 초기에는 백색이나 담갈색이 된다. 대는 길이 4~5cm, 지름 1~2cm이고 황백색의 턱받이가 있으며 아래로 갈수록 색이 짙어지고 기부에는 흑색 균사들이 있다.

분포·생육지 우리나라. 중국, 일본 등 세계 각처. 봄부터 가을까지 활엽수의 밑부분, 그루터기, 죽은 가지 등에 무리 지어 발생한다.

약용 부위·수치 자실체를 봄부터 가을에 채취하여 흙과 잡물을 제거하고 물에 씻어서 말린다.

약물명 밀환균(蜜環菌), 밀색환균(蜜色環菌), 밀마(蜜蘑), 근색균(根索菌)이라고도 한다.

기미·귀경 감(甘), 평(平)·간(肝)

약효 식풍평간(熄風平肝), 거풍통락(祛風通絡), 강근장골(強筋壯骨)의 효능이 있으므로 두훈(頭暈), 두통, 실면, 사지마목(四肢麻木), 요퇴동통(腰腿疼痛)을 치료한다. 또한 관심병(冠心病), 고혈압, 혈관성두통을 치료한다.

성분 melleolide, ergosterol, mannitol, D-threitol, lectithin, chitin, vitamin B₁, B₂, PP, aspartic acid, glutamic acid, lysine, cystine, cysteine, threonine, tyrosine, proline, valine, leucine 등이 함유되어 있다.

약리 다당체추출물은 면역력을 향상시키고 뇌 혈류를 개선시키며 항염 작용, 항균 작용이 있다.

사용법 밀환균 30g에 물 4컵(800mL)을 넣고 달여서 복용하거나 가루로 만들어 2~3g을 복용한다.

❍ 뽕나무버섯

[방울버섯과]

뽕나무버섯부치

 급만성담낭염, 간염, 담도감염　 중이염

● 학명 : *Armillaria tabescens* (Scop.) Emel

| 1 | 2 | 3 | 4 | 5 | 6 | 7 | 8 | 9 | 10 | 11 | 12 |

갓은 지름 3~8cm로 초기에는 평반구형이나 차차 오목반구형이 된다. 갓 표면은 황갈색이고 중앙부에는 갈색의 비늘조각이 빽빽이 난다. 주름살은 내린형으로 약간 조밀하고 처음에는 백색이나 나중에는 갈색이 된다. 대는 길이 5~8cm, 지름 1~1.5cm, 아랫부분은 암갈색이고 턱받이는 없다.

분포·생육지 우리나라를 비롯한 세계 각처. 봄부터 가을까지 활엽수의 밑부분, 그루터기, 죽은 가지 등에 무리 지어 발생한다.

약용 부위·수치 자실체를 여름과 가을에 채취하여 흙과 잡물을 제거하고 물에 씻어서 말린다.

약물명 양균(亮菌), 가밀환균(假蜜環菌), 광균(光菌), 청홍찬(靑紅鑽)이라고도 한다.

기미·귀경 고(苦), 한(寒)·간(肝), 담(膽)

약효 청열해독(淸熱解毒)의 효능이 있으므로 급만성담낭염, 담도감염(膽道感染), 간염, 중이염을 치료한다.

성분 armillarisin A, ergosterol, erythritol, arabitol, mannitol, chitin, trehalose, 4-dehydro-dihydromelleolide, 13-hydroxy-4-methoxymelleolide, 14-hydroxydihydromelleolide 등이 함유되어 있다.

약리 열수추출물을 만성담낭염, 만성간염, 급성담도감염 환자에게 투여한 결과 좋은 치료 효과를 거두었다. 그람음성균인 *Salmonella typhi*, *S. typhimurium*, *Shigella sonnei*에 대한 항균 작용이 있고, 무좀균인 *Trichopyton mentagrophytes*에 항진균 작용이 있다.

사용법 양균 10~15g에 물 3컵(600mL)을 넣고 달여서 복용하거나 가루로 만들어 2~3g을 복용한다.

❍ 뽕나무버섯부치

❍ 뽕나무버섯부치(어린 버섯)

팽나무버섯

 간병, 위장도염증, 궤양   암증

● 학명 : *Flammulina velutipes* (Curtis) Singer [*Collybia velutipes, Agaricus velutipes*]

1	2	3	4	5	6	7	8	9	10	11	12

갓은 지름 2~6cm로 초기에는 반구형이나 점차 편평형이 된다. 갓 표면은 점성이 있고 황갈색이며 가장자리는 황색이다. 조직은 황백색이다. 주름살은 내린형, 약간 조밀하고 담황색이다. 대는 길이 3~8cm, 지름 0.5~0.8cm로 윗부분보다 아랫부분이 짙으며, 표면은 부드러운 털로 덮여 있다.

분포 · 생육지 우리나라를 비롯한 세계 각처. 가을부터 다음 해 봄까지 팽나무, 감나무 등 활엽수의 죽은 나무, 그루터기에 무리 지어 발생한다.

약용 부위 · 수치 자실체를 가을부터 다음 해 봄까지 채취하여 흙과 잡물을 제거하고 물에 씻어서 말린다.

약물명 동고(冬菇), 구균(枸菌), 동균(冬菌), 금침고(金針菇)라고도 한다.

약효 보간(補肝), 익장위(益腸胃), 항암의 효능이 있으므로 간병(肝病), 위장도염증(胃腸道炎症), 궤양(潰瘍), 암증(癌症)을 치료한다.

성분 proflammin(peptidoglucan), saccharopine, lectin, chitin, N−acetylglucosamine, polysaccharide, oleic acid, linoleic acid, taurine, eritadenine, ergosta−5,8,22−trien−3β−ol, ergosterol, ergosta−7,22−dien−3β−ol, lysine, flammutoxin 등이 함유되어 있다.

약리 proflammin은 항암 작용을 나타내며, 열수추출물은 면역 효능을 높이고 혈청콜레스테롤을 낮춘다. Sarcoma 180을 이식한 생쥐에게 투여하면 비투여군에 비하여 암 조직의 성장을 62% 억제한다. Ehrlich 복수암을 가진 생쥐에게 투여하면 80% 억제율을 보인다. 그람음성균인 *Salmonella typhimurium*에 대한 항변이 작용이 있고, TMV, TRPV에 대한 감염 저지 효과가 있다.

사용법 동고 30g에 물 4컵(800mL)을 넣고 달여서 복용한다.

❍ 팽나무버섯

❍ 팽나무버섯(주름살)

❍ 팽나무버섯(어린 버섯)

끈적긴뿌리버섯

 암   무좀 등 피부병

● 학명 : *Oudemansiella mucida* (Schrad.) Hoehn

1	2	3	4	5	6	7	8	9	10	11	12

갓은 지름 2~8cm로 처음에는 반구형이나 점차 편평형이 된다. 갓 표면은 백색이고 중앙부는 담갈색을 띠기도 하며, 습할 때는 점액질로 덮여 있고 건조할 때는 비단처럼 된다. 조직은 백색이고 주름살은 완전붙은형, 조밀하지 않고 백색이다. 대는 원통형이나 기부가 두껍고, 턱받이 위쪽은 백색이고 아래쪽은 담적색을 띤다. 턱받이는 대의 위쪽에 있다.

분포 · 생육지 우리나라. 일본, 중국 등 세계 각처. 여름부터 가을까지 활엽수의 죽은 나무, 죽은 가지 등에 홀로 또는 소수 모여난다.

약용 부위 · 수치 자실체를 여름과 가을에 채취하여 흙과 잡물을 제거하고 물에 씻어서 말린다.

약물명 백점밀환균(白粘密環菌)

약효 항암 작용과 항진균 작용이 있다.

성분 oudesmansin, mucidin, glucose−2−oxidase 등이 함유되어 있다.

약리 oudesmansin은 Ehrlich 복수암에 유효하고 mucidin은 항진균 작용이 있다.

사용법 암 치료에는 백점밀환균을 가루 내어 2~3g을 복용하거나 알약으로 만들어 복용하고, 무좀 등 피부병에는 즙을 내어 바른다.

❍ 끈적긴뿌리버섯

❍ 끈적긴뿌리버섯(고목에 모여난 모습)

❍ 끈적긴뿌리버섯(주름살)

민마른뿌리버섯

 암, 고혈압

● 학명 : *Xerula radicata* (Relhan) Doerfelt [*Oudemansiella radicata*]
● 별명 : 민긴뿌리버섯

1	2	3	4	5	6	7	8	9	10	11	12

갓은 지름 5~10cm로 초기에는 반구형이나 점차 볼록편평형이 된다. 갓 표면은 담갈색~회백색이고 종종 방사상의 주름이 있고, 습할 때는 점성이 강하다. 조직은 담회갈색이다. 주름살은 끝붙은형으로 약간 성글고 백색이다. 대는 길이 5~12cm, 지름 0.5~1cm, 지하에는 5~25cm의 긴 뿌리 모양의 대가 땅 속 깊이 뻗어 있다.
분포·생육지 우리나라, 중국, 일본, 북아메리카, 뉴기니, 아프리카. 여름과 가을에 활엽수림, 대나무 숲의 땅 위에 홀로 발생한다.
약용 부위·수치 자실체를 여름과 가을에 채취하여 흙과 잡물을 제거하고 물에 씻어서 말린다.
약물명 백점밀환균(白粘密環菌)
성분 oudenone이 함유되어 있다.
약리 oudenone은 혈압을 낮추고, 벼도열병균인 *Pyricularia oryzae*의 생육을 저지한다. Sarcoma 180을 이식한 생쥐에게 투여

하면 항암 작용이 나타난다.
사용법 백점밀환균 10g에 물 3컵(600mL)을 넣고 달여서 복용한다.

○ 민마른뿌리버섯(대와 주름살)

○ 민마른뿌리버섯

밤버섯

두훈핍력, 신권납매   소화불량
해수기천   마진불출   번조불안

● 학명 : *Calocybe gambosa* (Fr.) Donk [*Tricholoma gambosum*]

1	2	3	4	5	6	7	8	9	10	11	12

갓은 지름 8~15cm로 초기에는 반구형이나 성장하면서 편평형으로 된다. 표면은 평활하고 담갈색, 회황색 또는 담황갈색이며,

갓 끝은 말린형이다. 조직은 백색으로 두껍고 주름살은 홈형이며 조밀하고 백색이지만 차츰 황색이 된다. 대는 길이 4~10cm, 지

름 1~1.5cm로 기부가 굵고 표면은 백색이지만 차츰 황색이 되고 세로줄 무늬가 있다.
분포·생육지 우리나라, 중국, 일본, 유럽. 초여름에 풀밭 또는 활엽수림 내 땅 위에 홀로 또는 흩어져 발생한다.
약용 부위·수치 자실체를 여름과 가을에 채취하여 흙과 잡물을 제거하고 물에 씻어서 말린다.
약물명 구마(口蘑)
기미·귀경 감(甘), 신(辛), 평(平)·폐(肺), 비(脾), 위(胃)
약효 건비보허(健脾補虛), 선폐지해(宣肺止咳), 투진(透疹)의 효능이 있으므로 두훈핍력(頭暈乏力), 신권납매(神倦納呆), 소화불량, 해수기천(咳嗽氣喘), 마진불출(麻疹不出), 번조불안(煩燥不安)을 치료한다.
사용법 구마 10g에 물 3컵(600mL)을 넣고 달여서 복용하거나 알약으로 만들어 복용한다.

○ 밤버섯

○ 구마(口蘑, 신선품)

느티만가닥버섯

허약위증   이질
폐기종

● 학명 : *Hypsizygus marmoreus* (Peck) H. E. Bigelow [*Lyophyllum ulmarium, Pleurotus ulmarius*]

| 1 | 2 | 3 | 4 | 5 | 6 | 7 | 8 | 9 | 10 | 11 | 12 |

갓은 지름 5~15cm로 초기에는 반구형이나 차차 평반구형을 거쳐서 편평형이 된다. 갓 표면은 회백색~회갈색이며 중앙부에는 짙은 색의 대리석 무늬가 있고 조직은 백색이다.

분포 · 생육지 우리나라. 북반구(온대). 여름부터 가을까지 활엽수의 고목, 그루터기, 생나무에 무리 지어 발생한다.

약용 부위 · 수치 자실체를 여름과 가을에 채취하여 흙과 잡물을 제거하고 물에 씻어서 말린다.

약물명 대유마(大楡蘑), 유측이(楡側耳), 유이(楡耳)라고도 한다.

약효 자보강장(滋補強壯), 지리(止痢)의 효능이 있으므로 허약위증(虛弱萎症), 이질, 폐기종(肺氣腫)을 치료한다.

성분 galactomannan, glycogen, hemagglutinin 등이 함유되어 있다.

약리 쥐에게 Sarcoma 180을 이식하여 암 조직을 발생시킨 후 다당체추출물을 투여하면 73.8%의 억제율이 나타난다. 다당체추출물을 동물에게 투여하면 면역 증강 작용과 소염 작용이 나타난다.

사용법 대유마 10g에 물 3컵(600mL)을 넣고 달여서 복용하거나 술에 담가 복용한다.

＊ 인공 재배가 가능하며, 식용으로 많이 이용하는 버섯이다.

✿ 느티만가닥버섯(재배품)

✿ 느티만가닥버섯(재배품. 갓 중앙부에 대리석 무늬가 있다.)

잿빛만가닥버섯

종양

● 학명 : *Lyophyllum decastes* (Fr.) Singer [*Clitocybe decastes, Tricholoma aggregatum*]

| 1 | 2 | 3 | 4 | 5 | 6 | 7 | 8 | 9 | 10 | 11 | 12 |

갓은 지름 5~9cm로 초기에는 반구형이나 점차 편평형 또는 오목편평형이 된다. 갓 표면은 회갈색 바탕에 미세한 비늘조각이 있고, 가장자리는 안으로 말린다. 조직은 백색이고 밀가루 냄새가 난다. 주름살은 완전붙은형 또는 내린형이고 조밀하다. 대는 길이 5~8cm, 지름 0.7~1cm, 기부가 굵고 백색의 균사가 있다.

분포 · 생육지 우리나라. 북반구(온대). 여름부터 가을까지 숲속, 정원, 밭, 길가 등 목재가 묻힌 땅 위에 조밀하게 또는 무리 지어 발생한다.

약용 부위 · 수치 자실체를 여름과 가을에 채취하여 흙과 잡물을 제거하고 물에 씻어서 말린다.

약물명 하엽이습산(荷葉離褶傘), 하엽마(荷葉蘑)라고도 한다.

약효 항종양 작용이 있으므로 각종 종양을 치료한다.

성분 lyophyllan, vitamin D 등이 함유되어 있다.

약리 다당체인 lyophyllan은 항종양 효능이 있으며, 생쥐에게 Sarcoma 180을 이식하여 암 조직을 발생시킨 후 다당체추출물을 투여하면 65.4% 억제율이 나타난다. 다당체추출물을 동물에게 투여하면 면역 증강 작용이 나타나고, 항체 생성을 활성화한다.

사용법 하엽이습산 10g에 물 3컵(600mL)을 넣고 달여서 복용하거나 술에 담가 복용한다.

✿ 잿빛만가닥버섯

✿ 잿빛만가닥버섯(오래된 것)

[만가닥버섯과]

모래꽃만가닥버섯

 종양

● 학명 : *Lyophyllum semitale* (Fr.) Kuehner [*Agaricus semitalis*, *Collybia semitalis*]

| 1 | 2 | 3 | 4 | 5 | 6 | 7 | 8 | 9 | 10 | 11 | 12 |

❶ 모래꽃만가닥버섯

갓은 지름 5~7cm로 초기에는 반구형이나 점차 편평형이 된다. 자실체는 상처가 나면 흑색으로 변한다. 갓 표면은 회갈색이고, 가장자리는 안으로 말린다. 조직은 회백색이다. 주름살은 끝붙은형으로 약간 조밀하고 담황색이다. 대는 길이 5~7cm, 지름 0.7~1cm로 기부가 굵고 백색 균사가 있다.

분포 · 생육지 우리나라. 중국, 일본, 유럽. 가을에 소나무 숲 내에 조밀하게 또는 무리지어 발생한다.

약용 부위 · 수치 자실체를 가을에 채취하여 흙과 잡물을 제거하고 물에 씻어서 말린다.

약물명 흑염리습산(黑染離褶傘)

약효 항종양 작용이 있으므로 각종 종양을 치료한다

성분 유리 아미노산 26종이 함유되어 있다.

약리 생쥐에게 Sarcoma 180을 이식하여 암조직을 발생시킨 후 다당체추출물을 투여하면 90%의 억제율이 나타나고, Ehrlich 복수암을 가진 쥐에게 투여하면 100%의 억제율을 보인다.

사용법 흑염리습산 10g에 물 3컵(600mL)을 넣고 달여서 복용하거나 술에 담가 복용한다.

[자색돌버섯과]

자주졸각버섯

 소화불량, 위궤양, 위암

● 학명 : *Laccaria amethystea* (Bull.) Murrill [*Agaricus amethystinus*, *Collybia amethystina*]

| 1 | 2 | 3 | 4 | 5 | 6 | 7 | 8 | 9 | 10 | 11 | 12 |

갓은 지름 1.5~3.5cm로 초기에는 평반구형이나 성장하면서 중앙 오목편평형이 된다. 갓 표면은 습할 때는 자주색이지만 건조할 때는 담회갈색으로 퇴색한다. 조직은 담자색이다. 주름살은 완전붙은형이며 성글고 자주색이다. 대는 길이 3~7cm, 지름 0.2~0.4cm, 원통형으로 굵고 갓과 같은 색이다.

분포 · 생육지 우리나라. 중국, 일본 등 북반구. 여름과 가을에 혼합림의 땅 위에 무리지어 발생한다.

약용 부위 · 수치 자실체를 여름과 가을에 채취하여 흙과 잡물을 제거하고 물에 씻어서 말린다.

약물명 자납마(紫蠟蘑)

약효 간장과 위장을 튼튼하게 하고 항암 효능이 있으므로 소화불량, 위궤양, 위암을 치료한다.

성분 유리 아미노산 23종, 미량 금속원소 7종, polysaccharide 등이 함유되어 있다.

약리 생쥐에게 Sarcoma 180을 이식하여 생긴 암에 60% 억제율을 나타낸다.

사용법 자납마 10g에 물 3컵(600mL)을 넣고 달여서 복용하거나 알약으로 만들어 복용한다.

❶ 자주졸각버섯(갓과 주름살, 대가 자주색이다.)

❶ 자주졸각버섯(주름살)

❶ 자주졸각버섯

졸각버섯

 소화불량, 위궤양, 위암

● 학명 : *Laccaria laccata* (Scop.) Cooke

| 1 | 2 | 3 | 4 | 5 | 6 | 7 | 8 | 9 | 10 | 11 | 12 |

갓은 지름 1.5~3.5cm로 초기에는 평반구형이나 성장하면서 편평하게 펴지며 중앙 부위는 오목하다. 표면은 건성, 옅은 갈분홍색을 띠며 중앙 부위에는 비늘조각이 밀포하고 갓 주변 부위는 습할 때 주름이 진다. 조직은 얇고 담갈색을 띠며 맛과 향기가 부드럽다. 주름살은 끝붙은형, 성글고 담적색이다. 대는 굵고 탄력성이 있으며 갓과 비슷한 색이고 밑부분이 약간 굵다.

분포 · 생육지 우리나라. 일본, 중국 등 세계 각처. 여름부터 가을에 혼합림의 낙엽 위에 흩어지거나 무리 지어 발생한다.

약용 부위 · 수치 자실체를 여름과 가을에 채취하여 흙과 잡물을 제거하고 물에 씻어서 말린다.

약물명 홍랍마(紅蠟蘑)

약효 간장과 위장을 튼튼하게 하고 항암 효능이 있으므로 소화불량, 위궤양, 위암을 치료한다.

성분 유리 아미노산 28종, 미량 금속원소 7종, polysaccharide, alkaloid 등이 함유되어 있다.

약리 쥐에게 Sarcoma 180을 이식하여 생긴 암에 58~75% 억제율을 나타낸다.

사용법 홍랍마 10g에 물 3컵(600mL)을 넣고 달여서 복용하거나 알약으로 만들어 복용한다.

○ 졸각버섯

○ 졸각버섯(초기에는 갓 모양이 평반구형이다.)

큰졸각버섯

종양

● 학명 : *Laccaria proxima* (Boud.) Pat.

| 1 | 2 | 3 | 4 | 5 | 6 | 7 | 8 | 9 | 10 | 11 | 12 |

갓은 지름 4~6cm로 초기에는 평반구형이나 성장하면서 오목편평형이 된다. 갓 표면은 작은 비늘조각으로 덮이며 방사상의 홈선이 있고 황갈색이다. 조직은 얇으나 질기다. 주름살은 완전붙은형이거나 내린형이며 약간 성글고 담자색이다. 대는 길이 7~11cm, 지름 0.5~0.7cm, 세로줄 무늬가 있으며 갓과 같은 색이다.

분포 · 생육지 우리나라. 중국, 일본, 유럽. 여름과 가을에 혼합림의 낙엽 위에 흩어지거나 무리 지어 발생한다. 암모니아 버섯으로 소변을 본 장소나 동물의 사체가 분해된 곳에서 발견된다.

약용 부위 · 수치 자실체를 여름과 가을에 채취하여 흙과 잡물을 제거하고 물에 씻어서 말린다.

약물명 병조랍마(柄條蠟蘑)

약효 항종양 작용이 있으므로 각종 종양을 치료한다.

약리 생쥐에게 Sarcoma 180을 이식하여 생긴 암에 열수추출물을 근육주사하면 60~70% 억제율을 나타내고, 생쥐의 Ehrlich 복수암에도 60~70% 억제율을 나타낸다.

사용법 병조랍마 10g에 물 3컵(600mL)을 넣고 달여서 복용하거나 알약으로 만들어 복용한다.

○ 큰졸각버섯

밀졸각버섯

 종양

● 학명 : *Laccaria tortilis* (Bolt.) S. F. Gray [*Agaricus contortilis*]

1	2	3	4	5	6	7	8	9	10	11	12

 밀졸각버섯

갓은 지름 0.5~1cm로 초기에는 평반구형이나 성장하면서 오목편평형이 된다. 갓 표면은 습할 때는 방사상 홈선이 있고 담적갈색을 띠며 중앙 부위가 짙다. 조직은 얇고 갓과 같은 색이다. 주름살은 끝붙은형, 매우 성글고 담적갈색이다. 대는 길이 1~2.5cm, 지름 0.1~0.2cm, 원통형으로 갓과 같은 색이다.

분포 · 생육지 우리나라. 일본, 중국, 북반구, 남아메리카, 오스트레일리아. 여름과 가을에 길가, 숲속 땅 위에 무리 지어 발생한다.

약용 부위 · 수치 자실체를 여름과 가을에 채취하여 흙과 잡물을 제거하고 물에 씻어서 말린다.

약물명 자포랍마(刺孢蠟蘑)

약효 항종양 작용이 있으므로 각종 종양을 치료한다

성분 미량 금속원소 8종, polysaccharide 등이 함유되어 있다.

약리 Sarcoma 180을 이식하여 암 조직이 있는 생쥐에게 열수추출물을 근육주사하면 100% 억제율을 나타내고, 생쥐의 Ehrlich 복수암에 대하여도 100% 억제율을 나타낸다.

양파광대버섯

세균성피부염

● 학명 : *Amanita abrupta* Peck [*A. sphaerobulbosa*]

1	2	3	4	5	6	7	8	9	10	11	12

갓은 지름 5~7cm로 초기에는 반구형이나 성장하면서 편평형이 된다. 갓 표면은 추 모양의 작은 돌기가 많으나 탈락하기 쉽다. 조직은 백색이다. 주름살은 끝붙은형, 떨어진형이고 조밀하며 주름살날은 가루질이다. 대는 길이 8~14cm, 지름 0.6~0.8cm, 표면에 돌기가 부착되어 있으며, 기부는 양파 모양이고, 턱받이는 대 상부에 있으며 막질이다.

분포 · 생육지 우리나라. 중국, 일본, 북아메리카. 여름과 가을에 활엽수림, 혼합림 내 땅 위에 홀로 발생한다.

약용 부위 · 수치 자실체를 여름과 가을에 채취하여 흙과 잡물을 제거하고 물에 씻어서 말린다.

약물명 구기아고균(球基鵝膏菌)

약효 세균성피부염을 치료한다.

성분 allylglycine(2-amino-4-penteic acid), propagylglycine(2-amino-4-pentynic acid), 2-amino-5-chloro-6-hydroxy-4-hexenic acid, 2-amino-4,5-hexadienoic acid, cyclopropagylalanine 등이 함유되어 있다.

약리 allylglycine은 glutamic acid decarboxylase를 저해하며, propagylglycine은 간 조직을 손상시킨다. 위장염을 유발시키는 *Bacillus licheniformis*에 항균 작용이 있다.

사용법 구기아고균을 가루 내어 환부에 뿌리거나 연고로 만들어 바른다.

주의 강한 독버섯이므로 외용으로만 사용하여야 한다.

○ 양파광대버섯

○ 양파광대버섯(주름살과 턱받이)

[광대버섯과]

점박이광대버섯

習 습진

●학명 : *Amanita ceciliae* (Berk. ex Broome) Bas [*A. inaurata*, *Amanitopsis inaurata*]

| 1 | 2 | 3 | 4 | 5 | 6 | 7 | 8 | 9 | 10 | 11 | 12 |

갓은 지름 5~10cm로 초기에는 반구형이나 성장하면서 편평형이 된다. 갓 표면에 방사상 홈선이 있고, 황갈색 바탕에 회갈색 외피막 조각이 붙어 있다. 조직은 백색이다. 주름살은 떨어진형, 약간 조밀하며 백색이고 주름살날은 회색의 가루질이다. 대는 길이 8~14cm, 지름 0.8~1.5cm, 표면에 비늘조각이 붙어 있으며 기부 쪽으로 굵어진다. 턱받이는 없으며, 대주머니는 2~3개의 띠 모양으로 기부에 붙어 있다.

분포·생육지 우리나라, 중국, 일본 등 북반구. 여름과 가을에 침엽수림, 혼합림 내 땅위에 홀로 또는 무리 지어 발생한다.

약용 부위·수치 자실체를 여름과 가을에 채취하여 흙과 잡물을 제거하고 물에 씻어서 말린다.

약물명 권탁병고(圈托柄菇)

약효 습진을 치료한다.

사용법 권탁병고를 가루 내어 상처에 뿌리거나 연고로 만들어 바른다.

주의 식용하나 위장 장애를 일으키므로 과식은 피해야 한다.

○ 점박이광대버섯

○ 점박이광대버섯(갓 표면과 주름살)

[광대버섯과]

애광대버섯

習 습진

●학명 : *Amanita citrina* (Schaeff.) Pers. [*A. mappa*]

| 1 | 2 | 3 | 4 | 5 | 6 | 7 | 8 | 9 | 10 | 11 | 12 |

갓은 지름 5~10cm로 초기에는 반구형이나 성장하면서 편평형이 된다. 갓 표면은 평활하고 황백색이며 습하면 점성이 있고 황록색 외피막이 있다. 조직은 백색이다. 주름살은 떨어진형, 약간 조밀하고 백색이다. 대는 길이 8~12cm, 지름 0.8~1.2cm, 속은 비고 상부에는 턱받이가 있으나 성숙하면 없어진다. 기부는 구근상이며 대주머니가 있다.

분포·생육지 우리나라, 중국, 일본, 북아메리카, 오스트레일리아. 여름과 가을에 침엽수림, 혼합림 내 땅 위에 홀로 또는 무리 지어 발생한다.

약용 부위·수치 자실체를 여름과 가을에 채취하여 흙과 잡물을 제거하고 물에 씻어서 말린다.

약물명 등황아고균(橙黃鵝膏菌)

약효 습진을 치료한다.

성분 bufotenine, bufotenine-*N*-oxide, dimethyltryptamine, *N*-methylserotonin, serotonin, trimethylserotonin 등이 함유되어 있다.

약리 그람양성균이며 피부병균인 *S. aureus*, *S. pyrogenes*, *Mycobacterium fortuitum*, *Staphylococcus epidermis*에 항균 작용이 있다. 곰팡이인 *Aspergillus flavus*, 잔디탄저병균인 *Collectotrichum graminicola*, 인삼뿌리썩음병균인 *Cylindrocarpon destrutans*에 항균 작용이 있다.

사용법 등황아고균을 가루로 만들어 상처에 뿌리거나 연고로 만들어 바른다.

○ 애광대버섯

○ 애광대버섯(주름살)

[광대버섯과]

달걀버섯

습진, 무좀

● 학명 : *Amanita hemibapha* (Berck. ex Br.) Sacc.

1	2	3	4	5	6	7	8	9	10	11	12

갓은 지름 5~18cm로 초기에는 반구형이나 성장하면서 편평형이 된다. 갓 표면은 평활하고 적황색이며 가장자리에 방사상 줄이 있다. 주름살은 떨어진형, 조밀하고 황색이다. 대는 길이 10~20cm, 지름 1~2cm, 표면은 적황색 비늘조각이 있고 상부에는 턱받이가 있으며 기부에는 두꺼운 백색의 대주머니가 있다.

분포·생육지 우리나라, 중국, 일본, 북아메리카, 유럽. 여름과 가을에 침엽수림, 활엽수림, 혼합림 내 땅 위에 홀로 또는 무리 지어 발생한다.

약용 부위·수치 자실체를 여름과 가을에 채취하여 흙과 잡물을 제거하고 물에 씻어서 말린다.

약물명 홍황아고(紅黃鴉膏), 등개산(橙蓋傘)이라고도 한다.

약효 습진이나 무좀을 치료한다.

성분 유리 아미노산 25종, chitin 등이 함유되어 있다.

약리 곰팡이인 *Aspergillus niger*의 발육을 저지한다. Sarcoma 180을 이식한 생쥐에게 열수추출물을 근육주사하면 항암 작용을 나타낸다.

사용법 습진이나 무좀에 가루로 만들어 상처에 뿌리거나 연고로 만들어 바른다.

❶ 달걀버섯(어린 버섯)

❶ 달걀버섯

[광대버섯과]

파리버섯

해충 구제

● 학명 : *Amanita melleiceps* Hongo

1	2	3	4	5	6	7	8	9	10	11	12

갓은 지름 3~5cm로 초기에는 반구형이나 성장하면서 오목편평형이 된다. 갓 표면은 평활하고 습할 때는 점성이 있으며, 중앙부는 적갈색, 둘레는 황백색을 띠고, 황백색 비늘조각이 산재하며 가장자리는 톱니 같다. 주름살은 떨어진형, 약간 성글고 백색이다. 대는 길이 3~5cm, 지름 0.4~0.6cm, 표면은 담황색이다. 턱받이는 없으며 기부에는 구근상의 대주머니가 있으나 가루질이다.

분포·생육지 우리나라, 중국, 일본. 여름과 가을에 침엽수림, 혼합림 내 땅 위에 흩어지거나 무리 지어 발생한다.

약용 부위·수치 자실체를 여름과 가을에 채취하여 흙과 잡물을 제거하고 물에 씻어서 말린다.

약물명 소독승아고균(小毒蠅鵝膏菌). 소독승균(小毒蠅菌)이라고도 한다.

약효 파리나 모기 등 해충 구제에 사용한다.

약리 ICR 쥐에 대한 용혈 독성을 나타낸다.

사용법 소독승아고균을 가루로 만들어 밥에 버무려서 파리나 모기 등 해충의 구제에 사용한다.

❶ 파리버섯(어린 버섯)

❶ 파리버섯

암회색광대버섯아재비

🔵 습진

● 학명 : *Amanita pseudoporphyria* Hongo

1	2	3	4	5	6	7	8	9	10	11	12

갓은 지름 3~11cm로 초기에는 반구형이나 성장하면서 편평형이 된다. 갓 표면은 회갈색이고 중앙부는 짙은 색이며 가루질의 비늘조각이 있다. 갓 가장자리에는 피막 조각이 붙어 있다. 조직은 백색이다. 주름살은 떨어진형, 조밀하고 백색이다. 대는 길이 5~12cm, 지름 1~2cm, 대의 꼭대기에 있는 턱받이는 치마 모양으로 걸쳐 있으나 일찍 없어진다.

분포 · 생육지 우리나라. 중국, 일본, 북아메리카, 오스트레일리아. 여름과 가을에 침엽수림, 혼합림 내 땅 위에 홀로 또는 무리 지어 발생한다.

약용 부위 · 수치 자실체를 여름과 가을에 채취하여 흙과 잡물을 제거하고 물에 씻어서 말린다.

약물명 가갈운반아고균(假褐雲班鵝膏菌)

약효 습진을 치료한다.

성분 arabitol, mannitol, glycerol, trehalose, 2-amino-4-chloro-4-pentenic acid, 2-amino-4-pentynic acid, 2-amino-4,5-hexadienoic acid, 2-amino-4-pentenic acid 등이 함유되어 있다.

약리 그람양성균이며 위장염을 일으키는 *Bacillus licheniformis*, 그람음성균이며 설사를 유발시키는 *Providencia rettgeri*에 대하여 항균 작용을 나타낸다.

사용법 가갈운반아고균을 가루 내어 환부에 뿌리거나 연고로 만들어 바른다.

주의 독버섯이므로 경구 투여는 금한다.

❍ 암회색광대버섯아재비

❍ 암회색광대버섯아재비(주름살)

붉은점박이광대버섯

🔵 미상

● 학명 : *Amanita rubescens* Pers.

1	2	3	4	5	6	7	8	9	10	11	12

갓은 지름 10~18cm로 초기에는 반구형이나 성장하면서 편평형이 된다. 갓 표면은 적갈색 바탕에 담갈색 비늘조각이 산재한다. 조직은 백색이지만 상처가 나면 적갈색으로 변한다. 주름살은 떨어진형, 약간 조밀하고 백색이다. 대는 적갈색, 길이 10~20cm, 지름 1~2cm, 대의 꼭대기에 있는 턱받이는 치마 모양으로 걸쳐 있으나 일찍 없어진다.

분포 · 생육지 우리나라. 중국, 일본, 북아메리카, 오스트레일리아. 여름과 가을에 침엽수림, 혼합림 내 땅 위에 홀로 또는 무리 지어 발생한다.

약용 부위 · 수치 자실체를 여름과 가을에 채취하여 흙과 잡물을 제거하고 물에 씻어서 말린다.

약물명 가갈운반아고균(假褐雲班鵝膏菌)

성분 rubescenslysin이 함유되어 있다.

약리 rubescenslysin은 ICR 생쥐의 적혈구를 용해시킨다.

❍ 붉은점박이광대버섯(주름살과 대)

❍ 붉은점박이광대버섯

암적색광대버섯

파리, 모기 살충

● 학명 : *Amanita rufoferruginea* Hongo

| 1 | 2 | 3 | 4 | 5 | 6 | 7 | 8 | 9 | 10 | 11 | 12 |

○ 암적색광대버섯(주름살)

갓은 지름 5~9cm로 초기에는 반구형이나 성장하면서 편평형이 된다. 갓 표면에는 방사상 선이 있고 등갈색 비늘조각으로 덮여 있다. 주름살은 떨어진형, 조밀하고 백색이다. 대는 기부가 굵으며 갓 표면과 색깔이 비슷하며, 턱받이는 탈락하기 쉽다. 대주머니는 등갈색이다.

분포·생육지 우리나라. 중국, 일본, 북아메리카, 오스트레일리아. 여름과 가을에 침엽수림, 혼합림 내 땅 위에 홀로 또는 무리 지어 발생한다.

약용 부위·수치 자실체를 여름과 가을에 채취하여 흙과 잡물을 제거하고 물에 씻은 후 짓찧어 사용한다.

약물명 토홍아고균(土紅鵝膏菌)

약효 살충 효능이 있으므로 파리, 모기를 없애는 데 사용한다.

사용법 토홍아고균을 파리나 모기가 많은 곳에 뿌리거나 그릇에 담아서 빨아 먹도록 한다.

○ 암적색광대버섯

뱀껍질광대버섯

습진

● 학명 : *Amanita spissacea* D. Imai

| 1 | 2 | 3 | 4 | 5 | 6 | 7 | 8 | 9 | 10 | 11 | 12 |

갓은 지름 5~14cm로 초기에는 반구형이나 성장하면서 편평형이 된다. 갓 표면은 회갈색 바탕에 흑갈색 비늘조각이 산재한다. 조직은 백색이다. 주름살은 떨어진형, 조밀하고 백색이며 주름살날은 가루질이다. 대는 길이 10~15cm, 지름 1~1.5cm, 기부는 구근상이며 표면은 회갈색이다. 턱받이는 대의 상부에 있으며 막질이고, 대주머니는 3~5개의 가루질의 띠 모양으로 대의 기부에 붙어 있다.

분포·생육지 우리나라. 중국, 일본. 여름과 가을에 침엽수림, 혼합림 내 땅 위에 홀로 또는 무리 지어 발생한다.

약용 부위·수치 자실체를 여름과 가을에 채취하여 흙과 잡물을 제거하고 물에 씻어서 말린다.

약물명 각인회독아고균(角燐灰毒鵝膏菌)

약효 습진을 치료한다.

성분 유리 아미노산 16종이 함유되어 있다.

약리 그람음성균인 *Salmonella dysenteriae*에 항균 작용이 있다. ICR 생쥐의 적혈구를 용해시킨다.

사용법 각인회독아고균을 가루 내어 환부에 뿌리거나 연고로 만들어 바른다.

주의 독버섯이므로 경구 투여는 금한다.

○ 뱀껍질광대버섯

○ 뱀껍질광대버섯(어린 버섯)

○ 뱀껍질광대버섯(주름살)

흰가시광대버섯

🔵 습진

● 학명 : *Amanita virgineoides* Bas

1	2	3	4	5	6	7	8	9	10	11	12

갓은 지름 10~20cm로 초기에는 반구형이나 성장하면서 편평형이 된다. 갓 표면은 백색, 가루질이며 뾰족한 돌기로 덮여 있고, 갓 둘레에는 내피막 조각이 붙어 있다. 조직은 백색이다. 주름살은 떨어진형이며 약간 조밀하고 황백색이다. 대는 길이 12~22cm, 지름 1.5~2.5cm, 곤봉형, 비늘조각 같은 돌기로 덮여 있다. 대의 상부에 턱받이가 있으나 곧 탈락한다.

분포 · 생육지 우리나라, 중국, 일본. 여름과 가을에 침엽수림, 혼합림 내 땅 위에 홀로 또는 무리 지어 발생한다.

약용 부위 · 수치 자실체를 여름과 가을에 채취하여 흙과 잡물을 제거하고 물에 씻어서 말린다.

약물명 각인회독아고균(角燐灰毒鵝膏菌)

약효 습진을 치료한다.

성분 유리 아미노산 16종이 함유되어 있다.

약리 그람음성균인 *Salmonella dysenteriae*에 항균 작용이 있다. ICR 생쥐의 적혈구를 용해시킨다.

사용법 각인회독아고균을 가루 내어 환부에 뿌리거나 연고로 만들어 바른다.

주의 독버섯이므로 경구 투여는 금한다.

○ 주름살　　　　　○ 흰가시광대버섯

○ 흰가시광대버섯(어린 버섯)

큰주머니광대버섯

🏃 요퇴동통, 수족마비, 근골불서, 사지추휵

● 학명 : *Amanita volvata* (Peck) Lolyd [*A. agglutinata*]

1	2	3	4	5	6	7	8	9	10	11	12

갓은 지름 5~8cm로 초기에는 종 모양이나 성장하면서 편평형이 된다. 갓 표면은 백색 바탕에 솜틸 같은 부드러운 비늘조각으로 덮여 있고, 황갈색의 큰 외피막 조각이 산재한다. 조직은 백색이다. 주름살은 떨어진형, 약간 조밀하고 담적갈색이다. 대는 길이 5~12cm, 지름 1~1.5cm, 갓과 같은 비늘조각이 있다. 턱받이는 없으며, 대의 기부에 매우 크고 두꺼운 대주머니가 있다.

분포 · 생육지 우리나라, 중국, 일본, 시베리아 등 북반구. 여름과 가을에 혼합림 내 땅 위에 홀로 또는 무리 지어 발생한다.

약용 부위 · 수치 자실체를 여름과 가을에 채취하여 흙과 잡물을 제거하고 물에 씻어서 말린다.

약물명 편린탁병고(片鱗托柄菇)

약효 요퇴동통(腰腿疼痛), 수족마비(手足麻痺), 근골불서(筋骨不舒), 사지추휵(四肢抽搐)을 치료한다.

성분 muscarine, phallotoxin이 함유되어 있다.

약리 muscarine은 부교감 신경을 차단한다.

사용법 편린탁병고를 연고로 만들어 바른다.

주의 독버섯이므로 경구로 과량 투여는 금한다.

＊ 요퇴동통(腰腿疼痛), 수족마비(手足麻痺) 등에 사용하는 서근산(舒筋散)의 원료로 이용된다.

○ 큰주머니광대버섯

○ 큰주머니광대버섯(주름살)

난버섯

 암

● 학명 : *Pluteus cervinus* P. Kumm. [*P. atricapillus* (Batsch) Payod]　● 별명 : 노루버섯

1	2	3	4	5	6	7	8	9	10	11	12

갓은 지름 5~10cm로 종 모양 또는 반원형을 거쳐서 편평해진다. 갓 표면은 미세한 방사상 섬유질 선이 있으며, 갈색~암갈색이고 가장자리는 백색을 띤다. 조직은 백색이고, 주름살은 떨어진형, 조밀하고 처음에는 백색이지만 차차 담홍색이 된다. 대는 원통형, 길이 6~19cm, 표면은 백색 바탕에 갈색의 세로로 섬유가 있다.

분포 · 생육지 우리나라, 일본, 중국, 북아메리카, 유럽. 봄부터 가을에 걸쳐 활엽수의 살아 있는 나무나 죽은 나무에 발생한다.

약용 부위 · 수치 자실체를 봄부터 가을에 갓이 갈라져 나오기 전에 채취하여 흙과 잡물을 제거하고 물에 씻어서 말린다.

약물명 초고(草菇)

약효 항암 작용이 있다.

성분 cervinan A, psilocybin, psilocin 등이 함유되어 있다.

약리 cervinan A는 쥐에 이식한 Sarcoma 180에 항암 작용을 나타낸다.

사용법 초고 10~15g에 물 3컵(600mL)을 넣고 달여서 복용하거나 술에 담가 복용한다.

❶ 난버섯

❶ 난버섯(갓 표면과 주름살)

흰비단털버섯

 서열번갈　 체허기약, 두훈핍력

고혈압

● 학명 : *Volvariella bombycina* (Schaeff.) Singer

1	2	3	4	5	6	7	8	9	10	11	12

갓은 지름 5~10cm로 종 모양 또는 반원형을 거쳐서 편평해진다. 갓 표면은 건조하고 중앙은 어두운색이며 흑갈색 섬유로 덮여 있다. 속살은 백색이고 주름살은 끝붙은형, 백색이지만 차츰 황백색으로 되고 넓다. 대는 길이 5~12cm, 기부는 부풀고 황백색이며 흰 털이 있고, 속이 차 있다. 대주머니는 크고 두꺼우며 위 끝이 갈라지고 백색이다.

분포 · 생육지 우리나라, 일본, 중국, 북아메리카, 유럽. 가을에 땅 위나 볏짚더미 위에서 발생한다.

약용 부위 · 수치 자실체를 여름부터 가을에 갓이 갈라져 나오기 전에 채취하여 흙과 잡물을 제거하고 물에 씻어서 말린다.

약물명 초고(草菇), 도초고(稻草菇), 난화고(蘭花菇), 마고(麻菇), 초균(草菌)이라고도 한다.

약효 청열해서(淸熱解暑), 보익기혈(補益氣血), 강압(降壓)의 효능이 있으므로 서열번갈(暑熱煩渴), 체허기약(體虛氣弱), 두훈핍력(頭暈乏力), 고혈압을 치료한다.

성분 volvotoxin, vulpinic acid, vitamin C, ergosterol, γ−ergosterol, provitamin D₂, D₄, 24β−methylcholesta−5,7−dien−3β−ol 등이 함유되어 있다.

약리 열수추출물은 황색 포도상구균, 내산성간균에 항균 작용이 있다. vitamin C를 대량 함유하고 있으므로 전염병 및 패혈증에 예방 효과가 있다. Sarcoma 180을 이식시킨 쥐에 대해 항암 활성이 있다.

사용법 초고 10~15g에 물 3컵(600mL)을 넣고 달여서 복용하거나 술에 담가 복용한다.

❶ 흰비단털버섯

❶ 흰비단털버섯(어린 버섯)

[땀버섯과]

땀버섯

습진 등 피부병

● 학명 : *Inocybe rimosa* (Bull.) P. Kumm. [*I. fastigiata*]

| 1 | 2 | 3 | 4 | 5 | 6 | 7 | 8 | 9 | 10 | 11 | 12 |

갓은 지름 3~7cm로 원추형을 거쳐서 볼록 편평형이 된다. 갓 표면은 황갈색, 방사상 줄이 있으며 그 사이로 조직이 노출된다. 조직은 백색으로 밤꽃 냄새가 난다. 주름살은 끝붙은형, 약간 조밀하고 황백색에서 황갈색이 된다. 대는 길이 5~10cm, 지름 0.3~ 0.8cm, 기부 쪽이 약간 굵다. 턱받이는 없다.
분포 · 생육지 우리나라. 일본, 중국, 북아메리카, 유럽 등 세계 각처. 여름과 가을에 혼합림 내 땅 위나 초원, 잔디 위에 홀로 또는 무리 지어 발생한다.
약용 부위 · 수치 자실체를 여름과 가을에 채취하여 흙과 잡물을 제거하고 물에 씻어서 말린다.
약물명 황사개산(黃絲蓋傘)
약효 습진 등 피부병을 치료한다.
성분 muscarine이 함유되어 있다.
약리 muscarine은 부교감 신경을 차단한다.
사용법 황사개산을 가루로 만들어 상처에 뿌리거나 연고로 만들어 바른다.

● 땀버섯(갓 표면과 주름살)

● 땀버섯

[땀버섯과]

하얀땀버섯

습진 등 피부병

● 학명 : *Inocybe umbratica* Quel

| 1 | 2 | 3 | 4 | 5 | 6 | 7 | 8 | 9 | 10 | 11 | 12 |

갓은 지름 2~3.5cm로 원추형을 거쳐서 볼록편평형이 된다. 갓 표면은 백색, 광택이 난다. 조직은 백색이다. 주름살은 떨어진 형~끝붙은형이며 약간 조밀하고 황백색에서 회갈색이 된다. 대는 길이 3~5cm, 지름 0.4~0.6cm, 기부 쪽이 약간 굵고 백색의 균사가 있다. 턱받이는 없다.
분포 · 생육지 우리나라. 중국, 일본, 북아메리카, 유럽 등 북반구. 여름과 가을에 활엽수림 내 땅 위에 홀로 또는 무리 지어 발생한다.
약용 부위 · 수치 자실체를 여름과 가을에 채취하여 흙과 잡물을 제거하고 물에 씻어서 말린다.
약물명 백사개산(白絲蓋傘)
약효 습진 등 피부병을 치료한다.
성분 muscarine이 함유되어 있다.
약리 muscarine은 부교감 신경을 차단한다.
사용법 백사개산을 가루로 만들어 상처에 뿌리거나 연고로 만들어 바른다.

● 하얀땀버섯

흰보라끈적버섯

 뇌졸중, 심근경색   당뇨병

● 학명 : *Cortinarius alboviolaceus* (Pers.) Fr.

1	2	3	4	5	6	7	8	9	10	11	12

갓은 지름 3~7cm로 반원구형을 거쳐서 볼록편평형이 된다. 갓 표면은 담회자색으로 비단 같은 광택이 난다. 조직은 담자백색이다. 주름살은 떨어진형~끝붙은형이며 약간 성글고 담회자색에서 담적갈색이 된다. 대는 길이 5~7cm, 지름 0.6~1.5cm, 기부 쪽은 곤봉형이고 색이 짙다. 턱받이는 상부 쪽에 흔적만 있다.

분포·생육지 우리나라, 중국, 일본, 북아메리카, 유럽 등 북반구. 여름과 가을에 활엽수림 내 땅 위에 홀로 또는 무리 지어 발생한다.

약용 부위·수치 자실체를 여름과 가을에 채취하여 흙과 잡물을 제거하고 물에 씻어서 말린다.

약물명 백자사막균(白紫絲膜菌)

약효 혈전을 용해하고 혈당을 저하시키는 작용이 있다.

사용법 백자사막균 10~15g에 물 3컵(600 mL)을 넣고 달여서 복용하거나 술에 담가 복용한다.

✿ 흰보라끈적버섯

키다리끈적버섯

 암

● 학명 : *Cortinarius livido-ochraceus* (Berk.) Berk. [*C. elatior*]

1	2	3	4	5	6	7	8	9	10	11	12

✿ 키다리끈적버섯

갓은 지름 5~10cm로 초기에는 종형이나 성장하면서 볼록편평형이 된다. 갓 표면은 습할 때는 강한 점성이 있고 녹갈색이나 건조할 때는 갈황색으로 되고 방사상 홈선이 나타난다. 조직은 백색이다. 주름살은 완전 붙은형~끝붙은형, 약간 조밀하고 회갈색이다. 대는 길이 7~15cm, 지름 1~2cm로 길고, 기부 쪽은 색이 짙다. 턱받이는 없다.

분포·생육지 우리나라, 중국, 일본, 북아메리카, 유럽 등 북반구. 여름과 가을에 활엽수림 내 땅 위에 홀로 또는 무리 지어 발생한다.

약용 부위·수치 자실체를 여름과 가을에 채취하여 흙과 잡물을 제거하고 물에 씻어서 말린다.

약물명 교고사막균(較高絲膜菌)

약효 항암 작용이 있다.

성분 glycerol, mannitol, trehalose, glucose, galactose, fructose 등이 함유되어 있다.

약리 Sarcoma 180을 이식하여 암 조직이 있는 생쥐에게 열수추출물을 근육주사하면 70% 억제율을 나타내고, 생쥐의 Ehrlich 복수암에 80% 억제율을 나타낸다.

사용법 교고사막균 10~15g에 물 3컵(600 mL)을 넣고 달여서 복용하거나 술에 담가서 복용한다.

풍선끈적버섯아재비

습진, 무좀

● 학명 : *Cortinarius pseudopurpurascens* Hongo

| 1 | 2 | 3 | 4 | 5 | 6 | 7 | 8 | 9 | 10 | 11 | 12 |

갓은 지름 5~8cm로 초기에는 평반구형이지만 점차 편평형이 된다. 갓 표면은 평활하며 습할 때는 점성이 있고 중앙부는 회갈색, 가장자리는 자주색을 띤다. 조직은 담자색이다. 주름살은 끝붙은형이며 약간 조밀하고 적갈색이다. 대는 길이 5~8cm, 지름 0.6~1.2cm, 원통형으로 기부 쪽은 둥글고, 윗부분은 자주색, 아랫부분은 갈황색이다. 턱받이는 흔적만 있다.

분포 · 생육지 우리나라, 중국, 일본, 북아메리카, 유럽 등 북반구. 여름과 가을에 활엽수림 내 땅 위에 홀로 또는 무리 지어 발생한다.

약용 부위 · 수치 자실체를 여름과 가을에 채취하여 흙과 잡물을 제거하고 물에 씻어서 말린다.

약물명 백인자사막균(白鱗紫絲膜菌)

약효 습진이나 무좀을 치료한다.

약리 곰팡이 *Aspergillus niger*의 발육을 저지하고, 그람음성균에 항균 작용이 있다.

사용법 백인자사막균을 가루 내어 환부에 뿌리거나 연고로 만들어 바른다.

◐ 풍선끈적버섯아재비

풍선끈적버섯

습진, 무좀

● 학명 : *Cortinarius purpurascens* (Fr.) Fr.

| 1 | 2 | 3 | 4 | 5 | 6 | 7 | 8 | 9 | 10 | 11 | 12 |

◐ 풍선끈적버섯

갓은 지름 5~10cm로 초기에는 종형이나 점차 볼록편평형이 된다. 갓 표면은 습할 때는 강한 점성이 있고 녹갈색이지만 건조할 때는 갈황색으로 되고, 방사상 홈선이 나타난다. 조직은 백색이다. 주름살은 완전붙은형~끝붙은형, 약간 조밀하고 회갈색이다. 대는 길이 7~15cm, 지름 1~2cm로 길고, 기부 쪽은 색이 짙다. 턱받이는 없다.

분포 · 생육지 우리나라, 중국, 일본, 북아메리카, 유럽 등 북반구. 여름과 가을에 활엽수림 내 땅 위에 홀로 또는 무리 지어 발생한다.

약용 부위 · 수치 자실체를 여름과 가을에 채취하여 흙과 잡물을 제거하고 물에 씻어서 말린다.

약물명 교고사막균(較高絲膜菌)

약효 습진이나 무좀을 치료한다.

성분 orellanine, arabitol, mannitol, glycerol, trehalose, glucose, fructose, 지방산 10종 등이 함유되어 있다.

약리 orellanine은 유독 성분이다.

사용법 교고사막균을 가루 내어 환부에 뿌리거나 연고로 만들어 바른다.

푸른끈적버섯

 암

● 학명 : *Cortinarius salor* Fr.

1	2	3	4	5	6	7	8	9	10	11	12

✪ 푸른끈적버섯

갓은 지름 3~6cm로 초기에는 반구형이나 평반구형을 거쳐 편평형이 된다. 갓 표면은 점액으로 덮여 있고 청자색, 중앙부는 색이 옅다. 조직은 담자색으로 부드럽다. 주름살은 내린형~끝붙은형, 약간 조밀하고 자갈색이다. 대는 길이 4~7cm, 지름 0.5~1cm, 곤봉형이며 표면은 점액질이다. 턱받이는 없다.

분포·생육지 우리나라. 중국, 일본, 시베리아. 여름과 가을에 활엽수림, 잡목림 내 땅 위에 홀로 또는 무리 지어 발생한다.

약용 부위·수치 자실체를 여름과 가을에 채취하여 흙과 잡물을 제거하고 물에 씻어서 말린다.

약물명 하엽사막균(荷葉絲膜菌)

약효 항암 작용이 있다.

약리 Sarcoma 180을 이식하여 암 조직이 있는 생쥐에게 열수추출물을 근육주사하면 80% 억제율을 나타내고, 생쥐의 Ehrlich 복수암에 90% 억제율을 나타낸다.

사용법 하엽사막균 10~15g에 물 3컵(600 mL)을 넣고 달여서 복용하거나 술에 담가서 복용한다.

노랑끈적버섯

 암

● 학명 : *Cortinarius tenuipes* (Hongo) Hongo

1	2	3	4	5	6	7	8	9	10	11	12

갓은 지름 4~9cm로 초기에는 평반구형이나 점차 볼록편평형이 된다. 갓 표면은 담갈색이고 중앙부는 색이 짙으며, 습할 때는 점성이 있고 둘레에는 백색의 내피막이 붙기도 한다. 조직은 백색이다. 주름살은 완전붙은형~끝붙은형이며 매우 조밀하고 담적갈색이다. 대는 길이 6~10cm, 지름 0.7~1cm, 원통형이다. 턱받이는 흔적만 있다.

분포·생육지 우리나라. 중국, 일본, 시베리아. 여름과 가을에 활엽수림, 잡목림 내 땅 위에 홀로 또는 무리 지어 발생한다.

약용 부위·수치 자실체를 여름과 가을에 채취하여 흙과 잡물을 제거하고 물에 씻어서 말린다.

약효 항암 작용이 있다.

성분 2-aminohexynic acid가 함유되어 있다.

약리 그람음성균인 *Bacillus subtilis*에 항균 작용이 있다.

✪ 노랑끈적버섯

[끈적버섯과]

노란턱돌버섯

🔵 피부병

● 학명 : *Descolea flavoannulata* (L. Vassiljeva) E. Horak

1	2	3	4	5	6	7	8	9	10	11	12

갓은 지름 4~7cm로 구형에서 평반구형을 거쳐서 편평형이 된다. 갓 표면은 황갈색 바탕에 황색의 솜털 같은 외피막 조각이 산재하고 방사상 줄이 있다. 조직은 담갈색이다. 주름살은 떨어진형~완전붙은형이며 약간 성글고 황갈색이다. 대는 길이 5~7cm, 지름 0.6~0.8cm이며, 기부 쪽은 짙은 색의 섬유로 덮인다. 턱받이는 황색, 막질이며 방사상의 선이 있고, 대주머니는 고리 모양이다.

분포·생육지 우리나라, 중국, 일본, 북아메리카, 유럽 등 북반구. 여름과 가을에 활엽수림 내 땅 위에 홀로 또는 무리 지어 발생한다.

약용 부위·수치 자실체를 여름과 가을에 채취하여 흙과 잡물을 제거하고 물에 씻어서 말린다.

약물명 황환인산(黃環鱗傘)

약효 항균 작용이 있다.

사용법 피부병에 황환인산을 가루로 만들어 뿌리거나 연고로 만들어 바른다.

● 노란턱돌버섯(주름살과 턱받이)

● 노란턱돌버섯

[소똥버섯과]

목장말똥버섯

🌡 미상

● 학명 : *Panaeolus papilionaceus* (Bull.) Quel. [*P. campanulatus, P. retirugis*]

1	2	3	4	5	6	7	8	9	10	11	12

갓은 지름 2~3cm로 종형 또는 반구형이다. 갓 표면은 평활하고 암회갈색, 중앙부는 색이 옅고 가장자리는 내피막이 붙어 있다. 조직은 황백색이다. 주름살은 완전붙은형이며 약간 조밀하고 흑색이다. 대는 길이 5~15cm, 지름 0.2~0.4cm, 원통형으로 가늘고 길며 암갈색이다. 턱받이는 없다.

분포·생육지 우리나라, 중국, 일본, 북아메리카, 유럽 등 북반구. 봄부터 가을까지 말똥, 유기질의 땅, 두엄 위에 무리 지어 발생한다.

약용 부위·수치 자실체를 봄부터 가을에 채취하여 흙과 잡물을 제거하고 물에 씻어서 말린다.

약물명 대포화습산(大孢花褶傘)

성분 psilocin, psilocybin, paneolic acid, paneolilludinic acid 등이 함유되어 있다.

약리 psilocin, psilocybin은 환각 증상을 일으킨다. paneolic acid는 암세포인 HL-60에 대하여 세포 독성이 있다.

주의 독버섯이므로 경구 투여는 금한다.

● 목장말똥버섯(주름살과 긴 대)

● 목장말똥버섯

[독청버섯과]

버들볏짚버섯

🌀 설사   👤 소변불리
❤️ 수종

● 학명 : *Agrocybe cylindracea* (DC.) Gillet [*A. aegerita*]   ● 별명 : 버들송이

1	2	3	4	5	6	7	8	9	10	11	12

갓은 지름 5~10cm로 초기에는 반구형이나 점차 편평해진다. 갓 표면은 평활하고 황갈색이며, 갓 둘레에는 희미한 방사상 줄이 있고 내피막 일부가 갓 끝에 부착되어 있다. 조직은 백색이다. 주름살은 완전붙은형, 조밀하고 담갈색에서 진한 갈색으로 변

○ 버들볏짚버섯(재배품)

한다. 대는 길이 3~8cm, 지름 0.7~1cm로 표면은 백색이며 섬유상 세로줄이 있고 밑부분은 짙은 갈색이며 상부에는 막질의 턱받이가 있다.

분포 · 생육지 우리나라. 중국, 일본, 북아메리카 및 유럽. 봄부터 가을까지 버드나무나 단풍나무 등 활엽수의 마른 가지 위나 살아 있는 나무의 썩은 부위에서 모여난다.

약용 부위 · 수치 자실체를 여름과 가을에 채취하여 물에 씻은 후 말린다.

약물명 다신고(茶新菇). 유고(柳菇), 주상전두고(柱狀田頭菇)라고도 한다.

기미 · 귀경 감(甘), 평(平) · 비(脾), 방광(膀胱)

약효 건비(健脾), 이뇨(利尿)의 효능이 있으므로 설사, 소변불리, 수종(水腫)을 치료한다.

성분 α-D-glucan, lectin, polysaccharide, 5'-AMP, 5'-GMP, 5'-IMP, 5'-UMP 등이 함유되어 있다.

약리 Sarcoma 180을 이식한 쥐에게 열수 추출물을 투여하면 90% 항종양 작용이 나타나고, 쥐의 Ehrlich 복수암에 대하여 80% 억제율이 있다. 또 비장(脾臟) 식세포의 기능을 활성화시킨다.

사용법 다신고 10g에 물 3컵(600mL)을 넣고 달여서 복용한다.

＊ 맛이 좋은 식용 버섯으로 건강 기능성 식품으로 개발되어 있으며, 재배, 출하되고 있다.

[독청버섯과]

무자갈버섯

🌀 설사   👤 소변불리
❤️ 수종

● 학명 : *Hebeloma crustuliniforme* (Bull.) Quel.

1	2	3	4	5	6	7	8	9	10	11	12

갓은 지름 3~6cm로 초기에는 반구형이나 점차 편평해지고, 갓 둘레는 안으로 약간 말린다. 갓 표면은 평활하고 습할 때는 점성이 있으며 담황갈색, 중앙부가 색이 짙다. 조직은 백색이고 두껍다. 주름살은 완전붙은형, 조밀하고 담갈색에서 진한 갈색으로 변한다. 대는 길이 3~8cm, 지름 0.7~1cm로 표면은 백색이며 섬유상 세로줄이 있고, 밑부분은 짙은 갈색이며 상부에는 막질의 턱받이가 있다.

분포 · 생육지 우리나라. 중국, 일본, 북아메리카 및 유럽. 봄부터 가을까지 버드나무나 단풍나무 등 활엽수의 마른 가지 위나 살아 있는 나무의 썩은 부위에서 모여난다.

약용 부위 · 수치 자실체를 여름과 가을에 채취하여 물에 씻은 후 말린다.

약물명 다신고(茶新菇). 유고(柳菇), 주상전두고(柱狀田頭菇)라고도 한다.

기미 · 귀경 감(甘), 평(平) · 비(脾), 방광(膀胱)

약효 건비(健脾), 이뇨(利尿)의 효능이 있으므로 설사, 소변불리, 수종(水腫)을 치료한다.

성분 crustulinol, 산성 phosphatase 등이 함유되어 있다.

약리 Sarcoma 180을 이식한 생쥐에게 열수추출물을 투여하면 67.8~84.2%의 억제율을 보인다.

사용법 다신고 10g에 물 3컵(600mL)을 넣고 달여서 복용한다.

○ 무자갈버섯

개암버섯

 암

●학명 : *Hypholoma sublateritium* (Schaeff.) Quel. [*Naematoloma sublateritium*]

| 1 | 2 | 3 | 4 | 5 | 6 | 7 | 8 | 9 | 10 | 11 | 12 |

갓은 지름 3~7cm로 초기에는 반구형이나 점차 편평형이 된다. 갓 표면은 습하면 점성이 있고 황갈색이며, 갓 둘레에는 섬유상 비늘조각이 있다. 조직은 황백색이다. 주름살은 완전붙은형, 조밀하고 자갈색이다. 대는 길이 7~13cm, 지름 0.7~1.3cm, 원통형으로 속은 비고 아래로 갈수록 색이 짙다. 턱받이는 없다.

분포·생육지 우리나라, 중국, 일본, 북아메리카 및 유럽. 가을에 특히 밤 주울 때 활엽수의 죽은 나무, 그루터기에 뭉쳐나거나 무리 지어 발생한다.

약용 부위·수치 자실체를 가을에 채취하여 물에 씻은 후 말린다.

약물명 인흑산(靭黑傘)

약효 항암 작용이 있다.

성분 유리 아미노산 25종, glycerol, arabitol, mannitol, glucose, trehalose, xylobiose, chitin, fasciculol F 등이 함유되어 있다.

약리 Sarcoma 180을 이식한 쥐에게 열수추출물을 투여하면 60% 항종양 작용이 나타나고, 쥐의 Ehrlich 복수암에 70% 억제율이 있다.

사용법 인흑산 10g에 물 3컵(600mL)을 넣고 달여서 복용한다.

❍ 개암버섯

❍ 개암버섯(주름살)

검은비늘버섯

소화불량, 위장장애　　우울증

●학명 : *Pholiota adiposa* (Batsch) P. Kumm.

| 1 | 2 | 3 | 4 | 5 | 6 | 7 | 8 | 9 | 10 | 11 | 12 |

갓은 지름 3~8cm로 초기에는 반구형이나 점차 편평해지고, 갓 둘레는 안으로 약간 말린다. 갓 표면은 점성이 있으며 황색 바탕이나 갓 둘레에는 백색 비늘조각이, 중앙부에는 갈색 비늘조각이 있다. 조직은 황백색이다. 주름살은 완전붙은형, 약간 조밀하다. 대는 길이 5~15cm, 지름 0.7~1cm로 원통형, 비늘조각이 산재하고 막질의 턱받이가 있거나 소실된다.

분포·생육지 우리나라, 중국, 일본, 북아메리카 및 유럽. 봄부터 가을까지 활엽수의 고목, 마른 가지, 그루터기에 무리 지어 발생한다.

약용 부위·수치 자실체를 봄부터 가을까지 채취하여 물에 씻은 후 말린다.

약물명 황산(黃傘)

약효 소적화식(消積化食), 성뇌제신(醒腦提神)의 효능이 있으므로 소화불량, 위장장애, 우울증을 치료한다.

성분 유리 아미노산 21종, polysaccharide 등이 함유되어 있다.

약리 Sarcoma 180을 이식한 생쥐에게 열수추출물을 투여하면 90% 항종양 작용이 나타나고, 생쥐의 Ehrlich 복수암에 80~90% 억제율이 있다.

사용법 황산 10g에 물 3컵(600mL)을 넣고 달여서 복용한다.

❍ 검은비늘버섯

❍ 검은비늘버섯(어린 버섯)

[독청버섯과]

진노랑비늘버섯

습진, 피부병

● 학명 : *Pholiota alnicola* (Fr.) Singer

| 1 | 2 | 3 | 4 | 5 | 6 | 7 | 8 | 9 | 10 | 11 | 12 |

❍ 진노랑비늘버섯(어린 버섯)

갓은 지름 5~10cm로 반구형에서 편평형이 된다. 갓 표면은 평활하고 습할 때는 점성이 있으며, 선황색~농황색 바탕에 적갈색 또는 황록색을 띤다. 주름살은 완전붙은형, 조밀하고 황색에서 갈색이 된다. 대는 원통형으로 황색이나 아래로 갈수록 적갈색이 짙어진다.

분포 · 생육지 우리나라. 중국, 일본. 봄부터 가을까지 활수의 고목, 마른 가지, 그루터기에 무리 지어 발생한다.

약용 부위 · 수치 자실체를 봄부터 가을까지 채취하여 물에 씻은 후 말린다.

약물명 소인황인산(小鱗黃鱗傘)

약효 습진 등 피부병을 치료한다.

성분 bisnoryanonin 등이 함유되어 있다.

약리 열수추출물은 항산화 작용이 있고, bisnoryanonin은 항균 작용이 있다.

사용법 소인황인산을 연고로 만들어 환부에 바른다.

❍ 진노랑비늘버섯

[독청버섯과]

나도팽나무버섯

암

● 학명 : *Pholiota nameko* (T. Ito) S. Ito ex S. Imai   ● 별명 : 맛버섯

| 1 | 2 | 3 | 4 | 5 | 6 | 7 | 8 | 9 | 10 | 11 | 12 |

갓은 지름 3~8cm로 반구형에서 평반구형~편평형이 된다. 갓 표면은 황갈색, 중앙부는 갈색이며 오래 되면 옅은 색이 되고 어릴 때는 점액질로 덮여 있으나 차츰 사라진다. 조직은 담황색이다. 주름살은 완전붙은형으로 조밀하고, 대는 턱받이 위쪽은 백색이며, 아래쪽은 황백색이다.

분포 · 생육지 우리나라. 중국, 일본, 북아메리카 및 유럽. 여름부터 가을까지 활엽수, 침엽수의 살아 있는 나무, 고목, 그루터기에 모여난다.

약용 부위 · 수치 자실체를 여름과 가을에 채취하여 말려서 사용한다.

약효 민간에서 항암제로 사용한다.

약리 항종양, 면역 증강 작용, 항균, 콜레스테롤 저하 작용이 있다.

사용법 말린 자실체 10g에 물 3컵(600mL)을 넣고 달여서 복용한다.

❍ 나도팽나무버섯

❍ 나도팽나무버섯(말린 것)

[독청버섯과]

비늘버섯

 황달　　 암

● 학명 : *Pholiota squarrosa* (Batsch) P. Kumm.

1	2	3	4	5	6	7	8	9	10	11	12

갓은 지름 5~10cm로 초기에는 원추상 반구형이나 성장하면서 편평형이 된다. 표면은 황갈색이고 적갈색의 거친 비늘조각이 있으며 조직은 담황색이다. 주름살은 완전붙은형, 조밀하며 초기에는 녹황색이나 뒤에 적갈색으로 된다. 대는 하부는 가늘고 전체적으로 비늘조각이 조밀하게 분포하며 상부에는 짙은 갈색 턱받이가 있다.

❂ 비늘버섯

분포·생육지 우리나라, 중국, 일본, 북아메리카 및 유럽. 여름부터 가을까지 활엽수, 침엽수의 살아 있는 나무, 고목, 그루터기에 모여난다.

약용 부위·수치 자실체를 여름과 가을에 채취하여 흙과 잡물을 제거하고 물에 씻어 말린다.

약물명 교인환수산(翹鱗環銹傘)

약효 간장(肝臟)의 습열(濕熱)을 제거하는 효능이 있으므로 황달을 치료하며, 민간에서는 암 치료에 사용한다.

약리 Sarcoma 180을 쥐에 이식하며 암을 발생시킨 뒤 열수추출물을 투여한 결과 78% 억제율을 나타내었다.

사용법 교인환수산 10g에 물 3컵(600mL)을 넣고 달여서 복용하거나 알약이나 가루약으로 만들어 복용한다.

＊양파 냄새가 나는 식용 버섯이나 과식하면 얼굴이 붉어지고 현기증이 나는 경우도 있다.

❂ 비늘버섯(어린 버섯)

[독청버섯과]

독청버섯아재비

 암

● 학명 : *Stropharia rugosoannulata* Farlow apud Murr.

1	2	3	4	5	6	7	8	9	10	11	12

❂ 독청버섯아재비

갓은 지름 10~15cm로 초기에는 원추상 반구형이나 차츰 편평형이 된다. 갓 표면은 암갈색에서 회갈색이 되고 가장자리는 안쪽으로 굽어 있으며 백색의 내피막으로 싸여 있으나 탈락한다. 조직은 두껍고 백색, 주름살은 붙은형, 조밀하고 너비가 넓으며 성장하면 보라색이 된다. 대는 길이 7~15cm, 지름 1~2cm, 아래로 갈수록 팽대하고, 턱받이는 이중막으로 된다.

분포·생육지 우리나라, 중국, 일본, 북아메리카 및 유럽. 여름부터 가을까지 숲 가장자리, 잔디밭, 쓰레기장, 목장 부근의 유기질이 많은 곳에서 무리 지어 발생한다.

약용 부위·수치 자실체를 여름과 가을에 채취하여 흙과 잡물을 제거하고 물에 씻어 말린다.

약물명 추환구개고(皺環球蓋菇)

약효 민간에서 암 치료에 응용한다.

약리 Sarcoma 180을 쥐에 이식하여 암을 발생시킨 뒤 열수추출물을 투여한 결과 70% 억제율을 나타내었고, Ehrlich 복수암에 70% 억제 효능이 있다.

사용법 추환구개고 10g에 물 3컵(600mL)을 넣고 달여서 복용하거나 알약 또는 가루약으로 만들어 복용한다.

＊식용으로도 이용되며 재배가 가능하다.

검은외대버섯

 암

● 학명 : *Entoloma ater* (Hongo) Hongo et Izawa [*Rhodophyllus ater*]

| 1 | 2 | 3 | 4 | 5 | 6 | 7 | 8 | 9 | 10 | 11 | 12 |

갓은 지름 2~4cm로 초기에는 평반구형이
나 성장하면서 오목편평형이 된다. 갓 표
면은 암자갈색이며 작은 비늘조각으로 덮
여 있고 습할 때는 방사상 홈선이 나타난
다. 조직은 얇고 흑갈색이다. 주름살은 완
전붙은형, 성글고 적회색이다. 대는 길이
3~5cm, 지름 0.2~0.3cm, 원통형, 종종
뒤틀려 있고 기부에는 백색의 균사가 있다.
턱받이는 없다.

분포 · 생육지 우리나라, 중국, 일본. 여름과
가을에 정원, 잔디밭, 풀밭의 땅 위에 무리
지어 발생한다.

약용 부위 · 수치 자실체를 여름과 가을에 채
취하여 흙과 잡물을 제거하고 물에 씻어 말
린다.

약물명 흑자분습균(黑紫粉褶菌)

약리 Sarcoma 180을 생쥐에 이식하여 암
을 발생시킨 뒤 열수추출물을 투여한 결과
70% 억제율을 나타내었고, Ehrlich 복수암
에 80% 억제 효능이 있다.

❂ 검은외대버섯

붉은꼭지외대버섯

 암

● 학명 : *Entoloma quadratum* (Berk. et Curtis) E. Horak [*Rhodophyllus salmoneus*,
  Nolanea quadrata]

| 1 | 2 | 3 | 4 | 5 | 6 | 7 | 8 | 9 | 10 | 11 | 12 |

갓은 지름 2~5cm로 원추형 또는 종형으
로 중앙부는 연필심 모양이다. 갓 표면은
등적색, 습할 때는 가장자리에 홈선이 나타
난다. 조직은 담적색이다. 주름살은 끝붙은
형이며 약간 성글고 담적색이다. 대는 길이
5~8cm, 지름 0.3~0.4cm, 원통형, 종종
굽어 있고 기부에는 균사가 있다. 턱받이는
없다.

분포 · 생육지 우리나라, 중국, 일본, 뉴기
니, 북아메리카. 여름과 가을에 활엽수림,
침엽수림, 혼합림 내 땅 위에 흩어지거나
무리 지어 발생한다.

약용 부위 · 수치 자실체를 여름과 가을에 채
취하여 흙과 잡물을 제거하고 물에 씻어 말
린다.

약리 Sarcoma 180을 생쥐에 이식하여 암
을 발생시킨 뒤 열수추출물을 투여한 결과
60%의 억제율을 나타내었고, Ehrlich 복수
암에도 60%의 억제 효능이 있다.

주의 독버섯이다.

❂ 붉은꼭지외대버섯

외대덧버섯

 설사

●학명 : *Entoloma sarcopum* Nagas. ex Hongo [*E. crassipes*]

| 1 | 2 | 3 | 4 | 5 | 6 | 7 | 8 | 9 | 10 | 11 | 12 |

❂ 외대덧버섯

갓은 지름 7~12cm로 초기에는 평반구형이나 성장하면서 중앙볼록형이 된다. 갓 표면은 평활하고 회갈색 바탕에 백색의 부드러운 털이 덮여 있다. 조직은 백색이며 밀가루 냄새가 난다. 주름살은 끝붙은형이며 약간 조밀하고 담적색이다. 대는 길이 7~15cm, 지름 1.5~2.5cm, 원통형, 백색으로 평활하다. 턱받이는 없다.

분포 · 생육지 우리나라. 일본. 가을에 활엽수림의 땅 위에 홀로 또는 무리 지어 발생한다.

약용 부위 · 수치 자실체를 가을에 채취하여 흙과 잡물을 제거하고 물에 씻어 말린다.

성분 유리 아미노산 29종, ergosterol, glycerol, trehalose, pectin, lignin, 5′-AMP, 5′-CMP, L-2-amino-3-butenic acid 등이 함유되어 있다.

약리 그람양성균인 *Bacillus subtilis*, 그람음성균으로 설사를 일으키는 *Providencia retggeri*에 항균 작용이 있고, 인삼뿌리썩음병을 일으키는 곰팡이 *Cylindrocarpon destructans*에 항곰팡이 작용이 있다.

갈색먹물버섯

 암

●학명 : *Coprinellus micaceus* (Bull.) Vilgalys et Johnson [*Coprinus micaceus*, *Agarieus micaceus*] ●별명 : 갈색쥐눈물버섯

| 1 | 2 | 3 | 4 | 5 | 6 | 7 | 8 | 9 | 10 | 11 | 12 |

❂ 갈색먹물버섯

갓은 지름 2~4cm로 초기에는 달걀형이나 성장하면서 종 모양이 된다. 갓 표면은 방사상 홈선이 있고 황갈색으로 중앙부가 짙으며 반짝이는 백색 입자로 덮인다. 조직은 황녹갈색이다. 주름살은 끝붙은형, 조밀하고 황백색에서 흑갈색이 되며, 액화 현상이 일어난다. 대는 길이 3~10cm, 지름 0.2~0.4cm, 원통형으로 표면은 황백색이다.

분포 · 생육지 우리나라. 일본, 중국. 여름과 가을에 활엽수의 그루터기 위나 그 주변의 땅 위에 뭉쳐나거나 무리 지어 발생한다.

약용 부위 · 수치 자실체를 여름과 가을에 채취하여 흙과 잡물을 제거하고 물에 씻어서 말린다.

약물명 정립귀산(晶粒鬼傘)

성분 micaceol, (Z,Z)-4-oxo-2,5-hetpadien-edioic acid 등이 함유되어 있다.

약리 Sarcoma 180을 생쥐에 이식하여 암을 발생시킨 뒤 열수추출물을 투여한 결과 70% 억제율을 나타내었고, Ehrlich 복수암에 80%의 억제 효능이 있다.

＊갓의 끝 쪽부터 액화 현상이 끝나면 종종 대만 남아 있으며, 술에 담가 먹으면 속이 메스껍고 구토, 복통이 있을 수 있다.

[눈물버섯과]

두엄먹물버섯

식욕부진, 기체창통 · 해수토담 · 정종창양

● 학명 : *Coprinopsis atramentaria* (Bull.) Redhead, Vilgalys ex Moncalvo [*Coprinus atramentarius*] ● 별명 : 두엄흙물버섯

| 1 | 2 | 3 | 4 | 5 | 6 | 7 | 8 | 9 | 10 | 11 | 12 |

갓은 지름 3.5~8cm로 초기에는 달걀 모양이나 성장하면 종 모양이 된다. 갓 표면은 옅은 회색~회갈색을 띠며 작은 비늘조각이 있으나 시간이 지나면 탈락하여 매끄럽고 방사상 홈선이 있으며 갓 끝에 액화 현상이 있다. 주름살은 대의 끝까지 미치며 조밀하다. 대는 원통형이고 위쪽은 다소 가늘고 밑부분은 다소 굵으며 성장하면 대의 속은 비고 대의 중앙 또는 아래쪽에 내피막 일부가 불완전한 턱받이를 이룬다.

분포 · 생육지 우리나라, 일본, 중국. 봄부터 가을에 걸쳐 정원, 퇴비나 쓰레기 주변, 부식질이 많은 곳에 무리 지어 발생한다.

약용 부위 · 수치 자실체를 여름에 채취하여 물에 쪄서 말린다.

약물명 귀개(鬼盖), 조균(朝菌), 일급(日及), 지개(地盖), 귀산(鬼傘)이라고도 한다.

기미 · 귀경 감(甘), 평(平), 소독(小毒)

약효 익위장(益胃腸), 화담이기(化痰理氣), 해독소종(解毒消腫)의 효능이 있으므로 식욕부진, 해수토담(咳嗽吐痰), 기체창통(氣滯脹痛), 정종창양(疔腫瘡瘍)을 치료한다.

성분 glycerol, mannitol, 단당류(glucose, trehalose 등), coprine 등이 함유되어 있다.

약리 Sarcoma 180을 쥐에 이식하여 암을 발생시킨 뒤 열수추출물을 투여한 결과 64% 억제율을 나타내었고, 그람음성균인 *Serratia marcescens*에 항균 작용이 있다.

사용법 귀개 5g에 물 2컵(400mL)을 넣고 달여서 복용하고, 종기에는 물에 달인 액을 바른다.

＊갓의 끝 쪽부터 액화 현상이 끝나면 종종 대만 남아 있으며, 술에 담가 먹으면 속이 메스껍고 구토, 복통이 있을 수 있다.

❍ 두엄먹물버섯

[눈물버섯과]

큰눈물버섯

암

● 학명 : *Lacrymaria lacrymabunda* (Bull.) Pat. [*Psathyrella velutina*]

| 1 | 2 | 3 | 4 | 5 | 6 | 7 | 8 | 9 | 10 | 11 | 12 |

갓은 지름 3~7cm로 초기에는 반구형이나 점차 볼록편평형이 된다. 갓 표면은 적갈색, 섬유상 비늘조각이 많고, 가장자리에 내피막 조각이 붙어 있다. 조직은 녹갈색이다. 주름살은 완전붙은형, 조밀하고 자갈색이다. 대는 길이 5~10cm, 지름 0.5~1cm, 원통형, 상부는 백색이고 하부로 내려갈수록 색이 짙어진다. 턱받이가 있다.

분포 · 생육지 우리나라, 중국, 일본, 북아메리카 등 북반구. 여름과 가을에 혼합림 내 땅 위, 풀밭에 무리 지어 발생한다.

약용 부위 · 수치 자실체를 여름과 가을에 채취하여 흙과 잡물을 제거하고 물에 씻어 말린다.

약효 항종양, 면역 활성 작용이 있다.

성분 psathyrone, 5-hydroxymethylfurfural, bis-2,5-hydroxy-methylfuran, 2-(4-hydoxy-2-octyl-5-oxotetrahydrofuran-3-yl) acrylic acid 등이 함유되어 있다.

약리 2-(4-hydoxy-2-octyl-5-oxotetrahydrofuran-3-yl) acrylic acid는 RAW264.7 세포에 의한 과산화물 생성을 현저하게 억제한다.

❍ 큰눈물버섯

❍ 큰눈물버섯(주름살)

담자균아문 651

족제비눈물버섯

 당뇨병, 암

● 학명 : *Psathyrella candolleana* (Fr.) Maire

1	2	3	4	5	6	7	8	9	10	11	12

갓은 지름 3~7cm로 초기에는 종형이나 점차 편평형이 된다. 갓 표면은 평활하며 습할 때는 황갈색, 건조하면 황백색이고, 갓 둘레에는 백색의 내피막 조각이 붙어 있기도 한다. 조직은 회갈색이다. 주름살은 완전붙은형, 조밀하고 백색에서 자갈색이 된다. 대는 길이 3~7cm, 지름 0.3~0.8cm, 원통형, 상부는 백색이고 평활하다. 턱받이는 없다.

분포 · 생육지 우리나라. 중국, 일본, 북아메리카 등 세계 각처. 봄부터 가을까지 활엽수의 그루터기 또는 나무토막 위에 뭉쳐나거나 무리 지어 발생한다.

약용 부위 · 수치 자실체를 봄부터 가을까지 채취하여 흙과 잡물을 제거하고 물에 씻어서 말린다.

약물명 백황소취병고(白黃小脆柄菇)

약효 다당체추출물은 항균 작용, 항종양 작용 및 혈당 저하 작용이 있다.

❍ 족제비눈물버섯(주름살)

❍ 족제비눈물버섯

흰주름버섯

 풍한습비, 요퇴동통, 수족마목

● 학명 : *Agaricus arvensis* Schaff. ex Fr.

1	2	3	4	5	6	7	8	9	10	11	12

갓은 지름 10~20cm로 초기에는 달걀 모양이나 점차 편평형이 된다. 갓 표면은 평활하고 비늘조각이 있으며 백색~담황색이지만 상처가 나면 황색으로 변하고, 둘레에는 턱받이 조각이 남아 있다. 조직은 백색이다. 주름살은 떨어진형, 조밀하고, 초기에는 백색이나 차츰 담홍색을 거쳐 흑자색으로 변한다. 대는 길이 10~21cm, 지름 1~3cm로 속은 비고 표면은 백색이지만 상처가 나면 황색으로 변한다. 턱받이가 이중으로 되어 있다.

분포 · 생육지 우리나라를 비롯한 세계 각처

약용 부위 · 수치 자실체를 봄부터 가을까지 채취하여 흙과 잡물을 제거하고 물에 씻어서 말린다.

약물명 야마고(野蘑菇)

약효 거풍산한(祛風散寒), 서근활락(舒筋活絡)의 효능이 있으므로 풍한습비(風寒濕痺), 요퇴동통(腰腿疼痛), 수족마목(手足麻木)을 치료한다.

성분 urea, fatty acid, triterpenoids, mannitol, ergosterol, vitamin C 등이 함유되어 있다.

사용법 야마고 10g에 물 3컵(600mL)을 넣고 달여서 복용하거나 알약으로 만들어 복용한다.

＊ 근육통에 사용하는 서근산(舒筋散) 원료의 하나이다.

❍ 흰주름버섯(주름살)

❍ 흰주름버섯(갓 표면)

❍ 흰주름버섯

[주름버섯과]

양송이

 음식불소, 납매   유즙부족

고혈압 신권욕면

● 학명 : *Agaricus bisporus* (J, Lange) Imbach

| 1 | 2 | 3 | 4 | 5 | 6 | 7 | 8 | 9 | 10 | 11 | 12 |

갓은 지름 5~12cm로 초기에는 둥글고 후에는 편평한 모양이 된다. 갓 표면은 평활하고 백색이며 차차 갈색의 섬유상 비늘조각이 생긴다. 조직은 백색이나 상처가 나면 담홍색으로 변한다. 주름살은 떨어진형, 조밀하고 초기에는 백색이나 차츰 담홍색을 거쳐 흑자색으로 변한다. 대는 길이 10~21cm, 지름 1~3cm로 표면은 백색이며 상부에 백색 턱받이가 있다. 포자는 넓은 타원형이고 표면은 평활하며 담자기에는 2개의 포자가 착생한다.

분포 · 생육지 우리나라와 세계 각처에서 재배한다.

약용 부위 · 수치 자실체를 여름에 채취하여 흙과 잡물을 제거하고 물에 씻어서 말린다.

약물명 양마고(洋蘑菇)

기미 · 귀경 감(甘), 평(平) · 장(腸), 위(胃), 폐(肺)

약효 건비개위(健脾開胃), 평간제신(平肝提神)의 효능이 있으므로 음식불소(飮食不消),

납매(納呆), 유즙부족, 고혈압, 신권욕면(神倦欲眠)을 치료한다.

성분 ergosterol, phospholipid, chitin, pectin, eritadenine, 3,4-dihydroxyphenylalanine, 3-octanone, 1-octen-3-ol, benzylisothiocynate, sterol, provitamin D_2, eritadenine, gibberelline 등이 함유되어 있다.

약리 Sarcoma 180을 쥐에게 이식하여 암을 발생시킨 뒤 열수추출물을 투여하면 90% 항종양 작용이 나타난다. Ehrlich 복수암을 가진 쥐에게 열수추출물을 투여하면 100% 항종양 작용이 나타난다. eritadenine은 혈중 콜레스테롤을 저하시키고, gibberelline은 식물 성장을 촉진하는 작용이 있다.

사용법 양마고 10g에 물 3컵(600mL)을 넣고 달여서 복용하거나 술에 담가 복용한다.
＊ 근육통에 사용하는 서근산(舒筋散)의 원료이다.

● 양송이(갓 표면과 주름살)

● 양송이(재배품)

[주름버섯과]

주름버섯

 음식불소, 납매   유즙부족

고혈압 신권욕면

● 학명 : *Agaricus campestris* L.

| 1 | 2 | 3 | 4 | 5 | 6 | 7 | 8 | 9 | 10 | 11 | 12 |

갓은 지름 5~10cm로 초기에는 반구형이나 후에 편평형이 된다. 갓 표면은 백색에서 담적갈색이 되고 건조하면 비단 같은 광택이 있다. 조직은 백색이지만 상처가 나면 적색으로 변한다. 주름살은 떨어진형, 조밀하고 초기에는 백색이나 차츰 담홍색을 거쳐 흑자색으로 변한다. 대는 길이 5~10cm, 지름 0.7~1.8cm로 백색에서 담갈색

이 된다.

분포 · 생육지 우리나라, 중국, 일본 등 세계 각처

약용 부위 · 수치 자실체를 여름에 채취하여 흙과 잡물을 제거하고 물에 씻어서 말린다.

약물명 양마고(洋蘑菇)

약리 항종양, 항균 작용이 있으며, 소화촉진, 항피로 작용이 있다.

사용법 양마고 10g에 물 3컵(600mL)을 넣고 달여서 복용하거나 술에 담가 복용한다.
＊ 약효는 '양송이'와 같다.

● 주름버섯(주름살)

● 주름버섯(갓 표면은 백색에서 담적갈색이 된다.)

● 주름버섯

주름버섯아재비

 암

●학명 : *Agaricus placomyces* Peck [*Psalliota melagris*]

1	2	3	4	5	6	7	8	9	10	11	12

❂ 주름버섯아재비

갓은 지름 5~15cm로 초기에는 구형~반구형이나 후에 편평형이 된다. 갓 표면은 백색이나 접촉하면 담갈색이 되고 중앙부에는 회갈색~암갈색의 비늘조각이 밀집해 있다. 조직은 백색이나 상처가 나면 담황색을 거쳐 담갈색으로 변한다. 주름살은 떨어진형, 조밀하고 초기에는 백색이나 차츰 담홍색을 거쳐 흑갈색으로 변한다.

분포 · 생육지 우리나라. 중국, 일본 등 세계 각처. 여름과 가을에 혼합림 내 땅 위에 홀로 또는 무리 지어 발생한다.

약용 부위 · 수치 자실체를 여름에 채취하여 흙과 잡물을 제거하고 물에 씻어서 말린다.

약물명 쌍환마고(双環蘑菇)

약효 민간에서 암 치료에 응용하고 있다.

성분 palmitic acid, octadecenoic acid, octa-decadienoic acid, ergosterol, 5α,8α-*epi*-dioxi-24-methylcholesta-6,22-dien-3β-ol 등이 함유되어 있다.

약리 Sarcoma 180을 쥐에게 이식하여 암을 발생시킨 뒤 열수추출물을 투여하면 60% 항종양 작용이 나타난다. Ehrlich 복수암을 가진 쥐에게 열수추출물을 투여하면 100% 항종양 작용이 나타난다.

사용법 쌍환마고 10g에 물 3컵(600mL)을 넣고 달여서 복용하거나 술에 담가 복용한다.

진갈색주름버섯

 습진 등 피부병   암

●학명 : *Agaricus subrutilescens* (Kauffman) Hotson ex D. E. Stuntz

1	2	3	4	5	6	7	8	9	10	11	12

❂ 진갈색주름버섯

갓은 지름 5~20cm로 초기에는 반구형이나 후에 편평형이 된다. 갓 표면은 백색에서 담적갈색이 되고 건조하면 비단 같은 광택이 있다. 조직은 백색이나 상처가 나면 적색으로 변한다. 주름살은 떨어진형, 조밀하고 초기에는 백색이나 차츰 담홍색을 거쳐 흑자색으로 변한다.

분포 · 생육지 우리나라. 중국, 일본 등 세계 각처

약용 부위 · 수치 자실체를 여름에 채취하여 흙과 잡물을 제거하고 물에 씻어서 말린다.

약물명 양마고(洋蘑菇)

약효 습진 등 피부병을 치료하고, 암 치료에 사용된다.

성분 β-nitroamino-L-alanine, L-amino-γ-nitroaminobutyric acid, γ-glutamyl pep-tide, *N*-nitroethylenediamine 등이 함유되어 있다.

약리 항종양 · 항균 작용이 있으며, 소화촉진, 항피로 작용이 있다.

사용법 양마고 10g에 물 3컵(600mL)을 넣고 달여서 복용하거나 술에 담가 복용한다.

❂ 진갈색주름버섯(자갈색 주름살)

❂ 진갈색주름버섯(흑자색 주름살)

❂ 진갈색주름버섯(갓의 중앙부에 자갈색 비늘조각이 밀집해 있다.)

찹쌀떡버섯

 인후통, 토혈뉵혈   해수실음
제창불렴

● 학명 : *Bovista plumbea* Pers.

| 1 | 2 | 3 | 4 | 5 | 6 | 7 | 8 | 9 | 10 | 11 | 12 |

○ 찹쌀떡버섯

갓은 지름 4~5cm로 구형~편구형이다. 외피는 백색, 평활하며 성숙하면 얇게 벗겨져 내피가 노출된다. 내피는 회색~회갈색, 평활하며 성숙하면 꼭대기에 큰 원형의 정공이 형성되어 포자를 방출한다. 기본체는 백색에서 황록색~암자갈색이 된다.

분포 · 생육지 우리나라. 중국, 일본 등 세계 각처

약용 부위 · 수치 자실체를 여름에 채취하여 흙과 잡물을 제거하고 물에 씻어서 말린다.

약물명 중국 일부 지방에서는 마발(馬勃)이라 하여 사용한다.

약효 청폐이인(淸肺利咽), 해독지혈(解毒止血)의 효능이 있으므로 인후통(咽喉痛), 해수실음(咳嗽失音), 토혈뉵혈(吐血衄血), 제창불렴(諸瘡不斂)을 치료한다.

성분 penicillin V, 6-aminopenicillinic acid 등이 함유되어 있다.

사용법 마발 5g에 물 2컵(400mL)을 넣고 달여서 복용하거나 술에 담가서 복용한다. 외상출혈, 수포성동상에는 가루로 만들어 상처에 뿌린다.

말징버섯

인후통, 토혈뉵혈   해수실음
제창불렴

● 학명 : *Calvatia craniiformis* (Schwein.) Fr.

| 1 | 2 | 3 | 4 | 5 | 6 | 7 | 8 | 9 | 10 | 11 | 12 |

자실체는 지름 5~10cm로 구형~유구형의 원추형으로 말의 징과 비슷한 모양이다. 외피는 백색에서 황갈색이 되며 미세한 분말상이고 처음에는 표면이 매끈하지만 차츰 주름이 많이 생긴다. 내피막은 얇고 무르다. 성숙하면 외피가 파괴되어 포자를 발산한다.

분포 · 생육지 우리나라. 중국, 일본. 여름부터 가을까지 풀밭, 부식토, 숲속의 낙엽이 많은 곳에 무리 지어 발생한다.

약용 부위 · 수치 자실체를 봄부터 가을에 채취하여 물에 씻어서 말린다.

약물명 두상독마발(頭狀禿馬勃). 마비(馬庀), 마비균(馬庀菌)이라고도 한다.

약효 청폐이인(淸肺利咽), 해독지혈(解毒止血)의 효능이 있으므로 인후통(咽喉痛), 해수실음(咳嗽失音), 토혈뉵혈(吐血衄血), 제창불렴(諸瘡不斂)을 치료한다.

성분 calvasterone, cyathisterone, cyathisterol, clavasterd A, B, ergosta-4,6,8(14),22-tetraen-3-one 등이 함유되어 있다.

사용법 두상독마발 5g에 물 2컵(400mL)을 넣고 달여서 복용하거나 술에 담가 복용한다. 외상출혈, 수포성동상에는 가루로 만들어 상처에 뿌린다.

○ 말징버섯

○ 말징버섯(어린 버섯)

[주름버섯과]

대독마발

 인후통, 토혈뉵혈 　 해수실음

제창불렴

● 학명 : *Calvatia gigantea* (Batsch ex Pers.) Lloyd　● 한자명 : 大禿馬勃, 大馬勃
● 별명 : 대마발

| 1 | 2 | 3 | 4 | 5 | 6 | 7 | 8 | 9 | 10 | 11 | 12 |

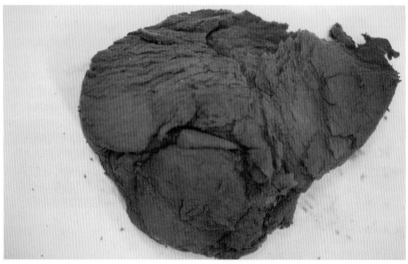

○ 대독마발

자실체는 지름 15~25cm로 구형, 기부는 쭈글쭈글하다. 표면은 백색이나 점차 담황색~담청황색으로 변한다. 표피는 얇고 성숙하면 표면에 그물 모양이 형성된다. 내부의 포층(抱層)은 처음에는 백색이지만 성숙하면 황색을 거쳐 자주색으로 변한다.

분포·생육지 중국 내몽골, 랴오닝성(遼寧省), 쓰촨성(四川省), 윈난성(雲南省), 칭하이성(靑海省), 티베트. 여름과 가을에 숲, 풀밭 등의 부식토에 발생한다.

약용 부위·수치 자실체를 여름과 가을에 채취하여 흙과 잡물을 제거하고 물에 씻어서 말린다.

약물명 마발(馬勃)

성분 clavacin, 5α-ergosta-7, 22-dine-3-one, cholesteryl palmitate, β-ergosterol, palmitic acid 등이 함유되어 있다.

약리 열수추출물은 항균·항염·살충 작용이 있고, clavacin은 암세포인 Sarcoma 180의 활성을 억제한다.

※ 약효 및 사용법은 '자색독마발'과 같다.

[주름버섯과]

자색독마발

 인후통, 토혈뉵혈 　 해수실음

제창불렴

● 학명 : *Calvatia lilacina* (Mont, et Berk.) Lloyd　● 한자명 : 紫色禿馬勃

| 1 | 2 | 3 | 4 | 5 | 6 | 7 | 8 | 9 | 10 | 11 | 12 |

자실체는 지름 5~12cm로 편구형, 기부의 백색 뿌리 모양의 균사속(菌絲束)은 땅에 붙어 있다. 표면은 평활하거나 비늘조각이 퍼져 있으며 담황색~황갈색이고, 꼭대기에는 흑색의 얕은 균열이 있다.

분포·생육지 중국 랴오닝성(遼寧省), 내몽골, 광시성(廣西省), 광둥성(廣東省), 후베이성(湖北省). 여름부터 가을까지 풀밭, 모

래땅, 언덕 위에 무리 지어 발생한다.

약용 부위·수치 자실체를 여름과 가을에 채취하여 흙과 잡물을 제거하고 물에 씻어서 말린다.

약물명 마발(馬勃), 마비(馬庀), 마비균(馬庀菌)이라고도 한다. 대한민국약전외한약(생약)규격집(KHP)에 수재되어 있다.

본초서 마발(馬勃)은 「명의별록(名醫別錄)」에 마비(馬庀)라는 이름으로 수재되어 있으며, 도홍경(陶弘景)은 "이 버섯이 말불버섯류에서는 비교적 크고(馬), 튕기면 포자를 잘 분산시키므로(勃) 붙여진 이름이다."라고 하였다. 「동의보감(東醫寶鑑)」에 "목구멍이 막히고 아픈 것을 낫게 하고 종기가 벌겋게 부어오르며 곪는 것을 삭인다."고 하였다.

기미·귀경 신(辛), 평(平)·폐(肺)

약효 청폐이인(淸肺利咽), 해독지혈(解毒止血)의 효능이 있으므로 인후통(咽喉痛), 해수실음(咳嗽失音), 토혈뉵혈(吐血衄血), 제창불렴(諸瘡不斂)을 치료한다.

성분 calvanic acid, α-amylase, monoclin, calvasterone, 수종의 amino acid 등이 함유되어 있다.

약리 출혈이 있는 상처에 마발 가루를 뿌리면 지혈이 된다. calvanic acid는 수종의 세균에 대하여 항균 작용이 나타난다.

사용법 마발 5g에 물 2컵(400mL)을 넣고 달여서 복용하거나 술에 담가서 복용한다. 외상출혈, 수포성동상에는 가루로 만들어 상처에 뿌린다.

임상 보고 인후통 : 인후염 환자 42명에게 마발 가루 9~12g을 매일 투여한 결과 77.8%가 증상이 호전되었다.

• 해수(咳嗽) : 호흡기감염으로 인한 해수 환자 135명에게 투여한 결과 85.5%가 증상이 호전되었다.

• 비출혈(鼻出血) : 코피를 흘리는 환자 113명에게 투여한 결과 109명의 환자가 증상이 호전되었다.

※ 담황색이며 표피가 잘 벗겨지는 '탈피마발 *Lasiosphaera fenzlii*'도 약효가 같다.

○ 자색독마발

[주름버섯과]

탈피마발

인후통, 토혈뉵혈	해수실음
제창불렴	

● 학명 : *Lasiophaera fenzlii* Reichb. [*Langermannia fenzlii*]　● 한자명 : 脫皮馬勃

| 1 | 2 | 3 | 4 | 5 | 6 | 7 | 8 | 9 | 10 | 11 | 12 |

자실체는 지름 15~20cm로 구형, 기부는 편평하다. 표면은 담자색을 띤 암갈색이다. 표피는 얇고 성숙하면 표면에 그물 모양이 형성된다. 내부의 포층(抱層)은 처음에는 백색이지만 성숙하면 회갈색으로 변한다.

분포 · 생육지 중국 헤이룽장성(黑龍江省), 내몽골, 허베이성(河北省), 간쑤성(甘肅省), 신장싱(新疆省). 여름과 가을에 숲, 풀밭 등의 부식토에 발생한다.

약용 부위 · 수치 자실체를 여름과 가을에 채취하여 흙과 잡물을 제거하고 물에 씻어서 말린다.

약물명 마발(馬勃)

성분 ergosta–7,22–dien–3β–one, ergosta–5,7,22–trien–3β–ol, ergosta–4,6,8(14),22–tetraen–3–one 등이 함유되어 있다.

＊ 약효 및 사용법은 '자색독마발'과 같다.

○ 탈피마발

[주름버섯과]

먹물버섯

식욕부진	신피
치창	

● 학명 : *Coprinus comatus* (Muel. ex. Fr.) Pres.

| 1 | 2 | 3 | 4 | 5 | 6 | 7 | 8 | 9 | 10 | 11 | 12 |

갓은 지름 3~5cm로 초기에는 긴 달걀 모양이나 점차 종 모양이 되며, 표면은 백색 바탕에 담갈색의 거친 섬유상 비늘조각으로 덮여 있다. 주름살은 붙거나 떨어지고 조밀하며, 처음에는 백색이나 적갈색을 거쳐 흑색으로 변하며 갓 끝부터 액화 현상이 일어난다. 대는 길이 15~25cm, 속은 비었고 표면은 백색, 밑부분이 약간 굵다. 턱받이의 위치는 다양하다.

분포 · 생육지 우리나라를 비롯한 세계 각처. 봄부터 가을까지 목장, 길가, 잔디밭 등 유기질이 많은 곳에 발생한다.

약용 부위 · 수치 자실체를 봄부터 가을에 채취하여 물에 쪄서 말린다.

약물명 계퇴마(鷄腿蘑). 모두귀산(毛頭鬼傘), 모두귀개(毛頭鬼盖)라고도 한다.

약효 익위(益胃), 청신(淸神), 소치(消痔)의 효능이 있으므로 식욕부진, 신피(神疲), 치창(痔瘡)을 치료한다.

성분 urea, chitin, melanin 등이 함유되어 있다.

약리 Sarcoma 180을 생쥐에 이식하여 암을 발생시킨 뒤 열수추출물을 투여한 결과 35~100%의 억제율을 나타내었다.

사용법 계퇴마 10g에 물 3컵(600mL)을 넣고 달여서 복용하거나 알약 또는 가루약으로 만들어 복용한다.

＊ 어린 버섯은 먹을 수 있으나 반드시 삶아서 물에 헹군 것을 조리하고, 음주 전후에는 피하는 것이 좋다.

○ 먹물버섯

○ 계퇴마(鷄腿蘑)

○ 먹물버섯(어린 버섯)

[주름버섯과]

좀주름찻잔버섯

 위기통, 소화불량

● 학명 : *Cyathus stercoreus* (Schw.) De Toni

| 1 | 2 | 3 | 4 | 5 | 6 | 7 | 8 | 9 | 10 | 11 | 12 |

자실체는 지름 1cm 정도로 잔 모양이고, 각피는 3층으로 된다. 외피는 황갈색으로 털이 조밀하고 기부에는 갈색 균사가 있다.

내피는 평활하고 회색이며 광택이 있고 접착줄로 연결된 검은 바둑돌 모양의 소피자(小皮子)가 많이 들어 있다. 이 소피자 속에

❍ 좀주름찻잔버섯

자실층이 발달되어 포자가 형성된다.

분포 · 생육지 우리나라를 비롯한 세계 각처. 봄부터 가을까지 목재, 죽은 나뭇가지, 그루터기, 낙엽, 모래, 퇴비, 볏짚 위에 무리 지어 발생한다.

약용 부위 · 수치 자실체를 여름부터 가을까지 채취하여 흙과 잡물을 제거하고 물에 씻어서 말린다.

약물명 조소균(鳥巢菌)

약효 건위지통(健胃止痛)의 효능이 있으므로 위기통(胃氣痛), 소화불량을 치료한다.

성분 striatin A, B, C, striatal A, B, glochidone, glochidonol, glochidiol, glochidiol diacetate, cyathic acid, epistriatic acid, schizandronol 등이 함유되어 있다.

사용법 조소균 10g에 물 3컵(600mL)을 넣고 달여서 복용하거나 술에 담가 복용한다. 가루는 5g을 복용한다.

❍ 좀주름찻잔버섯(어린 버섯)

[주름버섯과]

주름찻잔버섯

위기통, 소화불량

● 학명 : *Cyathus striatus* (Huds.) Willd.

| 1 | 2 | 3 | 4 | 5 | 6 | 7 | 8 | 9 | 10 | 11 | 12 |

자실체는 높이 0.6~1cm, 지름 0.6~0.8cm로 역원추형이다. 외피는 적갈색 털이 빽빽이 나고 성숙하면 외피의 윗부분이 파열되

어 백색의 덮개막이 나타나며 속이 보인다. 내부의 안쪽 면은 회갈색, 세로 홈선이 있으며 바닥에는 소피자가 있다. 소피자는 지

름 0.1~0.2cm로 접착줄로 내피와 연결되어 있다.

분포 · 생육지 우리나라를 비롯한 세계 각처. 봄부터 가을까지 목재, 죽은 나뭇가지, 그루터기, 낙엽, 모래, 퇴비, 볏짚 위에 무리 지어 발생한다.

약용 부위 · 수치 자실체를 여름과 가을에 채취하여 흙과 잡물을 제거하고 물에 씻어서 말린다.

약물명 조소균(鳥巢菌)

약효 건위지통(健胃止痛)의 효능이 있으므로 위기통(胃氣痛), 소화불량을 치료한다.

성분 striatin A~C, schizandronol-8,13β-oxide, schizandronol, 7α-hydroxyschizandronol 등이 함유되어 있다.

약리 종양의 성장을 억제하며, 항균 작용이 있다.

사용법 조소균 10g에 물 3컵(600mL)을 넣고 달여서 복용한다.

❍ 주름찻잔버섯

❍ 주름찻잔버섯(어린 버섯)

댕구알버섯

기침   인후염

외상출혈

● 학명 : *Lanopila nipponica* (Kawam.) Kobayasi

| 1 | 2 | 3 | 4 | 5 | 6 | 7 | 8 | 9 | 10 | 11 | 12 |

자실체는 지름 15~45cm로 구형에 가깝다. 외피는 담갈색이며, 내피는 갈색이고 성숙하면 불규칙하게 파열되며 포자를 발산한다. 기본체는 백색에서 갈색으로 변한다. 무성기부는 없다.

분포 · 생육지 우리나라, 중국, 일본, 북아메리카. 여름과 가을에 활엽수림, 대나무 숲, 풀밭에 뭉쳐나거나 무리 지어 발생한다.

약용 부위 · 수치 자실체를 여름과 가을에 채취하여 흙과 잡물을 제거하고 물에 씻어서 말린다.

약효 지혈 및 소염의 효능이 있으므로 기침, 인후염, 외상출혈을 치료한다.

사용법 말린 자실체 10g에 물 3컵(600mL)을 넣고 달여서 복용한다.

✪ 댕구알버섯

여우갓버섯

고지혈증, 동맥경화   뇌졸중

● 학명 : *Leucoagaricus rubrotinctus* (Peck) Singer

| 1 | 2 | 3 | 4 | 5 | 6 | 7 | 8 | 9 | 10 | 11 | 12 |

갓은 지름 4~8cm로 반구형에서 볼록편평형이 된다. 갓 표면은 적갈색이나 성장하면서 백색 바탕에 적갈색 비늘조각으로 덮이며 중앙부는 짙은 색이다. 조직은 백색이다. 주름살은 떨어진형, 조밀하고 백색이다. 대는 길이 7~10cm, 지름 0.4~0.6cm로 원통형, 기부는 구근상이며 표면은 백색, 솜털 같은 것이 있다. 턱받이는 막질의 고리 모양이다.

분포 · 생육지 우리나라, 중국, 일본, 북아메리카. 여름과 가을에 활엽수림, 대나무 숲, 풀밭에 뭉쳐나거나 무리 지어 발생한다.

약용 부위 · 수치 자실체를 여름과 가을에 채취하여 흙과 잡물을 제거하고 물에 씻어서 말린다.

약리 혈전 용해 작용, 항바이러스(PVX) 작용이 있다.

✪ 여우갓버섯

✪ 여우갓버섯(주름살)

[주름버섯과]

백조갓버섯

 고지혈증, 동맥경화   뇌졸중

●학명 : *Leucocoprinus cygneus* (Lange) Bon [*Lepiota cygnea*]   ●별명 : 흰주름각시버섯

| 1 | 2 | 3 | 4 | 5 | 6 | 7 | 8 | 9 | 10 | 11 | 12 |

갓은 지름 2~3cm로 평반구형에서 볼록편평형이 된다. 갓 표면은 백색이나 성장하면서 백색 바탕에 적갈색 비늘조각으로 덮이며 중앙부는 짙은 색이다. 조직은 백색이다. 주름살은 떨어진형, 조밀하고 백색이다. 대는 길이 7~10cm, 지름 0.4~0.6cm로 원통형, 기부는 구근상이며, 표면은 백색, 솜털 같은 것이 있다. 턱받이는 막질의 고리 모양이다.

분포 · 생육지 우리나라. 중국, 일본, 북아메리카. 여름과 가을에 활엽수림, 대나무 숲, 풀밭에 뭉쳐나거나 무리 지어 발생한다.

약용 부위 · 수치 자실체를 여름과 가을에 채취하여 흙과 잡물을 제거하고 물에 씻어서 말린다.

약리 혈전 용해 작용, 항바이러스(PVX) 작용이 있다.

○ 백조갓버섯

[주름버섯과]

가시말불버섯

고지혈증, 동맥경화   뇌졸중

●학명 : *Lycoperdon echinatum* Pers.

| 1 | 2 | 3 | 4 | 5 | 6 | 7 | 8 | 9 | 10 | 11 | 12 |

갓은 지름 2~3cm로 평반구형에서 볼록편평형이 된다. 갓 표면은 백색이나 성장하면서 백색 바탕에 적갈색 비늘조각으로 덮이며 중앙부는 짙은 색이다. 조직은 백색이다. 주름살은 떨어진형, 조밀하고 백색이다. 대는 길이 7~10cm, 지름 0.4~0.6cm로 원통형, 기부는 구근상이며 표면은 백색, 솜털 같은 것이 있다. 턱받이는 막질의 고리 모양이다.

분포 · 생육지 우리나라. 중국, 일본, 북아메리카. 여름과 가을에 활엽수림, 대나무숲, 풀밭에 뭉쳐나거나 무리 지어 발생한다.

약용 부위 · 수치 자실체를 여름과 가을에 채취하여 흙과 잡물을 제거하고 물에 씻어서 말린다.

약리 혈전 용해 작용, 항바이러스(PVX) 작용이 있다.

○ 가시말불버섯

[주름버섯과]

말불버섯

● 학명 : *Lycoperdon perlatum* Pers.

1	2	3	4	5	6	7	8	9	10	11	12

자실체는 높이 2~5cm, 너비 1~4cm로 구형이다. 외피는 백색에서 황갈색이 되며, 위쪽에는 원형의 흑갈색이 두드러진다. 표면에는 돌기가 빽빽이 나지만 후에 탈락한다. 내피는 황백색으로 그물상이며, 성숙하면 구멍이 생겨 포자를 방출한다. 기본체는 백색에서 황백색으로 변한다.

분포 · 생육지 우리나라. 중국, 일본, 북아메리카. 여름과 가을에 숲, 풀밭 등의 부식토 위에 흩어져 나거나 무리 지어 발생한다.

약용 부위 · 수치 자실체를 여름과 가을에 채취하여 흙과 잡물을 제거하고 물에 씻어서 말린다.

약물명 망문마발(網紋馬勃)

약효 청폐이인(淸肺利咽), 해독지혈(解毒止血)의 효능이 있으므로 인후종통(咽喉腫痛), 해수실음(咳嗽失音), 토혈뉵혈(吐血衄血), 제창불렴(諸瘡不斂)을 치료한다.

성분 (S)-23-hydroxylanosterol, lycoperdic acid, ergosterol α-endoperoxide, ergosterol 9,11-dehydroendo-peroxide 등이 함유되어 있다.

사용법 망문마발 5g에 물 2컵(400mL)을 넣고 달여서 복용한다.

＊ 중국의 동북, 하북, 서북, 화북 지방 등에서 마발(馬勃)로 사용한다.

❶ 말불버섯

❶ 말불버섯(어린 버섯)

❶ 좀말불버섯(포자가 방출되는 모습)

[주름버섯과]

좀말불버섯

● 학명 : *Lycoperdon pyriforme* Schaeff.

1	2	3	4	5	6	7	8	9	10	11	12

자실체는 높이 2~5cm, 너비 2~4cm로 서양배처럼 생겼으며 발달된 무성 기부가 있다. 외피는 백색에서 황갈색이 되며, 어린 것은 돌기로 덮여 있으나 성장하면서 비듬처럼 된다. 내피는 백색에서 암갈색으로 되며 성숙하면 정공(頂孔)이 형성되어 포자를 방출한다.

분포 · 생육지 우리나라. 중국, 일본, 북아메리카. 여름과 가을에 숲, 풀밭 등의 부식토 위에 흩어져 나거나 무리 지어 발생한다.

약용 부위 · 수치 자실체를 여름과 가을에 채취하여 흙과 잡물을 제거하고 물에 씻어서 말린다.

약물명 이형마발(梨形馬勃)

약효 청폐이인(淸肺利咽), 해독지혈(解毒止血)의 효능이 있으므로 인후종통(咽喉腫痛), 해수실음(咳嗽失音), 토혈뉵혈(吐血衄血), 제창불렴(諸瘡不斂)을 치료한다.

성분 4-methoxybenzene-1-azoformamide, calvatic acid, methylcalvatate, benzoic acid 등이 함유되어 있다.

사용법 이형마발 5g에 물 2컵(400mL)을 넣고 달여서 복용한다.

❶ 좀말불버섯

큰갓버섯

 허약체질

● 학명 : *Macrolepiota procera* (Scop. ex Fr.) Singer

1	2	3	4	5	6	7	8	9	10	11	12

갓은 지름 7~20cm로 초기에는 달걀 모양이나 나중에는 편평해진다. 표면은 담회색으로 표피가 갈라지면서 생긴 적갈색의 거친 섬유상 비늘조각이 산재한다. 조직은 탄성이 있는 솜 모양이고 백색이며, 주름살은 떨어져 있으며 조밀하며 백색이다. 대는 길이 15~30cm, 지름 0.6~1.5cm로 길고 표면은 갈색~회갈색으로 표피가 갈라져서 뱀껍질 모양이고 밑부분은 둥글다. 대의 상부에 움직일 수 있는 턱받이가 있는데, 두껍고 위쪽은 회백색이며 아래쪽은 회갈색이다.

분포 · 생육지 우리나라. 일본, 중국 등 세계 각처. 여름부터 가을까지 산림, 대나무 숲, 풀밭, 목장 등 땅 위에 홀로 또는 무리 지어 자란다.

약용 부위 · 수치 자실체를 여름에 채취하여 흙과 잡물을 제거하고 물에 씻어서 말린다.

약물명 고환병고(高環柄菇)

약효 강장(强壯)의 효능이 있으므로 허약체질을 치료한다.

성분 papain, cathepsin L, cathepsin S, cathepsin K, legumain, cathepsin V, 유리 아미노산 20종, glycerol, mannitol, 다당류인 lepiotan이 함유되어 있다.

약리 Sarcoma 180을 쥐에 이식하여 암을 발생시킨 뒤 열수추출물을 투여한 결과 64%의 억제율을 나타내었고 그람음성균인 *Serratia marcescens*에 항균 작용이 있다.

사용법 고환병고 5g에 물 2컵(400mL)을 넣고 달여서 복용한다.

＊재배와 균사체 심층 발효 배양이 가능하며, 맛이 좋은 식용 버섯이나 생식을 하면 위장 자극이 있다. 제주도에서는 '말똥버섯'이라고 하며 흔히 호박잎에 싸서 구워 먹는다.

❶ 큰갓버섯

❶ 고환병고(高環柄菇)

❶ 큰갓버섯(어린 버섯)

❶ 큰갓버섯(주름살과 대)

나팔버섯

 위기불서, 납소창통

● 학명 : *Gomphus floccosus* (Schwein.) Singer

1	2	3	4	5	6	7	8	9	10	11	12

자실체는 높이 9~12cm로 초기에는 뿔피리형이나 점차 깔때기형이나 나팔형이 된다. 갓은 지름 3~10cm로 중심부는 대의 기부까지 뚫려 있으며, 표면은 적황색 바탕에 적갈색 비늘조각이 있고 가장자리는 물결형이다. 아랫면은 길게 내린 주름상이고 표면은 황백색이다. 조직은 백색이다. 대는 길이 2~3cm, 지름 1~3cm로 짧다.

분포 · 생육지 우리나라. 중국, 일본, 동남아시아, 북아메리카, 유럽, 오스트레일리아. 여름과 가을에 활엽수림 내 땅 위에 무리 지어 발생한다.

약용 부위 · 수치 자실체를 여름과 가을에 채취하여 물에 씻어 말린다.

약물명 나팔타라균(喇叭陀螺菌)

약효 이기화위(理氣和胃)의 효능이 있으므로 위기불서(胃氣不舒), 납소창통(納少脹痛)을 치료한다.

성분 norcarperatic acid, glycerol, arabitol, galactose, mannitol, fructose, glucose, trehalose, polysaccharide 등이 함유되어 있다.

약리 곰팡이 *Microsporum canis*, *Aspergillus niger*, *A. versicolor*, *A. flavus*, 효모 *Saccharomyces cerevisae*, *Cryptococcus neoflomans*, *Trichosporon berigelii*의 발육을 저지한다. norcarperatic acid는 평활근을 수축시킨다.

사용법 나팔타라균 10g에 물 3컵(600mL)을 넣고 달여서 복용한다.

＊위장장애가 있을 수 있으므로 장기간 복용은 금한다.

❶ 나팔버섯

❶ 나팔버섯(시든 모습)

❶ 나팔버섯(어린 버섯)

녹변나팔버섯

 고지혈증, 동맥경화   뇌졸중

● 학명 : *Gomphus fujisanensis* (S. Imai) Parmasto

| 1 | 2 | 3 | 4 | 5 | 6 | 7 | 8 | 9 | 10 | 11 | 12 |

❍ 녹변나팔버섯(어린 버섯)

자실체는 높이 7~10cm로 초기에는 뿔피리형이나 깔때기나 나팔형이 된다. 표면은 황갈색이고 적갈색 반점이 있다. 아랫면은 황백색이며 주름처럼 생긴 맥이 있다.

분포 · 생육지 우리나라. 중국, 일본, 동남아시아, 북아메리카, 유럽, 오스트레일리아. 여름과 가을에 활엽수림 내 땅 위에 무리지어 발생한다.

약용 부위 · 수치 자실체를 여름과 가을에 채취하여 물에 씻어 말린다.

약리 혈전 용해 작용이 있다.

❍ 녹변나팔버섯

싸리버섯

소화불량   관절통

● 학명 : *Ramaria botrytis* (Pers.) Ricken [*Clavaria botrytis*]

| 1 | 2 | 3 | 4 | 5 | 6 | 7 | 8 | 9 | 10 | 11 | 12 |

❍ 포도색정지호균(葡萄色頂枝瑚菌)

자실체는 높이 10~18cm, 너비 10~30cm로 산호형이며 기부에서 나온 많은 가지가 평행하게 위로 자란다. 가지 끝은 담자색, 다른 부위는 적백색이나 오래되면 황갈색으로 변한다. 대의 기부는 짧고 굵으며 백색이다. 조직은 백색이고 맛과 향기가 좋다.

분포 · 생육지 우리나라. 중국, 일본, 동남아시아, 북아메리카, 유럽. 여름부터 가을에 걸쳐 혼합림 내 땅 위에 무리 지어 발생한다.

약용 부위 · 수치 자실체를 여름과 가을에 채취하여 물에 씻어 말린다.

약물명 포도색정지호균(葡萄色頂枝瑚菌)

약효 소화불량, 관절통을 치료한다.

성분 glycerol, mannitol, fructose, glucose, hemicellulose, pectin, lignin 등이 함유되어 있다.

약리 Sarcoma 180을 생쥐에 이식하여 암을 발생시킨 뒤 열수추출물을 투여한 결과 60% 억제율을 나타내었고, Ehrlich 복수암에 대하여도 60% 억제 효능이 있다. 그람음성균인 '장티푸스균 *Salmonella typhi*'에 항균 작용이 있고, 혈장 콜레스테롤의 증가 작용이 있다.

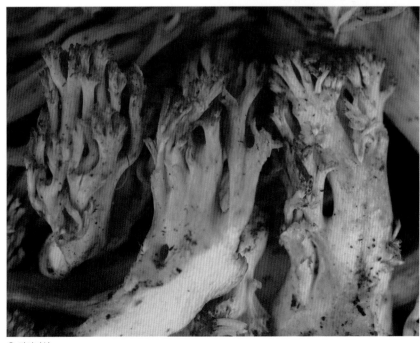

❍ 싸리버섯

[나팔버섯과]

붉은싸리버섯

 위기불서, 납소창통

●학명 : *Ramaria formosa* (Pers.) Quel. [*Clavaria formosa*]

| 1 | 2 | 3 | 4 | 5 | 6 | 7 | 8 | 9 | 10 | 11 | 12 |

자실체는 높이 4~12cm, 너비 3~6cm로 기부에서 나온 많은 가지가 평행하게 위로 자라면서 분기하여 산호형을 이루며, 상단부는 침상으로 갈라진다. 가지는 황갈색이며 상처가 나거나 오래되면 적자색을 띤다. 기부는 등갈색이며 백색 균사속이 있다. 조직은 질기고 쓴맛이 있다.

분포 · 생육지 우리나라. 중국, 일본, 동남아시아, 북아메리카, 유럽, 오스트레일리아. 가을에 활엽수림 내 땅 위에 무리 지어 발생한다.

약용 부위 · 수치 자실체를 가을에 채취하여 물에 씻어서 말린다.

약물명 추균(帚菌). 분홍지호균(紛紅枝瑚菌)이라고도 한다.

약효 이기화위(理氣和胃)의 효능이 있으므로 위기불서(胃氣不舒), 납소창통(納少脹痛)을 치료한다.

성분 glycerol, mannitol, fructose, glucose, trehalose, polysaccharide 등이 함유되어 있다.

약리 Sarcoma 180을 생쥐에 이식하여 암을 발생시킨 뒤 열수추출물을 투여한 결과 60~80% 억제율을 나타내었고, Ehrlich 복수암에 70% 억제 효능이 있다.

사용법 추균을 가루로 만들어 2~3g을 복용한다.

❍ 추균(帚菌)

❍ 붉은싸리버섯(어린 버섯)

❍ 붉은싸리버섯

[나팔버섯과]

답싸리버섯

 소화불량   관절통

●학명 : *Ramaria stricta* (Pers.) Quel.

| 1 | 2 | 3 | 4 | 5 | 6 | 7 | 8 | 9 | 10 | 11 | 12 |

자실체는 높이 4~12cm, 너비 3~6cm로 기부에서 나온 많은 가지가 평행하게 위로 자라면서 분기하여 산호형을 이루며, 상단부는 침상으로 갈라진다. 가지는 황갈색이며 상처가 나거나 오래되면 적자색을 띤다. 기부는 등갈색이며 백색 균사속이 있다. 조직은 질기고 쓴맛이 있다.

분포 · 생육지 우리나라. 중국, 일본, 동남아시아, 북아메리카, 유럽. 여름부터 가을에 걸쳐 혼합림 내 땅 위에 무리 지어 발생한다.

약용 부위 · 수치 자실체를 여름과 가을에 채취하여 물에 씻은 후 말린다.

약효 소화불량, 관절통을 치료한다.

❍ 답싸리버섯(가지가 곧게 위로 뻗어 산호 모양이다.)

❍ 답싸리버섯

[꾀꼬리버섯과]

꾀꼬리버섯

👁 야맹증, 결막염   🫓 피부건조증

●학명 : *Cantharellus cibarius* Fr.

1	2	3	4	5	6	7	8	9	10	11	12

갓은 지름 3~9cm로 오이꽃 모양이다. 버섯 전체가 노란색이고 갓 둘레는 파도 치는 모양이다. 조직은 치밀하고 담황색이며 자실층은 긴내린형, 약간 조밀하며 주름살 사이에는 연결망이 있다. 대는 길이 2~6cm, 지름 0.5~1.5cm로 노란색이다.

분포 · 생육지 우리나라를 비롯한 세계 각처. 늦여름부터 가을에 걸쳐 혼합림 내 땅 위에 무리 지어 발생한다.

약용 부위 · 수치 자실체를 늦여름부터 가을에 채취하여 물에 씻어서 말린다.

약물명 계유균(鷄油菌), 황균(黃菌), 행균(杏菌), 계단황균(鷄蛋黃菌)이라고도 한다.

기미 · 귀경 감(甘), 평(平) · 간(肝)

약효 명목(明目), 윤조(潤燥), 익장위(益腸胃)의 효능이 있으므로 야맹증, 결막염, 피부건조증을 치료한다.

성분 urea, betaine, 1-octen-3-ol, arabitol, ergosterol, ergosterol peroxide, cerevisterol 등이 함유되어 있다.

약리 다당체는 혈당 강하 작용, 항산화 작용이 있으며, 암세포인 Sarcoma 180의 활성을 억제한다.

사용법 계유균 30g에 물 3컵(600mL)을 넣고 달여서 복용하거나 술에 담가 복용한다.

＊맛과 향이 좋은 식용 버섯으로 유럽인이 즐겨 먹는다.

◐ 꾀꼬리버섯(주름살)

◐ 계유균(鷄油菌)

◐ 꾀꼬리버섯

[꾀꼬리버섯과]

애기꾀꼬리버섯

👁 안염, 각막연화증, 야맹증   🫓 피부건조증

●학명 : *Cantharellus minor* Peck

1	2	3	4	5	6	7	8	9	10	11	12

갓은 지름 1~2cm로 초기에는 평반구형이나 점차 오목편평형이나 깔때기형이 된다. 갓 표면은 등황색, 평활하고 가장자리는 물결 모양이다. 조직은 황색이다. 주름살은 내린형이며 갓과 같은 색이다. 대는 길이 2~5cm, 지름 0.2~0.4cm로 황색이고 평활하다.

분포 · 생육지 우리나라. 중국, 일본, 동남아시아, 북아메리카, 유럽. 여름부터 가을에 걸쳐 혼합림 내 땅 위에 무리 지어 발생한다.

약용 부위 · 수치 자실체를 봄과 여름에 채취하여 물에 씻은 후 말린다.

약물명 소계유균(小鷄油菌)

기미 · 귀경 감(甘), 한(寒) · 간(肝)

약효 청열명목(淸熱明目), 윤폐(潤肺), 이장(利腸)의 효능이 있으므로 안염(眼炎), 각막연화증, 야맹증, 피부건조증을 치료한다.

성분 vitamin A 등이 함유되어 있다.

약리 항염 작용이 있다.

◐ 소계유균(小鷄油菌)

◐ 애기꾀꼬리버섯

[턱수염버섯과]

턱수염버섯

안염, 각막연화증, 야맹증　　피부건조증

● 학명 : *Hydnum repandum* L. [*Dentinum repandum, H. flavidum*]

1	2	3	4	5	6	7	8	9	10	11	12

❍ 턱수염버섯

갓은 지름 4~8cm로 초기에는 평반구형이나 점차 오목편평형이 된다. 갓 표면은 황갈색이며 가장자리는 불규칙한 물결 모양이다. 아랫면에는 길이 0.5cm 정도의 침상돌기가 있고, 조직은 백색이다. 대는 길이 3~5cm, 지름 0.4~0.8cm로 원통형이며, 아래 위의 굵기가 비슷하고 담황색이며 평활하다.

분포·생육지 우리나라, 중국, 일본, 북아메리카, 유럽. 여름과 가을에 활엽수림, 혼합수림에 무리 지어 발생한다.

약용 부위·수치 자실체를 여름과 가을에 채취하여 흙과 잡물을 제거하고 물에 씻어서 말린다.

약물명 권연치균(卷緣齒菌), 치균(齒菌), 미미치균(美味齒菌)이라고도 한다.

약효 청열명목(淸熱明目), 윤폐(潤肺), 이장(利腸)의 효능이 있으므로 안염(眼炎), 각막연화증(角膜軟化症), 야맹증, 피부건조증을 치료한다.

성분 sarcodonin A, scabronine B, 3β-hydroxy-5α,8α-epidioxyergosta-6,22-dien-3β-ol, vitamin A 등이 함유되어 있다.

약리 Sarcoma 180을 쥐에 이식하여 암을 발생시킨 뒤 열수추출물을 투여한 결과 54% 억제율을 나타내었다.

사용법 권연치균 10g에 물 2컵(400mL)을 넣고 달여서 복용한다.

[방귀버섯과]

갈색공방귀버섯

외상

● 학명 : *Geastrum saccatum* Fr.

1	2	3	4	5	6	7	8	9	10	11	12

자실체는 초기에는 지름 1~1.5cm로 구형이며 표면에 미세한 담갈색 털이 많다. 성숙하면서 외피가 5~8개의 조각으로 갈라진다. 조각의 내면은 백색에서 황갈색이 된다. 내피는 구형이고 암갈색이며 정공부 둘레에 갈색 원좌가 있다.

분포·생육지 우리나라, 중국, 일본, 북아메리카, 유럽. 여름과 가을에 활엽수림, 혼합수림에 무리 지어 발생한다.

약용 부위·수치 자실체를 여름과 가을에 채취하여 흙과 잡물을 제거하고 물에 씻어서 말린다.

약물명 대형지성(袋形地星)

약효 소염 및 지혈 효능이 있으므로 외상을 치료한다.

사용법 대형지성을 가루로 만들어 환부에 뿌리거나 연고로 만들어 바른다.

❍ 갈색공방귀버섯

[방귀버섯과]

목도리방귀버섯

 염증, 외상출혈 감기

● 학명 : *Geastrum triplex* Jungh.

| 1 | 2 | 3 | 4 | 5 | 6 | 7 | 8 | 9 | 10 | 11 | 12 |

자실체는 초기에는 땅속에 있으며, 지름 3~5cm로 구형, 표면은 백색~담갈색이다.

성숙하면서 4~8개의 조각으로 갈라지고, 갈라진 조각 내면은 갈색이며 평활하다. 내

❍ 목도리방귀버섯

[말뚝버섯과]

망태버섯

 폐허해수 인후염 이질
백대 고혈압, 고지혈증

● 학명 : *Dictyophora indusiata* (Ven. ex Pers.) Fischer [*Phallus indusiatus*]

| 1 | 2 | 3 | 4 | 5 | 6 | 7 | 8 | 9 | 10 | 11 | 12 |

자실체는 어릴 때는 지름 3.4~4.2cm로 달걀 모양이고 백색이며, 성숙하면 길이 10~21cm, 너비 2~4cm가 된다. 갓은 종 모양, 꼭대기 부분은 백색이고 구멍이 있으며, 갓 표면에는 그물망의 융기가 있고 점액화된 녹청색의 기본체가 있어서 악취가

난다. 갓 바로 밑에서부터 백색 망사 모양의 균망(菌網)이 펼쳐진다. 대는 원통형, 백색이고 홈 같은 반점이 많으며 밑에 아교질의 대주머니가 있다.

분포 · 생육지 우리나라. 중국, 일본, 북아메리카, 오스트레일리아. 여름부터 가을까지

❍ 망태버섯

피는 구형이고 갈색이며 정공부 둘레에 회갈색 원좌가 있다.

분포 · 생육지 우리나라. 중국, 일본, 북아메리카, 유럽. 여름과 가을에 활엽수림, 혼합수림에 무리 지어 발생한다.

약용 부위 · 수치 자실체를 여름과 가을에 채취하여 흙과 잡물을 제거하고 물에 씻어서 말린다.

약물명 첨정지성(尖頂地星)

약효 해독 및 지혈의 효능이 있으므로 각종 염증, 외상출혈, 감기를 치료한다.

성분 ergosta-4,6,8(14),22-tetraen-3-one, ergosterol, 5,6-dihydroergosterol, peroxyergosterol 등이 함유되어 있다.

사용법 첨정지성 10g에 물 3컵(600mL)을 넣고 달여서 복용한다.

❍ 첨정지성(尖頂地星)

활엽수림, 대나무 숲속의 땅 위에 드문드문 또는 모여 자란다.

약용 부위 · 수치 자실체를 여름부터 가을에 채취하여 흙과 잡물을 제거하고 물에 씻어서 햇볕에 말린다.

약물명 죽손(竹蓀). 죽육(竹蕈), 죽육(竹肉), 죽고(竹菰), 죽심(竹蕈), 죽전(竹笙)이라고도 한다.

약효 보기양음(補氣陽陰), 윤폐지해(潤肺止咳), 청열이습(淸熱利濕)의 효능이 있으므로 폐허해수(肺虛咳嗽), 인후염, 이질, 백대(白帶), 고혈압, 고지혈증을 치료한다. 그리고 암 치료 보조제로 응용한다.

성분 β-D-glucan, α-D-mannan, fucomannogalactan 등이 함유되어 있다.

약리 Sarcoma 180을 쥐에게 이식하여 암을 발생시킨 뒤 열수추출물을 투여하면 항종양 작용이 나타난다. Ehrlich 복수암을 가진 쥐에게 열수추출물을 투여하면 항종양 작용이 나타난다. 쥐에게 부종을 일으키고 열수추출물을 투여하면 부종 억제 작용이 있다.

사용법 죽손 15~30g에 물 4컵(800mL)을 넣고 달여서 복용하거나 술에 담가 복용한다.

❍ 죽손(竹蓀)

[말뚝버섯과]

노랑망태버섯

| 폐허해수 | 인후염 | 이질 |
| 백대 | 고혈압, 고지혈증 |

● 학명 : *Dictyophora indusiata* Fisch. f. *lutea* Kobayashi [*D. multicolor*]

| 1 | 2 | 3 | 4 | 5 | 6 | 7 | 8 | 9 | 10 | 11 | 12 |

자실체는 어릴 때는 지름 3~4.5cm로 달걀 모양이고 백색 또는 적자색이며, 성숙하면 외피가 파열되어 대가 빠르게 신장하고 갓 밑에서 치마 모양의 황색 균망이 아래로 길게 펼쳐진다. 갓은 종 모양, 꼭대기 부분은 백색이고 구멍이 있다. 대는 원통형으로 스펀지 같은 많은 홈이 있으며 잘 부서진다.

분포 · 생육지 우리나라. 중국, 일본, 북아메리카, 오스트레일리아. 여름부터 가을까지 활엽수림, 대나무 숲속의 땅 위에 드문드문 또는 모여 자란다.

약용 부위 · 수치 자실체를 여름부터 가을에 채취하여 흙과 잡물을 제거하고 물에 씻어서 햇볕에 말린다.

약물명 황군죽손(黃裙竹蓀)

약효 보기양음(補氣陽陰), 윤폐지해(潤肺止咳), 청열이습(淸熱利濕)의 효능이 있으므로 폐허해수(肺虛咳嗽), 인후염, 이질, 백대(白帶), 고혈압, 고지혈증을 치료한다. 그리고 암 치료 보조제로 응용한다.

사용법 황군죽손 15~30g에 물 4컵(800mL)을 넣고 달여서 복용하거나 술에 담가 복용한다.

● 황군죽손(黃裙竹蓀)

● 노랑망태버섯

● 노랑망태버섯(시든 모습)

[말뚝버섯과]

새주둥이버섯

| 암 |

● 학명 : *Lysurus mokusin* (L.) Fr.

| 1 | 2 | 3 | 4 | 5 | 6 | 7 | 8 | 9 | 10 | 11 | 12 |

자실체는 초기에는 원통형으로 백색이며, 성숙하면 외피가 파열되어 4각~6각형의 대가 신장한다. 대 윗부분에 4~6개의 팔이 있고 팔은 꼭대기에서 서로 접합되어 뾰족하다. 팔은 붉은색으로 안쪽 면에는 가로 주름이 있으며 흑갈색의 점액질 기본체가 붙어 있고 악취가 난다.

분포 · 생육지 우리나라. 일본, 중국, 북아메리카, 오스트레일리아. 여름부터 가을까지 활엽수림, 대나무 숲속의 땅 위에 드문드문 또는 모여 자란다.

약용 부위 · 수치 자실체를 여름과 가을에 채취하여 흙과 잡물을 제거하고 물에 씻어서 햇볕에 말린다.

약물명 능주산미균(棱柱散尾菌)

약리 Sarcoma 180을 쥐에게 이식한 후 열수추출물을 투여하면 70% 항종양 작용이 나타난다. Ehrlich 복수암을 가진 쥐에게 열수추출물을 투여하면 80% 항종양 작용이 나타난다.

● 새주둥이버섯(대 윗부분에 팔이 서로 접합되어 있다.)

● 새주둥이버섯

[말뚝버섯과]

말뚝버섯

 관절염, 근육통

●학명 : *Phallus impudicus* L. ex Pers. [*Ithyphallus impudicus, Morellus impudicus*]

| 1 | 2 | 3 | 4 | 5 | 6 | 7 | 8 | 9 | 10 | 11 | 12 |

자실체는 어릴 때는 지름 4~5cm로 둥글고 백색이나 성장하면서 갓과 대의 모양이 되며 높이 10~15cm로 된다. 갓은 지름 3.5~5cm로 긴 종 모양, 표면은 그물 모양으로 백색~담황색을 거쳐 흑색으로 변하며 꼭대기는 백색이다. 대는 길이 5~10cm, 지름 2.5~3.5cm로 위아래 굵기가 같고 속은 비었으며 표면은 백색이고 울퉁불퉁하다.

분포·생육지 우리나라를 비롯한 세계 각처. 여름부터 가을까지 혼합림 땅 위에 홀로 또는 무리 지어 발생한다.

약용 부위·수치 자실체를 여름부터 가을에 채취하여 흙과 잡물을 제거하고 물에 씻어서 말린다.

약물명 백귀필(白鬼筆), 귀필균(鬼筆菌), 죽하균(竹下菌)이라고도 한다.

약효 거풍제습(祛風除濕), 활혈지통(活血止痛)의 효능이 있으므로 관절염이나 근육통을 치료한다.

성분 ergosterol, glycuronan, formalde-hyde, phenylacetaldehyde, phenylcrotonaldehyde, methyl mercaptane, pectin, gibberellin 등이 함유되어 있다.

약리 Sarcoma 180을 쥐에게 이식한 뒤 열수추출물을 투여하면 종양 억제 작용이 나타난다.

사용법 백귀필 5g에 물 2컵(400mL)을 넣고 달여서 복용하거나 술에 담가 복용한다.

❖ 말뚝버섯(어린 버섯)

❖ 말뚝버섯

[말뚝버섯과]

붉은말뚝버섯

 악창, 옹저, 후비, 도상, 탕화상

●학명 : *Phallus rugulosus* (Fisch.) O. Kuntze

| 1 | 2 | 3 | 4 | 5 | 6 | 7 | 8 | 9 | 10 | 11 | 12 |

자실체는 어릴 때는 달걀 모양으로 길이 2.5~3cm, 지름 2cm 정도이나 성장하면서 갓과 대의 모양이 되며 높이 10~15cm로 된다. 갓은 지름 1cm 정도로 긴 종 모양, 표면은 그물 모양이며 암자색~흑갈색으로 변하고 꼭대기는 붉은색이다. 대는 길이 9~15cm, 지름 1~1.5cm로 아래로 갈수록 굵어지며, 위는 붉은색이고 아래는 담황색이다. 속은 비었으며 표면은 약간 울퉁불퉁하다.

분포·생육지 우리나라, 동남아시아. 초여름부터 가을까지 숲속, 밭, 산림 내의 화전, 활엽수의 그루터기에 홀로 또는 무리 지어 발생한다.

약용 부위·수치 자실체를 여름부터 가을에 채취하여 흙과 잡물을 제거하고 물에 씻어서 말린다.

약물명 귀필(鬼筆), 조생모락화(朝生暮落花), 사란단(蛇卵蛋), 구편삼(狗鞭參), 사두균(蛇頭菌)이라고도 한다.

약효 청열해독(淸熱解毒), 소종생기(消腫生肌)의 효능이 있으므로 악창(惡瘡), 옹저(癰疽), 후비(喉痺), 도상(刀傷), 탕화상(燙火傷)을 치료한다.

사용법 외용으로만 사용하며, 가루로 만들어 상처에 뿌리거나 연고로 만들어 바른다.

❖ 붉은말뚝버섯

❖ 붉은말뚝버섯(어린 버섯)

[말뚝버섯과]

세발버섯

🔒 곤충 유인

●학명 : *Pseudocolus schellenbergiae* (Sumst.) Johnson

| 1 | 2 | 3 | 4 | 5 | 6 | 7 | 8 | 9 | 10 | 11 | 12 |

자실체는 어릴 때는 달걀 모양으로 지름 1~2cm, 백색이나 성장하면 하나의 짧은 대 위에 3~6개의 긴 팔이 위로 자라나 꼭대기에서 서로 합쳐져 아치형을 이룬다. 팔은 적황색~등황색 등 색깔이 다양하며, 한쪽 면에 흑갈색 점액질의 기본체가 붙어 있어서 역겨운 냄새가 난다. 대는 원통형으로 짧으며 팔보다 옅은 색이고 기부 쪽은 기의 백색이며 대주머니가 있다.

분포·생육지 우리나라. 동남아시아. 봄부터 가을까지 숲 속의 부식토 위에 홀로 또는 무리 지어 발생한다.

약용 부위·수치 자실체를 봄부터 가을에 채취하여 흙과 잡물을 제거하고 물에 씻어 말린다.

성분 수종의 알칼로이드가 함유되어 있다.

약리 곤충을 유인하는 페로몬(phermone)이 있다.

🔾 세발버섯

[먼지별버섯과]

먼지버섯

🫁 해수   👁 인후통, 육혈
🗂 옹종창독, 동창류수, 외상출혈   🦻 토혈

●학명 : *Astraeus hygrometricus* (Pers.) Morgan

| 1 | 2 | 3 | 4 | 5 | 6 | 7 | 8 | 9 | 10 | 11 | 12 |

🔾 먼지버섯

자실체는 어릴 때는 반쯤 땅속에 있으며, 지름 2~3cm로 둥글고 흑갈색 균사속(菌絲束)이 퍼져 있으며 기부에는 흑색의 뿌리 같은 균사속이 있다. 외피는 가죽질층, 교질층, 박막층의 3층으로 구성되며 성숙하면 외피가 6~10조각으로 갈라져 별 모양이 되고 습도에 따라 열리고 닫힌다. 기본체가 들어 있는 내피는 둥글고 얇은 막으로 평활하고 담회갈색이며 1개의 윗구멍으로 포자를 발산한다.

분포·생육지 우리나라를 비롯한 세계 각처. 봄부터 가을까지 혼합림 땅 위나 비탈진 언덕에 무리 지어 발생한다.

약용 부위·수치 자실체를 여름부터 가을에 채취하여 흙과 잡물을 제거하고 물에 씻어서 말린다.

약물명 지성(地星). 미시고(米屎菰), 토성균(土星菌)이라고도 한다.

약효 청폐(淸肺), 이인(利咽), 해독(解毒), 소종(消腫), 지혈(止血)의 효능이 있으므로 해수(咳嗽), 인후통(咽喉痛), 옹종창독(癰腫瘡毒), 동창류수(凍瘡流水), 토혈(吐血), 육혈(衄血), 외상출혈을 치료한다.

성분 astrahygrol, astrahygrone, 3-*epi*-astrahygrol, 등이 함유되어 있다.

약리 astrahygrol은 항종양 작용과 면역 억제 활성이 있다.

사용법 지성 5g에 물 2컵(400mL)을 넣고 달여서 복용하고, 외용에는 가루로 만들어 상처에 뿌리거나 연고로 만들어 바른다.

[알버섯과]

알버섯

 외상출혈

● 학명 : *Rhizopogon rubescens* (Tul.) Tul. [*R. piceus*]

1	2	3	4	5	6	7	8	9	10	11	12

자실체는 지름 1~4cm, 난형~유구형이다. 표면은 백색이나 접촉하거나 상처가 나면 담적자색으로 변하며, 지표에 노출된 자실체는 황갈색~붉은색을 띤다. 기본체는 초기에는 백색이나 차츰 갈황색으로 되며 미로 모양의 작은 방으로 되어 있고, 방 내벽에 자실층이 형성되며, 특유의 향기가 있다.

분포 · 생육지 우리나라, 일본, 중국 등 세계 각처. 봄부터 가을까지 해안, 호숫가 주변의 산림, 소나무 숲속의 모래땅에 발생한다.

약용 부위 · 수치 둥근 자실체를 여름부터 가을에 채취하여 흙과 잡물을 제거하고 물에 씻어서 말린다.

약물명 흑락환균(黑絡丸菌). 흑락환(黑絡丸), 흑근수복균(黑根須腹菌)이라고도 한다.

약효 수렴지혈(收斂止血)의 효능이 있으므로 외상출혈을 치료한다.

성분 glycerol, arabitol, mannitol, trehalose, 수종의 amino acid 등이 함유되어 있다.

사용법 외상으로만 사용하며, 가루로 만들어 상처에 뿌리거나 연고로 만들어 바른다.

❍ 알버섯

❍ 알버섯(어린 버섯의 내부)

[어리알버섯과]

모래밭버섯

 위장관출혈    외상출혈, 동창류수, 유농

● 학명 : *Pisolithus arhizus* (Scop.) Rauschert

1	2	3	4	5	6	7	8	9	10	11	12

자실체는 둥근 모양이며 지름 3~10cm로 하반부는 가늘고 땅속에 파묻혀 있다. 표면은 매끄러우며 암황색~갈색이지만 차츰 흑갈색으로 변한다. 표피는 얇으며 벗겨져서 내부를 노출시킨다. 내부의 기본체는 황색막으로 덮이고, 지름 1~3mm의 알맹이로 차 있으며, 이 막은 녹아서 황갈색 액체로 되어 밖으로 스며 나온다.

분포 · 생육지 우리나라, 일본, 중국 등 세계 각처. 봄부터 가을까지 산림 내, 바닷가 솔밭, 모래땅 위에 무리 지어 발생한다.

약용 부위 · 수치 자실체를 봄부터 가을에 채취하여 흙과 잡물을 제거하고 물에 씻어서 말린다.

약물명 두포균(豆包菌). 산장균(酸醬菌), 마비포(馬屁包), 색두마발(色豆麻勃), 우안정(牛眼睛), 두포고(豆包菇), 두포(豆包)라고도 한다.

약효 지혈(止血), 해독소종(解毒消腫)의 효능이 있으므로 위장관출혈, 외상출혈, 동창류수(凍瘡流水), 유농(流膿)을 치료한다.

성분 ergosterol peroxide, pisosterol, 22ζ−acetoxy−3β,23ζ−dihydroxy−24−methylenelanost−8−ene 등이 함유되어 있다.

사용법 두포균 6g에 물 2컵(400mL)을 넣고 달여서 복용하거나 술에 담가 복용한다. 외상출혈, 수포성 동상에는 가루로 만들어 상처에 뿌린다.

❍ 모래밭버섯

❍ 모래밭버섯(내부)

[어리알버섯과]

갯어리알버섯

인후통 · 위장관출혈 · 창양종독, 동창류수, 외상출혈

● 학명 : *Scleroderma bovista* Fr.

1	2	3	4	5	6	7	8	9	10	11	12

○ 갯어리알버섯

자실체는 지름 2~3cm로 편구형이고, 기부의 백색 뿌리 모양의 균사속은 땅에 붙어 있다. 표면은 평활하거나 비늘조각이 퍼져 있으며 담황색~황갈색이고 꼭대기에 흑색의 얕은 균열이 있다. 기본체는 자회색~청갈색인 균근성 버섯이다.

분포·생육지 우리나라를 비롯한 세계 각처. 여름부터 가을까지 산림 내, 바닷가 솔밭, 모래땅 위에 무리 지어 발생한다.

약용 부위·수치 자실체를 여름부터 가을에 채취하여 흙과 잡물을 제거하고 물에 씻어서 말린다.

약물명 경피마발(硬皮馬勃). 대포마발(大孢馬勃)이라고도 한다.

약효 청열이인(淸熱利咽), 해독소종(解毒消腫), 지혈(止血)의 효능이 있으므로 인후통(咽喉痛), 창양종독(瘡瘍腫毒), 동창류수(凍瘡流水), 치창출혈(痔瘡出血), 위장관출혈, 외상출혈을 치료한다.

성분 ergosta-4,6,8(14),22-tetraen-3-one, 5α,8α-epidioxyergosta-6,22-dien-3β-ol, oleic acid, palmitic acid 등이 함유되어 있다.

사용법 경피마발 6~9g에 물 2컵(400mL)을 넣고 달여서 복용하거나 술에 담가 복용한다. 외상출혈, 수포성 동상에는 가루로 만들어 상처에 뿌린다.

[어리알버섯과]

양파어리알버섯

기침 · 인후통 · 외상출혈

● 학명 : *Scleroderma cepa* Pers.

1	2	3	4	5	6	7	8	9	10	11	12

자실체는 지름 2~7cm로 편구형이고 기부에는 백색의 뿌리 같은 균사속이 있거나 가짜 대가 있다. 표피는 두껍고 단단하며, 처음에는 백색이나 차츰 황갈색을 띠고 상처를 내면 암자색으로 변한다. 기본체는 백색에서 흑자색 분말처럼 된다.

분포·생육지 우리나라를 비롯한 세계 각처. 여름부터 가을까지 정원, 숲속의 땅 위에 홀로 또는 무리 지어 발생한다.

약용 부위·수치 자실체를 여름부터 가을에 채취하여 흙과 잡물을 제거하고 물에 씻어서 말린다.

약물명 광경피마발(光硬皮馬勃). 광마발(光馬勃), 경마발(硬馬勃)이라고도 한다.

약효 지혈, 해독의 효능이 있으므로 기침, 인후통, 외상출혈을 치료한다.

사용법 광경피마발 6~9g에 물 2컵(400mL)을 넣고 달여서 복용하거나 술에 담가 복용한다. 외상출혈에는 가루로 만들어 상처에 뿌린다.

＊독성이 있으므로 과량으로 또는 장기간 사용하는 것은 좋지 않다.

○ 양파어리알버섯

연지버섯

 종양

● 학명 : *Calostoma japonica* Henn.

| 1 | 2 | 3 | 4 | 5 | 6 | 7 | 8 | 9 | 10 | 11 | 12 |

자실체는 지름 1~2cm로 둥근 모양이며 뿌리 모양의 가짜 대가 있다. 표면은 백색 바탕에 담황갈색의 비늘조각으로 덮여 있으며 꼭대기에 붉은색의 별 모양 포자 분출구가 있다. 성숙하면 분출구가 열려 포자를 방출한다. 포자는 타원상 구형으로 표면에 미세한 돌기가 있고 백색이다.

분포 · 생육지 우리나라. 중국, 일본 등 세계 각처. 여름과 가을에 숲속의 맨땅, 풀밭, 길가의 비탈진 땅 등에 군생한다.

약용 부위 · 수치 자실체를 봄부터 가을에 채취하여 흙과 잡물을 제거하고 물에 씻어서 말린다.

약물명 미국미구균(美國美口菌)

약효 항종양 작용이 있다.

약리 Sarcoma 180을 마우스에게 이식한 후 열수추출물을 주사하면 사망을 100% 억제하고 마우스의 Ehrlich 복수암을 100% 억제한다.

사용법 미국미구균 5g에 물 1컵(200mL)을 넣고 달여서 복용하거나 가루로 만들어 1g씩 복용한다.

❍ 연지버섯

꽃잎버짐버섯

 미상

● 학명 : *Pseudomerulius curtisii* (Berk.) Redhead ex Ginns [*Paxillus curtisii*]
● 별명 : 꽃잎우단버섯

| 1 | 2 | 3 | 4 | 5 | 6 | 7 | 8 | 9 | 10 | 11 | 12 |

❍ 꽃잎버짐버섯(주름살)

갓은 지름 3~6cm, 반원형 또는 부채형으로, 갓 표면은 평활하며 가장자리는 안으로 말린다. 조직은 담황갈색으로 불쾌한 냄새가 있다. 주름살은 등황색, 약간 조밀하고 방사상으로 배열되며 몇 차례 분지되고 심하게 수축되어 파형이다. 대는 없다.

분포 · 생육지 우리나라. 중국, 일본 등 세계 각처. 여름과 가을에 침엽수의 그루터기, 죽은 나무, 나무토막 등에 뭉쳐서 발생한다.

약용 부위 · 수치 자실체를 여름과 가을에 채취하여 흙과 잡물을 제거하고 물에 씻어서 말린다.

약물명 파문가추공균(波紋假皺孔菌)

성분 curtisian A~H, M~Q 등이 함유되어 있다.

약리 curtisian A~D는 vitamin E보다 항산화 작용이 10~20배 강하다. 열수추출물 또는 에탄올추출물에는 항균 작용이 있다.

❍ 꽃잎버짐버섯

[은행잎버섯과]

좀은행잎버섯

 암

● 학명 : *Tapinella atrotomentosa* (Batsch) Sutara [*Paxillus atrotomentosa*]
● 별명 : 좀우단버섯

| 1 | 2 | 3 | 4 | 5 | 6 | 7 | 8 | 9 | 10 | 11 | 12 |

갓은 지름 7~14cm, 반구형에서 편평형 또는 오목편평형이 된다. 갓 표면은 갈색, 부드러운 털로 덮여 있으나 성장하면서 없어진다. 조직은 황백색이다. 주름살은 내린형, 조밀하고, 황갈색이다. 대는 길이 5~12cm, 지름 1~3cm로 굵고, 편심성이며, 표면은 흑갈색, 털이 빽빽이 나고 기부에는 균사속이 있다.

분포 · 생육지 우리나라. 중국, 일본 등 세계 각처. 여름부터 가을까지 침엽수, 특히 소나무의 그루터기 또는 그 부근의 땅 위에 홀로 또는 무리 지어 발생한다.

약용 부위 · 수치 자실체를 여름부터 가을에 채취하여 흙과 잡물을 제거하고 물에 씻어서 말린다.

약물명 흑모소탑씨균(黑毛小塔氏菌)

약효 암 치료 보조제로 사용한다.

성분 bis-osmundalactone, 20,22-*p*-hydroxybenzylidene acetal, atrotesrone A~C, (2*Z*,4*E*)-2,4-hexadienoic acid 등이 함유되어 있다.

약리 항종양 작용과 혈액 응집 활성, 항균 작용이 있다.

사용법 흑모소탑씨균 10g에 물 3컵(600mL)을 넣고 달여서 복용한다.

❂ 좀은행잎버섯

❂ 좀은행잎버섯(주름살)

[은행잎버섯과]

은행잎버섯

 노화 방지

● 학명 : *Tapinella panuoides* (Batsch) E. J. Gibert [*Paxillus panuoides*]
● 별명 : 은행잎우단버섯

| 1 | 2 | 3 | 4 | 5 | 6 | 7 | 8 | 9 | 10 | 11 | 12 |

갓은 지름 5~12cm, 불규칙한 조개껍데기형 또는 부채형이다. 갓 표면은 황갈색으로 부드러운 털로 덮여 있으나 성장하면서 없어지고, 가장자리는 말린다. 조직은 황백색이다. 주름살은 방사상으로 배열되며, 조밀하고, 황갈색이다. 대는 없으며, 갓의 일부가 직접 기주에 부착한다.

분포 · 생육지 우리나라. 중국, 일본, 세계 각처. 여름부터 가을까지 침엽수, 특히 소나무의 그루터기 또는 그 부근의 땅 위에 홀로 또는 무리 지어 발생한다.

약용 부위 · 수치 자실체를 여름부터 가을에 채취하여 흙과 잡물을 제거하고 물에 씻어서 말린다.

약물명 이상소탑씨균(耳狀小塔氏菌)

약효 노화 방지의 효능이 있다.

성분 panuosterone, 25-hydroxypanuosterone, 20-hydroxyecdysone, panasterone A, malacosterone, tukesterone 등이 함유되어 있다.

약리 항산화, 신경 세포 보호 작용이 있다.

❂ 은행잎버섯

❂ 은행잎버섯(다수가 겹쳐서 자란다.)

못버섯

피부염

● 학명 : *Chroogomphus rutilus* (Schaeff.) O. K. Mill.

| 1 | 2 | 3 | 4 | 5 | 6 | 7 | 8 | 9 | 10 | 11 | 12 |

갓은 지름 2~8cm, 원추형~종형에서 중앙 볼록편평형이 된다. 갓 표면은 황갈색~적 갈색, 평활하고 습할 때는 점성이 있으며, 가장자리는 안으로 굽는다. 주름살은 내린 형, 성글고 담갈색에서 암적갈색이 된다. 대 는 기부 쪽으로 가늘어지며 턱받이는 솜털 이 있고 대의 윗부분에 있으며 소실된다.

분포 · 생육지 우리나라. 중국, 일본 등 세계 각처. 여름부터 가을까지 침엽수, 특히 소 나무의 그루터기 또는 그 부근의 땅 위에 홀로 또는 무리 지어 발생한다.

약용 부위 · 수치 자실체를 여름부터 가을에 채취하여 흙과 잡물을 제거하고 물에 씻어 서 말린다.

약물명 동방유정고(東方鉚釘菇)

약효 소염의 효능이 있으므로 피부염을 치 료한다.

사용법 동방유정고를 연고로 만들어 바른다.

◐ 못버섯

주름우단버섯

풍한습비, 요퇴동통, 수족마목, 근락불서

● 학명 : *Paxillus involutus* (Batsch ex Fr.) Fr.

| 1 | 2 | 3 | 4 | 5 | 6 | 7 | 8 | 9 | 10 | 11 | 12 |

갓은 지름 5~10cm, 초기에는 편편한 모 양이지만 점차 깔때기 모양으로 변한다. 갓 표면은 평활하고 습기가 많으면 점성 이 있고 황갈색이다. 조직은 담황색이지 만 상처를 받으면 갈흑색이 된다. 주름살 은 내린형이며 조밀하고 상처를 받으면 흑 갈색으로 변한다. 대는 길이 3~8cm, 지름 0.7~1cm이다.

분포 · 생육지 우리나라. 세계 각처. 여름부 터 가을까지 침엽수나 활엽수림 내 땅 위에 흩어져 나는 외생균근성 버섯이다.

약용 부위 · 수치 자실체를 여름부터 가을에 채취하여 흙과 잡물을 제거하고 물에 씻어 서 말린다.

약물명 권변장고(卷邊粧菇). 권산균(卷傘 菌), 낙습균(落褶菌)이라고도 한다.

기미 · 귀경 미함(微鹹), 온(溫), 유독(有毒)

약효 거풍산한(祛風散寒), 서근활락(舒筋活 絡)의 효능이 있으므로 풍한습비(風寒濕痺), 요퇴동통(腰腿疼痛), 수족마목(手足麻木), 근락불서(筋絡不舒)를 치료한다.

성분 involutin, muscarine, epimuscarine, allomuscarine 등이 함유되어 있다.

사용법 권변장고 5~10g에 물 2컵(400mL) 을 넣고 달여서 복용하거나 알약으로 만들 어 복용한다.

＊ 근육통에 사용하는 서근산(舒筋散) 원료 의 하나이다.

◐ 주름우단버섯

◐ 주름우단버섯(주름살)

[그물버섯과]

황금그물버섯

 풍한습비, 요퇴동통, 수족마목

●학명 : *Boletinus cavipes* (Opat.) Kalchbr. [*Boletus cavipes*, *Suillus cavipes*]

1	2	3	4	5	6	7	8	9	10	11	12

❂ 황금그물버섯

갓은 지름 5~10cm, 초기에는 원추형이고 내피막으로 싸여 있으나, 성장하면서 반구형을 거쳐서 편평하게 되고 갓 끝에는 내피막 파편이 붙어 있다. 갓 표면은 황갈색을 띠고 섬유상 비늘조각이 방사상으로 덮여 있으며 점성은 없다. 조직은 두껍고 옅은 황색을 띠며 상처를 내면 청색으로 변한다. 대는 굵고 상하의 굵기가 비슷하며 턱받이 상부는 황색을 띠고 하부 쪽은 적갈색, 갈색의 섬유상 비늘조각이 있다. 턱받이는 대의 상부에 있으며 막질이다.

분포·생육지 우리나라, 중국, 일본, 유럽, 오스트레일리아. 여름부터 가을까지 침엽수림이나 혼합림의 땅 위에 홀로 또는 모여난다.

약용 부위·수치 자실체를 여름부터 가을에 채취하여 기부를 약간 잘라내고 물에 씻어서 말린다.

약물명 소우간균(小牛肝菌), 공병가우간균(空柄假牛肝菌), 잡마(雜蘑)라고도 한다.

약효 거풍산한(祛風散寒), 서근활락(舒筋活絡)의 효능이 있으므로 풍한습비(風寒濕痺), 요퇴동통(腰腿疼痛), 수족마목(手足麻木)을 치료한다.

성분 cavipetin A~E 등이 함유되어 있다.

약리 시험관 내에서 다른 미생물의 포자 형성을 억제한다.

사용법 소우간균 10g에 물 3컵(600mL)을 넣고 달여서 복용하거나 알약으로 만들어 복용한다.

[그물버섯과]

마른그물버섯

 종기, 타박상

●학명 : *Boletus chrysenteron* Bull. [*Xerocomus chrysenteron*]
●별명 : 마른산그물버섯

1	2	3	4	5	6	7	8	9	10	11	12

❂ 마른그물버섯(조직은 담황색이다.)

갓은 지름 3~10cm, 초기에는 평반구형이지만 성장하면서 편평형이 된다. 갓 표면은 평활하며 회갈색~암갈색, 성장하면 색깔이 옅어진다. 조직은 황백색이나 표피 아래는 담적색이고 상처를 내면 청록색으로 변한다. 대는 적갈색이나 부분적으로 황색이 섞여 있다.

분포·생육지 우리나라, 중국, 일본, 유럽, 오스트레일리아. 여름부터 가을까지 활엽수림의 땅 위에 홀로 또는 모여난다.

약용 부위·수치 자실체를 여름부터 가을에 채취하여 기부를 약간 잘라 내고 물에 씻어서 말린다.

약효 소염의 효능이 있으므로 종기, 타박상을 치료한다.

사용법 말린 자실체 10g에 물 3컵(600mL)을 넣고 달여서 복용하거나 알약으로 만들어 복용한다.

❂ 마른그물버섯

[그물버섯과]

그물버섯

 풍습비통, 수족마목   백대, 불임증

● 학명 : *Boletus edulis* Bull. ex Fr.

| 1 | 2 | 3 | 4 | 5 | 6 | 7 | 8 | 9 | 10 | 11 | 12 |

갓은 지름 7~20cm, 초기에는 구형이나 성장하면서 반구형을 거쳐 편평하게 된다. 갓 표면은 암갈색, 습기가 많으면 점성이 생기고 조직은 백색이다. 관공은 홈 모양, 초기에는 백색이나 나중에는 녹황색이 된다. 대는 길이 5~15cm, 지름 2~5cm로 아래쪽이 약간 굵고 표면은 옅은 갈색의 그물 무늬가 있다.

분포 · 생육지 우리나라를 비롯하여 세계 각처. 여름부터 가을까지 활엽수림이나 혼합림의 땅 위에 홀로 또는 모여난다.

약용 부위 · 수치 자실체를 여름부터 가을에 채취하여 기부를 약간 잘라 내고 물에 씻어서 말린다.

약물명 대각고(大脚菇), 백간균(白肝菌), 마고(蘑菇), 백우두(白牛頭)라고도 한다.

약효 거풍산한(祛風散寒), 보허지대(補虛止帶)의 효능이 있으므로 풍습비통(風濕痺痛), 수족마목(手足麻木), 백대(白帶), 불임증(不孕症)을 치료한다.

성분 lectin, diacylglycero-4′-O-(N,N,N-trimethyl) homospermidine, fucomannogalactan, vitamin B_{12} 등이 함유되어 있다.

약리 Sarcoma 180을 이식한 쥐에게 열수추출물을 투여하면 100% 항종양 작용이 나타나고, 쥐의 Ehrlich 복수암에 90% 억제율이 있다. 각종 세균에 항균 작용이 강하게 나타난다.

사용법 대각고 10~30g에 물 3컵(600mL)을 넣고 달여서 복용하거나 알약으로 만들어 복용한다.

＊ 근육통에 사용하는 서근산(舒筋散) 원료의 하나이다.

● 그물버섯

● 그물버섯(주름살과 대)

[그물버섯과]

붉은대그물버섯

 암

● 학명 : *Boletus erythropus* (Fr. ex Fr.) Pers. [*B. miniatoporus*]

| 1 | 2 | 3 | 4 | 5 | 6 | 7 | 8 | 9 | 10 | 11 | 12 |

갓은 지름 7~20cm, 반구형, 갓 표면은 적갈색~청동색이며 작은 털로 덮여 있다. 조직은 황색이나 상처가 나면 청람색으로 변한다. 관공은 완전붙은형이며 초기에는 황색이나 나중에는 흑청색이 된다. 대는 아래쪽이 약간 굵다.

분포 · 생육지 우리나라를 비롯하여 세계 각처. 여름부터 가을까지 침엽수나 활엽수의 땅 위에 홀로 발생한다.

약용 부위 · 수치 자실체를 여름부터 가을에 채취하여 기부를 약간 잘라 내고 물에 씻어서 말린다.

약물명 홍병우간균(紅柄牛肝菌)

성분 L-(+)-cystathionone, tryptamine, IAA 등이 함유되어 있다.

약리 Sarcoma 180을 이식한 쥐에게 열수추출물을 투여하면 100% 항종양 작용이 나타나고, 쥐의 Ehrlich 복수암에 100% 억제율이 있다. 각종 세균에 항균 작용이 강하게 나타난다.

사용법 홍병우간균 10g에 물 3컵(600mL)을 넣고 달여서 복용한다.

● 붉은대그물버섯

[그물버섯과]

붉은그물버섯

🚶 암

● 학명 : *Boletus fraternus* Peck.

1	2	3	4	5	6	7	8	9	10	11	12

갓은 지름 3~7cm, 초기에는 반구형이나 성장하면서 편평형이 된다. 갓 표면은 평활하고 적갈색~붉은색이며 건조하면 표피가 갈라져 조직이 노출된다. 조직은 황색이나 상처가 나면 청색으로 변한다. 관공은 완전붙은형, 초기에는 황색이나 상처가 나면 녹색이 된다. 윗부분은 붉은색이고 아래쪽은 담황색이다.

분포·생육지 우리나라를 비롯하여 세계 각처. 여름부터 가을까지 침엽수나 활엽수의 땅 위에 홀로 발생한다.

약용 부위·수치 자실체를 여름부터 가을에 채취하여 기부를 약간 잘라 내고 물에 씻어서 말린다.

약물명 혈홍우간균(血紅牛肝菌)

성분 glycerol, arabitol, mannitol, trehalose, thiamine 등이 함유되어 있다.

약리 Sarcoma 180을 이식한 쥐에게 열수 추출물을 투여하면 80% 항종양 작용이 나타나고, 쥐의 Ehrlich 복수암에 90% 억제율이 있다.

사용법 혈홍우간균 10g에 물 3컵(600mL)을 넣고 달여서 복용한다.

● 붉은그물버섯(관공)

● 붉은그물버섯

[그물버섯과]

큰그물버섯

🤱 식소복창   🚶 요퇴동통, 수족마목

● 학명 : *Boletus speciosus* Frost.

1	2	3	4	5	6	7	8	9	10	11	12

갓은 지름 7~12cm, 초기에는 반구형이나 성장하면서 편평하게 된다. 갓 표면은 평활하며 담홍색~홍색, 습기가 많으면 점성이 생긴다. 조직은 두껍고 담황색, 공기에 노출되면 청색으로 변한다. 관공은 떨어진 모양, 갈황색, 상처가 나면 청색으로 변한다. 대는 길이 10~11cm, 지름 1.5~2.5cm로 아래쪽이 약간 굵고 기부가 구부러지며, 표면은 담홍색이나 성숙하면서 기부는 암적색이 된다.

분포·생육지 우리나라. 북아메리카, 유럽. 여름부터 가을까지 활엽수림이나 혼합림의 땅 위에 홀로 발생하는 외생균근성 버섯이다.

약용 부위·수치 자실체를 여름부터 가을에 채취하여 기부를 약간 잘라 내고 물에 씻어서 말린다.

약물명 우간균(牛肝菌). 견수청(見手靑)이라고도 한다.

약효 소식화중(消食和中), 거풍한(祛風寒), 서근락(舒筋絡)의 효능이 있으므로 식소복창(食少腹脹), 요퇴동통(腰腿疼痛), 수족마목(手足麻木)을 치료한다.

성분 sterol, glutamic acid, valine, proline, bolesatine(혈액 응집 단백질) 등이 함유되어 있다.

약리 본 종에 함유되어 있는 독단백질은 단백질 합성을 저해하고 T 림프 세포의 유사 분열을 촉진한다.

사용법 우간균 10g에 물 3컵(600mL)을 넣고 달여서 복용하거나 알약으로 만들어 복용한다.

＊ 근육통에 사용하는 서근산(舒筋散) 원료의 하나이다. 식용할 때는 열로 조리하여 먹어야 한다.

● 큰그물버섯

● 우간균(牛肝菌)

접시껄껄이그물버섯

 고혈압

● 학명 : *Leccinum extremiorientale* (Lar. N. Vassiljeva) Singer

| 1 | 2 | 3 | 4 | 5 | 6 | 7 | 8 | 9 | 10 | 11 | 12 |

● 접시껄껄이그물버섯(관공과 대)

갓은 지름 7~25cm, 반구형에서 편평형이 된다. 갓 표면은 황갈색, 성장하면 표피에 거북 등 모양의 균열이 생겨 그 사이로 조직이 노출된다. 조직은 백색~담황색, 관공구는 작다. 대는 원통형으로 기부 쪽이 굵고 표면은 담황색이다.

분포 · 생육지 우리나라, 중국, 일본. 여름부터 가을까지 활엽수림이나 혼합림의 땅 위에 무리 지어 발생한다.

약용 부위 · 수치 자실체를 여름부터 가을에 채취하여 물에 씻어서 말린다.

약물명 대각고(大脚菇)

약효 고혈압을 치료한다.

성분 leccinine A, ergosterol peroxide, cerebroside B, D, uracil, inosine, adenosine 등이 함유되어 있다.

약리 항균, 항진균, 혈전 용해 작용이 있다.

사용법 대각고 10g에 물 3컵(600mL)을 넣고 달여서 복용한다.

● 접시껄껄이그물버섯

노란분말그물버섯

 요슬산통, 수족마목

● 학명 : *Pulveroboletus ravenelii* (Berk. et Curt.) Murrill [*Pulcherricium ravenelii*]

| 1 | 2 | 3 | 4 | 5 | 6 | 7 | 8 | 9 | 10 | 11 | 12 |

● 황마고(黃蘑菇)

● 노란분말그물버섯(관공)

갓은 지름 5~10cm, 초기에는 반구형이나 성장하면서 편평하게 된다. 갓 표면은 평활하며 녹황갈색~흑갈색, 습기가 많으면 끈적거린다. 조직은 두껍고 황색, 상처가 나면 청색으로 변한다. 관공은 떨어진형, 녹황색이고 관공구는 크다. 대는 아래쪽이 약간 구부러진다.

분포 · 생육지 우리나라, 북아메리카, 아프리카, 유럽. 여름부터 가을까지 활엽수림이나 혼합림의 땅 위에 무리 지어 발생한다.

약용 부위 · 수치 자실체를 여름부터 가을에 채취하여 물에 씻어서 말린다.

약물명 황마고(黃蘑菇)

약효 거풍산한(祛風散寒), 서근활락(舒筋活絡), 지혈(止血)의 효능이 있으므로 온 몸이 쑤시는 증상, 요슬산통(腰膝酸痛), 수족마목(手足麻木)을 치료한다.

성분 sterol, glutamic acid, valine, proline, bolesatine(혈액 응집 단백질) 등이 함유되어 있다.

약리 Sarcoma 180을 쥐에게 이식한 후에 열수추출물을 투여하면 90%의 항종양 작용이 나타나고, 쥐의 Ehrlich 복수암에 80%의 억제율이 있다.

사용법 황마고 10g에 물 3컵(600mL)을 넣고 달여서 복용하거나 알약으로 만들어 복용한다.

● 노란분말그물버섯

[그물버섯과]

솜귀신그물버섯

 암

●학명 : *Strobilomyces strobilaceus* (Scop.) Berk. [*S. floccopus*] ●별명 : 갓그물버섯

| 1 | 2 | 3 | 4 | 5 | 6 | 7 | 8 | 9 | 10 | 11 | 12 |

갓은 지름 5~12cm, 반구형~평반구형이다. 갓 표면은 솔방울 모양, 흑갈색의 큰 비늘조각이 빽빽이 나고, 갓 둘레에는 내피막 조각이 붙어 있다. 조직은 백색이지만 상처를 내면 흑갈색으로 변한다. 관공은 붙은형, 관공구는 크다. 대는 회갈색이며 섬유질 비늘조각이 많다.

분포 · 생육지 우리나라. 북아메리카, 아프리카, 유럽. 여름부터 가을까지 활엽수림이나 혼합림의 땅 위에 무리 지어 발생한다.

약용 부위 · 수치 자실체를 여름부터 가을에 채취하여 물에 씻어서 말린다.

약물명 융병송탑우간균(絨柄松塔牛肝菌)

성분 aspartic acid, proline, phenylalanine, threonine, serine, glycine, methionine 등이 함유되어 있다.

약리 Sarcoma 180을 쥐에게 이식한 후에 열수추출물을 투여하면 항종양 작용이 나타나고, 쥐의 Ehrlich 복수암에 억제 효능이 있다. 혈전 용해 작용이 있다.

사용법 융병송탑우간균 10g에 물 3컵(600mL)을 넣고 달여서 복용한다.

❶ 솜귀신그물버섯(관공)

❶ 솜귀신그물버섯

[둘레그물버섯과]

흰둘레그물버섯

 당뇨병, 암

●학명 : *Gyroporus castaneus* (Bull.) Quel.

| 1 | 2 | 3 | 4 | 5 | 6 | 7 | 8 | 9 | 10 | 11 | 12 |

갓은 지름 3~10cm, 평반구형에서 편평형이 된다. 갓 표면은 황갈색, 조직은 백색이다. 관공은 떨어진형으로 백색에서 담황색이 되며 관공구는 원형이다. 대는 원통형으로 갓의 표면과 같은 색이며 미세한 털이 있다.

분포 · 생육지 우리나라. 북아메리카, 아프리카, 유럽. 여름부터 가을까지 활엽수림이나 혼합림의 땅 위에 무리 지어 발생한다.

약용 부위 · 수치 자실체를 여름부터 가을에 채취하여 물에 씻어서 말린다.

약물명 갈원공우간균(褐圓孔牛肝菌)

약효 혈당 저하 작용이 있으므로 당뇨병을 치료한다.

성분 β-ergosterol, nicotinic acid, linoleic acid 등이 함유되어 있다.

약리 Sarcoma 180을 이식한 쥐에게 열수추출물을 투여하면 80%의 항종양 작용이 나타나고, 쥐의 Ehrlich 복수암에 70%의 억제율이 있다.

사용법 갈원공우간균 10g에 물 3컵(600mL)을 넣고 달여서 복용한다.

❶ 흰둘레그물버섯(관공)

❶ 흰둘레그물버섯

[비단그물버섯과]

황소비단그물버섯

 노화 방지   암

● 학명 : *Suillus bovinus* (Pers.) Roussel

| 1 | 2 | 3 | 4 | 5 | 6 | 7 | 8 | 9 | 10 | 11 | 12 |

갓은 지름 4~10cm, 초기에는 평반구형에서 편평형이 된다. 갓 표면은 황갈색이며 점성이 강하다. 조직은 백색~연한 붉은색이다. 관공은 내린형, 관공구는 다각형이다. 대는 원통형으로 황갈색이다.

분포 · 생육지 우리나라. 북아메리카, 아프리카, 유럽. 여름부터 가을까지 침엽수림에 무리 지어 발생한다.

약용 부위 · 수치 자실체를 여름부터 가을에 채취하여 물에 씻어서 말린다.

약물명 유우간균(乳牛肝菌)

성분 atromentin, amitenone, variegatic acid, thiamine, riboflavine, methylbovinate, atromentic acid, xerocomic acid 등이 함유되어 있다.

약리 Sarcoma 180을 이식한 쥐에게 열수추출물을 투여하면 90%의 항종양 작용이 나타나고, 쥐의 Ehrlich 복수암에 100%의 억제율이 있다. 항산화 작용이 있으므로 노화를 방지한다.

사용법 유우간균 10g에 물 3컵(600mL)을 넣고 달여서 복용한다.

❍ 황소비단그물버섯(관공)

❍ 황소비단그물버섯

[비단그물버섯과]

큰비단그물버섯

 요퇴동통, 수족마목

● 학명 : *Suillus grevillei* (Klotzsch) Singer

| 1 | 2 | 3 | 4 | 5 | 6 | 7 | 8 | 9 | 10 | 11 | 12 |

갓은 지름 4~10cm, 초기에는 반구형이나 나중에는 편평해진다. 갓 표면은 평활하고 갈황색~암갈색, 점질로 덮여 있고 조직은 황백색이다. 관공은 내린형, 황색을 거쳐서 갈색이 되며, 관공구는 다각형, 황색이다. 대는 위아래의 굵기가 거의 같고 턱받이 상부는 적갈색, 그물 모양이고, 하부는 황백색 바탕에 적갈색을 띠고 점성이 있으며 섬유질이

다. 턱받이는 담황색을 거쳐 적갈색이 된다.

분포 · 생육지 우리나라. 중국, 일본, 유럽, 오스트레일리아. 여름부터 가을까지 침엽수림의 땅 위에 모여난다.

약용 부위 · 수치 자실체를 여름부터 가을에 채취하여 기부를 잘라 내고 물에 씻은 후 말린다.

약물명 태마(台蘑)

약효 추풍산한(追風散寒), 서근활락(舒筋活絡)의 효능이 있으므로 요퇴동통(腰腿疼痛), 수족마목(手足麻木)을 치료한다.

성분 vulpinic acid, bolegrevilol, grevilline A, B, C 등이 함유되어 있다.

약리 Sarcoma 180을 이식한 쥐에게 열수추출물을 투여하면 60%의 항종양 작용이 나타나고, bolegrevilol은 지질과산화 작용을 억제한다.

사용법 태마 10~20g에 물 3컵(600mL)을 넣고 달여서 복용하고, 외상출혈에는 가루 내어 상처에 뿌린다.

❍ 큰비단그물버섯

❍ 큰비단그물버섯(황색형)

비단그물버섯

 대골절병   소화불량

● 학명 : *Suillus luteus* (L.) Roussel

| 1 | 2 | 3 | 4 | 5 | 6 | 7 | 8 | 9 | 10 | 11 | 12 |

갓은 지름 4~15cm, 평반구형에서 편평형이 된다. 갓 표면은 담갈색이나 습할 때는 적갈색이 되며 강한 점성이 있다. 갓 둘레는 관공면 밖으로 돌출한다. 조직은 녹황색~갈황색이 되며, 관공구는 작다. 턱받이는 자주색으로 얇으며 대의 윗부분에 있다.

분포 · 생육지 우리나라. 중국, 일본, 유럽. 여름부터 가을까지 침엽수림의 땅 위에 흩어져 나거나 모여난다.
약용 부위 · 수치 자실체를 여름부터 가을에 채취하여 기부를 잘라 내고 물에 씻은 후 말린다.

약물명 송마(松蘑)
본초서 「본초강목(本草綱目)」에는 "이것은 대나무의 뿌리줄기 마디에서 나오고 목이 (木耳)와 비슷한 모양이다."라고 하였다.
약효 산한지통(散寒止痛), 소식(消食)의 효능이 있으므로 대골절병(大骨節病), 소화불량을 치료한다.
성분 grevillin D, valine, proline, leucine, thiamine, nicotinic acid, pantothenic acid 등이 함유되어 있다.
약리 Sarcoma 180을 이식한 쥐의 암에 80% 억제율을 나타내고, 쥐의 Ehrlich 복수암에 70%의 억제 효능이 있다. 인후암세포(KB cell), 백혈병 암세포(P388), 폐암 세포(NSCLC-N6)에 암세포 성장 억제 작용이 있다.
사용법 송마 10g에 물 3컵(600mL)을 넣고 달여서 복용한다.
* 송마정(松蘑酊)의 주원료로 이용한다. 갓 지름이 4~10cm, 관공이 내린형인 '젖비단그물버섯 *S. granulatus*'도 약효가 같다.

❶ 비단그물버섯

❶ 송마(松蘑)

붉은비단그물버섯

 뇌졸중   당뇨병

● 학명 : *Suillus pictus* (Peck) A. H. Sm. ex Thiers

| 1 | 2 | 3 | 4 | 5 | 6 | 7 | 8 | 9 | 10 | 11 | 12 |

갓은 지름 4~10cm, 평반구형에서 편평형이 된다. 갓 표면은 적갈색에서 담적색으로 변한다. 갓 표면과 대에는 섬유상 비늘조각이 빽빽이 나며 습할 때는 점성이 약간 있다.
분포 · 생육지 우리나라. 북아메리카, 아프리카, 유럽. 여름부터 가을까지 침엽수림에 무리 지어 발생한다.
약물명 호피유우간균(虎皮乳牛肝菌)
약용 부위 · 수치 자실체를 여름부터 가을에 채취하여 물에 씻어서 말린다.
약효 혈전을 용해하고 혈당 저하 작용이 있으므로 민간에서 뇌졸중과 당뇨병을 치료한다.
사용법 호피유우간균 10g에 물 3컵(600mL)을 넣고 달여서 복용한다.

❶ 붉은비단그물버섯(어린 버섯과 성숙한 버섯)

❶ 붉은비단그물버섯

[무당버섯과]

누룩젖버섯

 피부병   암

● 학명 : *Lactarius flavidulus* S. Imai

❶ 누룩젖버섯(주름살)

갓은 지름 6~15cm, 초기에는 반구형이나 오목반구형을 거쳐 깔때기형이 된다. 갓 표면은 습할 때는 점성이 있으며 담황색~담황갈색이다. 조직은 두껍고 상처가 나면 청록색이 된다. 주름살은 내린형, 조밀하고, 대는 굵고 짧다.

분포 · 생육지 우리나라, 중국, 일본, 오스트레일리아. 가을에 전나무와 같은 침엽수림 내 땅 위에 홀로 또는 모여난다.

약용 부위 · 수치 자실체를 가을에 채취하여 물에 씻어서 말린다.

약물명 천황갈유고(淺黃褐乳菇)

성분 flaviduol A~C 등이 함유되어 있다.

약리 자실체에서 분리한 응집소 LFL은 HepG2 암세포 및 L1210 암세포의 증식을 억제한다. 그람양성균에 항균 작용이 있고, *Triphyton metagrophytes*에 항진균 작용, *Candida albicans*에 항이스트 작용이 있다.

사용법 천황갈유고 6g에 물 2컵(400mL)을 넣고 달여서 복용한다. 피부병에는 연고를 만들어 환부에 바른다.

❶ 누룩젖버섯

[무당버섯과]

젖버섯아재비

 암

● 학명 : *Lactarius hatsudake* N. Tanaka

갓은 지름 5~16cm, 초기에는 오목반구형이나 성장하면서 깔때기처럼 된다. 갓 표면은 평활하고 점성이 있으며 백색이나 차츰 담황색이 되고 황갈색의 얼룩이 생긴다. 조직은 백색이고, 주름살은 내린형, 조밀하고 담황색이며 상처가 나면 백색 유액이 분비된다. 대는 위아래의 굵기가 거의 같고 속은 해면상이며 표면은 황백색이다.

분포 · 생육지 우리나라, 중국, 일본, 오스트레일리아. 여름부터 가을까지 활엽수림, 침엽수림 또는 혼합림의 땅 위에 모여나는 외생균근성 버섯이다.

약용 부위 · 수치 자실체를 여름부터 가을에 채취하여 물에 씻어서 말린다.

약물명 홍즙유고(紅汁乳菇)

성분 lactarioline A, B, ergosterol, ergosterol-peroxide 등이 함유되어 있다.

약리 Sarcoma 180을 쥐에게 이식한 뒤 열수추출물을 투여하면 종양이 100% 억제되며, 쥐의 Ehrlich 복수암을 90% 억제하는 작용이 있다.

사용법 홍즙유고 10g에 물 3컵(600mL)을 넣고 달여서 복용한다.

❶ 젖버섯아재비

❶ 젖버섯아재비(갓 표면에 환문이 있다.)

굴털이

 요퇴동통, 수족마목, 근골불서, 사지추축

● 학명 : *Lactarius piperatus* (L. ex Fr.) Gray

| 1 | 2 | 3 | 4 | 5 | 6 | 7 | 8 | 9 | 10 | 11 | 12 |

갓은 지름 5~16cm, 초기에는 오목반구형이나 성장하면서 깔때기처럼 된다. 갓 표면은 평활하고 점성이 있으며 백색이나 차츰 담황색이 되고 황갈색 얼룩이 생긴다. 조직은 백색이고, 주름살은 내린형, 조밀하고 담황색이며 상처가 나면 백색 유액이 분비된다. 대는 위아래의 굵기가 거의 같고 속은 해면상이며 표면은 황백색이다.

분포·생육지 우리나라, 중국, 일본, 오스트레일리아. 여름부터 가을까지 활엽수림, 침엽수림 또는 혼합림의 땅 위에 모여나는 외생균근성 버섯이다.

약용 부위·수치 자실체를 여름부터 가을에 채취하여 물에 씻어서 말린다.

약물명 백유고(白乳菇), 양지균(羊脂菌), 백내장균(白奶漿菌), 백마고(白蘑菇)라고도 한다.

약효 거풍산한(祛風散寒), 서근활락(舒筋活絡)의 효능이 있으므로 요퇴동통(腰腿疼痛), 수족마목(手足麻木), 근골불서(筋骨不舒), 사지추축(四肢抽搐)을 치료한다.

성분 유리 아미노산 25종, 알칼로이드, latardial, lactarol, piperalol, piperadial, thiaminase 등이 함유되어 있다.

약리 Sarcoma 180을 쥐에게 이식한 뒤 열수추출물을 투여하면 종양이 80% 억제되며, 쥐의 Ehrlich 복수암을 70% 억제하는 작용이 있다.

사용법 백유고 6g에 물 2컵(400mL)을 넣고 달여서 복용한다.

＊ 근육통과 관절염에 사용하는 서근산(舒筋散) 원료의 하나이다. 식용할 때는 열로 조리하여 먹어야 한다.

❶ 굴털이

❶ 굴털이(어린 버섯)　　❶ 굴털이(주름살)

털젖버섯아재비

 부스럼, 무좀

● 학명 : *Lactarius subvellereus* (Fr.) Fr.

| 1 | 2 | 3 | 4 | 5 | 6 | 7 | 8 | 9 | 10 | 11 | 12 |

갓은 지름 7~12cm, 초기에는 오목반구형이나 성장하면서 깔때기처럼 되고, 갓 표면에 가는 털이 많으며 가장자리는 안으로 말린다. 조직은 백색이나 상처를 내면 황색으로 변한다. 유액은 백색이지만 공기에 노출되면 담황색이 되고 매운맛이 난다. 주름살은 완전붙은형 또는 내린형, 조밀하다. 대는 길이 2~4cm, 원통형이며 표면은 백색, 약간 미끄럽다.

분포·생육지 우리나라, 중국, 일본, 유럽, 북아메리카. 봄부터 가을까지 혼합림의 땅 위에 홀로 또는 모여나는 외생균근성 버섯이다.

약용 부위·수치 자실체를 봄부터 가을에 채취하여 흙과 잡물을 제거하고 물에 씻어서 햇볕에 말린다.

약물명 아융개유고(亞絨蓋乳菇)

약효 항균 작용이 있으므로 부스럼, 무좀 등에 외용한다.

성분 subvellerolactone B, D, E, (22Z,24S)-cerevisterol, azelaic acid, arctigenin, ergosta-7,22-dien-3-ol, 13-hydroxy-lactara-6,8-dien-5-oic acid-γ-lactone, lactariolide, subvellerolactone 등이 함유되어 있다.

약리 subvellerolactone B, D, E는 항종양 작용이 있다.

사용법 아융개유고 적당량을 가루로 만들어 상처에 뿌리거나 연고로 만들어 바른다.

❶ 털젖버섯아재비

❶ 털젖버섯아재비(주름살과 대)

[무당버섯과]

새털젖버섯

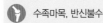 수족마목, 반신불수

●학명 : *Lactarius vellereus* (Fr.) Fr.

| 1 | 2 | 3 | 4 | 5 | 6 | 7 | 8 | 9 | 10 | 11 | 12 |

갓은 지름 10~30cm, 초기에는 오목반구형이나 성장하면서 깔때기처럼 되고, 갓 표면에 가는 털이 많으며 초기에는 백색, 차츰 황백색이 되고 갓 끝은 안으로 말린다. 조직은 백색, 공기에 노출되면 옅은 황갈색이 되고, 황산철 용액을 떨어뜨리면 붉은색으로 변한다. 상처를 내면 백색의 유액이 나오나 시간이 지나면 황백색이 된다. 주름살은 완전붙은형 또는 내린형, 약간 성글고 초기에는 백색이지만 뒤에 황갈색으로 변한다.

분포·생육지 우리나라, 중국, 일본, 유럽, 북아메리카. 봄부터 가을까지 혼합림의 땅위에 홀로 또는 모여나는 외생균근성 버섯이다.

약용 부위·수치 자실체를 봄부터 가을에 채취하여 흙과 잡물을 제거하고 물에 씻어서 햇볕에 말린다.

약물명 섬백유고(纖白乳菇). 양수심(楊樹蕈), 내장심(奶漿蕈)이라고도 한다.

기미·귀경 고(苦), 온(溫), 유독(有毒)

약효 거풍산한(祛風散寒), 서근활락(舒筋活絡)의 효능이 있으므로 수족마목(手足麻木), 반신불수를 치료한다.

성분 stearoyl velutinal, velleral, isovelleral, vellerolactone, pyrovellerolactone, lactaroufin A, isolactaroufin, furandiol, lactarol, vellerol, vellerdiol, thiamine, 9−hydroxy-isovelleral 등이 함유되어 있다.

약리 Sarcoma 180을 쥐에게 이식한 뒤 열수추출물을 투여하면 종양이 60% 억제되며, 쥐의 Ehrlich 복수암을 60% 억제하는 작용이 있다.

사용법 섬백유고 10g에 물 3컵(600mL)을 넣고 달여서 복용하거나 알약으로 만들어 복용한다.

※ 중국에서 시판되는 근육통과 관절염 치료약인 서근환(舒筋丸)에 배합된다.

❍ 새털젖버섯

[무당버섯과]

젖버섯

 만성기관지염   소화불량

●학명 : *Lactarius volemus* (Fr.) Fr. [*Agaricus lactifluus*]

| 1 | 2 | 3 | 4 | 5 | 6 | 7 | 8 | 9 | 10 | 11 | 12 |

갓은 지름 4~10cm, 오목평반구형에서 오목편평형이 된다. 갓 표면은 갈황색~등갈색으로 평활하거나 가루질이다. 조직은 백색이지만 상처를 내면 갈색으로 변한다. 유액은 백색이나 노출되면 갈색으로 변한다. 주름살은 완전붙은형~내린형, 조밀하며 담황색이다. 대는 갓과 같은 색이다.

분포·생육지 우리나라, 중국, 일본, 유럽, 북아메리카. 봄부터 가을까지 혼합림의 땅위에 홀로 또는 모여나는 외생균근성 버섯이다.

약용 부위·수치 자실체를 봄부터 가을에 채취하여 물에 씻어서 햇볕에 말린다.

약물명 다즙유고(多汁乳菇)

약효 면역 증강 작용이 있으므로 만성기관지염, 소화불량을 치료한다.

약리 Sarcoma 180을 쥐에게 이식한 뒤 열수추출물을 투여하면 종양이 80% 억제되며, 쥐의 Ehrlich 복수암을 90% 억제하는 작용이 있다.

사용법 다즙유고 10g에 물 3컵(600mL)을 넣고 달여서 복용하거나, 알약으로 만들어 복용한다.

❍ 젖버섯

❍ 젖버섯(주름살)

[무당버섯과]

가죽껍질무당버섯

 요퇴동통, 수족마목, 근골불서, 사지추축

● 학명 : *Russula alutacea* (Pers. ex Fr.) Fr. [*Agaricus alutaceus*]

| 1 | 2 | 3 | 4 | 5 | 6 | 7 | 8 | 9 | 10 | 11 | 12 |

갓은 지름 7~13cm, 초기에는 오목반구형이나 성장하면서 깔때기처럼 되고, 갓 표면은 적자색~자갈색, 중앙부는 황갈색을 나타내며, 습기가 있으면 점성이 있다. 조직은 두껍고 백색이다. 주름살은 완전붙은형, 약간 성글고 담황색에서 담황갈색이 된다. 대는 길이 5~10cm, 지름 2~4cm로 표면은 붉은색을 띤다.

분포 · 생육지 우리나라. 북반구. 봄부터 가을까지 혼합림의 땅 위에 홀로 또는 흩어져 발생하는 외생균근성 버섯이다.

약용 부위 · 수치 자실체를 봄부터 가을에 채취하여 흙과 잡물을 제거하고 물에 씻어서 햇볕에 말린다.

약물명 혁질홍고(革質紅菇), 대홍고(大紅菇), 홍균자(紅菌子), 청강균(靑杠菌)이라고도 한다.

약효 추풍산한(追風散寒), 서근활락(舒筋活絡)의 효능이 있으므로 요퇴동통(腰腿疼痛), 수족마목(手足麻木), 근골불서(筋骨不舒), 사지추축(四肢抽搐)을 치료한다.

사용법 혁질홍고 10g에 물 3컵(600mL)을 넣고 달여서 복용하거나 알약으로 만들어 복용한다.

❍ 가죽껍질무당버섯(주름살)

❍ 가죽껍질무당버섯

[무당버섯과]

흰꽃무당버섯

 피부병, 타박상

● 학명 : *Russula alboareolata* Hongo

| 1 | 2 | 3 | 4 | 5 | 6 | 7 | 8 | 9 | 10 | 11 | 12 |

갓은 지름 4~7cm, 오목반구형에서 깔때기처럼 된다. 갓 표면은 백색, 습할 때는 점성이 있으며 가장자리에는 방사상 홈선이 있다. 조직은 백색이다. 주름살은 떨어진형, 성글고 백색이다. 대는 백색으로 가는 세로 홈선이 있다.

분포 · 생육지 우리나라. 북반구. 초여름부터 가을까지 혼합림의 땅 위에 홀로 또는 무리 지어 발생한다.

약용 부위 · 수치 자실체를 초여름부터 가을에 채취하여 물에 씻어서 햇볕에 말린다.

약효 항균 작용이 있으므로 피부병이나 타박상을 치료한다.

사용법 말린 자실체를 가루로 만들어 상처에 뿌리거나 연고로 만들어 바른다.

❍ 흰꽃무당버섯(주름살)

❍ 흰꽃무당버섯

청머루무당버섯

🍄 피부병, 타박상

○ 청머루무당버섯(자주색)

● 학명 : *Russula cynoxantha* (Schaeff.) Fr.

1	2	3	4	5	6	7	8	9	10	11	12

갓은 지름 6~10cm, 초기에는 반구형이나 성장하면서 오목편평형이 된다. 갓 표면은 담자색, 자주색, 청록색 등 변화가 많고 습하면 점성이 있다. 조직은 백색이고, 주름살은 내린형, 조밀하고 백색이다. 대는 위아래의 굵기가 같고 표면은 백색이다.

분포 · 생육지 우리나라. 북반구. 초여름부터 가을까지 활엽수림, 혼합림의 땅 위에 흩어져 자란다.

약용 부위 · 수치 자실체를 초여름부터 가을에 채취하여 물에 씻어서 햇볕에 말린다.

약물명 남황홍고(藍黃紅菇)

약효 항균 작용이 있으므로 피부병, 타박상을 치료한다.

성분 L-2-amino-7-hydroxyoctanoic acid, inosine, L-pyroglutamic acid, fumaric acid, glycerol, erythritol, arabitol, mannitol, trehalose, glucose, fructose 등이 함유되어 있다.

약리 Sarcoma 180을 쥐에게 이식한 뒤 열수추출물을 투여하면 종양이 70% 억제되며, 쥐의 Ehrlich 복수암을 60% 억제하는 작용이 있다.

사용법 남황홍고 적당량을 가루로 만들어 상처에 뿌리거나 연고로 만들어 바른다.

○ 청머루무당버섯

푸른주름무당버섯

🍄 피부병, 타박상

● 학명 : *Russula delica* Fr. [*Lactarius exsuccus*]

1	2	3	4	5	6	7	8	9	10	11	12

갓은 지름 8~13cm, 반구형에서 오목편평형~깔때기형이 된다. 갓 표면은 초기에는 백색이나 점차 황갈색을 띠고 가장자리는 안으로 굽는다. 조직은 백색이고, 주름살은 내린형, 약간 조밀하다. 대는 기부가 가늘며 표면은 황백색이나 꼭대기 근처는 푸른색일 경우가 많다.

분포 · 생육지 우리나라. 북반구. 초여름부터 가을까지 활엽수림, 혼합림, 너도밤나무가 있는 땅 위에 무리 지어 발생한다.

약용 부위 · 수치 자실체를 초여름부터 가을에 채취하여 물에 씻어서 햇볕에 말린다.

약물명 미미홍고(美味紅菇)

약효 항균 작용이 있으므로 피부병, 타박상을 치료한다.

성분 russulanorol, plorantinone A~D, epiplorantinone B, stearoyldelicone, glycerol, erythritol, arabitol, mannitol, trehalose, glucose, fructose 등이 함유되어 있다.

약리 Sarcoma 180을 쥐에게 이식한 뒤 열수추출물을 투여하면 종양이 100% 억제된다.

사용법 미미홍고 적당량을 가루로 만들어 상처에 뿌리거나 연고로 만들어 바른다.

○ 푸른주름무당버섯

○ 푸른주름무당버섯(주름살)

애기무당버섯

 요퇴동통, 수족마목, 근골불서   복사

● 학명 : *Russula densifolia* (Secr.) Gill. [*Agaricus densifolius*]

1	2	3	4	5	6	7	8	9	10	11	12

갓은 지름 6~12cm, 초기에는 편평한 반구형이나 성장하면서 깔때기처럼 된다. 갓 표면은 처음에 백색이나 성장하면서 회갈색을 거쳐 흑색이 된다. 조직은 백색이지만 상처가 나면 붉은색을 거쳐 흑색으로 변한다. 주름살은 완전붙은형 또는 내린형, 조밀하며 황백색이다. 대는 길이 3~5cm, 지름 1~1.5cm로 표면은 백색이나 상처가 나면 흑색으로 변한다.

분포 · 생육지 우리나라, 중국, 일본, 유럽, 북아메리카. 여름부터 가을까지 혼합림의 땅 위에 홀로 나는 외생균근성 버섯이다.

약용 부위 · 수치 자실체를 봄부터 가을에 채취하여 흙과 잡물을 제거하고 물에 씻어서 햇볕에 말린다.

약물명 밀습홍고(密褶紅菇), 밀습흑고(密褶黑菇), 밀습흑홍고(密褶黑紅菇), 소흑고(小黑菇)라고도 한다.

기미 · 귀경 미함(微鹹), 온(溫), 유독(有毒)

약효 거풍산한(祛風散寒), 서근활락(舒筋活絡), 온중지사(溫中止瀉)의 효능이 있으므로 요퇴동통, 수족마목(手足麻木), 근골불서(筋骨不舒), 복사(腹瀉)를 치료한다.

사용법 밀습홍고 10g에 물 3컵(600mL)을 넣고 달여서 복용하거나 알약으로 만들어 복용한다.

○ 애기무당버섯

○ 애기무당버섯(주름살)

깔때기무당버섯

 요퇴동통, 수족마목, 근골불서

● 학명 : *Russula foetens* (Pers.) Pers. [*Agaricus foetens*]

1	2	3	4	5	6	7	8	9	10	11	12

갓은 지름 6~12cm, 반구형에서 오목편평형이 된다. 갓 표면은 황갈색, 습하면 점성이 있고, 가장자리에는 방사상 홈선이 있으며 안으로 굽는다. 조직은 담황색, 불쾌한 냄새가 난다. 주름살은 끝붙은형, 약간 조밀하고 처음에는 담황색이지만 차차 얼룩이 진다.

분포 · 생육지 우리나라, 중국, 일본, 북반구. 여름부터 가을까지 혼합림의 땅 위에 홀로 또는 무리 지어 나오는 균근성 버섯이다.

약용 부위 · 수치 자실체를 여름부터 가을에 채취하여 흙과 잡물을 제거하고 물에 씻어서 햇볕에 말린다.

약물명 취홍고(臭紅菇)

약효 거풍산한(祛風散寒), 서근활락(舒筋活絡)의 효능이 있으므로 요퇴동통(腰腿疼痛), 수족마목(手足麻木), 근골불서(筋骨不舒)를 치료한다.

성분 8α,13-dihydroxymarasm-5-oic acid-lactone, lactapiperanol E, russulfeen 등이 함유되어 있다.

약리 Sarcoma 180을 쥐에게 이식한 뒤 열수추출물을 투여하면 종양이 70% 억제되며, 쥐의 Ehrlich 복수암을 70% 억제하는 작용이 있다.

사용법 취홍고 적당량을 즙액을 내어 환부에 바르거나 가루로 만들어 연고기제와 섞어 환부에 바른다.

○ 깔때기무당버섯(주름살)

○ 깔때기무당버섯

[무당버섯과]
붉은무당버섯

 풍습비통, 수족마목, 근골불서, 사지추축

● 학명 : *Russula integra* (L.) Fr. [*Agaricus intergra*]

| 1 | 2 | 3 | 4 | 5 | 6 | 7 | 8 | 9 | 10 | 11 | 12 |

갓은 지름 7~12cm, 초기에는 반구형이나 성장하면서 깔때기처럼 된다. 갓 표면은 평활하며 습할 때는 점성이 있고, 붉은색~적자색 또는 적갈색을 띠며 조직은 백색이다. 주름살은 완전붙은형 또는 떨어진형, 약간 조밀하고 처음에는 백색이지만 차츰 담황색이 된다. 대는 길이 4~7cm, 지름 2~2.4cm, 표면은 옅은 적백색을 띤다.

분포 · 생육지 우리나라. 북반구. 여름부터 가을까지 혼합림의 땅 위에 홀로 또는 무리 지어 발생하는 외생균근성 버섯이다.

약용 부위 · 수치 자실체를 여름부터 가을에 채취하여 흙과 잡물을 제거하고 물에 씻어서 햇볕에 말린다.

약물명 변색홍고(變色紅菇). 마고(蘑菇)라고도 한다.

약효 거풍산한(祛風散寒), 서근활락(舒筋活絡)의 효능이 있으므로 풍습비통(風濕痺痛), 수족마목(手足麻木), 근골불서(筋骨不舒), 사지추축(四肢抽搐)을 치료한다.

사용법 변색홍고 10g에 물 3컵(600mL)을 넣고 달여서 복용하거나 알약으로 만들어 복용한다.

※ 근육통에 사용하는 서근산(舒筋散) 원료의 하나이다.

❍ 붉은무당버섯

[무당버섯과]
절구버섯

 풍한습비, 요퇴동통, 수족마목, 사지추축

● 학명 : *Russula nigricans* (Bull.) Fr. [*Agaricus elephantinus*]

| 1 | 2 | 3 | 4 | 5 | 6 | 7 | 8 | 9 | 10 | 11 | 12 |

갓은 지름 10~20cm, 초기에는 편평한 반구형이나 성장하면서 깔때기처럼 되고 갓 표면은 황갈색에서 암갈색을 거쳐 흑색으로 변한다. 조직은 백색이지만 상처가 나면 붉은색을 거쳐 흑색이 된다. 주름살은 내린형, 약간 성글고 백색이지만 흑색으로 변한다. 대는 위아래의 굵기가 같고 백색이나 뒤에 흑색으로 변한다.

분포 · 생육지 우리나라. 중국, 일본, 북반구. 여름부터 가을까지 혼합림의 땅 위에 홀로 또는 모여난다.

약용 부위 · 수치 자실체를 여름부터 가을에 채취하여 잡물을 제거하고 물에 씻어서 햇볕에 말린다.

약물명 흑홍고(黑紅菇). 희습홍고(稀褶紅菇), 대흑고(大黑菇), 흑마고(黑蘑菇)라고도 한다.

약효 거풍산한(祛風散寒), 서근활락(舒筋活絡)의 효능이 있으므로 풍한습비(風寒濕痺), 요퇴동통(腰腿疼痛), 수족마목(手足麻木), 사지추축(四肢抽搐)을 치료한다.

사용법 흑홍고 10g에 물 3컵(600mL)을 넣고 달여서 복용하거나 술에 담가서 복용한다.

※ 근육통에 사용하는 서근산(舒筋散) 원료의 하나이다.

❍ 절구버섯(갓은 초기에는 편평한 반구형이다.)

❍ 절구버섯

졸각무당버섯

혈허위황 | 산후오로부진
관절산통

● 학명 : *Russula rosea* (Pers.) S. F. Gray [*Agaricus lacteus, Russula lactea*]
● 별명 : 장미무당버섯

| 1 | 2 | 3 | 4 | 5 | 6 | 7 | 8 | 9 | 10 | 11 | 12 |

○ 졸각무당버섯

갓은 지름 5~11cm, 초기에는 반구형이나 성장하면서 오목편평형이 된다. 갓 표면은 적황색이며 다소 가루질이고, 때로는 갈라져서 백색 조직이 보인다. 주름살은 떨어진형, 조밀하고 담황색으로 갓 둘레와 접한 부분은 담적색이다. 대의 표면은 백색이나 차츰 갓과 같은 색을 띤다.

분포 · 생육지 우리나라. 북반구. 여름부터 가을까지 혼합림의 땅 위에 홀로 또는 무리 지어 발생하는 외생균근성 버섯이다.

약용 부위 · 수치 자실체를 여름부터 가을에 채취하여 흙과 잡물을 제거하고 물에 씻어서 햇볕에 말린다.

약물명 대홍고(大紅菇). 홍고(紅菇), 주고(朱菇)라고도 한다.

약효 양혈(養血), 축어(逐瘀), 거풍(祛風)의 효능이 있으므로 혈허위황(血虛萎黃), 산후오로부진(産後惡露不盡), 관절산통(關節酸痛)을 치료한다.

성분 rulepidadiol, rulepidatriol, lepida acid A, rulepidanol, rulepidadiene A, B 등이 함유되어 있다.

약리 Sarcoma 180을 쥐에게 이식한 뒤 열수추출물을 투여하면 종양이 100% 억제되고, Ehrlich 암을 90% 억제시킨다.

사용법 대홍고 10~20g에 물 3컵(600mL)을 넣고 달여서 복용하거나 알약으로 만들어 복용한다.

흙무당버섯

암

● 학명 : *Russula senecis* S. Imai

| 1 | 2 | 3 | 4 | 5 | 6 | 7 | 8 | 9 | 10 | 11 | 12 |

갓은 지름 5~10cm, 초기에는 반구형이나 성장하면서 오목편평형이 된다. 갓 표면은 황갈색이며 표피는 코스모스 꽃잎 모양으로 갈라지며 가장자리에는 방사상 홈선이 있다. 주름살은 떨어진형, 약간 조밀하며 백색에서 후에 갈색으로 얼룩진다. 대에는 흑갈색 돌기가 있고, 조직은 약간 매운 맛이 있다.

분포 · 생육지 우리나라. 북반구. 여름부터 가을까지 활엽수림의 땅 위에 홀로 또는 무리 지어 발생한다.

약용 부위 · 수치 자실체를 여름부터 가을에 채취하여 흙과 잡물을 제거하고 물에 씻어서 햇볕에 말린다.

약물명 점병취홍고(點柄臭紅菇)

약리 Sarcoma 180을 쥐에게 이식한 뒤 열수추출물을 투여하면 종양이 80% 억제되며, 쥐의 Ehrlich 복수암을 70% 억제하는 작용이 있다.

사용법 점병취홍고 10g에 물 3컵(600mL)을 넣고 달여서 복용한다.

○ 흙무당버섯

[무당버섯과]

조각무당버섯

 소화불량   암

●학명 : *Russula vesca* Fr.

| 1 | 2 | 3 | 4 | 5 | 6 | 7 | 8 | 9 | 10 | 11 | 12 |

✿ 조각무당버섯(어린 버섯)

갓은 지름 4~8cm, 반구형에서 오목편평형이 된다. 갓 표면은 적갈색, 습하면 점성이 약간 있고, 방사상 홈선이 있으며 가끔 표피가 떨어져 백색의 조직이 노출되기도 한다. 조직은 백색이다. 주름살은 끝붙은형, 조밀하고 백색에서 황백색이 된다. 대는 황백색이다.

분포 · 생육지 우리나라. 중국, 일본. 여름부터 가을까지 혼합림의 땅 위에 홀로 또는 무리 지어 발생한다.

약용 부위 · 수치 자실체를 여름부터 가을에 채취하여 흙과 잡물을 제거하고 물에 씻어서 햇볕에 말린다.

약효 소화를 촉진시키는 효능이 있으므로 소화불량을 치료한다.

약물명 능홍고(菱紅菇)

약리 Sarcoma 180을 쥐에게 이식한 뒤 열수추출물을 투여하면 종양이 90% 억제된다.

사용법 능홍고 10g에 물 3컵(600mL)을 넣고 달여서 복용하거나 알약으로 만들어 복용한다.

✿ 조각무당버섯

[무당버섯과]

기와버섯

 간열목적, 목암불명   간울내열

흉민불서   암

●학명 : *Russula virescens* (Sch.) Fr.

| 1 | 2 | 3 | 4 | 5 | 6 | 7 | 8 | 9 | 10 | 11 | 12 |

갓은 지름 5~12cm, 초기에는 반구형이나 성장하면서 오목편평형이 되고, 갓 표면은 녹색~회녹색이며 표피가 불규칙하게 갈라져 얼룩무늬를 이룬다. 조직은 백색이다. 주름살은 떨어진형, 약간 조밀하고 백색이다. 대는 길이 5~10cm, 지름 1~2cm로 위아래 굵기가 같고 표면은 백색이고 평활하다.

분포 · 생육 우리나라. 중국, 일본, 북반구.

여름부터 가을까지 혼합림의 땅 위에 몇 개가 무리 지어 발생한다.

약용 부위 · 수치 자실체를 여름부터 가을에 채취하여 흙과 잡물을 제거하고 물에 씻어서 햇볕에 말린다.

약물명 청두균(靑頭菌), 녹홍고(綠紅菇), 청면자균(靑面子菌), 청면자(靑面子)라고도 한다.

약효 청간명목(淸肝明目), 이기해울(理氣解鬱)의 효능이 있으므로 간열목적(肝熱目赤), 목암불명(目暗不明), 간울내열(肝鬱內熱), 흉민불서(胸悶不舒)를 치료한다.

성분 thiaminase가 함유되어 있다.

약리 Sarcoma 180을 쥐에게 이식한 뒤 열수추출물을 투여하면 종양이 60% 억제되며, 쥐의 Ehrlich 복수암을 60% 억제하는 작용이 있다.

사용법 청두균 10~20g에 물 3컵(600mL)을 넣고 달여서 복용하거나 알약으로 만들어 복용한다.

✿ 기와버섯(주름살)

✿ 기와버섯

껍질고약버섯

 동맥경화, 심근경색, 뇌졸중　치매

● 학명 : *Peniophora quercina* (Pers.) Cooke

| 1 | 2 | 3 | 4 | 5 | 6 | 7 | 8 | 9 | 10 | 11 | 12 |

갓은 지름 5~12cm, 초기에 반구형이나 성장하면서 오목편평형이 되고, 갓 표면은 녹색~회녹색이며 자실체는 두께 0.5~2mm, 나뭇가지 위에 차츰 넓게 퍼지며, 가장자리는 느슨하게 접착하고 종종 위로 말려 있다. 표면은 평활하거나 사마귀 처럼 약간 거칠며 습하면 적자색을 띤다. 뒷면은 흑갈색이다. 조직은 습하면 부드러우나 건조할 때는 딱딱한 껍질처럼 된다.

분포 · 생육지 우리나라, 중국, 일본. 여름과 가을에 활엽수의 죽은 나무 위에 착생한다.

약용 부위 · 수치 자실체를 여름부터 가을에 채취하여 물에 씻어서 햇볕에 말린다.

약효 혈전을 방지하고 항치매 효능이 있다.

사용법 말린 자실체 10g에 물 3컵(600mL)을 넣고 달여서 복용하거나 알약으로 만들어 복용한다.

❂ 껍질고약버섯(죽은 활엽수에 착생한다.)

❂ 껍질고약버섯

산호침버섯

위궤양　신경쇠약　허약체질

● 학명 : *Hericium coralloides* (Scop.) Pers. [*Hydnum coralloides*]　● 별명 : 수실노루궁뎅이

| 1 | 2 | 3 | 4 | 5 | 6 | 7 | 8 | 9 | 10 | 11 | 12 |

자실체는 지름 15~30cm, 짧고 튼튼한 대에서 가늘고 긴 가지를 내며, 가지 끝과 옆에 생긴 짧은 혹 위에 무수한 침이 땅을 향하여 뭉쳐난다. 침은 길이 0.5~1cm로 원주형이고 끝이 뾰족하며, 자실층인 침의 표면은 백색이나 건조하면 황백색이 된다.

분포 · 생육지 우리나라, 중국, 일본, 동남아시아, 북아메리카, 유럽. 가을에 침엽수의 고목, 그루터기, 줄기 위에 홀로 발생한다.

약용 부위 · 수치 자실체를 가을에 채취하여 물에 씻은 후 말린다.

약물명 산호상후두균(珊瑚狀猴頭菌). 옥염(玉髥)이라고도 한다.

기미 · 귀경 감(甘), 평(平) · 비(脾), 위(胃)

약효 이오장(利五臟), 조소화(助消化), 자보강신(滋補强神)의 효능이 있으므로 위궤양, 신경쇠약, 허약체질을 치료한다.

사용법 산호상후두균 10g에 물 2컵(400mL)을 넣고 달여서 복용하거나 술에 담가서 복용한다.

❂ 산호침버섯

노루궁뎅이

 소화불량, 위궤양, 만성위염, 식도암, 위암, 장암

체허피력

불면증

● 학명 : *Hericium erinaceum* (Bull. ex Fr.) Pers. [*Hydnum erinaceum*]

| 1 | 2 | 3 | 4 | 5 | 6 | 7 | 8 | 9 | 10 | 11 | 12 |

자실체는 지름 5~25cm, 반구형이며 나무 줄기에 매달려 있다. 자실체 윗면에는 짧은 털이 조밀하고 앞면에는 길이 1~5cm의 많은 침이 수염처럼 아래로 늘어져 있으며 초기에는 백색이지만 나중에 담황색이 된다. 자실층은 침 표면에 발달되며, 조직은 백색이고 스펀지 모양이다.

분포 · 생육지 우리나라, 중국, 일본, 동남아시아, 북아메리카, 유럽. 가을에 활엽수의 살아 있는 나무나 죽은 나무 위에 발생하는 목재 백색 부후성 버섯이다.

약용 부위 · 수치 자실체를 가을에 채취하여 물에 씻은 후 말린다.

약물명 후두균(猴頭菌). 위균(猬菌), 자위균(刺猬菌)이라고도 한다.

기미 · 귀경 감(甘), 평(平) · 비(脾), 위(胃)

약효 건비양위(健脾養胃), 안신(安神), 항암의 효능이 있으므로 체허피력(體虛乏力),

소화불량, 불면증, 위궤양, 만성위염, 식도암, 위암, 장암 등을 치료한다.

성분 9,10-dihydroxy-8-oxo-12-octadecenoic acid, chitin, heteroxyglucan, galactoxyloglucan, glucoxylanprotein, glucoxylan, xylan, lectin, erinacin A~D, hericenon A~H, ergosterol peroxide, hericenone C, hericenone D, 미량 금속원소 11종, 게르마늄 등이 함유되어 있다.

약리 Sarcoma 180을 이식시킨 쥐에서 항암 활성이 있고, HeLa 세포의 증식 억제 작용, 항염 작용, 항균 작용이 있다. 그 밖에 소화촉진 작용, 위점막 보호 작용, 위궤양 치료 작용이 있다. 메탄올추출물은 주로 내인성 단백질과 반응하는 proteasome의 활성을 저해한다.

사용법 후두균 10g에 물 2컵(400mL)을 넣고 달여서 복용하거나 술에 담가 복용한다.

임상 보고 소화계질환: 후두균(猴頭菌)을 1회 3~4알씩 하루 3차례 복용한 결과 위암, 식도암, 십이지궤양, 만성위염 환자 134명 가운데 13.4%는 현저한 효과가 있었고, 68.6%는 증상이 호전되었다.

＊ 중국에는 본 종을 원료로 만든 후두음(猴頭飮), 복방후두충제(複方猴頭冲制), 산진정(山珍精)이라는 제품이 위궤양 치료제로 시판되고 있다.

❍ 후두균(猴頭菌, 중국산)

❍ 후두균(猴頭菌, 한국산)

❍ 노루궁뎅이(농촌진흥청)

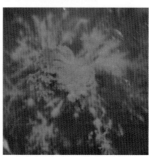
❍ 노루궁뎅이(균사체, 농촌진흥청)

❍ 노루궁뎅이로 만든 소화불량 치료제

[꽃구름버섯과]

갈색꽃구름버섯

🍄 피부병, 타박상

● 학명 : *Stereum ostrea* (Blume et Nees) Fr.

1	2	3	4	5	6	7	8	9	10	11	12

❍ 갈색꽃구름버섯

갓은 지름 1~5cm, 두께 1~2mm, 반원형~부채형이며 보통 갓의 중앙부만 기주에 부착한다. 갓 표면은 짧은 털이 있으며 회백색 환문과 적갈색 환문이 번갈아 나타나 있다. 아랫면은 평활하며 회백색~담적갈색이고, 조직은 가죽질이다.

분포 · 생육지 우리나라. 중국, 일본. 여름부터 가을에 활엽수의 죽은 나무 위에 착생한다.

약용 부위 · 수치 자실체를 여름부터 가을에 채취하여 물에 씻어서 햇볕에 말린다.

약물명 편인혁균(扁靭革菌)

약효 항균의 효능이 있으므로 피부병, 타박상을 치료한다.

사용법 편인혁균을 연고로 만들어 환부에 바른다.

❍ 갈색꽃구름버섯(적갈색형)

[꽃구름버섯과]

꽃구름버섯

🍄 피부병, 타박상   🫁 기침
🦴 관절염

● 학명 : *Stereum hirsutum* (Willd.) Pers.

1	2	3	4	5	6	7	8	9	10	11	12

❍ 꽃구름버섯(갓 표면은 회백색 솜털로 덮여 있다.)

갓은 지름 1~2.5cm, 두께 1~2mm, 반원형, 전체가 물결 모양이고 종종 여러 개가 옆으로 융합한다. 갓 표면은 황갈색 바탕에 회백색 솜털이 있으며 동심원상으로 환문이 생기기도 하며, 조직은 가죽질이다. 아랫면은 등황색이고 오래되면 회갈색으로 변한다.

분포 · 생육지 우리나라. 중국, 일본. 여름부터 가을까지 활엽수의 죽은 나무나 가지 위에 착생한다.

약용 부위 · 수치 자실체를 여름부터 가을에 채취하여 물에 씻어서 햇볕에 말린다.

약물명 모인혁균(毛靭革菌)

약효 항균, 진해, 소염의 효능이 있으므로 피부병, 타박상, 기침, 관절염을 치료한다.

성분 hirsutenol A~F, mycosporine, sterehirsutinal, sterehirsutinol I, II, epicorazine C, sterin A~C, arpin 등이 함유되어 있다.

약리 항산화 작용과 항균 작용이 있다.

사용법 모인혁균 10g에 물 2컵(400mL)을 넣고 달여서 복용하거나 술에 담가서 복용한다.

❍ 꽃구름버섯

좀나무싸리버섯

🔲 피부병

● 학명 : *Clavicorona pyxidata* (Pers.) Doty

| 1 | 2 | 3 | 4 | 5 | 6 | 7 | 8 | 9 | 10 | 11 | 12 |

🌿 🍃 🌱 🎋 🌲 🌸 ♣ ❄ 🌾 💧 🍂 🌲

자실체는 높이와 너비가 각각 5~12cm, 대 모양의 기부에서 몇 개의 가지가 U형으로 반복적으로 분기하여 산호형을 이룬다. 상단부는 3~5개의 돌기로 갈라져 왕관 모양을 형성한다. 가지는 황백색에서 적갈색을 거쳐 어두운 색이 되며, 조직은 백색, 단단하며 질기다.

분포·생육지 우리나라, 중국, 일본, 북아메리카, 유럽, 오스트레일리아. 여름부터 가을까지 활엽수의 썩은 나무 위 또는 부식질의 땅 위에 홀로 또는 무리 지어 발생한다.

약용 부위·수치 자실체를 여름부터 가을에 채취하여 흙과 잡물을 제거하고 물에 씻어서 햇볕에 말린다.

약물명 환관산호(環冠珊瑚)

성분 clavicoronic acid 등이 함유되어 있다.

약리 clavicoronic acid는 항균, 항곰팡이, 항효모 작용이 있다.

사용법 환관산호 10g에 물 3컵(600mL)을 넣고 달여서 복용하거나 알약으로 만들어 복용한다.

❂ 좀나무싸리버섯

꽃방패버섯

🦶 혈허위황   ♀ 산후오로부진

🦵 관절산통

● 학명 : *Albatrellus dispansus* (Lloyd) Canf. ex Gilb. [*Polyporus dispansus, P. illudens*]

| 1 | 2 | 3 | 4 | 5 | 6 | 7 | 8 | 9 | 10 | 11 | 12 |

🌿 🍃 🌱 🎋 🌲 🌸 ♣ ❄ 🌾 💧 🍂 🌲

❂ 꽃방패버섯

자실체는 지름 5~15cm, 공통의 기부에서 분기한 많은 가지 위에 갓이 형성된다. 갓은 서로 중첩되어 꽃다발 모양을 이루며 주걱형, 부채형, 표면은 담황색이며 평활하나 가장자리는 물결 모양이다. 조직은 백색, 육질이고 매운 맛이 있다. 관공은 길게 내린형, 관공구는 작고 원형에 가깝다.

분포·생육지 우리나라, 중국, 일본, 북아메리카. 늦여름부터 가을까지 혼합림의 땅 위에 홀로 또는 무리 지어 발생한다.

약용 부위·수치 자실체를 늦여름부터 가을에 채취하여 흙과 잡물을 제거하고 물에 씻어서 햇볕에 말린다.

약물명 산방다공균(散放多孔菌)

약효 양혈(養血), 축어(逐瘀), 거풍(祛風)의 효능이 있으므로 혈허위황(血虛萎黃), 산후오로부진(産後惡露不盡), 관절산통(關節酸痛)을 치료한다.

성분 유리 아미노산 23종, grifolin, neogrifolin, grifolic acid, cristatic acid, lipoxygenase 등이 함유되어 있다.

약리 grifolin, neogrifolin, grifolic acid, cristatic acid는 항균 및 항암 작용이 있다. 열수추출물은 Sarcoma 180을 쥐에게 이식시킨 후 투여하면 항암 작용이 있다.

사용법 산방다공균 10~20g에 물 3컵(600mL)을 넣고 달여서 복용하거나 알약으로 만들어 복용한다.

[사마귀버섯과]

까치버섯

 암. 동맥경화

● 학명 : *Polyozellus multiplex* (Underw.) Murrill [*Cantharellus multiplex*]
● 별명 : 먹버섯

| 1 | 2 | 3 | 4 | 5 | 6 | 7 | 8 | 9 | 10 | 11 | 12 |

❶ 까치버섯

자실체는 높이 5~15cm, 너비 10~30cm, 공통의 기부에서 분기한 많은 가지 위에 주걱형 또는 부채형 갓이 형성된다. 갓은 서로 중첩되어 배추 모양을 이룬다. 갓은 얇고 물결 모양, 평활하다. 조직은 흑청색이며 육질이고 톳 냄새가 난다. 아랫면에는 가는 세로주름이 있고, 내린형, 회청색이다. 대는 갓과의 경계가 뚜렷하지 않다.

분포 · 생육지 우리나라, 중국, 일본, 동아시아, 북아메리카. 여름부터 가을까지 혼합림의 땅 위에 홀로 또는 무리 지어 발생한다.

약용 부위 · 수치 자실체를 여름부터 가을에 채취하여 흙과 잡물을 제거하고 물에 씻어서 햇볕에 말린다.

성분 유리 아미노산 25종, polyozellin 등이 함유되어 있다.

약리 polyozellin은 항균 작용이 있다. 대장암 세포, 폐암 세포, 중추 신경계 암세포에 세포 독성이 있다. 그 외 과산화지질 저해 활성이 있다.

사용법 말린 자실체 10~20g에 물 3컵(600mL)을 넣고 달여서 복용하거나 알약으로 만들어 복용한다.

[사마귀버섯과]

사마귀버섯

 야맹증, 결막염   피부건조증

● 학명 : *Thelephora terrestris* Ehrh.

| 1 | 2 | 3 | 4 | 5 | 6 | 7 | 8 | 9 | 10 | 11 | 12 |

갓은 지름 5~10cm, 표면은 적갈색~자갈색, 방사상의 섬유질 무늬와 환문이 있으며 가장자리는 백색, 가늘게 갈라진다. 아랫면은 불규칙한 사마귀와 방사상의 주름이 있다. 자실체는 부채형 갓이 보통 방사상으로 융합하여 불규칙한 장미꽃 모양을 이룬다.

분포 · 생육지 우리나라, 중국, 일본, 동아시아, 북아메리카. 여름부터 가을까지 혼합림의 땅 위에 홀로 또는 무리 지어 발생한다.

약용 부위 · 수치 자실체를 여름부터 가을에 채취하여 흙과 잡물을 제거하고 물에 씻어서 햇볕에 말린다.

약물명 우혁균(疣革菌)

약효 명목(明目), 윤조(潤燥), 익장위(益腸胃)의 효능이 있으므로 야맹증, 결막염, 피부건조증을 치료한다.

성분 cerevisterol, ursolic acid, fridelin, cerebroside B, teresterone A~B 등이 함유되어 있다.

약리 항종양 및 항산화 작용이 있다.

사용법 우혁균 10g에 물 3컵(600mL)을 넣고 달여서 복용한다.

❶ 사마귀버섯

고리갈색깔때기버섯

習진

● 학명 : *Hydnellum concrescens* (Pers.) Banker

| 1 | 2 | 3 | 4 | 5 | 6 | 7 | 8 | 9 | 10 | 11 | 12 |

갓은 지름 1~4cm로 얕은 접시형이다. 갓 표면은 적갈색이며 가장자리는 성장하는 동안에는 백색이다. 조직은 갈색이고 가죽질이며, 아랫면은 침상이다. 자실체는 팽이형 또는 깔때기형이며, 때로는 다수가 방사상으로 융합하여 장미꽃 모양을 이룬다.

❶ 고리갈색깔때기버섯

분포 · 생육지 우리나라, 중국, 일본, 북반구. 늦여름부터 가을까지 활엽수림이나 침엽수림 내의 땅 위에 홀로 또는 무리 지어 발생한다.
약용 부위 · 수치 자실체를 늦여름부터 가을에 채취하여 흙과 잡물을 제거하고 물에 씻어서 햇볕에 말린다.
약물명 갈박아치균(褐薄亞齒菌)
약효 습진을 치료한다.
성분 friedelin, 6-methoxy-cerevisterol, thelephantin I, J, K, L 등이 함유되어 있다.
약리 friedelin은 항균 작용이 있다.
사용법 갈박아치균을 연고로 만들어 환부에 바른다.

❶ 고리갈색깔때기버섯(갓 가장자리는 성장하는 동안 백색이다.)

능이

👁 인후통   개창

🖐 위암, 간암

● 학명 : *Sarcodon aspratus* (Berk.) S. Ito [*Hydnum aspratum*]   ● 별명 : 향버섯

| 1 | 2 | 3 | 4 | 5 | 6 | 7 | 8 | 9 | 10 | 11 | 12 |

갓은 높이와 지름이 각각 10~25cm, 편평형에서 깔때기형이나 나팔형이 되며 때로는 중심부가 대의 기부까지 뚫려 있다. 갓 표면은 담갈색에서 흑갈색이 되며 솔방울처럼 작은 비늘조각이 조밀하게 있다. 조직은 적백색으로 육질이며 건조하면 향기가 강하다. 아랫면에는 길이 0.5~1cm의 침이 빽빽이 나며 대의 아랫부분까지 이어진다. 대는 길이 3~6cm, 지름 1~3cm로 짧고 굵다.
분포 · 생육지 우리나라, 중국, 일본, 북반구. 늦여름부터 가을까지 활엽수림 내의 땅 위에 홀로 또는 무리 지어 발생한다.
약용 부위 · 수치 자실체를 늦여름부터 가을에 채취하여 물에 씻은 후 말린다.
약물명 능이(能栮)
약효 청열해독(淸熱解毒), 항암의 효능이 있으므로 인후통, 개창(疥瘡), 위암, 간암을 치료한다.
성분 ergosterol, glycerol, mannitol, glucose, trehalose, chitin, thelphoric acid, protease, 미량 금속 원소 13종, 지방산 10종 등이 함유되어 있다.
약리 혈중 콜레스테롤의 수치를 낮추고, 인삼 뿌리썩음병균인 *Cylindroncarpon destructans*의 발육을 저지한다.
사용법 능이 10g에 물 3컵(600mL)을 넣고 달여서 복용하거나 돼지고기와 닭고기와 삶아서 복용한다.

❶ 능이

❶ 능이(能栮)

❶ 능이(아랫면에는 침이 빽빽이 난다.)

무늬노루털버섯

 암, 동맥경화

● 학명 : *Sarcodon scabrosus* (Fr.) P. Karst ● 별명 : 향버섯

| 1 | 2 | 3 | 4 | 5 | 6 | 7 | 8 | 9 | 10 | 11 | 12 |

❂ 무늬노루털버섯

갓은 지름 5~10cm, 평반구형에서 오목편 평형이 된다. 갓 표면은 갈색으로 처음에는 털이 빽빽이 나지만, 나중에는 표피가 갈라져 납작한 비늘조각으로 덮이며 가장자리는 안으로 굽는다. 아랫면은 침이 빽빽이 난다. 조직은 담적색, 육질이고 쓰다. 대는 길이 3~4cm, 지름 1~1.5cm로 기부가 약간 가늘다.

분포 · 생육지 우리나라, 중국, 일본, 북반구. 늦여름부터 가을까지 활엽수림, 침엽수림 내의 땅 위에 홀로 또는 무리 지어 발생한다.

약용 부위 · 수치 자실체를 늦여름부터 가을에 채취하여 물에 씻은 후 말린다.

약물명 교린육치균(翹鱗肉齒菌)

약효 암, 동맥경화를 치료한다.

성분 scabronine H, K, L, M, sarcodonin A, G, M, *p*-hydroxybenzoic acid 등이 함유되어 있다.

약리 scabronine K, L, sarcodonin G는 항염증 및 항종양 작용이 있다. 열수추출물은 혈중 콜레스테롤의 수치를 낮춘다.

사용법 교린육치균 10g에 물 3컵(600mL)을 넣고 달여서 복용한다.

조개버섯

 풍습비통 흉민늑창
암증

● 학명 : *Gloeophyllum saepiarium* (Wulf. ex Fr.) Karst.

| 1 | 2 | 3 | 4 | 5 | 6 | 7 | 8 | 9 | 10 | 11 | 12 |

갓은 지름 2~7cm, 두께 1~3cm, 반원형, 표면은 털과 희미한 환문이 있고 황갈색이며, 갓 둘레는 성장하는 동안에는 황색이다. 조직은 가죽질이고 황갈색이다. 자실층은 주름살형이고 황백색이나 접촉하면 갈색으로 변한다.

분포 · 생육지 우리나라, 중국, 일본, 북반구. 여름부터 가을까지 침엽수의 고목에 발생하는 여러해살이 목재갈색부후균이다.

약용 부위 · 수치 자실체를 여름부터 가을에 채취하여 물에 씻은 후 말린다.

약물명 갈점습균(褐粘褶菌)

약효 거풍제습(祛風除濕), 순기(順氣), 항종류(抗腫瘤)의 효능이 있으므로 풍습비통(風濕痹痛), 흉민늑창(胸悶肋脹), 암증(癌症)을 치료한다.

성분 ergosterol, ergosta-7,22-dien-3β-ol, ergosta-7-en-3β-ol, lupeol 등이 함유되어 있다.

사용법 갈점습균 10g에 물 3컵(600mL)을 넣고 달여서 복용하거나 가루로 만들어 복용한다.

❂ 조개버섯

검은불로초

 급만성신장염 소화불량

● 학명 : *Amauroderma ruda* (Berk.) Pat. ● 별명 : 흑지

갓은 지름 5~50cm, 두께 5~15cm로 해마다 성장하고 반원형 또는 말발굽형이다. 표면은 각피로 덮여 있고, 갓 둘레는 성장하는 동안에는 백색이고 성숙한 뒤 흑색이 된다. 자실층은 황백색~백색이나 접촉하면 갈색으로 변한다. 관공은 여러 층이며 각 층의 두께는 1cm 정도이다.

분포 · 생육지 주로 중국. 여름부터 가을까지 살아 있는 활엽수의 밑동이나 그루터기에 홀로 또는 모여난다.

약용 부위 · 수치 자실체를 여름부터 가을에 채취하여 물에 씻은 후 말린다.

약물명 흑지(黑芝), 현지(玄芝), 흑운지(黑雲芝), 가영지(假靈芝)라고도 한다.

본초서 흑지(黑芝)는 「신농본초경(神農本草經)」의 상품(上品)에 수재되어 있고, 오랫동안 복용하면 몸이 튼튼해져 수명이 연장된다고 하였으며, 「명의별록(名醫別錄)」에는 흑지(黑芝)는 주로 상산(常山)에서 생산된다고 하였다.

성상 갓은 목질화되어 딱딱하며 반원형 또는 신장형이고 윤기를 띠며 바깥면은 흑색, 대도 흑색이다. 냄새는 거의 없으며 맛은 약간 쓰다.

약효 익신(益腎), 이뇨(利尿), 소적(消積)의 효능이 있으므로 급만성신장염, 소화불량을 치료한다.

성분 ergosterol 등이 함유되어 있다.

사용법 흑지 10g에 물 3컵(600mL)을 넣고 달여서 복용하거나 가루로 만들어 2g씩 복용한다. 또는 술에 담가 두었다가 1회 10mL씩 복용한다.

처방 영지환(靈芝丸): 영지(靈芝)추출물에 꿀을 배합하여 1g이 되게 알약을 만들어 하루 1알씩 3회 복용(「동의보감(東醫寶鑑)」). 급만성간염, 급만성위염, 심장쇠약, 전신쇠약을 치료한다.

❍ 검은불로초

❍ 흑지(黑芝)

❍ 흑지(黑芝)

❍ 흑지(黑芝, 절편)

잔나비걸상

 인후염, 인후암 식도암, 위암

● 학명 : *Ganoderma applanatum* (Pers.) Karst. ● 별명 : 잔나비불로초

갓은 지름 10~50cm, 두께 3~15cm, 해마다 성장하고 반원형 또는 말발굽형이다. 표면은 각피로 덮여 있고 회백색~회갈색으로 적갈색의 포자로 덮여 있기도 하다. 갓 둘레는 성장하는 동안에는 백색, 성숙한 뒤 회갈색이 된다. 자실층은 황백색~백색이나 접촉하면 갈색으로 변한다. 관공은 여러 층이며 각 층의 두께는 1cm 정도이다.

분포 · 생육지 우리나라, 중국, 일본, 세계 각처. 여름부터 가을까지 살아 있는 나무나 고목 위에 홀로 또는 모여난다.

약용 부위 · 수치 자실체를 여름부터 가을에 채취하여 물에 씻은 후 말린다.

약물명 수설(樹舌), 편지(扁芝), 노모균(老母菌)이라고도 한다.

약효 소염항암(消炎抗癌)의 효능이 있으므로 인후염, 식도암, 인후암을 치료한다. 중국과 일본에서는 식도암이나 위암 치료에 이용하고 있다.

성분 ergosterol, ergosta-7,22-dien-3-one, ergosteroperoxide, ergosta-4,6,8(14),22-tetraen-3-one 등이 함유되어 있다.

약리 Sarcoma 180을 쥐에게 이식한 뒤 열수추출물을 투여하면 종양이 65% 억제되며, 암에 걸린 쥐의 수명을 연장하는 효과가 있다. 진균, 그람양성균이나 음성균에 항균작용이 있다.

사용법 수설 10g에 물 3컵(600mL)을 넣고 달여서 복용한다. 인후암에는 수설(樹舌) 30g, 포규자(浦葵子) 30g을 배합하여 물을 넣고 달여서 하루에 3번 나누어 복용한다. 만성인후염에는 수설(樹舌) 30g에 물을 넣고 달여서 꿀을 타서 복용한다.

❍ 잔나비걸상

❍ 잔나비걸상(갓의 종단면)

❍ 잔나비걸상(관공)

❍ 잔나비걸상(포자를 방출하면 갓 표면은 적갈색으로 변한다.)

불로초

구해기천 | 심계, 불면증 | 두훈
허로, 신피핍력 | 관심병 | 종류

● 학명 : *Ganoderma lucidum* (Leyss. ex Fr.) Karst. ● 별명 : 영지, 만년버섯

| 1 | 2 | 3 | 4 | 5 | 6 | 7 | 8 | 9 | 10 | 11 | 12 |

갓은 지름 5~50cm, 두께 5~15cm, 해마다 성장하며 반원형 또는 말발굽형이다. 표면은 각피로 덮여 있고 회갈색~회백색이며 적갈색 포자로 덮여 있기도 하다. 갓 둘레는 성장하는 동안에는 백색이고 성숙한 뒤 회갈색이 된다. 자실층은 황백색~백색이나 접촉하면 갈색으로 변한다. 관공은 여러 층이며 각 층의 두께는 1cm 정도이다.

분포 · 생육지 우리나라, 중국, 일본, 세계 각처. 여름부터 가을까지 살아 있는 활엽수의 밑동이나 그루터기에 홀로 또는 모여난다.

약용 부위 · 수치 자실체를 여름부터 가을에 채취하여 물에 씻은 후 말린다.

약물명 영지(靈芝), 적지(赤芝), 흑지(黑芝), 자지(紫芝), 황지(黃芝), 백지(白芝)라고도 한다. 대한민국약전외한약(생약)규격집(KHP)에 수재되어 있다.

본초서 영지(靈芝)는 「신농본초경(神農本草經)」의 상품(上品)에 수재되어 있고, 흑지(黑芝), 적지(赤芝), 청지(靑芝), 백지(白芝), 황지(黃芝), 자지(紫芝)의 6가지로 구분하고 있다. 「본초강목(本草綱目)」에는 "강처(剛處)에 생긴 것을 균(菌)이라 하고 유처(柔處)에 생긴 것을 지(芝)라고 한다."고 하였다. 자지(紫芝) 이외에는 오행설에 기초하여 적(赤), 흑(黑), 청(靑), 백(白), 황(黃)의 오색(五色)을 고(苦), 함(鹹), 산(酸), 신(辛), 감(甘)의 오미(五味)와 일치시키고 그것에 대응하는 심(心), 신(腎), 간(肝), 폐

(肺), 비(脾)의 기(氣)를 돕는 약효에 해당된다고 하였다.

神農本草經: 赤芝主胸中結, 益心氣, 保中, 增智慧不忘. 久食輕身不老延年神仙. 紫芝主耳聾, 利關節, 補神, 益精氣, 堅筋骨, 好顔色. 久服輕身不老延年.

新修本草: 赤芝安心神.

本草綱目: 紫芝療虛勞.

성상 갓은 목질화되어 딱딱하며 반원형 또는 신장형이다. 바깥면은 붉은색, 흑색, 청색, 백색, 황색, 자주색 등 여러 색을 띠며 종류가 많다. 광택이 있고 안쪽 면의 관공은 백색~황갈색이며, 대는 길이 6~10cm로 갓의 지름보다 길고 윤기가 있으며 흑색이다. 냄새는 거의 없으며 맛은 약간 쓰다.

기미 · 귀경 감(甘), 평(平) · 폐(肺), 심(心), 비(脾)

약효 익기혈(益氣血), 안심신(安心神), 건비위(健脾胃)의 효능이 있으므로 허로(虛勞), 심계(心悸), 불면증, 두훈(頭暈), 신피핍력(神疲乏力), 구해기천(久咳氣喘), 관심병(冠心病), 종류(腫瘤)를 치료한다.

성분 butyl lucidenate P, butyl lucidenate E₂, butyl lucidenate Q, ganoderiol F, methyl ganoderate H, methyl ganoderate J, lucidumol B, ganodermanondiol, methyl lucidenate N, ergosterol, 24-methylcholest-7,22-dien-3β-ol, 24-methylcholest-7-en-3β-ol, hemicel-

lulose, chitin, chitosan, arabinoxylglucan, fucofrutoglucan, mannofucogalactan, fucoxylmannan, β-D-glucan, mannoglucan, xylogalactoglucan, xyloglucan, xylomannoglucan, xylomannoarabinoglucan, 게르마늄 등이 함유되어 있다.

약리 Sarcoma 180을 쥐에게 이식한 뒤 열수추출물을 투여하면 종양이 70~80% 억제되며, 암에 걸린 쥐의 수명을 연장하는 효과가 있다. 실험 동물에 간암을 일으킨 뒤 열수추출물을 투여하면 항암 효과가 나타난다. 진균, 그람양성균이나 음성균에 항균 작용이 있다. 에탄올추출물 또는 열수추출물을 쥐의 복강에 투여하면 중추 신경이 억제되고, 기침과 가래를 멎게 하는 효능이 있다. 마취한 개나 토끼에게 투여하면 혈압이 내려가고 소변량이 증가한다. 쥐에게 간염을 일으킨 뒤 열수추출물을 투여하면 간 보호 작용이 나타난다. 그 밖에 혈중 콜레스테롤 저하 작용, 항알레르기 작용, 혈당 강하 작용, 면역 증강 작용, 항염증 작용 등이 있다. butyl lucidenate Q는 암세포인 HL-60에 세포 독성이 있고, lucidumol B는 암세포인 HL-60, HeLa에 세포 독성이 있다.

사용법 영지 10g에 물 3컵(600mL)을 넣고 달여서 복용하거나 가루로 만들어 2g씩 복용한다. 술에 담가 두었다가 1회 10mL씩 복용한다.

처방 영지환(靈芝丸): 영지(靈芝)추출물에 꿀을 배합하여 1g이 되게 약알을 만들어 하루 1알씩 3회 복용(『동의보감(東醫寶鑑)』). 급만성간염, 급만성위염, 심장쇠약, 전신쇠약을 치료한다.

• 영지여정자단삼탕(靈芝女貞子丹蔘湯): 영지(靈芝) 10g, 여정자(女貞子) 15g, 단삼(丹蔘) · 계내금(鷄內金) 각 9g. 만성간염으로 인한 피로감과 옆구리와 허리가 아픈 증상에 사용한다.

• 영지삼칠음(靈芝三七飮): 영지(靈芝) 30g과 물을 넣고 달인 액에 삼칠(三七) 가루 2g을 가하여 복용. 협심증이나 관심통(冠心痛)에 사용한다.

◑ 불로초

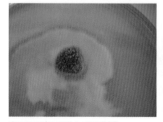

◑ 불로초(균사체, 농업진흥청)

◑ 불로초(어린 버섯)

◑ 불로초로 만든 자양 강장제

◑ 영지(靈芝, 국내 재배품)

◑ 영지(靈芝, 절편)

자주색불로초

구해기천	심계, 불면증	두훈
허로, 신피핍력	관심병	종류

● 학명 : *Ganoderma japonicum* (Fr.) Lloyd　● 한자명 : 紫芝

1	2	3	4	5	6	7	8	9	10	11	12

전체적으로 불로초(靈芝, 赤芝)와 비슷하지만 모양이 일정하지 않다. 갓과 대는 흑자색, 흑색, 자흑갈색이며 광택이 매우 강하다. 조직의 두께는 1~2cm, 갈색~암갈색이며 단단하다. 대는 측생하고 긴 편이다.

분포 · 생육지 우리나라. 중국, 일본, 세계 각처. 여름부터 가을까지 살아 있는 활엽수의 밑동이나 그루터기에 홀로 또는 모여난다.

약용 부위 · 수치 자실체를 여름부터 가을에 채취하여 물에 씻은 후 말린다.

약물명 자지(紫芝). 때로는 영지(靈芝)라고도 한다.

＊ 약효 및 사용법은 '불로초'와 같다.

❶ 자주색불로초(재배품)

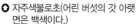

❶ 자주색불로초(갓 아랫면)

❶ 자주색불로초(어린 버섯의 갓 아랫면은 백색이다.)

❶ 자지(紫芝)

등갈색미로버섯

암

● 학명 : *Daedalea dickinsii* Yasuda

1	2	3	4	5	6	7	8	9	10	11	12

갓은 지름 5~15cm, 두께 1~4cm, 반원형~신장형이다. 갓 표면은 담갈색~갈색, 환구와 납작한 사마귀 모양의 혹이 있고 가장자리는 얇다. 관공은 담갈색, 관공구도 담갈색이며 작고 원형이다.

분포 · 생육지 우리나라. 세계 각처. 봄부터 가을에 걸쳐 침엽수의 고목에 발생하는 목재갈색부후균이다.

약용 부위 · 수치 자실체를 봄부터 가을에 채취하여 외피(外皮)는 갈아서 버리고 물에 씻은 후 말린다.

약물명 백육미공균(白肉迷孔菌)

성분 daedalin A, polyporenic acid, daedaleaside A~E, daedaleanic acid 등이 함유되어 있다.

약리 Sarcoma 180을 쥐에게 이식한 뒤 열수추출물을 투여하면 종양이 80% 억제되며, 암에 걸린 쥐의 수명을 연장하는 효과가 있다. daedalin A는 항산화 작용이 있다.

사용법 백육미공균 10~20g에 물 3컵(600mL)을 넣고 달여서 복용한다.

❶ 등갈색미로버섯(관공)

❶ 등갈색미로버섯

말굽잔나비버섯

해수, 효천 | 위통, 위산과다 | 요로결석, 신염
풍습성관절염 | 인후통, 치주염 | 독사교상 | 수종

● 학명 : *Fomitopsis officinalis* (Vill. ex Fr.) Bond. et Sing.

| 1 | 2 | 3 | 4 | 5 | 6 | 7 | 8 | 9 | 10 | 11 | 12 |

갓은 지름 15cm 정도, 말굽 모양, 표면에는 뚜렷한 균열이 생겨 확실하지 않은 환구를 이룬다. 어린 버섯은 백색이나 차츰 황갈색을 거쳐 회황색으로 변한다. 조직은 백색, 코르크질이고 관공은 길이 1cm 정도로 여러 층이며 백색을 거쳐 담황색이 되고 관공구는 원형이다.

분포·생육지 우리나라. 세계 각처. 봄부터

가을에 걸쳐 침엽수의 고목에 발생하는 목재갈색부후균이다.

약용 부위·수치 자실체를 여름부터 가을에 채취하여 외피(外皮)는 깎아서 버리고 물에 씻은 후 말린다.

약물명 고백제(苦白蹄). 아리홍(阿里紅), 낙엽송이(落葉松耳)이라고도 한다.

약효 지해평천(止咳平喘), 거풍제습(祛風除濕), 소종지통(消腫止痛), 이뇨(利尿), 해사독(解蛇毒)의 효능이 있으므로 해수(咳嗽), 효천(哮喘), 위통, 위산과다, 요로결석, 신염(腎炎), 풍습성관절염, 인후통, 치주염, 독사교상(毒蛇咬傷), 수종(水腫)을 치료한다.

성분 lanosterol, sulphurenic acid, eburicoic acid, eburical, eburicol, eburicodiol, tumulosic acid, dehydroeburiconic acid, officialic acid 등이 함유되어 있다.

약리 eburicoic acid는 땀 분비선 주변의 혈관을 수축시켜 땀 분비를 억제하며 작용 시간은 20분간이다.

사용법 고백제 5g에 물 2컵(400mL)을 넣고 달여서 복용하거나 가루로 만들어 복용한다.

임상 보고 만성기관지염에 고백제 5~9g에 물을 넣고 달여서 10일간 아침저녁으로 복용한 결과 105명의 환자 중 5명이 완치되었고 49명이 호전되었다.

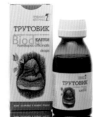

● 고백제(苦白蹄)로 만든 요로결석 치료제

● 말굽잔나비버섯

소나무잔나비버섯

풍한습비, 관절동통

● 학명 : *Fomitopsis pinicola* (Sw. ex Fr.) Karst.　● 별명 : 잔나비버섯

| 1 | 2 | 3 | 4 | 5 | 6 | 7 | 8 | 9 | 10 | 11 | 12 |

갓은 지름 15~50cm, 두께 20~30cm, 처음에는 반구형이나 차츰 편평한 말굽 모양이 되며, 표면에는 각피가 있고 생육부는 백색을 거쳐 차츰 회흑색~흑색이 되고 생장 과정을 나타내는 환문이 있다. 조직은 백색, 목질이며 자실층은 황백색이다. 관공은 여러 층이고 관공구는 원형이다.

분포·생육지 우리나라. 북반구. 여름부터 가을에 걸쳐 침엽수의 고목에 발생하는 여러해살이 목재갈색부후균이다.

약용 부위·수치 자실체를 여름부터 가을에 채취하여 외피(外皮)는 깎아서 버리고 물에 씻은 후 말린다.

약물명 홍연층공균(紅緣層孔菌). 홍연수설(紅緣樹舌), 홍연층공(紅緣層孔)이라고도 한다.

약효 거풍제습(祛風除濕)의 효능이 있으므로 풍한습비(風寒濕痺), 관절동통(關節疼痛)을 치료한다.

성분 linoleic acid, palmitic acid, phytosphingosine 등이 함유되어 있다.

사용법 홍연층공균 5g에 물 2컵(400mL)을 넣고 달여서 복용하거나 가루로 만들어 복용한다.

● 소나무잔나비버섯

● 소나무잔나비버섯(농촌진흥청)

[잔나비버섯과]

덕다리버섯

 기혈부족　체허, 쇠약무력

●학명 : *Laetiporus sulphureus* (Bull.) Murrill [*L. versisporus, Tyromyces sulphureus*]

| 1 | 2 | 3 | 4 | 5 | 6 | 7 | 8 | 9 | 10 | 11 | 12 |

갓은 지름 15~20cm, 두께 1~2.5cm, 반원형, 갓 표면은 황색이고 갓 둘레는 물결 모양이거나 갈라진 모양이다. 조직은 육질이고 백색~담황색으로 어린 버섯은 수분이 많으나 차츰 단단해진다.

분포·생육지 우리나라, 동남아시아, 유럽.

봄부터 가을에 걸쳐 침엽수의 고목이나 살아 있는 나무에 발생하는 한해살이 목재갈색부후균이다.

약용 부위·수치 자실체를 봄부터 겨울에 채취하여 잡질을 제거하고 물에 씻은 후 말린다.

약물명 유황균(硫黃菌), 황지(黃芝), 금지(金芝), 유황다공균(硫黃多孔菌)이라고도 한다.

약효 익기보혈(益氣補血)의 효능이 있으므로 기혈부족(氣血不足), 체허(體虛), 쇠약무력(衰弱無力)을 치료한다.

성분 3β-hydroxylanosta-8,24-dien-21-oic acid, trigonelline, homarine 등이 함유되어 있다.

사용법 유황균 10g에 물 3컵(600mL)을 넣고 달여서 복용한다. 건강식품 원료로도 사용한다.

＊ '붉은덕다리버섯 var. *miniatus*'도 약효가 같다.

❍ 덕다리버섯

❍ 유황균(硫黃菌)

❍ 덕다리버섯(어린 버섯)

❍ 덕다리버섯(관공)

❍ 붉은덕다리버섯

[잔나비버섯과]

해면버섯

 암　 피부병

●학명 : *Phaeolus schweinitzii* (Fr.) Pat.

| 1 | 2 | 3 | 4 | 5 | 6 | 7 | 8 | 9 | 10 | 11 | 12 |

갓은 지름 8~30cm, 원형~신장형, 털이 빽빽이 나고 초기에는 적갈색이나 성장하면 녹황색으로 된다. 조직은 암갈색, 해면질이다. 관공은 녹황색이며 상처를 내면 흑갈색으로 변한다. 자실체는 팽이형~접시형이며 종종 몇 개가 합쳐져 하나의 갓을 이루기도 한다.

분포·생육지 우리나라, 동남아시아, 유럽. 여름부터 가을까지 침엽수의 고목이나 살아 있는 나무에 발생하는 한해살이 목재갈색부후균이다.

약용 부위·수치 자실체를 여름부터 가을에 채취하여 잡질을 제거하고 물에 씻은 후 말린다.

약물명 율갈암공균(栗褐暗孔菌)

약효 암 치료 보조 및 습진 등 피부병을 치료한다.

성분 hispidin, limonic acid, tartaric acid, lactic acid 등이 함유되어 있다.

약리 Sarcoma 180을 쥐에 이식한 뒤 열수 추출물을 투여하면 종양이 80% 억제된다. 그 외 항균 및 항진균 작용이 있다.

사용법 율갈암공균 10~20g에 물 3컵(600mL)을 넣고 달여서 복용한다.

❍ 해면버섯

[구멍장이버섯과]

흰구름송편버섯

🫁 풍습동통　　🫁 폐열해수

📋 창양농종

● 학명 : *Coriolus hirsutus* (Wulf. ex Fr.) Quel.　● 별명 : 흰구름버섯

| 1 | 2 | 3 | 4 | 5 | 6 | 7 | 8 | 9 | 10 | 11 | 12 |

갓은 지름 2~5cm, 반원형, 표면은 회색~담황색, 긴 털로 덮여 있으며 뚜렷한 환문과 환구가 있다. 조직은 두께 0.5cm 정도로 백색, 코르크질이다.

분포 · 생육지 우리나라. 세계 각처. 봄부터 가을에 걸쳐 활엽수의 고목에 무리 지어 발생한다.

약용 부위 · 수치 자실체를 여름부터 가을에 채취하여 물에 씻은 후 말린다.

약물명 접모균(蝶毛菌)

약효 거풍제습(祛風除濕), 청폐지해(淸肺止咳), 거부생기(祛腐生肌)의 효능이 있으므로 풍습동통(風濕疼痛), 폐열해수(肺熱咳嗽), 창양농종(瘡瘍膿腫)을 치료한다.

성분 xylase 등이 함유되어 있다.

약리 Sarcoma 180을 쥐에 이식한 뒤 열수 추출물을 투여한 결과 65~90%의 억제율을 나타내고, Ehrlich 복수암에 걸린 쥐에게 투여하면 80%의 억제율을 나타낸다.

사용법 접모균 10~15g에 물 3컵(600mL)을 넣고 달여서 복용하거나 또는 알약이나 가루약으로 만들어 복용한다. 외상출혈이나 화상 염증에는 가루로 만들어 뿌리거나 바른다.

❍ 흰구름송편버섯

❍ 흰구름송편버섯(활엽수의 고목에 무리 지어 난다.)

[구멍장이버섯과]

한입버섯

🫁 기관지염, 효천　　👁 치통

📋 치창

● 학명 : *Cryptoporus volvatus* (Peck) Shear.

| 1 | 2 | 3 | 4 | 5 | 6 | 7 | 8 | 9 | 10 | 11 | 12 |

갓은 지름 2~5cm, 밤 모양, 표면은 평활하고 황갈색~적갈색, 광택이 있고 조직은 가죽질 또는 코르크질이고 백색이다. 아랫면에는 지름 4~7mm의 타원형 구멍이 있고, 관공구는 미세하고 원형이다.

분포 · 생육지 우리나라. 세계 각처. 여름에 침엽수의 고목에 모여난다.

약용 부위 · 수치 자실체를 여름부터 가을에 채취하여 물에 씻은 후 말린다.

약물명 송감람(松橄欖), 목어균(木魚菌), 향목균(香木菌)이라고도 한다.

약효 지해평천(止咳平喘), 해독의 효능이 있으므로 기관지염, 효천(哮喘), 치통, 치창(痔瘡)을 치료한다.

성분 cryptoporic acid A, B, C, D, E, F, G, H, ergosterol 등이 함유되어 있다.

약리 *N*-methlyhydrazine을 투여하여 암을 발생시킨 쥐에 cryptoporic acid E를 주사하면 항암 작용이 나타난다.

사용법 송감람 ✒~10g에 물 2컵(400mL)을 넣고 달여서 복용하거나 또는 알약이나 가루약으로 만들어 복용한다.

❍ 한입버섯

❍ 한입버섯(어린 버섯)

❍ 한입버섯(오래된 버섯)

❍ 송감람(松橄欖)

삼색도장버섯

| 암 | 피부병 |

● 학명 : *Daedaleopsis tricolor* (Bull.) Bondartsev ex Singer

| 1 | 2 | 3 | 4 | 5 | 6 | 7 | 8 | 9 | 10 | 11 | 12 |

갓은 지름 2~8cm, 두께 5~8mm, 반원형~조개껍질형이다. 갓 표면은 갈색, 갈자색, 흑갈색 등의 좁은 환문이 있고, 가는 방사상 주름이 있으며 가장자리는 얇다. 조직은 회백색으로 단단한 가죽질이다. 아랫면에는 가는 주름살이 있으며 약간 조밀하고, 주름살날은 불규칙한 톱니 모양이다.

분포 · 생육지 우리나라. 북반구. 여름부터 가을에 걸쳐 활엽수의 고목이나 가지에 발생하는 목재백색부후균이다.

약용 부위 · 수치 자실체를 여름부터 가을에 채취하여 외피(外皮)는 갉아서 버리고 물에 씻은 후 말린다.

약효 암 치료에 응용하고 습진 등 피부병을 치료한다.

약리 항종양, 항균 작용이 있다.

사용법 말린 자실체 10~20g에 물 3컵(600mL)을 넣고 달여서 복용한다.

○ 삼색도장버섯

○ 삼색도장버섯(주름살)

말굽버섯

| 소아경풍 | 객혈 |
| 피부소양 | |

● 학명 : *Fomes fomentarius* (L. ex Fr.) Kickx.

| 1 | 2 | 3 | 4 | 5 | 6 | 7 | 8 | 9 | 10 | 11 | 12 |

자실체는 큰 것과 작은 것의 2가지가 있으며 갓은 너비 5~30cm, 두께 3~20cm, 말굽 모양이다. 표면은 회갈색 바탕에 동심성의 환문과 환구가 있으며 조직은 황갈색, 가죽질이다. 자실층인 회백색 관공은 여러 층이며, 관공구는 원형이고 1mm에 3개가 있다.

분포 · 생육지 우리나라. 북반구. 여름부터 가을에 걸쳐 활엽수의 고목이나 살아 있는 나무 등에 발생하는 목재백색부후균이다.

약용 부위 · 수치 자실체를 여름부터 가을에 채취하여 외피(外皮)는 갉아서 버리고 물에 씻은 후 말린다.

약물명 재균(梓菌)

약효 정경(定驚), 지혈(止血), 거풍지양(祛風止痒)의 효능이 있으므로 소아경풍, 객혈, 피부소양(皮膚瘙痒)을 치료한다.

사용법 재균 6~12g에 물 2컵(400mL)을 넣고 달여서 복용하고, 피부병에는 달인 액으로 씻거나 바른다.

● 말굽버섯

○ 재균(梓菌)

○ 재균(梓菌, 농촌진흥청)

○ 재균(梓菌, 절편)

○ 말굽버섯(아랫면)

[구멍장이버섯과]

차가버섯

위병   마풍병
종류

● 학명 : *Inonotus obliquus* Pilat

| 1 | 2 | 3 | 4 | 5 | 6 | 7 | 8 | 9 | 10 | 11 | 12 |

갓은 지름 1~4cm, 두께 1~3mm의 반원형이나, 갓 끝은 수축되어 아래로 굽은 모양이다. 표면에는 황갈색 내지 적갈색의 거친 털이 조밀하게 있어서 환문을 이루나 나중에 탈락한다. 조직은 부드러우나 마르면 딱딱해지고, 아랫면의 자실층은 성장하는 동안에는 황백색 내지 담황색이고 후에 갈색으로 변한다. 관공은 길이 1cm 정도, 관공구는 둥글며 1mm에 2~3개가 있다.

분포 · 생육지 러시아, 스웨덴, 노르웨이, 핀란드 등의 북유럽 및 체코, 폴란드, 슬로바키아 등의 동유럽. 자작나무, 오리나무, 가래나무 등의 줄기에서 자란다. 중국, 일본, 우리나라에서는 재배한다.

약용 부위 · 수치 여름부터 가을에 자실체를 채취하여 외피(外皮)는 깎아서 버리고 물에 씻은 후 말린다.

약물명 합수균(合樹菌)

약효 순기(順氣), 익신(益腎), 거풍(祛風), 항종류(抗腫瘤)의 효능이 있으므로 위병(胃病), 마풍병(麻風病), 종류(腫瘤)를 치료한다.

성분 다당단백체, betulinic acid, β−(1,3)−D−glucan 등이 함유되어 있다.

약리 Sarcoma 180을 쥐에게 이식시킨 후 열수추출물을 투여하면 항암 작용이 있으며, 또 면역 증강 작용이 있다. 열수추출물은 DPPH 라디길 소거 작용이 있으므로 항산화 작용이 있고, 지방 대사 개선 작용이 있으므로 체중 증가를 억제한다.

사용법 합수균 10g에 물 3컵(600mL)을 넣고 달여서 복용한다.

○ 차가버섯

○ 합수균(合樹菌)

○ 합수균(合樹菌, 절편)

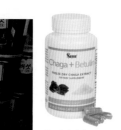

○ 차가버섯(분말)   ○ 차가버섯으로 만든 건강식품

[구멍장이버섯과]

애잣버섯

창양종통, 나창   양매독창

● 학명 : *Lentinus strigosus* (Schwein.) Fr. [*Panus rudis*]   ● 별명 : 애참버섯

| 1 | 2 | 3 | 4 | 5 | 6 | 7 | 8 | 9 | 10 | 11 | 12 |

갓은 지름 2~5cm, 깔때기 모양, 갓 표면에는 거친 털이 조밀하게 나 있으며, 처음에는 갈자색이나 점차 옅은 황갈색이 되고 조직은 가죽질이다. 주름살은 내린형, 약간 조밀하고 초기에는 백색이지만 점차 옅은 황갈색이 된다. 대는 길이 5~20cm, 지름 0.5~1cm, 중심형 또는 편심형이며 표면에는 거친 털이 있다.

분포 · 생육지 우리나라. 세계 각처. 여름부터 가을까지 활엽수의 그루터기, 죽은 나무 위에 무리 지어 발생하는 목재 갈색 부후균이다.

약용 부위 · 수치 여름부터 가을에 자실체를 채취하여 흙과 잡물을 제거하고 물에 씻어서 말린다.

약물명 혁이(革耳). 목상삼(木上森), 팔담시(八擔柴)라고도 한다.

약효 청열해독(淸熱解毒), 소종(消腫), 염창(斂瘡)의 효능이 있으므로 창양종통(瘡瘍腫痛), 나창(癩瘡), 양매독창(楊梅毒瘡)을 치료한다.

성분 ergosterol, stigmasterol, β−sitosterol 등이 함유되어 있다.

약리 Sarcoma 180을 쥐에게 이식하여 생긴 암에 60% 억제율을 나타내고, Ehrlich 복수암에는 70%의 억제율을 나타낸다.

사용법 혁이 열수추출물을 상처에 바르거나 가루 내어 뿌린다.

○ 애잣버섯

○ 애잣버섯(주름살)

[구멍장이버섯과]

조개껍질버섯

 요퇴동통, 수족마목, 근골불서

● 학명 : *Lenzites betulina* (L.) Fr.

| 1 | 2 | 3 | 4 | 5 | 6 | 7 | 8 | 9 | 10 | 11 | 12 |

갓은 지름 2~10cm, 두께 0.5~1cm, 반원형에서 조개껍질형으로 되며 갓의 일부가 기주에 부착한다. 갓 표면은 회황색, 회갈색, 회백색 등 환문이 있으며 털이 조밀하게 나 있다. 조직은 백색이다. 아랫면에는 방사상 주름이 있으며, 약간 조밀하고 황백색에서 회색이 된다. 주름살은 톱니 모양이다.

분포 · 생육지 우리나라, 중국, 일본, 세계 각처. 여름부터 가을까지 활엽수의 그루터기, 죽은 나무 위에 무리 지어 발생하는 목재 부후균이다.

약용 부위 · 수치 자실체를 여름부터 가을에 채취하여 흙과 잡물을 제거하고 물에 씻어서 말린다.

약물명 화혁간균(樺革襉菌), 화습공균(樺褶孔菌)이라고도 한다.

약효 거풍산한(祛風散寒), 서근활락(舒筋活絡)의 효능이 있으므로 요퇴동통(腰腿冬痛), 수족마목(手足麻木), 근골불서(筋骨不舒)를 치료한다.

성분 betulinan A, B, 7,4′-dihydroxy-3′-methoxyisoflavone, 7-hydroxy-3′,4′-dimethoxyisoflavone, 2,5-dimethoxy-3, 6-diphenyl-1,4-benzoquinone, alanine, leucine, taurine, citrulline, creatine 등이 함유되어 있다.

사용법 화혁간균 10~15g에 물 3컵(600mL)을 넣고 달여서 복용하거나 알약으로 만들어 복용한다.

❶ 조개껍질버섯

[구멍장이버섯과]

때죽조개껍질버섯

 뇌졸중

● 학명 : *Lenzites styracina* (Henn. ex Shirai) Lloyd [*Daedaleopsis styracina*]
● 별명 : 때죽도장버섯

| 1 | 2 | 3 | 4 | 5 | 6 | 7 | 8 | 9 | 10 | 11 | 12 |

갓은 지름 2~4cm, 두께 0.5~1cm, 반원형~조개껍질형이며, 여러 개가 기부에서 서로 연결되기도 한다. 갓 표면에는 흑갈색~적갈색 환문이 있고, 방사상 주름이 있다. 조직은 갈백색이며 가죽질이다. 주름살은 미로 모양이며 회백색이다.

분포 · 생육지 우리나라, 중국, 일본, 세계 각처. 여름부터 가을까지 활엽수의 그루터기, 죽은 나무 위에 무리 지어 발생하는 목재 부후균이다.

약용 부위 · 수치 자실체를 여름부터 가을에 채취하여 흙과 잡물을 제거하고 물에 씻어서 말린다.

약효 혈전 용해 효능이 있으므로 뇌졸중을 치료한다.

사용법 말린 자실체 10~20g에 물 3컵(600mL)을 넣고 달여서 복용한다.

❶ 때죽조개껍질버섯(주름살)

❶ 때죽조개껍질버섯

메꽃버섯부치

 암 　　　 피부병

●학명 : *Microporus vernicipes* (Berk.) Kunitze

| 1 | 2 | 3 | 4 | 5 | 6 | 7 | 8 | 9 | 10 | 11 | 12 |

❍ 메꽃버섯부치

갓은 지름 2~3.5cm, 반원형~콩팥형이다. 갓 표면은 담황색~흑갈색, 평활하고 광택이 있으며 희미한 환문이 있다. 가장자리는 엷은 색이며 날카롭다. 관공은 담황색이며, 관공구는 매우 작다. 대는 짧거나 없다.

분포 · 생육지 우리나라, 중국, 일본, 세계 각처. 여름부터 가을까지 활엽수의 그루터기, 죽은 나무 위에 무리 지어 발생하는 목재 부후균이다.

약용 부위 · 수치 자실체를 여름부터 가을에 채취하여 흙과 잡물을 제거하고 물에 씻어서 말린다.

약물명 칠병소공균(漆柄小孔菌)

약효 암 치료에 응용하고 습진 등 피부병을 치료한다.

약리 항종양, 항균 작용이 있다.

사용법 칠병소공균 10~20g에 물 3컵(600mL)을 넣고 달여서 복용한다.

❍ 메꽃버섯부치(관공)

잣버섯

기혈부족 　　 심비양허, 피핍무력
실면심계

●학명 : *Neolentinus lepideus* (Fr.) Redhead ex Ginns [*Agaricus lepideus*, *Lentinus lepideus*, *Panus lepideus*]

| 1 | 2 | 3 | 4 | 5 | 6 | 7 | 8 | 9 | 10 | 11 | 12 |

갓은 지름 5~15cm, 초기에는 편평한 반구형이나 성장하면서 편평하게 펴진다. 갓 표면은 백색~담황갈색이고, 황갈색 비늘조각이 있다. 주름살은 홈형, 약간 조밀하고 백색, 주름살날은 톱니 모양이다. 대는 길이 3~8cm, 지름 1~2cm, 황갈색의 비늘조각이 붙어 있다.

분포 · 생육지 우리나라, 중국, 일본, 유럽, 북아메리카. 여름부터 가을까지 침엽수, 특히 소나무 고사목 또는 그루터기에 홀로 또는 모여나는 갈색 부후균이다.

약용 부위 · 수치 자실체를 여름부터 가을에 채취하여 흙과 잡물을 제거하고 물에 씻어서 말린다.

약물명 표피고(豹皮菇), 표피향고(豹皮香菇), 백향고(白香菇)라고도 한다.

기미 · 귀경 감(甘), 평(平) · 심(心), 비(脾)

약효 보기혈(補氣血), 익심간(益心肝)의 효능이 있으므로 기혈부족(氣血不足), 심비양허(心脾兩虛), 피핍무력(疲乏無力), 실면심계(失眠心悸)를 치료한다.

성분 ergosterol, anisic acid methyl, eburicoid acid, lentinamycin A, A, *bis*-methyl-sulfonylmethyldisulfide, myristic acid 등이 함유되어 있다.

약리 쥐에게 Sarcoma 180을 이식하여 생긴 암에 90% 억제율을 나타내고, Ehrlich 복수암에는 70% 억제율을 나타낸다.

사용법 표피고 10~15g에 물 3컵(600mL)을 넣고 달여서 복용하거나 알약으로 만들어 복용한다.

* 침엽수 원목 또는 톱밥을 이용한 인공 재배법으로 재배하며, 적송에 재배하면 소나무 향이 난다.

❍ 잣버섯(어린 버섯)

❍ 잣버섯

[구멍장이버섯과]

아까시재목버섯

 암, 동맥경화

● 학명 : *Perenniporia fraxinea* (Bull.) Ryvarden

| 1 | 2 | 3 | 4 | 5 | 6 | 7 | 8 | 9 | 10 | 11 | 12 |

○ 백랍다년균(白蠟多年菌)

갓은 지름 5~15cm, 두께 1~2cm, 초기에는 혹 모양이나 성장하면서 위가 편평한 반원형이 된다. 갓 표면은 각피로 되고 희미한 환문과 환구가 있으며 황갈색에서 흑갈색이 되고, 가장자리는 황백색이다. 관공은 상처가 나면 자갈색이 된다.

분포·생육지 우리나라. 중국, 일본, 세계 각처. 봄부터 가을까지 활엽수의 밑동에 착생하여 자란다.

약용 부위·수치 자실체를 봄부터 가을에 채취하여 흙과 잡물을 제거하고 물에 씻어서 말린다.

약물명 백랍다년균(白蠟多年菌)

약효 암 치료에 응용하고 동맥경화를 치료한다.

약리 항종양, 면역 활성, 항산화, 혈전 용해 작용이 있다.

사용법 백랍다년균 10~20g에 물 3컵(600mL)을 넣고 달여서 복용한다.

○ 아까시재목버섯

[구멍장이버섯과]

벌집구멍장이버섯

 피부병

● 학명 : *Polyporus alveolaris* (DC.) Bond ex Singer [*P. mori*]

| 1 | 2 | 3 | 4 | 5 | 6 | 7 | 8 | 9 | 10 | 11 | 12 |

○ 벌집구멍장이버섯(갓 표면)

갓은 지름 2~5cm, 두께 2~5mm, 원형~신장형이다. 갓 표면은 황백색에 등색의 납작한 섬유상 비늘조각이 덮여 있다. 조직은 백색이며 질기다. 관공은 방사상으로 배열된 긴 벌집 모양으로 관공구는 크며 6각형이다.

분포·생육지 우리나라. 중국, 일본, 세계 각처. 봄부터 가을까지 활엽수의 죽은 가지에 착생하여 자란다.

약용 부위·수치 자실체를 봄부터 가을에 채취하여 흙과 잡물을 제거하고 물에 씻어서 말린다.

약효 습진 등 피부병을 치료한다.

약리 항종양, 항진균 작용이 있다.

사용법 말린 자실체를 연고로 만들어 환부에 바른다.

○ 벌집구멍장이버섯

대나무버섯

 충적복통, 소아감적

● 학명 : *Polyporus mylittae* Cooke et Mass. [*Mylitta lapidescens, Omphalia lapidescens*]
● 별명 : 뇌환

1	2	3	4	5	6	7	8	9	10	11	12

균핵은 길이 1.5~5cm, 지름 0.8~2.5cm, 구형이거나 달걀 모양, 모양과 크기가 일정하지 않다. 표면은 회흑색, 안쪽은 조직이 치밀하고 무겁게 느껴지며 백색, 반투명성에 점성이 있다.

분포 · 생육지 중국 허난성(河南省), 산시성(陝西省), 간쑤성(甘肅省), 윈난성(雲南省), 쓰촨성(四川省), 타이완, 타이, 말레이시아, 필리핀, 베트남. 대나무 뿌리줄기나 뿌리에 기생한다.

약용 부위 · 수치 자실체를 봄부터 여름에 채취하여 잡질을 제거하고 말린 다음 썰거나 분쇄하여 사용한다.

약물명 뇌환(雷丸), 뇌시(雷矢), 뇌실(雷室), 죽령(竹苓)이라고도 한다. 대한민국약전외한약(생약)규격집(KHP)에 수재되어 있다.

본초서 「신농본초경(神農本草經)」에는 살충(殺蟲), 소적(消積)의 효능이 있다고 하였고 「약성본초(藥性本草)」에는 풍과 기생충을 몰아낸다고 하였다. 「본초강목(本草綱目)」에는 "이것은 대나무의 뿌리줄기에 기생하고 둥근 모양이므로 죽환(竹丸), 약효가 번개(雷)처럼 빠르고 모양이 알(丸)처럼 둥글어서 뇌환(雷丸)이라고 한다."고 하였다. 「동의보감

(東醫寶鑑)」에는 "촌백충과 회충 구제에 쓰이며, 독충의 독을 없앤다. 뇌환은 대나무 뿌리에 기생하는 균체이다."라고 하였다. 東醫寶鑑: 殺三蟲 寸白蟲 去蠱毒 竹之苓也.

기미 · 귀경 고(苦), 한(寒), 소독(小毒) · 위(胃), 대장(大腸)

약효 살충(殺蟲), 소적(消積)의 효능이 있으므로 충적복통(蟲積腹痛), 소아감적(小兒疳積)을 치료한다.

성분 뇌환다당체(S-4001), 단백질, proteolytic enzyme 등이 함유되어 있다. 뇌환에는 기생충을 죽이는 단백질 성분이 함유되어 있다.

약리 50%에탄올추출물은 회충, 편충, 촌충을 죽이는 효능이 있다. 뇌환이 함유된 단백다당체(S-4001)는 면역 증강 작용과 쥐에게 이식한 암세포의 성장을 억제하는 작용이 있다.

사용법 뇌환 15~20g에 물 3컵(600mL)을 넣고 달여서 복용하거나 가루로 만들어 복용한다.

처방 뇌환산(雷丸散): 대황(大黃) 25g, 뇌환(雷丸) · 빈랑(檳榔) · 학슬(鶴蝨) 각 15g, 사군자(四君子) 8g을 배합하여 가루로 만들

어 10살 이하는 8g, 5살 이하는 5g씩 하루 3번 복용한다. 이밖에 추충환(追蟲丸), 뇌환욕탕(雷丸浴湯), 이물통한산(二物通汗散) 등이 있다.

● 뇌환(雷丸)

● 대나무버섯

노란대구멍장이버섯

 심근경색, 뇌졸중   관절염

동맥경화

● 학명 : *Polyporus varius* (Pers.) Fr. [*Polyporellus varius*]

1	2	3	4	5	6	7	8	9	10	11	12

갓은 지름 2~8cm, 깔때기형, 신장형, 부채형이며 대의 위치에 따라서 모양이 달라진다. 갓 표면은 황백색에 방사형의 섬유상 무늬가 있으며 가장자리는 톱니 모양이다. 조직은 백색으로 질기다. 관공은 내린형, 관공구는 작고 원형이며, 대는 상반부는 황백색이나 하반부는 흑갈색이다.

분포 · 생육지 우리나라. 중국, 일본, 세계 각처. 봄부터 가을까지 활엽수의 죽은 가지에 착생하여 자란다.

약용 부위 · 수치 자실체를 봄부터 가을에 채취하여 흙과 잡물을 제거하고 물에 씻어서 말린다.

약물명 다공균(多孔菌)

약리 혈전 용해 작용이 있으며, 관절염을 치료한다.

사용법 다공균 5g에 물 2컵(400mL)을 넣고 달여서 복용한다.

● 노란대구멍장이버섯(관공)

● 노란대구멍장이버섯

저령균

소변불리, 수종창만, 임탁

설사

대하

● 학명 : *Polyporus umbellatatus* (Pers.) Fr. [*Grifola umbellata* (Pers. ex Fr.) Pilat]

1	2	3	4	5	6	7	8	9	10	11	12

자실체는 전체 지름 10~30cm, 높이 10~20cm. 1개의 대 밑부분에서 생긴 몇 개의 대가 다시 여러 번 갈라지고 대 상부에 갓이 있어서 꽃다발 모양이 된다. 갓은 지름 1~4cm, 두께 0.2~0.5cm로 편평한 원추형이거나 깔때기 모양, 표면은 황백색~갈회색이다. 조직은 백색, 육질이며, 아랫면의 관공은 내린형, 관공구는 원형이며 백색이고, 대도 백색이다.

분포·생육지 우리나라, 타이완, 타이, 말레이시아, 필리핀, 베트남. 가을에 오리나무, 참나무 등의 활엽수 뿌리에 기생하여 땅속에 흑색의 균핵(菌核)을 형성하며, 자실체는 균핵에서 발생하여 땅 위에서 성장한다.

약용 부위·수치 자실체의 땅 밑에 있는 균핵(菌核)을 봄부터 여름에 채취하여 외피는 깎아서 버리고 물에 씻어서 말린다.

약물명 저령(豬苓), 저시(豬屎), 시령(豕苓), 야저식(野豬食)이라고도 한다. 대한민국약전(KP)에 수재되어 있다.

본초서 「신농본초경(神農本草經)」의 중품(中品)에 저령(豬苓)으로 수재되어 살충(殺蟲), 소적(消積)의 효능이 있다고 하였고, 「약성본초(藥性本草)」에는 풍과 기생충을 몰아낸다고 하였다. 도홍경(陶弘景)은 "저

시(豬屎)와 비슷하므로 저령(豬苓)이라 한다."고 하였다. 「동의보감(東醫寶鑑)」에는 "몸이 붓는 것과 배가 불러 오르면서 그득한 감이 드는 것을 낫게 하고 소변을 잘 나오게 하며 임병(淋病)과 오랜 학질을 낫게 한다."고 하였다.

神農本草經: 主痎瘧 解毒 利水道 久服輕身耐老.

藥性論: 解傷寒瘟疫大熱 發汗 主腫脹滿復急痛.

本草綱目: 開腠理 治淋 腫 脚氣 白濁 帶下 姙娠子淋 胎腫 小便不利.

東醫寶鑑: 主腫瘡服滿 利水道 治淋 療痎瘧.

성상 고르지 않은 덩어리 모양으로 길이 5~10cm이다. 바깥면은 회갈색~흑갈색을 띠고 움푹 팬 자국과 거친 주름이 많으며 쪼개지기 쉽다. 꺾은 면은 코르크 모양, 백색~담갈색을 띠며 얼룩 모양이 있고 질은 가볍다. 냄새 및 맛은 거의 없다.

기미·귀경 감(甘), 담(淡), 평(平)·비(脾), 신(腎), 방광(膀胱)

약효 이수삼습(利水滲濕)의 효능이 있으므로 소변불리(小便不利), 수종창만(水腫脹滿), 설사, 임탁(淋濁), 대하를 치료한다.

성분 polyporusterone A~G, ergosterol, ergosta-4,6,8(14),22-tetraen-3-one,

2-hydroxytetracosanic acid, α-glucan, β-glucan, bithion 등이 함유되어 있다.

약리 토끼에게 물에 달인 액을 복강으로 주사하면 소변 양이 증가한다. 쥐에게 물에 달인 액을 피하 주사하면 면역력이 증가한다. Sarcoma 180을 쥐에 이식하여 유발한 암 억제율은 70%이고, 항균 작용, macro-phage 활성 작용이 있다.

확인 시험 저령(豬苓) 가루 0.5g에 아세톤 5mL를 넣어 수욕상에서 흔들어 섞으면서 2분간 가온한 다음 여과한다. 여액을 증발 건조하고 잔류물에 무수초산 5방울을 넣어 녹이고 황산 1방울을 떨어뜨리면 액은 적자색을 띠며 곧 암녹색으로 변한다(Liebermann-Buchard 반응).

사용법 저령 10~15g에 물 3컵(600mL)을 넣고 달여서 복용하거나 술에 담가서 복용하기도 한다.

처방 저령탕(豬苓湯): 저령(豬苓)·택사(澤瀉)·복령(茯苓)·아교(阿膠)·활석(滑石) 각 3.5g(「상한론(傷寒論)」). 방광에 습열(濕熱)이 몰려 오줌이 잘 나오지 않을 때, 오줌 눌 때 아랫배가 아픈 증상에 사용한다.

• 저령산(豬苓散): 저령(豬苓)·적복령(赤茯苓)·백출(白朮) 동량을 배합하여 가루로 만든다(「동의보감(東醫寶鑑)」). 소변이 시원하지 않으면서 목 안이 마르고 가슴이 답답하며 잠이 오지 않는 증상에 사용한다. 1회 4~8g을 복용한다.

• 오령산(五苓散): 택사(澤瀉) 10g, 백출(白朮)·저령(豬苓)·복령(茯苓) 각 6g, 계지(桂枝) 2g(「상한론(傷寒論)」). 태양병이 속으로 들어가 번갈이 나고 소변을 잘 누지 못하는 증상에 사용한다.

임상 보고 폐암: 저령(豬苓)에서 추출한 '757'이라는 물질을 폐암 환자 32명에게 투여한 결과 62.5%가 호전되었다.

• 만성병독성간염: 저령(豬苓)에서 추출한 다당체를 359명에게 투여한 결과 49.6%가 증상이 호전되었다.

◑ 저령균(자실체의 땅속에서 파낸 균핵)

◑ 저령균(자실체 말린 것)

◑ 저령균(땅속에 형성된 흑색 균핵)

◑ 저령(豬苓)

◑ 저령(豬苓, 절편)

◑ 저령(豬苓)이 주약인 저령탕(豬苓湯)

◑ 저령(豬苓)으로 만든 수종창만 치료제

◑ 저령균(자실체)

복령균

소변불리, 수종창만, 임탁, 유정백탁 | 담음해역 | 구토, 비허식소, 설사
심계불안, 건망실면, 경계, 정충 | 수습종만, 경간

●학명 : *Poria cocos* (Schw.) Wolf [*Wolfiporia cocos, W. extensa, Daedalea extensa*]

| 1 | 2 | 3 | 4 | 5 | 6 | 7 | 8 | 9 | 10 | 11 | 12 |

균핵은 덩어리로 지름 10~30cm, 무게 0.1~2kg, 외피는 어두운 갈색~적갈색이며 거칠고 갈라진 틈이 있다. 내부는 백색 또는 엷은 붉은색을 띤 백색으로 질은 단단하지만 부스러지기 쉽다.

분포·생육지 우리나라, 타이완, 중국 윈난성(雲南省), 안후이성(安徽省), 후베이성(湖北省), 후난성(湖南省). 소나무 뿌리에 기생하여 땅속에 흑색 균핵을 형성하며, 자실체는 균핵에서 발생하여 땅속에서 성장한다.

약용 부위·수치 자실체를 8~10월에 채취하여 외피를 갉아서 버리고 물에 씻어서 잘라서 말린다.

약물명 균핵을 복령(茯苓)이라 하며, 복토(茯菟), 불사면(不死面), 송서(松薯), 송령(松苓), 송목서(松木薯)라고도 한다. 복령(茯苓) 내부가 분홍색을 띠는 것을 적복령(赤茯苓)이라 하며, 적령(赤苓), 적복(赤茯)이라고도 한다. 복령(茯苓) 외피를 갉아 모은 것을 복령피(茯苓皮)라 하며, 영피(苓皮)라고도 한다. 복령(茯苓) 균핵이 생장하면서 소나무 뿌리를 감싸고 있는 부분을 복신(茯神)이라 하며, 복신(伏神)이라고도 한다. 복령(茯苓)은 대한민국약전(KP)에, 복신(茯神)은 대한민국약전외한약(생약)규격집(KHP)에 수재되어 있다.

본초서 복령(茯苓)은 「신농본초경(神農本草經)」의 상품(上品)에 수재되어 있으며, 「명의별록(名醫別錄)」에는 "복령(茯苓), 복신(茯神)은 태산(太山) 산곡(山谷)의 큰 소나무 아래에서 난다고 하였고, 또한 뿌리를 둘러싸고 있는 것을 복신(茯神)이라 한다."고 기록되어 있다. 「동의보감(東醫寶鑑)」에 복령(茯苓)은 "입맛을 돋우고 구역을 멈추게 하며 마음과 정신을 안정시킨다. 폐열로 진액이 소모되어 피부가 거칠고 위축되어 담이 막힌 것을 낫게 하고 신장에 있는 나쁜 기운을 몰아내어 소변을 잘 나오게 한다. 몸이 붓는 것을 가라앉히고 임병(淋病)으로 소변이 막힌 것을 잘 나오게 하며 갈증을 풀고 건망증을 낫게 한다."고 하였다. 또 「동의보감(東醫寶鑑)」에 복신(茯神)은 "풍현과 풍허증을 낫게 하고 놀라서 가슴이 두근거리거나 불안해하는 증상과 건망증을 낫게 한다. 가슴의 기운을 시원하게 하고 머리를 총명하게 하며 마음을 편안하게 한다. 정신을 안정시키고 마음을 진정시키며 주로 놀라서 열이 나고 얼굴이 벌겋게 되며 잠을 편하게 자지 못하는 증상을 낫게 한다."고 하였다.

茯苓
神農本草經: 主胸脇逆氣 恐悸 心下結痛 寒熱煩滿 咳逆 口焦舌乾 利小便 久服安魂養神 不饑延年.
藥性論: 開胃 止嘔逆 善安心身 主肺痿痰壅 治小兒驚癇 療心腹脹滿 婦人熱淋.
日華子: 補五勞七傷 安胎 暖腰膝 開心益智 止健忘.
東醫寶鑑: 開胃 止嘔逆 善安心神 主肺痿痰壅 伐腎邪 利小便 下水腫淋結 主消渴 療健忘.
茯神
東醫寶鑑: 療風眩風虛 止驚悸 治健忘 開心益志 安魂魄 養情神 安神定志 主驚癇.

성상 복령(茯苓)은 지름 10~30cm, 무게 0.1~2kg의 덩어리이지만 대부분 부스러진 조각 또는 자른 조각이다. 남아 있는 외피는 암갈색~적갈색으로 갈라진 틈이 있다. 속은 백색 또는 담적색을 띤 백색으로 질은 단단하나 부스러지기 쉽다. 맛과 냄새는 거의 없고 점액성이다. 내부가 순백색을 띠며, 질이 단단한 것이 좋다.

기미·귀경 복령(茯苓): 감(甘), 담(淡), 평(平)·심(心), 비(脾), 신(腎). 적복령(赤茯苓): 감(甘), 담(淡), 평(平)·심(心), 비(脾), 방광(膀胱). 복령피(茯苓皮): 감(甘), 담(淡), 평(平). 복신(茯神): 감(甘), 담(淡), 평(平)·심(心), 비(脾)

약효 복령(茯苓)은 이수삼습(利水滲濕), 건비화위(健脾和胃), 영심안신(寧心安神)의 효능이 있으므로 소변불리(小便不利), 수종창만(水腫脹滿), 담음해역(痰飮咳逆), 구토, 비허식소(脾虛食少), 설사, 심계불안(心悸不安), 실면건망(失眠健忘), 유정백탁(遺精白濁)을 치료한다. 적복령(赤茯苓)은 행수(行水), 이습열(利濕熱)의 효능이 있으므로 소변불리(小便不利), 수종(水腫), 임탁(淋濁), 설사를 치료한다. 복령피(茯苓皮)는 이수소종(利水消腫)의 효능이 있으므로 수습종만(水濕腫滿), 소변불리(小便不利)를 치료한다. 복신(茯神)은 영심(寧心), 안신(安神), 이수(利水)의 효능이 있으므로 경계(驚悸), 정충(怔忡), 건망실면(健忘失眠), 경간(驚癇), 소변불리(小便不利)를 치료한다.

성분 pachymic acid, pachymic acid methyl ester, tumulosic acid, tumulosic acid methyl ester, trametenolic acid, eburicoic acid, dehydroeburicoic acid, poricoic acid 등이 함유되어 있다.

약리 25%에탄올추출물은 쥐를 대상으로 한 실험에서 이뇨 작용이 나타났고, 열수추출물을 쥐에게 투여하면 위궤양 예방 효능이 나타난다. Sarcoma 180을 이식한 쥐에서 암 억제율은 57.8%이다.

확인 시험 복령(茯苓) 가루 0.5g에 아세톤 5mL를 넣어 수욕상에서 흔들어 섞으면서 2분간 가온한 다음 여과한다. 여액을 증발 건조하고 잔류물에 무수초산 5방울을 넣어 녹이고 황산 1방울을 떨어뜨리면 액은 적자색을 나타내며, 곧 암녹색으로 변한다 (Liebermann-Buchard 반응).

사용법 복령, 적복령, 복신 10~15g에 물 3컵(600mL)을 넣고 달여서 복용하거나 가루 내어 복용하고, 술에 담가서 복용하기도 한다. 복령피는 15~30g에 물 4컵(800mL)을 넣고 달여서 복용한다.

주의 기허하함(氣虛下陷), 허한활정(虛寒滑精)의 경우는 피한다.

처방 복령음(茯苓飮): 복령(茯苓)·인삼(人蔘)·생강(生薑)·백출(白朮) 각 120g, 진피(陳皮) 60g, 지실(枳實) 80g(「금궤요략(金櫃要略)」). 수습(水濕)이 몰려 온몸이 무거우면서 명치 밑이 그득하고 입맛이 없는 증상에 사용한다.

•복령반하탕(茯苓半夏湯): 복령(茯苓) 8g, 반하(半夏) 12g, 생강(生薑) 7쪽(「상한론(傷寒論)」). 담음(痰飮)으로 명치 밑이 그득하고 메스꺼우며 소화가 잘 안되는 증상에 사용한다.

•복령택사탕(茯苓澤瀉湯): 복령(茯苓) 32g, 생강(生薑), 택사(澤瀉) 각 16g, 백출(白朮) 12g, 감초(甘草), 계지(桂枝) 각 8g(「상한론(傷寒論)」). 자주 게우면서 갈증이 나고 물을 많이 마시는 증상에 사용한다.

•계지복령환(桂枝茯苓丸): 계지(桂枝)·적복령(赤茯苓)·작약(芍藥)·도인(桃仁) 동량(「금궤요략(金匱要略)」, 「동의보감(東醫寶鑑)」). 태동 불안, 어혈(瘀血)에 의한 생리통, 산후에 오로(惡露)가 잘 나오지 않으면서 아랫배가 아픈 증상에 사용한다.

•영계출감탕(苓桂朮甘湯): 복령(茯苓) 16g, 백출(白朮)·계지(桂枝) 각 12g, 감초(甘草) 8g(「상한론(傷寒論)」). 담음(痰飮)으로 머리가 무겁고 어지러우며 가슴이 두근거리고 숨이 차며 오줌량이 줄고 배에서 물소리가 나는 증상에 사용한다.

* 복신(茯神)은 심신불안(心神不安), 경계건망(驚悸健忘) 등의 증상에 원지(遠志), 용치(龍齒), 주사(朱砂) 등을 가하여 쓴다(遠志丸).

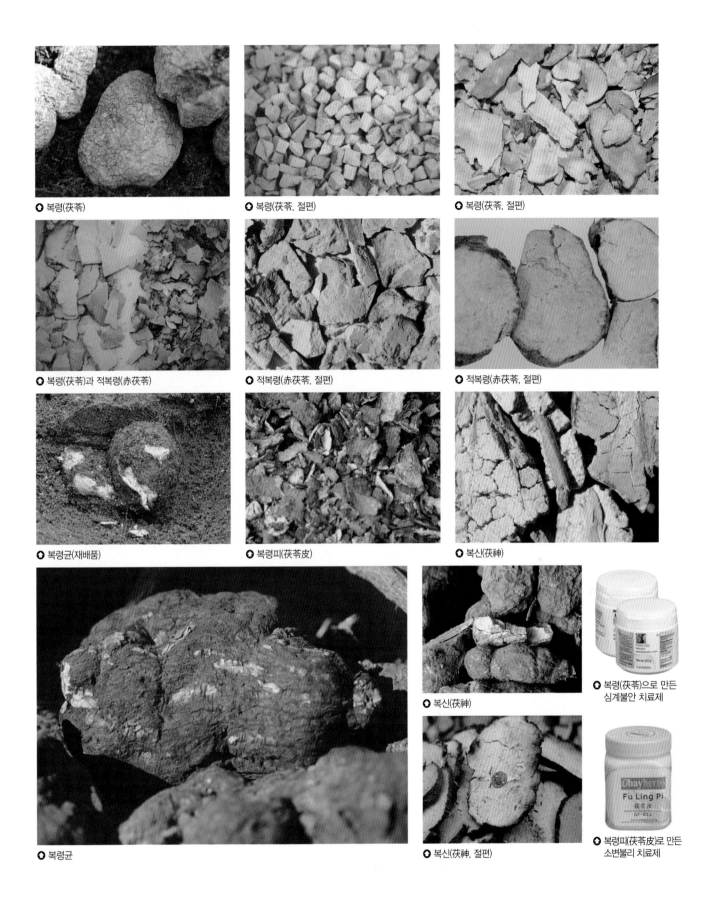

❶ 복령(茯苓)

❶ 복령(茯苓, 절편)

❶ 복령(茯苓, 절편)

❶ 복령(茯苓)과 적복령(赤茯苓)

❶ 적복령(赤茯苓, 절편)

❶ 적복령(赤茯苓, 절편)

❶ 복령균(재배품)

❶ 복령피(茯苓皮)

❶ 복신(茯神)

❶ 복령균

❶ 복신(茯神)

❶ 복신(茯神, 절편)

❶ 복령(茯苓)으로 만든 심계불안 치료제

❶ 복령피(茯苓皮)로 만든 소변불리 치료제

주걱간버섯

이질	인후통
타박상, 옹저창절, 양진, 상구출혈	

● 학명 : *Pycnoporus cinnabarinus* (Jacq.) Karst. [*Polyporus cinnabarinus, Trametes cinnabarinus*]

1	2	3	4	5	6	7	8	9	10	11	12

갓은 지름 3~10cm, 반원형 또는 부채 모양이며, 표면은 평활하거나 주름 모양이며 등적색을 띤다. 갓 끝은 얇고 예리하며, 조직은 가죽질이며 갓과 같은 색이다. 관공은 주홍색이고, 관공구는 원형~다각형이며 크기가 작다.

● 주걱간버섯

분포·생육지 우리나라. 북반구. 여름과 가을에 걸쳐 활엽수나 침엽수의 고목에 발생하는 여러해살이 목재갈색부후균이다.

약용 부위·수치 자실체를 여름부터 가을에 채취하여 잡질을 제거하고 물에 씻은 후 썰어서 말린다.

약물명 주사균(朱砂菌). 굴피담(橘皮覃)이라고도 한다.

약효 해독제습(解毒除濕), 지혈(止血)의 효능이 있으므로 이질, 인후통, 타박상, 옹저창절(癰疽瘡癤), 양진(痒疹), 상구출혈(傷口出血)을 치료한다.

성분 cinnabarinic acid, cinnabarine, tramesanguin 등이 함유되어 있다.

사용법 주사균 10~15g에 물 3컵(600mL)을 넣고 달여서 복용하거나 가루로 만들어 1회 3~4g을 복용한다.

● 주걱간버섯(관공)

간버섯

만성기관지염	풍습성관절염
외상출혈, 화상	

● 학명 : *Pycnoporus coccineus* (Fr.) Bond. et Sing. [*Polyporus coccineus*]

1	2	3	4	5	6	7	8	9	10	11	12

갓은 지름 3~10cm, 두께 0.1~0.5cm, 반원형~부채형이다. 갓 표면은 평활하고 희미한 환문이 있으며 선명한 적황색, 조직은 코르크질~가죽질이다. 관공은 길이 0.1~0.2cm로 관공구는 원형, 매우 작으며 1mm에 6~8개가 있다. 대는 없고 기주(寄住)에 부착되어 있다.

분포·생육지 우리나라. 북아메리카, 유럽, 오스트레일리아. 봄부터 가을까지 활엽수나 침엽수의 고목, 그루터기에 무리로 발생하는 목재백색성부후균이다. 표고 재배목에 대량 발생하기도 한다.

약물명 혈홍전균(血紅栓菌)

약효 만성기관지염, 풍습성관절염, 외상출혈, 화상에 의한 염증을 치료한다.

성분 arabitol, mannitol, glycerol, polyporin, β-N-acetylholoamidase, carboxyproetase, xylase, rhodanase carboxypeptidase, urta, chitin, melanin 등이 함유되어 있다.

약리 Sarcoma 180을 쥐에 이식하여 유발한 암에 열수추출물을 투여한 결과 90%의 억제율을 나타내고, 그람양성균 및 음성균에 항균 작용이 있다.

사용법 혈홍전균 5g에 물 2컵(400mL)을 넣고 달여서 복용하거나 알약 또는 가루약으로 만들어 복용한다. 외상출혈이나 화상 염증에는 가루로 만들어 뿌리거나 바른다.

＊ 식품 가공과 사료 첨가물로 이용된다.

● 혈홍전균(血紅栓菌)

● 간버섯

● 간버섯(관공)

[구멍장이버섯과]

구름버섯

 간염, 간경변   만성기관지염 인후통
종류 풍습성관절염 백혈병

●학명 : *Trametes versicolor* (L.) Lloyd. [*Coriolus versicolor*] ●별명 : 운지

| 1 | 2 | 3 | 4 | 5 | 6 | 7 | 8 | 9 | 10 | 11 | 12 |

갓은 지름 1~5cm, 두께 1~2mm, 반원형이다. 표면은 회색, 황갈색, 암갈색 또는 흑색의 환문이 있고 짧은 털이 조밀하게 나 있다. 조직은 백색이고 표면의 털 밑에 피층이 있다. 자실층은 백색~회백색, 관공은 길이 0.1cm 정도, 관공구는 원형 또는 다각형이며 매우 작다.

분포·생육지 우리나라. 세계 각처. 봄부터 가을에 걸쳐 침엽수나 활엽수의 고목에 무리 지어 난다.

약용 부위·수치 자실체를 봄부터 겨울에 채취하여 잡질을 제거하고 물에 씻어서 말린다.

약물명 운지(雲芝). 잡색운지(雜色雲芝), 황운지(黃雲芝), 회지(灰芝), 와균(瓦菌)이라고도 한다.

기미·귀경 감(甘), 담(淡), 미한(微寒)·간(肝), 비(脾), 폐(肺)

약효 건비이습(健脾利濕), 지해평천(止咳平喘), 청열해독(淸熱解毒), 항종류(抗腫瘤)의 효능이 있으므로 만성·활동성간염, 간경변, 만성기관지염, 인후통, 다종종류(多種腫瘤), 풍습성관절염, 백혈병 등을 치료한다.

성분 ergosterol, β-sitosterol, coriolan(다당체), krestin(다당단백체), thelphoric acid, aminopeptidase, carboxymethylcellulase, ligninase, melanozin 분해 효소, ligninperoxidase 등이 함유되어 있다.

약리 Sarcoma 180을 쥐에 이식하여 유발한 암에 열수추출물을 투여한 결과 100%의 억제율을 나타내고, 그람양성균 및 음성균에 항균 작용이 있다. 그 외에 항염증 작용, 보체 활성 작용, 면역 증강 작용, 콜레스테롤 저하 작용, 혈당 증가 억제 작용이 있다.

사용법 운지 15g에 물 3컵(600mL)을 넣고 달여서 복용하거나 알약 또는 가루약으로 만들어 복용한다. 외상출혈이나 화상 염증에는 가루로 만들어 뿌리거나 바른다.

임상 보고 만성B형간염: 다당체로 만든 제제를 1회 1g을 하루 3차례 3개월간 복용한 결과 216명 가운데 64명이 현저한 효과를 보였고 74명이 호전되었으며 57명이 효과가 없었다.

※ 항종양제인 krestin(PSK)이 개발되어 임상에 이용되고 있다.

❍ 구름버섯

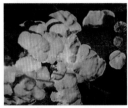
❍ 구름버섯(관공)

❍ 운지(雲芝, 분말)

❍ 운지(雲芝)

❍ 구름버섯으로 만든 건강식품. 면역 증강제로도 이용한다.

[구멍장이버섯과]

옷솔버섯

암 피부병

●학명 : *Trichaptum abietinum* (Dicks. ex Fr.) Ryv. [*Polyporus abietinum*]

| 1 | 2 | 3 | 4 | 5 | 6 | 7 | 8 | 9 | 10 | 11 | 12 |

갓은 지름 1~2cm, 두께 0.1~0.2cm, 반원형이며 갓 표면은 희미한 환문과 짧은 털이 있고 백색~회백색이다. 둘레는 톱니 모양이고 조직은 아교질의 가죽질이며 담홍색이다. 관공은 갈자색으로 원형~다각형이나 오래되면 갈라져 치아 모양이 된다. 관공구는 원형, 담적색 또는 담자색이다.

분포·생육지 우리나라. 동남아시아, 유럽. 여름부터 가을에 걸쳐 침엽수의 고목이나 살아 있는 나무에 발생하는 한해살이 목재백색부후균이다.

약용 부위·수치 자실체를 봄부터 겨울에 채취하여 잡질을 제거하고 물에 씻어 말린다.

약물명 냉삼낭공균(冷杉囊孔菌)

약효 항종양 작용과 항균 효과가 있다.

성분 cellulase, amino acid decarboxylase 등이 함유되어 있다.

사용법 냉삼낭공균 5g에 물 2컵(400mL)을 넣고 달여서 복용하고, 피부병 등 외용에는 가루로 만들어 뿌리거나 기름에 개어서 붙인다.

❍ 옷솔버섯(관공)

❍ 옷솔버섯

기와옷솔버섯

 암

● 학명 : *Trichaptum fuscoviolaceum* (Ehrenb.) Ryv.

| 1 | 2 | 3 | 4 | 5 | 6 | 7 | 8 | 9 | 10 | 11 | 12 |

❂ 기와옷솔버섯(관공)

갓은 지름 1~4cm, 두께 0.1~0.3cm, 반원형~부채형이며 갓 표면은 백색~회갈색, 거친 털이 있고 환문과 거친 털이 있으며, 둘레는 톱니 모양이다. 조직은 가죽질, 아랫면은 관공이 갈라져 납작한 치아상 돌기가 방사상으로 빽빽이 난다.

분포 · 생육지 우리나라. 동남아시아, 유럽. 여름부터 가을에 걸쳐 침엽수의 고목이나 살아 있는 나무에 발생하는 한해살이 목재 백색부후균이다.

약용 부위 · 수치 자실체를 봄부터 겨울에 채취하여 잡질을 제거하고 물에 씻어 말린다.

약물명 갈자부모균(褐紫附毛菌)

약리 Sarcoma 180을 쥐에 이식하여 유발한 암에 열수추출물을 투여한 결과 80%의 억제율을 나타냈다.

사용법 갈자부모균 10~20g에 물 3컵(600mL)을 넣고 달여서 복용한다.

❂ 기와옷솔버섯

흰둘레줄버섯

 자궁암

● 학명 : *Bjerkandera fumosa* (Pers.) P. Karst.

| 1 | 2 | 3 | 4 | 5 | 6 | 7 | 8 | 9 | 10 | 11 | 12 |

❂ 흰둘레줄버섯(관공)

갓은 지름 3~12cm, 두께 0.2~0.8cm로 반원형 또는 선반형이다. 갓 표면은 회갈색~갈색, 가장자리는 날카롭고 성장할 때는 백색이다. 조직은 황갈색이며, 관공면과 조직 사이에 암갈색의 얇은 경계층이 있다. 자실체는 보통 기주 위에 기와 모양의 층을 이루며, 이때 자실층은 내린형이 된다.

분포 · 생육지 우리나라. 중국, 일본. 여름부터 가을에 걸쳐 활엽수의 고목이나 구루터기, 가지에 무리 지어 발생한다.

약용 부위 · 수치 자실체를 가을부터 겨울에 채취하여 잡질을 제거하고 물에 씻은 후 말린다.

약물명 아흑관균(亞黑管菌)

약효 항종양, 소염의 효능이 있으므로 자궁암을 치료한다.

사용법 아흑관균 10~20g에 물 3컵(600mL)을 넣고 달여서 복용하고 가루로 만들어 복용한다.

❂ 흰둘레줄버섯

송곳니기계충버섯

 암

● 학명 : *Irpex consors* Berk. [*Coriolus breviss, C. consors*]

| 1 | 2 | 3 | 4 | 5 | 6 | 7 | 8 | 9 | 10 | 11 | 12 |

❍ 송곳니기계충버섯(아랫면)

갓은 지름 1~3cm, 두께 0.1~0.2cm, 반원형이다. 갓 표면은 담적색~담적갈색, 평활하고 방사상 섬유질 선과 희미한 환문이 있으며, 가장자리는 날카롭고 약간 톱니 모양이다. 조직은 담적색이며 아랫면은 길이 0.1~0.2cm의 치아상 돌기가 빽빽이 난다.

분포 · 생육지 우리나라, 동남아시아, 유럽. 여름부터 가을에 걸쳐 활엽수의 고목이나 구루터기, 가지에 무리 지어 발생한다.

약용 부위 · 수치 자실체를 봄부터 겨울에 채취하여 잡질을 제거하고 물에 씻어 말린다.

약물명 규패파치균(鮭貝耙齒菌)

성분 coriolin 등이 함유되어 있다.

약리 Ehrlich 복수암 및 쥐의 백혈병 L–1210에 항암 작용을 나타내고, 그람양성균에 항균 작용이 있다.

사용법 규패파치균 10~20g에 물 3컵(600mL)을 넣고 달여서 복용한다.

❍ 송곳니기계충버섯

기계충버섯

 신장염　　 요통

고혈압

● 학명 : *Irpex lacteus* (Fr.) Fr.

| 1 | 2 | 3 | 4 | 5 | 6 | 7 | 8 | 9 | 10 | 11 | 12 |

갓은 지름 1~4cm, 두께 0.1~0.3cm, 좁은 선반형이다. 갓 표면은 백색~담황색, 솜털로 덮여 있고 희미한 환문이 있으며, 가장자리는 날카롭고 약간 굽는다. 조직은 백색, 아랫면은 관공이 갈라져 돌기가 빽빽이 난다.

분포 · 생육지 우리나라, 동남아시아, 유럽. 여름부터 가을에 걸쳐 활엽수의 고목이나 구루터기에 무리 지어 발생한다.

약용 부위 · 수치 자실체를 봄부터 겨울에 채취하여 잡질을 제거하고 물에 씻어 말린다.

약물명 백낭파치균(白囊耙齒菌)

약리 임상 및 동물 실험에서 항종양, 소염 등의 활성이 입증되었으며, 특히 만성신장염, 소변불리, 부종, 요통, 고혈압에 응용되고 있다.

사용법 백낭파치균 10~20g에 물 3컵(600mL)을 넣고 달여서 복용한다.

＊ 중국에서는 본 종으로 만든 '신염강(腎炎康)'이 만성신장염 치료제로 시판되고 있다.

❍ 기계충버섯

아교버섯

 암

●학명 : *Merulius tremellosus* Schrad. [*Phlebia tremellosa*]

| 1 | 2 | 3 | 4 | 5 | 6 | 7 | 8 | 9 | 10 | 11 | 12 |

갓은 지름 2~8cm, 두께 0.2~0.3cm, 반원형 또는 선반형이다. 전체가 물결 모양이고 때로는 여러 개가 융합하여 부정형이 된다. 갓 표면은 백색 솜털로 덮여 있으며, 가장자리는 반투명하다. 아랫면에는 세로와 가로로 주름이 교차하여 불규칙한 구멍이 형성되며 담황색~등황색이다.

분포·생육지 우리나라. 중국, 일본. 여름부터 가을에 걸쳐 활엽수의 고목이나 구루터기, 가지에 반배착성으로 무리 지어 발생한다.

약용 부위·수치 자실체를 여름부터 가을에 채취하여 잡질을 제거하고 물에 씻은 후 말린다.

약물명 교질간후균(膠質干朽菌)

성분 meruliolactone, sterpurane, isolactarane, merulidial, merulinic acid A~C 등이 함유되어 있다.

약리 merulidial, merulinic acid A~C는 항균 활성이 있으며, 쥐에게 Sarcoma 180을 이식하여 생긴 암에 90%의 억제율을 나타내고, Ehrlich 복수암에는 80%의 억제율을 나타낸다.

사용법 교질간후균 10~20g에 물 3컵(600mL)을 넣고 달여서 복용한다.

○ 아교버섯(어린 버섯)

○ 아교버섯

긴수염버섯

 암, 고혈압

●학명 : *Mycoleptodonoides aitchisonii* (Berk.) M. Geest. ●별명 : 침버섯

| 1 | 2 | 3 | 4 | 5 | 6 | 7 | 8 | 9 | 10 | 11 | 12 |

갓은 지름 3~8cm, 부채형 또는 주걱형이다. 갓 표면은 황백색으로 평활하며, 가장자리는 얇은 톱니 모양이다. 조직은 백색으로 부드러운 육질, 과일향이 난다. 아랫면에는 침상 돌기가 빽빽이 나며, 침은 길이 0.3~1cm로 끝은 뾰족하고 백색이나 건조시에는 담황색이다.

분포·생육지 우리나라. 동남아시아, 유럽. 여름부터 가을에 걸쳐 활엽수의 고목에 무리 지어 발생하는 백색부후균이다.

약용 부위·수치 자실체를 봄부터 겨울에 걸쳐 채취하여 잡질을 제거하고 물에 씻어서 말린다.

약물명 애류소치균(艾類小齒菌)

약리 항종양 및 혈압 저하, 항염증 작용이 있다.

사용법 애류소치균 10~20g에 물 3컵(600mL)을 넣고 달여서 복용한다.

○ 긴수염버섯

[왕잎새버섯과]

잎새버섯

비허기약, 음식감소　체권핍력　종류

● 학명 : *Grifola frondosa* (Dicks. ex Fr.) S. F. Gray[*Boletus frodosus, Polyporus frondosa*]

1	2	3	4	5	6	7	8	9	10	11	12

자실체는 수없이 분지한 자루와 가지 끝에 편 다량의 갓 집단으로 되며 전체 지름 30cm 이상, 무게가 3kg 이상 되는 것도 있다. 갓은 너비 2~5cm, 두께 2~4mm로 부채, 주걱, 반원형 등이고 연한 육질이며 표면은 처음에는 흑색이나 흑갈색~회색으로 변하고 방사상의 섬유 무늬가 있다. 속살은 백색, 구멍은 원형이며 자루는 백색, 속이 차 있다. 포자는 난형~타원형으로 무색이다.

분포 · 생육지 우리나라. 일본, 중국, 북반구. 여름과 가을에 걸쳐 활엽수 특히 '물참나무'의 심재백색부후균으로 줄기 밑부분에 난다.

약용 부위 · 수치 자실체를 여름이나 가을에 채취하여 물에 씻은 후 말린다.

약물명 회수화(灰樹花)

약효 익기건비(益氣健脾), 보허부정(補虛扶正)의 효능이 있으므로 비허기약(脾虛氣弱), 체권핍력(體倦乏力), 음식감소(飮食減少), 종류(腫瘤)를 치료한다.

성분 ergosterol, acylsterol, methylsterol, fungisterol, sphigolipid, triglyceride, vitamin B₁, B₂, C, D, mannitol, glycerol, trehalose, glucose, cellulose, hemicellulose, chitin, pectin, α−D−glucan, β−D−glucan, glucomannan, heteroglucan, mannoylglucan, lignin, lectin, 5′−AMP, 5′−UMP, gibberelin, cellulase, hemicellulase, amylase, xylase, pectinase 등이 함유되어 있다.

약리 Sarcoma 180을 이식하여 암을 유발시킨 쥐(ICR)에게 물에 달인 액을 투여하면 68~100%의 암 성장을 억제한다. MH−46, carcinoma, ICM−carcinoma에도 효과가 있다. 혈압 강하 작용, 강장 작용, 혈소판 응집 억제 작용, 이뇨, 강장, 항변 이원성이 있다.

사용법 회수화 10~20g에 물 3컵(600mL)을 넣고 달여서 복용하거나 가루로 만들어 복용한다.

＊본 종은 건강식품 소재로도 널리 사용되는데, 항암제 투여 후 몸이 쇠약해진 환자의 암 치료 보조제로 사용한다. 인공 재배와 균사체 배양이 가능하다.

○ 회수화(灰樹花)로 만든 자양강장제　○ 잎새버섯(건강식품)

○ 잎새버섯

[꽃송이버섯과]

꽃송이버섯

만성기관지염　풍습성관절염　외상출혈, 화상

● 학명 : *Sparassis crispa* (Wulfen) Fr.

1	2	3	4	5	6	7	8	9	10	11	12

자실체는 지름 3~10cm, 두께 0.1~0.5cm, 반원형~부채형이다. 갓 표면은 평활하고 희미한 환문이 있으며 선명한 적황색이고, 조직은 코르크질~가죽질이다. 관공은 길이 0.1~0.2cm이고, 관공구는 원형, 1mm에 6~8개가 있다. 대는 없고 기주(寄住)에 부착되어 있다.

분포 · 생육지 우리나라. 북아메리카, 유럽, 오스트레일리아. 봄부터 가을까지 활엽수나 침엽수의 고목, 그루터기에 무리 지어 발생하는 목재백색성부후균이다.

약물명 혈홍전균(血紅栓菌)

약효 만성기관지염, 풍습성관절염, 외상출혈, 화상에 의한 염증을 치료한다.

성분 arabitol, mannitol, glycerol, polyporin, β−N−acetylholoamidase, carboxyproetase, xylase, rhodanase carboxypeptidase, urta, chitin, melanin 등이 함유되어 있다.

약리 Sarcoma 180을 쥐에 이식하여 유발한 암에 열수추출물을 투여한 결과 90%의 억제율을 나타내고, 그람양성균 및 음성균에 항균 작용이 있다.

사용법 혈홍전균 5g에 물 2컵(400mL)을 넣고 달여서 복용하거나 알약 또는 가루약으로 만들어 복용한다. 외상출혈이나 화상 염증에는 가루로 만들어 뿌리거나 바른다.

○ 혈홍전균(血紅栓菌)

○ 꽃송이버섯

[소나무비늘버섯과]

말똥진흙버섯

| ♀ | 혈붕, 대하, 경폐 | | 혈림, 탈항사혈 |
| 징가적취, 비허설사 | | 벽음 |

● 학명 : *Phellinus igniarius* (L. ex Fr.) Quel.　● 별명 : 중국상황버섯

| 1 | 2 | 3 | 4 | 5 | 6 | 7 | 8 | 9 | 10 | 11 | 12 |

갓은 지름 10~20cm, 두께 5~15cm, 말굽형, 반구형. 또는 종형이다. 갓 표면은 동심상의 환구와 종횡으로 균열이 있고 회갈색, 또는 흑갈색이며 각피는 없다. 신생부인 갓 둘레는 갈색이며 조직은 목질로 딱딱하고 암갈색이다. 갓 아랫면은 암갈색이고 아래로 볼록하다. 관공은 다층이고 각 층의 두께는 0.2~0.5cm, 경계는 불분명하다. 관공구는 원형이고 1mm에 4~5개가 있을 정도로 작다.

분포 · 생육지 우리나라. 중국, 북반구. 봄부터 가을까지 활엽수의 고목, 그루터기 위에 무리 지어 발생하는 목재백색해면성 부후균이다.

약용 부위 · 수치 자실체를 봄부터 겨울에 걸쳐 채취하여 잡질을 제거하고 물에 씻은 후 말린다.

약물명 상황(桑黃). 상상기생(桑上寄生), 상

신(桑臣), 상황고(桑黃菇), 수계(樹鷄)라고도 한다.

본초서 「약성론(藥性論)」에 처음 상황(桑黃)으로 수재되었으며, 「본초경집주(本草經集注)」에는 상상기생(桑上寄生)으로 기록되어 있다.

藥性論 : 治女子崩中帶下, 月閉血凝, 産後血凝, 男子痃癖, 兼療伏血, 下赤血.

中國藥用眞菌 : 利五臟, 宣腸氣, 排毒氣, 壓丹石人發熱, 止血衄, 腸風瀉血.

약효 지혈(止血), 활혈(活血), 화음(化飮), 지사(止瀉)의 효능이 있으므로 혈붕(血崩), 혈림(血淋), 탈항사혈(脫肛瀉血), 대하(帶下), 경폐(經閉), 징가적취(癥瘕積聚), 벽음(癖飮), 비허설사(脾虛泄瀉)를 치료한다.

성분 agaric acid, veratric acid, ergosterol, *m*-hemipinic acid, mannofucogalactan, ergosterol, oxalic acid 등이 함유되어 있다.

약리 다당체 추출물을 Sarcoma 180을 이식한 쥐에게 투여하면 암 조직의 성장을 87.4% 억제한다. 쥐의 Ehlich 복수암에는 암 조직의 성장을 80% 억제한다. 이외에 면역 세포 활성 작용, 복강 식세포 활성 작용, 땀 분비 억제 작용이 있다. 50%에탄올추출물은 회충, 편충, 촌충을 죽이는 효능이 있다.

사용법 상황 5g에 물 2컵(400mL)을 넣고 달여서 복용하거나 술에 담가서 복용하기도 한다.

※ 중국에서 본 종의 자실체를 상황(桑黃)이라고 하나 우리나라에서는 본 종 외에 '목질진흙버섯 *P. linteus*'의 자실체도 상황(桑黃)이라고 한다. 현재 의약품은 2종의 자실체를 사용하고 있다.

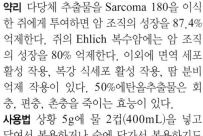

❍ 상황(桑黃)

❍ 상황(桑黃)

❍ 상황(桑黃)으로 만든 항암 면역 증강제

❍ 말똥진흙버섯

[소나무비늘버섯과]

목질진흙버섯

| ♀ | 혈붕, 대하, 경폐 | | 혈림, 탈항사혈 |
| 징가적취, 비허설사 | | 벽음 |

● 학명 : *Phellinus linteus* (Berk. et Curt.) Teng.　● 별명 : 상황버섯

| 1 | 2 | 3 | 4 | 5 | 6 | 7 | 8 | 9 | 10 | 11 | 12 |

갓은 크기 6~15cm, 두께 2~10cm, 반원형, 편평형 또는 말굽형이다. 갓 표면은 처음에는 암갈색 짧은 털이 있으나 점차 없어지며 흑갈색이 되고, 뚜렷한 좁은 구멍과 가로와 세로로 균열이 일어나 거칠며 갓 둘레는 선명한 황색이다. 대는 없고 자실층인 하면의 관공은 황갈색이며 다층으로 명료하고 각 층의 두께는 0.2~0.4cm이다. 관공구는 미세하고 원형~타원형이며 황갈색이다.

분포 · 생육지 우리나라. 중국, 일본, 북반구. 봄부터 가을까지 활엽수의 고목, 그루터기 위에 무리 지어 발생하며 목재백색해면성 부후균이다.

약용 부위 · 수치 자실체를 봄부터 겨울에 걸쳐 채취하여 잡질을 제거하고 물에 씻은 후 말린다.

약물명 상황(桑黃)

약효 지혈(止血), 활혈(活血), 화음(化飮), 지사(止瀉)의 효능이 있으므로 혈붕(血崩), 혈림(血淋), 탈항사혈(脫肛瀉血), 대하(帶下), 경폐(經閉), 징가적취(癥瘕積聚), 벽음(癖飮), 비허설사(脾虛泄瀉)를 치료한다.

성분 polysaccharides, protocatechualdehyde, cirsiumaldehyde, hispidin, caffeic acid, phelligridin, uracil, gallic acid, 2,5-dihydroxybenzoic acid, ferulic acid, 2,3-dihydroxybenzaldehyde, arbutin, isoferulic acid, guanosine, ellagic acid 등이 함유되어 있다.

약리 Sarcoma 180을 쥐에게 이식한 뒤 열수추출물을 투여하거나 주사하면 생존율이 96.7%로 나타났다. 이외에 면역 증강 작용, 보체 활성 작용, 건위 작용, 해독 작용, 당뇨병 치료 효과가 있다. betulin, 1,2-benzenedicarboxylic acid, protocatechualdehyde, hispidin, caffeic acid, phelligridin, ellagic acid는 강력한 항산화 작용을 보인다.

사용법 상황 5g에 물 2컵(400mL)을 넣고 달여서 복용하거나 술에 담가서 복용하기도 한다.

○ 목질진흙버섯(균사체)

○ 상황(桑黃, 절편)

○ 상황(桑黃, 절편)

○ 목질진흙버섯(농촌진흥청)

○ 목질진흙버섯(재배품)

○ 상황(桑黃, 재배품 절편)

○ 상황(桑黃)으로 만든 항암 면역 증강제(한국신약 제공)　　○ 상황(桑黃)이 함유된 건강식품

[소나무비늘버섯과]

기와층버섯

 암, 비만증

● 학명 : *Phellinus xeranticus* (Berk.) Pegler [*Inonotus xeranticus*]

| 1 | 2 | 3 | 4 | 5 | 6 | 7 | 8 | 9 | 10 | 11 | 12 |

자실체는 지름 3~10cm, 두께 0.2~0.9cm, 반원형, 기주 위에 기왓장처럼 층을 이루며 내린형으로 서로 융합한다. 갓 표면에는 짧은 털이 빽빽이 나고 얕은 환구가 있으며 황갈색, 가장자리는 선황색이다. 조직은 선황색, 가죽질로 얇으며 암갈색 경계층이 있다. 관공은 황갈색이며, 관공구는 작고 원형이다.

분포 · 생육지 우리나라, 중국, 일본. 여름과 가을에 활엽수의 고목, 그루터기에 무리로 발생하는 1년생 목재백색부후균이다.

약용 부위 · 수치 자실체를 여름과 가을에 채취하여 물에 씻어서 말린다.

약리 항종양, 항돌연변이, 항산화 및 비만을 억제하는 작용이 있다.

사용법 말린 자실체 10~20g에 물 3컵(600mL)을 넣고 달여서 복용한다.

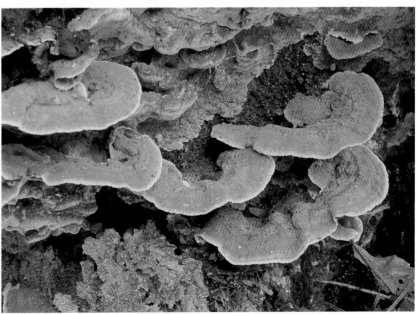

○ 기와층버섯

목이

| 기허혈휴 | 폐허구해, 해혈 | 육혈 | 혈리 |
| 치창출혈 | 붕루, 자궁경부암 | 고혈압 | |

●학명 : *Auricularia auricula* (Hook.) Anderw. ●별명 : 검정버섯

| 1 | 2 | 3 | 4 | 5 | 6 | 7 | 8 | 9 | 10 | 11 | 12 |

자실체는 지름 3~6cm, 접시형~귀 모양이며 젤라틴 같다. 비자실층은 미세한 털이 많고 황갈색~흑갈색을 띤다. 기주 반대쪽에 형성된 자실층은 평활하나 불규칙한 맥이 있으며, 담자기는 원통형이고 가로막에 의하여 4실이 된다.

분포·생육지 우리나라. 중국, 일본. 봄부터 가을에 걸쳐 산야의 활엽수 마른 가지 위에 군생하는 부후성 버섯이다. 때때로 표고 재배목에서 자라기도 한다.

약용 부위·수치 자실체를 봄부터 가을에 걸쳐 채취하여 물에 씻어서 말린다.

약물명 목이(木耳). 누(檽), 상상기생(桑上寄生), 담이(覃耳), 수계(樹鷄), 운이(雲耳)라고도 한다.

본초서 목이는 「신농본초경(神農本草經)」에 누(檽)라는 이름으로 수재되어 있으며, 「본초강목(本草綱目)」에는 "목이는 고목 위에 자라며, 가지와 잎이 없고 수분과 열이 많은 위에 자란다. 모양이 귀(耳)와 닮았고 나무 위에 자라므로 목이(木耳)라는 이름이 붙여졌다."라고 기록되어 있다.

기미·귀경 감(甘), 평(平)·폐(肺), 비(脾), 대장(大腸), 간(肝)

약효 보기양혈(補氣凉血), 윤폐지해(潤肺止咳), 지혈, 강압(降壓), 항암의 효능이 있으므로 기허혈휴(氣虛血虧), 폐허구해(肺虛久咳), 해혈(咳血), 육혈(衄血), 혈리(血痢), 치창출혈(痔瘡出血), 붕루(崩漏), 고혈압, 안저출혈(眼底出血), 자궁경부암, 음도암(陰道癌), 타박상을 치료한다.

성분 지방산 6종, 미량 금속 원소 12종, vitamin B$_1$, B$_2$ 및 niacin, glycerol, mannitol, glucose, trehalose, cellulose, chitin, pectin, β$-(1{\to}3)$-glucan, gluconoxylomannan, polysaccharide 등이 함유되어 있다.

약리 Sarcoma 180을 이식시킨 쥐에게 열수추출물을 투여하면 항종양 작용이 나타난다. 열수추출물은 그람음성균인 *Serratia marcescens*, *Shigella sonnei*에 항균 작용이 있다. 쥐에게 부종을 일으킨 후 열수추출물을 투여하면 부종 억제 작용이 있고, 동물에게 사료로 먹이면 혈중 콜레스테롤을 저하시킨다. 인공으로 배양한 목이를 물에 현탁시켜서 당뇨를 유발시킨 쥐에게 먹이면 항당뇨 효과가 나타난다.

사용법 고혈압에는 목이 3g에 물 2컵(400mL)을 넣고 쪄서 아침과 저녁에 복용한다. 치질, 대변에 피가 섞여 나오는 증상에는 매회 15g을 1일 2회 요리하여 먹는다. 월경과다, 적백대하에는 목이를 건조하여 가루로 만들어 매회 2g을 1일 2회 복용한다.

가래가 많이 나올 때는 목이 큰 것 7~8개를 물에 달여서 복용한다. 허리가 아프고 무릎이 시린 증상에는 목이환(木耳丸)을 1일 2회 1알씩 복용한다. 산후에 몸이 허약하거나 근육 마비 증상이 오면 목이갈탕(木耳葛湯)을 복용한다. 상처로 통증이 오고 혈액이 잘 돌지 않으며 손발이 저린 증상에는 목이산(木耳散)을 복용한다.

목이(木耳)로 만든 ◑
자양강장제

◐ 목이(木耳)

◐ 목이

[목이과]

털목이

관절통   산후허약증

○ 털목이(오래된 버섯)

● 학명 : *Auricularia polytricha* (Mont.) Sacc.

| 1 | 2 | 3 | 4 | 5 | 6 | 7 | 8 | 9 | 10 | 11 | 12 |

자실체는 지름 4~6cm, 높이 2~3cm, 원반형~귀 모양이다. 윗면은 회갈색, 직립한 털이 빽빽이 나고, 윗면의 일부가 기주에 부착한다. 아랫면의 자실층은 자갈색으로 평활하거나 주름이 있다. 조직은 단단한 젤라틴질이다.

분포 · 생육지 우리나라. 중국, 일본, 세계 각처. 봄부터 가을까지 활엽수의 죽은 나무, 그루터기에 무리 지어 자란다.

약용 부위 · 수치 자실체를 봄과 여름에 채취하여 물에 씻어서 말린다.

약물명 모목이(毛木耳)

성분 ceramide, cerevisterol, 9-hydroxy-cerevisterol 등이 함유되어 있다.

약리 항알레르기, 항산화, 지질 저하 작용이 있으며, 민간에서는 관절통, 산후허약증에 사용한다.

사용법 모목이 15g에 물 3컵(600mL)을 넣고 달여서 복용하거나 가루로 만들어 1g을 1일 2회 복용한다.

○ 털목이

[목이과]

헛바늘목이

관절통, 근골무력증

● 학명 : *Pseudohydnum gelantinosum* (Scop.) P. Karst.

| 1 | 2 | 3 | 4 | 5 | 6 | 7 | 8 | 9 | 10 | 11 | 12 |

자실체는 지름 2~4cm, 두께 1.5cm 정도, 원반형~부채형이다. 윗면은 담갈색~회갈색이고 때로는 회색이며 털이 빽빽이 나고, 윗면의 일부가 기주에 부착한다. 아랫면의 자실층은 가시가 빽빽이 나며 황백색이다. 대는 없거나 측심성의 짧은 대가 있다.

분포 · 생육지 우리나라. 중국, 일본, 세계 각처. 여름부터 가을까지 침엽수의 죽은 나무, 나무토막 등에 무리 지어 발생한다.

약용 부위 · 수치 자실체를 봄과 여름에 채취하여 물에 씻어서 말린다.

약물명 호장균(虎掌菌)

약효 소염, 진통의 효능이 있으므로 관절통, 근골무력증을 치료한다.

사용법 호장균 10g에 물 3컵(600mL)을 넣고 달여서 복용한다.

○ 헛바늘목이

[붉은목이과]

붉은목이

타박상, 찰과상

●학명 : *Dacrymyces palmatus* (Schw.) Burt.

| 1 | 2 | 3 | 4 | 5 | 6 | 7 | 8 | 9 | 10 | 11 | 12 |

❖ 교뇌균(膠腦菌)

자실체는 높이 1~2.5cm, 너비 1~6cm, 어릴 때는 뇌 모양이나 차츰 불규칙한 파형의 덩어리처럼 변한다. 아교질이고 나중에 얕게 갈라져 잎 모양의 열편이 된다. 표면은 평활하고 등황색~주황색이며 주름이 있고 기주와 접하는 부분은 백색이다.

분포 · 생육지 우리나라. 중국, 일본, 세계 각처. 가을에 침엽수의 죽은 나무, 나무토막 등에 발생한다.

약용 부위 · 수치 자실체를 봄과 여름에 채취하여 물에 씻어서 말린다.

약물명 교뇌균(膠腦菌). 장상화이(掌狀花耳)라고도 한다.

약효 소염의 효능이 있으므로 타박상이나 찰과상을 치료한다.

사용법 교뇌균 적당량을 가루를 내어 환부에 바른다.

❖ 붉은목이

[붉은목이과]

노란주걱혀버섯

고혈압, 암

●학명 : *Dacryopinax spathularia* (Schw.) G. W. Martin [*Guepinia spathularia*]
●별명 : 혀버섯

| 1 | 2 | 3 | 4 | 5 | 6 | 7 | 8 | 9 | 10 | 11 | 12 |

자실체는 높이 0.5~1cm, 너비 0.2~0.7cm, 주걱형 또는 부채형이다. 표면은 등황색, 약간 점성이 있으며, 자실층은 한쪽 면에만 생기며, 자실층 면은 평활하고 반대쪽 면에는 짧은 털이 있다. 조직은 연골 같은 젤라틴질이다.

분포 · 생육지 우리나라. 중국, 일본, 세계 각처. 봄부터 가을에 침엽수의 죽은 나무, 나무토막 등에 발생한다.

약용 부위 · 수치 자실체를 봄부터 가을에 채취하여 물에 씻어서 말린다.

약물명 시개가화이(匙蓋假花耳)

약효 혈압을 떨어뜨리고 항암 효능이 있으므로 고혈압과 암을 치료한다.

사용법 시개가화이 10g에 물 3컵(600mL)을 넣고 달여서 복용한다.

❖ 노란주걱혀버섯

[흰목이과]

흰목이

 허로해수, 담중대혈 진소구갈
병후체허, 기단핍력

● 학명 : *Tremella fuciformis* Berk. ● 한자명 : 銀耳

1	2	3	4	5	6	7	8	9	10	11	12

자실체는 지름 4~8cm, 높이 2~5cm로 접꽃 모양, 반투명성의 아교질이다. 표면은 평활하고 백색, 자실체의 끝은 물결 모양, 양측 표면에 자실층이 발달되어 있다. 담자기는 달걀 모양이다.

분포·생육지 우리나라. 중국, 일본, 북남미, 인도, 인도네시아, 오스트레일리아. 봄부터 가을까지 활엽수의 죽은 나무, 부러진 가지 위에 발생하는 목재부후성 버섯이다.

약용 부위·수치 자실체를 봄부터 여름에 채취하여 물에 씻어서 말린다.

약물명 백이(白耳). 백목이(白木耳), 백이자(白耳子)라고도 한다.

본초서 이시진(李時珍)의 「본초강목(本草綱目)」에는 "이것은 대나무의 뿌리줄기 마디에서 나오고 목이(木耳)와 비슷한 모양이다."라고 하였다.

기미·귀경 감(甘), 담(淡), 평(平)·폐(肺), 위(胃), 신(腎)

약효 자보생진(滋補生津), 윤폐양위(潤肺養胃)의 효능이 있으므로 허로해수(虛勞咳嗽), 담중대혈(痰中帶血), 진소구갈(津少口渴), 병후체허(病後體虛), 기단핍력(氣短乏力)을 치료한다.

성분 ergosterol, vitamin B₁, B₂, D 및 niacin, mannitol, glycerol, gluconoxylomannan, ligin 등이 함유되어 있다.

약리 다당체를 쥐에게 투여하면 면역력이 증가하고, Sarcoma 180을 이식한 쥐에서는 항종양 및 면역 촉진 작용이 나타난다.

사용법 백이 10g에 물 3컵(600mL)을 넣고 달여서 복용한다.

임상 보고 만성기관지염: 백이(白耳) 9g, 설탕 105g에 물을 가하여 360mL로 만든다. 이것을 1회 30mL씩 하루 3차례 50일간 복용한 결과 102명 가운데 36명이 현저한 효과를 보았고 11명이 호전되었다.
● 백혈구감소증: 위의 제제를 40명에게 투여한 결과 58.5%의 치료 효과가 나타났다.
＊식용 버섯이며, 중국에서는 건강 기능성 식품 원료로 널리 사용하고 있다.

❍ 흰목이

❍ 백이(白耳)

[흰목이과]

황금흰목이

감기, 기침, 폐열, 담다 신경쇠약
고혈압

● 학명 : *Tremella mesenterica* Retz.

1	2	3	4	5	6	7	8	9	10	11	12

자실체는 높이 3~4cm, 너비 5~6cm, 불규칙한 덩어리 모양이다. 윗면의 자실층은 황갈색으로 평활하다. 조직은 반투명한 젤라틴질이다. 담자기는 둥글고 세로 격막에 의하여 2~4실로 나뉜다.

분포·생육지 우리나라. 중국, 일본, 세계 각처. 여름부터 가을까지 활엽수의 죽은 나무나 나무토막 등에 발생한다.

약용 부위·수치 자실체를 봄부터 여름에 채취하여 물에 씻어서 말린다.

약물명 황은이(黃銀耳). 금이(金耳)라고도 한다.

약효 소염, 진해(鎭咳)의 효능이 있으므로 감기, 기침, 신경쇠약, 폐열, 담다(痰多), 고혈압을 치료한다.

성분 tremerogen A−10, A−13 등이 함유되어 있다.

약리 다당체를 쥐에게 투여하면 항염증 작용과 항종양, 항당뇨 활성이 나타난다.

사용법 황은이 10g에 물 3컵(600mL)을 넣고 달여서 복용한다.

❍ 황금흰목이

자낭균아문(子囊菌亞門, Ascomycota)

자낭균류의 버섯은 접시 모양, 곤봉 모양, 안장 모양, 곰보버섯 모양 등 그 형태가 매우 다양하다. 대부분 부생균이며 '동충하초'와 같은 기생균과 '서양송로'와 같은 균근균(菌根菌)도 있다. 자낭균류의 자실체에는 자낭포자를 형성하는 자낭과(子囊果)와 무성포자인 분생자를 생성하는 분생자체(分生子體) 두 종류가 있다. 자낭과에는 자낭반과 자낭각이 있는데, 자낭반은 접시형이나 컵 모양으로 그 내측면에 자실층을 노출하고, 자낭각은 매우 작으며 대형의 자좌(子坐)에 많은 자낭각이 형성되어 있다.

[주발버섯과]

주발버섯

 암

● 학명 : *Peziza vesiculosa* Bull.

| 1 | 2 | 3 | 4 | 5 | 6 | 7 | 8 | 9 | 10 | 11 | 12 |

❂ 주발버섯

자실체는 지름 3~8cm, 초기에는 방광형 또는 유구형이나 점차 위가 넓게 열려 주발형이 되며 다수가 뭉쳐날 때는 모양이 일그러진다. 내면의 자실층은 황갈색, 평활하거나 약간 주름진다. 외면은 갈백색, 비듬 모양의 비늘조각으로 덮이며, 가장자리는 안으로 굽어 있고 불규칙하게 갈라진다.

분포 · 생육지 우리나라. 중국, 일본. 여름부터 가을까지 정원, 풀밭, 활엽수림의 땅 위에 홀로 또는 무리 지어 발생한다.

약용 부위 · 수치 자실체를 여름부터 가을에 채취하여 물에 씻어서 말린다.

약물명 포질반균(泡質盤菌)

성분 lectin, β-carotene, γ-carotene, lycopene 등이 함유되어 있다.

약리 열수추출물은 항종양, 면역 활성 작용이 있다.

사용법 포질반균 10~20g에 물 3컵(600mL)을 넣고 달여서 복용한다.

❂ 포질반균(泡質盤菌)

[곰보버섯과]

곰보버섯

 소화불량   담다해수

● 학명 : *Morchella esculenta* (L. ex Fr.) Pers.

| 1 | 2 | 3 | 4 | 5 | 6 | 7 | 8 | 9 | 10 | 11 | 12 |

자실체는 높이 8~9cm. 두부(頭部)는 지름 3.5~4.5cm, 높이 4~5cm, 달걀 모양이다. 두부 표면은 황갈색, 망목상의 융기는 다각형, 융기 홈에 있는 자실층은 회갈색이다. 대는 길이 4~5.5cm, 지름 2.5~3cm, 원통형, 밑부분은 굵고 속은 두부까지 비어 있으며 표면에 넓은 홈이 있고 담갈색이다.

분포 · 생육지 우리나라. 중국, 일본, 북아메리카, 유럽. 이른 봄에 산림 내 또는 정원수 특히 '측백나무'가 많은 정원에 군생하는 외생균근성 버섯이다.

약용 부위 · 수치 자실체를 이른 봄에 채취하

여 물에 씻어서 말린다.

약물명 양두균(羊肚菌). 양두마(羊肚蘑), 편립균(編笠菌)이라고도 한다.

본초서 「본초강목(本草綱目)」에는 마고심(蘑菇蕈)의 항에 "양의 위장처럼 생겼으며, 벌집 같은 눈이 있어서 양두채(羊肚菜)라고도 한다."고 하였다.

약효 소식화위(消食和胃), 화담이기(化痰理氣)의 효능이 있으므로 소화불량, 담다해수(痰多咳嗽)를 치료한다.

성분 ergosterol, chitin, morchellin(*cis*-3-amino-L-proline), zeaxanthin 등이 함유

❂ 곰보버섯

되어 있다.

약리 열수추출물은 혈소판 응집을 억제하는 효능이 있으며, 50% 억제 농도는 22.9μg/mL이다.

사용법 양두균 30g에 물 3컵(600mL)을 넣고 달여서 복용하거나 알약 또는 가루약으로 만들어 복용한다.

✱ 식품 가공의 첨가물로 이용된다. 밑부분이 구근(球根)처럼 생긴 '굵은대곰보버섯 *M. crassipes*'도 약효가 같다.

✪ 곰보버섯(내부)

✪ 양두균(羊肚菌)

✪ 양두균(羊肚菌) 제품

[안장버섯과]

주름안장버섯

 기허기단　　해수

● 학명 : *Helvella crispa* (Scop.) Fr.

| 1 | 2 | 3 | 4 | 5 | 6 | 7 | 8 | 9 | 10 | 11 | 12 |

✪ 주름안장버섯

갓은 지름 1~4cm, 불규칙한 안장형, 가장자리는 대와 떨어져 있다. 갓 표면의 자실층은 황백색~담황갈색, 평활하거나 주름이 있고 물결 모양이다. 아랫면은 표면과 같은 색이며 미세한 털이 있다. 대는 원통형 또는 기부 쪽이 굵다.

분포·생육지 우리나라. 중국, 일본. 여름부터 가을까지 정원, 풀밭, 활엽수림의 땅 위에 무리 지어 발생한다.

약용 부위·수치 자실체를 여름부터 가을에 채취하여 물에 씻어서 말린다.

약물명 추마안균(皺馬鞍菌)

약효 보기(補氣), 거담(祛痰), 지해(止咳)의 효능이 있으므로 기허기단(氣虛氣短), 해수(咳嗽)를 치료한다.

성분 ergosta-5,22-dien-3β-ol, linoleic acid 등이 함유되어 있다.

사용법 추마안균 5g에 물 2컵(400mL)을 넣고 달여서 복용하거나 알약 또는 가루약으로 만들어 복용한다.

[안장버섯과]

긴대안장버섯

 기허기단　　해수

● 학명 : *Helvella elastica* Bull.

| 1 | 2 | 3 | 4 | 5 | 6 | 7 | 8 | 9 | 10 | 11 | 12 |

✪ 긴대안장버섯

자실체는 두부와 대로 이루어진다. 두부는 지름 1~2cm, 편반구형, 중앙부는 오목하다. 두부 표면의 자실층은 황갈색, 평활하며 주름이 있고, 가장자리는 안으로 말려 대의 윗부분을 감싼다. 대는 길이 2~4cm, 너비 0.2~0.4cm, 원통형, 아래로 갈수록 굵어지고 세로 홈선이 있다.

분포·생육지 우리나라. 중국, 일본. 여름부터 가을까지 정원, 풀밭, 활엽수림의 땅 위에 홀로 또는 무리 지어 발생한다.

약용 부위·수치 자실체를 여름부터 가을에 채취하여 물에 씻어서 말려서 사용한다.

약물명 마안균(馬鞍菌)

약효 보기(補氣), 거담(祛痰), 지해(止咳)의 효능이 있으므로 기허기단(氣虛氣短), 해수(咳嗽)를 치료한다.

약리 열수추출물은 혈전 용해 작용이 있다.

사용법 마안균 10g에 물 2컵(400mL)을 넣고 달여서 복용하거나 알약 또는 가루약으로 만들어 복용한다.

고무버섯

 연골병 　 종양, 고혈압

● 학명 : *Bulgaria inquinans* (Pers.) Fr.

| 1 | 2 | 3 | 4 | 5 | 6 | 7 | 8 | 9 | 10 | 11 | 12 |

자실체는 지름 2~4cm, 초기에는 팽이형이나 성장하면서 위가 편평해지면서 접시형이 된다. 내면의 자실층은 흑갈색 또는 흑색, 평활하며 습기가 많으면 광택이 난다. 외면은 암갈색, 비듬 같은 비늘조각으로 덮여 있고, 대는 없다.

분포·생육지 우리나라. 일본, 중국, 네팔. 가을에 활엽수의 그루터기, 나무토막 등에 무리 지어 발생한다.

약용 부위·수치 자실체를 가을에 채취하여 물에 씻어서 말린다.

약물명 교타라(膠陀螺)

약효 소염, 항암, 항균의 효능이 있으므로 연골병(軟骨病), 종양, 고혈압을 치료한다.

성분 bulgarialactone A~C, 2*H*-pyran-2-one, tetrahydro-4-hydroxy-6-pentyl, 5,6-dihydroxy-6-pentyl, ergosterol, galacitiol, isovanilic acid, cinnamic acid, protocatechuic acid, cinnamic acid, coumaric acid 등이 함유되어 있다.

약리 항균 작용, 항산화 작용이 있다.

사용법 교타라 10g에 물 2컵(400mL)을 넣고 달여서 복용하거나 알약 또는 가루약으로 만들어 복용한다.

❶ 고무버섯

눈꽃동충하초

 가슴 두근거림 　 오래된 기침

● 학명 : *Paecilomyces tenuipes* (Peck) Samsom [*Isaria japonica*]

| 1 | 2 | 3 | 4 | 5 | 6 | 7 | 8 | 9 | 10 | 11 | 12 |

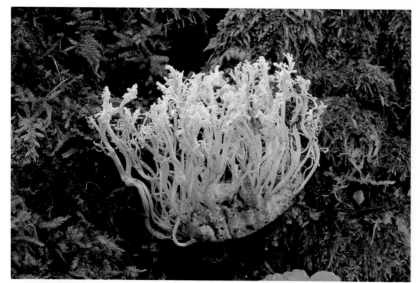

❶ 눈꽃동충하초

자실체는 높이 1~4cm, 산호형이다. 황갈색의 분생자병속(分生子柄束)과 두부로 이루어지고, 두부 표면에는 흰 눈꽃이 핀 것처럼 분말상의 백색 분생포자(分生胞子)로 덮여 있다. 분생포자는 바람이나 동물의 접촉에 의하여 쉽게 날아간다.

분포·생육지 우리나라. 일본, 중국, 네팔. 가을에 산림 내 낙엽이나 땅속의 곤충, 특히 나비목의 유충, 번데기에 침입하여 기생한다.

약용 부위·수치 자실체를 가을에 채취하여 흙을 털어내고 물에 데쳐서 말린다.

약물명 세각의청매(細脚擬青霉)

약효 폐장과 심장을 튼튼하게 하는 효능이 있으므로 오래된 기침, 가슴이 두근거리는 증상을 치료한다.

성분 acetoxyscirpenediol, spirotenuipesine A, B, mannitol, β-(1→3)-glucan, galactomannan 등이 함유되어 있다.

약리 생쥐에게 열수추출액을 주사하면 중추신경을 흥분시키고 심장을 튼튼하게 한다.

사용법 세각의청매 5~10g에 물 2컵(400mL)을 넣고 달여서 복용하거나 술에 담가서 복용한다.

번데기동충하초

	폐로, 담혈		도한
	빈혈		요통

● 학명 : *Cordyceps militaris* (L.) Link

1	2	3	4	5	6	7	8	9	10	11	12

자실체는 높이 3~5cm, 등황색, 단생 또는 2~3개가 기주(寄主)의 두부(頭部) 또는 절부(節部)에서 자라며, 뿌리 부분은 분지한다. 두부는 막대기 모양, 길이 1~1.5cm,

대는 원주형으로 약간 구부러져 있다. 자낭각(子囊殼)은 원추형이다.

분포 · 생육지 우리나라. 중국, 일본. 중국 쓰촨성(四川省), 칭하이성(靑海省), 구이저

❏ 번데기동충하초

우성(貴州省), 시장성(西藏省)에서 많이 생산된다. 우리나라에서는 여름부터 가을까지 낙엽 또는 땅속에 묻힌 나비, 나방 등의 번데기 또는 유충에 기생하여 그것을 죽이고 그 체내에 내생균핵을 형성한다.

약용 부위 · 수치 자실체를 봄부터 가을까지 깊은 산에서 채취하여 흙을 털어 물에 씻은 후 햇볕에 말리거나 홍건(烘乾)한다.

약물명 용초(踊草). 용충초(踊蟲草), 북동충하초(北冬蟲夏草)라고도 한다. 대한민국약전외한약(생약)규격집(KHP)에 수재되어 있다.

기미 · 귀경 감(甘), 온(溫) · 신(腎), 폐(肺)

약효 보폐익신(補肺益腎)의 효능이 있으므로 폐로(肺癆), 담혈(痰血), 도한(盜汗), 빈혈, 요통을 치료한다.

성분 cordycepin, homocitrullylaminoadenosine, ergosterol, adenine, adenosine, β-sitosterol이 함유되어 있다.

약리 쥐에게 열수추출액을 주사하면 중추신경을 진정시키는 작용이 나타나고, 심장을 튼튼하게 하는 작용이 있다. 쥐의 간을 대상으로 하여 열수추출액을 투여하면 과산화지질 억제 작용이 나타난다. 쥐에게 Ehrlich 복수암을 유발하고 열수추출액을 주사하면 항암 작용이 나타난다.

사용법 용초 5~10g에 물 2컵(400mL)을 넣고 달여서 복용하거나 술에 담가서 복용한다. 폐결핵에는 용초(踊草) 6g, 백급(白芨) 12g, 패모(貝母) 9g, 백부(百部) 9g에 물을 넣고 달여서 복용한다.

동충하초

	폐허해천, 노수담혈		자한, 도한
	신휴양위, 유정		요슬산통

● 학명 : *Cordyceps sinensis* (Berk.) Sacc.

1	2	3	4	5	6	7	8	9	10	11	12

충체의 머리 부위로부터 길게 나온 진균자실체가 충체와 서로 붙어 있다. 충체는 누에와 비슷하고 지름 3~8mm, 길이 3~5cm이다. 바깥면은 짙은 황색~황갈색, 20~30개의 마디가 있고 머리 쪽인 마디가 가늘며, 머리는 홍갈색이다. 다리는 8쌍으로 몸통 가운데의 4쌍이 뚜렷하다. 자실체는 가늘고 긴 원주형, 길이 4~7cm, 지름 약 3mm이다. 바깥면은 짙은 갈색~흑갈색, 가늘고 작은 세로 주름이 있고 위쪽은 조금 불룩하다.

분포 · 생육지 우리나라. 중국, 일본. 중국의 쓰촨성(四川省), 칭하이성(靑海省), 구이저우성(貴州省), 시장성(西藏省)에서 많이 생산된다. 우리나라에서도 깊은 산속에서 채취할 수 있으나 시장성이 없다. 숙주의 생활 습성에 따라 땅이나 삭정이 위, 낙엽 사이, 이끼류 사이, 나무껍질 밑 등에서 볼 수 있다.

약용 부위 · 수치 자실체를 여름과 가을에 채취하여 물에 씻은 후 말린다.

약물명 동충하초(冬蟲夏草). 동과인(冬瓜仁), 백과인(白瓜仁)이라고도 한다.

본초서 동충하초(冬蟲夏草)는 청대(淸代) 오의락(吳儀洛)의 「본초종신(本草從新)에 처음 수재되어 "쓰촨(四川) 가정부(嘉定部)에서 생산되는 것이 좋고 윈난(雲南), 구이저우(貴州)에서 생산되는 것이 차품(次品)이다. 겨울에 땅속으로 들어가고, 몸을 움직여서 늙은 누에처럼 되며 털이 있어서 능히 움직인다. 여름이 되면 털이 땅 위로 나와서 풀이 된다."고 하였다.

성상 충체는 누에와 비슷하고 지름 3~8mm, 길이 3~5cm이다. 바깥면은 짙은 황색~황갈색, 20~30개의 마디가 있고 머리 쪽은 마디가 가늘다. 머리는 홍갈색이고, 다리는 8쌍이다. 질은 잘 부스러지고, 쉽게 꺾이며,

꺾인 면은 평탄하고 엷은 황백색이다. 자실체는 가늘고 긴 원주형, 지름 3mm 정도, 길이 4~7cm이다. 바깥면은 짙은 갈색~흑갈색, 가늘고 작은 세로 주름이 있고 위쪽은 조금 불룩하다. 질은 부드러우면서 질기고 자른 면은 유백색이다. 비린 냄새가 조금 나고 맛은 조금 쓰다.

품질 충체는 굵고 충실하며 꺾인 면이 황백색이고, 균체는 짧고 작은 것이 좋다. 쓰촨성(四川省) 파탕(巴塘)에서 생산되는 것을 여초(濾草)라 하며 품질이 가장 좋다. 쓰촨성(四川省) 관현(灌縣)에서 생산되는 것을 관초(灌草)라 하며, 윈난성(雲南省) 곤명(昆明)에서 생산되는 것을 진초(滇草)라 하는데 차품(次品)이다. 또 크기에 따라서 충초왕(蟲草王), 산충초(散蟲草), 파충초(把蟲草)의 3종류로 나누며, 충초왕(蟲草王)이 가장 크다.

기미 · 귀경 감(甘), 온(溫) · 폐(肺), 신(腎)

약효 보폐기(保肺氣), 실주리(實腠理), 보신익정(補腎益精)의 효능이 있으므로 폐허해천(肺虛咳喘), 노수담혈(勞嗽痰血), 자한(自汗), 도한(盜汗), 신휴양위(腎虧陽痿), 유정(遺精), 요슬산통(腰膝酸痛)을 치료한다.

성분 수분 10.8%, 지방 8.4%(불포화지방산 82.2%, 포화지방산 13%), 단백질 25.3%, 탄수화물 28.9%, 회분 4.1%, 그 밖에 sterol: ergosterol, cholesterol, campesterol, β−sitosterol, dihydrobrassicasterol 등이 함유되어 있다.

약리 물로 달인 액은 실험 쥐의 적출 기관지에 현저한 확장 작용이 있으며 아드레날린의 작용을 증가시키고, 토끼의 적출 장관 및 쥐의 적출 자궁의 평활근 수축을 억제한다. 물로 달인 액을 개에게 정맥주사하면 혈압이 크게 떨어지고, 10분이 지나면 회복된다. 에탄올추출물은 결핵간균의 성장을 억제한다.

사용법 동충하초 5g에 물 2컵(400mL)을 넣고 달이거나 술에 담가서 복용하고, 알약 또는 가루약으로 만들어 복용한다. 폐결핵으로 인한 해수(咳嗽), 객혈(喀血)에는 동충하초(冬蟲夏草) 30g, 패모(貝母) 15g, 백합(百合) 12g에 물을 넣고 달여서 복용한다.

임상 보고 만성간염: 동충하초(冬蟲夏草) 제제를 1회 0.25g을 매일 3차례 3개월간 투여한 결과 8명의 환자 가운데 75%가 치료되었다.

• 만성신장염: 1회 3g을 하루 2차례 30일간 복용한 결과 18명 가운데 50%가 호전되었다.

• 고혈압: 인공 배양한 균사체 캡슐 제제를 1회 4알(1알은 250mg)씩 매일 3차례 16명에게 투여한 결과 4명은 현저하게 개선되었고, 6명은 유효하였으며, 6명은 효과가 없었다.

주의 표사(表邪)가 있거나 폐열(肺熱)로 인하여 피가 섞여 나오는 기침에는 사용하지 않는다.

＊ 동충하초(冬蟲夏草, vegetable worm)는 겨울에는 균(菌)이 곤충의 몸속에 그대로 있다가 여름에는 풀처럼 자란다. 즉, 곤충류나 거미류에 충생균(蟲生菌)이 침입하여 죽게 한 다음 그 양분을 취하여 자실체를 형성한다. 이 균들은 자낭균류 중 핵균강 맥각균목 동충하초속(Cordyceps)에 속하는 것이 많다. 이 가운데 '밤나방 Cordyceps sinensis'이 생산하는 자좌(子坐) 및 숙주인 '박쥐나방과(Hepialidae) Hepialus armoricanus'의 유충 혼합체를 건조한 것이 많이 거래되고 있다. 버섯의 모양, 크기, 색깔은 여러 가지이다.

❍ 동충하초(冬蟲夏草)

❍ 동충하초(冬蟲夏草)

❍ 동충하초(冬蟲夏草, 인공 재배품)

❍ 동충하초(冬蟲夏草, 분말)

❍ 동충하초(冬蟲夏草, 티베트산)

❍ 건조 중인 동충하초(중국 곤명)

❍ 동충하초(冬蟲夏草) 제품(중국)

❍ 동충하초 판매(중국 서안 약재시장)

❍ 동충하초 판매(중국 성도 약재시장)

❍ 동충하초가 함유된 건강식품

❍ 동충하초 음료

❍ 동충하초환

[동충하초과]

노린재동충하초

폐로, 담혈 도한
빈혈 요통

● 학명 : *Cordyceps nutans* Pat.

1 2 3 4 5 6 7 8 9 10 11 12

○ 노린재동충하초

○ 하수충초(下垂蟲草)

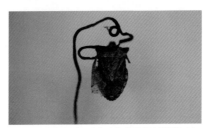

○ 노린재동충하초(노린재 성충의 목에서 발생한다.)

자실체는 높이 5~15cm, 두부는 길이 3~7cm, 지름 0.1~0.3cm, 긴 타원상 구형이다. 표면은 등황색, 평활하고 자낭각은 두부의 외피층에 매몰되어 있다. 대는 길이 5~10cm, 철사 같고 흑갈색, 성충의 목에서 구부러져 발생한다.

분포 · 생육지 우리나라. 중국, 일본, 아열대. 여름과 가을에 산림 내 낙엽이나 노린재류의 성충에 기생한다.

약용 부위 · 수치 자실체를 봄부터 가을까지 깊은 산에서 채취하여 흙을 털어 물에 씻어서 말린다.

약물명 하수충초(下垂蟲草)

약효 보폐익신(補肺益腎)의 효능이 있으므로 폐로(肺癆), 담혈(痰血), 도한(盜汗), 빈혈, 요통을 치료한다.

사용법 하수충초 5~10g에 물 2컵(400mL)을 넣고 달여서 복용하거나 술에 담가서 복용한다.

[동충하초과]

벌동충하초

폐로, 담혈 도한
빈혈 요통

● 학명 : *Cordyceps sphecocephala* Sacc. ● 별명 : 벌실동충하초

1 2 3 4 5 6 7 8 9 10 11 12

자실체는 높이 3~10cm, 하나의 기주에서 보통 1개, 때로는 2~12개가 발생한다. 두부는 원통형, 자낭각은 표면에 비스듬히 매몰되어 있으며, 공구는 짙은 색으로 점 모양이다. 대는 길이 2.5~3cm로 기부 쪽이 가늘고 굽었으며 두부와의 경계가 뚜렷하고 표면은 등황색, 기부는 기주에 직접 부착한다.

분포 · 생육지 우리나라. 중국, 일본, 아열대. 여름과 가을에 산림 내 낙엽이나 노린재류의 성충에 기생한다.

약용 부위 · 수치 자실체를 봄부터 가을까지 깊은 산에서 채취하여 흙을 털어 물에 씻어서 말린다.

약물명 용초(踊草)

약효 보폐익신(補肺益腎)의 효능이 있으므로 폐로(肺癆), 담혈(痰血), 도한(盜汗), 빈혈, 요통을 치료한다.

사용법 용초 5~10g에 물 2컵(400mL)을 넣고 달여서 복용하거나 술에 담가서 복용한다. 폐결핵에는 용초(踊草) 6g, 백급(白芨) 12g, 패모(貝母) 9g, 백부(百部) 9g에 물을 넣고 달여서 복용한다.

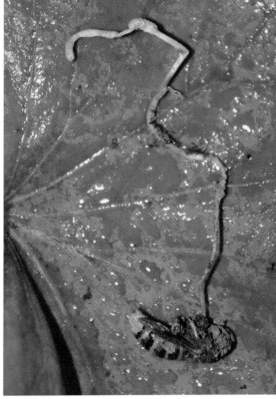

○ 벌동충하초

매미눈꽃동충하초

 외감풍열, 발열　　 두혼, 소아경풍　　야제
인후통, 목적종통, 예막차정　　마진초기

● 학명 : *Isaria cicadae* Miq. [*Paecilomyces sinclairii*]

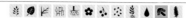

자실체는 높이 3~6cm, 속은 비어 있고 막대기 모양, 유충의 머리 부분에서 1개 또는 2~3개의 자실체가 나온다. 자실층인 두부는 타원상 구형, 다갈색, 술잔 모양의 자낭각이 매몰되어 있다. 돌기상 자낭각의 공구는 표면에서 약간 노출되어 작은 알갱이를 이룬다.

분포 · 생육지 우리나라. 중국, 일본, 아열대. 여름에 산림 내 낙엽이나 땅속에 있는 매미의 유충에 기생한다.

약용 부위 · 수치 자실체를 여름에 채취하여 흙을 털어내고 물에 데쳐서 말린다. 「뇌공

포자론(雷公炮炙論)」에는 "일반적으로 자실체 그대로 사용하는데, 채취 후 흙을 털어내고, 물에 데친 뒤 말려서 사용한다."고 하였다.

약물명 선화(蟬花). 관선(冠蟬), 충화(蟲花)라고도 한다.

본초서 이 약물은 「본초도경(本草圖經)」에 처음 수재되었으며, 「본초강목(本草綱目)」에는 "모양이 꽃 같기도 하고 왕관 같기도 하여 선화(蟬花) 또는 관선(冠蟬)이라고 한다."고 하였다. 약성(藥性)은 달고 차며, 폐경과 간경에 속한다.

❶ 선화(蟬花)

❶ 선화(蟬花)

❶ 매미눈꽃동충하초

기미 · 귀경 감(甘), 한(寒) · 폐(肺), 간(肝)

약효 소산풍열(疎散風熱), 투진(透疹), 식풍지경(熄風止痙), 명목퇴예(明目退翳)의 효능이 있으므로 외감풍열(外感風熱), 발열, 두혼(頭昏), 인후통, 마진초기(麻疹超起), 소아경풍, 야제(夜啼), 목적종통(目赤腫痛), 예막차정(翳膜遮睛)을 치료한다.

성분 mannitol, β-(1→3)-glucan, galacto-mannan 등이 함유되어 있다.

약리 암(Sarcoma 180, ddY)에 걸린 쥐에게 열수추출물을 주사하면 항암 작용이 나타난다. 열수추출액을 쥐나 토끼에게 투여하면 혈압이 하강한다. 쥐에게 에탄올추출물을 주사하면 운동량이 감소하고 수면 시간이 연장된다.

사용법 선화 3~5g을 가루 내어 물을 넣고 달여서 복용하거나 술에 담가서 복용한다. 두진편신작양(痘疹遍身作痒)에는 선화(蟬花), 지골피(地骨皮) 각 30g을 가루로 만들어 매회 1숟가락씩 복용한다. 백내장 치료에는 선화(蟬花) 30g, 국화(菊花) 120g, 백질려(白蒺藜) 60g을 배합한 뒤 가루로 만들어 매회 12g을 복용한다. 녹내장에는 선화(蟬花), 국화(菊花), 초결명(草決明)을 같은 양으로 배합하고 가루 내어 매회 6g을 복용한다.

처방 선화산(蟬花散): 선화(蟬花) · 백강잠(白殭蠶) · 감초(甘草) 각 0.3g, 연호색(延胡索) 0.2g. 소아경풍(小兒驚風), 기침에 사용한다.

맥각균

♀ 산후출혈　　　편두통

● 학명 : *Claviceps purpurea* L.　● 한자명 : 麥角菌

벼과 식물에 기생하며 균핵(菌核) 이외에 분생자 및 자낭포자를 형성한다. 균핵은 딱딱하고 표면은 검은 자줏빛, 길이 15~25mm, 지름 2.5~3.5mm이다. 이것이 토양에 떨어져서 발아하면 자실체를 형성한다. 자실체는 머리 부분과 자루로 이루어지며, 자루 크기는 길이 20~30mm, 지름 1~2mm이다. 자낭각은 엷은 자줏빛, 원추형, 머리 부분 속에 묻혀 있다. 자낭각은 내부에 자낭포자를 가지고 있는데, 이 자낭포자는 무색의 실 모양이다. 자낭포자는 바람에 의하여 전파되고 '호밀' 꽃에 붙으면 발아하며, 씨방에 침투하여 유백색의 균사 덩어리를 만든다. 그 표면에는 분생포자에서 분비된 단맛의 액이 있어 곤충을 유인하며, 포자는 곤충에 의하여 다른 꽃으로 운반된다. 균핵은 약 2

년간 생활력이 있으며, 분생포자는 건조 상태에서 약 10개월간 생활할 수 있으나 자연 상태에서는 월동하지 못한다.

분포 · 생육지 우리나라. 세계 각처. '호밀'을 비롯한 벼과 식물에 기생한다.

약용 부위 · 수치 의약품의 균핵을 얻기 위하여 '호밀'에 인공적으로 접종하여 건조시켜 생산한다.

약물명 맥각(麥角). 흑맥오미(黑麥烏米), 자맥각(紫麥角)이라고도 한다. 대한민국약전외한약(생약)규격집(KHP)에 수재되어 있다.

성상 길이 1~4cm, 지름 2.5~5mm, 구부러진 방추체로 바깥면은 암자색~갈자색, 세로로 갈라진 홈이 있다. 상단에는 분생자균의 잔재가 있고 말린 것은 쉽게 부서진다. 잘라 보면 주변부는 자주색이고 내부는 백

색을 띠고 있어 자주색의 띠가 별 모양을 나타낸다.

기미 · 귀경 신(辛), 고(苦), 평(平), 유독(有毒)

약효 축궁지혈(縮宮止血), 지통(止痛)의 효능이 있으므로 산후출혈, 편두통을 치료한다.

성분 알칼로이드가 0.01~0.04% 함유되어 있으며, D-lysergic acid와 D-isolysergic acid의 유도체이다. 알칼로이드는 수용성과 비수용성이 있다. 수용성 알칼로이드는 ergobasine(ergotamine)계로 ergometrine, ergobasine 등이 있고, 비수용성 알칼로이드는 ergotamine계, ergoxine계, ergotoxine계로 나눈다. ergotamine계 물질로는 ergotamine, ergotaminine, ergosine, ergovaline, ergobine, ergoxine계 물질로는 ergotine, ergoptine, ergobutine, ergotoxine계 물질로는 ergocristine, α-ergocryptine, β-ergocryptine, ergocornine, ergobutyrine, ergocormine, 그 밖에 ergochrome A~E, secalonic acid A~D, ergoflavin 등이 함유

되어 있다.

약리 맥각 알칼로이드는 교감 신경을 마비시켜 혈관의 수축과 자궁근의 긴장 등을 일으킨다. lysergic acid 유도체가 isolysergic acid 유도체보다 작용이 강하며, 추출 과정에서 전자는 후자로 전환되기 쉽다. 따라서 현재 임상에 사용되는 것은 lysergic acid 계의 반합 성품이 많다. 자궁 수축 작용은 ergometrine이 가장 강하고, ergotamine이 그 다음이다. ergometrine은 속효성이며 지속적으로 평활근을 수축시킨다. taxin 등은 자궁 출혈을 방지하고 자궁 수축 작용

이 있다. ergotamine은 적출한 말초 혈관의 평활근을 수축시킨다. 살아 있는 동물에는 혈관이 수축되고 혈압이 오르며, 심장의 박동이 느려진다. 다량의 ergotamine 또는 ergotoxine은 교감 신경 전달 물질의 유리를 억제하지는 않지만 α-adrenalin 수용체를 차단하여 adrenalin에 의한 혈압 상승 작용을 반전시킨다.

사용법 유동액제(流動液劑)를 만들어서 매회 0.5~2mL를 매일 3~4번 복용한다. 실제로 맥각은 약효 성분을 분리하여 사용하고 있다. ergotamine tartarate는 편두통에

사용하며 1mg씩 경구로 투여하고, ergonovine malate는 주로 산부인과에서 사용하며 1회 0.5mg을 경구 투여하거나 0.2mg을 피하로 주사한다. 그밖에도 ergotamine, ergometrine, ergotoxine 등은 산부인과에서 임상에 많이 이용하고 있다.

※ '호밀 *Secale cereale*'은 유럽 남부와 아시아 서남부가 원산지인 두해살이풀. 높이 2m 정도. 줄기는 모여나고 원주형이다. 밑부분이 굽었다가 곧게 자라고 흰빛이 도는 녹색을 띠며 꽃차례 밑부분에 털이 있다. 잎은 바늘 모양, 길이 25~30cm, 너비 0.6~1.5cm이다. 끝은 뾰족하고 표면은 거칠며 뒷면은 매끈하고 잎몸 밑에 귀같이 튀어나온 부분이 있다. 꽃은 5월에 수상화서로 피며, 길이 10~15cm, 편평하고 주맥 양쪽에 백색 털이 있다. 소수는 2줄로 배열되고 2개의 작은꽃으로 된다. 포영은 1개의 맥이 있고, 내영은 길이 11mm 정도, 막질이고 2개의 능선이 있다.

❍ 호밀

❍ 맥각(麥角)

[맥각균과]

벼맥각

🔲 피부병

● 학명 : *Claviceps virens* Sakurai [*Ustilaginoides virens* (Cooke) Takahashi]
● 별명 : 벼깜부기

| 1 | 2 | 3 | 4 | 5 | 6 | 7 | 8 | 9 | 10 | 11 | 12 |

균핵은 지름 0.4~0.6cm로 구형~부정형으로 표면은 흑갈색이고 내부는 등황색이지만 중앙부는 백색에 가깝다. 자실체는 길이 0.5~1.5cm의 가는 대와 지름 0.2~0.3cm의 구형의 두부로 이루어졌다. 두부는 처음에는 등황색이나 성숙하면 녹황색이 된다. 자낭각은 두부 표면 밑에 매몰되었고, 자낭은 원통형이다.

분포·생육지 우리나라. 동남아시아. 가을에 성숙한 벼 이삭에 나타난다.

약용 부위·수치 자실체를 가을에 채취하여 사용한다.

약물명 도록균핵(稻綠菌核). 갱곡노(粳谷奴)라고도 한다.

약효 습진 등 피부병을 치료한다.

약리 소염, 살균 작용이 있다.

사용법 도록균핵 적당량을 가루로 만들어 1회 3g을 복용한다.

❍ 벼맥각

콩버섯

상처, 부스럼

●학명 : *Daldinia concentrica* (Bolton) Ces. ex Denot.

| 1 | 2 | 3 | 4 | 5 | 6 | 7 | 8 | 9 | 10 | 11 | 12 |

자실체는 지름 1~3cm, 반구형이나 혹 모양이다. 표면은 어린 것은 갈색~적갈색이지만 차츰 흑색이 되며 평활하다. 자낭각은 표면에 매몰되어 있으며 공구는 밖으로 돌출되어 있지 않다. 성숙한 자실체는 밤에 포자를 밖으로 분출하여 주변을 흑색 가루로 덮는다. 조직은 질기나 건조시키면 잘 부서지며, 내부는 밝고 어두운 색 층이 번갈아 동심원 무늬를 나타낸다.

분포·생육지 우리나라. 세계 각처. 여름부터 가을까지 활엽수의 죽은 나무나 그루터기에 무리 지어 발생한다.

약용 부위·수치 자실체를 여름부터 가을까지 채취하여 흙과 잡물을 제거하고 물에 씻어서 말린다.

약물명 탄구균(炭球菌)

성분 daldinan A, methyl-7α-acetoxydeacetylbotryolate, 7α-acetoxydeacetylbotryenedial, 7α-hydroxybotryenlol, 7,8-dehydronorbotryal, daldinin A, C, diaporthin, orthosporin, pyroglutamic acid, friedelin 등이 함유되어 있다.

약리 항균, 신경 세포 보호 작용이 있다.

사용법 탄구균 적당량을 가루로 만들어 상처나 부스럼 등에 뿌리거나 연고로 만들어 바른다.

○ 콩버섯

○ 탄구균(炭球菌)

○ 콩버섯(오래된 것)

다형콩꼬투리버섯

상처, 부스럼

●학명 : *Xylaria polymorpha* (Pers.) Grev.

| 1 | 2 | 3 | 4 | 5 | 6 | 7 | 8 | 9 | 10 | 11 | 12 |

자실체는 높이 3~8cm, 너비 1~3cm, 불규칙한 방망이 또는 곤봉형이다. 표면은 탄소질의 단단한 각피로 되어 있으며, 어린 시기에는 회갈색~담갈색이지만 나중에 흑색이 된다. 자낭각은 매몰되어 있으며, 공구는 표면에 작은 사마귀 모양으로 돌출되어 조밀하게 분포한다. 조직은 백색, 단단한 섬유질이다.

분포·생육지 우리나라. 세계 각처. 여름부터 가을까지 활엽수의 죽은 나무나 그루터기에 무리 지어 발생한다.

약용 부위·수치 자실체를 여름부터 가을까지 채취하여 흙과 잡물을 제거하고 물에 씻어서 말린다.

약물명 탄구균(炭球菌)

약리 항진균 작용이 있다.

사용법 탄구균 적당량을 가루로 만들어 상처나 부스럼 등에 뿌리거나 연고로 만들어 바른다.

○ 다형콩꼬투리버섯

백강잠균

경간추축, 중풍구안와사   편정두통
인후종통, 차시   나력, 풍진, 창독

● 학명 : *Beauveria bassiana* (Bals.) Vuill.   ● 한자명 : 白殭蠶菌

`1` `2` `3` `4` `5` `6` `7` `8` `9` `10` `11` `12`

균사(菌絲)는 부드러운 털로 기주의 몸체 마디에서 길게 나와 차츰 몸 전체를 덮으며 뒤에 가루처럼 된다. 살아 있을 때는 백색, 건조하면 회황색이 된다. 공중 균사인 포자는 원통형으로 갈라지기도 하며 그 끝에서 새로운 포자가 생기기도 한다.

분포 · 생육지 우리나라, 중국, 일본, 세계 각처. 여러 종류의 곤충에 기생한다.

약용 부위 · 수치 백강잠균이 누에에 기생한 것을 채취하여 말려서 사용한다. 누에에서 균사(菌絲)가 나와서 담자기가 형성되어 그것에 백색 분생포자가 다수 발생하므로 사체(死體)는 백색이 된다. 강잠(殭蠶)의 발생은 주로 습도에 기인한다. 양잠(養蠶)은 고온과 저습을 피하여 사육하여야 하지만, 습도가 지나치게 높으면 강잠(殭蠶)이 쉽게 생긴다. 자연스럽게 죽은 강잠(殭蠶)은 석회에 넣어서 수분을 제거한 후에 햇볕에 건조한다.

약물명 백강잠(白殭蠶), 강잠(殭蠶), 천충(天蟲), 강충(殭蟲)이라고도 한다.

본초서 「신농본초경(神農本草經)」의 중품(中品)에 "백강잠(白殭蠶)은 어린아이의 경기(驚氣)와 밤에 울어대는 증상을 치료하며, 기생충을 몰아내고, 얼굴색을 좋게 한다. 남자의 음낭 주변의 가려움증에 좋다."고 기록되어 있다. 도홍경(陶弘景)은 "집에

서 기르는 누에 가운데서 누에가 죽는 것이 있다. 이것을 건조한 것을 백강잠이라 하며 희기 때문에 소금기가 있는 것처럼 보인다."고 하였다. 「본초강목(本草綱目)」에는 "궐음(厥陰)과 양명(陽明)의 약이며, 풍담과 나력을 몰아내고 피부의 종기, 산모의 젖 분비 촉진, 치질을 치료한다."고 기록되어 있다.

성상 백강잠(白殭蠶)은 지름 4~7mm, 길이 2~5cm의 원주상으로 바깥면은 회백색 ~담갈색이며 흰 가루로 덮여 있다. 두부는 황갈색이고, 발은 8쌍으로 돌기 같으며 질은 단단하여 잘 부러지지 않는다.

품질 잘 건조되고 길이가 4cm 이상으로 고르고 충실하며 질이 단단하고 백색이며, 절단 면은 흑갈색이며 광택이 있는 것이 좋다.

기미 · 귀경 신(辛), 함(鹹), 평(平) · 간(肝), 폐(肺), 위(胃)

약효 거풍지경(祛風止痙), 화담산결(化痰散結), 해독이인(解毒利咽)의 효능이 있으므로 경간추축(驚癎抽搐), 중풍구안와사(中風口眼喎斜), 편정두통(偏正頭痛), 인후종통(咽喉腫痛), 나력(瘰癧), 차시(痄腮), 풍진(風疹), 창독(瘡毒)을 치료한다.

성분 단백질 67.44%, 지방 4.38%, 회분 6.34%, 수분 11.31%, 3-hydroxy kynurenine, 6-N-hydroxy ethyl adenine, tenellin,

bassianin, cyclodepsipeptide, bassinolide, beauverilide A~F, palmitamide, stearamide, piperazine-2,5-dione 등이 함유되어 있다.

약리 열수추출물을 쥐에게 투여하면 경련을 억제하고, 진정 작용 및 혈액 응고를 저지하는 작용이 있다. 쥐에게 열수추출물을 투여하면 혈당을 강하시키는 작용이 있다. 백강잠(白殭蠶)에 함유된 단백질은 부신 피질을 자극하여 호르몬의 분비를 촉진하는 작용이 있다.

사용법 백강잠 5g에 물 3컵(600mL)을 넣고 달여서 복용하거나 가루로 만들어 1g을 복용한다.

처방 백강잠산(白殭蠶散): 상엽(桑葉) 40g, 세신(細辛) 20g, 선복화(仙服花) · 백강잠(白殭蠶) · 형개(荊芥) · 감초(甘草) 각 12g(「동의보감(東醫寶鑑)」). 폐기(肺氣)가 약하여 찬 바람을 맞으면 눈물이 자주 나는 증상에 이용한다.

• 백강잠환(白殭蠶丸): 천남성(天南星) 8g, 백강잠(白殭蠶) · 토룡(土龍) · 오령지(五靈脂) 각 4g(「동의보감(東醫寶鑑)」). 어린아이의 경기, 발작, 소화가 잘 안되어 일어나는 경련에 사용한다. 위의 약을 가루 내어 0.1g이 되는 알약을 만들어 3~4살인 경우 한 번에 1~2알씩 하루 3번 복용하게 한다.

◐ 백강잠균(누에)

◐ 백강잠(白殭蠶)

[육좌균과]

죽황

해수담다, 백일해 | 대하 | 위통
풍습비통, 사지마목, 타박상

●학명 : *Shiraia bambusicola* P. Henn. ●한자명 : 竹黃

| 1 | 2 | 3 | 4 | 5 | 6 | 7 | 8 | 9 | 10 | 11 | 12 |

자좌(子座)는 불규칙한 유상(瘤狀), 처음에는 백색이나 점차 분홍색으로 변한다. 표면은 평활하나 시간이 지날수록 갈라지고, 육질, 길이 2~4cm, 지름 1~2.5cm, 자낭각은 구형이다.

분포·생육지 중국 저장성(浙江省), 푸젠성(福建省), 쓰촨성(四川省), 구이저우성(貴州省). 대나무에 기생한다.

약용 부위·수치 청명(淸明) 전후에 자좌(子座) 및 포자(孢子)를 채취하여 잡질을 제거하고 말려서 사용한다.

약물명 죽황(竹黃), 담죽황(淡竹黃), 죽삼칠(竹三七), 혈삼칠(血三七), 죽삼(竹參)이라고도 한다.

약효 화담지해(化痰止咳), 활혈거풍(活血祛風), 이습(利濕)의 효능이 있으므로 해수담다(咳嗽痰多), 백일해(百日咳), 대하(帶下), 위통, 풍습비통(風濕痺痛), 사지마목(四肢麻木), 타박상을 치료한다.

성분 mannitol, aspartic acid, threonine, cystine, hypocrelline A, B, C, shiraia-chrome A, B, C 등이 함유되어 있다.

약리 개구리 심장을 적출한 뒤 열수추출액을 투여하면 심장의 수축력이 감소한다. 사람의 혈액에 열수추출액을 투여하면 혈액 응고 시간을 연장시킨다. 쥐 실험에서 진통 소염 작용이 있다.

사용법 죽황 5~10g에 물 2컵(400mL)을 넣고 달여서 복용하거나 술에 담가서 복용한다.

임상 보고 만성요통: 죽황(竹黃) 50g을 백주(白酒) 500mL에 8시간 이상 담근다. 이것을 매일 3차례, 1회 20~30mL를 복용한 결과 35명 가운데 25명이 현저한 효과를 보았으며, 6명이 호전되었고 4명은 효과가 나타나지 않았다.

＊청피죽(靑皮竹)에 기생하는 죽황봉(竹黃蜂)이 대나무를 물어서 분비액이 고여 괴상물(塊狀物)을 이룬 것도 죽황(竹黃)이라고 하므로 본 종과 구분하여 사용하여야 한다.

○ 죽황(竹黃)

○ 죽황

[깜부기병균과]

옥수수깜부기

간염, 위장도궤양, 소화불량, 감적
실면증

●학명 : *Ustilago maydis* (DC) Corda

| 1 | 2 | 3 | 4 | 5 | 6 | 7 | 8 | 9 | 10 | 11 | 12 |

옥수수의 지상(땅 위)에 나와 있는 부분이나 뿌리 부분에 기생하여 지름 15~20cm의 불규칙한 팽대부와 덩이를 만든다. 암꽃의 씨방에 생기는 것이 크며, 덩이 모양인 것은 처음에는 백색이나 보라색을 거쳐 흑색으로 된다. 포자가 성숙하면 표면이 얇아지고 부서지기 쉽다.

분포·생육지 우리나라. 옥수수를 재배하는 곳에서 흔하게 발생한다.

약용 부위·수치 옥수수의 꽃차례에 발생하는 포자퇴(胞子堆)를 여름과 가을에 채취하여 말린다.

약물명 옥미흑매(玉米黑霉), 옥미오미(玉米烏米), 옥미흑분(玉米黑粉), 봉자포(棒子包)라고도 한다.

기미·귀경 감(甘), 평(平)·간(肝), 위(胃)

약효 건비위(健脾胃), 이간담(利肝膽), 안신(安神)의 효능이 있으므로 간염, 위장도궤양(胃腸道潰瘍), 소화불량, 감적(疳積), 실면증(失眠症)을 치료한다.

성분 glycolipid, aspartic acid, glutamic acid, squalene, 2,3-epoxysqualene, 4,4-dimethylergosta-8-en-3β-ol, ergosterol, ferrichrome, indole-3-acetic acid(IAA) 등이 함유되어 있다.

약리 indole-3-acetic acid(IAA) 유도체들이 함유되어 있어서 고등식물의 성장을 촉진하는 작용이 있다.

사용법 옥미흑매 적당량을 가루로 만들어 1회 3g을 복용하거나 알약으로 만들어 복용한다.

○ 옥수수깜부기

[깜부기병균과]

보리깜부기

열병발열, 온학   심번구갈

탕화상

● 학명 : *Usilago nuda* (Jens.) Rost.

1	2	3	4	5	6	7	8	9	10	11	12

보리의 꽃차례에 기생하며 타원형~원추형, 수 mm에 이르는 포자퇴(胞子堆)를 형성한다. 막은 균사를 거쳐 만들어지며 포자퇴는 딱딱하고 흑갈색, 길이 7~12mm, 지름 4~6mm이다.

분포 · 생육지 우리나라. 보리를 재배하는 곳에서 발생한다.

약용 부위 · 수치 보리 꽃차례에 발생하는 포자퇴(胞子堆)를 봄에 채취하여 말린다.

약물명 맥노(麥奴), 소맥흑발(小麥黑勃), 소맥노(小麥奴), 흑저(黑疽), 귀맥(鬼麥), 매맥(莓麥)이라고도 한다.

기미 · 귀경 신(辛), 한(寒) · 심(心)

약효 해기청열(解肌清熱), 제번지갈(除煩止渴)의 효능이 있으므로 열병발열(熱病發熱), 심번구갈(心煩口渴), 온학(溫瘧), 탕화상(燙火傷)을 치료한다.

성분 erythritol, mannitol 등이 함유되어 있다.

사용법 맥노를 1회 0.05~0.1g을 복용한다. 외용에는 적당량을 참기름에 섞어서 바른다.

● 보리깜부기(포자퇴는 흑갈색이다.)

● 보리깜부기

점균아문(粘菌亞門, Myxomycota)

변형균류(變形菌類, slime mold)라고도 한다. 영양체의 형태는 변형체이고 세포벽이 없는 다핵(多核)의 균류이다. 일반적으로 습기가 많은 곳의 썩은 나무, 마른 나뭇가지 등에서 부생적(腐生的)으로 발생하나 가끔 살아 있는 줄기, 잎, 지의류(地衣類)의 엽상체(葉狀體) 위, 땅 위 등에서도 발생한다. 점균류는 다핵을 가진 원형질 덩어리로서 원형질 움직임으로 가짜다리(僞足)를 내어 천천히 움직이면서 물속에 녹아 있는 양분을 흡수하는 것도 있고, 작은 알갱이의 유기물, 포자, 세균 등을 섭취하여 세포 내에서 소화하고 노폐물을 배출하면서 성장하는 것도 있다.

[딸기점균과]

분홍콩점균

점막염

● 학명 : *Lycogala epidendrum* (L.) Fr.

1	2	3	4	5	6	7	8	9	10	11	12

● 분홍콩점균

자실체는 지름 0.5~1.5cm, 구형, 표면에는 작은 돌기가 있고, 처음에는 회흑색이나 점차 황갈색이 되었다가 담홍색이 된다. 조직은 담적색, 연고상으로 끈적인다. 자실체가 성숙하면 꼭대기가 터져 황갈색의 포자가 분산된다.

분포 · 생육지 우리나라. 중국, 일본, 북아메리카, 유럽. 봄부터 가을에 걸쳐 고목, 그루터기, 나무토막 등에 무리 지어 발생한다.

약용 부위 · 수치 자실체를 봄부터 가을까지 깊은 산에서 채취하여 흙을 털어 잘 말려 사용한다.

약물명 분류균(粉瘤菌). 양운붕(楊云鵬)이라고도 한다.

약효 청열소염(清熱消炎)의 효능이 있으므로 점막염(粘膜炎)을 치료한다.

성분 polyacetylene triglyceride, dibenzo-carbazole 등이 함유되어 있다.

사용법 분류균 적당량을 곱게 가루 내어 피부염 부위, 상처에 뿌리거나 물을 넣고 달여서 그 액을 바른다.

약용 동물

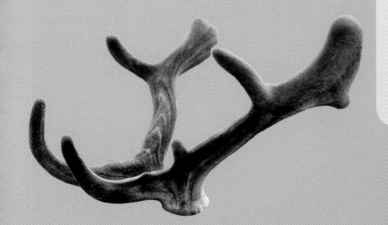

[해파리과]

황반해파리

 폐열해수, 담열효천   고혈압

식적비창, 대변조결

● 학명 : *Rhopilema hispidum* Vanhoeffen

몸체는 담남색~청람색이다. 반구부 중심반은 지름 25~45cm. 갓은 두껍고 가장자리로 갈수록 얇아지며 8개의 결각이 있으며, 안쪽에는 1개의 감각기가 있다.

분포 · 생태 우리나라 서해, 남해. 중국, 일본. 근해에서 해조류, 거머리말류(eelgrass)를 먹고 산다.

약용 부위 · 수치 몸체를 채취하여 물에 씻은 후 말린다.

약물명 해철(海蜇). 석경(石鏡), 수모(水母), 해절(海折), 수모선(水母鮮)이라고도 한다.

기미 · 귀경 평(平), 함(鹹) · 간(肝), 신(腎), 폐(肺)

약효 청열평간(淸熱平肝), 화어소적(化瘀消積), 윤장(潤腸)의 효능이 있으므로 폐열해수(肺熱咳嗽), 담열효천(痰熱哮喘), 식적비창(食積痞脹), 대변조결(大便燥結), 고혈압을 치료한다.

성분 몸체 100g당 수분 65g, 탄수화물 4g, 단백질 12.3g, 지방 0.1g, 회분 18.7g, thiamine 0.01g, rivoflavine 0.04g, nicotinic acid 0.2mg 등이 함유되어 있다.

약리 몸체를 농축하여 1g/mL 원액을 만들어 두꺼비 심장에 투여하면 심근의 수축력을 약화시킨다. 마취한 토끼에게 정맥주사하면 혈압을 내린다.

사용법 해철 30g에 물 3컵(600mL)을 넣고 달여서 복용한다.

* '숲뿌리해파리 *R. esculentum*'도 약효가 같다.

❖ 황반해파리

[해변말미잘과]

검정꽃해변말미잘

 치창, 탈항 　백대

체선

● 학명 : *Anthopleura kurogane* Uchida et Muramatsu

몸체는 다변성으로 흑갈색 또는 녹갈색 등
다양한 색상을 가진다. 몸통 지름 5cm 정
도, 중형에 속한다.
분포 · 생태 우리나라 동해, 남해, 서해, 중

국, 일본. 조간대 중하부부터 수심 5m까지
흔하게 분포하며, 바위나 모랫바닥에 몸을
고정시키고 생활한다.
약용 부위 · 수치 몸체를 채취하여 물에 씻어

서 사용한다.
약물명 황해규(黃海葵), 해정근(海腚根), 사
통(沙筒)이라고도 한다.
약효 수렴고탈(收斂固脫), 거습살충(祛濕殺
蟲)의 효능이 있으므로 치창(痔瘡), 탈항(脫
肛), 백대(白帶), 체선(體癬)을 치료한다.
성분 anthopleurin A~C, 2-aminoethylphos-
phate, N-methyl-2-aminoethylphosphate,
peridinin, β-caroten-19′,11′-olide-3-
acetate 등이 함유되어 있다.
약리 anthopleurin은 포유동물의 심장의 심
축력을 증가시키지만 심박수에는 영향을 주
지 않는다. Na⁺, K⁺-ATP 효소 등에 영향이
없으며 강심 작용은 G-strophanthin보다
200~1,000배 강하다.
사용법 황해규 1개에 물을 넣고 삶아서 복용
하고, 외용에는 짓찧어 상처에 붙이거나 바
른다.
주의 독성이 강하므로 복용량에 주의해야
한다.

✪ 검정꽃해변말미잘

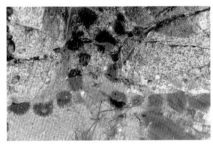

✪ 검정꽃해변말미잘(바위나 모랫바닥에 붙어서 산다.)

[녹각산호과]

녹각산호

피부소양, 백독, 옹양

● 학명 : *Acropora pulchra* Brook　　● 별명 : 가지산호

산호의 골격은 수지(樹枝) 모양, 짧게 분지
한 끝은 점점 뾰족해진다. 축산호체는 원주
형으로 지름 2.5~3mm이다.
분포 · 생태 우리나라, 중국, 일본, 오스트레
일리아. 조간대 상부 바위틈에 몸을 고정시
키고 생활한다.
약용 부위 · 수치 몸체를 채취하여 분쇄하여
가루로 만들어 사용한다.
약물명 청랑간(青琅玕), 석주(石珠), 청주
(青珠), 석란간(石蘭干)이라고도 한다.
약효 거풍지양(祛風止痒), 해독, 행어(行瘀)
의 효능이 있으므로 피부소양(皮膚瘙痒),
백독(白禿), 옹양(癰痒)을 치료한다.
사용법 청랑간 가루 0.3g을 복용하고, 옹양
(癰痒)에는 가루를 연고로 만들어 바른다.

✪ 녹각산호

[비파산호과]

조회형산호

 이질   기관지염

나력

● 학명 : *Galaxea aspera* Quelch   ● 한자명 : 粗盔形珊瑚

산호의 골격은 군체형이나 모양이 일정하
지 않고 환경에 의하여 약간 변한다. 공간
이 넓은 것은 볼록형이고 공간이 좁은 것은
기형(畸形)이다.

분포 · 생태 우리나라. 중국, 일본, 오스트레
일리아. 조간대 상부 바위틈에 몸을 고정시
키고 생활한다.

약용 부위 · 수치 몸체를 채취하여 물에 씻어
서 말린다.

약물명 해백석(海白石). 아관석(鴉管石)이
라고도 한다.

약효 청열해독(淸熱解毒), 화담산결(化痰散
結)의 효능이 있으므로 이질, 기관지염, 나
력(瘰癧)을 치료한다.

사용법 해백석 가루 15g에 물 3컵(600mL)
을 넣고 달여서 복용한다.

➍ 조회형산호

[홍산호과]

홍산호

 목생예장, 토뉵   소탕상

● 학명 : *Corallium rubrum* L.   ● 별명 : 도색산호   ● 한자명 : 紅珊瑚

군체는 높이 45cm 정도. 관목으로 분지하
고 붉은색이다. 가지 끝은 8개로 분지하고
가장자리는 톱니형, 끝은 뾰족하다.

분포 · 생태 우리나라. 중국, 일본, 오스트레
일리아. 조간대 상부 바위틈에 몸을 고정시
키고 생활한다.

약용 부위 · 수치 몸체를 채취하여 물에 씻어
서 말린 후 가루로 만든다.

약물명 산호(珊瑚). 대홍산호(大紅珊瑚), 홍
산(紅珊)이라고도 한다.

약효 거예명목(祛翳明目), 안신진경(安神鎭
驚), 염창지혈(斂瘡止血)의 효능이 있으므
로 목생예장(目生翳障), 토뉵(吐衄), 소탕
상(燒燙傷)을 치료한다.

사용법 산호 가루 0.5g을 복용하고, 소탕상
(燒燙傷)에는 가루를 연고로 만들어서 바
른다.

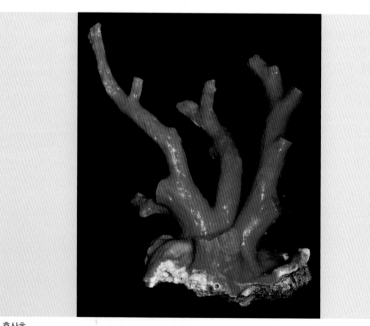

➍ 홍산호

환형동물(環形動物, Annelida)

몸통이 많은 체절로 이루어져 있으므로 체절동물이라고도 한다. 체표는 표피와 하표피에서 분비된 엷은 큐티클(Cuticle)로 덮여 있고, 쌍을 이룬 강모가 있거나 촉각을 갖는다. 체벽에는 종주근과 환상근이 발달하고, 체강은 격막에 의해 나누어지며, 혈관은 폐쇄 혈관계로서 호흡 색소를 가진다. 소화계는 완전하며 호흡은 피부 또는 아가미로 한다.

[지렁이과]

지렁이

열병발열광조, 간양두통　　경간추축
중풍편탄, 풍습비통　　폐열천해　　소변불통

● 학명 : *Pheretima aspergillum* Perrier

몸길이 10~15cm, 너비 5~8mm. 몸은 구부러진 긴 원통형으로 머리, 눈 등이 퇴화되었고, 입은 앞쪽 끝에 있다. 전체는 100~150개 정도의 체절로 구성되었으며 각 마디에는 딱딱한 털이 환상으로 배열되어 있다. 비린내가 있고 맛은 조금 짜다.

분포·생태 우리나라. 중국, 일본. 흙 속에 산다.

약용 부위·수치 몸체를 채취하여 잡물을 제거하고 물에 씻어서 말려 사용한다. 미감수(米泔水, 쌀뜨물)에 12시간 담가 두었다가 막걸리에 하루 담근 후 건져 내 말린다.

약물명 지룡(地龍). 구인(蚯蚓), 토룡(土龍)이라고도 한다. 대한민국약전외한약(생약)규격집(KHP)에 수재되어 있다.

본초서 「신농본초경(神農本草經)」의 하품(下品)에 수재되어 있다. 「본초강목(本草綱目)」에는 "지렁이는 언덕(丘)을 기어오를 때 몸을 길게 폈다가 끌어당기는(引) 동작으로 움직이므로 구인(蚯蚓)이라고 한다."고 하였다.

품질 덩어리가 크고 옥백색으로 결정상 과립이 많고 인습성이 강한 것이 좋다.

기미·귀경 감(甘), 한(寒)·간(肝), 폐(肺), 신(腎)

약효 청열지경(淸熱止痙), 평간식풍(平肝熄風), 통경활락(通經活絡), 평천이뇨(平喘利尿)의 효능이 있으므로 열병발열광조(熱病發熱狂躁), 경간추축(驚癎抽搐), 간양두통(肝陽頭痛), 중풍편탄(中風偏癱), 풍습비통(風濕痺痛), 폐열천해(肺熱喘咳), 소변불통(小便不通)을 치료한다.

성분 용혈 작용 물질인 lumbritin, 유독 물질인 terrestolumbrilysin, 해열 물질인 lumbroferin 등이 함유되어 있다. terrestolumbrilysin은 수태 시기인 7~8월에 함량이 가장 높다.

약리 물로 달인 액을 쥐에게 투여하면 체온 조절 중추에 작용하여 열을 내리며, 아스피린에 의한 해열 지속 시간을 연장시킨다. 에탄올추출물은 완만하면서도 지속적인 혈압 강하 작용을 나타낸다. 물로 달인 액을 쥐나 토끼의 폐에 관주(灌注)하면 기관지 확장 작용이 나타난다. 진정 작용이 있으며, caffeine이나 전기 자극에 의하여 일어나는 경련을 억제하는 작용이 있다.

사용법 지룡 5g에 물 2컵(400mL)을 넣고 달여서 복용하거나 술에 담가 복용하고, 가루약이나 알약으로 만들어 복용한다.

주의 황달 또는 결핵 증상이 있거나 비위(脾胃)가 허약한 경우는 복용하지 않는다.

처방 지룡산(地龍散): 강활(羌活) 8g, 독활(獨活)·황백(黃柏)·감초(甘草) 각 4g, 소목(蘇木) 2.4g, 마황(麻黃) 2g, 지룡(地龍)·계심(桂心) 각 1.6g, 당귀미(當歸尾) 0.8g, 도인(桃仁) 6개 (「동의보감(東醫寶鑑)」). 무거운 것을 들거나 타박상으로 어혈이 생겨 허리가 아픈 증상에 사용한다.

＊ 지렁이과(Pericaetae)의 '삼환모지렁이' 이외에 '흰목지렁이 *P. asiatica*', '낚시지렁이 *Allolbophora calignosatrapezoides*' 및 근연 지렁이의 체내 내용물을 제거한 몸체를 사용한다. 중국의 운난성(雲南省), 광둥성(廣東省), 광시성(廣西省) 등에서 생산된다.

＊ 우리나라는 '지렁이 *Pericaeta communisma*', '똥지렁이 *P. hupeinsis*' 등이 제약 산업에 이용되기도 한다.

❶ 지룡(地龍)　　❶ 지룡(地龍)

❶ 지렁이

❶ 건조 중인 지룡(地龍) (중국 서안)

❶ 중국산 지룡(地龍, 절편)

거머리

 혈어경폐　 징가비괴

타박상

● 학명 : *Hirudo nipponica* Whitman.

몸은 편평한 원통형, 길이 4~10cm, 너비 1~2cm, 많은 결절이 있다. 등쪽은 흑갈색을 띠고 흑색 반점이 있으며 5개의 세로줄무늬, 복부는 황갈색, 옆면은 갈색을 띤다. 앞쪽 끝은 약간 뾰족하고 앞쪽 끝과 뒤쪽 끝에는 빨판이 있다.

분포·생태 우리나라. 인도, 중국, 일본 등 아시아. 논, 연못, 냇가, 늪 지대에서 산다.

약용 부위·수치 몸체를 채취하여 그대로 사용하거나 약한 불에 볶아서 사용한다.

약물명 몸체 말린 것을 수질(水蛭)이라 하며, 마별(馬鼈), 육찬자(肉鑽子), 마질(馬蛭), 흡혈충(吸血蟲), 관수질(寬水蛭), 장조수질(長條水蛭)이라고도 한다. 대한약전외한약(생약)규격집(KHP)에 수재되어 있다.

• 관수질(寬水蛭): 거머리과 '말거머리 *Whitmania pigra*'의 몸체를 건조한 것으로 중국의 산둥성(山東省)에서 주로 생산된다.

• 장조수질(長條水蛭): 거머리과 '왕거머리 *Whitmania acranulata*'의 몸체를 건조한 것으로 중국의 산둥성(山東省)에서 주로 생산된다.

본초서 수질(水蛭)은 「신농본초경(神農本草經)」의 하품(下品)에 수재되어 있을 정도로 오랫동안 사용하여 온 약재이며, 유럽에서도 오랫동안 약용으로 이용하였다. 「본초습유(本草拾遺)」에는 옹종(癰腫)이나 종독(腫毒)에는 거머리 10마리를 환부에 올려놓고 피를 빨게 한다고 하였다. 이와 같이 충체

를 말려서 이용하기도 하였지만 살아 있는 거머리를 환부의 피부에 붙여서 혈액을 흡입시켜 뇌일혈, 급성녹색색맹, 각막동통에 사용하고 있다.

神農本草經: 主逐惡血, 瘀血, 月閉, 破血癥瘕積聚, 無子, 利水道.

本草衍義: 治折傷墮撲蓄血有功.

本草拾遺: 擁腫毒腫 取十餘枚令唼病處 取皮皺肉白.

성상 수질(水蛭): 길이 5~12cm, 너비 2~5cm, 등쪽 면은 다갈색이며 흑갈색 반점이 있는 다섯 개의 세로줄이 있다. 몸체는 편압되고 길며 꺾기 쉽고 꺾은 면은 고르지 않으며 광택이 없다.

• 관수질(寬水蛭): 편평한 방추형, 몸에 여러 개의 돌림마디가 있다. 길이 4~8cm, 너비 5~20mm, 등쪽은 약간 두드러졌고 흑록색~흑갈색, 여러 개의 흑갈색 세로줄이 있다. 꺾기 쉽고 꺾은 면은 흑색으로 광택이 있다.

• 장조수질(長條水蛭): 길이 2~5cm, 너비 2~4mm, 등쪽 면은 어두운 녹색, 다섯개의 황색 세로줄이 있다. 몸은 긴 타원형으로 구부러졌고 꼬여 있다. 꺾기 쉽고 꺾은 면은 고르지 않으며 광택이 없다.

품질 몸체의 형태가 고르고, 흑색, 구부러져서 가로무늬가 있고 상하지 않은 것이 좋다.

기미·귀경 함(鹹), 고(苦), 평(平), 유독(有毒)·간(肝), 방광(膀胱)

약효 파혈축어(破血逐瘀), 통경소징(通經消癥)의 효능이 있으므로 혈어경폐(血瘀經閉), 징가비괴(癥瘕痞塊), 타박상을 치료한다.

성분 신선한 거머리 침에는 혈색소를 응고시키는 물질이 있는데, 이것을 hirudin이라 한다.

약리 열수추출물을 토끼에게 투여하면 혈압이 내려간다. hirudin을 주사한 토끼의 혈액은 오랫동안 응고되지 않으며 이것에서 분리한 혈장, 혈구, thrombin 등은 이것에 fibrinogen을 첨가해도 응고하지 않는다.

사용법 수질 5g에 물 2컵(400mL)을 넣고 달여서 복용하고, 가루약이나 알약은 2g을 1회용으로 만들어 복용한다. 타박상 등 외용에는 짓찧어 바른다.

주의 본 약물은 파혈(破血)과 거어(祛瘀) 작용이 있으므로 체질이 허약하고 혈허(血虛)한 사람 및 임신부에게는 사용하지 않는다.

처방 저당탕(抵當湯): 수질(水蛭)·망충(虻蟲)·도인(桃仁) 각 10개, 대황(大黃) 12g (「상한론(傷寒論)」). 어혈(瘀血)로 결흉이 되어 헛소리를 하며 입안이 마르나 물은 마시고 싶지 않고 아랫배가 그득하고 대변이 잘 나오지 않는 증상에 사용한다.

• 탈명산(奪命散): 백반(白礬)·백강잠(白殭蠶)·조협(皂莢) 동량 (「동의보감(東醫寶鑑)」). 풍담(風痰)과 풍열(風熱)로 생긴 급성후폐증, 인후염, 후두염에 사용한다.

• 지황통경환(地黃通經丸): 숙지황(熟地黃) 80g, 망충(虻蟲)·수질(水蛭)·도인(桃仁) 각 50개 (「동의보감(東醫寶鑑)」). 생리가 고르지 못하면서 아랫배가 그득하고 아픈 증상에 사용한다.

＊거머리에 함유되어 있는 hirudin은 혈액응고 억제 작용이 있어서 혈전증 치료에 응용되고 있다.

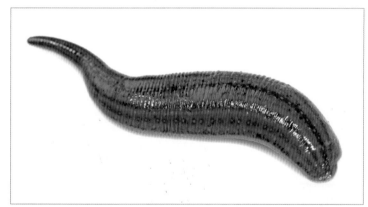

❶ 말거머리

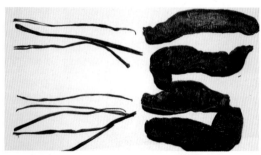

❶ 거머리(좌)와 말거머리(우)

❶ 수질(水蛭)

❶ 말거머리, 인삼, 전갈 등으로 만든 심장질환 치료제

❶ 관수질(寬水蛭)

[별벌레과]

줄별벌레

 음허도한, 골증조열　　폐로해수
치주염

● 학명 : *Sipunculus nudus* L.　● 별명 : 땅콩벌레

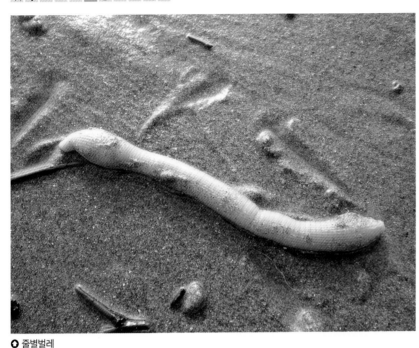

○ 줄별벌레

몸길이 12~22cm, 지름 1cm 정도. 몸체에는 30~31개의 세로줄과 가로줄이 있어서 바둑판 모양이며 신축성이 있다. 흡입구와 배출구는 몸체에 비하여 가늘다.

분포·생태 우리나라 서해, 남해. 중국, 일본. 바닷가 밀물이 흘러드는 모래 진흙 속에 살며 유기질을 섭취한다.

약용 부위·수치 몸체를 채취하여 잡물과 내장을 제거하고 물에 씻은 후 말린다.

약물명 광라성충(光裸星蟲), 사충(沙蟲), 사장자(沙腸子), 성충(星蟲)이라고도 한다.

약효 자음강화(滋陰降火)의 효능이 있으므로 음허도한(陰虛盜汗), 골증조열(骨蒸潮熱), 폐로해수(肺癆咳嗽), 치주염을 치료한다.

성분 octopine dehydrogenase, phospho-fructokinase, fructose 2,6-bisphosphate, adenylic acid, adenosine triphosphate, paramyosine, collagen, mucopolysac-charide, green pigments, cholesterol, β-sitosterol, arginine kinase, succinate dehydronase, strombine dehydronase 등이 함유되어 있다.

약리 마취한 개의 혈관에 에탄올추출물을 주입하면 혈압이 내려간다. 그 밖에 항산화 작용과 진정 작용이 있다.

사용법 광라성충 15g에 물 3컵(600mL)을 넣고 달여서 복용하거나 술에 담가서 복용한다.

[개불과]

개불

 고혈압

● 학명 : *Urechis unicinctus* Drasche

○ 개불(갯벌에서는 꼿꼿이 서서 먹이 활동을 한다.)

몸길이 10~30cm. 몸체는 부드럽고 원통형, 황갈색이다. 환형동물문의 특징인 입주머니(prostomium)와 비슷한 납작한 주둥이를 가지고 있으며 주둥이에 가시가 있다.

분포·생태 우리나라 서해, 남해. 중국, 일본. 바닷가 밀물이 흘러드는 모래 진흙 속에 U자관을 만들어 살고 있다. U자관 내에는 개불 외에 다른 공생 생물이 존재한다.

약용 부위·수치 몸체를 채취하여 잡물을 제거하고 물에 씻은 후 말린다.

약물명 Urechis

약효 강압(降壓)의 효능이 있으므로 고혈압을 치료한다.

사용법 Urechis 말린 것 10~20g을 그대로 복용하거나 가루로 만들어 복용한다.

＊ 과거에는 몸에 체절이 없기 때문에 본 종을 환형동물문과 다른 의충동물문으로 분류했다. 그러나 DNA 염기 서열을 이용한 계통 분류학적 분석 결과 환형동물문 하위 강으로 재분류되었다.

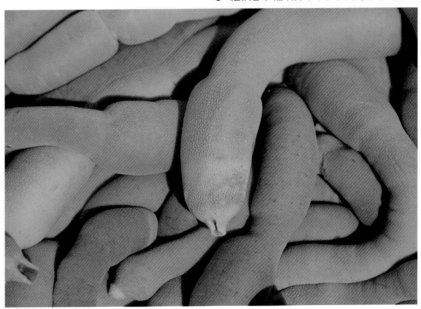

○ 개불

연체동물(軟體動物, Mollusca)

몸은 좌우 대칭으로 마디가 있는 부속지가 없으며, 머리, 발, 내장낭, 외투막의 4부분으로 이루어져 있다. 감각기에는 잘 발달된 눈과 발의 근육 속에 들어 있는 1쌍의 평형포(平衡胞)와 후검기(嗅檢器) 등이 있다. 후검기는 화학 수용체 역할을 하며, 들어오는 물속의 이물질 양을 결정한다. 패각을 이루는 물질은 외투막의 상피에서 분비된다. 패각의 기본 구조는 3층으로, 바깥쪽 각피층은 광택이 강하고 중간층은 탄산석회의 작은 기둥이 나열되어 있으며, 안쪽의 진주층은 수많은 얇은 판상 구조체로 되어 있다.

[가시군부과]

애기털군부

 임파선결핵   마풍병

만성기관지염

● 학명 : *Acanthochiton rubrolineatus* Lischke

O 애기털군부

몸길이 2.7~3.3cm, 너비 1.6~2.1cm. 몸은 달걀 모양, 납작하며 체색은 변화가 많으나 회녹색 혹은 청회색이다. 껍질은 8개의 판으로 구성되어 있으며, 육질부 가장자리를 따라 8쌍의 가시뭉치가 있다.

분포 · 생태 우리나라. 중국, 일본. 조간대 중 하부에서부터 수심 5m 정도까지 흔히 발견되며, 갯벌이나 모래밭에서 산다.

약용 부위 · 수치 몸체를 봄부터 가을까지 채취하여 살을 발라서 물에 씻어 말린다.

약물명 해석별(海石鱉). 석별(石鱉)이라고도 한다.

약효 화담산결(化痰散結), 청열해독(淸熱解毒)의 효능이 있으므로 임파선결핵, 마풍병(麻風病), 만성기관지염을 치료한다.

성분 taurine, (3S,4R,3′R,6′R)−β,ε−carotene−3,4−3′−triol, (3R,4R,3′R)−β,β−carotene−3,4−3′−triol 등이 함유되어 있다.

사용법 해석별 적당량을 불에 볶은 후 가루로 만들어 2~3g을 복용한다.

[모패과]

모패

 소아경풍

● 학명 : *Cellana toreuma* Reeve   ● 한자명 : 帽貝

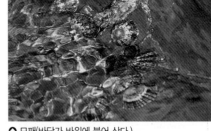

O 모패(바닷가 바위에 붙어 산다.)

껍데기는 삿갓 모양, 비교적 평평하며 낮다. 껍데기는 얇으며 높이는 대략 길이의 1/3 정도이며 반투명하다.

분포 · 생태 우리나라, 중국, 일본. 조간대 부근의 암초에서 산다. 산란기는 9~10월이다.

약용 부위 · 수치 몸체를 여름과 가을에 채취하여 살을 발라서 말린다.

약물명 모패(帽貝)

약효 진경(鎭驚)의 효능이 있으므로 소아경풍을 치료한다.

사용법 모패 10~15g에 물을 넣고 달여서 복용한다.

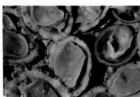

O 모패(帽貝)

O 모패

말전복

두통현훈

목적예장, 시물혼화, 청맹작목

● 학명 : *Haliotis digigantea* Reeve [*Nordotis gigantea* Reeve]

껍데기는 달걀 모양, 두껍고 단단하며 등쪽이 둥글게 부풀어 올랐으며, 길이 20~25cm, 높이 7~8cm이다. 껍데기 표면에는 가는 성장맥이 골고루 분포해 성장에 따라 몇 개의 층을 이루며 방사륵이 약하게 있다. 껍데기 표면은 흑갈색의 각피로 덮여 있다. 껍데기 주둥이의 안쪽 입술 위 끝은 편평하고 넓으며 주둥이 바깥 입술과 연결된다. 안쪽 면은 광택이 난다.

분포·생태 우리나라 서해, 남해. 중국, 일

◐ 석결명(石決明, 분말)

◐ 석결명(石決明)

본. 조간대에서 수심 10~50m의 바위에 붙어서 산다.

약용 부위·수치 몸체를 여름과 가을에 채취하여 살을 제거하고 껍데기를 취하여 말린다.

약물명 석결명(石決明). 복어갑(鰒魚甲), 구공나(九孔螺), 천리광(千里光), 포어피(鮑魚皮)라고도 한다. 대한약전외한약(생약)규격집(KHP)에 수재되어 있다.

본초서 석결명(石決明)은 「명의별록(名醫別

◐ 석결명(石決明) 안쪽과 바깥쪽

◐ 말전복 양식장(전남 완도)

錄)」의 상품(上品)에 수재되어 있으며, 별명을 구공나(九孔螺), 천리광(千里光)이라 하며, 그 종류가 많다고 기록되어 있다.

성상 길이 5~14cm, 높이 3~9cm, 껍데기의 바깥면은 평탄하지 않고 회백색~회흑색이며 선태류, 석회충 등이 부착되어 있다. 돌출된 나선상의 늑문은 명확하지 않고 꼭대기로부터 20여 개의 뚜렷하거나 뚜렷하지 않은 돌기가 오른쪽 방향으로 배열되고 그중 4~5개는 뚫려 있다. 안쪽 면은 매끄럽고 광택이 강하다. 질은 몹시 단단하여 깨뜨리기 어렵다. 냄새가 없고 맛은 조금 짜다.

기미·귀경 한(寒), 함(鹹)·간(肝)

약효 평간청열(平肝清熱), 명목거예(明目祛翳)의 효능이 있으므로 두통현훈(頭痛眩暈), 목적예장(目赤翳障), 시물혼화(視物昏花), 청맹작목(青盲雀目)을 치료한다.

성분 탄산칼슘(CaCO₃), threonine, aspartic acid, serine, glutamic acid, conchioline 등이 함유되어 있다.

약리 사염화탄소에 의한 급성 중독 실험 결과 알라닌(alanine) 전이 효소가 감소되고 간세포 자체는 손상되지 않는다. 동물 실험에서 산소 결핍에 잘 견디게 하고 기관지 평활근을 확장시킨다.

사용법 석결명 적당량을 가루로 만들어 10~30g에 물을 넣고 달여서 복용하고, 알약으로 만들어 복용하기도 한다.

처방 석결명산(石決明散): 석결명(石決明)·결명자(決明子) 각 40g, 강활(羌活)·치자(梔子)·목적(木賊)·청상자(青箱子)·작약(勺藥) 각 20g, 대황(大黃)·형개(荊芥) 각 10g(「동의보감(東醫寶鑑)」). 간열(肝熱)로 눈에 피가 맺히면서 붓고 아프며 예막이 생기는 증상에 사용한다.

• 석결명환(石決明丸): 석결명(石決明)·충위자(充蔚子)·길경(桔梗)·방풍(防風)·차전자(車前子)·세신(細辛)·인삼(人蔘)·복령(茯苓)·산약(山藥) 각 40g(「향약집성방(鄉藥集成方)」). 눈에 오풍내장이 생겨 눈동자가 뿌옇게 되면서 머리가 아프며 잘 보이지 않는 증상에 사용한다.

＊'참전복 *H. discus*'도 약효가 같다.

◐ 말전복

[전복과]
오분자기

노열골증	해수	월경부조, 대하
청맹내장	신허소변빈삭	대변조결

● 학명 : *Sulculus aquatilis* Reeve [*S. diversicolor*] ● 별명 : 오분작

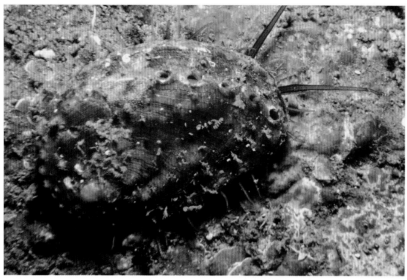

❍ 오분자기

껍데기는 달걀 모양, 두껍고 단단하며 등쪽이 둥글게 부풀어 올랐으며, 길이 7cm, 높이 5cm이다. 등면 옆 가장자리는 수관공이 6~8개 있다. 빛깔은 대개 흑색, 전체에 녹갈색 무늬가 있고 안쪽은 광택이 난다.

분포·생태 우리나라(제주도·거문도). 중국, 일본. 조간대 부근의 암초에서 산다. 산란기는 9~10월이다.

약용 부위·수치 몸체를 여름과 가을에 채취하여 살을 발라서 말린다.

약물명 복어(鰒魚), 포어(鮑魚)라고도 한다.

기미·귀경 한(寒), 함(鹹)·간(肝)

약효 자음청열(滋陰淸熱), 익정명목(益精明目), 통경윤장(通經潤腸)의 효능이 있으므로 노열골증(勞熱骨蒸), 해수(咳嗽), 청맹내장(靑盲內障), 월경부조(月經不調), 대하(帶下), 신허소변빈삭(腎虛小便頻數), 대변조결(大便燥結)을 치료한다.

성분 탄산칼슘(CaCO₃), aspartic acid, serine, glutamic acid 등이 함유되어 있다.

사용법 복어 적당량에 물을 넣고 달여서 복용한다.

＊'마대오분자기 *Haliotis diversicolor*'도 약효가 같다.

[소라과]
소라

완복만통, 이질	고혈압
두통	치루	두창, 개선

● 학명 : *Turbo cornutus* Solander

❍ 갑향(甲香)

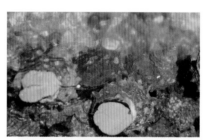

❍ 소라(암반 또는 자갈 조하대에서 산다.)

❍ 소라

껍데기는 원뿔 모양의 나탑이 있고 나층은 6층, 각 층은 부풀어 있으며, 높이 10cm 정도이다. 층은 보통 5개의 굵은 나륵을 둘러싸며 그 사이에 가는 늑이 생긴다. 아래쪽 나층에는 관 모양의 돌기가 10개 정도 생긴다. 성장맥은 가늘다. 껍데기 표면은 녹갈색을 띠며 대개 부착 생물로 인하여 오염되어 있다. 먹이에 따라 색깔이 변하는데 갈조류를 주로 먹으면 황색을 띠고, 석회조나 홍조류를 먹으면 흑색을 띤다.

분포·생태 우리나라. 중국, 일본. 수심 5~30m의 암반 또는 자갈 조하대에 산다.

약용 부위·수치 몸체를 여름과 가을에 채취하여 살을 발라서 말린다.

약물명 갑향(甲香), 수운모(水雲母), 최생자(催生子)라고도 한다.

약효 청습열(淸濕熱), 거담화(祛痰火), 해창독(解瘡毒)의 효능이 있으므로 완복만통(脘腹滿痛), 이질, 고혈압, 두통, 치루, 두창(痘瘡), 개선(疥癬)을 치료한다.

성분 lectin, fucoidanase A, B, alginate lyse I~III, carbohydrase, glycogenase, sucrase, lactase, melibiase, alginase, 담즙 색소인 turboveradin, biliverdin 등이 함유되어 있다.

사용법 갑향 10g에 물 3컵(600mL)을 넣고 달여서 복용하고, 외용에는 가루로 만들어 뿌린다.

＊'녹색소라 *T. marmoratus*', '마디소라 *T. articulatus*'도 약효가 같다.

[다슬기과]

다슬기

	황달, 이질		수종		창종, 종독
	임탁		당뇨병		목적예장

● 학명 : *Bellamya quadrata* Benson　　● 별명 : 물고둥

껍데기 표면은 황갈색 또는 흑갈색 바탕에 때때로 백색 반문이 있으며 높이 3cm, 지름 2cm 정도이다. 나층의 각정 부분은 변형되어 3층 정도만 남아 있는 것도 있는데, 이것은 민물에 석회질이 부족하기 때문이다. 허파디스토마의 중간 숙주이기도 하다.

분포·생태 우리나라, 중국, 일본, 타이완. 맑은 냇물이나 강의 돌 밑에 붙어 산다.

약용 부위·수치 몸체를 연중 아무 때나 채취하여, 물에 씻어서 그대로 사용하거나 말려서 사용한다.

약물명 나사(螺螄), 사라(師螺), 와라(蝸螺)라고도 한다.

약효 청열(淸熱), 이수(利水), 명목(明目)의 효능이 있으므로 황달, 수종(水腫), 창종(瘡腫), 임탁(淋濁), 당뇨병, 이질, 목적예장(目赤翳障), 종독(腫毒)을 치료한다.

사용법 나사 20g에 물 4컵(800mL)을 넣고 달여서 복용한다.

○ 다슬기

[논고둥과]

논고둥

	소변적삽, 치창, 부종		정창종독
	황달, 반위토식, 위완동통, 설사		당뇨병

● 학명 : *Cipangopaludina chinensis* Gray [*Bellamya chinensis*]
● 별명 : 우렁이

껍데기는 크고 원추형의 나탑이 있으며 각질은 얇으나 견고하고 높이 5cm, 너비 4cm 정도이다. 6~7개의 나층이 있다.

분포·생태 우리나라. 중국, 일본. 논이나 작은 못, 저수지 주변 등에 살며 풀을 뜯어 먹는다.

약용 부위·수치 몸체를 여름과 가을에 채취하여 살과 껍데기를 분리하여 말린다.

약물명 살을 전라(田螺)라 하며, 전중라(田中螺), 황라(黃螺)라고도 한다. 껍데기를 전라각(田螺殼)이라 한다.

기미·귀경 전라(田螺): 한(寒), 감(甘), 함(鹹)·간(肝), 비(脾), 방광(膀胱)

약효 전라(田螺)는 청열(淸熱), 이수(利水), 지갈(止渴), 해독의 효능이 있으므로 소변적삽(小便赤澁), 치창(痔瘡), 황달, 부종, 당뇨병, 정창종독(疔瘡腫毒)을 치료한다. 전라각(田螺殼)은 화위(和胃), 수렴(收斂)의 효능이 있으므로 반위토식(反胃吐食), 위완동통(胃脘疼痛), 설사, 변혈을 치료한다.

성분 thiamine, riboflavine, nicotinic acid, vitamin A 등이 함유되어 있다.

사용법 전라는 적당량에 물을 넣고 달여서 복용하고, 외용에는 가루로 만들어 뿌린다. 전라각은 가루로 만들어 5g을 복용한다.

○ 전라(田螺)와 전라각(田螺殼)

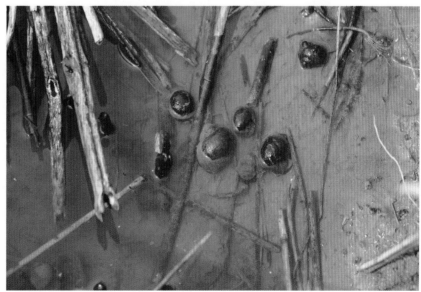

○ 논고둥

개오지

 두훈목현   경계심번, 실면다몽

● 학명 : *Maurita arabica* L.

몸체는 화려하고 광택이 나는 껍데기로 둘러싸여 있으며, 껍데기는 길이 1.5~2cm이다. 밑으로 길고 좁게 째진 틈이 있는데 이것을 각구라고 한다. 각구 양쪽으로 여러 개의 작은 돌기가 이빨처럼 나 있다.

분포·생태 우리나라 남해, 서해, 중국, 일본. 갯벌, 모래 갯벌의 조간대에서 산다. 주로 해조류나 해면을 먹고 식물이나 작은 동물을 먹는다.

약용 부위·수치 몸체를 채취하여 살을 버리고 껍데기를 취하여 말린다.

약물명 자패(紫貝)

약효 진경안신(鎭驚安神), 평간명목(平肝明目)의 효능이 있으므로 두훈목현(頭暈目眩), 경계심번(驚悸心煩), 실면다몽(失眠多夢)을 치료한다.

사용법 자패를 가루로 만들어 10g에 물을 넣고 달여서 복용한다.

❶ 개오지

별개오지

 수기부종, 임통뇨혈   안생예장

● 학명 : *Monetaria moneta* L.   ● 별명 : 제주개오지

몸체는 화려하고 광택이 나며 두꺼운 껍데기로 둘러싸여 있으며 달걀보다 둥글고 평평하다. 껍데기는 길이 1.5~2cm이다. 몸체 가장자리는 초콜릿색을 띠며, 몸통은 담황색 바탕에 갈색 점들이 있고, 입 가장자리의 이빨들은 짧고 톱니 모양이다.

분포·생태 우리나라(제주도 해안), 중국, 일본. 갯벌, 모래 갯벌의 조간대에서 산다. 주로 해조류나 해면을 먹고 식물이나 작은 동물을 먹는다.

약용 부위·수치 몸체를 채취하여 살을 버리고 패각을 취하여 말린다.

약물명 백패(白貝)

약효 청열이뇨(淸熱利尿), 명목퇴예(明目退翳)의 효능이 있으므로 수기부종(水氣浮腫), 임통뇨혈(淋痛尿血), 안생예장(眼生翳障)을 치료한다.

사용법 백패 15g에 물을 넣고 달여서 복용하거나 알약으로 만들어서 2~3g을 복용한다.

❶ 백패(白貝)

[뿔소라과]

흰작은가시고둥

 중이염   옹창절종

● 학명 : *Murex pecten* Lightfoot

껍데기는 방추형, 나선상으로 껍질이 두껍지 않으며 껍데기 높이 10cm 정도이다. 나선부는 전체 길이의 3분 1 정도이다. 긴 가시 같은 것이 여러 개 가로로 배열한다.

분포·생태 우리나라 동해, 남해. 중국, 일본. 수심 50~60m의 갯벌 속에서 살며 육식성이다.

약용 부위·수치 껍데기를 물에 씻은 후 말린다.

약물명 골라(骨螺). 골패(骨貝)라도 한다.

약효 청열해독(淸熱解毒)의 효능이 있으므로 중이염, 옹창절종(癰瘡癤腫)을 치료한다.

사용법 골라 10g에 물을 넣고 달여서 복용한다.

○ 흰작은가시고둥

[뿔소라과]

피뿔고둥

 목통   심복열통, 임파결핵   신경쇠약

위·십이지장궤양   사지구련, 만성골수염

● 학명 : *Rapana venosa* Valen.

껍데기 높이 20cm, 지름 17cm 정도로 대형 고둥이다. 껍데기는 두껍고 단단하며, 나탑은 낮고 말린 모양이다. 껍데기의 바탕은 담청갈색, 가느다란 나륵이 있으며 그 위에 흑색 줄무늬가 있다.

분포·생태 우리나라 서해, 남해, 동해. 중국, 일본. 수심 10m 전후의 조하대 바닥에서 산다. 산란기는 여름철이고 바다 밑의 작은 돌이나 조개껍데기 위에 많은 알주머니를 낳는다. 육식성 고둥류로 극동 해역에서 전 세계로 확산되어 지역 생태계의 균형을 파괴하기도 한다.

약용 부위·수치 살과 껍데기를 채취하여 말린다.

약물명 살을 해라(海螺)라 하며, 껍데기를 해라각(海螺殼)이라 한다.

기미·귀경 해라(海螺): 감(甘), 양(涼)·간(肝). 해라각(海螺殼): 함(鹹), 한(寒)

약효 해라(海螺)는 청열명목(淸熱明目)의 효능이 있으므로 목통(目痛), 심복열통(心腹熱痛)을 치료한다. 해라각(海螺殼)은 해경(解痙), 제산(制酸), 화담산결(化痰散結)의 효능이 있으므로 위·십이지장궤양, 신경쇠약, 사지구련(四肢拘攣), 만성골수염, 임파결핵(淋巴結核)을 치료한다.

사용법 해라는 30~60g에 물을 넣고 달여서 복용하고, 해라각은 15~30g에 물을 넣고 달여서 복용하거나 가루로 만들어 5g씩을 복용한다.

※ '골뱅이 *Nepetunea cumingi*'도 약효가 같다.

○ 해라각(海螺殼)

○ 피뿔고둥

○ 피뿔고둥(수심 10m 전후의 조하대 바닥에서 산다.)

○ 골뱅이

○ 피뿔고둥

[털탑고둥과]

털탑고둥

 요통, 사지산연　 이롱, 중이염
백대과다　체허도한

● 학명 : *Hemifusus ternatanus* Gmelin

✿ 털탑고둥

대형 고둥이다. 껍데기는 높이 19cm, 너비 8.5cm 정도로 두껍고 단단하다. 몸은 방추형, 나탑은 원추형, 나층은 8층, 태각(胎殼)은 적갈색, 전체에 가느다란 나륵(螺肋)을 가진다. 껍데기 주둥이는 껍데기 높이의 2/3 이상으로 길고 크며 각구(殼口)도 아래쪽이 좁고 가늘어져서 수관구(水管溝)에 연결된다.

분포·생태 우리나라. 일본, 인도, 태평양. 수심 10~50개의 모랫바닥에서 산다.

약용 부위·수치 몸체를 채취하여 살과 껍데기를 분리하여 말린다.

약물명 살을 각라(角螺)라 하며, 껍데기를 각라염(角螺靨)이라 한다.

약효 각라(角螺)는 자음보기(滋陰補氣)의 효능이 있으므로 요통과 이롱(耳聾)을 치료한다. 각라염(角螺靨)은 청열조습(淸熱燥濕), 자음보허(滋陰補虛)의 효능이 있으므로 백대과다(白帶過多), 중이염, 체허도한(體虛盜汗), 사지산연(四肢酸軟)을 치료한다.

사용법 각라는 30~60g에 물을 넣고 달여서 복용하고, 각라염은 15g에 물을 넣고 달여서 복용한다.

[물레고둥과]

수랑

 비뉵　 대변조결

● 학명 : *Babylonia lutosa* Lamarck

껍데기 높이 7cm, 지름 4cm 정도. 몸체는 긴 달걀 모양, 껍데기는 얇고 단단하고 표면은 황갈색의 각피로 두껍게 덮여 있다. 각피를 없애면 광택이 나는 회황색 바탕에 옅은 회갈색 반점이 불규칙하게 배열한 무늬가 나타난다.

분포·생태 우리나라. 중국, 일본. 조간대의 수심 10~20m의 모래나 진흙 바닥에서 산다.

약용 부위·수치 몸체를 채취하여 껍데기를 말린다.

약물명 동풍라(東風螺). 첨라(甛螺), 남풍라(南風螺)라고도 한다.

약효 지혈(止血), 윤조(潤燥)의 효능이 있으므로, 비뉵(鼻衄), 대변조결(大便燥結)을 치료한다.

사용법 동풍라 15~30g에 물 4컵(800mL)을 넣고 달여서 복용한다.

✿ 수랑

대추고둥

	고혈압		두훈
	청맹내장		노열골증

● 학명 : *Oliva mustelina* Lamarck

❶ 대추고둥

껍데기 높이 3.5cm, 지름 1.5cm 정도. 전체적인 모양은 원통형, 껍데기는 단단하고 매끄럽다. 나탑(螺塔)은 매우 얕으며 체층이 거의 전부를 차지한다. 뚜껑은 없으며 살의 외투막으로 조개껍데기를 덮고 있다. 껍데기 표면은 광택이 있는 담황색 바탕에 흑갈색 무늬가 있고 안쪽 면은 보라색이다.

분포 · 생태 우리나라. 중국, 일본, 태평양, 인도양. 수심 5~30m의 모랫바닥에서 산다.

약용 부위 · 수치 몸체를 여름에 썰물이 나간 뒤에 채취하여 살을 제거하고 껍데기를 사용한다.

약물명 비라(榧螺)

약효 평간잠양(平肝潛陽), 청조윤폐(淸燥潤肺)의 효능이 있으므로 고혈압, 두훈(頭暈), 청맹내장(靑盲內障), 노열골증(勞熱骨蒸)을 치료한다.

성분 탄산칼슘(CaCO₃), collagen, tetrodotoxin (TTX) 등이 함유되어 있다.

사용법 비라 15~30g에 물 4컵(800mL)을 넣고 달여서 복용한다.

군소

	폐조천해		비뉵
	영류, 나력		

● 학명 : *Aplysia kurodai* Gould [*Vaia kurodai* Gould]

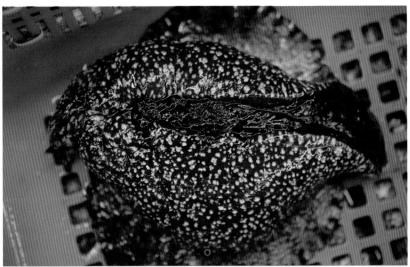

❶ 군소

몸길이 30~40cm. 몸은 긴 달걀 모양, 목 부근은 가늘고 몸빛은 개체에 따라 변이가 있지만 대체로 흑자색에 회백색의 불규칙한 무늬가 있다. 몸 앞에 1쌍의 촉각이 있고, 등쪽에 1쌍의 후각이 있으며 그 기부에 작은 눈이 있다. 껍데기는 각질로 덮여 있으며 발 가장자리는 근육질의 막으로 덮여 있고 그 안에 달걀 모양의 껍데기가 있어 건드리면 자주색 액을 분비하며 몸을 감춘다. 3~7월에 해조나 돌 밑에 황등색의 끈을 뭉친 것 같은 알덩어리를 낳는다.

분포 · 생태 우리나라 남해, 서해. 중국, 일본. 조간대 부근의 암초 주변에서 산다.

약용 부위 · 수치 몸체를 여름과 가을에 채취하여 살을 채취해 말린다.

약물명 해분(海粉). 홍해분(紅海粉), 해분사(海粉絲)라고도 한다. 대한민국약전외한약(생약)규격집(KHP)에 수재되어 있다.

기미 · 귀경 감(甘), 함(鹹), 한(寒) · 폐(肺), 신(腎)

약효 청열양음(淸熱養陰), 연견소담(軟堅消痰)의 효능이 있으므로 폐조천해(肺燥喘咳), 비뉵(鼻衄), 영류(癭瘤), 나력(瘰癧)을 치료한다.

성분 단백질, 지방, 비타민 A, aplykurodin A, B, aplysin-20, isoaplysin-20, aplysiadiol, epiaplysin-20, *ent*-isoconcinndiol, aplysanin-P, aplyronine A~C, aplydilactone, aplysepine, glycoshingolipids, aplaminone 등이 함유되어 있다.

사용법 해분 30~60g에 물을 넣고 달여서 복용한다.

❶ 해분(海粉)

❶ 군소(머리 부분)

❶ 군소

[민챙이과]

민챙이

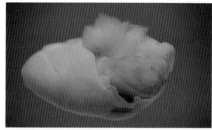

👁 약시, 인후염   🫁 폐결핵

● 학명 : *Bullacta exarata* Phillipi

🐕🦌🐾🐿🦎🐍🐐🌾✳🐚👁🐌

몸길이 5cm, 너비 2.5cm 정도. 몸은 납작하고 다른 고둥과 달리 껍데기가 무척 얇고 반투명한 연한 갈색을 띠며 쉽게 부서진다. 몸의 일부만 껍데기 안에 들어가고 나머지는 밖에 있다.

분포 · 생태 우리나라 남해, 서해. 중국, 일본. 조간대 하부에서부터 수심 10m 정도의 바닥에서 산다. 바닥의 유기물이나 미생물, 규조류 등을 먹는다.

약용 부위 · 수치 몸체를 봄과 여름철에 채취하여 살 부분을 말린다.

약물명 토철(吐鐵). 토철(土鐵), 맥라(麥螺)라고도 한다.

기미 · 귀경 감(甘), 함(鹹), 한(寒) · 폐(肺), 간(肝)

약효 양간명목(養肝明目), 생진윤조(生津潤燥)의 효능이 있으므로 약시(弱視), 인후염, 폐결핵을 치료한다.

성분 all−*cis*−5,8,11,14−eicosatetraenoic acid, archinoic acid, 10,13−octadienoic acid ethyl ester, 7,10,13−hexadecatrienoic acid ethyl ester, chimyl alcohol, 9−hexadecenoic acid ethyl ester, cholesterol 등이 함유되어 있다.

사용법 토철 30~60g에 물을 넣고 달여서 복용한다.

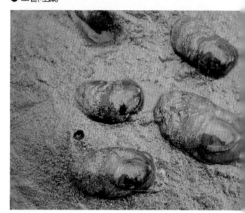

🔵 토철(吐鐵)

🔵 민챙이

[달팽이과]

달팽이

풍열경간, 소아제풍   당뇨병   후비
나력, 옹종단독, 오공교상   치창, 탈항

● 학명 : *Bradybaenia similaris* Ferussde   ● 별명 : 정원달팽이

🐕🦌🐾🐿🦎🐍🐐🌾✳🐚👁🐌

암수한몸이며, 생식공은 오른쪽 더듬이의 뒤쪽에 있다. 연체(軟體)의 등 위에는 권패(卷貝)가 있고 몸 표면에서는 액을 분비하여 몸을 축축하게 한다. 머리에는 2쌍의 더듬이가 있는데 마음대로 늘였다 줄였다 한다. 2쌍 가운데 1쌍의 긴 것을 큰더듬이라고 하며 그 끝에 눈이 있다. 짧은 1쌍은 작은더듬이라 하며 맛을 탐지하는 데 사용한다.

분포 · 생태 우리나라. 중국, 일본, 세계 각처. 어두운 습지, 잡초 지대, 주택가 생활 하수가 흐르는 곳 등에서 산다. 번식기는 5~8월이며 초여름이 되면 한곳에 모여 짝짓기한다. 짝짓기 후 1개월이 지나면 구덩이를 파고 20~60개의 백색 알을 산란한다.

약용 부위 · 수치 몸체를 꺼내어 말린다.

약물명 와우(蝸牛). 부루(仆累), 소우라(小牛螺)라고도 한다.

본초서 와우(蝸牛)는 양(梁)나라 때의 「명의별록(名醫別錄)」에 처음 수재되어 주로 "풍열에 의한 감기, 탈항에 사용한다."고 하였다.

「본초강목(本草綱目)」에는 "소변을 잘 보게 하고 코피를 막으며 치질에 효과가 있고 지네에 물렸을 때 사용한다."고 기록되어 있다.

기미 · 귀경 양(凉), 삽(澁), 함(鹹) · 간(肝), 신(腎)

약효 청열해독(清熱解毒), 진경(鎭痙), 소종(消腫)의 효능이 있으므로 풍열경간(風熱驚癎), 소아제풍(小兒臍風), 당뇨병, 후비(喉痺), 나력(瘰癧), 옹종단독(癰腫丹毒), 치창(痔瘡), 탈항(脫肛), 오공교상(蜈蚣咬傷)을 치료한다.

성분 glycogen, galactogen, glutathione S−transferase, acethylcholinesterase 등이 함유되어 있다.

약리 acethylcholinesterase는 부교감 신경 전달 물질인 acethylcholine을 분해함으로써 부교감 신경의 과잉 반응을 억제한다.

사용법 와우 10g에 물 3컵(600mL)을 넣고 달여서 복용하거나 가루로 만들어 1g씩 복용한다. 외용에는 가루 내어 뿌리거나 참기름에 개어서 바른다.

＊달팽이류는 세계에 2만 여 종이 알려져 있는데, 그중 '아프리카달팽이'는 껍데기 높이 20cm 정도로 크며, '왜달팽이'는 껍데기 높이 1mm 정도로 매우 작다.

🔵 달팽이

🔵 달팽이(등 위에 권패가 있다.)

[민달팽이과]

민달팽이

❤ 중풍와벽 　🦵 근맥구련 　🫁 천식
👁 인후염, 후비 　▭ 단독 　 치창, 탈항

● 학명 : *Limax fravus* L.

🐕🐐🐁🐄🐂〜🖐✳🐚💮🐌🐚

몸길이 12cm, 너비 1.2cm 정도. 암수한몸이며, 생식공은 오른쪽 더듬이의 뒤쪽에 있다. 머리에는 2쌍의 더듬이가 있는데 마음대로 늘였다 줄였다 한다. 2쌍 가운데 1쌍의 긴 것을 큰더듬이라고 하며 그 끝에 눈이 있다. 짧은 1쌍은 작은더듬이라 하며 맛을 탐지하는 데 사용한다.

분포 · 생태 우리나라. 중국, 일본, 세계 각처. 어두운 습지, 잡초 지대, 나무 등에서 산다. 번식기는 5~8월이며 초여름이 되면 한곳에 모여 짝짓기 한다. 짝짓기 후 1개월이 지나면 구덩이를 파고 50여 개의 알을 산란한다.

약용 부위 · 수치 몸체를 꺼내어 말린다.

약물명 활유(蛞蝓), 토와(土蝸), 부와(附蝸), 활와(蛞蝸)라고도 한다.

기미 · 귀경 한(寒), 함(鹹) · 간(肝), 폐(肺), 대장(大腸)

약효 거풍정경(祛風定驚), 청열해독(淸熱解毒), 소종지통(消腫止痛)의 효능이 있으므로 중풍와벽(中風喎僻), 근맥구련(筋脈拘攣), 천식, 인후염, 후비(喉痺), 단독(丹毒), 치창(痔瘡), 탈항(脫肛)을 치료한다.

성분 specific lecithin, sialic acid 등이 함유되어 있다.

약리 혼탁액 800mg/kg을 쥐에게 투여한 후 복수형 ARS 암종을 이식하면 암 발현이 47.4%로 억제된다.

사용법 활유 적당량을 약한 불에 구워서 분말로 한 뒤 환약을 만들어 2~3개를 복용하고, 외용에는 가루 내어 뿌리거나 참기름에 개어서 바른다.

❂ 민달팽이

❂ 민달팽이(짝짓기)

[두드럭갯민숭달팽이과]

두드럭갯민숭달팽이

 신허양위, 조설, 유정

● 학명 : *Homoiodoris japonica* Bergh

🐕🐐🐁🐄🐂〜🖐✳🐚💮🐌🐚

몸통 길이 3~7cm, 너비 1.2~4.2cm 정도. 전체 표면에 크고 작은 돌기들이 솟아 있고, 전체적으로 황갈색을 띤다. 두부 위쪽에 입이 있고 입 앞에 1쌍의 육질로 된 촉수가 있다. 뒤쪽 부분에 항문이 있고 그 주변에 6개의 날개 같은 것이 있다.

분포 · 생태 우리나라. 중국, 일본. 조간대 하부에서부터 수심 5m의 조하대에서 봄부터 여름에 발견된다. 바닥을 기면서 작은 무척추동물을 잡아먹는다.

약용 부위 · 수치 몸체를 꺼내어 말린다.

약물명 해우(海牛)

약효 익신조양(益腎助陽)의 효능이 있으므로 신허양위(腎虛陽痿), 조설(早泄), 유정(遺精)을 치료한다.

사용법 해우 15g에 물 3컵(600mL)을 넣고 달여서 복용한다.

❂ 두드럭갯민숭달팽이

[꼬막조개과]

피조개

🛏 나력, 영류, 외상출혈　　🫁 완담구해
♨ 위통토산, 위통, 소화불량, 하리농혈

● 학명 : *Scapharca broughtonii* Reeve [*Anadara broughtonii*]

껍데기 길이 12cm, 높이 9cm 정도. 껍데기는 긴 타원형이며, 표면은 회백색, 내면은 백색, 살은 붉은색을 띠며 두껍지만 건조하면 잘 부서진다.

분포·생태 우리나라 남해, 서해. 중국, 일본. 펄 갯벌, 모래 갯벌에서 산다. 아가미를 이용하여 물속의 플랑크톤을 걸러 먹는다.

약용 부위·수치 껍데기와 살을 분리하여 씻어서 말린다.

약물명 껍데기를 와릉자(瓦楞子)라 하며, 감각(蚶殼), 와옥자(瓦屋子)라고도 한다. 살을 감(蚶)이라 한다. 와릉자는 대한민국약전외한약(생약)규격집(KHP)에 수재되어 있다.

기미·귀경 와릉자(瓦楞子): 평(平), 감(甘), 함(鹹)·간(肝), 폐(肺), 위(胃)

약효 와릉자(瓦楞子)는 소담화어(消痰化瘀), 연견산결(軟堅散結), 제산지통(制酸止痛)의 효능이 있으므로 나력(瘰癧), 영류(癭瘤), 완담구해(頑痰久咳), 위통토산(胃痛吐酸), 외상출혈을 치료한다. 감(蚶)은 보기양혈(補氣養血), 온중건위(溫中健胃)의 효능이 있으므로 위비(痿痺), 위통, 소화불량, 하리농혈(下痢膿血)을 치료한다.

사용법 와릉자는 10g에 물을 넣고 달여서 복용하거나 가루로 만들어 2g을 복용하고, 외상출혈에는 가루를 뿌리거나 바른다. 감은 20g에 물 3컵(600mL)을 넣고 달여서 복용한다.

⊙ 감(蚶)

⊙ 와릉자(瓦楞子)

⊙ 와릉자(瓦楞子)

⊙ 피조개

[홍합과]

홍합

🌙 허로이수, 도한　　❤ 현훈　　양위
요통　　토혈　　붕루, 대하

● 학명 : *Mytilus coruscus* Gould [*M. crassitesta* Lischke]

껍데기 길이 8cm, 높이 14cm 정도. 긴 달걀 모양, 껍데기가 두껍다. 껍데기의 바깥면은 보라색을 띤 흑색, 광택이 있는 각피로 덮여 있고 안쪽 면은 강한 진주 광택을 낸다. 각정부 밑에는 몇 개의 작은 이빨이 있다.

분포·생태 우리나라 남해, 서해. 중국, 일본. 조간대의 수심 20m 사이의 암초에서 산다.

약용 부위·수치 살을 채취하여 말린다.

약물명 담채(淡菜). 동해부인(東海夫人), 각채(殼菜), 홍합(紅蛤)이라고도 한다.

기미·귀경 한(寒), 함(鹹)·간(肝), 신(腎)

약효 보간신(補肝腎), 소영류(消癭瘤)의 효능이 있으므로 허로이수(虛勞羸瘦), 현훈(眩暈), 도한(盜汗), 양위(陽痿), 요통, 토혈(吐血), 붕루(崩漏), 대하(帶下), 영류(癭瘤)를 치료한다.

성분 pectenolone, diatoxanthin, pectenoxanthin, mytiloxanthin, 3,4,3′-trihydroxy-7′,8′-didehydro-β-carotene, cholesterol, 5,7-cholesta-dien-3β-ol 등이 함유되어 있다.

약리 열수추출물은 심근경색 실험에서 심근경색의 발생을 저지한다. 열수추출물 1mL/kg을 정맥주사하면 혈압이 낮아짐과 동시에 신장의 부피가 현저히 감소하고 따라서 소변 양도 감소한다. 혈압과 신장의 부피가 정상으로 회복된 후 소변 양도 정상이 된다. 열수추출액을 쥐의 자궁에 주입하면 수축이 되고, 전기 자극에 의한 사정관 수축이 증가하는데 이것은 α-수용체를 흥분시킨 결과이다. 담채(淡菜) 10g/kg을 7일간 쥐에게 먹인 후 MAO-B 저해 활성이 나타났으며, 혈청 중의 MDA가 점차 감소하였다.

사용법 담채 15~30g에 물을 넣고 달여서 복용하거나 알약으로 만들어 복용한다.

＊ 껍데기가 흑자색이며 길이 7cm, 높이 4cm 정도로 홍합보다 작은 '진주담치 *M. edulis*'도 약효가 같다.

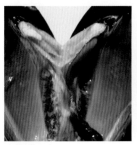
⊙ 홍합(내부)

⊙ 담채(淡菜)

⊙ 홍합(껍데기)

⊙ 홍합

진주조개

 경계정충, 심번실면　　경풍전간, 두통현훈
목적예장, 구설생창, 인후궤부, 간열목적

● 학명 : *Pinctada martensii* Dunker

껍데기 높이와 길이 7~10cm 정도. 생식세포가 겨울 동안의 휴지기를 지나 3월부터 천천히 회복되기 시작하여 4월경에 활발한 분열, 증식을 하여 7월경에 거의 성숙한다. 껍데기는 얇은데 왼쪽 것이 오른쪽 것보다 약간 크며 더 부풀어 있다. 껍데기는 보통 흑갈색이나 암갈색이고 내면은 진주 광택이 강하고 가장자리 부분은 황갈색으로 검은 점이 있다. 각정(殼頂)은 앞쪽으로 치우쳐 있고, 그 앞에 삼각형의 취상돌기가 있다. 우각의 취상돌기 밑에는 족사(足絲)를 내는 틈이 있고, 각피에는 비늘 모양의 돌기가 각정에서부터 방사상으로 나 있다.

분포 · 생태 우리나라 남해, 중국, 일본, 태평양, 인도양. 따뜻한 바다의 간조대로부터 수심 20m 사이의 바위에 붙어 산다.

약용 부위 · 수치 조개껍데기에 들어 있는 외투막이 자극을 받아 형성된 알갱이와 껍데기를 약용한다.

약물명 외투막이 자극을 받아 형성된 알갱이를 진주(珍珠)라 하며, 진주(眞珠), 진주자(眞珠子), 약주(藥珠), 주자(珠子)라고도 한다. 껍데기를 진주모(珍珠母)라 한다. 대한민국약전외한약(생약)규격집(KHP)에 수재되어 있다.

본초서 진주(珍珠)는 「명의별록(名醫別錄)」에 처음 수재되어 "눈병과 피부병을 치료한다."고 하였으며, 이시진(李時珍)의 「본초강목(本草綱目)」에는 "정신을 맑게 하고, 정액이 저절로 흘러나오는 것(遺精)을 막으며, 난산(難産)을 막는다."고 하였다.

기미 · 귀경 진주(珍珠): 감(甘), 함(鹹), 한(寒) · 심(心), 간(肝)

약효 진주(珍珠)는 안신정경(安神定驚), 청간명목(淸肝明目), 해독생기(解毒生肌)의 효능이 있으므로 경계정충(驚悸怔忡), 심번실면(心煩失眠), 경풍전간(驚風癲癎), 목적예장(目赤翳障), 구설생창(口舌生瘡), 인후궤부(咽喉潰腐), 창양(瘡瘍)을 치료한다. 진주모(珍珠母)는 평간잠양(平肝潛陽), 안신정경, 청간명목의 효능이 있으므로 두통현훈(頭痛眩暈), 심계실면(心悸失眠), 간열목적(肝熱目赤)을 치료한다.

성분 진주(珍珠)에는 칼슘이 가장 많이 함유되어 있고 다음으로 규소, 나트륨, 마그네슘 순이다. 단백질에는 16개의 아미노산이 있는데, alanine과 glycine의 함량이 비교적 높고, aspartic acid, leucine, arginine이 함유되어 있다.

약리 진주 가루를 뽕잎에 발라서 먹인 누에는 애벌레 기간을 단축시키고, 가루를 먹인 쥐에서 항산화 작용이 나타나며, 쥐에게 암세포를 이식한 뒤 누에 가루 액을 복강으로 투여하면 대조군에 비하여 생명이 연장된다. 상처 난 피부에 누에 가루 액을 바르면 새살이 빨리 돋아난다.

사용법 진주는 가루로 만들어 1회 0.3g을 복용하거나 알약으로 만들어 복용하고, 외용에는 환부에 뿌리거나 가루 액으로 만들어 바른다. 진주모는 가루로 만들어 2g을 복용한다.

처방 진주환(珍珠丸): 숙지황(熟地黃) · 당귀(當歸) 각 60g, 인삼(人蔘) · 산조인(酸棗仁) · 백자인(柏子仁) · 서각(犀角) · 복신(茯神) 각 40g, 진주(珍珠) 30g, 침향(沈香) · 용치(龍齒) 각 20g (「동의보감(東醫寶鑑)」). 간담(肝膽)이 허하여 마음이 불안하고 가슴이 두근거리면서 잠을 잘 자지 못하는 증상에 사용한다.

• 진주산(珍珠散): 노감석(爐甘石) 320g, 진주(珍珠) 4g, 호박(琥珀) 2.8g, 종유석(鐘乳石) 2.4g, 주사(朱砂) · 상피(象皮) 각 2g, 용골(龍骨) · 적석지(赤石脂) 각 1.6g, 혈갈(血竭) 0.8g을 가루로 만들어 환부에 뿌리거나 참기름에 개어서 붙임. (「장씨의통(張氏醫通)」). 화농성 감염이나 만성궤양이 오래되어도 낫지 않을 때 사용한다.

＊천연 진주는 연중 어느 때나 '진주조개'에서 채취하나 12월에 가장 많이 채취하고, 요즘은 양식에 의하여 진주를 생산한다. 진주양식의 모패(母貝)로 쓰이는 것은 여러 종류이며 자연산을 채취하거나 인공 부화시켜서 사용한다.

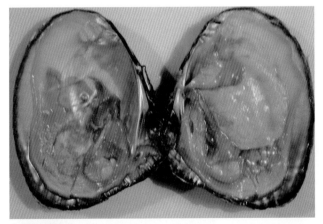

○ 진주조개(양식)

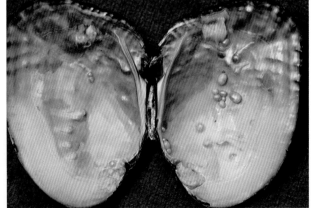

○ 진주조개(자연산)

○ 진주(珍珠)

○ 진주모(珍珠母)

○ 진주모(珍珠母, 절편)

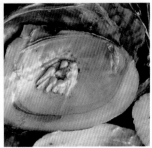

○ 진주조개(중국산)

[키조개과]

키조개

 소변빈삭   숙식정체

●학명 : *Pinna pectinata* L. [*Atrina pectinata* L.]

껍데기 길이 20~30cm, 높이 14~15cm. 각정(殼頂)이 매우 좁고 아래로 점점 넓어 진 삼각형이어서 마치 곡식 따위를 까부르는 키를 닮은 데서 키조개라고 한다. 껍데기 색깔은 회녹갈색~암황록색이다. 껍데기의 안쪽은 흑색이며 진주 광택이 난다. 마르면 갈라지거나 부서진다.

분포·생태 우리나라 동해, 남해. 중국, 일본. 수심 5~50m 깊이의 조간대의 진흙에서 산다.

약용 부위·수치 껍데기를 채취하여 말린다.

약물명 강요주(江珧柱). 강요주(江瑤柱)라고도 한다.

약효 자음보신(滋陰補腎), 조중소식(調中消食)의 효능이 있으므로 소변빈삭(小便頻數), 숙식정체(宿食停滯)를 치료한다.

성분 acid mucopolysaccharides, sulfhydryls, disulfides, pinnatoxins 등이 함유되어 있다.

사용법 강요주 50~100g에 물을 넣고 달여서 복용한다.

○ 키조개

○ 강요주(江珧柱)

[가리비과]

파래가리비

 당뇨병   신허뇨빈
식욕부진

●학명 : *Chlamys farreri* Jones et Preston

껍데기 길이 20cm, 높이 18cm 정도. 껍데기는 부채 모양, 둥글넓적하고 각 편의 한 쪽은 볼록하며 표면에는 15~26개의 방사 륵이 있는데 왼쪽은 적갈색, 오른쪽은 백색, 안쪽도 백색이다. 껍데기로 급히 여닫아 물을 내뿜으며 앞으로 나간다.

분포·생태 우리나라 남해, 서해. 중국, 일본. 수심 10~30m의 굵은 모래나 자갈이 많은 곳에서 살며 2~4월에 알을 낳는다.

약용 부위·수치 살을 채취하여 말린다.

약물명 간패(干貝). 강요주(江瑤柱)라고도 한다.

약효 자음양혈(滋陰養血), 보신조중(補腎調中)의 효능이 있으므로 당뇨병, 신허뇨빈(腎虛尿頻), 식욕부진을 치료한다.

성분 glycine, glutarmic acid, aspartic acid, histidine, proline, troponin-I, 미량 원소인 크롬, 구리, 아연 등이 함유되어 있다.

약리 당단백질 추출물 20mg/kg을 쥐의 S180 종양에 국부 주사하면 항암 작용이 나타난다. 쥐에게 열수추출물이 함유되어 있는 사료를 28일간 먹이면 성장 촉진 작용이 나타난다. troponin-I는 ATP 효소에 저해 작용이 있다.

사용법 간패 10~25g에 물을 넣고 달여서 복용한다.

＊어민들이 주로 양식하는 '큰가리비 *Pecten maximus*'도 약효가 같다.

○ 파래가리비

○ 간패(干貝)

굴

 현훈이명, 징가비괴 나력영류 유정
경계실면, 번열실면, 심신불안 | 자한도한

● 학명 : *Ostrea gigas* Thunb.

껍데기 길이 7cm 정도. 껍데기는 크며 2개로 되어 있고 단단하며 두껍다. 위 껍데기는 아래 껍데기보다 약간 작으며, 황갈색 또는 흑갈색 비늘조각이 환상을 이루고 안쪽은 백색이다. 왼쪽 껍데기로 바위 등에 붙으며, 오른쪽 껍데기는 작고 볼록하다. 두 껍데기의 연결부에는 이빨이 없고 흑색 인대로 닫혀 있다. 껍데기 표면에 성장맥이 판 모양으로 발달하고 돌기나 방사륵이 생기기도 한다.

분포·생태 우리나라 서해, 남해. 중국, 일본. 강물이 바다로 진입하는 얕은 곳에서 산다.

약용 부위·수치 껍데기와 살을 분리하여 말린다. 껍데기는 그대로 사용하거나 불에 올려놓고 새빨갛게 되도록 태워서(火煅) 분쇄하여 사용한다.

약물명 껍데기를 모려(牡蠣)라 하며, 모려각(牡蠣殼), 여합(蠣蛤), 모합(牡蛤), 여방(蠣房), 여(蠣), 좌각(左殼)이라고도 한다. 살을 모려육(牡蠣肉)이라 한다. 대한민국약전외한약(생약)규격집(KHP)에 수재되어 있다.

본초서 모려(牡蠣)는 「신농본초경(神農本草經)」의 상품(上品)에 수재되어 "주로 놀라거나 성내고, 구완(拘緩), 서루(鼠瘻), 대하(帶下)를 다스린다."고 하였다.

神農本草經: 主驚恚怒氣 除拘緩 鼠瘻 女子帶下.

海藥本草: 主男子遺精 虛勞泛損 補腎安神 祛煩熱 治小兒驚癎.

本草綱目: 化痰軟堅 清熱除濕 止心脾氣痛.

성상 모려(牡蠣)는 고르지 않게 구부러진 잎 모양 또는 얇은 조각으로 부서진 조개껍데기로 완전한 형태의 것은 길이 6~100cm, 너비 2~5cm이다. 위아래 2조각으로 되어 있고, 위 조각은 편평하고 아래 조각은 약간 오목하다. 가장자리는 불규칙하게 굴곡되어 서로 몰려 있다. 바깥면은 엷은 녹회갈색, 안쪽면은 유백색이다. 냄새와 맛이 거의 없다.

품질 질이 고루 단단하고 안쪽은 광택이 있으며 색이 흰 것이 좋다.

기미·귀경 모려(牡蠣): 양(凉), 함(鹹), 삽(澁)·간(肝), 신(腎)

약효 모려(牡蠣)는 평간잠양(平肝潛陽), 중진안신(重鎭安神), 연견산결(軟堅散結), 수렴고삽(收斂固澁)의 효능이 있으므로 현훈이명(眩暈耳鳴), 경계실면(驚悸失眠), 나력영류(瘰癧癭瘤), 징가비괴(癥瘕痞槐), 자한도한(自汗盜汗), 유정(遺精)을 치료한다. 모려육(牡蠣肉)은 양혈안신(養血安神), 연견소종(軟堅消腫)의 효능이 있으므로 번열실면(煩熱失眠), 심신불안, 나력(瘰癧)을 치료한다.

성분 모려(牡蠣)는 탄산칼슘이 주성분으로서 80~95%가 함유되어 있으며, 소량의 $Ca_3(PO_4)_2$, 그 외 미량의 Mg, Al염, Fe_2O_3가 함유되어 있다. 굴의 연체부(軟體部)에서 당지질이 분리되었으며 14-methyl-4-pentadecanoic acid에 glucose 2개와 fucose 1개가 결합되어 있다.

약리 모려(牡蠣)는 산(酸)과 중화하므로 위통과 위산의 과다 분비로 오는 구토를 치료한다.

사용법 모려 적당량을 가루로 만들어 1회 3g을 복용한다. 모려육은 30g에 물을 넣고 달여서 복용한다.

주의 모려(牡蠣)는 습열실사(濕熱實邪)의 증상에는 사용하지 않으며, 마황(麻黃), 산수유(山茱萸), 신이(辛夷)와는 상오(相惡) 작용이 있다.

처방 모려산(牡蠣散): 모려(牡蠣)·황기(黃耆)·마황근(麻黃根) 각 20g, 부소맥(浮小麥) 100알 『동의보감(東醫寶鑑)』. 허증(虛症)으로 인해 늘 식은땀을 흘리는 증상에 사용한다.

• 모려백출산(牡蠣白朮散): 방풍(防風) 100g, 백출(白朮) 50g, 모려(牡蠣) 12g 『동의보감(東醫寶鑑)』. 몸이 허약하면서 땀을 많이 흘리거나 음식물을 먹을 때 땀이 많이 나고 온몸이 나른하고 기운이 없는 증상에 사용한다.

• 시호가용골모려탕(柴胡加龍骨牡蠣湯): 시호(柴胡) 5g, 반하(半夏) 4g, 백복령(白茯苓)·계지(桂枝) 각 3g, 황금(黃芩)·인삼(人蔘)·대추(大棗)·용골(龍骨)·모려(牡蠣) 각 2.5g, 건강(乾薑)·대황(大黃) 각 1g 『상한론(傷寒論)』. 가슴이 두근거리고 잘 놀라며, 잠을 잘 자지 못하고 성을 잘 내며, 가슴과 옆구리가 그득하고 대소변이 순조롭지 않은 증상에 사용한다.

＊'가시굴 *O. echinata*', '톱니굴 *O. mordax*', '벗굴 *O. denselamellosa*'도 약효가 같다.

● 모려(牡蠣, 분말)

● 모려(牡蠣, 수치품)

● 모려(牡蠣)

● 굴 양식(전남 여수)

● 굴(내부)

● 모려육(牡蠣肉, 신선품)

● 굴

[재첩과]

재첩

| 담천해수 | 반위토식, 위통탄산 |
| 습창, 정창옹종 | 당뇨병 | 목황 |

● 학명 : *Corbicula fluminea* (L.) J. Ag.

껍데기 길이 1.5~2cm, 높이 1~1.5cm. 껍데기는 크고 광택이 나며 성장맥은 크고 뚜렷하다. 주치(主齒)는 3개이고 측치(側齒)는 길다. 모래가 섞인 개흙질에서 서식하는데 장소에 따라 모래에 사는 것은 황갈색, 개흙질에서 사는 것은 흑색 등으로 색깔이 다양하다.

분포·생태 우리나라 한강 이남, 특히 낙동강 하류. 중국, 일본, 타이완. 민물조개로 모래가 섞인 개흙질에서 산다.

약용 부위·수치 몸체를 채취하여 껍데기는 말리고, 살은 신선한 그대로 사용하거나 또는 말린다.

약물명 껍데기를 현각(蜆殼)이라 하며, 살을 현육(蜆肉)이라 한다.

기미·귀경 현각(蜆殼): 함(鹹), 온(溫)·폐(肺), 위(胃). 현육(蜆肉): 감(甘), 함(鹹), 한(寒)

약효 현각(蜆殼)은 화담지해(化痰止咳), 거습화위(祛濕和胃)의 효능이 있으므로 담천해수(痰喘咳嗽), 반위토식(反胃吐食), 위통탄산(胃痛吞酸), 습창(濕瘡), 궤양을 치료한다. 현육(蜆肉)은 청열(淸熱), 이습(利濕), 해독의 효능이 있으므로 당뇨병, 목황(目黃), 습독각기(濕毒脚氣), 정창옹종(疔瘡癰腫)을 치료한다.

성분 현각(蜆殼)에는 conchiolin, cholesterol, campesterol, β-sitosterol, stigmasterol 등이 함유되어 있다. 현육(蜆肉)에는 thiamine, vitamin B₂, B₆, B₁₂, nicotinamide, pantothenic acid, chloline 등이 함유되어 있다.

사용법 현각 또는 현육 20g에 물 4컵(800mL)을 넣고 달여서 복용한다.

○ 재첩

○ 현각(蜆殼)

○ 현육(蜆肉)

○ 재첩

[백합과]

백합

| 담열해수, 담핵, 폐결핵 | 영류, 나력 |
| 습열수종 | 당뇨병 | 음허도한 |

● 학명 : *Meretrix lusoria* Rumphius   ● 별명 : 백합조개

껍데기 길이 8.5cm, 높이 6.5cm 정도. 껍데기는 긴 타원형이고 흰빛을 띤 잿빛 갈색에 붉은 갈색 세로무늬가 있고 매끄러우며 안쪽은 희다.

분포·생태 우리나라 전역(전라북도 부안에서 많이 채취된다.). 중국, 일본. 갯벌에서 생활한다.

약용 부위·수치 껍데기는 채취하여 말리고, 살은 신선한 그대로 사용하거나 또는 말린다.

약물명 껍데기를 합각(蛤殼)이라 하고 문합(文蛤), 해합각(海蛤殼)이라고도 한다. 살을 문합육(文蛤肉)이라 한다. 합각은 대한민국약전외한약(생약)규격집(KHP)에 수재되어 있다.

약효 합각(蛤殼)은 청폐화담(淸肺化痰), 연견산결(軟堅散結), 이수소종(利水消腫), 제산지통(制酸止痛), 창렴수습(瘡斂收濕)의 효능이 있으므로 담열해수(痰熱咳嗽), 영류(瘻瘤), 담핵(痰核), 협통(脇痛), 습열수종(濕熱水腫)을 치료한다. 문합육(文蛤肉)은 윤조지갈(潤燥止渴), 연견소종(軟堅消腫)의 효능이 있으므로 당뇨병, 폐결핵, 음허도한(陰虛盜汗), 나력을 치료한다.

사용법 합각은 가루로 만들어 3~5g을 복용한다. 문합육은 30~60g에 물을 넣고 달여서 복용한다.

※ '모시조개 *Cyclina sinensis*'도 약효가 같다.

○ 백합

○ 합각(蛤殼)

[백합과]

개조개

| 담열해수, 담핵, 폐결핵 | 영류, 나력 |
| 습열수종 | 당뇨병 | 음허도한 |

● 학명 : *Saxidomus purpuratus* Sowerby

껍데기 길이가 큰 것은 12cm, 높이 9cm 정도이고, 전체 무게는 300~400g 되는 대형 조개. 우리나라에서 생산되는 조개류 중 껍데기가 가장 무겁고 단단하면서도 두꺼운 조개에 속한다. 껍데기 표면은 불규칙하고 조밀한 성장맥과 울퉁불퉁한 모양으로 배열되어 있으며, 광택이 없다.

분포 · 생태 우리나라 전 연안. 중국, 일본. 연안의 조간대 아래부터 수심 30m 내외의 모래가 섞인 진흙질 펄에 산다.

약용 부위 · 수치 몸체를 채취하여 껍데기와 살을 말린다.

약물명 껍데기를 합각(蛤殼)이라 하고 문합(文蛤), 해합각(海蛤殼)이라고도 한다. 살을 문합육(文蛤肉)이라 한다. 합각은 대한민국 약전외한약(생약)규격집(KHP)에 수재되어 있다.

약효 합각(蛤殼)은 청폐화담(淸肺化痰), 연견산결(軟堅散結), 이수소종(利水消腫), 제산지통(制酸止痛), 창렴수습(瘡斂收濕)의 효능이 있으므로 담열해수(痰熱咳嗽), 영류(瘦瘤), 담핵(痰核), 협통(脇痛), 습열수종(濕熱水腫)을 치료한다. 문합육(文蛤肉)은 윤조지갈(潤燥止渴), 연견소종(軟堅消腫)의 효능이 있으므로 당뇨병, 폐결핵, 음허도한(陰虛盜汗), 나력을 치료한다.

사용법 합각은 가루로 만들어 3~5g을 복용한다. 문합육은 30~60g에 물을 넣고 달여서 복용한다.

○ 개조개(살)

○ 개조개(껍데기)

○ 개조개

[백합과]

바지락

| 염창, 황수창 |

● 학명 : *Ruditapes philippinarum* Adams et Reeve

껍데기 길이 4cm, 높이 3cm 정도. 껍데기는 두껍고 단단하며, 표면에는 방사륵이 있다. 방사륵은 뒤쪽이 약간 거칠고 성장맥과 교차하여 그물과 같이 되어 있다. 각정은 약간 앞쪽으로 치우쳐 있다. 껍데기 색깔은 개체 변이가 뚜렷하고 백색에서 청흑색까지 다양한 모양의 반문이 나타나는데, 어린 조개에서는 뚜렷하나 성체에서는 선명하지 않다.

분포 · 생태 우리나라 서해, 남해. 중국, 일본, 타이완, 필리핀. 펄갯벌 조간대 중부에서부터 수심 10m의 조하대 바닥에서 산다. 아가미를 이용하여 물속의 플랑크톤을 걸러 먹는다.

약용 부위 · 수치 껍데기와 살을 사용한다.

약물명 합자(蛤仔), 현합(玄蛤), 화합(花蛤)이라고도 한다.

약효 청열해독(淸熱解毒), 수렴생기(收斂生肌)의 효능이 있으므로 염창(膿瘡), 황수창(黃水瘡)을 치료한다.

성분 탄산칼슘 및 인산칼슘, 탄산마그네슘, conchiolin의 구리, 수은, 스트론튬 등이 함유되어 있다.

약리 열수추출물은 쥐 간세포의 과산화지질 함량을 감소시키고 SOD 활성을 증가시키며 피부와 꼬리의 hydroxyproline 함량을 감소시킨다. 열수추출물은 S180, 복수암과 간암 조직에 성장 억제 작용이 있다. 열수추출물은 혈압을 하강하는 작용이 있다.

사용법 합자 10~15g에 물을 넣고 달여서 복용하고, 짓찧어 붙이거나 바른다.

○ 합자(蛤仔)

○ 바지락(살)

○ 바지락 채취 광경

○ 바지락

개량조개

	간신음허		요슬산중
	목적		당뇨병

● 학명 : *Mactra antiquata* Lamarck

껍데기 길이 7~8cm. 회백색이고 동심원 모양의 무늬가 있다. 껍데기는 긴 타원형이고, 두껍지만 건조하면 잘 부서진다.
분포 · 생태 우리나라 전역(하천). 중국, 일본. 강가에서 흔하게 자라며, 아가미를 이용하여 물속의 플랑크톤을 걸러 먹는다.
약용 부위 · 수치 몸체를 뜨거운 물을 넣고 삶아서 살을 채취하여 말린다.

약물명 서시설(西施舌), 차합(車蛤), 사합(沙蛤)이라고도 한다.
약효 자음양혈(滋陰養血), 청열양간(淸熱凉肝)의 효능이 있으므로 간신음허(肝腎陰虛), 요슬산중(腰膝酸重), 목적(目赤), 당뇨병을 치료한다.
성분 adenylic acid, adenosine triphosphate, inosine, hypoxanthine, betaine, carnitine, proteolytic enzyme, hexosamine, mactraxanthin 등이 함유되어 있다.
사용법 서시설 50g에 물을 넣고 달여서 복용한다.

❍ 개량조개

❍ 개량조개(옅고 짙음이 반복되는 동심원 무늬가 있다.)

동죽

	당뇨병		수종, 수기부종		위통
	담적, 담음천해		소변불통		

● 학명 : *Mactra veneriformis* Reeve

❍ 동죽 채취(서천 앞바다)

껍데기 길이 3.5cm, 높이 3~4cm. 껍데기는 둥근 삼각형, 다른 조개들에 비하여 불룩한 정도가 심하다. 조개의 성장이 빨라 1년에 약 2cm까지 성장하며, 성장 맥이 선명하나 껍데기 색깔을 갯벌의 색에 따라 흑색이나 황색 등 차이가 난다.
분포 · 생태 우리나라 서해. 중국, 일본. 바닷가 갯벌이나 모래 속에서 자란다.
약용 부위 · 수치 살과 껍데기를 분리하여 말린 뒤 껍데기는 분말로 만든다.
약물명 살을 합리(蛤蜊)라 하며, 합이(蛤梨)이라고도 한다. 껍데기를 합리분(蛤蜊粉)이라 한다.
약효 합리(蛤蜊)는 자음이수(滋陰利水), 화담연견(化痰軟堅)의 효능이 있으므로 당뇨병, 수종(水腫), 담적(痰積)을 치료한다. 합리분(蛤蜊粉)은 청열(淸熱), 화담이습(化痰利濕), 연견(軟堅)의 효능이 있으므로 위통, 담음천해(痰飮喘咳), 수기부종(水氣浮腫), 소변불통을 치료한다.
사용법 합리 또는 합리분 50g에 물을 넣고 달여서 복용한다.

❍ 동죽

가리맛조개

♀ 산후허손		👁 번열구갈, 인후종통	
🌙 도한		위장염	

● 학명 : *Sinonovacula constricta* Lamarck

껍데기 길이 10cm, 높이 3cm 정도. 껍데기는 원통 모양이고 녹갈색의 얇은 각피로 덮여 있으며, 가는 성장맥이 많다.
분포 · 생태 우리나라 동해, 서해, 남해. 일본, 중국, 인도네시아. 산란기는 10~2월이고, 썰물 때 노출되는 내만의 모래땅을 30~50cm 깊이로 수직으로 파고 산다.
약용 부위 · 수치 살과 껍데기를 분리 채취하여 물에 씻은 후 말린다.
약물명 살을 정육(蟶肉)이라 하며, 정장(蟶腸)이라고도 한다. 껍데기를 정각(蟶殼)이라 한다.
기미 함(鹹), 한(寒) · 심(心), 간(肝), 신(腎)
약효 정육(蟶肉)은 보음(補陰), 청열(淸熱), 제번(除煩)의 효능이 있으므로 산후허손(産後虛損), 번열구갈(煩熱口渴), 도한(盜汗)을 치료한다. 정각(蟶殼)은 화위(和胃), 소종(消腫)의 효능이 있으므로 위장염, 인후종통(咽喉腫痛)을 치료한다.
사용법 정육 또는 정각 50~100g에 물을 넣고 달여서 복용한다.

❍ 가리맛조개

❍ 가리맛조개(껍데기에 가는 성장맥이 많다.)

[오징어과]

한치

석림		📖 하지궤양, 옹창절종	🌙 복사
🧍 풍습요통		♀ 백대	🌙 병후체허

● 학명 : *Loligo chinensis* Lamarck

몸통 길이 30cm 정도. 암컷이 수컷보다 크다. 몸은 머리, 몸통, 다리의 3부분으로 이루어진다. 머리는 몸통과 다리 사이에 있고 좌우 양쪽에 큰 눈이 있다. 다리는 8개인데 끝이 가늘고 안쪽에 짧은 자루가 있는 흡반이 있다.

분포 · 생태 우리나라 동해, 남해. 일본, 중국, 인도네시아. 연안에서 산다.
약용 부위 · 수치 몸 전체를 물에 씻은 후 말린다.
약물명 창오적(槍烏賊). 유어(柔魚)라고도 한다.
약효 거풍제습(祛風除濕), 자보(滋補), 통림(通淋)의 효능이 있으므로 풍습요통(風濕腰痛), 하지궤양(下肢潰瘍), 복사(腹瀉), 석림(石淋), 백대(白帶), 옹창절종(癰瘡癤腫), 병후체허(病後體虛)를 치료한다.
성분 palmitic acid, oleic acid, linoleic acid, octadecateraenoic acid, eicosapentaenoic acid, arachidonic acid, cholesterol, 22-dihydrocholesterol, 24-methylenecholesterol 등이 함유되어 있다.
사용법 창오적 50~100g에 물을 넣고 달여서 복용한다.
※ 한치보다 몸통 길이가 짧고 너비가 넓은 '오징어 *L. japonica*', 몸통의 길이가 13cm 정도인 '꼴뚜기 *L. beka*'도 약효가 같다.

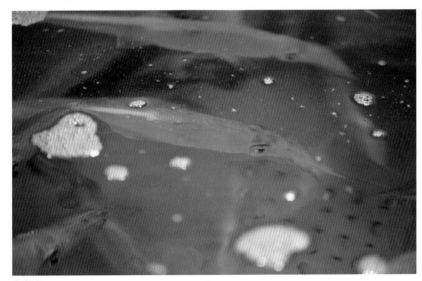

❍ 한치

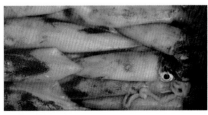

❍ 창오적(槍烏賊)

[문어과]

문어

● 학명 : *Octopus vulgaris* Lamarck

머리 지름 20cm, 몸길이 60cm 정도. 큰 것은 몸길이 3m에 이르는 것도 있다. 피부는 매끄럽고 가는 주름살이 있다. 외투는 짧은 달걀 모양, 몸 표면에 유두가 많다. 다리는 8개인데 제1다리가 길고, 제2,3 순으로 짧아진다.

분포·생태 우리나라 동해, 남해, 서해. 일본, 중국, 태평양, 인도양, 지중해, 대서양. 암반 또는 자갈 조간대 하부에서부터 수심 50m까지의 바닥에서 산다. 다른 저서동물을 잡아먹는 육식성 포식자이며, 포란 기간 동안 암컷은 먹이 활동을 중지하고 새끼가 부화하면 사망한다.

약용 부위·수치 몸 전체를 물에 씻은 후 말린다.

약물명 장어(章魚), 장거(章擧), 소(蛸)라고도 한다.

약효 양혈통유(養血通乳), 해독생기(解毒生肌)의 효능이 있으므로 혈허경행불창(血虛經行不暢), 산후결유(産後缺乳), 창양구궤(瘡瘍久潰)를 치료한다.

약리 열수추출물 10g/kg을 쥐에게 10일간 먹인 결과 산소 결핍에 잘 견디고 수영 시간이 연장되었다. 열수추출물을 쥐에게 투여하면 학습 기억력을 증진시키고, 항노화 활성이 나타난다.

사용법 장어 30~60g에 물을 넣고 달여서 복용한다.

* '주꾸미 *O. ocellatus*'와 '낙지 *O. variabillis*'도 약효가 같다.

❂ 장어(章魚)

❂ 장어(章魚, 절편)

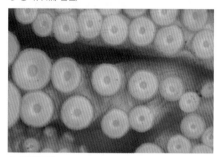

❂ 문어(흡반)

❂ 문어

[오징어과]

갑오징어

● 학명 : *Sepia esculenta* Hoyle   ● 영명 : Sepiidae

몸은 머리, 몸통, 다리의 3부분으로 이루어지는데, 머리는 다리와 몸통 사이에 있고 좌우 양쪽에 큰 눈이 있다. 다리는 8개인데, 끝이 가늘고 안쪽에 짧은 자루가 있는 흡반이 있다. 몸속에 오징어뼈라 부르는 두꺼운 석회질 물질이 있는데, 이 뼈는 긴 타원형, 납작하며 길이 5~12cm, 너비 2~4cm, 두께 3~5mm이다. 바깥면은 위

쪽이 엷은 황백색이고, 아래쪽은 회백색으로 조금 볼록하다.

분포·생태 우리나라. 일본, 중국. 연안에서부터 깊은 바다에까지 서식한다. 피부의 색소포가 잘 발달하여 몸 색깔을 변화시키는 능력이 있다. 깊은 바다에 사는 것은 유연하고 발광하는 것이 많다. 육식성으로 작은 물고기나 새우, 게 등을 먹으며 바다거북,

바다표범 등의 먹이가 된다.

약용 부위·수치 골상내각(骨狀內殼)을 채취하여 물에 씻은 후 건조한다.

약물명 해표초(海螵蛸). 오적골(烏賊骨), 오적어골(烏賊魚骨)이라고도 한다. 대한민국약전외한약(생약)규격집(KHP)에 수재되어 있다.

본초서 해표초(海螵蛸)는 「신농본초경(神農

本草經)」의 중품(中品)에 오적어골(烏賊魚骨)이라는 이름으로 수재되었으며 "부인의 적대하, 백대하, 월경불순을 치료한다."고 기록되어 있다. 유럽에서도 예전에는 Ossa Sepia라는 이름으로 약전에 수재한 적이 있다. 중국 생약 시장에 출하되는 오적골(烏賊骨)은 갑오징어를 비롯하여 같은 속에 속하는 여러 오징어의 골상내각(骨狀內殼)이다.

기미 · 귀경 함(鹹), 삽(澁), 온(溫) · 간(肝), 신(腎)

약효 수렴지혈(收斂止血), 고정지대(固精止帶), 제산지통(制酸止痛), 수습렴창(收濕斂瘡)의 효능이 있으므로 토혈(吐血), 구혈(嘔血), 붕루(崩漏), 변혈(便血), 육혈(衄血), 창상출혈(創傷出血), 신허유정활정(腎虛遺精滑精), 적백대하(赤白帶下), 애기범산(噯氣泛酸), 습진궤양(濕疹潰瘍), 자궁출혈을 치료한다.

성분 탄산칼슘이 80~85%, 그 밖에 인산칼슘, 인산마그네슘, 약간의 교질이 함유되어 있다.

약리 출혈을 그치게 하고 염증을 치료하며 위산 분비를 억제하는 작용이 있다.

사용법 해표초 10~30g에 물 4컵(800mL)을 넣고 달여서 복용하거나 가루로 만들어 2~3g을 복용한다. 자궁출혈에는 오적골(烏賊骨) 5g에 천초(茜草) 5g을 배합하여 물 2컵(400mL)을 넣고 달여서 복용한다. 외상출혈에는 가루 내어 상처에 바르면 지혈이 된다. 정액이 저절로 흘러나오는 유정(遺精)에는 산수유, 사원자, 토사자 등을 배합하여 물을 넣고 달여서 복용하고, 여성의 적대하, 백대하에는 백지, 모려를 배합하여 물을 넣고 달여서 복용한다. 위산이 과량으로 배출되어 속이 쓰린 사람에게는 패모와 감초를 배합하여 물을 넣고 달여서 복용한다. 십이지장궤양에는 가루 5g을 복용한다.

🔾 갑오징어

🔾 해표초(海螵蛸)

🔾 갑오징어

🔾 갑오징어(머리 좌우 양쪽에 큰 눈이 있다.)

절지동물(節肢動物, Arthropoda)

몸체가 좌우 대칭이며 수많은 체절을 가진다. 두흉부와 복부의 2부분으로 구성되거나 두부, 흉부, 복부로 되기도 한다. 인간과 비교적 관계가 깊은 거미, 곤충, 지네, 게, 새우 등을 포함하며, 지구상에 약 100만 종이 있다.

[따개비과]

거북손

소변불리
수종
벽적, 창만

● 학명 : *Pollicipes mitella* L. [*Mitella mitella* L.]

자루를 포함한 몸통 길이와 너비 5cm 정도. 자루가 달린 따개비로, 독립적으로 발견된 경우는 거의 없고 바위틈에서 집단을 이룬다. 다리가 변형된 갈퀴를 이용하여 물속의 플랑크톤을 잡아먹는다. 두부는 황갈색, 사각형으로 된 32~34개의 석회판으로 덮여 있으며 그 사이에 6개의 돌기가 나와 호흡과 운동을 맡는다.

분포 · 생태 우리나라. 일본, 중국, 인도. 서태평양 바닷가에 바위에 붙어서 산다.

약용 부위 · 수치 몸체를 물에 씻어서 생것을 사용한다.

약물명 석겁(石蜐). 해장랑(海蟑螂), 해저(海蛆), 해안수슬(海岸水虱)이라고도 한다.

약효 이소변(利小便), 소비적(消痞積)의 효능이 있으므로 소변불리(小便不利), 벽적(癖積), 수종(水腫), 창만(脹滿)을 치료한다.

사용법 석겁 120~200g에 물을 넣고 달여서 복용한다.

◐ 거북손

◐ 석겁(石蜐, 신선품)

◐ 석겁(石蜐)

[따개비과]

고랑따개비

위통탄산

수화탕상, 정창종독

● 학명 : *Balanus albicostatus* Pilsbry

몸통 길이 2cm, 높이 0.7cm 정도. 껍데기는 삿갓 모양이며 자루가 없다. 각정은 뒤쪽 왼쪽에 있고, 알주머니는 가락지처럼 생긴 젤라틴질인데 황색 알을 싸고 있다가 발생이 진행되면서 갈색을 띠기 시작한다.

분포 · 생태 우리나라. 중국, 일본. 세계 각처. 간만선보다 깊은 배 밑이나 암초, 나무에 붙어서 산다. 다리가 변형된 갈퀴를 이용하여 물속의 플랑크톤을 잡아먹는다.

약용 부위 · 수치 살 또는 껍데기를 채취하여 물에 씻은 후 말린다.

약물명 등호(藤壺). 석개(石阶), 대석개(大石阶)라고도 한다.

약효 껍데기는 제산지통(制酸止痛), 살(貝肉)은 해독료창(解毒療瘡)의 효능이 있으므로 위통탄산(胃痛吞酸), 수화탕상(水火燙傷), 정창종독(疔瘡腫毒)을 치료한다.

약리 열수추출액 20mL/kg을 쥐의 복강에 주사하면 항산화 작용이 나타난다.

사용법 등호 30~60g에 물을 넣고 달여서 복용하고, 외용에는 살을 갈아서 붙인다.

◐ 고랑따개비

◐ 등호(藤壺)

갯강구

타박상, 옹창종독

● 학명 : *Ligia exotica* Roux.

몸길이 2.5~3cm. 몸은 길고 납작한 달걀 모양, 뒤로 갈수록 좁아진다. 색깔은 흑갈색, 수컷은 황갈색을 띠는 것도 있고 등쪽이 약간 융기한다. 가슴은 7마디, 배는 6마디로 되어 있다. 뒤 끝에는 몸길이 2/3 정도의 꼬리 다리 1쌍이 있다. 머리에는 큰 눈과 긴 제2더듬이가 있는데, 제2더듬이는 뒤로 굽히면 꼬리 마디에 닿을 정도이다.

분포·생태 우리나라. 중국, 일본, 북아메리카. 바닷가에 산다.

약용 부위·수치 몸체를 물에 씻어서 생것을 사용한다.

약물명 해장랑(海蟑螂). 해저(海蛆), 해안수슬(海岸水虱)이라고도 한다.

약효 활혈해독(活血解毒), 소적(消積)의 효능이 있으므로 타박상, 옹창종독(癰瘡腫毒)을 치료한다.

사용법 해장랑 적당량을 가루로 만들어 1~3g을 복용하고 외용에는 가루로 만들어 뿌린다.

＊ 몸길이가 3~4.5cm로 본 종보다 약간 큰 '큰갯강구 *Megaligia exotica*'도 약효가 같다.

○ 갯강구

새우

신허양위 음허풍동 궤양
수족축닉, 중풍반신불수 유창

● 학명 : *Penaeus chinensis* Osbeck [*P. orientalis* Kishinoue]

암컷 몸길이 18~24cm, 수컷 몸길이 13~17cm. 몸 색깔은 연한 청색, 적갈색, 흑색 등 여러 가지이다. 몸에는 머리가슴에서부터 꼬리 마디까지 가로로 10줄 내외의 진한 줄무늬가 있다. 이마뿔은 약간 휘고 그 끝이 약간 위로 향하며 뾰족하다. 이빨은 위에 8~10개, 아래에 1~2개가 있다. 갑각은 매끈하고 눈자루는 약간 납작하다. 각막은 크다.

분포·생태 우리나라. 중국, 일본, 타이완, 필리핀, 인도양, 홍해. 연안에서부터 수심 100m 되는 곳에 서식한다.

약용 부위·수치 몸 전체를 물에 씻어서 말려 사용한다.

약물명 대하(對蝦). 해하(海蝦), 대하(大蝦), 명하(明蝦)라고도 한다.

본초서 대하(對蝦)는 「본초강목(本草綱目)」에 처음 수재되었으며, 「본초강목습유(本草綱目拾遺)」에는 "신장을 튼튼히 하여 정력을 보충하고 술에 담가 복용한다."고 기록

되어 있다.

약효 보신흥양(補腎興陽), 자음식풍(滋陰熄風)의 효능이 있으므로 신허양위(腎虛陽痿), 음허풍동(陰虛風動), 수족축닉(手足搐搦), 중풍반신불수, 유창(乳瘡), 궤양을 치료한다.

성분 껍데기를 벗긴 것 100g에는 수분 77g, 단백질 21g, 지방 0.7g, 탄수화물 0.2g, 칼슘 35mg, 인 150mg, 철 0.1mg, vitamin A, thiamine, riboflavin이, 껍데기에는 tropomyosin, paramyosin 등이 함유되어 있다.

약리 대하(對蝦)의 열수추출물은 쥐의 위, 장 등의 평활근에 수축 작용이 나타나고, 혈관을 수축시키는 작용이 있다. 쥐에게 열수추출물을 투여하면 젖 분비량이 증가한다.

사용법 대하 10마리에 물 3컵(600mL)을 넣고 달여서 복용하거나 술에 담가서 복용한다. 신선한 것은 믹서기로 갈아서 복용하기도 한다.

○ 새우(살)

○ 대하(對蝦)

[보리새우과]

왕새우

● 학명 : *Macrobrachium nippoense* de Hann

몸길이 4~8cm. 체형은 작은 편이며 청록색 또는 갈색 반점이 있다. 이마뿔은 가슴과 거의 수평이고 그 끝이 약간 위로 향하며 뾰족하다. 이빨은 위에 11~14개, 아래에 2~3개가 있다. 갑각은 매끈하고, 눈자루는 약간 납작하다. 각막은 크다.

분포 · 생태 우리나라, 중국, 일본, 타이완, 필리핀, 인도양, 홍해. 연안에서부터 수심 100m 되는 곳에 서식한다.

약용 부위 · 수치 몸 전체를 물에 씻어서 말려 사용한다.

약물명 하(蝦)

약효 보신장양(補腎壯陽), 통유(通乳), 탁독(托毒)의 효능이 있으므로 신허양위(腎虛陽痿), 산후유소(産後乳少), 마진투발불창(麻疹透發不暢), 단독(丹毒)을 치료한다.

사용법 하 적당량에 물을 넣고 달여서 복용한다.

○ 왕새우

[보리새우과]

닭새우

● 학명 : *Panulirus strimpsoni* Holthuis

몸길이 20~35cm. 몸집이 매우 크고 검붉으며 뿔이 길게 나와 있다. 등과 배의 외골격이 매우 단단하며, 살아 있을 때의 몸 색깔은 적자색, 죽으면 연한 붉은색으로 변한다. 흉부는 거의 원통상이지만, 복부는 옆으로 다소 편평한 편이다.

분포 · 생태 우리나라 제주도, 거제도, 부산 근해. 중국, 일본. 사니질 해역에 많이 산다.

약용 부위 · 수치 몸 전체를 물에 씻어서 말려 사용한다.

약물명 용하(龍蝦), 대홍하(大紅蝦), 해하(海蝦), 홍하(紅蝦)라고도 한다.

기미 온(溫), 감(甘), 함(鹹)

약효 보신장양(補腎壯陽), 자음(滋陰), 건위(健胃), 안신(安神)의 효능이 있으므로 양위(陽痿), 근골동통, 수족축닉(手足搐搦), 신경쇠약, 피부소양(皮膚瘙痒), 두창(痘瘡), 개선(疥癬)을 치료한다.

성분 prephenol, chondroitin sulfate, muco-polysaccharides, trypsin, collagenase, leucine aminopeptidase, carboxypeptidase, β-carotene, echinenone, 4-ketozeaxathin, astaxathin, cantphoenicoxanthin 등이 함유되어 있다.

사용법 용하 25~50g에 물을 넣고 달여서 복용하거나 가루로 만들어 10g을 복용한다.

○ 닭새우

민물가재

♀ 혈어경폐, 산후어체복통, 유즙부족

☾ 소화불량, 식적비만

● 학명 : *Cambaroides smilis* Koelbel

○ 민물가재(먹잇감을 두고 서로 먹으려 한다.)

등딱지 너비 8~9cm 정도. 전체적으로 흑적자색을 띠고, 집게발이 크고 강하다. 이마에 3개의 이 같은 돌기가 있는데, 양옆돌기는 가시 모양으로 예리하고 가운뎃돌기는 짧고 뭉툭하다.

분포 · 생태 우리나라. 중국, 일본, 세계 각처. 산골짜기의 맑은 물에서 산다. 마주치는 어떤 동물이나 먹잇감으로 포획하려는 강한 성격의 육식성 포식자이다.

약용 부위 · 수치 위장 속의 마석(磨石)을 채취하여 물에 씻어서 말린다.

약물명 날고석(蝲蛄石)

약효 활혈화어(活血化瘀), 소식(消食), 통유(通乳)의 효능이 있으므로 혈어경폐(血瘀經閉), 산후어체복통(産後瘀滯腹痛), 소화불량, 식적비만(食積痞滿), 유즙부족(乳汁不足)을 치료한다.

사용법 날고석 10~15g에 물을 넣고 달여서 복용하거나 가루로 만들어 5~10g을 복용한다.

○ 민물가재

쏙

♀ 유즙부족

● 학명 : *Upogebia major* de Haan

○ 누고하(螻蛄蝦)

몸길이 9cm 정도. 등딱지는 거의 삼각형, 배 부분은 다섯 마디로 길다. 이마의 등쪽은 사마귀 모양의 돌기가 있고 털로 덮여 있다. 껍데기가 약하고 매끈하며, 집게발을 가지고 있다.

분포 · 생태 우리나라 서해, 남해. 중국, 일본, 세계 각처. 바닷가 모래 진흙 속에 구멍을 파고 사는데, 부속지의 털을 이용하여 물속의 플랑크톤을 여과해 먹는다.

약용 부위 · 수치 전체를 물에 씻어서 그대로 사용하거나 말려 사용한다.

약물명 누고하(螻蛄蝦)

약효 통유(通乳)의 효능이 있으므로 산부(産婦)의 유즙부족을 치료한다.

사용법 누고하 3~5마리에 물을 넣고 달여서 복용하거나 가루로 만들어 2~3g을 복용한다.

○ 쏙

[꽃게과]

민꽃게

 혈어경폐, 산후어체복통, 유즙부족
 소화불량, 식적비만

● 학명 : *Charybdis japonica* A. Milne-Edwards

등딱지 너비 8~9cm 정도. 전체적으로 흑적자색을 띠고, 집게발이 크고 강하다. 이마에 3개의 이 같은 돌기가 있는데, 양옆돌기는 가시 모양으로 예리하고 가운뎃돌기는 짧고 뭉툭하다.

분포·생태 우리나라 서해, 남해. 중국, 일본, 세계 각처. 수심 5~30m의 바닥에서 산다. 마주치는 어떤 동물이나 먹잇감으로 포획하려는 강한 성격의 육식성 포식자이다.

약용 부위·수치 몸 전체를 물에 씻어서 말려 사용한다.

약물명 추모(蝤蛑). 발도자(撥棹子), 석기각(石其角), 화몽(火蠓)이라고도 한다.

기미·귀경 온(溫), 함(鹹)·신(腎)

약효 활혈화어(活血化瘀), 소식(消食), 통유(通乳)의 효능이 있으므로 혈어경폐(血瘀經閉), 산후어체복통(産後瘀滯腹痛), 소화불량, 식적비만(食積痞滿), 유즙부족을 치료한다.

사용법 추모 10~15g에 물을 넣고 달여서 복용하거나 가루로 만들어 5~10g을 복용한다.

○ 민꽃게

[참게과]

참게

 습열황달   산후복통
근골손상

● 학명 : *Eriocheir sinensis* H. Milne-Edwards

등딱지 너비 6cm, 길이 5cm 정도. 갑각의 표면은 융기하였고, 이마에 네 개의 이가 있다. 갑각의 옆가장자리에는 눈뒷니를 포함하여 뾰족한 이가 4개 있는데, 뒤로 갈수록 작아져 맨 뒤의 것이 가장 작다.

분포·생태 우리나라. 중국, 일본. 하구 및 바다와 가까운 민물에 서식하는데, 흔히 논두렁이나 논둑에 구멍을 파고 산다. 참게는 번식을 위해 가을에 바다로 내려가 알을 낳고 몸에 품어 부화시킨다. 부화한 다음 유생 상태로 민물로 올라와 생장한다.

약용 부위·수치 몸 전체를 물에 씻어서 말려 사용한다.

약물명 해(蟹). 곽색(郭索), 방해(螃蟹)라고도 한다.

기미·귀경 한(寒), 함(鹹)·간(肝), 위(胃)

성분 vitamin A, thiamine, riboflavine, nicotinic acid, cholesterol, ATPase, α-doradexanthine, lutein, astaxanthin, glutamic acid, glycine, proline, histidine, arginine, serotonin 등이 함유되어 있다.

약효 청열(淸熱), 산어(散瘀), 소종해독(消腫解毒)의 효능이 있으므로 습열황달(濕熱黃疸), 산후복통, 근골손상을 치료한다.

사용법 해 1~2마리를 약한 불로 볶아서 가루로 만들어 5g씩 복용한다.

＊등딱지가 옆으로 긴 모양인 '길게 *Macrophthalmus dilatus*'도 약효가 같다.

○ 길게

○ 참게

[꽃게과]

꽃게

 혈고경폐   칠창
관절뉴상

● 학명 : *Portunus trituberculatus* Miers

등딱지 너비 15cm 정도, 길이 9~10cm. 전체적으로 적자색을 띠고, 옆으로 긴 마름모꼴의 모서리를 잘라 버린 모양이다. 이마에 3개의 이 같은 돌기가 있는데 양옆돌기는 가시 모양으로 예리하고 가운뎃돌기는 짧고 뭉툭하며 아래로 휜다. 눈구멍은 타원형, 가장자리에 3개의 예리한 가시가 있다. 집게발은 크고 강하다.

분포·생태 우리나라 서해, 남해. 중국, 일본, 세계 각처. 수심 10~30m의 바닥에서 산다. 마주치는 어떤 동물이나 먹잇감으로 포획하려는 강한 성격의 육식성 포식자이다.

약용 부위·수치 몸 전체를 물에 씻어서 말려 사용한다.

약물명 사자해(梭子蟹). 해해(海蟹), 해방해(海螃蟹), 창해(槍蟹)라고도 한다.

약효 자음양혈(滋陰養血), 해독료상(解毒療傷)의 효능이 있으므로 혈고경폐(血枯經閉), 칠창(漆瘡), 관절뉴상(關節扭傷)을 치료한다.

성분 lecithin−cholesterol acyltransferase, taurine, glycine, arginine, prolin, glutamic acid, palmitic acid, oleic acid, linolenic acid, stearic acid, arachidonic acid, eicosapentanoic acid, hemocyanin, ATPase, pteridin 등이 함유되어 있다.

사용법 사자해를 가루로 만들어 5~10g을 복용한다.

＊ 등딱지에 3개의 큰 점이 있는 '점박이꽃게 *P. sanguinolentus*'도 약효가 같다.

✿ 꽃게

✿ 꽃게(살)

✿ 꽃게찜 요리

✿ 꽃게로 만든 게장

✿ 점박이꽃게

✿ 꽃게 손질

[꽃게과]

톱날꽃게

 산후복통, 유즙부족   체허수종

● 학명 : *Scylla serrata* Forskal

❖ 톱날꽃게

등딱지 너비 20cm, 길이 13~14cm 정도. 비교적 큰 게로, 딱지의 등면은 매끈하나 등면 중앙의 H자 모양 홈은 뚜렷하다. 이마에는 4개의 이가 있고 껍데기의 양옆 가장자리는 눈뒷니를 포함하여 9개의 뾰족한 이가 있다. 집게다리의 긴 마디 앞모서리에 3개, 뒷모서리에 2개의 가시가 있다. 집게발은 매우 불룩하며 기부에 1개, 윗모서리 끝에 2개의 가시가 있다. 걷는다리에는 가시가 없다.

분포 · 생태 우리나라, 중국, 일본, 베트남, 아프리카 동해안, 오스트레일리아. 난류성 게로 하구 또는 하구 근처 민물의 진흙 바닥에서 산다.

약용 부위 · 수치 몸 전체를 물에 씻어서 말려 사용한다.

약물명 청해(青蟹), 조해(朝蟹), 고해(膏蟹)라고도 한다.

성분 serotonin, 5-hydroxyinoloylacetic acid, alanine aminotransferase, aspartate aminotransferase, docosahexaenoic acid, eicosapentaenoic acid 등이 함유되어 있다.

약효 화어지통(化瘀止痛), 이수소종(利水消腫), 자보강장(滋補强壯)의 효능이 있으므로 산후복통(産後腹痛), 유즙부족, 체허수종(體虛水腫)을 치료한다.

사용법 청해 1~2마리에 물을 넣고 달여서 복용하거나 가루로 만들어 5~7g씩 복용한다.

[사각게과]

붉은발말똥게

 옹종창독, 습선소양

● 학명 : *Sesarma erythrodactyma* H. Milne-Edwards [*Chiromantes dehaani*]

등딱지 너비 3.2cm, 길이 2.8cm 정도. 집게발의 반 정도가 붉은색으로 특이한 모습을 하고 있다.

분포 · 생태 우리나라 서해 중부 이하, 남해 서부. 중국, 일본, 인도양. 바닷가 갯벌에 서식하고, 잡식성으로 진딧물, 지렁이, 죽은 물고기, 식물 잎 등을 먹는다.

약용 부위 · 수치 살을 채취하여 물에 씻어서 말려 사용한다.

약물명 팽기(蟛蜞), 방기(螃蜞)라고도 한다.

약효 청열해독(淸熱解毒), 제습지양(除濕止痒)의 효능이 있으므로 옹종창독(癰腫瘡毒), 습선소양(濕癬瘙痒)을 치료한다.

사용법 팽기 적당량에 물을 넣고 달여서 복용한다.

❖ 붉은발말똥게(국립해양생물자원관)

[투구게과]

투구게

 산후복통, 유즙부족　 체허수종

● 학명 : *Tachypleus tridentatus* Forskal

몸길이 60cm에 달하며 머리가슴, 배, 꼬리 3부분으로 되어 있다. 머리가슴과 배는 석회질의 갑각(甲殼)으로 덮여 있고, 머리가슴 앞면에는 2개의 홑눈과 1개씩의 겹눈이 있다. 윗입술의 좌우에 1쌍의 협각이 붙어 있는데, 끝의 2마디가 집게를 이룬다.

분포 · 생태 우리나라, 중국, 일본, 동남아시아. 하구 근처 민물의 진흙 바닥에서 산다.

약용 부위 · 수치 몸 전체를 물에 씻어서 말려 사용한다.

약물명 후육(鱟肉). 조해(朝蟹), 고해(膏蟹)라고도 한다.

약효 화어지통(化瘀止痛), 이수소종(利水消腫), 자보강장(滋補强壯)의 효능이 있으므로 산후복통(産後腹痛), 유즙부족(乳汁不足), 체허수종(體虛水腫)을 치료한다.

사용법 후육 1~2마리에 물을 넣고 달여서 복용하거나 가루로 만들어 5~7g씩 복용한다.

❍ 투구게(국립수산과학원)

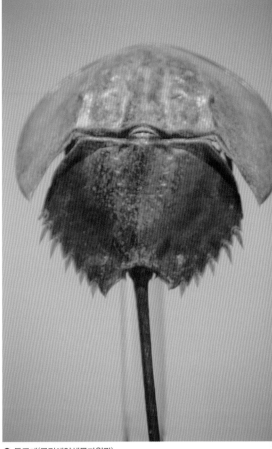

❍ 투구게(국립해양생물자원관)

[집게과]

넓적왼손집게

 어혈복통　 타박상　임파결종

● 학명 : *Diogenes edwardsii* de Haan

갑각 앞부분은 길이 8.8cm, 너비 9.3cm 정도. 비교적 큰 긴눈집게이다. 갑각 앞부분의 표면은 정사각형에 가깝고 중앙부는 매끈하며 광택이 있는 붉은색이다. 갑각의 옆 표면은 옆으로 긴 결절이 5줄 있는데 그 앞부분에 털이 나 있다. 이마의 가운뎃돌기는 뚜렷하지 않고 양옆돌기는 짧고 뾰족하다. 왼쪽 집게다리는 넓고 크다.

분포 · 생태 우리나라 동해, 남해. 중국, 일본. 수심 5~15m의 바닥에서 산다.

약용 부위 · 수치 몸 전체를 물에 씻어서 말려 사용한다.

약물명 기거해(寄居蟹). 기거(寄居), 기거충(寄居蟲), 기생하(寄生蝦)라고도 한다.

약효 활혈산어(活血散瘀), 지통소종(止痛消腫)의 효능이 있으므로 어혈복통(瘀血腹痛), 타박상, 임파결종(淋巴結腫)을 치료한다.

사용법 기거해 5~10g에 물을 넣고 달여서 복용하거나 가루로 만들어 3g씩 복용한다.

❍ 넓적왼손집게

안경만두게

 흉통   각선

●학명 : *Calappa philargius* L.

등딱지 너비 5cm 정도. 등딱지는 딱딱하여 쉽게 파손되지 않는다. 두흉부는 약간 융기하였고, 둥근 몸통은 아래위로 납작하여 전체적으로 눌린 만두와 비슷하게 생겼다.

분포·생태 우리나라 동해, 남해. 중국, 일본, 캄차카, 베링해. 수심 200m의 바닥에서 산다.

약용 부위·수치 껍데기와 내장의 황색 부분을 채취하여 말려서 사용한다.

약물명 만두해(饅頭蟹). 뇌공해(雷公蟹)라고도 한다.

약효 지통(止痛), 살충(殺蟲)의 효능이 있으므로 흉통(胸痛)과 각선(脚癬)을 치료한다.

사용법 만두해를 가루로 만들어서 5g을 복용하고, 각선(脚癬)에는 연고로 만들어 바른다.

○ 안경만두게

털게

 습열이질   치창종통

●학명 : *Erimacrus isenbeckii* Brandt

갑각 앞부분은 길이 5.3cm, 너비 4.6cm 정도. 표면은 융기하고 잔털이 전체에 있다. 눈은 작고 외안의 톱날은 날카로우며 내안으로 구부러져 있다. 복부는 7개의 마디로 나누어져 있다.

분포·생태 우리나라 동해, 남해. 중국, 일본, 캄차카, 베링해. 수심 200m의 바닥에서 산다.

약용 부위·수치 몸 전체를 물에 씻어서 생것 또는 말려서 사용한다.

약물명 양모융구해(羊毛絨球蟹). 모해(毛蟹)라고도 한다.

약효 청장지리(淸腸止痢), 해독소종(解毒消腫)의 효능이 있으므로 습열이질(濕熱痢疾), 치창종통(痔瘡腫痛)을 치료한다.

사용법 양모융구해 1~2마리에 물을 넣고 달여서 복용한다.

＊ 중국에서는 'Doclea ovis'를 사용한다.

○ 양모융구해(羊毛絨球蟹)

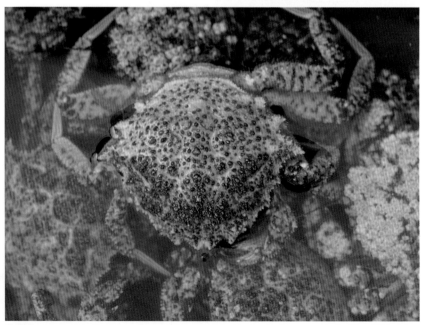

○ 털게

동아전갈

중풍구와, 반신불수, 파상풍	편정두통	소아경풍
치통, 이농	옹종창독, 사교상, 풍진, 완선	

● 학명 : *Buthus martensii* Karsch. [*Mesobuthus martensii*]　● 영명 : Scorpio
● 한자명 : 全蝎

몸길이 6cm 정도. 머리가슴과 복부의 2부분으로 구분되고, 복부는 앞배와 뒷배로 구분되며 머리가슴과 앞배는 납작한 긴 타원형이고, 뒷배는 꼬리처럼 생겼다. 머리가슴은 녹갈색, 비교적 짧으며 7개의 체절이지만 명확하지 않다. 앞가장자리 양측에는 한 무리의 홑눈이 있고 배갑 중앙 부위에는 겹눈이 1쌍 있다.

분포·생태 우리나라 동해, 남해. 중국, 일본. 숲속에서 살지만 약용 또는 식용으로 사육하기도 한다.

약용 부위·수치 몸체를 끓는 물이나 끓는 소금물에 잠깐 담갔다가 말려 사용한다.

약물명 전갈(全蝎). 갈(蝎), 갈자(蝎子), 전충(全蟲)이라고도 한다. 대한민국약전외한약(생약)규격집(KHP)에 수재되어 있다.

본초서 「개보본초(開寶本草)」에 갈(蠍)이라는 이름으로 수재되어 있고, 「본초강목(本草綱目)」에는 "한 마리를 전부 다 사용하면 전갈(全蠍)이라고 하며 꼬리만을 사용하면 갈초(蠍梢)라 한다."고 하였다.

성상 두부, 흉부 및 전복부는 편평한 긴 타원형을 나타내고, 후복부는 꼬리 모양으로 구부러져 있다. 전체가 완전한 것은 몸길이 6~7cm, 전체가 녹갈색, 복부와 다리는 황색~황갈색, 꼬리 끝은 갈색을 띠고 있다. 복부를 절단하면 내부는 흑색~갈황색의 잔

류물을 볼 수 있으며, 후복부의 꼬리 부분은 비어 있다. 질은 연하고 가볍다. 비린내가 있고 맛은 짜다.

기미·귀경 평(平), 신(辛), 유독(有毒)·간(肝)

약효 거풍지경(祛風止痙), 통락지통(通絡止痛), 공독산결(攻毒散結)의 효능이 있으므로 소아경풍(小兒驚風), 추축경련(抽搐痙攣), 중풍구와(中風口喎), 반신불수, 파상풍, 풍습완비(風濕頑痺), 편정두통(偏頂頭痛), 치통, 이농(耳聾), 옹종창독(癰腫瘡毒), 나력담핵(瘰癧痰核), 사교상(蛇咬傷), 풍진(風疹), 완선(頑癬)을 치료한다.

성분 독성 물질인 butaotoxin(katsutoxin), BmkI4, BmkI6, BmkAngP1, BmkdITAP3, peptide 성분인 AGAP, 그 밖에 hydroxyamine, lecithin, cholesterol, stearic acid, palmitic acid, trimethylamine, betaine, taurine 등이 함유되어 있다.

약리 신경 독성 물질인 BmkI4와 BmkI6는 강한 진통 작용이 있으며, BmkAngP1과 BmkdITAP3에도 진통 작용이 있다. peptide 성분인 AGAP에는 S-180, *E. ascites* 종양, fibrosarcoma에 효능이 있다. peptide 가운데 한 가지는 간질을 억제한다. 전갈독의 화학적 성질과 약리 작용은 뱀독의 신경독과 유사하다.

사용법 전갈 1g에 물 1컵 (200mL)을 넣고 달여서 복용하거나 술에 담가서 복용하고, 알약으로 만들어 복용하기도 한다. 외용약으로 사용할 때는 가루 내어 참기름에 개어서 바른다.

주의 혈허(血虛)로 인한 풍(風)의 증상이 있는 경우는 복용하지 않는다. 전갈독의 독성은 주로 호흡 마비로 최소 치사량은 토끼 0.07 mg/kg, 쥐 0.05 mg/kg, 개구리 0.7 mg/kg이다.

처방 사향원(麝香元): 오두(烏頭) 3개, 전갈(全蝎) 21마리, 구인(蚯蚓) 20g, 흑두(黑豆) 10g, 사향(麝香) 1g, 1알이 0.04g 되게 만들어 1회 7~10알 복용(『동의보감(東醫寶鑑)』). 백호역절풍(白虎歷節風)으로 몸 곳곳이 아프고 벌레가 기어 다니는 것 같은 감이 있으며, 낮에는 덜하고 밤에 더 심해지는 증상에 사용한다.

• 견정산(牽正散): 백부자(白附子)·백강잠(白殭蠶)·전갈(全蝎) 각 동량, 1회 3~5g(『동의보감(東醫寶鑑)』). 중풍으로 입과 눈이 비뚤어지는 증상에 사용한다.

＊ 전갈은 우리나라에는 드물고 중국 랴오닝성(遼寧省), 허난성(河南省), 허베이성(河北省), 산둥성(山東省) 등에서 서식한다.

● 동아전갈

● 전갈(全蝎)

● 전갈주(全蝎酒)

왕거미

👁 구금	치창
♥ 중풍구와	악창, 옹종정독

● 학명 : *Araneus ventricosus* Scopoli ● 한자명 : 大腹圓蛛

1	2	3	4	5	6	7	8	9	10	11	12

암컷 성충의 몸길이는 3cm 정도, 수컷 성충의 몸길이는 1.5cm 정도로 수컷이 작다. 두흉부는 복부와 더불어 짧으며 흑갈색이다. 두흉부는 배(梨) 모양, 편평하고 백색 털이 있고 8개의 눈이 3개로 분리된 것 같다.

분포 · 생태 우리나라, 중국, 일본, 산과 들에서 산다.

약용 부위 · 수치 여름과 가을에 포획하여 끓는 물에 넣었다가 꺼내어 말린다.

약물명 지주(蜘蛛), 주모(蛛蝥)라고도 한다.

기미 · 귀경 한(寒), 고(苦), 유독(有毒) · 간(肝)

약효 거풍(祛風), 해독소종(解毒消腫), 산결(散結)의 효능이 있으므로 중풍구와(中風口喎), 구금(口噤), 옹종정독(癰腫疔毒), 악창(惡瘡), 치창(痔瘡)을 치료한다.

사용법 지주 적당량을 가루로 만들어 1회 0.5g을 복용하고, 치창(痔瘡)에는 가루를 뿌리거나 연고로 만들어 바른다.

❂ 왕거미

긴호랑거미

👤 양위, 치창	옹종정독

● 학명 : *Argiope bruennichii* Scopoli

1	2	3	4	5	6	7	8	9	10	11	12

❂ 긴호랑거미

암컷 성충의 몸길이는 2~2.5cm. 복부는 타원형, 앞은 편평하고 뒤는 뾰족하다. 복부에는 황색과 흑색, 담갈색의 얇은 가로 줄무늬가 있다. 수컷 성충 몸길이는 0.7~1.2cm로 암컷보다 작고 반점이 확실하지 않다.

분포 · 생태 우리나라, 중국, 일본, 산과 들에서 산다.

약용 부위 · 수치 수시로 포획하여 생것을 사용한다.

약물명 화지주(花蜘蛛), 반지주(斑蜘蛛)라고도 한다.

기미 · 귀경 평(平), 미고(微苦), 소독(小毒) · 신(腎)

약효 익신흥양(益腎興陽), 해독소종(解毒消腫)의 효능이 있으므로 양위(陽痿), 옹종정독(癰腫疔毒), 치창(痔瘡)을 치료한다.

성분 hemocyanin, polyamine, catecholamine, serotonin, histamine 등이 함유되어 있다.

사용법 화지주 적당량을 가루로 만들어 1회 0.5g을 복용하고, 치창(痔瘡)에는 가루를 뿌리거나 연고로 만들어 바른다.

＊몸길이가 짧은 '호랑거미 *A. amoena*'도 약효가 같다.

[왕지네과]

왕지네

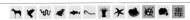

경풍, 전간, 중풍구와 · 나력, 창양, 사교상

파상풍, 풍습완비 · 편정두통

● 학명 : *Scolopendra subspinipes-mutilans* (L.) Koch.

1	2	3	4	5	6	7	8	9	10	11	12

몸길이 10~14cm, 너비 5~10cm의 편평하고 긴 각질로, 머리 길이는 몸마디의 너비와 거의 같고, 머리에는 한 쌍의 더듬이가 있다. 몸체는 21개의 마디로 되어 있고 각 마디에는 다리가 2개씩 있다. 몸통 색은 암청색, 머리와 첫째 마디 배판은 황적색 또는 황갈색이다. 등쪽은 윤이 나는 어두운 청색, 배쪽은 약간 녹색을 띤 황갈색, 머리는 황색이다. 특이한 냄새가 있고 맛은 매우면서 조금 짜다.

분포 · 생태 우리나라. 중국, 일본. 산과 들에서 산다.

약용 부위 · 수치 봄부터 여름 사이에 포획하여 끓는 물에 살짝 담가 죽인 다음 대나무 막대기에 머리와 꼬리를 묶어서 햇볕에 말린다.

약물명 오공(蜈蚣). 천룡(天龍), 백각(百脚), 토충(土蟲)이라고도 한다. 대한민국약전외한약(생약)규격집(KHP)에 수재되어 있다.

본초서 「신농본초경(神農本草經)」의 하품(下品)에 수재되어 있으며, 거풍(祛風) 진통약으로 오랫동안 사용되어 온 약재의 하나이다. 「명의별록(名醫別錄)」에는 "오공(蜈蚣)은 두(頭), 족(足)이 붉은 것이 좋다."고 하였으며, 「본초강목(本草綱目)」에는 "단독(丹毒)에 사용하며, 특히 사교상(蛇咬傷) 치료에 사용하는 약물이다."라고 기록되어 있다.

神農本草經: 主鬼疰蠱毒, 噉諸蛇蟲魚毒, 殺鬼物老精, 溫瘧, 去三蟲.

名醫別錄: 療心腹寒熱結聚, 墮胎, 去惡血.

本草綱目: 治小兒驚癎風搐, 諸風口噤, 丹毒, 禿瘡, 瘰癧, 便毒, 痔漏, 蛇瘕, 蛇瘴, 蛇傷.

품질 몸체가 길고 잘 말라 있으며 머리가 붉고 등쪽은 흑록색, 배쪽은 황색으로 다리가 탈락되지 않고 잘 말라 있어도 질긴 성질을 간직하여 꺾기 힘든 것, 그리고 동지(冬至)에서 입춘(立春)사이에 잡은 것이 좋다.

기미 · 귀경 온(溫), 신(辛), 유독(有毒) · 간(肝)

약효 거풍지경(祛風止痙), 통락지통(通絡止痛), 공독산결(攻毒散結)의 효능이 있으므로

경풍(驚風), 전간(癲癎), 경련추축(痙攣抽搐), 중풍구와(中風口喎), 파상풍, 풍습완비(風濕頑痺), 편정두통(偏頂頭痛), 사교상(蛇咬傷), 창양(瘡瘍), 나력(瘰癧)을 치료한다.

성분 quinone 알칼로이드인 scolopendrine I, scolopendrine II, 봉독(蜂毒)과 유사한 2종의 유독 성분(용혈성 단백질) 등이 함유되어 있다.

약리 동물 실험에서 strychnine이나 nicotine, cocaine 등에 의하여 일어나는 경련에 길항한다. 열수추출물은 결핵균(*Mycobacterium tuberculosis*)과 피부 진균(*Trichophyton violaceum*)의 성장을 억제한다. 10%에탄올추출물을 토끼에게 정맥주사하면 혈압이 하강한다. Ehrlich 복수암에 걸린 쥐에게 10%에탄올추출물을 주사하면 생명 연장 효과가 나타난다.

사용법 오공 적당량을 가루로 만들어 1회 0.5g을 물과 복용하거나 술에 타서 마신다. 민간에서 신경통(근육통, 관절염) 치료에 요긴하게 사용하는데, 닭 한 마리에 지네 50마리를 넣고 달여서 소주잔으로 한 잔씩 복용한다.

주의 실열담화(實熱痰火)의 증상이 있는 경우는 복용하지 않는다.

처방 오공전갈산(蜈蚣全蝎散): 오공(蜈蚣) 1마리, 전갈(全蝎) 3마리, 백강잠(白殭蠶) 3마리를 가루로 만들어 술 60mL를 타서 하루 3번에 나누어 복용한다. 「동약건강(東藥健康)」.

❶ 오공(蜈蚣)

❶ 오공(蜈蚣)

❶ 오공(蜈蚣, 분말)

❶ 왕지네

❶ 왕지네(22개의 환절이 있고 두부는 붉다.)

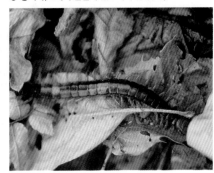

❶ 왕지네(등쪽은 윤이 나는 어두운 청색이다.)

[왕잠자리과]

왕잠자리

 신허양위, 유정 / 천해

● 학명 : *Anax parthenope* Bauer

| 1 | 2 | 3 | 4 | 5 | 6 | 7 | 8 | 9 | 10 | 11 | 12 |

몸은 가늘고 길며, 길이 4~5.5cm이다. 머리에는 대형의 겹눈이 1쌍이 있다. 더듬이는 짧고 작으며, 앞이마 위에는 흑색 가로 무늬가 있다. 가슴의 양측은 녹색을 띠며 날개는 2쌍, 다리는 3쌍, 복부는 10개의 마디로 되어 있다. 수컷은 청남색, 암컷은 적갈색이다.

분포 · 생태 우리나라. 중국, 일본. 산과 들에서 산다.

약용 부위 · 수치 봄부터 여름 사이에 포획하여 끓는 물에 살짝 담가 죽인 다음 날개와 다리는 버리고 햇볕에 말린다.

약물명 청정(蜻蜓). 청령(蜻蛉), 청랑자(蜻蜋子)라고도 한다.

기미 · 귀경 함(鹹), 온(溫) · 신(腎)

약효 익신장양(益腎壯陽), 강음비정(强陰秘精)의 효능이 있으므로 신허양위(腎虛陽痿), 유정(遺精), 천해(喘咳)를 치료한다.

성분 protein, peptide, amino acid, steroid, lipid 등이 함유되어 있다.

사용법 청정 적당량을 가루로 만들어 1회 3~6g을 복용한다.

＊ 배 길이 5.7~6.5cm인 '큰왕잠자리 *A. guattatus*', 배 길이 4.5~5.2cm인 '먹줄왕잠자리 *A. nigrofasciatus*', 몸은 가늘고 길며 배 길이 2.8~3.2cm인 '고추잠자리 *Crocothemis servilia*', 배 길이 2.3~2.6cm인 '여름좀잠자리 *Sympetrum darwinianum*'도 약효가 같다.

❍ 고추잠자리

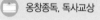
❍ 여름좀잠자리

❍ 왕잠자리

[왕바퀴과]

이질바퀴

징가적취, 소아감적 / 후비, 유아 / 옹창종독, 독사교상

● 학명 : *Periplaneta americana* L.

| 1 | 2 | 3 | 4 | 5 | 6 | 7 | 8 | 9 | 10 | 11 | 12 |

몸길이 2.5~3cm, 몸은 타원형으로 편평하고 암갈색, 기름기 같은 광택이 있다. 머리는 복면 쪽으로 만곡되었고 대부분 앞가슴 밑에 숨겨져 있으며 작고 겹눈은 1쌍, 홑눈은 2개이다. 더듬이는 실 모양으로 길고, 마디는 원통형이며 100개에 달한다. 수컷은 짧은 날개가 2쌍이 있는데 복부의 2/3를 덮을 수 있고, 암컷의 앞날개는 2개의 작은 조각으로 이루어졌고, 뒷날개는 퇴화되었다.

분포 · 생태 우리나라. 중국, 일본, 북아메리카. 가정집에서 산다.

약용 부위 · 수치 봄부터 여름 사이에 포획하여 끓는 물에 살짝 담가 죽인 다음 날개와 다리는 버리고 햇볕에 말린다.

약물명 장랑(蟑螂). 비(蜚), 비렴(蜚蠊), 비자(飛蟅)라고도 한다.

약효 산어(散瘀), 화적(化積), 해독(解毒)의 효능이 있으므로 징가적취(癥瘕積聚), 소아감적(小兒疳積), 후비(喉痺), 유아(乳蛾), 옹창종독(癰瘡腫毒), 독사교상(毒蛇咬傷)을 치료한다.

성분 acetylcholinesterase, acetylcholine, periplanone A, B, protolin, proctolin, dopamine, N-acetyldopamine, dopamine-3-*O*-sulfate, pyruvate kinase, xanthin oxidase, GABA, acid and alkaloid phosphatase 등이 함유되어 있다.

약리 장랑유(蟑螂油)는 쥐의 S-180 암에 항암 작용이 있다. 또 사람의 식도암을 이식한 쥐에서도 항암 작용이 나타난다.

사용법 장랑 1g에 물 1컵(200mL)을 넣고 달여서 복용하거나, 가루로 만들어 1회 0.5g을 복용한다.

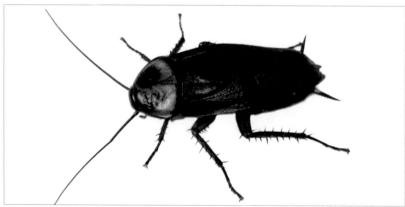
❍ 이질바퀴

❍ 장랑(蟑螂)

[별렴과]

지별

징가적괴　혈어경폐　타박상
근상골절　목설중설

● 학명 : *Eupolyphaga sinensis* Walker　● 한자명 : 地鱉

| 1 | 2 | 3 | 4 | 5 | 6 | 7 | 8 | 9 | 10 | 11 | 12 |

毒

몸길이 2~3cm, 너비 1~2cm. 몸체는 납작한 난원형, 머리의 끝 쪽은 조금 좁고 꼬리 부분은 약간 넓다. 등쪽은 자흑색, 9개의 가로 마디가 기와를 포개 놓은 것같이 배열되고 갑각상(甲殼狀)으로 되어 있다. 배쪽은 진한 갈색, 윤이 나며 흑갈색의 작은 머리가 있고 한쌍의 더듬이가 있다.

분포 · 생태 중국 장쑤성(江蘇省), 저장성(浙江省), 안후이성(安徽省), 쓰촨성(四川省). 따뜻하고 습기가 많으며 소나무가 많은 땅속에서 산다.

약용 부위 · 수치 봄부터 여름 사이에 포획하여 끓는 물에 살짝 담가 죽인 다음 햇볕에 말린다.

약물명 자충(蟅蟲), 지별(地鱉), 토별(土鱉), 토충(土蟲), 토원(土元), 토별충(土鱉蟲)이라고도 한다. 대한민국약전외한약(생약)규격집(KHP)에 수재되어 있다.

본초서 자충(蟅蟲)은 「신농본초경(神農本草經)」의 중품(中品)에 수재되어 있으며 "별명을 지별(地鱉), 토별(土鱉), 토충(土蟲), 토원(土元), 토별충(土鱉蟲)이라고 한다."고 하였다. 도홍경(陶弘景)은 "형태가 편평하여 자라(鱉)와 비슷하고 땅속에서 살기 때문에 지별(地鱉)이라고 한다. 갑(甲)이 있으며 날지도 못하고 집 주변에 살며 냄새가 강하다."고 하였다.

神農本草經: 主心腹寒熱洗洗, 血積癥瘕,

破堅, 下血閉, 生子大良.
藥性論: 治月水不通, 破留血積聚.
本草綱目: 行産後血積, 折傷瘀血, 治重舌, 木舌, 口瘡, 小兒夜啼腹痛.

성상 몸체는 납작한 난원형으로 길이 2~3cm, 너비 1~2cm이다. 등쪽은 자흑색, 9개의 가로로 된 마디가 기와를 포개 놓은 것같이 배열되고 갑각상(甲殼狀)으로 되어 있다. 배쪽은 진한 갈색으로 윤이 나고 흑갈색의 작은 머리가 있고 한 쌍의 더듬이는 떨어져 나간 경우가 많다. 질은 여리고 부서지기 쉬우며 배 속에는 회흑색의 물질이 들어 있다. 비린내가 있고 맛은 조금 짜다.

기미 · 귀경 한(寒), 함(鹹), 소독(小毒) · 간(肝)

약효 파혈축어(破血逐瘀), 속근접골(續筋接骨)의 효능이 있으므로 혈어경폐(血瘀經閉), 징가적괴(癥瘕積塊), 타박상, 근상골절(筋傷骨折), 목설중설(木舌重舌)을 치료한다.

성분 palmitic acid, stearic acid, oleic acid, linoleic acid, linolenic acid, glutamic acid, alanine, tyrosine, cholesterol, 4',5-dihydroxy-7-methoxyflavone, octacosanol, β-sitosterol, octadecanylglycerin, allantoin, naphthalene, camphor, 2-ethylcyclobutanol, 3-methylbutanol, 1,4-dichlorobenzene 등이 함유되어 있다.

약리 알칼로이드 분획물은 심뇌혈관계의

실험에서 혈관을 확장시킨다. 70%메탄올추출물은 내독소에 의하여 유발된 혈관 응혈에 혈소판을 감소시키며 응혈 효소의 작용을 저해한다. 에탄올추출물을 동물에게 투여하면 혈중 콜레스테롤 함량을 감소시킨다.

사용법 자충 3~10g에 물 3컵(600mL)을 넣고 달여서 복용하거나 가루로 만들어 1회 0.5g을 복용한다.

❶ 자충(蟅蟲)

❶ 지별

[메뚜기과]

방아깨비

소아경풍　백일해
산후모풍

● 학명 : *Acrida lata* Motsch [*A. cinerea*]

| 1 | 2 | 3 | 4 | 5 | 6 | 7 | 8 | 9 | 10 | 11 | 12 |

몸길이 수컷 4~5cm, 암컷 7~8cm로 암컷이 수컷보다 훨씬 크다. 녹색형이 보통이지만 갈색형, 줄무늬형도 있다. 머리는 앞쪽으로 길게 돌출하여 뾰족한 원뿔형이다.

분포 · 생태 우리나라. 중국, 일본, 인도, 자바. 산과 풀밭에서 산다. 성체는 7~11월에 활동한다.

약용 부위 · 수치 여름과 가을에 포획하여 날개와 다리를 버리고 말린다.

약물명 책맹(蚱蜢)

* 약효 및 사용법은 '풀무치'와 같다.

❶ 방아깨비 암컷(좌)과 수컷(우) 표본

❶ 방아깨비

[메뚜기과]
풀무치

🫀 소아경풍　🫁 백일해
♀ 산후모풍

● 학명 : *Locusta migratoria* L.

1	2	3	4	5	6	7	8	9	10	11	12

몸길이 5~6.5cm. 녹색형과 갈색형이 있다. 뒷날개는 투명한 황색으로 흑색 무늬가 없고, 큰턱 주변은 녹색이다.

분포·생태 우리나라. 중국, 일본, 인도, 자바. 논과 밭에서 산다. 성체는 6~11월에 나타나며 환경 조건에 따라 1년에 2번 이상

✪ 풀무치

나타난다.

약용 부위·수치 여름과 가을에 포획하여 날개와 다리를 버리고 말린다.

약물명 책맹(蚱蜢)

본초서 책맹(蚱蜢)은 이시진(李時珍)의 「본초강목(本草綱目)」에 처음 수재되었으며, 「본초강목습유(本草綱目拾遺)」에는 "소아경풍(小兒驚風)에는 볶은 뒤 가루를 만들어 복용한다."고 기록되어 있다.

성분 agglutinin, 2-aminoethylphosphonic acid, vitellogenin, pregnenolone, 5α-dihydrotestosterone, estrone, estradiol, ecdysone, lipoglycoprotein, junvenile homone III, vassopressin-like neuropeptide 등이 함유되어 있다.

기미·귀경 온(溫), 신(辛), 감(甘)·폐(肺), 간(肝), 비(脾)

약효 거풍해경(祛風解痙), 지해평천(止咳平喘)의 효능이 있으므로 소아경풍(小兒驚風), 백일해(百日咳), 산후모풍(産後冒風)을 치료한다.

사용법 책맹 5마리에 물을 넣고 달여서 복용하거나 가루로 만들어 1g을 복용한다. 참기름이나 들기름, 소금을 약간 넣어 볶아서 먹어도 좋다. 백일해, 산후모풍에는 메뚜기 15마리, 감초 3g을 섞어서 가루 내어 1g씩 복용한다. 기관지천식에는 메뚜기 15마리, 감초 3g, 마황 2g에 물을 넣고 달여서 복용한다.

[메뚜기과]
메뚜기

🫀 소아경풍　🫁 백일해
♀ 산후모풍

● 학명 : *Oxya chinensis* L.　● 별명 : 벼메뚜기

1	2	3	4	5	6	7	8	9	10	11	12

✪ 메뚜기

몸길이 3~3.8cm. 몸은 황록색, 머리와 가슴은 황갈색, 겹눈은 달걀 모양, 광택이 나는 회갈색이다. 앞가슴의 등면에 3줄의 가는 가로 홈이 있고, 날개는 황갈색, 배 끝보다 길게 뻗어 있으며, 뒷다리는 발달하여 잘 뛸 수 있다.

분포·생태 우리나라. 일본, 중국, 인도, 자바. 논과 밭에서 산다. 6월경에 알에서 부화하여 지상부에 나타난다. 성충은 8~9월경에 나타나며 논둑이나 흙덩어리 속에 알을 낳는다.

약용 부위·수치 봄부터 가을까지 포획하여 날개와 다리를 버리고 말린다.

약물명 책맹(蚱蜢)

＊ 약효와 사용법은 '풀무치'와 같다.

✪ 책맹(蚱蜢)

왕사마귀

👁 인후염	📋 정종악창	❤ 소아경간추축
🦵 각기	치창, 유정, 유뇨, 백탁	♀ 대하

● 학명 : *Paratenodera sinensis* Saussure [*Tenodera aridifolia*]　● 별명 : 큰사마귀
● 한자명 : 大刀螂

| 1 | 2 | 3 | 4 | 5 | 6 | 7 | 8 | 9 | 10 | 11 | 12 |

몸길이 7.5~10cm. 몸체는 비교적 크며 황갈색 또는 녹색을 띤다. 두부는 삼각형, 후부에서 앞쪽으로 다리까지는 비교적 넓고 앞가슴은 가늘고 길다. 앞날개는 가죽질, 앞 가장자리는 녹색을 띠며 끝부분에는 뚜렷한 갈색 맥이 있다. 뒷날개는 앞날개보다 약간 길어서 뒤로 조금 나오고 흑갈색 반점이 퍼져 있다. 다리는 3쌍, 가늘고 길다. 암컷은 특별히 복부가 팽대한다.

분포 · 생태 우리나라. 중국, 일본. 산과 들에서 산다.

약용 부위 · 수치 여름과 가을에 포획하여 날개와 다리는 버리고 몸체를 햇볕에 말린다. 가을에 알집을 채취하여 말린다. 소금물을 조금 끼얹은 후 약한 불에 볶아서 사용한다.

약물명 몸체를 햇볕에 말린 것을 당랑(螳螂), 알집을 상표초(桑螵蛸)라 하며, 당당과(螳螂窠), 당랑자(螳螂子), 도랑단(刀螂蛋), 당랑단(螳螂蛋)이라고도 한다. 상표초(桑螵蛸)는 대한민국약전외한약(생약)규격집(KHP)에 수재되어 있다.

본초서 상표초(桑螵蛸)는 「신농본초경(神農本草經)」의 상품(上品)에 수재되어 있으며, 「명의별록(名醫別錄)」에는 "사마귀알(螵蛸)은 뽕나무(桑) 가지 위에 낳아서 자라므로 상표초(桑螵蛸)라고 한다."고 하였다.

神農本草經: 主傷中 疝瘕除瘻 益精生子 女子血閉腰痛 通五淋 利小便水道.

名醫別錄: 療男子虛損 五臟氣微 夢想失精 遺溺.

本草綱目: 桑螵蛸 肝腎命門藥也 古方盛用之.

성상 상표초(桑螵蛸)는 원주형~반원형으로 여러 개의 막으로 된 얇은 층이 쌓여 배열되어 있고, 길이 25~45mm, 너비 20~30mm, 두께 15~20mm이다. 바깥면은 엷은 갈색~황갈색, 위쪽 면은 약간 융기되어 있으며, 아랫면은 평탄하거나 식물의 줄기에 붙었던 자국이 있다. 횡단면은 바깥쪽 층은 해면상을 나타내고, 안쪽 층은 여러 개의 방사상으로 배열된 작은 방이 있다. 각 방에는 짙은 갈색을 띠고 광택이 있는 작은 타원상 알이 1개씩 있다. 질은 가볍고 푸석푸석하다. 약간 비린내가 있고 맛은 조금 짜다.

품질 알집이 완전하며 황색에 가깝고 질이 가벼우며 질기고 나뭇가지나 초질경이 붙어 있지 않은 것이 좋다.

기미 · 귀경 당랑(螳螂): 평(平), 감(甘), 함(鹹) · 간(肝), 신(腎). 상표초(桑螵蛸): 평(平), 감(甘), 함(鹹) · 간(肝), 신(腎), 방광(膀胱).

약효 당랑(螳螂)은 정경지축(定驚止搐), 해독소종(解毒消腫)의 효능이 있으므로 소아경간추축(小兒驚癎抽搐), 인후염, 정종악창(疔腫惡瘡), 치창(痔瘡), 각기(脚氣)를 치료한다. 상표초(桑螵蛸)는 고정축뇨(固精縮尿), 보신조양(補腎助陽)의 효능이 있으므로, 유정(遺精), 조설(早泄), 양위(陽痿), 유뇨(遺尿), 요빈(尿頻), 소변실금(小便失禁), 백탁(白濁), 대하(帶下)를 치료한다.

성분 당랑(螳螂)은 biliverdin, nicotinic acid, protocatechuic acid의 배당체가 함유되어 있다. 상표초(桑螵蛸)는 glycoprotein, protein, fat, ferrum, caroteinoid 등이 함유되어 있다.

약리 열수추출물은 항산화 작용과 free radical 소거 작용이 있다.

사용법 당랑 또는 상표초 2g에 물 1컵(200mL)을 넣고 달여서 복용하거나 알약이나 가루약으로 만들어 복용한다.

처방 상표초산(桑螵蛸散): 상표초(桑螵蛸) · 원지(遠志) · 석창포(石菖蒲) · 용골(龍骨) · 인삼(人蔘) · 복신(茯神) · 당귀(當歸) · 별갑(鱉甲) 각 20g, 구감초(炙甘草) 10g, 1회 8g, 하루 2번 (「동의보감(東醫寶鑑)」). 몸이 허약하여 뿌연 오줌을 자주 누거나 유뇨증(遺尿症), 정액이 저절로 흐르며 건망증이 있는 증상에 사용한다.

＊ 본 종에 비하여 전체적으로 소형인 '사마귀 *Tenodera angustipennis*', 몸길이가 4.5~5.5cm인 '좀사마귀 *Statilia maculata*', 앞다리에 황색 반점이 있는 '황라사마귀 *Mantis religiosa*'도 약효가 같다.

◐ 건조 중인 상표초(桑螵蛸)

◐ 상표초(桑螵蛸)

◐ 왕사마귀(암컷)

◐ 왕사마귀(알)

[여치과]

여치

 수종뇨소   요슬종통, 습각기

●학명 : *Gampsocleis gratiosa* B. Watt. ●영명 : Grasshopper

1	2	3	4	5	6	7	8	9	10	11	12

몸길이 3.3cm 정도. 몸은 비대하고 황록색 또는 황갈색이며, 날개의 가운뎃방에 뚜렷한 흑색 점각렬이 있다. 머리 꼭대기 돌기는 너비가 넓고 위 끝은 둥글며 아랫면은 좁고 가로 홈이 앞이마돌기와 연속해 있다. 앞가슴 앞쪽은 안장 모양, 뒤쪽은 넓적하며, 뒷가두리는 둥글고 어깨는 모가 나 있다.

분포 · 생태 우리나라 전역. 중국, 일본, 인도, 자바. 논과 밭에서 살며, 육식성이다.

약용 부위 · 수치 봄부터 가을까지 포획하여 날개와 다리를 떼어 내고 말린다.

약물명 괵괵(蟈蟈). 괄자(聒子), 괄괄(聒聒)이라고도 한다.

약효 이수소종(利水消腫), 통락지통(通絡止痛)의 효능이 있으므로 수종뇨소(水腫尿小), 요슬종통(腰膝腫痛), 습각기(濕脚氣)를 치료한다.

사용법 괵괵 5g에 물 2컵(400mL)을 넣고 달여서 복용하거나 가루로 만들어 복용한다. 외용에는 가루로 만들어 환부에 바르거나 뿌린다.

* 본 종에 비해 날개 길이가 5mm 정도 긴 '긴날개여치 *G. ussuriensis*'도 약효가 같다.

✿ 긴날개여치

✿ 여치

[여치과]

철써기

 소아경풍추축

●학명 : *Mecopoda elongata* L. ●영명 : Long-winged katydid

1	2	3	4	5	6	7	8	9	10	11	12

날개 끝까지 길이 5~7cm. 몸 색깔은 갈색형과 녹색형이 있으며, 더듬이는 연한 갈색이다. 앞가슴등판의 옆구리에 검은 반점이 있다. 수컷은 날개가 둥글며 커다란 울음판이 있고, 암컷은 날개가 길쭉하며 뒷다리 넓적마디까지 날개가 도달한다.

분포 · 생태 우리나라. 중국, 일본, 인도. 논과 밭에서 살며 풀을 갉아 먹으며 산다. 잡식성이다.

약용 부위 · 수치 봄부터 가을까지 포획하여 날개와 다리를 떼어 내고 말린 뒤 불에 볶아서 사용한다.

약물명 규고고(叫姑姑), 사계(莎鷄), 방적랑(紡績娘)이라고도 한다.

약효 정경지축(定驚止搐)의 효능이 있으므로 소아경풍추축(小兒驚風抽搐)을 치료한다.

사용법 규고고 1~2마리를 불에 볶은 뒤 가루로 만들어 복용한다.

✿ 철써기

[귀뚜라미과]
귀뚜라미

수종
복수
소아유뇨

● 학명 : *Scapsipedus aspersus* Walker [*Velarifictorus aspersus*] ● 영명 : Cricket

| 1 | 2 | 3 | 4 | 5 | 6 | 7 | 8 | 9 | 10 | 11 | 12 |

몸길이 1.7~2.1cm. 몸 전체는 흑갈색이고 복잡한 점무늬가 있다. 머리는 둥글고 광택이 있으며 머리 꼭대기에 연한 황색 가로선이 1개 있고, 뒷머리에는 분명하지 않은 황색 세로선이 6개 있다. 실 모양의 더듬이와 외부에 돌출한 창 모양의 산란관이 있으며, 앞날개의 마찰로 소리를 낸다. 연 1회 산란하는데, 산란관은 미모(尾毛)보다 길고 끝이 뾰족하다.

분포 · 생태 우리나라. 중국, 일본, 세계 각처. 산과 들에서 산다. 8월 중순경부터 10월 말 사이에 나타나며, 잡식성이다.

약용 부위 · 수치 봄부터 가을까지 포획하여 날개와 다리를 떼어 내고 말린다.

○ 귀뚜라미

약물명 실솔(蟋蟀). 곡곡(蛐蛐)이리고도 한다.

본초서 실솔(蟋蟀)은 「본초강목(本草綱目)」에 처음 수재되었으며, 「본초강목습유(本草綱目拾遺)」에는 "소변이 시원하게 나오지 않는 증상을 치료한다."고 하였다. 「중약지(中藥志)」에는 성 기능이 저하된 것을 치료하고, 「중국동물약(中國動物藥)」에는 "붉게 부은 창독(瘡毒)에 외용으로 사용한다."고 하였다.

기미 · 귀경 온(溫), 신(辛), 함(鹹) · 방광(膀胱), 소장(小腸)

약효 이수소종(利水消腫)의 효능이 있으므로 수종(水腫), 복수(腹水), 소아유뇨(小兒遺尿)를 치료한다.

성분 지방산 4.86%가 함유되어 있으며, 이 가운데 palmitic acid가 22.36%, stearic acid 5.97%, oleic acid 29.32%, linoleic acid 24.20%, linolenic acid 2.88%가 함유되어 있다.

약리 대장간균을 주사하여 발열시킨 토끼에게 에탄올추출물을 투여하면 해열 작용이 나타난다.

사용법 실솔 4~6마리에 물 1컵(200mL)을 넣고 달여서 복용하고, 외용에는 1~3마리를 가루 내어 상처에 뿌리거나 바른다. 노인들이 소변을 잘 보지 못할 때는 귀뚜라미 4마리, 땅강아지(螻)를 배합하여 물을 넣고 달여서 복용한다.

[땅강아지과]
땅강아지

소변불리, 석림
수종
나력, 악창

● 학명 : *Gryllotalpa orientalis* Bumeister ● 영명 : Mole criket

| 1 | 2 | 3 | 4 | 5 | 6 | 7 | 8 | 9 | 10 | 11 | 12 |

몸길이 3cm 정도. 몸은 황갈색~흑갈색이며, 머리는 원추형, 흑색을 띤다. 홑눈은 크고 타원형, 겹눈은 비교적 작고 알 모양, 앞쪽으로 돌출되었다. 앞가슴은 매우 크고 앞날개가 짧아 배의 절반을 덮는다. 뒷날개는 넓고 길어 접었을 때는 제비 꼬리 모양으로 길며, 앞다리는 짧고 튼튼하므로 땅을 파는 데 적합하다.

분포 · 생태 우리나라. 중국, 일본, 오스트레일리아, 아프리카. 습한 곳에서 생활하는데, 낮에는 땅속에서 쉬고 밤에만 활동하며, 잡식성이다.

약용 부위 · 수치 봄부터 가을까지 포획하여 날개와 다리를 떼어 내고 말리거나, 초(炒)하여 사용한다.

약물명 누고(螻蛄). 누괵(螻蟈), 천루(天螻)라고도 한다. 대한민국약전외한약(생약)규격집(KHP)에 수재되어 있다.

본초서 누고(螻蛄)는 「신농본초경(神農本草經)」의 하품(下品)에 수재되어 있다. 「본초도경(本草圖經)」에는 "누고(螻蛄)는 평택에 분포하였지만 지금은 각처에서 볼 수 있다. 낮에는 땅속에서 살고 밤이 되면 나와서 활동한다."고 하였다. 「본초강목(本草綱目)」에는 "누고(螻蛄)는 땅속에서 생활하며 짧은 날개와 4개의 다리가 있다. 수컷이 소리를 잘 내고 날지만, 암컷은 배가 크고 날개가 작아서 잘 날지 못한다."라고 기록되어 있다. 이 내용으로 보아 오늘날의 땅강아지와 그 형태가 일치한다.

기미 · 귀경 온(溫), 신(辛), 함(鹹) · 방광(膀胱), 소장(小腸)

약효 이수통림(利水通淋), 소종해독(消腫解毒)의 효능이 있으므로 소변불리, 수종, 석림(石淋), 나력(瘰癧), 악창(惡瘡)을 치료한다.

성분 arginine, cystine, histidine, lysine, taurine, glutamic acid, leucine, amylase, α-glucosidase, maltase, melezitase, sucrase, trehalase, β-galactoside, fructoside, chymosin, aminopeptidase, aminotripeptidase, lipase 등이 함유되어 있다.

약리 토끼에게 달인 액을 주사하면 이뇨 작용이 나타난다.

사용법 누고 3~4g에 물 2컵(400mL)을 넣고 달여서 복용하거나 가루로 만들어 1g을 복용한다.

＊아프리카, 중국 등에 사는 'G. africana'도 약효가 같다.

○ 누고(螻蛄)

○ 누고(螻蛄)

○ 누고(螻蛄, 분말)

○ 땅강아지

말매미

| 소아발열, 편두통 | 경풍추축 | 풍열감모, 해수음아 |
| 야제 | 인후종통, 목적예장 | 마진불투, 풍진소양 |

● 학명 : *Cryptotympana dubia* Haupt　● 영명 : Cicada　● 별명 : 왕매미

| 1 | 2 | 3 | 4 | 5 | 6 | 7 | 8 | 9 | 10 | 11 | 12 |

몸길이 6.5cm 정도. 수컷은 길고 크고, 암컷은 약간 작으며 흑색, 광택이 난다. 머리 부분은 옆으로 넓고, 머리의 촉각은 1쌍, 이마는 돌출되어 있다. 날개는 투명하고 배 부분은 9마디, 다리가 3쌍이 있고, 꼬리 끝은 뾰족하다.

분포·생태 우리나라, 중국, 일본, 타이완. 산과 들의 나무줄기에서 살며 나무 수액을 먹는다.

약용 부위·수치 봄부터 가을까지 포획하여 날개와 다리를 떼어 내고 말린다.

약물명 몸체를 말린 것을 책선(蚱蟬)이라 하며, 조(蜩), 명조(鳴蜩)라고도 한다. 허물을 선태(蟬蛻)라 하며, 조갑(蜩甲), 선각(蟬殼), 선화(蟬花), 선퇴(蟬退)라고도 한다. 대한민국약전외한약(생약)규격집(KHP)에 수재되어 있다.

본초서 선태(蟬蛻)는 「명의별록(名醫別錄)」에 선각(蟬殼)이라는 이름으로 수재되어 "소아경간(小兒驚癇)과 구리(久痢)를 치료한다."고 기록되어 있다. 선퇴(蟬退)라는 이름은 「안과용술론(眼科龍術論)」에 처음 등장하였고, 선태(蟬蛻)라는 이름은 「약성론(藥性論)」에 처음 기록되어 "소아(小兒)의 열병과 경기 및 갈증을 치료한다."고 하였다.

名醫別錄: 主小兒驚癇 久痢.

本草拾遺: 主啞病.

藥性本草: 小兒渾身壯熱驚癇 兼能止喝.

성상 선태(蟬蛻)는 구부러진 타원형으로 매미와 비슷한 모양이고 길이 3.5cm 정도 지름 2cm 정도이다. 바깥면은 황백색~황갈색, 반투명하고 광택이 있다. 머리 부분에는 실 모양의 촉각이 한 쌍 있고 옆으로 2개의 눈이 돌출되어 있다. 등쪽은 십자 모양으로 갈라지고 안쪽으로 구부러져 있다. 흉배부는 양쪽으로 2쌍의 날개 흔적이 있고 3쌍의 다리가 있다. 꼬리는 뾰족하다. 냄새는 거의 없고 맛은 덤덤하다.

품질 가볍고 모양이 완전하며 밝은 황색인 것이 좋다.

기미·귀경 책선(蚱蟬): 한(寒), 함(鹹), 감(甘)·간(肝), 폐(肺). 선태(蟬蛻): 양(凉), 감(甘), 함(鹹)·폐(肺), 간(肝)

약효 책선(蚱蟬)은 청열(淸熱), 식풍(熄風), 진경(鎭驚)의 효능이 있으므로 소아발열, 경풍추축(驚風抽搐), 전간(癲癇), 야제(夜啼), 편두통을 치료한다. 선태(蟬蛻)는 선산풍열(宣散風熱), 투진이인(透疹利咽), 퇴예명목(退翳明目), 거풍지경(祛風止痙)의 효능이 있으므로 풍열감모(風熱感冒), 인후종통, 해수음아(咳嗽音啞), 마진불투(痲疹不透), 풍진소양(風疹瘙痒), 목적예장(目赤翳障), 경간추축(驚癇抽搐), 파상풍을 치료한다.

성분 선태(蟬蛻)는 chitin, isoxanthopterin, erythropterin, alanine, proline, aspartic acid, serine, threonine, glutamic acid, β-alanine, tyrosine, GABA, phenylalanine, leucine, ornithine, methionine 등이 함유되어 있다.

약리 선태(蟬蛻)는 동물 실험에서 strychnine이나 cocaine, nicotine 등에 의하여 일어나는 경련에 길항하며 nicotine에 의한 근육의 떨림을 감소시킨다. 횡문근의 긴장을 저하시키며 반사 반응을 억제하는데 이것은 신경절 차단 작용에 의한 것이다.

사용법 책선은 1~3마리에 물을 넣고 달여서 복용하거나 가루로 만들어 1g을 복용한다. 선태는 3g에 물 2컵(400mL)을 넣고 달이거나 알약 또는 가루약으로 복용한다. 외용할 때에는 달인 액을 바르거나 가루로 만들어 참기름에 개어서 붙인다.

주의 임산부는 복용하지 않는 것이 좋다.

처방 선화산(蟬花散): 용담(龍膽)·감국(甘菊)·밀몽화(密蒙花)·만형자(蔓荊子)·형개(荊芥)·천궁(川芎)·선화(蟬花)·청상자(靑箱子)·결명자(決明子)·치자(梔子)·방풍(防風)·목적(木賊)·질려(蒺藜)·감초(甘草) 각 등량. 1회 5g, 1일 3회 「동의보감(東醫寶鑑)」. 간경(肝經)에 몰린 열독(熱毒)이 눈으로 치밀어 눈이 벌겋게 붓고 눈물이 많이 흐르며 시력이 흐려지는 증상에 사용한다.

※ 한국에서는 본 종 및 '참매미 *Oncotympana coreana*' 또는 근연 곤충이 성충이 될 때 탈피한 허물을 사용하며, 중국에서는 '흑매미(黑蚱) *C. atrata*' 및 근연 곤충이 성충이 될 때 탈피한 허물을 사용한다. 금선의(金蟬衣)는 '*Cicada flammata*'의 허물이다.

○ 말매미(왼쪽)와 참매미(오른쪽)

○ 선태(蟬蛻)

○ 말매미(허물)

○ 말매미

[매미과]

검은날개홍낭자

♀ 혈어경폐, 불임   ♁ 요통
⬜ 나력, 선창, 광견교상

● 학명 : *Huechys sanguinea* De Geer

| 1 | 2 | 3 | 4 | 5 | 6 | 7 | 8 | 9 | 10 | 11 | 12 |

몸길이 1.5~2.5cm. 형태는 매미와 유사하나 조금 작다. 머리와 가슴은 흑색, 배와 등은 붉은색이다. 머리 양측에는 크고 돌출한 겹눈이 있으며, 흑갈색 반점들이 있다. 날개는 2쌍이며, 앞날개는 흑색, 뒷날개는 갈색, 광택이 있고 맥은 흑갈색이다. 다리는 3쌍이고 흑갈색이다.

분포 · 생태 인도, 미얀마, 베트남, 타이, 보르네오, 중국 광둥성(廣東省), 광시성(廣西省), 쓰촨성(四川省), 푸젠성(福建省), 저장성(浙江省), 장쑤성(江蘇省). 산과 들에서 살고 나무 수액을 먹는다.

약용 부위 · 수치 봄부터 가을까지 포획하여 끓는 물에 넣은 후 말린다.

약물명 홍낭자(紅娘子). 홍낭충(紅娘蟲), 홍고랑(紅姑娘)이라고도 한다.

기미 · 귀경 평(平), 고(苦), 신(辛), 유독(有毒) · 간(肝)

약효 파어(破瘀), 산결(散結), 공독(攻毒)의 효능이 있으므로 혈어경폐(血瘀經閉), 요통, 불임(不孕), 나력(瘰癧), 선창(癬瘡), 광견교상(狂犬咬傷)을 치료한다.

성분 cantharidin이 함유되어 있다.

사용법 홍낭자 적당량을 가루로 만들어 1g을 복용하고, 외용에는 가루를 뿌리거나 기름에 섞어서 바른다.

＊ 날개가 갈색인 '갈색날개홍낭자 *H. philae-mata*', 날개가 짧은 '짧은날개홍낭자 *H. thoracica*'도 약효가 같다.

❍ 검은날개홍낭자

❍ 홍낭자(紅娘子)

[꽃매미과]

꽃매미

♁ 흉협위한복통, 양위   ♁ 요통

● 학명 : *Lycorma delicatula* White   ● 영명 : Spotted lanternfly

| 1 | 2 | 3 | 4 | 5 | 6 | 7 | 8 | 9 | 10 | 11 | 12 |

❍ 꽃매미

몸길이 1.5~2cm. 몸의 표면 및 날개에는 백색 납질이 부착되어 있다. 머리는 납작하고 작으며, 담갈색, 겹눈은 흑갈색이다. 앞날개는 가죽질, 녹색을 띤 담갈색으로 흑색 반점이 20개 정도 있고, 날개의 맥은 백색이다. 뒷날개는 막질, 안쪽 절반은 붉은색이고 그 위에 흑색 반점이 7~8개 있으며 바깥쪽은 흑색, 중앙에는 백색 무늬가 있다. 복부는 넓고 크며, 꼬리 끝은 점점 좁아진다.

분포 · 생태 우리나라. 중국 허베이성(河北省), 산둥성(山東省), 허난성(河南省), 일본. 산과 들에서 살며 나무 수액을 먹는다.

약용 부위 · 수치 봄부터 가을까지 포획하여 끓는 물에 넣었다가 말린다.

약물명 저계(樗鷄). 회화아(灰花蛾)라고도 한다.

약효 행기지통(行氣止痛), 온신장양(溫腎壯陽)의 효능이 있으므로 흉협위한복통(胸脇胃寒腹痛), 요통, 양위(陽胃)를 치료한다.

성분 chitin, stearic acid, palmitic acid, oleic acid 등이 함유되어 있다.

약리 열수추출물은 황색 포도상구균, 상한간균, 이질간균 등에 항균 작용이 있다.

사용법 저계 5g에 물 2컵(400mL)을 넣고 달여서 복용하거나 가루로 만들어서 1g을 복용한다.

오배자진딧물

| 폐허구해 | 자한도한 | 구리구사 |
| 탈항, 유정, 백탁 | | 옹종창절 |

●학명 : *Melaphis chinensis* Bell ●영명 : Aphid ●한자명 : 角倍蚜

몸길이 2~4mm. 몸은 소형이고 빛깔은 다양하다. 몸은 머리, 가슴, 배의 3부분으로 이루어져 있다. 머리는 더듬이, 겹눈, 입틀 등이 있는데 더듬이는 6마디이다. 몸은 연약하고 배마디는 8개이며, 제5 또는 제6배마디등판 양옆에 뿔판이 있다. 다리는 5마디로 이루어지고 각 다리의 발목 마디는 2마디로 된다. 앞날개의 중맥은 2갈래, 뒷날개는 2개의 비스듬한 맥이 있다.

분포·생태 우리나라. 중국, 일본. 산과 들의 나무에 기생한다. 가을에 옻나무속(*Rhus*) 수액을 먹는다.

약용 부위·수치 벌레집을 채취하여 끓는 물에 살짝 담가 벌레나 알을 긁어내고 햇볕에 말린다.

약물명 오배자(五倍子). 백충창(百蟲倉), 문합(文蛤), 목부자(木附子), 칠배자(漆倍子), 홍엽도(紅葉桃), 한배자(旱倍子), 오염포(烏鹽泡)라고도 한다.

본초서 오배자(五倍子)는 「본초습유(本草拾遺)」에 처음 수재되었으며, "장허(腸虛), 설사를 치료하는 데 사용하며, 열탕하여 복용한다."라고 기록되어 있다. 「개보본초(開寶本草)」에 정품(正品)으로 등재되었으며, 「본초강목(本草綱目)」에는 충부(蟲部)로 옮겨져 있다.

성상 고르지 않고 불규칙하게 2~4개로 갈라진 주머니 모양을 하거나 깨어져 있다. 바깥면은 회색을 띤 회갈색으로 담갈색의 털로 덮여 있으며 길이 3~7cm, 두께 2mm 정도로 단단하지만 부서지기 쉽다. 속은 비어 있으나 회백색의 가루질 또는 죽은 벌레와 분비물이 남아 있을 때가 있다. 냄새는 없고 맛은 떫으며 수렴성이다.

기미·귀경 한(寒), 산(酸), 삽(澁)·폐(肺), 대장(大腸), 신(腎)

약효 수렴(收斂), 지한(止汗), 삽장(澁腸), 고정(固精), 지혈, 해독의 효능이 있으므로 폐허구해(肺虛久咳), 자한도한(自汗盜汗), 구리구사(久痢久瀉), 탈항(脫肛), 유정(遺精), 백탁(白濁), 각종 출혈, 옹종창절(癰腫瘡癤)을 치료한다.

성분 penta-*m*-digalloyl-β-D-glucose, 1,2,3,4,6-penta-*O*-galloyl-β-D-glucose, gallic acid, 3-*O*-digalloyl-1,2,4,6-tetra-*O*-galloyl-β-D-glucose, 2-*O*-digalloyl-1,3,4,6-tetra-*O*-galloyl-β-D-glucose, riccionidin A, indole-3-acetic acid, octopinic acid, lysopine, nopalinic acid 등이 함유되어 있다.

약리 단백질의 수렴 작용으로 장 점막에 불용성의 보호막을 형성함으로써 장 연동 운동을 억제하여 지사 효과를 나타낸다. 열수 추출물은 *Pseudomonas aeruginosa*, 대장균 등의 세균에 항균 작용이 있다. tannic acid는 장내 독성 물질과 결합하여 독성 물질을 불용성으로 만들어 흡수를 방해하여 해독 작용을 나타낸다. gallotannin은 항산화 작용을 나타내고, $NaNO_2$와 aminopyrine에 의한 *s*GPT의 상승을 억제한다.

사용법 오배자 적당량을 가루로 만들어 1회 3~6g을 복용한다.

처방 오배자환(五倍子丸): 오배자(五倍子), 가자(訶子), 형개(荊芥), 강즙(薑汁), 백밀(白蜜) 각 동량(「임상한약사전(臨床漢藥辭典)」). 폐허(肺虛)로 인한 해수(咳嗽)에 사용한다.

• 옥찬단(玉鑽丹): 오배자(五倍子) 600g, 백복령(白茯苓) 160g, 용골(龍骨) 80g(「화제국방(和齊局方)」). 유정(遺精) 또는 유뇨(遺尿)에 사용한다.

＊'배단아(倍蛋蚜) *M. paitan*'도 붉나무에 알을 까서 벌레집을 만들어 오배자(五倍子)를 생산한다. 공업적으로는 잉크, 물감, 색소 제조의 원료로 이용한다.

◐ 오배자(五倍子)

◐ 오배자(五倍子)

◐ 오배자(五倍子, 절편)

◐ 오배자(五倍子, 분말)

◐ 오배자진딧물 벌레집

◐ 오배자(五倍子, 신선품)

[노린재과]

구향충

🪱 간위불화, 위완복통, 양위

● 학명 : *Aspongopus chinensis* Dallas

| 1 | 2 | 3 | 4 | 5 | 6 | 7 | 8 | 9 | 10 | 11 | 12 |

🐕 🦅 🐛 🦌 🐟 〰 🖐 ✳ 🍖 ✿ 🦐

○ 구향충(九香蟲, 분말)

몸체는 타원형, 흑자색, 광택을 띤다. 두부는 작고 눈은 겹눈으로 1쌍, 더듬이는 2개, 5마디, 날개는 2쌍이다.

분포 · 생태 중국 구이저우성(貴州省), 윈난성(雲南省), 쓰촨성(四川省), 광시성(廣西省). 산과 들에서 산다.

약용 부위 · 수치 봄부터 가을까지 포획하여 끓는 물에 넣었다가 말린다.

약물명 구향충(九香蟲), 흑두충(黑兜蟲), 과흑춘(瓜黑蝽), 비판충(屁板蟲), 비파충(屁巴蟲)이라고도 한다.

약효 행기지통(行氣止痛), 온신장양(溫腎壯陽)의 효능이 있으므로 간위불화(肝胃不和), 위완복통(胃脘腹痛), 양위(陽胃)를 치료한다.

사용법 구향충 5g에 물 2컵(400mL)을 넣고 달여서 복용하거나 가루로 만들어 0.5g을 복용한다.

○ 구향충

[누에나방과]

누에나방

🫁 양위유정, 백탁, 혈림　▱ 금창출혈, 옹종창독, 동창, 사교상, 나력, 풍진　🫁 기관지염

👁 인후종통, 구설생창, 시선염　🫀 경간추축　🦴 지체불수　／ 고열경풍　♀ 폐경, 붕루

● 학명 : *Bombyx mori* L.　● 영명 : Silkworm　● 별명 : 집누에

| 1 | 2 | 3 | 4 | 5 | 6 | 7 | 8 | 9 | 10 | 11 | 12 |

🐕 🦅 🐛 🦌 🐟 〰 🖐 ✳ 🍖 ✿ 🦐

몸길이 1.6~2.3cm, 편 날개 길이 4cm 정도. 몸 전체에 백색 비늘조각이 덮여 있다. 머리는 작고, 겹눈은 1쌍, 흑색, 반원형이다. 더듬이는 1쌍, 깃털 모양, 기부는 굵고 말단은 점점 가늘며 암컷의 더듬이는 회색, 수컷은 흑색이다. 날개는 2쌍인데, 앞날개는 조금 크며 담갈색이고, 뒷날개는 조금 작으며 원형에 가깝다. 다리는 3쌍이다. 암

컷이 수컷보다 몸체가 크다.

분포 · 생태 우리나라. 일본, 중국. 산과 들에서 살며 유충일 때는 뽕나무잎을 갉아 먹고 산다.

약용 부위 · 수치 여름에 수컷 누에나방을 포획하여 끓는 물에 담갔다가 말린다. 유충 가운데 '백강균 *Beauveria bassiana*'에 감염되어 죽은 것을 말리며, 이것을 밀기울과

같이 초(炒)하여 미황색이 되면 밀기울을 제거하고 사용한다. 유충의 분변(糞便)을 건조한다. 명주실을 뽑고 남은 번데기를 말린다.

약물명 수컷 전체 말린 것을 원잠아(原蠶蛾)라 한다. 세균에 감염되어 죽은 유충을 백강잠(白殭蠶)이라 하며, 강잠(殭蠶), 천충(天蟲), 강충(殭蟲), 백강충(白殭蟲)이라고도 한다. 분변을 잠사(蠶沙)라 하며, 원잠시(原蠶屎), 만잠사(晩蠶沙), 잠사(蠶砂)라고도 한다. 번데기 말린 것을 잠용(蠶蛹)이라 한다. 백강잠(白殭蠶)과 잠사(蠶沙)는 대한민국약전외한약(생약)규격집(KHP)에 수재되어 있다.

본초서 백강잠(白殭蠶)은 「신농본초경(神農本草經)」의 상품(上品)에 수재되어 "소아경기, 야제(夜啼)를 치료하고 삼충(三蟲)을 몰아내며

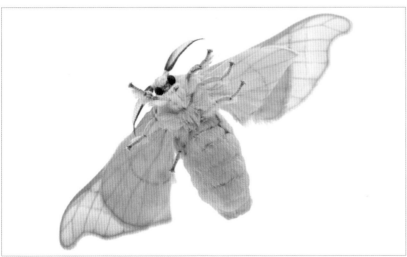

○ 누에나방

○ 누에나방(표본)

얼굴색을 좋게 하고, 음낭의 가려움증에 좋다."고 하였다. 소경(蘇敬)의 「당본초(唐本草)」에는 "누에가 스스로 죽으면 색이 저절로 백색으로 보이는 것으로 소금기(鹽氣)가 있는 것으로 보는 것은 잘못이다."라고 말하였다. 「본초강목(本草綱目)」에는 "누에(蠶)의 애벌레가 흰가루병에 걸리면 백색(白)으로 되고 단단하게 굳어지므로(殭) 백강잠(白殭蠶)이라 한다."고 하였다.

백강잠(白殭蠶)
神農本草經: 主小兒驚癇夜啼 去三蟲 減黑䵟 男子陰囊病.
名醫別錄: 主女子崩中赤白 産後餘痛.
藥性本草: 治口噤 發汗 主婦人崩中下血不止.

성상 백강잠(白殭蠶)은 원통형으로 회색을 띠며, 흑갈색 반점이 있고, 전체에 황갈색 단모가 있으며 머리를 제외하고는 13마디로 되어 있다. 머리는 작고 단단하며 홑눈, 더듬이, 입, 토사관 등이 있다. 앞 3마디는 흉부이고, 그 뒤로 10마디는 복부이며, 1~3마디에는 각각 3쌍의 가슴발이 있고 제6~9마디에는 각각 4쌍의 배발이 있다. 제11마디 등에는 작은 뿔 모양의 돌기가 있다. 잠사(蠶沙)는 짧은 원주형의 과립으로 길이 2~5mm, 지름 1.5~3mm이다. 바깥면은 조금 거칠며 회흑색이다. 바깥면에 6개의 세로 주름의 홈이 있고 질은 단단하면서도 부스러지기 쉽다. 풀냄새가 있고 맛은 쓰다.

기미·귀경 원잠아(原蠶蛾): 함(鹹), 온(溫)·간(肝), 신(腎). 백강잠(白殭蠶): 신(辛), 함(鹹), 평(平)·간(肝), 폐(肺), 위(胃). 잠사(蠶沙): 감(甘), 신(辛), 온(溫)·간(肝), 비(脾), 위(胃). 잠용(蠶蛹): 함(鹹), 신(辛), 평(平).

약효 원잠아(原蠶蛾)는 보신장양(補腎壯陽), 삽정(澁精), 지혈, 해독소종(解毒消腫)의 효능이 있으므로 양위유정(陽痿遺精), 백탁(白濁), 혈림(血淋), 금창출혈(金瘡出血), 인후종통(咽喉腫痛), 구설생창(口舌生瘡), 옹종창독(癰腫瘡毒), 동창(凍瘡), 사교상(蛇咬傷)을 치료한다. 백강잠(白殭蠶)은 거풍지경(祛風止痙), 화담산결(化痰散結), 해독이인(解毒利咽)의 효능이 있으므로 경간추축(驚癇抽搐), 중풍구안와사(中風口眼喎斜), 편정두통(偏正頭痛), 인후종통, 나력(瘰癧), 차시(痄腮), 풍진, 창독(瘡毒)을 치료한다. 잠사(蠶沙)는 거풍제습(祛風除濕), 화위화탁(和胃化濁), 활혈통경(活血通經)의 효능이 있으므로 풍습비통(風濕痹痛), 지체불수, 풍진소양(風疹瘙痒), 토사전근(吐瀉轉筋), 폐경, 붕루(崩漏)를 치료한다. 잠용(蠶蛹)은 청열진경(淸熱鎭驚), 화담지해(化痰止咳), 소종산결(消腫散結)의 효능이 있으므로 고열경풍(高熱驚風), 경련추축(痙攣抽搐), 전간(癲癇), 급성후염(急性喉炎), 시선염(腮腺炎), 기관지염, 담마진(蕁麻疹), 고혈압을 치료한다.

성분 원잠아(原蠶蛾)는 protein, amino acid, fat, α-ecdysone, cytochrome C, fluorocyanidine, vitamin B$_{12}$, nicotinic acid, bombykol, bombykal 등이 함유되어 있다. 백강잠(白殭蠶)은 회분 6.34%, 단백질 67.44%, 지방 4.38%, 수분 11.31%, 백강잠의 표면에 있는 흰 가루에는 수산화암모늄이 함유되어 있다. 잠사(蠶沙)는 유기물 83.5~90.5%, 회분 9.5~16.5%, 총잠사량(總蠶絲量) 1.9~3.6%이며, 기타 vitamin A, B 및 chlorophyll 유사체 등이 함유되어 있다.

약리 원잠아(原蠶蛾)의 체액은 사람과 동물의 T세포 중 DNA의 합성을 저해하며, 면역 증강 작용이 있다. 백강잠(白殭蠶)에 함유되어 있는 단백질은 부신피질을 자극하는 작용이 있다. 1-deoxynojirimycin은 혈당 강하 작용이 있다. 잠사(蠶沙)는 분자량이 530 정도인 chlorophyll 유사 물질 L4-1은 활성산소를 만들어 viral protein에 손상을 줌으로써 항바이러스 작용을 나타낸다. lectin인 NUE는 쥐의 복막 대식세포(peritoneal macrophage)에 의한 식작용(phagocytosis)을 활성화한다. 열수추출물은 항산화 작용과 free radical 소거 작용이 있다. chlorophyll 유사 물질인 CpD-A를 처리한 암세포에 650nm 근처의 빛을 10분간 쬐어 주면 암세포가 파괴된다.

사용법 원잠아는 가루로 만들어 1.5~5g을 복용하거나 알약으로 만들어 복용한다. 백강잠은 3g에 물 2컵(400mL)을 넣고 달여서 복용하며, 가루약이나 알약으로 만들어 복용하면 편리하다. 외용에는 가루로 만들어 참기름에 개어서 바른다. 잠사는 3g을 헝겊에 싸서 물 1컵(200mL)을 넣고 달여서 복용하거나 알약으로 만들어 복용한다. 잠용은 가루로 만들어 3~5g을 복용한다.

처방 백강잠산(白殭蠶散): 상엽(桑葉) 40g, 세신(細辛) 20g, 선복화(旋覆花)·백강잠(白殭蠶)·형개(荊芥)·감초(甘草) 각 12g 「동의보감(東醫寶鑑)」. 폐기(肺氣)가 허(虛)하여 찬바람을 맞으면 눈물이 나오는 증상에 사용한다.

• 견정산(牽正散): 백부자(白附子)·백강잠(白殭蠶)·전갈(全蝎) 각 동량, 1회 3~5g 「동의보감(東醫寶鑑)」. 중풍으로 입과 눈이 비뚤어지는 증상에 사용한다.

❶ 백강잠(白殭蠶)

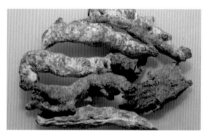
❶ 백강잠(白殭蠶)

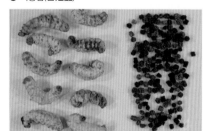
❶ 백강잠(白殭蠶)과 잠사(蠶沙)

❶ 고치

❶ 백강잠(白殭蠶) 횡단면

❶ 잠사(蠶沙)

❶ 잠용(蠶蛹)

❶ 누에나방(애벌레)

[산누에나방과]

산누에나방

 소갈뇨다　 전간추축

● 학명 : *Antherea pernyi* Geurin–Meneville

1	2	3	4	5	6	7	8	9	10	11	12

편 날개 길이 11~13cm. 대형의 나방류로 전체는 황갈색이다. 견판(肩板)과 앞가슴 가장자리는 자갈색, 백색 비늘조각이 섞여 있고, 앞뒤 두 날개의 중앙에는 투명한 1줄의 무늬가 있으며, 백색, 붉은색, 흑색 및 황색 선으로 둘러싸여 있다. 복부는 원구형으로 돌출하며 털이 많이 있다.

분포 · 생태 우리나라. 중국, 일본. 산과 들에서 나뭇잎을 갉아 먹고 산다.

약용 부위 · 수치 봄부터 가을까지 번데기를 채취하여 말린다.

약물명 작잠용(柞蠶蛹). 충용(茧蛹)이라고 도 한다.

성상 달걀 모양으로 암갈색, 머리 부분은 둔하고 꼬리 부분은 뾰족하다.

약효 생진지갈(生津止渴), 지경(止痙)의 효능이 있으므로 소갈뇨다(消渴尿多), 전간추축(癲癇抽搐)을 치료한다.

약리 에틸아세테이트 분획물 2g/kg을 수컷 쥐에게 투여하면 성 기능이 강화된다. 작잠용(柞蠶蛹)을 원료로 만든 제제를 고양이에게 정맥주사하면 혈압이 내려간다. 추출한 다당체를 간이 손상된 쥐에게 투여하면 간장 보호 작용이 나타난다.

사용법 작잠용 10~15g에 물 3컵(600mL)을 넣고 달여서 복용하거나 가루로 만들어 5g을 복용한다.

✿ 산누에나방

✿ 산누에나방(애벌레)

[불나방과]

불나방

 치루

● 학명 : *Arctia caja* L.　● 영명 : Garden tiger moth

1	2	3	4	5	6	7	8	9	10	11	12

편 날개 길이 8cm 정도. 몸체는 비대하고 적갈색이다. 머리는 작고, 양측에 겹눈이 1쌍 있으며, 아랫입술 수염은 길고 더듬이는 1쌍 있는데 깃꼴이다. 가슴마디는 연합되어 있다. 앞날개는 황백색 망상 무늬가 있으며, 뒷날개는 흑색 무늬가 있다. 복부는 비대하고 등황색이다. 유충은 긴 달걀 모양, 흑색이며 적갈색 털이 있다.

분포 · 생태 우리나라 강원도. 일본, 중국. 산과 들에서 산다.

약용 부위 · 수치 가을에 포획하여 그대로 사용하거나 말린다.

약물명 등아(燈蛾). 비아(飛蛾), 화화(火花), 모광(慕光)이라고도 한다.

약효 해독렴창(解毒斂瘡)의 효능이 있으므로 치루(痔漏)를 치료한다.

사용법 등아 적당량을 가루로 만들어서 기름과 섞어 환부에 바른다.

✿ 불나방(애벌레)

✿ 불나방

[호랑나비과]

산호랑나비

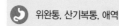 위완통, 산기복통, 애역

●학명 : *Papilio machaon* L. ●영명 : Mountain tiger butterfly

| 1 | 2 | 3 | 4 | 5 | 6 | 7 | 8 | 9 | 10 | 11 | 12 |

펀 날개 길이 9~12cm. 머리에는 반구형 겹눈이 1쌍, 겹눈의 양쪽에 가늘고 긴 더듬이가 1쌍 있다. 흉부는 3마디로 구성되며 중흉과 후흉이 발달되었다. 날개는 2쌍, 황색 바탕에 흑색 반문이 규칙적으로 배열되어 있다. 뒷날개에는 꼬리 같은 돌기가 있으며, 안쪽 가장자리에는 적색 반점이 있다. 다리는 3쌍, 앞다리가 발달하였다.

분포·생태 우리나라. 중국, 일본. 산과 들에서 산다.

약용 부위·수치 여름에 유충을 포획하여 약한 불로 볶는다.

약물명 회향충(茴香蟲). 회향충(蘹香蟲)이라고도 한다.

성상 누에와 유사하며 몸길이는 5cm 정도. 표면은 털이 없고 매끈하며 황록색, 환상의

조문(條文)이 있으며 그 사이에는 금색 반점이 있다.

기미·귀경 신(辛), 감(甘), 온(溫)·간(肝), 위(胃)

약효 이기(理氣), 화담(化痰), 지통(止痛)의 효능이 있으므로 위완통(胃脘痛), 산기복통(疝氣腹痛), 애역(呃逆)을 치료한다.

성분 *p*-methoxy cinnamal, *p*-methoxycinnamic acid, *p*-methoxybenzaldehyde, papilochrome, L-kyurenine, catechol amine, dihydroxanthommatin, xanthommatin, tryptophane, 3-hydrxoykyurenine, anthranilic acid, α-carotene, lutein, papiliocrythrinone, papiliocrythrin, canthaxanthin, astaxanthin, glycerin, isobutyric acid, α-methylbutyric acid 등이 함유되어 있다.

사용법 회향충 1~3마리에 물 2컵(400mL)을 넣고 달여서 복용하거나 가루로 만들어 2~3g을 복용한다.

＊본 종에 비하여 뒷날개에 청색이 더욱 선명한 '호랑나비 *P. xuthus*'도 약효가 같다.

❍ 산호랑나비(애벌레)

❍ 산호랑나비

[등에과]

재등에

혈어경폐, 산후오로부진, 간혈로 후비
소복축혈, 징가적괴 질타상통, 옹종

●학명 : *Tabanus mandarinus* Cosquilett

| 1 | 2 | 3 | 4 | 5 | 6 | 7 | 8 | 9 | 10 | 11 | 12 |

암컷 몸길이 1.7~1.9cm. 수컷은 암컷보다 작다. 전체는 흑적색이다. 겹눈은 대형이고 털이 없으며 중앙에 1줄의 가늘고 긴 흑색

가로띠가 있다. 이마는 황색~담회색, 촉각은 황색이고, 날개는 투명하며 반점이 없다. 복부는 황갈색, 등판 양측에는 황색 반

점이 있고 중간에는 암황색 띠가 있다.

분포·생태 우리나라. 중국, 일본. 연못, 늪, 강 등 물 가까운 곳에서 살고, 주로 온혈동물의 피를 빨아먹고 살지만 꿀이나 식물의 즙액을 먹기도 한다.

약용 부위·수치 등에 또는 근연의 곤충을 5~6월에 포획하여 뜨거운 물에 담근 후 충체 그대로 말리거나 또는 다리와 날개를 제거하고 약한 불에 볶아서 사용한다.

약물명 맹충(虻蟲). 비맹(蜚虻), 우맹(牛虻), 우맹자(牛虻子), 우맹충(牛虻蟲)이라고도 한다. 대한민국약전외한약(생약)규격집(KHP)에 수재되어 있다.

본초서 맹충(虻蟲)은 「신농본초경(神農本草經)」의 중품(中品)에 목맹(木虻)과 비맹(蜚虻)의 2종류로 수재되어 "목맹(木虻)은 눈이 아프고 눈물이 자주 흐르며, 어혈(瘀血), 혈폐(血閉), 가슴이 두근거리는 증상을 치료하며, 비맹(蜚虻)은 어혈을 제거하며 혈적(血積), 징가(癥瘕), 한열(寒熱), 혈맥(血脈) 및 구규(九竅)를 잘 통하게 하는 약물이다."라고 기록되어 있다. 양자의 성상, 약효에는 다소 차이가 있지만 어혈에 사용하고 있다. 소경(蘇敬)의 「당본초(唐本草)」에는 "목맹(木虻)과 비맹(蜚虻) 모두 우마(牛馬)의 피를 빨아 먹는다."고 하였으며, 현재 약용으로 사

❍ 재등에(표본)

용하는 것은 목맹(木蝱)이 아니고 비맹(蜚蝱)이다.

神農本經: 主逐瘀血 破下血積 堅痞癥瘕 寒熱 通利血脈及九竅.

日華諸家本草: 破癥結 消積膿 墮胎.

本草崇原: 治痘不起發, 每加牛蝱.

성상 몸체는 타원상 구형으로 길이 1.5∼2cm, 지름 0.5∼1cm, 머리는 흑갈색으로 양쪽 눈은 크며 대부분 떨어져 있다. 흉부는 흑갈색, 등쪽은 딱딱한 껍질로 반들반들하며 날개는 꼬리 부분보다 길다. 흉부의 아랫부분은 돌출되고 흑갈색으로 3쌍의 다리가 있으나 대부분 떨어져 있으며, 복부는 황갈색으로 6개의 마디로 되어 있다. 부스러지기 쉬우며 특이한 냄새가 있고 맛은 쓰며 조금 짜다.

기미·귀경 고(苦), 양(凉), 유독(有毒)·간(肝)

약효 맹충(蝱蟲)은 파혈통경(破血通經), 축어소징(逐瘀消癥)의 효능이 있으므로 혈어경폐(血瘀經閉), 산후오로부진(産後惡露不

盡), 간혈로(干血癆), 소복축혈(小腹蓄血), 징가적괴(癥瘕積塊), 질타상통(跌打傷痛), 옹종(癰腫), 후비(喉痺)를 치료한다.

성분 지방, 단백질, cholesterol, steroid, Cu, Fe, P, Mn 등 24종의 무기 금속이 함유되어 있다.

약리 열수추출물은 쥐의 출혈 시간을 현저하게 연장시키며, 혈장 중의 섬유질을 현저히 감소시켜 혈소판 응집을 억제시킨다.

사용법 맹충 1.5∼3g에 물 2컵(400mL)을 넣고 달여서 복용하거나 알약 또는 가루약으로 만들어 복용한다.

주의 독성이 있으므로 다량으로 사용하지 말아야 하며, 임산부에게는 사용하지 않는 것이 좋다.

처방 저당탕(抵當湯): 수질(水蛭)·맹충(蝱蟲)·도인(桃仁) 각 10개, 대황(大黃) 12g(「동의보감(東醫寶鑑)」). 어혈(瘀血)로 가슴이 답답하고 헛소리를 하며 입안이 마르나 물은 마시고 싶지 않은 증상에 사용한다.

• 지황통경환(地黃通經丸): 숙지황(熟地黃) 80g, 지모(知母) 8g, 맹충(蝱蟲)·수질(水蛭)·도인(桃仁) 각 5개, 1알 0.3g이 되게 만들어 1회 70알 복용(「동의보감(東醫寶鑑)」). 생리가 고르지 못하면서 아랫배가 그득하고 아픈 증상에 사용한다.

* 중국 시장품은 본 종 외에 '미야지마등에 *T. miyajima*', '조선등에 *Hybomitra stigmoptera*'가 있으며 약효가 같다.

❍ 맹충(蝱蟲)

❍ 맹충(蝱蟲, 분말)

❍ 미야지마등에

❍ 조선등에

꽃등에

 비허식체, 소화불량

● 학명 : *Eristalis tenax* L. ● 별명 : 꼬리별꽃등에

| 1 | 2 | 3 | 4 | 5 | 6 | 7 | 8 | 9 | 10 | 11 | 12 |

몸길이 1.4∼1.5cm. 몸은 크고 흑갈색, 겹눈이 크다. 가슴등판은 암갈색 가루로 덮여 있고 5개의 짙은 회색 세로줄과 가운데가 끊긴 1개의 가로띠 무늬가 있다. 배도 크고 황적색이며 등면 가운데에 흑색 무늬가 있다. 암컷은 수컷에 비하여 배의 줄무늬가 덜 선명하다.

분포·생태 우리나라. 일본, 중국. 성충은 봄부터 가을에 꽃이 많은 곳에서 활동하며, 유충은 물속에서 썩은 유기물을 먹고 산다.

약용 부위·수치 봄부터 가을까지 포획하여 말린다.

약물명 봉승(蜂蠅). 화맹(花蝱), 식아승(食蚜蠅)이라고도 한다.

약효 건비소식(健脾消食)의 효능이 있으므로 비허식체(脾虛食滯), 소화불량을 치료한다.

사용법 봉승 적당량을 가루로 만들어 3∼5g을 복용한다.

* 본 종보다 배가 짧은 '배짧은꽃등에 *E. ceralis*'도 약효가 같다.

❍ 꽃등에

[물맴이과]

물맴이

식육, 약창

●학명 : *Gyrinus japonicus* Sharp　●영명 : Puddle

| 1 | 2 | 3 | 4 | 5 | 6 | 7 | 8 | 9 | 10 | 11 | 12 |

몸길이 0.5~0.6cm. 몸은 흑색, 앞가슴등판은 너비가 좁다. 앞가슴 옆쪽과 날개 끝은 둥글다. 가운뎃다리와 뒷다리를 회전시켜 헤엄을 친다.

분포·생태 우리나라. 중국, 일본, 인도, 자바. 수초에서 산다.

약용 부위·수치 봄부터 가을까지 포획하여 끓는 물에 넣었다가 말린다.

약물명 고충(鼓蟲). 고모충(鼓母蟲)이라고도 한다.

약효 식식육(蝕息肉), 해독의 효능이 있으므로 식육(息肉), 악창(惡瘡)을 치료한다.

사용법 고충 적당량을 가루로 만들어서 상처에 뿌리거나 연고로 제조하여 바른다.

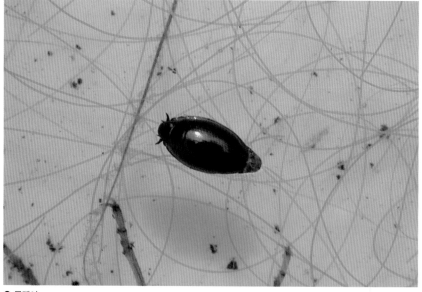

❍ 물맴이

[물방개과]

물방개

소아유뇨, 노인뇨빈　　면부갈반

●학명 : *Cybister japonicus* Sharp　●영명 : Korean water beetle

| 1 | 2 | 3 | 4 | 5 | 6 | 7 | 8 | 9 | 10 | 11 | 12 |

❍ 용슬(龍虱)

몸길이 2.5~3cm. 몸은 납작한 달걀 모양, 등쪽은 흑갈색, 가장자리 및 딱지날개의 양측은 녹황색이다. 두부는 거의 편평하고 중앙 부위가 약간 융기되었고 앞쪽 양측은 작은 홈이 있다. 더듬이는 1쌍이고 황갈색, 겹눈은 돌출되었다. 복부는 3~5마디이고 다리는 3쌍인데, 앞다리는 황갈색이고 뒷다리는 적갈색이다.

분포·생태 우리나라. 중국, 일본, 인도, 자바. 수초에서 산다.

약용 부위·수치 봄부터 가을까지 포획하여 끓는 물에 넣었다가 말린다.

약물명 용슬(龍虱). 수별충(水鼈蟲), 사뇨귀(射尿龜)라고도 한다.

약효 보신(補腎), 축뇨(縮尿), 활혈(活血)의 효능이 있으므로 소아유뇨(小兒遺尿), 노인뇨빈(老人尿頻), 면부갈반(面部褐斑)을 치료한다.

사용법 용슬 3~5g에 물 2컵(400mL)을 넣고 달여서 복용하거나 가루로 만들어 1g을 복용한다.

❍ 물방개

[가뢰과]

줄먹가뢰

 혈어경폐   징가적취
백나

● 학명 : *Epicauta gorhami* Marseul

| 1 | 2 | 3 | 4 | 5 | 6 | 7 | 8 | 9 | 10 | 11 | 12 |

○ 줄먹가뢰

몸길이 1.2~1.9cm. 몸은 납작한 원통형으로 전체적으로 흑색이고 배쪽은 담흑색이다. 머리는 적갈색으로 황색의 짧은 털이 있고 겹눈은 1쌍이며, 더듬이는 옆으로 납작하다. 앞가슴은 머리보다 좁고 앞쪽이 다소 가늘어서 목처럼 보인다. 다리는 3쌍인데 가늘고 길며 황색 털이 있다.

분포 · 생태 우리나라, 중국, 일본, 인도. 성충은 5~7월에 출현하며 풀줄기나 활엽수의 잎에서 산다.

약용 부위 · 수치 여름과 가을에 포획하여 끓는 물에 넣었다가 말린다.

약물명 갈상정장(葛上亭長), 정장(亭長), 두자(豆蚝), 두반모(豆斑蝥), 계관충(鷄冠蟲)이라고도 한다.

기미 · 귀경 신(辛), 온(溫), 유독(有毒)

약효 축어(逐瘀), 파적(破積), 공독(攻毒)의 효능이 있으므로 혈어경폐(血瘀經閉), 징가적취(癥瘕積聚), 백나(白癩)를 치료한다.

성분 cantharidin이 함유되어 있다.

사용법 갈상정장 1~2마리에 물 2컵(400mL)을 넣고 달여서 복용하거나 가루로 만들어 1g을 복용한다.

[가뢰과]

청가뢰

나력, 광견교상   혈어경폐
수종뇨소

● 학명 : *Lytta caraganae* Pallas

| 1 | 2 | 3 | 4 | 5 | 6 | 7 | 8 | 9 | 10 | 11 | 12 |

○ 청가뢰(표본)

몸길이 2cm 정도. 몸은 납작한 원통형이다. 더듬이는 길이 1~1.2cm로 11마디이며 말단의 몇 마디는 팽대하다. 날개와 다리를 포함하여 몸 전체가 녹색이며 광택이 난다. 머리는 세모꼴에 가깝고 반구형의 겹눈이 1쌍 있으며 앞가슴등판은 비교적 평활하다. 딱지날개에는 작은 점각이 있어서 금속 광택을 반사시킨다.

분포 · 생태 우리나라, 중국, 일본, 인도. 성충은 5~7월에 출현하며 풀줄기나 활엽수의 잎에서 산다.

약용 부위 · 수치 봄부터 여름까지 포획하여 끓는 물에 넣었다가 말린다.

약물명 원청(芫青), 원청(芫蜻), 청랑자(青郎子), 청랑충(青郎蟲), 상사충(相思蟲), 청충(青蟲)이라고도 한다.

기미 · 귀경 신(辛), 온(溫), 유독(有毒)

약효 공독(攻毒), 파어(破瘀), 축수(逐水)의 효능이 있으므로 나력(瘰癧), 광견교상(狂犬咬傷), 혈어경폐(血瘀經閉), 수종뇨소(水腫尿小)를 치료한다.

성분 cantharidin 등이 함유되어 있다.

약리 cantharidin은 피부나 점막을 자극하여 물집이 생기게 함으로써 관절염 등을 치료한다. 물로 달인 액은 피부 진균의 성장을 억제한다. 또한 cantharidin은 암세포의 성장을 억제한다.

사용법 원청 1~2마리에 물 2컵(400mL)을 넣고 달여서 복용하거나 가루로 만들어 1g을 복용한다.

[가뢰과]

큰점박이가뢰

- 옹저, 나력
- 징가
- 경폐
- 암종

●학명 : *Mylabris phalerata* Pallas　●영명 : Large spotted spiders　●별명 : 큰띠가뢰

| 1 | 2 | 3 | 4 | 5 | 6 | 7 | 8 | 9 | 10 | 11 | 12 |

몸길이 2~3cm. 몸은 흑색 바탕에 흑색의 부드러운 털로 덮여 있다. 머리는 둥근 삼각형, 굵고 조밀한 점각이 있으며, 이마 중앙에는 미끈한 세로무늬가 1줄 있다. 겹눈은 크고 더듬이는 1쌍으로 실 모양, 말단의 몇 마디가 팽대하다. 앞가슴은 길이가 너비보다 조금 길다. 딱지날개는 1쌍인데 중앙 앞뒤에는 물결무늬의 황색 띠가 있다.

분포 · 생태 중국 허난성(河南省), 광시성(廣西省), 안후이성(安徽省). 논이나 밭의 콩, 땅콩, 목화 재배지에 집단으로 모여 산다.

약용 부위 · 수치 여름과 가을 아침 날개가 젖어 있어서 날지 못할 때 포획하여 끓는 물에 넣었다가 말린다. 미감수(米泔水, 쌀뜨물)에 담가 두었다 사용하거나, 쌀과 함께 초(炒)하여 사용한다.

약물명 반모(斑蝥). 반묘(斑猫), 용미(龍尾), 반모(螌蝥)라고도 한다. 대한민국약전외한약(생약)규격집(KHP)에 수재되어 있다.

본초서 「신농본초경(神農本草經)」의 하품(下品)에 반묘(斑猫)라는 이름으로 수재되어 있으며, 「본초강목(本草綱目)」에 의하면

"등에 황색 반점(斑點)이 있고 농작물을 해치는 곤충(蝥)이라 하여 반모(斑蝥)라고 한다."고 하였다.

성상 광택이 있고 불쾌한 냄새가 있으며 피부 점막에 닿으면 인적발포(引赤發疱)한다.

품질 충체가 완전하고 광택이 있으며 자극성 냄새가 강한 것이 좋다.

기미 · 귀경 신(辛), 온(溫), 대독(大毒) · 간(肝), 위(胃), 신(腎)

약효 공독식창(攻毒蝕瘡), 축어산결(逐瘀散結)의 효능이 있으므로 옹저(癰疽), 나력(瘰癧), 경폐(經閉), 징가(癥瘕), 암종(癌腫)을 치료한다.

성분 cantharidin(1~1.5%), 지방, 방향성 물질 등이 함유되어 있다.

약리 cantharidin은 피부나 점막을 자극하여 물집이 생기게 함으로써 관절염 등을 치료한다. 물로 달인 액은 피부 진균의 성장을 억제한다. cantharidin, demethylcantharidin은 암세포의 성장을 억제한다.

사용법 반모를 건조시킨 몸체 0.01g을 1회 분량으로 하며, 가루약이나 알약으로 만들

어 복용한다. 실열담화(實熱痰火)의 증상이 있는 경우는 복용하지 않는다.

＊ 황색으로 된 가로무늬가 있고 몸길이 1~1.5cm인 '띠띤가뢰 *M. cichorii*'도 약효가 같다.

○ 반모(斑蝥)

○ 큰점박이가뢰

[반딧불이과]

반딧불이

- 청맹목암
- 수화탕상
- 두발조백

●학명 : *Luciola cruciata* Motschulsky　●영명 : Firefly　●별명 : 개똥벌레

| 1 | 2 | 3 | 4 | 5 | 6 | 7 | 8 | 9 | 10 | 11 | 12 |

몸길이 1.5~2cm. 몸체는 좁고 길며 암수 크기는 비슷하다. 전체적으로 흑갈색이지만 앞가슴과 등 및 꼬리 2마디는 분홍색이다. 머리는 앞가슴 밑으로 숨겨져 있고 입은 뾰족하며 씹을 수 있고, 더듬이는 채찍 같으며 회색 털이 있다. 앞가슴등판 중앙에는 암갈색의 곧은 줄이 있다. 복부는 7마디로, 끝마디는 발광할 수 있으며 수컷의 발

광력이 암컷보다 강하다.

분포 · 생태 우리나라. 일본, 중국. 성충은 8~9월에 잡목림이 우거지고 햇볕이 잘 들지 않는 숲속에서 살며, 유충은 육상 달팽이류나 고동류를 먹고 산다.

약용 부위 · 수치 여름부터 가을까지 포획하여 말린다.

약물명 형화(螢火). 소행(宵行), 인(燐), 즉조(卽照), 야광(夜光), 야조(夜照)라고도 한다.

기미 · 귀경 신(辛), 미온(微溫) · 폐(肺), 간(肝)

약효 명목(明目), 오발(烏髮), 해독의 효능이 있으므로 청맹목암(靑盲目暗), 두발조백(頭髮早白), 수화탕상(水火燙傷)을 치료한다.

사용법 형화 7~14마리에 물 2컵(400mL)을 넣고 달여서 복용하거나 가루로 만들어서 3g을 복용하고, 외용에는 짓찧어 붙인다.

＊ 본 종보다 몸체가 작은 '애반딧불이 *L. lateralis*'도 약효가 같다.

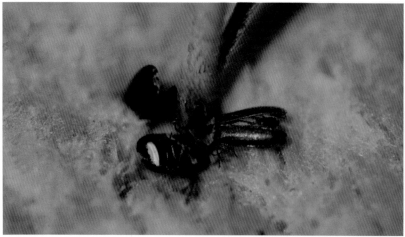

○ 반딧불이

○ 반딧불이(애벌레가 다슬기를 먹고 있는 모습)

[하늘소과]

장수하늘소

 혈어경폐, 통경　　타박상, 정창종독

● 학명 : *Callipogon relictus* Shansky　● 영명 : Long-homed beetle

| 1 | 2 | 3 | 4 | 5 | 6 | 7 | 8 | 9 | 10 | 11 | 12 |

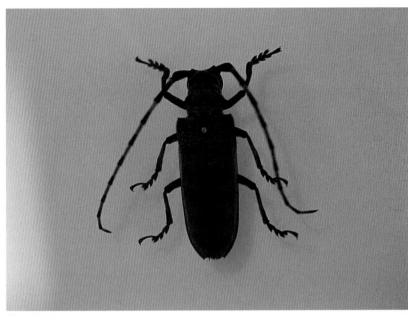

❶ 장수하늘소

몸길이는 수컷 8.5~11cm, 암컷 6.5~8.5cm. 몸은 황갈색~흑갈색이며 대부분 황색 털로 덮여 있다. 턱은 크고 튼튼하게 생겼으며 위로 구부러져 있고 바깥쪽에 1개의 가지가 있다. 앞가슴등판의 옆가장자리에는 톱니 모양의 돌기가 나 있으며 등판에는 황색의 털 뭉치가 있다.

분포 · 생태 우리나라 경기도, 강원도. 중국, 일본, 아무르. 나무줄기의 수액이나 잎을 갉아 먹고 산다.

약용 부위 · 수치 봄부터 가을까지 포획하여 말린다.

약물명 천우(天牛), 교상(嚙桑), 천루(天螻)라고도 한다.

기미 · 귀경 감(甘), 온(溫), 유독(有毒)

약효 활혈통경(活血通經), 산어지통(散瘀止痛), 해독소종(解毒消腫)의 효능이 있으므로 혈어경폐(血瘀經閉), 통경(痛經), 타박상, 정창종독(疔瘡腫毒)을 치료한다.

사용법 천우 3~5마리에 물 2컵(400mL)을 넣고 달여서 복용하거나 가루로 만들어서 1g을 복용하고, 외용에는 짓찧어 붙인다.
* 천연기념물 제218호

[쇠똥구리과]

쇠똥구리

징가, 애격반위, 복창변비　　경간
치루　　정종, 악창

● 학명 : *Gymnopleurus mopsus* Pallas　● 영명 : Dung beetle

| 1 | 2 | 3 | 4 | 5 | 6 | 7 | 8 | 9 | 10 | 11 | 12 |

❶ 쇠똥구리

몸길이 1.5cm 정도. 몸은 흑색이며, 머리와 머리방패는 넓적하고 마름모꼴, 더듬이는 흑색, 앞가슴등판은 크고 편원형이며 중앙은 융기하고, 딱지날개는 앞가슴보다 좁다. 다리는 흑색으로, 앞다리 종아리마디는 넓고 바깥쪽은 톱니 모양, 앞과 끝 가까이에 3개의 큰 이가 있다.

분포 · 생태 우리나라. 중국, 일본, 아프리카. 습한 곳에서 생활하며, 낮에는 땅속에서 쉬며 밤에만 활동한다. 쇠똥을 주로 먹는다.

약용 부위 · 수치 6~8월에 포획하여 머리, 다리, 날개를 제거하고 깨끗이 씻어서 볕에 말린 후 사용한다. 또는 초(炒)하여 사용한다.

약물명 강랑(蜣螂). 우시충(牛屎蟲), 추차충(推車蟲), 추시파(推屎爬), 흑우아(黑牛兒)라고도 한다.

본초서 강랑(蜣螂)은 「신농본초경(神農本草經)」의 하품(下品)에 수재되어 있다. 「본초경집주(本草經集注)」에는 "분토(糞土) 중에 들어가서 시(屎)를 먹고 둥글게 되므로 추환(推丸)이라고 하며, 종류는 3,4종 있지만 크고 코가 큰 것이 진짜다."라고 하였다. 「본초강목

(本草綱目)」에는 "강랑(蜣螂)은 흙에서 분(糞)을 둥글게 감아 수컷이 끌며 암컷이 밀어 준다. 그것을 사는 구멍에 밀고 가서 며칠 경과하면 그 안에서 작은 강랑(蜣螂)이 나온다. 즉 그 안에서 알이 부화한 것이다."라고 생태가 기록되어 있다. 「촉본초(蜀本草)」에는 "이것은 종류가 많지만 코가 크고 눈이 깊은 것을 약에 사용하며 호강랑(胡蜣螂)이다."라고 하였다. 이상의 기록으로 강랑(蜣螂)은 예로부터 지금까지 쇠똥구리 또는 근연 곤충의 충체라는 것을 알 수 있다. 「동의보감(東醫寶鑑)」에는 초부(草部)의 하(下)에 수록되어 있다.

神農本草經: 主小兒瘧攣, 腹脹寒熱, 大人癲疾狂易.

名醫別錄: 主手足端寒, 膚滿, 奔豚.

藥性論: 治小兒疳蟲蝕

성상 충체(蟲體)는 거의 타원상 구형이며 길이 3~4cm, 너비 2~3cm, 흑갈색, 광택이 있다. 수컷이 암컷에 비하여 약간 크고 두부 끝은 편평하고 쉽게 탈락한다. 중앙에는 뿔이 1개 돋아나고 길이 6mm 정도, 앞가슴은 반달 모양, 다리는 3쌍, 체질은 단단하고 약간 냄새가 난다.

품질 머리, 다리 등이 붙어 있으며 광택이 있고 냄새가 적은 것이 좋다.

기미·귀경 한(寒), 함(鹹)·간(肝), 위(胃), 대장(大腸)

약효 파어(破瘀), 정경(定驚), 통변(通便), 산결(散結), 발독거부(撥毒祛腐)의 효능이 있으므로 징가(癥瘕), 경간(驚癎), 애격반위(噫膈反胃), 복창변비(腹脹便秘), 치루(痔漏), 정종(疔腫), 악창(惡瘡)을 치료한다.

성분 약 1%의 유독 성분이 함유되어 있으며 이것은 물, 에탄올, 클로로포름에 녹고 에테르에는 녹지 않는다. 100℃에서 가열하여 30분이 경과하여도 파괴되지 않는다.

약리 토끼에게 물에 달인 액을 주사하면 혈압이 일시적으로 떨어졌다가 다시 상승하고 호흡의 진폭이 증대하고 호흡 횟수가 많아진다. 개구리에 투여하면 심장 근육의 억제 작용이 나타난다. 토끼에게 물에 달인 액을 주사하면 장관 및 자궁 수축을 억제하는 작용이 나타난다.

사용법 강랑 3g에 물 2컵(400mL)을 넣고 달여서 복용하거나 가루로 만들어 1g을 복용한다. 외용에는 가루로 만들어 뿌리거나 고약으로 만들어 바른다.

처방 용담탕(龍膽湯): 용담(龍膽), 구등(鉤藤), 시호(柴胡), 황금(黃芩), 길경(桔梗), 작약(芍藥), 복신(茯神), 감초(甘草), 정력자(葶藶子), 강랑(蜣螂), 대황(大黃) (「천금방(千金方)」). 간담(肝膽)의 화(火)가 심하여 귀가 안 들리는 증상에 사용한다.

＊ 중국에서는 '시각랑(屎殼螂) *Catharsisus molossus*'을 주로 사용한다.

❶ 강랑(蜣螂)

[검정풍뎅이과]

참검정풍뎅이

혈어경폐 | 징가 | 통풍
절상어통, 파상풍, 옹저, 단독 | 후비

●학명 : *Holotrichia diomphalia* Bates ●영명 : Black beetle

| 1 | 2 | 3 | 4 | 5 | 6 | 7 | 8 | 9 | 10 | 11 | 12 |

몸길이 1.6~1.8cm. 몸은 흑색, 작은 점무늬가 뒤덮여 있다. 배 꽁무니 부근의 마지막 등판은 중간 뒤쪽으로 볼록 튀어 나왔고, 그 가운데가 길게 약간 패어 있다.

분포·생태 우리나라 전역. 중국, 일본. 5~6월에 낳은 알은 9월에 3령이 되어서 땅 속으로 깊이 들어가 월동한다. 이듬해 3~4월에 다시 땅 표면 가까이로 올라와 먹이를 더 먹고 자란 다음, 8월경에 번데기로 변하고 9월에 성충이 되는데, 그대로 땅속에서 월동하고 이듬해 봄인 4월부터 활동한다.

약용 부위·수치 봄부터 여름까지 땅을 파서 애벌레를 포획한 뒤 끓는 물에 넣었다가 말린다.

약물명 제조(蠐螬), 응조(應條), 지단(地蛋), 토잠(土蠶), 노모충(老母蟲), 핵도충(核桃蟲)이라고도 한다. 대한민국약전외한약(생약)규격집(KHP)에 수재되어 있다.

본초서 제조(蠐螬)는 「신농본초경(神農本草經)」의 중품(中品)에 처음 수재되어 별명으로 토잠(土蠶), 노모충(老母蟲), 핵도충(核桃蟲)을 들고 있다. 소경(蘇敬)은 "이 벌레는 분변(糞便) 또는 분변(糞便)과 섞여 있는 풀이나 나무 속에서 번식하며 겨울에 채집하는 것이 좋다."고 하였다. 「본초경집주(本草經集注)」에는 "제조(蠐螬)라는 이름은 머리와 꼬리가 구별되지 못할 정도로 가지런하고 무리를 이루어 움직이는 것에 유래한다."고 하였다.

성상 긴 원주형~구부러진 납작한 콩팥형을 나타내며 길이 약 3cm, 너비 10~12mm로 황갈색~갈색 또는 황백색을 나타낸다. 바깥면은 돌림마디가 있으며, 질은 비교적 단단하나 부스러지기 쉽고 속은 비어 있다. 특이한 냄새가 조금 있고 불량품은 썩은 냄새가 나고 맛은 좀 쓰다.

기미·귀경 함(鹹), 미온(微溫), 유독(有毒)·간(肝)

약효 파어산결(破瘀散結), 지통해독(止痛解毒)의 효능이 있으므로 혈어경폐(血瘀經閉), 징가(癥瘕), 절상어통(折傷瘀痛), 통풍, 파상풍, 후비(喉痺), 옹저(癰疽), 단독(丹毒)을 치료한다.

약리 열수추출물을 토끼의 적출 자궁에 투여하면 흥분 작용이 나타나며, 적출 장관의 운동을 억제한다. 토끼의 관상 동맥, 귀 혈관, 두꺼비 폐 혈관에 수축 작용을 나타낸다. 또 토끼에게 열수추출물을 투여하면 소변량이 증가한다.

사용법 제조 5g에 물 2컵(400mL)을 넣고 달여서 복용하며, 외용에는 짓찧어 환부에 바른다.

주의 임신부는 피한다.

처방 제조산(蠐螬散): 제조(蠐螬), 감초(甘草), 몰약(沒藥), 유향(乳香) (「성제총록(聖濟總綠)」).
• 대황자충환(大黃蟅蟲丸): 제조(蠐螬), 대황(大黃), 자충(蟅蟲), 황금(黃芩), 감초(甘草), 작약(芍藥), 건칠(乾漆), 맹충(虻蟲), 지황(地黃), 수질(水蛭), 도인(桃仁), 행인(杏仁) (「금궤요략(金匱要略)」).

＊ 현재 약재 시장에 출하되는 제조(蠐螬)는 검정풍뎅이과(Melonlonthidae)의 굼벵이를 비롯하여 굼벵이과(Lachnosterna)의 '금색굼벵이 *H. diomphalia*', '종금구자 *H. sauteri*' 등의 애벌레이다.

❶ 제조(蠐螬)

❶ 참검정풍뎅이

[사슴벌레과]

사슴벌레

 혈어경폐 징가 통풍
절상어통, 파상풍, 옹저, 단독 후비

● 학명 : *Lucanus maculifemoratus* Motschulsky ● 영명 : Stag beetle

| 1 | 2 | 3 | 4 | 5 | 6 | 7 | 8 | 9 | 10 | 11 | 12 |

수컷은 몸길이 2.7~5.1cm, 큰턱 길이 0.7~2.2cm이고, 암컷은 몸길이 2.5~4cm. 머리 뒤쪽이 위로 넓게 늘어나 사각형으로 솟았다. 몸체는 적갈색이나 흑갈색, 광택이 있으나 갓 태어난 개체는 금빛이 도는 회색의 짧은 털로 덮여 있다.

분포 · 생태 우리나라. 중국, 일본. 산지의 참나무 숲에서 살고, 6~9월에 활동하며 수액을 먹는다. 밤에 불빛이 있는 곳에 모여든다.
약용 부위 · 수치 애벌레를 봄부터 여름까지 땅을 파서 포획한 뒤 끓는 물에 넣었다가 말린다.
약물명 제조(蠐螬)
＊약효 및 사용법은 '참검정풍뎅이'와 같다.

○ 제조(蠐螬, 신선품)

○ 사슴벌레(탈피 전 모습)

○ 사슴벌레

[호리병벌과]

애호리병벌

 해수 구역
비색

● 학명 : *Eumenes pomiformis* Fabr ● 영명 : Apology bee

| 1 | 2 | 3 | 4 | 5 | 6 | 7 | 8 | 9 | 10 | 11 | 12 |

몸길이 2.5~3cm. 몸체가 호리병처럼 생겼으며, 흑색이나 머리방패와 그에 접하는 더듬이의 기부, 더듬이의 자루마디에 있는 줄무늬, 겹눈의 등줄 무늬는 암황색이다. 날개는 갈색이고 광택이 있다. 머리, 가슴, 배자루에는 점각이 밀포하고, 몸의 등쪽에는 갈색의 짧은 털이 나 있으며, 배쪽에는 회백색 잔털이 나 있다.
분포 · 생태 우리나라. 중국, 일본, 인도. 성충은 6~10월에 출현하며 들과 산에서 산다.
약용 부위 · 수치 봄부터 여름까지 포획하여 뜨거운 물에 넣었다가 말린다.
약물명 열옹(蠮螉). 과영(蜾蠃), 포로(蒲盧), 세요봉(細腰蜂)이라고도 한다.
기미 · 귀경 신(辛), 온(溫), 유독(有毒)
약효 지해강역(止咳降逆)의 효능이 있으므로 해수(咳嗽), 구역(嘔逆), 비색(鼻塞)을 치료한다.
사용법 열옹 적당량을 가루로 만들어서 1g을 복용하고, 외용에는 기름과 섞어서 바른다.

○ 애호리병벌

○ 애호리병벌 ○ 머리

꿀벌

	완복허통, 장조변비, 만성간염, 위궤양		폐조해수, 인통해수		구창, 풍진소양, 수화탕상, 옹저발배
	목적, 만성비염		병후허약, 노년체쇠		고혈압, 당뇨병		풍습성관절염, 신경통, 마풍

● 학명 : *Apis mellifera* L.　　● 영명 : Bee　　● 별명 : 서양벌

일벌의 몸길이 12~13mm. 머리는 가슴과 같은 너비이고 정수리와 혀가 길다. 다리는 굵고 앞다리와 가운뎃다리의 종아리 마디에 1개씩의 며느리발톱이 있고, 뒷다리의 종아리 마디에 꽃가루 수정 장치가 있으며, 평활하고 납작하며 길고 연한 털이 나 있다. 배는 타원형에 가깝고, 보통은 몸의 다른 곳보다 털이 많은데 제6마디는 노출된다.

분포·생태 우리나라. 세계 각처. 들과 산에서 기른다. 사회성이 강한 곤충으로 한 마리의 여왕벌, 수만 마리의 일벌, 100~200마리의 수벌로 구성된 집단으로 생활한다. 여왕벌과 수벌은 생식에만 관여하고 일벌이 모든 일을 맡아서 한다. 침을 가지고 있으며 나무 구멍이나 동굴, 바위 등의 구멍 속에 밀랍으로 둥우리를 짓는다.

약용 부위·수치 봄부터 가을까지 꿀을 채취하여 잡질을 제거하고 항아리에 담아서 서늘한 곳에 보관한다.

• 일벌들의 인선(咽腺)에서 나오는 분비물을 채취한다.

• 일벌들의 꼬리 부분에 있는 독선(毒腺) 내의 유독 액체를 취독기로 채취한다.

• 봄과 가을에 벌집에서 꿀을 채취한 후 벌집을 물에 넣어 끓여서 위의 거품을 제거하고 여과하여 받은 여과액이 냉각되면 응결되어 물 위에 뜨는데, 이것이 바로 황랍이다. 황랍을 다시 가공하면 백랍이 된다.

• 여름에 열흘에 한 번씩 벌 상자를 열어 벌들을 검사할 때 일벌들이 분비한 황갈색 또는 흑갈색의 끈적끈적한 물질을 긁어내 손으로 주물러 둥글게 만들고 기름종이로 싼 뒤 서늘한 곳에 보관한다.

• 열흘에 한 번씩 벌 상자를 열어 벌들을 검사할 때 미성숙 유충을 채취한다.

• 꿀벌이 만든 벌집을 채취한다.

약물명 꿀을 봉밀(蜂蜜)이라 하며, 봉당(蜂糖), 밀당(蜜糖), 식밀(食蜜), 백화정(百花精), 백청(白淸), 강청(江淸)이라고도 한다.

• 일벌들의 인선(咽腺)에서 나오는 분비물을 봉유(蜂乳)라 하며, 왕장(王漿), 봉왕장(蜂王漿), 황장(皇漿), 로열젤리라고도 한다.

• 독선(毒腺) 내의 유독 액체를 봉독(蜂毒)이라 하며, 밀봉독소(蜜蜂毒素)라고도 한다.

• 일벌들이 분비한 납질을 봉랍(蜂蠟)이라 하며, 밀랍(蜜蠟), 밀척(蜜跖)이라고도 한다.

• 일벌들이 벌집을 보호하기 위하여 소나무, 참나무, 버드나무의 꽃봉오리나 나무의 갈라진 틈새에서 분비되는 물질과 자신의 타액을 섞어 만든 황갈색 또는 흑갈색의 끈적끈적한 물질을 봉교(蜂膠)라 하며, 강서(江西)라고도 한다.

• 미성숙 유충을 밀봉자(蜜蜂子)라 하며, 봉자(蜂子)라고도 한다.

• 꿀벌이 만든 벌집을 노봉방(露蜂房)이라 하며, 밀봉방(蜜蜂房), 봉방(蜂房), 밀봉소(蜜蜂巢), 밀비(蜜脾)라고도 한다. 노봉방(露蜂房)은 대한민국약전외한약(생약)규격집(KHP)에 수재되어 있다.

본초서 봉밀(蜂蜜)은 「신농본초경(神農本草經)」에 처음 수재되었으며 "주로 가슴과 뱃속의 질병에 효과가 있고, 오장(五臟)에 좋으며, 몸을 튼튼히 하고, 통증을 멎게 하고 독을 풀어 준다. 많은 약과 배합하여 사용하면 의지가 굳어지고 몸이 튼튼해지며, 피부가 노화하지 않는다."고 하였다. 당나라의 「본초습유(本草拾遺)」에는 "치통, 입술의 종기 등 입안의 병과 눈병에 좋다."고 하였다. 이시진(李時珍)의 「본초강목(本草綱目)」에는 "오장육부, 특히 비위(脾胃)를 튼튼하게 한다."고 하였다.

봉밀(蜂蜜)

神農本草經: 主心腹邪氣 諸驚癎疾 安五臟 諸不足 益氣補中 止痛解毒 除衆病 和百藥.

名醫別錄: 養脾氣 除心煩.

本草拾遺: 主牙齒 脣口瘡 目膚赤障 殺蟲.

성상 엷은 황색~황갈색의 시럽과 같은 점조성 액체이다. 투명하지만 때로는 결정이 석출되어 불투명하게 되며 특이한 향기가 있으며 맛은 달다. 비중은 1.11 이상이다.

기미·귀경 봉밀(蜂蜜): 감(甘), 평(平)·비(脾), 위(胃), 폐(肺), 대장(大腸). 봉유(蜂乳): 감(甘), 산(酸), 평(平). 봉독(蜂毒): 신(辛), 고(苦), 평(平), 유독(有毒). 봉랍(蜂蠟): 감(甘), 담(淡), 평(平)·비(脾), 위(胃), 대장(大腸). 봉교(蜂膠): 미감(微甘), 평(平). 밀봉자(蜜蜂子): 감(甘), 평(平). 노봉방(露蜂房): 감(甘), 양(凉).

약효 봉밀(蜂蜜)은 조보비위(調補脾胃), 완급지통(緩急止痛), 윤폐지해(潤肺止咳), 윤장통변(潤腸通便), 윤부생기(潤膚生肌), 해독의 효능이 있으므로 완복허통(脘腹虛痛), 폐조해수(肺燥咳嗽), 장조변비(腸燥便秘), 목적(目赤), 구창(口瘡), 궤양불렴(潰瘍不斂), 풍진소양(風疹瘙痒), 수화탕상(水火燙傷), 수족군열(手足皲裂)을 치료한다.

• 봉유(蜂乳)는 자보(滋補), 강장(强壯), 익간(益肝), 건비(健脾)의 효능이 있으므로 병후허약, 영양불량, 노년체쇠(老年體衰), 백혈구감소증, 만성간염, 십이지장궤양, 관절염, 고혈압, 당뇨병, 혈액병, 정신병, 자궁출혈, 월경부조(月經不調)를 치료한다.

• 봉독(蜂毒)은 거풍제습(祛風除濕), 지통의 효능이 있으므로 풍습성관절염(風濕性關節炎), 요기산통(腰肌酸痛), 신경통, 고혈압, 담마진(蕁麻疹), 효천(哮喘)을 치료한다.

• 봉랍(蜂蠟)은 해독, 생기(生肌), 지리(止痢), 정경(定驚)의 효능이 있으므로 옹저발배(癰疽發背), 궤양불렴(潰瘍不斂), 급심통(急心痛), 하리농혈(下痢膿血), 구사부지(久瀉不止), 태동하혈(胎動下血), 유정(遺精), 대하를 치료한다.

• 봉교(蜂膠)는 윤부생기(潤膚生肌), 소염지통(消炎止痛)의 효능이 있으므로 위궤양, 구강궤양, 궁경미란(宮頸糜爛), 대상포진, 우피설(牛皮屑), 은설병(銀屑病), 피부열통(皮膚裂痛), 계안(鷄眼), 소탕상(燒燙傷)을 치료한다.

• 밀봉자(蜜蜂子)는 거풍해독(祛風解毒), 살충통유(殺蟲通乳)의 효능이 있으므로 두풍(頭風), 마풍(麻風), 단독(丹毒), 풍진(風疹), 충적복통(蟲積腹痛), 대하(帶下), 산후유소(産後乳少)를 치료한다.

• 노봉방(露蜂房)은 해독소종(解毒消腫), 거풍살충(祛風殺蟲)의 효능이 있으므로 창옹종독(瘡癰腫毒), 인통해수(咽痛咳嗽), 만성비염, 습진소양, 개선(疥癬)을 치료한다.

성분 봉밀(蜂蜜)은 주성분인 glucose, fructose, 설탕, 단백질, 유기산, 정유, 납, 비타민류, 화분 등이 함유되어 있다.

• 봉유(蜂乳)는 단백질 13.6~15.7%, amino acid(agrinine, leucine, histidine, valine, isoleucine, phenylalanine, methionine,

○ 꿀벌

tryptophan, threonine, lysine 등), vitamin B1, B2, B6, B12, nicotinic acid, panthothenic acid, inositol, folic acid, biotin, carboxylic acid(이 가운데 10-hydroxy-2-decenoic acid 31.8%, 10-hydroxycapric acid 21.6%), 당류는 glucose 3.3~5.7%, fructose 1.3~4.4%, sucrose 0.1~4.6%, 그 밖에 steroid, lipid, enzymes 등이 함유되어 있다.

• 봉독(蜂毒)은 일벌 1마리의 독소량은 0.1mg이다. 독성분은 peptide로서 melittin, apamin, mast cell degranulating peptide 등, 효소로는 hyaluronidase, phosphatidase A2, B, amine으로 histamine, dopamine, noradrenaline 등이 함유되어 있다.

• 봉랍(蜂蠟)은 ester로 myricyl palmitate(약 80%), myricyl cerotate, myricyl hypogaeate, carboxylic acid로는 cerotic acid(15%), lignoceric acid, montanic acid, melissic acid, psyllic acid, hypogaeic acid, neocerotic acid 등, alcohol로는 n-octacostanol, myricyl alcohol, catrotene으로는 pentacosane, heptacosane, nonacosane, hentriacosane, 향기 성분으로 cerolein이 함유되어 있다.

• 봉교(蜂膠)는 gum 50~85%, wax 12~40%, 정유 4~10%, 화분 5~10%, vitamin B1, phosphatidase, flavonoid(chrysin, pinocembrin), amino acid, enzymes, polysaccharides 등이 함유되어 있다.

• 밀봉자(蜜蜂子)는 protein 10.8%, fat 4.6%, cellulose 1.2%, vitamin A 137mg/g, vitamin B1 3μg/g, amino acid 480μg/g 등이 함유되어 있다.

• 노봉방(露蜂房)은 wax 50%, resin, lipid, tannin, polysaccharides, organic acid 등이 함유되어 있다.

약리 봉밀(蜂蜜)은 여러 병원균에 항균 작용이 나타나고, 토끼나 쥐의 실험에서 심혈관계의 혈액 순환을 좋게 하고, 소화액 분비를 증가시키고, 면역 증강 작용이 있으며, 해독 작용이 나타나고, 기타 항종양 작용, 피부의 조직 재생을 촉진하고 항피로 작용이 나타난다.

• 봉유(蜂乳)는 생체 저항력을 강화시키고 생장을 촉진하며, 혈당을 강하시키고 항암 작용이 있으며, 항염증 작용 등이 있다.

• 봉독(蜂毒)은 항염 및 항복사(抗輻射), 항균, 항응혈, 항암, 면역 억제, 항균 작용이 있다. 봉독의 주성분은 melittin, apamin, phosphalipase A2이고, 구강 질환 원인균에 항균 작용이 있다. 봉독의 LD50은 쥐에게 정맥주사 시 6mg/kg이고, phosphadidase는 7.4mg/kg, apamin은 4mg/kg이다. wound-healing assay에 의하여 봉독은 HaCaT 세포의 이동 능력을 증가시키는 효과가 있다.

• 봉랍(蜂蠟)은 유충아간균(幼蟲芽桿菌)과 봉와간균(蜂窩桿菌)에 억제 작용이 있다.

• 봉교(蜂膠)는 항균, 항진균, 항원충, 항병독, 항암 작용이 있으며, 진통 작용, 국부 마취 작용, 면역 증강 작용이 있다.

• 노봉방(露蜂房)은 항균, 면역 증강 작용이 있고, 혈소판을 증가시키며 혈압을 내리는 작용이 있다.

사용법 봉밀은 3g에 따뜻한 물을 넣어 복용하고, 다른 약과 배합하여 알약으로 복용한다. 위나 십이지장궤양에는 봉밀 50g, 감초 10g, 진피 5g에 물 4컵(800mL)을 넣고 달여서 몇 차례에 걸쳐 나누어 복용한다. 오래된 기침에는 봉밀 5g, 생강 10g에 물 3컵(600mL)을 넣고 달여서 3회로 나누어 복용한다. 오래된 목병에는 봉밀 5g, 모과 10g에 물 3컵(600mL)을 넣고 달여서 3회로 나누어 복용한다. 땀을 많이 흘리고 소변이 잦은 사람은 봉밀 5g, 황기 10g에 물 3컵(600mL)을 넣고 달여서 3회로 나누어 복용한다. 눈이 충혈되고 눈물이 많이 흐를 때는 봉밀 5g, 황련 50g에 물 3컵(600mL)을 넣고 달여서 2회로 나누어 복용한다. 피부병, 화상, 손발이 갈라지는 증상에는 환부에 봉밀을 바른다.

• 봉유는 50~100mg을 복용하거나 각종 제제로 만들어진 것을 복용한다.

• 봉독은 임상에서 주사제로 사용하며 봉독 10단위/mL가 함유되어 있다. 매일 1회 피내주사하는데, 0.1mL로 시작하여 1~2일 건너서 0.3~0.5mL로 증가하여 사용한다. 총량이 5mL가 되면 1회 치료 기간으로 간주한다.

• 봉랍은 6~9g에 물을 넣고 녹여서 복용하거나, 알약으로 만들어 복용한다. 외용에는 뜨거운 물이나 에탄올에 녹여서 환부에 바른다.

• 봉교는 20%에탄올추출액 5~10mL를 매일 3회 복용한다. 외용으로는 10~30% 연고 혹은 5~30% tincture를 만들어 환부에 바른다.

• 밀봉자는 0.6~0.9g을 가루로 만들어 복용한다.

• 노봉방은 3~5g에 물 2컵(400mL)을 넣고 달여서 복용한다.

처방 경옥고(瓊玉膏): 생지황(生地黃) 960g, 인삼(人蔘) 90g, 백복령(白茯苓) 180g, 봉밀(蜂蜜) 600g (『동의보감(東醫寶鑑)』). 정수(精髓)와 기혈(氣血)을 보하여 늙는 것을 막고 몸을 튼튼하게 하며 머리카락이 빨리 희어지고 자주 피곤한 증상에 사용한다.

• 봉방산(蜂房散): 노봉방(露蜂房) 30g, 천산갑(穿山甲)·용골(龍骨) 각 10g, 사향(麝香) 소량 (『동의보감(東醫寶鑑)』). 만성염증으로 궤양이 생겼거나 누공이 생겼을 때 사용한다.

❶ 벌꿀이 함유된 공로단

❶ 꿀벌이 수집한 화분(花粉)

❶ 봉교(蜂膠)

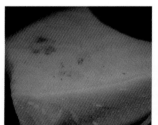
❶ 봉랍(蜂蠟)

❶ 노봉방(露蜂房)

❶ 목청꿀(병에 보관)

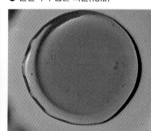
❶ 봉밀(蜂蜜)

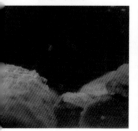
❶ 봉유(蜂乳)

❶ 벌꿀의 채취(백두산)

❶ 양봉장(지리산)

❶ 꿀벌(애벌레)

❶ 꿀벌(일벌)

죽봉

소아경풍 | 인후통, 구창, 유아

●학명 : *Xylocopa dissimilis* Lep. ●한자명 : 竹蜂

몸길이 2.5cm 정도. 몸체는 둔한 원구형이고 비대하다. 몸 전체는 흑색이고 부드러운 털이 빽빽이 나 있다. 겹눈은 1쌍이고 달걀 모양, 더듬이는 조금 구부려져 있다. 가슴 등쪽에는 황색 털이 빽빽이 나고 날개는 자남색이며 황금색으로 반짝인다. 다리는 3쌍, 흑색, 앞다리와 중간다리는 조금 작다.

분포 · 생태 우리나라. 중국, 일본, 인도. 성충은 6~10월에 출현하며 들과 산에서 산다.

약용 부위 · 수치 가을과 겨울에 포획한다. 먼저 대나무의 벌레 구멍을 막아 놓고 대나무를 잘라 불에 구워 죽봉이 죽은 후 대나무를 쪼개서 죽은 죽봉을 채취하여 말린다.

약물명 죽봉(竹蜂). 적사(笛師), 유사(留師), 죽밀봉(竹蜜蜂)이라고도 한다.

기미 · 귀경 신(辛), 온(溫), 유독(有毒)

약효 청열화담(清熱化痰), 정경(定驚)의 효능이 있으므로 소아경풍, 인후통, 유아(乳蛾), 구창(口瘡)을 치료한다.

사용법 죽봉 3~5마리에 물 2컵(400mL)을 넣고 달여서 복용하거나, 가루로 만들어서 1g을 복용한다.

❍ 죽봉(竹蜂)

❍ 죽봉

말벌

풍습비통 | 풍충치통, 후설종통
옹저악창, 나력, 풍진소양, 피부완선 | 치루

●학명 : *Vespa crabo* L. ●영명 : Wasp

몸길이는 암컷 2.5cm, 수컷 20cm 정도. 암컷의 몸 빛깔은 흑갈색 무늬가 있다. 머리는 황갈색, 정수리에는 마름모꼴 무늬가 있고 더듬이는 적갈색, 몸에는 갈색 털이 있는데 특히 가슴에 빽빽이 나 있다. 두부는 삼각형, 양측에는 암갈색 겹눈이 1쌍 있고, 더듬이는 1쌍 있는데 가늘고 길며 구부러졌다. 기부는 흑색, 채찍마디는 12마디로 적갈색이다. 머리는 모두 황갈색 반문이 있고 흉부에는 점각이 있다.

분포 · 생태 우리나라. 중국, 일본, 시베리아, 인도, 유럽. 산이나 들에서 산다.

약용 부위 · 수치 말벌 또는 근연 벌이 만든 벌집을 채취하여 건조한다.

성상 원판~불규칙한 덩어리 모양으로 연방(蓮房)의 껍질을 닮았고 지름 8~15cm 또는 20cm에 이른다. 앞면은 많은 구멍이 뚫린 방으로 되어 있고 그 구멍의 크기는 고르지 않다. 뒷면에는 1개~여러 개의 기둥이 있다. 가볍고 탄성이 있어 비벼도 부서지지 않는다. 특이한 냄새가 나며 맛은 덤덤하다.

품질 모양이 가지런하고 회백색, 통이 길고 구멍이 작으며, 가볍고 탄성이 있으며 속에 유충이나 잡물이 없는 것이 좋다.

약물명 노봉방(露蜂房). 봉방(蜂房), 혁봉(革蜂), 백천(百穿), 봉소(蜂巢)라고도 한다.

본초서 「신농본초경(神農本草經)」의 중품(中品)에 노봉방(露蜂房)으로 수재되어 있다. 「신수본초(新修本草)」에는 "봉방(蜂房)은 나무 위에 노출(露出)되어 있으므로 노봉방(露蜂房)이라고 한다. 백천(百穿)이라고도 하는 것은 봉방에 구멍이 많기 때문이다."라고 하였다. 봉방의 벽이 종이(紙)나 가죽(革)처럼 얇기 때문에 지봉와(紙蜂窩) 또는 혁봉와(革蜂窩)라고도 한다.

기미 · 귀경 감(甘), 평(平), 소독(小毒) · 간(肝), 위(胃), 신(腎)

약효 거풍지통(祛風止痛), 공독소종(攻毒消腫), 살충지양(殺蟲止痒)의 효능이 있으므로 풍습비통(風濕痺痛), 풍충치통(風蟲齒痛), 옹저악창(癰疽惡瘡), 나력(瘰癧), 후설종통

❍ 말벌

❍ 말벌(꿀을 채취하고 있다.)

(喉舌腫痛), 치루(痔漏), 풍진소양(風疹搔痒), 피부완선(皮膚頑癬)을 치료한다.

성분 밀랍(蜜蠟, wax), 수지(樹脂, resin), 칼슘, 규산염, 철, 단백질, 지질 등이 함유되어 있다.

약리 열수추출물은 혈액 응고를 저지하는 작용이 있으며, 정유 성분은 촌충을 구제하고 지렁이에게 독성을 나타낸다. 또 항산화 작용과 free radical 소거 작용이 있다.

사용법 노봉방 2g에 물 1컵(200mL)을 넣고 달여서 복용하거나 술에 담가 복용하고, 알약이나 가루약으로 만들어 복용한다. 외용약으로 사용할 때는 달인 물로 씻거나 가루 내어 참기름에 개어서 바른다.

주의 기혈(氣血)이 허약한 사람은 주의하고, 유독하므로 구충제로는 복용하지 않는 것이 바람직하다.

처방 봉강환(蜂薑丸): 향부자(香附子)·백강잠(白殭蠶)·모려(牡蠣)·괄루인(括蔞仁)·노봉방(露蜂房)·행인(杏仁)·신국(神麴) 동량, 1회 6g, 1일 3회 『동의보감(東醫寶鑑)』). 가슴과 명치 끝이 더부룩하고 기침이 나며 가래가 나오고 숨이 차는 증상에 사용한다.

• 봉와산(蜂窩散): 노봉방(露蜂房)·질려(蒺藜)·산초(山椒)·애엽(艾葉)·대산(大蒜)·형개(荊芥)·세신(細辛)·백지(白芷) 각 40g(『동의보감(東醫寶鑑)』). 치아가 흔

들리고 쑤시는 데 사용한다. 위의 것에 물을 넣고 달여서 입안에 머금고 있다가 식으면 뱉는다.

※ '대황봉(大黃蜂) Polisites mandarinus', '장수말벌 V. mandarina'의 벌집도 약효가 같다.

○ 말벌(집)

○ 말벌(집)

○ 노봉방(露蜂房)

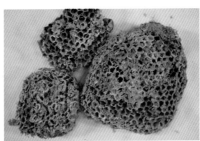
○ 노봉방(露蜂房)

[개미과]

흑개미

 신허두혼이명, 양위유정　 실면다몽
풍습비통, 수족마목　홍반성낭창, 경피병, 피기염

● 학명 : *Formica fusca* L.　● 영명 : Black ant

| 1 | 2 | 3 | 4 | 5 | 6 | 7 | 8 | 9 | 10 | 11 | 12 |

몸길이 1.3cm 정도. 전체는 흑색, 미끈하고 광택이 난다. 머리는 둥근 삼각형, 겹눈은 1쌍, 달걀 모양, 홑눈은 3개인데 삼각형으로 배열되어 있다. 1쌍의 더듬이는 12마디로 되어 있는데, 자루마디가 가장 길고 구강이 발달하여 씹는 데 적합하다. 다리는 3쌍이고 흉부와 복부 사이는 잘록하다. 복부는 5마디로 된다.

분포·생태 중국 대부분 지방. 들과 산에서 산다.

약용 부위·수치 봄과 가을에 포획하여 뜨거운 물에 담갔다가 햇볕에 말린다.

약물명 마의(螞蟻). 의(蟻), 현구(玄駒), 비부(蚍蜉), 마의(馬蟻)라고도 한다.

기미·귀경 함(鹹), 산(酸), 평(平)·간(肝), 신(腎)

약효 보신익정(補腎益精), 통경활락(通經活絡), 해독소종(解毒消腫)의 효능이 있으므

로 신허두혼이명(腎虛頭昏耳鳴), 실면다몽(失眠多夢), 양위유정(陽痿遺精), 풍습비통(風濕痺痛), 중풍편란(中風偏難), 수족마목(手足麻木), 홍반성낭창(紅斑性狼瘡), 경피병(硬皮病), 피기염(皮肌炎), 옹종정창(癰腫疔瘡), 독사교상(毒蛇咬傷)을 치료한다.

성분 farnesene, homofarnesene, formic acid, 3,4-dihydro-8-hydroxy-3-methylisocoumarin, (R,S)-3,4-dihydro-8-hydroxy-3,5,7-trimethylisocoumarin 등이 함유되어 있다.

약리 에탄올추출물 6g/kg을 쥐에게 투여하면 진정 작용과 진통 작용이 나타난다. 에탄올추출물 12g/kg을 쥐에게 5일간 투여하면 항염증 작용이 있다. 열수추출물 0.5mL를 쥐의 복강에 주사하면 면역 증강 작용이 나타난다. 마의(螞蟻) 제제를 쥐에게 투여하면 정낭의 무게가 증가한다. 마의(螞蟻) 연고 2.4g/kg을 쥐에게 6일간 투여하면 간 보호 작용이 확인된다.

사용법 마의 3~5g을 가루로 만들어 복용한다. 외용에는 가루로 만들어 기름과 섞어서 환부에 바른다.

○ 흑개미

○ 마의(螞蟻)

태형(苔形, Bryozoa) · 극피동물(棘皮動物, Echinodermata)

태형동물은 군체를 형성하여 다른 동식물이나 바위 위에 부착하는 동물로 그 모양은 나무 모양, 덩어리 모양, 넓은 평면 모양 등 여러 가지이다. 군체는 모두 석회질을 가지고 있어서 딱딱하나 나무 모양인 것은 키틴질의 관절을 가지고 있으며 한천질로 싸인 것도 있다. 세계적으로 5,000여 종, 우리나라에는 95종 정도가 산다. 극피동물은 모두 해저에 살고 염분에 예민하다. 대부분은 바위나 모래 속에서 이동을 하거나 부유성으로 헤엄치는 것도 있다. 세계적으로 6,000종 이상이 알려져 있으며, 우리나라에는 174종 정도가 밝혀져 있다.

[포공과]

척돌태충

담열해수 　　나력, 창종

● 학명 : *Costazia aculeata* Canu et Bassler　● 영명 : Zoster　● 한자명 : 脊突苔蟲

고착 생활을 하는 해양성 군체 동물로 암수한몸이다. 한 개의 충은 매우 작고 낭상으로 앞에는 입이 있고 입 근처에는 말발굽 비슷한 돌기가 있으며 그 위에 촉수가 있다. 소화관은 U자형으로 굴곡되어 있다.

분포 · 생태 중국 근해의 바닷가 바위에 붙어 산다.

약용 부위 · 수치 충체의 골격을 여름과 가을에 채취하여 물에 씻은 후 말린다.

약물명 부해석(浮海石). 부석(浮石), 해석(海石), 수포석(水泡石), 해부석(海浮石), 부수석(浮水石)이라고도 한다.

성상 산호처럼 불규칙한 덩어리로, 편원형 또는 장원형이며 지름 2~5cm, 회백색이나 담황색, 상부 표면에는 많은 돌기가 있고 분지(分枝)처럼 되어 있다.

기미 · 귀경 함(鹹), 한(寒) · 폐(肺), 신(腎)

약효 청폐화담(清肺化痰), 연견산결(軟堅散結)의 효능이 있으므로 담열해수(痰熱咳嗽), 나력(瘰癧), 창종(瘡腫)을 치료한다.

성분 탄산칼슘이 대부분이고 소량의 아연, 철 등이 함유되어 있다.

사용법 부해석 10g에 물 3컵(600mL)을 넣고 달여서 복용하거나 가루로 만들어 3g을 복용한다.

　＊'유분포태충 *Cellporina costazii*'의 충체가 모인 것도 약효가 같다.

○ 부해석(浮海石)

[돌기해삼과]

돌기해삼

정혈휴손, 허약노겁　　　양위, 몽유, 소변빈삭

장조변비, 장풍변혈　　　폐허해수객혈

● 학명 : *Apostichopus japonicus* Selenka [*Stichopus japonicus* Selenka]
● 영명 : Protruding sea cucumber

몸체 길이 10~30cm, 너비 6~8cm이며, 40cm까지 성장하는 것도 가끔 있다. 몸은 원통형, 배쪽이 납작하고 등쪽이 볼록한 것이 많으나, 등과 배의 구별이 없는 것도 있으며, 몸 앞 끝에 있는 입에는 끝이 가늘게 갈라진 촉수가 10~30개 있고 몸 뒤끝에는 항문이 있다.

분포 · 생태 우리나라 동해, 서해, 남해. 중국, 일본, 쿠릴열도. 수심 10~30m의 암초 바닥에서 산다.

약용 부위 · 수치 내장을 제거한 전체를 물에 씻은 후 말린다.

약물명 해삼(海蔘), 요삼(遼蔘), 해남자(海男子)라고도 한다. 대한민국약전외한약(생약)규격집(KHP)에 수재되어 있다.

기미 · 귀경 감(甘), 함(鹹), 평(平) · 신(腎), 폐(肺)

약효 보신익정(補腎益精), 양혈윤조(養血潤燥), 지혈(止血)의 효능이 있으므로 정혈휴손(精血虧損), 허약노겁(虛弱老怯), 양위(陽痿), 몽유(夢遺), 소변빈삭(小便頻數), 장조변비(腸燥便秘), 폐허해수객혈(肺虛咳嗽喀血), 장풍변혈(腸風便血), 외상출혈을 치료한다.

성분 23ξ-acetoxy-17-deoxy-7,8-dihydroholothurinogenin, stichlosides A$_1$, B$_1$, C$_1$, D$_1$, A$_2$, B$_2$, C$_2$, stichoposide A, B, D, E, holothrin A, B, C, acid mucopolysaccharides 등이 함유되어 있다.

사용법 해삼 25~30g에 물을 넣고 달여서 복용하거나 가루로 만들어 10g을 복용한다.

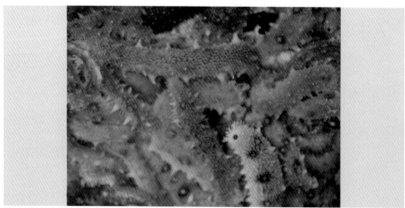
○ 돌기해삼

○ 해삼(海蔘)

검정해삼

 산후유소

● 학명 : *Holothuria atra* Jaeger　● 별명 : 흑해삼　● 영명 : Black sea cucumber

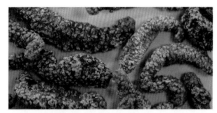

○ 흑해삼(黑海蔘)

몸체 길이 30cm 정도. 등쪽은 담갈색으로 구릿빛의 크고 작은 점이 흩어져 있으며, 배쪽은 황백색~담회갈색으로 다른 종류의 해삼과 구별된다. 근육은 딱딱한 편이다.

분포 · 생태 중국, 말레이시아, 하와이, 서인도양, 북서태평양. 간조선 부근의 암초 밑에서 산다.

약용 부위 · 수치 내장을 제거한 전체를 물에 씻은 후 말린다.

약물명 흑해삼(黑海蔘). 흑괴삼(黑怪蔘), 흑구삼(黑狗蔘), 흑삼(黑蔘)이라고도 한다.

약효 양혈최내(養血催奶)의 효능이 있으므로 산후유소(産後乳少)를 치료한다.

사용법 흑해삼 1~2마리에 물을 넣고 달여서 복용한다.

○ 검정해삼

별불가사리

 양위　 풍습요퇴통

 노상동통　 위통범산

● 학명 : *Asterina pectinifera* Muller et Troschel　● 영명 : Starfish star

팔 길이 5~7cm. 몸은 별 모양 또는 오각형이다. 몸의 중앙에 반(盤)이 있고 이것을 중심으로 5개의 팔이 방사상으로 나 있는데 반(盤)의 배쪽 중앙에 입이 있고 등쪽에는 항문과 천공판(穿孔板)이 있다. 몸 전체는 섬모가 난 외피로 덮여 있고 내부에는 석회질의 골판이 약간 틈을 두고 배열되어 있으며 그 틈에서 피부 아가미가 나와 있는데 이것으로 호흡을 한다. 팔로 바닥을 기어다니기도 하고 체내에 기체를 가득 채우고 관족을 수축시켜 휴지(休止) 상태가 되어 조류를 타고 이동한다. 이동하는 동안 장애물이 생기면 관족을 움직여 정상 생활로 환원하고 조개류, 어류 등을 먹고 산다.

분포 · 생태 우리나라. 중국, 일본, 사할린. 바닷가에서부터 수심 100m 정도의 모랫바닥에서 산다.

약용 부위 · 수치 몸 전체를 물에 씻은 후 말린다.

약물명 해연(海燕). 오각성(五角星), 해오성(海五星)이라고도 한다.

기미 · 귀경 함(鹹), 온(溫) · 신(腎), 위(胃)

약효 보신(補腎), 거풍습(祛風濕), 제산(制酸), 지통(止痛)의 효능이 있으므로 양위(陽痿), 풍습요퇴통(風濕腰腿痛), 노상동통(勞傷疼痛), 위통범산(胃痛泛酸)을 치료한다.

성분 3-carboxymethylamino-5-hydroxy-*N*-2-hydroxyethyl-5-hydroxymethyl-2-methoxy-2-cyclohexen-1-imine, glucosylceramide, lactosylceramide, ganglioside 1, 2, 3, ganglioside GP-1a, GP-1b, GP-2, asterinaganglioside A, acanthacerebroside B, pectinoside A~G, acanthaglycoside C, asterosaponin P-1, sarasinoside

A_1, A_2, A_3, C_1, C_2, C_3, polyhydroxylated cholestans I, II 등이 함유되어 있다.

사용법 해연 10g에 물 3컵(600mL)을 넣고 달여서 복용하고, 가루로 만들어 1g을 복용한다. 갑상선 염증 치료에는 불가사리 생것 15g에 물을 넣고 달여서 복용하고, 위궤양이나 십이지장궤양에는 가루 내어 1회 1g씩 하루 3회 복용한다. 중이염에는 가루 내어 참기름과 혼합하여 귀 안의 상처에 바르거나 넣는다.

＊ 불가사리류는 종류가 다양하여 중국 약재시장에는 여러 종류가 출하되고 있다. 불가사리는 재생력이 강하고 1개의 팔이라도 반(盤)이 부착되어 있으면 전부 재생하여 완전한 몸이 될 수 있다.

○ 별불가사리

○ 해연(海燕)

○ 해연(海燕, 분말)

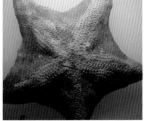

○ 별불가사리(표본)

[별불가사리과]

모서리불가사리

중이염, 갑상선종대 나력

위산통, 설사

●학명 : *Craspidaster hesperus* Muller et Troschel ●영명 : Corner starfish

몸은 별 모양 또는 오각형이다. 몸 중앙에 반(盤)이 있고 이것을 중심으로 5개의 팔이 방사상으로 나 있다. 반(盤)의 배쪽 중앙에 입이 있고 등쪽에는 항문과 천공판(穿孔板)이 있다. 몸 전체는 섬모가 난 외피로 덮여 있고 내부에는 석회질의 골판이 약간 틈을 두고 배열되어 있다. 그 틈에서 피부 아가미가 나와 있는데 이것으로 호흡을 한다.

분포·생태 우리나라, 중국, 일본, 러시아, 사할린. 바닷가에서부터 수심 100m 정도의 모랫바닥에서 살며 조개류, 어류 등을 먹고 산다.

약용 부위·수치 몸 전체를 물에 씻은 후 말린다.

약물명 해성(海星). 오각성(五角星)이라고도 한다.

약효 해독산결(解毒散結), 화위지통(和胃止痛)의 효능이 있으므로 갑상선종대(甲狀腺腫大), 나력, 위산통, 설사, 중이염을 치료한다.

사용법 해성 20g에 물 3컵(600mL)을 넣고 달여서 복용하고, 가루로 만들어 3g을 복용한다.

❍ 모서리불가사리

❍ 해성(海星)

[둥근성게과]

보라성게

나력담핵, 효천 흉륵창통

위통

●학명 : *Anthocidaris crassispina* A. Agassiz ●영명 : Purple sea urchin
●한자명 : 紫海膽

몸체 지름 6~7cm. 몸체는 반구형. 껍데기는 단단하며 보라색이다. 입구면은 평탄하고 뿔이 길게 나와 있다. 등과 배의 외골격이 매우 단단하며, 살아 있을 때의 몸 색깔은 보라색이고 죽으면 담적색으로 변한다. 흉부는 거의 원통상이지만 복부는 옆으로 다소 편평한 편이다.

분포·생태 우리나라 제주도, 동해, 남해 연안, 서해 외곽 섬, 중국, 일본. 암초, 자갈 지대에 살며 주로 해조류를 먹는다.

약용 부위·수치 살과 가시는 떼어 내고 석회질 골각을 물에 씻은 후 말린다.

약물명 해담(海膽). 해두제(海肚臍), 자해라(刺海螺), 해과(海鍋)라고도 한다.

기미·귀경 함(鹹), 평(平), 소독(小毒)

약효 화담연견(化痰軟堅), 산결(散結), 제산지통(制酸止痛)의 효능이 있으므로 나력담핵(瘰癧痰核), 효천(哮喘), 흉륵창통(胸肋脹痛), 위통을 치료한다.

사용법 해담 25~50g에 물을 넣고 달여서 복용하거나 가루로 만들어 10g을 복용한다.

❍ 보라성게(채취 후 가시는 담적색으로 변한다.)

❍ 보라성게

[둥근성게과]

말똥성게

🫁 나력담핵, 효천　🧍 흉륵창통

🤰 위통

● 학명 : *Hemicentrotus pulcherrimus* A. Agassiz　● 영명 : Horse sea urchin
● 한자명 : 馬糞海膽

🐪🦫🐁🐿️🦦🪱🌾🦂🐚🦀🐌🐚 **毒**

몸체 지름 3~6cm. 몸체는 반구형, 가시는 짧고 조밀하다. 등과 배의 외골격이 매우 단단하다.

분포 · 생태 우리나라 제주도, 동해, 남해 연안, 서해 외곽 섬. 중국, 일본. 암초, 자갈 지대에 살며, 주로 해조류를 먹는다.

약용 부위 · 수치 살과 가시는 떼어 내고 석회질 골각을 물에 씻은 후 말린다.

약물명 해담(海膽). 해두제(海肚臍), 자해라(刺海螺), 해과(海鍋)라고도 한다.

기미 · 귀경 함(鹹), 평(平), 소독(小毒)

약효 화담연견(化痰軟堅), 산결(散結), 제산지통(制酸止痛)의 효능이 있으므로 나력담핵(瘰癧痰核), 효천(哮喘), 흉륵창통(胸肋脹痛), 위통을 치료한다.

사용법 해담 25~50g에 물을 넣고 달여서 복용하거나 가루로 만들어 10g을 복용한다.

❍ 말똥성게(건조품)

❍ 말똥성게

[둥근성게과]

둥근성게

🫁 나력담핵, 효천　🧍 흉륵창통

🤰 위통

● 학명 : *Strongylocentrotus nudus* A. Agassiz　● 영명 : Round sea urchin
● 한자명 : 光棘球海膽

🐪🦫🐁🐿️🦦🪱🌾🦂🐚🦀🐌🐚 **毒**

몸체 지름 6~7cm. 큰 것은 10cm인 것도 있다. 몸체는 반구형, 껍데기는 얇고 부스러지기 쉽다. 입구면은 평탄하고, 뿔이 길게 나와 있다. 등과 배의 외골격이 매우 단단하며, 살아 있을 때의 몸 색깔은 적자색이고 죽으면 담적색으로 변한다. 흉부는 거의 원통상이지만 복부는 옆으로 다소 편평한 편이다.

분포 · 생태 우리나라 제주도, 동해, 남해 연안, 서해 외곽 섬. 중국, 일본. 암초, 자갈 지대에 살며 주로 해조류를 먹는다.

약용 부위 · 수치 살과 가시는 떼어 내고 석회질 골각을 물에 씻은 후 말린다.

약물명 해담(海膽). 해두제(海肚臍), 자해라(刺海螺), 해과(海鍋)라고도 한다.

기미 · 귀경 함(鹹), 평(平), 소독(小毒)

약효 화담연견(化痰軟堅), 산결(散結), 제산지통(制酸止痛)의 효능이 있으므로 나력담핵(瘰癧痰核), 효천(哮喘), 흉륵창통(胸肋脹痛), 위통을 치료한다.

성분 prephenol, chondroitin sulfate, mucopolysaccharides, trypsin, collagenase, leucine aminopeptidase, carboxypeptidase, β−carotene, echinenone, 4−ketozeaxathin, astaxathin, cantphoenicoxanthin 등이 함유되어 있다.

사용법 해담 25~50g에 물을 넣고 달여서 복용하거나 가루로 만들어 10g을 복용한다.

❍ 둥근성게(건조품)

❍ 둥근성게(내부)

❍ 둥근성게를 손질하는 모습

어류(魚類, Pisces)

원구류(圓口類)는 비늘이 없는 점액성 피부를 가지지만 그 외의 어류는 몸이 비늘로 싸여 있다. 연골어류는 순린(楯鱗)을 가지고 경골어류는 경린(硬鱗), 원린(圓鱗) 또는 즐린(櫛鱗)으로 덮여 있다. 원구류는 등, 꼬리 또는 항문 뒤에 홑지느러미만 가지지만 연골어류와 경골어류는 이밖에도 가슴과 배에 쌍을 이루는 짝지느러미를 가진다.

[은상어과]

은상어

 허로담수   요슬무력

● 학명 : *Chimaera phantasma* Synder ● 영명 : Ghost shark

전장 1.2m 정도. 몸은 은백색, 광택이 나고 2개의 갈색 가로줄이 있다. 머리는 크고 몸 뒤로 갈수록 측편되었으며 가늘어진다. 꼬리지느러미는 실처럼 가늘고 길다. 제1등지느러미는 끝이 뾰족하고 앞에 강한 가시가 있다. 뒷지느러미는 작고, 꼬리지느러미와의 사이에 깊게 팬 홈이 있어서 두 지느러미가 분명하게 구분된다. 교미기는 3쌍으로 갈라졌다. 측선은 작은 물결 모양으로 머리에서 꼬리까지 길게 이어진다.

분포 · 생태 우리나라 남해, 서해. 중국, 일본. 난생으로 수심 100~500m의 바닥에서 산다.

약용 부위 · 수치 포획하여 물에 씻어서 그대로 사용한다.

약물명 은교(銀鮫). 은교어(銀鮫魚), 토자어(兎子魚)라고도 한다.

약효 보허(補虛), 건위(健胃)의 효능이 있으므로 허로담수(虛勞痰嗽), 요슬무력(腰膝無力)을 치료한다.

사용법 은교 60~90g에 물을 넣고 달여서 복용한다.

● 은상어

[까치상어과]

개상어

 결막염, 야맹증   연골병

● 학명 : *Mustelus griseus* Pietschmann ● 영명 : Dog shark

태어날 때 전장 28cm, 어미는 1m 정도. 몸의 형태와 색깔이 '행락상어'와 비슷하지만 배지느러미가 약간 앞에 위치하는데, 배지느러미는 제1등지느러미 후단의 바로 아래에서 시작된다. 몸은 균일하게 회색이고 배는 밝은 색을 띤다.

분포 · 생태 우리나라 남해. 중국 동부 해안, 일본 남부. 수심 20~100m의 모랫바닥이나 개펄 바닥에서 무척추동물을 잡아먹으며 산다.

약용 부위 · 수치 포획하여 간을 채취한 후 씻어서 그대로 사용한다.

약물명 사어간(鯊魚肝)

약효 건비보기(健脾補氣), 양간명목(養肝明目), 해독렴창(解毒斂瘡)의 효능이 있으므로 결막염, 야맹증, 연골병(軟骨病) 등을 치료한다.

성분 vitamin A, acetoacetyl−CoA, phospholipid, glutamic−pyruvic transaminase, triacylglycerol, cholesterol, fatty acid 등이 함유되어 있다.

사용법 사어간 30g에 물을 넣고 달여서 복용하거나 기름을 10mL씩 복용한다.

● 개상어

[까치상어과]

별상어

 병후쇠약 보허부종
창구불유합 치창

● 학명 : *Mustelus manazo* Bleeker ● 영명 : Hound shark

태어날 때 전장 30cm, 어미는 1.2m 정도. 몸은 회색 바탕에 등에 백색 점들이 흩어져 있다. 형태는 '개상어'와 비슷하지만 윗입술 주름이 발달되었다. 등지느러미가 크고, 제1등지느러미는 가슴지느러미와 배지느러미 사이 중간에 있다.

분포 · 생태 우리나라 남해. 중국 동부 해안, 일본 남부. 수심 20~100m의 모랫바닥이나 개펄 바닥에서 무척추동물을 잡아먹으며 산다.

약용 부위 · 수치 포획하여 간을 채취한 후 씻어서 그대로 사용한다.

약물명 사어육(鯊魚肉)

기미 · 귀경 감(甘), 함(鹹), 평(平) · 비(脾), 폐(肺)

약효 보허(補虛), 건비(健脾), 이수(利水), 거어소종(祛瘀消腫)의 효능이 있으므로 병후쇠약, 보허부종(補虛浮腫), 창구불유합(瘡口不癒合), 치창(痔瘡)을 치료한다.

성분 L-lactate dehydronase, phosphorylase kinase, aspartate-amino transaminase 등이 함유되어 있다.

사용법 사어육 100~200g에 물을 넣고 달여서 복용한다.

❍ 별상어

[흉상어과]

흰뺨상어

 풍습성관절염   두통
복사

● 학명 : *Carcharhinus dussumieri* Valenciennes ● 영명 : White-cheeked fish

태어날 때 전장 35~40cm, 어미는 1m 정도. 몸은 방추형으로 단면은 원통형에 가깝다. 주둥이는 뾰족하고, 양턱의 이 가장자리에는 톱니 같은 거치가 있고, 위턱의 이는 아래턱의 이보다 넓어 삼각형에 가깝다. 눈은 둥글다. 제1등지느러미와 제2등지느러미 사이의 중앙에 융기선이 있다. 등은 회갈색, 배는 백색을 띤다. 제2등지느러미의 끝부분만 흑색을 띠는 것이 특징이다.

분포 · 생태 우리나라 남해. 중국, 일본, 인도양 북부. 작은 어류와 갑각류 및 오징어류를 잡아먹으며 산다.

약용 부위 · 수치 골격을 채취하여 물에 씻어서 그대로 사용한다.

약물명 사어골(鯊魚骨)

약효 거풍습(祛風濕), 지통(止痛), 지사(止瀉)의 효능이 있으므로 풍습성관절염(風濕性關節炎), 두통, 복사(腹瀉)를 치료한다.

사용법 사어골 100g에 물을 넣고 달여서 복용한다.

❍ 흰뺨상어

[홍어과]

고려홍어

 풍습성관절염　 질타종통, 창절, 궤양

●학명 : *Raja koreana* Jeong et Nakabo

체반 너비 1m 정도. 체반의 등쪽에서 보면 문연골 너비가 좁지만 딱딱하여 휘어지지 않는다. 견갑부의 반점이 둥글지 않고 길며 2개로 분리되는 경우도 있다. 항문 뒤쪽에도 로렌치니 병상 기관이 분포한다.

분포·생태 우리나라 남해, 제주. 일본. 연안의 모래와 개펄 바닥에 산다.

약용 부위·수치 포획하여 담낭을 채취하여 물에 씻어서 그대로 사용하거나 말린다.

약물명 포어담(鯆魚膽)

약효 산어지통(散瘀止痛), 해독렴창(解毒斂瘡)의 효능이 있으므로 풍습성관절염(風濕性關節炎), 질타종통(跌打腫痛), 창절(瘡癤), 궤양을 치료한다.

사용법 포어담 적당량을 가루로 만들어 5g을 복용한다.

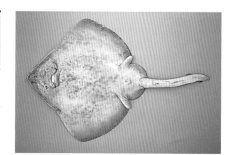

❶ 고려홍어(배쪽)

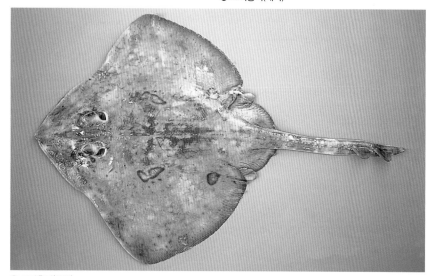

❶ 고려홍어(등쪽)

[홍어과]

참홍어

 풍습성관절통　 타박상, 창절, 궤양

●학명 : *Raja pulchra* Liu　●영명 : Mottled skate　●별명 : 눈가오리

체반 너비 1m 정도. 주둥이가 비교적 길어서 주둥이 끝에서 제5아가미구멍까지 길이의 반 이상이다. 꼬리는 짧고 체반 너비는 꼬리 길이의 1.6~1.7배이다. 수컷의 꼬리 등쪽에 한 줄의 가시가 있다. 체반의 등쪽은 담갈색을 띠고, 가슴지느러미 기부에는 눈 모양의 둥근 흑갈색 반점이 있다. 배쪽은 흰색을 띠고, 담갈색 무늬가 있는 것도 있다.

분포·생태 우리나라 남해, 동해. 중국, 일본, 오호츠크해. 수심 40~100m의 모랫바닥이나 개펄 바닥에서 산다.

약용 부위·수치 담낭을 채취하여 물에 씻어서 그대로 사용하거나 말린다.

약물명 요어담(鷂魚膽). 포어담(鯆魚膽), 노판어담(老板魚膽)이라고도 한다.

약효 산어지통(散瘀止痛), 해독렴창(解毒斂瘡)의 효능이 있으므로 풍습성관절통(風濕性關節痛), 타박상, 창절(瘡癤), 궤양을 치료한다.

성분 hexose 6-phosphate dehydronase가 함유되어 있다.

사용법 요어담 적당량을 가루로 만들어 3~6g을 복용하거나 기름을 내서 5~10방울을 복용한다.

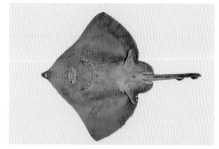

❶ 참홍어(배쪽)

❶ 참홍어(등쪽)

[톱상어과]
톱상어

🦴	풍습성관절염	🫁	폐옹이수
📋	타박상, 창절, 피부궤양	⏳	담낭염

● 학명 : *Pristiophorus japonicus* Guenther   ● 영명 : Japanese sawshark

🐕 🐇 🦫 🐾 🐟 〜 🖐 ✴ 🐚 ✕ 🐚 🐘 🐌

전장 1.5m 정도. 몸은 길고 붉은색을 띤 황색이다. 머리와 주둥이는 세로로 편편하고 주둥이는 황색이 짙으며 길고 양쪽에 날카로운 부동형의 이빨이 1줄로 늘어서 있어 톱 모양으로 보인다. 주둥이의 중간 아래쪽에는 양쪽에 1개씩 긴 입수염을 가지고 분수공은 크며 등지느러미에는 가시가 없다.

분포 · 생태 우리나라 남해, 동해, 서해. 중국, 일본. 수심 20~100m의 모랫바닥이나 개펄 바닥에서 긴 주둥이로 바닥을 파헤쳐 무척추동물을 잡아먹으며 산다.

약용 부위 · 수치 간을 채취하여 물에 씻어서 그대로 사용한다.

약물명 담낭을 거사담(鋸鯊膽)이라 하며, 간을 거사간(鋸鯊肝)이라 한다.

기미 · 귀경 거사담(鋸鯊膽): 고(苦), 한(寒). 거사간(鋸鯊肝): 감(甘), 평(平)

약효 거사담(鋸鯊膽)은 거풍습(祛風濕), 산어혈(散瘀血), 해독렴창(解毒斂瘡)의 효능이 있으므로 풍습성관절염(風濕性關節炎), 타박상, 담낭염(膽囊炎), 창절(瘡癤), 피부궤양을 치료한다. 거사간(鋸鯊肝)은 보허(補虛)의 효능이 있으므로 폐옹이수(肺癰羸瘦)를 치료한다.

성분 vitamin A, acetoacetyl−CoA thiolase, glutamic−pyruvic transaminae, phopholipid, triacylglycerol, cholesterol 등이 함유되어 있다.

사용법 거사담은 가루로 만들어 3~6g에 물을 넣고 달여서 복용하거나 기름을 내서 5~10 방울을 복용한다. 거사간은 기름을 내서 10mL를 복용한다.

○ 톱상어

[신락상어과]
칠성상어

👁	안결막건조증, 야맹증	🦴	연골병
📋	탕화상		

● 학명 : *Notorhynchus cepedianus* Person   ● 영명 : Broadnose sevengill shark

🐕 🐇 🦫 🐾 🐟 〜 🖐 ✴ 🐚 👁 🐘 🐌

태어날 때 전장 40~50cm, 어미는 3m 정도. 몸은 긴 방추형, 단면은 원통형으로 머리와 주둥이가 넓다. 아가미에는 7개의 구멍이 있고 등지느러미는 몸 후반부에 1개 있다. 등은 연한 청회색 바탕에 몸 전체에 진한 흑자색 반점이 흩어져 있으며, 배는 밝은 색이다.

분포 · 생태 우리나라 남해, 서해. 세계의 온대와 열대 해역에 서식하고, 난태생으로 문어, 다른 상어 및 가오리 등의 연골어류, 연어 등의 경골어류, 부패한 고기, 물개 등을 먹는다.

약용 부위 · 수치 포획하여 간을 채취하고 0℃ 전후로 냉장했다가 지방을 제거하고 유상 액체를 사용한다.

약물명 간을 사어간(鯊魚肝), 기름을 사어유(鯊魚油)라 한다.

약효 사어간(鯊魚肝)은 건비보기(健脾補氣), 양간명목(養肝明目), 해독렴창(解毒斂瘡)의 효능이 있으므로 안결막건조증(眼結膜乾燥症), 야맹증, 연골병(軟骨病), 탕화상(湯火傷)을 치료한다. 사어유(鯊魚油)는 청열해독(淸熱解毒), 지통(止痛)의 효능이 있으므로 탕상(湯傷)을 치료한다.

성분 간은 체중의 15%를 차지하며, 간에는 기름이 61.6%로 대부분 불포화 지방산으로 구성된다. 그 밖에 vitamin A, thiamine, folic acid, riboflavine, nicotinic acid, panthotenic acid, choline, inositol, squalene, acetoacetyl−CoA thiolase, glutamic−pyruvic transaminase, phopholipid, triacylglycerol, cholesterol, fatty acid 등이 함유되어 있다.

약리 면역 증강 작용, 항종류 작용, 해독 작용 등이 있다.

사용법 사어간 30~60g에 물을 넣고 달여서 복용하고, 탕화상에는 사어유를 바른다.

○ 칠성상어

[색가오리과]

노랑가오리

 남자백탁고림, 양경삽통   관절염

● 학명 : *Dasyatis akajei* Mueller et Henle   ● 영명 : Red stingray

체반 너비 50cm 정도. 몸은 매우 납작하고, 전체가 오각형을 이룬다. 주둥이는 짧고 끝은 뾰족하다. 성어는 등의 중앙에 가시 같은 작은 돌기들이 한 줄로 배열되어 있다. 꼬리는 체반 길이보다 약간 길고 뒤로 갈수록 실 모양으로 가늘어지며, 꼬리의 등쪽에 크고 강한 가시가 있다. 등지느러미와 뒷지느러미는 없다. 체반의 등쪽은 갈색이고 배의 중앙부는 백색, 가장자리는 주황색을 띤다.

분포 · 생태 우리나라 남해, 서해. 중국, 타이완, 일본. 수심 50~100m의 바닥에서 작은 어류를 잡아먹으며 산다.

약용 부위 · 수치 내장을 제거하고 몸체(肉)를 사용한다.

약물명 해요어(海鷂魚). 번답어(蕃踏魚), 소양어(邵陽魚)라고도 한다.

기미 · 귀경 감(甘), 평(平) · 신(腎)

약효 익신(益腎), 통림(通淋)의 효능이 있으므로 남자백탁고림(男子白濁膏淋), 양경삽통(陽莖澁痛), 관절염을 치료한다.

사용법 해요어 말린 것은 60~90g, 생것은 150~250g에 물을 넣고 달여서 조금씩 복용한다.

○ 노랑가오리

○ 해요어(海鷂魚)

[흰가오리과]

흰가오리

 남자백탁고림, 양경삽통   관절염

● 학명 : *Urolophus aurantiacus* Mueller and Henle   ● 영명 : White ray, Sepia stingray

체반 너비 30cm 정도, 체반 길이의 1.5배 정도이다. 몸은 대체로 둥글고, 주둥이는 짧으나 끝이 뾰족하여 낮은 삼각형을 이룬다. 꼬리는 굵고 짧으며 끝에 납작하고 둥근 꼬리지느러미가 있다. 등지느러미는 없고 꼬리부 중간의 등쪽에 강한 가시가 있다. 체반의 등쪽은 연한 황갈색, 가슴지느러미 가장자리는 보라색을 띤다.

분포 · 생태 우리나라 제주도를 포함한 남해, 서해. 중국, 일본. 난태생, 육식성이며 작은 어류를 주로 먹는다.

약용 부위 · 수치 내장을 제거하고 몸체(肉)를 사용한다.

약물명 해요어(海鷂魚). 번답어(蕃踏魚), 소양어(邵陽魚)라고도 한다.

* 기타 사항은 '노랑가오리'와 같다.

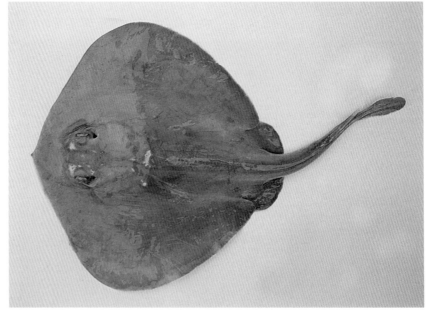

○ 흰가오리

[상어과]

철갑상어

병후체허 · 근골무력 · 빈혈 · 영양불량 · 악창개선

● 학명 : *Acipenser sinensis* Gray   ● 영명 : Chinese sturgeon

전장 2m 정도. 몸은 긴 원통형으로 5개의 세로줄이 있는 판 모양의 단단한 비늘에 싸여 있다. 주둥이가 길고 뾰족하며, 입은 아래쪽에 있고 촉수가 4개 있다. 양쪽 턱에는 이가 없다. 각 골판열 사이의 피부는 전부가 드러나 있다. 산란기는 5~9월경이다.

분포 · 생태 우리나라. 일본, 중국. 부화한 치어는 물 흐름이 약한 강 밑에서 살며 가을 이후에는 깊은 강 밑으로 들어간다.

약용 부위 · 수치 몸체(肉)를 채취하여 그대로 사용한다.

약물명 살(肉)을 전어(鱣魚)라 하며, 전(鱣), 황어(黃魚)라고도 한다. 간을 전어간(鱣魚肝)이라 한다.

기미 · 귀경 전어(鱣魚): 감(甘), 온(溫) · 폐(肺), 간(肝). 전어간(鱣魚肝): 감(甘), 평(平)

약효 전어(鱣魚)는 익기양혈(益氣養血)의 효능이 있으므로 병후체허(病後體虛), 근골무력(筋骨無力), 빈혈, 영양불량을 치료한다. 전어간(鱣魚肝)은 해독살충(解毒殺蟲)의 효능이 있으므로 악창개선(惡瘡疥癬)을 치료한다.

사용법 전어 또는 전어간 적당량에 물을 넣고 달여서 조금씩 복용한다.

❍ 철갑상어

❍ 철갑상어(입과 배)

[멸치과]

웅어

만성위장병, 소화불량 · 창절옹저

● 학명 : *Coilia nasus* Temminck et Schlegel   ● 영명 : Estuary tailfin anchovy

전장 40cm 정도. 몸 앞부분은 넓고 갈수록 좁아진다. 머리 주변은 붉은색이 돌고, 등은 청색을 띠고 나머지는 은색이다. 위턱의 뒤끝은 매우 길어서 가슴지느러미의 기부에 이르며, 배의 중앙선에는 날카로운 비늘판이 있다. 가슴지느러미 위쪽 6개의 연조는 분리되고, 실 모양으로 길다. 뒷지느러미는 몸의 앞부분에서 시작되어 꼬리지느러미까지 길게 이어진다.

분포 · 생태 우리나라 서해. 중국, 일본. 연안에서 생활하며 동물성 플랑크톤을 먹는다. 산란기인 3~5월에 강 하구로 올라온다.

약용 부위 · 수치 포획하여 내장을 제거하고, 몸 전체를 씻어서 그대로 사용한다.

약물명 제어(鱭魚)

약효 건비보기(健脾補氣), 사화해독(瀉火解毒)의 효능이 있으므로 만성위장병, 소화불량, 창절옹저(瘡癤癰疽)를 치료한다.

사용법 제어 30~60g에 물을 넣고 달여서 복용한다.

❍ 웅어

[청어과]

청어

폐결핵 　　　　부종, 소변불리

● 학명 : *Clupea pallasii* Cuvier et Valencinnes　● 영명 : Pacific herring

○ 청어(건조품)

전장 45cm 정도. 몸은 약간 납작하고 높이가 높은 편이다. 등쪽은 암청색을 띠며, 중앙부터 배 부분은 은백색을 띤다. 몸과 지느러미에 특별한 반점은 없다. 배지느러미와 뒷지느러미는 밝지만 나머지는 어둡다.

분포·생태 우리나라 남해, 동해, 서해, 중국, 일본, 서태평양. 냉수성 어류로 수온 2~10℃가 되는 수심 150m 이내의 연안에서 산다.

약용 부위·수치 살(肉)을 채취하여 그대로 사용한다.

약물명 비어(鮏魚). 청어(靑魚), 청조어(靑條魚)라고도 한다.

약효 보허이뇨(補虛利尿)의 효능이 있으므로 폐결핵, 부종, 소변불리(小便不利)를 치료한다.

성분 protamine, deoxynucleotide, arginine, palmitic acid, oleic acid, docosahexaenoic acid 등이 함유되어 있다.

사용법 비어 100~250g에 물을 넣고 달여서 복용한다.

○ 청어

[청어과]

밴댕이

해사교상

● 학명 : *Harengula zunasi* Bleeker [*Sardinella zunasi*]　● 영명 : Big-eyed herring

전장 15cm 정도. 몸은 옆으로 납작하며 다소 가늘고 길다. 등쪽은 흑청색이고 옆구리와 배는 은백색이다. 아래턱이 위턱보다 앞으로 돌출되었고, 위턱의 뒤끝은 짧아서 눈 중간에 이르지 못한다. 뒷지느러미의 마지막 2개의 연조는 다른 연조보다 약간 길다.

분포·생태 우리나라 서해, 남해, 중국, 일본. 내만성 어류로 주로 강 하구에 올라오며 플랑크톤을 먹고 산다.

약용 부위·수치 내장을 제거하고 살(肉)과 뼈를 사용한다.

약물명 청린어(靑鱗魚). 유엽어(柳葉魚), 청린(靑鱗)이라고도 한다.

약효 해독의 효능이 있으므로 해사교상(海蛇咬傷)을 치료한다.

성분 butyric acid, trimethylamine, 2-methyl-propanal, propanal, ethanal 등이 함유되어 있다.

사용법 청린어 적당량을 짓찧어 상처에 바르거나 연고로 만들어 바른다.

○ 밴댕이

[청어과]

준치

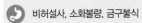 비허설사, 소화불량, 금구불식   심계정충

●학명 : *Ilisha elongata* Bennet ●영명 : Slender shad

전장 40cm 정도. 등의 외곽선은 직선에 가깝지만 배는 둥글게 곡선을 이루어 반달형이다. 등은 약간 어두운 색이고 몸체와 배는 은백색을 띤다. 아래턱이 위턱보다 약간 돌출되고, 배의 정 중앙선에는 날카로운 인판이 있다. 등지느러미는 몸의 중앙에 위치하고, 배지느러미는 다른 지느러미에 비하여 현저히 작다.

분포 · 생태 우리나라. 중국, 일본. 내안이나 강 하구의 중층에 살며 여름철에 강 하구에

◐ 준치

알을 낳는다.

약용 부위 · 수치 살(肉)을 채취하여 그대로 사용한다.

약물명 늑어(勒魚). 늑(鰳), 회어(鱠魚), 극늑어(克鰳魚)라고도 한다.

기미 · 귀경 감(甘), 평(平) · 비(脾), 위(胃)

약효 건비개위(健脾開胃), 양심안신(養心安神)의 효능이 있으므로 비허설사(脾虛泄瀉), 소화불량, 금구불식(噤口不食), 심계정충(心悸怔忡)을 치료한다.

성분 protein, fat, Mg, P, Fe, roboflavin, nicotinic acid, thiamine 등이 함유되어 있다.

사용법 늑어 적당량을 가루로 만들어 매회 5g을 복용하거나, 생것에 물을 넣고 달여서 복용한다.

＊본 종과 비슷하게 생겼지만, 등지느러미의 마지막 연조가 실처럼 길게 연장된 '전어 *Konosirus punctatus*'도 약효가 같다.

◐ 전어

[연어과]

연어

 허로영수   흉복창만

●학명 : *Oncorhynchus keta* Walbaum ●영명 : Chum salmon, Dog salmon

전장 80cm, 큰 것은 1m 정도이다. 입은 크고 양턱의 길이는 비슷하며 위턱은 눈 아래로 휘어져 내려와 뒤끝은 눈 뒤를 지난다. 등지느러미는 몸의 중앙에 있고 등지느러미 뒤에 기름지느러미가 있다. 산란기 수컷은 턱이 심하게 구부러지고 머리와 몸통이 만나는 부분이 오목하다. 등은 흑청색, 배는 은백색을 띤다. 산란기에는 몸에 적자색의 불규칙한 가로무늬가 나타난다.

분포 · 생태 우리나라 양양 남대천, 삼척 마읍천. 중국, 일본, 타이완, 북태평양 연안. 바다에서 살다가 9~11월에 강으로 올라와 산란한다.

약용 부위 · 수치 내장을 제거한 전체를 사용한다.

약물명 대마합어(大馬哈魚). 대마합(大馬哈), 대발합(大發哈)이라고도 한다.

약효 보허(補虛), 건위(健胃), 이수(利水)의 효능이 있으므로 허로영수(虛勞羸瘦), 흉복창만(胸腹脹滿)을 치료한다.

성분 triglyceride, lecithin, phytanic acid, linoleic acid, palmitic acid, oleic acid, eicosapantaenoic acid, docosahexanoic acid, cholesterol, leucine, proline, glutamic acid, aspartic acid, anserine, histidine, taurine, alanine, threonine, inosine, hypoxanthine, trimethylamine oxide, trimethylamine, glycinebetaine, astaxanthin, canthaxanthin, salmoxanthin, cathepsin, collagen, vitamin B_1, B_2, nicotinic acid, guaninen 등이 함유되어 있다.

사용법 대마합어 100~200g에 물을 넣고 달여서 복용한다.

＊전장이 약 80cm이고 등이 푸르고 배쪽이 은색인 '송어 *O. masou*'도 약효가 같다.

◐ 연어

◐ 대마합어(大馬哈魚)

도화뱅어

영양불량
비허설사
해수

●학명 : *Neosalanx andersoni* Rendahl　●영명 : Flower icefish

전장 12cm 정도. 몸은 가늘고 길며 원통형, 머리는 길고 납작하다. 위턱은 아래턱보다 약간 돌출되고, 등지느러미는 몸 중앙보다 약간 뒤에 있고 미병부 위에는 기름지느러미가 있다. 꼬리지느러미 뒤 가장자리는 안쪽으로 깊게 패였다. 살아 있을 때는 몸체가 투명하지만 죽으면 백색으로 변한다.

분포·생태 우리나라 서해, 남해. 중국, 일본. 회귀성 어류로 산란기에는 큰 강의 하구로 이동한다. 산란기는 4~5월이고 어미는 산란을 마친 뒤 죽는다.

약용 부위·수치 포획하여 내장은 제거하고, 몸 전체를 씻어서 그대로 사용한다.

약물명 은어(銀魚)

약효 보허(補虛), 윤폐(潤肺), 건위의 효능이 있으므로 영양불량, 해수(咳嗽), 비허설사(脾虛泄瀉)를 치료한다.

사용법 은어 30~60g에 물을 넣고 달여서 복용한다.

○ 도화뱅어

날매퉁이

유뇨, 야뇨증

●학명 : *Saurida elongata* Temminck et Schlegal　●영명 : Slender lizardfish

전장 50cm 정도. 몸은 원통형, 머리 앞부분은 길고 납작하다. 턱은 커서 그 끝이 눈 뒤를 훨씬 지나며 아래턱과 위턱은 길이가 비슷하다. 가슴지느러미의 끝이 배지느러미에 이르지 못한다. 등은 녹갈색과 황갈색이 섞여 세로줄을 형성하며, 배는 은색을 띤다.

분포·생태 우리나라 서해. 중국, 일본. 연안의 모랫바닥과 개펄에 서식하고, 산란기는 5~7월이며 어류, 연체류, 갑각류를 먹고 산다.

약용 부위·수치 포획하여 내장은 제거하고 몸 전체를 씻어서 그대로 사용한다.

약물명 사치(蛇鯔), 구곤(狗棍), 구모어(狗母魚)라고도 한다.

약효 건비보신(健脾補腎), 축뇨(縮尿)의 효능이 있으므로 유뇨(遺尿), 야뇨증을 치료한다.

성분 actinomyosin, myogen, dimethyl-amine, formaldehyde, tryptophan, lyso-lecithinase, threonine, lysine 등이 함유되어 있다.

사용법 사치 적당량에 물을 넣고 달여서 복용한다.

○ 날매퉁이

황매퉁이

 편도선염

● 학명 : *Trachinocephalus myos* Forster   ● 영명 : Snakefish

전장 17~33cm. 몸은 길고 원통형, 머리는 작다. 주둥이는 눈 지름보다 짧고 눈 앞쪽은 아래쪽으로 급경사를 이룬다. 입은 크고 양턱에 2열의 이가 나 있으며, 아래턱이 위턱보다 길어서 입이 위쪽을 향해 열린다.
분포 · 생태 우리나라 남해. 중국, 일본, 온대와 열대 해역. 연안의 수심이 낮은 모랫바닥에 산다.
약용 부위 · 수치 포획하여 꼬리를 자른 후 씻어서 말린다.
약물명 구모어(狗母魚). 대두구모어(大頭狗母魚)라고도 한다.
약효 청열해독(淸熱解毒)의 효능이 있으므로 편도선염을 치료한다.
사용법 구모어 적당량을 가루로 만든 후 물을 넣고 섞어서 편도선 주변에 바르거나 머금었다 뱉는다.

○ 황매퉁이

대두어

 비위허약, 소화불량   지체종창
 요슬산통, 보리무력   두훈   풍한두통

● 학명 : *Aristichthys nobilis* Richardson   ● 영명 : Bighead carp

전장 1m 정도. 몸은 난원형, 머리는 크고 체고는 높다. 입수염은 없으며, 배쪽 중앙에 있는 배지느러미 기부의 앞쪽부터 항문까지 융기연이 있다. 비늘은 둥글고 측선은 완전하다. 꼬리지느러미는 큰 편이며 위쪽이 아래쪽보다 약간 길다. 몸체는 '백련어'보다 더 검고 등쪽에는 암녹색의 반점이 있다.
분포 · 생태 중국 남부, 타이완. 1966년에 타이완에서 도입하여 양식 목적으로 방류하였다. 백련어보다 더 깊은 곳에 서식하며, 동물성이나 식물성 플랑크톤을 먹고 산다.
약용 부위 · 수치 포획하여 몸 전체 또는 머리를 채취하여 씻어서 말린다.
약물명 몸 전체를 용어(鱅魚), 머리를 용어두(鱅魚頭)라고 한다.
약효 용어(鱅魚)는 온중건비(溫中健脾), 장근골(壯筋骨)의 효능이 있으므로 비위허약(脾胃虛弱), 소화불량, 지체종창(肢體腫脹), 요슬산통(腰膝酸痛), 보리무력(步履無力)을 치료한다. 용어두(鱅魚頭)는 보허(補虛), 산한(散寒)의 효능이 있으므로 두훈(頭暈), 풍한두통(風寒頭痛)을 치료한다.
성분 glutamic acid, leucine, alanine, taurine, palmitic acid, linoleic acid, eicosapentanoic acid, haptoglobin, inosine, hypoxanthine, AMP, ADP, ATP, IMP, cholesterol, carotene, canthaxanthine, phytoxanthine 등이 함유되어 있다.
사용법 용어는 적당량에 물을 넣고 달여서 복용하고, 용어두는 1개에 물을 넣고 달여서 복용한다.

○ 대두어

[황어아과]

백련어

● 허약체질　● 수종

● 학명 : *Hypophthalmichthys molitrix* Cuvier et Valenciennes　● 영명 : Silver carp

전장 50~100cm. 몸은 길고 납작하며 체고가 높다. 눈은 작고 체측 중앙보다 아래쪽에 있다. 입은 주둥이 끝에 비스듬히 위쪽을 향해 있고 수염은 없다. 측선은 완전하며 앞부분에서는 아래쪽으로 내려가다가 미병부 가까이에서 약간 위로 올라가 직선이 된다. 배쪽 중앙에는 융기연이 형성되어 항문까지 이른다.

○ 백련어

분포 · 생태 아시아 동부 원산. 일본과 타이완에서 도입되어 방류되었다.

약용 부위 · 수치 내장을 제거하고 물에 씻어서 사용한다.

약물명 조어(鰱魚). 백조(白鰱), 찬어(餐魚)라고도 한다.

기미 · 귀경 감(甘), 온(溫) · 비(脾), 위(胃)

약효 온중익기(溫中益氣), 이수(利水)의 효능이 있으므로 허약체질, 수종(水腫)을 치료한다.

성분 500g 중 식용 가능 부분이 260g이며 그 가운데 수분 176g, 단백질 55.8g, 지방 14.4g, 회분 3.6g이다. taurine, xanthine, inosine, inosinic acid, carotenoid, lutein, taraxanthin, canththaxanthin, isozeaxanthin, diemethylamine, methylamine, ethylamine, riboflavin, thiamin, niacin 등이 함유되어 있다.

사용법 조어 100~200g에 물을 넣고 달여서 복용한다.

[잉어과]

붕어

● 비위허약, 납소반위, 이질, 변혈　● 산후유즙불행
● 수종　● 옹저, 나력

● 학명 : *Carassius auratus* L.　● 영명 : Crusian carp

전장 30cm 정도. 몸은 긴 타원형, 옆으로 약간 넓적하고 등지느러미 연조 수는 16~18개, 뒷지느러미 연조 수는 5개, 측선 비늘 수는 29~31개이다. 입은 작고 약간 위로 향하며, 입가에는 수염이 없고 인두치는 1열이다. 측선은 완전하고 중앙은 배쪽으로 약간 휘어져 있다. 등쪽은 약간 녹갈색이고 배쪽은 은백색이다. 서식처에 따라 체색의 변화가 심해서 흐르는 물에 사는 개체는 녹청색, 고인 물에 사는 개체는 황갈색을 띤다.

분포 · 생태 우리나라. 중국, 일본, 사할린. 연못, 수초가 우거진 하천이나 호수, 농수로 등에서 산다.

약용 부위 · 수치 내장을 제거하고 물에 씻어 말린다.

약물명 즉어(鯽魚). 부(鮒), 즉과자(鯽瓜子)라고도 한다.

본초서 즉어(鯽魚)는 「명의별록(名醫別錄)」에 처음 수재되었으며 "주로 피부 질환에 사용하며, 태우거나 간장 또는 된장을 넣고 물에 달여서 복용하고 때로는 돼지기름에 볶아서 사용한다."고 하였다. 「당본초(唐本草)」나 「본초습유(本草拾遺)」에는 "비위가 허약한 사람이나 오랫동안 설사를 하는 사람에게 좋다."고 하였다.

기미 · 귀경 감(甘), 평(平) · 비(脾), 위(胃), 대장(大腸)

약효 건비화위(健脾和胃), 이수소종(利水消腫), 통혈맥(通血脈)의 효능이 있으므로 비위허약(脾胃虛弱), 납소반위(納小反胃), 산후유즙불행(産後乳汁不行), 이질, 변혈(便血), 수종(水腫), 옹저(癰疽), 나력(瘰癧), 아감(牙疳)을 치료한다.

성분 살아 있는 몸체 100g당 수분 85g, 단백질 13g, 지방 1.1g, 탄수화물 0.1g, 회분 0.8g, 칼슘 54mg, 인 203mg, 철 2.5mg, 유황 0.06mg, 기타 소량의 비타민이 함유되어 있다.

사용법 즉어에 물을 넣고 달여서 복용하거나 찹쌀이나 미역을 넣고 달여서 복용한다. 몸 전체가 부었을 때는 붕어 큰 것 2마리, 사인(砂仁) 8g, 감초(甘草) 4g에 물을 넣고 달여서 식후 30분에 소주잔으로 한 잔씩 복용한다. 산모가 젖이 잘 나오지 않을 때는 붕어 큰 것 2마리, 돼지고기 반근, 여로(藜蘆) 10g에 물을 넣고 달여서 조금씩 복용한다.

＊1972년 일본으로부터 자원 조성용으로 도입되었고, 체고가 높으며 머리 앞쪽이 돌출된 '떡붕어 *C. cuvieri*'도 약효가 같다.

○ 즉어(鯽魚)

○ 붕어

[잉어과]

금붕어

	수고		황달		수종
	소변불리		폐렴, 해수, 백일해		

●학명 : *Carassius auratus* L. var. Gold-fish   ●영명 : Gold fish

❂ 금붕어

전장 5~10cm. '붕어'에 비하여 몸은 통통하고 짧으며, 등지느러미, 가슴지느러미, 배지느러미가 훨씬 길고 색깔은 붉은색, 황색, 황적색 등 다양하다.

분포·생태 우리나라를 비롯한 세계 각처

약용 부위·수치 내장을 제거하고 물에 씻어서 말린다.

약물명 금어(金魚), 주사어(朱砂魚), 금어(錦魚)라고도 한다.

본초서 금어(金魚)는 「본초강목(本草綱目)」에 처음 수재되었으며, 「본초습유(本草拾遺)」에는 "붕어와 비슷하나 색깔이 다양하다."고 하였다.

기미·귀경 고(苦), 미함(微鹹), 한(寒)·폐(肺)

약효 이뇨청열(利尿淸熱), 해독의 효능이 있으므로 수고(水臌), 황달, 수종(水腫), 소변불리(小便不利), 폐렴, 해수(咳嗽), 백일해(百日咳)를 치료한다.

성분 살아 있는 몸체 100g당 수분 85g, 단백질 13g, 지방 1.1g, 탄수화물 0.1g, 회분 0.8g, 칼슘 54mg, 인 203mg, 철 2.5mg, 유황 0.06mg, 기타 소량의 비타민이 함유되어 있다.

사용법 금어 1~2마리에 물을 넣고 달여서 복용하거나 찹쌀 또는 미역을 넣고 달여서 복용한다.

[잉어과]

잉어

	위통, 설사, 황달		수습종만		소변불리
	각기		해수기역		태동불안, 임신수종

●학명 : *Cyprinus carpio* L.   ●영명 : Common carp

전장 30~80cm, 1m에 이르는 것도 있다. 몸은 길고 옆으로 납작하며, 비늘은 크고 기왓장처럼 배열되어 있다. 등지느러미 연조 수가 19~21개, 뒷지느러미 연조 수는 5~6개, 측선 비늘 수는 33~38개이다. 머리는 원추형이고 주둥이는 둥글며 그 아래에 입이 있다. 입수염은 2쌍으로 뒤쪽의 것은 굵고 길어서 눈 지름과 같다. 눈은 작고 머리의 옆면 중앙보다 앞쪽에 있다. 몸체는 녹갈색 바탕에 등쪽은 짙고 배쪽은 연하다.

분포·생태 우리나라, 중국, 일본, 사할린. 연못, 수초가 우거진 하천이나 호수, 농수로 등에서 산다.

약용 부위·수치 내장을 제거하고 물에 씻어서 사용한다.

약물명 이어(鯉魚), 적리어(赤鯉魚), 이괴자(鯉拐子), 이자(鯉子)라고도 한다.

본초서 「뇌공포자약성해(雷公炮炙藥性解)」에 입비(入脾), 폐(肺), 간삼경(肝三經)이라는 기록이 있고, 「동의보감(東醫寶鑑)」에는 "이어

담(鯉魚膽)은 목열(目熱), 적통(赤痛), 청맹(靑盲)에 바르면 많은 효과를 본다."고 하였다.

기미·귀경 감(甘), 평(平)·비(脾), 신(腎), 위(胃), 담(膽)

약효 건비화위(健脾和胃), 이수하기(利水下氣), 통유(通乳), 안태(安胎)의 효능이 있으므로 위통, 설사, 수습종만(水濕腫滿), 소변불리(小便不利), 각기, 황달, 해수기역(咳嗽氣逆), 태동불안(胎動不安), 임신수종(姙娠水腫), 산후유즙희소(産後乳汁稀少)를 치료한다.

성분 살아 있는 몸체 100g당 수분 77g, 단백질 17.3g, 지방 5.1g, 회분 1g, 칼슘 25mg, 인 175mg, 철 1.6mg, cystine, histidine, glutamic acid, glycine, alanine, sarcosine, lysine, stearic acid, myristic acid, palmitic acid, linoleic acid, EPA, DHA, creatine, creatine phosphoric acid, riboflavine, nicotinic acid, vitamin A, cathepsin A, B, C 등이 함유되어 있다.

약리 EPA, DHA는 혈중 콜레스테롤의 함량을 감소시키고 혈전을 방지하는 효능이 있다.

사용법 이어 100~200g에 물을 넣고 달여서 복용한다.

❂ 잉어

❂ 이어(鯉魚)   ❂ 이어탕(鯉魚湯)

[강준치아과]

강준치

 식적불화　 수종

●학명 : *Erythroculter erythropterus* Basilewsky　●영명 : Skygager

○ 강준치

전장 45cm 정도. 몸은 길고 납작하며, 은백색을 띠고 등쪽은 어둡다. 주둥이는 길고 끝이 뾰족하다. 주둥이 아래쪽에 있는 입은 말굽 모양, 입술은 두껍다. 입 가장자리에는 눈 지름보다 약간 짧은 아래턱이 발달하여 위를 향하여 돌출되어 구각이 거의 수직이다. 측선은 완전하고 앞부분은 배쪽에서 활처럼 아래쪽으로 굽었으나 후반부는 거의 직선이다.

분포 · 생태 우리나라. 중국, 아무르, 타이완. 강의 하류에 서식하며 갑각류, 수서 곤충 및 치어를 먹고 산다. 5~7월에 수초에 산란한다.

약용 부위 · 수치 내장을 제거하고 물에 씻어서 사용한다.

약물명 백어(白魚). 교어(鱎魚), 백편어(白扁魚)라고도 한다.

기미 · 귀경 감(甘), 평(平) · 비(脾), 위(胃)

약효 개위소식(開胃消食), 건비행수(健脾行水)의 효능이 있으므로 식적불화(食積不化), 수종(水腫)을 치료한다.

사용법 백어 100~200g에 물을 넣고 달여서 복용한다.

[강준치아과]

살치

 위완냉통, 장한설사

●학명 : *Erythroculter leucisculus* Basilewsky [*Hemiculter leucisculus*]
●영명 : Sharpbelly

○ 살치

전장 20cm 정도. 몸은 길고 납작하며 은백색을 띠고 등쪽은 청갈색이다. 주둥이는 길고 끝이 둔하다. 복부의 융기연은 가슴지느러미 기부의 약간 뒤쪽에서 시작하여 항문까지 이어진다. 측선은 완전하지만 가슴지느러미 뒤쪽에서 아래쪽으로 내려가다가 다시 올라가 꼬리 부분에서는 일직선이다.

분포 · 생태 우리나라. 중국, 아무르, 타이완. 강 하류에 서식하며 갑각류, 수서 곤충 및 치어를 먹고 산다. 5~7월에 수초에 산란한다.

약용 부위 · 수치 내장을 제거하고 물에 씻어서 사용한다.

약물명 조어(鰷魚). 백조(白鰷), 찬어(餐魚)라고도 한다.

기미 · 귀경 감(甘), 온(溫) · 위(胃), 대장(大腸)

약효 온중지사(溫中止瀉)의 효능이 있으므로 위완냉통(胃脘冷痛), 장한설사(腸寒泄瀉)를 치료한다.

사용법 조어 100~200g에 물을 넣고 달여서 복용한다.

[납자루아과]

떡납줄갱이

 허약체질   단독

● 학명 : *Rhodeus notatus* Nichols   ● 영명 : Korean rose bitterling

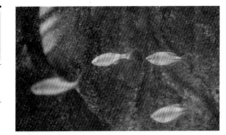

○ 떡납줄갱이(흐르는 하천에 산다.)

전장 5cm 정도. 몸은 길고 납작하며 체고는 낮다. 측선은 불완전하며 처음 넷째 번까지에만 개공된다. 몸의 중앙부에는 아가미뚜껑 뒷부분과 등지느러미 기점 바로 아래의 중간 지점으로부터 미병부의 후단까지 이어지는 암청색 세로줄 무늬가 있다.

분포 · 생태 우리나라. 중국. 서해와 남해로 흐르는 하천과 그 주변의 저수지에 서식한다.

약용 부위 · 수치 내장을 제거하고 물에 씻어서 사용한다.

약물명 방비어(魴鮍魚). 어비(魚婢), 첩어(妾魚)라고도 한다.

약효 보비건위(補脾健胃), 해독(解毒)의 효능이 있으므로 허약체질, 단독(丹毒)을 치료한다.

성분 cholesterol, carotene, glucose−6−phosphodehydronase, lactate dehydronase, acetylcholinediesterase 등이 함유되어 있다.

사용법 방비어 100~200g에 물을 넣고 달여서 복용한다.

○ 떡납줄갱이

[모래무지아과]

중고기

 비위허약, 소화불량, 황달   수종창만

옹창종독

● 학명 : *Sarcocheilichthys nigripinnis morii* Jordan ex Hubbs
● 영명 : Korean oil shinner

전장 15cm 정도. 몸은 길고 납작하며 원통형이다. 주둥이의 앞끝은 둔하고 둥글다.

입은 주둥이 아래쪽에 있으며 입수염이 미세하여 없는 것 같다. 측선은 완전하다. 등

지느러미 기조의 기저부와 말단부에 흑갈색 줄무늬가 있으며, 꼬리지느러미의 상엽과 하엽에는 갈색 줄무늬가 있다.

분포 · 생태 우리나라 특산종. 하천과 저수지의 수초가 있는 곳에 서식하며 물속의 작은 동물을 주로 먹는다. 산란기의 암컷은 산란관을 내어 조개에 산란한다.

약용 부위 · 수치 내장을 제거하고 물에 씻어서 사용한다.

약물명 석즉(石鯽). 산즉어(山鯽魚)라고도 한다.

약효 건비위(健脾胃), 이소변(利小便), 해열독(解熱毒)의 효능이 있으므로 비위허약(脾胃虛弱), 소화불량, 수종창만(水腫脹滿), 황달, 옹창종독(癰瘡腫毒)을 치료한다.

성분 cholesterol, carotenoid, zeaxanthin, lutein, cyanothiaxanthin, cryptoxanthin, diatoxanthin, tunaxanthin, astacene 등이 함유되어 있다.

사용법 석즉 50~100g에 물을 넣고 달여서 복용한다.

○ 중고기

[모래무지아과]

누치

 소변불리
 수종
요슬산통

●학명 : *Hemibarbus labeo* Dybowsky　●영명 : Steed barbel

❶ 누치

전장 45cm 정도. 몸은 길고 납작하며 은백색을 띠며, 등쪽은 어둡고 등쪽의 외곽선은 거의 직선이다. 주둥이는 길고 끝이 돌출되었으며 주둥이 아래쪽에 있는 입은 말굽 모양, 입술은 두껍다. 입 가장자리에는 눈 지름보다 약간 짧은 1쌍의 수염이 있다. 눈은 크고 머리 옆면 중앙의 위쪽에 있다. 측선은 완전하고 거의 직선이다.

분포·생태 우리나라. 중국, 베트남. 서해와 남해로 흐르는 하천에 서식한다.

약용 부위·수치 내장을 제거하고 물에 씻어서 사용한다.

약물명 중순어(重脣魚). 진구어(眞口魚), 토풍어(土風魚)라고도 한다.

기미·귀경 감(甘), 평(平)·비(脾), 위(胃)

약효 보기이수(補氣利水), 거풍습(祛風濕), 강근골(强筋骨)의 효능이 있으므로 소변불리(小便不利), 수종(水腫), 요슬산통(腰膝酸痛)을 치료한다.

성분 glycolipid, triglyceride, palmitic acid, hexadecenoic acid, octadecenoic acid, cholesterol, phospholipid, phosphatidyl ethanolamine, phosphatidyl choline, silicone 등이 함유되어 있다.

사용법 중순어 100~200g에 물을 넣고 달여서 복용한다.

[피라미아과]

눈불개

 반위토식, 비위허한설사

●학명 : *Squaliobarbus curriculus* Richhardson　●영명 : Venus fish

❶ 눈불개(강 중류 여울에 서식한다.)

전장 30cm 정도. 몸은 길고 원통형, 미병부는 납작하다. 머리는 작고 원추형, 입가에 1쌍의 짧은 수염이 있다. 눈은 머리의 중앙보다 앞쪽에 있으며, 위턱이 아래턱보다 약간 길다. 측선은 완전하고 배쪽으로 약간 굽었다. 대부분의 비늘 중앙에는 반달 모양의 흑갈색 점이 있다.

분포·생태 우리나라 만경강 이북 서해로 흐르는 하천. 중국. 강의 중류 여울에 서식하며 돌이나 바위에 부착된 조류를 먹고 산다.

약용 부위·수치 내장을 제거하고 물에 씻어서 사용한다.

약물명 준어(鱒魚). 황골어(黃骨魚)라고도 한다.

약효 난위화중(暖胃和中), 지사(止瀉)의 효능이 있으므로 반위토식(反胃吐食), 비위허한설사(脾胃虛寒泄瀉)를 치료한다.

사용법 준어 100~200g에 물을 넣고 달여서 복용한다.

❶ 눈불개

피라미

 창절, 개선

● 학명 : *Zacco platypus* Temminck et Schlegel ● 영명 : Pale chub

전장 15cm 정도. 몸은 길고 납작하다. 입은 주둥이 전단 아래에서 위쪽을 향해 있고 위턱이 아래턱보다 앞으로 약간 돌출되었다. 몸은 청색 바탕에 등쪽은 더 짙고 배는 은백색을 띤다. 몸체에는 10~13개의 청갈색 세로무늬가 있으며, 그 중간은 붉은색이나 황색을 띤다. 산란기의 수컷은 머리와 뒷지느러미 기조에 추성열이 뚜렷하다.

분포 · 생태 우리나라, 중국, 일본, 타이완. 강의 중류 여울에 서식하며 돌이나 바위에 부착된 조류를 먹고 산다. 산란기는 5~7월이다.

약용 부위 · 수치 내장을 제거하고 물에 씻어서 사용한다.

약물명 석필어(石鮅魚). 도화어(桃花魚), 쌍미어(雙尾魚), 홍시자(紅翅子), 칠색어(七色魚)라고도 한다.

약효 해독살충(解毒殺蟲)의 효능이 있으므로 창절(瘡癤), 개선(疥癬)을 치료한다.

사용법 석필어 100~200g에 물을 넣고 달여서 복용하고, 외용에는 생것을 짓찧어 환부에 바른다.

＊ 몸체에 무늬가 없는 '갈겨니 *Z. temminckii*'도 약효가 같다.

❂ 피라미

미꾸라지

비허사리, 병독성간염　열병구갈

당뇨병　소변불리, 양사불거, 치창

● 학명 : *Misgurnus mizolepis* Guenther ● 영명 : Chinese muddy loach

전장 20cm 정도. 등지느러미 연조 수는 6~7개, 뒷지느러미 연조 수는 5개, 새파 수 19~22개, 척추골 수 47~49개이다. 몸은 약간 납작하고 머리도 위아래는 납작하다. 입가에는 3쌍의 수염이 있는데 셋째 수염은 눈 지름의 4배로 길다. 눈은 작으며, 눈 밑에는 안하극이 없다. 측선은 불완전하고, 미병부의 등과 배에는 날카롭게 융기된 부분이 있다. 암컷이 수컷에 비하여 크다.

분포 · 생태 우리나라, 중국, 일본, 타이완. 늪이나 논, 농수로 등 진흙이 깔린 곳에서 많이 산다.

약용 부위 · 수치 내장을 제거하여 생으로 사용하거나 말려서 사용한다.

약물명 니추(泥鰍). 습(鰼), 추(鰌)라고도 한다.

기미 · 귀경 감(甘), 평(平) · 비(脾), 간(肝), 신(腎)

약효 보익비신(補益脾腎), 이수(利水), 해독의 효능이 있으므로 비허사리(脾虛瀉痢), 열병구갈(熱病口渴), 당뇨병, 소변불리(小便不利), 양사불거(陽事不擧), 병독성간염(病毒性肝炎), 치창(痔瘡), 정창(疔瘡), 피부소양(皮膚瘙痒)을 치료한다.

성분 aspartate aminotransferase, docosahexenoic acid, protease, phosphoglucomutase, calendic acid, spermine, spermidin, putrescene, cadaverine, cytosine, guanosine, pyrimidine, purine bases, nucleotide, deoxyguanylic acid 등이 함유되어 있다.

사용법 니추 100~250g에 물을 넣고 달여서 복용하거나, 알약이나 가루로 만들어 1회 10g을 복용한다.

＊ 본 종에 비하여 수염이 짧고 덜 납작한 '미꾸리 *M. anguillicaudatus*'도 약효가 같다.

❂ 미꾸라지

❂ 추어탕

바다동자개

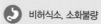 비허식소, 소화불량   만성피부궤양

●학명 : *Arius maculatus* Thunberg ●영명 : Catfish, Sea barbel, Spotted catfish

❖ 바다동자개

전장 40cm 정도. 몸의 단면은 삼각형에 가까우며 머리는 종편되었고, 몸은 뒤로 갈수록 측편되었다. 주둥이는 위에서 보면 둥근 반원형, 입 주변에 3쌍의 긴 수염이 있다. 등지느러미와 꼬리지느러미 사이에 기름 지느러미가 있고, 가슴지느러미와 꼬리지느러미에는 강한 극조가 있다. 몸은 갈색으로 등쪽은 짙고 배쪽은 밝은 색을 띠며, 1쌍으로 된 구개골이 있다.

분포·생태 우리나라 완도, 목포, 남해 서부. 중국, 일본, 타이완. 바다에 서식한다.

약용 부위·수치 내장을 제거하여 생으로 사용하거나 말려서 사용한다.

약물명 해념(海鯰). 골어(骨魚)라고도 한다.

기미·귀경 감(甘), 평(平)·비(脾), 간(肝), 신(腎)

약효 건비이수(健脾利水), 염창(斂瘡)의 효능이 있으므로 비허식소(脾虛食少), 소화불량, 만성피부궤양을 치료한다.

사용법 해념 300~600g에 물을 넣고 달여서 복용하거나, 알약이나 가루로 만들어 1회 10g을 복용한다.

메기

 허손영약   비위불건, 소화불량
산후유소 수종 소변불리

●학명 : *Silurus asotus* L. ●영명 : Far Eastern catfish

전장 30~50cm. 몸의 앞부분은 원통형이나 뒤로 갈수록 세로로 납작해진다. 등지느러미 연조 수는 4~5개, 뒷지느러미 연조 70~85개, 척추골 60~63개, 머리 앞부분은 수평으로 납작하고, 상악이 하악보다 짧아 입은 주둥이 끝에서 위를 향하여 열리며, 입가에는 전비공의 앞과 하악에 수염이 각각 1쌍씩 있다. 몸에 비늘은 없으며 등지느러미는 짧고 뒷지느러미는 길다. 몸은 흑갈색이고 주둥이의 아랫면과 뒷지느러미 앞까지의 복부는 황색을 띤다. 등지느러미 및 꼬리지느러미는 몸색과 같이 흑갈색이고 가장자리는 흑색이다.

분포·생태 우리나라. 중국, 일본, 타이완. 물 흐름이 느리고 바닥에 진흙이 깔려 있는 하천이나 호수, 늪에 살면서 밤에 치어와 작은 동물을 먹는 등 탐식성이 강하며, 산란기는 5~7월, 수컷이 암컷의 복부를 강하게 감아서 산란하도록 한다.

약용 부위·수치 내장을 제거하여 말리거나 그대로 사용한다.

약물명 이어(鮧魚). 언(鰋), 제(鯷), 점(鮎)

이라고도 한다.

약효 자음보허(滋陰補虛), 건비개위(健脾開胃), 하유(下乳), 이뇨(利尿)의 효능이 있으므로 허손영약(虛損羸弱), 비위불건(脾胃不健), 소화불량, 산후유소(産後乳少), 수종(水腫), 소변불리(小便不利)를 치료한다.

성분 phosphatidylserine, phosphatidylethanolamine, polyenoic acid, cholesterol, melatonin, parasiloxnathin, 7,8-dihydroparasiloxanthin, hypotaurine, adenosine triphosphate, melatonin, α-melanotropin 등이 함유되어 있다.

사용법 메기 한 마리를 내장을 제거하고 물을 넣고 달여서 여러 번에 나누어 복용한다. 허약체질 개선에는 메기 한 마리에 황정(黃精) 50g, 황기(黃耆) 50g과 물을 넣고 달여서 수시로 복용하고, 산모의 젖이 적게 나올 때는 메기 2마리에 고수 15g과 물을 넣고 달여서 수시로 복용한다.

＊ 이어(鮧魚)는 「명의별록(名醫別錄)」에 처음 수재되어 약용으로 사용되고 있다. 우리나라에는 메기속(*Silurus*)에 2종, 즉 메기와 미유기(*S. microdorsalis*)가 있으며 미유기도 메기와 약효가 같다.

❖ 메기

❖ 이어(鮧魚)

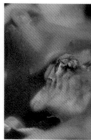

❖ 이어탕

동자개

수기부종 · 소변불리 · 나력, 악창

● 학명 : *Pseudobagrus fulvidraco* Richardson　● 영명 : Korean bullhead

○ 동자개

전장 20cm 정도. 머리는 종편되고 몸은 측편되었다. 4쌍의 수염 가운데 긴 것은 가슴지느러미 기부를 넘는다. 몸에 비늘이 없고 점액질이 많다. 가슴지느러미의 가시는 크고 강하며 안팎으로 거치가 있다. 몸은 살아 있을 때는 우중충한 황갈색 바탕에 너비가 넓은 암갈색 줄무늬가 있으며, 배는 황색을 띤다.

분포 · 생태 우리나라. 중국, 타이완. 강 하류의 바위나 돌이 많은 곳에서 산다.

약용 부위 · 수치 내장을 제거하고 물에 씻어서 사용한다.

약물명 황상어(黃顙魚). 황어(黃魚), 이괴자(鯉拐子), 이자(鯉子)라고도 한다.

약효 거풍이수(祛風利水), 해독렴창(解毒斂瘡)의 효능이 있으므로 수기부종(水氣浮腫), 소변불리(小便不利), 나력(瘰癧), 악창(惡瘡)을 치료한다.

사용법 황상어 100~200g에 물을 넣고 달여서 복용한다.

＊'눈동자개 *P. koreanus*'도 약효가 같다.

뱀장어

오장허손, 소화불량 · 폐로해수 · 양위 · 붕루대하

● 학명 : *Anguilla japonica* Temminck et Schlegel　● 영명 : Eel

전장 60cm 정도. 몸은 가늘고 긴 원통형이다. 등지느러미는 가슴지느러미의 끝과 항문 사이의 중앙에 있다. 측선은 뚜렷하고 비늘은 있으나 피부에 묻혀 있어서 눈으로는 보이지 않는다. 꼬리지느러미의 뒷부분은 둥글다. 등은 청회색 또는 흑색, 뚜렷한 반점이 없으며, 배는 백색을 띤다. 부화된 치어는 투명하고 대나무 잎과 비슷하지만 강 하구에 도달하여 변태한 후 실뱀장어가 된다.

분포 · 생태 우리나라 남해, 서해. 중국, 일본. 바다로 흐르는 하천 및 저수지에서 산다.

약용 부위 · 수치 살(肉) 또는 뼈를 채취하여 물에 씻어서 그대로 사용한다.

약물명 해만(海鰻). 만(鰻), 구어(狗魚)라고도 한다.

기미 · 귀경 감(甘), 평(平) · 폐(肺), 비(脾), 신(腎)

약효 건비보폐(健脾補肺), 익신고충(益腎固冲), 거풍제습(祛風除濕), 해독살충(解毒殺蟲)의 효능이 있으므로 오장허손(五臟虛損), 소화불량, 폐로해수(肺癆咳嗽), 양위(陽痿), 붕루대하(崩漏帶下)를 치료한다.

성분 vitamin A, vitamin B₁, vitamin B₂, isocitrate dehydrogenase, 6-phosphogluconate dehydrogenase, glutamic-oxaloacetic transaminase, glutamic dehydrogenase, gluconokinase, phosphofructokinase, fructose-1,6-bisphosphatase, alanine aminotransferase, trimethylamine monooxygenase, dipeptidyl aminopeptidase, trimethylamine oxide, chlortetracycline 등이 함유되어 있다.

약리 매일 고지방 먹이를 먹인 쥐에게 해만(海鰻)에서 추출한 기름을 5주일간 투여하면 혈중 콜레스테롤 함량이 낮아진다. 쥐에게 해만(海鰻)추출물을 투여하면 면역 증강 작용이 나타난다.

사용법 해만 100~250g에 물을 넣고 달여서 복용하거나 가루로 만들어 복용한다.

＊뱀장어에서 채취한 기름을 식용에 적합하도록 정제한 것 또는 이를 주원료로 하여 캡슐에 충진 가공한 것을 건강 증진 및 영양 보급을 위하여 사용하며, 고시형 건강 기능 식품의 하나이다.

○ 뱀장어

○ 해만(海鰻, 뼈)　○ 해만(海鰻, 신선품)　○ 뱀장어 구이

○ 해만(海鰻)이 함유된 관절염 기능 식품　○ 뱀장어 양식장(전북 부안)

갯장어

병후체허 | 유정, 치루 | 빈혈 | 신경쇠약
기관지염 | 골절동통 | 급성결막염 | 창절

●학명 : *Muraenesox cinereus* Forskal ●영명 : Conger pike

전장 2m 정도. 몸 빛깔은 은백색이고 광택이 난다. 몸 전체 모양은 혁대처럼 생겼고 특히 꼬리지느러미는 없다. 머리는 작고, 주둥이는 뾰족하며 아래턱이 위턱보다 돌출되었다. 양턱에는 강한 이가 많다. 등지느러미는 머리 뒤에서 꼬리까지 길게 이어지고 뒷지느러미도 길다.

분포·생태 우리나라 남해, 서해. 중국, 일본, 온대, 열대. 먼 바다의 저층부에 살고 밤에는 바다 위로 떠오른다.

약용 부위·수치 살(肉)을 채취하여 물에 씻어서 그대로 사용한다.

약물명 해만(海鰻), 만(鰻), 구어(狗魚)라고도 한다.

기미·귀경 감(甘), 온(溫)·폐(肺), 간(肝), 신(腎)

약효 보허손(補虛損), 윤폐(潤肺), 거풍통락(祛風通絡), 해독의 효능이 있으므로 병후체허(病後體虛), 유정(遺精), 빈혈, 신경쇠약, 기관지염, 안신경마비, 골절동통, 급성결막염, 창절(瘡癤), 치루(痔漏)를 치료한다.

성분 살(肉) 500g에는 단백질 60.2g, 지방 9.5g, 탄수화물 0.4g, 소량의 철, 인, 칼륨, 젤라틴, cephalin, neurophosphatide, cholesterol, cholic acid, glycocholic acid, taurine, proteinaceous toxin, growth hormone, gonadotropin 등이 함유되어 있다.

사용법 해만 적당량에 물을 넣고 푹 고아서 복용한다.

○ 갯장어

○ 해만(海鰻)

날치

위통, 혈리복통, 산통 | 난산, 유창 | 치창

●학명 : *Cypselurus agoo* Temminck et Schlegel ●영명 : Japanese flyingfish

전장 35cm 정도. 몸은 방추형이고 가늘며 입은 작다. 가슴지느러미를 수평으로 벌리며 꼬리로 수면을 강하게 때려서 수면 위 2~3m 높이의 공중을 난다. 몸 빛깔은 등쪽이 청색을 띤 흑색, 배쪽이 백색, 가슴지느러미 안쪽은 담청색, 배지느러미는 백색이다.

분포·생태 우리나라 남해, 동해, 서해. 중국, 일본, 타이완. 연안 및 근해의 수심 5~30m에서 산다.

약용 부위·수치 살(肉)을 채취하여 물에 씻어서 말린다.

약물명 문요어(文鰩魚). 요(鰩), 비어(飛魚), 연어(燕魚)라고도 한다.

약효 최산(催産), 지통(止痛), 해독소종(解毒消腫)의 효능이 있으므로 난산, 위통, 혈리복통(血痢腹痛), 산통(疝痛), 유창(乳瘡), 치창(痔瘡)을 치료한다.

사용법 문요어 적당량을 가루로 만들어 5~10g을 복용하고, 외용에는 기름과 섞어서 환부에 바른다.

○ 날치

[대구과]

대구

타박골절, 외상출혈　　변비

객혈

● 학명 : *Gadus macrocephalus* Tilesius　● 영명 : Pacific cod

전장 30cm 정도, 큰 것은 50~70cm이다. 몸은 좌우로 두껍고, 몸 전반부가 높고 뒤로 갈수록 가늘어진다. 아래턱의 길이가 위턱보다 약간 짧고 양턱에 빗살 모양의 이가 있다. 주둥이 아래에는 길이가 눈 지름과 비슷한 1개의 수염이 있다. 등지느러미는 3개, 뒷지느러미는 2개이다. 몸은 담황색 바탕에 적갈색 구름 무늬가 있고, 배는 밝은 색이다.

분포 · 생태 우리나라 남해, 동해, 서해. 중국, 일본, 타이완, 북위 34도 이상의 북태평양. 수심 10~500m에 이르는 대륙붕과 대륙의 비탈진 곳에서 서식하며, 멸치, 정어리 등의 물고기와 작은 갑각류, 오징어류 등을 먹이로 한다. 겨울철이 되면 수심이 낮은 곳으로 몰려와 모래와 진흙 바닥에 산란한다. 부화한 지 3~4년 후가 되면 어미가 된다. 여름철에는 먹이를 얻기 위하여 깊은 곳으로 이동하지만 지역성이 강하여 대규모로 이동하지 않는다.

약용 부위 · 수치 비늘과 내장을 제거하고 몸체와 부레를 채취하여 물에 씻어서 말린다.

약물명 살(肉)을 설어(鱈魚)라 한다. 부레를 설어표(鱈魚鰾)라 하며 어교(魚膠)라고도 한다. 어교(魚膠)는 대한민국약전외한약(생약)규격집(KHP)에 수재되어 있다.

약효 설어(鱈魚)는 활혈지통(活血止痛), 통변(通便)의 효능이 있으므로 타박골절, 외상출혈, 변비를 치료한다. 설어표(鱈魚鰾)는 지혈(止血)의 효능이 있으므로 객혈(喀血)을 치료한다.

성분 inosinic acid, cholesterol, glutamic acid, leucine, taurine, aspartic acid, hypotaurine 등이 함유되어 있다.

사용법 설어 적당량에 물을 넣고 달여서 복용한다. 타박상에는 가루 내어 상처에 뿌린다. 변비에는 미역과 함께 달여서 복용하면 효과가 빠르다. 설어표는 달여서 복용하거나 가루로 만들어 상처에 뿌린다.

＊ 대구보다 몸이 작고 머리 부분이 특히 붉은 '빨간대구 *Eleginus gracilis*', 대구보다 작고 아래턱이 위턱보다 길며 수염이 거의 퇴화한 '명태 *Theragra chalcogramma*'도 약효가 같다.

＊ 간이나 알에서 얻는 지방유는 비타민 A, D의 부족으로 오는 질병에 사용되며, 어린 아이의 성장 촉진제로 이용한다.

○ 대구

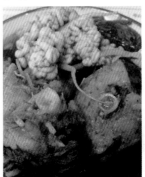
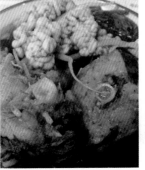
○ 대구탕

○ 간의 지방질로 만든 간유구(肝油球)

[대치과]

청대치

신염　　수종

식도암

● 학명 : *Fistularia petimba* Lacepede　● 영명 : Flute mouth, Blue spotted cornetfish

전장 2m 정도. 몸은 실고기 모양, 길고 비늘이 없다. 두 눈 사이가 편평하고, 미병부의 측선 비늘에 끝이 뒤쪽을 향한 가시가 없다. 몸은 올리브색 바탕에 청색을 띤다.

분포 · 생태 우리나라 제주도해. 중국, 일본, 세계 각처. 긴 주둥이로 작은 부착 동물을 흡입하여 먹는다. 수컷은 둥우리에 암컷을 유인하여 산란시킨 다음 알과 새끼를 보호하고, 새끼가 자란 뒤에 죽는다.

약용 부위 · 수치 살(肉)을 채취하여 그대로 사용한다.

약물명 소어(鮹魚). 연관어(煙管魚)라고도 한다.

약효 청열이뇨(淸熱利尿), 항암의 효능이 있으므로 신염(腎炎), 수종(水腫), 식도암을 치료한다.

사용법 소어 적당량을 가루로 만들어 1회 5g씩 1일 2회 복용한다.

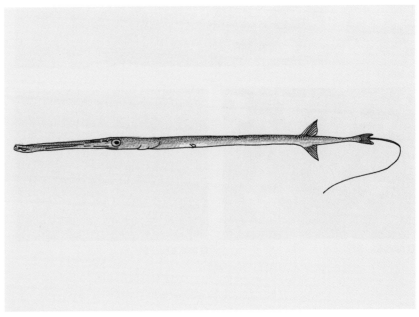
○ 청대치

해마

	신허양위, 유뇨		궁냉불잉
	허천		타박상, 옹종창절

● 학명 : *Hippocampus coronatus* Temminck et Schlegel　　● 영명 : Sea horse

전장 10~30cm. 몸체가 옆으로 편압되어 구부러졌고 황백색, 머리는 말의 머리와 비슷하고 닭 벼슬 모양의 돌기가 있다. 앞에는 관상의 긴 주둥이가 있고 입은 작으며 이가 없고 두 눈은 깊게 들어가 있다. 몸 부분은 칠릉형(七稜形)이고, 꼬리 부분은 사릉형(四稜形)으로 점점 가늘어지면서 말려 있다. 몸에는 꼬막 껍데기 모양의 마디 무늬와 짧은 가시가 있다.

분포 · 생태 우리나라 남해, 동해, 서해. 중국, 일본, 타이완. 연안 및 근해의 수심 5~30m에서 산다.

약용 부위 · 수치 포획하여 내장을 제거하고 전체를 물에 씻어서 말린다.

약물명 해마(海馬). 수마(水馬), 용락자(龍落子), 하고(蝦姑), 마두어(馬頭魚)라고도 한다. 대한민국약전외한약(생약)규격집(KHP)에 수재되어 있다.

본초서 해마(海馬)는 당대(唐代)의 「본초습유(本草拾遺)」에 처음 수재되었으며 "별명을 수마(水馬), 용락자(龍落子)라고 한다."고 기록되어 있다. 구종석(寇宗奭)은 "머리는 말(馬)과 비슷하며, 몸은 두꺼비(蝦)와 같고, 등 부위는 대나무 마디와 같은 주름이 있으며, 길이가 2~3촌(寸)이다."라고 하였다. 몸은 가볍고 골질이며 단단하다. 비린내가 조금 있으며 맛은 약간 짜다.

기미 · 귀경 감(甘), 함(鹹), 온(溫) · 간(肝), 신(腎)

약효 보신장양(補腎壯陽), 산결소종(散結消腫)의 효능이 있으므로 신허양위(腎虛陽痿), 궁냉불잉(宮冷不孕), 유뇨(遺尿), 허천(虛喘), 타박상, 옹종창절(癰腫瘡癤)을 치료한다.

성분 glutamic acid, aspartic acid, glycine, proline, alanine, leucine, stearic acid, cholesterol, cholesterdiol, Ca, P, Na, K, Mg, Fe, Sr, Si 등이 함유되어 있다.

약리 에탄올추출물을 쥐에게 주사하면 발정 기간을 연장시키고, 자궁 난소의 무게가 증가한다. 쥐에게 해마 가루를 매일 10g/kg을 먹이면 항산화 작용이 나타난다. 메탄올추출물을 쥐에게 0.1g/kg을 투여하면 혈전 형성을 저해한다.

사용법 해마 7g에 물 2컵(400mL)을 넣고 달여서 복용하거나 가루로 만들어 1~1.5g을 복용한다. 외용에는 기름과 섞어서 환부에 바른다.

처방 해마탕(海馬湯): 해마(海馬), 대황(大黃), 견우자(牽牛子), 청귤피(靑橘皮), 목향(木香), 파두(巴豆)(「성제총록(聖濟總錄)」).

• 해마발독산(海馬拔毒散): 해마(海馬), 천산갑(穿山甲), 주사(朱砂), 수은(水銀), 웅황(雄黃), 용뇌(龍腦), 사향(麝香)(「급구선방(急救仙方)」).

＊ 중국에서 시판되는 약재에는 해마(海馬), 해저(海蛆), 자해마(刺海馬)의 3종류가 있다. 해저(海蛆)는 해마(海馬)의 어린 것을 말하며 전장이 7cm 이하이다. 반면, 대형 해마는 전장이 25cm나 되는 것도 있다. 자해마(刺海馬)는 중국 푸젠성(福建省), 광둥성(廣東省) 등의 해안에서 생산된다.

＊ 몸통의 체륜 수가 11개이며, 체륜 위의 돌기들이 뾰족한 '가시해마 *H. histrix*'도 약효가 같다.

◐ 해마

◐ 해마(海馬)

◐ 해마(海馬, 절편)

◐ 해마(海馬, 분말)

◐ 해마(海馬) 전문점(중국)

[실고기과]

실고기

신허양위, 유뇨　　궁냉불잉
허천　　타박상, 옹종창절

● 학명 : *Syngnathus schlegeli* Kaup　● 영명 : Seaweed pipefish

전장 30cm 정도. 몸체가 길며 옆으로 편압되었고 5릉형, 꼬리 부분이 가늘어지면서 구부러졌다. 몸체는 황백색, 머리는 해마의 머리와 비슷하고 눈은 크고 약간 돌출되었으며 콧구멍은 매우 작고, 비늘은 없다.

분포 · 생태 중국, 타이완. 연안 및 근해의 수심 5~30m에서 산다.

약용 부위 · 수치 포획하여 내장을 제거하고 전체를 물에 씻어서 말린다.

약물명 해룡(海龍). 양지어(陽枝魚), 전관자(錢串子)라고도 한다.

본초서 해룡(海龍)은 「본초강목습유(本草綱目拾遺)」에 처음 수재되었으며 "별명을 양지어(陽枝魚), 전관자(錢串子)라고 한다. 해룡(海龍)은 해마(海馬) 가운데서 큰 것을 말하며, 전장 4~5촌(寸)으로부터 1척(尺)이 되는 것도 있다. 모두가 크며, 꼬리가 직선이고 굽지 않는다. 약효가 해마(海馬)보다 우수하며, 같은 종류이지만 형태에 약간의 차이가 있다."고 기록되어 있다.

기미 · 귀경 감(甘), 함(鹹), 온(溫) · 간(肝), 신(腎)

약효 보신장양(補腎壯陽), 산결소종(散結消腫)의 효능이 있으므로 신허양위(腎虛陽痿), 궁냉불잉(宮冷不孕), 유뇨(遺尿), 허천(虛喘), 타박상, 옹종창절(癰腫瘡癤)을 치료한다.

성분 cholesterol, Δ^4-cholesten-3-one, N-phenyl-β-phenylamine, cholesterdiol, myritic acid, palmitic acid, stearic acid 등이 함유되어 있다.

약리 에탄올추출물을 쥐에게 주사하면 발정 기간을 연장시키고, 자궁 난소의 무게가 증가한다. 쥐에게 해룡 가루를 매일 10g/kg을 먹이면 면역 증강 작용이 나타난다.

사용법 해룡 7g에 물 2컵(400mL)을 넣고 달여서 복용하거나 가루로 만들어 1~1.5g을 복용한다. 외용에는 기름과 섞어서 환부에 바른다.

＊ 중국에서는 '해룡 *Solenognathus kardwickii*'을 많이 사용하고 있다.

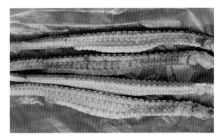

✿ 해룡(海龍)

✿ 실고기

[숭어과]

숭어

비위허약, 소화불량　　빈혈
산후어혈　　타박상

● 학명 : *Mugil cephalus* L.　● 영명 : Gray mullet

✿ 숭어

✿ 치어(鯔魚)

✿ 숭어(머리가 둥근 편이다.)

전장 80cm 정도. 몸은 납작한 원통형, 머리의 등쪽은 편편하다. 머리는 짧고 넓으며 등과 배쪽으로 납작하다. 눈은 머리의 양쪽 가운데 부분보다 앞에 있고 위로 붙으며 기름눈꺼풀이 있다. 등은 암갈색이고 배는 은백색이다. 몸의 양쪽 옆면에는 여러 줄의 짙은 빛깔을 띤 세로줄이 있다.

분포 · 생태 우리나라 남해, 동해, 서해. 중국, 일본. 치어는 떼를 지어 생활하고 여름에는 연안 또는 내만에 나타나며, 겨울에는 바다로 옮겨 간다.

약용 부위 · 수치 살(肉)을 채취하여 그대로 사용한다.

약물명 치어(鯔魚). 자어(子魚), 사어(梭魚)라고도 한다.

기미 · 귀경 감(甘), 평(平) · 비(脾), 위(胃), 폐(肺)

약효 익기건비(益氣健脾), 개위소식(開胃消食), 산어지통(散瘀止痛)의 효능이 있으므로 비위허약(脾胃虛弱), 소화불량, 빈혈, 산후어혈(産後瘀血), 타박상을 치료한다.

성분 thiamine, riboflavine, nicotinic acid, albumin, creatine, histamine, histidine decarboxylase, actomyosin, lecithine, tryptophane, lysine, alcohol dehydrogenase, vitamin B_{12}, taurochenodeoxycholic acid 등이 함유되어 있다.

사용법 치어 60~120g에 물을 넣고 달여서 복용한다.

네날가지

 음식적체

● 학명 : *Eleutheronema tetradactylum* Shaw   ● 영명 : Blind tassel fish

전장 40cm 정도. 몸은 측편되었으나 두껍고 방추형, 꼬리가 약간 높다. 주둥이는 짧지만 뾰족하게 돌출하였고, 입은 주둥이 아래쪽으로 열린다. 가슴지느러미는 두 부분으로 나뉘고 아래쪽 4개의 연조는 분리되어 실처럼 길다. 몸은 은백색으로 기조가 분리되지 않은 가슴지느러미의 윗부분은 흑색을 띠며 등과 꼬리지느러미의 가장자리도 어두운 색이다.

분포·생태 우리나라 남해, 동해, 서해. 중국, 일본, 타이완, 인도양. 내만이나 대륙붕의 모래, 개펄에 서식한다.

약용 부위·수치 살(肉)을 채취하여 그대로 사용한다.

약물명 사지마발(四肢馬鮁)

약효 소식화체(消食化滯)의 효능이 있으므로 음식적체(飮食積滯)를 치료한다.

사용법 사지마발 60~120g에 물을 넣고 달여서 복용한다.

○ 네날가지

드렁허리

● 허로   ● 감적   ● 양위
● 요통, 요슬산연, 풍한습비   ● 산후임력

● 학명 : *Monopterus albus* Zuiew   ● 영명 : Ricefield swamp eel

○ 드렁허리

전장 60cm 정도. 몸은 원통형, 가늘고 긴 장어형이다. 눈 뒤 가장자리부터 아가미구멍의 상단부까지는 주둥이의 앞 끝보다 높고, 아가미구멍 뒤끝부터는 다시 낮아진다. 위턱에는 이가 없거나 있더라도 융모형이다. 아래턱과 구개골에는 여러 줄로 된 날카로운 작은 이가 촘촘이 나 있다. 꼬리지느러미만 있다.

분포·생태 우리나라 남해, 서해. 중국, 일본, 인도네시아. 하천과 논 및 농수로에 서식하며, 머리만 내놓고 공기 호흡을 하고, 자라면서 암컷에서 수컷으로 성전환을 한다.

약용 부위·수치 포획하여 씻은 뒤 사용한다.

약물명 선어(鱔魚). 선(鱓), 황선(黃鱔), 선어(鱓魚)라고도 한다.

본초서 선어(鱔魚)는 「명의별록(名醫別錄)」에 처음 수재되었으며 "주보중익기(主補中益氣), 요침순(療沈脣)"이라고 기록되어 있다.

기미·귀경 감(甘), 온(溫)·간(肝), 비(脾), 신(腎)

약효 익기혈(益氣血), 보간신(補肝腎), 강근골(强筋骨), 거풍습(祛風濕)의 효능이 있으므로 허로(虛勞), 감적(疳積), 양위(陽痿), 요통, 요슬산연(腰膝酸軟), 풍한습비(風寒濕痺), 산후임력(産後淋瀝), 구리농혈(久痢膿血), 치루(痔漏), 염창(臁瘡)을 치료한다.

사용법 선어 100~250g에 물을 넣고 달여서 복용한다.

주의 허열(虛熱) 및 외감병(外感病)에는 신중을 기한다.

별우럭

 혈허두훈　　심계, 불면증

● 학명 : *Epinephelus fario* Thunberg　● 영명 : Black saddled grouper

전장 40cm 정도. 몸과 머리는 측편되고 눈은 머리의 등쪽에 있으며 두 눈 사이는 편평하고 눈 지름보다 좁다. 주둥이는 원주형에 가깝고 아래턱이 위턱보다 길다. 몸에는 적갈색 바탕에 동공보다 작은 붉은색 둥근 반점들이 빽빽하게 퍼져 있다. 등쪽에는 3개의 흑색 반점이 있다.

분포 · 생태 우리나라 부산, 통영. 중국, 일본, 타이완. 연안의 바위 부근에 서식한다.

약용 부위 · 수치 내장을 제거하고 물에 씻어서 사용한다.

약물명 석반어(石斑魚)

약효 양혈안신(養血安神)의 효능이 있으므로 혈허두훈(血虛頭暈), 심계(心悸), 불면증을 치료한다.

사용법 석반어 50~150g에 물 3컵(600mL)을 넣고 달여서 복용한다.

＊ '도도바리 *E. awoara*'도 약효가 같다.

○ 별우럭

농어

 비허사리, 소화불량, 감적　　수종
　　　　　근골위약　　태동불안　　창양

● 학명 : *Lateolabrax japonicus* Cuvier et Valenciennes　● 영명 : Sea perch

○ 농어

전장 1m 정도. 머리와 몸은 약간 납작하고 몸 빛깔은 등쪽이 회청색, 배쪽이 은백색을 띤다. 어릴 때는 옆구리와 등지느러미에 작은 흑색 점이 많이 흩어져 있으며 성장함에 따라 그 수가 적어진다. 각 지느러미는 짙은 회색이지만 배지느러미는 다른 지느러미에 비하여 흰 편이다.

분포 · 생태 우리나라 남해, 동해, 서해. 중국, 일본, 타이완. 어릴 때는 연안 얕은 곳의 해조류나 바위 지역에서 살다가 2~3년 자라면 연안에서 산다.

약용 부위 · 수치 살(肉)을 채취하여 물에 씻어서 말린다.

약물명 노어(鱸魚). 화노(花鱸), 노판(鱸板)이라고도 한다.

약효 익비위(益脾胃), 보간신(補肝腎)의 효능이 있으므로 비허사리(脾虛瀉痢), 소화불량, 감적(疳積), 수종(水腫), 근골위약(筋骨萎弱), 태동불안(胎動不安), 창양(瘡瘍)을 치료한다.

사용법 노어 100~150g에 물을 넣고 달여서 복용한다.

[꺽지과]

쏘가리

 허로영수　 비위허약, 장풍변혈

● 학명 : *Siniperca scherzeri* Stein.　● 영명 : Mandarin fish

○ 쏘가리

전장 60cm 정도. 몸은 옆으로 납작하지만 머리는 아래위로 납작하다. 제2등지느러미 연조 수는 13~14개, 뒷지느러미 연조 수는 8~10개, 새파 수 6개, 척추골 수는 26~29개이다. 머리는 길고 그 중앙의 양쪽으로 눈이 있다. 상악은 하악보다 약간 짧다. 등지느러미는 머리 뒤편에서 시작한다. 꼬리지느러미의 뒷부분은 거의 편평하며 측선은 뚜렷하다. 몸 전체가 황색을 띠며 흑갈색 반점이 있고, 배쪽은 백색이다.

분포 · 생태 우리나라, 중국, 일본. 물이 맑으며 자갈이나 바위가 많고 물살이 빠른 큰 강의 중류에 살면서 물고기를 잡아먹는다.

약용 부위 · 수치 살(肉)을 채취하여 물에 씻어서 그대로 사용하거나 말린다.

약물명 궐어(鱖魚). 궐돈(鱖豚), 수돈(水豚), 석계어(石桂魚)라고도 한다.

기미 · 귀경 감(甘), 평(平) · 비(脾), 위(胃)

약효 보기혈(補氣血), 익비위(益脾胃)의 효능이 있으므로 허로영수(虛勞羸瘦), 비위허약(脾胃虛弱), 장풍변혈(腸風便血)을 치료한다.

성분 살(肉) 100g에는 수분 77g, 단백질 18.5g, 지방 3.5g, 회분 1.1g, Mg 79mg, P 143mg, Fe 0.7mg, thiamin 0.01mg, riboflavin 0.1mg, nicotinic acid 1.9mg이 함유되어 있다.

사용법 궐어 100~150g에 물을 넣고 달여서 복용한다.

[전갱이과]

가라지

 비허범력, 식욕부진, 구리　 해혈

● 학명 : *Decapterus maruadsi* Temminck et Schlegel
● 영명 : White-tipped mackerel scad

전장 30cm 정도. 몸 색깔은 등쪽은 녹청색, 배쪽은 은백색을 띠며 각 지느러미는 담황색이다. 머리 부분의 비늘은 눈동자 앞 위쪽까지 덮여 있으며 뒷지느러미 앞쪽에는 분리된 2개의 가시가 있다.

분포 · 생태 우리나라, 중국, 일본. 겨울에는 남쪽 먼 바다로, 여름에는 연안이나 내만에 살면서 동물성 플랑크톤과 작은 물고기를 잡아 먹는다.

약용 부위 · 수치 살(肉)을 채취하여 그대로 사용한다.

약물명 남원소(藍圓鰺). 지어(池魚), 황전(黃鱄)이라고도 한다.

약효 건비익기(健脾益氣), 소식화적(消食化積)의 효능이 있으므로 비허범력(脾虛泛力), 식욕부진, 구리(久痢), 해혈(咳血)을 치료한다.

사용법 남원소 100~250g에 물을 넣고 달여서 복용하거나 가루로 만들어 복용한다.

○ 가라지

[민어과]

황강달이

 병후체허 소화불량

빈혈 유뇨

●학명 : *Collichthys lucidus* Richardson ●영명 : Croaker

○ 황강달이

전장 20cm 정도. 몸과 머리는 측편되고 머리 부분이 크며, 미병부는 매우 가늘다. 후두부에 왕관 모양의 골질 돌기가 있고, 돌기 사이에 1~3개의 작은 가시가 있다. 눈은 머리 중앙의 앞쪽에 있고 주둥이 앞의 외곽선은 반달 모양으로 둥글며 아래턱이 위턱보다 길다. 몸은 황색, 꼬리지느러미 가장자리는 흑색을 띤다.

분포·생태 우리나라. 중국, 일본. 큰 강의 하구와 내만 또는 수심 90m 미만의 연안에 서식하며, 산란기는 5~6월이다.

약용 부위·수치 내장을 제거하고 물에 씻어서 사용한다.

약물명 매동어(梅童魚). 매자어(梅子魚), 매자(梅子)라고도 한다.

약효 건비익기(健脾益氣), 양혈보신(養血補腎)의 효능이 있으므로 병후체허(病後體虛), 소화불량, 빈혈, 유뇨(遺尿)를 치료한다.

사용법 매동어 100~250g에 물을 넣고 달여서 복용하거나 가루로 만들어 복용한다.

＊ 꼬리지느러미 가장자리가 흑색을 띠지 않는 '눈강달이 *C. niveatus*'도 약효가 같다.

[민어과]

민어

소 비위허약, 복창, 소화불량, 설사

●학명 : *Miichthys miiuy* Basilewsky ●영명 : Brown croaker

전장 70cm 정도. 머리와 몸은 납작한 방추형이다. 눈은 머리 앞의 등쪽에 있고 눈 지름은 주둥이보다 약간 짧다. 주둥이 끝은 둥글고 양턱의 길이는 비슷하다. 등은 암갈색, 배는 광택이 있는 백색을 띤다. 등지느러미와 꼬리지느러미, 배지느러미는 흑색을 띤다.

분포·생태 우리나라 남해, 동해, 서해. 중국, 일본, 온대. 수심 40~120m의 바닥이 개흙인 곳에서 산다.

약용 부위·수치 살(肉)을 채취하여 물에 씻어서 그대로 사용한다.

약물명 면어(鮸魚). 면(鮸), 민어(敏魚), 민(鰵)이라고도 한다.

약효 보중익기(補中益氣), 건비이습(健脾利濕)의 효능이 있으므로 비위허약(脾胃虛弱), 복창(腹脹), 소화불량, 설사를 치료한다.

사용법 면어 50~90g에 물을 넣고 달여서 복용한다.

○ 민어

○ 면어(鮸魚, 말린 것)

○ 면어(鮸魚)

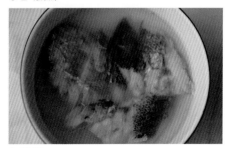

○ 민어탕

[민어과]

수조기

신허유정, 신염부종 / 산후복통

● 학명 : *Nibea albiflora* Richardson ● 영명 : Yellow drum

수조기

전장 45cm 정도. 머리와 몸은 측편되었고 긴 방추형이다. 전체적으로 은백색을 띤다. 주둥이 끝은 둥글고 위턱이 아래턱보다 약간 길다. 위턱의 뒤끝은 눈의 후단 아래에 이르며 아래턱의 아랫면에 5개의 구멍이 있다. 등지느러미와 뒷지느러미 연조부의 기저는 비늘로 덮여 있지 않다. 비늘 줄을 따라 흑색 줄무늬가 이어지지 않는다.

분포 · 생태 우리나라 남해, 서해. 중국, 일본, 온대. 수심 20~80m의 바닥이 갯벌인 곳에서 산다.

약용 부위 · 수치 내장을 제거하여 물에 씻어서 그대로 사용한다.

약물명 황고어(黃姑魚). 황고자(黃姑子), 동어(銅魚)라고도 한다.

약효 보신이수(補腎利水), 활혈지통(活血止痛)의 효능이 있으므로 신허유정(腎虛遺精), 신염부종(腎炎浮腫), 산후복통을 치료한다.

사용법 황고어 100~200g에 물을 넣고 달여서 복용한다.

[주둥치과]

주둥치

소화불량, 황달성간염

● 학명 : *Leiognathus nuchalis* Temminck et Schlegel ● 영명 : Slimy, Soapy

전장 15cm 정도. 머리와 몸은 측편되었고 달걀 모양, 등쪽은 회청색, 배쪽은 은백색이다. 눈은 크고 머리의 중앙보다 약간 위에 있으며 눈앞의 위쪽 가장자리에 2개의 가시가 있다. 주둥이는 눈 지름보다 짧지만 뾰족하고 입은 작다. 꼬리지느러미 뒤 가장자리는 깊게 패었다. 머리 뒤 등쪽에 크고 불규칙한 흑색 무늬가 있다.

분포 · 생태 우리나라 남해, 서해. 중국, 일본, 온대. 수심이 얕은 연안이나 기수역에 무리를 지어 유영하며, 산란기는 6월경이다.

약용 부위 · 수치 내장을 제거하여 물에 씻어서 그대로 사용한다.

약물명 벽어(鰏魚). 자화(仔花), 화벽(花鰏)이라고도 한다.

약효 건비익기(健脾益氣)의 효능이 있으므로 소화불량, 황달성간염을 치료한다.

사용법 벽어 100~150g에 물을 넣고 달여서 복용한다.

주둥치

군평선이

 병후체허   빈혈

시선염

● 학명 : *Hapalogenys mucronatus* Eydoux et Souleyet   ● 영명 : Belted beard grunt

전장 45cm 정도. 몸과 머리는 납작하고 체고가 높다. 머리는 삼각형, 눈은 머리의 중앙보다 위에 있다. 주둥이는 짧지만 뾰족하고 양턱의 길이는 비슷하다. 주새개골의 가장자리에 2개의 가시가 있다. 등지느러미는 극조부의 제3가시가 가장 강하고 길며 꼬리지느러미 뒤 가장자리는 둥글다.

분포 · 생태 우리나라 남해, 서해. 중국, 일본, 타이완. 대륙붕의 모래나 갯벌 지역에서 산다.

약용 부위 · 수치 부레를 채취하여 물에 씻어서 말린다.

약물명 해후표(海猴鰾)

약효 보기양혈(補氣養血), 소종해독(消腫解毒)의 효능이 있으므로 병후체허(病後體虛), 빈혈, 시선염(腮腺炎)을 치료한다.

사용법 해후표 10~15g에 물 3컵(600mL)을 넣고 달여서 복용한다.

❂ 군평선이

납작돔

 소아경풍   고열

이질

● 학명 : *Scatophagus argus* L.   ● 영명 : Spotted scat

전장 35cm 정도. 몸과 머리는 심하게 측편되었고 체고가 높다. 몸은 빗비늘로 덮여 있고, 제1등지느러미의 제1극조는 전방을 향하여 거의 수평으로 굽어 있다. 측선은 완전하며, 측선공비늘 수는 85~120개, 새파 수는 4~5개이고 유문의 수는 7개이다. 몸에는 흑색 반점이 흩어져 있다. 지느러미에는 흑색의 세로무늬가 있다.

분포 · 생태 우리나라 서해. 중국, 일본, 타이완. 어릴 때는 기수역에서 서식하지만, 성어가 되면 수심이 낮은 바다나 흐린 해수에서 산다.

약용 부위 · 수치 담낭을 채취하여 물에 씻어서 말린다.

약물명 금전어담(金錢魚膽). 금고(金鼓), 금고어(金鼓魚)라고도 한다.

약효 평간식풍(平肝熄風), 청열해독(清熱解毒)의 효능이 있으므로 소아경풍(小兒驚風), 고열(高熱), 이질을 치료한다.

성분 lysozyme이 함유되어 있다.

사용법 금전어담 3~5개를 가루로 만들어 복용한다.

❂ 납작돔

독가시치

 중이염

●학명 : *Siganus fuscescens* Houttuyn ●영명 : Rabbit fish

전장 30cm 정도. 몸과 머리는 심하게 측편되었고 체고가 약간 높으며 미병부가 가늘다. 머리는 작고, 눈이 커서 눈 지름은 주둥이 길이와 비슷하다. 등지느러미의 극조부와 연조부는 얕은 홈에 의하여 구분된다. 몸은 다갈색 또는 녹갈색 바탕에 타원형의 작은 백색 반점들이 있다.

분포·생태 우리나라 서해. 중국, 일본, 타이완. 수심이 낮은 바다나 흐린 해수에서 산다.

약용 부위·수치 담낭을 채취하여 물에 씻어서 말린다.

약물명 남자어담(藍子魚膽). 여맹(黎猛)이라고도 한다.

약효 청열해독(淸熱解毒)의 효능이 있으므로 중이염을 치료한다.

사용법 남자어담을 연고로 만들어 바른다.

 독가시치

갈치

병후체허   산후유즙부족

창절옹종, 외상출혈

●학명 : *Trichiurus lepturus* L. ●영명 : Pacific cutlass fish

○ 대어(帶魚)

전장 1.5m 정도. 몸 색깔은 은백색, 광택이 난다. 몸 전체 모양은 허리띠처럼 생겼고 특히 꼬리지느러미는 없다. 머리는 작고, 주둥이는 뾰족하며 아래턱이 위턱보다 돌출되었다. 양턱에는 강한 이가 많다. 등지느러미는 머리 뒤에서 꼬리까지 길게 이어지고 뒷지느러미도 길다.

분포·생태 우리나라 남해, 서해. 중국, 일본, 온대, 열대. 먼바다의 저층부에 살고 밤에는 바다 위로 떠오른다.

약용 부위·수치 살(肉)을 채취하여 물에 씻어서 그대로 사용한다.

약물명 대어(帶魚). 편어(鞭魚), 대류(帶柳)라고도 한다.

약효 보허(補虛), 해독, 지혈(止血)의 효능이 있으므로 병후체허(病後體虛), 산후유즙부족, 창절옹종(瘡癤癰腫), 외상출혈을 치료한다.

사용법 대어 150~250g에 물을 넣고 달여서 복용하고, 외상출혈에는 껍질을 벗겨서 바른다.

○ 갈치

[고등어과]

삼치

🐟 병후허약	♀ 산후허약
🌙 조쇠	🐟 신경쇠약

● 학명 : *Scomberomorus niphonius* Cuvier et Valenciennes
● 영명 : Japanese mackerel

최대 전장 100cm 정도. 몸은 길고 체고가 낮은 방추형이다. 눈은 머리의 중앙보다 위에 있고 주둥이는 뾰족하다. 꼬리지느러미 뒤 가장자리는 안쪽으로 깊게 패였다. 측선은 제2등지느러미 극조부의 후반부에서 아래쪽으로 휘어져 내려온다. 등은 청색이고 배는 은백색을 띤다.

분포 · 생태 우리나라 남해, 동해, 서해. 중국, 일본, 아열대 해역. 대륙붕과 연안의 표층에 살며, 산란기는 4~5월이다.

약용 부위 · 수치 살(肉)을 채취하여 물에 씻어서 그대로 사용한다.

약물명 마교어(馬鮫魚). 춘(鰆), 발(鱍), 마발어(馬鱍魚)라고도 한다.

약효 자보강장(滋補强壯)의 효능이 있으므로 병후허약(病後虛弱), 산후허약(産後虛弱), 조쇠(早衰), 신경쇠약을 치료한다.

성분 lipid−soluble toxin, ciguatoxin−like substrate, docosahexaenoic acid, eicosapentaenoic acid 등이 함유되어 있다.

사용법 마교어 50~100g에 물을 넣고 달여서 복용한다.

○ 삼치

[병어과]

병어

🐟 비위허약	🌙 혈허, 병후허약
🐟 근골산통, 사지마목	

● 학명 : *Pampus argenteus* Euphrasen　● 영명 : Silver pomfret

전장 60cm 정도. 몸과 머리는 측편되었고, 중간 부분의 체고가 높은 마름모꼴이다. 눈은 머리의 중앙에 있고, 눈 지름은 주둥이 길이와 비슷하다. 주둥이는 짧고 끝은 둥글다. 등지느러미와 뒷지느러미는 낫과 같이 안쪽으로 패었으며 배지느러미는 없다. 꼬리지느러미 뒤 가장자리는 깊게 패었고 몸 전체가 금속성 광택을 띤 은백색이고 비늘이 쉽게 벗겨진다.

분포 · 생태 우리나라 남해, 서해. 중국, 일본, 인도양. 대륙붕의 모랫바닥이나 갯벌 바닥의 저층부에 서식한다.

약용 부위 · 수치 내장을 제거하여 물에 씻어서 그대로 사용한다.

약물명 창어(鯧魚). 창후어(鯧侯魚)라고도 한다.

약효 익기양혈(益氣養血), 서근이골(舒筋利骨)의 효능이 있으므로 비위허약(脾胃虛弱), 혈허(血虛), 병후허약, 근골산통(筋骨酸痛), 사지마목(四肢麻木)을 치료한다.

성분 dimethylamine, methylamine, isobutylamine, ethylamine, diethylamine 등이 함유되어 있다.

사용법 창어 50~60g에 물을 넣고 달여서 복용한다.

＊ 본 종에 비하여 꼬리지느러미가 짧은 '중국병어 *P. chinensis*', 배지느러미가 긴 '덕대 *P. echinogaster*'도 약효가 같다.

○ 병어

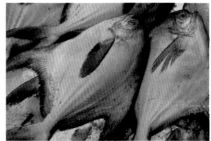

○ 덕대

동사리

비허식소 | 수종
습창, 개선

● 학명 : *Odontobutis platycephala* Iwata   ● 영명 : Korean dark sleeper

◆ 동사리

전장 13cm 정도. 몸의 앞부분은 원통형이지만 뒤로 갈수록 옆으로 납작해져 꼬리자루까지 이어진다. 제2지느러미의 연조 수는 7~8개, 뒷지느러미의 연조 수는 6~7개, 측선 비늘 수는 45~50개, 척추골은 30~32개이다. 눈은 작고 머리의 등쪽에 있다. 주둥이는 크고 입은 그 끝에서 열리는데 크다. 전새개골에는 가시가 없다. 배지느러미는 가슴지느러미의 아래쪽에 있다. 몸체는 황갈색 바탕에 흑갈색 반점이 드문드문 있다.

분포·생태 우리나라. 중국, 일본. 강의 상류나 중류의 유속이 완만한 모래나 자갈이 많은 곳에서 산다.

약용 부위·수치 비늘과 내장을 제거하고 물에 깨끗이 씻어서 사용한다.

약물명 토부(土附). 토부(土部), 탕부(蕩部), 탕어(蕩魚)라고도 한다.

약효 보비익기(補脾益氣), 제습이수(除濕利水)의 효능이 있으므로 비허식소(脾虛食少), 수종(水腫), 습창(濕瘡), 개선(疥癬)을 치료한다.

사용법 토부 100~200g에 물을 넣고 달여서 복용한다.

문절망둑

허한복통, 위통, 소화불량
양위, 유정, 조설, 소변임력

● 학명 : *Acanthogobius flavimanus* Temminck et Schlegel   ● 영명 : Genuine goby

전장 20cm 정도. 앞부분은 크고 원통형이다. 색깔은 담갈색이며 짙은 갈색 반점이 흩어져 있고 등쪽이 진하고 배쪽이 연하다.

등지느러미와 꼬리지느러미, 배지느러미에는 흑색 점이 경사를 이루어 배열되어 있다. 눈은 작고 입은 큰 편이며 배지느러미

◆ 문절망둑

는 흡반형이다.

분포·생태 우리나라 남해, 동해, 서해. 중국, 일본, 온대. 연안 내만이나 하천 입구, 얕은 바다 사니질 바닥에 살며 Y자형 굴을 파고 산란하는 습성이 있다. 새우, 게, 물고기 살을 먹고 산다.

약용 부위·수치 살(肉)을 채취하여 물에 씻어서 그대로 사용하거나 말린다.

약물명 하호어(鰕虎魚). 사(鯊), 취사(吹沙)라고도 한다.

기미·귀경 감(甘), 함(鹹), 평(平)·비(脾), 위(胃), 신(腎)

약효 온중익기(溫中益氣), 보신장양(補腎壯陽)의 효능이 있으므로 허한복통(虛寒腹痛), 위통, 소화불량, 양위(陽痿), 유정(遺精), 조설(早泄), 소변임력(小便淋瀝)을 치료한다.

성분 actomyosin, lecithin, tetrodotoxin, carotenoids, tunaxanthin, lutein, zeaxanthin, cryptoxanthin, astacene, α-doradecin 등이 함유되어 있다.

사용법 하호어 50~90g에 물을 넣고 달여서 복용한다.

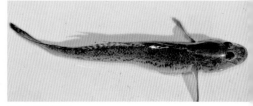

◆ 문절망둑(등쪽)

[망둑어과]

짱뚱어

 신허양위, 소아유뇨　 요통, 요산

이명, 이롱　현훈

● 학명 : *Boleophthalmus pectinirostris* L.　● 영명 : Blue-spotted mud hopper

❂ 짱뚱어

전장 20cm 정도. 몸은 길고 앞부분은 원통형, 뒤로 갈수록 납작해진다. 머리는 크고 눈은 위로 볼록 솟았으며 두 눈 사이는 좁다. 주둥이는 끝이 뭉툭하고 입은 아래쪽에 수평으로 열린다. 양턱의 길이는 거의 비슷하다. 몸은 회청색, 배는 연한 색을 띠며 몸 전체와 등지느러미, 꼬리지느러미에 백색 반점이 산재한다.

분포 · 생태 우리나라 남해, 서해. 중국, 일본, 온대. 하구나 연안의 갯벌에 서식하며, 가슴지느러미를 이용하여 바닥을 기어 다닌다. 산란기는 여름철이며 동물성 플랑크톤을 먹고 산다.

약용 부위 · 수치 살(肉)을 채취하여 물에 씻어서 그대로 사용하거나 말린다.

약물명 탄도어(彈涂魚), 도도어(跳跳魚), 니후(泥猴)라고도 한다.

약효 보신장양(補腎壯陽)의 효능이 있으므로 신허양위(腎虛陽痿), 요통, 요산(腰酸), 이명(耳鳴), 이롱(耳聾), 현훈(眩暈), 소아유뇨를 치료한다.

성분 glucose, fructose, xylose, galactose, glucose-6-phosphate, glucose-1-phosphate, fructose-1-phosphate, fructose-6-phosphate, fructose-1,6-diphosphate 등이 함유되어 있다.

사용법 탄도어 60~120g에 물을 넣고 삶아서 복용한다.

[가물치과]

가물치

 신면부종　임신수종, 산후유소, 습관성유산

습비, 각기　폐로체허

● 학명 : *Channa argus* Cantor [*Ophiocephalus argus* Cantor]　● 영명 : Snakehead

전장 70cm 정도. 몸체는 가늘며 길고 몸통은 원통형이다. 척추골 수 56개, 위턱과 아래턱에는 날카로운 송곳니 형태의 이빨이 일렬로 배열되어 있고, 혀에는 이빨 모양의 단단한 육질 돌기가 있으며, 등 및 꼬리지느러미는 회흑색을 띤다.

분포 · 생태 우리나라. 중국, 일본, 사할린. 연못, 수초가 우거진 하천이나 호수, 농수로 등에 살며, 식성은 잡식성이다.

약용 부위 · 수치 살(肉)을 채취하여 물에 씻어서 그대로 사용하거나 말린다.

약물명 예어(鱧魚), 동어(鮦魚), 흑예어(黑鱧魚)라고도 한다.

본초서 예어(鱧魚)는 「신농본초경(神農本草經)」에 수재되어 있을 정도로 오랫동안 사용되어 온 약재이다.

神農本草經: 主濕痺, 面目浮腫, 下大水.
名醫別錄: 療五痔.
本草圖經: 主姙娠有水氣.

기미 · 귀경 감(甘), 양(涼) · 비(脾), 위(胃), 폐(肺), 신(腎)

약효 보비익위(補脾益胃), 이수소종(利水消腫)의 효능이 있으므로 신면부종(身面浮腫), 임신수종(姙娠水腫), 습비(濕痺), 각기, 산후유소(産後乳少), 습관성유산, 폐로체허, 위완창만(胃脘脹滿), 장풍급치창하혈(腸風及痔瘡下血), 개선(疥癬)을 치료한다.

성분 살(肉) 100g당 수분 78g, 단백질 19.8g, 지방 1.4g, 회분 1.2g, Mg 57mg, P 163mg, Fe 0.5mg, thiamine 0.03mg, riboflavine 0.25mg, nicotinic acid 2.8mg, 3-methylhistidine 등이 함유되어 있다.

사용법 예어 한 마리에 물을 넣고 삶아서 식전에 한 찻잔 복용하거나 죽을 쑤어서 복용한다. 때로는 말린 것을 가루로 만들어 1회 10~15g씩 복용한다.

❂ 가물치

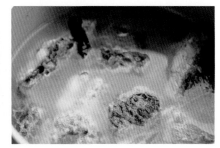

❂ 예어탕(鱧魚湯)

[양볼락과]

쑤기미

 요퇴산연동통   간염
농양불렴, 습진

● 학명 : *Inimicus japonicus* Cuvier ● 영명 : Devil stinger

전장 25cm 정도. 몸의 앞부분은 크고 원통형, 배가 불룩하다. 눈이 작고 머리의 등쪽 외곽선에 깊은 홈이 있으며, 등지느러미 앞에서 주둥이 끝에 이르는 부분은 굴곡이 심하다. 새파 수는 10~12개, 척추골 수는 26~29개이다. 피부는 거칠고 융모상의 피부 돌기들이 많으며, 보통 암갈색~적갈색을 띤다.

분포 · 생태 우리나라 남해, 동해, 서해. 중국, 일본, 온대. 수심 150m 이내인 연안의 모래나 진흙 바닥에서 살며 작은 어류 등을 먹는다.

약용 부위 · 수치 살(肉)을 채취하여 물에 씻어서 그대로 사용하거나 말린다.

약물명 어호(魚虎). 토노어(土奴魚), 노호어(老虎魚)라고도 한다.

약효 자양간신(滋養肝腎), 청열해독(淸熱解毒)의 효능이 있으므로 요퇴산연동통(腰腿酸軟疼痛), 간염, 농양불렴(膿瘍不斂), 습진을 치료한다.

성분 androstenedione, testosterone, 11-oxotestosterone, 11β-hydroxytestosterone, hydroxyproline이 함유되어 있다.

약리 열수추출물은 평활근과 골격근을 이완시킨다.

사용법 어호 100~200g에 물을 넣고 달여서 복용한다.

○ 쑤기미

○ 쑤기미(모랫바닥에 산다.)

[성대과]

성대

 병후체허   식욕부진
신경쇠약 풍습동통

● 학명 : *Chelidonichthys spinosus* McClelland ● 영명 : Bluefin sea robin

전장 40cm 정도. 머리는 단단하고 아랫면은 편평하다. 가슴지느러미는 등지느러미 연조부의 제7~11연조까지 이르고 아래의 연조 3개는 분리되었다. 등지느러미 아래쪽 등의 외곽선에 23~25개의 골질판이 있다. 가슴지느러미 안쪽은 진한 녹색을 띠고 바깥쪽에는 파란색의 작고 둥근 점들이 흩어져 있다.

분포 · 생태 우리나라 남해, 동해, 서해. 중국, 일본, 온대. 수심 20~650m의 모래나 진흙 바닥에서 살며 주로 새우류를 먹는다.

약용 부위 · 수치 내장을 제거하고 물에 씻어서 그대로 사용한다.

약물명 녹기어(綠鰭魚). 녹시(祿翅)라고도 한다.

약효 익기성비(益氣腥脾), 거풍습(祛風濕)의 효능이 있으므로 병후체허(病後體虛), 식욕부진, 신경쇠약, 풍습동통(風濕疼痛)을 치료한다.

성분 L-histidine, carnosine, anserine, 1-and-3-methyl-L-histidine 등이 함유되어 있다.

사용법 녹기어 100~200g에 물을 넣고 달여서 복용한다.

○ 성대

[양태과]

양태

 만성수종　간경화복수　풍습성관절염

● 학명 : *Platycephalus indicus* Temminck et Schlegel　● 영명 : Bartail flathead

❂ 양태

전장 60cm 정도. 몸은 길고 종편되었고, 배는 편평하여 몸의 단면은 삼각형을 이룬다. 눈은 머리의 등쪽에 있으며, 아래턱이 위턱보다 길다. 전새개골에 2개의 가시가 있다. 등은 담갈색 바탕에 흑갈색 점들이 흩어져 있고, 너비가 넓고 어두운 세로 구름무늬가 있다. 배는 백색을 띠고, 등지느러미의 연조부에 흑색 점들이 줄지어 있다.

분포 · 생태 우리나라 남해, 서해. 중국, 일본, 오스트레일리아. 연안 얕은 곳의 모래나 진흙 바닥에 서식하며, 산란기는 5월이다.

약용 부위 · 수치 내장을 제거하고 물에 씻어서 그대로 사용한다.

약물명 용어(鲬魚). 우미어(牛尾魚), 백갑어(百甲魚), 죽갑(竹甲)이라고도 한다.

약효 이수소종(利水消腫), 연견산결(軟堅散結)의 효능이 있으므로 만성수종(慢性水腫), 간경화복수(肝硬化腹水), 풍습성관절염을 치료한다.

성분 palmitic acid, oleic acid, docosahexaenoic acid, trimethylamine oxide, pristane 등이 함유되어 있다.

사용법 용어 100~200g에 물을 넣고 달여서 복용한다.

[둑중개과]

꺽정이

 비허식소, 위완동통

● 학명 : *Trachidermus fasciatus* Heckel　● 영명 : Rough skin sculpin

❂ 꺽정이

전장 20cm 정도. 몸은 원통형, 길고 머리는 종편되었다. 두 눈 사이는 약간 패었고, 눈 아래와 후두에 뚜렷한 골질융기연이 있다. 전새개골에 4개의 가시가 있고, 끝이 둥글게 휘어졌다. 등과 체측은 녹색을 띤 담갈색 바탕에 4~5개의 불규칙한 흑갈색 구름무늬가 있으며, 배는 백색이다.

분포 · 생태 우리나라 서해. 중국, 일본, 오스트레일리아. 연안 얕은 곳에 살며, 겨울철에 내만이나 강의 기수역에서 조개껍데기에 산란한다.

약용 부위 · 수치 내장을 제거하고 물에 씻어서 그대로 사용한다.

약물명 두부어(杜父魚). 도부어(渡父魚)라고도 한다.

약효 건비익기(健脾益氣)의 효능이 있으므로 비허식소(脾虛食少), 위완동통(胃脘疼痛)을 치료한다.

사용법 두부어 30~60g에 물을 넣고 달여서 복용한다.

[가자미과]

도다리

- 비위허약, 소화불량, 급성위장염
- 돈어중독

●학명 : *Pleuronichthys cornutus* Temminck et Schlegel ●영명 : Frog flounder

전장 30cm 정도. 몸 색깔은 눈이 있는 쪽은 약간 청색을 띤 흑갈색이며, 눈이 없는 쪽은 백색이지만 등쪽과 배쪽 중앙에서 꼬리까지의 가장자리에는 황색 띠가 있다. 몸은 타원형, 매우 납작하고 머리의 등쪽은 윗눈 근처에서 약간 오목하다.

분포·생태 우리나라 남해, 동해, 서해. 중국, 일본, 온대. 수심 150m 이내의 갯벌이나 모래가 있는 곳에서 살며 갯지렁이류, 새우류, 게류, 곤쟁이류, 단각류, 어류, 해조류 등을 먹고 산다.

약용 부위·수치 살(肉)을 채취하여 물에 씻어서 그대로 사용하거나 말린다.

약물명 비목어(比目魚). 접(鰈)이라고도 한다.

약효 건비익기(健脾益氣), 해독의 효능이 있으므로 비위허약(脾胃虛弱), 소화불량, 급성위장염, 돈어중독(魨魚中毒)을 치료한다.

사용법 비목어 100~200g에 물을 넣고 달여서 복용한다.

※ 본 종에 비하여 눈이 오른쪽으로 치우쳐 있는 '광어 *Paralichthys olivaeus*', 몸이 긴 타원형인 '서대 *Cynoglossus joyneri*'도 약효가 같다.

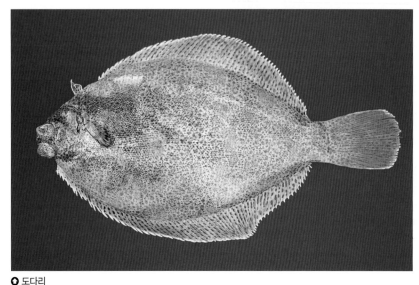

❍ 도다리

❍ 비목어(比目魚)

[은비늘치과]

은비늘치

- 위병토혈
- 유선염
- 임파결핵

●학명 : *Triacanthus biaculeatus* Bloch ●영명 : Triple spine

전장 25~30cm. 몸은 긴 달걀 모양, 미병부는 가늘고 길다. 눈은 머리의 등쪽에 있고, 주둥이 끝은 약간 뾰족하며 입은 그 끝에 작게 열린다. 등지느러미는 극조부와 연조부로 구분되며, 제1극조는 송곳과 같이 크고 단단한 가시로 변형되었다. 등은 은청색, 배는 은백색을 띤다. 등지느러미의 극조부는 흑색, 가슴지느러미와 꼬리지느러미는 황색을 띤다.

분포·생태 우리나라 남해, 동해. 중국, 일본, 오스트레일리아, 인도양. 얕은 바다의 저층부에 무리를 지어 서식한다.

약용 부위·수치 내장을 제거하고 그대로 사용한다.

약물명 삼자돈(三刺魨). 해아어(海兒魚)라고도 한다.

약효 익위지혈(益胃止血), 소종산결(消腫散結)의 효능이 있으므로 위병토혈(胃病吐血), 유선염, 임파결핵을 치료한다.

사용법 삼자돈 100~200g에 물을 넣고 달여서 복용한다.

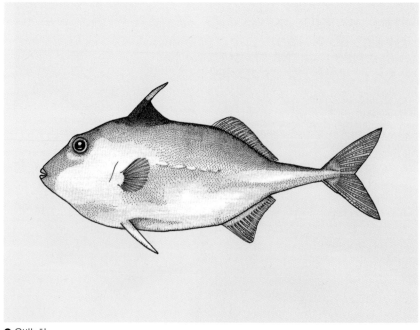

❍ 은비늘치

[참복과]

황복

| 양위, 유뇨 | 현훈 |
| 요슬산연, 풍습비통 | 피부소양 |

●학명 : *Takifugu obscurus* Abe ●영명 : River puffer

전장 45cm 정도. 몸은 곤봉형, 눈은 작고 머리 중간의 등쪽에 있다. 주둥이는 길고 뭉툭하며, 입은 그 끝에 작게 열린다. 양턱에는 강하고 납작한 이가 있다. 피부는 가시들이 돋아 있어 거칠다. 등은 흑갈색, 배는 백색을 띠며 몸 중앙에 황색 세로 줄무늬가 있다. 등지느러미 기부와 가슴지느러미 후방에 흑색 반점이 있다.

분포·생태 우리나라 서해. 중국, 일본, 온대. 연안이나 기수역에 서식하고 모래 속에 숨는 습성이 있다. 난소와 간장, 피부에 강한 독이 있고, 정소와 근육에는 독이 없다.

❍ 황복

약용 부위·수치 내장, 피, 껍질, 머리를 제거하고, 살코기를 채취하여 물에 씻어서 그대로 사용하거나 말린다.

약물명 하돈(河魨). 적규(赤鮭), 후이어(鯸鮧魚), 규어(鮭魚)라고도 한다.

본초서 「일화자본초(日華子本草)」에 "양(凉), 유독하고, 노근(蘆根)과 감람(橄欖) 등으로 해독한다."라 하였고, 「본초연의(本草衍義)」에 유대독(有大毒)이라고 기록되어 있다.

기미·귀경 감(甘), 온(溫), 유독(有毒)·간(肝), 신(腎)

약효 자보간신(滋補肝腎), 거습지통(祛濕止痛)의 효능이 있으므로 양위(陽痿), 유뇨(遺尿), 현훈(眩暈), 요슬산연(腰膝酸軟), 풍습비통(風濕痺痛), 피부소양(皮膚瘙痒)을 치료한다.

성분 tetrodotoxin(TTX), 4-*epi*-TTX, anhydro-TTX, betaine, ADP, IMP, AMP, ATP, hypoxanthine 등이 함유되어 있다.

약리 지혈 작용, 국소 마취 작용, 심혈관계 작용, 진통 작용, 면역력 증강 작용, 항생 작용 등이 있다.

사용법 하돈 적당량에 물을 넣고 달여서 복용한다.

주의 난소와 간장, 피부에 강한 독이 있으므로 반드시 제거하고 사용하여야 한다.

[가시복과]

가시복

| 노년한해, 효천 | 유정, 유뇨, 요혈 |
| 신경쇠약 | 부종 |

●학명 : *Diodon holocanthus* L. ●영명 : Balloonfish

❍ 가시복

전장 40cm 정도. 몸은 굵고 짧은 편이지만 비늘이 변형된 가시가 몸 표면에 많이 나 있다. 가시는 움직일 수 있으며 단단하고 길다. 몸 색깔은 등쪽이 흑갈색, 배쪽이 백색이며 흑색 반점들이 몸 전체를 덮고 있으나 성장함에 따라 변한다.

분포·생태 우리나라 남해, 서해. 중국, 일본, 온대, 열대. 봄과 여름에 걸쳐 쿠로시오 해류를 따라 북상하여 가을과 봄에 큰 무리를 이루어 연안으로 몰려온다.

약용 부위·수치 껍질을 채취하여 물에 씻어서 그대로 사용하거나 말린다.

약물명 자돈피(刺魨皮). 구어피(龜魚皮)라고도 한다.

약효 보신익폐(補腎益肺), 양간(養肝)의 효능이 있으므로 노년한해(老年寒咳), 효천(哮喘), 유정(遺精), 유뇨(遺尿), 요혈(尿血), 신경쇠약, 부종을 치료한다.

성분 2′,3′-cycloadenosin monophosphate-3-phosphoester hydrolase가 함유되어 있다.

약리 쥐에게 자돈피(刺魨皮)를 투여하면 백혈구가 증가한다.

독성 쥐에게 투여 시 LD_{50}은 15mg/kg이다.

사용법 자돈피 적당량에 물을 넣고 달여서 복용한다.

말쥐치

 소화기관출혈, 위염 　 유선염

●학명 : *Thamnaconus modestus* Günther　●영명 : Black scraper, Filefish

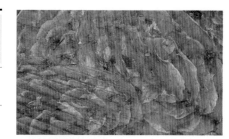

⊙ 마면돈(馬面魨)

전장 35cm 정도. 몸과 머리는 납작하며 체고는 배지느러미 기부에서 가장 높다. 등쪽은 회청색, 배쪽은 밤색, 회갈색을 띤다. 등지느러미와 뒷지느러미는 녹청색, 가슴지느러미와 꼬리지느러미는 암청색을 띤다.

분포 · 생태 우리나라 남해, 서해. 중국, 일본, 아프리카. 연안 저층에 살며 플랑크톤, 부착생물을 먹이로 한다.

약용 부위 · 수치 살을 채취하여 그대로 사용하거나 말린다.

약물명 마면돈(馬面魨)

약효 지혈해독(止血解毒), 건위소식(健胃消食)의 효능이 있으므로 소화기관출혈, 유선염, 위염을 치료한다.

사용법 마면돈 적당량에 물을 넣고 달여서 복용한다.

⊙ 말쥐치

개복치

 타박상, 탕화상

●학명 : *Mola mola* L.　●영명 : Common mola, Ocean sunfish

전장 3m 정도. 몸은 측편되었고 둥근 난원형이다. 양턱의 이는 융합되어 1개씩의 큰 치판을 형성한다. 꼬리지느러미가 변형된 키지느러미가 돌출되어 있지 않아 몸의 후단은 절단된 것 같다.

분포 · 생태 우리나라 남해, 동해. 중국, 일본, 온대, 열대 해역. 해파리와 갑각류를 주로 먹는다.

약용 부위 · 수치 간을 채취하여 기름을 짜서 사용한다.

약물명 번차돈(翻車魨)

약효 활혈생기(活血生肌)의 효능이 있으므로 타박상과 탕화상을 치료한다.

사용법 번차돈 기름을 상처 부위에 바른다.

⊙ 개복치

해아

　 소아담해 　 영류담결

　 복사

●학명 : *Pegasus laternarius* Cuvier

전장 7~10cm. 몸은 편평하며, 등쪽 연조 수는 5개, 척추 수는 20개, 황백색, 청색 등 다양한 색을 띤다. 머리 뒤쪽과 안구 주위에 깊은 구멍이 있다. 배와 꼬리 부분에는 융합된 11개 이상의 결절이 있다. 가슴 양쪽의 지느러미는 배나 꼬리의 것보다 훨씬 크다.

분포 · 생태 중국, 타이완. 플랑크톤이나 작은 새우류를 주로 먹는다.

약용 부위 · 수치 전체를 말려서 사용한다.

약물명 해아(海蛾). 해마작(海麻雀), 해연(海燕), 해천구(咳喘狗)라고도 한다.

약효 화담지해(化痰止咳), 소영산결(消廮散結), 지사(止瀉)의 효능이 있으므로 소아담해(小兒痰咳), 영류담결(瘿瘤痰結), 복사(腹瀉)를 치료한다.

사용법 해아 7마리에 적당량의 물을 넣고 달여서 복용한다.

⊙ 해아(海蛾)

아귀

 창절　　　　👁 치주염

●학명 : *Lophiomus setigerus* L.　●영명 : Angler

전장 1m 정도. 몸은 '황아귀'와 비슷하나 매우 납작하고 머리는 너비가 넓다. 몸 색깔은 회색, 담색의 반점이 산재한다. 입속은 흑색, 복간막(覆間膜)은 백색이다. 혀 앞쪽은 흑색 바탕에 둥근 황색 반문이 있다. 입은 앞쪽에 있으며 매우 크다. 아래턱은 위턱보다 길고, 위와 아래 양턱에는 강하고 크기가 여러 가지인 빗 모양의 이빨이 빽빽이 나 있다. 등지느러미는 4개의 가시가 있는데, 제1가시가 제2가시보다 길다.

분포 · 생태 우리나라. 중국, 일본, 타이완, 필리핀, 아프리카, 멕시코, 태평양 연안. 수심 30~500m의 모래 또는 갯벌 바닥에 서식한다. 산란기는 3~4월이다.

약용 부위 · 수치 머리뼈를 채취하여 말린다.

약물명 황안강(黃鮟鱇). 노두어(老頭魚), 결파어(結巴魚)라고도 한다.

약효 해독소종(解毒消腫)의 효능이 있으므로 창절(瘡癤), 치주염을 치료한다.

사용법 황안강 6~9g에 물 2컵(400mL)을 넣고 달여서 복용하거나 가루로 만들어서 복용한다. 외용에는 가루로 만들어 환부에 바르거나 뿌린다.

＊본 종에 비하여 색깔이 노란 '황아귀 *L. litulon*'도 약효가 같다.

＊「중국약용해양생물(中國藥用海洋生物)」에는 "염증을 제거하고 제산(制酸) 효과가 있으며 열을 내리고 독을 풀어 주므로 위염이나 위산과다증에 좋다."고 기록되어 있다.

❂ 아귀

❂ 황안강(黃鮟鱇)

빨강부치

🫘 소아유뇨

●학명 : *Halieutaea stellata* Vahl.　●영명 : Red batfish

전장 35cm 정도. 몸은 심하게 종편되었고, 머리는 체반을 형성하며, 체반은 둥근 형태이다. 등쪽은 날카로운 가시로 완전히 덮여 있으며, 배쪽은 작은 가시가 있어서 까끌까끌하다. 주둥이는 매우 짧고 앞부분은 둥글다. 몸체는 분홍색을 띤다.

분포 · 생태 우리나라 서해 남부. 중국, 일본, 타이완, 필리핀, 아프리카, 멕시코, 태평양 연안. 수심 50~100m의 모래 또는 갯벌 바닥에 서식하며, 게, 새우 등 갑각류와 조개류를 잡아먹는다.

약용 부위 · 수치 고기를 채취하여 말린다.

약물명 홍갑어(紅甲魚)

약효 보신축뇨(補腎縮尿)의 효능이 있으므로 소아유뇨(小兒遺尿)를 치료한다.

사용법 홍갑어 100~200g에 물을 넣고 달여서 복용한다.

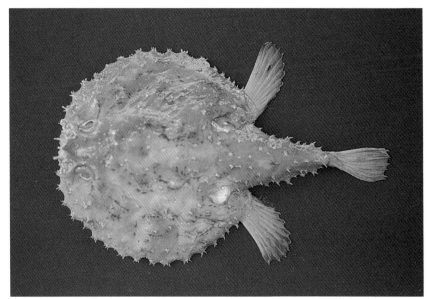
❂ 빨강부치

양서류(兩棲類, Amphibia)

어릴 때는 민물에서 살고, 성체가 되면 물속 또는 육상에서 생활한다. 유생 시대에는 아가미로 호흡하고 지느러미를 가지지만 변태함에 따라서 다리가 생기고, 성장하면서 아가미가 퇴화하고 육상에 올라가면 허파가 생겨서 콧구멍을 통하여 호흡한다. 몸 표면은 매끈하고 많은 점액선을 가지고 있어서 축축하며, 경골성 내골격을 가지며, 체형의 변화가 많아서 대부분 4개의 다리를 가지며 물갈퀴가 있는 발을 가진다. 입은 보통 크고, 위턱 또는 양턱에 작은 이빨이 있고, 2개의 콧구멍은 입속의 앞부분에서 열린다. 암수딴몸이고, 알은 끈끈한 막으로 싸인다.

[두꺼비과]

큰두꺼비

 옹저, 정창, 발배, 나력, 악창, 파상풍

 징가벽적, 고창　수종　만성해천

●학명 : *Bufo bufo gargarizans* Cantor　●영명 : Big toad　●한자명 : 中華大蟾蜍

몸길이 7~12cm. 머리 부분이 넓고 길며, 주둥이 끝부분은 둥글고 콧구멍이 주둥이 근처에 있다. 앞다리가 길고 굵으며 발가락이 약간 납작하고 뒷발가락 가장자리에는 물갈퀴가 발달하였다. 피부가 매우 거칠고 머리 양측에 이후선(耳後腺)이 있고 전신에 크기가 일정하지 않은 돌기가 있다.

분포·생태 우리나라. 일본, 중국 둥베이(東北) 지방. 물과 뭍에서 서식하는 동물로 흙구덩이나 숲속에서 볼 수 있다.

약용 부위·수치 피부의 독선(毒腺)과 분비물을 모아서 그대로 말리거나 전분으로 호화(糊化)하여 사용한다. 독선의 분비물을 채취하고 남은 몸체는 내장을 제거한 뒤 말린다.

약물명 말린 피부의 독선과 분비물을 섬수(蟾酥)라 하며, 섬여미지(蟾蜍眉脂), 섬여미수(蟾蜍眉酥), 합마수(蛤蟆酥), 합마장(蛤蟆漿)이라고도 한다. 몸체를 섬서(蟾蜍)라 하며, 섬(蟾), 하마(蝦蟆)라고도 한다. 섬수(蟾酥)와 섬서(蟾蜍)는 대한민국약전외한약(생약)규격집(KHP)에 수재되어 있다.

본초서 섬수(蟾酥)는 「명의별록(名醫別錄)」에 처음 수재되었으며, 「약성론(藥性論)」에는 섬여미지(蟾蜍眉脂)로, 송나라 때의 「본초연의(本草衍義)」에 정식으로 기재되었다.
名醫別錄: 療陰蝕, 疽癘, 惡瘡, 猘犬傷瘡.
藥性論: 殺疳蟲, 治鼠瘻惡瘡.
本草綱目: 治一切五疳八痢, 腫毒, 破傷風病, 脫肛.

기미·귀경 신(辛), 양(凉), 유독(有毒)·심(心), 간(肝), 비(脾), 폐(肺)

약효 해독산결(解毒散結), 소적이수(消積利水), 살충소감(殺蟲消疳)의 효능이 있으므로 옹저(癰疽), 정창(疔瘡), 발배(發背), 나력(瘰癧), 악창(惡瘡), 징가벽적(癥瘕癖積), 고창(臌脹), 수종(水腫), 파상풍, 만성해천(慢性咳喘)을 치료한다.

성분 bufadienolide계 강심 성분인 cinobufogenin, resinobufogenin, bufalin, cinobufagin, cinobufotalin, bufotalin, telocinobufagin, gamabufotalin, bufotalidin, cinobufaginol, marinobufagin, bufotoxin, cardenolide계 강심 성분인 digitoxigenin,

● 큰두꺼비

● 큰두꺼비(포획하여 피부의 독선과 분비물을 모은다.)

● 섬서(蟾蜍)

● 섬수(蟾酥)

● 섬수(蟾酥)

sarmentogenin, indole 알칼로이드인 bufotenine, dehydrobufotenine, bufotenidine, serotonin 등이 함유되어 있다.

약리 bufadienolide계 성분은 digitalis 배당체와 유사한 강심 작용이 있으며, digitalis에 비하여 효력이 빠르고 축적 작용은 적다. bufadienolide계 성분은 국소 마취 작용이 있으며, bufatolin의 작용이 가장 강하다. resinobufogenin은 호흡률을 증가시키지만, 투여량이 증가하면 발작을 유발한다. bufalin은 적출 장관을 수축시킨다. 이 외에 항염증 작용, 지혈 작용, 항백혈병 작용, 항종양 작용, 항바이러스 작용이 있다.

확인 시험 가루 2g에 메탄올 15mL를 넣고 50℃ 수욕에서 30분간 온침하고 여과한 여액 1mL를 증발 건고한다. 이 잔류물에 무수초산 1mL를 넣어 녹이고 황산 1~2방울을 넣으면 황색이 나타나고 점차 붉은색-자주색-청색-녹색으로 변한다 (Liebermann-Buchard 반응). 산성추출액에 p-dimethylaminobezaldehyde를 첨가하면 bufotenine과 bufotenidiene은 청색으로 발색된다. 클로로포름 추출액을 메탄올에 녹여 UV를 측정하면 300nm에서 최대 흡수 파장을 나타낸다.

사용법 섬수 0.005g을 알약으로 만들어 1회에 복용하며, 외용약으로 사용할 때는 가루로 만들어서 상처에 뿌리거나 참기름에 개어서 바른다. 고혈압 환자나 임신부는 사용하지 않는 것이 좋으며, 독성이 강하므로 용량을 정확하게 측정하여 사용하여야 한다.

처방 육신환(六神丸): 우황(牛黃)·웅황(雄黃)·진주분(眞珠粉)·사향(麝香)·용뇌(龍腦)·섬수(蟾酥)『뇌씨방(雷氏方)』. 갑자기 정신을 잃고 의식이 몽롱한 증상에 사용한다. 섬수(蟾酥)는 구심(救心)과 기응환(奇応丸)에도 배합된다.

＊'검은눈화두꺼비 *B. melanosticus*', '강두꺼비 *B. alvarius*', '애기두꺼비 *B. debilis*', '작은두꺼비 *B. raddei*', '옴두꺼비 *B. minshanicus*', '두꺼비 *B. bufo*' 등의 분비물도 약효가 같다.

◐ 강두꺼비

◐ 두꺼비

[두꺼비과]

흑광섬서

| 옹저, 정창, 발배, 나력, 악창, 파상풍 |
| 징가벽적, 고창　수종　만성해천 |

●학명 : *Bufo melanosticus* Schneider [*Duttaphrynus melanostictus*]　●한자명 : 黑眶蟾蜍

'큰두꺼비'에 비하여 작고 머리 부분에 흑색 골질릉(骨質棱)이 있으며 등에 황갈색 반문이 있다.

분포·생태 중국 화남 지방의 광둥성(廣東省), 광시성(廣西省), 푸젠성(福建省), 서남 지방의 구이저우성(貴州省), 쓰촨성(四川省), 윈난성(雲南省), 화중 지방의 장시성(江西省), 후난성(湖南省), 화동 지방의 저장성(浙江省). 타이완. 물과 뭍에서 서식하는 동물로 흙구덩이나 숲속에서 자란다.

＊기타 사항은 '큰두꺼비'와 같다.

◐ 섬서(蟾蜍)

◐ 흑광섬서

[무당개구리과]
무당개구리

치창

● 학명 : *Bombina orientalis* Hallowell ● 영명 : Manger frog

몸길이 4.5cm 정도. 머리는 편평하다. 등면의 피부는 크고 작은 돌기가 있으며 암녹색, 청록색 또는 갈색 바탕에 불규칙한 흑색 무늬가 산재되어 있다. 머리와 다리의 등면에는 흑색 띠무늬가 있다. 배쪽은 매끄럽고 붉은색 또는 황적색의 선명한 바탕에 흑색 무늬가 있다. 뒷다리에는 물갈퀴가 발달해 있으나 앞다리에는 없다.

분포·생태 우리나라. 중국 둥베이(東北) 지방, 일본. 산지 냇가에 서식한다. 산란 시기에는 수컷의 앞다리가 굵어지고 엄지발가락 안쪽에 포접돌기가 만들어진다. 알덩이

❍ 무당개구리

를 불규칙하게 물풀 등에 붙여 산란한다.

약용 부위·수치 내장을 제거하고 말려서 사용한다.

약물명 동방영섬(東方鈴蟾). 영섬(鈴蟾), 영와(鈴蛙)라고도 한다. 대한민국약전외한약(생약)규격집(KHP)에 수재되어 있다.

약효 해독소종(解毒消腫)의 효능이 있으므로 치창(痔瘡)을 치료한다.

성분 간에는 catalase, D-amino acid oxidase, urate oxidase, 분비선에는 bombesin, 5-hydroxytryptamin, 살갗에는 gastrin releasing peptide, bombinin-like peptide-1, -2, -3, 담즙산에는 $3\alpha,7\alpha,12\alpha$-trihydroxy-5β-cholestane-26-oic acid, $3\alpha,7\alpha,12\alpha,24$-tetrahydroxy-$5\beta$-cholestane-26-oic acid, trihydroxycoprostanic acid, trihydroxycoprostanoyl CoA synthetase 등이 함유되어 있다.

사용법 동방영섬을 연고로 만들어 상처에 바른다.

❍ 동방영섬(東方鈴蟾)

[무당개구리과]
늪개구리

옹종, 정절, 나력 구창

유옹

● 학명 : *Rana limnocharia* Boie ● 영명 : Swamp frog

몸길이 4~5.5cm, 암컷이 약간 작다. 머리는 넓고 주둥이는 둥근 편이며, 코는 주둥이와 가깝고 두 눈의 간격은 좁다. 피부는 매끄러운 편이며 반점이 있고 등 중앙에 백색의 굵은 선이 있다.

분포·생태 중국, 일본, 인도네시아, 인도, 아시아. 늪, 저수지, 산지 냇가에 서식한다.

약용 부위·수치 내장을 제거하고 몸체를 말려서 사용한다.

약물명 하마(蝦蟆). 경(螫), 합(蛤), 합마(蛤

❍ 늪개구리

蟆)라고도 한다.

본초서 「신농본초경(神農本草經)」에 "주로 나쁜 기운을 몰아내며 어혈을 없앤다. 오래된 종기를 치료하고 열병을 낫게 한다."고 하였으며, 「약성론(藥性論)」과 「일화자본초(日華子本草)」에도 "악창과 번열(煩熱)을 없앤다."고 하였다.

神農本草經: 主邪氣 破癥堅血 癰腫陰瘡 服之不患熱病.

藥性論: 途擁腫及治熱結腫.

日華子: 治犬咬及熱狂 帖惡瘡 解煩熱.

기미·귀경 감(甘), 한(寒)·심(心), 폐(肺)

약효 하마(蝦蟆)는 청열해독(淸熱解毒), 건비소적(健脾消積)의 효능이 있으므로 옹종(癰腫), 정절(疔癤), 구창(口瘡), 유옹(乳癰), 나력(瘰癧)을 치료한다.

사용법 하마를 알약으로 만들어 적당량을 복용하고, 외용에는 연고로 만들어서 상처에 바른다.

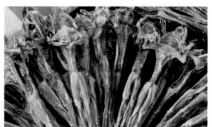
❍ 하마(蝦蟆)

[개구리과]

참개구리

 수종 고창, 황달, 이질, 감질

소아발열, 노열 산후체약

● 학명 : *Rana nigromaculata* Hallowell [*Pelophylax nigromaculatus*]
● 영명 : True frog

몸길이 7~8cm, 수컷이 약간 작다. 머리는 약간 길고 크며, 주둥이는 둥글고 콧구멍은 눈과 가까이 있다. 앞다리가 길고 굵으며 발가락이 약간 납작하고 뒷발가락 가장자리에는 물갈퀴가 발달하였다.

분포 · 생태 우리나라. 중국 둥베이(東北) 지방, 일본. 물과 뭍에서 서식하는 동물로 흙

구덩이나 숲속에서 볼 수 있다.

약용 부위 · 수치 내장을 제외한 전체를 사용한다.

약물명 청와(靑蛙). 와(蛙), 합어(蛤魚), 전계(田鷄), 청계(靑鷄), 좌어(坐魚)라고도 한다.

기미 · 귀경 감(甘), 양(凉) · 폐(肺), 비(脾), 방광(膀胱)

약효 소적이수(消積利水), 청열해독(淸熱解毒), 보허(補虛)의 효능이 있으므로 수종(水腫), 고창(臌脹), 황달, 소아발열(小兒發熱), 이질, 감질(疳疾), 노열(勞熱), 산후체약(産後體弱)을 치료한다.

성분 신선한 살갗에는 vitamin B₁ 2μg, 골격에는 phosphocreatine, ATP, creatine, carnosine, 살(肉)에는 *o*-polyphenolase, bradykinin, 9-deargininebradykinin, fatty acids, 뇌 중에는 disialosylgangliotetraosylceramide, trisialosylgangliotetraosylceramide, tetrasialosylgangliotetraosylceramide, *N*-acetyl-L-aspartic acid, *N*-acetyl-α-aspartyl glutamic acid, β-citryl-L-glutamic acid, linoleic acid, piperidine, 간세포에는 guanine, cytosine, allantoinase, allantoicase, 망막에는 acetylcholinesterase, ranachromes, fluorescyanine, ichthyopterin, leucoprotein B, isoxanthopterin 등이 함유되어 있다.

사용법 청와 1~3마리에 물을 넣고 달여서 복용한다.

❍ 참개구리

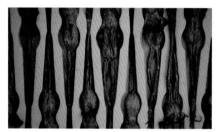

❍ 청와(靑蛙)

[개구리과]

옴개구리

 나력, 옹저 탈항

● 학명 : *Rana rugosa* Schlegel   ● 영명 : Frog

몸길이 4~6cm. 머리는 편평하다. 등면은 흑색 바탕에 수많은 작은 융기가 있고, 피부에서 독특한 냄새가 난다. 뒷다리가 짧고 행동은 둔한 편이다. 수컷은 울음주머니가 없으며 작은 소리를 내어 짝을 찾는다. 여름에 작은 알덩이를 낳으며, 올챙이는 물밑에서 월동하며 이듬해에 변태를 한다.

분포 · 생태 우리나라. 중국 둥베이(東北) 지방, 일본. 평지나 얕은 산지에 서식한다.

약용 부위 · 수치 내장을 제거하고 말려서 사용한다.

약물명 조피와(粗皮蛙)

약효 청열해독(淸熱解毒)의 효능이 있으므로 나력(癩癧), 옹저(癰疽), 탈항(脫肛)을 치료한다.

성분 ranatensin-R, guanine, cytosine, 5α-cyprinolsulfate 등이 함유되어 있다.

사용법 조피와를 내복에는 3~9g을, 외용에는 연고를 만들어서 상처에 바른다.

❍ 옴개구리

산청개구리

 외상출혈, 타박상   골절

○ 유와(游蛙)

●학명 : *Rhacophorus arboreus* Okada et Kawano

몸길이 암컷 4.5cm, 수컷 6.1cm 정도. 체형은 납작하다. 등쪽은 초록색, 드문드문 흑색 반점이 있고, 배쪽은 백색이다. 머리는 긴 편이고 입 끝은 뾰족하고 코는 입 근처에 있다. 배에는 3~4개의 가로무늬가 있다.

분포 · 생태 우리나라. 중국 둥베이(東北) 지방, 일본, 아열대 또는 열대. 습한 저지대 숲, 담수 습지에 서식한다.

약용 부위 · 수치 전체를 말려서 사용한다.

약물명 유와(游蛙)

약효 화어지혈(化瘀止血), 접골속근(接骨續筋)의 효능이 있으므로 외상출혈, 골절, 타박상을 치료한다.

사용법 유와를 가루로 만들어 상처에 뿌리거나 연고를 만들어서 바른다.

○ 산청개구리

청개구리

 습선

●학명 : *Hyla japonica* Güenther   ●영명 : Tree frog

몸길이 2.5~4.5cm. 등은 초록색, 배는 백색이나 주변 환경이나 유전적인 요인에 따라 갈색, 하늘색, 청색 등 다양한 색을 띠기도 한다. 암컷이 수컷보다 몸집이 크며, 수컷은 목과 주둥이 사이에 있는 울음주머니 부위의 피부가 늘어져 있다. 겨울잠을 자기 전인 가을에는 몸빛이 검은 반점이 있는 회색으로 바뀌며 이듬해 봄에 다시 초록색으로 바뀐다.

분포 · 생태 우리나라. 중국 둥베이(東北) 지방, 일본, 아열대 또는 열대. 습한 저지대 숲, 담수 습지에 서식하면서 애벌레, 곤충, 거미, 지렁이 등을 먹고 산다.

약용 부위 · 수치 전체를 말려서 사용한다.

약물명 우와(雨蛙)

약효 해독살충(解毒殺蟲)의 효능이 있으므로 습선(濕癬)을 치료한다.

사용법 우와를 연고로 만들어 환부에 바른다.

○ 청개구리

파충류(爬蟲類, Peptilia)

몸은 각질의 표피성 비늘로 덮여 있는데, 어떤 것은 비늘 이외에 골질의 표피성 판으로 덮여 있다. 피부에는 분비샘이 거의 없다. 체형의 변화가 많아서 몸이 짤막한 것도 있고 매우 길쭉한 것도 있다. 뱀류를 제외하고는 보통 2쌍의 다리를 가지고 발은 5개의 발가락을 가진다. 내골격은 알맞게 골화되어 있고, 갈비뼈는 가슴뼈와 함께 완전한 흉곽을 이룬다. 4개의 다리, 등뼈, 견대, 요대가 사지동물로서 알맞게 발달되어 있다. 전 세계에 6,000여 종이 알려져 있다.

[남생이과]

남생이

 음허화왕, 골증조열, 음허양항   도한유정   두훈목현   붕중루하

 신음부족   근골불건, 요슬위약   심신실양, 경계실면   건망

● 학명 : *Chinemys reevesii* Gray   ● 영명 : Tortoise

등판(背甲) 길이 12~25cm. 몸통은 납작한 타원상 구형, 등과 배에 단단한 딱지가 있다. 주둥이 끝은 둥글게 뾰족하고, 이빨은 없으며 입은 각질이다. 꼬리는 짧고 가늘면서 뾰족하고, 다리는 편평하고 발가락에는 물갈퀴가 있다. 콧구멍은 1쌍이고 눈은 작으며 머리와 몸은 신축성이 좋다. 등판은 진한 갈색, 각 갑판의 가장자리 부분은 황색의 가는 띠로 되어 있으며 뚜렷하지 않은 흑색 무늬가 있는 부분도 있다.

분포 · 생태 우리나라 강원도 고성, 황해남도 임진강 유역. 중국, 일본, 타이완. 늪, 호수, 강에서 산다.

약용 부위 · 수치 배껍데기(腹甲)를 채취하여 적당한 크기로 잘라서 냄비에 넣고 강한 불로 표면이 미황색이 될 때까지 굽는다. 이것을 꺼내서 식초에 담갔다가 건조하여 사용한다. 귀갑(龜甲)을 끓여서 교질(膠質)의 덩어리로 만든 것을 귀갑교(龜甲膠)라고 한다. 귀갑(龜甲)이란 속살이나 내장을 딱딱한 껍데기로 보호한다는 뜻이며, 등껍데기를 귀각(龜殼)이라고 한다.

약물명 귀갑(龜甲), 귀판(龜板), 귀통(龜筒)이라고도 한다. 대한민국약전외한약(생약) 규격집(KHP)에 수재되어 있다.

본초서 귀갑(龜甲)은 「신농본초경(神農本草經)」의 상품(上品)에 수재되어 있다. 「명의별록(名醫別錄)」에는 "귀갑(龜甲)은 남해(南海)의 지택(池澤)에서 살고 연중 채취한다."고 기록된 것으로 민물에 사는 거북임을 가리키고 있다. 「촉본초(蜀本草)」에는 "호주(湖州), 강주(江州), 교주(交州) 부근의 것은 골(骨)이 백색이고 두꺼워서 약효가 좋다."고 하였다.

神農本草經: 主漏下赤白 破癥瘕 五痔 濕痺 四肢重弱.

藥性本草: 治脫肛.

本草綱目: 治腰膝疝痛 補心腎 益大腸 止久痢久泄.

성상 타원형의 판상으로 길이 8~20cm, 너비 5~10cm, 바깥쪽 표면은 황갈색~어두운 갈색이나 때로는 자갈색 무늬가 있고, 안쪽 표면은 황백색~회백색이다. 12개의 조각이 결합되어 이루어지고 앞쪽은 넓은 편이며 원형을 나타내고 뒤쪽은 조금씩 좁아지며 끝은 V자형으로 결합되어 있다. 양쪽에 늑인판(肋鱗板)이 위쪽으로 휘어져 붙어 있다. 외피가 그대로 남아 있는 것은 광택이 좀 있고 안쪽 면에 피의 흔적이 남아 있는 것을 혈판(血板)이라 하고, 광택과 외피가 없는 것을 탕판(湯板)이라고 한다. 비린내가 나고 맛은 조금 짜다.

품질 크고 살이 남아 있지 않으며 광택과 혈적(血跡)이 있는 것이 좋다.

기미 · 귀경 감(甘), 함(鹹), 미한(微寒) · 간(肝), 신(腎), 심(心).

약효 자음잠양(滋陰潛陽), 보신건골(補腎健骨), 보심안신(補心安身), 고경지혈(固經止血)의 효능이 있으므로 음허화왕(陰虛火旺), 골증조열(骨蒸潮熱), 도한유정(盜汗遺精), 음허양항(陰虛陽亢), 두훈목현(頭暈目眩), 허풍내동(虛風內動), 신음부족(腎陰不足), 근골불건(筋骨不健), 요슬위약(腰膝萎弱), 심신실양(心神失養), 경계실면(驚悸失眠), 건망, 열상충임(熱傷冲任), 월경과다, 붕중루하(崩中漏下)를 치료한다.

성분 지방, 교질, 칼슘염, 규산염, K, Ca, Al₂O₃ 등이 함유되어 있다.

약리 물로 달인 액은 결핵균의 성장을 저해한다. 열수추출물은 간 및 비장에서의 핵산 합성 조절 효능이 있다.

사용법 귀갑 5g에 물 2컵(400mL)을 넣고 달여서 복용하거나, 졸여서 엿처럼 만들어 복용하고 알약이나 가루약으로 만들어 복용하기도 한다.

주의 비위(脾胃)가 허약하고 속이 찬 사람 및 임산부는 복용하지 않는 것이 좋다.

처방 대보음환(大補陰丸): 귀갑(龜甲) · 숙지황(熟地黃) 각 240g, 황백(黃柏) · 지모(知母) 각 160g 「동의보감(東醫寶鑑)」. 음이 허하고 양이 성한 탓으로 뼈가 저리고 아프며 오후마다 미열이 나고 식은땀을 흘리며 기침과 가래가 나오고 가슴이 답답하고 잠을 못 자는 증상에 사용한다.

· 보신환(補腎丸): 귀갑(龜甲) 160g, 지모(知母) · 황백(黃柏) 각 120g, 건강(乾薑) 40g, 1알이 0.3g 되게 만들어 1회 50알 복용 「동의보감(東醫寶鑑)」. 신음(腎飮)이 부족하고 허열이 성하여 오후마다 미열이 나고 뼈마디가 아프며 식은땀이 나는 증상에 사용한다.

○ 남생이

○ 귀갑(龜甲)

○ 귀갑(龜甲, 안쪽)

○ 귀갑(龜甲, 절편)

[바다거북과]

바다거북

 간경화, 이질, 변혈 | 목적종통
만성기관지염, 효천

● 학명 : *Chelonia mydas* L. ● 영명 : Turtle ● 별명 : 푸른바다거북

등판 길이 1~1.2m, 몸무게 180~300kg. 등판은 푸른색 또는 갈색 무늬가 있는 방패 모양이고 네 다리 및 머리 부위에 있는 커다란 비늘판이 특징이다.

분포 · 생태 우리나라. 중국, 일본, 태평양, 인도양의 열대 및 아열대, 온대 해역. 주로 해조류를 뜯어 먹는다.

약용 부위 · 수치 전체를 썰어서 말린다.

○ 바다거북

[바다거북과]

매부리바다거북

 열병고열 | 신혼섬어추축, 소아경간, 현훈
심번실면 | 옹종창독

● 학명 : *Eretmochelys imbricata* L. ● 별명 : 대모

등판 길이 1m 정도, 큰 것은 2m 정도. 몸무게 100~150kg. 등판은 푸른색 바탕에 회갈색 또는 진한 갈색을 띠고 해가 갈수록 등판에 불규칙한 방사상의 갈색 무늬가 나타난다. 주둥이는 짧은 편이고 주둥이 끝은 둔하며 이마판은 작다. 앞다리의 앞가장자리와 뒷다리에는 각각 큰 비늘이 줄지어 있고 네 다리의 밑면에는 흑갈색 무늬를 띤 것도 있다.

분포 · 생태 대서양, 태평양, 인도양, 세계 각처. 잡식성이나 주로 해조류를 먹고 산다.

약용 부위 · 수치 배갑(背甲)을 채취하여 썰어서 말린 것을 활석 가루를 깐 냄비에 넣고 황색이 될 때까지 불로 볶아서 사용한다.

약물명 대모(玳瑁). 독모(蠚瑁), 문갑(文甲), 명대모(明玳瑁)라고도 한다.

본초서 「개보본초(開寶本草)」에 수재되어 있다. 이시진(李時珍)은 "독을 풀어 주는 효

약물명 해구(海龜). 녹해구(綠海龜)라고도 한다.

약효 자음보신(滋陰補腎), 윤폐지해(潤肺止咳)의 효능이 있으므로 간경화, 만성기관지염, 효천(哮喘), 목적종통(目赤腫痛), 관절통, 이질, 변혈(便血), 수화탕상(水火燙傷)을 치료한다.

성분 살(肉)에는 수분이 80.7%, 단백질 15%, 지방 0.7%, 회분 2%, 오산화인(P₂O₅) 5mg/g, 철 0.34mg/g 등이 함유되어 있으며, 수체와 혈액에는 성장 호르몬, 여포(follicle) 자극 호르몬, 황체 형성 호르몬, 테스토스테론, 프로게스테론, 멜라토닌, 에스트론, 17β-estradiol, 17α-estradiol, 혈액에는 α-macroglobulin, *cis*-lutein, 적혈구에는 2,3-diphosphoglycerate, inositol pentaphosphate, lysine, histone F1이 함유되어 있다.

약리 25%에탄올추출물을 매일 20mL/kg씩 쥐에게 15일간 먹이면 대식 세포 생성이 현저히 증가한다. 에탄올추출물은 항혈액응고 작용이 강하게 나타나며 백혈구 감소를 방지한다.

사용법 해구 적당량에 물을 넣고 달여서 1회 40~60mL를 복용하거나 술에 담가서 복용한다.

력이 있으므로 독모(毒冒)라고도 하는데, 이것은 독물(毒物)에서 얻는 병을 치료하기 때문이다."라고 하였다.

기미 · 귀경 감(甘), 함(鹹), 한(寒) · 심(心), 간(肝)

약효 평간정경(平肝定驚), 청열해독(淸熱解毒)의 효능이 있으므로 열병고열, 신혼섬어추축(神昏譫語抽搐), 소아경간(小兒驚癇), 현훈(眩暈), 심번실면(心煩失眠), 옹종창독(癰腫瘡毒)을 치료한다.

성분 껍데기에는 케라틴 단백질이 함유되어 있으며, 그중 lysine, histidine 등 여러 아미노산이 함유되어 있다. 지방은 lauric acid, palmitic acid, myristic acid, stearic acid, arachidonic acid, behenic acid 등 불포화 지방산으로 구성된다.

약리 에탄올추출물은 후두암 환자 T세포의 T4, T8 양성 세포를 조절하여 면역 계통을 활성화한다.

사용법 대모 10g에 물 3컵(600mL)을 넣고 달여서 복용하거나 알약으로 만들어서 복용한다.

처방 대모환(玳瑁丸), 지보환(至寶丸)

○ 대모(玳瑁)

[자라과]

자라

  음허발열, 노열골증, 열병상음, 구학

허풍내동, 소아경간

 징가

● 학명 : *Trionyx maackii* Brandt [*Pelodiscus maackii*] ● 영명 : Chinese softshell turtle

등판 길이 15~17cm. 몸의 등면은 회갈색, 배갑(背甲)에 있는 짧은 융기선과 좁쌀 모양의 돌기는 회색 또는 회황색을 띤다. 복갑(腹甲)은 담황색을 띠고, 어린 개체에서는 4~5개의 흑색 무늬가 있다. 머리는 크고 길며 주둥이 끝은 비교적 돌출되어 있다. 좌우의 콧구멍은 등쪽에 있으며 목은 매우 길다. 네 다리는 크고 짧으며, 발가락 사이에는 물갈퀴가 발달되어 있다. 꼬리는 매우 짧다.

분포 · 생태 우리나라. 중국, 일본. 완전한 담수성으로 물 밑이 사니질인 하천이나 연못에 산다. 주로 육식을 하고 5~7월에 산란한다.

약용 부위 · 수치 등판(背甲)을 채취하여 말리고 이것을 썰어서 미황색이 될 정도로 식초에 담갔다가 불에 볶아 사용한다.

약물명 별갑(鼈甲), 상갑(上甲), 별각(鼈殼), 토별갑(土鼈甲), 단어(團魚)라고도 한다. 대

한민국약전외한약(생약)규격집(KHP)에 수재되어 있다.

본초서 「신농본초경(神農本草經)」의 중품(中品)에 수재되어 있다. 「본초강목(本草綱目)」에는 "자라의 걷는 모습에서 별(鼈)이라는 이름이 붙었다."고 하였다. 소송(蘇頌)은 "초(醋)로 황색이 될 때까지 볶아서 사용한다."고 그 수치법을 설명하였다.

神農本草經: 主心腹癥瘕堅積, 寒熱, 去痞, 息肉, 陰蝕, 痔, 惡肉.

雷公炮炙論: 治氣, 破塊, 消癥, 定心藥中用之.

名醫別錄: 療溫瘧, 血瘕, 腰痛, 小兒脇下堅.

성상 타원형~난원형, 등면은 불룩하다. 길이 8~15cm, 너비 7~14cm이다. 바깥 면은 흑갈색~흑록색을 띠며 광택이 조금 있고, 가는 그물무늬 주름이 있으며 회황색~회백색 반점이 있다. 중간에 1개의 능선이 세로로 뻗었고 각각 좌우로 오목한 8개의 무늬가 있다. 바깥 껍질을 벗기면 톱니 모

양의 봉합선이 있다. 안쪽 면은 유백색, 가운데는 척추골의 돌기가 안쪽으로 구부러져 있다. 양쪽에는 각기 8개의 늑골이 있다. 질은 단단하여 꺾기 힘들다. 비린내가 조금 있고 맛은 덤덤하다.

기미 · 귀경 함(鹹), 미한(微寒) · 간(肝), 신(腎)

약효 자음청열(滋陰淸熱), 잠양식풍(潛陽熄風), 연견산결(軟堅散結)의 효능이 있으므로 음허발열(陰虛發熱), 노열골증(勞熱骨蒸), 열병상음(熱病傷陰), 허풍내동(虛風內動), 소아경간(小兒驚癎), 구학(久瘧), 징가(癥瘕)를 치료한다.

성분 collagen, trionyx sinesis polysaccharides, aspartic acid, threonine, glutamic acid, glycine, alanine, histidine 등이 함유되어 있다.

약리 쥐에게 열수추출액을 투여하면 적혈구 수가 증가한다. 쥐에게 가루 280mg/kg을 먹이면 대조군에 비하여 항암 작용이 있다.

사용법 별갑 10~30g에 물 3컵(600mL)을 넣고 달여서 복용하거나, 알약이나 가루약으로 만들어 복용한다.

주의 임신부, 위약구토(胃弱嘔吐), 설사, 양허(陽虛)의 경우는 피한다.

처방 별갑산(鼈甲散): 별갑(鼈甲) 8g, 서각(犀角) · 전호(前胡) · 황금(黃芩) · 생지황(生地黃) 각 4g, 지실(枳實) 3.2g, 매실(梅實) 2개 (「동의보감(東醫寶鑑)」). 오후마다 조열이 나고 가슴이 답답하며 때로 기침을 하고 피를 토하는 증상에 사용한다.

• 별갑음자(鼈甲飮子): 별갑(鼈甲) 8g, 백출(白朮) · 황금(黃芩) · 초과(草果) · 빈랑(檳榔) · 천궁(川芎) · 진피(陳皮) · 후박(厚朴) · 작약(芍藥) 각 4g, 감초(甘草) · 생강(生薑) 3쪽, 대추 2개, 매실(梅實) 1개 (「동의보감(東醫寶鑑)」). 말라리아를 오래 앓아 배 안에 종물(腫物)이 생긴 증상에 사용한다.

• 별갑환(鼈甲丸): 별갑(鼈甲) 40g, 삼릉(三稜) · 봉출(蓬朮) · 향부자(香附子) · 지각(枳殼) · 도인(桃仁) · 홍화(紅花) · 신국(神麴) · 맥아(麥芽) · 해분(海粉) 각 20g, 1알이 0.3g되게 만들어 1회 50알씩 복용 (「동의보감(東醫寶鑑)」). 복수(腹水)가 차지 않는 간경변증에 사용한다.

✿ 자라

✿ 별갑(鼈甲)

✿ 별갑(鼈甲, 안쪽)

✿ 별갑(鼈甲, 절편)

상자거북

타박상, 나력 인후염
골관절결핵, 만성골수염, 비대성척추염

● 학명 : *Cuora flavomarginata* Gray ● 영명 : Snake–eating turtle, Box turtle
● 한자명 : 夾蛇龜 ● 별명 : 협사구, 중국상자거북

등판 길이 13~14cm. 두부는 광택이 나고 작은 비늘이 없다. 등판은 푸른색 또는 갈색 무늬가 있는 방패 모양, 네 다리 및 머리 부위에 있는 커다란 비늘판이 특징이며, 특히 앞다리가 녹색이며 꼬리 부분은 흑갈색 무늬가 있다.

분포 · 생태 중국 장쑤성(江蘇省), 푸젠성(福建省), 허난성(河南省), 타이완, 일본. 주로 물가에 살며 달팽이, 곤충, 식물을 먹는다.

약용 부위 · 수치 내장을 제거한 뒤 썰어서 말린다.

약물명 협사구(夾蛇龜), 능구(陵龜), 담사구(啖蛇龜)라고도 한다.

약효 활혈거어(活血祛瘀), 해독소종(解毒消腫)의 효능이 있으므로 타박상, 인후염, 나력(瘰癧), 골관절결핵, 만성골수염, 비대성척추염을 치료한다.

사용법 협사구 적당량을 가루로 만들어 5g을 복용한다.

✪ 상자거북

합개

폐신양허기천해수, 허로해수, 객혈
신허양위, 소변빈삭 당뇨병

● 학명 : *Gekko gecko* L. ● 영명 : Gecko

✪ 합개

몸길이 10~15cm, 꼬리 길이 10~15cm. 몸길이와 꼬리 길이가 비슷하다. 바깥 면은 황갈색~적갈색이며 작은 이빨이 턱 주변에 나고 등과 배의 비늘 크기가 비슷하며 발에 흡반이 있다. 눈은 크고 돌출해 있다.

분포 · 생태 중국 푸젠성(福建省), 광둥성(廣東省), 광시성(廣西省), 윈난성(雲南省). 타이완. 산골짜기 숲속에서 산다. 겨울이 되면 땅속으로 기어들어가 겨울잠을 잔다.

약용 부위 · 수치 내장을 제거한 뒤 잘게 쪼갠 대나무에 네 발과 꼬리를 펴고 몸통을 벌려 말린다. 이것을 주침(酒浸)한 후 배(焙)하여 건조시켜 사용한다.

약물명 합개(蛤蚧). 합해(蛤蟹), 선섬(仙蟾), 대벽호(大壁虎)라고도 한다. 대한민국약전외한약(생약)규격집(KHP)에 수재되어 있다.

본초서 송대(宋代)의 「개보본초(開寶本草)」에 처음 수재되어 "별명을 합해(蛤蟹), 선섬(仙蟾), 대벽호(大壁虎)라고 한다. 합(蛤)은 수컷이고, 개(蚧)는 암컷이다. 밤에 울음소리가 합 또는 개로 들리므로 합개(蛤蚧)라는 이름이 붙었다."고 기록되어 있다.

성상 잘게 쪼갠 대나무에 네 발과 꼬리를 펴고 몸통을 벌려 말린 것으로 몸체의 길이는 10~15cm, 너비 6~10cm, 꼬리의 길이가 10~15cm이다. 바깥면은 황갈색~적갈색이며 작은 이빨이 턱 주변에 나고 등과 배의 비늘 크기가 비슷하며 발에 흡반이 있다. 조금 비린 냄새가 나고 맛은 약간 짜다.

기미 · 귀경 함(鹹), 평(平) · 폐(肺), 신(腎)

약효 익신보폐(益腎補肺), 정천지해(定喘止咳)의 효능이 있으므로 폐신양허기천해수(肺腎兩虛氣喘咳嗽), 허로해수(虛勞咳嗽), 객혈(喀血), 신허양위(腎虛陽痿), 유정(遺精), 소변빈삭(小便頻數), 당뇨병 등을 치료한다.

성분 carnosine, choline, carnitine, guanine, cholesterol, glycine, proline, glutamic acid, phosphatidylethanolamine, sphingomyelin, phosphatidylcholine, phophatidic acid, lysolecithin, linolenic acid, oleic acid, stearic acid, palmitoleic acid, arachidic acid, arachidonic acid 등이 함유되어 있다.

약리 쥐에게 열수추출물 20g/kg을 투여한 뒤 열판 위에 올려놓으면 대조군에 비하여 견디는 시간이 지연된다. 쥐의 복강에 열수추출물 0.1g/kg을 정맥주사하면 염증을 없애는 작용이 있다. 이외에 면역 증강 작용, 평천(平喘) 작용, 자궁 증강 작용, 정력 강화 작용, 항노화 작용 등이 있다.

사용법 합개 3~5g에 물 2컵(400mL)을 넣고 달여서 복용하거나, 가루로 만들어 1회 1~1.5g을 복용한다.

처방 합개환(蛤蚧丸): 합개(蛤蚧) 1쌍, 가

자육(訶子肉) · 아교(阿膠) · 생지황(生地黃) · 맥문동(麥門冬) · 세신(細辛) · 감초(甘草) 각 20g(『동의보감(東醫寶鑑)』). 폐에 혈이 몰려 가슴이 아프고 목이 쉰 증상에 사용한다.

• 인삼합개산(人蔘蛤蚧散): 합개(蛤蚧) 1쌍, 인삼(人蔘) · 패모(貝母) · 상백피(桑白皮) · 복령(茯苓) · 지모(知母) 각 80g, 행인(杏仁) · 감초(甘草) 각 200g을 가루로 만들어 1회 8g 복용(『위생보감(衛生寶鑑)』). 폐에 혈이 몰려 가슴이 아프고 목이 쉰 증상에 사용한다.

○ 합개(복부)

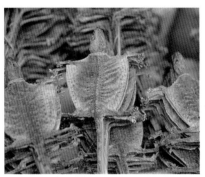
○ 합개(蛤蚧)

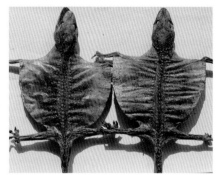
○ 합개(蛤蚧, 암수 한쌍)

[도마뱀과]

도마뱀부치

역절풍통, 사지불수　　경옹, 풍선

● 학명 : *Gekko japonicus* Dumeril et Bibron　　● 별명 : 도마뱀붙이

○ 도마뱀부치

몸길이(꼬리 포함) 10~14cm. 몸은 편평하고 머리는 달걀 모양, 주둥이는 길다. 발가락은 끝이 넓게 퍼져 있고 제1발가락에는 발톱이 없다. 등은 담회색 바탕에 암갈색이나 암회색 무늬가 있다. 배는 백색 또는 담갈색이다. 꼬리는 몸길이와 길이가 비슷하며 흑색의 가로띠가 있다.

분포 · 생태 우리나라. 중국, 일본, 타이완. 산골짜기의 숲속에서 산다. 겨울이 되면 땅속으로 기어들어가 겨울잠을 잔다.

약용 부위 · 수치 내장을 제거한 뒤 잘게 쪼갠 대나무에 네 발과 꼬리를 펴고 몸통을 벌려 말린다. 이것을 주침(酒浸)한 후 배(焙)하여 건조시켜 사용한다.

약물명 벽호(壁虎)

기미 · 귀경 함(鹹), 한(寒) · 간(肝)

약효 거풍정경(祛風定驚), 해독산결(解毒散結)의 효능이 있으므로 역절풍통(歷節風痛), 사지불수(四肢不遂), 경옹(驚癰), 풍선(風癬) 등을 치료한다.

성분 glycine, glutamic acid, proline, alanine, aspartic acid, leucine, valine, threonine, histidine 등이 함유되어 있다.

약리 쥐에게 에탄올추출물 1.2g/kg을 투여하면 진정 · 최면 작용이 나타난다.

사용법 벽호 3~5g에 물 2컵(400mL)을 넣고 달여서 복용하거나, 가루로 만들어 1회 1g을 복용한다.

○ 벽호(壁虎)

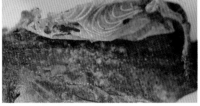
○ 벽호(壁虎, 내부와 외부)

[도마뱀과]

장수도마뱀

석림, 소변불리　　　악창, 염창, 나력

● 학명 : *Eumeces chinensis* Gray [*Plestiodon chinensis*]　　● 영명 : Longevity lizard

몸길이 10~15cm, 꼬리 길이 15~20cm. 몸은 일반적으로 황갈색이고, 콧구멍에서 시작하여 눈을 지나 귓구멍 근처에서 좁아졌다가 다시 넓어져서 앞다리와 뒷다리 뒤쪽을 거쳐 꼬리에 이르는 암갈색 띠가 있다. 이 띠의 위와 아래에 좁고 뚜렷하지 않은 백색 부분이 있다. 콧구멍은 1개의 코판 중앙에 뚫려 있고, 이마판은 길다. 몸통 중앙 부분에는 28개의 비늘 줄이 있고 평활하며 네 다리는 잘 발달되었고 앞다리와 뒷다리는 몸통 옆면에서 서로 닿지 않는다. 꼬리는 원통 모양, 뒤끝이 뾰족하다. 행동은 민첩하고 난생인 것과 난태성인 것이 있으며, 적이 나타나면 꼬리를 끊고 도망간다.

○ 석룡자(石龍子)

분포·생태 우리나라. 중국, 일본, 북아메리카, 오스트레일리아. 해발 200~900m에서 서식하지만 집 근처, 들, 나무 주변에서도 나타나며, 몸의 모양에 변화가 많다.

약용 부위·수치 여름과 가을 사이에 채취하여 내장을 제거하고 말린다.

약물명 석룡자(石龍子), 이척(易蜴), 절척(蠮蜴), 산룡자(山龍子)라고도 한다. 대한민국약전외한약(생약)규격집(KHP)에 수재되어 있다.

본초서 석룡자(石龍子)는 「신농본초경(神農本草經)」에 처음 수재되었으며 "뭉쳐 있는 질병을 물리치고, 석림(石淋)에 효과가 있으며, 하혈(下血)에 좋다."고 하였다. 이시진(李時珍)의 「본초강목(本草綱目)」에는 "어혈(瘀血)을 없애서 질병을 치료한다."고 하였고, 「본초구원(本草求原)」에는 "정력이 부족한 사람이 복용하면 양기를 회복할 수 있다."고 기록되어 있다.

기미·귀경 함(鹹), 평(平), 유독(有毒)

약효 이수통림(利水通淋), 파결산어(破結散瘀), 해독의 효능이 있으므로 석림(石淋), 소변불리(小便不利), 악창(惡瘡), 염창(膿瘡), 나력(瘰癧)을 치료한다.

성분 lactate dehydrogenase의 isoenzyme이 함유되어 있다.

사용법 석룡자를 가루로 만들어 2~3g을 복용하고, 때로는 알약으로 만들어 복용한다. 외용에는 물로 달인 액을 환부에 바른다.

[장지뱀과]

표범장지뱀

나력, 만성습진　　　골수염

폐결핵, 기관지염　　　임파결핵

● 학명 : *Eremias argus* Peters

○ 표범장지뱀

몸길이 7~9cm, 꼬리 길이 7cm 정도. 몸빛은 담갈색 바탕에 표범 무늬 같은 백색 반점들이 있다. 등은 작은 알갱이로 된 비늘로 덮여 있다. 서혜인공은 보통 11쌍이다. 다리가 몸 옆으로 나 있어 미끈한 평면 위에서는 다리를 움직여도 앞으로 나아가지 못하나 모래땅에서는 재빠르게 달릴 수 있는 구조이다.

분포·생태 우리나라. 중국, 일본, 타이완. 바닷가의 사구, 강가의 모래밭에 산다. 주로 5월부터 활동하며 6~8월에 모래땅에 4~6개의 알을 낳는다.

약용 부위·수치 채취하여 불에 쪼이거나 햇볕에 말려서 사용한다.

약물명 마사자(麻蛇子)

약효 연견산결(軟堅散結), 화담해독(化痰解毒)의 효능이 있으므로 임파결핵, 폐결핵, 골수염, 나력(瘰癧), 만성습진, 기관지염을 치료한다.

사용법 마사자를 가루로 만들어 2~3g을 복용하고, 외용에는 연고로 만들어 바른다.

능구렁이

 풍습성관절염, 전신동통
 궤양, 개선　 임파결핵

● 학명 : *Dinodon rufozonatum* Cantor

○ 능구렁이

몸길이 1~1.2m. 꼬리 길이는 몸길이의 1/5 정도이다. 등면은 적갈색, 몸통에 50~70개, 꼬리에 18~20개의 흑색 굵은 띠 모양의 반문이 있고 몸 옆구리에도 반문 사이에 반문이 있다. 주둥이 끝이 편평하며 이빨이 작아서 상처는 입히지 않는다. 야행성으로 눈이 비교적 작은 편이다.

분포·생태 중국, 일본, 타이완, 동남아시아. 산지의 구릉에서 서식하고 습지, 물가 또는 밭둑에서 활동한다.

약용 부위·수치 여름과 가을 사이에 포획하여 원반형으로 말아서 화건한다.

약물명 적련사(赤鏈蛇). 적련(赤連), 상근사(桑根蛇)라고도 한다.

약효 거풍습(祛風濕), 지통(止痛), 해독렴창(解毒斂瘡)의 효능이 있으므로 풍습성관절염(風濕性關節炎), 전신동통(全身疼痛), 임파결핵(淋巴結核), 궤양(潰瘍), 개선(疥癬)을 치료한다.

사용법 적련사 적당량을 술에 담가 두었다가 1회 20mL를 복용하고, 외용에는 연고로 만들어 환부에 바른다.

왕쥐잡이뱀

 경간추축　 각막예장, 후비, 구창, 은종
풍진소양, 옹저, 정독, 나력, 악창, 탕상

● 학명 : *Elaphe carinata* Günther　● 영명 : King snake　● 한자명 : 王錦蛇

몸길이 1.7~1.9m. 몸의 등면은 녹색을 띤 황갈색, 중앙 부분에서부터 점차 흑갈색의 가로무늬가 발달하여 뒤쪽으로 갈수록 뚜렷해진다. 머리와 목 부분은 모두 흑색이고, 윗입술은 황색이다.

분포·생태 우리나라. 중국 둥베이(東北) 지방, 일본, 아무르, 동시베리아. 집 근처, 들 또는 산지에서 산다.

약용 부위·수치 허물을 채취하여 말린다.

약물명 사세(蛇蛻). 용자의(龍子衣), 사부(蛇符), 궁피(弓皮), 사퇴(蛇退), 사피(蛇皮), 사퇴피(蛇退皮)라고도 한다. 대한민국약전외한약(생약)규격집(KHP)에 수재되어 있다.

본초서 「신농본초경(神農本草經)」의 하품(下品)에 사세(蛇蛻)라는 이름으로 수재되어 "미함(味鹹), 평(平), 소아경간(小兒驚癎) 등 120종의 질병을 치료한다."고 기록될 정도로 오랫동안 여러 질병에 사용되고 있는 약재이다.

성상 원통형이고 반투명의 피막(皮膜)으로

○ 왕쥐잡이뱀

편압되었고 주름이 잡혀 오그라지거나 찢어져 있고 온전한 것은 길이 1m 이상이다. 등쪽은 은회색, 윤이 나는 마름모꼴~타원형인 반투명한 비늘조각으로 덮여 있다. 복부는 유백색~엷은 황색, 비늘조각은 장방형으로 기와를 쌓은 것같이 배열되어 있다. 질은 가볍고 연하며 찢어지기 쉽고 만지면 미끈미끈한 느낌이 있다. 냄새는 조금 비리고, 맛은 덤덤하거나 조금 짜다.

기미·귀경 감(甘), 함(鹹), 평(平)·간(肝)

약효 거풍(祛風), 정경(定驚), 퇴예(退翳), 지양(止痒), 해독소종(解毒消腫)의 효능이 있으므로 경간추축(驚癎抽搐), 각막예장(角膜翳障), 풍진소양(風疹瘙痒), 후비(喉痺), 구창(口瘡), 은종(齗腫), 난청, 옹저(癰疽), 정독(疔毒), 나력(瘰癧), 악창(惡瘡), 탕상(燙傷)을 치료한다.

성분 collagen, glycogen, aminopeptidase, β-glucuronidase 등이 함유되어 있다.

약리 쥐에게 열수추출물 20mg/kg을 5일간 정맥주사하면 염증을 없애는 작용이 있고, 적혈구 파괴를 억제한다.

사용법 사세 3~5g에 물 2컵(400mL)을 넣고 달여서 복용하거나, 가루로 만들어 1회 1.5~3g을 복용한다.

처방 사세산(蛇蛻散): 사세(蛇蛻), 괄루인(括蔞仁), 양간(羊肝) 『소아진방론(小兒疹方論)』.

＊ '홍점금사(紅點錦蛇) *E. rufodorsata*', '흑미금사(黑眉錦蛇) *E. taeniurus*', '구렁이 *E. schrenckii*', '꼬리줄무늬뱀 *E. taeniurus*', '누룩뱀 *E. dione*'의 허물도 약효가 같다.

구렁이

 경간추축 각막예장, 후비, 구창, 은종

풍진소양, 옹저, 정독, 나력, 악창, 탕상

●학명 : *Elaphe schrenckii* Strauch ●영명 : Serpent

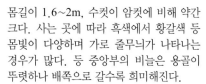

○ 사세(蛇蛻)

몸길이 1.6~2m. 수컷이 암컷에 비해 약간 크다. 사는 곳에 따라 흑색에서 황갈색 등 몸빛이 다양하며 가로 줄무늬가 나타나는 경우가 많다. 등 중앙부의 비늘은 용골이 뚜렷하나 배쪽으로 갈수록 희미해진다.
분포·생태 우리나라. 중국, 일본, 타이완, 러시아, 동남아시아. 집 주변의 숲, 산림, 습지대에서 생활하며 설치류, 새알, 어린 새 등을 먹는다.
약용 부위·수치 여름과 가을 사이에 포획하여 원반형으로 말아서 화건한다. 감초 달인 물로 세척하거나 미초(微炒)하여 사용한다.
약물명 사세(蛇蛻)
＊ 약효와 사용법은 '왕쥐잡이뱀'과 같으며, 우리나라에서 수집되는 사세의 주요 자원이다.

○ 구렁이

멋장이쥐잡이뱀

 여풍, 악창, 개선, 누창 목예

●학명 : *Elaphe taeniurus* Cope ●영명 : Dumb snake ●별명 : 줄꼬리뱀

몸길이 2m 이상으로 길다. 머리와 목의 구분이 확실하다. 윗입술과 목구멍은 황색, 등은 황록색, 회녹색 또는 회갈색이다. 눈 뒤에는 흑색 문양이 있다.
분포·생태 우리나라. 중국, 일본. 집 근처, 들, 또는 산지에서 산다.
약용 부위·수치 내장을 제거하고 몸체를 말린다.
약물명 황함사(黃頷蛇). 황후사(黃喉蛇), 황장충(黃長蟲)이라고도 한다.
약효 거풍(祛風), 살충, 해독, 퇴예(退翳)의 효능이 있으므로 여풍(癘風), 악창, 개선(疥癬), 누창(漏瘡), 목예(目翳)를 치료한다.
사용법 황함사 5g에 물 2컵(400mL)을 넣고 달여서 복용하거나 술에 담가서 20mL씩 복용한다.

○ 멋장이쥐잡이뱀

오초사

 풍습완비 기부마목

●학명 : *Zaocys dhumnades* Cantor ●한자명 : 烏梢蛇

몸길이 2m 정도. 머리는 편원형이다. 몸통의 등은 청회색, 가장자리는 흑갈색이다. 등 중앙에 있는 두 줄의 비늘조각은 황갈색이고 바깥쪽에 있는 두 줄의 비늘조각은 흑

○ 오초사(烏梢蛇)

색으로 꼬리까지 이어진다. 몸통의 등쪽은 흑색, 배쪽은 회백색이며, 이마의 비늘조각은 넓으나 뒤쪽은 좁다.

분포·생태 중국 허베이성(河北省), 산시성(山西省), 화동성, 후베이성(湖北省), 윈난성(雲南省), 타이완. 산지의 구릉에서 서식하고 습지, 물가 또는 밭둑에서 활동하며 독성이 강하다.

약용 부위·수치 여름과 가을 사이에 포획하여 내장을 제거하고 독니를 뽑은 뒤 생용하거나 원반형으로 말아서 화건한다.

약물명 오초사(烏梢蛇). 오사(烏蛇), 흑초사(黑梢蛇), 흑화사(黑花蛇)라고도 한다.

성상 건조한 사체는 원반상으로 말려 있으며 머리는 중앙에 있는데 편원형이다. 몸통은 흑갈색 또는 흑록색으로 광택이 없고 등의 척추골은 융기되어 있다. 꼬리 부위는 점점 가늘어져 배 내부에 삽입되어 있다. 질은

단단하고 비린내가 나며 맛은 담담하다.

기미·귀경 감(甘), 평(平)·폐(肺), 비(脾), 간(肝)

약효 거풍습(祛風濕), 통락(通絡), 지경(止痙)의 효능이 있으므로 풍습완비(風濕頑痺), 기부마목(肌膚麻木)을 치료한다.

성분 lysine, leucine, aspartic acid, glutamic acid, glycine, alanine, threonine, serine, cystine, valine, methionine, isoleucine, tyrosine, phenylalanine, histidine, arginine, proline 등이 함유되어 있다.

약리 열수추출물 10g/kg을 쥐의 다리에 주사하면 부종이 감소된다. 열수추출물 또는 에탄올추출물을 투여한 쥐를 열판에 올려 놓으면 대조군에 비하여 통증에 견디는 시간이 연장된다. 열수추출물 20g/kg을 쥐에게 투여하면 경련이 억제된다.

사용법 오초사 5~10g에 물 3컵(600mL)을 넣고 달여서 복용하거나 술에 담가 두었다

가 1회 10mL를 복용한다.

주의 양허혈소(陽虛血少), 내열생풍(內熱生風)의 사람은 복용을 금한다.

❍ 오초사

[살모사과]

백화사

 풍습완비, 근맥구련, 반신불수 중풍구와, 소아경풍
 파상풍, 마풍, 개선　　　양매창

● 학명 : *Agkistrodon acutus* Guenther　●한자명 : 白花蛇

몸길이 1.5m 정도. 몸통은 굵고 꼬리는 가늘다. 머리는 크고 편평한 삼각형, 코는 뾰족하고, 등의 비늘조각에는 능이 있고 무늬가 나 있으며 배는 황백색, 좌우에는 흑색의 둥근 비늘조각이 있다.

분포·생태 중국 안후이성(安徽省), 저장성(浙江省), 장시성(江西省), 후베이성(湖北省). 타이완. 습지에서 산다.

약용 부위·수치 내장을 제거하고 말린다.

약물명 백화사(白花蛇), 화사(花蛇), 오보사(五步蛇)라고도 한다. 대한민국약전외한약(생약)규격집(KHP)에 수재되어 있다.

본초서 백화사(白花蛇)는 송나라 때의 「개보본초(開寶本草)」에 처음 수재되었으며 "몸 전체에 화려한 무늬가 있는 뱀이므로 백화사(白花蛇)라 한다."고 하였다.

성상 원반형, 그 중앙부에 머리가 있으며

지름은 18~25cm, 몸체 지름은 3cm 정도이다. 머리는 삼각형으로 편평하고 코끝은 위로 향하였으며 입은 비교적 넓고 크며 위턱에 긴 독니가 있다. 등쪽은 갈색, 모가 진 비늘로 덮여 있고, 복부는 백색, 큰 비늘로 덮여 있으며 여러 개의 검은 반점이 있다. 꼬리는 점차 가늘어져서 끝에는 삼각형의 각질을 이루고 있다. 뱃속은 황백색으로 척추골이 현저하게 돌출되었으며 양쪽에는 많은 늑골을 가지고 있다.

기미·귀경 감(甘), 함(鹹), 온(溫), 유독(有毒)·간(肝), 비(脾)

약효 거풍(祛風), 통락(通絡), 지통(止痛)의 효능이 있으므로 풍습완비(風濕頑痺), 근맥구련(筋脈拘攣), 중풍구와(中風口喎), 반신불수, 소아경풍, 파상풍, 양매창(楊梅瘡), 마풍(麻風), 개선(疥癬)을 치료한다.

성분 독성 단백질인 AaT-I, II, III, 출혈 독소인 AaH-1(hemorrhagin-1), AaH-4, 이외에 Ac1-proteinase, Ac3-proteinase, Ac4-proteinase, arginine-proteinase, anticoagulant 1, 2가 함유되어 있다.

약리 에탄올추출물을 쥐에게 투여한 후 에탄올을 먹이면 위벽의 궤양 발생을 저지한다. 50%에탄올추출물을 쥐에게 투여하면 면역 증강 작용이 나타난다. 마취한 개에게 백화사추출물을 주사하면 혈압이 내려간다.

사용법 백화사 적당량을 술에 담가 두었다가 1회 20~30mL를 복용한다.

주의 양허혈소(陽虛血少), 내열생풍(內熱生風)의 사람은 복용을 금한다.

＊'은환사(銀環蛇) *Bungarus multicinctus*'도 약효가 같다. 은환사는 몸길이 1~1.5m, 지름 3~4cm, 등쪽은 흑갈색의 광택이 있고 여러 개의 환문을 가지고 있으며 아울러 한 줄기의 뚜렷한 척능(脊稜)이 돌기되었고 복부는 황백색을 띤다. 약물의 성상은 원반형으로 말려 있으나 머리를 중앙에 두고 가는 꼬리는 입속에 물려져 있다. 약간 비린내가 있고 맛은 조금 짜다.

❍ 백화사(白花蛇)

❍ 백화사(白花蛇)로 만든 피부병 치료제

❍ 백화사

[살모사과]

살모사

 풍습비통   치질

마풍, 나력, 창절, 개선, 종류

● 학명 : *Agkistrodon brevicaudus* Cantor   ● 영명 : Snake

몸길이 70cm 정도. 몸체는 짧고 굵은 편이며, 머리는 넓고 꼬리는 짧다. 등면은 담갈색 또는 회색 바탕에 타원형의 갈색 무늬가 뚜렷하다. 무늬는 배중선에서 좌우로 쌍을 이루며, 배면은 흑색이거나 이에 가깝고 옆면은 색깔이 연하다. 몸 중앙에서의 비늘줄은 12줄이고, 관 모양의 큰 독니가 있다.

분포 · 생태 중국, 일본, 타이완, 동남아시아. 산지의 구릉에서 서식하고 습지, 물가 또는 밭둑에서 활동한다.

약용 부위 · 수치 여름에서 가을 사이에 포획하여 원반형으로 말아서 화건한다.

약물명 복사(蝮蛇). 지편사(地扁蛇)라고도 한다.

기미 · 귀경 감(甘), 온(溫), 유독(有毒)

약효 거풍(祛風), 통락(通絡), 지통(止痛), 해독의 효능이 있으므로 풍습비통(風濕痺痛), 마풍(麻風), 나력(瘰癧), 창절(瘡癤), 개선(疥癬), 치질, 종류(腫瘤)를 치료한다.

사용법 복사 적당량을 술에 담가 두었다가 1회 10mL를 복용하고, 외용에는 연고로 만들어 환부에 바른다.

○ 살모사

○ 살모사추출물이 함유된 자양강장제

[안경사과]

금환사

 풍습마비   중풍

● 학명 : *Bungarus fasciatus* Schneider   ● 한자명 : 金環蛇

몸길이 1.8m 정도. 머리는 작으나 목 부위는 조금 크며 타원형이다. 꼬리는 짧으며 맨 끝은 둔한 원형이다. 몸통의 비늘조각은 15줄로 반들거리며 육각형, 제일 가운데 능선이 솟아 있다. 몸은 흑색 환대와 녹색 환대가 사이사이 배열하였으며, 황색 환대가 약간 좁으며 24~32줄 있다. 머리와 목 부위의 등면은 흑색이고, 입 뒤쪽으로부터는 황색을 나타낸다.

분포 · 생태 중국 푸젠성(福建省), 광둥성(廣東省), 광시성(廣西省), 후베이성(湖北省), 윈난성(雲南省), 타이완. 산지의 구릉에 서식하고 습지, 물가 또는 밭둑에서 활동하며 독성이 강하다.

약용 부위 · 수치 여름과 가을 사이에 포획하여 내장을 제거하고 독니를 뽑은 뒤 생용하거나 원반형으로 말아서 화건한다.

약물명 백화금사(白花錦蛇). 수건사(手巾蛇), 금사(金蛇), 황절사(黃節蛇)라고도 한다.

성상 건조한 전체는 원반상, 지름 10~15cm, 머리는 중앙에 있는데 긴 타원형이다. 몸통의 등쪽은 흑색과 황색이 교대로 배열하며 흑반이 황반보다 조금 넓다. 약간 비린내가 있고 맛은 조금 짜다.

기미 · 귀경 함(鹹), 온(溫) · 간(肝)

약효 거풍(祛風), 통락(通絡), 지통(止痛)의 효능이 있으므로 풍습마비(風濕麻痺), 중풍을 치료한다.

성분 α-bungarotoxine, guanosine, phospholipase A₂가 함유되어 있다.

약리 α-bungarotoxine은 신경절 차단 작용이 있다.

사용법 백화금사 5~10g에 물 3컵(600mL)을 넣고 달여서 복용하거나 술에 담가 두었다가 1회 10mL를 복용한다.

주의 양허혈소(陽虛血少), 내열생풍(內熱生風)의 사람은 복용을 금한다.

○ 금환사

○ 백화금사(白花錦蛇)

안경사

	풍습비통, 소아마비증, 반신불수		폐열해수, 담천
	중풍		경옹, 피부열독		목적혼호

●학명 : *Naja naja* L. ●영명 : Indian cobra ●한자명 : 眼鏡蛇 ●별명 : 인도 코브라

몸길이 90~120cm. 머리는 약간 납작하며 독니가 있다. 목 부위는 급히 불룩하거나 납작하게 하는 능력이 있고, 뺨에 비늘은 없지만 윗입술의 비늘은 7개, 아랫입술의 비늘은 8개, 눈 앞쪽에 1개, 눈 뒤쪽에 2~3개이고, 몸통의 비늘은 매끄러우면서 광택이 있다.

분포 · 생태 중국 안후이성(安徽省), 저장성(浙江省), 장시성(江西省), 후베이성(湖北省). 타이완, 인도, 인도네시아, 스리랑카. 평원이나 구릉, 산림 지대의 암석 사이 밭둑의 동굴에 서식한다.

약용 부위 · 수치 내장을 제거하고 말린다. 제거한 내장 가운데 쓸개를 채취하여 말린다.

약명 전체를 안경사(眼鏡蛇)라 하며 팽경사(膨頸蛇), 편복사(蝙蝠蛇), 오독사(五毒蛇)라고도 한다. 쓸개를 사담(蛇膽)이라 하고, 독선(毒腺)에서 분비되는 독액(毒液)을 안경사독(眼鏡蛇毒)이라 한다. 사담(蛇膽)은 대한민국약전외한약(생약)규격집(KHP)에 수재되어 있다.

성상 그대로 길게 또는 구부러져 건조한 상태로 있으며 외형은 원 동물과 거의 유사하다.

기미 · 귀경 감(甘), 함(鹹), 온(溫), 유독(有毒) · 간(肝), 신(腎)

약효 안경사(眼鏡蛇)는 거풍(祛風), 통락(通絡), 지통(止痛)의 효능이 있으므로 풍습비통(風濕痺痛), 중풍, 소아마비증을 치료한다. 안경사독(眼鏡蛇毒)은 거풍통락지통(祛風通絡止痛)의 효능이 있으므로 풍습비통(風濕痺痛), 반신불수를 치료한다. 사담(蛇膽)은 청폐(淸肺), 양간(凉肝), 명목(明目), 해독의 효능이 있으므로 폐열해수(肺熱咳嗽), 담천(痰喘), 경옹(驚癰), 목적혼호(目赤昏糊), 치창홍종(痔瘡紅腫), 피부열독, 좌창(痤瘡)을 치료한다.

성분 안경사(眼鏡蛇)는 cobratoxine, phosphomonoesterase, serine, hydroxyproline, oxytocin, 8-isoleucineoxytocin, cholesterol, 6-pyrophosphate dehydrogenase, NADH diaphorase, pregnenolone, progesterone, deoxycorticosterone, corticosterone, aldosterone, 18-hydroxycorticosterone, iodoamino acid, monoiodotyrosine, diiodotyrosine, triiodotyrosine, thyroxine 등이 함유되어 있다. 사담(蛇膽)은 taurocholic acid, taurochenodeoxycholic acid, taurodeoxycholic acid, lithoocholic acid, cholic acid, cholesterol, pythonic acid, tauropythonic acid, α-pochaecholic acid 등이 함유되어 있다.

약리 안경사(眼鏡蛇)는 신경 계통 및 순환기 계통에 대한 독성이 있고, 효소의 작용, 혈액에 대한 영향, 내분비에 대한 독성이 있다. cytotoxin-14는 위암 세포주 MGC-803, 비강암 세포주 CNE, 자궁암 세포주 HeLa의 세포 성장을 억제한다. 안경사독(眼鏡蛇毒)을 쥐에게 0.04mg/kg 주사하면 면역 증강 작용이 나타난다. 이외에 안경사독(眼鏡蛇毒)은 혈액 응고 방지 작용, 강심 작용, 항염증 작용 등이 있다. 사담(蛇膽)은 동물 실험에서 진해, 거담, 평천(平喘) 작용 등이 나타난다.

독성 쥐에게 cytotoxin-14를 정맥주사하면 LD_{50}값은 188mg/kg, 복강으로 주사하면 LD_{50}값은 2.8mg/kg이다.

사용법 안경사 3~8g에 물 2컵(400mL)을 넣고 달여서 복용하거나 술에 담가 두었다가 1회 1mL를 복용한다. 안경사독은 3~5g에 물을 넣고 달여서 복용하거나 술에 담가 5mL씩 복용한다.

주의 혈허근골실양자(血虛筋骨失養子) 및 임부(姙婦)는 복용을 금한다.

＊사담(蛇膽)은 본 종을 비롯하여 '금환사(金環蛇) *Bungarus fasciatus*', '황초사(黃梢蛇) *Ptyas korros*', '오초사(烏梢蛇) *Zaocys dhumnades*' 등의 쓸개이다.

❍ 안경사

❍ 안경사(眼鏡蛇)

❍ 사담(蛇膽)

[코브라과]

바다뱀

풍습비통

기부마목, 개선, 피부습양, 창절

● 학명 : *Pelamis platurus* L. ● 영명 : Hydra

몸길이 50~80cm. 등은 흑색, 두부와 몸체는 편평하고 굵으며, 목 부분은 가는 편이다. 꼬리는 편평하다. 배는 황색, 꼬리 부분에 백색 또는 황색 무늬가 있다. 머리는 크고 길며, 주둥이도 길다. 몸통 비늘은 사각형 또는 육각형이다.

분포 · 생태 우리나라. 인도양, 열대~온대 해역. 물고기나 오징어 등을 먹는다.

약용 부위 · 수치 사시사철 포획하여 그대로 햇볕에 말린다.

약물명 사파(蛇婆)

약효 거풍습(祛風濕), 통락지통(通絡止痛), 해독의 효능이 있으므로 풍습비통(風濕痺痛), 기부마목(肌膚麻木), 개선(疥癬), 피부습양(皮膚濕痒), 창절(瘡癤)을 치료한다.

사용법 사파 10~30g에 물 3컵(600mL)을 넣고 달여서 복용하거나 술에 담가서 복용하고, 외용에는 연고로 만들어 환부에 바른다.

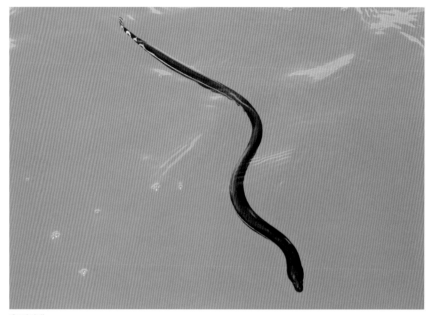

❍ 바다뱀

[악어과]

양자악

징가적취

붕중대하

악창, 창개

장풍치질

● 학명 : *Alligator sinensis* Fauvel ● 영명 : Yangtze river crocodile
● 한자명 : 揚子鰐 ● 별명 : 양자강악어

몸길이 2m 정도. 두부와 몸체는 편평하고 굵으며, 목 부분은 가는 편이다. 꼬리는 편평하다. 등쪽은 흑갈색을 띠며 황색 반점이 있다. 배쪽은 회색, 꼬리는 회흑색이다. 비늘조각은 네모반듯하다.

분포 · 생태 중국, 타이완, 동남아시아. 늪이나 강에서 살며, 물고기나 포유동물을 잡아먹는다.

약용 부위 · 수치 사시사철 포획하여 등껍질과 고기를 채취하여 적당한 크기로 잘라서 말린다.

약물명 등껍질을 타갑(鼉甲)이라 하며, 타어갑(鮀魚甲)이라고도 한다. 고기를 타육(鼉肉)이라 한다.

기미 · 귀경 타갑(鼉甲): 신(辛), 온(溫), 유소독(有小毒) · 간(肝). 타육(鼉肉): 신(辛), 온(溫), 소독(小毒) · 간(肝)

약효 타갑(鼉甲)은 화어(化瘀), 소적(消積)의 효능이 있으므로 징가(癥瘕), 악창(惡瘡)을 치료한다. 타육(鼉肉)은 화어(化瘀), 소적(消積)의 효능이 있으므로 징가적취(癥瘕積聚), 붕중대하(崩中帶下), 창개(瘡疥), 악창(惡瘡), 장풍치질(腸風痔疾)을 치료한다.

사용법 타갑 또는 타육 10g에 물 3컵(600mL)을 넣고 달여서 복용하고, 외용에는 연고로 만들어 환부에 바른다.

❍ 양자악

❍ 양자악(농장)

조류(鳥類, Aves)

몸은 실꾸리 모양이고 머리, 목, 몸통, 꼬리의 네 부분으로 구성된다. 목은 길며, 몸의 평형을 유지하고 먹이를 모으는 데 적당하다. 앞다리는 대부분 나는 데 적응하고, 뒷다리는 여러 방향으로 적응 변화하였다. 발은 보통 네 발가락을 가진다. 몸은 표피성의 깃털로 덮이고 다리에 비늘이 있다. 피부는 얇고 땀샘을 갖지 않는다. 귓바퀴는 흔적만 남고, 골격은 완전하게 골화되어 있고, 뼛속은 비어 있다. 갈비뼈는 작고, 가슴뼈는 발달하여 있다. 대부분 공중으로 날지만 땅 위를 뛸 수만 있고 날지 못하는 것도 있다. 전 세계에 9,700여 종이 분포한다.

[논병아리과]

논병아리

 유뇨, 치창, 탈항

● 학명 : *Podiceps ruficollis* Reichenow ● 영명 : Grebe

몸길이 25cm 정도. 암수 동일하며 여름깃은 머리와 등이 흑색, 가슴과 배는 암갈색, 뺨은 적갈색이다. 겨울깃은 머리와 등이 암갈색이고 나머지는 황갈색이다.

분포 · 생태 우리나라. 중국, 일본. 하천, 저수지, 해안에 찾아오는 흔한 겨울 철새로 잠수하여 먹이를 잡아먹는다.

약용 부위 · 수치 털과 내장을 제거한 뼈(骨)와 고기(肉)를 사용한다.

약물명 벽체(鸊鷉). 체(鷈)라고도 한다.

약효 보중익기(補中益氣), 축뇨고탈(縮尿固脫)의 효능이 있으므로 유뇨(遺尿), 치창(痔瘡), 탈항(脫肛)을 치료한다.

사용법 벽체에 물을 넣고 삶아서 복용하거나, 가루로 만들어 1회 15g씩 하루 2번 복용한다.

❍ 논병아리

[가마우지과]

가마우지

 수종복대

● 학명 : *Phalacrocorax filamentosus* Temminck et Schlegel
● 영명 : Temminck's cormorant

몸길이 85cm 정도. 암수가 동일하며 겨울깃은 몸 전체가 흑청색, 광택이 나며 얼굴은 황색이다. 여름깃은 머리 부분과 다리 기부에 백색 깃털이 있다.

분포 · 생태 우리나라(낙동강 하구, 제주도, 백령도, 연평도, 동암 해안의 무인도). 중국, 일본, 우수리, 타이완. 물고기를 잡아먹는다.

약용 부위 · 수치 털과 내장을 제거한 고기(肉)를 채취하여 사용한다.

약물명 호자육(鸕鷀肉)

약효 이수소종(利水消腫)의 효능이 있으므로 수종복대(水腫腹大)를 치료한다.

사용법 호자육 적당량에 물을 넣고 삶아서 복용하거나 가루로 만들어 1회 10g을 복용한다.

❍ 호자육(鸕鷀肉)

❍ 새끼 가마우지

❍ 가마우지(백령도)

황로

 허약증   창종

● 학명 : *Bubulcus ibis* L.   ● 영명 : Cattle egret

몸길이 50cm 정도. 암수가 동일하며 몸 전체가 백색이고 머리, 가슴, 배, 등은 적갈색, 부리는 황색, 다리는 암갈색이다. 겨울깃은 몸 전체가 흑청색이고, 광택이 나며 얼굴은 황색이다. 여름깃은 머리 부분과 다리 기부에 백색 깃털이 있다.

분포·생태 우리나라, 중국, 일본, 필리핀, 타이완, 류큐, 필리핀 등에서 월동한다. 강가, 저수지, 강 하구, 논 근처의 습지에서 생활하며 곤충, 개구리, 파충류, 어류 등을 잡아먹는다.

약용 부위·수치 털과 내장을 제거한 고기(肉)를 채취하여 사용한다.

약물명 우배로(牛背鷺)

약효 익기보허(益氣補虛), 탁독소종(托毒消腫)의 효능이 있으므로 허약증, 창종(瘡腫)을 치료한다.

사용법 우배로 적당량에 물을 넣고 삶아서 복용하거나 가루로 만들어 1회 10g을 복용한다.

○ 황로

쇠백로

 허약증   식욕부진, 설사
   탈항

● 학명 : *Egretta garzetta* L.   ● 영명 : Little egret

○ 쇠백로

몸길이 60cm 정도. 암수가 동일하며 부리와 다리는 흑색, 나머지는 백색이다. 머리 뒤에는 2개의 댕기가 있으며 발가락은 황색이다.

분포·생태 우리나라, 중국, 일본, 타이완, 유럽, 인도차이나. 강가, 저수지, 얕은 바닷가에서 생활하며 물고기, 개구리, 뱀, 갑각류, 수생 곤충을 잡아먹는다.

약용 부위·수치 골격을 채취하여 사용한다.

약물명 관골(鸛骨)

약효 건비익기(健脾益氣)의 효능이 있으므로 허약증, 식욕부진, 설사, 탈항(脫肛)을 치료한다.

사용법 관골 적당량에 물을 넣고 삶아서 복용하거나 가루로 만들어 1회 10g을 복용한다.

＊겨울 철새로 천연기념물 제199호이며, 중국에서는 1급보호동물로 포획을 규제하고 있다.

○ 쇠백로(강가에서 먹이 활동을 하고 있다.)

황새

 흉통   복통
인후염

● 학명 : *Ciconia ciconia* L.   ● 영명 : White stork

몸길이 110cm 정도. 암수가 동일하며 부리는 회색, 날개의 뒷부분은 흑색으로 광택이 있다. 눈 주위와 다리는 붉은색, 나머지는 백색이다.

분포 · 생태 우리나라. 중국, 일본, 시베리아, 연해주. 중남부 지방의 강가, 저수지, 논 등의 습지에서 생활하며 물고기, 개구리, 뱀, 쥐, 곤충을 잡아먹는다.

약용 부위 · 수치 털과 내장을 제거한 고기(肉)를 채취하여 사용한다.

약물명 노육(鷺肉). 왕영(汪穎)이라고도 한다.

약효 해독, 지통(止痛)의 효능이 있으므로 흉통(胸痛), 복통, 인후염을 치료한다.

사용법 노육 10g에 물 3컵(600mL)을 넣고 삶아서 복용하거나 가루로 만들어 1회 6g을 복용한다.

❍ 황새

원앙

 치위하혈   개선

● 학명 : *Aix galericulata* L.   ● 영명 : Mandarin duck

몸길이 40cm 정도. 수컷은 여러 가지 색깔의 늘어진 댕기, 눈에 띄는 흰 눈둘레, 등색의 수염 깃, 자갈색의 윗가슴, 황색의 옆구리가 있다. 암컷은 갈색을 띤 회색으로 얼룩지며 아랫면은 백색을 띤다. 백색의 흰 눈둘레와 백색의 턱 밑은 독특하다.

분포 · 생태 우리나라. 중국, 일본. 산지의 계곡에서 서식한다.

약용 부위 · 수치 털과 내장을 제거한 뼈(骨)와 고기(肉)를 사용한다.

약물명 원앙(鴛鴦). 최표(崔豹)라고도 한다.

약효 청열(清熱), 해독, 지혈(止血)의 효능이 있으므로 치위하혈(痔瘻下血), 개선(疥癬)을 치료한다.

사용법 원앙에 물을 넣고 삶아서 복용하고, 외용에는 살코기를 삶은 뒤 얇게 썰어서 환부에 붙인다.

❍ 원앙

❍ 원앙(수컷, 박제품)

❍ 원앙(암컷, 박제품)

집오리

	허로골증		수종, 간화두통현훈
	흉격결열, 사리		해수
			후비, 치통

●학명 : *Anas domestica* L.　●영명 : Duck　●한자명 : 家鴨

보통 수컷이 암컷보다 몸이 크고 아름다운 깃털을 가지고 있다. 부리는 넓고 편평하며 앞끝에 갈고리 모양의 돌기가 있고, 양쪽 가장자리에 빗살이 있어 이것으로 물을 걸러 낟알이나 소형 생물을 채취하여 먹는다. 다리는 짧고 몸 뒤쪽 가까이에 있으며 3개의 앞발가락은 물갈퀴로 이어져 있고 꼬리는 짧다.

분포 · 생태 우리나라. 일본, 중국. 집에서 기른다. 한 배의 알 수는 보통 7~8개로 많고, 포란(抱卵) 기간은 21일이다.

약용 부위 · 수치 털과 내장을 제거한 고기(肉) 또는 알을 채취하여 사용한다.

약물명 고기를 백압육(白鴨肉)이라 하고 압육(鴨肉)이라고도 한다. 알을 압란(鴨卵)이라 한다.

본초서 백압육(白鴨肉)은 「명의별록(名醫別錄)」에 수재되었으며 "허약 체질을 개선하고 오장육부를 튼튼히 하며 수분 대사를 잘 시킨다."고 하였다. 당나라의 「신수본초(新修本草)」에는 "소아경련에 좋다."고 하였고, 「식료본초(食療本草)」에는 "허약 체질을 개선하고 머리에 생기는 피부병에는 즙액을 바른다."고 하였다. 「일화자본초(日華子本草)」에는 "단독(丹毒)과 오래된 설사를 치료한다."고 기록되어 있다.

기미 · 귀경 백압육(白鴨肉): 감(甘), 함(鹹), 평(平) · 폐(肺), 비(脾), 신(腎). 압란(鴨卵): 감(甘), 평(平)

약효 백압육(白鴨肉)은 보익기음(補益氣陰), 이수소종(利水消腫)의 효능이 있으므로 허로골증(虛勞骨蒸), 해수(咳嗽), 수종(水腫)을 치료한다. 압란(鴨卵)은 자음(滋陰), 청폐(淸肺), 평간(平肝), 지사(止瀉)의 효능이 있으므로 흉격결열(胸膈結熱), 간화두통현훈, 후비(喉痺), 치통, 해수, 사리(瀉痢)를 치료한다.

성분 고기 100g에는 수분 75g, 단백질 16.5g, 지방 7.5g, 탄수화물 0.1g, 회분 0.9g, 철 11mg, 인 1.5mg, thiamine 0.07mg, riboflavine 0.15mg, nicotinic acid 4.7mg이 함유되어 있다.

약리 쥐의 먹이에 오리의 고기와 뼈를 배합하여 투여하면 대조군에 비하여 물속에 오래 머문다. 즉 체력 증강 작용이 나타난다.

사용법 백압육은 삶아서 먹고, 압란은 1~2개를 생식하거나 삶아서 복용한다.

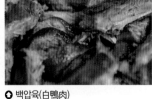
❍ 백압육(白鴨肉)

❍ 압란(鴨卵)

❍ 집오리(집 근처 물가에서 사육한다.)

❍ 집오리

청둥오리

	병후체약		식욕부진, 비허수종

●학명 : *Anas platyrhynchos* L.　●영명 : Mallard

몸길이 65cm 정도. 수컷은 머리가 청록색이고 목에 가느다란 흰 띠가 있으며, 앞가슴은 암갈색, 나머지 부분은 회갈색이다. 암컷은 머리가 흑갈색, 몸체는 흑색과 갈색이 섞여 있다.

분포 · 생태 우리나라. 중국, 일본, 북반구의 온대와 아열대. 우리나라의 해안, 농경지, 하천에 찾아오는 겨울 철새이다.

약용 부위 · 수치 털과 내장을 제거한 고기(肉)를 채취하여 사용한다.

약물명 부육(鳧肉)

약효 보중익기(補中益氣), 화위소식(和胃消食), 이수(利水), 해독의 효능이 있으므로 병후체약(病後體弱), 식욕부진, 비허수종(脾虛水腫)을 치료한다.

사용법 부육 적당량에 물을 넣고 삶아서 복용한다.

❍ 청둥오리

[오리과]

쇠기러기

 제풍마목, 근맥구련, 반신불수

●학명 : *Anser albifrons* L. ●영명 : White-fronted goose

몸길이 70cm 정도. 암수 동일하며 머리 부분은 암갈색, 목과 등은 회색을 띤 갈색이다. 가슴과 배는 흑색의 얼룩무늬가 있는 백색, 부리와 다리는 황색이다.

분포·생태 우리나라. 중국, 일본, 알래스카, 시베리아 동부의 툰드라 지대, 미국. 논밭, 간척지, 하구 등 앞이 트인 광활한 지역에서 풀뿌리, 보리나 밀의 푸른 잎, 습지나

○ 쇠기러기

해안의 풀 등을 먹는다.

약용 부위·수치 깃털과 내장을 제거하고 뼈(骨)와 고기(肉)를 사용한다.

약물명 안육(雁肉). 안(雁), 가안(家雁), 당안(唐雁), 백아(白鵝)라고도 한다.

기미·귀경 평(平), 감(甘)·폐(肺), 간(肝), 신(腎)

약효 거풍(祛風), 서근장골(舒筋壯骨)의 효능이 있으므로 제풍마목(諸風麻木), 근맥구련(筋脈拘攣), 반신불수를 치료한다.

성분 (2R, 4R, 6R, 8R)-tetramethylundecanoic acid가 함유되어 있다.

사용법 안육 살코기에 물을 넣고 삶아서 즙액을 한 잔씩 복용한다.

＊본 종 이외에 '흰기러기, 흑기러기, 회색기러기, 흰이마기러기, 큰기러기, 개리' 등 6종이 우리나라에 분포하며, 약효가 같다.

[오리과]

거위

 소화불량, 설사, 담결석 허약체질
 유정유뇨, 요결석 당뇨병

●학명 : *Anser cygnoides-domestica* Brisson ●영명 : Goose

몸빛은 백색, 목이 길며 부리는 황색이다. 헤엄은 치지만 날지는 못한다. 중국계 거위는 부리에 혹이 있으며 유럽계보다 약간 작다.

분포·생태 세계 각처. 들에서 생활하나 보통 집에서 사육한다. 수명은 40~50년이고, 2년이 지나면 번식 능력을 갖게 되는데, 수컷 1마리에 암컷 3~5마리를 짝짓게 한다. 이른 봄부터 산란을 시작하여 10~15개의 알을 낳는다.

약용 부위·수치 깃털과 내장을 제거하고 모래주머니 내벽과 고기(肉)를 사용한다.

약물명 내벽을 아내금(鵝內金), 고기를 아육(鵝肉)이라 한다.

약효 아내금(鵝內金)은 건비소식(健脾消食), 삽정지유(澁精止遺), 소징화석(消癥化石)의 효능이 있으므로 소화불량, 설사, 유정유뇨(遺精遺尿), 요결석, 담결석을 치료한다. 아육(鵝肉)은 익기보허(益氣補虛), 화위지갈(和胃止渴)의 효능이 있으므로 허약체질을 개선하고 당뇨병을 치료한다.

사용법 아내금은 가루로 만들어 2g을 복용하고, 아육은 물을 넣고 삶아서 즙액을 한 잔씩 복용한다.

○ 거위(먹이를 먹고 있는 모습)

○ 거위

[오리과]

큰고니

🌀 기허핍력

●학명 : *Cygnus cygnus* L.　●영명 : Whooper swan

몸길이 1.5m, 날개 길이 2m 정도. 몸체는 백색, 눈 앞쪽에는 털이 없고 목이 길며, 부리는 황색이지만 끝은 흑색이다. 우리나라에는 겨울 철새로 도래하여 월동한다.

분포·생태 세계 각처. 들에서 생활하며 민물에 사는 수생 식물의 줄기와 뿌리, 육상 식물의 과육 과즙이 많은 열매를 먹는다. 5~6월에 5~6개의 알을 낳는다.

약용 부위·수치 깃털과 내장을 제거하고 뼈(骨)와 고기(肉)를 사용한다.

약물명 곡육(鵠肉). 왕영(汪穎)이라고도 한다.

약효 보중익기(補中益氣)의 효능이 있으므로 기허핍력(氣虛乏力)을 치료한다.

성분 2D,4D,6D,8D−tetramethyldecanoic acid, 2D,4D,6D,8D−tetramethylundecanoic acid, 2D,4D,6D−trimethyloctanoic acid, 2D,4D,6D−trimethylnonanoic acid가 함유되어 있다.

사용법 곡육 살코기에 물을 넣고 삶아서 즙액을 한 잔씩 복용한다.

＊헤엄칠 때 목을 굽히고 몸체가 흑색을 띠는 '흑고니 *C. olor*'도 약효가 같다.

🔾 큰고니와 흑고니

🔾 큰고니

[오리과]

비오리

🌀 병후체약　🍼 식욕부진　❤️ 수종
🫁 폐로객혈　🦵 소퇴종통

●학명 : *Mergus merganser* L.　●영명 : Common merganser

몸길이 65cm 정도. 수컷은 머리가 청록색이며 광택이 난다. 등의 가운데는 흑색, 가슴, 배는 회색이다. 암컷은 머리가 적갈색, 턱 밑과 목은 백색이고 가슴, 배, 등은 회색에 암갈색 무늬가 있다.

분포·생태 우리나라, 중국, 일본, 북유럽, 시베리아. 저수지, 호수, 하천, 못에서 생활한다. 어류, 수생 곤충 등을 잡아먹는다.

약용 부위·수치 깃털과 내장을 제거하고 고기(肉)와 뼈를 사용한다.

약물명 고기를 추사압육(秋沙鴨肉), 뼈를 추사압골(秋沙鴨骨)이라 한다.

약효 추사압육(秋沙鴨肉)은 강장(强壯), 이수소종(利水消腫)의 효능이 있으므로 병후체약(病後體弱), 식욕부진, 폐로객혈(肺癆喀血)을 치료한다. 추사압골(秋沙鴨骨)은 이수소종(利水消腫), 해독의 효능이 있으므로 수종, 소퇴종통(小腿腫痛), 약물이나 음식물 중독을 치료한다.

사용법 추사압육은 50g에 물을 넣고 삶아서 복용하고, 추사압골은 가루로 만들어 5~10g을 복용한다.

🔾 비오리

[오리과]

황오리

 신허양위, 유정, 탈항 ♀ 자궁하수

●학명 : *Tadorna ferruginea* Pallas ●영명 : Ruddy shelduck

몸길이 65cm 정도. 암수 비슷하며 몸 전체가 황갈색이다. 날개의 앞부분은 백색, 날개 뒷부분 및 꼬리와 다리는 흑색이다. 수컷의 목에는 흑색 띠가 있고, 암컷의 머리는 백색을 띤다.

분포 · 생태 우리나라 중부 이남. 중국, 일본, 유라시아, 몽골, 인도. 초원, 하천, 간척지, 논밭 등에서 생활하며 조, 밀, 보리 등의 곡식과 물고기를 먹는다.

약용 부위 · 수치 깃털과 내장을 제거하고 고기(肉)를 사용한다.

약물명 황압(黃鴨)

약효 온신흥양(溫身興陽), 보기건비(補氣健脾)의 효능이 있으므로 신허양위(腎虛陽痿), 유정(遺精), 탈항(脫肛), 자궁하수를 치료한다.

사용법 황압 살코기에 물을 넣고 삶아서 즙액을 한 잔씩 복용하거나 가루로 만들어 1회 5g을 복용한다.

○ 황오리

[수리과]

독수리

 폐결핵   갑상선비대 현기증

●학명 : *Aegypius monachus* L. ●영명 : Black vulture

몸길이 100~110cm. 암수 동일하며 몸 전체는 흑갈색이다. 머리에는 흑색 피부가 드러나 있고, 목에는 선명하지 않은 회갈색 줄이 있으며, 부리의 기부와 발은 회녹색이다.

분포 · 생태 우리나라 중부 지방. 중국, 일본, 지중해, 한대, 툰드라 기후대. 죽은 동물, 오리, 물새 등을 잡아먹는다.

약용 부위 · 수치 깃털과 내장을 제거하고 고기(肉)와 뼈를 사용한다.

약물명 독취(禿鷲)

약효 보양음(補養陰), 소영산결(消瘻散結)의 효능이 있으므로 폐결핵, 갑상선비대, 현기증을 치료한다.

사용법 독취 살코기에 물을 넣고 삶아서 복용하거나 뼈를 가루로 만들어 1회 10g을 복용한다.

○ 독수리

○ 독수리(박제품)

[수리과]

검독수리

 타박상　　골절

●학명 : *Aquila chrysaetos* L.　●영명 : Golden eagle

몸길이 85cm 정도. 암수 동일하며 머리 꼭대기와 뒷목은 황갈색이고 나머지는 암갈색이다. 날개 중앙부에 회갈색 무늬가 있다.

분포·생태 우리나라. 중국, 일본. 작은 포유류, 조류를 잡아먹는다.

약용 부위·수치 깃털과 내장, 살코기를 제거하고 뼈를 사용한다.

약물명 조골(雕骨)

약효 활혈지통(活血止痛)의 효능이 있으므로 타박상, 골절을 치료한다.

사용법 조골 10~15g에 물을 넣고 삶아서 복용한다.

✪ 검독수리(박제품)

[수리과]

물수리

타박상　　골절

●학명 : *Pandion haliaetus* L.　●영명 : Osprey

몸길이 85cm 정도. 암수 동일하며 머리 꼭대기, 목, 배는 백색, 눈의 가장자리와 뒷머리, 등은 흑갈색이다. 가슴 무늬와 꼬리 무늬는 암갈색이다.

분포·생태 우리나라 남해, 제주도. 중국, 일본, 아프리카, 필리핀. 주로 어류를 잡아먹는다.

약용 부위·수치 깃털과 내장, 살코기를 제거하고 뼈를 사용한다.

약물명 악골(鶚骨)

약효 속근골(續筋骨), 소종통(消腫痛)의 효능이 있으므로 타박상, 골절을 치료한다.

사용법 악골 적당량을 가루로 만들어 5g을 복용한다.

✪ 물수리

닭

소화불량, 구토반위, 식소납매, 복사하리, 담결석
유정, 소변빈삭, 비뇨결석
허로리수, 병후체허
소아경풍
구면와사, 목적유루, 목설설창

● 학명 : *Gallus gallus domesticus* Brisson   ● 영명 : Chicken

머리에 붉은 볏이 있고 부리는 짧고 아래로 휘었다. 날개는 퇴화하여 잘 날지 못하며, 다리와 발은 튼튼하고 발가락이 휘었다. 꼬리는 짧다. 쪼는 습성, 털갈이, 일조 시간 및 기온에 대한 반응이 있다.

분포 · 생태 우리나라. 일본, 중국. 집에서 기른다.

약용 부위 · 수치 모래주머니 내막(內膜)을 채취하여 물에 씻어서 말린 것을 사용하거나 초탄(炒炭)하여 사용한다. 살코기, 머리, 피를 채취하여 약용한다.

약물명 계내금(鷄內金). 내금(內金), 계황피(鷄黃皮), 내황피(內黃皮), 계금(鷄金)이라고도 한다. 대한민국약전외한약(생약)규격집(KHP)에 수재되어 있다. 살코기를 계육(鷄肉), 피를 계혈(鷄血)이라 한다.

본초서 계내금(鷄內金)은 「신농본초경(神農本草經)」의 상품(上品)에 단웅계(丹雄鷄)의 항목에 수재되어 있으며, "계(鷄)는 모든 부분을 약으로 사용한다."고 기록되어 있다. 방

약합편의 원금부(原禽部)에 수재되어 있다.
神農本草經: 主泄痢.
名醫別錄: 主小便利 遺溺 除熱止煩.
本草綱目: 治小兒食疳 療大人淋漓 反胃 消酒積 主喉閉乳哦 一切口瘡牙疳諸瘡.

성상 3~5cm의 불규칙한 얇은 조각으로 두께 2~3mm, 앞면은 황색~황갈색이며 물결 모양의 주름이 있다. 질은 단단하나 부스러지기 쉽고, 그 부스러진 단면은 각질성(角質性)이며 광택이 있다. 냄새는 비린내가 좀 있고 맛은 조금 쓰다.

품질 부서지지 않은 완정(完整)형으로 크고 황금색인 것이 좋다.

기미 · 귀경 계내금(鷄內金): 감(甘), 평(平) · 비(脾), 위(胃), 방광(膀胱)

약효 계내금(鷄內金)은 건비소식(健脾消食), 삽정지유(澁精止遺), 소징화석(消癥化石)의 효능이 있으므로 소화불량, 음식적체(飮食積滯), 구토반위(嘔吐反胃), 설사하리(泄瀉下痢), 유정(遺精), 소변빈삭(小便頻

數), 비뇨결석(泌尿結石), 담결석(膽結石)을 치료한다. 계육(鷄肉)은 온중(溫中), 익기(益氣), 보정(補精), 전수(塡髓)의 효능이 있으므로 허로리수(虛勞羸瘦), 병후체허(病後體虛), 식소납매(食小納呆), 반위(反胃), 복사하리(腹瀉下痢), 소변빈삭(小便頻數)을 치료한다. 계혈(鷄血)은 거풍(祛風), 활혈(活血), 통락(通絡), 해독의 효능이 있으므로 소아경풍, 구면와사(口面喎斜), 목적유루(目赤流淚), 목설설창(木舌舌脹)을 치료한다.

성분 ventriculin, keratin, pepsin, diastase, bilatriene, histidine, arginine, glutamic acid, aspartic acid, leucine, threonine, methionine, proline이 함유되어 있다.

약리 건강한 사람이 계내금(鷄內金) 5g을 복용하면 위산 분비가 많아지고 소화력이 증가한다.

사용법 계내금 3g에 물 2컵(400mL)을 넣고 달여서 복용하거나 술에 담가서 복용한다. 가루로 만들어 3g을 물과 복용하기도 하는데, 달여 먹는 것보다 효과가 좋고, 외용에는 가루 내어 붙인다. 소화불량과 구토를 수반할 경우에는 본 약물에 백출(白朮)을 같은 분량으로 배합하여 사용한다. 빈뇨(頻尿)에는 상표초(桑螵蛸), 모려(牡蠣), 산약(山藥)을 배합하여 사용하고, 몽유설정(夢遺泄精)에는 검실(芡實), 연자육(蓮子肉), 토사자(菟絲子)를 배합하여 사용한다. 계육(鷄肉)은 삶아서 적당량을 복용하고, 계혈(鷄血)은 생혈(生血) 따뜻한 것 20mL를 하루 2회 복용한다.

주의 비허(脾虛)하고 식적(食積)이 없는 환자는 사용하지 않는다.

처방 계내금산(鷄內金散): 계내금(鷄內金) 4g, 녹두(綠豆) 12g (「동의보감(東醫寶鑑)」). 후비(喉痺)로 목이 붓고 아프며 음식물을 넘기기 힘들고 목소리가 낮거나 쉬는 데 사용한다.

○ 닭

○ 계내금(鷄內金)

○ 계육(鷄肉)

○ 삼계탕(蔘鷄湯)

[꿩과]

메추라기

비허설리, 비위허약　풍습비증

해수담다, 폐로　신경쇠약　심장병

● 학명 : *Coturnix coturnix* L.　● 영명 : Common quail

날개 길이 9~10cm, 꼬리 길이 3cm 정도. 눈앞, 귀깃, 뺨, 턱 밑, 멱 등은 붉은 갈색이고 턱 밑과 멱 중앙은 흑색이다. 등 가운데는 흑색, 삼각형의 가로 반문과 얼룩점이 있다. 배는 크림빛을 띤 황색이고 옆구리는 적갈색이다.

분포 · 생태 우리나라. 일본, 중국 등 아시아 및 아프리카. 산과 들에서 살지만 집에서 기르기도 한다. 우리나라를 통과하는 흔한 겨울 철새로 대표적인 사냥새의 일종이다. 풀과 나무가 산재하는 초지, 평지, 구릉, 산악에 이르는 내륙과 하구 등 전역에 걸쳐

❍ 메추라기

❍ 암순(鵪鶉)

❍ 암순단(鵪鶉蛋)

도래한다. 산란기는 5월 하순에서 9월 상순경이며 한 배의 산란 수는 7~12개이다. 벼과와 사초과 식물의 종자를 주로 먹으며, 곤충류와 거미류 등도 먹는다.

약용 부위 · 수치 털과 내장을 제거한 고기와 알을 사용한다.

약물명 고기를 암순(鵪鶉)이라 하며 순(鶉), 나순(羅鶉)이라고도 한다. 알을 암순단(鵪鶉蛋)이라 한다.

본초서 암순(鵪鶉)은 송나라 「가우본초(嘉祐本草)」에 처음 수재되어 "심한 열을 내려 주며 팥과 생강을 넣고 달여서 복용하면 설사를 멈추게 한다."고 기록되어 있다. 「식료본초(食療本草)」에는 "오장을 튼튼하게 하여 원기를 회복시키고 뼈와 근육을 튼튼하게 하여 추위와 더위를 이겨낼 수 있다."고 하였다. "메추리알은 위장병, 신경쇠약, 심장병, 늑막염, 불면증을 치료한다."고 하였다.

약효 암순(鵪鶉)은 익중기(益中氣), 지설리(止泄痢), 장근골(壯筋骨)의 효능이 있으므로 비허설리(脾虛泄痢), 풍습비증(風濕痺症), 해수담다(咳嗽痰多)를 치료한다. 암순단(鵪鶉蛋)은 보허건비(補虛健脾)의 효능이 있으므로 비위허약, 폐로(肺癆), 늑막염, 신경쇠약, 심장병을 치료한다.

사용법 암순은 1~2마리에 물을 넣고 달여서 복용한다. 암순단은 적당량에 물을 넣고 삶아서 복용한다.

[꿩과]

오골계

허로영수, 골증로열　유정, 활정

당뇨병　구사구리　붕중, 대하

● 학명 : *Gallus gallus domesticus* Brisson　● 영명 : Korean Ogol Chicken

체형과 자세는 닭 품종의 하나인 코친을 닮아 둥글고 몸매가 미끈하다. 체질은 약하고 산란 능력이 떨어지며 알도 작다. 갓이 부드럽고 명주실 모양의 광택이 있다. 머리는 작은 편이며 수컷의 머리 꼭대기에는 암자색 또는 암적색의 짧고 넓은 두 겹의 벼슬(冠)이 있다. 부리는 백색, 얼굴은 희고, 눈의 홍채는 갈색, 귀는 청백색, 다리는 황색, 짧은 목에는 깃털이 많고, 꼬리는 짧은 편이며, 다리는 짧고 바깥쪽에 깃털이 나 있다. 이 닭의 특색은 피부, 고기, 뼈 등이 모두 암자색을 띠고 5개의 발가락이 있다는 점이다. 즉 뒷발가락 위쪽에 또 하나의 긴 발가락이 있다.

분포 · 생태 우리나라. 일본, 중국. 집에서 기른다. 우리나라에서는 1962년 천연기념물로 지정된 이래 경남 양산, 동래, 충남 논산, 서울 주변에서 사육하고 있다.

약용 부위 · 수치 털과 내장을 제거한 고기와 뼈를 사용한다.

약물명 오골계(烏骨鷄). 오계(烏鷄), 약계(藥鷄)라고도 한다.

본초서 오골계(烏骨鷄)는 「본초강목(本草綱目)」에 처음 수재되었으며 "허약 체질을 개선하고 소갈증을 치료하며 가슴이 답답하고 아픈 증상을 치료한다. 임신부가 먹으면 원기를 회복하고, 대하가 있는 부인이 먹으면 더욱 좋다."고 하였다. 「본초재신(本草再新)」에는 "간풍(肝風)을 제거하고 가슴이 답답한 것을 없애며 정력을 북돋아 준다."고 하였다.

기미 · 귀경 감(甘), 평(平) · 간(肝), 신(腎), 폐(肺)

약효 보간신(補肝腎), 익기혈(益氣血), 퇴허열(退虛熱)의 효능이 있으므로 허로영수(虛勞羸瘦), 골증로열(骨蒸勞熱), 당뇨병, 유정(遺精), 활정(滑精), 구사구리(久瀉久痢), 붕중(崩中), 대하(帶下)를 치료한다.

약리 쥐의 먹이에 오골계의 고기와 뼈를 배합하여 투여하면 체력 증강 작용이 나타나 대조군에 비하여 물속에 오래 머문다. 또 쥐의 먹이에 오골계의 고기와 뼈를 배합하여 투여하면 대조군에 비하여 노화를 방지하는 효과가 있다.

사용법 고기는 삶아서 먹고 뼈는 삶아서 먹거나 알약으로 만들어 복용한다.

❍ 오골계(烏骨鷄, 살과 뼈가 흑색이다.)

❍ 오골계

[꿩과]

꿩

 비허설리, 흉복창만 당뇨병

 소변빈삭 담천 창위

●학명 : *Phasianus colchicus* L. ●영명 : Ring-necked pheasant

날개 길이 21~25cm, 꼬리 길이 암컷 25~
30cm, 수컷 35~57cm. 수컷의 이마는 흑
색 바탕에 암녹색의 금속 광택이 있다. 머
리꼭대기와 뒷머리는 암갈색, 양쪽은 흑색,
긴 뿔과 같은 장식깃이 있다. 눈 주위는 붉
은색의 나출부가 있다. 암컷의 이마 뒷머리
는 흑색이고 각 깃털은 붉게 녹슨 색을 띤
황색이다.

분포 · 생태 우리나라. 중국, 일본, 타이완,
아무르, 칠레. 들에서 살며 식성은 주로 식
물성이다.

약용 부위 · 수치 털과 내장을 제거한 고기
(肉)를 사용한다.

약물명 치(雉). 화충(華蟲), 소지(疏趾), 야
계(野鷄), 치계(雉鷄)라고도 한다.

기미 · 귀경 감(甘), 산(酸), 온(溫) · 비(脾),
위(胃), 간(肝)

약효 보중익기(補中益氣), 생진지갈(生津
止渴)의 효능이 있으므로 비허설리(脾虛泄
痢), 흉복창만(胸腹脹滿), 당뇨병, 소변빈삭
(小便頻數), 담천(痰喘), 창위(瘡痿)를 치료
한다.

사용법 치 적당량에 물을 넣고 달여서 복용
한다.

○ 꿩(뒷모습)

○ 꿩

[꿩과]

산계

 비위허약, 식욕부진, 소화불량

●학명 : *Lophura swinhoii* Swinhoe ●영명 : Mountain chicken

몸높이 75cm 정도. 얼굴과 다리는 붉은색,
몸체와 날개는 흑자색, 등과 주둥이, 날개
일부분은 백색이다. 주둥이는 짧지만 견고
하다. 번식기가 되면 수컷은 아름다운 깃털
을 부채 모양으로 펼친다.

분포 · 생태 중국, 타이완. 해발 2,000m의
산지에서 자란다.

약용 부위 · 수치 털과 내장을 제거한 고기
(肉)를 사용한다.

약물명 백한(白鷳)

약효 보기(補氣), 건비(健脾), 익폐(益肺)의
효능이 있으므로 비위허약(脾胃虛弱), 식욕
부진, 소화불량을 치료한다.

사용법 백한 50~100g에 물을 넣고 달여서
복용한다.

○ 산계

공작

옹종창양

식중독, 약물중독

● 공작(수컷이 날개를 편 모습)

● 학명 : *Pavo cristatus* L. ● 영명 : Peacock

수컷은 날개 길이 55cm, 꼬리 길이 60cm 정도. 날개는 녹색, 목덜미는 청색을 띤다. 머리 위에는 끝이 뾰족한 꽃술 모양의 벼슬이 곧게 서 있으며, 얼굴 부분은 회백색이다. 암컷은 약간 작고 온몸이 갈색이다. 번식기가 되면 수컷은 둥근 무늬가 있는 아름다운 깃털을 부채 모양으로 펼친다.

분포·생태 말레이시아 공작과 인도 공작의 2종류가 있으며, 들에서 살며 식성은 주로 식물성이다.

약용 부위·수치 털과 내장을 제거한 고기(肉)를 사용한다.

약물명 공작(孔雀), 월조(越鳥)라고도 한다.

기미·귀경 함(鹹), 산(酸), 양(凉)

약효 해독의 효능이 있으므로 옹종창양(癰腫瘡瘍), 식중독(食中毒), 약물중독을 치료한다.

사용법 공작 적당량을 가루로 만들어 1회 50g을 복용한다.

● 공작

두루미

당뇨병

구리체허

근골위약, 풍습비통

● 학명 : *Grus japonensis* (P. L. S. Mueller) ● 영명 : Manchurian crane

몸길이 140cm 정도. 암수가 동일하며 머리 꼭대기는 붉고, 턱 밑, 목, 날개 뒤쪽은 흑색이며, 몸통의 나머지는 백색이다. 다리는 흑색이고, 부리는 황갈색이다.

분포·생태 우리나라 휴전선, 철원, 판문점, 인천 등에 찾아오는 겨울 철새. 중국 흑룡강성, 일본 홋카이도, 러시아의 한카 호. 민물고기, 잠자리, 메뚜기, 개구리 등을 잡아먹는다.

약용 부위·수치 깃털과 내장을 제거하고 고기(肉)와 뼈를 사용한다.

약물명 고기를 학육(鶴肉)이라 하며, 뼈를 학골(鶴骨)이라 한다.

약효 학육(鶴肉)은 익기(益氣), 해열의 효능이 있으므로 당뇨병을 치료한다. 학골(鶴骨)은 보익(補益), 장골(壯骨), 제비(除痺), 해독의 효능이 있으므로 구리체허(久痢體虛), 근골위약(筋骨痿弱), 풍습비통(風濕痺痛)을 치료한다.

사용법 학육은 살코기에 물을 넣고 삶아서 50~100g을 복용하고, 학골은 가루로 만들어 1회 5g을 복용한다.

● 두루미

쇠물닭

 비위허약, 설사, 식욕부진, 소화불량

● 학명 : *Gallinula chloropus* L. ● 영명 : Common gallinule

몸길이 33cm 정도. 여름 철새. 암수가 동일하며 몸 전체가 흑색이다. 옆구리에는 백색 무늬가 있으며 꼬리 아래에는 백색 점이 있다. 부리 기부와 이마는 붉은색이고, 부리 끝과 다리는 황색이다.

분포 · 생태 우리나라. 중국, 일본, 말레이반도, 아시아 남부, 인도. 강가, 호수, 저수지, 논, 못 등의 풀숲에서 산다. 헤엄과 잠수를 하며 물고기를 잡아먹는다.

약용 부위 · 수치 깃털과 내장을 제거하고 고기(肉)를 사용한다.

약물명 흑수계(黑水鷄)

약효 자보강장(滋補强壯), 개위(開胃)의 효능이 있으므로 비위허약(脾胃虛弱), 설사, 식욕부진, 소화불량을 치료한다.

사용법 흑수계 살코기에 물을 넣고 삶아서 50~100g을 복용한다.

○ 쇠물닭

[갈매기과]

붉은부리갈매기

 병후음액손상 여열미청 변비
 구갈인간 번조불면

● 학명 : *Larus ridibundus* L. ● 영명 : Black-headed gull

날개 길이 34~38cm, 꼬리 길이 13~15cm. 겨울깃은 백색 머리에 암갈색 세로무늬가 있고, 여름깃은 머리, 목, 배, 꼬리가 백색이다. 윗등은 담백색, 끝부분은 황색이다. 어린 새끼는 이마와 턱 밑이 백색, 머리 위와 뒷머리 및 몸의 윗면은 갈색, 깃의 가장자리는 백색이고 2년이 지나면 어깨 깃과 등은 성체와 같아진다.

분포 · 생태 북반구. 해안에서 산다. 번식은 냇가의 모래나 바위 위에 둥우리를 짓고, 3~4개의 알을 낳는다.

약용 부위 · 수치 고기(肉)를 취하여 말린다.

약물명 구(鷗). 강구(江鷗), 해구(海鷗)라고도 한다.

약효 양음윤조(養陰潤燥), 지갈제번(止渴除煩)의 효능이 있으므로 병후음액손상(病後陰液損傷), 여열미청(餘熱未淸), 구갈인간(口渴咽干), 번조불면(煩燥不眠), 변비를 치료한다.

성분 protein, peptides, amino acids, fat, saccharides, adenosine triphosphate, 2,3-diphosphate glyceride, inositol polyphosphate가 함유되어 있다.

사용법 구 50~100g에 물을 넣고 달여서 복용하거나 구워서 복용한다.

○ 붉은부리갈매기

[비둘기과]

비둘기

허영 　혈어경폐 　당뇨병
마진, 악창, 개선 　장풍하혈

● 학명 : *Columba livia* Gmelin　● 영명 : Pigeon　● 별명 : 양비둘기

날개 길이 18~23cm, 꼬리 길이 19~27cm. 머리와 등쪽은 모두 광택이 도는 흑색, 허리에는 잿빛 백색 띠가 있다. 날개는 백색, 배는 턱 밑에서 윗가슴까지 흑색이고 그 아래는 백색이다. 다리, 부리는 모두 흑색이고 녹색 광택이 난다. 꼬리는 긴 편

○ 비둘기

이며 암수가 같은 색이다. 부리는 높고 다소 짧으며 흑색, 다리도 흑색이다.

분포 · 생태 우리나라 텃새. 중국, 일본, 타이완, 아무르, 우수리, 유럽, 북아메리카. 들에서 산다. 산란기는 2~5월이며 연 1회 번식하고 보통 5~6개의 알을 낳는다. 알은 엷은 녹색으로 어두운 갈색과 회색의 얼룩 반점이 산재한다. 포란 후 17~18일이면 부화하고, 먹이는 잡식성으로 들쥐, 농작물, 곡류, 과일 등을 먹으며 갑각류, 벌, 파리, 딱정벌레 등 작은 곤충류도 먹는다.

약용 부위 · 수치 깃털과 내장을 제거하고 말린다.

약물명 합(鴿). 발합(鵓鴿), 비노(飛奴)라고도 한다.

기미 · 귀경 함(鹹), 평(平) · 폐(肺), 간(肝), 신(腎)

약효 자신익기(滋腎益氣), 거풍해독(祛風解毒), 조경지통(調經止痛)의 효능이 있으므로 허영(虛嬴), 혈어경폐(血瘀經閉), 당뇨병, 마진(麻疹), 장풍하혈(腸風下血), 악창(惡瘡), 개선(疥癬)을 치료한다.

성분 수분 75%, 단백질 22%, 지방 1%, 회분 1%가 함유되어 있다.

사용법 합 한 마리에 물을 넣고 삶아서 즙액을 한 잔씩 복용한다.

[두견이과]

뻐꾸기

나력 　장조변비
백일해 　체허신권

● 학명 : *Cuculus canorus* L.　● 영명 : Common cuckoo

○ 뻐꾸기

몸길이 35cm 정도. 여름 철새. 수컷의 겨울깃은 등이 회청색, 아랫가슴과 배는 흰색 바탕에 어두운 갈색 줄무늬가 있다. 암컷의 여름깃과 겨울깃은 수컷과 매우 비슷하나 배는 잿빛에 갈색 줄무늬가 있으며, 윗가슴과 아랫목에는 갈색 줄무늬가 희미하게 있다.

분포 · 생태 세계 각처. 단독으로 생활할 때가 많으며 나무 위나 전선에 잘 앉는다. 산란기는 5~8월이고, 암컷은 가짜 어미새의 알 한 개를 부리로 밀어 떨어뜨리고 둥지 가장자리에 자기 알을 낳는다. 나비, 딱정벌레, 메뚜기, 매미, 벌, 파리 등의 유충과 성충 및 알을 먹는다.

약용 부위 · 수치 깃털과 내장을 제거하고 뼈(骨)와 고기(肉)를 사용한다.

약물명 포곡조(布谷鳥). 육곡(陸谷), 명구(鳴鳩)라고도 한다.

기미 · 귀경 감(甘), 온(溫)

약효 소나(消瘰), 통변(通便), 진해(鎭咳), 안신(安神)의 효능이 있으므로 나력(瘰癧), 장조변비(腸燥便秘), 백일해, 체허신권(體虛神倦)을 치료한다.

사용법 포곡조에 물을 넣고 삶아서 즙액을 한 잔씩 복용하거나 가루로 만들어 1회 5g씩 복용한다.

[두견이과]

두견이

병후체허
기혈부족
관절불리

● 학명 : *Cuculus poliocephalus* Lantham　　● 영명 : Little cuckoo　　● 별명 : 두견새

몸길이 25cm 정도. 여름 철새. 등면은 회색이고, 배쪽은 백색에 많은 가로줄무늬가 있다. 작은 '매'를 닮았으나 부리가 가늘고 길며 약간 밑으로 굽어 있다. 아랫면의 가로무늬는 너비가 2~3mm이며 무늬의 수도 적다. 암컷도 같은 빛깔이지만 간혹 등에 적갈색 바탕에 암갈색 가로무늬가 있다.

분포·생태 우리나라. 중국, 일본, 우수리. 겨울에는 타이완, 인도 등으로 남하하여 월동한다. 숲에 가린 수목의 중층부나 상층부에 숨어서 지내고, 나비, 딱정벌레, 메뚜기, 매미, 벌, 파리 등의 유충과 성충 및 알을 먹는다.

약용 부위·수치 깃털과 내장을 제거하고 뼈(骨)와 고기(肉)를 말리거나 그대로 사용한다.

약물명 두견(杜鵑). 제결(鶗鴂)이라고도 한다.

기미·귀경 감(甘), 평(平)

약효 자양보허(滋養補虛), 해독살충(解毒殺蟲), 활혈지통(活血止痛)의 효능이 있으므로 병후체허(病後體虛), 기혈부족(氣血不足), 관절불리(關節不利)를 치료한다.

사용법 두견에 물을 넣고 삶아서 즙액을 한 잔씩 복용하거나 가루로 만들어 1회 2~3g씩 복용한다.

○ 두견이

[올빼미과]

수리부엉이

나력
열식
두풍
풍습통

● 학명 : *Bubo bubo* Reichenow　　● 영명 : Eagle owl

몸길이 65cm 정도. 몸 전체가 황갈색, 가슴, 등, 날개에는 흑색의 세로 점무늬가 있다. 머리에는 흑색의 큰 귀깃이 2개 있다.

분포·생태 우리나라. 중국, 일본. 깊은 산의 암벽과 바위산, 강의 절벽에서 생활하며, 꿩, 산토끼, 쥐, 개구리, 뱀, 도마뱀을 잡아먹는다.

약용 부위·수치 깃털과 내장을 제거하고 뼈와 고기를 말리거나 그대로 사용한다.

약물명 묘두앵(猫頭鷹)

약효 해독, 정경(定驚), 거풍습(祛風濕)의 효능이 있으므로 나력(瘰癧), 열식(噎食), 두풍(頭風), 풍습통(風濕痛)을 치료한다.

사용법 묘두앵 적당량에 물을 넣고 삶아서 50~100g을 복용하거나 가루로 만들어 1회 5g씩 복용한다.

＊ 천연기념물 제324호이다.

○ 수리부엉이

○ 수리부엉이(뒷모습)

물총새

 어골경후   효천

임통, 치창

●학명 : *Alcedo atthis* L.   ●영명 : Common kingfisher

몸길이 17cm 정도. 등면은 진줏빛 청색과 녹색, 멱은 백색, 나머지 아랫면은 밤색이다. 목 측면에는 밤색과 백색의 반문이 있다. 부리는 흑색을 띠며, 부리 기부는 붉은색이다. 다리는 암적색이다.

분포·생태 세계 각처. 물가에서 생활하며 여름에는 내륙, 겨울에는 해안가에서 물고기를 잡아먹는다.

약용 부위·수치 깃털과 내장을 제거하고 뼈(骨)와 고기(肉)를 사용한다.

약물명 어구(魚狗). 어호(魚虎), 취벽조(翠碧鳥)라고도 한다.

약효 지통(止痛), 정천(定喘), 통림(通淋)의 효능이 있으므로 어골경후(魚骨鯁喉), 효천(哮喘), 임통(淋痛), 치창(痔瘡)을 치료한다.

사용법 어구에 물을 넣고 삶아서 즙액을 한 잔씩 복용한다.

❍ 물총새

호반새

 수종   소변불리

●학명 : *Halcyon coromanda* Temminck et Schlegel   ●영명 : Ruddy kingfisher

몸길이 27cm 정도. 암수 동일하며 몸 전체가 황적색, 턱 밑과 배는 황색을 띠며 허리에 푸르스름한 빛을 띠는 회색 세로줄무늬가 있다. 부리와 다리는 붉은색이다.

분포·생태 우리나라. 중국 둥베이(東北) 지방, 중국 연안, 일본, 필리핀 등에서 겨울을 나며, 개구리, 가재, 곤충류 등을 잡아먹는다.

약용 부위·수치 깃털과 내장을 제거하고 뼈(骨)와 고기(肉)를 사용한다.

약물명 비취(翡翠). 흌(鴥)이라고도 한다.

약효 이수소종(利水消腫)의 효능이 있으므로 수종(水腫), 소변불리를 치료한다.

사용법 비취 적당량에 물을 넣고 삶아서 복용한다.

❍ 호반새

후투티

정신실상

● 학명 : *Upupa epops* L. ● 영명 : Hoopoe

몸길이 28cm 정도. 암수 동일하며, 머리, 가슴, 윗등은 황갈색, 머리꼭대기에 있는 부채 모양의 깃 끝은 흑색이고 등, 날개, 꼬리는 V자형의 백색 무늬가 여러 개 있으며, 배는 백색이다.

분포·생태 우리나라, 중국 둥베이(東北) 지방, 일본, 시베리아, 바이칼 호수, 우수리. 곤충류의 애벌레, 거미류, 지렁이, 땅강아지 등을 잡아먹는다.

약용 부위·수치 깃털과 내장을 제거하고 뼈(骨)와 고기(肉)를 사용한다.

약물명 시고고(屎咕咕), 계관조(鷄冠鳥)라고도 한다.

약효 평간식풍(平肝息風), 진심안신(鎭心安神)의 효능이 있으므로 정신실상(精神失常)을 치료한다.

사용법 시고고 적당량에 물을 넣고 삶아서 복용하거나 가루로 만들어 복용한다.

○ 후투티

오색딱따구리

폐결핵   치창종통

● 학명 : *Dendrocopos major* L. ● 영명 : Woody woodpecker

○ 오색딱다구리

몸길이 24cm 정도. 아래꽁지덮깃은 암적색, 반문이 있고, 흑색과 백색이 어우러져 있다. 수컷은 윗목에 암적색 반문이 있고 어린 것은 암수 모두 머리꼭대기 전체가 암적색이다. 등면은 흑색, 어깨에는 큰 백색 반문이 있다.

분포·생태 세계 각처. 산지에서 생활하며 나무줄기를 입으로 두드려서 구멍을 파고 그 속에 있는 곤충의 유충을 잡아먹는다.

약용 부위·수치 깃털과 내장을 제거하고 뼈(骨)와 고기(肉)를 사용한다.

약물명 탁목조(啄木鳥), 작목(斫木)이라고도 한다.

기미·귀경 감(甘), 함(鹹), 평(平)·간(肝), 비(脾)

약효 자양보허(滋養補虛), 소종지통(消腫止痛)의 효능이 있으므로 폐결핵, 치창종통(痔瘡腫痛)을 치료한다.

성분 xanthophyll, protein, amino acid, peptides, fat, steroid, vitamin 등이 함유되어 있다.

사용법 탁목조에 물을 넣고 삶아서 즙액을 한 잔씩 복용한다.

[종다리과]

종다리

적리	폐결핵
태독	유뇨

● 학명 : *Alauda arvensis* L.　● 영명 : Skylark

○ 종다리

날개 길이 18~23cm, 꼬리 길이 19~27cm. 머리와 등쪽은 모두 광택이 도는 흑색, 허리에는 잿빛 백색 띠가 있으며 날개는 백색, 배는 턱 밑에서 윗가슴까지 흑색, 그 아래는 백색이다. 다리, 부리는 모두 흑색이고 녹색 광택이 난다. 꼬리는 긴 편이며 암수가 같은 색이다. 부리는 높고 다소 짧고 흑색이며 다리도 흑색이다.

분포 · 생태 북반구. 해안에서 산다. 냇가의 모래나 바위 위에 둥우리를 짓고 3~4개의 알을 낳는다.

약용 부위 · 수치 고기(肉), 뇌 또는 알을 사용한다.

약물명 운작(雲雀)

기미 · 귀경 감(甘), 산(酸), 평(平)

약효 해독, 삽뇨(澁尿)의 효능이 있으므로 적리(赤痢), 폐결핵, 태독(胎毒), 유뇨(遺尿)를 치료한다.

사용법 운작 적당량에 물을 넣고 달여서 한 잔씩 복용하거나 구워서 말린 것을 가루로 만들어 3~5g을 복용한다.

[제비과]

제비

수종	풍진, 습창, 단독, 백독
구창	

● 학명 : *Hirundo rustica* Scopoli　● 영명 : House swallow

몸길이 17cm 정도. 암수 동일하며 이마와 턱 밑은 밤색, 가슴과 배, 꼬리 밑의 무늬는 백색이며 눈앞, 가슴선, 머리, 등, 꼬리는 청록색을 띠는 흑색으로 꼬리 끝에는 백색의 무늬가 있다.

분포 · 생태 우리나라. 중국, 일본, 타이완, 아무르, 우수리, 히말라야. 인가나 건축물에 둥지를 틀며 파리류, 딱정벌레류, 하루살이류를 잡아먹는다.

약용 부위 · 수치 알과 집을 채취하여 사용한다.

약물명 알을 호연란(胡燕卵), 집을 연과토(燕窠土)라고 한다.

약효 호연란(胡燕卵)은 이수소종(利水消腫)의 효능이 있으므로 수종(水腫)을, 연과토(燕窠土)는 청열해독(淸熱解毒), 거풍지양(祛風止痒)의 효능이 있으므로 풍진(風疹), 습창(濕瘡), 단독(丹毒), 백독(白禿), 구창(口瘡)을 치료한다.

사용법 호연란 10개에 물을 넣고 삶아서 복용한다. 연과토는 15g에 물을 넣고 달여서 달인 액을 복용한다.

○ 제비

○ 제비집

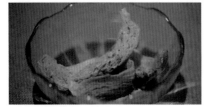

○ 연과토(燕窠土)

○ 연과토(燕窠土)

○ 연과토(燕窠土)로 만든 건강식품

꾀꼬리

 비위허약, 식욕부진   권태증

● 학명 : *Oriolus chinensis* Sharpe   ● 영명 : Black-naped oriole

몸길이 25cm 정도. 암수가 비슷하며 부리는 붉은색이고, 눈앞에서 뒷머리에 이르는 선과 날개 끝, 꼬리는 흑색, 나머지 부분은 황색을 띤다. 수컷이 암컷에 비하여 색이 선명하다.

분포·생태 우리나라. 중국, 일본, 아무르. 산딸기, 산포도 등 열매류와 곤충류를 먹는다.

약용 부위·수치 깃털과 내장을 제거하고 고기(肉)를 사용한다.

약물명 앵(鶯). 황조(黃鳥)라고도 한다.

약효 보중익기(補中益氣), 서간해울(舒肝解鬱)의 효능이 있으므로 비위허약(脾胃虛弱), 식욕부진, 권태증을 치료한다.

사용법 앵 살코기에 물을 넣고 삶아서 복용한다.

○ 꾀꼬리

찌르레기

 양위, 조설, 유정

● 학명 : *Sturnus cineraceus* Temminck   ● 영명 : Gray starling

몸길이 24cm 정도. 여름 철새. 암수 동일하며 머리, 가슴, 등, 꼬리는 흑색이고, 뺨, 꼬리, 허리, 배는 백색이며, 옆구리는 회갈색이다. 부리 기부와 발은 주황색이며 부리 끝은 흑색을 띤다.

분포·생태 우리나라. 중국, 일본 등. 공원, 절, 농경지 등에서 생활하며, 양서류, 연체동물, 곤충류, 나물, 열매를 먹는다.

약용 부위·수치 깃털과 내장을 제거하고 살코기를 말린다.

약물명 회례자(灰禮子)

약효 수렴고삽(收斂固澁), 익기양음(益氣養陰)의 효능이 있으므로 양위(陽痿), 조설(무泄), 유정(遺精)을 치료한다.

사용법 회례자 적당량을 가루로 만들어 1회 5g을 복용한다.

○ 찌르레기

[까마귀과]

까마귀

 두풍현훈, 소아풍간　　폐로해수

토혈

●학명 : *Corvus corone* L.　●영명 : Carrion crow

날개 길이 27~32cm, 꼬리 길이 19~22cm. 수컷의 겨울깃은 온몸이 자주색 광택이 도는 흑색이다. 이마 깃털은 비늘 모양, 목과 가슴의 깃털은 버드나뭇잎 모양이다. 가장 바깥쪽 꼬리깃은 중앙의 꼬리깃보다 2cm 정도 짧으므로 둥근 꼬리를 이룬다. 여름깃은 봄철에 털갈이를 하지 않기 때문에 광택을 잃고 갈색을 띤다. 암컷은 수컷과 생김새가 같으나 약간 작다.

분포 · 생태 우리나라. 중국, 일본, 타이완, 아무르, 우수리. 평지에서부터 깊은 산속에 이르기까지 도처의 침엽수에서 번식하며, 포란 후 17~18일이 지나면 부화한다. 잡식성으로 들쥐, 농작물, 곡류, 과일 등을 먹으며 갑각류, 벌, 파리, 딱정벌레 등 작은 곤충류도 먹는다.

약용 부위 · 수치 털과 내장을 제거하고 사용한다.

약물명 오아(烏鴉). 여(鸒), 여사(鸒斯), 아(鴉), 노아(老鴉)라고도 한다.

기미 · 귀경 함(鹹), 삽(澁), 온(溫) · 간(肝), 신(腎)

약효 거풍정간(祛風定癇), 자음지혈(滋陰止血)의 효능이 있으므로 두풍현훈(頭風眩暈), 소아풍간(小兒風癇), 폐로해수(肺癆咳嗽), 토혈(吐血)을 치료한다.

성분 protein, peptides, amino acids, lipid가 함유되어 있다.

사용법 오아 1마리에 물을 넣고 삶아서 복용한다. 노인두풍(老人頭風), 두훈목흑(頭暈目黑)에는 오아 1마리, 천마(天麻) 9g을 배합하여 물을 넣고 달여서 복용한다.

처방 영아산(靈鴉散): 오아(烏鴉) 1마리, 단사(丹砂) 0.4g, 세신(細辛) 80g, 전갈(全蝎) 14마리를 가루로 만들어 1회 2g을 복용(『성제총록(聖濟總錄)』). 풍간다경(風癎多驚), 수족저림, 입 밖으로 침과 거품이 나오는 증상에 사용한다.

• 오아산(烏鴉散): 오아(烏鴉) 1마리, 사향(麝香) 20g을 배합하여 가루로 만들어 1회 8g을 복용(『성혜방(聖惠方)』). 산후중풍에 사용한다.

❍ 까마귀

❍ 까마귀(한라산에서 자주 볼 수 있다.)

[까마귀과]

까치

 허로발열　　 흉격담결

석림　　당뇨병

●학명 : *Pica pica* L.　●영명 : Black-billed magpie

텃새. 날개 길이 18~23cm, 꼬리 길이 19~27cm. 머리와 등쪽은 모두 광택이 도는 흑색, 허리에는 잿빛 백색 띠가 있으며 날개는 백색, 배는 턱 밑에서 윗가슴까지 흑색, 그 아래는 백색이다. 다리, 부리는 모두 흑색이고 녹색 광택이 난다. 꼬리는 긴 편이며 암수가 같은 색이다. 부리는 높고 다소 짧으며 흑색, 다리도 흑색이다.

분포 · 생태 우리나라. 중국, 일본, 타이완, 아무르, 우수리, 유럽, 북아메리카. 들에서 산다. 산란기는 2~5월이며 연 1회 번식하고 보통 5~6개의 알을 낳는다. 알은 엷은 녹색으로 어두운 갈색과 회색의 얼룩 반점이 산재한다. 포란 후 17~18일이면 부화하고, 먹이는 잡식성으로 들쥐, 농작물, 곡류, 과일 등을 먹으며 갑각류, 벌, 파리, 딱정벌레 등 작은 곤충류도 먹는다.

약용 부위 · 수치 털과 내장을 제거하고 사용한다.

약물명 작(鵲). 간작(干鵲), 신녀(神女), 희작(希鵲)이라고도 한다.

본초서 작(鵲)은 「명의별록(名醫別錄)」에 처음 수재되었고, "석림(石淋)과 뭉친 열을 내린다."고 하였다. 「일화자본초(日華子本草)」에는 "소갈증과 이질을 치료한다."고 하였으며, 「본초도경(本草圖經)」에는 "주로 풍열을 없애고 대소장이 약한 증상, 손과 발에서 열이 나는 증상, 가슴이 답답하고 가래가 끼는 증상을 치료한다."고 하였다.

기미 · 귀경 감(甘), 한(寒) · 폐(肺), 비(脾), 방광(膀胱)

약효 청열(淸熱), 보허(補虛), 산결(散結), 통림(通淋), 지갈(止渴)의 효능이 있으므로 허로발열(虛勞發熱), 흉격담결(胸膈痰結), 석림(石淋), 당뇨병을 치료한다.

사용법 작 한 마리에 물을 넣고 삶아서 즙액을 한 잔씩 복용한다. 소변을 볼 때 따끔거리고 모래알 같은 것이 소변에 섞여 나오는 증상에는 작 한 마리와 금전초(金錢草) 50g에 물을 넣고 달여서 아침저녁으로 마시고 삶은 고기도 섞어서 먹는다. 폐결핵에는 작 1마리, 닭 1마리에 물을 넣고 달여서

삶은 고기와 달인 액을 복용한다. 골절상에는 살코기를 삶아서 가루 내어 상처 난 곳에 붙인다.

❍ 까치

❍ 까치(곡식이나 곤충을 주로 먹는다.)

굴뚝새

 해수천식

비허설사

지력감퇴

● 학명 : *Troglodytes troglodytes* Dybowski et Taczanowski   ● 영명 : Winter wren

몸길이 10cm 정도. 암수 동일하며 몸은 전체적으로 암갈색이다. 등, 날개, 꼬리에 흑색 점무늬가 많고 배에는 백색을 띠는 부분도 있다. 부리 아래와 다리는 적갈색이며 뺨에는 회갈색 점이 많다.

분포 · 생태 우리나라. 중국, 일본, 아무르. 인가, 숲속에서 생활하며, 파리, 거미류, 연체동물, 곤충류의 애벌레 등을 잡아먹는다.

약용 부위 · 수치 깃털과 내장을 제거하고 살코기를 말린다.

약물명 교부조(巧婦鳥). 도충(桃蟲), 몽구(蒙鳩)라고도 한다.

약효 보폐건비(補肺健脾), 강정익지(强精益智)의 효능이 있으므로 해수천식(咳嗽喘息), 비허설사(脾虛泄瀉), 지력감퇴(智力減退)를 치료한다.

사용법 교부조 적당량을 가루로 만들어 1회 5g을 복용한다.

○ 굴뚝새

동박새

 수종, 심장병

● 학명 : *Zosterops japonica* Temminck et Schlegel   ● 영명 : Japanese white–eye

몸길이 11cm 정도. 텃새. 암수 동일하며 머리, 등, 날개, 꼬리는 황록색, 옆구리는 갈색, 배는 백색, 턱 밑은 황색이다.

분포 · 생태 우리나라 남해, 동해, 울릉도. 중국, 일본 등. 나무 위에서 생활하며 거미류, 진드기류, 곤충류, 후박나무 열매를 먹는다.

약용 부위 · 수치 깃털과 내장을 제거하고 살코기를 말린다.

약물명 수안(綉眼)

약효 강심이뇨(强心利尿)의 효능이 있으므로 수종(水腫), 심장병을 치료한다.

사용법 수안 적당량을 가루로 만들어 1회 5g을 복용한다.

○ 동박새

[참새과]

참새

 신허양위, 조설, 산기, 소변빈삭 · 요슬산연

붕루, 대하 · 옹독창절

● 학명 : *Passer montanus* L. ● 영명 : Tree sparrow

날개 길이 6~7cm, 꼬리길이 5cm 정도. 암컷과 수컷의 이마, 머리, 뒷머리, 뒷목은 우윳빛이 도는 갈색이다. 눈앞, 턱 밑, 멱은 흑색, 눈 앞뒤에는 흑색의 짧은 눈선이 있다. 꼬리는 흑갈색으로 담갈색의 가장자리가 있다. 날개깃은 암갈색, 부리는 흑색, 홍채는 갈색, 다리는 담갈색이다.

분포 · 생태 우리나라. 중국, 일본, 타이완, 아무르. 들이나 집 주변에서 산다. 산란기는 3~6월이며 4~8개의 알을 낳는다. 먹이는 잡식성으로 농작물, 파리, 딱정벌레 등 작은 곤충류도 먹는다.

약용 부위 · 수치 털과 내장을 제거하고 그대로 사용하거나 말린다.

약물명 작(雀), 가빈(嘉賓), 가작(家雀), 와작(瓦雀)이라고도 한다.

본초서 작(雀)은 「명의별록(名醫別錄)」에 처음 수재되었고 "석림(石淋)과 뭉친 열을 내린다."고 하였다. 「일화자본초(日華子本草)」에는 "소갈증과 이질을 치료한다."고 하였으며, 「본초도경(本草圖經)」에는 "주로 풍열을 없애고 대소장이 약한 증상, 손과 발에서 열이 나는 증상, 가슴이 답답하고 가래가 끼이는 증상을 치료한다."고 하였다.

기미 · 귀경 감(甘), 온(溫) · 신(腎), 폐(肺), 방광(膀胱)

약효 보신장양(補身壯陽), 익정고삽(益精苦澁)의 효능이 있으므로 신허양위(腎虛陽痿), 조설(早泄), 요슬산연(腰膝酸軟), 산기(疝氣), 소변빈삭(小便頻數), 붕루(崩漏), 대하(帶下), 옹독창절(癰毒瘡癤)을 치료한다.

사용법 작 3~4마리에 물을 넣고 달여서 복용한다.

❁ 참새

❁ 참새(먹이를 찾고 있는 모습)

[참새과]

촉새

양위 · 주중독

● 학명 : *Emberiza spodocephala* Pallas ● 영명 : Siberia black−faced bunting

날개 길이 16cm 정도. 암수 비슷하며, 이마에서부터 뒷목까지는 녹회색, 등은 황갈색으로 흑색 무늬가 있으며 턱 밑은 암갈색이다. 가슴, 배, 옆구리는 담황갈색으로 갈색 줄무늬가 있다.

분포 · 생태 우리나라. 중국, 일본, 우수리, 아무르. 숲속, 평지, 고산 등에 생활하며, 잡초의 종자, 곡식, 곤충류 등을 먹는다.

약용 부위 · 수치 털과 내장을 제거하고 그대로 사용하거나 말린다.

약물명 호작(蒿雀)

약효 장양(壯陽), 해독의 효능이 있으므로 양위(陽痿), 주중독(酒中毒)을 치료한다.

사용법 호작 3~4마리에 물을 넣고 달여서 복용한다.

❁ 촉새

포유류(哺乳類, Mammalia)

몸은 머리, 목, 몸통, 꼬리의 4부분으로 구분되며 털로 덮여 있다. 피부에는 땀샘, 지방샘, 젖샘이 있다. 4개의 다리는 운동 양식에 따라 여러 방향으로 적응되었다. 이빨은 파충류보다 그 수가 적으나 앞니, 송곳니, 앞어금니, 어금니로 분화되었다. 움직일 수 있는 눈꺼풀과 육질의 바깥귀가 있다. 심장은 2심방 2심실로 되어 있고 왼쪽 동맥궁이 남아 있으며 온혈동물이다. 뇌는 발달하고 12쌍의 뇌신경을 가진다. 청각은 종류에 따라 예민한 정도가 다르지만 달팽이관이 잘 발달하여 음파의 분석이 뛰어나다. 성은 분리되어 있다.

[고슴도치과]

고슴도치

🐾 위완동통, 반위, 위통, 변혈

🫘 치루, 탈항, 유정, 유뇨

● 학명 : *Erinaceus amurensis* Schrenk　● 영명 : Amur hedgehog

몸길이 25cm 정도, 꼬리 길이 2~3.5cm, 몸무게 360~630g. 네 다리는 짧고 뭉툭한 몸집을 가졌다. 얼굴, 배, 꼬리, 네 다리를 제외하고는 날카로운 침 같은 털이 빽빽이 나 있다. 온몸에 가시가 돋아 있어서 적을 만났을 때 밤송이같이 몸을 둥글게 하여 자기 몸을 보호한다.

분포 · 생태 우리나라. 중국, 일본, 소아시아, 시베리아, 아무르, 우수리. 삼림이 무성한 숲에서 살며 야행성이다. 겨울이 되면 겨울잠을 자기도 하며, 곤충, 조류의 알, 식물 열매 등을 먹는다.

약용 부위 · 수치 가시가 붙은 피부를 채취하여 말린다. 이것을 작은 덩어리로 나누어 초(炒)하여 사용한다. 고기(肉), 위(胃)를 채취하여 썰어서 말린다.

약물명 가시가 붙은 피부를 자위피(刺猬皮)라 하며, 위피(猬皮), 선인의(仙人衣)라고도 한다. 고기를 위육(猬肉)이라 한다.

약효 자위피(刺猬皮)는 화어지통(化瘀止痛), 수렴지혈(收斂止血), 삽정축뇨(澁精縮尿)의 효능이 있으므로 위완동통(胃脘疼痛), 반위토식(反胃吐食), 변혈(便血), 장풍하혈(腸風下血), 치루(痔漏), 탈항(脫肛), 유정(遺精), 유뇨(遺尿)를 치료한다. 위육(猬肉)은 강역화위(降逆和胃), 생기렴창(生肌斂瘡)의 효능이 있으므로 반위(反胃), 위통, 식소(食少)를 치료한다.

사용법 자위피는 가루로 만들어 6~10g을 복용하고, 위육은 30~60g에 물을 넣고 달여서 복용한다.

＊ 중국에서는 '자위(刺猬) *E. europaeus*'와

'달오이(達烏爾) *Hemiechinus dauricus*'가 약용된다.

○ 고슴도치

○ 자위피(刺猬皮, 안쪽)

○ 자위피(刺猬皮)

[두더지과]

두더지

🟫 옹저정독

🐾 회충병

🫘 치루, 임병

● 학명 : *Mogera robusta* Nehring　● 영명 : Mole

○ 두더지

몸길이 9~11cm, 꼬리 길이 2~3.5cm, 몸무게 48~175g. 몸은 원통형이고, 목이 뚜렷하지 않다. 몸의 털은 부드럽고 곧게 서며, 암갈색~흑갈색이다. 머리와 몸 아랫면은 주황색이다. 주둥이는 길고 뾰족한데 그 끝과 윗면은 밖으로 드러난다. 눈은 매우 작아서 피하에 묻혀 있다. 이빨은 매우 예리하여 42개가 있다.

분포 · 생태 우리나라. 일본, 중국. 땅에 구멍을 파서 생활하며 나비류의 유충, 지네, 지렁이, 거미, 개구리, 달팽이 등을 잡아먹는다.

약용 부위 · 수치 내장과 털을 제거하고 말린다.

약물명 언서(鼴鼠). 은서(隱鼠), 할로서(瞎老鼠), 전서(田鼠)라고도 한다.

약효 해독, 살충의 효능이 있으므로 옹저정독(癰疽疔毒), 치루(痔漏), 임병(淋病), 회충병을 치료한다.

사용법 언서 적당량을 가루로 만들어 2~4g을 복용한다.

＊ 두더지보다 전체가 큰 '큰두더지 *M. wogura*'도 약효가 같다.

[애기박쥐과]

쇠큰수염박쥐

해수, 천식 | 대하 | 나력
목혼, 목예, 청맹, 작목, 백정일혈

● 학명 : *Myotis ikonnikovi* Ogner　● 영명 : Small bearded rat　● 별명 : 작은윗수염박쥐

몸길이 4~5.5cm, 귀 길이 1.2~1.3cm, 몸무게 4~8g. 털은 흑갈색, 몸 윗면의 털 끝은 황금색 광택을 띠지만 분명하지 않다. 귓기둥은 귀 길이의 1/2 이하이며, 비막과 귀는 흑갈색이다.

분포·생태 우리나라. 중국, 일본, 시베리아, 아무르, 우수리. 6월경부터 포육 집단을 이루어 7월 초 1마리의 새끼를 낳는다.

약용 부위·수치 내장과 털을 제거하고 주침(酒浸)하였다가 말려 사용거나 그대로 태워서 사용한다. 분변(糞便)을 건조하여 사용한다.

약물명 내장과 털을 제거한 것을 편복(蝙蝠)이라 하며 복익(服翼), 천서(天鼠), 복익(伏翼), 비서(飛鼠), 선서(仙鼠)라고도 한다. 분변(糞便)을 야명사(夜明砂)라 하며, 천서시(天鼠屎), 서법(鼠法), 석간(石肝), 흑사성(黑砂星)이라고도 한다. 야명사(夜明砂)는 대한민국약전외한약(생약)규격집(KHP)에 수재되어 있다.

기미·귀경 편복(蝙蝠): 함(鹹), 평(平)·간(肝)

약효 편복(蝙蝠)은 지해평천(止咳平喘), 이수통림(利水通淋), 평간명목(平肝明目), 해독의 효능이 있으므로 해수(咳嗽), 천식, 대하(帶下), 목혼(目昏), 목예(目翳), 나력(瘰癧)을 치료한다. 야명사(夜明砂)는 청간명목(清肝明目), 산어소적(散瘀消積)의 효능이 있으므로 청맹(青盲), 작목(雀目), 목적종통(目赤腫痛), 백정일혈(白睛溢血), 내외예장(內外翳障), 소아감적(小兒疳積), 나력(瘰癧), 말라리아를 치료한다.

성분 urea, uric acid, cholesterol, vitamin A 등이 함유되어 있다.

약리 쥐나 토끼 등을 실험 동물로 하여 약리 작용을 연구한 결과 혈소판 응집 작용, 심혈관계 혈류 증가, 면역력 증강 작용, 항염증 작용, 위궤양 억제 작용 등이 나타났다.

사용법 편복은 알약으로 만들어 1~3g을 복용한다. 야명사는 5g에 물 2컵(400mL)을 넣고 달여서 복용하거나 알약으로 만들어 복용하며, 외용에는 짓찧어 환부에 바른다.

처방 야명사단(夜明砂丹): 야명사(夜明砂)·호황련(胡黃蓮)·용담(龍膽)·천련피(川楝皮) 각 20g, 해마(海馬) 5마리, 노회(蘆薈)·청대(靑黛) 각 8g, 관중(貫中) 40g(「급유방(及幼方)」). 어린아이가 감질로 온몸이 여위고 배가 커지며 회충증으로 배꼽 둘레가 아픈 데와 간열로 눈에 핏발이 서고 예막이 생기며 열이 나고 가슴이 답답하면서 갈증이 나는 증상에 사용한다. 1알이 0.2g이 되게 만들어 1회 1~2알씩 복용한다.

＊박쥐목은 전 세계에 17과 1110여 종이 있으며, 우리나라에는 23종이 분포한다. 본종 외에 우리나라에서 흔히 볼 수 있는 '안주애기박쥐 *M. sinensis*', '붉은박쥐 *M. formosus*', '큰수염박쥐 *M. gracilis*', '우수리박쥐 *M. petax*', '관박쥐 *Rhinolophus ferrumequinum*', '문둥이박쥐 *Eptesicus serotinus*' 등도 약효가 같다.

❍ 야명사(夜明砂)

❍ 쇠큰수염박쥐

[원숭이과]

히말라야원숭이

풍한습비, 사지마목, 관절동통, 골절

● 학명 : *Macaca mulatta* Zimmermann　● 영명 : Rhesus monkey

❍ 히말라야원숭이

몸길이 수컷 50cm, 암컷 45cm 정도. 체격은 비교적 작고 어깨 털은 짧으며, 꼬리는 몸길이의 반 정도로 길다. 손과 발은 길며 손가락과 발가락은 5개로 엄지가 다른 것들과 마주 보게 되어 있다. 몸 색깔은 황색~암갈색이고, 항문은 붉은색이다. 시각은 예민하지만 후각은 퇴화하여 콧구멍이 단축되어 있다. 뇌는 구조와 기능이 복잡하다.

분포·생태 중국 광둥성(廣東省), 하이난성(海南省), 광시성(廣西省), 허난성(河南省). 삼림이 무성한 숲에서 산다.

약용 부위·수치 골격을 채취하여 말린다.

약물명 미후골(獼猴骨). 후골(猴骨), 신골(神骨)이라고도 한다.

기미·귀경 산(酸), 평(平)·심(心), 간(肝)

약효 거풍제습(祛風除濕), 강근장골(強筋壯骨), 진경(鎭驚), 재학(裁瘧)의 효능이 있으므로 풍한습비(風寒濕痺), 사지마목(四肢麻木), 관절동통, 골절을 치료한다.

사용법 미후골 10~15g에 물 3컵(600mL)을 넣고 달여서 복용하거나 알약으로 만들어 복용한다.

사람

| 허로영수, 골증발열, 기허무력 | 열격, 대변조결, 토혈 | 당뇨병 |
| 혈허경폐, 불잉소유 | 목적혼암, , 육혈 | 양위유정 |

● 학명 : *Homo sapiens* L.　● 영명 : Man

사람은 분류학적으로 척추동물문(脊椎動物門), 포유강(哺乳綱, Mammalia), 영장목(靈長目, Primates), 사람과(Hominidae)로 분류된다.

약용 부위·수치 오줌. 건강한 산부의 신선한 태반을 수집하여 양막(羊膜) 및 태반줄을 제거하고 물에 씻은 후 물에 쪄서 말린다.

약물명 산모의 유즙을 인유즙(人乳汁), 오줌을 인뇨(人尿), 신선한 태반 말린 것을 자하거(紫河車)라 하며, 포의(胞衣), 인포(人胞)라고도 한다.

본초서 자하거(紫河車)는 당나라 「본초습유(本草拾遺)」에 인포(人胞) 및 포의(胞衣)의 이름으로 처음 수재되었다. 이시진(李時珍)의 「본초강목(本草綱目)」에는 인포(人胞) 및 포의(胞衣)의 별명으로 태의(胎衣), 자하거(紫河車), 혼돈의(混沌衣)를, 「본초몽전(本草蒙筌)」에는 혼원의(混元衣)를 들고 있다. 이시진(李時珍)은 "인포(人胞)라는 이름은 옷처럼 애기를 둘러싸고 있다고 하여 붙여진 것이다."라고 하였다. 주단계(朱丹溪)는 "자하거(紫河車)는 허약 체질을 개선하고 뼛속이 후끈후끈 달아오르는 골증(骨蒸)에 효과가 있다. 기허(氣虛)에는 보기(補氣)의 약을 사용하며, 혈허(血虛)에는 보혈(補血)의 약을 사용한다. 측백엽, 오약을 술로 9번 찌고 9번 말려서 알약으로 만들면 보익(補益)의 효능이 있다. 이것을 보신환(補腎丸)이라 한다."고 하였다.

성상 자하거(紫河車)는 납작한 달걀 모양, 지름 9~15cm, 두께는 일정하지 않다. 바깥면은 황갈색으로 한쪽 면은 불룩하고 주름이 있으며, 다른 쪽 면은 비교적 편편하고 탯줄이 붙어 있는 것도 있다. 일반적으로 단단하지만 잘 부서진다. 1개의 무게는 35~70g으로 비린내가 있으며, 특이한 맛은 없다.

기미·귀경 인뇨(人尿): 한(寒), 함(鹹)·심(心), 폐(肺), 방광(膀胱), 신(腎). 자하거(紫河車): 온(溫), 감(甘), 함(鹹)·폐(肺), 간(肝), 신(腎).

약효 인유즙(人乳汁)은 보음양혈(補陰養血), 윤조지갈(潤燥止渴)의 효능이 있으므로 허로영수(虛勞贏瘦), 열격(噎膈), 당뇨병, 혈허경폐(血虛經閉), 대변조결(大便燥結), 목적혼암(目赤昏暗)을 치료한다. 인뇨(人尿)는 자음강화(滋陰降火), 지혈산어(止血散瘀)의 효능이 있으므로 허로해혈(虛勞咳血), 골증발열(骨蒸發熱), 토혈, 육혈(衄血), 산후혈훈(産後血暈), 혈허작통(血虛作痛)을 치료한다. 자하거(紫河車)는 익기양혈(益氣養血), 보신익정(補身益精)의 효능이 있으므로 허로영수(虛勞贏瘦), 허천로수(虛喘勞嗽), 기허무력(氣虛無力), 혈허면황(血虛面黃), 양위유정(陽痿遺精), 불잉소유(不孕少乳)를 치료한다.

성분 인뇨(人尿)는 urea, uric acid, creatinine, hippuric acid, phenol, oxalic acid, indican, vitamin B_1, B_2, B_6, C, folic acid, 17-ketosteroids, 17-oxycoticoste-

rone, estrogen, gonadotropie 등이 함유되어 있다. 자하거(紫河車)는 polypeptide, 다당류, 효소, 지질, 호르몬 등 복잡한 성분들로 구성된다. 호르몬으로는 성욕 자극 호르몬, 젖 분비 촉진 호르몬, 황체 호르몬, 난소(卵巢) 호르몬 등이 분리되었다.

약리 쥐에 자하거(紫河車)의 열수추출물을 주사하면 결핵균에 의한 질병을 치료하는데, 이것은 신체의 면역력 증강에 의한 것이라 판단하고 있다. 자하거(紫河車)에는 urokinase 억제 물질이 있으며, 섬유 단백질 용해 활성화에 urokinase의 작용을 억제하며, 임신 중 섬유 단백질 용해 효소의 활성을 저하시킨다. 분자량이 적은 혈액 응고 인자 VIII이 함유되어 있어서 이 물질이 결핍된 환자의 출혈에 지혈제로 사용한다. 쥐에게 열수추출물을 주사하면 위궤양의 생성을 저지하거나 치료 효과가 나타난다. 쥐에게 에탄올추출물을 주사하면 2차 생식기의 형성을 촉진하고 유선(乳腺) 발육이 현저하여 젖 분비 촉진이 일어난다. 쥐에게 에탄올추출물을 주사하면 암컷 자궁의 자발 운동이 강하게 일어나고, 수컷 고환의 흥분성이 관찰된다.

사용법 인유즙은 적당량을 복용하고, 인뇨는 30~50mL를 복용한다. 자하거는 5g에 물 2컵(400mL)을 넣고 달여서 복용하며, 다른 약물과 배합하여 사용한다.

처방 하차환(河車丸): 자하거(紫河車) 1구(俱), 백복령(白茯苓), 원지(遠志), 백복신(白茯神) 각 40g, 단삼(丹蔘) 28g, 인삼(人蔘) 20g 「동의보감(東醫寶鑑)」). 의식장애에 사용한다.

• 대조환(大造丸): 귀판(龜板) 60g, 당귀(當歸) 48g, 두충(杜沖) 60g, 맥문동(麥門冬) 48g(「동의보감(東醫寶鑑)」). 갱년기장애에 사용한다.

* 1936년 Ehrhardt가 동물의 태반으로부터 뇌하수체 전엽의 lactogenic hormone과 비슷한 물질을 발표한 이후에 많은 과학적 연구가 진행되어 태반(placenta) 제제를 생산하게 되었다.

❶ 자하거(紫河車)

❶ 자하거(紫河車)

❶ 인뇨(人尿)

❶ 자하거(紫河車)가 함유된 상처 치료제

❶ 자하거(紫河車)가 함유된 자양강장제

[천산갑과]

천산갑

♀ 혈어경폐, 유즙불하		☯ 징가	
풍습비통		옹종, 나력	

● 학명 : *Manis pentadactyla* L. ● 영명 : Pangolin

몸길이 1m 정도. 머리는 가늘고 긴 원추형, 주둥이는 뾰족하다. 눈은 작으며 혀는 가늘면서 길다. 이빨은 없으며 끈끈한 긴 혀로 개미나 흰개미를 잡아 먹는다. 전신이 솔방울 같은 비늘로 덮여 있으며 비늘은 마름모꼴, 가운데는 돌기가 있다. 코끝, 얼굴, 몸 아래쪽에는 비늘이 없다. 꼬리는 길고 편평하고 네 다리는 굵고 짧으며 5개의 발가락과 발톱이 있다.

분포 · 생태 열대 및 아열대. 습지대에 서식한다. 새끼는 한 배에 1마리, 드물게 2마리를 낳으며 갓난 새끼의 비늘은 연하다.

약용 부위 · 수치 비늘조각을 채취하여 냄비에 모래를 깔고 그 위에 얹어서 약한 불로 구워 사용한다.

약물명 천산갑(穿山甲). 능리갑(鯪鯉甲), 능리각(鯪鯉角), 산갑(山甲), 용리(龍鯉) 석릉어(石鯪魚), 천산갑(川山甲)이라고도 한다. 대한민국약전외한약(생약)규격집(KHP)에 수재되어 있다.

본초서 천산갑(穿山甲)은 「도경본초(圖經本草)」에 수재되어 있으며 "부은 것을 없애며 고름을 빼고 젖을 잘 나오게 하는 데 탁월한 효능이 있다."고 기록되어 있다.

성상 대략 부채 모양의 세모꼴 또는 마름모꼴을 이루고 길이 3~5cm, 너비 4~6mm이다. 바깥면은 엷은 갈색~흑갈색을 나타내고, 반투명한 광택이 있고 피부에 부착된 뒷면은 돋아나고 두껍고 주변은 얇다. 바깥면의 기부로부터 뒷면을 향하여 방사상으로 뻗은 많은 선이 있고 뒷면에는 평행하여 조금 가늘고 긴 선이 있다. 뒷면의 속은 평평하고 반들하며 질은 각질이고 단단하다. 냄새가 거의 없고 맛은 조금 짜다.

품질 비늘조각이 크고 두꺼우며 광택이 있는 것이 좋다.

기미 · 귀경 미한(微寒), 함(鹹) · 간(肝), 위(胃)

약효 활혈산결(活血散結), 통경하유(通經下乳), 소옹궤견(消癰潰堅)의 효능이 있으므로 혈어경폐(血瘀經閉), 징가(癥瘕), 풍습비통(風濕痺痛), 유즙불하(乳汁不下), 옹종(癰腫), 나력(瘰癧)을 치료한다.

사용법 천산갑 5g에 물 2컵(400mL)을 넣고 달여서 복용하거나 알약이나 가루약으로 만들어 복용한다. 옴이나 습진에는 가루 내어 참기름에 개어서 바른다.

주의 기혈(氣血)이 허한 사람은 복용하지 않는다.

처방 오령지산(五靈脂散) : 오령지(五靈脂) · 형개(荊芥) · 방풍(防風) · 강활(羌活) · 독활(獨活) · 천산갑(穿山甲) · 골쇄보(骨碎補) · 부자(附子) · 감초(甘草) 각 20g, 사향(麝香) 2g (「동의보감(東醫寶鑑)」). 풍한습사(風寒濕邪)로 기혈이 막혀 팔과 어깨가 아파서 잘 움직이지 못하는 증상에 사용한다. 1회 8g을 복용한다.

• 통유탕(通乳湯) : 관목통(關木通) · 천궁(川芎) 각 40g, 천산갑(穿山甲) 14쪽, 감초(甘草) 4g, 저족(猪足) 4개 (「동의보감(東醫寶鑑)」). 산후에 음혈(飮血) 부족으로 젖이 잘 나오지 않는 증상에 사용한다.

◐ 천산갑

◐ 천산갑(穿山甲)

◐ 천산갑(박제품)

[토끼과]

토끼

☯ 반위토식, 장열변비, 장풍변혈, 곽란토리			
단독, 창개	당뇨병	두혼현훈	

● 학명 : *Lepus mandschuricus* Radde ● 영명 : Rabbit ● 별명 : 만주토끼

몸길이 45~50cm, 몸무게 1.5~2.5kg. 전체에 털이 있다. 귀는 크며 쫑긋 서고 꼬리는 짧으며, 앞발과 뒷발에는 발가락이 5개 있다. 위턱의 앞니는 큰 것 1쌍이 앞에 있고, 그 바로 뒤에 작은 것 1쌍이 있다. 앞니는 에나멜질로 싸여 있고 송곳니는 없으며, 앞니와 어금니 사이에 넓은 틈이 있다.

분포 · 생태 우리나라. 일본, 중국, 소아시아, 시베리아, 아무르, 우수리. 삼림이 무성한 숲에서 산다.

약용 부위 · 수치 고기(肉), 피부의 가시, 위를 채취하여 썰어서 말린다.

약물명 고기(肉)를 토육(兎肉)이라 하며, 골격을 토골(兎骨)이라 한다.

기미 · 귀경 토육(兎肉) : 한(寒), 감(甘) · 간(肝), 대장(大腸). 토골(兎骨) : 평(平), 감(甘), 산(酸)

약효 토육(兎肉)은 건비보중(健脾保中), 양혈해독(凉血解毒)의 효능이 있으므로 위열소갈(胃熱消渴), 반위토식(反胃吐食), 장열변비(腸熱便秘), 장풍변혈(腸風便血), 습열비(濕熱痺), 단독(丹毒)을 치료한다. 토골(兎骨)은 청열지갈(淸熱止渴), 평간거풍(平肝祛風)의 효능이 있으므로 당뇨병, 두혼현훈(頭昏眩暈), 창개(瘡疥), 곽란토리(癨亂吐痢)를 치료한다.

사용법 토육은 100~150g에 물을 넣고 달여서 복용한다. 토골은 10~15g에 물을 넣고 달여서 복용하거나 술에 담가서 복용한다.

◑ 토끼

◑ 토끼

[다람쥐과]

청설모

♀	월경불순, 통경	🫁	폐결핵
🧴	흉막염	🫘	치루

●학명 : *Sciurus vulgaris* L. ●영명 : Boots ●별명 : 청서

몸길이 20~33cm, 몸무게 275~345g. 사지(四肢)와 귀의 긴 털, 꼬리는 흑색을 띤다. 앞다리는 비교적 짧고, 앞발바닥은 털이 없고 뒷발은 털로 덮여 있으며 발가락이 4개이다. 털은 암청석~흑청색을 띠고, 귓바퀴는 흑색이다.

분포·생태 우리나라. 일본, 중국. 숲속에서 살며 늦은 가을에는 월동하기 위하여 도토리, 밤, 잣과 같은 열매를 바위 구멍이나 땅속에 저장하며, 나뭇가지 사이에 마른 나뭇가지로 보금자리를 만든다.

약용 부위·수치 털과 내장을 제거하고 물에 씻어서 말린다.

약물명 송서(松鼠), 율서(栗鼠), 회서(灰鼠) 라고도 한다.

약효 이기조경(理氣調經), 살충소적(殺蟲消積)의 효능이 있으므로 월경불순, 통경(痛經), 폐결핵, 흉막염(胸膜炎), 치루(痔漏)를 치료한다.

사용법 송서 적당량에 물을 넣고 달여서 복용하거나 가루로 만들어 5~10g을 복용한다.

✪ 청설모

✪ 청설모(나무를 오르는 모습)

[다람쥐과]

밤색배다람쥐

🗂	타박상	🦴	골절
♀	월경불순, 통경, 폐경		

●학명 : *Callosciurus erythraeus* Pallas ●영명 : Brown squirrel ●한자명 : 赤腹松鼠

몸길이 20~25cm. 청설모와 비슷하게 생겼으나 털과 배(腹)가 밤색이다.

약용 부위·수치 털과 내장을 제거하고 물에 씻어서 말린다.

약물명 적복송서(赤腹松鼠)

약효 활혈조경(活血調經), 행기지통(行氣止痛)의 효능이 있으므로 타박상, 골절, 월경불순(月經不順), 통경(痛經), 폐경(閉經)을 치료한다.

사용법 적복송서 적당량을 가루로 만들어 5g을 복용하거나 알약으로 만들어 복용한다.

✪ 밤색배다람쥐

[다람쥐과]

다람쥐

 고혈압

● 학명 : *Eutamias sibiricus* Laxmann ● 영명 : Chipmunk, Siberian squirrel
● 한자명 : 花鼠 ● 별명 : 시베리아다람쥐

몸길이 15cm 정도, 몸무게 75~100g. 귀는 비교적 작고, 앞다리의 발가락은 털이 없다. 눈과 귀 주변은 백색, 머리부터 엉덩이까지 5줄의 명료한 흑색 무늬가 있다.

약용 부위 · 수치 뇌수(腦髓)를 취하여 바로 사용한다.

약물명 화서뇌(花鼠腦)

약효 평간강압(平肝降壓)의 효능이 있으므로 고혈압을 치료한다.

사용법 화서뇌를 그대로 복용하거나 술에 담가서 복용한다.

◐ 다람쥐

[날다람쥐과]

하늘다람쥐

 청맹, 작목, 목적종통, 백정일혈
 소아감적   나력   말라리아

● 학명 : *Trogopterus xanthipes* Milne–Edward ● 영명 : Sky squirrel

몸길이 10~19cm, 몸무게 81~120g. 빛깔은 연한 회갈색, 눈은 매우 크나 귀는 작고 긴 털이 없다. 네발의 표면은 회색이고 몸 아랫면은 백색이나 비막(飛膜)의 아랫면과 꼬리는 담홍색이다.

분포 · 생태 우리나라. 일본, 중국. 침엽수림에서 단독 또는 2마리씩 서식한다. 항상 나무의 빈 구멍 속에 보금자리를 만드는데, 낮에는 등을 구부리고 납작한 꼬리로 온몸을 덮고 낮잠을 자다가 해질 무렵부터 활동하기 시작한다. 동작이 빠르고 나무를 잘 탄다. 먹이는 잣나 도토리와 같은 딱딱한 열매, 나무의 어린 싹, 어린 나뭇가지 등이며 먹이를 먹을 때는 다람쥐처럼 수직으로 앉아서 앞발로 껍질을 벗겨서 먹는다. 겨울이 되면 높은 나무의 빈 구멍에 바위 이끼를 듬뿍 깔고 겨울잠을 자고, 이듬해 봄이 되면 2~4마리의 새끼를 낳는다.

약용 부위 · 수치 분변(糞便)을 건조시켜 사용하거나, 초에 담갔다가 불에 볶아 사용한다. 초에 담글 때에는 오령지(五靈脂) 100g 당 식초 20g을 넣는다.

약물명 오령지(五靈脂). 영지(靈脂), 편복분(蝙蝠糞), 산편복(山蝙蝠), 영지미(靈脂米)라고도 한다. 대한민국약전외한약(생약)규격집(KHP)에 수재되어 있다.

본초서 송나라 「개보본초(開寶本草)」에 처음 수재되었으며, "가슴과 배의 찬 기운을 없애고 소아감기, 설사, 여성 생리불순을 치료한다."고 기록되어 있다. 「본초강목(本草綱目)」에는 "부인의 생리과다, 붉은대하, 산전산후복통, 현기증, 혈변(血便) 등을 치료한다."고 기록되어 있다. 오령(五靈)은 오행(五行)의 영기(靈氣)가 있다는 뜻이다.

성상 이 약은 외형이 같지 않아 영지괴와 영지미로 나눈다. 그중 영지괴를 보면 불규칙한 덩어리 모양으로 크기가 일정하지 않다. 표면은 흑갈색, 홍갈색 또는 회갈색으로 울룩불룩하여 평편하지 않고 윤기와 광택이 있다. 붙어 있는 과립은 장타원형, 표면은 쪼개져 부서져 있고 섬유성을 나타낸다. 질은 단단하고 단면은 황갈색 또는 자갈색으로 평탄하지 않고 과립을 볼 수 있으며 간혹 황갈색의 수지 같은 물질이 있다.

◐ 하늘다람쥐

품질 덩어리가 크고, 옥백색으로 결정상 과립이 많으며 인습성이 강한 것이 좋다.

기미·귀경 신(辛), 한(寒)·간(肝)

약효 청간명목(淸肝明目), 산어소적(散瘀消積)의 효능이 있으므로 청맹(靑盲), 작목(雀目), 목적종통(目赤腫痛), 백정일혈(白睛溢血), 내외예장(內外翳障), 소아감적(小兒疳積), 나력(瘰癧), 말라리아를 치료한다.

성분 vitamin A, cholesterol, pyrocatechol, benzoic acid, uracil, wulingzhic acid, m-hydroxybenzoic acid, 2α-hydroxyursolic acid, euscaphic acid, maslinic acid, 5-methoxy-7-hydroxycoumaric acid, serratagenic acid, goreishic acid, lupeol, lupenone, simiarenol, epitaraxerol, taraxerone 등이 함유되어 있다.

약리 쥐나 토끼 등을 실험 동물로 하여 약리 작용을 연구한 결과 혈소판 응집 작용, 심혈관계 혈류 증가, 면역력 증강, 항염증 작용, 위궤양 억제 작용 등이 나타났다.

사용법 오령지 5g에 물2컵(400mL)을 넣고 달여서 복용하거나 알약으로 만들어 복용하며, 외용에는 짓찧어 환부에 바른다.

주의 인삼(人蔘)과 배합하여 사용하지 않으며, 임신부나 비위허약(脾胃虛弱)에는 피한다.

처방 실소산(失笑散): 오령지(五靈脂)·포황(蒲黃) 동량(『동의보감(東醫寶鑑)』). 출산 후에 복통이 있고 생리가 고르지 못하며 아랫배가 심하게 아픈 증상에 사용한다.

• 오령지산(五靈脂散): 오령지(五靈脂)·형개(荊芥)·방풍(防風)·강활(羌活)·독활(獨活)·천산갑(穿山甲)·골쇄보(骨碎補)·부자(附子)·감초(甘草) 각 20g, 사향(麝香) 2g (『동의보감(東醫寶鑑)』). 풍한습사(風寒濕邪)로 기혈이 막혀 팔과 어깨가 아파서 잘 움직이지 못하는 증상에 사용한다. 1회 8g을 복용한다.

• 서근보안산(舒筋保安散): 모과(木瓜) 200g, 비해(萆薢)·오령지(五靈脂)·우슬(牛膝)·속단(續斷)·백강잠(白殭蠶)·오약(烏藥)·송절(松節)·작약(芍藥)·천마(天麻)·위령선(威靈仙)·황기(黃耆)·당귀(當歸)·방풍(防風)·호골(虎骨) 각 40g (『동의보감(東醫寶鑑)』). 중풍으로 반신을 잘 쓰지 못하고, 힘줄이 당기면서 아프고 힘이 없는 증상에 사용한다.

❍ 오령지(五靈脂)

❍ 오령지(五靈脂, 중국 황하 약재 시장)

❍ 하늘다람쥐 사육장(중국)

[향유고래과]

향유고래

| 🫁 해수기역, 흉민기결 | ♥ 신혼 |
| 🦴 징가적취, 심복동통 | 🫘 임증 |

● 학명 : *Physeter macrocephalus* L. ● 영명 : Sperm whale ● 별명 : 향고래

전체 길이 12~18m, 몸무게 최대 57t. 큰 머리를 가지고 있으며, 수컷이 더 크다. 등쪽의 피부에 작은 혹 같은 것이 많이 나 있다. 전체적인 몸 빛깔은 회흑색을 띤다. 몸은 외관상 머리와 몸통의 구별이 없고 경추(頸椎)는 짧다. 뒷다리는 퇴화하여 흔적인 듯한 좌골(坐骨)과 대퇴골(大腿骨) 및 경골이 있다. 앞다리는 노로 변하였고 여러 뼈들은 크기가 같으며 어깨의 관절로 연결되어 있어서 운동도 가능하지만 육상 동물처럼 마음대로 구부릴 수는 없다. 몸을 물속에서 뜨게 하기 위하여 가슴지느러미가 있다. 꼬리 끝의 피부는 수평으로 자라서 꼬리지느러미가 되었다.

분포·생태 우리나라, 일본, 중국, 태평양, 인도양의 열대 및 아열대, 온대 해역. 주로 해조류를 뜯어 먹는다.

약용 부위·수치 장내(腸內) 분비물을 채취하여 말린다.

약물명 용연향(龍涎香), 용연(龍涎), 용설(龍泄), 경연향(鯨涎香), 용복향(龍腹香)이라고도 한다.

약효 화담평천(化痰平喘), 행기산결(行氣散結), 이수통림(利水通淋)의 효능이 있으므로 해수기역(咳嗽氣逆), 흉민기결(胸悶氣結), 징가적취(癥瘕積聚), 심복동통(心腹疼痛), 신혼(神昏), 임증(淋症)을 치료한다.

성분 용연향(龍涎香)에는 25%의 ambrein, dihydro-ζ-ionone, α-ambrinol, ambraaldehyde, trinorlabdanol, didehydrotrinorlabdane, coprosterol, epicoprosterol, cholesterol, Ca, Mg, Cu, Zn, Al, Mn, Si, Sr, Co, Cr 등이 함유되어 있다.

사용법 용연향 적당량을 가루로 만들어서 0.5~1g을 복용한다.

＊ 우리나라의 바다에는 '참고래 *Balaenoptera physalus*', '귀신고래 *Escherichtius robustus*', '대왕고래 *B. musculus*', '보리고래 *B. borealis*', '범고래 *Orcinus orca*' 등이 출현하며, 약효가 같다.

❍ 용연향(龍涎香)

❍ 향유고래

[돌고래과]

돌고래

나리두, 창절, 수화탕상, 고독
치루
장학

● 학명 : *Delphinus delphis* L.　● 영명 : Dolphin

전체 길이 2.5m 정도, 몸무게 최대 135kg. 전형적인 돌고래로, 위턱뼈 구개부에 대나무를 쪼갠 것과 같은 홈이 있는 것이 특징이고, 몸 빛깔은 선명하다.

분포·생태 우리나라 남해, 동해. 일본, 중국, 태평양, 대서양, 인도양. 주로 물고기나 오징어류를 먹는다.

약용 부위·수치 고기(肉)와 피하 지방을 썰어서 말린다.

약물명 해돈어(海豚魚). 해희(海豨)라고도 한다.

약효 해독생기(解毒生肌), 진통의 효능이 있으므로 나리두(癩痢頭), 창절(瘡癤), 치루(痔瘻), 수화탕상(水火燙傷), 장학(瘴瘧), 고독(蠱毒)을 치료한다.

성분 고기(肉)는 몸무게의 38%를 차지하며, 고기에는 수분 73%, 단백질 24%, 지방 1.5%, 회분 1.8%로 구성된다. 지방은 몸 부위에 따라 유지의 성질과 조성이 다르다. 포화 지방산인 lauric acid는 피하 지방에 1%, 머리 지방에 2.4%가 함유되어 있다. 그 밖에 iovaleric acid, palmitic acid, lauric acid, stearic acid, tetracecenoic acid, linoleic acid, vitamin A, phospholipid, cephalin, lecithin, serine phospholglyceride 등이 함유되어 있다.

사용법 해돈어에 물을 넣고 달여서 복용한다.

✿ 돌고래(먹이 사냥을 위해 헤엄치는 모습)

✿ 해돈어(海豚魚)

[수염고래과]

밍크고래

구병체허　비허부종　풍습성관절염
관심병　빈혈　야맹증, 건조성안염

● 학명 : *Balaenoptera acutorostrata* Lacepede　● 영명 : Mink whale
● 별명 : 쇠정어리고래

전체 길이 9m 정도, 드물게 암컷은 최대 10.7m, 몸무게 최대 14t 정도. 머리는 옆이나 위에서 보아 뾰족하고, 등지느러미는 뒤로 굽고, 등은 흑회색, 배는 백색이다.

분포·생태 우리나라. 열대에서 극지방 해역. 군집성 어류, 오징어, 난바다곤쟁이 등을 먹는다.

약용 부위·수치 고기, 뼈, 기름, 간을 채취하여 약용한다.

약물명 고기를 경육(鯨肉)이라 하며, 뼈를 경골(鯨骨), 기름을 경유(鯨油), 간을 경간(鯨肝)이라 한다.

약효 경육(鯨肉)은 익기건비(益氣健脾), 이수소종(利水消腫)의 효능이 있으므로 구병체허(久病體虛), 비허부종(脾虛浮腫)을 치료한다. 경골(鯨骨)은 거풍제습(祛風除濕)의 효능이 있으므로 풍습성관절염(風濕性關節炎)을 치료한다. 경유(鯨油)는 활혈화어(活血化瘀)의 효능이 있으므로 관심병(冠心病)을 치료한다. 경간(鯨肝)은 자음보혈(滋陰補血), 양간명목(養肝明目)의 효능이 있으므로 빈혈, 악성빈혈, 야맹증, 건조성안염, 구루병을 치료한다.

성분 경육(鯨肉)에는 polyenoic acid, phospholipids, docosahexenoic acid, glycine, lysine, arginine, 3-methylhistidine, alanine, balenine, creatine, creatinine, urea 등이 함유되어 있다. 경골(鯨骨)에는 collagen, histidine, lysine, arginine, proline 등이 함유되어 있고, 경유(鯨油)에는 지방유와 지질이 함유되어 있으며, 지방산으로는 eicosapentaenoic acid, docosahexenoic acid 등이 많이 함유되어 있다. 경간(鯨肝)에는 cytochrome, monooxygenase, glutathione-S-transferase, UDP-glucuronyl transferase 등이 함유되어 있다.

사용법 경육은 100~200g에 물을 넣고 삶아서 복용하고, 경골은 주사액으로 만들어 2~4mL를 피하주사하고, 경유는 1mL씩 복용하며, 경간은 50~100g에 물을 넣고 삶아서 복용한다.

✿ 밍크고래

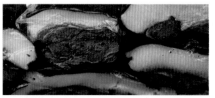
✿ 경육(鯨肉)

[쇠고래과]

쇠고래

| 구병체허 | 비허부종 | 풍습성관절염 |
| 관심병 | 빈혈 | 야맹증, 건조성안염 |

● 학명 : *Eschrichtius robustus* Lilljenborg　● 영명 : Gray back, Devil fish
● 별명 : 귀신고래

전체 길이 11~15m, 몸무게 최대 35t. 머리는 위에서 보면 뾰족한 삼각형이며, 등지느러미는 넓고 삼각형이다. 몸은 갈색을 띤 회색 또는 회백색이며, 어린 새끼의 몸은 암회색이다. 몸의 대부분에 백색 반점이 많고 황색을 띤 수염판이 한쪽에 130~180개 있다.

분포·생태 북태평양. 대개 3마리 이하의 무리를 이루지만 회유할 때에는 10마리 이상의 무리를 이루기도 한다. 주로 소형 갑각류, 게 등을 먹는다.

＊약용 부위, 약효 및 사용법은 '밍크고래'와 같다.

❍ 쇠고래

[개과]

개

| 양위, 유정, 음낭습냉 | 허한대하 | 구패창, 동창 |
| 요통슬연, 풍습관절동통 | 완복창만 | 부종 |

● 학명 : *Canis familiaris* L.　● 영명 : Dog

몸무게 400g~120kg. 사지가 먹이를 추적하기에 알맞게 가늘고 길며, 발가락 수는 앞발이 5개, 뒷발이 4개이다. 꼬리는 비교적 짧고 입술은 두텁고 끝이 뾰족하지 않으며 귀는 크고 삼각형이다. 이빨은 발달하였고 육식성이므로 송곳니가 특히 발달하였다. 어금니는 먹이를 찢고 자르기에 적합하도록 되어 있고, 상하가 가위처럼 맞물린다.

분포·생태 우리나라, 중국, 일본, 세계 각처. 야생하기도 하지만 집에서 기르고, 육식을 주로 하지만 채식도 한다.

약용 부위·수치 수컷의 생식기를 채취하여 말리고, 수컷이나 암컷의 고기(肉)와 골격을 채취하여 사용한다.

약물명 수컷의 생식기를 구편(狗鞭)이라 하며, 구정(狗精), 견음(犬陰), 황구신(黃狗腎), 구신(狗腎)이라고도 한다. 고기(肉)를 구육(狗肉)이라 하며, 골격을 구골(狗骨)이라 한다.

기미·귀경 구편(狗鞭): 함(鹹), 온(溫)·신(腎). 구육(狗肉): 함(鹹), 산(酸), 온(溫)·비(脾), 위(胃), 신(腎). 구골(狗骨): 감(甘), 함(鹹), 온(溫)

약효 구편(狗鞭)은 온신장양(溫腎壯陽), 보익정수(補益精髓)의 효능이 있으므로 양위(陽痿), 유정(遺精), 음낭습냉(陰囊濕冷), 허한대하(虛寒帶下), 요슬산연(腰膝酸軟), 형체영약(形體羸弱), 산후체허(産後體虛)를 치료한다. 구육(狗肉)은 보비난위(補脾暖胃), 온신장양(溫腎壯陽), 전정(塡精)의 효능이 있으므로 완복창만(脘腹脹滿), 부종(浮腫), 요통슬연(腰痛膝軟), 양위(陽痿), 한학(寒瘧), 구패창(久敗瘡)을 치료한다. 구골(狗骨)은 보신장골(補腎壯骨), 거풍지통(祛風止痛), 지혈지리(止血止痢), 염창생기(斂瘡生肌)의 효능이 있으므로 풍습관절동통(風濕關節疼痛), 요퇴무력(腰腿無力), 사지마목(四肢麻木), 붕루대하(崩漏帶下), 구리부지(久痢不止), 외상출혈, 옹종창위(癰腫瘡痿), 동창(凍瘡)을 치료한다.

성분 구편(狗鞭)은 aspartic acid, threonine, serine, glutamic acid, glycine, alanine, cystine, valine, methionine, isoleucine, leucine, tyrosine, phenylalanine, lysine, histidine, arginine, proline 등이 함유되어 있다. 구골(狗骨)은 수분 50%, 지방 16%, collagen 12%, 무기질 22%, calcium phosphate와 calcium carbonate 10%, magnesium phosphate 2%, calcium fluoride가 소량 함유되어 있다.

사용법 구편은 3~9g에 물 2컵(400mL)을 넣고 달여서 복용하거나 가루로 만들어 1회 2~3g을 복용한다. 구육은 적당량에 물을 넣고 삶아서 복용한다. 구골은 술에 담가서 복용하거나 가루로 만들어 1회 2~3g을 복용한다.

❍ 개

❍ 개(삽살개)

늑대

	허로		냉적복통		풍한습비
	폐로해수, 만성기관지염		피부균열, 독창		

● 학명 : *Canis lupus* L.　　● 영명 : Wolf

몸길이 95∼120cm, 꼬리 길이 35∼45cm, 몸무게 25∼80kg. 다리는 길고 굵으며, 긴 털로 덮인 꼬리를 위쪽으로 구부리지 않고 항상 아래로 늘어뜨린다. 귓바퀴는 쫑긋하 게 서 있고, 털 색은 적황색이나 나이가 들 면서 회색으로 변한다.

분포 · 생태 우리나라 백두산 주변. 중국, 일 본, 유라시아. 산지의 숲에서 생활하며 쥐, 멧토끼, 곰, 조류, 양서류, 파충류, 어류를 잡아먹는다.

약용 부위 · 수치 고기(肉)와 지방을 채취하여 사용한다. 지방을 솥에 넣고 불을 지펴 기름 을 뽑아낸 후 식힌다.

약물명 고기를 낭육(狼肉)이라 하며, 지방에 서 뽑은 기름을 낭고(狼膏)라고 한다.

기미 · 귀경 낭육(狼肉): 함(鹹), 열(熱) · 신 (腎), 비(脾)

약효 낭육(狼肉)은 보오장(補五臟), 후장위 (厚腸胃), 전정수(塡精髓), 어풍한(御風寒)의 효능이 있으므로 허로(虛勞), 냉적복통(冷積 腹痛), 풍한습비(風寒濕痺)를 치료한다. 낭 고(狼膏)는 거풍보허(祛風補虛), 윤부택추 (潤膚澤皺)의 효능이 있으므로 풍한동통(風 寒疼痛), 폐로해수(肺癆咳嗽), 만성기관지 염, 피부균열(皮膚皸裂), 독창(禿瘡)을 치료 한다.

사용법 낭육은 적당량에 물을 넣고 삶아서 복용하고, 낭고는 10∼15g을 데워서 복용하 며, 피부균열(皮膚皸裂), 독창(禿瘡)에는 따 뜻하게 데워 바른다.

❍ 늑대

승냥이

	허로체약		식적, 감리
	치루		각기, 냉비

● 학명 : *Cuon alpinus* Pallas　　● 영명 : Jackal

몸길이 100∼130cm, 꼬리 길이 40∼50cm, 몸무게 암컷 10∼13kg, 수컷 15∼20kg. 주 둥이는 짧고 뾰족하며, 귀는 둥글다. 꼬리털 은 길어서 발뒤꿈치까지 드리워져 있으며, 검고 털이 많다. 가슴과 배, 발에는 백색 털 이 나 있다. 아래턱 좌우의 큰 어금니 수가 1개 적은 것이 다른 개과 동물과 다르다.

분포 · 생태 우리나라 백두산 주변. 중국, 일 본, 아시아. 산지의 숲에서 무리 지어 생활 하며, 쥐, 멧토끼, 곰, 조류, 양서류, 파충류 등을 잡아먹는다.

약용 부위 · 수치 고기(肉)와 껍질을 채취하여 사용한다.

약물명 고기를 시육(豺肉)이라 하며, 껍질을 시피(豺皮)라고 한다.

약효 시육(豺肉)은 보허소적(補虛消積), 산 어소종(散瘀消腫)의 효능이 있으므로 허로 체약(虛勞體弱), 식적(食積), 치루(齒瘺)를 치료한다. 시피(豺皮)는 소적(消積), 해독, 지통(止痛), 진경(鎭驚)의 효능이 있으므로 감리(疳痢), 각기(脚氣), 냉비(冷痺)를 치료 한다.

사용법 시육 또는 시피 적당량에 물을 넣고 삶아서 복용한다.

❍ 승냥이

너구리

🦊 허로   🐾 감적

● 학명 : *Nyctereutes procyonoides* Gray   ● 영명 : Raccoon

몸길이 52~66cm, 꼬리 길이 15~25cm, 몸무게 6~10kg. 주둥이, 귓바퀴, 네발에 나 있는 털은 짧지만 그 밖의 털은 길고 부드럽다. 수염과 눈은 흑색, 귀밑과 양 뺨은 흑갈색, 귓등과 귓속, 이마는 회색이다. 귀는 작고 다리는 짧으며 꼬리는 굵다.

분포 · 생태 우리나라, 중국, 일본. 야생하며 잡식성으로 다래, 머루 등의 과일과 쥐, 개구리, 도마뱀, 물고기, 곤충 등을 먹이로 한다.

약용 부위 · 수치 고기를 채취하여 사용한다.

약물명 학육(貉肉)

약효 자보강장(滋補強壯), 건비소감(健脾消疳)의 효능이 있으므로 허로(虛勞), 감적(疳積)을 치료한다.

사용법 학육 적당량에 물을 넣고 삶아서 복용한다.

○ 너구리

여우

🦊 허로   🐾 한적복통   🦵 통풍

🫁 폐결핵, 폐농종, 구해, 허천   🐾 수종, 혼궐

● 학명 : *Vulpes vulpes-peculiosa* Kishida   ● 영명 : Fox   ● 별명 : 한국여우

몸길이 45~90cm, 꼬리 길이 30~56cm, 몸무게 2.5~10kg. 사지가 먹이를 추적하기에 알맞게 가늘고 길며, 발가락 수는 앞발이 5개, 뒷발이 4개이다. 꼬리는 비교적 짧고 입술은 두껍고 끝이 뾰족하지 않으며 귀는 크고 삼각형이다. 이빨은 발달하였고 육식성이므로 송곳니가 특히 발달하였다. 어금니는 먹이를 찢고 자르기에 적합하도록 되어 있고, 상하가 가위처럼 맞물린다.

분포 · 생태 우리나라, 중국, 일본, 세계 각처. 야생하기도 하지만 집에서 기르고, 육식을 많이 하지만 채식도 한다.

약용 부위 · 수치 근육, 폐장, 심장, 대 · 소장, 간장, 담낭, 다리를 생으로 또는 말려서 사용한다.

약물명 근육을 호육(狐肉), 폐장을 호폐(狐肺), 담낭을 호담(狐膽), 다리를 호사족(狐四足)이라 한다.

약효 호육(狐肉)은 보허난중(補虛暖中), 진정안신(鎭靜安神), 거풍해독(祛風解毒)의 효능이 있으므로 허로(虛勞), 한적복통(寒積腹痛), 통풍, 수종을 치료한다. 호폐(狐肺)는 자폐해독(滋肺解毒), 지해정천(止咳定喘)의 효능이 있으므로 폐결핵, 폐농종, 구해(久咳), 허천(虛喘)을 치료한다. 호담(狐膽)은 개규(開竅), 진경(鎭驚), 청열건위(淸熱健胃)의 효능이 있으므로 혼궐(昏厥), 심통(心痛)을 치료한다.

사용법 호육은 적당량에 물을 넣고 삶아서 복용하고, 호폐와 호담은 가루로 만들어 3g을 복용한다.

○ 여우

흑곰

	습열황달, 서습사리, 비위허약		목적예장, 후비		정창, 백독
	각기, 수족불수, 풍습골절종통, 근맥련급		허손영수		

● 학명 : *Ursus thibetanus* L. ● 영명 : Asian black bear ● 별명 : 아시아흑곰

몸길이 2m 정도, 몸무게 200~300kg. 몸은 비대하고 머리는 크지만 귀와 눈은 작고 다리는 근육질이며 꼬리는 매우 짧다. 다섯 개의 발가락은 길고 구부러져 있는데, 나무 껍질을 벗기거나 땅에 구멍을 팔 때 이용한다. 어금니는 넓고 편평해서 먹이를 먹기에 편리하다. 송곳니는 끝이 날카롭지 않고 둥글다. 몸은 흑색이지만 앞가슴에 흰 띠가 있고 수컷이 암컷보다 크다.

분포·생태 중국 둥베이(東北) 지방, 간쑤성 (甘肅省), 칭하이성(靑海省), 신장성(新疆省), 쓰촨성(四川省), 구이저우성(貴州省). 티베트. 숲속에서 서식하며 겨울철에는 겨울잠을 잔다.

약용 부위·수치 담낭을 채취하여 끓는 물에 약 10분간 담갔다가 꺼내어 햇볕에 말린 후 가루로 만들어 복용한다. 고기(肉), 골격, 지방, 발바닥을 채취하여 사용한다.

약물명 담낭을 웅담(熊膽)이라 하며, 흑할자담(黑瞎子膽), 금담(金膽), 묵담(墨膽), 마웅담(馬熊膽), 구웅담(狗熊膽)이라고도 한다. 웅담은 대한민국약전외한약(생약)규격집(KHP)에 수재되어 있다. 고기(肉)를 웅육(熊肉), 골격을 웅골(熊骨), 지방을 웅지(熊脂), 발바닥을 웅장(熊掌)이라고 한다.

본초서 웅담(熊膽)은 「신농본초경(神農本草經)」의 상품(上品)에 웅지(熊脂)라는 이름으로 수재되어 있으며 "그 지(脂)를 풍비(風痺)의 마비(痲痺), 근급(筋急), 오장 복중의 적취(積聚), 한열(寒熱), 독창(禿瘡)을 치료한다."고 하였다. 웅담(熊膽)이라는 이름은 「약성론(藥性論)」에 처음 나타나며, 「당본주(唐本注)」에는 "웅담(熊膽), 미고(味苦), 한(寒), 무독(無毒), 황달, 구리(久痢), 심통(心痛)을 치료한다."고 기록되어 있다.

藥性論: 主小兒五疳, 殺蟲, 治惡瘡.

日華子: 治疳瘡, 耳鼻瘡, 及諸瘡疾.

本草綱目: 退熱, 淸心, 平肝明目去翳, 殺蛔, 蟯蟲.

성상 웅담(熊膽)은 고르지 않은 작은 덩어리로 되어 있고 바깥면은 황갈색~어두운 황갈색으로 부서지기 쉽고 깨어진 면은 유리 같은 광택이 있으며 습윤되어 있지 않다. 보통은 길이 9~15cm, 너비 7~9cm의 담낭속에 들어 있으나 때로는 꺼내어진 것도 있다. 담낭은 섬유성의 질긴 막질로 되어 있고 바깥면은 어두운 갈색을 띠며 반투명하다. 특이한 냄새가 있고 맛은 매우 쓰다.

품질 덩어리가 크고, 옥백색으로 결정상 과립이 많고 인습성이 강한 것이 좋다.

기미·귀경 웅담(熊膽): 고(苦), 한(寒)·간(肝), 담(膽), 심(心), 위(胃).

약효 웅담(熊膽)은 청열해독(淸熱解毒), 평간명목(平肝明目), 살충지혈의 효능이 있으므로 습열황달, 서습사리(暑濕瀉痢), 열병경간(熱病驚癎), 목적예장(目赤翳障), 후비(喉痺), 비식(鼻䘌), 정창(疔瘡), 치루(痔漏), 감질(疳疾), 다종출혈을 치료한다. 웅육(熊肉)은 보허손(補虛損), 강근골(强筋骨)의 효능이 있으므로 각기, 풍비불인(風痺不仁), 수족불수, 근맥련급(筋脈攣急)을 치료한다. 웅골(熊骨)은 거풍제습(祛風除濕), 정경(定驚)의 효능이 있으므로 풍습골절종통을 치료한다. 웅지(熊脂)는 보허손(補虛損), 윤기부(潤肌膚), 소적(消積), 살충의 효능이 있으므로 허손영수(虛損羸瘦), 풍비불인(風痺不仁), 근맥련급, 적취(積聚), 면창(面瘡), 선(癬), 백독(白禿), 염창(臁瘡)을 치료한다. 웅장(熊掌)은 건비위(健脾胃), 보기혈(補氣血), 거풍습(祛風濕)의 효능이 있으므로 비위허약(脾胃虛弱), 제허로손(諸虛勞損), 풍한습비(風寒濕痺)를 치료한다.

성분 웅담(熊膽)은 tauroursodesoxycholic acid(주성분), ursodesoxycholic acid, chenodesoxycholic acid(ursodesoxycholic acid의 isomer), cholic acid, cholesterol, bilirubin, taurine 등이 함유되어 있다. 웅장(熊掌)은 aspartic acid, phenylalanine, leucine, glutamic acid, tyrosine, histidine, proline, arginine, alanine, valine, hydroxyvaline 등이 함유되어 있다.

약리 웅담(熊膽)을 물로 달인 액 또는 tauroursodesoxycholic acid와 ursodesoxycholic acid는 papaverine과 유사한 strychnine 이나 cocaine, nicotine 등에 의하여 일어나는 경련에 길항한다. 열수추출물은 이담 작용 및 이뇨 작용이 있다. ursodesoxycholic acid는 lipase의 활성을 증강시키고 근육의 긴장을 풀어 주며 vitamin D와 칼슘 이온의 흡수를 도와준다. taurine은 inotropic, 신경 조절, 삼투압 조절, 부정맥에 효능을 발휘한다. 열수추출물을 토끼에게 주사하면 항염증 작용이 나타난다.

사용법 웅담은 0.3g을 따뜻한 물에 풀어 복용하거나 술에 타서 복용한다. 치질에 사용할 때는 물을 타서 환부에 바른다. 웅육은 적당량에 물을 넣고 삶아서 복용한다. 웅골은 15~30g에 물 4컵(800mL)을 넣고 달여서 복용하거나 술에 담가서 복용한다. 웅지는 10~20g에 산초(山椒)와 물을 넣고 달여서 복용한다. 웅장은 30~60g에 물을 넣고 달여서 복용한다.

* '갈색곰 *U. arctos*', '불곰(큰곰) *U. arctoslasiotus*' 등의 담낭도 약효가 같다.

❍ 웅담(熊膽)

❍ 웅담(熊膽)

❍ 웅담(熊膽, 분말)

❍ 흑곰

❍ 웅담(熊膽)이 함유된 간장 보호 제품

❍ 웅담(熊膽)이 함유된 소화불량, 경풍 치료제

❍ 웅담(熊膽)이 함유된 우황청심원

[족제비과]

오소리

풍습성관절염, 반신불수, 요퇴통 자궁탈수
중기부족, 위궤양 빈혈

● 학명 : *Meles leucurus* Schrenck ● 영명 : Badger

○ 오소리

몸길이 50~70cm, 꼬리 길이 11~20cm, 몸무게 암컷 10kg, 수컷 12kg. 몸이 크고 뚱뚱하며 얼굴은 원통형, 주둥이는 뭉툭하다. 털은 거칠고 끝이 가늘며 뾰족하다. 눈 주위는 흑갈색이나 눈 사이는 백색이다. 네 다리와 배는 암갈색이고, 눈은 작은 반면 후각이 발달하였다.

분포 · 생태 우리나라. 중국, 일본, 유라시아, 유럽. 산과 들에서 서식하며, 지렁이, 땅강아지, 벌, 개미, 쥐, 감자, 과일 등을 먹는다.

약용 부위 · 수치 고기(肉)를 채취하여 물에 씻은 후 통풍이 잘 되는 곳에서 말린다. 고기를 불에 볶아서 나오는 기름을 채취한다.

약물명 고기(肉)를 환육(獾肉)이라 하며, 지방유를 환유(獾油)라 한다.

약효 환육(獾肉)은 보중익기(補中益氣), 거풍제습(祛風除濕)의 효능이 있으므로 풍습성관절염, 요퇴통을 치료한다. 환유(獾油)는 보중익기(補中益氣), 윤부생기(閏膚生肌), 해독소종(解毒消腫)의 효능이 있으므로 중기부족(中氣不足), 자궁탈수, 빈혈, 위궤양, 반신불수, 관절통, 백독(白禿)을 치료한다.

사용법 환육은 적당량에 물을 넣고 삶아서 복용하고, 환유는 1회 5g을 복용하고, 외용에는 환부에 바른다.

[족제비과]

수달

허로영수 폐허해수, 폐결핵 금창동통, 악창
목예, 야맹, 예막차정, 어골경후 완복창만

● 학명 : *Lutra lutra* L. ● 영명 : Otter

몸길이 65~70cm, 꼬리 길이 40~50cm, 몸무게 10~15kg. 머리는 구형이고, 코는 둥글다. 눈은 매우 작고 귀도 짧아서 주름 가죽에 덮여 털 속에 묻혀 있다. 몸은 가늘고 꼬리는 둥글며 끝으로 갈수록 가늘어진다. 사지는 짧고 발가락은 발톱까지 물갈퀴로 되어 있어서 헤엄치기에 좋고 걸어 다닐 때는 발가락 전부가 땅에 닿는다. 몸 전체에 암갈색의 굵고 광택이 있는 가시털이 빽빽이 나 있다.

분포 · 생태 우리나라. 일본, 중국, 세계 각처. 야생하기도 하지만 집에서 기르고, 육식을 많이 하지만 채식도 한다.

약용 부위 · 수치 간장, 담낭, 고기(肉), 골격을 채취하여 물에 씻은 후 통풍이 잘 되는 곳에서 말린다.

약물명 간장을 달간(獺肝)이라 하며, 수달간(水獺肝)이라고도 한다. 담낭을 달담(獺膽)이라 하며, 고기(肉)를 달육(獺肉), 골격을 달골(獺骨)이라 한다.

기미 · 귀경 달간(獺肝): 감(甘), 함(鹹), 온(溫) · 폐(肺), 간(肝), 신(腎). 달담(獺膽): 고(苦), 한(寒) · 간(肝), 폐(肺). 달육(獺肉): 감(甘), 함(鹹), 한(寒) · 폐(肺), 간(肝). 달골(獺骨): 함(鹹), 평(平)

약효 달간(獺肝)은 익폐(益肺), 보간신(補肝腎)의 효능이 있으므로 허로영수(虛勞羸瘦), 폐허해수(肺虛咳嗽), 폐결핵, 조열도한(潮熱盜汗), 목예(目翳), 야맹, 객혈(喀血), 변혈(便血)을 치료한다. 달담(獺膽)은 명목퇴예(明目退翳), 청열해독의 효능이 있으므로 예막차정(翳膜遮睛), 금창동통(金瘡疼痛), 나력결핵(瘰癧結核)을 치료한다. 달육(獺肉)은 보비난위(補脾暖胃), 온신장양(溫腎壯陽), 전정(塡精)의 효능이 있으므로 완복창만(脘腹脹滿), 부종, 요통슬연(腰痛膝軟), 양위(陽痿), 한학(寒瘧), 구패창(久敗瘡)을 치료한다. 달골(獺骨)은 소골경(消骨硬), 지구토(止嘔吐)의 효능이 있으므로 어골경후(魚骨鯁喉), 구애(嘔噦), 수적황종(水積黃腫), 악창(惡瘡)을 치료한다.

성분 달간(獺肝)은 protein, glucose, glucogen, phospholipids, cholesterol, vitamin A, D 등이 함유되어 있다. 달육(獺肉)은 protein, myoglobin, peptides, amino acids 등이 함유되어 있다.

사용법 달간과 달담은 3~6g에 물 2컵(400 mL)을 넣고 달여서 복용하거나 알약으로 만들어 복용한다. 달육은 적당량에 물을 넣고 달여서 복용하고, 달골은 10~20g에 물 3컵(600mL)을 넣고 달여서 복용하거나 알약으로 만들어 복용한다.

○ 수달

○ 수달(박제품)

족제비

임파결핵 / 개선, 창위
임증 / 혈소판감소증, 심복통

● 학명 : *Mustela sibirica* Pallas ● 영명 : Weasel

몸길이 25~40cm, 꼬리 길이 12~22cm, 몸무게 1kg 정도. 꼬리는 몸길이의 반이다. 머리는 구형이고 코는 둥글며 눈은 매우 작고 귀는 짧다. 몸은 가늘고 꼬리는 둥글며 끝으로 갈수록 가늘어진다. 사지는 짧고 발가락은 5개이다. 몸은 갈색~담갈색이고, 네 다리와 얼굴은 비교적 어두운 색깔이다. 항문 부근에는 1쌍의 분비선이 있다.

분포 · 생태 우리나라. 일본, 중국, 세계 각처. 산과 들에서 서식한다.

약용 부위 · 수치 고기(肉)를 채취하여 물에 씻은 후 통풍이 잘 되는 곳에서 말린다.

약물명 고기(肉)를 유서육(鼬鼠肉)이라 하며, 심장 및 간장을 유서심간(鼬鼠心肝)이라 한다.

약효 유서육(鼬鼠肉)은 해독, 살충(殺蟲), 통림(通淋), 승고혈소판(升高血小板)의 효능이 있으므로 임파결핵(淋巴結核), 개선(疥癬), 창위(瘡痿), 임증(淋症), 혈소판감소증을 치료한다. 유서심간(鼬鼠心肝)은 지통(止痛)의 효능이 있으므로 심복통(心腹痛)을 치료한다.

사용법 유서육은 적당량에 물을 넣고 달여서 복용하거나 가루로 만들어 1회 1~2.5g을 복용한다. 유서심간은 가루로 만들어 1회 1~2.5g을 복용한다.

⊙ 족제비

사향삵

심복졸통 / 몽침불안
산통, 골절동통

● 학명 : *Viverra zibetha* L. ● 영명 : Large Indian civet ● 한자명 : 大靈猫
● 별명 : 큰인도시벳

몸길이 65~70cm, 꼬리 길이 40~50cm, 몸무게 5~11kg. 머리는 구형이고 코는 둥글며 눈은 매우 작고 귀도 짧아서 주름 가죽에 덮여 털 속에 묻혀 있다. 몸은 가늘고 꼬리는 둥글며 끝으로 갈수록 가늘어진다. 사지는 짧고 발가락은 발톱까지 물갈퀴로 되어 있어서 헤엄치기에 좋고 걸어 다닐 때는 발가락 전부가 땅에 닿는다. 몸 전체에 암갈색의 굵고 광택이 있는 가시털이 빽빽이 나 있다.

분포 · 생태 중국, 일본, 세계 각처. 산과 들에서 서식한다.

약용 부위 · 수치 수컷의 향선낭(香腺囊)에서 나오는 분비물을 채취하여 통풍이 잘 되는 곳에서 말린다.

약물명 영묘향(靈猫香). 영묘음(靈猫陰)이라고도 한다.

기미 · 귀경 신(辛), 온(溫) · 심(心), 간(肝)

약효 행기(行氣), 활혈(活血), 안신(安神), 지통(止痛)의 효능이 있으므로 심복졸통(心腹卒痛), 몽침불안(夢寢不安), 산통(酸痛), 골절동통(骨折疼痛)을 치료한다.

성분 civetone, 9-*cis*-cycloheptadecen-1-one, 5-*cis*-11-*cis*-cycloheptadecadinone, cycloheptadecanone, 6-*cis*-cycloheptadecenone, cyclohexadecenone, indole, scatole, ethylamine, propylamine 등이 함유되어 있다.

사용법 영묘향 적당량을 알약으로 만들어 1회 0.5g을 복용한다. 외용에는 연고로 만들어 바른다.

* '소영묘(小靈猫) *V. indica*'도 약효가 같다.

⊙ 사향삵

[고양이과]

삵

🐾 기혈허약	🗂 피부유풍
🌀 장풍하혈	👥 탈항

● 학명 : *Felis bengalensis* Kerr [*Prionailurus bengalensis*]　● 영명 : Musk　● 별명 : 살쾡이

몸길이 40~65cm, 꼬리 길이 20~35cm, 몸무게 2~3kg. 머리는 둥글고 귀는 작다. 몸체는 담황색~회황색, 4줄의 흑갈색 무늬가 있으며 가운데 2줄은 꼬리까지 이어진다.

분포·생태 우리나라, 중국, 일본, 동남아시아, 시베리아. 밤에 주로 활동하며, 먹이는 주로 쥐 종류와 작은 동물, 꿩 새끼, 멧토끼, 청설모, 다람쥐, 닭, 오리, 곤충 등이다. 집단 생활을 하지 않고, 혼자 혹은 쌍으로 활동한다. 덩치는 작아도 호랑이만큼 사납다. 나무를 타고 오르는 것에 능하며, 헤엄을 치는 일도 있다.

약용 부위·수치 내장과 털을 제거하고 말린다.

약물명 이육(貍肉)

약효 익기양혈(益氣養血), 거풍지혈(祛風止血), 해독산결(解毒散結)의 효능이 있으므로 기혈허약(氣血虛弱), 피부유풍(皮膚游風), 장풍하혈(腸風下血), 탈항(脫肛)을 치료한다.

사용법 이육을 가루로 만들어 5g을 하루 2회 복용한다.

○ 삵

[고양이과]

고양이

🌙 허로체수	🦵 풍습비통
🗂 나력악창, 궤양	

● 학명 : *Felis cactus* L. [*F. vulgaris*]　● 영명 : Cat

몸길이 50cm 정도, 꼬리 길이 25~30cm, 몸무게 2.5~7kg. 골격은 약 250개의 뼈로 구성되고 골격에 붙은 근육과 뼈대의 운동으로 1시간에 약 48km까지 달릴 수 있다. 앞발에는 5개의 발가락, 뒷발에는 4개의 발가락이 있는데, 각 발가락에는 끝이 날카롭고 갈고리와 같은 발톱이 있다. 유연성 있는 꼬리는 높은 곳에서 뛰어내릴 때 몸의 균형을 잡아 준다.

분포·생태 우리나라, 일본, 중국, 세계 각처. 집에서 기른다.

약용 부위·수치 고기(肉)를 채취하여 생것 또는 말려서 사용한다.

약물명 묘육(猫肉). 묘리(猫狸)라고도 한다.

기미·귀경 감(甘), 함(鹹), 온(溫)·간(肝), 비(脾)

약효 보허로(補虛勞), 거풍습(祛風濕), 해독산결(解毒散結)의 효능이 있으므로 허로체수(虛勞體瘦), 풍습비통(風濕痺痛), 나력악창(瘰癧惡瘡), 궤양을 치료한다.

사용법 묘육 150~250g에 물을 넣고 달여서 복용한다.

○ 고양이

○ 고양이(앞모습)

[고양이과]

표범

풍한습비, 근골동통, 요슬연약무력, 근골위연

기허체약

담겁신쇠

●학명 : *Panthera pardus* L. ●영명 : Leopard

❀ 표범

몸길이 1~1.5m, 꼬리 길이 0.7~1m, 몸무게 50kg 정도. 체격과 발이 강건하다. 얼굴은 둥글고 귀는 짧다. 앞발은 발가락이 5개이고 뒷발은 발가락이 4개이다. 몸 전체에 적갈색 반점이 고루 분포되어 있다.

분포·생태 동남아시아, 아프리카. 숲속에서 서식한다. 단독으로 생활하며, 낮에는 덤불, 나무 그늘, 나뭇가지 위 등에서 쉬고 저녁때부터 원숭이, 멧돼지, 양, 토끼, 물고기 등을 잡아먹는다.

약용 부위·수치 뼈와 살코기를 채취하여 사용한다.

약물명 뼈를 표골(豹骨)이라 하며, 살코기를 표육(豹肉)이라 한다.

약효 표골(豹骨)은 거풍습(祛風濕), 강근골(强筋骨), 진경안신(鎭驚安神)의 효능이 있으므로 풍한습비(風寒濕痺), 근골동통(筋骨疼痛), 요슬연약무력(腰膝軟弱無力)을 치료한다. 표육(豹肉)은 보오장(補五臟), 익기혈(益氣血), 강근골(强筋骨)의 효능이 있으므로 기허체약(氣虛體弱), 근골위연(筋骨痿軟), 담겁신쇠(膽怯神衰)를 치료한다.

사용법 표골 또는 표육 3g에 물 1컵(200mL)을 넣고 달여서 복용하거나, 알약이나 가루약으로 또는 술에 담가서 복용한다.

[고양이과]

호랑이

근골동통, 요슬연약무력

경계

전간

●학명 : *Panthera tigris* L. ●영명 : Tiger

몸길이 1.4~1.8m, 꼬리 길이 0.6~0.9m, 몸무게 180~240kg. 몸의 바탕색은 담황갈색~적갈색이며 흑색 및 흑갈색의 가로줄무늬가 있다. 머리는 둥글고 귀는 좁으며 사지는 굵고 크다. 입 주변에는 긴 수염이 있고 송곳니는 크고 예리하다. 배는 백색이지만 흑색 줄이 있다. 수컷은 갈기나 하복부의 긴 털이 거의 없다.

분포·생태 동남아시아. 숲속에서 서식한다. 우리나라에서는 동물원에서 사육하고 있다.

약용 부위·수치 골격을 채취하여 사용한다. 수치법은 먼저 호골을 끓는 호마유에 10분간 넣어 수분을 제거하고, 호골에 붙어 있는 근육을 제거하고, 길이 1~2cm 정도의 크기로 절단한다. 다음에 석회수에 담가서 유질(油質)을 제거하고 물에 담근 후 햇볕에 말린다.

약물명 호골(虎骨), 호경골(虎脛骨), 호신골(虎身骨)이라고도 한다.

본초서 호골(虎骨)은 「명의별록(名醫別錄)」의 중품(中品)에 수재되어 있다. 소송(蘇頌)은 "호골(虎骨)은 두(頭) 및 경(脛)의 골(骨)을 사용한다. 수컷을 사용하는 것이 좋다."고 하였다. 「본초강목(本草綱目)」에는 "호랑이의 모든 뼈를 약용하며, 술 또는 식초를 바른 뒤 약간 구워서 사용한다."고 하였다.

약효 거풍진통(祛風鎭痛), 진경(鎭驚), 건골(健骨)의 효능이 있으므로 근골동통(筋骨疼痛), 요슬연약무력(腰膝軟弱無力), 경계(驚悸), 전간(癲癎)을 치료한다.

사용법 호골 3g에 물 1컵(200mL)을 넣고 달여서 복용하거나 알약이나 가루약으로 또는 술에 담가서 복용한다.

처방 호골부자산(虎骨附子散): 호골(虎骨)·포부자(炮附子)·작약(芍藥) 각 45g(「동약과 건강(東藥과 健康)」). 류머티즘관절염으로 관절이 아프며, 몸을 차게 하면 더욱 아픈 증상에 사용한다. 1회에 2g씩 하루 3회 복용한다.

• 호골산(虎骨散): 호골(虎骨) 80g, 백화사(白花蛇)·천마(天麻)·방풍(防風)·우슬(牛膝)·백강잠(白殭蠶)·당귀(當歸)·계심(桂心) 각 40g, 전갈(全蝎)·구감초(炙甘草) 각 20g, 사향(麝香) 4g(「동의보감(東醫寶鑑)」). 역절풍으로 뼈마디가 쑤시고 시큰거리며 아픈 증상에 사용한다.

• 호골주(虎骨酒): 호골(虎骨)·작약(芍藥) 각 80g, 영양각(羚羊角) 40g(「동의보감(東醫寶鑑)」). 팔다리의 뼈마디가 쑤시고 아픈 증상에 사용한다.

• 서근보안산(舒筋保安散): 모과(木瓜) 200g, 비해(萆薢)·오령지(五靈脂)·우슬(牛膝)·속단(續斷)·백강잠(白殭蠶)·오약(烏藥)·송절(松節)·작약(芍藥)·천마(天麻)·위령선(威靈仙)·황기(黃耆)·당귀(當歸)·방풍(防風)·호골(虎骨) 각 40g(「동의보감(東醫寶鑑)」). 중풍으로 반신을 잘 쓰지 못하고, 힘줄이 당기면서 아프고 힘이 없는 증상에 사용한다.

＊호골(虎骨)의 수요는 많지만 호랑이가 희귀하므로 표골(豹骨), 토표골(土豹骨), 웅골(熊骨)이 대용되기도 한다.

○ 호골(虎骨)

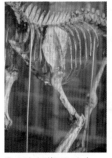

○ 호골(虎骨)

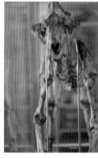

○ 호랑이 뼈(중국 성도)

○ 백호

○ 호랑이

○ 호랑이(낮에는 주로 휴식을 취한다.)

[물범과]

점박이물범

🫁 담음	⌛ 장명설사
🔲 동창, 군열	

● 학명 : *Phoca largha* Pallas　　● 영명 : Spotted seal

🐎🦅🐿️🦆🪶🦀🌿🕷️🦞🐚🦂🦦

몸길이 1.5~2m, 몸무게 120~150kg. 몸통은 비만하고 둥글면서 길쭉하다. 얼굴은 둥글면서 짧고 입은 넓고 입 주변의 수염은 상하에 40~50개이다. 눈은 크고 둥글며, 귓바퀴는 없고 꼬리가 있다. 앞다리와 뒷다리는 짧고 5개의 발가락이 있다. 전신은 짧은 털로 덮여 있으며 회황색 또는 남회갈색 바탕에 불규칙한 반점이 있다.

분포·생태 우리나라, 중국, 일본. 한대 및 온대의 난류가 돌아서 흐르는 곳에 서식한다.

약용 부위·수치 봄철에 지방을 채취하여 가마솥에 넣고 불을 지펴서 지방유(脂肪油)를 얻고, 통풍이 잘되는 곳에서 식힌다.

약물명 해표유(海豹油). 온눌지(膃肭脂)라고도 한다.

약효 온양(溫陽), 견음(蠲飮), 강탁(降濁), 자기부(滋肌膚)의 효능이 있으므로 담음(痰飮), 장명설사(腸鳴泄瀉), 동창(凍瘡), 군열(皸裂)을 치료한다.

성분 oxychlordan, *trans*−nonachlor, heptachlor epoxide, 3,3′,4,4′−tetrachloro biphenyl, tris(chlorophenyl)−methanol, polychlorinated dibenzodioxinds, phopholipid, hexadecanoic acid, eicosapentanoic acid, docosahexanoic acid 등이 함유되어 있다.

약리 불포화 지방산의 함유량이 바다고기류보다 높아서 prostaglandin 대사를 억제하며, 혈소판 응집을 저해하여 항혈전 작용을 나타낸다.

사용법 해표유 3~9g을 데워서 복용하고, 외용에는 적당량을 바른다.

○ 점박이물범

○ 점박이물범(물에서 노는 모습)

물개

양허거한
요슬위연
양위유정, 조설
심복동통

●학명 : *Callorhinus ursinus* L. (*Otaria ursunum* Gray)   ●영명 : Seal   ●별명 : 북방물개

몸길이 1.3~2.5m, 몸무게 43~270kg. 몸통은 비만하고 둥글면서 길쭉한데 뒷부분은 여위어 있다. 전신은 흑갈색 털로 덮여 있으며 복부와 복부 옆의 털은 담황갈색으로 부드럽다. 머리는 약간 둥글고 안면은 짧으며 이마 뼈가 높다. 눈은 크며, 주둥이는 짧고 턱 밑에는 백색의 긴 수염이 있다. 네 개의 다리에는 5개의 발가락이 있고, 발가락 사이에는 물갈퀴가 있는데 지느러미 발을 하고 있으며 꼬리는 짧다.

분포 · 생태 우리나라. 중국, 일본. 한대 및 온대의 난류가 돌아서 흐르는 곳에 서식한다.

약용 부위 · 수치 수컷의 음경(陰莖)과 고환(睾丸)을 채취하여 통풍이 잘되는 곳에서 말린다.

약물명 해구신(海狗腎). 온눌제(膃肭臍)라고도 한다. 대한민국약전외한약(생약)규격집(KHP)에 수재되어 있다.

본초서 해구신(海狗腎)은 「도경본초(圖經本草)」에 처음 수재되었다. 「약성론(藥性論)」에는 온눌제(膃肭臍)라는 이름으로 기재되어 "남자의 기(氣)가 오그라들고 정력을 소모하여 몸이 쇠약해진 사람을 치료한다."고 하였다.

기미 · 귀경 함(鹹), 열(熱) · 간(肝), 신(腎)

약효 온신장양(溫腎壯陽), 진정보수(鎭精補隨)의 효능이 있으므로 양허거한(陽虛祛寒), 양위유정(陽痿遺精), 조설(早泄), 요슬위연(腰膝痿軟), 심복동통(心腹疼痛)을 치료한다.

사용법 해구신 3~9g에 물 2컵(400mL)을 넣고 달여서 복용하거나, 알약이나 가루약으로 만들어 복용한다. 술에 담가 두었다가 조금씩 복용하면 편리하다.

＊현재 중국 약재 시장에서는 '점박이물범 *Phoca largha*', '바다표범 *P. vitrulina*', '바다사자 *Arctocephalus forsteri*'의 음경(陰莖)과 고환(睾丸)도 해구신(海狗腎)이라 하여 판매하고 있다.

○ 물개(지느러미 발을 하고 있다.)

○ 물개 최대 서식지인 페루 파라카스

○ 물개

○ 해구신(海狗腎, 산지와 가공법에 따라 형태가 다양하다.)

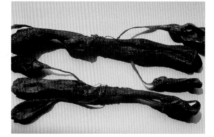

○ 해구신(海狗腎)

○ 해구신(海狗腎)

[코끼리과]

코끼리

🗋 외상출혈, 궤양구불수구, 욕창

⏱ 위열구토, 설사농혈

● 학명 : *Elephas maximus* L.　● 영명 : Elephant　● 별명 : 아시아코끼리

몸높이 1.5m 정도, 몸무게 5~6t. 몸체는 크고, 머리는 길고 크며 목은 짧다. 귀는 크며 편평하여 부채 같고, 눈은 작다. 코는 앞으로 길게 돌출하여 숨도 쉬고 먹이도 취한다. 꼬리는 몸체에 비하여 작고 가늘다. 네 다리는 굵고 앞다리에는 5개, 뒷다리에는 4개의 발가락이 있다. 상악(上顎)의 앞니는 평생 계속하여 자라서 이른바 상아가 된다.

분포 · 생태 중국 남부, 인도, 스리랑카, 베트남, 타이, 열대 아시아. 해발 1,000m 이하의 습기가 많은 숲속에서 서식한다.

약용 부위 · 수치 껍질을 취하여 지방을 제거하고 물에 씻은 후 적당한 크기로 잘라서 말린다. 살을 제거한 뒤 뼈를 취하여 말린다.

약물명 껍질을 상피(象皮), 뼈를 상골(象骨)이라 한다.

기미 · 귀경 상피(象皮): 감(甘), 함(鹹), 온(溫) · 심(心), 비(脾)

약효 상피(象皮)는 지혈렴창(止血斂瘡), 거부생기(祛腐生肌)의 효능이 있으므로 외상출혈, 궤양구불수구(潰瘍久不收口), 욕창을 치료한다. 상골(象骨)은 해독생기(解毒生肌)의 효능이 있으므로 위열구토(胃熱嘔吐), 설사농혈(泄瀉膿血)을 치료한다.

사용법 상피는 연고로 만들어 상처에 바르고, 상골은 술에 담가 적당량을 복용한다.

처방 진주산(珍珠散): 노감석(爐甘石) 320g, 진주(珍珠) 4g, 호박(琥珀) 2.8g, 종유석(鐘乳石) 2.4g, 주사(朱砂) · 상피(象皮) 각 2g, 용골(龍骨) · 적석지(赤石脂) 각 1.6g, 혈갈(血竭) 0.8g을 가루로 만들어 환부에 뿌리거나 참기름에 개어서 붙임. (「장씨의통(張氏醫通)」). 화농성 감염이나 만성궤양이 오래되어도 낫지 않을 때 사용한다.

◑ 코끼리

◑ 상골(象骨, 등뼈)

◑ 상골(象骨, 다리뼈)

[말과]

말

🫀 경풍전간, 담열신혼　👁 토혈뉵혈

🫁 담열해수　　　　　🗋 악창종독

● 학명 : *Equus caballus orientalis* Noack.　● 영명 : Horse

몸길이 2m 정도, 몸무게 350~7000kg. 몸은 달리기에 알맞게 사지와 목이 길다. 얼굴은 긴데 이것은 치열(齒列)이 길기 때문이다. 앞니와 어금니는 발달하였으나 송곳니는 퇴화하였다. 코에는 나출부가 없고 윗입술이 잘 움직이는데, 이것으로 풀을 입안으로 물어 넣는다. 두정부에는 앞머리털이 있고, 목덜미에는 갈기가 있으며, 가슴이 크고 늑골은 18쌍이다. 꼬리는 짧으며 기부에서 끝까지 긴 털로 덮여 있다. 앞뒷발 모두 제3발가락만이 발달하여 겉보기에는 하나이지만 제2, 제4발가락이 약간 남아 있다. 위는 1개, 유두는 서혜부에 2개 있다.

분포 · 생태 우리나라. 중국, 일본. 세계 각처. 집 근처에서 사육한다.

약용 부위 · 수치 위장 결석을 채취하여 물에 씻은 후 통풍이 잘 되는 곳에서 말린다.

약물명 마보(馬寶). 마결석(馬結石)이라고도 한다. 기름 성분을 마유(馬油)라 한다.

기미 · 귀경 감(甘), 함(鹹), 고(苦), 양(凉), 소독(小毒) · 심(心), 간(肝)

약효 진경화담(鎭驚化痰), 청열해독(淸熱解毒)의 효능이 있으므로 경풍전간(驚風癲癇), 담열신혼(痰熱神昏), 토혈뉵혈(吐血衄血), 담열해수(痰熱咳嗽), 악창종독(惡瘡腫毒)을 치료한다.

사용법 마보 적당량을 가루로 만들어 1~2g을 복용한다.

◑ 말

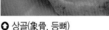

◑ 마유(馬油)

[말과]

당나귀

	혈허증		허로객혈, 폐허조해
	토혈, 혈리		요혈	임신하혈, 붕루

● 학명 : *Equus asinus* L ● 영명 : Donkey

몸체는 말에 비하여 작고, 몸무게는 200kg 정도. 머리는 비교적 길고 크며, 눈은 둥글고 귀는 길며 바로 선다. 목은 길고 두껍다. 사지는 비교적 짧으나 발은 단단하다. 꼬리는 길고 끝에는 긴 털이 있다. 몸 색깔은 흑색, 갈색, 회색이다.

분포 · 생태 우리나라. 중국. 집 근처에서 사육한다.

약용 부위 · 수치 가죽을 포화 석회수에 2~3개월 동안 담가 두어 불필요한 단백질이나 지방을 녹여서 제거하고 물로 씻은 후에 황산 또는 염산으로 중화시킨 다음 다시 물로 씻는다. 투명하게 된 가죽을 pH 5~6의 물로 따뜻하게 하여 추출하면 콜라겐이 젤라틴이 된다. 추출액을 감압 농축시켜 gel로 만들고 건조시킨다. 뼈는 유기 용매로 지방을 제거한 뒤 묽은염산에 담가 인산칼륨을 녹여 없애고 가죽의 경우와 같이 석회수로 처리하여 건조시킨다.

약물명 아교(阿膠), 전치교(傳致膠), 분복교(盆覆膠)라고도 한다. 아교(阿膠)라는 이름은 산둥성(山東省) 동아현(東阿縣)에 있는 아정궁(阿井宮)의 우물물로 만든 것에서 유래한다. 대한민국약전외한약(생약)규격집(KHP)에 수재되어 있다.

성상 무색 또는 백색~담황갈색의 박판, 세편, 알갱이 또는 가루로 냄새 및 맛은 없다. 뜨거운 물에 잘 녹으며 에탄올에는 잘 녹지 않는다. 찬물에는 잘 녹지 않지만 물속에 담그면 천천히 부풀어 5~10배량의 물을 흡수한다. 산으로 처리하여 얻은 이 약의 등전점은 pH 7~9이며 또 알칼리로 처리하여 얻은 것의 등전점은 pH 4.5~5.0이다.

품질 산으로 처리하여 얻은 약의 등전점이 pH 7~9이며 또 알칼리로 처리하여 얻은 것의 등전점이 pH 4.5~5.0인 것이 좋다.

기미 · 귀경 감(甘), 평(平) · 간(肝), 폐(肺), 신(腎)

약효 보혈(補血), 지혈(止血), 자음(滋陰), 윤조(潤燥)의 효능이 있으므로 혈허증(血虛症), 허로객혈(虛勞喀血), 토혈(吐血), 요혈(尿血), 변혈(便血), 혈리(血痢), 임신하혈(妊娠下血), 붕루(崩漏), 심번실면(心煩失眠), 폐허조해(肺虛燥咳)를 치료한다.

성분 단백질: glutin(proline이 약 50%)

약리 아교(gellatin)는 혈액의 응고를 촉진하므로 지혈을 목적으로 정맥 내로 투여하거나 국소에 적용한다. gellatin을 epinephrine이나 heparine 등의 주사약에 혼입하여 주사하면 흡수를 지연시켜 약효가 서서히 발현된다. 빈혈을 일으킨 개에게 아교를 투여하면 적혈구와 헤모글로빈이 증가한다.

확인 시험 이 약의 수용액 5mL에 삼산화크롬 시액 또는 피크린산 시액 몇 방울을 첨가하면 침전이 생긴다. 수용액 5mL에 피크린산 시액 몇 방울을 첨가하면 액이 혼탁된다.

사용법 아교 5g에 물 2컵(400mL)을 넣고 달여서 복용한다.

주의 비위(脾胃)가 허약하여 음식물을 소화하지 못하고 구토하고 설사하는 경우에는 복용하지 않는다.

처방 궁귀교애탕(芎歸膠艾湯): 천궁(川芎) · 아교(阿膠) · 애엽(艾葉) · 감초(甘草) 각 4g, 당귀(當歸) · 작약(芍藥) 각 6g, 건지황(乾地黃) 8g (「금궤요략(金匱要略)」). 산전산후의 출혈, 빈혈증, 하복부의 출혈에 사용한다.

• 황련아교원(黃連阿膠元): 황련(黃連) 120g, 적복령(赤茯苓) 80g, 아교(阿膠) 40g (「동의보감(東醫寶鑑)」). 적백리(赤白痢)와 열리(熱痢)로 뒤가 무겁고 배꼽 주위가 아프며 피곱이 섞인 변이 나오거나, 폐열로 기침을 하면서 피가 섞인 가래가 나오는 증상에 사용한다. 1알이 0.3g 되게 만들어 1회 30~50알을 복용한다.

• 저령탕(豬苓湯): 저령(豬苓) · 적복령(赤茯苓) · 아교(阿膠) · 택사(澤瀉) · 활석(滑石) 각 4g (「동의보감(東醫寶鑑)」). 열에 음이 상하여 오줌이 잘 나오지 않고 갈증이 나며 가슴이 답답하고 안타까워 잠들지 못하는 증상에 사용한다.

※ 아교 제조의 원료는 당나귀 이외에 말, 돼지, 고래 등의 가죽이나 뼈가 이용된다.

❶ 당나귀

❶ 아교(阿膠)

❶ 아교(阿膠)

❶ 아교(阿膠)

❶ 시중에서 판매되는 아교(阿膠) 제품들(중국)

[돼지과]

멧돼지

| 전간 | 산후풍 | 목적종통 |
| 정창종독 | 허약영수 | 장풍변혈 |

● 학명 : *Sus scrofa* L. ● 영명 : Wild boar ● 별명 : 산돼지

몸길이 1.5m, 몸무게 150kg 정도. 큰 수컷은 250kg에 이른다. 머리는 넓고 길며, 주둥이는 상당히 돌출하여 원추형이다. 눈은 작고 귀는 꼿꼿이 서며, 목과 다리는 짧고 꼬리도 짧은 편인데 위로 구부러지거나 말려 있다. 수컷의 송곳니는 유난히 발달하여 주둥이 밖으로 나와 있다. 머리 위에서 어깨와 등쪽에 걸쳐 긴 털이 많다. 몸의 털은 어릴 때는 갈색이지만 점차 흑색으로 변하다가 더 늙으면 백색을 띤 흑색 또는 갈색으로 변한다.
분포 · 생태 우리나라. 중국, 일본. 세계 각처의 온대와 열대 지역. 삼림이나 초원에서 서식한다.
약용 부위 · 수치 담낭을 채취하여 통풍이 잘 되는 곳에서 말린다. 고기(肉)는 생것을 사용한다.

약물명 담낭을 야저담(野猪膽)이라 하며, 고기(肉)를 야저육(野猪肉)이라 한다.
약효 야저담(野猪膽)은 청열진경(清熱鎮驚), 해독생기(解毒生肌)의 효능이 있으므로 전간(癲癇), 산후풍(産後風), 목적종통(目赤腫痛), 정창종독(疔瘡腫毒)을 치료한다. 야저육(野猪肉)은 보오장(補五臟), 윤기부(潤肌膚), 거풍해독(祛風解毒)의 효능이 있으므로 허약영수(虛弱嬴瘦), 전간(癲癇), 장풍변혈(腸風便血), 치창출혈(痔瘡出血)을 치료한다.
성분 chenodeoxycholic acid, 3α–hydroxy–6–oxo–5α–cholanic acid, lithocholic acid 등이 함유되어 있다.
사용법 야저담은 1~3g을 복용하고, 야저육은 100~200g에 물을 넣고 달여서 복용한다.

○ 야저담(野猪膽)

○ 멧돼지

[돼지과]

돼지

| 열병조갈 | 대변비결, 설리, 황달 |
| 해수효천 | 목적, 목예 |

● 학명 : *Sus scrofa-domestica* Brisson ● 영명 : Pig

몸길이 1~1.5m, 몸무게 100~350kg. 몸은 둥글고 약간 긴 편이며 머리가 작다. 입 위쪽에는 육질의 두꺼운 부분이 있는데 그곳에 콧구멍이 있다. 눈은 작고 귀는 꼿꼿이 서는데 종류에 따라서 늘어져 있는 경우도 있다. 목과 다리는 짧고 꼬리도 짧은 편인데 위로 구부러지거나 말려 있다. 이는 보통 44개이고, 피부가 두껍고 피하 지방층이 발달되어 있으나 땀샘과 털의 발달은 좋지 못하다.
분포 · 생태 우리나라. 중국, 일본. 세계 각처에서 사육한다. 체질이 강하고 잡식성이다.
약용 부위 · 수치 담낭을 채취하여 통풍이 잘 되는 곳에서 말리고, 족발을 채취하여 물에 씻어서 말린다.
약물명 담낭을 저담(猪膽)이라 하고, 족발을 저족(猪足)이라고 한다. 저담(猪膽)은 대한민국약전외한약(생약)규격집(KHP)에 수재되어 있다.
본초서 저담(猪膽)은 「명의별록(名醫別錄)」에 처음 수재된 약물로 오늘날까지 사용되고 있으며, 「본초강목(本草綱目)」의 동물 항에 "소변을 잘 보게 하며 피부병에 바르고, 눈을 맑게 하고 심장, 간장 및 위장을 튼튼하게 한다."고 기록되어 있다.

성상 길이 8~15cm, 지름 5~8cm의 담낭 속에 들어 있으며 담낭은 섬유상의 질긴 막질로 되어 있다. 바깥면은 암갈색이며 반투명하다. 약간 비린내가 나며 맛은 매우 쓰다. 건조된 담즙은 황색이고 투명하며 맛이 매우 쓰다.
품질 바깥면은 암갈색이고 반투명하며, 담즙은 황색이고 투명하며 맛이 매우 쓰되 후에는 단맛이 있는 것이 좋다.
기미 · 귀경 저담(猪膽): 고(苦), 한(寒) · 간(肝), 담(膽), 폐(肺), 대장(大腸)
약효 저담(猪膽)은 청열(清熱), 윤조(潤燥), 해독의 효능이 있으므로 열병조갈(熱病燥渴), 대변비결(大便秘結), 해수효천(咳嗽哮喘), 목적(目赤), 목예(目翳), 설리(泄痢), 황달, 후비(喉痺), 옹저정창(癰疽疔瘡), 서위(鼠瘻), 습진, 두선(頭癬)을 치료한다. 저족(猪足)은 자양강장의 효능이 있다.
성분 담즙산류, bilirubin, mucoprotein, 지방, 무기질 등이 함유되어 있다. 담즙산류에는 deoxycholic acid, cholic acid, chenodeoxycholic acid, lithocholic acid 등이 있다.
약리 저담 성분들은 쥐의 실험에서 경련을 억제하고, 개의 실험에서 혈압을 하강시키며 호흡에는 아무 영향을 주지 않는다.

사용법 저담 1g을 더운물이나 술에 타서 복용하고 외용에는 술에 탄 액을 바른다.
처방 통유탕(通乳湯): 관목통(關木通) · 천궁(川芎) 각 40g, 천산갑(穿山甲) 14쪽, 감초(甘草) 4g, 저족(猪足) 4개 (「동의보감(東醫寶鑑)」). 산후에 음혈(飲血) 부족으로 젖이 잘 나오지 않는 증상에 사용한다.
＊ 우리나라를 비롯하여 세계 각지에서 사육하는 포유류 동물. 집에서 기르는 돼지는 '멧돼지 *Sus scrofa*'를 사육에 편리하도록 순화시킨 것으로 품종도 많고 형태도 다양하다.

○ 돼지

○ 돼지(제주도)

○ 저담(猪膽)

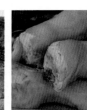
○ 저족(猪足)

포유류 **903**

[낙타과]

쌍봉낙타

 체허로핍 　 기부불인, 피부소양, 창양종독

근육련급, 근골위약 　 풍열경간

●학명 : *Camelus bactrianus* L.　●영명 : Bactrian camel

어깨높이 1.8~2.3m, 머리와 몸통 길이 2.3~3.5m. 등의 혹은 2개로 평균 높이는 2m 정도이다. 몸무게는 300~1,000kg, 수컷은 암컷보다 크고 무겁다. 발은 탄탄하고 넓으며, 2개의 넓은 발가락은 변하지 않는 단단한 밑창을 가지고 있어 사막을 걷기에 적당하다.

분포 · 생태 전 세계. 산과 들에서 서식한다.

약용 부위 · 수치 육봉(肉峰) 속의 지방, 담낭결석을 채취하여 차가운 곳에서 보관한다.

약물명 육봉(肉峰) 속의 지방을 낙타지(駱駝脂)라 하며, 타지(駝脂), 타봉(駝峰), 봉자유(峰子油)라고도 한다. 담낭결석을 낙타황(駱駝黃)이라 한다. 유즙을 타유(駝乳) 또는 낙타유(駱駝乳)라 한다.

기미 · 귀경 낙타지(駱駝脂): 감(甘), 온(溫). 낙타황(駱駝黃): 고(苦), 양(凉), 소독(小毒)

약효 낙타지(駱駝脂)는 보허윤조(補虛潤燥), 거풍활혈(祛風活血), 소종소독(消腫消毒)의 효능이 있으므로 체허로핍(體虛勞乏), 기부불인(肌膚不仁), 피부소양(皮膚瘙痒), 근육련급(筋肉攣急), 창양종독(瘡瘍腫毒), 치루(痔漏)를 치료한다. 낙타황(駱駝黃)은 청열정경(清熱定驚)의 효능이 있으므로 풍열경간(風熱驚癎)을 치료한다. 타유(駝乳)는 보중익기(補中益氣), 강장근골(強壯筋骨)의 효능이 있으므로 구병허손(久病虛損), 근골위약(筋骨痿弱)을 치료한다.

사용법 낙타지는 6~12g에 물 3컵(600mL)을 넣고 달여서 복용하고, 낙타황은 가루로 만들어 1회 0.3~0.6g을 복용한다.

＊등에 혹이 1개인 '단봉낙타 *C. dromeda-lius*'도 약효가 같다.

❶ 쌍봉낙타

❶ 단봉낙타

❶ 타유(駝乳)

[사슴과]

노루

 허로영약 　 요슬산연, 근골동통

양위 　 불잉

●학명 : *Capreolus pygargus* Pallas　●영명 : Roe deer

몸길이 100~120cm, 어깨높이 60~75cm, 몸무게 15~50kg. 여름털은 황갈색이고 겨울털은 점토색이며 볼기에 큰 백색 반점이 있다. 뿔은 수컷만 있으며 3개의 가지가 있는데, 11~12월에 탈락하고 새로운 뿔은 5~6월에 완성된다. 꼬리는 매우 짧다.

분포 · 생태 우리나라. 중국, 일본, 유럽. 삼림이나 초원에서 서식한다. 교미기는 9~11월이고 4~5월에 1~2마리의 새끼를 낳는다.

약용 부위 · 수치 수컷의 골질화(骨質化)되지 않은 어린 뿔을 채취하여 썰어서 말린다.

약물명 포용(狍茸)

기미 · 귀경 감(甘), 함(鹹), 온(溫) · 신(腎)

약효 보신양(補腎陽), 익정혈(益精血), 강근골(強筋骨)의 효능이 있으므로 허로영약(虛勞羸弱), 요슬산연(腰膝酸軟), 근골동통(筋骨疼痛), 양위(陽痿), 불잉(不孕)을 치료한다.

사용법 포용 적당량을 가루로 만들어 1회 3g을 복용한다.

❶ 노루

[사슴과]

고라니

구병허손 　당뇨병 　유소
요퇴비통, 허손요산 　활정

- 학명 : *Hydropotes inermis* Swinhoe　- 영명 : Elk

몸길이 100~112cm, 어깨높이 52~57cm, 몸무게 20~30kg. 암수 모두 뿔이 없으므로 수노루와 쉽게 구별된다. 여름털은 비늘 같이 곱고, 겨울털은 물결 모양의 긴 털이 빽빽하다.

분포·생태 우리나라. 중국, 일본, 유럽. 삼림이나 초원에서 서식한다. 12월에 짝짓기를 하고 이듬해 6월에 2~6마리의 새끼를 낳는다.

약용 부위·수치 살코기와 뼈를 채취하여 썰어서 말린다.

약물명 살코기를 장육(獐肉)이라 하며, 뼈를 장골(獐骨)이라 한다.

약효 장육(獐肉)은 보허(補虛), 거풍(祛風)의 효능이 있으므로 구병허손(久病虛損), 당뇨병, 유소(乳少), 요퇴비통(腰腿痹痛)을 치료한다. 장골(獐骨)은 보허손(補虛損), 보정수(補精髓)의 효능이 있으므로 허손요산(虛損腰酸), 활정(滑精)을 치료한다.

사용법 장육은 삶아서 적당량을 복용하고, 장골은 20g에 물을 넣고 끓여서 끓인 액을 식혀 복용한다.

❶ 고라니

[사슴과]

마록

신양허쇠, 허로영수, 신허, 정혈부족, 신허로손 　양위활정, 요빈뇨다 　음저창양, 타박상, 나력
궁한불잉, 붕루대하, 유옹종통, 태동불안 　요배산통, 근골위연, 허로골약 　이명이롱

- 학명 : *Cervus elaphus* L.　- 영명 : Red deer　- 별명 : 붉은사슴

몸길이 2m, 어깨높이 1m 정도, 몸무게 200kg 이상. 등은 편평하고 바르다. 코끝은 노출되고 귀는 크고 둥글고 바로 선다. 목 부분은 몸길이의 1/3이고 목과 몸은 털로 덮여 있다. 네 다리는 길고, 양쪽의 발가락은 비교적 길고 꼬리는 짧다. 수컷은 뿔이 길게 돋아나며 가지를 친다.

분포·생태 뉴질랜드, 중국, 러시아. 우리나라에서는 농가에서 사육한다.

약용 부위·수치 골질화(骨質化)되지 않은 어린 뿔을 채취하여 썰어서 말린다.

약물명 마록용(馬鹿茸). 마록(馬鹿)이라고도 한다.

성상 원주상으로 분지되고 길이 20~40cm, 지름 4~6cm이다. 바깥면은 회녹색 바탕에 회색~회흑색의 털이 빽빽이 나 있다. 세로로 자른 면을 보면 윗부분은 엷은 황색이며 아랫부분은 자적색이다. 질은 가볍고 딱딱하다.

* 약효와 사용법은 '매화록'과 같다.

❶ 마록

❶ 마록용(馬鹿茸)

❶ 마록용(馬鹿茸)이 함유된 자양강장제

❶ 마록(새 뿔이 돋아나고 있다.)

매화록

 신양허쇠, 허로영수, 신허, 정혈부족, 신허로손 | 양위활정, 요빈뇨다 음저창양, 타박상, 나력

♀ 궁한불잉, 붕루대하, 유옹종통, 태동불안 | 요배산통, 근골위연, 허로골약 | 👁 이명이롱

● 학명 : *Cervus nipponica* Temminck   ● 영명 : Deer

몸길이 1.5m 정도, 어깨높이 83~90cm, 몸무게 100kg 정도. 귀는 바로 서고, 몸은 날씬하며 네 다리는 가늘고 길다. 뿔은 수컷에서 볼 수 있으며 4~5개로 갈라진다. 뿔은 처음에는 외가닥으로 돋아나지만 2년 후 탈락하고 2차 뿔이 자라는데, 이때는 대개 가지가 3개인 뿔이 된다. 그 후 나이를 먹음에 따라서 가지의 수가 1개 늘어나 4개가 된다. 성장하고 있을 때의 뿔은 털로 덮여 있고 그 속에 혈관과 신경이 충만하여 감각도 예민하다. 성장이 멈추면 골화 작용이 일어나면서 뿔이 단단해지고 겉면의 피부가 탈락하여 나각이 된다.

분포·생태 중국 둥베이(東北) 지방, 화북 지방, 화동 지방, 화남 지방, 일본. 울창한 숲에서 산다. 우리나라에서는 농가에서 약용 및 식용으로 기른다.

약용 부위·수치 골질화(骨質化)되지 않은 어린 뿔을 잘라 뜨거운 물에 데쳐 건조실에서 말린다. 사슴의 수컷은 2~3년생부터 뿔이 돋아나며 6~7년생의 뿔이 가장 좋다. 매화록은 7월경에 뿔을 잘라서 사용하는데, 뿔을 채취 후 피가 유출되지 않도록 자른 부분을 불로 지진 후 햇볕에 말린다. 뿔을 술에 담갔다가 부드러워지면 세절하여 사용하거나 자(炙)하여 사용한다.

약물명 골질화되지 않은 어린 뿔을 녹용(鹿茸)이라 하며, 화녹용(花鹿茸), 매화록(梅花鹿), 용각(茸角), 녹충(鹿蟲), 대각(袋角), 낭각(囊角)이라고도 한다. 녹용 썬 것을 녹용절편이라 한다. 골질화된 뿔을 녹각(鹿角)이라 하고, 녹각(鹿角)을 절단하여 물로 끓여서 농축하여 만든 아교질 덩어리를 녹

각교(鹿角膠)라 한다. 녹각교(鹿角膠)를 만든 후 남는 골사(骨渣)를 녹각상(鹿角霜), 수컷 생식기를 녹편(鹿鞭)이라 하며, 녹신(鹿腎)이라고도 한다. 녹용(鹿茸), 녹용절편(鹿茸切片), 녹각(鹿角), 녹각교(鹿角膠)는 대한민국약전외한약(생약)규격집(KHP)에 수재되어 있다.

본초서 녹용(鹿茸)은 「신농본초경(神農本草經)」의 중품(中品)에 수재되어 있으며, "누하(漏下), 악혈(惡血), 한열경간(寒熱驚癇)을 치료하고 기(氣)를 도우며, 지(志)를 튼튼히 하고 치아가 나게 하고 늙지 않는다."고 기록되어 있다. 「일화자본초(日華子本草)」에는 "남자 요신(腰腎)의 허랭(虛冷), 각슬(脚膝)의 무력(無力)을 치료하고, 부인의 붕루(崩漏), 누혈(漏血), 적백대하(赤白帶下)에 응용한다."고 하였다. 송대(宋代) 이후에는 정력 증강제 또는 불로장수(不老長壽)의 목적으로 사용하고 있다. 「산해경(山海經)」에 "각처에서 녹(鹿)이 생산된다."는 기록으로 보아 중국 화북(華北) 지방에 사슴이 많이 서식한 것으로 보인다. 「본초강목(本草綱目)」에는 녹용(鹿茸)뿐만 아니라, 녹각(鹿角), 녹각교(鹿角膠), 녹치(鹿齒), 녹골(鹿骨), 녹두육(鹿頭肉), 녹제육(鹿蹄肉), 녹지(鹿脂), 녹수(鹿髓), 녹뇌(鹿腦), 녹정(鹿精), 녹혈(鹿血), 녹신(鹿腎), 녹담(鹿膽), 녹근(鹿筋), 녹피(鹿皮) 등의 효능을 열거하고 있다.

神農本草經: 主漏下惡血 寒熱驚癇 益氣强志 生齒不老.

名醫別錄: 療虛勞洒洒如瘧 四肢酸疼 腰脊痛 小便利 泄精 溺血.

日華諸家本草: 補虛 壯筋骨 破瘀血 安胎下氣.

本草綱目: 生精補髓 養血益陽 强健筋骨 治一切虛損 耳聾目暗 眩暈虛痢.

성상 녹용(鹿茸)은 원주상으로 분지되어 길이 17~20cm, 지름 4~5cm로 끝은 둔한 원형으로 되어 있다. 바깥면은 황갈색~갈색의 바탕에 적황색~갈황색의 부드러운 털이 빽빽이 나 있다. 이 털은 위쪽으로 갈수록 많다. 절단면은 많은 작은 구멍이 있어 해면상을 이루고 엷은 황색이다.

품질 굵고 가벼우며 회갈색의 털이 많고 아랫부분에 능선(소름)과 주름이 없는 것이 좋다. 우리나라에서는 회분의 함량이 30% 이하인 것을 녹용(鹿茸)이라고 하며 그 이상인 것을 녹각(鹿角)으로 규정하고 있다.

기미·귀경 녹용(鹿茸): 감(甘), 함(鹹), 온(溫)·간(肝), 신(腎). 녹각(鹿角): 함(鹹), 온(溫)·신(腎), 간(肝). 녹골(鹿骨): 감(甘), 온(溫)·신(腎). 녹편(鹿鞭): 감(甘), 함(鹹), 온(溫)·간(肝), 신(腎), 방광(膀胱)

약효 녹용(鹿茸)은 장신양(壯腎陽), 익정혈(益精血), 강근골(强筋骨), 탁창독(托瘡毒)의 효능이 있으므로 신양허쇠(腎陽虛衰), 양위활정(陽痿滑精), 궁냉불잉(宮冷不孕), 허로영수(虛勞羸瘦), 신피외한(神皮畏寒), 현훈(眩暈), 이명이롱(耳鳴耳聾), 요배산통(腰背酸痛), 근골위연(筋骨痿軟), 붕루대하(崩漏帶下), 음저(陰疽)를 치료한다. 녹각(鹿角)은 보신양(補腎陽), 익정혈(益精血), 강근골(强筋骨), 행혈소종(行血消腫)의 효능이 있으므로 신허요척냉통(腎虛腰脊冷痛), 양위유정(陽痿遺精), 붕루대하, 요빈뇨다(尿頻尿多), 음저창양(陰疽瘡瘍), 유옹종통(乳癰腫痛), 타박상, 근골동통을 치료한다. 녹각교(鹿角膠)는 보익정혈(補益精血), 안태지혈(安胎止血)의 효능이 있으므로 신허(腎虛), 정혈부족(精血不足), 두훈이명(頭暈耳鳴), 요슬산

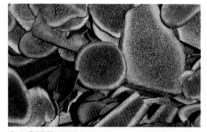

❶ 녹용(鹿茸, 절편)

❶ 녹용(鹿茸)

❶ 녹용(鹿茸) 전문점(중국)

❶ 녹각교(鹿角膠)

❶ 녹각상(鹿角霜, 절편)

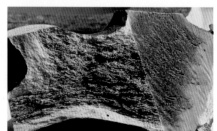

❶ 녹각상(鹿角霜)

연(腰膝酸軟), 양위활정, 궁한불잉(宮寒不孕), 태동불안(胎動不安)을 치료한다. 녹각상(鹿角霜)은 보신조양(補腎助陽), 수렴지혈(收斂止血)의 효능이 있으므로 신양부족(腎陽不足), 비위허한(脾胃虛寒), 요빈유뇨(尿頻遺尿)를 치료한다. 녹골(鹿骨)은 보허영(補虛羸), 강근골(強筋骨), 제풍습(除風濕), 지사리(止瀉痢), 생기렴창(生肌斂瘡)의 효능이 있으므로 허로골약(虛勞骨弱), 풍습비통(風濕痺痛), 사리(瀉痢), 나력(瘰癧), 창독(瘡毒)을 치료한다. 녹편(鹿鞭)은 보신정(補腎精), 장신양(壯腎陽), 강요슬(強腰膝)의 효능이 있으므로 신허로손(腎虛勞損), 요슬산통(腰膝酸痛), 이명이롱(耳鳴耳聾), 양위활정, 궁한불잉을 치료한다.

성분 녹용(鹿茸)은 collagen, estrone, proteolipid, sphingomyelin, uridine, ganglioside, cholesterol 유도체, uracil, hypoxanthine, creatine, nicotinic acid, urea, *p*-hydroxybenzaldehyde, *p*-hydroxybenzoic acid, Ca$_3$(PO$_4$)$_2$, CaCO$_3$ 등이 함유되어 있다.

약리 녹용(鹿茸)의 열수추출물은 혈장 중의 testosterone의 수치를 높이고 간과 뇌에서의 malondialdehyde의 수치를 낮춘다. 간의 단백질 함량과 superoxide dismutase의 활성을 증가시키며 monoamine oxidase의 활성을 감소시킨다. 물로 달인 액을 동물에게 투여하면 조직의 성장, 특히 세망내피계와 백혈구의 증식을 촉진한다. 녹용을 첨가한 사료로 사육한 동물은 대조군에 비하여 체중이 증가한다. 물로 달인 액을 사람에게 투여하면 신체의 활동 기능을 높이고 수면과 식욕을 개선하며 근육의 피로를 저하

시킨다. 토끼에게 녹용 분말을 투여하면 적혈구와 혈색소, 망상적혈구(網狀赤血球)가 증량된다. 물로 달인 액은 비정상적인 칼슘 농도(0.5mM)에서 심장 박동이 감소한 경우에 심장 박동의 세기를 증가시킨다. 70% 에탄올추출물로 만든 pantocrine은 심장 혈관 및 심근에 특이적으로 작용하여 심장 기능을 정상으로 회복시킨다. 에탄올추출물에서 분리한 lysophophatidylcholine을 동물에게 투여하면 혈압이 강하한다. proteolipid, ganglioside, sphingomyeline 등의 복합지질 성분이 많이 함유된 pantocrine은 부교감 신경을 흥분시키고 신경과 근육계의 기능을 개선하고 내분비계의 활성을 항진시킨다. 또한 면역 기능을 향상시키고 상처를 치료하며, 소화 기능과 신장 기능을 촉진한다.

사용법 약물 각 3g에 물 2컵(400mL)을 넣고 달여서 복용하거나 술에 담가 두었다가 복용한다. 알약이나 가루약으로 만들어 복용하기도 한다.

주의 열이 있거나 감기가 완전히 치료되지 않은 경우, 평소에 원기가 왕성한 사람, 고혈압이나 동맥경화증과 같이 피의 응고성이 높아진 경우, 중증의 신장염 등에는 복용하지 않는다.

처방 녹용산(鹿茸散): 녹용(鹿茸) 2g, 아교(阿膠)·당귀(當歸) 각 12g, 오적골(五賊骨) 20g, 포황(蒲黃) 8g (『천금방(千金方)』). 여성의 누하(漏下)가 그치지 않는 증상에 사용한다.

• 녹용대보환(鹿茸大補丸): 육종용(肉蓯蓉)·두충(杜仲) 각 4g, 작약(芍藥)·백출

(白朮)·부자(附子)·인삼(人蔘)·육계(肉桂)·반하(半夏)·석곡(石斛)·오미자(五味子) 각 2.8g, 녹용(鹿茸)·황기(黃耆)·당귀(當歸)·백복령(白茯苓)·숙지황(熟地黃) 각 2g, 감초(甘草) 1g (『동의보감(東醫寶鑑)』). 산후 기혈(氣血) 부족, 불임증, 음위(陰痿) 등의 허손증(虛損症)에 사용한다.

• 삼용고본환(蔘茸固本丸): 숙지황(熟地黃) 60g, 감초(甘草) 50g, 인삼(人蔘)·파극천(巴戟天)·산약(山藥)·복신(茯神)·육종용(肉蓯蓉)·당귀(當歸)·토사자(菟絲子) 각 30g, 황기(黃耆)·우슬(牛膝)·육계(肉桂)·구기자(枸杞子) 각 20g, 녹용(鹿茸)·작약(芍藥)·회향(茴香)·진피(陳皮)·백출(白朮) 각 16g, 1알이 0.3g 되게 만들어 1회 50알씩 복용 (『동의보감(東醫寶鑑)』). 원기부족, 허로손상, 병후보약으로 사용하거나 음위증, 빈혈 등에 사용한다.

＊ 우리나라의 사슴 목장에서도 본 종과 큰 사슴인 '마록'을 사육하고 있으나, 주로 수입에 의존하는데, 세계 생산량의 약 70~80%를 우리나라에서 사용하고 있다. 매년 봄이 되면 녹각(鹿角)의 기부인 화반(花盤)이 탈락하고 그곳에서 마제(磨臍)라고 하는 대각(袋角)이 새로 돋아난다. 마제(磨臍)는 급속히 성장하여 한 달 반이 지나면 10cm 정도가 되는데 이것을 안자(鞍子)라고 하며, 두 달이 되면 약 15cm, 두 달 반이 되면 20~30cm에 달하며 2개의 측지(側枝)를 가진다. 녹용(鹿茸)의 성장 정도에 따라서 가격이 달라진다.

❶ 녹각(鹿角, 절편)

❶ 녹각(鹿角)

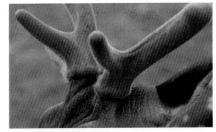
❶ 매화록의 새로 나온 뿔

❶ 매화록

❶ 매화록 방목(인도네시아 자카르타)

[사슴과]

아기사슴

허로	요퇴산통
위통	치창

●학명 : *Muntiacus reevesi* Ogiby ●영명 : Chinese muntjac ●한자명 : 小麂

◑ 아기사슴(뒷모습)

몸길이 70~80cm, 몸무게 15kg 정도. 머리는 비교적 짧고 넓다. 수컷은 뿔이 있으나 짧고 뾰족하며 끝이 약간 굽었고, 암컷은 없다. 두부에서 코까지 V자형의 흑갈색 무늬가 있다.

분포·생태 우리나라. 중국, 타이완. 삼림, 관목림에 사는데, 무리를 이루지 않고 단독생활한다. 초식성으로 나뭇잎과 과일을 먹는다.

약용 부위·수치 가죽, 털, 내장을 제거하고 살코기를 사용한다.

약물명 궤육(麂肉)

약효 보기(補氣), 거풍(祛風), 난위(暖胃)의 효능이 있으므로 허로(虛勞), 요퇴산통(腰腿酸痛), 위통(胃痛), 치창(痔瘡)을 치료한다.

사용법 궤육 100~200g에 물을 넣고 달여서 복용한다.

◑ 아기사슴

[사슴과]

순록

허로영약, 정혈부족	양위
요슬산연, 근골동통	불잉

●학명 : *Elaphurus davidianus* Milne-Edwards ●영명 : Reindeer

몸길이 130~220cm, 어깨높이 80~150cm, 몸무게 60~315kg. 뿔은 수컷뿐만 아니라 암컷에도 있다. 발굽은 너비가 넓고 편평하게 퍼졌으며, 곁굽이 발달해 있어 눈 속에 빠지지 않는다. 몸 전체에 솜털이 빽빽이 나 있고, 그 위에 길이 2.5~2.8cm의 긴 털이 돋아 있다.

분포·생태 북극권의 툰드라 및 타이가 지대. 보통 무리를 지어 생활한다. 지의류를 주식으로 하고 그 밖에 마른풀, 버드나무잎, 새순, 쑥, 속새 등도 먹는다.

약용 부위·수치 수컷의 골질화되지 않은 어린 뿔을 채취하여 썰어서 말린다.

약물명 미용(麋茸)

기미·귀경 온(溫), 감(甘)·신(腎)

약효 보신양(補腎陽), 익정혈(益精血), 강근골(强筋骨), 장요슬(壯腰膝)의 효능이 있으므로 허로영약(虛勞羸弱), 정혈부족(精血不足), 양위(陽痿), 불잉(不孕), 요슬산연(腰膝酸軟), 근골동통(筋骨疼痛)을 치료한다.

사용법 미용 적당량을 가루로 만들어 1회 3g을 복용한다.

◑ 순록

[사슴과]
사향노루

열변신혼 　중풍담궐, 기욱폭궐, 중악혼미
혈어경폐 　징가적취 　후비, 구창

●학명 : *Moschus moschiferus* L. 　●영명 : Musk deer

몸길이 85~90cm, 어깨높이 50~70cm, 몸무게 7~15kg. 등쪽은 흑갈색, 배쪽은 갈색과 백색이 섞여 있으며 꼬리는 흑갈색이다. 뺨, 귀, 눈 사이에는 무늬가 있으며 주둥이는 황백색이 섞여 있다. 눈에서 목까지는 백색 줄이 있다. 수컷은 생식기와 배꼽 사이에 분비물을 내는 분비샘이 있다.

분포·생태 중국, 네팔, 인도, 시베리아, 몽골, 사할린. 삼림이나 초원에 서식한다. 우리나라 지리산과 연천 등 휴전선 일대에 살았다고 하나 현재 거의 멸종된 것으로 보인다. 암수는 따로 생활하다가 가을에 교미기가 시작되면 수컷은 강한 향기를 내어 암컷을 유혹한다.

약용 부위·수치 겨울에서 봄 사이에 수컷의 사향선(麝香腺)을 채취하여 통풍이 잘 되는 곳에서 말린다. 사용할 때는 낭각(囊殼)과 잡질을 제거하고 곱게 가루로 만들어 사용한다.

약물명 사향(麝香), 당문자(堂門子), 제향(臍香), 사제향(麝臍香)이라고도 한다. 대한민국약전외한약(생약)규격집(KHP)에 수재되어 있다.

본초서 사향(麝香)은 「신농본초경(神農本草經)」의 상품(上品)에 수재되어 있다. 「뇌공포자론(雷公炮炙論)」에는 별명으로 당문자(堂門子), 제향(臍香)이라 하였고, 「본초강목(本草綱目)」에는 "향기가 멀리까지 날아간다고 하여 사향(麝香)이라고 한다."고 하였다. 도홍경(陶弘景)은 "사향은 악(惡)을 물리치며, 머리 밑이나 베개에 넣어 두면 악몽 및 귀신을 쫓는다."고 하였다.

성상 약간 축축한 느낌이 있는 자주색을 띤 가루로 기름질이다. 손끝에 묻지 않으며 때로는 지름 3~4mm의 자주색을 띤 갈색 알맹이가 섞여 있다. 주머니 모양의 사향낭(麝香囊) 속에 들어 있으나 때로는 꺼내어진 것도 있다. 사향낭은 편구형, 지름 3~7cm이며 바깥면은 회백색~엷은 갈색 또는 갈색 털이 붙어 있다. 특이한 냄새가 있고 맛은 처음에는 없으나 나중에는 좀 쓰다.

품질 이물이 섞여 있지 않고 방향이 강한 것이 좋다.

기미·귀경 신(辛), 온(溫)·심(心), 간(肝), 비(脾)

약효 개규성신(開竅醒神), 활혈산결(活血散結), 지통소종(止痛消腫)의 효능이 있으므로 열병신혼(熱病神昏), 중풍담궐(中風痰厥), 기욱폭궐(氣鬱暴厥), 중악혼미(中惡昏迷), 혈어경폐(血瘀經閉), 징가적취(癥瘕積聚), 심복급통(心腹急痛), 타박상, 비통마목(痺痛痲木), 후비(喉痺), 구창(口瘡), 아감(牙疳), 농이(膿耳)를 치료한다.

성분 향기 성분인 muscone(0.5~2%), muco-pyrine, steroid인 cholesterol, cholesterol ester 및 androstane 유도체 등이 함유되어 있다.

약리 호흡 중추와 심장을 흥분시키고, 토끼의 혈압을 내리는 작용이 있다. 항염증 작용이 있으며, 특히 초기나 중기에 항염증 작용이 크다. β-adrenaline이 지배하는 조직에 catecholamine의 반응을 증가시킨다. 자궁의 자발적인 운동을 증가시키고, 적출 회장의 자발적인 운동을 억제한다. androstane 유도체는 남성 호르몬 유사 작용이 있고, muscone은 약물 대사에 관여하는 microsomal cytochrome P-450과 효소들의 활성을 높인다.

확인 시험 메탄올추출액을 플라스크에 넣고 여과지의 한쪽 끝을 밑바닥에 닿도록 걸쳐 놓아 액을 1시간 정도 흡수시킨다. 여과지를 꺼내어 건조시킨 후 자외선(365nm)으로 쪼이면 상부에 밝은 형광, 중앙부에 청자색의 형광을 발하는데, 때로는 상부 및 중앙부가 밝은 황색 형광을 발한다.

사용법 사향 적당량을 알약으로 만들어 0.05~0.1g을 복용한다.

처방 사향원(麝香元): 오두(烏頭) 3개, 전갈(全蝎) 21마리, 구인(蚯蚓) 20g, 흑두(黑豆) 10g, 사향(麝香) 1g, 1알이 0.04g 되게 만들어 1회 7~10알 복용(「동의보감(東醫寶鑑)」). 백호역절풍(白虎歷節風)으로 몸의 여기저기가 아프고 벌레가 기어 다니는 것 같은 감이 있으며, 낮에는 덜하고 밤에 더 심해지는 증상에 사용한다.

• 사향경분산(麝香輕粉散): 백반(白礬)·유향(乳香) 각 40g, 경분(輕粉) 20g, 사향(麝香) 2g(「동의보감(東醫寶鑑)」). 천포창, 감식창으로 온몸이 헌데에 사용하며, 위의 약을 가루로 만들어 헌데에 뿌린다.

• 팔리산(八釐散): 소목(蘇木) 20g, 홍화(紅花) 80g, 마전자(馬錢子) 4g, 자연동(自然銅)·유향(乳香)·몰약(沒藥)·혈갈(血竭) 각 12g, 사향(麝香) 0.4g, 정향(丁香) 2g, 가루로 만들어 3g씩 복용(「의종금감(醫宗金鑑)」). 타박상, 근골절상(筋骨折傷)에 사용한다.

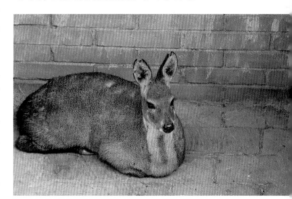
❶ 사향노루(앉아서 쉬는 모습, 암컷)

❶ 사향노루

❶ 사향낭(麝香囊)과 사향(麝香)

❶ 사향(麝香, 분말)

❶ 사향낭(麝香囊)

❶ 사향(麝香)이 주약으로 처방된 관절염 치료제 　❶ 사향(麝香)이 함유된 치질 치료제

❶ 사향(麝香) 등이 함유된 심계항진 치료제

[소과]

모우

 고열경옹　 혈열출혈

● 학명 : *Bos grunniens* L.　● 영명 : Yak　● 한자명 : 牦牛　● 별명 : 야크

❶ 모우

몸길이 수컷 3.25m, 어깨높이 2m 정도, 몸무게 500~1000kg. 몸빛은 흑갈색이고, 어깨, 옆구리, 꼬리의 털은 길고 매끄럽다. 2개의 뿔은 뒤로 약간 젖혀지며 끝은 위를 향한다.

분포 · 생태 인도, 티베트, 중국. 고산 지대에서 무리를 지어 생활한다. 풀을 주식으로 하고, 그 밖에 나뭇잎, 새순 등도 먹는다.

약용 부위 · 수치 뿔을 채취하여 썰어서 말린다.

약물명 모우각(牦牛角)

약효 청열해독(淸熱解毒), 양혈식풍(凉血熄風)의 효능이 있으므로 고열경옹(高熱驚癰), 혈열출혈(血熱出血)을 치료한다.

사용법 모우각 15g에 물 3컵(600mL)을 넣고 달여서 복용한다.

모우 뼈로 만든 ❶
건강식품

[소과]

소

 열병신혼　 중풍규폐, 경간추축, 소아급경

 인후종란, 구설생창　 옹저정독

● 학명 : *Bos domesticus* Gmelin.

어깨높이 1.6~1.8m, 몸무게 수소 800kg, 암소 650kg 정도. 몸은 튼튼하고 사지는 짧으며 꼬리는 가늘고 길다. 암수 모두 머리에는 1쌍의 뿔이 있는데 뿔은 머리의 뼈가 뻗고 그 주위를 단단하게 각질화한 피부가 싸고 있으며 그 안은 비어 있다. 위턱에는 앞니가 없고 어금니가 발달하였으며 치관부가 뚜렷하다. 털은 짧고 빛깔은 품종에 따라 다양하다. 발굽은 2쪽으로 되고, 위는 4개이며 제4위에서만 소화액을 분비한다.

분포 · 생태 뉴질랜드, 중국, 러시아. 우리나라에서는 농가에서 기른다.

약용 부위 · 수치 담낭에 병적으로 생긴 결석을 채취하여 물에 씻은 후 말리는데, 이것은 나이 먹은 암컷에서 주로 생긴다. 이외에 뼈, 뇌도 채취하여 사용하며, 쓸개를 채취하여 물에 씻은 후 말린다.

약물명 담낭에 병적으로 생긴 결석을 우황(牛黃)이라 하며, 서황(犀黃), 축보(丑寶)라고도 한다. 뼈를 우골(牛骨), 뇌를 우뇌(牛腦)라고 한다. 쓸개를 우담(牛膽)이라 한다. 우황(牛黃)은 대한민국약전(KP)에, 우담(牛膽)은 대한민국약전외한약(생약)규격집(KHP)에 수재되어 있다.

본초서 우황(牛黃)은 「신농본초경(神農本草經)」의 상품(上品)에 수재되어 있고, 병든

소(牛)의 담낭에서 생긴 결석은 황갈색을 띠고 있으므로 우황(牛黃)이라고 한다.

神農本草經: 主驚癎, 寒熱, 熱盛狂疾.

藥性論: 能燮邪魅, 安魂定魄, 小兒夜啼, 主卒中惡.

本草綱目: 痘瘡紫色, 發狂譫語者可用.

성상 둥글거나 또는 덩어리 모양을 이루고 지름 1~4cm, 바깥면은 황갈색~적갈색이며, 질은 가볍고 연하여 부스러지기 쉽다. 부서진 것은 황갈색~적갈색의 둥근 층문이 있고, 때때로 이 층문 가운데에 백색의 알갱이 또는 얇은 막이 들어 있을 때가 있다. 특이한 냄새가 있고 맛은 약간 쓰며 나중에는 조금 달다.

품질 모양이 완정(完整)하고 황갈색이며 질은 부서지기 쉽고 단면의 층문이 깨끗하고 뚜렷하며 결이 고운 것이 좋다.

기미 · 귀경 우황(牛黃): 고(苦), 감(甘), 양(凉) · 심(心), 간(肝)

약효 우황(牛黃)은 청심양간(淸心凉肝), 활담개규(豁痰開竅), 청열해독(淸熱解毒)의 효능이 있으므로 열병신혼(熱病神昏), 중풍규폐(中風竅閉), 경간추축(驚癎抽搐), 소아급경(小兒急驚), 인후종란(咽喉腫爛), 구설생창(口舌生瘡), 옹저정독을 치료한다.

성분 색소 성분인 bilirubin, biliberdin, 담

즙산인 cholic acid(5~11%), deoxycholic acid(2%), ursodeoxycholic acid(UDCA), 기타 cholesterol, taurine, glycine, aspartic acid, lysine, glutamine, peptides 등이 함유되어 있다.

약리 코카인이나 카페인에 의한 중추 신경의 항진에 길항하나 strychnine에 의한 항진에는 영향을 미치지 않으며, 적혈구의 생성을 촉진한다. 콜릭산칼슘은 혈압을 지속적으로 내리며, bilirubin도 혈압을 내린다. 심장에는 억제 작용이 있다. 담즙의 분비를 촉진하고 cholesterol류의 담석을 녹인다. 열수추출물에서 분리된 taurine은 심 수축 항진에 의한 심장 박동을 정상화시킨다. UDCA는 간 기능 장애 개선, 이담 작용, 간 혈류량 증가 작용, 노폐물 배설 작용, 궤양 억제 작용, 과산화지질 억제 작용, 비만 저하 작용 등이 있다.

❶소

확인 시험 가루 0.1g에 석유에테르 10mL를 넣어 30분간 흔들어 섞은 다음 여과하고 잔류물을 석유에테르로 씻는다. 잔류물 10mg을 아세톤 3mL를 넣고 1~2분간 흔들어 섞은 다음 아세톤 0.5mL에 황산 2방울을 넣은 혼합액을 흔들어 섞을 때 액은 황적색~붉은색을 나타내고 시간이 지남에 따라 적자색을 거쳐서 적갈색으로 변한다.

사용법 우황 또는 우골, 우담 0.3g에 물 1컵(200mL)을 넣고 달여서 복용한다. 보통은 가루로 만들어 1회 0.2g을 물과 복용하거나 술에 타서 복용한다. 외용에는 짓찧어 바르거나 뿌린다.

처방 우황금화산(牛黃金花散): 황련(黃連)·황백피(黃柏皮)·황금(黃芩) 각 4g, 우황(牛黃) 1.2g(『의림(醫林)』). 치루(痔漏)에 사용한다. 위의 약을 가루로 만들어 헌데에는 꿀물에 개어서 바른다.

• 우황사심탕(牛黃瀉心湯): 대황(大黃) 40g, 용뇌(龍腦)·주사(朱砂)·우황(牛黃) 각 4g(『동의보감(東醫寶鑑)』). 전간(癲癇)이나 심열(心熱)이 성하여 정신 이상이 생기거나 열이 나면서 헛소리를 할 때 사용한다.

• 우황청심원(牛黃淸心元): 산약(山藥) 28g, 구감초(炙甘草) 20g, 인삼(人蔘)·포황(蒲黃)·신국(神麴) 각 10g, 서각(犀角) 8g, 대두황권(大豆黃卷)·육계(肉桂)·아교(阿膠) 각 7g, 작약(芍藥)·맥문동(麥門冬)·황금(黃芩)·당귀(當歸)·방풍(防風)·주사(朱砂)·백출(白朮) 각 6g, 시호(柴胡)·길경(桔梗)·도인(桃仁)·백복령(白茯苓)·천궁(川芎) 각 5g, 우황(牛黃) 4.8g, 영양각(羚羊角)·사향(麝香)·용뇌(龍腦) 각 4g, 석웅황(石雄黃) 3.2g, 백렴(白蘞)·포건강(炮乾薑) 각 3g, 금박(金箔) 120장, 대추(大棗) 20알(『동의보감(東醫寶鑑)』). 중풍으로 갑자기 정신을 잃고 넘어지며 팔다리가 뻣뻣해지고 두 주먹을 부르쥐며 이를 악물고 얼굴은 벌게지며 숨결이 거칠고 눈과 입이 비뚤어지는 증상, 심신이 허약하여 잘 잊어버리고 정신이 맑지 못하며 가슴이 답답하고 자주 놀라며 잠을 잘 자지 못하는 증상, 뇌졸중의 후유증, 히스테리 등에 사용한다.

❶ 우황(牛黃, 분말)

❶ 우황(牛黃)

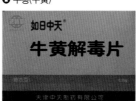
❶ 우황청심원(牛黃淸心元) 액제

❶ 우황청심환(牛黃淸心丸)

❶ 우황청심환(牛黃淸心丸)

❶ 제주도의 소 방목장

[소과]

물소

열병두통, 고열신혼, 어열발황　　발반발진　　요슬산연
육혈, 구설생창　　토혈, 비위허약　　기혈부족

● 학명 : *Bubalus bubalis* L.

❶ 물소

❶ 수우각(水牛角)

❶ 수우각(水牛角, 절편)

❶ 수우각(水牛角)으로 만든 건강식품(티베트산)

몸길이 1.5~1.8m, 몸무게 700~800kg. 머리는 비교적 길고 앞머리 부분이 높다. 암수 모두 뿔을 가지며 단면은 삼각형, 윗면은 편평하고 뚜렷한 가로 융기가 있다. 뿔의 길이는 2m 정도로 수평이다. 털은 매우 적고 짧으며 거칠다. 몸체의 색깔은 흑갈색, 꼬리가 길다.

분포·생태 중국 남부, 네팔, 인도 아삼. 호수나 늪이 있는 초원에서 무리를 지어 서식한다.

약용 부위·수치 뿔을 채취하여 물에 씻은 후 잘게 썰어서 통풍이 잘 되는 곳에서 말린다.

약물명 뿔을 수우각(水牛角)이라 하고 사우각(沙牛角)이라고도 한다. 고기를 우육(牛肉)이라 한다.

기미·귀경 고(苦), 함(鹹), 한(寒)·심(心), 간(肝)

약효 수우각(水牛角)은 청열해독(淸熱解毒), 양혈정경(涼血定驚)의 효능이 있으므로 열병두통(熱病頭痛), 고열신혼(高熱神昏), 발반발진(發斑發疹), 토혈(吐血), 육혈(衄血), 어열발황(瘀熱發黃), 구설생창(口舌生瘡)을 치료한다. 우육(牛肉)은 보비위(補脾胃), 익기혈(益氣血)의 효능이 있으므로 비위허약(脾胃虛弱), 기혈부족(氣血不足), 요슬산연(腰膝酸軟)을 치료한다.

사용법 수우각은 15~30g에 물 4컵(800mL)을 넣고 3시간 이상 달여서 복용하거나 가루로 만들어 1회 3~9g을 복용한다. 우육은 적당량을 물에 삶아서 복용한다.

염소

풍열두통, 온병발열신혼	번민, 경계	토혈, 사리, 변혈	옹종창독
신양부족, 허로영수	요슬무력	결유, 월경과다	고림, 백탁

● 학명 : *Capra aegagrus hircus* L. ● 영명 : Goat

염소는 가축 염소류와 야생 염소류, 즉 들염소, 마코르, 아이벡스 등을 포함한다. 염소 수컷은 턱수염이 있고 암컷은 없다. 꼬리 밑부분에는 악취가 나는 액을 분비하는 샘이 있고, 악취는 수컷에서 더 강하게 난다. 코끝에는 털이 나 있고, 뿔은 암수 모두 있는 것과 없는 것이 있으며 나선형으로 비틀어진 것이 있다. 몸 빛깔은 흑색 바탕에 무늬가 있거나 갈색, 흑색, 회갈색, 백색 등이다.

분포 · 생태 우리나라를 비롯하여 전 세계에서 가축으로 기른다. 성질은 활발하며 높은 곳에 오르기를 좋아하고, 험준한 산에 잘 적응한다. 먹이는 나뭇잎, 풀, 어린싹 등 식물성이다.

품종 육용종(肉用種), 유용종(乳用種), 모용종(毛用種)으로 나눈다. 육용종(肉用種)은 한국 재래종과 중국 종이 있다. 한국 재래종은 한국에서 오랫동안 기르는 종이다. 몸 빛깔은 대부분 흑색이지만 백색인 것도 간혹 있다. 크기는 작은 편이어서 어깨높이 30~40cm, 몸길이 1~1.2m, 몸무게 암컷 25~30kg, 수컷 30~40kg이며, 암수 모두 뿔이 있다. 중국 종은 중국과 몽골에서 기르는 것으로, 몸무게 35~50kg이다. 대부분 백색이지만 갈색이나 흑색도 있으며, 털이 고운 것과 거친 것이 있다. 뿔은 수컷에만 있고 암컷은 없다. 체질은 강건하고 온순하며 환경에 잘 적응한다. 육용 또는 모피용으로 사용한다. 유용종(乳用種)은 자넨종(Saanen), 토겐부르크종(Toggenburg), 알파인종(Alpine), 누비안종(Nubian)이 있다. 모용종(毛用種)은 앙고라종(Angora)과 캐시미어종(Cashmere)이 있다.

약용 부위 · 수치 뿔, 고기, 뼈를 채취하여 사용한다.

약물명 뿔을 고양각(羖羊角), 고기를 양육(羊肉), 뼈를 양골(羊骨)이라 한다.

본초서 고양각(羖羊角)은 「신농본초경(神農本草經)」의 중품(中品)에 수재되어 있으며, "눈을 맑게 하고 살충, 설사를 멎게 하고, 토혈(吐血)이나 부인의 산후풍(産後風)에 좋다."고 기록되어 있다. 「약성론(藥性論)」에는 "산후 어혈(瘀血)을 풀어 주고 가슴이 답답한 것에 효과가 있으며, 불에 태운 재에 술을 타서 마시면 좋다."고 기록되어 있다.

기미 · 귀경 고양각(羖羊角): 고(苦), 함(鹹), 한(寒) · 간(肝), 심(心). 양육(羊肉): 감(甘), 열(熱) · 비(脾), 위(胃), 신(腎). 양골(羊骨): 감(甘), 온(溫) · 신(腎)

약효 고양각(羖羊角)은 청열진경(淸熱鎭驚), 명목해독(明目解毒)의 효능이 있으므로 풍열두통(風熱頭痛), 온병발열신혼(溫病發熱神昏), 번민(煩悶), 토혈(吐血), 경계(驚悸), 청맹내장(靑盲內障), 옹종창독(癰腫瘡毒)을 치료한다. 양육(羊肉)은 온중건비(溫中健脾), 보신장양(補腎壯陽), 익기양혈(益氣養血)의 효능이 있으므로 비위허한(脾胃虛寒), 식소반위(食少反胃), 사리(瀉痢), 신양부족(腎陽不足), 기혈휴허(氣血虧虛), 허로영수(虛勞羸瘦), 요슬산랭(腰膝酸冷), 양위(陽痿), 한산(寒疝), 산후허영소기(産後虛羸少氣), 결유(缺乳)를 치료한다. 양골(羊骨)은 보신(補腎), 강근골(强筋骨), 지혈(止血)의 효능이 있으므로 허로영수(虛勞羸瘦), 요슬무력(腰膝無力), 근골련통(筋骨攣痛), 이롱(耳聾), 치요(齒搖), 고림(膏淋), 백탁(白濁), 구사(久瀉), 구리(久痢), 월경과다, 비뉵(鼻衄), 변혈(便血)을 치료한다.

성분 양육(羊肉)은 수분 68%, 단백질 17.3%, 지방 13.6%, thiamin 0.07%, riboflavine 0.13mg%, nicotinic acid 4.9mg%, cholesterol 70mg%, trypsinogen 등이 함유되어 있다. 양골(羊骨)은 ossein, osseomucoid, elastin이 함유되어 있다.

약리 고양각(羖羊角)의 열수추출물을 토끼에게 투여하면 해열 작용이 나타나고, 쥐에게 투여하면 진정 작용이 나타난다. 양골(羊骨)의 골기질명교(骨基質明膠, BMG)와 골형성단백(骨形成蛋白, BMP)은 골유도(骨誘導) 작용이 있다.

사용법 고양각은 10~30g에 물을 넣고 달여서 복용하거나 가루 내어 알약으로 만들어 복용한다. 양육은 마늘, 고추 등을 넣고 구워 먹거나 끓여서 먹는다. 양골은 물을 넣고 오랫동안 고아서 달인 액을 조금씩 복용한다.

* 염소는 가축이 된 지 수천 년이 지났으나 산악 지대에 서식하던 야생의 성질은 그대로 남아 있다. 특히 혹한이나 혹서의 지방에서도 잘 자라고 질병에 강하며 기후 풍토에 잘 적응하는 건강한 체질이다. 식성이 까다롭지 않고 온순하며 활발하여 사육하기가 쉽다.

❍ 양육(羊肉)과 양골(羊骨)로 만든 건강식품

❍ 염소(털은 흑색이나 흑갈색도 많다.)

❍ 염소(백색 털)

면양

 풍열두통, 온병발열신혼   번민, 경계   토혈, 사리, 변혈   옹종창독

신양부족, 허로영수   요슬무력   결유, 월경과다   고림, 백탁

● 학명 : *Ovis aries* L.   ● 영명 : Sheep   ● 한자명 : 綿羊   ● 별명 : 양

몸길이 수컷 1.2m 정도, 암컷 0.9~1m, 몸무게 수컷 120kg, 암컷 95kg 정도. 귀는 짧고 작으며 눈알은 돌출해 있다. 코와 콧구멍은 짧고 크다. 수컷은 뿔이 1쌍 있으며 갈라지지 않고 위로 길게 벋으며 서로 안쪽으로 굽고 약간 투명하고 황납색이다. 네다리는 튼튼하고 꼬리는 매우 짧다. '염소'에 비하여 수염이 없고 발가락 사이에 분비선이 있으며, 독특한 냄새가 없다.

분포 · 생태 세계 각처에서 기른다.

약용 부위 · 수치 뿔을 물에 씻은 후 잘게 썰어서 통풍이 잘 되는 곳에서 말린다.

약물명 뿔을 고양각(羖羊角), 껍질을 양피(羊皮), 살코기를 양육(羊肉), 뼈를 양골(羊骨), 척수를 양수(羊髓), 피를 양혈(羊血), 기름을 양지(羊脂), 머리 또는 발의 살코기를 양두제(羊頭蹄), 뇌를 양뇌(羊腦), 담즙을 양담(羊膽), 담낭의 결석을 양황(洋黃), 간을 양간(羊肝), 신장을 양신(羊腎), 젖을 양유(羊乳), 태반을 양태(羊胎)라 한다.

본초서 고양각(羖羊角)은 「신농본초경(神農本草經)」의 중품(中品)에 수재되어 있으며, 「본초경소(本草經疏)」에 입폐(入肺), 심(心), 간삼경(肝三經)이라고 기록되어 있다.

성상 구부러진 원추형의 뿔로 길이 10~30cm, 기부의 지름은 2~5cm이다. 바깥면은 회황색~엷은 회흑색, 뾰족한 윗부분을 제외하고 기부로부터 10~20개의 고르지 않게 두드러진 마디 모양의 윤척(輪脊)이 있다. 매우 딱딱하고 굳어 꺾기 힘들며, 냄새와 맛은 거의 없다.

기미 · 귀경 감(甘), 함(鹹), 한(寒) · 간(肝), 심(心)

* 약효와 사용법은 '염소'와 같다.

❍ 양간(羊肝)

❍ 양골(羊骨)

❍ 양육(羊肉)

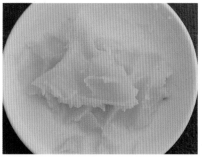
❍ 양유(羊乳)로 만든 치즈

❍ 면양(내몽골)

❍ 면양

❍ 양간(羊肝)으로 만든 눈 보호 약품(하얼빈)

❍ 면양(뉴질랜드)

❍ 양태(羊胎)추출물로 만든 건강식품

영양

풍열두통, 온병발열신혼	번민, 경계
토혈	청맹내장
	옹종창독

●학명 : *Saiga tatarica* L. ●영명 : Saiga ●한자명 : 羚羊

몸길이 1.2~1.4m, 몸무게 수컷 40~60kg, 암컷 30~35kg. 귀는 짧고 작으며 눈알은 돌출해 있다. 코와 콧구멍은 짧고 크다. 수컷은 뿔이 1쌍 있으며 갈라지지 않고 위로 길게 벋으며 서로 안쪽으로 굽고 약간 투명하고 황납색이다. 네 다리는 튼튼하고 꼬리는 매우 짧다.

분포·생태 중국 신장성(新疆省), 네팔, 인도. 보통 1000m 이상의 침엽수림을 좋아하며, 바위나 절벽으로 둘러싸인 산림 지대에서 서식한다.

약용 부위·수치 뿔을 물에 씻은 후 잘게 썰어서 통풍이 잘 되는 곳에서 말린다.

약물명 영양각(羚羊角). 대한민국약전외한약(생약)규격집(KHP)에 수재되어 있다.

본초서 영양각(羚羊角)은 「신농본초경(神農本草經)」의 중품(中品)에 수재되어 있다. 왕안석(王安石)의 「자설(字說)」에는 "뿔은 자기를 방어하며 신비로운(靈) 뜻이 담겨 있고, 후세에 영(靈)이 영(羚)으로 바뀌었다."고 하였다.

성상 구부러진 원추형의 뿔로 길이 10~30cm, 기부의 지름은 2~5cm이다. 바깥면은 회황색~엷은 회흑색, 뾰족한 윗부분을 제외하고 기부로부터 10~20개의 고르지 않게 두드러진 마디 모양의 윤척(輪脊)이 있다. 매우 딱딱하고 굳어 꺾기 힘들다. 냄새와 맛은 거의 없다.

기미·귀경 감(甘), 함(鹹), 한(寒)·간(肝), 심(心)

약효 청열진경(淸熱鎭驚), 명목해독(明目解毒)의 효능이 있으므로 풍열두통(風熱頭痛), 온병발열신혼(溫熱發病神昏), 번민(煩悶), 토혈(吐血), 경계(驚悸), 청맹내장(靑盲內障), 옹종창독(癰腫瘡毒)을 치료한다.

성분 keratin을 비롯하여, gelatin, calcium phosphate, vitamin A 등이 함유되어 있다.

약리 에탄올추출물은 중추 신경을 억제하여 barbital이나 에테르에 의하여 빠르게 마취되도록 하며 strychnine과 같은 자극에 대한 민감성을 떨어뜨린다. 물로 달인 액을 토끼에게 정맥주사하면 해열 효과가 현저하게 나타난다. 열수추출물을 토끼에게 투여하면 저산소 상태에서의 저항성을 증가시키며 진통 효과가 나타난다.

사용법 잘게 썬 영양각 2g에 물 1컵(200 mL)을 넣고 달여서 복용하거나 또는 가루로 하여 0.3g을 복용한다.

처방 영양각산(羚羊角散): 영양각(羚羊角) 40g, 승마(升麻)·방풍(防風)·산조인(酸棗仁)·상백피(桑白皮)·강활(羌活) 각 30g, 구감초(灸甘草)·치자(梔子) 각 20g (「보양처방집(補養處方集)」). 간풍(肝風)으로 힘줄과 핏줄이 죄어들어 팔다리가 아픈 증상에 사용한다.

• 영양각탕(羚羊角湯): 영양각(羚羊角)·계피(桂皮)·포부자(炮附子)·독활(獨活) 각 5.4g, 작약(芍藥)·방풍(防風)·천궁(川芎) 각 4g, 생강(生薑) 3쪽 (「동의보감(東醫寶鑑)」). 풍한(風寒)으로 팔다리의 관절이 죄어들면서 심하게 아픈 증상에 사용한다.

＊'고비영양 *Gazella subgutturosa*'의 뿔도 약효가 같다.

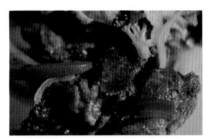

❍ 양육(羊肉)

❍ 영양각(羚羊角, 티베트산)

❍ 영양각(羚羊角)이 배합된 관절통 치료제

❍ 영양

❍ 영양(뒷모습)

코뿔소

 열병신혼섬어 　 반진
토혈 　　　　　육혈

● 학명 : *Rhinoceros unicornis* L.　 ● 영명 : Indian rhinoceros　 ● 별명 : 인도코뿔소

몸길이 2~4m, 몸무게 2~3.6t. '코끼리' 다음으로 크고 '하마'와 맞먹는 대형 육상 동물이다. 비골(鼻骨) 위에 커다란 뿔이 있는 것이 특징이다. 암컷은 수컷보다 뿔과 전체의 크기가 작다. 피부는 두껍고 딱딱하며, 귀의 끝과 꼬리 끝에 털이 있고 나머지는 없다. 앞·뒷다리 모두 발가락이 3개이고 끝은 발굽으로 덮여 있다. 귀는 깔때기 모양이며, 꼬리 길이는 60~75cm이다.

분포·생태 인도 동북부, 네팔, 미얀마, 타이. 삼림, 습지, 사바나에서 서식한다.

약용 부위·수치 뿔을 채취하여 작게 썰어서 보관한다.

약물명 서각(犀角), 서우각(犀牛角), 향서각(香犀角)이라고도 한다.

본초서 서각(犀角)은 「신농본초경(神農本草經)」의 중품(中品)에 수재되어 있으며, "코뿔소는 느리게 걷는 소이고, 뿔을 약으로 사용하기 때문에 약재 이름을 서각(犀角)이라고 한다."고 하였다. 「본초강목(本草綱目)」에는 산서(山犀), 수서(水犀), 모서(毛犀)의 3종류를 들고 있는 것으로 보아, 물소의 뿔도 혼용되었던 것으로 보인다.

성상 끝부분이 약간 굽은 원추형으로 길이 50~60cm, 밑부분의 지름 15~20cm이다. 밑부분에서 위로 갈수록 점점 가늘어진다. 중간 부분 이하는 회갈색, 끝은 회흑색이다. 바깥면은 가끔 가늘게 갈라진 무늬가 있으며 세로로 쪼갠 면은 섬유질이다.

품질 덩어리가 크고, 옥백색으로 결정상 과립이 많고 인습성이 강한 것이 좋다.

기미·귀경 감(甘), 한(寒)·심(心), 간(肝)

약효 청열양혈(淸熱凉血), 해독진경(解毒鎭驚)의 효능이 있으므로 열병신혼섬어(熱病神昏譫語), 반진(斑疹), 토혈(吐血), 육혈(衄血)을 치료한다.

성분 수종의 peptide, 유리 아미노산, tyrosine, cystine, thiolatic acid 등이 함유되어 있다.

약리 기능이 쇠약한 심장 또는 pilocarpine 용액에 의한 박동이 미약한 심장에 강심 작용이 있다. 물에 달인 액은 혈관을 처음에는 수축시키지만 나중에는 확장시킨다. 혈압에는 먼저 상승시키고 나중에 내리지만 그 이후는 지속적으로 상승시킨다. 물에 달인 액은 개구리, 쥐, 토끼에 있어서 독성이 없다.

사용법 서각 2g에 물 2컵(400 mL)을 넣고 달여서 복용하거나 알약이나 가루약으로 만들어 복용한다.

주의 실열담화(實熱痰火)의 증상에는 복용하지 않는다.

처방 서각탕(犀角湯): 서각(犀角)·현삼(玄蔘) 각 4g, 승마(升麻)·목통(木通) 각 3.2g, 연교(連翹)·시호(柴胡) 각 2.4g, 침향(沈香)·사간(射干)·감초(甘草) 각 2g, 망초(芒硝)·맥문동(麥門冬) 각 1.6g(「동의보감(東醫寶鑑)」). 중초에 양기가 몰려서 퍼지지 못하며 팔다리가 몹시 붓고 대변이 시원하지 않은 증상에 사용한다.

• 서각지황탕(犀角地黃湯): 생지황(生地黃) 12g, 작약(芍藥)·서각(犀角)·목단피(牡丹皮) 각 4g(「동의보감(東醫寶鑑)」). 상한(傷寒)이나 온병(溫病)으로 열이 몹시 나고 정신을 못 차리며 헛소리를 하거나 가슴이 답답하고 불면증이 있으며 코피, 변혈 등 출혈 증상이 있을 때 사용한다.

• 서각승마탕(犀角升麻湯): 서각(犀角) 6g, 승마(升麻) 5g, 방풍(防風)·강활(羌活) 각 4g, 천궁(川芎)·백부자(白附子)·백지(白芷)·황금(黃芩) 각 3g, 감초(甘草) 2g(「동의보감(東醫寶鑑)」). 족양명경(足陽明經)의 풍독을 받아서 얼굴이 아프고 조여드는 감이 있으면서 손을 대기만 해도 아픈 증상, 풍열로 입술과 잇몸이 붓고 아픈 증상, 삼차신경통에 사용한다.

• 지보단(至寶丹): 서각(犀角)·주사(朱砂)·석웅황(石雄黃)·호박(琥珀)·패모(貝母) 각 40g, 우황(牛黃) 20g, 용뇌(龍腦)·사향(麝香) 각 10g, 은박(銀箔)·금박(金箔) 각 50장(「동의보감(東醫寶鑑)」). 갑자기 풍사를 받아서 말을 하지 못하고 정신을 차리지 못하는 증상, 중악(中惡)으로 숨이 차고 가슴이 답답하며 정신을 잃고 넘어지는 증상에 사용한다.

＊ '자바코뿔소 *R. sondaicus*', '수마트라코뿔소 *Direrorhinus sumatrensis*', '흰코뿔소 *Cerathotherium simum*', '검은코뿔소 *Diceros bicornis*' 등도 약효가 같다.

＊ 요즘 코뿔소는 희귀한 동물이므로 서각(犀角) 대신 우각(牛角)을 사용하는데, 우각으로 대용할 때는 용량을 8~10배로 늘려야 한다.

✿ 코뿔소

✿ 흰코뿔소

✿ 서각(犀角, 절편)

✿ 서각(犀角)

✿ 서각(犀角, 절편)

약용 광물

광물류(鑛物類)

광물은 식물이나 동물에 비하여 약용 빈도가 높지 않다. 그러나 한의학이나 민간에서는 아직도 여러 질병에 광물을 이용하여 치료하고 있다. 기원전 400~250년대에 편찬된 지리물산서(地理物産書)인 「산해경(山海經)」에는 광물 60여 종, 식물 150여 종이 수록되어 있다. 후한(後漢)의 「신농본초경(神農本草經)」에는 365종의 약물 가운데 46종의 광물약이 포함되어 있다. 명대(明代)의 「본초강목(本草綱目)」에는 1892종의 약물 가운데 375종의 광물약이 수재되어 있다. 세종 때 편찬된 「향약집성방(鄕藥集成方)」의 하권(下卷) 석부(石部)에 97종의 광물약이 수록되어 있으며, 이들은 상품(上品) 16종, 중품(中品) 32종, 하품(下品) 49종으로 구분되어 있다. 「동의보감(東醫寶鑑)」에는 약용 광물 92종이 석부(石部) 55종, 금부(金部) 33종, 옥부(玉部) 4종으로 구분되어 있다.

감토

 허한실혈   구토, 설사

- 영명 : Bentonite   - 한자명 : 甘土   - 별명 : 백단(白單), 백선(白墡), 단도(丹道), 토정(土精), 팽윤토(膨潤土)

천연 콜로이드성 함수규산알루미늄이다. 90% 이상의 $H_2O(Al_2O_3, Fe_2O_3, 3MgO)$, $4SiO_2, nH_2O$의 조성을 가진다.

수치 광물을 채취한 후 음건하여 분쇄하고 사별한 것은 44μ(325mesh를 통과)의 고운 가루이며, 냄새가 없고 모래알이 없는 담황색을 나타낸다. 흙맛이 있고, 흡습성이며 물이나 유기 용매에 녹지 않는다.

성상 불규칙한 덩어리로 백색이지만 때로는 담녹색이나 담황색을 띠기도 하며 광택이 난다. 경도는 손톱과 비슷하며, 상대 밀도는 2.5~2.7이다.

기미 · 귀경 신(辛), 온(溫) · 비(脾), 위(胃)

약효 온중지혈(溫中止血), 지구(止嘔), 지사(止瀉)의 효능이 있으므로 허한실혈(虛寒失血), 구토, 설사를 치료한다.

성분 H_2SiO_3, Al_2O_3, Fe_2O_3, Na_2O, K_2O, MgO, CaO, $Ca_3(PO_4O)_2$가 함유되어 있다.

◑ 감토 제품

◑ 감토

사용법 감토 15~30g에 물 3컵(600mL)을 넣고 달여서 복용한다. 외용에는 가루로 뿌리거나 연고로 만들어 바른다.

주의 장기간 복용은 금한다.

※ 제약업에서는 피부색을 나타내는 외용 현탁화제로 사용한다.

경분

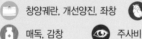 창양궤란, 개선양진, 좌창 매독, 감창   수종 주사비

- 영명 : Calomelas   - 한자명 : 輕粉   - 별명 : 수은분(水銀粉), 홍분(汞粉), 은분(銀粉)

황산제일수은과 소금의 혼합물을 가열하여 승화물로 제조한 것이다.

수치 일반적으로는 승홍과 수은을 4:3으로 혼합하여 편평한 접시에 담아서 통풍이 잘 되는 곳에서 교반하면서 가열한다. 이때 감홍은 생성되고, 과잉의 수은 또는 승홍은 비산된다(승화법). 질산제일수은을 식염액에 적가하여 생성되는 것을 얻는다(침전법). 대한민국약전외한약(생약)규격집(KHP)에 수재되어 있다.

본초서 「본초습유(本草拾遺)」에 처음 수재되어 있고 「본초강목(本草綱目)」에는 "담연적체(痰涎積滯), 수종고창(水腫鼓脹), 독창(毒瘡)을 치료한다."고 하였다.

성상 불규칙한 덩어리 또는 분말상으로 짙은 백색, 냄새가 없다. 공기 중에서 안정하나 광선에 의하여 차차 회색으로 변한다.

강하게 열을 주면 증기를 발생하지 않고 승화한다. 물, 에탄올, 에테르, 묽은 황산류에는 거의 녹지 않는다.

기미 · 귀경 신(辛), 한(寒), 유독(有毒) · 간(肝), 신(腎), 대장(大腸)

약효 외용공독(外用攻毒), 거부(祛腐), 살충(殺蟲), 지양(止痒)의 효능이 있으므로 거담(祛痰), 축수(逐水), 통변(通便)을 치료하는 데는 내복하고, 창양궤란(瘡瘍潰爛), 매독(梅毒), 감창(疳瘡), 개선양진(疥癬痒疹), 주사비(酒皶鼻), 좌창(痤瘡)을 치료한다. 소량을 내복하면 혈액 및 소장액의 분비를 촉진시키므로 순환기 계통의 병인 수종(水腫)을 치료한다.

성분 염화제일수은(감홍, Hg_2Cl_2, $HgCl$)

약리 0.5~1%의 경분은 대장간균, 변형간균, B형용혈성구균, 황색 포도상구균에 항균 작용을 나타낸다. 토끼 귀에 염증을 일으킨 후 경분을 뿌리면 염증이 차차 없어진다.

사용법 하제로 변비, 이상 발효 등에 경분 0.05~0.1g을 내복하고, 적리(赤痢)에는 0.05g을 30분 간격으로 내복한다. 외용으로는 10~20%의 연고를 질소양증(膣瘙痒症), 항문소양증(肛門瘙痒症), 태선(苔癬) 등의 피부에 바른다.

주의 본 약물은 신열유독(辛熱有毒)하므로 가능한 내복을 피하는 것이 좋다.

◑ 경분

금박

경간	실지, 전광
심계	창독

● 영명 : Aurum Foil ● 한자명 : 金箔 ● 별명 : 금박(金薄), 금혈(金頁)

원소 광물인 자연금(自然金, Native Gold)을 박편으로 만든 것이다. 대한민국약전외한약(생약)규격집(KHP)에 수재되어 있다.

본초서 「신농본초경(神農本草經)」의 중품(中品)에 수재되어 있고, 「뇌공포자론(雷公炮炙論)」에 처음 수재되었으며, 「신수본초(新修本草)」에는 "밀타승(密陀僧)은 파사국(波斯國, 지금의 이란)에서 생산되며, 일명 몰다승(沒多僧)이라 하며 이란어 murdaseng에서 비롯된 것이다."라고 하였다. 밀타승(密陀僧)은 몰다승(沒多僧)의 또 다른 음역(音譯)이다.

성상 아름다운 황색의 광택이 나는 금속으로 구리와 함께 대표적인 유색 금속이다. 면심입방의 등축정계(等軸晶系)로 끓는점이 높다. 결정체는 전성(展性)과 연성(延性)이 대단히 크다. 경도는 2.5~3, 상대밀도는 15.6~18.3이다.

기미·귀경 신(辛), 고(苦), 평(平)·심(心), 간(肝)

약효 진심(鎭心), 평간(平肝), 안신(安神)의 효능이 있으므로 경간(驚癎), 실지(失志), 전광(癲狂), 심계(心悸), 창독을 치료한다.

성분 주성분은 자연금(Au), 소량의 은(Ag)과 동(Cu)이 함유되어 있다.

사용법 금박을 우황청심환과 같은 알약에 입혀서 사용한다. 외용에는 가루로 만들어서 상처에 뿌리거나 연고와 개어 바른다. 최근에는 술에 금박 가루를 넣어 복용하기도 한다.

주의 양허기함(陽虛氣陷)에는 사용하지 않아야 하며, 생용(生用)은 피하는 것이 좋다.

* 청심환, 우황포룡환, 경옥고 등의 환의(丸衣)로 사용되기도 한다.

◐ 금박(다발)

◐ 금박

노감석

눈병, 목예	만성궤양, 습진, 가려움증

● 영명 : Calamina ● 한자명 : 爐甘石 ● 별명 : 감석(甘石), 제감석(制甘石)

수아연토(水亞鉛土, hydrozincite)가 주체이며 고회석(苦灰石, dolomite), 갈철광(褐鐵鑛)이 소량 함유되어 있다. 대한민국약전외한약(생약)규격집(KHP)에 수재되어 있다.

본초서 노감석(爐甘石)은 「본초품휘정요(本草品彙精要)」에 처음 수재되어 "쓰촨성(四川省), 광시성(廣西省), 지주(池州)의 산곡(山谷)에서 생산된다. 모양은 능층(稜層)이 있으며 분홍색으로 매화의 꽃잎과 비슷하며 어떤 것에는 청백색 물질이 섞여 있는 것도 있다. 약으로 사용하는 것은 백색을 띠는 것이 좋다."고 하였다. 「본초강목(本草綱目)」에는 "노감석(爐甘石)은 눈병을 치료하는 데 긴요한 약이다."라고 기록되어 있다.
本草品彙精要: 主風熱赤眼 或痒頭痛 漸生瞖膜 治下部濕瘡 調敷.
本草綱目: 止血 消腫毒 生肌 明目 去瞖退赤.
現代實用中藥: 用于慢性潰瘍 下腿潰瘍.

성상 불규칙한 덩어리로 크기가 일정하지 않다. 바깥면은 백색~엷은 홍색, 울퉁불퉁하고 작은 구멍이 많다. 질은 가볍고 부스러지기 쉬우며 깨어진 면은 회백색~엷은 홍색으로 분상이고 인습성이 있다. 경도는 5.0, 비중은 4.3~4.5, 냄새가 없고 맛은 조금 떫다.

품질 덩어리가 크고 옥백색, 결정상 과립이 많고 인습성이 강한 것이 좋다.

포제 불에 달구는 작업을 3~4회 한 다음에 수비(水飛)시키거나 하감석분(煆甘石粉) 500g을 삼황탕(三黃湯, 황련, 황금, 황백 각 12g) 달인 액과 혼합하여 잘 섞은 뒤 말려서 가루로 만든다.

기미·귀경 감(甘), 온(溫), 유독(有毒)·간(肝), 비(脾), 폐(肺)

약효 노감석(爐甘石)은 외용약으로 조습(燥濕), 수렴(收斂)에 사용된다. 눈병에 많이 사용하며 목예(目翳)에는 황련(黃連), 망초(芒硝), 붕사(硼砂), 용뇌(龍腦) 등을 배합하여 점안한다. 만성궤양에는 방부(防腐), 육아(肉芽) 형성을 촉진하는 작용이 있으며 습진이나 가려움증에 사용한다.

응용 지혈, 염증 제거, 살균약으로 눈병, 타박상 등의 출혈, 습진 등에 응용한다.

성분 $2ZnCO_3 \cdot Zn(OH)_2$, CO_2 20.39%, HCl 불용 물질 0.66%, $Fe_2O_3 + Al_2O_3$ 1.24%, ZnO 35.93%, CaO 14.32%, MgO 7.99%, Na_2O 0.61%, K_2O 9%이며 분광분석에 의하여 검출된 원소는 Zn, Na, Mg, Ca, Fe, Pb, Bi, Mn, Al, Ti, Cu 등이다.

약리 $ZnCO_3$는 물에 녹지만 이것을 태워서 ZnO로 하거나 초산으로 가용성의 Zn 염으로 하면 조직의 단백질을 침전시키며 수렴(收斂), 부식(腐蝕) 작용을 나타낸다.

사용법 노감석 적당량을 외용한다.

처방 노감석산(爐甘石散): 노감석(爐甘石), 용뇌(龍腦), 황련(黃連), 황백(黃柏) (「증치준승(證治準繩)」). 눈병에 사용한다.

• 팔보단(八寶丹): 노감석(爐甘石), 적석지(赤石脂), 용골(龍骨), 유향(乳香), 몰약(沒藥), 혈갈(血竭), 용뇌(龍腦), 경분(輕粉) (「경험방신편(經驗方新編)」), 수렴(收斂) 작용이 있으므로, 피부의 부식(腐蝕)에 사용한다.

• 진주산(珍珠散): 노감석(爐甘石) 320g, 진주(珍珠) 4g, 호박(琥珀) 2.8g, 종유석(鐘乳石) 2.4g, 주사(朱砂)·상피(象皮) 각 2g, 용골(龍骨)·적석지(赤石脂) 각 1.6g, 혈갈(血竭) 0.8g을 가루로 만들어 환부에 뿌리거나 참기름에 개어서 붙인다. (「장씨의통(張氏醫通)」). 화농성 감염이나 만성궤양이 오래되어도 낫지 않을 때 사용한다.

◐ 노감석(울퉁불퉁하다.)

◐ 노감석(부스러지기 쉽다.)

◐ 노감석

녹반

 혈허위황　　 감적, 복창비만, 장풍변혈

창양궤란, 개선소양　　👁 후비구창

●영명 : Melanterite　●한자명 : 綠礬　●별명 : 청반(靑礬), 조협반(皂莢礬), 조반(皂礬)

黄山鹽鑛物) 또는 그 인공 제품으로 황산제일철(FeSO₄·7H₂O)이 95% 이상 함유되어 있다. 단사정계의 능주상(稜柱狀)의 결정이거나 종유상의 덩어리이다. 대한민국약전외한약(생약)규격집(KHP)에 수재되어 있다.

수치 광석을 잘게 부수어 물을 넣고 가열하면서 우린다. 우린 액을 농축하면 결정이 생긴다. 이것을 초(醋)에 넣고 하(煆)하여 사용한다.

본초서 녹반(綠礬)은 「신수본초(新修本草)」에 청반(靑礬)이라는 이름으로 처음 수재되

◑ 녹반

었다.

성상 내부는 백색, 바깥면은 녹색으로 투명하고 유리 광택이 있으며 공기 중에 오래 두면 담황색으로 변한다. 질은 단단하면서도 부스러지기 쉽고 손끝으로 만지면 쉽게 가루가 된다. 물에 잘 녹고 에탄올에는 잘 녹지 않는다. 냄새가 없고 맛은 떫다.

기미·귀경 산(酸), 삽(澁), 한(寒)·간(肝), 비(脾).

약효 보혈소적(補血消積), 해독렴창(解毒斂瘡), 조습살충(燥濕殺蟲)의 효능이 있으므로 혈허위황(血虛萎黃), 감적(疳積), 복창비만(腹脹痞滿), 장풍변혈(腸風便血), 창양궤란(瘡瘍潰爛), 후비구창(喉痺口瘡), 난현풍안(爛弦風眼), 개선소양(疥癬瘙痒)을 치료한다.

성분 주성분은 FeSO₄·7H₂O이고, 소량의 동(Cu), 니켈(Ni), 비소(As), 안티몬(Sb), 규소(Si), 바륨(Ba), 납(Pb) 등이 함유되어 있다.

약리 녹반을 내복하면 가용성 철이 흡수되어 혈액 생산이 왕성해진다. 외용하면 단백질과 응집하여 수렴 작용을 나타낸다.

사용법 녹반을 곱게 가루로 만들어 1회 0.1~0.2g을 복용한다. 외용에는 가루약으로 만들어 환부에 바르거나 연고와 섞어서 바른다. 탕제(湯劑)에 배합하지 않도록 한다.

주의 본 약물은 구토, 복통, 설사, 현훈이 올 수 있으므로 복용에 신중을 기하고 임부는 복용을 금한다.

담반

❤ 중풍, 전간　　👁 후비, 후풍, 구창

치창

●영명 : Chalcanthitum　●한자명 : 膽礬
●별명 : 석담(石膽), 필석(畢石), 군석(君石), 흑석(黑石), 기석(碁石)

황산염류(黃酸鹽類)에 속하는 황화구리 광물인 담반(膽礬)의 결정체 또는 인공적으로 만든 황산구리수화물(CuSO₄·5H₂O)이다. 구리 광석 중에 자연히 생성되는 남색의 초

자상 결정 과립이다. 옛날에는 천연물을 사용하였으나 최근에는 뜨거운 물을 가하여 침출, 승화시켜 만든다.

수치 잡질을 제거하고 곱게 빻아서 사용한

◑ 담반

다. 또는 잡질을 제거하고 불에 구워서 식힌 후 곱게 빻아서 사용한다.

본초서 담반(膽礬)은 「신농본초경(神農本草經)」에 필석(畢石)이라는 이름으로 수재되어 있다.

성상 불규칙한 덩어리의 결정체로 크기가 고르지 않다. 표면은 심남색~담남색으로 반투명하며 때로 수분이 상실되면 녹색을 나타내기도 한다. 건조한 공기 중에 방치하면 녹백색으로 변하기도 한다. 열탕에는 잘 녹으며 에탄올에는 녹지 않는다. 냄새는 거의 없고 맛은 깔깔하다.

기미·귀경 산(酸), 신(辛), 한(寒), 유독(有毒)·간(肝), 담(膽).

약효 용토(涌吐), 해독, 거부(祛腐)의 효능이 있으므로 중풍, 전간(癲癎), 후비(喉痺), 후풍(喉風), 구창(口瘡), 치창(痔瘡)을 치료한다.

성분 주성분은 황산구리수화물(CuSO₄·5H₂O)이다.

약리 쥐에게 담반 0.6g/kg을 투여하면 이담 작용과 최토(催吐) 작용이 나타난다.

사용법 담반 0.3g에 뜨거운 물을 넣어 녹여서 복용한다. 외용에는 가루로 만들어 상처에 뿌리거나 연고로 만들어 바른다.

주의 독성이 강하므로 외용으로만 사용하는 것이 좋다.

＊ 의약용으로서는 위점막을 자극하여 반사성 구토를 일으키므로 최토제로서 마취약 중독, 인 중독 등에 사용한다.

대자석

 두통　 현훈, 경간　심계
구토, 애기, 토혈, 변혈　해수, 기천

●영명 : Hematite　●한자명 : 代赭石　●별명 : 수환(須丸), 적토(赤土), 혈사(血師), 자주(紫朱), 자석(赭石), 토주(土朱), 철주(鐵朱), 정자석(釘赭石), 적자석(赤赭石)

산화물류(酸化物類)의 광물인 적철광이다. 대한민국약전외한약(생약)규격집(KHP)에 수재되어 있다.

수치 잡질을 제거하고 곱게 빻아서 사용한다. 또는 잡질을 제거하고 불에 구워서 식힌 후 곱게 빻아서 사용한다.

본초서 대자석(代赭石)은 「신농본초경(神農本草經)」에 수재되어 있다.

성상 불규칙하게 납작한 덩어리로 크기가 고르지 않으며 어두운 갈색~회흑색이다. 바깥면에는 작은 젖꼭지 모양의 돌기가 나온 것과 들어간 것이 있고 홍갈색 가루가 붙어 있으며 금속성 광택이 난다. 질은 단단하고 무거우며 부서지지 않고 깨진 면은 물결 모양으로 휘어진 층문이 있다. 냄새와 맛이 없다.

기미·귀경 고(苦), 감(甘), 미한(微寒)·간(肝), 위(胃), 심(心)

약효 평간잠양(平肝潛陽), 중진강역(重鎭降逆), 양혈지혈(涼血止血)의 효능이 있으므로 두통, 현훈(眩暈), 심계(心悸), 전광(癲狂), 경간(驚癎), 구토(嘔吐), 애기(噯氣), 해수(咳嗽), 기천(氣喘), 토혈(吐血), 비뉵(鼻衄), 붕루(崩漏), 변혈(便血), 요혈(尿血)을 치료한다.

성분 주성분은 삼산화이철(Fe$_2$O$_3$)이고, 소량의 규소(Si), 망간(Mn), 칼슘(Ca), 비소(As) 등이 함유되어 있다.

약리 쥐에게 대자석과 구운 대자석 15~30% 혼합액을 매일 1회 1mL/20g씩 5일간 투여하면 백혈구 세포가 증가한다.

사용법 대자석 15~30g에 물을 넣고 달여서 복용하거나 가루로 곱게 빻아 1회 3g을 복용한다. 외용에는 가루로 만들어 상처에 뿌리거나 연고로 만들어 바른다.

주의 허한증(虛寒症) 및 임부는 복용을 금한다.

처방 선복화대자석탕(旋覆花代赭石湯): 선복화(旋覆花)·인삼(人蔘)·반하(半夏)·생강(生薑) 각 9g, 대자석(代赭石) 12g, 자감초(炙甘草) 4g, 대추(大棗) 3개 (「상한론(傷寒論)」). 비위가 허약하여 명치 밑이 그득하면서 딸꾹질이나 트림이 자주 나는 증상에 사용한다.

❂ 대자석(덩어리)

❂ 대자석

❂ 대자석(분말)

동청

 목예, 안검미란　 중풍담옹

●영명 : Malachitum　●한자명 : 銅靑　●별명 : 녹청(綠靑), 동록(銅綠)

탄산염광물(炭酸鹽鑛物)로 구리 그릇(銅器)의 바깥에 이산화탄소 또는 식초산의 작용에 의하여 생긴 녹색의 녹이다. 대한민국약전외한약(생약)규격집(KHP)에 수재되어 있다.

본초서 명목퇴예(明目退翳), 용토풍담(湧吐風痰), 해독거부(解毒祛腐)의 효능이 있으므로 목예(目翳), 안검미란(眼瞼糜爛), 중풍담옹(中風痰壅)을 치료한다.

기미·귀경 산(酸), 삽(澁), 한(寒), 소독(小毒)·간(肝), 담(膽)

약효 명목퇴예(明目退翳), 용토풍담(湧吐風痰), 해독거부(解毒祛腐)의 효능이 있으므로 목예(目翳), 안검미란(眼瞼糜爛), 중풍담옹(中風痰壅)을 치료한다.

성분 주성분은 염기성탄산구리(CuCO$_3$·Cu(OH)$_2$)이다.

사용법 동청을 알약이나 가루약으로 만들어 0.5g을 복용한다. 외용에는 가루로 만들어 상처에 뿌리거나 연고로 만들어 바른다.

주의 독성이 있으므로 외용으로만 사용하는 것이 좋다.

❂ 동청

망초

● 영명 : Natrii Sulfas　● 한자명 : 芒硝　● 별명 : 마아소(馬牙消), 영소(英消), 분소(盆消)

황산염류(黃酸鹽類)의 망초족(芒硝族) 광물이다. 대한민국약전외한약(생약)규격집(KHP)에 수재되어 있다.

수치 천연 망초(芒硝)에 뜨거운 물을 넣고 용해하여 여과한 뒤에 냉각시키면 결정이 석출하는데, 이것을 박소(朴消)라고 한다. 무를 썰어서 냄비에 넣고 물을 부어 끓인 뒤 박소(朴消)를 넣어 함께 끓여서 여과하고 냉각시키면 결정이 되는데, 이것을 약으로 쓴다.

본초서 「명의별록(名醫別錄)」에는 망소(芒消)로 수재되어 있다. 「본초강목(本草綱目)」에는 "항아리(盆)에 넣어서 물을 붓고 끓인 뒤 응결시켜 억새의 열매처럼 생긴 망자(芒者)를 망소(芒消), 이빨처럼 생긴 아자(牙者)를 마아소(馬牙消)라고 한다."라고 하였다. 망소(芒消)가 뒤에 망초(芒硝)로 바뀐 것이다. 예로부터 항아리에서 응결시킨 결정체이므로 분소(盆消)라고 하며, 그 모양이 백석영(白石英)과 비슷한 것을 영소(英消), 즉 광택이 있다는 뜻이다.

名醫別錄: 主五臟積聚, 久熱胃閉, 除邪氣, 破留血, 腹中痰實結搏, 通經脈, 利大小便及月水, 破五淋, 推陳致新.

湯液本草: 消腫毒, 療天行熱痛.

本草夢筌: 淸心肝明目 滌胃腸止痛.

성상 단사정계(單斜晶系)로 결정은 짧은 주상, 침상 또는 판상이며, 항상 치밀한 괴상이다. 섬유상 집합체 또는 피막상으로 무색투명하거나 담황색, 엷은 남색 또는 녹색 띠를 나타낸다. 조흔(條痕)은 흰색이며 유리 광택이 있다. 냄새가 없고 맛은 조금 시

며 짜다. 경도는 1.5, 비중은 1~4.9이다.

품질 무색투명하고 결정을 잘 이루고 있는 것이 좋다.

기미 · 귀경 함(鹹), 고(苦), 한(寒) · 위(胃), 대장(大腸)

약효 사하통변(瀉下通便), 연견(軟堅), 청화소종(淸火消腫)의 효능이 있으므로 위장실열적체(胃腸實熱積滯), 대변비결(大便秘結), 복창비통(腹脹痞痛), 목적예장(目赤翳障), 인후통, 구창(口瘡), 장옹(腸癰), 유옹(乳癰), 단독(丹毒)을 치료한다.

성분 $Na_2SO_4 \cdot 10H_2O$. 소량의 소금(NaCl), 황산칼슘(CaSO_4), 황산마그네슘(MgSO_4) 등이 함유되어 있다.

약리 망초를 복용하면 망초의 주성분인 Na_2SO_4가 점막으로 흡수되지 않고 고삼투 용액을 형성한다. 이것은 수분을 많이 흡수하여 장도(腸道)를 확장시키고 장의 유동을 증대시켜 사하 작용을 일으킨다. 10~25% 망초 용액을 피부에 바르면 소염 작용과 진통 작용이 나타난다. 열수추출물을 쥐의 복강에 2g/kg 주사하면 항산화 작용이 나타나고, 복강 내 10g/kg 주사하면 경련을 억제한다. 쥐 꼬리에 열수추출물을 주사하면 진통 작용이 있다.

사용법 망초 10~15g에 물을 넣고 달여서 복용한다. 외용으로는 점안제로 만들어서 점안(點眼)하거나 연고로 만들어서 상처에 바른다.

주의 사하 작용이 강렬하므로 임산부는 사용하지 말아야 한다.

임상 보고 외과 감염: 빙편(冰片), 망초(芒硝)

를 1 : 10의 비율로 혼합한 분말을 연고로 만들어 상처에 바르면 효과가 있다.

• 급성맹장염: 식초로 먼저 맹장 주변을 닦아 낸 뒤 망초(芒硝) 60g과 대산(大蒜) 12개를 갈아 죽처럼 만든 것을 3cm 두께로 올려 놓고 약물이 흐르지 않게 헝겊으로 감싼다. 2시간 후에 제거하고, 식초와 대황(大黃) 가루 60g을 섞은 것을 맹장 부위에 12시간 올려놓는다. 534명의 환자를 대상으로 실시하여 치료율은 96.2%이었다.

• 퇴유(退乳): 망초(芒硝) 200g을 연고로 만들어 유방 주변에 발라서 하루, 이틀이 지나면 젖이 나오지 않게 된다. 33명의 환자 가운데 85%가 효과를 보았다.

• 대골절병(大骨節病): 1회 2~4g을 하루 2번 복용한다. 117명의 환자 가운데 복약 1개월 후 관절동통이 현저히 경감된 환자가 46명이었고, 개선된 환자가 2명, 호전된 환자가 39명이었다.

처방 대함흉탕(大陷胸湯): 대황(大黃) 20g, 정력자(葶藶子) · 행인(杏仁) 각 12g, 망초(芒硝) 10g, 감수(甘遂) 2g (「동의보감(東醫寶鑑)」). 열성병(熱性病) 때 잘못 설사시켜 가슴이 아프고, 명치 밑이 단단하면서 아픈 증상에 사용한다.

• 소괴환(消塊丸): 대황(大黃) 160g, 망초(芒硝) 120g, 인삼(人蔘) · 감초(甘草) 각 60g (「동의보감(東醫寶鑑)」). 비괴(痞塊)로 명치 밑이 그득하고 멍울이 있으면서 아프고 대변이 시원하지 않은 증상, 또는 여성들이 징가(癥瘕)로 아랫배에 멍울이 있으면서 아픈 증상에 사용한다. 1알이 0.3g이 되게 만들어서 1회 30알씩 복용한다.

○ 망초

맥반석

● 영명 : Maifanitum, Elvan stone   ● 한자명 : 麥飯石   ● 별명 : 장수석(長壽石), 건강석(健康石), 마아사(馬牙砂), 두사석(豆砂石)

석영이장반암(石英二長斑岩)의 중산성화성(中酸性火成) 광물이다.

수치 잡질을 제거하고 곱게 빻아서 사용한다. 또는 잡질을 제거하고 불에 구워서 식힌 후 곱게 빻아서 사용한다.

본초서 맥반석(麥飯石)은 「본초도경(本草圖經)」의 옥석부(玉石部)에 처음 수재되었으며, "맥반석(麥飯石)은 황백색으로 맥반(麥飯, 보리밥)과 비슷하게 생겼으므로 붙여진 이름이다."라고 하였다.

성상 해면상의 불규칙한 덩어리로 크기가 일정하지 않다. 바깥면은 회백색~회황색으로 많은 작은 구멍이 있다. 질은 가볍고 단단하나 부스러지기 쉽고 자른 면은 엉성하고 거칠다. 냄새가 거의 없고 맛은 조금 짜다.

질은 약하고 경도는 4.5이며 물에 뜬다.

기미 · 귀경 감(甘), 온(溫) · 간(肝), 신(腎), 위(胃)

약효 해독산결(解毒散結), 거부생기(祛腐生肌), 제한거습(除寒祛濕), 익간건위(益肝健胃), 활혈화어(活血化瘀), 이뇨화석(利尿化石), 연년익수(延年益壽)의 효능이 있으므로 옹저발배(癰疽發背), 좌창(痤瘡), 습진, 각기, 비자(痺子), 수지군열(手指皸裂), 황갈반(黃褐斑), 아통(牙痛), 구강궤양, 풍습비통(風濕痺痛), 요배통(腰背痛), 만성간염, 위염, 이질, 당뇨병, 신경쇠약, 외상홍종(外傷紅腫), 고혈압, 혈관경화(血管硬化), 요로결석을 치료한다.

성분 주성분은 SiO_2이고, 소량의 Al_2O_3, Fe_2O_3, FeO, MgO, CaO, Na_2O, K_2O 등이 함유되어 있다.

약리 쥐에게 맥반석을 6일간 투여하면 면역력이 증강된다. 쥐의 복강에 맥반석 용액을 주사하면 에탄올에 의한 독성을 줄여 주고 간지방변성(肝脂肪變性)을 방지한다. 골절유합을 촉진시키고, 항피로 작용과 항암 작용이 있다.

사용법 맥반석 1개에 6~8배의 끓는 물을 넣고 4~6시간 식혀서 복용한다. 외용에는 가루로 뿌리거나 연고로 만들어 바른다.

주의 외용으로 사용할 때는 가루를 매우 미세하게 빻아서 체로 걸러서 사용하여야 한다. 그렇지 않으면 동통(疼痛)을 유발할 수 있다.

❍ 맥반석

❍ 맥반석

밀타승

● 영명 : Lithargyrum   ● 한자명 : 密陀僧   ● 별명 : 몰다승(沒多僧), 타승(陀僧), 노저(爐底), 은지(銀池), 담은(淡銀), 금노저(金爐底), 은노저(銀爐底), 금타승(金陀僧)

천연의 밀타승 광물은 드물고, 약으로 사용하는 것은 대부분 납을 원료로 가공한 것이며, 납의 주요한 자원은 방연광(方鉛鑛)인 galena이다. 대한민국약전외한약(생약)규격집(KHP)에 수재되어 있다.

본초서 「뇌공포자론(雷公炮炙論)」에 처음 수재되어 있고, 「신수본초(新修本草)」에는 "밀타승(密陀僧)은 파사국(波斯國, 지금의

이란)에서 생산되며, 일명 몰다승(沒多僧)이라 하며 이란어 murdaseng에서 비롯된 것이다."라고 하였다. 밀타승(密陀僧)은 몰다승(沒多僧)의 또 다른 음역(音譯)이다.

성상 방연광은 등축정계(等軸晶系)로 정체(晶體)의 형상은 정육면체 또는 팔면체의 결정체인데, 분리하면 무늬가 완전하며 항상 입상(粒狀) 집합체가 된다. 납은 회색이

❍ 밀타승

고 금속 광택이 있으며, 경도는 2~3, 비중은 7.4~7.6이다.

기미·귀경 함(鹹), 신(辛), 평(平), 유독(有毒)·간(肝), 비(脾)

약효 조습(燥濕), 살충(殺蟲), 해독, 수렴(收斂), 방부(防腐)의 효능이 있으므로 창양궤란구불수렴(瘡瘍潰爛久不收斂), 구창(口瘡), 습진, 개선(疥癬), 한반(汗班), 주사비(酒皶鼻)를 치료한다.

성분 주성분은 산화납(PbO)이고, 소량의 2PbO·PbO₂와 이산화납(PbO₂)이 함유되어 있다.

사용법 밀타승을 1회 1g 복용하며, 외용에는 가루로 만들어 상처에 뿌리거나 연고와 개어서 바른다.

주의 본 약물은 신열유독(辛熱有毒)하므로 가능한 내복하지 않는 것이 좋다.

※ 경고나 연고 등 외용제의 원료로 사용되며 소염의 목적으로 이용된다.

○ 밀타승

박소

실열적체	복창변비	목적종통
유옹종통	치창종통	

● 영명 : Mirabilite ● 한자명 : 朴消
● 별명 : 박초석(朴硝石), 초석박(硝石朴), 해말(海末), 피소(皮消), 상화(霜花)

황산염류(黃酸鹽類)의 망초족(芒硝族) 광물로, 중국 허베이성(河北省), 산둥성(山東省), 광둥성(廣東省), 윈난성(雲南省), 광시성(廣西省) 등에서 생산된다.

수치 천연 망초(芒硝)에 뜨거운 물을 넣고 용해하여 여과한 뒤에 냉각시키면 결정이 석출하는데, 이것을 박소(朴消)라고 한다.

본초서 박소(朴消)는 「신농본초경(神農本草經)」의 상품(上品)에 소석(消石)과 함께 수재되어 있다. 이 약물은 "소거(消去)하는 작

○ 박소

용이 있으며, 그 형상이 조박(粗朴)하므로 박소(朴消)라는 이름이 붙었다."고 하였다.

神農本草經: 除寒熱邪氣 逐六腑積聚 結固留癖 能化七十二種石.

珍珠囊: 祛實熱, 滌腸中宿侯 破堅積熱塊.

本草夢筌: 淸心肝明目 滌胃腸止疼.

성상 작고 부스러기 같은 알갱이로 회백색~회황색을 띠고 약간 투명하다. 불빛을 통과시켜서 보면 잡질이 다량으로 보인다. 쉽게 덩어리로 되고 또 녹으며 질은 부스러지기 쉽다. 냄새는 없고, 맛은 쓰고 떫다.

기미·귀경 고(苦), 함(鹹), 한(寒)·위(胃), 대장(大腸)

약효 사하연견(瀉下軟堅), 사열해독(瀉熱解毒), 소종산결(消腫散結)의 효능이 있으므로 실열적체(實熱積滯), 복창변비(腹脹便秘), 목적종통(目赤腫痛), 유옹종통(乳癰腫痛), 치창종통(痔瘡腫痛)을 치료한다.

성분 황산나트륨(Na₂SO₄·10H₂O)이 주성분이고, 소량의 소금(NaCl), 칼슘(Ca), 마그네슘(Mg), 칼륨(K) 등의 무기 원소가 함유되어 있다.

사용법 박소를 점액제로 만들어 점안(點眼)하거나 연고로 만들어 상처에 바른다. 외용으로만 사용한다.

방해석

●영명 : Calcite　●한자명 : 方解石　●별명 : 황석(黃石)

탄산염 광물의 일종으로 탄산칼슘의 가장 안정적인 광물이다. 삼방정계(trigonal)로 비중 2.71, 무색 혹은 백색이다.

본초서 「명의별록(名醫別錄)」에 황석(黃石)이라는 이름으로 처음 수재되어 "가슴에 맺힌 열기와 답답함을 풀어 주고 황달을 낫게 하고, 혈맥을 통하게 하며, 독충의 독을 없앤다."고 하였다.

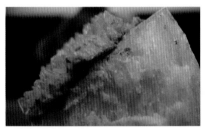
○ 방해석

名醫別錄: 主胸中留熱結氣 黃疸 通血脈 去蠱毒.

新修本草: 療熱不滅石膏也.

성상 삼방정계 결정체로, 결정체는 마름모형, 주상형, 판상형이다. 대부분 유백색이고 혼입물이 있을 경우 황색이나 적색을 띠기도 한다.

기미·귀경 한(寒), 고(苦), 신(辛)·폐(肺),

○ 방해석(황색)

위(胃)

약효 청열사화(淸熱瀉火), 해독의 효능이 있으므로 흉중번갈(胸中煩渴), 구갈(口渴), 황달을 치료한다.

성분 탄산석회($CaCO_3$)가 주성분이고 소량의 철(Fe), 마그네슘(Mg) 등이 함유되어 있다.

사용법 방해석 10~30g에 물을 넣고 달여서 복용하며, 가루약으로도 사용할 수 있다.

○ 방해석

백강단

●영명 : Hydragyrum Chloratum Composition　●한자명 : 白降丹
●별명 : 강단(降丹), 강약(降藥), 수화단(水火丹)

毒

인공적으로 만든 염화제이수은(승홍, 昇汞)과 염화제일수은(감홍, 甘汞)의 혼합물로 황화물류(黃化物類)의 광물이다.

수치 가루로 만들어 수비(水飛)하여 위에 뜨는 검은 것을 버리고, 남는 것을 건조하여 다시 가루로 곱게 빻아서 사용한다.

성상 불규칙한 덩어리 또는 분말상으로 질은 홍색~등홍색이다. 덩어리 바깥면에는 엷은 등홍색 가루가 덮여 있다. 부서진 면은 수지 모양의 광택이 있으며 작은 구멍이 있고 무겁다. 손으로 만지면 등황색 가루가 묻어난다. 특이한 냄새가 있고 맛은 덤덤하다. 경도는 1.5~2, 비중은 3.4~3.6이다.

기미·귀경 신(辛), 열(熱), 유독(有毒)

약효 소옹(消癰), 궤농(潰膿), 식부(蝕腐), 살충(殺蟲)의 효능이 있으므로 옹저발배(癰疽發背), 정창(疔瘡), 나력(瘰癧), 농성불궤(膿成不潰), 부육난소(腐肉難消), 풍선개선(風癬疥癬)을 치료한다.

성분 염화제일수은(감홍, Hg_2Cl_2)과 염화제이수은(승홍, $HgCl_2$)의 혼합물이며, 그 비는 생산 방법에 따라서 다르다. 이것 외에 소량의 산화수은(HgO), 아비산(As_2O_3)이 함유되어 있다.

약리 백강단은 흔히 보는 화농성 세균과 황색 포도상구균, 대장간균에 강한 항균 작용을 나타낸다.

독성 백강단의 쥐에 대한 LD_{50}값은 0.078/kg이다.

사용법 백강단은 1회 0.1g 복용하며, 타박상에 의한 출혈에는 가루로 만들어 상처에 뿌리거나 연고와 섞어서 바른다.

주의 본 약물은 신열유독(辛熱有毒)하므로 가능한 내복하지 않는 것이 좋다.

* 감홍(甘汞, Hg_2Cl_2)은 소량을 내복하면 혈액 및 소장액의 분비를 촉진시키므로 순환기 계통에 원인이 되는 병인 수종(水腫)을 치료한다. 하제로 변비, 이상 발효 등에 0.3~0.5g을 내복하고, 적리(赤痢)에는 0.15g을 30분 간격으로 내복한다. 외용으로는 10~20%의 연고를 질소양증, 항문소양증, 태선(苔癬) 등의 증상에 피부에 바른다. 승홍(昇汞, $HgCl_2$)은 살균 소독제로 중요하며, 정균(靜菌) 작용은 주로 수은에 의한 것으로 생각된다. 이 약의 효능은 수은 단백질을 침전시키는 것이 아니고 효소 분자 내의 SH기와 결합하여 효소의 활성을 억제하는 것으로 생각된다.

○ 백강단

○ 백강단(분말)

○ 백강단

백반

● 영명 : Alumen, Alunite　● 한자명 : 白礬　● 별명 : 반석(礬石), 우택(羽澤), 이석(理石), 백군(白君), 명반(明礬), 설반(雪礬), 운모반(雲母礬), 생반(生礬)

천연 명반석(明礬石)을 가공하여 정제한 결정체이다. 대한민국약전외한약(생약)규격집(KHP)에 수재되어 있다.

수치 명반을 냄비에 넣고 센 불로 가열해서 녹은 것이 백색의 고포(枯泡)가 되면 꺼내서 냉각시킨다. 이것을 고백반(枯白礬)이라 한다.

본초서 백반(白礬)은 「신농본초경(神農本草經)」에 수재되어 있고 「본초강목(本草綱目)」에는 "반(礬)은 번(燔)과 같은 의미로 돌을 태우는 행위, 즉 번석(燔石)할 때 생긴다는 뜻이며, 이것이 투명하므로 백반(白礬)이라 한다."고 하였다.

성상 고르지 않은 덩어리 또는 결정성 가루이다. 바깥면은 무색~백색 또는 황백색, 반투명하다. 물에 녹으며 에탄올에는 거의 녹지 않고 수용액은 산성을 나타낸다. 냄새가 없고 맛이 약간 달며 몹시 떫다.

기미 · 귀경 삽(澁), 산(酸), 한(寒), 소독(小毒) · 폐(肺), 비(脾), 간(肝), 대장(大腸)

약효 거담조습(祛痰燥濕), 지사지혈(止瀉止血), 해독살충(解毒殺蟲)의 효능이 있으므로 중풍, 전간(癲癎), 개선습창(疥癬濕瘡), 옹저종독(癰疽腫毒), 구설생창(口舌生瘡), 치창동통(痔瘡疼痛), 붕루(崩漏), 육혈(衄血), 손상출혈(損傷出血), 구사구리(久瀉久痢), 탈항(脫肛), 대하음양(帶下陰痒), 자궁하수(子宮下垂)를 치료한다.

성분 주성분은 $KAl_3(SO_4)_2(OH)_6$, 소량의 $KAl(SO_4)_2 \cdot 12H_2O$가 함유되어 있다.

사용법 외용으로 주로 사용하며, 백반을 가루로 만들어 상처에 뿌리거나 연고와 섞어서 바른다. 내복할 경우 가루 1~3g을 복용한다.

처방 백반산(白礬散): 고백반(枯白礬) · 사상자(蛇床子) 각 40g (「향약집성방(鄕藥集成方)」). 어린아이의 머리와 귀에 난 습진, 입 둘레가 붓는 증상에 사용한다.

· 무이산(蕪荑散): 정력자(葶藶子) · 고백반(枯白礬) 각 40g, 오수유(吳茱萸) 20g, 무이(蕪荑) 12g (「향약집성방(鄕藥集成方)」). 어린아이의 몸에 생긴 헌데가 오랫동안 낫지 않고 가려운 증상에 위의 약을 가루로 만들어 기름에 개어서 하루에 2번씩 바른다.

○ 백반

○ 백반(결정)

○ 결정화되고 있는 백반

백악

● 영명 : Kaolin　● 한자명 : 白堊　● 별명 : 백도(白涂), 백선(白墡), 백선(白善), 백악(白惡), 백선토(白善土), 백토(白土)

고령토(高嶺土)를 말하며, 우리나라에서는 고령석(高嶺石)이라고 한다.

수치 잡질을 제거하고, 잘게 부수어서 사용한다.

○ 백악

성상 불규칙한 덩어리로 백색이지만 때로는 담녹색이나 담황색을 띠기도 하며 광택이 난다. 경도는 손톱과 비슷하며, 상대밀도는 2.5~2.7이다.

기미 · 귀경 고(苦), 온(溫) · 비(脾), 폐(肺), 신(腎)

약효 온중난신(溫中暖腎), 삽장(澁腸), 지혈(止血), 염창(斂瘡)의 효능이 있으므로 반위(反胃), 사리(瀉痢), 유정(遺精), 월경부조(月經不調), 불잉(不孕), 토혈(吐血), 변혈(便血), 육혈(衄血), 안현적란(眼弦赤爛), 염창(臁瘡), 비자소양(痱子瘙痒)을 치료한다.

성분 $Al_4[Si_4O_{10}](OH)_8$, $KAl_2[Si_3AlO_{10}](OH)_2$, $(Na,Ca_{1/2})_{0.33}(Al,Mg)_2[Si,Al_4O_{10}](OH)_2 \cdot nH_2O$. 이외에 미량의 Fe, Ti, Ba, Sr, Va, Cr, Cu 등이 함유되어 있다.

사용법 백악을 알약이나 가루약으로 만들어 5g을 복용한다. 외용에는 가루로 뿌리거나 연고로 만들어 바른다.

주의 장기간 복용은 금한다.

백초상

 머리부스럼, 탈모　 인후염, 구내염

 자궁출혈　혈변

● 영명 : Pulvis Fumi Carbonisatus　● 한자명 : 百草霜　● 별명 : 조돌묵(灶突黙). 조매(灶煤)

산과 들에서 자라는 나무와 풀을 태워서 생긴 솥 밑의 그을음 및 굴뚝 속에 있는 재이다. 대한민국약전외한약(생약)규격집(KHP)에 수재되어 있다.

기미 · 귀경 고(苦), 신(辛) · 비(脾), 폐(肺), 위(胃)

약효 머리에 나는 부스럼, 탈모, 인후염, 구내염, 자궁출혈, 혈변을 치료한다.

성분 미상

사용법 백초상 5~10g에 물 3컵(600mL)을 넣고 달여서 복용한다.

✪ 백초상

복룡간

 복통설사, 구토반위, 사리, 토혈

요혈　 임신오저

● 영명 : Terba Flava Usta　● 한자명 : 伏龍肝　● 별명 : 조심토(竈心土), 부월하토(釜月下土), 부하토(釜下土), 조중황토(竈中黃土)

아궁이 바닥에서 오랫동안 불기운을 많이 받아 누렇게 된 흙이다.

수치 검게 탄 부분과 잡질을 제거하여 사용한다.

성상 불규칙한 덩어리 또는 가루이며 적갈색 또는 황갈색으로 단단하고 냄새가 약간 있다.

약효 온중조습(溫中燥濕), 지구지혈(止嘔止血)의 효능이 있으므로 복통설사, 구토반위(嘔吐反胃), 사리(瀉痢), 요혈(尿血), 토혈(吐血), 변혈(便血), 임신오저(姙娠惡阻)를 치료한다.

성분 미상

사용법 복룡간에 물을 넣고 끓여서 잡질을 제거하고 침전된 후에 징청수(澄淸水)를 취하여 다른 약과 배합하여 산제로 한다.

처방 복룡간산(伏龍肝散): 천궁(川芎) · 애엽(艾葉) 각 6g, 복룡간(伏龍肝) 4g, 적석지(赤石脂) · 맥문동(麥門冬) 각 2.8g, 당귀(當歸) · 숙지황(熟地黃) · 육계(肉桂) · 감초(甘草) · 건강(乾薑) 각 2g 『동의보감(東醫寶鑑)』). 여성이 충임맥이 허하여 붕루가 계속되면서 아랫배가 차고 아프며 입맛이 없고 팔다리에 힘이 없으며 몸이 여위는 데 쓴다.

✪ 복룡간

✪ 복룡간(아궁이 안에 있는 흙)

부석

담열폐옹 | 인후염 | 소변임력삽통

● 영명 : Pumice Stone, Pumix　● 한자명 : 浮石　● 별명 : 해부석(海浮石), 백부석(白浮石), 수화(水花), 해석(海石), 수포석(水泡石), 부수석(浮水石), 대해부석(大海浮石)

화산에서 분출한 암장(巖漿)이 응고하여 형성된 다공석괴(多孔石塊)의 광물이다.

수치 청폐화담(清肺化痰)에는 광물을 채취한 후 잡질을 제거하고 분쇄하여 사용한다. 또는 불에 구워서 식힌 후 곱게 빻아서 사용한다.

본초서 부석(浮石)은 「일화자제가본초(日華子諸家本草)」에 해부석(海浮石)으로 처음 수재되어, "끓인 즙을 마시면 갈증을 그치게 하고, 임(淋)을 치료하며, 야수(野獸)의 독을 제거한다."고 하였다. 「천금방(千金

方)」에는 부석(浮石)의 이름으로 수재되어 "석림(石淋)과 해수(咳嗽)를 치료한다."고 하였다. 「본초강목(本草綱目)」에는 별명으로 해석(海石), 수화(水花)를 들고 "결핵과 산기(疝氣)를 치료한다."고 하였다.

성상 해면상의 불규칙한 덩어리로 크기가 일정하지 않다. 바깥면은 회백색~회황색으로 많은 작은 구멍이 있다. 질은 가볍고 단단하나 부스러지기 쉽고 자른 면은 엉성하고 거칠다. 냄새가 거의 없고, 맛은 조금 짜다. 질은 약하고 경도는 4,5이며 물에 뜬다.

❍ 부석(회백색)　❍ 부석(물 위에 뜬다.)

❍ 부석

기미·귀경 함(鹹), 한(寒)·폐(肺), 신(腎)

약효 청폐화담(清肺化痰), 이수통림(利水通淋), 연견산결(軟堅散結)의 효능이 있으므로 담열폐옹(痰熱肺癰), 인후염, 소변임력삽통(小便淋瀝澀痛)을 치료한다.

성분 주성분은 SiO_2이고, 소량의 Ca, Fe, Pb, Mg, Al 등이 함유되어 있다.

사용법 부석 10~15g에 물 3컵(600mL)을 넣고 달여서 복용한다. 외용에는 가루를 뿌리거나 연고로 만들어 바른다.

주의 허한해수(虛寒咳嗽)에는 사용하지 않으며, 장기간 복용은 금한다.

붕사

담열해수 | 열격적취 | 음부궤양 | 제골경후, 인후통, 목적예장

● 영명 : Borax　● 한자명 : 硼砂　● 별명 : 대붕사(大硼砂), 봉사(蓬砂), 붕사(鵬砂), 월석(月石), 분사(盆砂)

❍ 붕사

황산염류(黃酸鹽類)의 망초족(芒硝族) 광물이다. 미국 캘리포니아주, 네바다주, 인도 북부(Gangadhri), 중국 허베이성(河北省), 산둥성(山東省), 광둥성(廣東省), 윈난성(雲南省), 광시성(廣西省) 등에서 생산된다.

수치 붕사를 가루로 만들어 가마솥에 넣고 가열한다. 작은 기포를 내면서 소리가 날 즈음 백색의 결정이 석출하면 꺼내서 냉각시킨다.

본초서 붕사(硼砂)는 「일화자제가본초(日華子諸家本草)」에 처음 수재된 이래 「생약규격집」 및 「중국약전」에 수재되어 있고, 서양에서는 borax라고 한다. 혀로 핥으면 단맛을 띤 짠맛이 있고, 투명한 붕사는 오래 두면 투명도를 잃으면서 가루가 된다.

日華子: 消痰止咳, 破癥結喉痺.

本草衍義: 含化咽津, 治喉中腫痛, 隔上痰熱.

本草綱目: 治上焦痰熱, 生津液, 去口氣, 清心肝明目 濯胃腸止疼.

성상 단사정계(單斜晶系)로 결정체는 짧은

주상, 두꺼운 판상 또는 괴상이다. 흰색에 엷은 회색을 띠거나 엷은 노란색을 나타내고, 유리 광택 또는 기름 같은 광택을 띤다. 조흔(條痕)은 흰색으로 반투명 또는 불투명하다. 경도는 2~2.5, 비중은 1.7이다.

품질 무색투명하고 결정을 잘 이루고 있는 것이 좋다.

기미·귀경 감(甘), 함(鹹), 양(凉)·폐(肺), 위(胃)

약효 청열소담(淸熱消痰), 해독방부(解毒防腐)의 효능이 있으므로 담열해수(痰熱咳嗽), 열격적취(噎膈積聚), 제골경후(諸骨鯁喉), 인후통, 목적예장(目赤翳障), 음부궤양(陰部潰瘍)을 치료한다.

성분 주성분은 $Na_2B_4O_7 \cdot 10H_2O$이고, 미량의 Zn, NaCl, Ca, Mg, K 등의 무기 원소가 함유되어 있다.

약리 10%붕사액은 대장균, 녹농균, 변형간균, 포도상구균 등에 항균 작용이 있다. B_2O_3는 물에 녹으면, H_3BO_3, HBO_2, $H_2B_4O_7$ 등의 붕산이 되어 살균 작용을 하므로 방부제로 사용된다. 쥐에게 5일간 연속으로 복강주사하면 전기 충격에 견디는 힘이 있다.

사용법 알약이나 가루약으로 만들어 2~3g을 복용한다. 외용에는 가루로 만들어 상처에 뿌리거나 연고로 만들어 상처에 바른다.

제제 Rose water ointment, Alkaline aromatic 용액, Compound sod. borate 용액

임상 보고 요퇴동통증(腰腿疼痛症): 붕사(硼砂) 1.5g을 하루 3번, 3개월간 복용한다. 환자 31명 가운데 96.7%가 완전 치료되거나 증상이 경감되었다.

• 진균성음도염(眞菌性陰道炎): 붕사(硼砂)를 곱게 빻은 가루에 감유(甘油, glycerol)를 섞어 수욕상에서 가열 교반하여 녹인다. 치료 시 4%탄산소다(NaHCO₃)로 외음부를 씻은 후 위의 가루약을 면봉에 묻혀서 바른다. 하루에 1번 4~5일간 바른다.

주의 독성이 있으므로 유아일 경우 사용에 주의하여야 한다.

* 붕사(Borax)는 아라비아 명칭에서 유래한 것이다. 붕산과 마찬가지로 약한 방부력을 가지며, 용액이 알칼리성이어서 피부청정 작용이 있다. 그러므로 외용으로 결막염이나 구내염 등의 점막세척제로 이용된다.

비석(비상)

 치창 나력, 옹저악창, 선창
주마아감 한담효천 말라리아

● 영명 : Arsenolite ● 한자명 : 砒石(砒霜) ● 별명 : 비황(砒黃), 신비(信砒), 인언(人言), 신석(信石)

🐴🐑〰🦌↼〰🌿✕🐌👁🐚毒

산화비소를 함유한 광석 또는 비소 함유 광물(비석)을 연소하여 승화 정제한 것(비상)이다.

수치 가루로 만들어 사관(砂罐)에 넣고 입구를 막은 뒤 불을 뜨겁게 지핀 후 식힌다. 이것을 곱게 빻아서 사용한다. 또는 구리나 아연 등의 금속을 정련할 때 광석 중의 비소 성분은 배소에 의하여 무수아비산이 되고 승화하여 매연 중에 들어간다. 이것을 수진기(受塵器)로 포집하고 반사로에서 가열하면 125~150℃에서 승화하여 백색 분말의 아비산이 된다.

본초서 「본초강목(本草綱目)」에 수재되어 있고, "비(砒), 비(貔), 범처럼 생긴 맹수)처럼 성질이 대단하므로 붙여진 이름이고, 신주(信州) 지방에서 많이 생산되므로 신석

(信石)이라고도 한다. 그리고 천연의 것은 황색을 띠는 것도 있으므로 비황(砒黃)이라고도 한다."고 하였다.

성상 백색 또는 무취의 분말로 공기 중에서는 안전하다. 신선한 것은 무정형, 백색의 약간 투명한 유리 모양의 덩어리(밀도 3.7)이지만, 습한 공기 중에서는 결정성으로 변하며 비중은 3.69~3.72로 작아진다. 무정형은 가열하면 일단 용융되었다가 휘산되지만, 결정성의 것은 융해됨이 없이 휘산한다.

기미·귀경 신(辛), 산(酸), 열(熱), 유독(有毒)·폐(肺), 비(脾), 위(胃), 대장(大腸)

약효 식창거부(蝕瘡祛腐), 살충(殺蟲), 겁담(劫痰), 재학(裁瘧)의 효능이 있으므로 치창(痔瘡), 나력(瘰癧), 옹저악창(癰疽惡瘡), 주마아감(走馬牙疳), 선창(癬瘡), 한담효천

(寒痰哮喘), 말라리아를 치료한다.

성분 주성분은 아비산(As₂O₃)이며, 소량의 다른 금속이 함유되어 있다.

약리 아비산(As₂O₃)은 독성이 강하므로 복용하면 혈류를 따라 전신으로 퍼지고 각 장기에 분포된다. 비소 화합물은 무기성과 유기성을 막론하고 SH 효소계를 저해함으로써 미생물의 생활 과정에 간섭하는 성질이 있다. 피부 질환에 대한 효과는 비소가 모세혈관을 확장시키는 결과 국소의 영양이 개선되고, 만성의 병적 질환을 완화하기 때문이다. 또한 골수에서 백혈구의 생산을 억제하므로 백혈병에도 유효하게 적용된다.

사용법 외용으로 사용할 때는 곱게 빻아서 가루로 만들어 환부에 뿌리거나 연고와 섞어서 바른다. 드물게 알약이나 가루약으로 사용할 때는 1회 분량이 1~3mg이며 녹두나 두부와 함께 달여서 복용한다.

중독증 후부작열감(喉部灼熱感), 오심(惡心), 구토가 생기고 나아가 복통, 복사(腹瀉), 토사곽란(吐瀉癨亂)이 난다. 심하면 번조(煩燥), 한열(寒熱), 혈압이 떨어지고 심박동이 증가하여 죽음에 이른다.

해독법 가벼운 증상에는 녹두생즙(綠豆生汁), 흑두생즙(黑豆生汁)을 마시고, 심한 경우 세위(洗胃), 관장(灌腸)하고 병원으로 이송하여 정맥주사로 해독시켜야 한다.

제제 아비산칼륨액(As₂O₃ 10g, KHCO₃ 7.6g, 에탄올 30mL를 증류수 1L에 녹인 것)은 보혈(補血), 변질(變質), 강장제로 사용된다. 만성백혈병에도 이용하며, 피부병 치료에도 이용한다.

주의 신열유독(辛熱有毒)하므로 몸이 약한 환자, 임신부는 내복하지 않는 것이 좋다.

○ 비석

석고

●영명 : Gypsum　●한자명 : 石膏　●별명 : 장석(長石), 이석(理石), 방해석(方解石), 한수석(寒水石), 세석(細石)

석고(石膏)는 경석고(硬石膏, CaSO₄, anhydrite)와 연석고(軟石膏, CaSO₄·2H₂O, gypsum)로 나누며, 전자는 직방형으로 쪼개지고 단단하며, 후자는 섬유상이다. 약용으로는 연석고(軟石膏)를 사용한다. 중국 각처에서 생산되나 쓰촨성(四川省)에 있는 석고 광산에서 많이 생산된다. 대한민국약전외한약(생약)규격집(KHP)에 수재되어 있다.

수치 내복에는 그대로 사용하고, 외용에는 하용(煆用)한다.

본초서 석고(石膏)는 「신농본초경(神農本草經)」의 중품(中品)에 수재되어 있으며, 여러 본초서에는 장석(長石), 이석(理石), 방해석(方解石), 한수석(寒水石) 등으로도 기재되어 있다. 백호탕(白虎湯)의 백호(白虎)는 석고(石膏)가 백색(白色)이며 호랑이(虎)의 문양(紋樣)을 나타내므로 붙여진 이름이다.
神農本草經: 主中風寒熱, 口乾舌焦.
日華諸家本草: 治天行熱狂.
珍珠囊: 止陽明頭痛 止消渴 中暑行 潮熱.

성상 황산염류(黃酸鹽類)가 화학적 침적 작용에 의거하여 생긴 광물이다. 고생대의 석회암 가운데 해산 동물로 조개껍데기와 유사하며 고막과 비슷하다. 모양이 약간 신장형으로 편평하고, 표면은 청회색 또는 흑갈색이며 양면의 중앙은 융기되어 있다. 은행잎과 비슷한 무늬가 있고 세로 홈이 많다. 경도는 1.5~2, 비중은 2.3이다. 단사정계(單斜晶系), 주상(柱狀) 또는 탁상(卓上)의 광택이 나는 무거운 섬유상 결정 덩어리로 백색~회백색이며 약간 투명하다. 침상(針狀) 또는 미세한 결정성 분말로 되며, 맛이 없고 냄새도 없다. 물에 녹기 어렵다.

품질 백색 섬유성으로 부스러지기 쉬우며 청석(靑石)을 함유하지 않은 결정 덩어리가 좋다.

기미·귀경 감(甘), 신(辛), 대한(大寒), 무독(無毒)·폐(肺), 위(胃)

약효 청열사화(淸熱瀉火), 제번지사(除煩止瀉)의 효능이 있으므로 열병장열불퇴(熱病壯熱不退), 번갈(煩渴), 신혼섬어(神昏譫語), 발광(發狂), 폐열해수(肺熱咳嗽), 중서(中暑), 위화두통(胃火頭痛), 치통, 구설생창(口舌生瘡), 옹저창양(癰疽瘡瘍), 궤불수구(潰不收口)를 치료한다.

성분 CaSO₄·2H₂O, CaO 32.5%, SO₃ 46.6%, H₂O 21%이고 그 밖에 점토, 모래, 유기물, 유화물이 소량 함유되어 있다.

약리 열수추출물을 토끼나 쥐에게 투여하면 체온이 내려간다.

사용법 석고 5g에 물 2컵(400mL)을 넣고 달여서 복용하고, 외용에는 가루로 만들어 상처에 뿌리거나 참기름에 개어서 바른다.

주의 비위(脾胃)가 허약한 사람, 음허(陰虛)나 혈허(血虛)로 열이 심한 경우에는 복용을 금한다.

처방 대청룡탕(大靑龍湯): 석고(石膏) 16g, 마황(麻黃) 12g, 계지(桂枝) 8g, 행인(杏仁) 6g, 감초(甘草) 4g, 생강(生薑) 3쪽, 대추(大棗) 2개 (「동의보감(東醫寶鑑)」). 오싹오싹 춥고 열이 몹시 나며 땀은 나지 않으면서 온몸이 무겁고 아프며, 입안이 마르고 가슴이 답답하며 숨이 찬 증상에 사용한다.

• 마행감석탕(麻杏甘石湯): 석고(石膏) 32g, 마황(麻黃) 16g, 감초(甘草) 8g, 행인(杏仁) 12g (「상한론(傷寒論)」). 사열(邪熱)이 폐에 침입하여 기침이 나고 숨이 가쁘며 목이 마르는 증상에 사용한다.

• 백호가인삼탕(白虎加人蔘湯): 석고(石膏) 15g, 지모(知母) 5g, 인삼(人蔘) 1.5g, 갱미(粳米) 8g (「상한론(傷寒論)」). 갈증, 당뇨병 초기, 더위 먹고 힘이 없는 증상에 사용한다.

• 죽엽석고탕(竹葉石膏湯): 석고(石膏) 16g, 인삼(人蔘) 8g, 맥문동(麥門冬) 6g, 반하(半夏) 4g, 감초(甘草) 2.8g, 죽엽(竹葉)·갱미(粳米) 2g, 생강즙(生薑汁) 2숟가락 (「상한론(傷寒論)」). 열병을 앓고 난 뒤 기혈 부족으로 열이 나면서 목이 마르고 갈증이 나며 가슴이 답답하고 입안이 허는 증상에 사용한다.

＊ 지모(知母)와 상수(相須)하는 작용이 있다.

○ 석고

○ 석고(잘게 부순 것)

○ 석고(백색)

○ 석고(회백색)

석연

임병, 소변불통, 요혈	대하	
장풍치루	안목장예	

- 영명 : Fossilia Spiriferis ● 한자명 : 石燕 ● 별명 : 석연자(石燕子), 연자석(燕子石), 대석연(大石燕)

고생대의 '화궁석연(華弓石燕) *Cyrtiospirifer sinensis* Graban', '궁석연(弓石燕) *Cyrtiospirifer sp.*'의 화석이다. 대한민국약전외한약(생약) 규격집(KHP)에 수재되어 있다.

수치 불에 달구어 식초에 담그기를 3번 반복하고 수비(水飛)하여 약한 불에 말린 후 가루로 곱게 빻아서 사용한다.

본초서 석연(石燕)은 「신수본초(新修本草)」에 처음 수재되어 있다.

성상 조개껍데기 같은 모양으로 길이 2~4cm, 너비 1.5~3.5cm, 두께 1.5~2cm. 약간 신장형으로 편평하고, 표면은 청회색 또는 흑갈색, 양면의 중앙은 융기되어 있다. 은행잎과 비슷한 무늬가 있고 세로 홈이 많다.

기미 · 귀경 감(甘), 함(鹹), 양(凉) · 신(腎), 방광(膀胱)

약효 제습열(除濕熱), 이소변(利小便), 퇴목예(退目翳)의 효능이 있으므로 임병(淋病), 소변불통(小便不通), 대하(帶下), 요혈(尿血), 장풍치루(腸風痔漏), 안목장예(眼目障翳)를 치료한다.

성분 주성분인 $CaCO_3$와 소량의 SiO_2가 함유되어 있다.

사용법 석연 3~9g에 물을 넣고 달여서 복용하거나 알약 또는 가루약으로 복용한다. 외용에는 가루로 만들어 상처에 뿌리거나 연고에 개어서 바른다.

처방 석연환(石燕丸): 석연(石燕) · 활석(滑石) · 석위(石葦) · 구맥(瞿麥) 각 40g(「동의보감(東醫寶鑑)」). 석림(石淋)으로 소변을 볼 때 아프고 피오줌이 나오며 모래알 같은 것이 섞여 나오는 증상에 사용한다.

○ 석연

석회

옹저정창, 단독, 외상출혈, 하지궤양, 비자	
구리탈항	

- 영명 : Calcium oxide, Quick lime ● 한자명 : 石灰 ● 별명 : 악회(堊灰), 희회(希灰), 석악(石堊), 오미(五味), 염회(染灰), 산회(散灰), 백회(白灰), 미회(味灰), 백호(白虎)

석회암을 고온으로 가열하여 유리되는 탄산가스를 끊임없이 제거해 주면 생성된다.

성상 순품은 백색 무정형의 괴상체이지만 불순물로 인하여 회백색을 띠는 것도 있다. 비중 3.4, 융점 257℃이며, 대기 중에 방치하면 H_2O와 CO_2를 흡수하여 $Ca(OH)_2$와 $CaCO_3$의 혼합물이 된다.

기미 · 귀경 신(辛), 고(苦), 삽(澁), 온(溫), 유독(有毒) · 간(肝), 비(脾)

약효 해독식부(解毒蝕腐), 염창지혈(斂瘡止血), 살충지양(殺蟲止痒)의 효능이 있으므로 옹저정창(癰疽疔瘡), 단독(丹毒), 나력담핵(瘰癧痰核), 외상출혈, 수화탕상(水火燙傷), 하지궤양(下肢潰瘍), 구리탈항(久痢脫肛), 개선(疥癬), 습진, 비자(痱子)를 치료한다.

성분 주성분은 CaO이고 미량의 $Ca(OH)_2$가 함유되어 있다.

약리 살균 작용, 살충 작용, 소염 작용, 설사를 멎게 하는 작용이 있다.

사용법 석회 1~3g을 복용하고, 외용에는 가루로 만들어 상처에 뿌리거나 연고와 섞어서 바른다. 위 안에서 우유가 응고되는 것을 억제하는 성질이 있어서 우유의 소화를 촉진하므로 유아의 소화불량에 이용한다.

제제 완화한 수렴 보호 작용이 있어서 각종의 Calamine lotion 등 피부용 제제에 이용한다.

주의 물을 넣고 달여서 복용해서는 안 된다.

○ 석회

식염

☺ 식적상완, 심복창통	☯ 흉중담벽, 이변불통
👁 치은출혈, 후통, 치통, 목예	

● 영명 : Natrii Chloridum, Salt　● 한자명 : 食鹽　● 별명 : 염(鹽), 함차(鹹鹺)

해수(海水), 염정(鹽井), 염지(鹽池), 염천(鹽泉)의 염수를 햇볕에 쪼이거나 끓여서 만든 결정체이다.

수치 뜨거운 물에 용해하여 여과한 뒤에 냉각시키면 결정이 석출하는데, 이것을 약용하거나 또는 대나무나 그릇에 넣어 뜨거운 화로에 구운 뒤 사용한다.

본초서 「신농본초경(神農本草經)」에 대염(大鹽), 영인토(令人吐)라는 기록이 있으며, 「명의별록(名醫別錄)」에 처음 식염(食鹽)이 수재되었고, 「본초강목(本草綱目)」에는 "소금을 그릇에 넣어 끓이면 이빨 모양의 결정이 되므로 염(鹽)이라는 글자에, 식용하므로 식(食)이라는 글자를 더해 식염(食鹽)이라고 한다."고 하였다.

神農本草經: 大鹽, 令人吐.

本草夢筌: 寒齒縫來紅, 驅蚯蚓毒傷, 少用接藥入腎.

本草綱目: 解毒, 養血潤燥, 定痛止痒, 吐一切時氣風熱, 痰飲, 關格諸病.

성상 입방체로서 장방형 또는 불규칙적인 결정체이다. 순품은 무색투명하지만 보통 백색 또는 회백색의 반투명이며 유리 같은 광택이 있다. 비교적 무겁고 딱딱하며 쉽게 파손된다. 맛은 짜고 냄새는 별로 없다. 뜨거운 물에 잘 녹고 불에 태우면 선명한 황색을 나타낸다.

기미 · 귀경 함(鹹), 한(寒) · 위(胃), 신(腎), 대소장(大小腸)

약효 용토(湧吐), 청화(淸火), 양혈(凉血), 해독, 연견(軟堅), 살충, 지양(止痒)의 효능이 있으므로 식적상완(食積上脘), 심복창통(心腹脹痛), 흉중담벽(胸中痰癖), 이변불통(二便不通), 치은출혈(齒齦出血), 후통(喉痛), 치통, 목예(目翳), 창양(瘡瘍)을 치료한다.

성분 주성분은 염화나트륨(NaCl)이고, 소량의 염화마그네슘(MgCl₂), 황산마그네슘(MgSO₄), 황산나트륨(Na₂SO₄), 황산칼슘(CaSO₄)이 함유되어 있다.

사용법 식염 1~3g에 뜨거운 물을 넣고 녹여서 복용하며, 최토(催吐)에는 10~15g을 불로 약간 볶아서 복용한다. 외용에는 곱게 빻아서 가루를 만들어 상처에 뿌리거나 연고와 섞어서 바른다.

임상 보고 잔뇨감(殘尿感): 식염(食鹽) 250g에 대산(大蒜) 120g을 배합하여 쇠냄비에 넣고 볶는다. 이것을 조그만 봉지에 넣어서 방광 주변에 30분간 문질러 준다. 24명의 환자 가운데 대부분이 효과를 보았으며 한 번 더 시도하면 더욱 좋은 효과가 나타났다.

• 식중독: 식염(食鹽) 15g에 뜨거운 물 4컵(800mL)을 넣고 녹여서 식힌 뒤 복용하면, 대부분의 환자는 구토를 일으키면서 토한다. 이것을 반복하면 대부분 속이 편해지고 하루 뒤에는 완쾌된다.

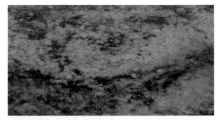

❍ 염전에서 석출되는 소금

❍ 식염

아관석

🫁 폐한구해, 허로해천	👫 양위조설
🧍 요각랭비	♀ 유즙불통

● 영명 : Syringocra　● 한자명 : 鵝管石　● 별명 : 유상(乳床), 역석(逆石), 석순(石笋)

❍ 아관석

산호 아관석계의 비파산호과 강장동물인 산호체 및 붕소산호과 강장동물인 간성산호의 석회질 골격이다.

성상 군체는 옆으로 배열하거나 피리 모양으로 연결되어 있다. 색깔은 유백색이고 체부(體部)는 약간 굽은 관상물로 합성되었으며, 각 관이 서로 결합되어 있는 곳에는 옆으로 난 가지와 서로 연결되어 있어서 횡관이라고 한다.

기미 · 귀경 감(甘), 미함(微鹹), 온(溫) · 폐(肺), 신(腎), 위(胃)

약효 온폐(溫肺), 장양(壯陽), 통유(通乳)의 효능이 있으므로 폐한구해(肺寒久咳), 허로해천(虛勞咳喘), 양위조설(陽痿早泄), 요각랭비(腰脚冷痺), 유즙불통(乳汁不通)을 치료한다.

성분 주성분은 CaCO₃이고 미량의 마그네슘(Mg), 스트론튬(Sr), 바륨(Ba) 등이 함유되어 있다.

사용법 아관석 9~15g에 물 3컵(600mL)을 넣고 달여서 복용하고, 외용에는 가루로 만들어 뿌리거나 참기름에 개어서 바른다.

주의 실열(實熱) 및 음허화왕(陰虛火旺)에는 사용하지 않으며, 장기간 복용은 금한다.

양기석

양위, 유정, 조설 / 요슬산연 / 궁한불잉, 대하백음

● 영명 : Tremolitum　● 한자명 : 陽起石　● 별명 : 백석(白石), 양기석(羊起石), 석생(石生), 양석(陽石), 기양석(起羊石)

규산염류의 광석인 양기석[Ca$_2$(MgFe)$_5$·Si$_4$O$_{11}$(OH)$_2$] 또는 투섬석(透閃石, tremolite) [CaMg$_3$(SiO$_4$)$_3$]이다. 대한민국약전외한약(생약)규격집(KHP)에 수재되어 있다.

수치 불에 달구어 황주(黃酒)에 담그는 조작을 7번 반복한 뒤, 수비(水飛)하여 햇볕에 말린다. 또는 불에 달구어 곱게 빻은 후 사용한다.

본초서 양기석(陽起石)은 「신농본초경(神農本草經)」의 중품(中品)에 "붕중누하(崩中漏下)를 치료하며, 자장중(子臟中)의 혈(血), 징가(癥瘕), 결기(結氣)를 제거한다. 한열복통(寒熱腹痛), 음위불기(陰痿不起)를 치료하는 효과가 있다는 데서 그 이름이 유래하였다."고 하였다. 「당본초(唐本草)」에는 "이 돌(石)은 백색이고, 운모(雲母)가 부착하여 윤택이 나는 것이 양질(良質)이다. 그러므로 본경(本經)에 별명으로 백석(白石)이라고도 한다."고 하였다.

성상 결정체로 긴 기둥 모양, 바늘 모양, 머리카락 모양이다. 색깔은 연한 녹색을 띤 회색이거나 어두운 녹색으로 광택이 있다. 경도 5.5~6.0, 비중 3.1~3.3, 질은 무르고 약하다.

품질 침상으로 유백색이고 광택이 있으며 부스러지는 것이 좋다.

기미·귀경 함(鹹), 온(溫)·신(腎)

약효 보신장양(補腎壯陽)의 효능이 있으므로 양위(陽痿), 유정(遺精), 조설(早泄), 궁한불잉(宮寒不孕), 요슬산연(腰膝酸軟), 대하백음(帶下白陰)을 치료한다.

성분 Ca(Mg,Fe)$_5$·(Si$_4$O$_{11}$)$_2$(OH)$_2$

사용법 양기석을 1회 0.1g을 복용하며, 외용에는 가루로 만들어 상처에 뿌리거나 연고와 개어서 바른다.

주의 허한증(虛寒症)이 아닐 때는 삼가고 단방으로 혹은 장기간의 복용은 좋지 않다.

처방 양기석원(陽起石元) : 양기석(陽起石)·토사자(菟絲子)·녹용(鹿茸)·포부자(炮附子)·구자(韭子)·육종용(肉蓰蓉) 각 40g, 복분자(覆盆子)·상기생(桑寄生)·석곡(石斛)·침향(沈香)·오미자(五味子) 각

20g (「동의보감(東醫寶鑑)」). 남자가 신정(腎精)의 장애로 인한 불임증이나 음위증에 사용한다. 1알이 0.3g이 되게 만들어 1회 70~80알을 복용한다.
이외에 백환(白丸), 양기환(陽起丸) 등이 있다.

🔾 양기석(陽起石, 분말)

🔾 양기석

연단

옹저궤양, 금창출혈 / 구창
이질, 토역 / 말라리아

● 영명 : Minium　● 한자명 : 鉛丹　● 별명 : 황단(黃丹)

순수한 납(鉛)을 가공하여 정제한 것으로 사산화납(Pb$_3$O$_4$)이다.

수치 순수한 연(鉛)을 도가니에 넣고 약 300℃ 온도에서 녹였다가 식혀서 굳어지게 한다. 다시 부드럽게 수비(水飛)하여 도가니에 넣고 약 400℃ 온도에 녹였다가 식혀 가루로 만든다.

성상 황적색, 등황색, 등적색의 고운 가루

이다. 때로는 사방정계의 결정체로 긴 기둥 모양, 바늘 모양, 머리카락 모양도 섞여 있다. 표면은 투명하지 않으며 손으로 만지면 매끈하고 등황색으로 염색된다. 경도 2.0, 비중 8.0~9.2, 냄새와 맛은 없다.

품질 질은 무겁고 밝은 등적색을 나타내며, 손으로 만져도 염색되지 않는 것이 좋다.

기미·귀경 함(鹹), 신(辛), 한(寒)·심(心), 비(脾), 간(肝)

약효 해독생기(解毒生肌), 타담(墮痰), 진경(鎭驚), 살충(殺蟲)의 효능이 있으므로 옹저궤양(癰疽潰瘍), 금창출혈(金瘡出血), 구창(口瘡), 이질, 말라리아, 토역(吐逆)을 치료한다.

성분 사산화납(Pb$_3$O$_4$)

사용법 연단을 1회 1g을 복용하며, 외용에는 가루로 만들어 상처에 뿌리거나 연고와 개어서 바른다.

주의 독성이 강하므로 극히 제한적으로 사용하여야 한다.

🔾 연단

🔾 연단(등적색을 띤 고운 가루이다.)

영사

●영명 : Cinnabar Artificial　●한자명 : 靈砂　●별명 : 이기사(二氣砂), 신사(神砂), 평구사(平口砂), 마아사(馬牙砂), 인조주사(人造朱砂)

두훈토역, 심복냉통　유정
심계, 정충, 실면

수은과 유황을 원료로 하여 이를 가열시켜 승화하여 얻는다. 대한민국약전외한약(생약)규격집(KHP)에 수재되었다.

본초서 영사(靈砂)는 송대(宋代)의 「증류본초(證類本草)」에 처음 수재되었다.

성상 침주상(針柱狀)의 집합체로 편평한 덩어리이고 완전한 것은 분(盆) 모양이다. 위 표면은 평탄하고 저변은 둥글고 매끄럽다. 한 면은 평탄하고 다른 면은 거칠며 작은 구멍이 있다. 옆면의 결정은 침주상이고 울타리와 같이 배열된다. 암적색~적자색이고 결정체 면은 광택이 난다. 무겁고 질은 약하고 부서지기 쉽다. 냄새는 없고 맛은 덤덤하다.

기미·귀경 감(甘), 온(溫), 유독(有毒)·심(心), 위(胃)

약효 거담(祛痰), 강역(降逆), 안신(安神), 정경(定驚)의 효능이 있으므로 두훈토역(頭暈吐逆), 심복냉통(心腹冷痛), 심계(心悸), 정충(怔忡), 실면(失眠), 유정(遺精)을 치료한다.

성분 황화제이수은(HgS)

사용법 영사를 1일 1회 0.3g을 복용한다. 외용에는 가루로 만들어 상처에 뿌리거나 연고와 개어서 바른다.

주의 허증자(虛症者)와 임부는 복용을 금한다.

＊주사(朱砂)는 황화물류의 광물인 진사(辰砂, einnabar) 광석으로 황화수은(HgS)을 주로 함유한 것으로, 수도(水淘)하여 잡질을 제거한 뒤 자석(磁石)을 사용하여 철을 제거한 것이다.

○ 영사

○ 영사(합성품)

옥

●영명 : Nephrite　●한자명 : 玉　●별명 : 옥영(玉英), 백옥(白玉), 현진(玄眞), 순양주(純陽主), 적옥(赤玉), 천부(天婦), 연부(延婦)

천식번만　당뇨병　경계
목예　단독

규산염류(硅酸鹽類)이며 각섬석족(角閃石族) 광물인 투섬석(透閃石)의 은정질아종연옥(隱晶質亞種軟玉) 또는 사문석광물의 은정질아종수옥(隱晶質亞種岫玉)이다.

수치 잡질을 제거하고 곱게 빻아서 사용한다. 또는 잡질을 제거하고 불에 구워서 식힌 후 곱게 빻아서 사용한다.

본초서 옥(玉)은 「신농본초경(神農本草經)」의 상품(上品)에 옥천(玉泉)이라는 이름으로 수재되어 일명 옥설(玉屑)이라고 하며 "백옥체(白玉體)는 백두공(白頭公)과 비슷하다."고 하였다. 「본초도경(本草圖經)」과 「본초강목(本草綱目)」에는 생산되는 곳과 약효가 상세하게 기록되어 있다.

성상 연옥(軟玉)은 불규칙하고 치밀한 괴상(塊狀)이며 백색~담회백색으로 녹색을 약간 띤다. 조흔(條痕)은 백색이고 광택이 나며, 질은 다소 무겁고 칼로 베어지지 않는다. 향기와 맛이 없다. 수옥(岫玉)은 불규칙한 괴상(塊狀)이며 담녹색으로 조흔(條痕)은 백색이고 반투명하며 기름 같은 광택이 나고, 손으로 만지면 기름질이고 칼로 그으면 흔적이 남는다. 향기와 맛이 없다.

기미·귀경 감(甘), 평(平)·폐(肺), 위(胃), 심(心)

약효 윤폐청위(潤肺淸胃), 제번지갈(除煩止渴), 진심명목(鎭心明目)의 효능이 있으므로 천식번만(喘息煩滿), 당뇨병, 경계(驚悸), 목예(目翳), 단독(丹毒)을 치료한다.

성분 연옥(軟玉)의 주성분은 $Ca_2Mg_5(Si_4O_{11})_2(OH)_2$이고, 소량의 알루미늄(Al)이 함유되어 있다. 수옥(岫玉)의 주성분은 $Mg_6(SiO_{10})(OH)_8$이고, 소량의 칼슘(Ca)이 함유되어 있다.

사용법 옥 30~50g에 물을 넣고 달여서 복용한다. 외용에는 가루를 뿌리거나 연고로 만들어 바른다.

주의 비위가 허약한 사람은 복용을 금하고, 장기간 복용은 삼가야 한다.

○ 옥

요사

●영명 : Sal-Ammoniac, Violaceum   ●한자명 : 硇砂   ●별명 : 적사(赤砂), 황사(黃砂), 기사(氣砂), 백요사(白硇砂)

염화물류(鹽化物類)의 광물 또는 이것을 정제한 결정체이다. 대한민국약전외한약(생약)규격집(KHP)에 수재되어 있다.

수치 요사를 부수어서 끓는 물 속에 녹여서 잔사를 제거한다. 이것 500g에 식초 250g을 가하고 가열 증발시켜서 액면에 뜨는 백색 물질을 수시로 건져서 건조시킨다.

본초서 요사(硇砂)는 「약성론(藥性論)」에 처음 수재되어 "능제냉병(能除冷病), 대익양사(大益陽事)의 효능이 있다."고 하였으며, 우리나라 및 중국에서 사용하고 있다.

성상 요사계(硇砂系) 광물. 등축정계(等軸晶系)로 결정체는 일반적으로 정육면체이며 푸석푸석하거나 치밀한 결정의 가루 또는 괴상체(塊狀體)이다. 순수한 것은 무색 투명하거나 백색이다. 풍화된 표면은 기름기 같은 광택이 있으며, 질은 약하고 경도는 1.5~2.0, 비중은 2.1~2.6이고 흡습성이다.

기미 · 귀경 함(鹹), 신(辛), 고(苦), 유독(有毒) · 간(肝), 비(脾), 위(胃)

약효 소적연견(消積軟堅), 화부생기(化腐生氣), 거담(祛痰), 이뇨(利尿)의 효능이 있으므로 징가적취(癥瘕積聚), 열격반위(噎膈反胃), 인후통, 옹종(癰腫), 나력(瘰癧), 목적예장(目赤翳障)을 치료한다.

성분 주성분은 염화암모늄(NH₄Cl)이고, 미량의 철(Fe), 칼슘(Ca), 마그네슘(Mg) 등이 함유되어 있다.

사용법 외용에는 요사를 가루로 만들어 상처에 뿌리거나 연고로 만들어 상처에 바른다. 내복의 경우 알약이나 가루약으로 만들어 0.3~0.5g을 복용한다.

주의 몸이 허약한 사람, 임부, 유아는 사용하지 않는 것이 좋다.

임상 보고 만성비염: 5~7%수용액으로 만들어 70명 환자의 코 점막에 주사한 결과 12명이 치유되었고 51명이 호전되었으며,

6명은 효과가 없었고 1명은 악화되었다.
• 계안(鷄眼): 2%수용액으로 만들어 100명의 환자에게 투여한 결과 88명이 치유되었고 12명이 호전되었다.

◐ 요사

용골

●영명 : Fossilia Ossis Mastodi, Draconis Os   ●한자명 : 龍骨
●별명 : 화용골(化龍骨), 오화용골(五花龍骨), 토용골(土龍骨), 분용골(粉龍骨)

신생대의 코뿔소, 삼지마(三趾馬), 코끼리 등 포유동물의 골격 화석인 토용골(土龍骨)이나 이들 동물의 문치(門齒) 화석인 오화용골(五花龍骨)로 나눈다.

◐ 용골

수치 그대로 사용하거나 하(煆)한 후에 분쇄하여 사용한다. 대한민국약전외한약(생약)규격집(KHP)에 수재되어 있다.

본초서 용골(龍骨)은 용치(龍齒)와 함께 「신

농본초경(神農本草經)」의 상품(上品)에 수재되어 있다. 「명의별록(名醫別錄)」에는 백용골(白龍骨)과 용각(龍角)이 수록되어 있으며, 산지는 진지(晋地, 산시성)의 천곡(川谷) 및 태산(太山)의 용(龍)이 죽은 곳이라고 밝히고 있다. 용(龍)은 중국에서 만들어 낸 영수(靈獸)이다.

神農本草經: 主心腹鬼擊, 精物老魅, 咳逆, 泄痢膿血, 漏下, 癥瘕堅結, 小兒熱氣驚癇.
眞珠囊: 固大腸脱.
本草綱目: 益腎鎭痙, 止陰瘻, 收濕氣脱肛, 生肌斂瘡.

성상 고르지 않은 덩어리 또는 조각이며, 때로는 원주상의 덩어리도 있다. 바깥쪽은 엷은 회백색을 띠고 군데군데 회흑색 또는 황갈색 반점이 붙어 있는 것도 있다. 바깥쪽은 질이 치밀한 두께 2~10mm의 층으로 되어 있고, 그 안쪽은 엷은 갈색을 띤 해면질로 되어 있다. 질은 무겁고 단단하나 부서지기 쉽고 깨뜨리면 작은 조각과 가루로 된다. 냄새와 맛은 없다. 핥으면 혀에 강하게 흡착된다.

품질 질이 단단하면서 가볍고 깨뜨리기 쉬우며, 바깥면에 무늬가 있고 핥으면 혀에 강

하게 흡착되는 느낌을 주는 것이 좋다.

기미 · 귀경 삽(澁), 감(甘), 평(平) · 심(心), 간(肝), 신(腎), 대장(大腸)

약효 진심안신(鎭心安神), 평간잠양(平肝潛陽), 고삽(固澁), 수렴(收斂)의 효능이 있으므로 심계정충(心悸怔忡), 실면건망(失眠健忘), 경간전광(驚癎癲狂), 두훈목현(頭暈目眩), 자한도한(自汗盜汗), 유정유뇨, 붕루대하, 구사구리(久瀉久痢), 습창을 치료한다.

성분 주성분인 $CaCO_3$가 46~82%, 소량의 hydroxyapatite$[3Ca_3(PO_4)_2 \cdot Ca(OH)_2]$, 미량의 SiO_2가 함유되어 있다.

약리 20%용액 0.2mL/10g을 7일간 쥐에게 투여하면 최면율(催眠率)이 증가하는 것으로 보아 진정 작용이 있는 것으로 판단된다.

사용법 용골 10~15g에 물을 넣고 달여서 복용하며, 알약이나 가루약으로도 복용한다. 외용에는 가루 내어 상처에 뿌리거나 연고에 개어서 바른다.

처방 시호가용골모려탕(柴胡加龍骨牡蠣湯): 시호(柴胡) 5g, 반하(半夏) 4g, 백복령(白茯苓) · 계지(桂枝) 각 3g, 황금(黃芩) · 인삼(人蔘) · 대추(大棗) · 용골(龍骨) · 모려(牡蠣) 각 2.5g, 건강(乾薑) · 대황(大黃) 각 1g(『동의보감(東醫寶鑑)』). 가슴이 두근거리고 잘 놀라며 잠을 잘 자지 못하고 성을 잘 내며 가슴과 옆구리가 그득하고 대소변이 순조롭지 않은 증상에 사용한다.

• 계지가용골모려탕(桂枝加龍骨牡蠣湯): 계지(桂枝) · 작약(芍藥) · 용골(龍骨) · 모려(牡蠣) · 생강(生薑) 각 12g, 감초(甘草) 8g, 대추(大棗) 12알(『동의보감(東醫寶鑑)』). 야뇨증, 유정(遺精)이 있고 식은땀이 나는 증상, 아랫배가 당기고 음낭 부위가 찬 증상, 음위증, 신경증에 사용한다.

• 상표초산(桑螵蛸散): 상표초(桑螵蛸) · 원지(遠志) · 석창포(石菖蒲) · 용골(龍骨) · 인삼(人蔘) · 복신(茯神) · 당귀(當歸) · 별갑(鱉甲) 각 20g, 구감초(炙甘草) 10g, 1회 8g을 하루 2회 복용(『동의보감(東醫寶鑑)』). 몸이 허약하여 뿌연 오줌을 자주 누거나 유뇨증(遺尿症), 정액이 저절로 흐르며 건망증이 있는 증상에 사용한다.

○ 용골

○ 용골(잘게 부순 것)

○ 용골(산지에 따라 모양이 약간 다르다.)

용치

● 영명 : Apatite　● 한자명 : 龍齒　● 별명 : 화용골(化龍骨), 오화용골(五花龍骨), 토용골(土龍骨), 분용골(粉龍骨)

중생대와 신생대의 검치코끼리, 코뿔소, 삼지마(三趾馬), 낙타 등 포유동물의 문치(門齒), 견치(犬齒), 구치(臼齒)의 화석이다.

수치 수비(水飛)하거나 구워서 가루로 곱게 빻아서 사용한다.

본초서 용치(龍齒)는 용골(龍骨)과 함께 『신농본초경(神農本草經)』의 상품(上品)에 수재되어 있다.

성상 완전한 치아 모양 또는 부서진 불규칙한 괴상으로, 문치는 끌과 같은 모양이고 견치는 원추상이며 구치는 원주형이다. 재질은 단단하고 단면은 거칠며 흡습성이 있다.

기미 · 귀경 감(甘), 삽(澁), 양(涼) · 심(心), 간(肝)

약효 진심안신(鎭心安神), 청열제번(淸熱除煩)의 효능이 있으므로 경간전광(驚癎癲狂), 심계정충(心悸怔忡), 실면다몽(失眠多夢), 신열심번(身熱心煩)을 치료한다.

성분 주성분인 $CaCO_3$와 소량의 $Ca_3(PO_4)_2$가 함유되어 있다.

사용법 용치 10~15g에 물을 넣고 달여서 복용하며, 알약이나 가루약으로도 복용한다. 외용에는 가루로 만들어 상처에 뿌리거나 연고에 개어서 바른다.

처방 용치진심단(龍齒鎭心丹): 용치(龍齒) · 원지(遠志) · 숙지황(熟地黃) · 천문동(天門冬) · 산약(山藥) 각 240g, 오미자(五味子) · 백복령(白茯苓) · 맥문동(麥門冬) · 차전자(車前子) · 지골피(地骨皮) · 복신(茯神) · 계심(桂心) 각 200g(『의림(醫林)』). 가슴이 두근거리고 잘 놀라며 건망증이 있고 얼굴이 창백하며 사지에 힘이 없는 증상에 사용한다.

• 구등산(鉤藤散): 조구등(釣鉤藤) · 대황(大黃) 각 20g, 황금(黃芩) 0.2g, 용치(龍齒) 40g, 석고(石膏) · 맥문동(麥門冬) 각 1.2g, 치자(梔子) 0.4g, 가루로 만들어 1회 4g 복용(『성혜방(聖惠方)』). 수족경련(手足痙攣)에 사용한다.

○ 용치

○ 용치

우여량

구사구리   붕루대하

치루

● 영명 : Limonite   ● 한자명 : 禹餘粮

● 우여량(황색)

점토를 포함하고 있는 덩어리 모양의 갈철석(褐鐵石, Limonite) 일종으로, 산화제이철수화물($Fe_2O_3 \cdot H_2O$)의 상태로 있다.

수치 황색 또는 황갈색, 자주색을 띠는 것을 채취하여 잡질을 제거하고 건조한다.

본초서 우여량(禹餘粮)은 「신농본초경(神農本草經)」에 수재되었으며, "피부를 탄력 있게 하며 통증을 가라앉힌다."고 하였다.

성상 불규칙한 사방괴상(斜方塊狀)으로 크기가 고르지 않다. 표면은 갈색~적갈색으로 울퉁불퉁하며 황색 분말이 덮여 있고 약간의 광택이 난다. 맛은 담담하고 비린내가 약간 난다.

품질 단면이 층을 이루고 형태가 완전한 것이 좋다.

기미 · 귀경 평(平), 감(甘), 삽(澁), 미한(微寒) · 비(脾), 위(胃), 대장(大腸)

약효 삽장지사(澁腸止瀉), 수렴지혈(收斂止血)의 효능이 있으므로 구사구리(久瀉久痢), 붕루대하(崩漏帶下), 치루(痔漏)를 치료한다.

성분 FeO(OH)와 FeO(OH) · nH_2O와 점토 및 유기질로 구성된다. 그 외 다량의 인산염, 알루미늄(Al), 마그네슘(Mg), 칼륨(K), 나트륨(Na) 등의 무기 원소가 함유되어 있다.

사용법 외용에는 우여량을 가루로 만들어 환부에 뿌리거나 연고와 섞어서 바른다.

● 우여량

운모

심계, 실면   현훈, 전간   구사

대하   외상출혈, 습진

● 영명 : Mucovite   ● 한자명 : 雲母   ● 별명 : 운화(雲華), 운주(雲珠), 운영(雲英), 운액(雲液), 운사(雲砂), 은정석(銀精石), 운분석(雲粉石), 천층지(千層紙), 금성석(金星石)

단사정계의 광물로 결정체는 널 조각 모양이거나 덩어리 모양이다. 외관은 육각 기둥형 또는 마름모꼴이며 어떤 때는 단일체가 송곳 모양을 나타내며 가로무늬가 뚜렷하게 있는 것도 있다. 또 쌍정체(雙晶體)인 것도 있는데, 밀집한 비늘 모양의 덩어리로 산출된다. 일반적으로 무색이지만 연한 황색, 연한 녹색, 연한 회색 등의 색깔을 약간 띤 것도 있다. 대한민국약전외한약(생약)규격집(KHP)에 수재되어 있다.

수치 운모를 질그릇에 넣고 새빨갛게 될 때까지 태우고 식힌 것을 단운모(煅雲母)라 하여 약용한다.

본초서 운모(雲母)는 「신농본초경(神農本草經)」에 수재되어 "새살을 돋아나게 하며 중풍으로 멀미가 난 듯한 증상, 병의 원인을 제거하고 오장을 안정시키며 몸을 튼튼히 하며 눈을 밝게 한다."고 하였다. 「본초연의(本草衍義)」에는 "운모고(雲母膏)를 섞으면 모든 종기를 치료한다."고 기록되어 있다.

성상 불규칙한 편상으로 크기가 고르지 않다. 바깥면은 엷은 황갈색, 엷은 녹색, 엷은 회색으로 진주 또는 유리와 같은 광택이 있다. 조흔(條痕)은 백색이며 유리와 같은 광택이 있다. 약간 투명하고 경도는 2~3이고 비중은 2.76~3.10이며 박편은 탄력성과 절연성이 있다.

품질 유리 모양의 광택이 나는 것이 좋다.

기미 · 귀경 감(甘), 온(溫) · 심(心), 간(肝), 폐(肺)

약효 안신진경(安神鎭驚), 염창지혈(斂瘡止血)의 효능이 있으므로 심계(心悸), 실면(失眠), 현훈(眩暈), 전간(癲癇), 구사(久瀉), 대하(帶下), 외상출혈, 습진을 치료한다.

성분 $KAl_2(AlSi_3)O_{10}(OH,F)_3$가 함유되어 있다. 조성은 SiO_2 43.44%, Al_2O_3 29.56%, Na_2O 2.51%, K_2O 10.11%, Fe_2O_3 6.68%, CaO 0.53%, MgO 2.13%, H_2O 5.14%이다.

사용법 운모 10~15g에 물 3컵(600mL)을 넣고 달여서 복용하거나 알약이나 가루약으로 만들어 복용하며, 외용에는 가루로 만들어 환부에 뿌리거나 연고와 섞어서 바른다.

주의 음허화왕(陰虛火旺) 및 변비에는 복용하지 않는다.

처방 운모고(雲母膏): 운모(雲母) · 초석(硝石) · 감초(甘草) 각 16g, 괴지(槐枝) · 유지(柳枝) · 진피(陳皮) · 상백피(桑白皮) · 측백엽(側柏葉) 각 8g, 산초(山椒) · 백지(白芷) · 몰약(沒藥) · 작약(芍藥) · 육계(肉桂) · 당귀(當歸) · 황기(黃耆) · 혈갈(血竭) · 석창포(石菖蒲) · 백급(白芨) · 천궁(川芎) · 목향(木香) · 백렴(白蘞) · 방풍(防風) · 후박(厚朴) · 사향(麝香) · 길경(桔梗) · 시호(柴胡) · 송지(松脂) · 인삼(人蔘) · 황금(黃芩) · 창출(蒼朮) · 용담(龍膽) · 합환피(合歡皮) · 유향(乳香) · 부자(附子) · 적복령(赤茯苓) 각 2g, 황단(黃檀) 56g, 기름 150g (「의림(醫林)」). 모든 창양(瘡瘍)과 악창(惡瘡)에 사용한다.

● 운모(유리 같은 광택이 있다.)

● 운모(연한 회색)

● 운모 가운데 질이 부드러운 것을 견운모(絹雲母)라 하며 화장품 원료로 사용된다.

● 운모

웅황

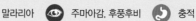

●영명 : Realgar　●한자명 : 雄黃　●별명 : 황식석(黃食石), 석웅황(石雄黃), 석황(石黃), 황석(黃石), 훈황(熏黃), 천양석(天陽石), 계관석(鷄冠石)

황화물류(黃化物類)의 광물이다.

수치 가루로 만들어 수비(水飛)하여 위에 뜨는 검은 것을 버리고, 남는 것을 건조하여 다시 가루로 곱게 빻아서 사용한다.

본초서 웅황(雄黃)은 「신농본초경(神農本草經)」에 수재되어 있고, 오보(吳普)는 "산속의 양지에서 생산되고 등황색이므로 웅황이라고 한다."고 하였다.

성상 불규칙한 덩어리 또는 분말상으로 짙은 홍색~등홍색이다. 덩어리 바깥면은 엷은 등황색 가루로 덮여 있다. 부서진 면은 수지 모양의 광택이 있으며 작은 구멍이 있고 무겁다. 손으로 만지면 등황색 가루가 묻어난다. 특이한 냄새가 있고 맛은 덤덤하다. 경도는 1.5~2, 비중은 3.4~3.6이다.

기미·귀경 신(辛), 고(苦), 온(溫), 유독(有毒)·간(肝), 위(胃)

약효 해독, 살충, 조습(燥濕), 거담(祛痰)의 효능이 있으므로 옹저정창(癰疽疔瘡), 주마아감(走馬牙疳), 후풍후비(喉風喉痺), 개선(疥癬), 습독창(濕毒瘡), 치창(痔瘡), 독사교상(毒蛇咬傷), 충적(蟲積), 경간(驚癎), 말라리아, 효천(哮喘)을 치료한다.

성분 이황화비소(As₂S₂)이며, 소량의 규소(Si), 납(Pb), 철(Fe), 망간(Mn), 마그네슘(Mg) 등이 함유되어 있다.

약리 0.1%의 이황화비소는 황색 포도상구균에 항균 작용이 있다. 일본흡충을 쥐의 꼬리에 감염시키기 전에 웅황(雄黃), 빈랑(檳榔), 아위(阿魏), 육계(肉桂)로 배합한

것 0.2mL/20g을 3일 전에 미리 투여하고 감염시킨 후에 계속하여 쥐에게 투여하면 성충 감소율이 75%에 이르고 동물무충(動物無蟲)이 14%에 이른다. 물에 녹지만 이것을 태워서 ZnO로 하거나 또는 초산으로 가용성의 Zn 염으로 하면 조직의 단백질을 침전시키며 수렴(收斂), 부식(腐蝕) 작용을 나타낸다.

사용법 웅황을 가루 내어 1회 0.1g 복용하며, 타박상에 의한 출혈에는 가루를 내어 뿌리거나 연고와 섞어서 바른다.

주의 신열유독(辛熱有毒)하므로 가능한 내복하지 않는 것이 좋다.

처방 지보단(至寶丹): 서각(犀角)·주사(朱砂)·석웅황(石雄黃)·호박(琥珀)·패모(貝母) 각 40g, 우황(牛黃) 20g, 용뇌(龍腦)·사향(麝香) 각 10g, 은박(銀箔)·금박(金箔) 각 50장 『동의보감(東醫寶鑑)』. 갑자기 풍사를 받아서 말을 하지 못하고 정신을 차리지 못하는 증상, 중악(中惡)으로 숨이 차고 가슴이 답답하며 정신을 잃고 넘어지는 증상에 사용한다.

•자금정(紫金錠): 산자고(山慈姑) 80g, 오배자(五倍子) 120g, 대극(大戟) 60g, 속수자(續隨子) 40g, 사향(麝香) 12g, 석웅황(石雄黃) 40g, 주사(朱砂) 20g. 알약으로 만들어 1회 40g을 박하탕(薄荷湯)과 함께 복용 『편옥심서(片玉心書)』. 외사(外邪)나 식중독에 의한 오심구토, 복통, 설사 등에 사용한다. 최근에는 이하선염(耳下腺炎), 옹(癰), 정(疔), 절(癤) 등 주로 외용으로 사용한다.

● 웅황

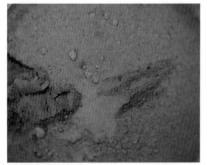

● 웅황(분말)

● 웅황

● 웅황(등황색 가루로 덮여 있다.)

유황

양위, 유정, 요빈 | 대하, 음식 | 한천
심복냉통, 구사구리, 변비 | 개창, 완선, 독창

●영명 : Sulfur　●한자명 : 硫黃　●별명 : 석류황(石硫黃), 석유황(石留黃), 황아(黃牙)

유황족(硫黃族) 광물인 함유황물(含硫黃物)을 정련한다. 대한민국약전외한약(생약)규격집(KHP)에 수재되어 있다.

본초서 유황(硫黃)은 「신농본초경(神農本草經)」의 중품(中品)에 "유황(硫黃)은 화산(火山)에서 생산되므로 화구(火口)에서 분출하여 나와서 굳어진 용류유황(溶流硫黃)이라는 뜻에서 석류황(石硫黃)이라고 한다."고 수재되어 있으며, 오늘날에는 유황(硫黃)으로 부른다.

성상 천연 유황의 정체는 사방정계(斜方晶系)로 결정체는 추주상(錐柱狀), 판주상, 판상이거나 대부분이 치밀한 입괴상(粒塊狀) 또는 괴상이다. 순수한 황은 담황색, 녹황색이고, 대부분은 담황색, 회황색을 띤다. 결정체의 면에는 금강석의 광택이 있고 반투명하다. 경도는 1~2, 비중은 2.05~2.08이다.

기미 · 귀경 산(酸), 열(熱), 유독(有毒) · 신(腎), 비(脾), 대장(大腸)

약효 보화장양(補化壯陽), 온비통변(溫脾通便), 살충지양의 효능이 있으므로 양위(陽痿), 유정, 요빈(尿頻), 대하, 한천(寒喘), 심복냉통(心腹冷痛), 구사구리(久瀉久痢), 변비, 개창(疥瘡), 완선(頑癬), 독창(禿瘡), 천포창(天疱瘡), 습독창(濕毒瘡), 음식(陰蝕), 음저(陰疽), 악창을 치료한다.

성분 주성분은 유황(S)이고, 소량의 비소(As), 셀레늄(Se) 등이 함유되어 있다.

약리 가루를 피부에 바르면 피부 각화에 관여하는 −SH기를 S−S로 변화시켜 각질을 연화시킨다. 유황 가루를 피부에 바르면 sulfur의 일부가 H_2S나 polythionic acid, pentathionic acid로 되어 항균 작용을 나타내며 기생충성 피부 질환에도 효과를 나타낸다. 유황을 내복하면 위에서는 변하지 않으나 장내 세균에 의해 환원되어 일부가 H_2S로 된다. 이것이 장내 알칼리와 반응하여 NaHS로 변화되어 장관을 자극하여 연동 운동을 항진시키므로 사하 작용이 일어난다.

확인 시험 공기 중에서 태울 때 청색 불꽃을 내고 이산화황의 자극성 냄새가 난다. 수산화나트륨 시액 5mL를 넣어 수욕 중에서 가열하여 녹이고 식힌 다음, 니트로푸루실나트륨 시액 1방울을 넣을 때 액은 청자색을 나타낸다.

사용법 1회 분량은 0.5g이며, 외용에는 가루로 만들어 상처에 뿌리거나 연고와 개어서 바른다.

주의 임부(姙婦)나 음허화왕(陰虛火旺)의 증상이 있는 경우는 복용하지 않는다.

처방 반류환(半硫丸) : 반하(半夏) · 유황(硫黃) 동량(「동의보감(東醫寶鑑)」). 노인이 담이 몰려 변비가 생긴 증상, 위장이 허하여 배가 차고 갈증은 없으면서 변비가 있는 증상에 사용한다. 1알이 0.3g이 되게 만들어 1회 50알씩 복용한다.

• 유황탕(硫黃湯) : 유황(硫黃) 160g, 오수유(吳茱萸) · 토사자(菟絲子) 각 60g, 사상자(蛇床子) 40g(「동의보감(東醫寶鑑)」). 해산 후 자궁이 처지는 증상에 사용한다. 위의 약을 가루로 만들어 1회 20g씩 물을 넣고 달여서 뜨거울 때 국부에 김을 쏘이면서 씻는다.

• 흑석단(黑錫丹) : 흑석(黑石) · 유황(硫黃) 각 80g, 부자(附子) · 파고지(破古紙) · 육두구(肉荳蔲) · 회향(茴香) · 고련자(苦楝子) · 양기석(陽起石) · 목향(木香) · 침향(沈香) · 호로파(胡蘆巴) 각 40g, 육계(肉桂) 20g(「제중신편(濟衆新編)」). 비신(脾腎)이 허(虛)하여 배가 차고 아프며 싸늘해지고 식은땀이 나는 증상, 음위증이 있으면서 허리와 무릎에 기운이 빠지는 증상에 사용한다. 1알이 0.3g이 되게 만들어 1회 30~50알씩 복용한다.

• 무이산(蕪荑散) : 무이(蕪荑) 40g, 빈랑자(檳榔子) · 오수유(吳茱萸) 각 20g, 유황(硫黃) 8g(「동의보감(東醫寶鑑)」). 여러 가지 버짐에 사용한다. 가루로 만들어 돼지기름이나 참기름에 개어 바른다.

✿ 유황

✿ 유황(잘게 부순 것)

✿ 유황(분말)

✿ 유황 제품

은박

●영명 : Argentum Foil   ●한자명 : 銀箔   ●별명 : 은박(銀薄), 은혈(銀頁), 은박(銀泊)

원소 광물인 자연은(自然銀, Native Silver)을 가공하여 박편으로 만든 것이다. 대한민국약전외한약(생약)규격집(KHP)에 수재되어 있다.

본초서 「본초강목(本草綱目)」에는 "이아(爾雅)에 백금(白金)을 은(銀)이라고 하므로, 은(銀)은 백금(白金)이라고도 한다."고 하였다.

성상 아름다운 은색 광택이 나는 금속으로 구리와 함께 대표적인 유색 금속이다. 바깥면은 은백색~담회색의 광택이 있고 불투명하다. 경도는 2.5~3, 비중은 10.1~11.1이다.

기미·귀경 신(辛), 평(平)·심(心), 간(肝)

약효 안신(安神), 진경(鎭驚), 정간(定癎)의 효능이 있으므로 경간전광(驚癎癲狂), 심계황홀(心悸恍惚), 야불안침(夜不安寢)을 치료한다.

성분 은(Ag)이 주성분이다.

사용법 은박을 우황청심환(牛黃淸心丸)과 같이 알약에 입혀서 사용한다. 외용에는 가루로 만들어서 상처에 뿌리거나 연고에 개어서 바른다.

주의 연분(煉粉)한 것은 복용하지 말아야 한다.

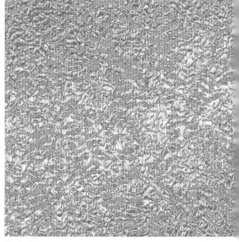

○ 은박

자석

현훈, 이명   목화, 이롱
경계, 실면   신허천역

●영명 : Magnetite   ●한자명 : 磁石   ●별명 : 현석(玄石), 자군(磁君), 처석(處石), 연년사(延年沙), 속미석(續未石), 습침(拾針), 녹추(綠秋), 복석모(伏石母)

산화물류(酸化物類)의 첨정석족(尖晶石族) 광물인 자철광이다. 대한민국약전외한약(생약)규격집(KHP)에 수재되어 있다.

수치 분쇄하여 그대로 사용하거나, 불에 달구어 식초에 담그기를 여러 번 한 다음 가루 내어 수비(水飛)한다.

본초서 자석(磁石)은 「신농본초경(神農本草經)」에 수재되어 있으며, 「본초강목(本草綱目)」에는 "자석(磁石)은 철(鐵)을 취하는 형상이 자상한 어머니가 자식을 끌어안는 모습과 유사하므로 자석(慈石)이라고 하게 되었으며, 뒤에 자석(磁石)으로 바뀌었다."고 하였다.

성상 지름 3~20mm의 정육면체로 바깥면은 평탄하며 회녹흑색~엷은 흑갈색 또는 황록색을 나타내고 금속 광택이 있다. 자른 면은 황백색이며 질은 굳으나 쉽게 깨뜨려진다. 경도는 6.0~6.5, 비중 4.9~5.2이며, 약간의 특이한 냄새와 신맛이 있다.

기미·귀경 함(鹹), 평(平)·신(腎), 간(肝)

약효 평간잠양(平肝潛陽), 안신진경(安神鎭驚), 총이명목(聰耳明目), 납기평천(納氣平喘)의 효능이 있으므로 현훈(眩暈), 목화(目花), 이롱(耳聾), 이명(耳鳴), 경계(驚悸), 실면(失眠), 신허천역(腎虛喘逆)을 치료한다.

성분 주성분은 사산화삼철(Fe$_3$O$_4$)이고, 그 중에 FeO가 31%, Fe$_2$O$_3$가 69%이며, 소량의 규소(Si), 납(Pb), 인(P), 칼슘(Ca), 스트론튬(Sr), 마그네슘(Mg) 등이 함유되어 있다.

약리 쥐에게 초과립(0.2~1μm) 50mg/kg을 정맥주사하면 혈액 중의 적혈구와 백혈구가 균형을 유지한다. 100% 자석 용액 15g/kg을 쥐에게 투여하면 수면 시간을 연장시키는 것으로 보아 진정 작용이 있는 것으로 생각된다.

사용법 자석 10g에 물 3컵(600mL)을 넣고 달여서 복용하거나 알약으로 만들어 복용한다. 외용에는 가루로 뿌리거나 연고로 만들어 바른다.

주의 비위허약(脾胃虛弱)에는 피하고 장기간 복용은 금한다.

처방 자석보음환(磁石補陰丸) : 숙지황(熟地黃) 320g, 자석(磁石)·귀판(龜板)·산약(山藥)·산수유(山茱萸) 각 160g, 적복령(赤茯苓)·목단피(牡丹皮)·택사(澤瀉) 각 120g, 오미자(五味子)·질려자(蒺藜子) 각 80g, 전갈(全蝎) 40g(「보양처방집(補陽處方集)」). 노년기에 신음 부족으로 귀에서 소리가 나고 잘 듣지 못하는 증상에 사용한다.

• 자석양신환(磁石羊腎丸) : 자석(磁石) 80g(자석 120g을 불에 달구어서 총백(蔥白)·목통(木通) 각 120g과 함께 물을 넣고 2시간 달인 다음 자석만 꺼내어 수비한 것), 천궁(川芎)·백출(白朮)·산초(山椒)·대추(大棗)·방풍(防風)·복령(茯苓)·세신(細辛)·산약(山藥)·원지(遠志)·부자(附子)·목향(木香)·당귀(當歸)·녹용(鹿茸)·토사자(菟絲子)·황기(黃耆) 각 40g, 숙지황(熟地黃)·석창포(石菖蒲) 각 60g, 육계(肉桂) 26g(「동의보감(東醫寶鑑)」). 노년기에 기혈 부족으로 귀에서 소리가 나고 잘 듣지 못하는 증상에 사용한다.

○ 자석

○ 자석(잘게 부순 것)

○ 자석(분말)

자석영

심계정충 | 경간
폐한해역상기 | 궁한불잉

●영명 : Fluorite ●한자명 : 紫石英 ●별명 : 형석(螢石), 자수정(紫水晶)

황화물류(黃化物類)의 광물이다. 대한민국 약전외한약(생약)규격집(KHP)에 수재되어 있다.

수치 불에 달구어 식초에 담그기를 3번 반복하고 수비(水飛)하여 약한 불에 말린 후 곱게 빻아서 가루를 만들어 사용한다.

본초서 자석영(紫石英)은 「신농본초경(神農本草經)」에 수재되어 있으며, 중국 약전품이다. 형석(螢石)으로서 불석(弗石)이라고도 한다.

성상 등축정계(等軸晶系)로 매우 좋은 결정체는 정육면체, 팔면체, 능형이고, 약으로 사용되는 것은 치밀한 괴상 집합체이다. 보통 옅은 녹색, 옅은 자주색, 자흑색 등 진하고 흐림이 같지 않으며, 옅은 녹색과 옅은 자주색이 대부분이다. 경도는 4, 비중은

3.2이고 성질은 약하다.

기미·귀경 감(甘), 신(辛), 온(溫)·간(肝), 폐(肺), 신(腎)

약효 진심정경(鎭心定驚), 온폐강역(溫肺降逆), 산한난궁(散寒暖宮)의 효능이 있으므로 심계정충(心悸怔忡), 경간(驚癇), 폐한해역상기(肺寒咳逆上氣), 궁한불잉(宮寒不孕)을 치료한다.

성분 주성분인 형석(CaF₂)과 소량의 삼산화철(Fe₂O₃)이 함유되어 있다.

약리 자석영은 중추 신경을 흥분시키고 난소 분비를 촉진하는 작용이 있다.

사용법 자석영 10~15g에 물을 넣고 달여서 복용하며, 알약이나 가루약으로도 복용한다.

○ 자석영(옅은 녹색)

○ 자석영

자연동

타박상 | 근단골절
어체종통

●영명 : Pyritum ●한자명 : 自然銅 ●별명 : 석수연(石髓沿), 방괴동(方塊銅)

황화물류(黃化物類) 황철광의 황화철이다. 등축정계(等軸晶系)로 결정체가 완전한 것은 정육면체, 팔면체이고, 드물게 사함석(蛇含石) 및 종유체이다. 대한민국약전외한약(생약)규격집(KHP)에 수재되어 있다.

수치 가루로 만들어 초(醋)를 뿌려서 하(煆)하여 사용한다.

본초서 자연동(自然銅)은 「뇌공포자론(雷公炮炙論)」에 처음 수재되었으며, 「개보본초

(開寶本草)」에는 "그 색이 청황(靑黃)으로 동(銅)과 같고, 광물을 제련하여 만들지 않으므로 붙여진 이름이다."라고 기록되어 있다.

성상 결정체에는 조문(條紋)이 있고, 서로 인접한 곳에서는 조문이 서로 수직이다. 일반적으로 등황색, 흑갈색 또는 흑녹색으로 금속 광택이 있다. 경도는 6~6.5, 비중은 4.7~5.2이다.

기미·귀경 신(辛), 평(平)·간(肝), 신(腎)

약효 산어지통(散瘀止痛), 속근접골(續筋接骨)의 효능이 있으므로 타박상, 근단골절(筋斷骨折), 어체종통(瘀滯腫痛)을 치료한다.

성분 주성분은 이황화철(FeS₂)이고, 소량의 동(Cu), 니켈(Ni), 비소(As), 안티몬(Sb), 규소(Si), 바륨(Ba), 납(Pb) 등이 함유되어 있다.

약리 집토끼의 요골(撓骨)을 골절시킨 뒤 100% 자연 동약액 2mL를 20일간 투여한 결과 불용성 collagen이 현저하게 증가하였다. 이는 뼈의 재결합을 촉진하는 증거이다. 시험관에서 자연동은 석고양모선균(石膏樣毛癬菌), 토곡매균(土曲莓菌) 등에 항진균 작용을 나타낸다.

사용법 자연동 10~15g에 물 3컵(600mL)을 넣고 달여서 복용하거나 가루약으로 만들어 1회 0.3g을 복용한다.

주의 음허화왕(陰虛火旺), 혈허무어(血虛無瘀)에는 사용하지 않는다.

처방 자연동산(自然銅散): 유향(乳香)·몰약(沒藥)·소목(蘇木)·자단향(紫檀香)·부자(附子)·송절(松節)·자연동(自然銅) 각 20g, 구인(蚯蚓)·용골(龍骨)·수질(水蛭) 각 10g, 혈갈(血竭) 6g, 누고(螻蛄) 5마리 (「동의보감(東醫寶鑑)」). 타박으로 뼈가 상하고 어혈이 생긴 데 사용한다.

• 팔리산(八釐散): 소목(蘇木) 20g, 홍화(紅花) 80g, 마전자(馬錢子) 4g, 자연동(自然銅)·유향(乳香)·몰약(沒藥)·혈갈(血竭) 각 12g, 사향(麝香) 0.4g, 정향(丁香) 2g, 가루로 만들어 3g씩 복용 (「의종금감(醫宗金鑑)」). 타박상과 근골절상(筋骨折傷)에 사용한다.

○ 자연동

○ 자연동(분말)

○ 자연동(결정체에는 조문(條紋)이 있다.)

자황

📁 개선, 악창, 사충교상		🫁 한담해천	
❤️ 전간		🔥 충적복통	

● 영명 : Orpiment ● 한자명 : 雌黃 ● 별명 : 황금석(黃金石), 석황(石黃), 천양석(天陽石), 황석(黃石), 계관석(鷄冠石), 비황(砒黃)

황화물류(黃化物類)의 자황(雌黃)이다. 대한민국약전외한약(생약)규격집(KHP)에 수재되어 있다.

수치 가루로 만들어 수비(水飛)하여 위에 뜨는 검은 것을 버리고 남는 것을 건조하여 다시 가루로 곱게 빻아서 사용한다.

본초서 자황(雌黃)은 「신농본초경(神農本草經)」에 수재되어 있는데, 도홍경(陶弘景)은 "산속의 음지에서 생산되고 황색을 띠므로 붙여진 이름이다."라고 하였다.

성상 알갱이, 비늘조각 또는 흙 모양의 집합체로 불규칙한 덩어리이다. 일반적으로 황색이나 등황색을 띠는 웅황(雄黃)과 섞여 있어서 구별이 잘 안될 때가 있다. 바깥면은 보통 황색 가루로 덮여 있고 막대 흔적은 등황색이며 약간의 광택이 있고 반투명하다. 손톱으로 긁으면 비교적 매끄럽고 자국이 생긴다. 잡질이 함유된 것은 회녹색을 띠고 불투명하며 광택이 없다. 비교적 무겁고 질은 약하여 부스러지기 쉬우며 가로로 자른 면은 수지 모양의 광택이 있다. 마늘 같은 냄새가 있다.

기미·귀경 신(辛), 평(平), 유독(有毒)

약효 조습(燥濕), 살충(殺蟲)의 효능이 있으므로 개선(疥癬), 악창(惡瘡), 사충교상(蛇蟲咬傷), 한담해천(寒痰咳喘), 전간(癲癇), 충적복통(蟲積腹痛)을 치료한다.

성분 이황화비소(As$_2$S$_2$)이며, 소량의 삼황화안티몬(Sb$_2$S$_3$), 이유화철(FeS$_2$), 이산화규소(SiO$_2$) 등이 함유되어 있다.

사용법 자황을 가루 내어 1회 0.15~0.3g을 복용하며, 외용에는 가루를 내어 뿌리거나 연고와 섞어서 바른다.

주의 음허혈휴(陰虛血虧)한 사람이나 임부는 복용을 금한다.

○ 자황

적석지

🔥 구사구리, 변혈		🫘 탈항, 유정	
♀ 붕루, 대하		📁 습진, 외상출혈	

● 영명 : Halloysite, Halloysitum Rubrum ● 한자명 : 赤石脂 ● 별명 : 적부(赤符), 홍고령(紅高嶺), 적석토(赤石土), 홍토(紅土)

규산염류 광물인 고령토, 즉 도토(陶土)의 일종인데, 장석(長石)의 열과 탄산 함유의 물에 의하여 침습을 받아 분해되어 생기는 붉은색의 괴상체인 찰흙이다. 고령토를 곱게 빻아서 그릇에 넣고 물을 부어서 교반한 뒤에 기울여서 뜨는 것은 버린다. 이것을 3회 반복한 뒤에 남는 것을 약으로 사용한다. 대한민국약전외한약(생약)규격집(KHP)에 수재되어 있다.

수치 불에 달구어 식초에 담그기를 3번 반복하고 수비(水飛)하여 약한 불에 말린 후 곱게 빻아서 가루로 사용한다.

성상 크기가 고르지 않은 덩어리, 편상(片狀), 과립 또는 가루이다. 밝은 붉은색~어두운 붉은색으로 광택이 있으며 질이 무겁고 부스러지기 쉬우며 편상으로 된 것은 파쇄하기가 더욱 쉽다. 경도 2.5~3.5, 비중 8.0~8.2, 냄새와 맛은 없다.

품질 색은 선홍색이고 광택이 있으며 무겁고 질은 부서지기 쉬운 것이 좋다.

기미·귀경 감(甘), 삽(澁), 산(酸), 온(溫), 유독(有毒) · 대장(大腸), 위(胃)

약효 삽장고탈(澁腸固脫), 지혈수습렴창(止血收濕斂瘡)의 효능이 있으므로 구사구리(久瀉久痢), 탈항(脫肛), 변혈(便血), 붕루(崩漏), 대하, 유정(遺精), 창양구궤불렴(瘡瘍久潰不斂), 습진, 외상출혈을 치료한다.

성분 주성분은 Al$_4$(Si$_4$O$_{10}$)(OH)$_8$ · 4H$_2$O이고, 상당량의 산화철(Fe$_2$O$_3$/소량의 Al$_2$O$_3$, SiO$_2$ 함유), 미량의 규소(Si), 산화철(FeO), 알루미늄(Al), 망간(Mn), 마그네슘(Mg), 칼슘(Ca), 니켈(Ni) 등이 함유되어 있다.

약리 집토끼를 80%황인 1mL로 7×12cm 면적의 화상을 입히면 사망률이 50%이고, 혈액 중의 황인이 높아지며 간과 신장을 손상시킨다. 이후 적석지가 배합된 약과 녹두탕(綠豆湯)으로 바르면 혈중의 황인이 줄어들고 배출이 촉진되어 사망률이 떨어진다.

사용법 적석지 10~15g에 물을 넣고 달여서 복용하며, 알약이나 가루약으로 만들어 복용한다. 외용에는 가루로 곱게 빻아서 붙이거나 연고로 만들어 바른다.

주의 수렴고삽(收斂苦澁)하므로 습열적체(濕熱積滯)의 실열증(實熱症)에는 피하며, 임부는 복용하지 말아야 한다.

처방 진주산(珍珠散): 노감석(爐甘石) 320g, 진주(珍珠) 4g, 호박(琥珀) 2.8g, 종유석(鐘乳石) 2.4g, 주사(朱砂) · 상피(象皮) 각 2g, 용골(龍骨) · 적석지(赤石脂) 각 1.6g, 혈갈(血竭) 0.8g을 가루로 만들어 환부에 뿌리거나 참기름에 개어서 붙인다(「장씨의통(張氏醫通)」). 화농성 감염이나 만성궤양이 오래되어도 낫지 않을 때 사용한다.

○ 적석지(분말)

○ 적석지(잘게 부순 것)

○ 적석지

주사

	창양궤란, 개선, 좌창		거담
	변비		매독, 감창		주사비

●영명 : Cinnabar　●한자명 : 朱砂　●별명 : 단율(丹栗), 주단(朱丹), 적단(赤丹), 단사(丹砂), 진주(眞珠), 홍사(汞沙), 광명사(光明沙), 진사(辰砂)

천연산 황화물류(黃化物類)의 진사족(辰砂族) 광물이다. 삼방정계(三方晶系)로 결정체는 두꺼운 판상이나 능면체로 이루어지고, 대개는 입상(粒狀), 치밀한 괴상으로 출현한다. 전체는 붉은색이며, 표면은 풍화로 인하여 적갈색 또는 연회색을 나타낸다. 조흔(條痕)은 붉은색이고 금강석의 광택이 나며 반투명하다. 대한민국약전외한약(생약)규격집(KHP)에 수재되어 있다.

수치 주사(朱砂)를 곱게 갈아서 물을 넣고 현탁시킨 뒤 가만히 둔다. 그 후 밑에 가라앉는 고운 가루를 취하거나, 고운 가루로 만든 다음 자석으로 철을 제거하여 사용한다. 때로는 수비(水飛)하여 사용한다.

본초서 「신농본초경(神農本草經)」의 상품(上品)에 단사(丹沙)라는 이름으로 수재되어 있고, 「명의별록(名醫別錄)」에는 "분말로 만든 것을 진주(眞珠)라 한다."고 기록되어 있으며, 도홍경(陶弘景)은 "주사(朱砂)는 지금의 단사(丹砂)이다."라고 기록되어 있다. 소송(蘇頌)은 "진주(辰州)에서 생산되는 것이 품질이 좋으므로 진사(辰砂)라는 이름이 붙었다."고 하였다.

성상 크기가 고르지 않은 덩어리, 편상(平狀), 과립 또는 가루이다. 밝은 붉은색~어두운 붉은색으로 광택이 있으며 질이 무겁고 부스러지기 쉬우며 편상으로 된 것은 파쇄하기가 더욱 쉽다. 경도는 2.5~3.5, 비중은 8.0~8.2이고, 냄새와 맛은 없다.

품질 광석으로부터 떼어 낼 때, 사방형의 큰 조각으로 된 것으로 두께가 일정하지 않으며, 표면이 광활하여 마치 거울과 같고, 층을 이룬 부분이 어두운 붉은색을 나타내는 것, 색은 선홍색이고 광택이 있으며 무겁고 질은 부서지기 쉬운 것이 좋다.

기미·귀경 신(辛), 한(寒), 유독(有毒)·간(肝), 신(腎), 대장(大腸)

약효 외용공독(外用攻毒), 거부(祛腐), 살충(殺蟲), 지양(止痒)의 효능이 있으므로 거담(祛痰), 축수(逐水), 변비를 치료하는 데는 내복하고, 창양궤란(瘡瘍潰爛), 매독, 감창(疳瘡), 개선(疥癬), 주사비(酒皶鼻), 좌창(痤瘡)을 치료하는 데는 외용한다.

성분 수은(Hg) 86.2%, 유황(S) 13.8%, 유화수은(HgS)의 천연품으로 소량의 흙과 유기물이 협잡되어 있다.

약리 유화수은은 물에 녹지 않으므로 독성은 거의 없고 약리학적인 작용이 거의 없다. 그러나 천연 주사에는 진정 작용이 있어서 동물의 대뇌 중추 신경의 흥분성을 떨어드린다. 토끼에게 경구로 소량씩 투여하면 요중의 총질소량이 증가하고 몸무게도 증가한다. 혈액의 성분에는 변화가 없다. 연고로 만들어 피부에 바르면 피부병 세균의 성장을 억제한다.

확인 시험 백금판상에서 가열하면 남색의 불꽃을 내면서 타고 아황산가스를 발생한다. 왕수에 녹인 것은 수은염의 특이한 반응 및 황산 반응을 나타낸다.

사용법 주사를 1회 0.1g 복용하며, 외용에는 가루 내어 상처에 뿌리거나 연고에 개어서 바른다.

주의 다량을 사용하거나 오랫동안 복용하면 수은 중독을 일으킨다.

처방 주사양격환(朱砂凉膈丸): 황련(黃連)·치자(梔子) 각 40g, 인삼(人蔘)·적복령(赤茯苓) 각 20g, 주사(朱砂) 12g, 용뇌(龍腦) 2g(「동의보감(東醫寶鑑)」). 상초(上焦)에 허열이 심하여 입안과 코가 마르고 헐며 가슴이 답답하고 불안하여 잘 놀라는 증상에 사용한다.

• 주사익원산(朱砂益元散): 활석(滑石) 8g, 택사(澤瀉) 4g, 감수(甘遂) 2g, 주사(朱砂) 0.4g(「동의수세보원(東醫壽世保元)」). 소양인이 여름철에 더위를 먹어서 나타나는 증상에 사용한다.

• 주사황련환(朱砂黃連丸): 황련(黃連) 120g, 건지황(乾地黃) 80g, 주사(朱砂) 40g(「동의보감(東醫寶鑑)」). 술을 많이 마신 탓으로 위열(胃熱)이 심하여 입안이 마르고 찬물을 많이 마시며 가슴이 두근거리는 증상에 사용한다.

• 지보단(至寶丹): 서각(犀角)·주사(朱砂)·석웅황(石雄黃)·호박(琥珀)·패모(貝母) 각 40g, 우황(牛黃) 20g, 용뇌(龍腦)·사향(麝香) 각 10g, 은박(銀箔)·금박(金箔) 각 50장(「동의보감(東醫寶鑑)」). 갑자기 풍사를 받아서 말을 하지 못하고 정신을 차리지 못하는 증상, 중악(中惡)으로 숨이 차고 가슴이 답답하며 정신을 잃고 넘어지는 증상에 사용한다.

❍ 주사

❍ 주사(수비 작업)

❍ 주사(수비한 것)

❍ 주사(수비한 것)

종유석

 한담천수, 허로기천 양위조설
요각냉비 | 유즙불통 | 상식납소

● 영명 : Stalactite　● 한자명 : 鐘乳石　● 별명 : 석종유(石鐘乳), 유공유(留公乳), 종유(鍾乳), 공유(公乳), 하석(夏石), 황석사(黃石砂)

탄산염류(炭酸鹽類)의 광물이다. 대한민국약전외한약(생약)규격집(KHP)에 수재되어 있다.

수치 종유석을 잘게 부수어 쇠그릇에 넣고 열을 가하여 붉고 투명하게 되면 식혀서 가루로 만든다.

성상 삼방정계(三方晶系)로 편원추형, 원주형 또는 원주형이며 흰색, 회백색, 황갈색이다. 표면은 거칠고 울퉁불퉁하며, 단면은 비교적 편평하게 보이고, 중심에는 구멍이 있는 것도 있으나 잡질로 물들면 회백색 또는 엷은 황갈색을 나타내고 유리 광택이 있다. 경도는 2.6~2.8이다.

기미 · 귀경 감(甘), 온(溫) · 폐(肺), 신(腎), 위(胃)

약효 온폐(溫肺), 조양(助陽), 이규통유(利竅通乳)의 효능이 있으므로 한담천수(寒痰喘嗽), 허로기천(虛勞氣喘), 양위조설(陽痿早泄), 요각냉비(腰脚冷痺), 유즙불통(乳汁不通), 상식납소(傷食納少), 창저치위(瘡疽痔瘻)를 치료한다.

성분 주성분은 CaCO$_3$이고 그중에 CaO가 56%이다. 이외에 미량의 철(Fe), 마그네슘(Mg), 망간(Mn), 칼슘(C), 인(P) 등이 함유되어 있다.

사용법 종유석 9~15g에 물 3컵(600mL)을 넣고 달여서 복용하고, 외용에는 가루로 만들어 뿌리거나 참기름에 개어서 바른다.

주의 음허화왕(陰虛火旺)에는 사용하지 않으며, 장기간 복용은 금한다.

처방 진주산(珍珠散): 노감석(爐甘石) 320g, 진주(珍珠) 4g, 호박(琥珀) 2.8g, 종유석(鐘乳石) 2.4g, 주사(朱砂) · 상피(象皮) 각 2g, 용골(龍骨) · 적석지(赤石脂) 각 1.6g, 혈갈(血竭) 0.8g을 가루로 만들어 환부에 뿌리거나 참기름에 개어서 붙인다(『장씨의통(張氏醫通)』). 화농성 감염이나 만성궤양이 오래되어도 낫지 않을 때 사용한다.

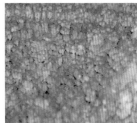
○ 종유석(잘게 부순 것)

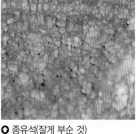
○ 종유석(원석)

○ 종유석

청몽석

 완담해천 | 전간발광 | 번조흉민
경풍추축 | 숙식벽적, 징가

● 영명 : Chloriti Lapis, Chlorite-schist, Chlorite-muscovite　● 한자명 : 靑礞石
● 별명 : 몽석(礞石)

변질암류(變質巖類)의 녹니석(綠泥石) 등으로 조성된 광물이다. 대한민국약전외한약(생약)규격집(KHP)에 수재되어 있다.

수치 청몽석을 염초 80g과 함께 약탕관에 넣고 소금을 섞어 이긴 진흙으로 잘 싸서 발라 햇볕에 말린 다음 벌겋게 되도록 구운 뒤 꺼낸다. 이것을 식힌 후 곱게 빻아서 사용한다.

본초서 청몽석(靑礞石)은 「가우본초(嘉祐本草)」에 몽석(礞石)의 이름으로 처음 수재되어 "과식으로 인한 소화불량을 치료하며, 어린아이의 소화불량으로 몸이 쇠약해지는 데 사용한다."고 하였다. 「본초강목(本草綱目)」에는 "그 색깔이 몽몽연(濛濛然)하므로 붙여진 이름이다."라고 하였다.

성상 운모 탄산염이 편암으로 변화해서 핵상과 인편상 등으로 조성된 집합체이다. 표면은 거칠고 녹색 또는 암녹색을 띠며, 편상(片狀) 구조를 하고 있어서 녹니석 편암이라 하기도 한다. 질은 비교적 엉성하고 쉽게 부서진다. 경도는 2~2.5이다.

기미 · 귀경 감(甘), 함(鹹), 평(平) · 폐(肺), 심(心), 간(肝), 위(胃)

약효 추담하기(墜痰下氣), 평간정경(平肝定驚), 소식공적(消食攻積)의 효능이 있으므로 완담해천(頑痰咳喘), 전간발광(癲癇發狂), 번조흉민(煩燥胸悶), 경풍추축(驚風抽搐), 숙식벽적(宿食癖積), 징가(癥瘕)를 치료한다.

성분 K(Mg · Fe)$_2$ (AlSi$_3$O$_{10}$)$_2$ (OH,F)$_2$

사용법 청몽석 10~15g에 물을 넣고 달여서 복용하거나, 알약이나 가루약으로 만들어 1회 3~6g을 복용한다.

주의 위장이 약한 사람이나 임산부는 복용을 금한다.

처방 청몽석환(靑礞石丸): 반하(半夏) · 황금(黃芩) · 적복령(赤茯苓) · 지실(枳實) 각 120g, 청몽석(靑礞石) · 천남성(天南星) 각 80g, 망초(芒硝) 20g (『동의보감(東醫寶鑑)』). 습열담(濕熱痰)으로 음식이 잘 소화되지 않고 명치 밑이 그득할 때, 식적으로 명치 밑이 그득하고 입맛이 없는 증상에 사용한다. 1알이 0.3g이 되게 만들어 1회 30~50알을 복용한다. 이외에 몽석화담환(夢石化痰丸), 몽석환(夢石丸)이 있다.

＊중국에는 금몽석(金礞石)이라는 광물약이 있다. 이것은 운모편암의 하나로, 담을 삭이고 경련을 멈추게 하는 작용이 있고, 청몽석과 다른 광물이다.

○ 청몽석

○ 청몽석(잘게 부순 것)

○ 청몽석

추석

| 허로영수, 골증골열 | 대하 | 해수, 해혈 |
| 유정, 요빈, 백탁 | 인후통 | |

●영명 : Depositum Urinae Preparatum ●한자명 : 秋石 ●별명 : 추석단(秋石丹), 추빙(秋氷), 담추석(淡秋石)

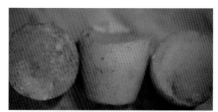

○ 추석(가루를 쇠그릇에 담아 가열하여 성형시킨 것)

인뇨(人尿) 혹은 인중백(人中白)의 가공품이다.

수치 잡질을 제거하고 괴상체(塊狀體)로 만들거나 가루로 만들어 사용한다.

본초서 추석(秋石)은 송대(宋代)의 「증류본초(證類本草)」에 처음 수재되었고, 현재 인뇨(人尿)로 가공하여 사용하나 천연의 추석(秋石)과는 똑같지 않다.

성상 분상집합체(粉狀集合體)로 편원형(扁圓形)이고 백색~회백색으로 붉은색을 약간 띠며, 지름 1.5~2.2cm이다. 표면은 평탄 또는 광활하고 광택이 없으며 불투명하다. 질은 단단하나 부서지기 쉽다.

기미 · 귀경 함(鹹), 한(寒) · 폐(肺), 신(腎)

약효 자음강화(滋陰降火), 지혈소어(止血消瘀)의 효능이 있으므로 허로영수(虛勞羸瘦), 골증골열(骨蒸骨熱), 해수(咳嗽), 해혈(咳血), 인후통(咽喉痛), 유정(遺精), 요빈(尿頻), 백탁(白濁), 대하(帶下)를 치료한다.

성분 주성분은 calcium urate와 calcium phosphate이다.

사용법 추석 10~15g에 물을 넣고 달여서 복용하며, 알약이나 가루약으로 만들어 복용한다.

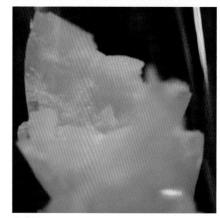

○ 추석

한수석

| 시행열병, 장열번갈 | 수종 | 요폐 |
| 인후통, 구설생창 | 옹저, 단독 | |

●영명 : Glauberitum ●한자명 : 寒水石 ●별명 : 방해석(方解石), 응수석(凝水石), 백수석(白水石), 능수석(凌水石), 염정(鹽精), 수석(水石)

황산염류의 석회망초(石灰芒硝)이다. 대한민국약전외한약(생약)규격집(KHP)에 수재되어 있다.

수치 내복에는 그대로 사용하고, 외용에는 하(煆)하여 사용한다.

본초서 한수석(寒水石)은 「신농본초경(神農本草經)」의 중품(中品)에 수재되어 있으며, 「명의별록(名醫別錄)」에는 별명이 응수석(凝水石)이라고 기록되어 있으며, 색깔이 운모(雲母)와 같다고 기록되어 있다. 중국에는 한수석(寒水石)이 2가지가 있는데, 화북(華北) 지방에서는 홍석고(紅石膏)를, 화남(華南) 지방에서는 방해석(方解石)을 사용한다. 도홍경(陶弘景)은 "이것을 분쇄하면 박초(朴硝)와 비슷하며, 가루로 만들어 물에 넣으면 얼음처럼 되어 응수석(凝水石)이라고 한다."고 하였다.

神農本草經: 主身熱, 腹中積聚邪氣, 皮中如火燒, 煩滿.
藥性論: 壓丹石毒風, 去心煩渴悶, 解傷寒複勞.
本草綱目: 治小便白, 內痺, 凉血降火, 止牙疼, 堅牙明目.

성상 모양과 크기가 고르지 않은 덩어리이다. 바깥면은 회백색이며, 절단면은 광택이 있으며 세로로 날카롭게 모가 나 있다.

품질 백색이며 광택이 나는 것이 좋다.

기미 · 귀경 신(辛), 함(鹹), 한(寒) · 심(心), 위(胃), 신(腎)

약효 청열강화(淸熱降火), 이규(利竅), 소종(消腫)의 효능이 있으므로 시행열병(時行熱病), 장열번갈(壯熱煩渴), 수종(水腫), 요폐(尿閉), 인후통, 구설생창(口舌生瘡), 옹저(癰疽), 단독(丹毒)을 치료한다.

사용법 한수석 6~15g에 물 3컵(600mL)을 넣고 달여서 복용하고, 외용에는 가루로 만들어 뿌리거나 참기름에 개어서 바른다.

성분 홍석고(紅石膏)는 주성분이 $CaSO_4 \cdot 2H_2O$이고, 방해석(方解石)은 $CaCO_3$이다.

주의 비위(脾胃)가 허약한 사람은 복용을 금한다.

처방 한수석산(寒水石散): 한수석(寒水石) · 활석(滑石) 각 40g, 감초(甘草) 10g 「동의보감(東醫寶鑑)」. 어린아이가 여러 원인으로 열이 나고 물을 마셔도 소변이 시원하지 않고 잘 놀라며 군침을 흘리는 증상에 사용한다. 위의 약을 가루로 만들어 1회 4g을 복용한다.

• 한수석환(寒水石丸): 한수석(寒水石) · 활석(滑石) 각 40g, 괄루근(括蔞根) · 감초(甘草) 20g, 주사(朱砂) 8g 「급유방(急幼方)」. 어린아이가 심담(心膽)에 열이 몰려 가슴이 답답하고 손 · 발바닥이 달아오르며 찬물을 자주 마시는 증상에 사용한다.

○ 한수석(분말)　○ 한수석(절단면)　○ 한수석(광택이 있다.)　○ 한수석

현정석

양성음허 장열번갈, 두풍뇌통　　두창, 수화탕상

목적삽통, 예장차정, 중설목설, 인후통

●영명 : Glauberitum, Selenitum　●한자명 : 玄精石　●별명 : 태음현정(太陰玄精),
태음현정석(太陰玄精石), 음정석(陰精石), 현영석(玄英石)

황산염류(黃酸鹽類)의 광물인 석고의 청백색 거북 모양 결정체이다. 대한민국약전외 한약(생약)규격집(KHP)에 수재되어 있다.
수치 물에 씻은 후 건조시킨 뒤 분쇄하여 사용한다.
성상 결정체는 단사정계(單斜晶系)로 판상, 엽편상 또는 치밀한 괴상이며, 보통 백색으로 결정체는 무색투명하고, 잡질이 섞이면 여러 종류의 색깔을 나타낸다. 조흔(條痕)은 백색, 얇은 조각으로 분리시키면 유리 광택이 난다. 경도는 2.3이다.
기미·귀경 함(鹹), 한(寒)·신(腎)
약효 청열(淸熱), 명목(明目), 소담(消痰)의 효능이 있으므로 양성음허(陽盛陰虛), 장열

번갈(壯熱煩渴), 두풍뇌통(頭風腦痛), 목적삽통(目赤澁痛), 예장차정(翳障遮睛), 중설목설(重舌木舌), 인후통, 두창(頭瘡), 수화탕상(水火燙傷)을 치료한다.
성분 주성분은 $CaSO_4 \cdot 2H_2O$이다.
사용법 현정석 9~15g에 물 3컵(600mL)을 넣고 달여서 복용하고, 외용에는 가루로 만들어 뿌리거나 참기름에 개어서 바른다.
주의 음허화왕(陰虛火旺)에는 사용하지 않으며, 장기간 복용을 금한다.

✪ 현정석

호박

경계실면　　경풍전간　　징가적취

혈체경폐, 산후어체복통　　혈림뇨혈

●영명 : Succinum　●한자명 : 琥珀　●별명 : 육패(育沛), 호백(虎魄), 호박(虎珀), 강주(江珠),
호백(琥魄), 혈호박(血琥珀), 혈박(血珀)

소나무 또는 동속 식물의 수지(樹脂)가 고대로부터 지층 중에 매장되어 오랫동안 경과하여 만들어진 화석이다. 대한민국약전외한약(생약)규격집(KHP)에 수재되어 있다.
수치 잡물을 제거하고 잘게 부수거나 가루로 만들어 사용한다.
본초서 「동의보감(東醫寶鑑)」에 "오장을 편안하게 하고 정신을 안정시키며 헛것에 들린 것을 낫게 한다. 산후에 나쁜 피가 몰려 피부에 발진된 것을 낫게 한다. 소변을 잘 나가게 하고 오림을 낫게 하며 눈을 밝게 하고 예막을 없앤다."고 하였다.
東醫寶鑑: 安五藏 定魂魄 殺精魅邪鬼 治産後血疹痛 利水道 通五淋 明目磨瞖.
성상 불규칙적인 괴상(塊狀), 종유상(鍾乳狀) 또는 과립상이다. 괴상은 크기가 여러 가지이고 종유상의 것은 지름 1~4.5cm이다. 표면은 광택이 나고 오목볼록하며 붉은색~황색을 띤다. 조흔(條痕)은 백색, 투명하거나 반투명하다.
기미·귀경 감(甘), 평(平)·심(心), 간(肝), 방광(膀胱)
약효 진경안신(鎭驚安神), 산어지혈(散瘀止血), 이수통림(利水通淋), 거예명목(祛翳明目)의 효능이 있으므로 경계실면(驚悸失眠), 경풍전간(驚風癲癇), 혈체경폐(血滯經閉), 산후어체복통(産後瘀滯腹痛), 징가적취(癥瘕積聚), 혈림뇨혈(血淋尿血), 목생장

예(目生障翳), 옹종창독(癰腫瘡毒)을 치료한다.
성분 diabetinolic acid, succinosilvinic acid, succinoresinol, succinoabietol, succoxyabietic acid, succinoabietic acid 등의 유기 성분, 나트륨(Na), 스트론튬(Sr), 납(Pb), 규소(Si), 철(Fe), 마그네슘(Mg), 알루미늄(Al) 등이 함유되어 있다.
사용법 곱게 빻아서 가루를 만들어 1회 1g을 복용한다. 외용에는 가루로 만들어 상처에 뿌리거나 연고에 개어서 바른다.
주의 음허내열(陰虛內熱) 및 어체(瘀滯)에는 사용하지 않는 것이 좋다.
처방 호박고(琥珀膏): 호박(琥珀) 40g, 정향(丁香)·목향(木香) 각 30g, 목통(木通)·계심(桂心)·당귀(當歸)·백지(白芷)·방풍(防風)·송진(松津)·주사(朱砂)·목별자(木鼈子) 각 20g, 황단(黃檀)·호마유(胡麻油) 각 600g(「동의보감(東醫寶鑑)」). 목이나 겨드랑이에 생긴 나력(瘰癧)이 커지고 터지지 않거나 터진 곳에서 고름이 나오는 증상에 사용한다.
• 호박산(琥珀散): 호박(琥珀)·활석(滑石) 각 8g, 목통(木通)·당귀(當歸)·목향(木香)·울금(鬱金)·편축(萹蓄)(「동의보감(東醫寶鑑)」). 사림(沙淋) 또는 석림(石淋)으로 소변이 시원하지 않고 피가 섞여 나오는 증상에 사용한다.

• 진주산(珍珠散): 노감석(爐甘石) 320g, 진주(珍珠) 4g, 호박(琥珀) 2.8g, 종유석(鐘乳石) 2.4g, 주사(朱砂)·상피(象皮) 각 2g, 용골(龍骨)·적석지(赤石脂) 각 1.6g, 혈갈(血竭) 0.8g을 가루로 만들어 환부에 뿌리거나 참기름에 개어서 붙임.(「장씨의통(張氏醫通)」). 화농성 감염이나 만성궤양이 오래되어도 낫지 않을 때 사용한다.

✪ 호박(분말)

✪ 호박

✪ 호박(식물 수지가 땅속에 매장되었다 출토된다.)

화예석

토혈, 변혈　　육혈　　금창출혈

붕루, 산부혈훈, 포의불하

●영명 : Ophicalcite　●한자명 : 花蕊石　●별명 : 화유석(花乳石), 백운석(白雲石)

사문석대리암(蛇紋石大理巖)의 변질류(變質類) 광물이다.

수치 잡물을 제거하고 잘게 부수거나 가루로 만들어 사용한다.

성상 크기가 고르지 않은 덩어리로 회백색 바탕에 엷은 황색~황록색의 무늬가 교대로 있다. 바깥면은 평탄하지 않으며 능각이 있고 빛을 반사하며 광택이 난다. 질은 매우 단단하며 비중이 크다. 냄새와 맛이 없다.

기미·귀경 산(酸), 삽(澁), 평(平)·간(肝)

약효 화어(化瘀), 지혈(止血)의 효능이 있으므로 토혈(吐血), 육혈(衄血), 변혈(便血), 붕루(崩漏), 산부혈훈(産婦血暈), 포의불하(胞衣不下), 금창출혈(金瘡出血)을 치료한다.

성분 주성분은 칼슘(Ca)과 마그네슘(Mg)의 탄산염이고 소량의 Fe염과 미량의 잡물이 함유되어 있다.

약리 20%용액 0.2mL/10g을 4일간 쥐에게 투여하면 경련 억제 작용이 나타난다. 화예석(花蕊石)이 배합된 제제를 쥐에게 투여하고 모세관법(毛細管法)으로 혈액 응고 시간을 측정하면 응고 시간을 단축시킨다.

사용법 화예석을 가루로 만들어 3~6g을 복용하고, 외용에는 가루로 만들어 뿌리거나 연고와 섞어서 바른다.

임상 보고 소화관출혈, 폐결핵객혈, 기관지염객혈 환자 224명에게 화예석(花蕊石)을 불에 달군 뒤 만든 가루를 1회 4~8g을 매

일 3회 복용시킨 결과, 136명이 현저한 효과를 보았고 41명이 유효하였다.

주의 임부는 복용해서는 안 된다.

● 화예석(분말)

● 화예석

활석

방광습열, 소변불리, 요림삽통

설사　　습진, 습창

●영명 : Talcum　●한자명 : 滑石　●별명 : 초석(硝石), 고소(苦消), 화금석(化金石), 수석(水石), 생소(生消)

규산염류(硅酸鹽類)의 활석족(滑石族) 광물, 즉 곱돌이다. 대한민국약전외한약(생약)규격집(KHP)에 수재되어 있다.

수치 곱게 빻아 가루로 만들거나 수비(水飛)하여 사용한다.

본초서 활석(滑石)은 『신농본초경(神農本草經)』에 수재되어 있으며, 이수(利水)의 요약으로 사용된다. 구종석(寇宗奭)은 "활석(滑石)은 현재 화석(畵石)이라고도 한다. 질(質)이 부드러워서 그림 그리는 데 좋기 때문이다."라고 하였다. 「본초강목(本草綱目)」에는 "활석(滑石)은 규(竅)를 이롭게 하며, 질(質)이 미끄럽다. 그러므로 활석(滑石)이라고 한다."고 하였다.

神農本草經: 主身熱泄澼, 女子乳難, 利小便, 胃中寒熱, 益精氣, 久腹輕身, 耐饑, 長年.

日華子: 治乳癰, 利津液.

本草圖經: 主心氣澁滯.

성상 백색~연한 붉은색 덩어리 또는 분말로 표면을 문지르면 광택이 난다. 질은 부드

럽고 특유한 점토 향이 있으며, 덩어리를 혀끝으로 맛보면 강하게 끌리는 느낌이 있다.

기미·귀경 감(甘), 담(淡), 한(寒)·방광(膀胱), 위(胃)

약효 이수통림(利水通淋), 청열해서(淸熱解暑), 수습렴창(收濕斂瘡)의 효능이 있으므로 방광습열(膀胱濕熱), 소변불리, 요림삽통(尿淋澁痛), 수종(水腫), 서열번사(暑熱煩瀉), 설사, 습진, 습창(濕瘡)을 치료한다.

성분 Mg₃(SiO₄O₁₀)·(OH)₂ 또는 MgO·4SiO₂·H₂O이며 MgO가 32%, SiO₂가 64%를 차지한다.

약리 활석을 피부에 바르면 건조한 피부가 윤기가 난다. 10%용액은 상한간균에 항균 작용이 있다.

사용법 활석 10g에 물을 넣고 달여서 복용하며, 외용에는 가루로 만들어 상처에 뿌리거나 연고와 섞어서 바른다.

처방 주사익원산(朱砂益元散): 활석(滑石) 8g, 택사(澤瀉) 4g, 감수(甘遂) 2g, 주사(朱

砂) 0.4g (「동의수세보원(東醫壽世保元)」). 소양인이 여름철에 더위를 먹어서 나타나는 증상에 사용한다.

• 저령탕(豬苓湯): 저령(豬苓)·적복령(赤茯苓)·아교(阿膠)·택사(澤瀉)·활석(滑石) 각 4g (「동의보감(東醫寶鑑)」). 열에 음(陰)이 상하여 오줌이 잘 나오지 않고 갈증이 나며 가슴이 답답하고 안타까워 잠들지 못하는 증상에 사용한다.

• 활석고삼탕(滑石苦蔘湯): 저령(豬苓)·적복령(赤茯苓)·활석(滑石)·고삼(苦蔘) 각 8g, 황련(黃連)·황백피(黃柏皮)·강활(羌活)·독활(獨活)·형개(荊芥)·방풍(防風) 각 4g (「동의수세보원(東醫壽世保元)」). 소양인이 설사는 하지 않으면서 복통이 나는 증상, 망음증 때 몸이 차고 설사는 조금씩 나며 복통이 나는 증상에 사용한다.

• 활석산(滑石散): 활석(滑石)·석고(石膏) 각 20g, 석위(石葦)·구맥(瞿麥)·목통(木通)·동규자(冬葵子) 각 12g (「동의보감(東醫寶鑑)」). 석림(石淋)으로 소변을 볼 때 몹시 아프고 열감이 있는 증상에 사용한다.

● 활석

● 활석(분말)

● 활석(백색~연한 붉은색을 띤다.)

● 활석(질은 부드럽다.)

부록

약용 식물 채취와 보관 방법

● 채취 시기

약재를 채취하는 시기는 약효를 나타내는 유효 성분의 함량과 밀접한 관계가 있으므로 중요하다.

●**뿌리 또는 뿌리줄기** : 가장 많이 이용되고 있다. 잎과 줄기가 시드는 가을철에 채취하면 약효 성분이 가장 많이 함유되어 있어서 좋다.

●**껍질** : 나무 껍질은 물이 오르는 봄에 채취하면 약효 성분도 많이 함유되어 있고 채취하기도 쉽다.

●**꽃** : 꽃이 피기 직전에 채취하거나 꽃이 갓 피어났을 때 채취하는 것이 약효 성분의 함량이 높고 채취하기도 편하다.

●**열매** : 완전하게 익으면 땅에 떨어지므로 덜 익은 것을 따는 것이 좋다.

●**나무의 잎과 줄기** : 나무의 성장이 가장 왕성하고 약효 성분의 함유량이 높은 여름철이 좋다.

●**종자** : 잘 익은 열매를 따야 약효 성분의 함량이 높으므로 열매의 껍질이 터지기 전에 채취하는 것이 바람직하다.

●**지상부** : 풀들에 해당되며, 꽃이 피어 열매를 맺을 때는 약효 성분이 꽃이나 열매 부분으로 이동하기 때문에 꽃이 피기 전에 채취하여야 한다.

▲ 약용 식물 채취에 필요한 용구

▲ 잎이나 가지를 채취하는 시기는 여름철이 적당하고, 전정 가위를 사용하는 것이 좋다.

▲ 뿌리와 뿌리줄기를 채취할 때에는 소형 삽 등을 사용하며, 뿌리가 상하지 않도록 조심한다.

◀ 약초를 낫이나 칼을 사용하여 뿌리는 남겨 두고 지상부를 채취한다.

● 건조 및 보관 방법

약재의 품질을 일정하게 유지시키는 것은 약효를 안정적으로 발휘시키기 위한 기본이다. 곰팡이, 세균류, 효소의 작용, 화학적 또는 물리적인 변질에서 약재를 보호하며, 편리한 형태로 보관하기 위하여 건조가 필요하다. 뿌리 또는 뿌리줄기와 같이 썩기 쉬운 약재(당귀, 작약 등)는 바람이 잘 통하는 곳에서 햇볕에 건조하는 것이 좋다. 약효 성분이 변하기 쉬운 것들은 바람이 잘 통하는 그늘에서 서서히 건조하는 것이 좋다. 인공적으로 열을 가하여 건조하는 것은 약재 가운데 함유된 효소의 작용으로 약효 성분이 바뀌는 것을 방지할 수가 있다. 향기가 강한 약재(박하, 향유 등)는 공기 건조를 하는 것이 바람직하다.

향기가 강한 약재는 신선한 것일수록 약효 성분의 함량이 높고, 열매나 약효가 강렬한 성분이 함유된 약재는 1년 이상 경과된 것이 좋다. 약재가 오래 되거나 곰팡이가 생기면 약효가 떨어지므로 온도는 20℃ 전후, 바람이 통하고 습기가 낮은 곳이 보관 장소로 적당하다.

햇볕에 말리는 방법

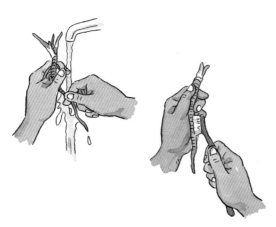

▲ 뿌리와 뿌리줄기는 흙과 먼지를 턴 후 물에 잘 씻은 다음 말린다.

▲ 햇볕이 잘 들고 바람이 잘 통하는 베란다 등에 펴서 말린다.

그늘에 말리는 방법

▲ 돗자리 위에서 말리면 수분 흡수가 잘 되어 썩지 않게 말릴 수 있다.

▲ 바람이 잘 통하는 곳에 매달거나 잘 펴서 말려 방향 성분이 휘발되는 것을 줄인다.

냉장고에 보관하는 방법

▲ 약재를 종이봉투에 담아 식물명, 채취 날짜, 약재를 만든 날짜 등을 기록해 둔다.

▲ 냉장고는 온도가 낮고 온도 변화가 적으므로 좋은 보관 장소이다.

▲ 금속 용기에 넣어 보관할 경우에는 종이 봉투에 담아서 약재가 직접 용기에 닿지 않도록 하는 것이 좋다.

▲ 약재를 공기가 통하지 않는 비닐봉지 등에 담아 보관할 경우, 습기 등으로 부패와 충해의 원인이 되므로 피한다.

천장에 매다는 방법

◀ 종이봉투에 담은 약재를 천장에 매달아 둠으로써, 통풍이 잘 되고 해충의 침입을 막는다.

약 달이기와 복용법

● 달이는 방법

한약이나 민간약을 물로 달일 때에는 쇠로 된 용기보다 질그릇으로 된 약탕기가 좋으나, 유리그릇이나 조리용 냄비를 사용해도 된다. 약을 달일 때에는 약한 불로 1시간 정도 천천히 달이는 것이 좋으며, 약을 달이기 전에 약재를 30분 정도 물에 담가 두는 것도 좋다.

곽향, 향유, 소엽, 형개, 사인, 박하 등 향이 많이 나는 약재는 오래 달이면 약효 성분이 날아가므로 30분을 넘지 않는 것이 좋다. 복령, 저령, 부자, 숙지황 등은 약한 불로 1시간 이상 달여야 약효 성분이 추출된다. 물의 양은 약재 무게의 3~4배가 적당하고, 오래 달여야 되는 약재는 물을 더 넣어 달이며, 달인 양은 달인 액을 짜서 200mL 정도 되는 것이 적당하다. 약재를 가루로 할 때에는 믹서를 이용하면 편리하고, 알약을 만들 때에는 꿀을 적당량 넣어서 손으로 비벼 콩알 크기로 한다. 피부병에 외용할 경우, 생것은 작은 절구에 짓찧어서 즙액을 바르거나 환부에 붙이면 된다.

▲ 약을 달일 때에는 약재의 종류에 따라 다르나 보통 1회용이 5~10g이며, 물의 양은 2~3컵이 적당하다. 크기가 큰 약재는 작게 잘라서 사용하며, 달이기 전에 30분 정도 물에 담가 두는 것이 좋다.

▲ 일반적으로 약을 달일 때에는 약한 불에 천천히 달여서 약효 성분이 잘 우러나도록 한다.

▲ 약이 달여지면 체로 찌꺼기를 걸러 낸 다음 달인 액만 복용한다.

● 복용법

약을 복용할 때에는 일반적으로 식사와 식사 사이에 복용하는 것이 흡수가 잘 되어 좋다. 약을 복용하는 동안에는 돼지고기, 쇠고기, 닭고기 등 기름진 음식을 삼가는 것이 약물 흡수에 도움이 된다. 뜨겁고 매운 음식은 혈압을 일시적으로 높이고 열을 내므로 평소에 혈압이 높은 사람이나 머리가 아프고 열이 많이 날 경우에는 피하는 것이 좋다. 약을 복용한 뒤 식욕이 감퇴되고 설사가 나며 혀에 흰 것이 끼고 구역질이 나는 것은 약이 몸에 맞지 않는 현상이므로 용량을 줄이거나 복용을 중지하여야 한다. 이와 같은 부작용이 있을 때에는 감초 또는 검은콩과 함께 달여서 복용하면 해독이 되기도 한다. 임산부는 가급적 복용을 금하고, 필요한 경우 한의사의 지시에 따라야 한다. 일반적으로 한약이나 민간약을 달인 탕제는 맛이 쓰므로 어린이나 비위가 약한 사람은 설탕이나 꿀을 조금 넣어 복용하는 것도 좋다.

▲ 1일 3회, 즉 식사와 식사 사이에 복용하는 것이 흡수가 잘 된다. 약을 먹는 동안에는 음식을 많이 먹지 않는 것이 좋다.

ㄱ

가개(痂疥) 헌데에 마른 딱지가 앉고 가려운 것

가수(假收) 두창(痘瘡) 때 얼굴에 빽빽하게 돋았던 구슬이 갑자기 까맣게 되는 것

가수증(加水症) 태양병이 나은 뒤 번갈증이 나면서 목이 몹시 말라 물이 먹고 싶어질 때 물을 조금씩 먹으면 낫는 증상. 가수형증(加水形症)이라고도 한다.

가열(假熱) 병의 본질은 한증(寒症)인데 겉으로는 염증 비슷한 거짓 증상이 나타나는 것

가온증(假溫症) 온법(溫法)을 쓰는 것이 좋은 병증. 부자(附子), 육계(肉桂), 건강(乾薑), 오수유(吳茱萸) 등의 성질이 더운 약을 써야 할 병증

가질(苛疾) 중한 병을 이르는 말

가취(瘕聚) 징가(癥瘕)와 적취(積聚)를 아우르는 말로 여성의 임맥(任脈)에 생긴 병증. 배꼽 아래에 종물(腫物)이 있으며 손으로 밀면 이동되고 아픈 곳이 고정되지 않는다.

가태(假胎) 임신이 아닌데 임신한 것처럼 월경이 없어지고 배가 커지는 증상

가피(痂皮) 헐어서 생긴 딱지

가한(假寒) 병의 본질은 열증(熱症)인데 겉으로는 한증(寒症) 비슷한 거짓 증상이 나타나는 것

가화증(可火症) 뜨겁게 해 주는 것이 좋은 병증. 뜸, 화침, 불돌 혹은 약을 덥혀서 자루에 넣어 뜨거운 것으로 찜질하는 법을 써야 할 병증

각궁반장(角弓反張) 경풍, 뇌막염, 뇌염, 파상풍 등에서 발작할 때, 등이 가슴 쪽으로 휘어들어 반듯이 누울 때 머리와 발뒤축만 바닥에 닿고 등이 들리는 증상

각기(脚氣) 다리 힘이 약해지고 저리거나 지각 이상이 생겨서 제대로 걷지 못하는 병증

각기상기(脚氣上氣) 각기 때 기운이 위로 치미는 것

각기완약(脚氣緩弱) 각기로 다리가 늘어지고 약해진 증상

각기종만(脚氣腫滿) 각기로 인해 몹시 붓는 것

각심통(脚心痛) 발바닥의 한가운데가 아픈 것

각아양란(脚丫癢爛) 발가락 사이가 가려우면서 짓무르는 것. 무좀, 습진 등이 있거나 물 혹은 진창에 오래 머물 때 생긴다.

각연(脚軟) 오연(五軟)의 하나로, 다리가 연약하고 무력한 증상. 간(肝)과 신(腎)이 허하여 생긴다.

각지흑사(脚指黑痧) 발가락이 꺼멓게 썩는 병증

간감(肝疳) 오감(五疳)의 하나. 젖이나 음식 조절을 잘못하여 간경(肝經)이 열을 받아 생긴 병증. 눈이 깔깔하고 가려워서 자주 비비며 머리를 흔들고, 얼굴이 푸르며 누렇게 되고 몸이 여위는 병증

간궐(肝厥) 간기(肝氣)가 치밀어서 생기는 궐증. 평소에 음이 허(虛)하고 간양(肝陽)이 왕성한 사람이 정신적 자극을 받아서 생긴다.

간기불서(肝氣不舒) 간의 기운이 정상적으로 펼쳐지지 않는 병증

간기상역(肝氣上逆) 간기(肝氣)가 위로 치밀어 오르는 것. 성을 지나치게 내거나 간기(肝氣)가 울결되면 생기는데, 머리가 어지럽고 아프며 가슴이 답답한 병증

간기울결(肝氣鬱結) 간기(肝氣)가 몰려서 생긴 병증. 양 옆구리가 뻐근하면서 아랫배가 아프며 답답하고 한숨을 자주 쉰다.

간기통(肝氣痛) 간기(肝氣)의 장애로 가슴과 옆구리가 아픈 병증

간담습열(肝膽濕熱) 습열(濕熱)이 간담(肝膽)에 몰려서 생긴 병증. 추웠다 열이 났다 하고, 입이 쓰면서 옆구리와 배가 아프고 메스꺼운 증상이 나타난다.

간비혈어(肝脾血瘀) 간기울결(肝氣鬱結)이 오래되어 간경(肝經)에 어혈이 생기고 그것이 비(脾)에 영향을 주어 나타나는 병증

간승폐(肝乘肺) 간기(肝氣)가 지나치게 성하여 폐의 기능에 장애를 준 것. 간화범폐(肝火犯肺)라고도 말한다.

간신음허(肝腎陰虛) 간음(肝陰)과 신음(腎陰)이 모두 허한 병증. 오랜 병이나 기타 원인으로 간신(肝腎)의 정혈이 소모되어 생기며, 어지럽고 두통이 나며 눈이 잘 보이지 않는 증세가 나타난다. 간신휴손(肝腎虧損)이라고도 한다.

간심통(肝心痛) 심통(心痛)의 하나. 간과 관련된 심통으로 얼굴빛이 파랗게 되고 가슴이 아파서 숨을 제대로 쉬지 못한다.

간양상승(肝陽上升) 간양(肝陽)이 성하여 위로 오르는 병증. 머리가 아프며 얼굴이 벌겋고 눈앞이 아찔하며 귀울음이 나고 입이 쓰며 허리가 시큰거리고 가슴이 두근거린다. 간양상역(肝陽上逆), 간양상항(肝陽上亢), 간양편왕(肝陽偏旺)이라고도 한다.

간열오조(肝熱惡阻) 오조(惡阻)의 하나. 간열이 위(胃)를 침범하여 생기는 병증. 음식을 먹으면 게우고 몸이 여위며 어지럼증이 생긴다.

간옹(肝癰) 옹(癰)의 하나로 간에 생긴 옹을 말한다. 초기에 오른쪽 옆구리에 아픔이 있으면서 오슬오슬 춥고 열이 나며 점차 옆구리 전체가 아프고 오른쪽으로 눕지 못한다.

간울협통(肝鬱脇痛) 협통의 하나. 칠정(七情, 喜怒憂思悲驚恐)으로 간기(肝氣)가 상하거나 몰려서 생긴다. 양 옆구리가 당기면서 아픈 것과 함께 가슴이 답답하고 입맛이 없으며 허리와 다리가 무겁다.

간음(肝陰) 간의 음혈과 음액 등을 통틀어 이르는 말로, 간양(肝陽)에 상대되는 말

간음허(肝陰虛) 간음이 부족한 증세로, 간혈이나 신음이 부족하여 간을 자양하지 못하여 생기는 병. 어지럽고 머리가 아프며 귀울음이 있고 성격이 조급해지며 성을 잘 낸다. 간음부족(肝陰不足)이라고도 한다.

간질(癎疾) 경련과 의식 장애를 일으키는 발작 증상이 되풀이하여 나타나는 병증. 전간(癲癎), 간풍(癎風)이라고도 한다.

간회(鼾黶) 얼굴에 잘고 검은 얼룩이 끼는 병증

갈루(蝎瘻) 항문에 여러 개의 누공(瘻孔)이 생긴 것

감갈(疳渴) 감질(疳疾)의 하나. 감질 때 갈증으로 물을 자주 마시는 병증

감기 외감병의 하나. 풍한사(風寒邪)나 풍열사(風熱邪)를 받아서 생긴다. 풍사(風邪)가 겨울에는 한사(寒邪), 여름에는 열사(熱邪)와 함께 몸에 침입하여 생긴다. 머리가 아프고 재채기가 나며 코가 막히거나 콧물이 나고 오슬오슬 추우며 열이 난다. 감모(感冒)라고도 한다.

감닉(疳䘌) 오감(五疳)의 하나로 어린아이가 단 음식을 좋아하여 오는 병. 비위가 허약해져 식욕이 부진하고 미열이 있거나 소화가 잘 되지 않으며 배가 자주 아프고 잠을 잘 자지 못하고 헛소리를 하는 병증

감닉창(疳䘌瘡) 비위가 허약하여 입, 잇몸, 항문이 허는 병증

감루(疳瘻) 감질(疳疾)로 생긴 누창(漏瘡)

감리(疳痢) 오감(五疳)의 하나로 어린아이가 단 음식을 좋아하여 오는 병. 비위가 허약해져 식욕이 부진하고 미열이 있거나 소화가 잘 되지 않으며 배가 자주 아프고 잠을 잘 자지 않고 헛소리를 하는 병증

감모두통(感冒頭痛) 두통의 하나로 주로 풍사(風邪)를 받아서 생긴다. 머리가 아프며 코가 막히고 목소리가 탁하며 땀이 나고 바람을 싫어하며 맥이 부완(浮緩)하다.

감습(疳濕) 감질(疳疾)의 하나. 비위허약으로 위장에 몰린 습열(濕熱)이 위로는 입과 코에, 아래로는 항문에 영향을 주어 생긴다. 입안 점막, 혀, 잇몸, 코가 헐고 딱지가 앉으며 항문이 가려우면서 헌다. 감습창(疳濕瘡)이라고도 한다.

감저(疳疽) 양쪽 가슴의 근육이 발달한 곳에 생긴 옹저(癰疽)를 말하며, 근육의 깊은 곳이 헐어서 잘 낫지 않는 병증이다.

감적(疳積) 감질(疳疾)의 가장 기본적인 증후로서, 음식을 조절하지 못하여 비위가 상하거나 습열이 몰려 생기는 어린아이의 만성소화기병이다. 비감(脾疳) 또는 식감(食疳)이라고도 한다.

감증(疳症) 비위(脾胃)의 운화(運化)가 제대로 이루어지지 않아 생기는 만성 영양장애성 병증. 대부분 5세 이하의 소아에게 발생한다.

감질(疳疾) 비위(脾胃)의 기능 장애로 몸이 여위는 병증으로 5세 미만 어린아이에 많이 발생한다. 주로 영양이 부족하거나 부적절한 음식으로 인해 비장과 위장이 손상되거나 각종 기생충에 의한 감염 및 열병, 오래된 병으로 인해 비장과 위장이 허약해져 발생하는 병증

감충(疳蟲) 감병(疳病)의 원인이 되는 기생충

갑상선기능항진증(甲狀腺機能亢進症) 갑상선에서 호르몬이 과잉 분비되어 일어나는 질병. 갑상선중독증이라고도 한다.

강경(剛痙) 몸과 팔다리가 뻣뻣해지면서 오그라드는 병증. 강치(剛痓)라고도 한다.

강기화담(降氣化痰) 기(氣)가 치밀어 오르는 것을 가라앉혀 담(痰)을 삭이는 효능

강역생진(降逆生津) 기(氣)가 치밀어 오르는 것을 가라앉혀 진액의 생산을 돕는 효능

개규(開竅) 심규(心竅)가 막혀서 생긴 폐증을 치료하는 방법을 통틀어 이르는 말. 또는 정신을 들게 한다는 뜻으로도 쓰인다. 개규통신(開竅通神)이라고도 한다.

개선(疥癬) 옴과 버짐을 합해서 이르는 말

개선독창(疥癬禿瘡) 옴과 버짐이 심하여 머리털이 많이 빠지는 병증

개창(疥瘡) 피부병의 하나로 옴 또는 헌데가 겹친 진음을 말한다. 옴독이 살갗에 침입하여 생기며 손가락 사이, 겨드랑이, 오금, 아랫배 등 살이 연약한 곳에 침이나 바늘 대가리만한 구진과 잔물집이 생기며 몹시 가렵다.

객오(客忤) 어린아이가 신기(腎氣)가 불안정하여 갑자기 이상한 사물을 보고 소리를 들으며 낯선 사람 때문에 놀라서 울며, 심하면 안색이 변하기도 하는 병증. 객오증(客忤症)이라고도 한다.

객혈(喀血) 기도를 통해 피가 나오는 병증. 각혈(咯血)이라고도 한다.

거어(祛瘀) 활혈약으로 어혈(瘀血)을 없애는 방법

거어소종(祛瘀消腫) 외상(外傷)으로 어혈이 생겨서 부은 것을 가라앉게 하는 방법

거어활혈(祛瘀活血) 어혈을 없애고 혈맥을 잘 통하게 하는 방법. 거어생신(祛瘀生新), 활혈생신(活血生新), 화어행혈(化瘀行血)이라고도 한다.

거풍삼습(祛風滲濕) 풍사(風邪)를 없애고 수습(水濕)을 소변으로 나가게 하는 효능

거풍정경(祛風定驚) 풍습(風濕)으로 인하여 놀라는 병증을 없애는 것

거풍제습(祛風除濕) 풍습(風濕)을 없애는 효능. 풍습사기가 경락, 기육(肌肉), 뼈마디에 침범하여 여기저기 아픈 데 적용하며, 거풍승습(祛風勝濕)이라고도 한다.

거풍활락(祛風活絡) 풍(風)을 없애고 맥이 잘 통하게 하여 관절염, 신경통 등을 치료하는 방법

거한화담(祛寒化痰) 한(寒)으로 생긴 담(痰)을 치료하는 방법. 비위의 양기가 허하여 한담이 생기면 묽은 가래침이 나오고 찬 것을 싫어하며 손발이 차고 혀가 희어지며 설태가 생기는 병증에 사용한다.

건개(乾疥) 개창(疥瘡)의 하나로 마른옴을 말한다. 물집, 진물 등이 없이 가려우면서 건조감을 느끼고 흰 비듬이 생긴다.

건망증(健忘症) 가끔 기억이 잘 나지 않거나 가벼운 기억 상실이 오는 병증. 기억 장애라고도 한다.

건비화위(健脾和胃) 비(脾)가 허한 것을 보하며 튼튼히 하고 위기(胃氣)를 조화시키는 효능

건선(乾癬) 피부가 건조하고 가려우며 긁으면 흰 비듬이 일어나는 것. 혈분(血分)에 열이 있고 살갗이 건조할 때 풍습독(風濕毒)이 침습하면 생긴다.

격(膈) 가슴에 기운이 막혀서 잘 통하지 않는 것. 음식이 잘 내려가지 않고 대변을 잘 보지 못하는 것을 말하며, 열격(熱膈)이라고도 한다.

견비통(肩臂痛) 어깨와 팔이 아픈 증상으로 풍한습사(風寒濕邪)나 외상으로 생긴다.

결괴(結塊) 몸속에 단단한 덩어리가 생기는 증상

결막염(結膜炎) 결막에 생기는 염증. 각막에만 염증이 생길 경우 각막염(角膜炎)이라 한다.

결자결(決刺結) 가시에 찔려서 굳어진 살을 풀어 준다.

결흉(結胸) 사기(邪氣)가 가슴 속에 몰려서 명치 밑이 그득하고 아프며 만지면 단단한 감이 있는 병증

경간(驚癇) 전간(癲癇)의 하나로 무섭고 놀라서 크게 울면서 발작을 일으키는 병증

경계정충(驚悸怔忡) 놀라서 가슴이 두근거리고 불안해하며 호흡 곤란이 오래 지속되는 병증

경기(驚氣) 갑자기 의식을 잃고 경련을 일으키는 병증. 경풍(驚風)이라고도 한다.

경락(經絡) 몸 안에서 기혈(氣血)이 순환하는 통로. 곧게 가는 줄기를 경맥(經脈), 경맥에서 갈라져 나와 온몸 각 부위가 그물처럼 얽힌 것을 낙맥(絡脈)이라 한다. 우리 몸에는 12경락과 독맥(督脈, 몸의 뒷면에 수직으로 분포)과 임맥(任脈, 몸의 앞면에 수직으로 분포)이 있다.

경련(痙攣) 의도하지 않게 근육이 격하게 수축되어 일어나는 발작을 말한다.

경분(輕粉) 염화제일수은의 한방 약재. 매독이나 매독성피부병 또는 외과용 살충제 등에 사용된다.

경오(驚忤) 경풍(驚風)과 객오증(客忤症)을 합해서 이르는 말

경척(驚惕) 몹시 놀라고 두려워함. 경포(驚怖)라고도 한다.

경폐복통(經閉腹痛) 생리가 고르지 못하여 오는 병증

경풍(驚風) 갑자기 의식을 잃고 경련이 나는 병증. 경질(驚疾)이라고도 한다.

경혈(經穴) 14경맥에 속하는 혈. 14경맥에 귀속시킨 혈로서 모두 361개가 있다. 「동의보감(東醫寶鑑)」에는 355개, 「침구대성(鍼灸大成)」에는 359개, 「갑을경(甲乙經)」에는 354개가 있다.

계안(鷄眼) 티눈을 말한다. 작은 신발을 신고 다니거나 발뼈의 기형 등으로 장기간 압박, 마찰되면서 기혈 순환의 장애로 비롯된다.

계협통(季脇痛) 협통(脇痛)의 하나로 간허(肝虛)나 신허(腎虛)로 생긴다.

고독(蠱毒) 기생충 감염으로 생기는 병. 복통, 가슴앓이 등의 병증이 나타난다.

고림(膏淋) 임증(淋症)의 하나로 오줌이 쌀 씻은 뜨물 같거나 기름 같으면서 시원하게 나오지 않는 병증

고삽(固澁) 수삽(收澁)이나 고섭(固攝)을 달리 부르는 말. 식은땀, 잦은 설사, 이질, 숨찬 증상, 대하, 유정 등을 멈추게 하는 것

고선(股癬) 사타구니나 허벅다리 안쪽에 생기는 무좀. 음선(陰癬)이라고도 한다.

고신삽정(固腎澁精) 수삽법(收澁法)의 하나로 신기(腎氣)를 든든하게 하여 유정(遺精)을 멎게 하는 방법이다.

고약(膏藥) 헐거나 곪은 데에 붙이는 끈끈한 약. 생약을 가루 내서 식물성 기름을 넣고 졸여서 만들거나 생약에 물을 가하여 나오는 추출액을 은근한 불로 달여서 농축한 약

고양(苦痒) 매우 심하게 가려운 병증으로 괴롭고 고통스럽다.

고주(蠱疰) 팔다리가 붓고 몸이 여위며, 기침을 하고 배가 커지는 병증

고지혈증(高脂血症) 필요 이상의 지방질이 혈액에 존재하여 염증을 일으키는 상태를 말한다.

고창(鼓脹) 창만(脹滿)이나 기창(氣脹)과 같은 뜻으로 쓰인다. 배가 불러 오면서 그득하고 뜬뜬하며 속이 비어 있어서 마치 북과 같다 하여 붙여진 이름이다.

고표(固表) 위기(衛氣)를 든든하게 하여 치료하는 방법. 표(表)가 허하여 땀이 지나치게 많이 날 때 주로 쓴다.

고풍작목(高風雀目) 어두운 곳에서 시력이 낮아지는 눈병. 고풍내장(高風內障)이라고도 한다.

고한청열(苦寒淸熱) 맛이 쓰고 성질이 찬 약으로 몸속의 사열(邪熱)을 없애는 방법

고혈압(高血壓) 혈압이 정상 범위보다 높은 만성질환. 고혈압이 되면 혈액이 혈관을 순환하는 데 심장의 부담이 크게 된다.

고환염(睾丸炎) 고환에 세균이나 바이러스 등 다양한 원인에 의해 염증이 생기는 것을 말한다.

고환편추(睾丸偏墜) 한쪽 고환이 붓고 아프면서 밑으로 늘어지는 병증

곡황(穀黃) 오달(五疸)의 하나로 기아와 포만이 지나쳐 속이 더부룩하며 곡기(穀氣)가 소화되지 못하는 데다 눈이 노래지면서 허열이 생기는 증상

골결핵(骨結核) 뼈나 관절에 결핵균이 침범하여 뼈 조직이 파괴된 상태를 말한다.

골관절염(骨關節炎) 흔히 퇴행성관절염이라고도 하며, 관절 질환 중에서 가장 많이 발생한다. 뼈의 관절 면을 감싸고 있는 연골이 마모되어 연골 밑의 뼈가 노출되고, 관절 주변의 활액막에 염증이 생겨서 통증과 변형이 발생하는 질환이다.

골류(骨瘤) 뼈에 생긴 종물(腫物)

골수염(骨髓炎) 골조직 자체와 그 주변 연부 조직의 감염을 말하며 외상을 받아 외부로부터 세균이 들어와 감염되거나 골조직 주변의 농양, 근염 등에서 2차적으로 파급되어 생길 수도 있다.

골열감로(骨熱疳癆) 감질(疳疾) 때 허열이 계속되는 병증

골옹류농(骨癰流膿) 뼈에 생긴 심한 염증으로 농이 흐르는 병증

골절(骨絶) 뼈가 부러지는 증상. 암이나 노화로 말미암은 병적 골절과 외상에 의거한 외상성 골절로 양분된다.

골절동통(骨節疼痛) 뼈마디가 아픈 것. 상한태양병이나 비증(痺症)에서 자주 볼 수 있다.

골증열(骨蒸熱) 허로병 때 뼛속이 후끈후끈 달아오르는 병증. 골증(骨蒸), 골증병(骨蒸病), 골증로열(骨蒸勞熱)이라고도 한다.

골증조열(骨蒸潮熱) 뼈마디가 아프며, 오후나 밤에는 열이 올랐다가 새벽에는 내렸다 하는 병증

과낭담음(窠囊痰飮) 몸 안의 진액이 여러 원인으로 제대로 순환하지 못하고 일정한 부위에 몰려 있는 것. 걸쭉하고 탁한 것을 담(痰)이라 하고, 묽은 것을 음(飮)이라 한다.

과혈(裹血) 피를 감싸고 있는 것

곽란(霍亂) 갑자기 게우고 설사하는 병증. 주로 무덥고 습한 여름철에 찬 것, 날 것이나 변질된 음식을 잘못 먹어서 생긴다.

관격(關格) 소변이 잘 나오지 않거나 계속하여 토하는 증상, 즉 상하불통하여 위급한 병증

관절염(關節炎) 뼈마디에 염증이 생긴 것으로, 관절의 손상을 수반하는 여러 질환이다. 관절에 통증이 있다고 모두 관절염이라 할 수는 없으며, 붓거나 열이 동반되어야 관절염이라고 할 수 있다.

괴저(壞疽) 몸의 일정한 부위가 손상되거나 기혈 순환이 장애되어 괴사된 것

괴혈병(壞血病) 비타민 C의 부족으로 결합 조직이 존재하는 신체 여러 부위에 손상을 일으키는 질병이다.

구갈(口渴) 입안과 목이 마르면서 물을 많이 찾게 되는 병증. 폐열이 있거나 음이 허하여 진액이 부족해 오는 병이다.

구감(口疳) 감질(疳疾) 때 입안이 허는 병증

구강염(口腔炎) 입안에 염증이 생겨 입안의 피부가 빨개지면서 중심부가 희거나 노랗게 되는 병증. 구내염, 구강궤양이라고도 한다.

구규(九竅) 몸에 있는 아홉 개의 구멍, 즉 귀(2), 눈(2), 코(2), 입(1), 생식기(1), 항문(1)을 말한다.

구규불통(九竅不通) 구규의 기능이 순조롭지 못하고 장애가 있는 병증

구달(九疸) 9가지로 분류한 황달을 합해서 부르는 말.「의방유취(醫方類聚)」에서는 간달(肝疸), 위달(胃疸), 심달(心疸), 신달(腎疸), 장달(腸疸), 고달(膏疸), 설달(舌疸), 체달(體疸), 육달(肉疸)로 수록되어 있다. 일부 책에서는 간달(肝疸), 위달(胃疸), 심달(心疸), 신달(腎疸), 비달(脾疸), 고달(膏疸), 설달(舌疸), 수달(髓疸), 육달(肉疸)을 말한다.

구련(拘攣) 몸의 저항력이 약할 때 추위와 더위, 바람과 습기 등 나쁜 기운이 침입하여 팔다리에 경련이 일어나 꼬이고 당겨서 자유롭게 활동할 수 없는 병증

구루(九瘻) 9가지 누창(漏瘡)을 말하는 것으로 낭루(狼瘻), 서루(鼠瘻), 누고루(螻蛄瘻), 봉루(蜂瘻), 비부루(蚍蜉瘻), 제조루(蠐螬瘻), 부저루(浮疽瘻), 나력루(瘰癧瘻), 전근루(轉筋瘻)이다. 구루(九瘻)라고도 한다.

구문창(口吻瘡) 입 모서리에 생긴 부스럼. 비위의 습열이 위로 올라가거나 선천적인 독기에 의하여 생긴다. 구각창(口角瘡), 연구(燕口), 연구창(燕口瘡)이라고도 한다.

구불수구(久不收口) 오랫동안 상처가 아물지 않는 병증

구안와사(口眼喎斜) 입과 얼굴이 한쪽으로 비뚤어지는 병증. 풍담(風痰)이 경락에 침습해서 생긴다. 구면와사(口面喎斜), 구안편사(口眼偏斜), 구안와벽(口眼喎僻)이라고도 한다.

구애(嘔噫) 구토를 할 때 괴로워서 소리를 지르는 병증

구역(久逆) 장부경맥의 기가 오랫동안 몰려서 아래로 잘 내려가지 못하는 것. 황달, 전간, 갑자기 몹시 아픈 것 등은 구역으로 생긴다.

구완(拘緩) 경련과 이완을 합한 말로 구(拘)는 근육이 오그라들면서 뻣뻣해지는 것이고, 완(緩)은 근육이 마비되어 힘없이 늘어지는 것이다.

구증구포(九蒸九曝) 약재를 쪄서 햇볕에 말리기를 아홉 번 거듭하는 것. 지황, 둥굴레 등을 찔 때 사용한다. 구증구쇄(九蒸九曬)라고도 한다.

구토(嘔吐) 입을 통해 배 안의 내용물이 밖으로 나오는 것을 말한다.

구풍진경(驅風鎭驚) 풍(風)을 몰아내서 경련을 없애는 효능

군열창(皸裂瘡) 피부가 건조해지면서 트는 병증

궐음(厥陰) 삼음(三陰)의 하나. 음기(陰氣)가 끝나는 마지막 단계로 삼음 가운데 가장 안쪽에 있고 음이 끝나는 부위이므로 합(閤)에 해당된다.

궐음궐역(厥陰厥逆) 궐증(厥症)의 하나로 궐음경에서 생긴 궐역증을 말한다. 허리가 경련이 난 것처럼 아프며 헛배가 부르고 오줌이 잘 나오지 않으며 헛소리를 하는 병증

궐증(厥症) 갑자기 정신을 잃고 넘어지는 병증. 외감 육음, 내상 칠정, 심한 게우기와 설사, 출혈 등으로 기혈이 거슬러 올라오거나 음양이 고르지 못하여 생긴다.

궐훈(厥暈) 열이 몹시 성하여 갑자기 손발이 싸늘해지면서 정신이 흐려져서 이를 악물고 넘어지는 것으로 열훈(熱暈)이라고도 한다.

귀경(歸經) 약성 이론의 하나. 동의학에서는 사람에게 약물을 쓰면 그것이 온몸에 고루 작용하는 장부와 경맥이 있다고 보는데, 그것을 말한다.

귀독(鬼毒) 까닭 없이 생기는 종기의 독기(毒氣)

귀매(鬼魅) 정신이상을 말한다. 귀신에 씌어 침묵하다가 갑자기 헛소리를 하고 춤거나 더운 증상이 번갈아 일어나며 복부가 팽팽해지고 손발이 차며 숨이 차서 음식을 먹지 못하는 병증

귀주(鬼疰) 처음에는 특별한 통증이 없다가 돌연히 귀사(鬼邪)에게 공격당한 것처럼 아프다. 가슴이 답답하여 땅에 쓰러지는 것이 마치 중악증(中惡症)과 같다. 차도가 있은 후에도 나쁜 기운이 남아 흩어지지 않고 오래도록 쌓여서 때로는 발작하며 낫지 않는다. 오랫동안 지속되면 죽고, 죽은 후에는 옆 사람에게 전염되므로 귀주라고 한다.

귀태(鬼胎) 월경을 2~3달 또는 그 이상 하지 않고 배가 임신 때처럼 부풀어 오르다가 갑자기 다량의 하혈을 하면서 개구리알 같은 것이 많이 섞여 나오는 병증

귀학(鬼瘧) 학질의 하나. 놀라서 열이 많이 나고 오한이 생기거나 정신이 흐려지는 병증

근골동통(筋骨疼痛) 힘줄과 뼈가 아픈 병증. 근골비통(筋骨痹痛)이라고도 한다.

근맥구련(筋脈拘攣) 팔다리의 힘줄이 오그라들고 당기면서 뻣뻣해져 굽혔다 폈다 하는 것이 부자유스러운 병증

근무력증(筋無力症) 신경의 자극이 근육으로 제대로 전달되지 못하여 근육이 쉽게 피로해지는 질환

급황(急黃) 갑자기 황달이 나타나며 열이 많이 나고 갈증을 많이 느끼며 가슴이 답답하고 숨이 차며 배가 불러오고 물이 차며 심해지면 헛소리를 하고 정신을 잃는 병증

기궐(氣厥) 기의 순환장애로 오는 궐증으로 기허(氣虛)나 기실(氣實)로 생긴다. 기허로 오는 궐증은 어지러워하다가 정신을 잃고 넘어지며 얼굴이 창백하고, 기실로 오는 것은 정신을 잃고 넘어지며 가슴이 뻐근하고 숨이 차며 맥이 현활하다.

기림(氣淋) 원기가 허약하여 생긴 임질. 하복부가 뻐근하고 오줌이 잘 나오지 않는 병증

기애(氣呃) 애역(呃逆)의 하나로 기가 울체되거나 치밀거나 허해서 생긴다. 폐기가 몰렸을 때는 딸꾹질이 잦으며 얼굴이 창백하고 손발이 싸늘하며 목구멍이 막히는 감이 있다.

기역(氣逆) 기가 치밀어 오르는 것으로, 장부의 기가 병적으로 치밀어 오르는 것을 말한다. 일반적으로 가슴이 답답하며 숨이 차고 아랫배가 아프며 메스껍고 어지럼증이 생긴다. 위기상역(胃氣上逆), 간기상역(肝氣上逆), 폐기상역(肺氣上逆) 등 여러 가지가 있다.

기옹후비(氣癰喉痹) 후비(喉痹)의 하나로 기가 몰리고 막혀서 생긴 후비이다. 점조한 가래가 나오고 오슬오슬 춥고 열이 나는 것이 특징이다.

기육마목(肌肉麻木) 피부의 감각이 둔해진 병증. 아프고 가려우며 차고 더운 것을 잘 느끼지 못한다. 기육불인(肌肉不仁)이라고도 한다.

기주(蚑疰) 어린아이들의 만성 전염병의 총칭

기천(氣喘) 기울(氣鬱)로 생긴 병증으로, 숨이 차고 가래 끓는 소리는 없으며 심하면 코를 벌름거리면서 때로는 가슴이 두근거리고 답답한 증상

기체애역(氣滯呃逆) 간기울(肝氣鬱)로 생기며, 딸꾹질이 정서와 관련되어 생기면서 트림을 하고 가슴이 답답하며 입맛이 없고 명치와 옆구리가 불러오면서 그득하며 배가 끓는 증상

기체어혈(氣滯瘀血) 기가 몰린 지 오래되어 어혈이 생긴 것. 어혈이 있는 부위가 찌르는 듯한 아픔이 있으면서 만지지 못할 정도로 통증이 있을 때도 있다.

기허정충(氣虛怔忡) 기허로 가슴이 몹시 두근거리는 병증. 기가 부족해서 생긴다.

ㄴ

나력(瘰癧) 림프절에 멍울이 생긴 병증. 근심과 분노로 간화(肝火)가 막혀 담(痰)이 되어 경락에 머물렀다가 근육을 수축해 멍울이 되는 병증

나력경풍(瘰癧驚風) 나력을 앓는 과정에서 생기는 열에 의하여 혈(血)이 부족해지고 풍(風)이 동하여 생긴다. 목의 양쪽에 구슬을 꿴 것 같은 멍울이 있고 경련이 일며 두 팔을 뒤로 젖힌다.

나병(癩病) 나균(*Mycobacterium leprae*)과 나종균(*M. lepromatosis*)에 의해 발생하는 만성 감염병이다. 살갗에 특이한 헌데가 생기며, 문둥병, 한센병 또는 뇌풍(腦風)이라고도 한다.

난현벽(爛痃癖) 배꼽 주위나 옆구리의 한쪽이 불거지고 당기면서 갑작스런 통증이 발생하고 문드러지는 병증

난현풍안(爛弦風眼) 눈꺼풀 기슭이 붉어지면서 헐고 가려움이 있는 병증. 풍현적란(風弦赤爛), 풍적안(風赤眼), 검현적란(瞼弦

赤爛)이라고도 한다.

납기평천(納氣平喘) 들이쉰 숨을 잘 받아들이게 하여 숨이 차는 것을 낫게 하는 효능

납매식소(納呆食少) 위가 음식을 잘 소화시키지 못하는 병증. 위매식소(胃呆食少)라고도 한다.

냉병(冷病) 하체를 차게 하여 생기는 병의 총칭

노권(勞倦) 내상병증(內傷病症)으로 늘 노곤해하는 병증. 피로로 비기(脾氣)가 상하거나 기혈이 허해서 생긴다. 노상(勞傷)이라고도 한다.

노상토혈(勞傷吐血) 허로(虛勞)로 몸이 약해져 토혈하는 병증

노상해천(勞傷咳喘) 허로(虛勞)로 몸이 약해져 기침이 나고 숨이 차는 병증

노열(勞熱) 기운이 쇠약해지고 과로로 인해 열이 나는 병증

노핍(勞乏) 몸과 마음이 피로하여 고달프고 지침.

노황(勞黃) 황달의 하나로, 뼈마디가 아프며 팔다리에 힘이 없고, 잘 먹지 못하면서 토하고 오한(惡寒)과 발열이 번갈아 오며 답답하고 코가 마르며 몸이 점차 야위고 이마는 검고 온몸이 누런 증상

녹내장(綠內障) 높아진 안압에 의해 시신경이 눌려서 손상을 받고 그 결과 시야가 좁아지는 병증. 시신경에 생기는 질환의 총칭이다.

농가진(膿痂疹) 진물과 고름이 섞인 것이 말라붙은 헌데의 딱지. 농과창, 황수창 등 감염창에서 볼 수 있다.

농와창(膿窩瘡) 다른 병에 속발성으로 생긴 여러 개의 고름집. 폐경의 열과 비경의 습이 피부에 몰려 생기거나 습진이나 피부염, 땀띠, 모기에게 물렸을 때 긁은 것이 동기가 되어 생긴다. 농포창(膿疱瘡)과 비슷한 말이다.

뇌역(腦逆) 궐역증(厥逆症)으로 머리가 아프고 이가 쑤시는 병증

뇌졸중(腦卒中) 중풍(中風)이라고도 하며, 뇌에 혈액을 공급하는 혈관이 터져 발생하는 뇌출혈과 혈관이 막혀 뇌로 혈액이 제대로 공급되지 못하여 발생하는 뇌경색이 있다.

누창(漏瘡) 피부에 생긴 부스럼에 구멍이 뚫어져서 고름이 흐르고 냄새가 나면서 오랫동안 낫지 않는 병증. 서루(鼠瘻), 연주창(連珠瘡), 나력(瘰癧), 누창(瘻瘡)이라고도 한다.

늑골통(肋骨痛) 갈비뼈 사이나 늑골에서 느껴지는 통증

ㄷ

다루(多淚) 풍열(風熱)로 인하여 눈물이 많이 흐르는 병증

단독(丹毒) 피부·점막의 헌데나 다친 곳으로 세균이 들어가 생기는 피부병. 붉은 반점이 생기고 열이 나며 아픈 병증

담궐(痰厥) 궐증(厥症)의 하나로 담이 성해서 생긴 궐증으로 팔다리가 싸늘하며 숨결이 거칠고 설태(舌苔)가 낀다.

담궐두통(痰厥頭痛) 두통의 하나. 습담(濕痰)으로 청양(淸陽)의 기가 위로 오르지 못하여 생긴 두통

담낭염(膽囊炎) 담낭관이 담석이나 종양 등에 의해 폐쇄되어 담낭에 염증을 일으키는 질환

담마진(蕁麻疹) 알레르기성 피부 반응으로 주위의 다른 피부보다 붉거나 창백한 빛을 띠고 매우 가려운 병증. 보통 두드러기라고 한다.

담석증(膽石症) 담낭이나 담관에 결석이 생겨 산통 발작을 비롯한 여러 가지 증상을 일으키는 병증

담수(痰嗽) 습담(濕痰)이 폐에 침범하여 생긴 기침

담수(痰水) 여러 가지 원인으로 몸 안의 진액이 제대로 순환하지 못하고 일정한 부위에 몰려서 담(痰)을 조성하는 것

담습해수(痰濕咳嗽) 담습이 정체되어 기침이 나오는 병증

담연(痰涎) 가래가 섞인 침

담연옹성(痰涎壅盛) 담연이 가슴 속에 몰린 것. 가슴이 답답하고 가래나 거품 침이 나온다. 담연천수(痰涎喘嗽)라고도 한다.

담열옹폐(痰熱壅肺) 담열(痰熱)이 폐에 몰린 병증. 열이 나고 입이 마르며 기침을 하고 숨이 차며 가래가 많고 설태가 낀다.

담옹천해(痰壅喘咳) 담이 뭉쳐 나오고 천식과 기침이 심한 병증

담음(痰飮) 넓은 의미에서 여러 가지 수음병(水飮病)을 통틀어 이르는 말. 몸 안에 진액이 여러 가지 원인으로 제대로 순환하지 못하고 일정한 부위에 몰려서 생기는 병증. 걸쭉하고 탁한 것을 담(痰)이라 하고 묽은 것을 음(飮)이라 한다.

담음해수(痰飮咳嗽) 진액이 정체되어 기침이 나오는 병증

담음현훈(痰飮眩暈)　비(脾)가 허해서 생긴 담음이 머리에 몰려서 생기는 병증. 어지러우면서 머리가 무겁고 가슴이 답답하며 게우고 숨이 차다.

담폐경궐(痰閉驚厥)　풍담(風痰)이 경락에 막혀서 생긴 경련증. 음식에 체했거나 폐, 위에 습담이 몰린 데다 다시 외사(外邪)를 받아서 생긴다.

담포(痰包)　혀 밑에 생긴 낭종. 담화(痰火)가 혀 밑에 몰려서 생긴다. 포설(包舌), 설하담포(舌下痰包)라고도 한다.

당뇨병(糖尿病)　오랜 기간 혈당 수치가 높게 지속되는 대사 질환군을 말한다. 혈당이 높을 때의 증상으로는 소변이 잦아지고 갈증이 생긴다. 한의학에서는 소갈(消渴)이라고 한다.

대상포진(帶狀疱疹)　바이러스에 의한 질병으로, 물집(수포)을 동반한 뾰루지(발진)가 몸의 한 쪽에, 주로 줄무늬 모양으로 나타난다.

대하증(帶下症)　여성의 질에서 흰색이나 누런색 또는 붉은색의 점액성 물질이 나오는 증상. 마치 허리띠처럼 끊임없이 나오므로 대하(帶下)라고 한다.

대하황조(帶下黃稠)　대하가 황색이고 뻑뻑한 병증

도한(盜汗)　잠잘 때에는 땀이 나다가 깨어나면 곧 땀이 멎는 병증. 침한(寢汗)이라고도 한다.

도현(掉眩)　현훈(眩暈)의 하나로 주로 간풍(肝風)이 동해서 생기는 병증. 어지럼증이 있으면서 머리를 흔들거나 몸을 떤다.

독발(禿髮)　대머리, 머리털이 많이 빠져서 벗어진 머리. 독두(禿頭), 독정(禿頂), 돌독(突禿), 올두(兀頭)라고도 한다.

독창(禿瘡)　머리가 헐면서 머리털이 많이 빠져서 없어지는 병증. 백독창(白禿瘡)이라고도 한다.

독풍(毒風)　풍독(風毒)으로 얼굴에 염증이 생기는 병증

돈해추축(頓咳抽搐)　역해(逆咳, 頓咳, 백날기침) 때에 경련이 나는 것

동공확대(瞳孔擴大)　교감 신경의 지배를 받는 동공확대근의 작용에 의하여 동공이 지름 4mm 이상으로 커지는 증상

동맥경화증(動脈硬化症)　동맥의 혈관벽에 지방이 가라앉아 혈관이 좁아지고 탄력성을 잃게 되는 현상. 동맥의 탄력이 떨어져 혈액 공급이 원활하지 못한 질병이다.

동상(凍傷)　피부와 다른 조직들이 극심한 추위로 인해 일부 부위에 상해를 입어서 혈액 공급이 원활하지 못하고 가렵고 아픈 증상

두라(頭癩)　머리와 얼굴 등에 흰 비늘이 생겨 겹겹이 일어나며 벗겨지는 백설풍(白屑風)과 같이 잘 낫지 않는 악성 피부염

두면풍(頭面風)　바람의 기운이 침입하여 땀이 나고 머리가 아프며 각종 피부병이 생기는 병증

두창(頭瘡)　급성 발진성 전염병의 하나로 천연두를 말한다. 발병하면 강력한 전염성이 있어서 천행(天行)이라고 하기도 한다.

두현(頭眩)　어지럼증. 외감이나 내상으로 간(肝), 비(脾), 신(腎)의 기능 장애로 생긴다. 현기(眩氣), 현훈(眩暈)이라고도 한다.

두훈목현(頭暈目眩)　어지럼증이 있고 눈앞이 캄캄하며 시야가 흐리고 별이 반짝이는 증상

둔시(蚓尸)　둔시(遁尸), 한시(寒尸), 상시(喪尸), 시주(尸疰)를 말하며, 모두 전시로(傳尸勞, 전염병과 같이 옆에 있으면 감염되는 허로질환)를 말한다.

ㄹ

류머티스관절염　만성 염증성 자가면역질환. 면역체에 의한 활막의 지속적인 염증 반응으로 인해 연골의 손상이 나타나게 되며, 결국은 관절이 파괴되고 관절염 등의 증상이 나타나게 되는 질환이다.

ㅁ

마도창(磨刀瘡)　나력의 하나. 나력의 멍울이 여러 개 연달아 생긴 것

마목(麻木)　감각이 둔해지거나 없어지는 증상. 마비(麻痺)라고도 한다.

마설(馬舌)　혀가 부으면서 감각이 둔해지는 병증. 설비(舌痺)라고도 한다.

마자복(磨刺腹)　수마자복(水磨刺腹)의 준말. 물에 갈아서 본액제(本液劑)에 타서 먹는 것

마진(麻疹)　어린아이의 급성발진성 전염병으로 홍역(紅疫)이라고도 한다. 홍역 바이러스의 감염에 의하여 공기를 통해 감염된다. 최근에는 백신을 접종하기 때문에 잘 나타나지 않는다.

마진천급(麻疹喘急)　마진 경과 중에 열독이 직접 폐에 들어가 고열, 숨가쁨, 심한 기침이 나오는 병증

마풍창(麻風瘡)　마진을 앓는 어린아이가 발진이 사라진 후 온몸에 헌데가 생기고 가려우며 답답해하는 병증. 마풍병(麻風病)

이라고도 한다.

만경협담(慢驚夾痰) 만경풍에 열담을 겸한 병증. 오후에 열이 나고 갈증이 나며 불안해하는 병증

만후풍(慢喉風) 목안이 붓고 아프나 진행이 느린 인후병

말라리아 학질 모기로 인하여 매개되는 원충 감염으로 특이한 발작을 되풀이하는 열대병증. 학질(瘧疾)이라고도 한다.

망막증(網膜症) 망막병증(網膜病症)이라고도 하며, 눈의 망막에 지속적이거나 극심한 손상을 일으키는 병증

망음(亡陰) 음액(陰液)이 많이 소모된 상태. 열이 몹시 나거나 땀을 지나치게 흘리는 등 만성 질병을 앓을 때 생긴다.

매독(梅毒) 감염병의 하나로 생식기가 헐며 임파절이 붓는 병증. 양매결독(楊梅結毒)의 준말로 매창(梅瘡), 양매창(楊梅瘡)이라고도 한다.

맥(脈) 기혈(氣血)이 순환하는 통로, 즉 혈맥을 말한다.

멀미 몸이 버스, 배, 비행기 등의 흔들림을 받아 속이 메스껍고 머리가 어지러운 상태인 현기증을 말한다.

면간(面䵟) 얼굴에 생긴 거무스름한 기미. 면간(面皯)이라고도 한다.

면간포(面䵟皰) 주근깨, 좁쌀 크기의 흑색 또는 흑갈색 반점이 얼굴을 비롯한 손등, 피부 등에 생긴 병증

면사(面戱) 평소 폐열(肺熱)이 많거나 가슴이 답답하고 이를 악물며 눕기만 하고 앉지 못하며 다리가 당기는 증상(陽明症). 열로 인해 코끝이 붉어지는 증상으로 애주가에 다발한다. 주사비(酒齇鼻), 비적(鼻赤)이라고도 한다.

명목퇴예(明目退翳) 눈을 밝게 하고 각막이 흐릿한 증상을 없애는 것. 명목거예(明目去翳)라고도 한다.

명문(命門) 생명의 근본이라는 뜻으로, 오른쪽 신(腎)을 말한다.

목삽혼화(目澁昏花) 눈이 마르고 깔깔하며 물체가 뿌옇게 보이면서 눈앞에 꽃무늬 같은 것이 나타나는 병증. 목생운예(目生雲翳)라고도 한다.

목적예막(目赤翳膜) 눈이 충혈되고 각막이 흐려지는 병증. 목예(目翳)라고도 한다.

몽염(夢魘) 기괴한 꿈에 가위눌려 놀라면서 잠을 깨는 것. 귀염(鬼魘)이라고도 한다.

무좀 곰팡이균에 의해 발생하는 피부 질환으로 주로 발에 발생하며 백선(白癬)이라고도 한다. 피부가 벗겨지고 가려움증을 일으킨다.

미릉골통(眉稜骨痛) 눈썹 주변과 눈이 아프고 사물이 잘 보이지 않는 병증

미초(米炒) 약재를 쌀과 함께 쌀이 누렇게 될 때까지 볶는 것을 말한다. 독성이 약해지고 중기(中氣)를 보하는 작용이 커진다.

ㅂ

반묘독(斑猫毒) 몸길이는 1~3cm이고 길며 광택이 있는 흑색으로 날개가 퇴화하여 날지 못하고 농작물에 해를 끼치는 가뢰과 곤충의 독

반위(反胃) 음식을 먹은 다음 일정한 시간이 지나서 토하는 병증. 비위가 약하거나 명문의 화가 부족하여 소화력이 떨어지는 병증. 반위구토(反胃嘔吐)라고도 한다.

반자(瘢疵) 흉터나 주근깨

발기부전(勃起不全) 성기능 장애의 일종. 음경이 발기하지 않거나 성행위 중 발기한 상태를 유지할 수 없는 것. 음위(陰痿)라고도 한다.

발진(發疹) 열성병(熱性病)으로, 피부나 점막에 좁쌀 크기의 종기가 생기는 병증

방광기통(膀胱氣痛) 배꼽 주위가 비트는 것처럼 아픈 병증

배려(背膂) 등뼈, 즉 척추(脊椎)를 말한다.

백내장(白內障) 안구의 수정체가 혼탁해져서 시력 장애를 일으키는 질병이다.

백대하(白帶下) 여성의 질에서 흰색의 점액성 물질이 나오는 증상. 백대(白帶)라고도 한다.

백선(白癬) 풍사(風邪)로 인해 생기며, 피부가 가렵고 환부가 백색을 띠는 선증(癬症)의 일종. 사상균(絲狀菌)의 하나인 백선균(白癬菌)에 의하여 일어나는 전염성을 가진 피부병

백일해(百日咳) 백일해균(Bordetella pertussis)에 감염되는 호흡기 질환. 전파력이 강한 전염병이며 특히 소아에 위험하다. 백일 동안 지속되는 기침이라는 뜻에서 붙여진 이름이다. 대부분 만 8~15세에 백신을 접종하지 않은 아이에게서 발병된다.

백합병(百合病) 정신이 불안하고 혼자 중얼거리며 입 안이 쓰며 소변이 붉은 증상. 즉, 신경쇠약, 히스테리, 갱년기 증후군 등

정신병을 말한다.

백혈병(白血病) 백혈구가 이상 증식하는 혈액 종양의 일종이다. 백혈병에 걸리면 감기와 유사한 열, 코피, 창백, 빈혈, 오한, 고열, 체중 감소, 피로 등이 나타나고 쉽게 멍이 들거나 피부에 출혈이 일어난다.

번갈(煩渴) 열이 나며 목이 마르고 가슴이 답답한 증상

번조(煩燥) 몸과 마음이 답답하고 열이 나서 손과 발을 가만히 두지 못하는 병증. 조번(燥煩)이라고도 한다.

법제(法製) 약재의 질과 효능을 높이고 보관, 조제, 제제하는 데 편리하게 하기 위한 가공법. 포제, 포구, 수치, 수제라고도 한다.

벽(癖) 양 옆구리 아래에 덩이가 생겨 아팠다 멎었다 하며 아픔이 있을 때 만져지는 것을 말한다. 음식 조절을 잘못하거나 한담(寒痰)이나 기혈(氣血)이 몰려서 생긴다.

벽온역(辟溫疫) 유행성의 급성전염병을 물리치거나 방지할 수 있다는 것

변비(便秘) 배변이 쉽게 되지 않는 병증. 하루에 1회 배변이 보통이나 2~3일 만에 1회 정도도 이에 해당한다.

변혈(便血) 대변에 피가 섞여 나오는 병증

보신견골(補腎堅骨) 신(腎)이 허한 것을 보하여 뼈를 튼튼히 하는 효능. 보신강골(補腎强骨)이라고도 한다.

복량(伏梁) 심장과 관련되어 생긴 덩어리로 기혈이 몰려서 발생한다. 이는 병이 심장 아래에 있으며 위아래로 이동하고 때때로 침(唾液)에 피가 섞여 나온다. 심적(心積)이라고도 한다.

복중비괴(服中痞塊) 배 안에 음식물, 담(痰), 어혈 등으로 생긴 덩어리가 만져지는 병증

부예(膚瞖) 눈동자 위에 파리의 날개처럼 얇은 것이 덮여 있는 것같이 느껴지는 증상. 부예(浮瞖)라고도 한다.

분돈(奔豚) 오적신(五積腎)의 하나인 신적(腎積)을 말한다. 얼굴빛이 검고 아랫배에 통증이 발작하여 명치 밑까지 치밀어 오르는 증상. 마치 돼지새끼가 뛰어다니는 것처럼 통증이 오르내리므로 분돈이라 한다.

불면증(不眠症) 수면을 이루지 못하는 수면 장애 증상. 적어도 1개월 이상 잠들기가 어렵거나 깊은 잠이 들지 않는 병증

붕루(崩漏) 여성의 성기에서 비정상적으로 출혈이 있는 병증. 혈붕혈루(血崩血漏), 붕중루하(崩中漏下)라고도 한다.

비강염(鼻腔炎) 앞콧구멍에서부터 뒤콧구멍 사이를 비강(鼻腔)이라 하는데, 이 부위에 염증이 생긴 것을 말한다.

비뉵(鼻衄) 코피가 나는 병증으로 비뉵혈(鼻衄血)이라고도 한다.

비달(脾疸) 황달의 하나로 비장(脾腸)과 관련된 황달. 온몸이 노랗게 변하고 소변이 붉으며 양이 적고 가슴이 두근거리는 증상이 있다.

비연(鼻淵) 코 안에서 누렇고 냄새가 나는 분비물이 나오는 병증

비장염(脾臟炎) 비장에 생긴 염증. 대개 비장의 크기가 비대해져 좌측 옆구리 쪽에 통증과 불쾌감이 느껴진다.

비정(秘精) 정액을 소중하게 간직함.

비증(痺症) 뼈마디가 아프고 저린 감이 있으며 심하면 부으면서 팔다리의 운동 장애가 있는 병증. 골절동통(骨節疼痛)과 비슷한 말이다.

비허부종(脾虛浮腫) 비(脾)가 허한(虛寒)해서 수습이 정체되고 몸이 부으며 입맛이 없어지고 피곤해하며 팔다리가 차가워지는 병증

비허설사(脾虛泄瀉) 비(脾)가 허한(虛寒)해서 진액을 대장에 제대로 보내 주지 못하여 생기는 설사. 비허사(脾虛瀉)라고도 한다.

비홍(鼻洪) 코에서 다량의 피가 나오고 입과 귀에서 일제히 피가 나오는 것

빈뇨(頻尿) 적은 양의 소변을 자주 보는 병증

빈혈(貧血) 말초 혈액 중에 산소를 운반하는 헤모글로빈 농도가 감소한 상태를 말한다.

ㅅ

사림(沙淋) 임질의 일종. 배뇨가 순조롭지 못하며 소변에 모래알 같은 것이 섞여 나오는 증상

사망독(射罔毒) 약재인 사망(射罔), 즉 초오(草烏)의 독을 말한다.

사진(痧疹) 발진성전염병으로, 피부에 콩만한 구진(丘疹)등이 나타나는 병증

사화해독(瀉火解毒) 열독을 제거하여 온독(溫毒)이나 창양열독(瘡瘍熱毒)을 낫게 하는 효능

산가(疝瘕) 산증(疝症)의 하나. 아랫배가 화끈거리면서 아프고 요도로 흰 점액이 나오는 병증. 가산(瘕疝)이라고도 한다.

산람장기(山嵐瘴氣) 전염병을 일으키는 사기(邪氣)의 하나. 더운 지방의 산과 숲, 안개가 짙은 곳에서 습열(濕熱)이 위로 올라

갈 때에 생기는 나쁜 기운

산어지혈(散瘀止血) 어혈(瘀血)을 풀어서 출혈을 멈추게 하는 효능

산혈지통(散血止痛) 어혈(瘀血)을 풀어서 통증을 멈추게 하는 효능

산후오로불하(産後惡露不下) 산후에 오로(惡露, 출산 후 자궁에 남아 있던 찌꺼기)가 나오지 않는 병증

삼초(三焦) 육부(六腑)의 하나. 장부(臟腑)의 외부를 둘러싼 가장 큰 부(腑)이다. 모든 기(氣)를 주관하고 수도(水道)를 소통하는 작용이 있다. 또 하나는 인체를 상초(上焦), 중초(中焦), 하초(下焦)로 나눈 세 부분을 말한다.

삽장지사(澁腸止瀉) 대장을 튼튼히 하여 설사를 멎게 하는 효능. 삽장고탈(澁腸固脫)이라고도 한다.

상초(上焦) 삼초(三焦)의 일종. 목구멍에서 횡격막 또는 위장 부위까지를 말한다.

상피암(上皮癌) 상피 세포에 발생하는 악성 종양을 말한다.

상화(相火) 간(肝), 담(膽), 신(腎), 삼초(三焦)의 화(火)를 통틀어 이르는 말. 군화(君火)와 상대되는 말이다. 일반적으로 상화(相火)는 명문(命門)의 화(火)를 말하며, 군화와 함께 오장육부를 온양하고 그것의 활동을 도와준다.

생기렴창(生肌斂瘡) 부스럼이 생긴 부위에서 새살이 돋아나고 상처를 아물게 하는 효능

생한숙열(生寒熟熱) 약쑥(艾葉)의 약성에 관한 것으로, 생것은 몸을 차게 하고, 익히면 뜨거운 약이 된다는 것

서경활락(舒經活絡) 기혈(氣血)의 순환로인 경락(經絡)을 잘 통하게 하는 효능

서근지통(舒筋止痛) 근육을 풀어 주어 통증을 멎게 하는 효능

서근활혈(舒筋活血) 근육을 풀어 주고 혈액 순환을 도와 주는 효능

서루(鼠瘻) 나력(瘰癧)의 일종. 목과 겨드랑이의 림프샘에 결핵성 염증이 생기고 곪아 뚫린 구멍에서 고름이 나는 증상. 쥐가 구멍을 잘 뚫는 특성이 있어서 쥐구멍처럼 살과 근육 사이를 따라 발생하기 때문에 붙여진 이름이다.

서열곤민(暑熱困悶) 서사(暑邪, 여름철 더위로 인하여 생긴 병사)로 몸이 피곤하고 가슴이 답답한 병증

석림(石淋) 소변 볼 때 음부가 아프고 모래나 돌 같은 요석(尿石)이 섞여 나오는 병증

선폐평천(宣肺平喘) 폐기(肺氣)를 잘 퍼지게 하여 숨찬 것을 멎게 하는 효능

소갈(消渴) 물을 많이 마시고 음식을 많이 먹지만 몸이 여위면서 오줌의 양이 많아지는 병증. 소갈인음(消渴引飮)이라고도 한다.

소변임삽(小便淋澁) 소변이 탁하고 음부가 아프면서 붓는 병증. 소변임통(小便淋痛)이라고도 한다.

소변적삽(小便赤澁) 소변 색이 붉고 배출이 곤란한 병증. 소변적탁(小便赤濁), 소변임력(小便淋瀝)이라고도 한다.

소양증(搔痒症) 피부가 심하게 가려운 병증

소장산기(小腸疝氣) 산증(疝症, 생식기와 고환이 붓고 아픈 병증)의 하나로 배꼽 아래가 몹시 아프면서 통증이 허리까지 미치고 음낭이 당기면서 아픈 통증. 고환통증이라고도 한다.

소풍명목(疎風明目) 풍사(風邪)를 없애서 눈을 밝게 하는 치료법

수고(水蠱) 수독기(水毒氣)가 내부에 몰려 복부가 점차 커지고 목소리가 떨리면서 물을 마시려 하고, 피부가 거칠어지며 검어지는 증상. 수고(水鼓), 팽창(膨脹)이라고도 한다.

수곡리(水穀痢) 먹은 음식이 소화되지 않고 그대로 배설되는 설사. 식설(殖泄)이라고도 한다.

수렴(收斂) 아물게 하고 줄어들게 하며 나가는 것을 거두어들이는 작용

수렴고삽(收斂固澁) 절로 땀이 나거나 식은땀이 흐르며, 오랜 설사, 이질, 기침, 숨찬 증상, 탈항, 유정 및 조설, 붕루, 대하, 요실금 등을 멈추게 하는 효능. 수삽(收澁)이라고도 한다.

수렴삽통(收斂澁痛) 눈병이 나서 눈알이 깔깔하면서 아프거나, 소변이 잘 나오지 않으면서 아픈 것을 낫게 하는 효능

수렴약(收斂藥) 혈관을 수축시켜 지혈하거나 설사를 그치게 하는 약

수발조백(鬚髮早白) 심혈(心血) 부족, 간신음(肝腎陰)의 휴손으로 수발(鬚髮)에 영양을 주지 못해서 생기는 병증

수습고창(水濕臌脹) 수습(水濕)이 정체되어 배가 불러 오면서 그득하고 불편한 증상

수음정폐(水飮停肺) 수습(水濕)이 정체되어 숨이 차고 기침이 나는 병증

수장불입(水漿不入) 인후나 식도 질환, 또는 위장의 질환으로 물이나 미음을 마시지 못하는 일

수족경련(手足痙攣) 근육이 수축되면서 생기는 통증으로 발가락과 손가락에서 발생하는 병증. 근육을 무리하게 이용하였을 때 근육에서 신경 증상이 나타나는 것이 많다.

수족마목(手足麻木) 풍한사(風寒邪)가 몸에 들어와 팔다리가 아프고 뻐근한 병증

수종창만(水腫脹滿) 체내에 수습(水濕)이 정체되어 얼굴과 목, 팔다리 및 가슴과 배가 붓고 심하면 온몸이 붓는 증상. 수종(水腫) 또는 부종(浮腫)이라고도 한다.

수징(水癥) 경락이 막혀 수기(水氣)가 복부에 싸여 발생하는 병증으로, 배 안에 딱딱한 덩어리가 생기고 온몸이 붓는 증상

순기(順氣) 기를 순조롭게 하는 효능. 강기(降氣)라고도 한다.

슬관절통(膝關節痛) 무릎의 관절에 염증이 생겨 아픈 병증

습사(濕邪) 외감(外感) 병인(病因) 중 육음(六淫)의 하나로, 습기의 나쁜 기운이 몸에 들어와 병을 일으키는 것

습열설사(濕熱泄瀉) 습사(濕邪)와 열사(熱邪)가 장에 침입하여 생긴 설사

습열유정(濕熱遺精) 비위의 습열이 아래로 내려가서 정액이 저절로 나오는 병증

습열융폐(濕熱癃閉) 습열(濕熱)로 인하여 오줌이 잘 나오지 않고 아랫배가 그득한 병증

습열황달(濕熱黃疸) 습사(濕邪)와 열사(熱邪)가 몸에 들어와 몸과 눈, 오줌이 누렇게 되는 병증

습진(濕疹) 피부 가려움증과 함께 붉은 반점이나 수포를 동반하는 피부 질환을 말한다.

승몽(蠅蠓) 파리와 진딧물이라고 하는데, 모기와 비슷하고 눈에 띄지 않을 정도로 작으며, 떼를 지어 사람이나 짐승의 몸에 붙어 피를 빨아 먹는 곤충. 멸몽(蠛蠓)이라고도 한다.

승양거함(升陽擧陷) 비위가 허약해져 숨결이 고르지 못하고 기운이 없으며 나른한 것을 낫게 하는 효능

시선염(腮腺炎) 뺨에 있는 땀샘의 염증

시주(尸疰) 죽은 사람의 넋으로 인하여 생기는 병. 사람이 죽으면 3년 뒤에 귀신이 되어 다른 사람의 품에 붙어 병을 일으킨다는 것. 기침을 하면서 피를 토하고 식은땀을 동반하며, 속이 더부룩하고 아프며 숨이 가빠 제대로 숨을 쉬지 못하며 온몸이 가라앉을 듯한 증상을 보인다.

시창(屎瘡) 집게벌레의 오줌독으로 생긴 부스럼

식육(瘜肉) 군더더기 살. 군살을 말한다.

식적복사(食積服瀉) 음식으로 비위가 상하여 배가 아프면서 설사하는 병증. 식상설사(食傷泄瀉)라고도 한다.

식적복창(食積腹脹) 음식으로 비위가 상하여 배가 불러오면서 그득한 병증. 식적창만(食積脹滿)이라고도 한다.

식중독(食中毒) 병원성 세균, 독소, 바이러스, 기생충, 화학 물질, 자연독 등에 오염된 음식물 섭취의 결과로 발생하는 모든 종류의 질병을 말한다.

신경쇠약(神經衰弱) 잘 흥분하고 쉽게 피로하며 힘이 없고, 두통과 수면 장애 등을 수반하는 병증

신경통(神經痛) 말초 신경의 특정한 경로에 따라 발작적으로 일어나는 통증을 말한다.

신양허쇠(腎陽虛衰) 명문의 화(火)가 쇠약해지는 병증. 명문화쇠(命門火衰)라고도 한다.

신우신염(腎盂腎炎) 신장의 한 부분인 신우(腎盂)에 염증이 생기는 질환으로, 신우염이라고도 한다.

신정허갈(腎精虛喝) 신기(腎氣)가 허약한데 절제하지 않아서 정수(精髓)가 모두 소진된 것

신허요통(腎虛腰痛) 신기(腎氣)가 허약하여 오는 요통. 허리가 시큰시큰 아프며 다리와 무릎에 힘이 없는 병증

신허유정(腎虛遺精) 하초(下焦)가 허약하거나 과로나 지나친 성생활, 만성병으로 인하여 정액이 저절로 흘러나오는 병증

심경(心經) 수소음심경(手少陰心經)의 준말로 십이경맥의 하나

심계항진(心悸亢進) 심장 박동이 크게 느껴지면서 불편하고, 현기증이나 호흡 곤란을 동반하는 병증. 심계(心悸)라고도 한다.

심규(心竅) 심장이 외부와 통하는 곳으로, 혀를 말한다.

심번구갈(心煩口渴) 가슴이 답답하고 갈증이 나는 병증. 심화(心火)가 지나치게 왕성해 진액이 소모되어 생긴다. 번갈(煩渴)이라고도 한다.

심번실면(心煩失眠) 가슴이 답답하고 갈증이 나는 병증으로, 수면 장애가 생긴다.

심복동통(心腹疼痛) 심복통이라고도 하며, 명치 아래와 배가 몹시 아픈 증상

심통(心痛) 심장 부위와 명치 부위의 통증을 통틀어 이르는 말

ㅇ

아구창(鵝口瘡) 입안과 혓바닥에 둥근 흰 반점이 군데군데 생기는 증상

악기(惡氣) 병을 일으키는 나쁜 기운

악창(惡瘡) 헌데가 벌겋게 부으면서 아프고 가려우며 곪아 터지는 병증. 뇌풍(腦風)이라고도 한다.

악창양종(惡瘡瘍腫) 악창이 심하여 피부 안이 붓고 아픈 병증

악풍(惡風) 한센병(나병)을 말한다.

암독전상(罯毒箭傷) 독화살에 입은 상처를 해독약으로 덮어 붙인다.

애역(呃逆) 딸꾹질. 위기(衛氣)가 위로 치밀어 목구멍에서 연속적으로 특수하게 나는 소리

야뇨증(夜尿症) 소변을 가릴 만한 나이가 된 사람이 밤에 소변을 가리지 못하고 지리는 병이다.

야맹증(夜盲症) 밝은 곳에서 어두운 곳에 들어갔을 때 사람의 눈이 어두워진 환경에 잘 적하지 못하는 병증. 보통 비타민 A 결핍으로 생긴다.

야제(夜啼) 어린아이가 낮에는 조용하다가 밤이 되면 정신이 불안해져 생기는 병증. 밤에 울면서 얼굴색이 쉽게 변하며 자다가도 놀라고 거품을 게우며 경련이 일어나기도 한다.

양매창(楊梅瘡) 성병의 하나로 생식기가 헐고 임파절이 붓는 병증. 매독, 매창이라고도 한다.

양위증(陽痿症) 음위증(陰痿症)을 달리 부르는 말

양혈지리(凉血止痢) 혈분에 침입한 사열(邪熱)을 없애서 설사를 멈추게 하는 효능

양혈지혈(凉血止血) 혈분에 침입한 사열(邪熱)을 없애서 어혈을 풀어 주는 효능

어체복통(瘀滯腹痛) 어혈(瘀血)이 정체되어 생기는 복통

어혈(瘀血) 피가 몸 안의 일정한 곳에 머물러서 생긴 병증. 어혈증(瘀血症), 혈어(血瘀)라고도 한다.

어혈동통(瘀血疼痛) 어혈로 인하여 몸이 아픈 병증

엄약(罯弱) 생식기가 없는 남자(鼓子)처럼 생식 기능이 매우 약하다는 말

여력(餘瀝) 소변을 보고 난 후 시원하지 않고 방울방울 떨어지는 증상

역절풍(歷節風) 풍한습사가 경맥을 통하여 뼈마디에 침입하여 생기는 병증. 백호풍(白虎風), 백호병(白虎病), 통풍(痛風)이라고도 한다.

연오장재예(練五臟滓穢) 오장의 더러운 찌꺼기를 녹여 내는 것

연주창(連珠瘡) 림프샘의 결핵성 부종인 갑상샘종이 헐어서 터진 부스럼을 말하며, 임파절결핵이라고도 한다.

열격(噎膈) 음식이 목구멍으로 잘 넘어가지 못하거나 넘어갔다고 해도 위까지 내려가지 못하고 이내 토하는 병증. 목과 가슴에 막힌 감이 있고 목이 메어 음식을 넘기기 힘들며 심하면 가슴과 배 사이가 아프고 몸이 야위며 대변이 굳는 증세를 보인다. 격열(膈噎), 열격토식(噎膈吐食)이라고도 한다.

열실결흉(熱實結胸) 사열(邪熱)이 몸에 들어가 가슴에 있는 담음(痰飮)과 뭉쳐서 생긴다. 배가 불러오면서 그득하고 아프며 가슴이 답답한 병증. 열결흉비(熱結胸痞)라고도 한다.

열독창상(熱毒創傷) 열독으로 인하여 체표(體表) 조직이 물리적 손상을 입은 것을 말한다.

열독풍(熱毒風) 열독으로 인해 머리와 얼굴이 붓고 달아오르며, 가슴이 답답하고 불안하며 눈이 잘 보이지 않고 피부에 열감이 있는 병증

열독혈리(熱毒血痢) 양열(陽熱)이 몰려 독이 생긴 것을 열독이라 하는데, 이 열독으로 인하여 피가 수반되는 설사를 하는 병증

열림삽통(熱淋澁痛) 습열(濕熱)이 하초에 몰려서 오줌을 자주 누지만 시원하게 나오지 않고 아랫배가 아픈 병증

열병반진(熱病斑疹) 열사(熱邪)의 침입으로 열이 나고 피부에 두드러기가 생기는 병증

열병심번(熱病心煩) 열사(熱邪)의 침입으로 열이 나고 가슴이 답답한 병증

열황(熱黃) 전염성이 강한 유행성 병으로 열이 나고 황달이 오는 병증

염폐삽장(斂肺澁腸) 기침으로 폐가 허해진 것을 낫게 하고 장(腸)의 기능을 북돋우는 효능

염폐정천(斂肺定喘) 오랜 기침으로 폐가 허해진 것을 낫게 하여 숨찬 것을 멎게 하는 효능

영류(癭瘤) 혹(瘤) 또는 병적으로 불거져 나온 살덩이

영풍류루(迎風流淚) 바람을 맞으면 눈물이 더 흐르는 병증

예막(瞖膜) 각막이 붉거나 희거나 또는 푸른 막이 눈자위를 덮는 눈병. 각막편운(角膜片雲)이라고도 한다.

예장(瞖障) 각막에 염증이 생겨 시력이 흐려지는 병증

오감(五疳) 간감(肝疳), 신감(腎疳), 비감(脾疳), 폐감(肺疳), 심감(心疳) 등 다섯 가지 감증(疳症)을 합쳐서 부르는 말

오뇌(懊憹) 심흉부에 열이 나면서 답답하여 안절부절 못하는 증상

오로증(五勞症) 심로(心勞), 폐로(肺勞), 간로(肝勞), 비로(脾勞), 신로(腎勞) 등 과로로 인한 다섯 가지 발병 요인을 말한다.

오로칠상(五勞七傷) 몸과 마음이 허약하여 생기는 다섯 가지 증상과 남자의 신기(腎氣)가 허약하여 생기는 일곱 가지 증상. 오로(五勞)는 심로(心勞), 폐로(肺勞), 간로(肝勞), 비로(脾勞), 신로(腎勞)이며, 칠상(七傷)은 음부가 찬 것, 음경이 발기되지 않는 것, 뱃속이 당기는 것, 정액이 저절로 흘러나오는 것, 정액이 적은 것, 정액이 희박한 것, 오줌이 잦은 것이다.

오림(五淋) 다섯 가지 종류의 임질, 기림(氣淋, 방광염), 노림(勞淋), 고림(膏淋, 전립선염), 석림(石淋, 요관결석), 혈림(血淋, 만성신염)을 이르는 말

오시(五尸) 나쁜 기운이 몸에 덮쳐 한열(寒熱)이 번갈아 일어나고 정신이 몹시 어지러워서 마침내 죽게 되는 병

오심(惡心) 위(胃)가 허하거나 위에 한, 습, 열, 담, 식체 등으로 속이 불쾌하고 울렁거리며 구역질이 나면서도 토하지 못하고 신물이 올라오는 증상

오훈채(五葷菜) 자극성이 있는 다섯 가지의 채소. 불가(佛家)에서는 마늘, 달래, 무릇, 김장파, 실파이다.

온병(溫病) 여러 가지 외감성(外感性)의 급성 열병

온학(溫瘧) 학질의 일종으로 열이 난 뒤 오한이 드는데, 오한은 그리 심하지 않고 열증(熱症)이 주로 나타나는 병증. 말라리아를 말한다.

옹비(齆鼻) 군살이 자라서 콧구멍(鼻腔)이 막혀 냄새를 잘 맡지 못하는 병

옹저(癰疽) 헌데가 근육 깊은 곳에 있어 잘 낫지 않는 병

옹절(癰癤) 옹(癰)은 피부와 장부(臟腑)가 곪는 것이고, 절(癤)은 모낭과 그에 부속된 피지선이 감염된 것으로, 곪으면서 한가운데에 큰 근(根)이 생기는 종기

옹종정독(癰腫疔毒) 옹저 때 헌데가 생기고 부어오르는 곳이 작고 단단한 뿌리가 쇠못처럼 깊이 배겨 있는 병증

옹종창독(癰腫瘡毒) 옹저 때 헌데가 생기고 부어오르는 병증. 옹창종독(癰瘡腫毒)이라고도 한다.

옹창절종(癰瘡癤腫) 부스럼이 심하고 관절이 부어오르는 병증. 옹창정절(癰瘡疔癤)이라고도 한다.

와라(瘑癩) 나병으로 피부가 헌 것

와루(瘑瘻) 헌데가 곪아 뚫린 구멍에서 고름이 흘러내리는 병

와선(瘑癬) 옴, 개선(疥癬)

완두창(豌豆瘡) 두창(痘瘡)의 다른 이름으로, 급성 발진성 전염병. 천두(天痘), 천행두(天行痘) 등 발병하면 전염성을 가지므로 천행이라 한다.

완복동통(脘腹疼痛) 위에 생긴 염증이 위 점막에 이르러 궤양을 일으킨 경우, 배가 뻣뻣하고 명치 끝에 통증이 오는 증상

완복비만(脘腹痞滿) 위에 생긴 염증으로, 명치 밑이 그득하고 불편한 병증

외감풍열(外感風熱) 밖에서 오는 풍사(風邪)와 열사(熱邪)

요로결석(尿路結石) 신장, 요관, 방광 등 요로에 결석이 형성되어 감염이나 요폐색 등의 합병증을 유발하는 질환

요슬산연(腰膝酸軟) 허리와 무릎이 시큰거리고 힘이 없어지는 증상

요슬산통(腰膝酸痛) 허리와 무릎이 쑤시고 저리며 걷거나 앉아 있을 때에도 심한 고통을 느끼는 증상

요퇴동통(腰腿疼痛) 허리와 허벅지가 몹시 쑤시고 저리며 심한 고통을 느끼는 증상. 줄여서 요퇴통(腰腿痛)이라 한다.

용화(龍火) 용뇌지화(龍雷之火)의 준말로, 간신화(肝腎火)나 명문화(命門火)를 가리키는 말

우피선(牛皮癬) 피부가 몹시 가렵고 소가죽처럼 두꺼워지는 병증. 완선(頑癬), 섭령창(攝領瘡)이라고도 한다.

울알(鬱遏) 울체(鬱滯), 즉 답답하게 막힘. 울알(鬱閼)이라고도 한다.

위경련(胃痙攣) 위장 부위의 명치 부위가 쥐어짜듯이 아픈 상태가 반복되는 증상

위궤양(胃潰瘍) 위벽의 손상이 점막근층(粘膜筋層)과 점막하층(粘膜下層)을 지나 근층(筋層)까지 이르는 위장병

위매식소(胃呆食少) 위가 음식을 잘 소화시키지 못하는 병증. 납매식소(納呆食少)라고도 한다.

위벽(痿躄) 팔다리와 몸이 위축되고 약하여 늘어지며 특히 다리를 쓰지 못하는 병증

위분(衛分) 밖으로부터 사기(邪氣)가 침범하지 못하도록 몸을 보호하는 피부의 기능

위산결핍증(胃酸缺乏症) 소화에 필요한 산(酸)의 생산이 적은 병증. 저산증(低酸症), 위산부족증(胃酸不足症)이라고도 한다.

위염(胃炎) 위 점막에 상처가 생겨 붓고 염증이 생긴 병증

위완동통(胃脘疼痛) 위 속이 아픈 병증. 위의 들문 부위를 상완(上脘), 가운데 부위를 중완(中脘), 날문 부위를 하완(下脘)이라고 한다.

위절(蹉折) 헛디뎌 뼈가 부러지는 것

유력(遺瀝) 소변의 양이 적으면서 약간 끈적이고 귀두(龜頭)가 조금씩 아프며, 소변이 그쳤지만 간혹 한두 방울씩 떨어져 바지를 적시는 증상

유력(瘤癧) 영류(瘿瘤)와 나력(瘰癧)을 아우르는 말

유아(乳蛾) 후핵(喉核, 구개편도)이 벌겋게 붓고 아픈 병증. 후아(喉蛾), 아풍(蛾風), 아자(蛾子), 잠아(蠶蛾)라고도 한다.

유옹(乳癰) 젖몸에 생긴 옹으로, 해산 후 간기울결과 위열이 옹체되어 생긴다. 젖몸이 단단해지면서 멍울이 지고 부어오르면서 아프며 젖이 잘 나오지 않는 병증

유정(遺精) 성교(性交)에 의하지 않고 정액이 저절로 흘러나오는 병증으로, 잠잘 때 꿈을 꾸면서 정액이 흘러나오는 경우가 이에 해당한다. 유설(遺泄)이라고도 한다.

유종(遊腫) 피부병의 하나로 단독(丹毒)이 이리저리 번져 나가며 붓는 증상. 다발성피하농양(多發性皮下膿瘍)을 말한다.

육부(六腑) 담(膽), 위(胃), 대장(大腸), 소장(小腸), 방광(膀胱), 삼초(三焦) 등 장기를 통틀어 이르는 말

육혈(衄血) 피가 많이 나오는 병증. 입과 코로 피가 나오는 것인데 심해지면 눈, 귀, 입, 코, 전음, 후음에서 동시에 피가 나온다. 혈열(血熱), 외상(外傷), 특히 비기(脾氣)가 몹시 허할 때 생긴다. 심한 것을 대뉵(大衄), 대뉵혈(大衄血)이라 한다.

은통(隱痛) 은은히 아픈 병증

음낭습양(陰囊濕痒) 음낭 또는 외음부 전체가 땀이 찬 듯 축축하고 냉하며 가려운 병증

음란퇴질(陰卵㿉疾) 고환이 붓는 병, 즉 고환이 붓고 아픈 산증(疝症)

음소증(陰消症) 진양(眞陽)이 부족하여 기(氣)가 액(液)으로 변화하지 못해 발생하며, 목이 말라 물을 많이 마시는 병. 소갈증(消渴症)이라고도 한다.

음식(陰蝕) 음부가 허는 병증. 외생식기가 헐어서 진물이 나오고 아프며 가렵기도 하여 소변이 방울방울 떨어지고 여자들에게는 벌겋거나 흰 이슬이 내린다. 음식창(陰蝕瘡)의 줄인 말이다.

음식침음(陰蝕浸淫) 음식창(陰蝕瘡)과 침음창(浸淫瘡)을 아우르는 말

음옹종독(陰癰腫毒) 생식기에 생긴 부스럼이 붓고 아픈 병증

음위증(陰痿症) 성욕은 있으나 음경이 제대로 발기되지 않는 병증. 양위증(陽痿症), 발기부전(勃起不全), 양사불거(陽事不擧)라고도 한다.

음저담핵(陰疽痰核) 생식기에 생긴 부스럼에 멍울이 생기는 병증. 음저담괴(陰疽痰塊)라고도 한다.

음저유주(陰疽流注) 생식기에 생긴 부스럼이 여기저기 옮다가 한곳에 머무는 병증

음퇴(陰㿉) 자궁이 정상 위치로부터 아래쪽으로 내려온 병. 음연(陰挺), 음탈(陰脫), 자궁탈(子宮脫), 음퇴(陰癲)라고도 한다.

음허폐로(陰虛肺勞) 음이 허하여 폐가 허손(虛損)되고 기침과 가래가 나오며 숨이 차는 병증

이격(泥膈) 가슴이 막히는 병증

이급후중(裏急後重) 대변을 보고 싶으나 시원하게 나오지도 않고 항문이 묵직하게 느껴지는 증상

이기개울(理氣開鬱) 기체(氣滯), 기역(氣逆, 기가 치밀어오르는 것), 기허증(氣虛症)을 개선하여 울체된 기(氣)를 잘 통하게 하는 효능

이담(利膽) 간장 및 담관에 작용하여 쓸개물의 생성에 기여하거나 배설을 촉진하는 작용

이명(耳鳴) 외부로부터 특별한 청각적 자극이 없는 상황에서 귀나 머릿속에서 울리는 소리가 들린다고 느끼는 병증

이수(羸瘦) 파리하고 수척한 병증

이수삽장(利水澁腸) 소변을 잘 보게 하여 설사를 멎게 하는 효능

이수통림(利水通淋) 하초에 습열이 몰려서 생긴 임증(淋症, 소변이 시원하지 않고 탁하게 나오는 병증)을 치료하는 것

이습지혈(利濕止血) 하초에 몰린 습(濕)을 제거하여 지혈시키는 것

이질(痢疾) 배가 아프고 속이 켕기면서 뒤가 묵직하고 피고름이 섞인 대변을 보는 증상

익창(嗌瘡) 목구멍에 생기는 창(瘡)

익창(蠿瘡) 벌레가 파먹은 것처럼 파이는 헌데를 말하며, 대개 항문이나 외음부에 생기는 병증

인후염(咽喉炎) 목구멍 뒤쪽에 위치한 인두에 발생하는 염증

임신구토(妊娠嘔吐) 임신 중에 극심하고 지속적인 메스꺼움과 구토가 일어나는 병증

임질(淋疾) 소변을 자주 보려고 하나 잘 나오지 않고 방울방울 떨어지면서 요도와 아랫배가 당기고 아픈 증상. 임병(淋病), 임증(淋症)이라고도 한다.

임탁(淋濁) 소변을 볼 때 음경 속이 아프고 멀건 고름 같은 것이 나오고 역한 냄새가 나는 병증

ㅈ

자궁염(子宮炎) 자궁경부를 제외한 자궁의 염증성 질환

자궁탈수(子宮脫垂) 자궁이 정상 위치로부터 아래쪽으로 내려온 병증으로, 자궁탈출(子宮脫出), 음탈(陰脫)이라고도 한다.

자복(刺服) 수마자복(水磨刺服)의 준말로, 물을 넣고 갈아서 본액제(本液劑)에 타서 먹는다는 말

자충독(蟅蟲毒) 바퀴벌레의 독

자풍(刺風) 풍한(風寒)이 맺히고 정체되어 열이 나므로 온몸이 바늘로 찌르는 듯이 아픈 병증

자한(自汗) 깨어 있을 때 저절로 나는 땀. 폐기(肺氣)가 허약하고 위양(衛陽, 피부에 분포된 양기)이 약할 때 일어나는 병증

자한기단(自汗氣短) 폐기와 위양이 허약하여 땀이 저절로 나고, 숨 쉬는 것이 힘이 없으면서 얕게 쉬고 숨이 차는 병증. 기소(氣少)라고도 한다.

자현(子懸) 임신 때 태기가 조화되지 못하고 위로 치밀어 가슴이 부어오르는 것처럼 아픈 병증. 태기상핍(胎氣上逼), 태상핍심(胎上逼心), 태기상역(胎氣上逆)이라고도 한다.

작맹(雀盲) 밤눈이 어두운 병. 작목(雀目), 야맹증(夜盲症)이라고도 한다.

장벽하리(腸澼下痢) 끈적끈적하면서 콧물이나 고름 같은 점액변(粘液便)을 배출하고, 배가 아프며 때때로 대변을 보고 싶으나 시원하게 나오지도 않고 항문이 묵직하게 느껴지는 증상이 있는 이질

장옹(腸癰) 종기가 장(腸)에 생기는 병증으로, 좁은 의미로 맹장염을 말한다.

장풍하혈(腸風下血) 치질로 인하여 피가 흘러나오는 병증. 장풍변혈(腸風便血)이라고도 한다.

장학(瘴瘧) 덥고 습한 지역에서 생기는 학질로 발작할 때 정신이 혼미해지고 헛소리를 하거나 말을 못하는 병증

저루(疽瘻) 옹저(癰疽)와 서루(鼠瘻)를 아우르는 말

저창(疽瘡) 등에 난 종기

저혈압(低血壓) 체순환의 동맥에서 혈압 수준이 정상 범위를 크게 밑도는 상태를 말한다.

적대하(赤帶下) 여성의 질에서 붉은색의 점액성 물질이 나오는 증상

전근(轉筋) 갑자기 토하고 설사하며 탈수 현상이 발생하거나, 경련이 일어나서 팔다리가 뒤틀리고 오그라지는 병증

전립선염(前立腺炎) 정액의 액체 성분 중 약 3분의 1을 만들어 내는 성 부속 기관인 전립선에 염증이 생긴 것을 말한다.

전시(傳尸) 상호 전염되는 소모성 질환

전시노채(傳尸勞瘵) 폐결핵(肺結核)

절종(癤腫) 부스럼으로 환부가 붓는 증상

점지(點痣) 사마귀를 없앰.

정맥류(靜脈瘤) 정맥벽 일부가 얇아지고 그곳이 팽창함으로써 발병하는 질환이다.

정맥염(靜脈炎) 정맥벽에 생기는 염증으로, 종종 혈전에 의한 것이 나타나므로 혈전성정맥염이라고도 한다.

정이(聤耳) 귀에서 황색의 고름이 나오는 병

정장(整腸) 장의 전반적인 기능을 좋게 해 주며, 유해 세균의 번식이 억제되는 것을 말한다.

정창(疔瘡) 부스럼의 하나로 작고 단단한 뿌리가 쇠못처럼 깊이 배겨 있는 병증. 비창(疕瘡), 자창(疵瘡)이라고도 한다.

정창옹종(疔瘡癰腫) 부스럼이 피부 깊이 있으며 붓고 아픈 병증

정혈(精血) 정(精)과 혈(血)을 합하여 이르는 말. 정과 혈은 모두 음식에서 생기는데, 정혈의 상태는 사람의 건강 상태를 가늠하는 지표가 된다.

제습통림(除濕通淋) 수습(水濕)을 제거하여 임증(淋症)을 낫게 하는 효능

조백(早白) 젊은 사람의 흰머리. 새치 또는 반백의 머리카락을 이르는 말. 산발(蒜髮), 산발(散髮), 선발(宣髮)이라고도 한다.

조열(潮熱) 오후나 밤에는 열이 올랐다가 새벽에는 내렸다 하는 병증. 실증(實症) 때는 번갈증이 있고 대변은 굳으며 배가 그득하고 아프며, 허증(虛症) 때는 손발바닥이 달아오르며 식은땀이 나고 가슴이 답답하며 불면증이 있다.

종기(腫氣) 피하 감염으로 인하여 고름이 생기는 피부 질환

종독(腫毒) 종기가 그 독성 때문에 점점 커지면서 고름집이 생기는 병증

종양(腫瘍) 창양(瘡瘍)이 곪기 전에 부어오르는 병증. 몸에 생긴 이상 조직이 증식된 것을 악성종양(惡性腫瘍) 또는 양성종양(陽性腫瘍)이라 한다.

좌골신경통(坐骨神經痛) 허리디스크나 척추관협착증 등 척추 질환이 있는 사람이 엉덩이와 다리까지 아프면서 앉아 있기조차 어려운 증상

주기(疰氣) 전염병. 귀주(鬼疰)의 기운

주사(酒齄) 면사(面齄)와 같은 말

주색(駐色) 주안색(駐顔色)의 준말로 얼굴이 늙지 않고 그대로 있다는 말. 주안(駐顔)이라고도 한다.

주오(疰忤) 중풍(中風)의 하나로 몸에 나쁜 기운이 침입하여 손발이 차고 머리가 아프며 어지러운 증상. 심하면 강직성 경련이 일어나 입을 벌리지 못하고 먹지도 못하는 병증

주황(酒黃) 황달의 하나로 술을 지나치게 마셔 비위(脾胃)가 상하여 습열(濕熱)이 중초(中焦)에 몰려서 담즙 배설의 장애로 생기는 병증

중악(中惡) 중풍(中風)의 하나로 나쁜 기운에 감촉되어 생기는 병증

중초(中焦) 삼초(三焦)의 하나로 횡격막 아래에서 배꼽까지의 부위를 말한다.

지대축뇨(止帶縮尿) 정기(精氣)를 북돋아 대하(帶下)를 멈추게 하고 빈뇨(頻尿)를 낫게 하는 효능

지체마목(肢體麻木) 풍한사(風寒邪)가 몸에 들어와 몸과 팔다리가 아프고 뻣뻣한 병증

지체편고(肢體偏枯) 중풍으로 한쪽 팔다리를 쓰지 못하는 병증. 반신불수(半身不隨)라고도 한다.

지해평천(止咳平喘) 기침을 멈추게 하고 숨찬 증상을 치료하는 것

지혈생기(止血生肌) 출혈을 멎게 하고 새살을 돋아나게 하는 효능

징가(癥瘕) 주로 여자에게 빈발하는 배 안의 덩어리를 말한다. 덩어리가 고정되어 이동하지 않는 것을 징(癥)이라 하고, 덩어리가 있으나 밀면 이동하는 것을 가(瘕)라고 한다.

징가현벽(癥瘕痃癖) 배 안의 덩어리와 배꼽 부위의 한쪽이나 옆구리에 근육이 불거지고 당기면서 통증이 발생하는 증상. 징벽(癥癖)이라고도 한다.

징괴(癥塊) 사기(邪氣)가 몰린 병증으로, 징결(癥結)이라고도 한다.

ㅊ

착음(着陰) 외음부나 항문에 악성피부병이 발생하는 것

창선(瘡癬) 피부 겉면이 헤지지 않고 메마르는 피부병. 선창(癬瘡)이라고도 한다.

창양(瘡瘍) 몸 밖에 생기는 여러 가지 외과적 질병과 피부병

창양궤란(瘡瘍潰爛) 피부병으로 인하여 환부가 심하게 짓무르는 병증. 창독궤란(瘡毒潰爛)이라고도 한다.

창양종독(瘡瘍腫毒) 피부에 생기는 질환이 그 독성 때문에 점점 커지면서 고름집이 생기는 병증. 창독(瘡毒)이라고도 한다.

창양종통(瘡瘍腫痛) 피부에 생기는 질환으로 붓고 아픈 병증

창절(瘡癤) 피부에 얕게 생기는 부스럼. 창옹(瘡癰)이라고도 한다.

천식(喘息) 호흡 곤란을 일으키는 염증성 기도 폐쇄 질환이다.

천조풍(天弔風) 심폐(心肺)에 열이 쌓여서 생기는 소아경풍(小兒驚風)

청리습열(清利濕熱) 소변을 잘 보게 하여 습열을 제거하는 효능

청맹(靑盲) 겉으로 보기에는 눈이 멀쩡하나 앞을 보지 못하는 눈. 청맹과니, 당달봉사라고도 한다.

청맹예장(靑盲翳障) 겉으로는 눈에 아무런 변화가 없어 보이나 수정체가 흐려지는 병증

청열이습(清熱利濕) 하초(下焦)의 습열증을 치료하는 방법. 하초 습열증은 아랫배가 갑자기 불러 오고 오줌이 뿌옇거나 붉으면서 잘 나오지 않는 병증을 말한다.

청열지리(淸熱止痢) 혈분의 사열(邪熱)을 없애 이질을 멈추게 하는 효능

청열투표(淸熱透表) 혈분의 사열(邪熱)을 밖으로 내보내는 효능. 청열투사(淸熱透邪)라고도 한다.

청열해독(淸熱解毒) 열독이 몰려서 생긴 질병과 온역(溫疫)을 치료하는 것

청열해표(淸熱解表) 열이 몹시 나고 속이 달아오르며, 갈증이 심하고 한풍(寒風)을 싫어하며, 오줌이 누렇고 맥이 빨리 뛰는 등 열병과 표증을 치료하는 방법

청열화반(淸熱化斑) 열독을 없애서 출혈반(出血斑)을 낫게 하는 효능

초사각약(稍似脚弱) 다리가 약간 약해지는 병증

최창통(催瘡痛) 종기가 곪지 않아 아픔이 심할 때, 빨리 곪아 터지게 하는 일

추장도벽(推牆倒壁) 장벽을 밀어서 넘어뜨린다는 뜻으로, 약성이 강렬함을 말한다.

추진치신(推陳致新) 묵은 것은 밀어내고 새것을 만들어 내는 것으로, 신진대사를 뜻한다.

추철(推掣) 팔다리의 근육이 오그라들어 잡아당기는 증상

축농증(蓄膿症) 코가 막히고 골치가 아프며 머리가 무겁고 숨쉬기가 어려운 증상으로, 심하면 코에서 냄새가 나는 병증

충독(蟲毒) 벌레의 독이나 벌레에 물려서 생긴 독

췌자(贅子) 모든 혹이나 군살을 통틀어서 이르는 말

치닉(齒䘌) 치아가 썩고 고름이 나며 입에서 냄새가 나는 병증

치루(痔漏) 치핵(痔核)이 이미 터진 것을 말한다.

치매(癡呆) 인지 기능의 손상 및 인격의 변화가 일어나는 질환. 기억력과 사고력이 점차 감퇴하여 일상적인 생활에 영향을 줄 수 있는 뇌 손상을 의미한다.

치창하혈(痔瘡下血) 치질이 심하여 피가 흘러나오는 증상

칠상(七傷) 남자의 신기(腎氣)가 허약하여 생기는 일곱 가지 증상. 음부가 찬 것, 음경이 발기되지 않는 것, 뱃속이 당기는 것, 정액이 저절로 흐르는 것, 정액이 적은 것, 정액이 희박한 것, 오줌이 잦은 것을 말한다.

칠창(漆瘡) 옻독에 의하여 생기는 피부병

침음개소(浸淫疥瘙) 침음창(浸淫瘡)이나 옴으로 피부를 긁어서 헌 것

침음창(浸淫瘡) 급성 습진의 하나. 처음에는 조그맣게 헐어서 매우 가렵고 아프다가 점차 퍼지면서 살이 짓무르는 피부병

ㅌ

타애특(打呃忒) 애역(呃逆, 딸꾹질)과 같은 뜻으로 쓰인다.

타태(墮胎) 반산(半産). 임신 3개월 이후에 유산되는 것을 말한다.

타혈(唾血) 침에 피가 섞여 나오는 병증. 타뉵(唾衄)이라고도 한다.

탁음불강(濁陰不降) 음식물의 소화, 흡수, 배설이 순조롭지 못한 병증

탁저(濁疽) 무릎 옆의 양관혈(陽關穴) 부위가 아프고 붓는 증상

탄탄(癱瘓) 중풍으로 팔다리를 쓰지 못하는 병증

탈모증(脫毛症) 머리카락은 혈(血)의 끝부분이며 그것의 영양분으로 유지되는데, 혈이 제대로 공급되지 못하여 야기되는 병증

탈저(脫疽) 발가락이나 손가락이 헐어서 떨어지는 병증으로, 탈옹(脫癰), 탈골저(脫骨疽)라고도 한다.

탈항(脫肛) 내치핵(內痔核)이 심해서 밖으로 밀려나오는 병증

탕련(蕩鍊) 더러운 것을 없애고 깨끗하게 함.

탕포(燙炮) 약재를 끓는 물에 잠깐 담갔다가 건져내는 것으로 살구씨(행인), 복숭아씨(도인), 까치콩(백편두)의 속껍질을 벗길 때 사용한다.

탕화창(湯火瘡) 끓는 물에 덴 상처. 탕화상(燙火傷)이라고도 한다.

태구(胎垢) 설태(舌苔)라고도 하며, 혀이끼를 말한다.

태동불안(胎動不安) 임신 중에 자주 태(胎)가 움직여 아래로 떨어지는 듯하고 허리가 쑤시고 배가 아프며 음도에서 적은 양의 하혈(下血)을 하는 것

태루하혈(胎漏下血) 임신부가 아랫배에 통증은 없으나 자궁출혈이 있는 병증. 태루(胎漏), 누태(漏胎), 포루(胞漏), 누포(漏胞)

라고도 한다.

토롱설(吐弄舌) 병적으로 혀를 입 밖으로 내밀거나 좌우로 놀리는 것을 말한다.

토초(土炒) 진흙을 가마에 넣고 뜨겁게 달군 데다 약재를 넣고 잘 저어 주면서 볶는 것

통림지해(通淋止咳) 하초에 습열이 몰려서 오줌이 잘 나오지 않고 맑지 않으며 아랫배가 아픈 것을 없애고 기침을 그치게 하는 치료

통풍(痛風) 요산이 체내에 축적되어 생기는 병. 관절의 연골, 힘줄 주위 조직에 날카로운 형태의 요산 결정이 침착되어 조직들의 염증 반응을 일으키고 심한 통증을 유발한다.

퇴산(㿉疝) 고환이 붓는 병을 통틀어 이르는 말. 퇴산(癪疝)이라고도 한다.

투진(透疹) 발진을 잘 돋게 하는 방법

팅크제 약재를 에탄올로 우린 액 또는 약재의 추출물을 에탄올 용액에 풀어서 만든다.

ㅍ

파라풍(婆羅風) 뇌풍(腦風)이라고도 하며, 문둥병을 말한다.

파상풍(破傷風) 상처로 들어간 파상풍균이 증식하여 일으키는 급성 전염병

파어(破瘀) 파혈(破血)이라고도 하며, 어혈(瘀血)을 없앤다는 뜻이다.

파어소징(破瘀消癥) 뱃속에 어혈이 몰려서 생긴 징가(癥瘕)를 없애는 것

팔법(八法) 8가지 치료법. 보(補), 한(汗), 토(吐), 하(下), 화(和), 온(溫), 청(淸), 소(消) 법을 말한다.

패자(敗疵) 옆구리에 난 헌데를 말한다. 여자들에게서 볼 수 있는 옹저(癰疽)의 하나이다.

패저(敗疽) 악성의 종기가 헌 것

패혈충심(敗血冲心) 출산한 뒤 오로(惡露)가 시원하게 나오지 않아 심(心)에 영향을 주어 헛소리를 하는 병증

팽형(膨脝) 고창(鼓脹)과 같은 뜻으로, 배가 불러오면서 그득하고 단단하여 속이 비어 있는 듯한 병증

편고(偏枯) 중풍발작 후에 반신을 쓰지 못하며 점차 병난 쪽 살이 빠지며 여위고 눈과 입이 비뚤어지는 병증

편도선염(扁桃腺炎) 염증 때문에 편도가 아픈 병을 말한다. 일반적으로 편도염이라고 하면 구개편도염을 말한다.

편두통(偏頭痛) 머리 한쪽이 아픈 병증으로 변두풍(邊頭風), 변두통(邊頭痛)이라고도 한다. 통증 부위에 따라 전두통(前頭痛), 후두통(後頭痛), 편두통(偏頭痛), 두정통(頭頂痛)으로 구분할 수 있다.

평간식풍(平肝熄風) 간화(肝火)가 성하여 생긴 풍증(風症)을 없애는 효능. 사화식풍(瀉火熄風)이라고도 한다.

평간잠양(平肝潛陽) 간양(肝陽)이 성하여 머리가 아프고 어지러운 것을 없애는 효능

평간진경(平肝鎭驚) 간화(肝火)가 성하여 생긴 풍증(風症)을 제거하여, 의식을 잃고 경련이 나는 것을 잡아 주는 효능

폐결핵(肺結核) 결핵균에 의해 폐장이 감염되어 발생하는 병으로 기침과 가래가 심하다.

폐경(閉經) 경수단절(經水斷絶)이라고도 하며, 생리적으로 월경이 없어지는 것을 말한다.

폐괴(廢壞) 신체의 일부가 결손(缺損)되어 불구가 된 것

폐기상역(肺氣上逆) 폐기가 위로 치밀어 오르는 것, 숨이 차고 기침이 나며 가래가 많고 가슴이 그득한 병증

폐기종(肺氣腫) 폐를 이루고 있는 허파꽈리가 파괴되어 산소 접촉 표면적이 줄어들고 폐의 탄력성이 저하되어 기도 폐쇄를 일으키는 질환이다.

폐렴(肺炎) 폐에 염증이 일어나는 것을 말한다. 원인으로는 세균을 통한 감염이 가장 많으며, 바이러스, 균류 또는 기타 미생물도 원인이 될 수 있다.

폐로토혈(肺癆吐血) 폐가 허손되어 기침을 하면서 피를 토하는 병증. 폐로해혈(肺癆咳血)이라고도 한다.

폐열해수(肺熱咳嗽) 열사(熱邪)가 폐에 침범하여 기침을 하며 숨이 차고 피가래가 나오는 병증

폐옹(肺癰) 폐에 농양이 생기는 병증

폐음허(肺陰虛) 폐음부족이라고도 하며, 오후마다 열이 나고 뺨이 붉어지며 식은땀이 나고 입안과 목 안이 마른다.

폐조해수(肺燥咳嗽) 조사(燥邪)가 폐에 침범하여 마른기침을 하는 병증. 폐조간해(肺燥干咳)라고도 한다.

폐풍창(肺風瘡) 코끝이 붉게 되는 병증. 주사비(酒齇鼻)라고도 한다.

포설(胞舌) 혀가 부어오르는 병증

포의불하(胞衣不下) 태아가 나온 후 시간이 경과해도 태반이 나오지 않는 병증. 포의불출, 태의불출이라고도 한다.

풍진(風疹) 풍사(風邪)가 침입하여 발진을 일으키는 병증

풍진소양(風疹瘙痒) 풍사(風邪)가 침입하여 발진(發疹)을 일으키며 몹시 가려운 병증

표사(表邪) 몸의 겉부분에 있는 나쁜 기운

표저(瘭疽) 손가락이나 발가락이 허는 병증

풍경(風痙) 풍사(風邪)로 갑자기 넘어지며 온몸이 경직되고 이를 악무는 등의 발작이 반복적으로 나타나는 병증

풍담두통(風痰頭痛) 풍담이 머리에 몰려 생기는 병증. 두통이 나고 어지러우면서 가슴이 답답한 병증

풍독종(風毒腫) 풍독(風毒)으로 생기는 종기(腫氣)

풍라(風癩) 팔다리 관절의 마디마다 아프고 오래되면 관절이 붓고 피부가 마르며 마비가 오는 병증. 류머티스성관절염과 비슷한 증세이다.

풍로종통(風露腫痛) 종기(腫氣)에 바람이 들어가 붓고 아픈 것

풍사타예(風邪嚲曳) 바람으로 인해 갑자기 졸도하여 정신이 혼미하며 깨어나지 못하고 손발이 당기면서 경련을 일으키고 흰 거품을 토하는 증상. 타예풍(嚲曳風)이라고도 한다.

풍수종(風水腫) 풍사(風邪)로 인해 몸이 붓는 증상

풍습근골통(風濕筋骨痛) 풍습사(風濕邪)가 근육과 뼈에 침입하여 저리고 아픈 증상

풍습마목(風濕麻木) 풍습사(風濕邪)가 몸에 침입하여 팔다리가 나무처럼 뻣뻣하고 아픈 증상

풍습비통(風濕痺痛) 풍습사(風濕邪)가 몸에 침입하여 팔다리가 저리고 아프며 잘 쓰지 못하는 병. 풍습통(風濕痛), 풍습비(風濕痺), 풍비(風痺)라고도 한다.

풍습성관절염(風濕性關節炎) 풍습사(風濕邪)가 관절에 침입, 염증을 일으켜 아픈 증상

풍양(風痒) 풍사(風邪)가 몸에 침입하여 피부가 가려운 병증

풍열감모(風熱感冒) 풍사(風邪)와 열사(熱邪)가 겹친 것으로, 열이 심하고 오한은 약하며 기침과 갈증이 나고 혀가 붉어지며 혀에 누런 태가 끼고 맥이 부삭(浮數)한 증상

풍열두통(風熱頭痛) 풍사(風邪)와 열사(熱邪)가 위로 치밀어서 머리가 뻐근하고 아프며 콧물이 나오는 병증

풍진소양(風疹瘙瘍) 풍사(風邪)로 생기는 발진에 의하여 피부가 붓고 가려운 병증

풍진습양(風疹濕瘍) 풍사(風邪)로 생기는 발진으로, 홍역과 비슷한 급성 전염병

풍증(風症) 풍사(風邪)가 원인이 되어 발생하는 병증

풍창(風瘡) 피부병의 하나로 옴, 즉 개창(疥瘡)을 말한다.

풍한두통(風寒頭痛) 풍한사(風寒邪)가 경맥에 침입하는 병증. 오한이 나고 머리와 목덜미가 아프며 콧물이 난다.

풍한습비(風寒濕痺) 바람(風), 추위(寒), 습기(濕氣)의 3가지 나쁜 기운이 몸에 침입하여 팔다리가 아프거나 마비되는 병증

풍한현훈(風寒眩暈) 풍사(風邪)로 인하여 생기는 현기증으로 목덜미가 뻣뻣해지고 구역질을 하는 병증

풍화아통(風火牙痛) 열병으로 치주염이 생겨 몹시 아픈 병증

피부궤양(皮膚潰瘍) 염증으로 인해 상피가 탈락하여 조직 표면이 국소적으로 결손되거나 함몰되는 병증

피부마목(皮膚麻木) 풍한사(風寒邪)가 몸에 들어와 피부에 윤기가 없고 뻣뻣한 병증

ㅎ

하감(下疳) 매독으로 외생식기가 헐고 좁쌀 같은 구진이 생기는 병증. 입술, 젖가슴, 눈꺼풀, 항문 주위에도 생길 수 있다.

하돈중독(河豚中毒) 복어 중독을 말한다.

하부닉(下部䘌) 하부닉창(下部䘌瘡)의 준말로, 익창(䘌瘡)이라고도 한다.

하초(下焦) 삼초(三焦)의 하나로, 배꼽에서 전음(前陰)·후음(後陰)까지의 부위를 말한다.

하초열격(下焦噎膈) 하초 난문(蘭門, 배꼽 위) 부위가 말라 아침에 먹은 것을 저녁에 게우고 저녁에 먹은 것을 아침에 게우는 병증

하혈(下血) 변혈이나 자궁출혈을 말한다.

학모(瘧母) 학질에 걸린 어린아이의 비장(脾臟)이 커져서 뱃속에 덩어리가 생기는 병증

학슬풍담(鶴膝風痰) 무릎이 아프고 부으며 여위어 가는 병증. 학슬풍(鶴膝風)이라고도 한다.

한담(寒痰) 담병(痰病)의 하나로, 팔다리가 차고 마비되며 근육이 쑤시고 아픈 병증

한산복통(寒疝腹痛) 음낭이 차며 붓고 배가 아픈 병증

한습곤비(寒濕困脾) 한습이 비(脾)에 침입하여 생기는 병증. 음식 맛이 없어지며 메스꺼움과 구역질이 자주 난다.

한습비(寒濕痺) 차고 습한 기운으로 인하여 관절이 아프거나 손발에 마비가 오는 병증

한율고함(寒慄鼓頷) 학질에 걸렸을 때 온몸을 떨면서 이를 맞부딪치는 병증

한출오풍(汗出惡風) 땀이 나고 바람을 싫어하는 병증. 외사(外邪)를 받아 위분(衛分)을 상했을 때 생긴다.

항배강(項背強) 목덜미와 잔등이 당기면서 뻣뻣한 증상

해수객혈(咳嗽喀血) 기침이 심하여 피가 섞여 나오는 병증

해수기천(咳嗽氣喘) 기침이 심하고 숨찬 병증

해수담다(咳嗽痰多) 기침이 심하고 가래가 많은 병증

해수발휵(咳嗽發搐) 기침과 경련이 겹친 병증

해역단기(咳逆短氣) 기침을 하면서 숨이 찬 것을 말하며, 해역상기(咳逆上氣)와 비슷한 증상이다.

해주성비(解酒醒脾) 술을 지나치게 많이 마신 뒤 열이 나고 두통이 오며 번갈증이 오는 것에 비양(脾陽)을 보하는 효능

해표투진(解表透疹) 땀을 내게 하여 발진(發疹)이 잘 돋게 하는 효능

행혈활락(行血活絡) 혈(血)을 잘 돌게 하고 경락(經絡)을 잘 통하게 하는 치료법

향약(鄕藥) 과거에 중국에서 생산되는 약재를 당약(唐藥)이라 한 것에 대하여, 우리나라에서 나는 약재를 일컫는 용어

허란후풍(虛爛候風) 목 안이 아프고 궤양이 생겨 목이 쉬는 병증

허로(虛勞) 몸의 정기와 기혈이 약해진 병증. 노손(勞損), 노겁(勞怯), 허손(虛損), 허손로상(虛損勞傷)이라고도 한다.

허로해혈(虛勞咳血) 입맛이 없고 살이 여위며, 팔다리에 힘이 없고 목구멍이 마르며, 가슴이 두근거리면서 기침을 하면 피와 가래가 나오는 병증

허열(虛熱) 몸이 허약하여 생긴 열

허천구해(虛喘久咳) 정기가 허해서 숨이 차고 기침을 오랜 기간 하는 병증

허풍내동(虛風內動) 음혈이 부족하여 풍(風)이 움직이는 병증

현기증(眩氣症) 어지러운 기운에 의하여 어질어질한 병증. 외감이나 내상으로 간(肝), 비(脾), 신(腎)의 기능 장애로 생긴다.

현벽(痃癖) 배꼽 부위와 갈비 아래에 덩어리 같은 것이 생긴 병증

현훈(眩暈) 외감이나 내상으로 간(肝), 비(脾), 신(腎)의 기능 장애로 오는 어지럼증. 현운(眩雲), 현기(眩氣), 두현(頭眩)이라고도 한다.

혈결흉(血結胸) 사열(邪熱)이 가슴 속으로 들어가 혈과 결합하여 생기는 결흉증으로, 가슴과 명치 밑이 그득하고 아프며 열이 나고 건망증이 생긴다.

혈괴(血塊) 몸 안에서 피가 혈관 밖으로 나와 응고된 덩어리

혈뇨(血尿) 소변에 비정상적인 양의 적혈구가 섞여 배설되는 것을 말한다.

혈림(血淋) 소변이 탁하고 피가 섞여 나오는 병증

혈수기함(血隨氣陷) 기가 허해서 아래로 피가 나오는 병증. 정신이 맑지 못하고 온몸이 노곤하며 출혈이 되기도 한다.

혈열(血熱) 사열(邪熱)이 피에 침입하여 열이 나는 증상

혈열망행(血熱妄行) 혈분에 열이 몹시 성하여 혈이 혈맥을 따라 제대로 순환하지 못하고 밖으로 나오는 것. 코피, 피오줌, 피똥을 누는 등 출혈 증상이 나타난다.

혈열발반(血熱發斑) 혈열로 살갗에 반점이 생기는 병증

혈전증(血栓症) 혈관 내에 혈전이 형성되어 순환계에 혈류가 폐색되는 병태를 말한다.

혈창(血瘡) 피부가 헐고 피가 흐르는 병증

혈허정충(血虛怔忡) 혈이 허하여 가슴이 몹시 두근거리는 병증

협륵창통(脇肋脹痛) 옆구리가 아프고 뻐근한 병증. 기담(氣痰)이 맥락을 막아서 생기거나 간음(肝陰)이 허하여 생긴다.

협심증(狹心症) 심근에 산소를 공급하는 관상동맥이 좁아져 갑작스럽게 통증을 느끼는 질환

홍국(紅麴) 멥쌀로 밥을 지어 누룩 가루를 섞고 뜬 다음에 볕에 말린 것. 약술을 담그는 데에 쓰는 일종의 누룩(神麴)

홍훈(紅暈) 붉은 반점이 마치 해 무리나 달무리처럼 둥근 테 모양을 나타낸 병증

화담개규(化痰開竅) 담(痰)이 성하여 정신이 혼미해진 것을 없애는 효능

화담소종(化痰消腫) 담(痰)을 삭이고 종기를 없애는 효능

화습지대(化濕止帶) 상초(上焦)나 표(表)에 있는 습(濕)을 없애서 대하를 멎게 하는 효능

화어지혈(化瘀止血) 어혈을 없애서 출혈을 멈추게 하는 효능

활혈소옹(活血消癰) 혈액 순환을 도와 부스럼을 낫게 하는 효능

활혈조경(活血調經) 혈액 순환을 도와 월경이 순조롭게 도와주는 효능

활혈지통(活血止痛) 피를 잘 돌게 하여 통증을 멎게 하는 효능. 활혈정통(活血定痛)이라고도 한다.

활혈통락(活血通絡) 혈액 순환을 도와 경락의 기능을 조화롭게 하는 효능

황달(黃疸) 몸과 눈, 오줌이 누렇게 되는 병증. 열사(熱邪)를 받거나 음식 섭취를 잘못했을 때 습열이나 한습이 중초에 몰려서 생긴다.

효천(哮喘) 목구멍에서 가래가 막혀 끓는 소리가 나며 숨이 차는 병증

효천담수(哮喘痰嗽) 목구멍에서 가래가 끓고 숨이 차며 가래와 기침이 나는 병증. 담수효천(痰嗽哮喘)이라고도 한다.

후비(喉痺) 갑자기 목이 쉬는 인후병의 통칭. 폐위(肺胃)에 열이 잠복해 있는 데에 사독(邪毒)이 침입하거나 풍담(風痰)이 위로 치밀어 올라 생기는 병증

휴식리(休息痢) 증상이 좋아졌다 나빠졌다 하면서 오래 끄는 이질

흉복창통(胸腹脹痛) 가슴과 배가 불러오르고 그득한 병증. 심하면 몸과 얼굴이 누렇게 되면서 붓기도 한다.

흉비심통(胸痺心痛) 가슴이 답답하고 아프고 마음이 괴로운 병증

흉협고만(胸脇苦滿) 가슴과 옆구리가 그득하고 괴로운 병증으로, 담화(痰火)가 가슴에 몰려서 생긴다. 흉협만민(胸脇滿悶)이라고도 한다.

흉협통(胸脇痛) 병사(病邪)가 몸에 침입하여 가슴과 옆구리가 아픈 증상

흑간(黑䵟) 피부에 생기는 기미

흑지(黑痣) 신경(腎經)의 탁한 기운이 피부에 울체되어 얼굴이 흑갈색으로 변하고 평평하게 융기하는데, 작은 것은 기장쌀만하고 큰 것은 콩알만하며 때로 표면에 단단한 털이 난다. 면흑자(面黑子)라고도 한다.

흡흡(吸吸) 숨을 가쁘게 몰아쉬는 모양

식물 용어 도해

■ 꽃의 구조

● 쌍자엽식물

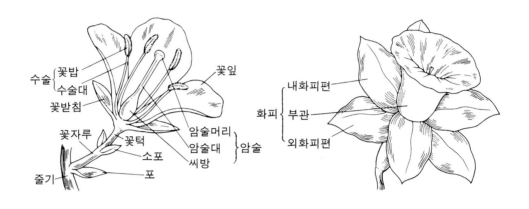

● 단자엽식물

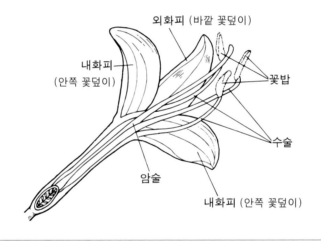

● 양성화   ● 단성화

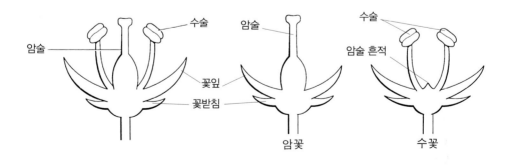

■ 수술의 종류

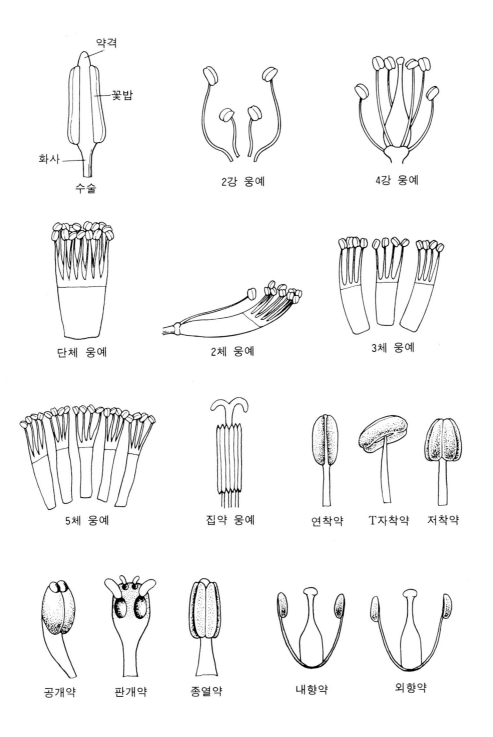

약격
꽃밥
화사
수술

2강 웅예

4강 웅예

단체 웅예

2체 웅예

3체 웅예

5체 웅예

집약 웅예

연착약

T자착약

저착약

공개약

판개약

종열약

내향약

외향약

■ 화서(꽃차례)의 종류

꽃자루

화축

총상화서(호생)
(섬까치수염)

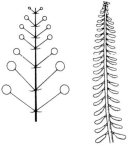

총상화서(대생)
(낭아)

이삭화서
(질경이)

원추화서
(붉나무)

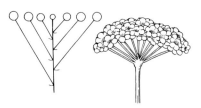

산방화서
(인가목조팝나무)

산형화서
(앵초)

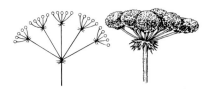

겹산형화서
(당근)

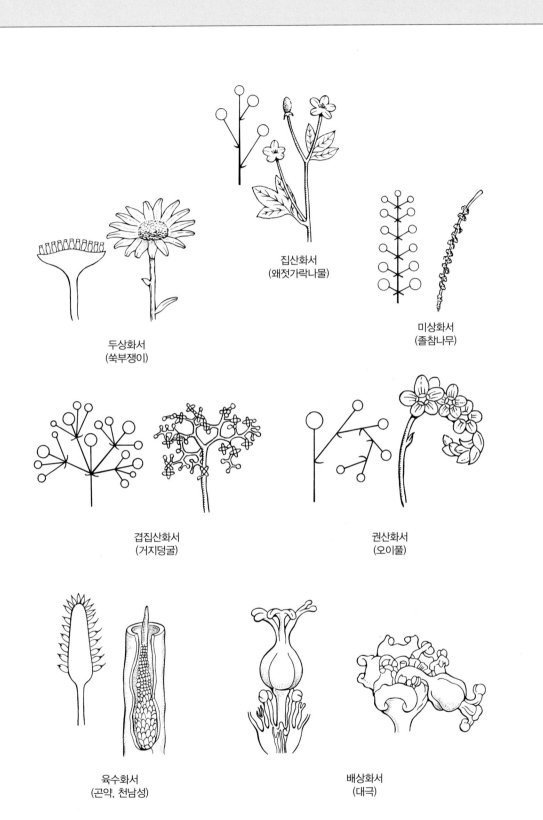

집산화서
(왜젓가락나물)

미상화서
(졸참나무)

두상화서
(쑥부쟁이)

겹집산화서
(거지덩굴)

권산화서
(오이풀)

육수화서
(곤약, 천남성)

배상화서
(대극)

■ 화관의 구조

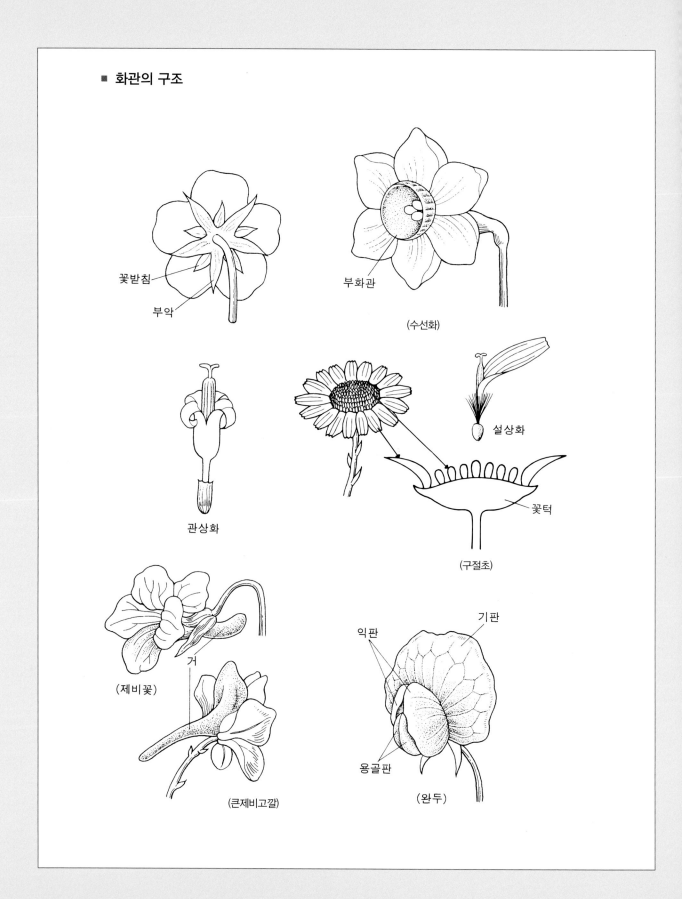

꽃받침

부악

부화관

(수선화)

관상화

설상화

꽃턱

(구절초)

(제비꽃)

거

(큰제비고깔)

기판

익판

용골판

(완두)

■ 잎의 구조

● 홑잎　　　　　　　● 겹잎

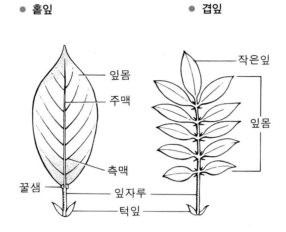

잎몸
주맥
측맥
꿀샘
잎자루
턱잎

작은잎
잎몸

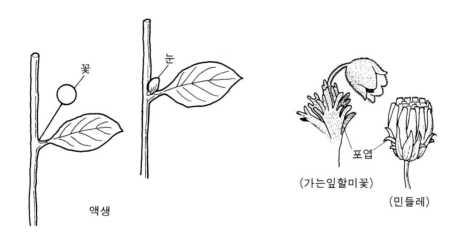

꽃
눈
액생
포엽
(가는잎할미꽃)
(민들레)

■ 잎의 모양

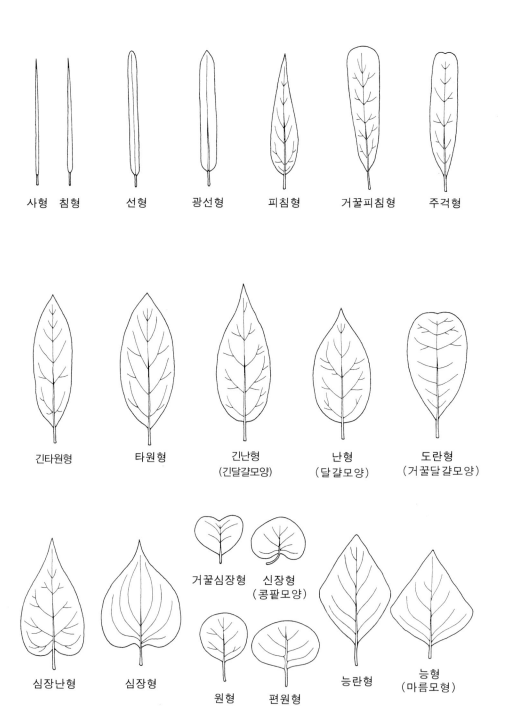

사형 침형   선형   광선형   피침형   거꿀피침형   주걱형

긴타원형   타원형   긴난형   난형   도란형
                  (긴달걀모양) (달걀모양) (거꿀달걀모양)

심장난형   심장형   거꿀심장형   신장형   능란형   능형
                            (콩팥모양)   (마름모형)
                      원형   편원형

■ 잎의 나기

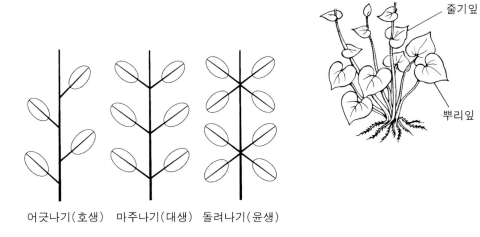

어긋나기(호생)   마주나기(대생)   돌려나기(윤생)

줄기잎

뿌리잎

■ 잎의 갈라지기

● 우상열

우상천열   우상중열   우상심열   우상전열   역우상분열 두대우상분열 빗치상열

● 장상열

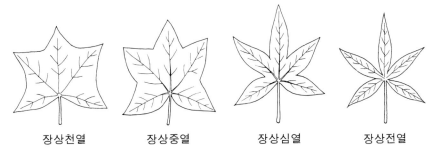

장상천열   장상중열   장상심열   장상전열

■ 가시와 털의 종류

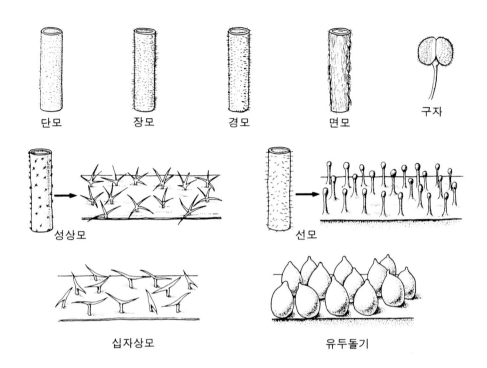

단모　　장모　　경모　　면모　　구자

성상모　　선모

십자상모　　유두돌기

■ 뿌리의 종류

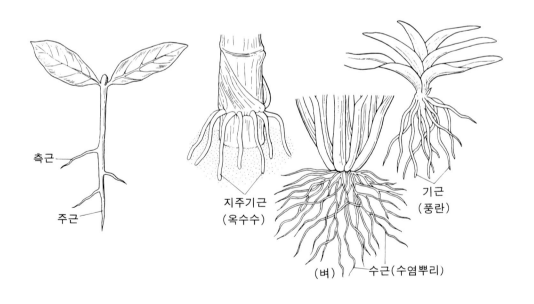

측근

주근

지주기근
(옥수수)

(벼)　　수근(수염뿌리)

기근
(풍란)

■ 줄기의 구조

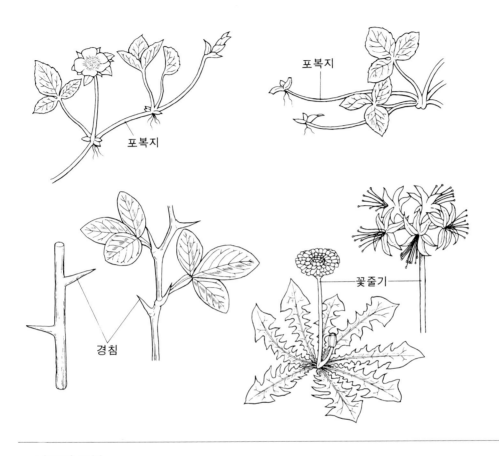

포복지

포복지

포복지

경침

꽃줄기

■ 나무의 구분

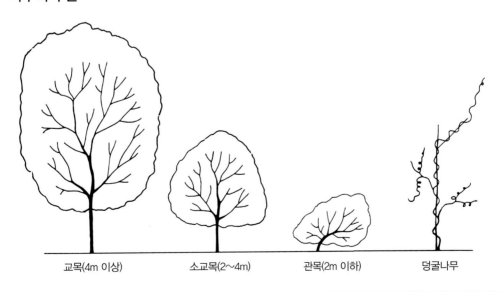

교목(4m 이상)　　　소교목(2~4m)　　　관목(2m 이하)　　　덩굴나무

■ 땅속줄기의 종류

● 뿌리줄기

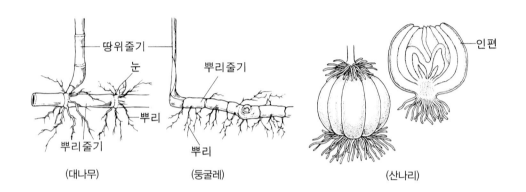

(대나무)   (둥굴레)

● 비늘줄기

(산나리)

● 땅속줄기

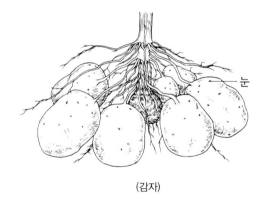

(감자)

● 알줄기

(글라디올러스)

■ 열매의 구조

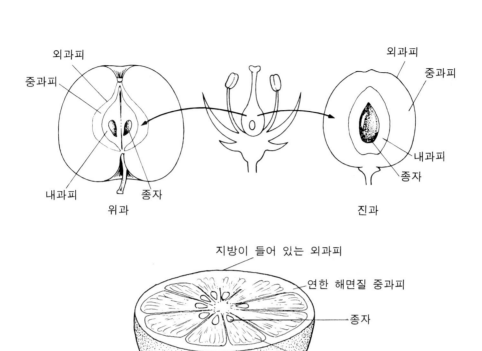

외과피
중과피
내과피
종자
위과

외과피
중과피
내과피
종자
진과

지방이 들어 있는 외과피
연한 해면질 중과피
종자
내과피
귤상과

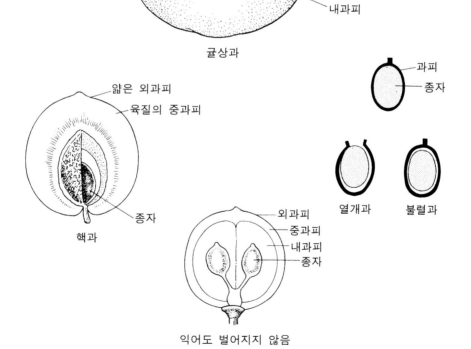

얇은 외과피
육질의 중과피
종자
핵과

외과피
중과피
내과피
종자
익어도 벌어지지 않음

과피
종자

열개과   불렬과

■ 열매의 종류

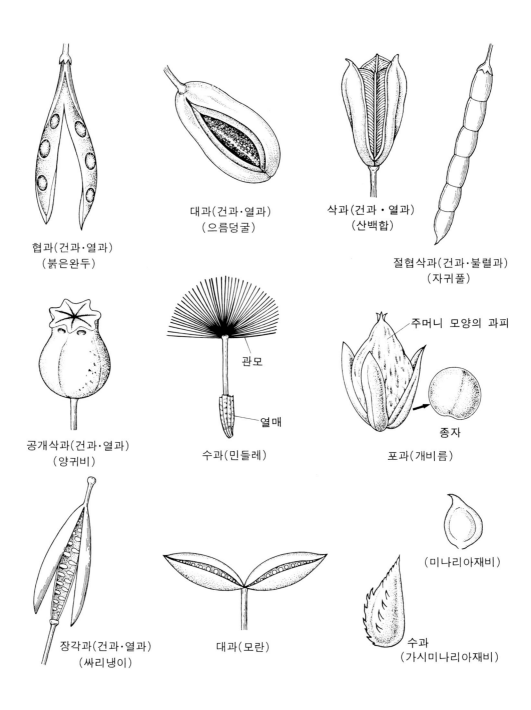

협과(건과·열과)
(붉은완두)

대과(건과·열과)
(으름덩굴)

삭과(건과·열과)
(산백합)

절협삭과(건과·불렬과)
(자귀풀)

공개삭과(건과·열과)
(양귀비)

관모

열매

수과(민들레)

주머니 모양의 과피

종자

포과(개비름)

장각과(건과·열과)
(싸리냉이)

대과(모란)

(미나리아재비)

수과
(가시미나리아재비)

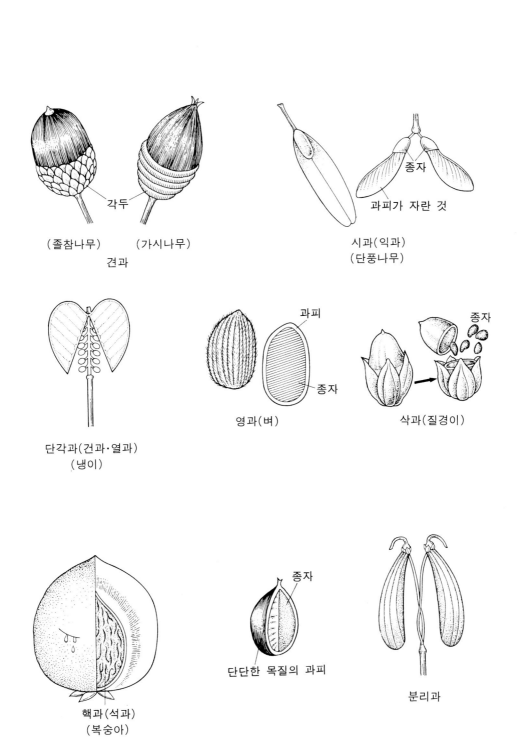

（졸참나무） （가시나무）
견과

종자
과피가 자란 것
시과(익과)
（단풍나무）

단각과(건과·열과)
（냉이）

과피
종자
영과(벼)

종자
삭과(질경이)

핵과(석과)
（복숭아）

종자
단단한 목질의 과피

분리과

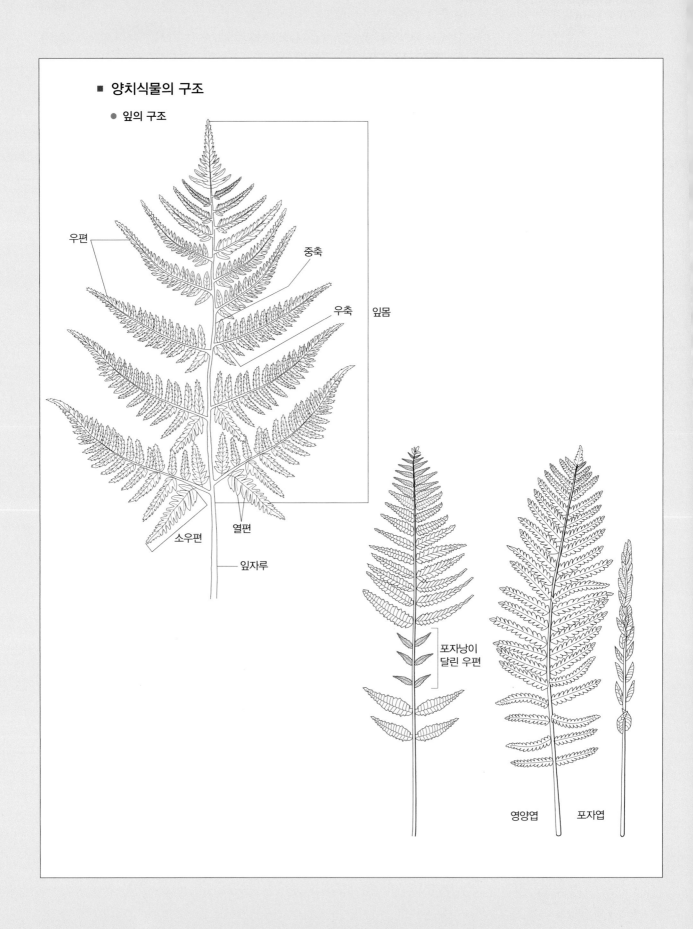

■ **양치식물의 구조**

● 잎의 구조

우편

중축

우축   잎몸

소우편

열편

잎자루

포자낭이
달린 우편

영양엽   포자엽

■ 해조류의 구조

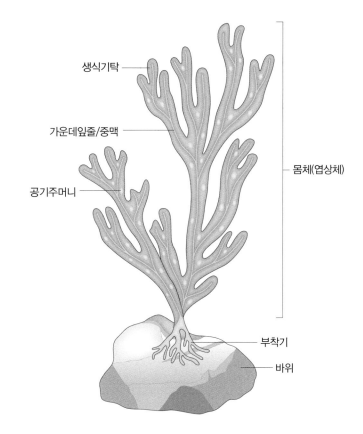

생식기탁

가운데잎줄/중맥

공기주머니

몸체(엽상체)

부착기

바위

■ 지의류의 구조

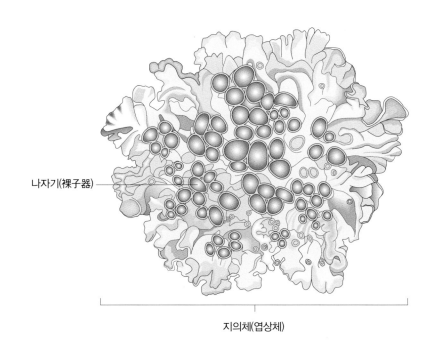

나자기(裸子器)

지의체(엽상체)

■ 선태식물의 구조

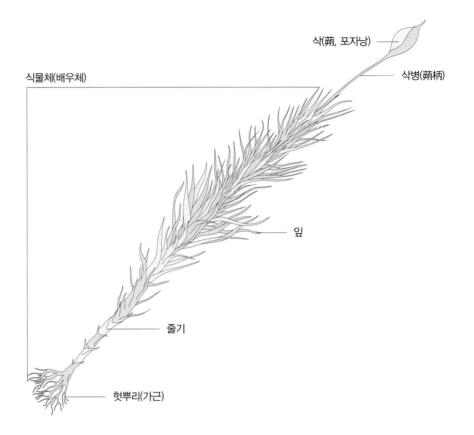

식물체(배우체)

삭(蒴, 포자낭)

삭병(蒴柄)

잎

줄기

헛뿌리(가근)

■ 버섯의 구조

● 담자균류

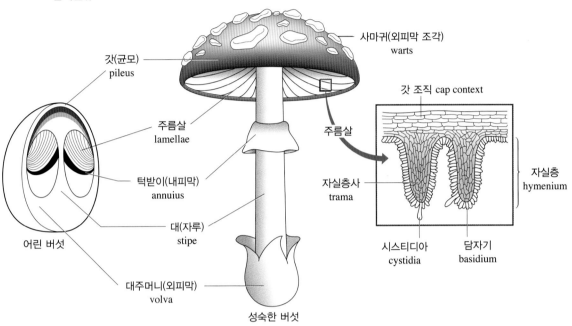

갓(균모)
pileus

사마귀(외피막 조각)
warts

주름살
lamellae

턱받이(내피막)
annuius

대(자루)
stipe

대주머니(외피막)
volva

어린 버섯

성숙한 버섯

주름살

갓 조직 cap context

자실층사
trama

자실층
hymenium

시스티디아
cystidia

담자기
basidium

● 자낭균류

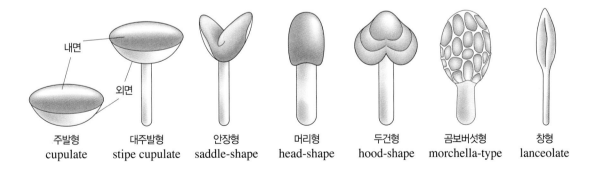

내면

외면

주발형
cupulate

대주발형
stipe cupulate

안장형
saddle-shape

머리형
head-shape

두건형
hood-shape

곰보버섯형
morchella-type

창형
lanceolate

천연약물명 찾아보기

ㅇ

학명 찾아보기

N

사진 자료

참고 문헌

[본초학]

과학백과사전 종합출판사(1995). 동의학사전. 까치. 서울.

신용욱 등(2013). 약초 사진으로 보는 동의보감(탕액편). 도서출판 백초. 대구.

안덕균(2008). 한국본초도감. 교학사. 서울.

정보섭 등(1990). 향약(생약)대사전. 영림사. 서울.

주영승(2017). 운곡본초도감. 도서출판 우석. 전주.

한국생약교수협의회(1994). 본초학. 정담. 서울.

國家中醫藥管理局(1999). 中華本草(一卷~三十卷). 上海科學技術出版社. 上海.

難波恒雄(1980). 和漢藥圖鑑(I, II). 保育社. 大阪.

南京中醫藥大學(2015). 中藥大辭典(上, 下). 上海科學技術出版社. 上海.

蕭培根 等(1989). 中國本草圖錄. 人民衛生出版社. 北京.

[생약학]

생약학교재편찬위원회(2014). 생약학. 동명사. 서울.

생약학연구회(1998). 현대생약학. 학창사. 서울.

徐國均 等(2006). 中草藥彩色圖譜. 福建科學技術出版社. 福州.

Rudolf Hänsel et al(2007). Pharmakognosie Phytopharmazie. Springer. Heidelberg.

W. C. Evans(2015). Pharmacognosy. Saunders. Edinburgh.

[약용 식물 · 약재 도감]

김기현(2010). 원색세계약용식물도감. 한미허브연구소. 서울.

김창민(2015). 한약재감별도감. 아카데미서적. 서울.

박종철(2015). 약초한약대백과. 푸른행복. 서울.

Ben-Erik van Wyk 등 저, 한덕룡 등 역(2007). 세계의 약용식물. 신일북스. 서울.

배기환(2017). 한국의 약용식물. 교학사. 서울.

배기환(2018). 백세시대 건강보감. 교학사. 서울.

A. Chevallier(2001). Encyclopedia of Medicinal Plants. Dorling Kindersley. London.

[약전]

식품의약품안전처(2012). 대한민국약전외한약(생약)규격집(제11개정). 신일서적. 서울.

식품의약품안전처(2014). 대한민국약전(제11개정). 신일서적. 서울.

中華人民共和國 國家藥典委員會(2015). 中華人民共和國藥典(2010년판). 중국의약과기출판사. 北京.

[식물]

W. S. Judd 등 저, 이상태 등 역(2005). 식물분류학(2판). 신일서적. 서울.

박수현(1995). 한국귀화식물원색도감. 일조각. 서울.

윤주복(2004). 나무 쉽게 찾기. 진선출판사. 서울.

이상태(1997). 한국식물검색표. 아카데미서적. 서울.

이영노(2015). 새로운 한국식물도감. 교학사. 서울.

이우철(1998). 원색한국기준식물도감. 아카데미서적. 서울.

이창복 등(1986). 신편식물분류학. 향문사. 서울.

이창복(2003). 원색대한식물도감. 향문사. 서울.

한국양치식물연구회(2005). 한국양치식물도감. 지오북. 서울.

堀田滿 等(1989). 世界有用植物事典. 平凡社. 東京.

牧野太朗(2008). 新牧野日本植物圖鑑. 北隆館. 東京.

北村四朗 等(1961). 原色日本植物圖鑑(草本編 上, 中, 下). 保育社. 大阪.

北村四朗 等(1971). 原色日本植物圖鑑(木本編 I, II). 保育社. 大阪.

中國科學院植物硏究所(1972). 中國高等植物圖鑑(一～七). 科學出版社. 北京.

[조류]

부성민 등(2012). 한국의 해양식물. 정행사. 서울.

新崎盛敏 등(2005). 원색신해조검색도감. 北隆館. 東京.

최창근 등(2007). 한국동해연안해조류생태도감. 다인커뮤니케이션즈. 부산.

田川基二(1981). 原色日本羊齒植物圖鑑. 保育社. 大阪.

[선태식물 · 지의류]

국립생물자원관(2014). 선태식물 관찰도감. 지오북. 서울.

柏谷博之 저, 文光喜 역(2012). 지의류는 무엇일까?. 지오북. 서울.

[버섯]

농촌진흥청 농업과학기술원(2004). 한국의 버섯. 동방미디어(주). 서울.

박완희 등(1999). 한국약용버섯도감. 교학사. 서울.

박완희 등(2007). 한국의 버섯. 교학사. 서울.

박완희 등(2011). 새로운 한국의 버섯. 교학사. 서울.

今關六也 等(2005). 日本のきのこ. 山と溪谷社. 東京.

图力古尔(2012). 多彩的蘑菇世界. 上海科學普及出版社. 上海.

吳興亮 等(2013). 中國藥用眞菌. 科學出版社. 北京.

[동물]

김익수 등(2005). 한국어류대도감. 교학사. 서울.

김정환(2005). 곤충 쉽게 찾기. 진선출판사. 서울.

손민호 등(2016). 이야기바다동물도감(무척추동물). 교학사. 서울.

최정 등(2002). 곤충류 약물도감. 신일상사. 서울.

한국동물학회(2003). 동물분류학. 집현사. 서울.

한상훈 등(2015). 이야기야생동물도감(포유류, 양서류, 파충류). 교학사. 서울.

劉凌雲 等(2008). 普通動物學. 高等教育出版社. 北京.

[광물]

김수진(2014). 광물과학. 우성. 서울.

무기약품제조학분과회편(2007). 무기의약품화학. 동명사. 서울.

상기남 등(1977). 한국의 광물. 자원개발연구소. 서울.

이현구 등(2007). 한국의 광상. 아카넷. 서울.

[학술 잡지]

한국생약학회. 생약학회지. 한국생약학회. Natural Product Sciences.

대한약학회. 약학회지. 대한약학회. Archives of Pharmacal Research.

저자 소개

배기환(裵基煥)

학력 및 주요 경력

1946. 2 경남 사천 출생
1973. 2 영남대학교 약학대학 졸업
1975. 2 영남대학교 대학원 졸업(약학석사)
1981. 3 일본 도야마대학 대학원 졸업(약학박사)
1981. 6~1984. 8 충남대학교 자연과학대학 조교수
1985. 9~1989. 8 충남대학교 약학대학 부교수
1989. 9~2012. 2 충남대학교 약학대학 교수
1993. 3~1995. 3 충남대학교 약학대학 학장
1997. 3~1999. 2 충남대학교 의약품개발연구소 소장
1997. 3~2006. 12 충남대학교 약초원 원장
2000. 1~2000. 12 충남대학교 기획예산심의위원회 위원장
2002. 1~2002. 12 한국생약학회 회장
2006. 10~2008. 9 한국생약학교수협의회 회장
2006. 1~2007. 12 대한약학회 부회장
2012. 3~현재 충남대학교 약학대학 명예교수

수상 경력

1973. 2 영남대학교 총장상
1984. 12 한국생약학회 우수 논문상
1992. 4 한국과학기술단체 1991년도 과학기술 우수 논문상
2000. 5 충남대학교 우수 교수상
2000. 10 대한약학회 약학연구상
2003. 12 한국생약학회 학술본상
2006. 11 보건복지부장관 표창
2008. 10 대한약학회 학술대상

저서 · 논문

「한국의 약용 식물」교학사, 「한국의 독식물 · 독버섯」교학사(공저), 「백세시대 건강보감」교학사, 「생약학」동명사(공저), 「천연물화학」영림사(공저), 학술 논문 400편(국내외), 특허 35건(국내외)

백세시대 건강 지침서

천연약물도감 Ⅱ

1판 1쇄 인쇄 | 2019년 7월 8일
1판 1쇄 발행 | 2019년 7월 30일

지은이 | 배기환
펴낸이 | 양진오
펴낸곳 | (주)교학사

책임편집 | 황정순
편집·교정 | 하유미·김천순·강옥자
디자인 | (주)교학사 디자인센터
조판 | (주)교학사 전산사식실
제작 | 이재환
인쇄 | (주)교학사
제본 | (주)대신문화사

출판 등록 | 1962년 6월 26일 (제18-7호)
주소 | 서울 마포구 마포대로 14길 4
전화 | 편집부 (02)707-5205, 영업부 (02)707-5161
팩스 | 편집부 (02)707-5250, 영업부 (02)707-5160
전자 우편 | kyohak17@hanmail.net
홈페이지 | http://www.kyohak.co.kr

값 125,000원
ISBN 978-89-09-20782-9 96510

이 도서의 국립중앙도서관 출판예정도서목록(CIP)은 서지정보유통지원시스템 홈페이지
(http://seoji.nl.go.kr)와 국가자료종합목록 구축시스템(http://kolis-net.nl.go.kr)에서
이용하실 수 있습니다. (CIP제어번호: CIP2019020859)